DICTIONNAIRE UNIVERSEL DU PAIN

Sous la direction de
JEAN-PHILIPPE DE TONNAC

Introduction de
STEVEN LAURENCE KAPLAN

ROBERT LAFFONT

Ouvrage publié avec le généreux concours des sociétés :

Bongard, Eurogerm, Grands Moulins de Paris, Poilâne

ISBN : 978-2-221-11200-7

Dépôt légal : octobre 2010 – N° d'édition : 52694/03

Ce volume contient :

PRÉFACE
par Jean-Philippe de Tonnac

INTRODUCTION
par Steven Laurence Kaplan

CHRONOLOGIE GÉNÉRALE

ITINÉRAIRES THÉMATIQUES

DICTIONNAIRE

RECETTES DE PAINS

OUVERTURES BIBLIOGRAPHIQUES

INDEX DES PAINS PAR PAYS OU PAR PEUPLE

INDEX DE TOUS LES PAINS DU MONDE

INDEX DES NOMS PROPRES
(enseignes, marques, organisations, personnes)

PRÉFACE

Le pain, qu'est-ce que c'est ?

par Jean-Philippe de Tonnac

À cette question, chaque acteur de ce qu'on appelle la filière blé-farine-pain répond à sa manière. Le boulanger dans son fournil sait parfaitement de quoi il retourne. N'est-il pas celui qui met « la main à la pâte », lorsque les autres se contentent d'en parler ? Les mains plongées dans sa « pétrissée », il connaît intimement le mystère de la fermentation qu'il met en œuvre chaque jour et, parfois, chaque nuit. Sur ce terrain-là, personne ne peut lui en conter. Mais le meunier n'est pas en reste, qui transforme l'effort et la geste de l'agriculteur en cette matière vivante qu'est la farine. Sans le savoir-faire de maître Cornille qui, à partir du XIXe siècle, est devenu un puissant minotier, le meilleur boulanger du monde finirait par désespérer Billancourt, irriter ses plus fidèles et fanatiques clients, et par fermer boutique. L'entente cordiale entre la boulangerie et la meunerie, après de longs conflits, de plus ou moins grandes roublardises et trahisons, est désormais un point acquis sur lequel l'avenir de ces deux secteurs se bâtit. Impossible alors d'écarter de cette relation constitutive de notre histoire nationale et européenne le paysan d'un côté et les équipementiers de l'autre, tous ces corps de métiers qui ont, avec le temps et les résistances habituelles, équipé les fournils et permis au boulanger de s'affranchir de sa condition de « mineur blanc ». À ces acteurs majeurs du secteur, il faut ajouter les agronomes, qui font progresser nos connaissances sur les céréales panifiables, et la famille des poacées, ou graminées, dans laquelle elles sont classées ; les généticiens, qui achèveront, dans quelques années, de séquencer le génome de blé ; les nutritionnistes et diététiciens, qui ont contribué à réorienter l'ensemble de la filière vers des farines moins blanches et meilleures pour la santé.

Ajoutez à ceux-là les archéologues, ethnolinguistes, anthropologues, qui rendent patiemment compte du rôle de « starter » que la domestication des céréales, les premières tentatives d'écrasement des grains, les essais sauvages ou réfléchis de fermentation ont eu sur la genèse des civilisations du pourtour oriental de la Méditerranée – mais sans qu'on puisse désigner à proprement parler le « berceau » de cette aventure plurimillénaire. Complétez le tableau en y intégrant les champions de la *disputatio* théologique, qui nous rappellent que le pain, dans ce monde proche-oriental, n'est jamais éloigné de l'autel ; les historiens, qui montrent comment les débats autour du commerce des grains ont contribué à accoucher la France monarchique de la société moderne ; les spécialistes du folklore, des mythologies, des contes, de tous ces récits crépusculaires qui disent si bien la manière dont l'imaginaire collectif a investi la relation entre le pain, la galette, la bouillie primitive et la terre nourricière dont les déesses de l'Antiquité gréco-romaine, Cérès-Déméter (Cérès qui a donné « céréales »), et leurs différents avatars, furent et demeurent les figures tutélaires. La liste pourrait se déployer presque sans fin. Or chacun de ces acteurs du monde de la panification, au sens le plus large du terme, possède sa définition de ce qu'est le pain et chacune de ces définitions est *la* définition du pain. Sans doute la « vérité » du pain, son essence si on veut, réside dans cette pluralité d'approches pour jamais nécessaires et complémentaires.

Nous retrouvons quelque chose de cette conception plurielle du pain dans l'histoire de Nasrudin et les sages, rapportée par Idries Shah[1]. Parce qu'il qualifie ces derniers d'« esprits indécis et confus », voire d'ignorants, qu'il attente par là à la sécurité de l'État, le roi le convoque en présence de ces sages et leur demande à tous de s'expliquer. « Que l'on apporte des plumes et du papier », dit alors Nasrudin, ce qui est aussitôt fait. « Qu'on les distribue à sept de ces sages ou savants et que chacun rédige, à part lui, sa réponse à la question suivante : "Le pain, qu'est-ce que c'est ?" » Les sages se regardent, interloqués. Se peut-il qu'on les ait dérangés dans leur

1. Idries Shah, *Les Exploits de l'incomparable Mulla Nasrudin*, Paris, Le Courrier du Livre, 2004.

activité de penser pour ces balivernes ? Mais le roi insiste et il faut s'exécuter. Alors, chacun s'empare de la question, la tord dans tous les sens, médite, rédige, biffe, déchire et recommence, et puis, longtemps après, enfin, le roi fait ramasser les copies. La disparité des réponses est flagrante ou consternante, et le roi, qui les lit à présent à haute voix, s'en étonne : « Le pain est un aliment », écrit le premier savant ; « C'est de la farine et de l'eau », avance le second ; « Un don de Dieu », ose le troisième ; « De la pâte cuite au four », renchérit le quatrième ; « Variable, selon ce qu'on entend par "pain" », esquisse, prudemment, le cinquième ; « Une substance nutritive », ajoute, un peu vague, le sixième ; et le septième de conclure, tout à fait penaud : « Personne ne sait vraiment. » Le roi n'en revient tout simplement pas et Nasrudin se saisit alors de son étonnement : « Ne trouvez-vous pas singulier qu'ils ne puissent même pas se mettre d'accord sur la nature d'une chose qu'ils mangent tous les jours et qu'ils soient en même temps unanimes à m'accuser d'être un hérétique ? » En effet ! Qui de ces sages détient le vrai savoir sur le pain ? Faut-il les opposer, comme le fait Nasrudin, aux fins de les disqualifier, ou bien, comme il le fait aussi, préférer tirer avantage de leurs divergences de vues et de sensibilités et considérer qu'elles sont précisément l'expression de ce qu'est le pain ?

Gageons que les quelque 1 500 entrées de ce *Dictionnaire* seront autant d'interprétations, de commentaires, de gloses aptes à cerner au plus près notre objet, mais que celui-ci, si tant est qu'on avale la totalité de ces pages, continuera à se draper dans son mystère premier. Comment avons-nous procédé ? Il est bien évident que ce savoir en fragments qu'est tout dictionnaire nous invitait à jouer de la complémentarité des expertises, des points de vue, des expériences, et jamais nulle part, sans doute, l'historien, l'anthropologue, le théologien, le meunier, le boulanger, le céréalier, l'économiste, le biochimiste, l'agriculteur, le levurier ne se sont trouvés ainsi invités à dialoguer comme ils le font ici, échanges sans lesquels nous manquons chaque fois la « vérité » du pain. Si, au lieu de considérer la multiplicité des approches comme l'expression la plus juste de l'ignorance partagée, de la cacophonie régnante, comme le fait Nasrudin, on se met à les rendre complémentaires, à considérer qu'elles sont les pièces d'un puzzle dont la figure dernière est le pain, on se doit alors de cultiver la différence des démarches, des approches, des angles, des styles, des savoirs et parier au contraire sur cette diversité. C'est très exactement ce que nous avons fait. Ainsi, les discours sur le pain n'appartiennent-ils pas au même registre : il est ici académique ou universitaire ; il est là technique ou scientifique ; il est là encore pratique, né de l'expérience, forgé à ce feu-là ; il est ailleurs enfin plus littéraire, référencé, plus distancié. Car c'est, encore une fois, cette pluralité qui nous parle le mieux du pain, qui nous le restitue à la fois comme objet de savoir et expérience de partage. Je tiens alors à remercier très chaleureusement tous ceux qui sont venus éclairer notre lanterne et éclairer la leur à la lecture des articles de leurs collègues.

Ce *Dictionnaire universel* sur le pain est donc bien une première en France et à l'étranger. Jamais, nulle part, il n'a été tenté cette aventure de rassembler tous les discours que le pain a générés et qu'il continue à produire, et de les organiser. Jamais non plus on ne s'était préoccupé de montrer que la qualité de « mangeurs de pain », dont parle Homère et dont il croyait pouvoir faire le signe de reconnaissance par excellence de l'homme civilisé par opposition aux barbares, autrement dit l'homme grec, plusieurs peuples pouvaient et peuvent la revendiquer. Peut-être s'étonnera-t-on de trouver autant de pays recensés, offrant chacun des traditions du pain anciennes et extraordinairement diversifiées. Le fait que nous n'ayons pas pu référencer toutes les contrées porteuses d'une histoire et d'une pratique du pain prouve alors simplement que l'aède grec ne possédait pas toutes les données que nous livrent aujourd'hui l'archéologie et l'ethnologie. Ainsi pouvons-nous dire que très peu de cultures sont véritablement passées à côté de cette rencontre si simple, élémentaire en somme, mais si féconde pour l'imaginaire, entre l'eau et la farine.

Pourquoi ce travail sur le pain n'a-t-il pas été engagé plus tôt, alors que le vin, auquel nos traditions aiment à l'associer, a suscité, pour sa part, des gloses savantes et nombreuses ? Il y a, en général, plusieurs raisons qui sont avancées, comme celle que formule François Sigaut, directeur d'études à l'École des hautes études en sciences sociales : « Comme aliment de tous les jours, le pain fait partie de ces choses trop banales ou trop évidentes pour qu'il vaille la peine d'en parler, et c'est alors le silence de ses sources habituelles qui arrête l'historien[1]. » Peut-être aussi que le pain, nourriture de première nécessité en France jusqu'au lendemain de la Seconde Guerre mondiale, nourriture particulièrement sensible, objet de toutes les tractations, lieu d'un véritable bras de fer au quotidien entre le peuple et ses gouvernants, comme en Égypte aujourd'hui et dans bien d'autres pays du monde, est-il très tôt sorti de son registre alimentaire pour échapper à son destin ou, bien au contraire, pour l'épouser absolument. Sorti de son contexte, le pain apparaîtrait alors comme un objet assez mal identifié ; plus personne ne se risquerait à vouloir s'en saisir globalement. Et le boulanger, l'historien, le paysan, le consommateur continueraient à dire, chacun dans son coin, ce qu'est le pain, et le pain nous échapperait pour jamais.

Sauf à rassembler tous ces points de vue en un seul ouvrage, sauf à offrir à chacun la liberté de tirer profit de la multiplicité des savoirs et de nourrir sa vision de celles des experts qui s'expriment dans ces pages. Le *Dictionnaire* vous offre ainsi de poursuivre mille lièvres à la fois, pour finir par vous saisir de quelque chose qui pourrait ressembler à ce que nous appelons « pain ». Vous pouvez commencer votre enquête en cherchant, bien prudemment, la définition d'un mot dont vous connaissez déjà l'existence. Ainsi : l'apprenti boulanger regarde au mot « Apprêt ». L'amateur d'histoire consulte l'entrée « Égalité (pain d') ». Le consommateur soucieux se reporte à « Santé ». L'agronome parcourt l'article « Blé tendre ou froment (*Triticum aestivum*) ». L'amoureux des âges obscurs découvre l'entrée « Grain et graine (histoire symbolique et morale) ». Le lecteur de Cervantès, le nostalgique de ce que représentaient les vieilles meules entre lesquelles le grain rendait son âme et sa force nutritive se reportent à l'entrée « Moulin » ou « Meunerie », voire « Moulins (don Quichotte contre les) ». Quelle joie de constater alors que ces meules existent encore. La maîtresse de maison questionne l'article « Femmes (pain fait par les) ». Le cartésien va voir à « Levain de panification (approche microbiologique) ». Le passionné des arts consulte « Peinture occidentale (le pain dans la) ». Le gastronome examine les « Recettes de pains » données en fin de volume. L'érudit ou amateur de mots se rend à « Maximes et proverbes » ou à « Mot "pain" (étymologie du) ».

1. « Qu'est-ce que le pain ? », *Il Pane*, éd. Electa, 1992.

Une autre manière de procéder est de délaisser pour un temps le pain que l'on connaît pour partir à l'aventure et progresser en suivant un itinéraire ou un autre à l'intérieur de cet ensemble. À cette fin, nous avons élaboré des « Itinéraires thématiques » qui sont autant d'invitations à explorer cet univers et à en découvrir les ramifications cachées ou insoupçonnées. Vous les trouverez juste après la grande et magistrale Introduction de Steven Laurence Kaplan, professeur d'histoire européenne à Cornell University, auteur d'ouvrages de référence sur la question des subsistances au XVIIIe siècle qui est devenu, peut-être pour les mêmes raisons que nous essayons de dire ici, *le* spécialiste mondial du pain français, non seulement de celui qui se pense, mais aussi de celui qui se fait et se goûte et se mange. Un tour de force qu'il faut saluer et qui confirme d'une autre manière que le pain, sitôt que vous commencez à le questionner, vous convoque tout entier, de la même manière qu'il vous invite à vous emparer de lui tout entier.

J.-P. de T.

INTRODUCTION

par Steven Laurence Kaplan

Le pain pèse lourdement sur l'expérience humaine, mais son histoire et ses multiples expressions sociales, économiques, politiques et culturelles sont restées longtemps fort mal connues. Précisément parce qu'il était tellement familier, voire trivial, on avait du mal à concevoir son étonnante emprise dans le temps et dans l'espace. Pis même, on le disqualifiait comme objet sérieux de recherche et de réflexion. C'est pourtant lui qui est apparu au jeune historien en herbe que j'étais alors, comme la clé d'une histoire qu'on baptisait témérairement de « totale ». Il s'agissait, dans le sillage des travaux de Marc Bloch, Lucien Febvre et Fernand Braudel, d'une approche nourrie de toutes les disciplines dans les sciences sociales et humaines, permettant de saisir les « structures structurantes » d'un monde. Situé au carrefour du matériel et du symbolique, tenant la vaste majorité des gens dans bien des sociétés céréalières à la fois par les « cordes de la nécessité » et les « cordes de l'imagination », pour reprendre la formule élégante de Pascal, le pain est au centre des préoccupations quotidiennes, tant pour les gouvernants que pour les gouvernés, et véhicule une pléiade de significations qui achèvent de le distinguer de tous les autres biens. Depuis quarante ans, je me suis consacré à l'étude de cet objet foisonnant, dans le contexte de la France de l'Ancien Régime à l'époque contemporaine. Sans l'idéaliser, le soumettant toujours à un regard rigoureux et critique, j'espère avoir contribué à le faire sortir de l'ombre et à lui donner son sens et sa légitimité comme objet de savoir. Je ne pouvais donc rester insensible au projet de Jean-Philippe de Tonnac visant à donner toute sa place au pain un peu partout sur la planète. Son *Dictionnaire* invite à un voyage à l'image de celui d'Ulysse cherchant, dans les coins les plus reculés du monde connu, ces « mangeurs de pain », marqueurs de civilisation.

Les premiers mangeurs de pain au levain, selon les fouilles archéologiques, furent les Égyptiens, qui sont censés avoir trouvé la méthode fortuitement. Une pâte probablement composée d'orge, d'eau et peut-être de lait aurait été oubliée, se serait « gâtée », et aurait été tout de même cuite. Le résultat fut une nouvelle expérience sensorielle, mais surtout la preuve de la volonté de ne pas rejeter la « putréfaction » comme malsaine ou de mauvais augure : ce fut le début de la grande aventure de la fermentation, mystère qui deviendra science tout en restant magie, fondement du processus de panification. On trouve d'autres pains, type galette (dont les descendants sont le lavash persan, la tortilla mexicaine, le chapati indien, le johnnycake américain, etc.), dans le Néolithique, dont l'innovation la plus conséquente est sans doute l'apparition de l'agriculture, notamment dans le climat extrêmement favorable du Croissant fertile. L'histoire du pain est inextricablement liée à celle de la culture des céréales. (On comprend l'irritation des libéraux du XVIIIe siècle français, fervents partisans du développement de l'agriculture, qui rappelaient aux consommateurs citadins, intolérants face à la moindre hausse du prix du pain, que le blé ne poussait pas dans les rues de la ville.) Le long moment néolithique souligne déjà que le pain est un « fait social total », que l'agriculture ne se réduit pas à la question de l'application de la technologie à la nature, ni au résultat des pressions écologiques ou démographiques. L'explication de son apparition est complexe, et relève sans doute d'une mutation socioculturelle. À travers l'agriculture, de nouveaux rapports sociaux s'élaborent pour créer les conditions d'un vivre ensemble, dont le pain sera à la fois moteur et emblème.

L'agriculture conditionne la structure sociale et la structure sociale façonne la pratique agricole. La production des céréales, source tant de richesses des dominants que de subsistances des dominés, n'échappe pas à l'organisation sociale et politique. En Europe, par exemple, le féodalisme est à la fois un mode de production, un système de stratification sociale et un régime de gouvernance. Directement et indirectement, il détermine la répartition foncière ; le prélèvement d'une multitude de redevances et de droits, scellant des obligations réciproques tout en imposant une hiérarchie parasitaire ; les méthodes d'exploitation agricole ; les formes d'échange ; et les relations entre campagnes anciennes et villes plus ou moins naissantes. L'émergence graduelle d'un État central éclipse le féodalisme, mais conserve le régime seigneurial, ensemble de charges et de contraintes héritées du passé qui pèsent sur la paysannerie, organisation d'exploitation foncière qui assure une tenace léthargie agricole, une approche socialement et techniquement prédatrice, une stagnation de production et de productivité.

Si le temps n'est jamais réellement immobile, les quatre siècles précédant la Révolution française constituent un écosystème assez figé : instruments aratoires qui évoluent peu, traction animale inefficace, manque criant d'engrais, jachère à la fois nécessaire et appauvrissante, lourdes contraintes collectives dans l'absence de la clôture, baux ruraux (notamment le métayage) excluant toute rationalisation, atomisation de la propriété paysanne, prolifération de journaliers sans terre, etc. Néanmoins, malgré son inertie, cette agriculture, source de quasiment toute la richesse, permet à l'État dit moderne de se construire ; grâce à sa capacité de capter, par le biais de la fiscalité, un « surplus » de chaque récolte plus ou moins normale, l'État finance le monopole qu'il tente d'imposer sur la violence et la justice, les attributs régaliens indispensables. Tout en écartant des stéréotypes faciles (par exemple, une noblesse uniformément décadente, tyrannique, gaspilleuse, indifférente à la gestion agricole, etc.), il est cependant clair que le système fondé sur le privilège et le prélèvement perpétuait un régime de pénurie et de misère chronique. Le pain est toujours le produit d'un système social spécifique, même s'il l'infléchit parfois.

Je me souviens d'une histoire qui met en relief les liens très étroits entre l'agriculture et le système social. Il s'agit d'un échange qui a eu lieu entre Nikita Khrouchtchev et un Américain non-conformiste, dont je ne sais plus s'il s'agit de Russell Garst, fermier et entrepreneur agricole de l'Iowa, ou de Cyrus Eaton, grand industriel de l'Ohio, tous deux ayant eu des relations avec le numéro un soviétique. Fils de paysan, berger un moment lui-même, Khrouchtchev s'est intéressé toute sa vie à l'agriculture, dont il considérait la modernisation comme la condition *sine qua non* du triomphe mondial du communisme. Sa passion pour le maïs l'a mis en contact avec Russell Garst, auquel il a rendu une visite très médiatisée voilà exactement cinquante ans, en pleine guerre froide. Homme simple et direct, peu politique mais très conscient des enjeux et des risques de l'affrontement URSS-États-Unis, Garst était surveillé par le FBI et critiqué par les plus fervents anticommunistes, pour ses chaleureux rapports avec le chef soviétique et sa conviction que l'agriculture moderne était bien placée pour réconcilier les deux régimes, le premier pâtissant d'une pénurie permanente et le second d'un surplus persistant. « Un homme affamé, disait le fermier américain, est un homme dangereux. » « Capitaliste favori » de Khrouchtchev, capitaine d'industrie richissime, mais proche des grands syndicalistes, ami de Castro, Cyrus Eaton dénonçait la paranoïa anticommuniste des États-Unis, menace à ses yeux pour les libertés américaines, et la responsabilité importante de son pays dans l'aggravation de la guerre froide. J'ai donc le souvenir d'un échange entre Khrouchtchev et Garst ou Eaton. L'Américain reprochait au système social soviétique son extrême rigidité, son embrigadement, son caporalisme : pour lui, c'était la cause principale de son échec agricole. Le système social n'a rien à voir, répliquait vivement le marxo-matérialiste fidèle : c'est la merde, la merde, je te dis ; il nous manque des engrais. L'histoire aurait été plus belle, pour mes fins, si Monsieur K avait présenté à son interlocuteur du pain et du sel… le pain pouvant être de froment, en hommage à l'Ukraine où il avait été élevé, ou de seigle, la miche bise du Nord avec laquelle la Russie est souvent identifiée.

Le blé, « ce puissant force-monde » : pour le meilleur et pour le pire

Les Soviétiques ont montré dans les années 1970 qu'ils comprenaient bien l'enjeu de l'agriculture dans la guerre froide, et qu'ils savaient « jouer » l'Occident, notamment les États-Unis, quand il s'agissait des céréales. Dans « le grand vol des grains » de 1972, des agents soviétiques, cherchant à compenser de très mauvaises récoltes chez eux, dont l'ampleur était bien occultée, ont acheté aux États-Unis, de façon étonnamment discrète, d'énormes quantités de grains, qui bénéficiaient d'importantes subventions étatiques. Ils ont obtenu un bon prix et les gros courtiers qui servaient d'intermédiaires ont tiré des profits énormes, mais l'agriculteur américain était floué et le public a subi une hausse vertigineuse des prix, tant des céréales que de la viande. Tout cela sous la présidence de Richard Nixon, contraint, à son corps défendant, d'imposer des contrôles de prix sur un certain nombre de marchandises, sorte de Maximum jacobin pour l'Amérique de droite.

Dans le sillage de la calamiteuse guerre d'Irak, l'Américain que je suis ne peut pas s'empêcher d'être ému par une tout autre tragédie qui montre plusieurs puissantes facettes du blé comme facteur dans les affaires internationales : grains comme arme (théorisé par le Dr Kissinger), grains comme objet de commerce lucratif, et grains comme instrument humanitaire. Après deux sécheresses désastreuses en 1969 et 1970, vidant les stocks et menaçant d'une pénurie de semences, le parti baasiste, au pouvoir en Irak, décide d'importer d'urgence des grains. Quelle ironie : dans la berceau de la civilisation où l'homme apprit à cultiver la terre voilà plus de neuf mille ans, les paysans doivent attendre les semences de l'étranger. Par l'intermédiaire de Cargill, le Halliburton du commerce planétaire des céréales, le gouvernement irakien effectue la plus grosse commande de grains jamais connue jusque-là, 73 000 tonnes de Mexipac, le blé à rendement très haut développé au Mexique par le Prix Nobel Norman Borlaug, père de la « révolution verte », et 22 000 tonnes d'orge de Californie, tous traités avec le fongicide d'origine suédoise Panogen, à base de méthylmercure, incriminé (sans fondement) comme cause de l'intoxication dramatique de Pont-Saint-Esprit et d'un empoisonnement dans le Nouveau-Mexique, dont les symptômes font penser à l'horreur de Minamata au Japon. Tous les grains sont teintés rose-rouge, le marqueur du colorant avertisseur de Panogen. Sans doute les cultivateurs irakiens ne comprennent-ils pas les messages inscrits sur les sacs en espagnol et en anglais indiquant qu'il s'agit de grains uniquement valables pour les semences, *poison treated*. Mais le gouvernement largue des centaines de milliers de brochures en arabe répétant cet avertissement et les bénéficiaires de la distribution sont censés signer une déclaration stipulant que les grains seront exclusivement réservés aux semences.

Vraisemblablement, la majorité des grains, malgré les engagements de Cargill, sont arrivés après la fin de la saison des emblavures. Fréquemment obligés de se servir de leur stock consommable pour planter, les paysans sont fort tentés de mettre à contribution cette manne à la table familiale. Lavant le blé et voyant partir le colorant, de nombreux cultivateurs croient que le poison est parti avec. D'autres testent le grain sur des poules et d'autres animaux pendant une semaine. Le bon appétit et la bonne apparence de ces créatures semblent signifier que les blés sont comestibles. Avant la fin de 1971, des dizaines de milliers de paysans fabriquent des centaines de milliers de galettes de ce blé dans leurs fours domestiques. Début 1972, les hôpitaux sont débordés, et le système de santé irakien vite dépassé. L'État met un véritable embargo sur l'information, mais les experts estiment le vrai nombre de morts à – au moins – 6 000, et le nombre de malades à 60 000, dix fois le chiffre officiel baasiste, une des plus catastrophiques épidémies d'empoisonnement collectif enregistrée dans l'Histoire écrite.

Une des illustrations les plus frappantes de la puissance inouïe du blé, de sa capacité potentielle à chambarder non la société ancienne, structurellement inerte et vulnérable, mais la société moderne, entreprenante, énergique, provient du cycle de romans d'un journaliste américain, grand admirateur de Zola, Frank Norris (1870-1902), dont l'œuvre demeure, hélas, peu traduite. Imaginé comme le premier volume d'une trilogie intitulée « L'Épopée du blé », *La Pieuvre : une histoire californienne* (1901)[1] raconte la culture du blé dans les deux sens du mot, centrant le récit sur le conflit âpre entre les fermiers (le mot « paysan » est péjoratif aux États-Unis) et une compagnie de chemins de fer musclée et corrompue. Dans l'esprit naturaliste, infléchi par un certain lyrisme, Norris met l'accent sur le contrôle exercé par « les forces » prodigieuses et ambiguës tel le blé et le capitalisme sur les individus. Malgré sa sympathie pour les agriculteurs dans leur lutte épique, le romancier évite le manichéisme : de part et d'autre, les protagonistes sont complexes et quelquefois imprévisibles, émanations de ce monde états-unien sauvagement capitaliste et libéral, contre lequel, par exemple, Jean Jaurès réagit en 1887 en proposant un système dirigiste d'importation et d'expor-

1. Traduit de l'anglais (*The Octopus*) par Arnelle, Paris, Hachette, 1914.

tation des blés visant à atténuer les effets malsains et désorganisateurs de la spéculation, genre américain.

Justement, le deuxième tome, *The Pit : A Story of Chicago* (Le gouffre : une histoire de Chicago, 1903), examine le fonctionnement et le dysfonctionnement des marchés des céréales, à partir de la Bourse des matières premières et des marchandises de Chicago, dont les traders se mettent dans « le gouffre » – la « corbeille », en français –, le site des échanges. Plus fort que l'homme qui ne parvient pas à le dompter, malgré toutes ses astuces, ses manœuvres, et ses mensonges, le blé comme force quasiment surnaturelle l'emporte, en enrichissant, enivrant, puis spoliant les uns, et en terrorisant, affamant, enfin secourant les autres. *The Pit* est l'histoire de l'accaparement, de ses crimes antisociaux dénoncés depuis toujours, du monopole sur une échelle planétaire sans précédent, une tentative géniale et démente de prendre le contrôle total du marché du blé, une campagne farouche qui montre l'absurdité de la main invisible, en l'absence d'un cadre de régulation publique et d'une conception éthique partagée. Norris n'a pas eu le temps de rédiger le dernier volume de sa trilogie, où il passe de la production et de la distribution à la consommation, problématique à la fois complémentaire et antinomique. Intitulé *The Wolf* (Le loup), ce roman devait évoquer les affres de la famine dans un village ou une région probablement européen. Pour résumer l'esprit qui anime Frank Norris et sa vision du pouvoir frumentaire, je cite l'avant-dernier paragraphe de *La Pieuvre* :

> Mais le blé demeurait. Intact, imprenable, sans tache, ce puissant force-monde, nourricier des nations, revêtu d'un calme nirvanique, indifférent au fourmillement humain, gigantesque, irrésistible, avance implacablement sur ses sillons prescrits. À travers le bain de sang au fossé d'irrigation, à travers la fausse charité et la philanthropie creuse des comités de secours contre la famine, la grande moisson de Los Muertos déferlait comme une inondation des Sierras aux Himalayas pour nourrir des milliers d'épouvantails affamés sur les plaines arides de l'Inde.

On est loin du parallèle proposé par la poésie médiévale entre Jésus et le grain : le Christ fut « semé, germa, crût, fleurit, fut fauché, lié comme une gerbe, frappé au fléau, broyé, demeura trois jours dans un four, en sortit et enfin fut consommé par les hommes sous forme de pain ».

Le pain et le sacré

Si l'agriculture produit et est le produit d'un système social, elle ne peut se passer de l'onction permanente de la religion. Pour garantir le succès de la récolte, pour avoir l'espérance d'éviter la faim, la société doit mobiliser la faveur divine. L'appel au sacré prend les formes les plus diverses : la cérémonie, soigneusement chorégraphiée encore aujourd'hui de l'indigène des îles du Pacifique Sud qui espère obtenir un rendement fructueux en se masturbant dans la terre où il va planter ses semences, aidé par son épouse, et en veillant toute la nuit pour que les meilleurs auspices accompagnent la plantation ; ou, au lendemain de la récolte, drainant le sol de sa force reproductive, le coït sacré que le laboureur grec doit accomplir avec son épouse sur la terre mère, pour lui remettre en mémoire la nécessité d'enfanter de nouveau ; ou même dans *La Terre* de Zola, située dans la Beauce, « la mer des céréales, roulante, profonde, sans bornes », portrait farouche de la culture paysanne, empreinte de la problématique de la fécondité explosive de la nature, marquée par des accouplements d'animaux alternant avec ceux des humains, mettant en relief autant la passion propre de la terre nourricière et dévoratrice, régulière et capricieuse, que la passion implacable des hommes pour la terre.

Se réjouissant dans le labour et la paix, proche des humains, Déméter est l'objet d'un culte grec, notamment les mystères d'Éleusis, célébrant le retour à la vie et le cycle des moissons. Son homologue romain, Cérès, déesse des moissons, couronnée d'épis de blé, tient parfois une faucille et porte deux petits enfants attachés à son sein, chacun brandissant une corne d'abondance, définissant bien sa fonction nourricière. Les dames romaines, vêtues de blanc, célèbrent des fêtes en l'honneur de la déesse, les ambarvales, processions qui évoquent celles des rogations, des prières publiques que fait l'Église catholique pour obtenir de bonnes récoltes, pendant les trois jours qui précèdent la fête de l'Ascension.

Quand Paris se sent gravement menacé de disette, notamment en raison des anomalies météorologiques, le parlement ordonne la procession de la châsse de sainte Geneviève, patronne de la ville, qui l'avait sauvée de l'invasion, puis de la famine au Ve siècle. En organisant la procession, objet d'un vrai culte populaire, on espère l'intercession de la sainte, peut-être un miracle : la fin des pluies diluviennes ou de la sécheresse, le retour de l'abondance (ou, dans certains cas, la guérison du mal des ardents, l'ergotisme). Mais on souhaite aussi tranquilliser le peuple agité en transformant la foule en congrégation de suppliants. Pendant la sévère disette de 1725 à Paris, qui occasionne une des rares émeutes ciblant les boulangers, l'opinion charge lourdement le prince de Bourbon, premier ministre, et sa maîtresse Mme de Prie, accusés conjointement d'organiser la pénurie pour en profiter financièrement : il s'agit d'un des épisodes de ce qu'on appelle le pacte ou le complot de famine, persuasion largement répandue au XVIIIe siècle, qui met en question l'engagement du pouvoir nourricier à l'égard du peuple-consommateur. À ce même moment, la châsse de sainte Geneviève est descendue dans l'église qui porte son nom et promenée à travers la ville. Une raillerie, qui circule, dit en clair ce mixte de sacré et de profane :

> On demande quelle différence il y a entre Mme
> De Prie et la châsse de Ste Geneviève…
> C'est pour obtenir des grâces de Ste Geneviève
> Il faut la descendre, et pour en obtenir de Mme de
> Prie, il faut la monter.

Vecteur d'une sorte de sacralité (ou antisacralité) concurrentielle, la magie est souvent sollicitée pour combattre la stérilité des champs (comme celle des gens) et diverses forces maléfiques menaçant l'alimentation populaire. Sorciers noirs et blancs interviennent de diverses manières dans le cycle agricole, l'élevage des bêtes, et la chaîne alimentaire, jadis de manière récurrente, mais encore aujourd'hui, plus épisodiquement, et pas seulement dans les cultures plus ou moins lointaines ou exotiques. En amont, la magie vise les plantations, puis la récolte en qualité et en quantité. En aval, elle intervient pour compromettre la fermentation panaire dans le cadre d'un règlement de comptes, ou pour rendre malade ou guérir par le pain. Certains historiens, travaillant sur l'Angleterre, la Norvège ou le Massachusetts, croient que la sorcellerie elle-même, sa représentation et sa réception sont parfois le produit des assauts subreptices de l'ergotisme : ici le pain en quelque sorte ensorcelle. La magie est censée protéger contre ou sanctionner les trahisons, dont la plus odieuse, pour un boulanger, est sans doute l'attaque directe par un confrère. Il y a environ trente-cinq ans, un boulanger d'une cinquantaine d'années se trouva à deux doigts de la catastrophe professionnelle, dans un village situé à la lisière de la Creuse et de l'Indre. Inexplicablement, sa pâte ne levait pas. Une fournée sur deux était ratée, et ses clients étaient de plus en plus nombreux à se tourner vers l'autre boulangerie du village que tenait une vieille dame. Après qu'il eut en vain changé de fournisseurs de farine, fabriqué de nouveaux levains, fait analyser son eau, son anxiété et sa jalousie l'amenèrent à la conclusion que sa rivale lui avait jeté un sort pour s'emparer de sa clientèle, et ruiner son affaire. Sur les conseils de quelques leveurs de sort (non de pâte) du cru, il décida de lui rendre la pareille. Il sut que ses soupçons étaient fondés lorsque la boulangère tomba brusquement malade et dut abandonner presque aussitôt sa boutique après qu'il eut sacrifié un coq noir, suivant un rituel destiné à tourner contre elle la puissance diabolique de la volaille.

Indispensable pour assurer la fertilité constante de la terre et l'abondance de la moisson, la grâce cosmique infuse souvent le processus de transformation qui mène de la fabrication jusqu'à la consommation du pain. Pour l'Israël biblique, le pain est souvent un symbole de salut. Cette association est sans doute liée à l'idée que le jardin d'Éden, paradis parfait, recélait des « arbres de pain », littéralement des arbres épargnant à l'homme la tâche longue et dure de cultiver la terre, transformer les céréales en farine, cuire ces dernières en pain, etc. La bénédiction sur le pain remercie Dieu d'avoir tiré le pain directement de la terre. Elle donne lieu à de vifs débats exégétiques concernant le sens de cette allusion à un moment idyllique où le pain est disponible sans exiger la sueur du front, c'est-à-dire du travail : s'agit-il d'une référence à un passé mythique ou à un avenir messianique ? De toutes les façons, par métonymie, le pain signifie la nourriture d'un repas, et devient implicitement une exigence à table, l'occasion de prononcer le *hamotzi*, cette prière pour le pain si centrale à l'expérience juive, où la manne et le matzah mettent en relief d'autres dimensions de la symbolique panaire.

De l'Eucharistie à la communion profane

Se greffant sur une culture païenne généralisée qui révérait tout particulièrement le grain, et émergeant d'une culture juive imprégnée de la sacralité du pain, la tradition chrétienne, toujours enracinée dans un environnement agraire, investit le pain d'une spiritualité encore plus puissante et miraculeuse. La liturgie et les textes chrétiens abondent en images du pain. Jésus, le « pain vivant », était, entre bien d'autres choses, un Dieu nourricier qui s'adresse à une population souffrant de disette chronique. « Ceci est mon corps », dit le Christ du pain, quand il institua l'Eucharistie. Il n'est pas, dans la pratique chrétienne, de moment plus émouvant que la communion, lorsque, par l'intermédiaire du pain et du vin, le croyant et son Dieu ne font plus qu'un. Jésus développe bien de ses enseignements éthiques sous la forme de paraboles empruntées à l'agriculture : labour, semailles, moisson, cuisson du pain. Le geste même du pain que l'on rompt était si lourd de sens que, jusqu'au IIe siècle, les mots *fractio panis* désignèrent exclusivement l'Eucharistie. Il est très vraisemblable que, pour bon nombre de Français, l'état d'esprit qui présidait à l'Eucharistie faisait écho à la communion quotidienne du partage du pain en famille ou au travail. Le modèle de l'Eucharistie renforça sans nul doute la conviction que le pain seul pouvait perpétuer la vie en son sens le plus profond ; que la nourriture n'acquérait une force et un statut providentiels que lorsqu'elle prenait la forme du pain (d'où l'idée de Parmentier de surmonter la prévention largement partagée dans toutes les couches sociales contre la pomme de terre, alimentation porcine « indigne d'entrer dans le corps humain », en la proposant en forme de pain).

Des pratiques quasi liturgiques se répandirent dans la routine quotidienne du pain rompu. L'exemple le mieux connu est la coutume qui consiste à tracer le signe de croix sur la miche avec la pointe d'un couteau. La nature sainte du pain exigeait le respect, partant un protocole particulier ; la peur du châtiment obligeait les croyants à la rigueur. Pour éviter tout revers de fortune, ils prenaient grand soin de ne pas mettre la miche à l'envers, comme si c'eût été là quelque geste de profanation. Il était sacrilège de gaspiller du pain, de ne pas employer tous les restes dans la soupe ou sous quelque autre forme, à moins d'en faire l'aumône. L'horreur chrétienne du gaspillage servait les impératifs séculiers de l'ordre civil, où l'économie des moyens de subsistance devint le mot d'ordre des administrateurs et des hommes de science. Le Dr Malouin et Edme Béguillet, savants des subsistances, le meunier César Bucquet, le physiocrate abbé Baudeau et d'autres dans la France des Lumières cherchent à faire passer un pain dit « de ménage », surtout parmi les pauvres en ville, habitués à un pain de froment. Les intendants militaires (ou « munitionnaires ») dans plusieurs États germaniques proposent aux soldats des pains, déjà bien bis, chargés de son pour soutenir un sentiment de satiété (au risque de provoquer une suractivité intestinale). Quelle surprise de trouver Voltaire rejoignant Rousseau pour dénoncer le gaspillage éhonté de la précieuse farine dans l'apprêt des perruques et les cosmétiques. Laisser tomber le pain par terre était un affront qu'il fallait réparer d'un baiser. Fouler du pain aux pieds était un acte répréhensible. Mais de la liturgie au folklore, le *glissando* des prescriptions n'était pas toujours cohérent. Dans certaines régions de France, c'était un péché de donner du pain aux animaux, tandis qu'en d'autres lieux il était recommandé de mêler des miettes de pain au grain des poules pour accroître le nombre d'œufs.

Le geste familier de l'offrande du pain bénit soulignait le lien entre les soucis matériels et spirituels, mettait en relief la sanctification du pain en même temps que les obligations sociales qu'il imposait. C'était un rituel sacrificiel qui avait une fonction redistributive, bien que ses détracteurs prétendissent que le gros du pain bénit n'arrivait jamais aux nécessiteux à qui il était destiné. Très chargé comme symbole, ration de survie pour la plupart des gens jusqu'à la fin du XIXe siècle, mais promesse de salut, le pain peut communiquer un double message d'espoir et de détresse, selon la conjoncture. Mais, en soi, le pain est universellement considéré comme bon, sinon bénit. Ce qui rend d'autant plus insupportable l'instant où le pain paraît porter directement le malheur, voire l'horreur : l'ergotisme, de type gangreneux (que Bosch et Grunewald ont capté dans leurs tableaux) ou convulsif, tuant sans doute des milliers d'hommes dans le menu peuple ; ou le mystérieux empoisonnement collectif de Pont-Saint-Esprit, petite ville dans le Gard, qui, en 1951, a tué cinq, voire sept personnes, rendu folles des dizaines d'autres, et frappé plusieurs centaines d'habitants de manière moins calamiteuse. Assimilée, à tort, dans un premier temps, à une résurgence médiévale, l'intoxication était due à un pain justement baptisé «pain maudit». Il est clair que, si la tragédie spiripontaine a été si intensément et si longtemps ressentie, c'est précisément parce qu'elle a été occasionnée par le pain, agent incongru pour un drame impensable.

L'affaire de Pont-Saint-Esprit met en relief une autre sorte de pain bénit, le nom mi-ironique, mi-solennel que donnent certains paysans au pain «d'échange», un pain théoriquement fait des mêmes blés qu'ils cultivent de leurs propres mains. Le meunier et le boulanger de Saint-Martin-la-Rivière (Vienne), soupçonnés au début des événements d'être responsables de l'empoisonnement collectif, se livraient à l'échangisme. Rassurez-vous : ce n'est pas ce que vous pensez. Pratique ancestrale, il s'agit de l'échange que fait le paysan-producteur des grains de son cru contre de la farine (à l'époque où il cuisait son propre pain) ou, plus communément depuis le dernier tiers du XIXe siècle, contre du pain fabriqué par le boulanger. Ce dernier recueille les grains chez les paysans, les dépose chez le meunier, et ensuite fait du pain (théoriquement, à partir de ces mêmes céréales, en réalité d'une farine mélangée de grains d'autre provenance), remis au cultivateur contre un bon officiel. Le meunier se rémunère en gardant un pourcentage des céréales broyées ; le boulanger prend sa compensation en farine qu'il transforme en pain. L'intérêt matériel de l'échange est qu'il a lieu en dehors des circuits commerciaux, en franchise de toutes taxes et cotisations ; il représente une économie considérable pour le paysan désormais consommateur et pour les autres agents participant à l'opération, souvent suspectée d'être une couverture pour la fraude, surtout pendant les temps de restrictions, par exemple dans le sillage de la Libération. Symboliquement, il ratifie ce que l'on appelait, il y a encore cinquante ans, « la mentalité particulière » des paysans. Les défenseurs d'une certaine ruralité ne cessaient d'évoquer « le caractère romantique et psychologique » de la coutume échangiste, qui célèbre une sorte d'autarcie organique et virile du paysan, capable de discerner la présence de son blé dans la saveur spécifique du pain. Pain doublement bénit, parce qu'il était exaltant sur le plan sentimental et sensoriel et parce qu'il assurait ses besoins alimentaires au prix le plus bas.

Le triangle éternel : le pain, le peuple, le pouvoir

La sacralité qui protège les céréales et assure le pain accompagne, parfois même instaure, le Pouvoir. Depuis le pharaon jusqu'aux rois de l'Europe des États en formation, en passant par les Gracques et le *praefectus annonae* romain, chacun à sa manière, la légitimité du pouvoir dépend de sa capacité de nourrir le peuple. Le pain, le peuple, le Pouvoir : c'est le triangle éternel, site du vrai mystère de la vie publique, disait Napoléon, la possibilité pour une société de perdurer. Pourtant tout modèle mécanique – ou devrais-je dire hydraulique en un clin d'œil à la meunerie, souvent oubliée – est forcément réducteur ; le fait que le prix du pain ait atteint son prix le plus haut du siècle le 14 juillet 1789 ne veut pas dire que la cherté du pain est « la cause » de cet événement sismique, vraie césure de l'histoire européenne. Chaque fois que le pain manque ou que son prix monte, cela n'annonce pas pour autant la révolte du peuple. (Même si les « Jacques » et autres rebelles qui s'insurgent en temps de difficulté contre seigneurs ou princes, depuis le Moyen Âge jusqu'au XIXe siècle, un peu partout en Europe, sont supposés avoir salué les autorités en criant « le pain se lève ».) Mais le peuple murmure, il s'émeut, il angoisse le Pouvoir. On peut dire que les deux grands « trembleurs » de l'Histoire sont les gouvernants et les gouvernés : leur inquiétude commune forge entre eux un lien fort, presque intime, parfois même une sorte de respect mutuel, ou une réciprocité à la fois asymétrique et structurante. L'économie morale à l'anglaise de l'Ancien Régime ou de l'Indochine du premier XXe siècle, comme le contrat social des subsistances en France, est fondée sur une notion d'obligation partagée : le peuple se soumet à un supérieur sociopolitique, et ce dernier, en échange, le protège, le garantissant en l'occurrence contre la famine, sinon la faim tout court. Certains savants donnent au mot germanique *hlaford*, devenu *lord* en anglais, le sens de « celui qui distribue le pain ».

La politique antique du « pain et des jeux » – le *panem et circenses* romain – n'est pas une simple parade démagogique, mais une variante complexe sur le thème du contrôle social qui préoccupe tous les chefs politiques, c'est-à-dire princes (ou présidents) nourriciers. Jésus refuse la tentation de prendre le pouvoir suite au miracle des pains : quoi de plus normal que de proposer l'exercice du magistère social à celui qui se montre capable de nourrir le peuple ? Le risque est que le pouvoir nourricier bascule dans le despotisme tout court. « Le pauvre aime mieux du pain que la liberté », constatait Rousseau, autant ethnologue qu'utopiste. Quand j'étais en troisième, en pleine guerre froide, le professeur, marxiste repentant, dans un cours de sciences sociales (dit « problèmes de la démocratie »), nous mettait en garde devant le brutal choix idéologique qui nous attendait : la société des six libertés contre celle des six pains (quel cadeau métaphorique à faire à l'ennemi stigmatisé comme matérialiste et tyrannique !). Le prince ou chef, conscient que le maintien de son autorité dépend de sa capacité d'assurer l'approvisionnement de son peuple, ne tolère pas le discours subversif, notamment concernant la mission nourricière du pouvoir. « J'ai ouï conter qu'on avait fait le procès dans un temps de famine à un homme qui avait récité tout haut son Pater », écrivait Voltaire : « on le traita de séditieux, parce qu'il prononça un peu haut “Donnez-nous aujourd'hui notre pain quotidien” ».

Les Français n'auraient pas compris ce même Voltaire quand il fait dire au jeune Louis XVI, dans un texte rédigé en défense du libéralisme de Turgot, « le Bon Dieu m'a fait roi de France et ne m'a pas fait grand panetier ». Il est profondément significatif que les femmes, à la fois paniquées et affamées, qui marchent sur Versailles pour ramener Louis XVI et sa famille à Paris l'aient fait aux cris de « le boulanger, la boulangère et le petit mitron ». Appeler le monarque « boulanger », c'est désigner à la fois l'attribut et le devoir de la royauté, la norme et l'exhortation à l'honorer. Même s'il finit mal, il est bon signe pour ce roi qu'on le nomme boulanger et non pas marchand de grains, l'accusation qui avait accablé son grand-père, Louis XV, censé avoir comploté pour faire augmenter le prix et amasser de l'argent aux dépens de la vie même de ses sujets-enfants, suprême transgression du contrat social, marqueur de la désacralisation de la monarchie.

Les émeutes du pain

La révolte du pain est l'expression classique du désaveu du Pouvoir, en Angleterre au XIIe siècle, en France au XVe, à Rome au XVIIe, en Lombardie au XVIIIe, à Boston en 1710, 1711 et 1713, à Leeds en 1795, 1800, 1811 et 1935, dans le sud des États-Unis sous le gouvernement de sécession en 1863, en Russie en 1901, 1902 et 1917, à Dresde en 1919, en France en 1947 (on aurait pu se croire au milieu de la guerre des Farines de 1775), en Égypte en 1977, en Jordanie en 1996, ou au Maroc, en Égypte, en Côte d'Ivoire, au Sénégal, au Burkina Faso, au Mexique, en Haïti, au Pakistan, en 2007-2008. Malgré de fortes différences culturelles, ce qui frappe dans ces soulèvements, ce sont les ressemblances : un sentiment exacerbé de l'injustice, voire de la trahison ; une méfiance à l'égard de l'État, qui n'a pas tenu des engagements ou a couvert des agissements douteux ; une volonté de punir les « malfaiteurs » ; un rôle souvent important joué par les femmes, intimement associées à l'acte d'alimentation, dont la présence semble témoigner du sérieux et du bien-fondé des revendications. Le répertoire d'action collective est souvent le même dans des émeutes très éloignées dans l'espace et dans le temps : investissement de magasins, publics ou privés (greniers publics, moulins, monastères, dépôts militaires, etc.) ; harcèlement des intermédiaires (blatiers, regratiers, *hucksters*, etc.), moins communément attaques directement contre les boulangeries ; blocages de transports par terre et par eau, autant pour empêcher des « enlèvements » locaux que pour prévenir l'exportation à l'étranger ; fréquents affrontements entre une campagne qui se sent dépouillée de ses grains et une ville qui considère que la campagne n'existe que pour pourvoir aux besoins urbains (mais solidarité entre la majorité des paysans et les ouvriers, tous les deux acheteurs plutôt que vendeurs de denrées de première nécessité).

On retrouve souvent la pratique de la « taxation populaire » : s'emparant des grains, des farines, ou des pains, une « foule », habituellement de composition sociale assez diverse, impose un prix qu'elle considère comme « juste », remet l'argent qu'elle recueille en son sein aux agents dépossédés, et montre une vraie discipline collective pour souligner sa bonne foi (un minimum de casse et de violence, punition des débordements, etc.). Après tout, le peuple croit qu'il ne demande que ce qui lui est dû. Le droit à l'existence est inscrit dans les coutumes des sociétés de tous les coins du monde (le ventre du consommateur est « sa patente », disait l'avocat et philosophe du XVIIIe siècle Simon Linguet, lui qui n'aimait pas le pain). Dans *Les Fiancés* (*I promessi sposi*, 1827), qui dépeint des émeutes du pain dans le Milan du XVIIe siècle, Alessandro Manzoni évoque un thème récurrent : même s'il y a des signes d'accidents météorologiques, le peuple-consommateur refuse de croire que la cherté ou la disette provient d'une cause « naturelle ». Il soupçonne des manœuvres, dont le but est de provoquer et soutenir une pénurie factice à des fins vénales et/ou politiques, et au prix de la souffrance populaire.

Il n'est pas rare que les insurgés exigent non seulement du pain à prix abordable, mais également de bonne qualité, surtout dans les villes, où la pratique du froment est bien enracinée. Donner du pain fait avec des céréales plus ou moins pourries ne peut qu'être éprouvé comme une provocation insupportable et une menace pour la santé. Classiquement, pour démontrer le caractère intolérable de leur quotidien, une délégation populaire (ou socialement « mixte », pour mieux souligner la recevabilité de la plainte) présente un pain noir, grossier, voire répugnant au seigneur ou au prince, appel urgent à remédier.

En dernière instance, presque partout, malgré les circonstances, le peuple tient le pouvoir pour responsable quand il s'agit du pain. Couramment, l'État intervient quand la crise est sévère, quand son autorité est mise en question. C'est le raïs égyptien qui fait cuire du pain par l'armée et le distribue au prix normativo-normal ; c'est l'annone romain qui fait venir des grains de Sicile et d'Afrique du Nord ; ce sont les « bleds du roi » en France, importés de Philadelphie (comme farine) et de Königsberg, de Riga et de Dantzig, d'Amsterdam et de Hambourg, qui sont revendus à des boulangers à un prix au-dessous du cours ou, en certains cas, donnés à des institutions d'assistance, voire à des municipalités. Après les deux guerres mondiales, les « blés du roi » pour l'Europe sont américains, gérés les deux fois par Herbert Hoover, pourtant incapable de sauver les Américains de la faim quand il était président. Selon *Le Monde* du 5 avril 1949, sans le plan Marshall, « la France, jusqu'à la récolte de 1948, aurait manqué de pain ».

Les émeutes du pain de 2007-2008 nous rappellent que la faim et la famine n'ont pas disparu, loin s'en faut. Certains commentateurs ont déclaré que nous retournions à une pénurie structurelle, à un monde de prix alimentaires durablement élevés, tant dans le Nord, où il y a pour la vaste majorité des gens de la marge (ne parlons même pas des millions de gens en surpoids), que dans le Sud, où il n'y en a point (un milliard de personnes malnutries, encore plus chroniquement « précarisées »). Entre les crises d'autrefois et celles du début du troisième millénaire, il y a des points en commun : la pression démographique ; le manque de stocks ; la spéculation sur les prix ; la part des terres arables non emblavées, en jachère ou autre ; la récurrence d'accidents météorologiques, notamment des sécheresses (voir l'Inde en août 2009) ; la mauvaise gestion administrative et/ou la corruption politique (« mauvais pain, mauvais gouvernement », disait-on). Mais la crise très récente – le concept de crise, galvaudé, parasité, est-il toujours un instrument pertinent de mesure et d'analyse ? – relève de bien d'autres facteurs, en particulier l'abandon des cultures vivrières ; la dépendance aiguë envers le pétrole (tant dans la pratique agricole elle-même que dans les transports) ; la concurrence des agrocarburants ; la demande croissante d'un régime alimentaire diversifié, en premier chef carné ; le néocolonialisme économique (ou l'absence/dépossession de la souveraineté alimentaire) ; des politiques de commerce international myopes ou égoïstes ou autoritaires ; le caractère parfois pervers ou contre-productif de certaines aides publiques au développement ; un manque croissant d'eau et une insuffisance d'irrigation.

Le pain, le libéralisme et le contrat social

Question politique primordiale, le pain est forcément au cœur de tous les débats concernant l'économie. Hier comme aujourd'hui – et sans évoquer le chaos et la grave récession provoqués par les fameux subprimes –, il est impossible de séparer la problématique de la promotion de la croissance de la question de la régulation, tant sociale et politique qu'économique (depuis la stabilisation des marchés dans une conjoncture donnée, jusqu'aux règles mêmes du capitalisme). Au lendemain des émeutes du pain de 2007-2008, comme au XVIIIe et encore au XXe siècle, le libéralisme était l'objet de féroces controverses. « L'application pure et dure et sans précaution du dogme libéral aboutit paradoxalement à la privation pour certains, les plus pauvres, de la liberté de produire et donc de se nourrir », met en garde le politiste Stéphane Madaule. Il cite les propos d'Henri Lacordaire, religieux et penseur social de la première moitié du XIXe siècle, qui font écho au grand débat des Lumières galvanisé par la question du pain et repris par les révolutionnaires : « Entre le fort et le faible, entre le riche et le pauvre [...] c'est la liberté qui opprime et la loi qui affranchit. » C'est le grand thème tocquevilléen qui traverse tant d'histoires « nationales » : la tension permanente entre l'égalité (associée à la centralisation et à l'État) et la liberté (liée à la décentralisation et la limitation du pouvoir, puis au rôle-clé du marché).

En France, au milieu du XVIIIe siècle, le pain accouche le libéralisme. Sous l'Ancien Régime, l'astreinte des subsistances impose un type de gouvernance et un mode d'échange, et postule une anthropologie pessimiste de l'homme (âpre au gain, mû par un intérêt particulier implacablement opposé au bien public, facilement véreux), que les philosophes dits « économiques » (ou libéraux) vont contester impitoyablement. Le pain finit ironiquement par susciter une vision du monde profondément hostile à sa primauté dans le jeu social, économique et politique. Une société obsédée par le pain est en quelque sorte tenue, voire asservie, par le pain et par son paradigme de régulation qui se généralise avec plus ou moins d'élasticité à d'autres domaines d'activité. Elle ne peut s'affranchir qu'en désacralisant le pain et abandonnant la gestion de sa chaîne de production et de distribution aux forces dites « naturelles et évidentes », qu'on appellera plus tard les lois du marché.

L'audace des libéraux des Lumières est, dans leur projet de régénération, de commencer par le plus difficile, le plus draconien et le plus périlleux. L'expérience française, tentée en 1763-1770, reprise par Turgot entre 1774 et 1776, est proprement étonnante : en libérant presque totalement le commerce des grains de toute réglementation, le roi abjure le contrat social, articule une cinglante critique historique de l'intervention royale dans l'économie et l'économie sociale, déclare sa foi dans la main invisible et dans les droits inviolables et absolus de la propriété et de la liberté, se donne le rôle de simple arbitre dans le jeu des échanges, se situe du côté des producteurs plutôt que de celui des consommateurs, ses ex-enfants déclarés soudain majeurs, obligés désormais de se débrouiller pour éviter la faim. Suivent l'incompréhension, puis la colère du peuple et de la police, dont les mains sont dorénavant ligotées, qui débouchent sur des centaines d'émeutes du pain et du grain, souvent tolérées sinon encouragées par les autorités locales, jusqu'au moment où l'État revient sur ces innovations radicales. Rebelote pour Turgot, ébranlé, voire discrédité par la « guerre des Farines », une cascade d'émeutes du pain en 1775. Ces échecs ne font que ralentir la dynamique libérale. Libérer le grain et le pain des pesantes contraintes paternalo-dirigistes veut dire prendre et démolir la Bastille idéologique de l'Ancien Régime. L'économie générale du pain déteint sur tout le reste ; les autres grandes réformes prométhéennes doivent suivre presque mécaniquement dans la logique de la réhabilitation de l'intérêt particulier, système de motivation autorégulateur. Le capitalisme-individualisme s'instaure symboliquement et pratiquement en déboulonnant le pain, bastion d'un tout autre principe d'ordre social et de légitimité politique.

Une part du mystère du pain se trouve dans sa capacité de resurgir sur le devant de la scène, renouvelant une problématique qu'on croyait bien dépassée. Je pense à la décennie en France *après* la fin de l'Occupation de la Deuxième Guerre mondiale, juste le temps de rappeler aux Français que la modernité n'était pas encore définitivement acquise. Dans le contexte d'une pénurie prolongée, l'État s'empare complètement de la filière blé-farine-pain : il prend en charge la récolte entière, il la répartit dans les organismes stockeurs, auxquels sont affectés d'office les 10 000 meuniers qui livrent aux 54 000 boulangers qui, eux non plus, n'ont plus le choix de leurs fournisseurs. Le ravitaillement en grains, farine et pain est bien plus étatisé que pendant l'Ancien Régime : après avoir effectivement aboli toute forme de commerce libre et ainsi toute concurrence, l'État impose les prix et établit le taux d'extraction, c'est-à-dire, détermine le type de pain que l'on mange. Comme au XVIIIe siècle, le pain est redevenu une denrée de première nécessité qui répond à des besoins pressants et, en même temps, un problème de politique économique qui le dépasse, posant des questions de fond, opposant dirigistes et libéraux qui s'évertuent à redéfinir les attributs et les responsabilités de l'État, à esquisser un nouveau contrat social pertinent à l'âge atomique, à décider comment piloter, sur le plan politique et institutionnel, cette (nouvelle) modernisation de la France. L'environnement s'est drastiquement modifié, mais on est toujours dans le cadre de la pensée inventée au XVIIIe siècle, fortement conditionnée par l'hégémonie du pain.

La France est loin d'être un cas exceptionnel dans sa recherche de la quadrature du cercle socio-économique : la conciliation d'un (franchement) haut prix du blé avec un (relativement) bas prix du pain. Pour des raisons qu'on n'a pas la place d'expliquer ici, l'Angleterre passe d'un système classique à un modèle passablement libéral, où l'économie morale ne cède pas entièrement à l'économie du marché, mais où cette dernière se charge de plus en plus de la tâche de ravitaillement dans un climat de prix et de bénéfices de plus en plus favorable aux producteurs et détenteurs des grains. Le commerce, pas la police, devait se charger de l'approvisionnement, d'après cette logique ; grâce à sa souplesse, à sa célérité – la cupidité au service de l'intérêt général – et à l'efficacité de la marine marchande, le commerce savait importer et exporter pour que le prix se stabilise à un niveau avantageux pour les uns, sans être dévastateur pour les autres. Au lendemain de Waterloo, le parlement passe la Corn Law, législation qui impose des tarifs visant à protéger le prix du blé anglais en rendant trop cher l'accès étranger à son marché. Dans le cadre d'une sérieuse récession, surtout dans l'énorme industrie textile, la Corn Law fait monter le prix du pain et relance un mouvement pour la réforme politique, notamment pour donner un vote et de la représentation aux ouvriers. Une immense manifestation à Manchester en 1819, mobilisant plus de 60 000 personnes, exige du pain à un prix raisonnable et le droit du peuple à la participation politique. Elle débouche sur « le massacre de Peterloo » quand les forces de l'ordre chargent, tuant 10 à 15 personnes, en blessant 500 à 700. Le débat entre protectionnistes et libéraux persiste pendant presque trois décennies. Producteurs de blé et industriels s'en prennent les uns aux autres : les partisans du libéralisme cherchent-ils à obtenir une « grosse miche » (le prix du pain restant fixe, le poids varie) pour pouvoir diminuer le salaire des ouvriers ? ou la solution libérale se traduirait-elle par un pain à bon marché et un salaire suffisant pour permettre à l'ouvrier d'acheter les produits de leurs propres manufactures ? La modernisation économique, sociale et psychologique passe par le blé et le pain. Les Corn Laws sont finalement abrogées en 1846. Dans la seconde moitié du siècle, l'agriculture anglaise stagnait et le pays importait les deux tiers de son grain.

Bon comme du bon pain : miche et métaphore

Les émeutiers de Peterloo se représentaient comme des honnêtes *breadwinners*. Si une culture du pain se définit d'abord par des pratiques de panification et de partage, l'intensité et la profondeur de son emprise se mesurent par son imprégnation du langage. Le *breadwinner* en portugais est *ganha-pâo*, en néerlandais *broodwinning*. Comme en anglais, le gagne-pain est à la fois ce qui fait subsister et la personne qui s'en charge. Avec les Lumières, observait *Le Babillard*, « l'art de penser & d'écrire est devenu un gagne-pain ». À propos d'un adversaire jésuite, Voltaire disait : « il m'a fait l'honneur d'imprimer à Lyon deux volumes contre moi pour avoir du pain ». Il ajoutait malicieusement : « je ne crois pas que ce soit du pain blanc ». Alors qu'on lui demandait pourquoi il portait un marteau, un maître serrurier, que la police avait arrêté en mai 1775 dans les émeutes du pain à Paris, expliqua : « C'est mon pain. » Le passage de l'image du gagne-pain, commune au XVIIIe siècle, à la formule du gagne-bifteck, locution à la mode à partir des Trente Glorieuses, signale la distance socio-économique et psychologique considérable parcourue en deux siècles.

Sa vocation métaphorique sacrée mise à part, le pain, en tant que trope quotidien presque omniprésent, marquait la conscience de tous et véhiculait toutes sortes de notions : santé, fortune, intelligence, foyer, famille, amour, travail, joie, valeur relative, etc. Pour le Dr Malouin, un des premiers grands savants panaires, qui s'en remettait au grec et à l'hébreu aussi bien qu'à l'usage courant, « la vie » et le pain étaient des « termes synonymes ». Gravement malade, une personne a perdu « le goût du pain ». Un homme qui a déjà bien vécu « a plus de la moitié de son pain cuit ». Un être taciturne ou dolent « a perdu son pain au four ». D'étymologie controversée,

« baragouin » indique une langue que l'on ne comprend pas et qui paraît barbare (comme pour les Grecs ceux qui ne mangent pas de pain ne sont pas civilisés). Mais *bara*, pain, et *gwinn*, vin, sont aussi les mots avec lesquels les pèlerins bretons sont censés avoir demandé de l'hospitalité. Une jeune femme enceinte avant d'avoir convolé en justes noces « a emprunté un pain sur la fournée ». En Alsace, au XIXe siècle, des couples pressés « prennent des miches sur la fournée », mais d'aucuns apprennent à leurs dépens que « ce n'est pas toujours celui qui chauffe le four qui mord le pain chaud ».

Ces tropes se transformèrent imperceptiblement en une myriade de maximes et proverbes caractérisant un large éventail de comportements. Vous en trouverez une kyrielle dans le *Dictionnaire*. Je vous livre quelques-uns de mes préférés, témoins de la prégnance de l'image du pain. « Manger son pain blanc le premier », c'est commencer par couler des jours tranquilles avant de connaître des ennuis. Il est difficile de remédier à une affaire mal engagée : « à mal enfourner, on fait des pains cornus ». Pour dire qu'on est las d'une expérience, on observe que « cela est long comme un jour sans pain ». « Manger son pain dans son sac », c'est faire preuve d'un déplorable égoïsme. « Tel pain, telle soupe », formule lapidaire mais éloquente, qui décrit littéralement le manger populaire pendant des siècles et traduit la sagesse universelle que les choses sont bonnes suivant la matière qu'on y met.

« Bon comme du bon pain », dit l'adage. Mais en ce qui concerne la santé, les voix, à travers le temps, sont discordantes sur ce sujet. À l'âge de l'omnivore anxieux, de la prise de conscience écologique, et de la montée du bio (encore une affaire « bobo »), cette thématique revient à la mode et mérite d'être examinée pays par pays. Au XVIIIe siècle, on voyait le pain comme « de tous les aliments le plus sain » et « le plus essentiel à la vie », à la fois « l'aliment le plus analogue à l'espèce humaine » et la substance mondaine la plus proche du divin. La grande question d'alors concernait l'adéquation entre le type de pain et la catégorie sociale du mangeur, autrement dit la qualité, liée à la fois au rang et au bien-être du mangeur. Moralistes et savants souhaitaient faire manger un robuste « pain de ménage » – un pain de froment frisant le complet ou un mixte de froment et céréales dites secondaires – aux gens du peuple, travailleurs et relativement pauvres, ou aux soldats, réservant des pains dits « mollets » ou de luxe (ou, déjà, de « fantaisie ») aux élites. Si les « experts » disputaient le bien-fondé de certaines approches (Parmentier, par exemple, considérait l'ajout du son comme un élément sanitaire perturbateur, vue qui continuera longtemps à susciter le débat), personne ne mettait en question l'idée que la « qualité » du pain – avec un prix raisonnable et une quantité suffisante, une des trois priorités de la police de l'approvisionnement – devait être autant sanitaire que sensorielle. « Le pain est après l'air la cause la plus ordinaire des maladies épidémiques », déclarait le Dr Malouin.

La qualité : blanc et bis, faux et vrai, plaisir et santé

Les menaces pesant sur la qualité sanitaire provenaient principalement, à cette époque, tant à Londres et à Amsterdam qu'à Paris, des matières premières, grains ou farines, avariées ou trafiquées, même si l'un des plus vifs débats sociosanitaires concernait l'utilisation d'un agent de fermentation, la levure de bière, accusée de miner le système neurologique, entre autres choses. Les méthodes de conservation et de réhabilitation (« réparation ») demeuraient assez primaires ; les autorités imputaient certaines « maladies populaires », essentiellement gastro-intestinales, à la consommation de pains fabriqués de farines « pourries » (surchauffées, humides, fermentées, etc.). Malgré d'immenses progrès techniques, dans des circonstances de stress, deux cents ans plus tard, les conditions de stockage pouvaient encore poser de sérieux problèmes : je pense aux déboires de l'Office national interprofessionnel des céréales au lendemain de la Deuxième Guerre mondiale.

Parfois, le risque de rendre malade les consommateurs paraissait aux autorités publiques comme moins grave que le danger de ne pas fournir suffisamment de grains pour leur assurer leur pain quotidien. Le gouvernement français au XVIIIe siècle fait pression sur les municipalités pour mettre en circulation les « blés du roi » manifestement « gâtés », « fatigués », « d'une mauvaise odeur » et gangrenés par « des vapeurs méphitiques », crainte de voir les marchés dégarnis. Les administrations locales mettent en garde contre le péril vital de faire manger des marchandises « indignes d'entrer dans le corps humain», certaines de «dégoûter le peuple» même si elles ne le tuent pas. L'État doit choisir entre la peste et le choléra : donner l'impression de ne pas s'occuper efficacement du ravitaillement ou d'accepter, par incompétence ou cruauté, d'«empoisonner» le public. Les deux hypothèses poussent les consommateurs à douter de l'engagement pris par le roi vis-à-vis de leur bien-être. Est-ce bien différent de la situation dans l'Indre en 1947, quand la Répression des fraudes ne parvient pas à empêcher l'utilisation d'orge avarié dans la fabrication de la farine panifiable, parce que l'Office des céréales, appuyé par le ministère de l'Agriculture, estime qu'un peu de grain pourri mélangé avec du froment «potable» fait davantage de bien (en augmentant la quantité de pain disponible) que de mal (en faisant courir des risques sanitaires à la population) ?

Depuis l'Ancien Régime jusqu'au début des Trente Glorieuses, l'État considère la fraude comme une sérieuse menace sanitaire, notamment mais pas exclusivement pendant les périodes difficiles. Les règlements de police du XVIIIe siècle prohibaient l'adjonction de son, d'orge, de pois ou de fèves pour stabiliser ou renforcer ou compléter la farine panifiable. En 1741, le boulanger parisien François Deline dénonce son meunier versaillais Maugras pour avoir falsifié sa farine par l'addition de «marrons malodorants» pour lui donner du corps et plus de poids, au prix de faire encourir à ses clients «des risques de mort». Tant à Londres qu'à Paris, les autorités s'en prennent à la conjuration des cultivateurs, des marchands de grains, des meuniers et des boulangers, qui mêlent à la farine les matières les plus nocives pour blanchir le pain – de la craie, de la chaux, de l'alun, voire des os en cendre – puisque le pain blanc, marqueur historique de qualité organoleptique et de reconnaissance sociale, est le plus recherché par les consommateurs de tous les niveaux, et donc le mieux rémunéré. En 1727, le présidial de Châlons-sur-Marne envoie le meunier Pierre Chaillot aux galères pour avoir mélangé de la craie à sa farine, afin de la rendre plus attrayante. En 1771, deux meuniers à Clermont sont accusés d'avoir ajouté du plâtre dans le même but. Un pamphlet de 1789 dénonce «l'homicide altération des farines», due tant au coupable appétit effréné des consommateurs pour un plaisir plus raffiné qu'à l'appât du gain des meuniers et des boulangers. «Alun, savon et farin' mélangés/Voilà le pain chaq' jour vous mangez» demeure un couplet satirique classique jusqu'au XXe siècle. Des essais, menés par la London Sanitary Commission dans les années 1850, montrent que quasiment chaque pain dans les échantillons retenus était altéré par l'alun ou la craie.

Dans le sillage de la Deuxième Guerre mondiale, quand la recherche du pain blanc devient une véritable obsession, on trouve trace d'un éventail de pratiques de blanchiment, notamment par des produits chimiques euphémisés comme des « améliorants » (tels le bromate de potassium, le peroxyde de benzoyle, les sulfates de cuivre et d'ammonium, et une panoplie de divers oxydants) et des gaz (l'ozone, l'azote et le chlore), parfois avec médiation électrique et adjonction de substances chimiques. Le blanchiment par l'agène (essentiellement le trichlorure d'azote), largement pratiqué en Europe, est interdit en 1949 aux États-Unis, suite à l'apparition en laboratoire d'un syndrome neuroconvulsif chez le chien. On retrouve plusieurs types de machines à blanchir la farine en France dans les années 1950, considérées *a priori* comme des infractions à la législation sur les fraudes. L'utilisation des farines blanchies est une des hypothèses discutées pour expliquer l'intoxication massive de Pont-Saint-Esprit.

C'est justement la consommation du pain blanc qui, aux yeux de nombreux médecins, scientifiques et pseudo-scientifiques, moralistes, et « holistes » – ce que j'appelle la contre-culture du pain –, est une des sources primordiales de la dégradation de la santé publique. Inlassablement en campagne pour la réforme diététique pendant la première moitié du XIXe siècle, le pasteur américain Sylvestre Graham est un des premiers commentateurs à élaborer un triple argument contre le raffinement excessif de la farine comme violation du grand plan providentiel (le pain prévu par Dieu est forcément complet), grave entorse à la santé, et espèce de dévergondage. Tandis que le petit peuple en France lutte pour accéder au pain blanc, par saccades, les partisans du pain bis entreprennent des razzias aussi violentes que fugitives, comme celle de la fin des années 1890 (la campagne de « réforme panaire » menée par *Le Petit Journal*) qui a bouleversé un moment le marché du pain, particulièrement dans la région parisienne (jusqu'à 500 boulangers sont censés s'être voués un moment au pain complet), faisant écho à un phénomène analogue en Suisse. Aux États-Unis, la consommation du pain blanc diminue d'un cinquième, suite à une forte campagne contre une farine trop raffinée au début du XXe siècle. Comme ailleurs, le pain bis ne parvient pas à séduire un public massif. Plus tard, le pain quotidien américain est presque universellement enrichi, dopage plus ou moins chimique, obligatoire dans le pain blanc, compensation tristement ironique aux yeux des champions du complet, mais programme jugé un énorme succès par les autorités sanitaires (réduction notable de l'incidence de pellagre et de béribéri).

Gardant une forte tonalité moralisatrice, privilégiant les liens entre le naturel, le vertueux et le sain, au XXe siècle l'argument contre le pain blanc est de plus en plus médical, au sens large du terme. Le Dr Lenglet, président de la Ligue du pain naturel, attribue la « déchéance » de la « race française » dans les années 1930 au pain blanc, qui ne respecte pas « l'harmonie » de l'univers et « la constitution naturelle » du blé, thèse déjà soutenue par l'abbé Pluche au XVIIIe siècle, reprise et actualisée par Raoul Lemaire, autre ennemi de « la dégénérescence de la race française », dont la marque de pain bio, rachetée par un grand moulin, est encore très répandue aujourd'hui. Le Dr Heckel met en garde contre une panoplie de maladies qu'il regroupe sous la pathologie de « panisme », annonciateur d'une sorte de génocide nutritionnel, que seul un pain franchement bis peut prévenir. Affirmant que « la mauvaise méthode du pain blanc doit être combattue », l'Académie de médecine émet un vœu en 1934 pour le seul « pain équilibré », le bis. La mise en cause de la méthode blanche, à cette époque, équivaut à une attaque contre toute la filière : des blés maigres et productivistes, cultivés avec des engrais et des pesticides chimiques, donc nocifs sinon toxiques ; une farine broyée par des cylindres métalliques qui enlèvent l'essentiel du blé ; la levure, stigmatisée comme « chimique », qui corrompt le pain ; une cuisson fréquemment effectuée au mazout, substance dénoncée comme puante et hautement nuisible à la santé. De plus en plus, citant « le corps médical », la presse impute directement au « pain moderne » – blanc et mécanique – une grande part de responsabilité pour les maladies les plus terrifiantes, d'abord le cancer, puis la tuberculose, les maladies coronariennes, et même l'éthylisme. Les instances syndicales de la filière sont obligées, jusqu'aux années 1960, de dépenser une énorme énergie et des sommes importantes dans des procès contre « les calomniateurs » du pain et dans les campagnes en défense du pain blanc, celui manifestement préféré par les Français – ceux du moins qui continuent de manger du pain. Car la consommation est en chute libre depuis le début du XXe siècle, en partie en raison de l'amélioration du niveau de vie, de la diversification du régime alimentaire, et du moindre besoin de calories lourdes dans un monde de plus en plus modernisé (transports en commun, chauffage central, mécanisation des tâches, etc.), mais aussi à cause d'une désaffection sensorielle et l'anathème jeté par le corps médical.

Depuis un quart de siècle, la science médicale répudie le vieux discours stigmatisant. Si un pain bis (dit « rationnel » dans les années 1950) ou partiellement bis (le mode peu prenant du pain « type 80 ») est toujours préférable, on considère que même le blanc (le type 65 étant plus méritant que le classique type 55) est globalement positif sur le plan sanitaire, apportant une bonne dose de protéine végétale, peu de lipides, des glucides complexes, et certains micronutriments. Et loin de provoquer l'embonpoint, le pain est préconisé comme un élément pour contrôler son poids. La filière investit énormément aujourd'hui dans l'argument sanitaire, sans avoir suscité une vraie prise de conscience ou une nette reprise de la consommation (une récente étude du CREDOC indique que le souci de la ligne continue d'inciter bien des femmes à éviter le pain…).

Meunier, tu dors ?

Malgré ses exagérations et ses diffamations, l'attaque contre le pain dit moderne avait le mérite de rappeler l'existence de la meunerie, une énorme industrie d'importance stratégique et économique cruciale, souvent occultée ou perdue. Rappelons la formule éloquente de Mme de Sévigné à la fin du XVIIe siècle : « on crève de faim sur un tas de bled ». Sans farine, pas de pain, même après une bonne récolte. La crise de la farine a lieu quand les moulins ne peuvent pas tourner (pour les uns, manque de vent ; pour les autres, inondations ou sécheresse ou gel ; pour les deux, entrave des transports). Traditionnellement, le meunier restait chez lui et attendait que lui viennent le travail et la clientèle. Au cours du XVIIIe, cette pratique passive céda peu à peu à une nouvelle forme de commerce que l'on pourrait qualifier de mouture marchande : les meuniers s'engagent dans le commerce des grains, confectionnent de la farine à des fins spéculatives, et cherchent à capter, dans une ambiance de plus en plus concurrentielle, une partie du marché en gros métropolitain. La commercialisation de la meunerie est accélérée par l'innovation technologique, notamment l'introduction de la mouture dite « économique », autour de la capitale et de quelques grandes villes. Système mécanisé qui peut se faire avec plusieurs paires de meules dans un environnement quasiment industriel, épargne la peine, augmente la productivité et la production, intègre nettoyage et blutage, la mouture économique est fondée sur la réduction progressive du grain de blé, par le biais de broyages et blutages successifs. Avant la Révolution, le commerce des farines l'emporte sur celui des grains, une révolution elle-même sur une autre échelle. Émerge un corps de gros meuniers qui vont inverser, dans la première moitié du XIXe siècle, la domination historique qu'exerçaient les boulangers sur leurs fournisseurs. Plus de 100 000 en 1800, dispersés partout dans le royaume, les moulins à eau produisant davantage et plus régulièrement que les moulins à vent, les meuniers ne seront plus que 30 000 en 1900, 9 500 en 1950, moins de 400 en 2009.

Bien avant l'expérience du curé de Cucugnan de Daudet, qui consacre toute la journée de samedi à confesser les meuniers, cette profession avait une réputation sombre, évoquant le mal, la corruption, l'infamie – réputation largement folklorique, contre laquelle la profession lutte depuis toujours, moyen pour le public de se décharger de ses fautes sur un bouc émissaire. Voleur, le meunier aménage ses meules pour pouvoir détourner des grains ; il triche sur le poids et/ou le volume ; il altère la qualité. « Les cochons des meuniers engraissent vite », dit le proverbe. Au-delà de la malhonnêteté, le meunier est suspect parce qu'il y a quelque chose de fondamentalement mystérieux, de redoutable même dans le processus de transformation d'une substance vitale à la survie et au bien-être des gens. Cette transformation sous-entend un pouvoir énorme, celui d'altérer la nature, et par conséquent l'homme, mais aussi de dénaturer la nature en lui incorporant des éléments étrangers, en y adjoignant ses impuretés au lieu de les en extraire. De ce pouvoir découlent d'autres facultés, non moins troublantes : le meunier est un magicien impie qui sait dompter les esprits des fleuves en les soumettant au supplice des roues et usurper les forces cosmiques primordiales du vent ; il est guérisseur, autre don maléfique, mais il ne fait pas bon se rendre chez lui la nuit ; il est séducteur et débauché invétéré, dans un site d'un érotisme intense, rythmé par le broyage gémissant des meules et les vibrations qui ébranlent les murs et les planchers, et favorisé par la chaleur ambiante, le flot de la farine, la fine poussière blanche qui se répand. La justice n'accorde pas toujours crédit au maître meunier contre son garçon, rare déni de l'autorité hiérarchique. Les boulangers profitent de la réputation douteuse de leurs fournisseurs dans divers différends commerciaux. Très souvent, avant de juger une affaire, le tribunal consulaire de Paris au XVIIIe siècle en référait à la corporation des boulangers en vue d'une évaluation experte. Aussi, plus souvent que de raison, à en croire le meunier César Bucquet, un des chantres de la mouture économique, les meuniers écopaient-ils d'un verdict en leur défaveur : « C'est à peu près comme si Cartouche tenait la place du Grand Prévôt, car enfin en bonne justice et sans accuser personne (Dieu m'en garde), les uns [les boulangers] n'ont pas meilleure réputation que les autres [les meuniers]. »

Les boulangers se plaignent amèrement, dans le dernier tiers du XIXe siècle, d'être réduits au statut d'ouvriers à façon, voire de « serfs », par les meuniers, qui parfois imposent des « contrats de cuisson » qui mettent les boutiques quasiment entre leurs mains. Les boulangers reprennent une certaine autonomie au XXe siècle, grâce en partie à l'âpre concurrence entre meuniers. Face à une énorme surcapacité – une puissance d'écrasement dépassant trois, voire quatre fois la demande –, les meuniers, puissamment syndiqués, optent pour une solution néocorporative à leurs problèmes – mollement malthusienne et ardemment humaniste – au milieu des années 1930. Ils forgent une panoplie de règles et de pratiques appelée collectivement leur « organisation », dont le but est de réduire la concurrence (dénoncée comme « anarchique », « cruelle », « égoïste »), de « cristalliser » ou geler les outils de production, de promouvoir la solidarité, résorber progressivement et doucement leur excès de capacité, et gérer à leur avantage leurs rapports avec l'État et la boulangerie. La Deuxième Guerre mondiale leur permet de renforcer « l'organisation », grâce à un système autoritaire de répartition du travail qui débouche sur l'élimination de toute relation proprement commerciale avec les boulangers, qui perdent pendant une longue période le droit de choisir leur meunier, de marchander, d'obtenir des concessions ou du crédit. Ce n'est qu'à partir de la fin des années 1950 que la liberté de commerce – et de concurrence – est rétablie. Les boulangers retrouvent leur droit de choisir leur fournisseurs, et de jouer les uns contre autres. L'« interprofession » rêvée de la Meunerie-Boulangerie ne verra jamais le jour. Quand la boulangerie artisanale semble déboussolée et paralysée dans les années 1970, incapable de faire face à la concurrence industrielle des grandes surfaces et de se remettre en question, la meunerie, menée par Banette, déclenche une véritable révolution, en lançant des « enseignes », des partenariats étonnamment réussis, mais qui paraissent aux yeux des instances syndicales de la boulangerie comme une mainmise sur leur profession. En France, ou dans tous les pays « mangeurs de pain », il est impensable d'imaginer une histoire du pain qui ne serait pas, en même temps, cette histoire foisonnante de la meunerie qui attend toujours ses thuriféraires.

Dans l'Antiquité, ces frères ennemis faisaient partie de la même communauté ou collège, conceptuellement logique, mais logistiquement et techniquement difficile à soutenir, face à l'émergence de l'énergie hydraulique, puis éolienne, et à la croissance démographique. Le meunier s'installe ailleurs, à l'écart, dans la discrétion et la dispersion, dans la plupart des lieux échappant à l'embrigadement corporatif. Marqué par la tradition gréco-romaine, le boulanger français demeure, dans l'esprit de l'État sinon du public, un agent du service public, quasiment jusqu'à la suppression définitive de la « taxation » (le prix du pain imposé par l'administration) fin 1986. Il obtient son monopole de production, de distribution, de formation et de recrutement au sein d'une communauté ou corporation en échange de certaines obligations de police et de service public. Le monopole est relatif, surtout dans les grandes villes, où les autorités tolèrent la présence, deux fois par semaine, dans les marchés du pain, des boulangers dits forains, sorte de paysans-boulangers des environs, dans le but d'optimiser l'apport en pain sans vraiment ouvrir le métier à la concurrence.

Le pain-symbole : la boulangerie entre le besoin de protection et le goût de la liberté

Historiquement, les boulangers français cherchent à la fois la liberté (la faculté d'entreprendre avec, comme seule contrainte, la loi du marché, sans aucune obligation impérative d'approvisionnement) et la protection de l'État (une relative autonomie grâce à la corporation homologuée, une indéniable sanctuarisation contre la menace d'une vraie concurrence, une certaine immunité par rapport à la colère publique dans les moments de cherté, grâce à l'existence du prix taxé pour lequel le boulanger ne porte aucune responsabilité). Le combat, parfois équivoque, contre la taxation mènera les boulangers, au milieu du XXe siècle, dans un piège qui reviendra les hanter. On comprend leur courroux en 1954 quand Edgar Faure, moins Turgot comme ministre que comme historien, leur explique son refus de leur accorder une augmentation de prix, dont les boulangers ruraux en particulier avaient un besoin urgent : « Une chose vous dessert : vous faites du pain. » Cependant, en dénonçant la fixation anachronique et démagogique de l'État sur « la mystique du prix du pain », sur « le pain tabou » qui n'était plus une denrée de première nécessité et qui n'occupait plus une place majeure dans le panier du ménage, les boulangers exigeaient la désacralisation irrévocable du pain. Ils ne cessaient de réclamer la démythification du pain, sa banalisation, sa reconnaissance comme produit marginal dans la vie quotidienne – c'est-à-dire, une sorte de révolution d'épistémologie sociale. Ils ne se rendaient pas compte que dépouiller le pain de son caractère symbolique et exceptionnel c'était renoncer à leur fond de commerce le plus précieux, qui est l'imaginaire patrimonial des Français.

La pénibilité du travail

Pour la boulangerie artisanale, banaliser le pain, c'est se suicider. Il fallait se réapproprier la valeur symbolique du pain, la tourner à l'avantage des boulangers, tout en expliquant l'irrationalité de vouloir en faire un étalon immobile de l'économie politique et sociale. Au lieu d'insister sur les ressemblances entre le pain et d'autres denrées alimentaires ordinaires, il fallait mettre l'accent justement sur les différences. Le pain artisanal existera demain à condition de susciter, chaque fois qu'on l'achète et le déguste, une forte émotion – viscérale, sensorielle, proustienne, symbolique. Sur un plan plus large, qui ne reconnaît pas la puissance du pain-symbole dans la photo célèbre d'un gamin courant avec un pain parisien presque plus grand que lui, prise juste avant la claque qu'Edgar Faure administre aux boulangers par Willy Ronis, qui vient de s'éteindre ?

Pour le boulanger en fournil, où que ce soit, le double symbole de sa peine est le travail nocturne et la sueur dans laquelle il baigne. En 1950, dans le Gard, même après l'éclipse du levain, on commence communément à travailler à 23 heures, comme en 1750 à Paris et en 1863 à Londres. Entre les deux moments, George Sand dénonce les « sombres cachots » où ces troglodytes sont consignés, Karl Marx vilipende l'industrie « surannée » de la boulangerie anglaise qui impose un travail cruel et excessif aux garçons boulangers, d'autres réformateurs fulminent contre l'« esclavage nocturne » des « mineurs blancs », les maîtres boulangers irlandais cassent brutalement le mouvement de leurs ouvriers pour ne travailler que la journée.

À Paris au XVIIIe siècle, le garçon boulanger, obligé de garder son habit du travail six jours par semaine, couche souvent « sur le four », tandis que son homologue londonien met son lit sur la planche qui couvre le pétrin. Il manipule des sacs de 325 livres et pétrit plus de 100 kg de pâte, avec ses mains et parfois avec ses pieds (cette dernière pratique est abolie au Mexique au XIXe siècle, où les ouvriers sont souvent des détenus). Le garçon pétrisseur est appelé « geindre », pour certains en raison des gémissements qu'il poussait en malaxant la pâte – « une sorte de cri douloureux », observe George Sand, « on croirait assister à la dernière scène d'un meurtre ». Une des raisons pour lesquelles les autorités font pression pour l'adoption du pétrin mécanique, longtemps refusée, est la crainte que l'ample sueur du pétrisseur, qui perd plusieurs kilos à chaque opération, puisse infecter le pain, notamment de la tuberculose, hantise de la Belle Époque et après. Une grande enquête menée à New York au début du XXe siècle révèle que plus de la moitié des 800 boulangers auscultés, la plupart travaillant de longues heures en sous-sol, étaient malades, 32 % de tuberculose, rhumatismes, anémie ou maladies vénériennes. Dans

Le Capital, Marx écrit : « L'Anglais, toujours à califourchon sur la Bible, savait bien que l'homme est destiné à manger son pain à la sueur de son front, si la grâce n'a pas daigné faire de lui un capitaliste, un propriétaire foncier ou un budgétivore ; mais il ignorait qu'il fut condamné à manger chaque jour dans son pain une certaine quantité de sueur humaine délayée avec des toiles d'araignées, des cadavres de cancrelats, de la levure pourrie et des évacuations d'ulcères purulents, sans parler de l'alun, du sable et d'autres ingrédients minéraux tout aussi agréables. » Mon premier maître d'apprentissage m'a raconté qu'il faisait ses ablutions dans le pétrin à main qui servait encore dans son fournil de l'Aveyron dans les années 1920. La sueur n'est bien entendu pas le seul fluide corporel qui souille le pétrin, d'après cette chanson populaire :

C'était un garçon boulanger, ohé, ohé
Qui se masturbait dans la farine
Une belle dame vint à passer, ohé, ohé,
Et lui dit vot' pain sent la pine

Il est vrai que le garçon boulanger n'avait que rarement les moyens de s'établir en famille, jusqu'au milieu du XIXe siècle à Paris. En raison de leur travail extrêmement dur, dans des conditions exécrables (excès de chaleur, puis de froid ; atmosphère étouffante, chargée de fines particules de farine ; exiguïté de l'espace ; manque de lumière), les boulangers sont plus souvent et plus gravement malades que d'autres ouvriers (notamment maladies respiratoires, hernies, rhumatismes, eczéma). En raison de ses fréquentations, pour connaître un minimum de sociabilité, les maladies vénériennes et l'éthylisme sont devenus endémiques, selon bien des observateurs. « On ne meurt pas boulanger », disait la maxime. L'âge moyen du décès en Angleterre, rapporte Marx, est de quarante-deux ans. Louis-Sébastien Mercier demandait que l'on « compensât » de quelque façon les boulangers qui « veillaient » pour lui et ruinaient leur santé pour satisfaire les besoins pressants du public. En France, les lois sociales ne sont pas sans impact, incitant les boulangeries à rendre le travail moins pénible en pratiquant la fabrication dite « directe », la levure remplaçant plus ou moins définitivement le levain, une bonne idée qui eut des conséquences malheureuses sur le plan de la qualité du pain et de la compétence du boulanger. Plus tard, la mécanisation a réduit encore la pénibilité, non sans dommages collatéraux quand elle était excessive ou mal adaptée aux exigences artisanales (la chambre de fermentation et le tapis automatique de l'enfournement sont les innovations les plus positives).

Chose vivante

La panification me fascine et m'impressionne par sa force primordiale, par sa sobriété vive, par sa simplicité robuste. Quoi de plus basique que de l'eau, de la farine, un agent de fermentation, et un peu de sel (de moins en moins, espère-t-on) ? Il faut certes les cuire après les avoir apprêtés, mais ces ingrédients correspondent aux quatre éléments de l'analyse poétique et psychanalytique de Gaston Bachelard : l'eau, la terre, l'air et le feu, inspirés des Anciens et des alchimistes. Il est d'autant plus intéressant de réfléchir sur la fabrication et la consommation du pain à travers les catégories du grand philosophe que l'imaginaire et le désir – deux facultés indispensables à l'amateur du pain – constituent pour lui la source principale de la vie psychique. Le fruit du mélange des quatre ingrédients du boulanger est la pâte, chose vivante. Rien ne me semble plus important à mettre en relief que cette création, renouvelée chaque jour, de la vie panaire. En ensemençant, le boulanger donne la vie ; dans le temps, on disait qu'il montait sa pâte. Puis sa pâte va gonfler : le pointage, ou la première fermentation, est en quelque sorte le début de la période de gestation. On met les pâtons sur des « couches ». On les introduit, sur une longue pelle, dans un four dont la forme peut rappeler celle de l'utérus. Mon ami, le très regretté Lionel Poilâne, baptisait cette opération « le forniquage ». Nourri à l'érotisme panaire des artistes germanopratins qui payaient leur pain parfois avec des dessins ou des tableaux cocasses et gentiment cochons, Lionel Poilâne rappelle que la baguette phallique et la miche féminine incarnent à leur manière la vie. J'insiste sur l'image sexuelle comme leitmotiv de la panification, non pas pour titiller, mais pour mettre l'accent sur cette gageure qu'est la tâche quotidienne du boulanger : donner vie à la pâte, sachant qu'elle est extrêmement sensible à l'environnement (humidité, température, jadis certains boulangers disaient même les bruits du fournil et les effluves de la rue), que cette vie-là est difficile à dompter et presque impossible à reproduire à l'identique tous les jours.

Tous les boulangers amoureux de leur travail sont d'accord pour dire que la conduite de la fermentation est la tâche centrale de la panification. C'est le souffle qui anime la pâte. Le bouillonnement qu'on détecte en pleine fermentation témoigne de la vie, de la part de mystère ou de magie, qui ne se réduit pas à une leçon de biochimie, dans la transformation d'une substance organique par l'action de micro-organismes ou la dégradation des sucres en alcool avec un dégagement de gaz carbonique. Conscient que c'est principalement la fermentation qui imprime le pain de sa personnalité particulière, chaque boulanger engagé prend un soin infini à cette opération. Bien maîtrisés, tous les agents de fermentation sont bons. Bien sûr, le levain demeure toujours le vecteur le plus prestigieux. La vaste majorité des boulangers en France l'avait abandonné – fournisseurs et même experts le traitaient de ringard dès les années 1920 –, mais il n'a jamais totalement disparu, et il revient en force ces dernières années. Dans le temps, la « mère », souvent gardée sous le lit du boulanger, faisait partie des contrats de vente des fonds de commerce. Aujourd'hui, le levain liquide, communément entretenu en machine, mais utilisé de manières assez différentes, conteste l'hégémonie canonique du levain dur. Chacun y voit des avantages, et certains emploient les deux méthodes, selon pain et diagramme. On déclenche la matrice avec un simple rendez-vous de l'eau et de la farine, à la manière de Parmentier, ou avec des jus de fruits, du miel, des aromates et des épices. On teste, en rafraîchissant, avec le nez, le toucher, même en goûtant. Surtout, il faut laisser vivre le levain. La renaissance du levain témoigne du réveil de l'orgueil chez la jeune génération de boulangers, de sa volonté de renouveler la profession. Tout comme la fabrication d'une baguette dite « de tradition », à la levure simple – aussi peu que possible –, un pain exigeant un pointage prolongé et attentif, fait sans aucun additif, selon un règlement entériné par un décret d'État de septembre 1993, le seul pain en quelque sorte d'« appellation contrôlée », souvenir du caractère jacobin de la gouvernance française et de la relation tout à fait particulière entre la boulangerie artisanale et l'État en France.

Le bon pain réinventé

La création du « pain de tradition », tout comme la résurrection du levain, marque, en France, le retour du bon pain, après une longue phase d'embarras, d'immobilité, d'anomie, voire de décadence. Les racines de ce désarroi remontent aux dérives qui ont suivi l'introduction de la méthode de production directe sur levure, juste après la Première Guerre mondiale : l'abrégement radical de la première fermentation ; des doses excessives de levure, de sel, d'acide ascorbique et d'autres additifs, adjuvants, et auxiliaires technologiques ; une panification généralement moins vigilante et toujours plus rapide, en raison de la rémunération de l'ouvrier à la pièce et de la tentation du patron de se diversifier (pâtisserie, confiserie, voire épicerie). Après les restrictions et les privations de la Deuxième Guerre mondiale, la pénurie et le dirigisme de la décennie qui a suivi la Libération, les boulangers croyaient avoir trouvé le Graal : la méthode pain blanc-pétrissage intensifié, « découverte » dans l'Ouest et diffusée partout en France et en Navarre avec une célérité prodigieuse. Après des années de morosité, quel plaisir de pouvoir produire, du jour au lendemain, un beau pain, hyper-blanc et gonflé à bloc.

La nouvelle méthode, dans le contexte d'une modernisation à l'américaine, encouragée par le plan Marshall (la disponibilité de crédits) et par les équipementiers prêts à aller loin dans la mécanisation, a débouché sur un renouveau des fournils, très souvent vétustes : obligatoirement des pétrins à double vitesse, mais aussi des diviseuses et des façonneuses souvent inhospitalières à la pâte, l'obligeant à se plier à leurs exigences, et des fours rotatifs qui privent le pain d'une cuisson croustillante. Peu à peu, on se rend compte – d'abord par la voix d'experts chevronnés comme Raymond Calvel et Roland Guinet, que ce pain blanc et volumineux était parfaitement insipide : lessivé, dénaturé, vide. L'espoir que le pain blanc, dont toute la France rêve depuis 1940, va permettre à la boulangerie d'endiguer enfin la chute de la consommation ininterrompue depuis le début du siècle se dissipe rapidement.

Cette modernisation, frisant le semi-industriel, s'avère un miroir aux alouettes. Au même moment, la boulangerie artisanale doit faire face, pour la première fois dans son histoire, à une vraie concurrence, pas du tout encadrée par le gouvernement, de la part de la boulangerie industrielle et des grandes et moyennes surfaces. Des terminaux de cuisson pullulent ; du pain industriel frais et précuit surgelé remplit les rayons des hyper- et supermarchés, dont les plus grands installent même des fournils artisanaux et proposent des prix d'appel. Un lobby de modernisateurs au sein du gouvernement poussait, depuis le début des années 1950, à une politique franchement favorable à une solution industrielle, type anglo-américain, c'est-à-dire, en phase avec le « progrès ». On est à la veille du développement du Chorleywood Bread Process, aujourd'hui utilisé un peu partout dans le monde, sorte d'analogue hyperindustriel du pétrissage intensifié du fournil. Le CBP prend des blés relativement pauvres en gluten, injecte une ribambelle d'améliorants, une grosse dose de levure et de sel, une ration de matières grasses végétales, et une forte hydratation, et mélange le tout à une vitesse très rapide, secouant la pâte violemment. Réduisant la période de fermentation de façon drastique, le CBP transforme la pâte en pain tranché et emballé en trois heures et demie. Le système ne fonctionne pas aux États-Unis, où le taux de gluten des blés forts est habituellement trop élevé. Mais la panification pour le marché de masse n'est pas moins industrielle, fondée sur des valeurs hygiéniques et sanitaires (« Wonder Bread fait un corps fort de huit – plus tard de douze – manières ») et la commodité d'un pain tranché, procédé mécanique qui devient une métaphore du génie américain (« *the greatest thing since sliced bread* »). Quant aux propriétés organoleptiques, les Américains apprécient majoritairement le mou et le fade, dans un régime alimentaire qui sera bientôt dominé par le cocktail nocif du gras, du sucré et du salé.

Le Grupo Bimbo, le plus grand producteur de pain au Mexique, fabrique Wonder Bread et autres pains industriels dans un paysage panaire où l'artisanat avait jadis joué un rôle significatif, s'opposant à la mécanisation jusqu'au XXe siècle. L'historien américain Robert Weis m'informe qu'une douzaine de boulangers et pâtissiers français et autrichiens se sont établis dans le pays dans la première moitié du XIXe siècle (en 1838 éclate « la guerre des pâtisseries » entre la France et le Mexique, quand ce dernier refuse d'indemniser un pâtissier français dont la boutique avait été pillée). Dans *Le Répertoire commercial de l'Empire mexicain* de 1867, la moitié des 35 patrons de boulangerie ont des noms à consonance française et allemande ; deux ans plus tard, un grand journal mexicain publie une lettre ouverte de la part des colporteurs de pain s'en prenant « à la cupidité inique du monopole du pain étranger ». L'artisanat résiste mieux au Japon, précocement victime ou bénéficiaire du pain-impérialisme, où les premières boulangeries occidentales s'ouvrent déjà en 1869 (si l'on ne prend pas en compte le legs portugais du XVIe siècle, cantonné au sud) et où la production industrielle existait bien avant l'occupation américaine. Aujourd'hui, la bonne vieille baguette type Calvel doit faire face non seulement aux pains Kayser et Saibron, mais aussi aux produits « design » des boulangers autochtones comme Masami Asano. Le Japon peut se targuer d'une profession qui n'existe même pas en France : « journaliste du pain ».

Si l'industrialisation de la panification pose pour la France des problèmes que la plupart des autres pays ignorent, c'est que la France a le plus dense réseau artisanal du monde (54 000 au milieu du XXe siècle, 32 500 en 2009) et une épaisse tradition de la théorie et de la pratique artisanales. Fortement investie, financièrement, commercialement et psychologiquement, dans le système pain blanc, la boulangerie française est collectivement incapable de se remettre en question pendant un quart de siècle à partir de 1960. Sans la décision des meuniers d'intervenir sur un terrain qui n'était pas le leur, puis le concours important de l'État, il est vraisemblable que la boulangerie artisanale, inerte (sauf à la marge où subsistent des esprits individualistes et rebelles), se serait totalement effondrée face aux nouveaux concurrents qui, aujourd'hui, disposent de presque 40 % des parts du marché. L'humour noir d'une plaisanterie publiée dans la presse professionnelle de la boulangerie artisanale évoque l'état d'esprit général :

> Une délégation américaine de Coca-Cola est reçue au Vatican par le pape lui-même. Elle lui offre un paiement mensuel d'un million de dollars si l'Église accepte de modifier le Pater Noster en faisant dire « donnez-nous notre Coca quotidien » au lieu de « donnez-nous notre pain quotidien ». Scandalisé, le pape les renvoie illico. Mais le capitalisme américain est tenace. La délégation revient trois mois plus tard avec une nouvelle proposition : si le Saint-Père accepte de modifier le Pater Noster en substituant le Coca-Cola au pain, le fabricant paiera dix

millions de dollars par mois à l'Église. Long silence. Puis le pape se tourne vers son secrétaire à l'autre bout de la pièce et lui demande : « Notre contrat avec la boulangerie prend fin quand ? »

En France actuellement, comme je l'ai suggéré, la boulangerie artisanale va mieux. Elle doit faire face néanmoins à des problèmes sérieux. La majorité des boulangers continue de faire un pain de consommation courante – la baguette blanche – insipide et sans intérêt. Il vaut mieux promouvoir le pain de tradition, à mon avis le produit-phare de l'avenir. Mais s'il faut l'expliquer et le vendre mieux, il n'est pas moins impératif de le fabriquer mieux, avec davantage de rigueur et de régularité. La profession pâtit d'une crise aiguë de recrutement : presque deux tiers des apprentis abandonnent le fournil après la première année. Comment rendre le métier plus attrayant pour les jeunes ? Comment améliorer leur formation ? Que font les autres pays ? Pas plus que la gastronomie française, la boulangerie au début du troisième millénaire ne peut se permettre le luxe de l'ethnocentrisme. En général, l'apprentissage marche beaucoup mieux en Allemagne, par exemple : y a-t-il des enseignements à tirer de l'expérience allemande, malgré l'échelle modeste de son secteur artisanal ? Les autorités syndicales françaises préfèrent parler aujourd'hui du patron-boulanger comme chef d'entreprise : ça fait plus moderne et souligne la réalité des nouveaux défis. Mais est-il sage de minorer la dimension artisanale au moment même où de grands industriels, tel Francis Holder, qui fait un précuit surgelé de facture excellente, s'efforce sciemment de brouiller la distinction entre artisanal et industriel, projet déjà poussé très loin et sans vergogne aux États-Unis où les *par-bakers* revendiquent le statut artisanal ?

Le poète Francis Ponge a raison de nous rappeler que « le pain doit être dans notre bouche moins objet de respect que de consommation ». Je dirais plutôt de « dégustation », d'abord pour signaler qu'il ne s'agit pas d'ingurgiter n'importe quel produit alimentaire, puis pour souligner à la fois l'exigence que doit avoir le consommateur et le plaisir qu'il est en droit d'attendre. La dégustation met en jeu l'appréciation des qualités sensorielles du pain. Le paradoxe de ce processus, c'est qu'il relève, en quelque sorte, à la fois de la nature et de la culture : nous ressentons une réaction immédiate, physiologique et psychologique, mais nous avons besoin de l'articuler pour la mieux comprendre nous-mêmes et surtout pour en parler avec d'autres (car le pain, plus que tout autre nourriture, c'est le partage). Pour instaurer cette conversation, pour pouvoir discuter de façon cohérente et comparer ce qui est comparable, il faut un minimum de vocabulaire formalisé, une grille de lecture souple, mais claire et commune. Quelles sont les caractéristiques du bon pain, comment les nommer, et comment les évaluer ? Comment qualifier et parler concrètement de la vocation hédonique du pain ? Autant de questions fondamentales qui m'ont amené à construire un modèle simple, voire ludique, à l'usage de tous, aficionados ou pas, fondé sur l'examen de l'aspect, la croûte, la mie, la mâche, les arômes et les saveurs.

Mais la dégustation n'implique pas seulement le consommateur : elle concerne le boulanger à double titre. Il doit fabriquer un pain qui réponde aux critères d'exigence (et ne pas se contenter de la tautologie vaniteuse « Je l'ai fait, donc il est bon ») et participer lui-même à l'apprentissage/formation du consommateur. J'entends souvent les boulangers affirmer que le client est roi, qu'il faut lui donner ce qu'il désire. Affirmation qui n'est pas sans équivoque, car le consommateur n'est pas toujours averti. Le boulanger me dit que les consommateurs réclament un pain « pas trop cuit ». Mais ils ne font pas le bon choix parce qu'ils sont mal informés, mal éduqués par l'artisan, qui opte pour la facilité commerciale. C'est à l'artisan de leur dire que, pour atteindre son apogée organoleptique et la croustillance qui est le propre du pain français, le pain doit être correctement cuit.

D'une dégustation à l'autre, savourez ce *Dictionnaire*, nouveau produit, longtemps attendu, qui vous est offert aujourd'hui. Il touche à quasiment tous les aspects du pain partout où il se trouve sur cette planète. Livre riche, cosmopolite, et pionnier, il est l'œuvre de Jean-Philippe de Tonnac, qui a réuni autour de son projet un ensemble unique de collaborateurs venus d'horizons fort divers : des techniciens, des savants, des publicistes, des boulangers, des journalistes, des scientifiques, des meuniers, des fonctionnaires, des chercheurs, des écrivains, des amateurs de pain, de grands voyageurs… J'ai le sentiment que tous ces auteurs partagent l'intuition voluptueuse de Marguerite Yourcenar selon laquelle les étapes de l'écriture ressemblent intimement à celles de la panification. Vous travaillez, vous rédigez. Finalement, vous sentez, dit-elle, que la fermentation a commencé à faire son travail : « la pâte est vivante ».

S. L. K.

NOTE AU LECTEUR

Les « Itinéraires thématiques », en début de volume, permettent de découvrir les différentes facettes du pain, la « Chronologie générale » qui les précède en retrace les grandes étapes, des origines de l'agriculture et de la panification sur le poutour oriental de la Méditerranée et dans la région du Levant jusqu'à l'extraordinaire offensive internationale actuelle des maîtres boulangers français, qui transforme des mangeurs de maïs, de riz, de mil en mangeurs de pain.

Les graphies des noms de pains ont été conservées selon l'usage propre à chaque culture, zone géographique ou peuple (les transcriptions d'autres systèmes d'écriture que l'alphabet latin sont conformes à l'usage français) ; ainsi trouvera-t-on *lavache*, *lavas* ou *lavash*, qui recouvrent sensiblement la même réalité.

Un « Index de tous les pains du monde » recense ces différentes graphies. Il est précédé par un « Index des pains par pays ou peuple », qui le complète.

On trouvera les noms propres significatifs qui n'ont pas donné lieu à une entrée spécifique, mais qui sont cités à différents endroits du Dictionnaire, dans l'« Index des noms propres (enseignes, marques, organismes, personnes) ».

Les Annexes comportent également une riche Bibliographie, par laquelle s'ouvre la possibilité de poursuivre une exploration technologique, scientifique, pratique, artistique ou littéraire du pain. Elle complète les indications bibliographiques plus spécialisées données à la suite de la plupart des articles.

CHRONOLOGIE GÉNÉRALE

Une histoire du pain par ceux qui le questionnent et par ceux qui le font depuis quelque dix mille ans

Les événements ou dates retenus ici servent simplement à dessiner un cheminement depuis ces âges obscurs où des populations commencent à prêter attention aux céréales sauvages et tentent de les domestiquer jusqu'à cette extraordinaire renaissance du pain qu'il faut attribuer aux boulangers français. Lorsque la datation est impossible ou n'a aucun sens, nous avons préféré nous en abstenir.

ORIGINES

L'archéologie chinoise a mis au jour, dans le village de Shuangou, province de Jiandhu, dans le delta du fleuve Huaihe, un fossile de quinze millions d'années d'anthropoïdes ayant consommé de l'alcool (voir BIÈRE).

Les pierres à moudre travaillent par friction : tous nos moulins ont continué à travailler ainsi jusqu'à ce que les pierres soient supplantées par les cylindres à la fin du XIXe siècle. Or les plus anciennes pierres à moudre retrouvées datent de presque cinquante mille ans (Afrique du Sud). À quoi ont-elles servi ? À broyer quelque chose par friction, certes, mais nous ne savons pas quoi (voir PIERRE À MOUDRE).

« La présence de meules ayant servi à moudre des graines est attestée dans les sites préhistoriques de Nubie et au nord de Louxor entre 14500 et 10000. […] La préparation de farine à partir de ces graines est confirmée par l'usure des dents que l'on constate sur les squelettes de l'époque, usure résultant d'une alimentation à base de farines contenant des particules minérales détachées des meules et des molettes lors du broyage » (R. Drapron, J. Potus, F. Laplume et P. Potus, *Notre pain quotidien*).

« Ainsi, peu à peu, le chasseur devint gardien de troupeaux. Puis il observa que les animaux qu'il avait domestiqués ne mangeaient pas la chair de leurs congénères. Ils se nourrissaient de végétaux, d'herbes ou de fruits. L'homme se mit à les imiter » (Heinrich Eduard Jacob, *Histoire du pain depuis 6 000 ans*).

Collectées ou cultivées, génétiquement sauvages ou domestiques, les céréales sont exploitées depuis plus de dix-sept mille ans. Mais à quelles fins ? Les données archéologiques sont muettes sur ce point. Aucun reste de galette, de gruau, de pain ne nous est parvenu (voir CÉRÉALES SAUVAGES AUX PREMIÈRES FORMES DOMESTIQUES, des).

La domestication des céréales (blés, orges et seigles au Proche-Orient, maïs en Méso-Amérique, riz en Amérique du Nord, mils et sorghos en Afrique, riz et millet en Asie centrale et en Extrême-Orient) est l'une des caractéristiques majeures de l'époque dite « néolithique ». Certains groupes préhistoriques, jusqu'alors chasseurs-collecteurs, adoptent une économie agropastorale. Cette transformation a eu lieu, de façon relativement concomitante, entre 12000 et 6000 av. J.-C. environ, dans plusieurs foyers indépendants (voir CÉRÉALES SAUVAGES AUX PREMIÈRES FORMES DOMESTIQUES, des).

Les céréales doivent être cuites pour être consommées. La technique la plus ancienne est le grillage. Mais c'est la bouillie, produit de la cuisson par ébullition, qui fait entrer véritablement l'humanité dans l'ère de l'alimentation à base de céréales. La bouillie apparaît ainsi pour beaucoup comme l'ancêtre à la fois du pain et de la bière. En tout cas, dans bien des cultures, elle précède le pain (voir BOUILLIE).

La confection des bouillies implique une cuisson dans l'eau, c'est-à-dire dans un récipient étanche et résistant à la chaleur. Il est possible de faire bouillir de l'eau dans un récipient en cuir ou en bois, en se servant de pierres chauffées. Mais cela implique des manipulations continuelles. Le moyen le plus courant est d'utiliser un récipient qui va au feu, une marmite. L'histoire des bouillies n'a pas dû commencer bien avant celle de la poterie, il y a douze mille ans suivant les régions (voir MORTIER-PILON).

L'amidonnier, qui appartient au genre *Triticum* et à l'espèce *Triticum turgidum* L., famille des poacées, est le blé le plus cultivé au Néolithique (8000 av. J.-C.) et au début de l'âge de bronze (2000 av. J.-C.) (voir AMIDONNIER).

L'ethnologie n'exclut pas la possibilité que les peuples primitifs se soient nourris de glands plus que de blé (Heinrich Eduard Jacob, *Histoire du pain depuis 6 000 ans*).

Bier ist flüssiges Brot («La bière est un pain liquide»). Cette devise germanique affirme l'essentiel : le pain et la bière ont une histoire commune. Tous deux dérivent de l'amidon, majoritairement de céréales, panifiables pour le pain, même si on connaît au Brésil des pains levés à partir de farine de manioc. Pain et bière nécessitent un levain pour assurer la fermentation alcoolique génératrice aussi de gaz carbonique. Selon toute vraisemblance, ils sont apparus au Néolithique il y a sept mille à huit mille ans, quand les premières civilisations agricoles se sont fixées quelque part dans le Croissant fertile (voir BIÈRE).

«Les premiers millénaires de la domestication des céréales sont le temps des grains durs, "blés" vêtus d'une forte écorce végétale, durs au broyage, bientôt grillés pour en faciliter la conservation et la digestion, consommés en infusion ou en gruau ("porridge"), c'est-à-dire en bouillie. L'orge, l'engrain et l'amidonnier sont les premières céréales domestiquées» (Jean-Pierre Devroey, «Expansion et recul des céréales cultivées dans la longue durée», *in* C. Macherel et R. Zeebroek [dir.], *Une vie de pain. Faire, penser et dire le pain en Europe*).

Il faut attendre la période dite du «Néolithique précéramique B moyen», vers 8200 av. J.-C., pour qu'apparaissent les premiers engrains, amidonniers et orges de morphologie domestique, associés aux lentilles et aux fèves (voir CÉRÉALES SAUVAGES AUX PREMIÈRES FORMES DOMESTIQUES, des).

«En Mésopotamie, les femmes de certaines tribus découvrent les possibilités offertes par des céréales sauvages. Après les avoir broyées, elles les mélangent avec de l'eau. Elles obtiennent une bouillie que certains ont l'idée de faire cuire sous la cendre ou sur une pierre plate. Le pain est né. […] Pour conserver d'une année sur l'autre des grains si précieux, l'homme creuse dans le sol des fosses en forme de cloches, colmatées avec un bouchon de paille et d'argile. Ces cavités sont ensuite réemployées comme sépultures collectives. Ainsi s'établit la connexion entre la conservation des grains et la conservation des morts. Une première ébauche de civilisation apparaît autour de ces silos » (Lionel Poilâne, *Le Pain par Poilâne*).

La découverte du pain a probablement incité l'homme à inventer différentes techniques de cuisson, de là une lente élaboration des différents fours dans le monde. Un four daté de 5800 av. J.-C. où l'on a pu cuire du pain a ainsi été découvert en Asie Mineure (voir FOUR).

« Suivant la tradition arabe, le blé aurait été apporté à l'homme par l'ange Mikaïl ; il lui apprit que ce grain formerait sa nourriture et celle de sa postérité ; ce blé primitif était de la grosseur d'un œuf d'autruche, mais, l'homme étant devenu impie, il fut réduit à la grosseur d'un œuf de poule, puis il descendit graduellement à celle d'un œuf de pigeon puis à la grosseur d'une noisette de telle sorte que du temps de Joseph il était de la grosseur d'un pois » (Ibn el-Awam, *Le Livre de l'agriculture*, cité par R. Drapron, J. Potus, F. Laplume et P. Potus, *Notre pain quotidien*).

Depuis le Paléolithique, les hommes savaient certainement calculer le temps et avaient établi un calendrier lunaire. Cette conception du temps cyclique a eu un impact sur l'organisation sociale, spirituelle et religieuse des premières collectivités. Progressivement se développe une théologie alimentaire associant les plantes nourricières (et animaux domestiqués) à un don divin qui assure la survie des hommes. En consommant les grains produits spontanément ou cultivés, l'homme « mange », en dernière instance, le divin, il consomme avec le don les dieux bienfaiteurs (voir CALENDRIERS ET MESURE DU TEMPS).

L'agriculture, dans l'avènement de laquelle les femmes ont joué un rôle prépondérant, leur a réservé une place nouvelle au sein des sociétés sédentarisées des premiers paysans cultivateurs de céréales et de légumineuses (voir TERRE-MÈRE PRIMORDIALE).

À quelques exceptions près, dont naturellement notre société actuelle, ce sont partout et toujours les femmes qui ont en charge la préparation de la nourriture du groupe familial (voir FEMMES).

« Les forces végétatives de la terre nourricière ont probablement suscité dans l'esprit des premières communautés d'agriculteurs, des représentations artistiques d'inspiration religieuse de la terre mère, déesse de la fécondité universellement évoquée dès le début du Néolithique » (R. Drapron, J. Potus, F. Laplume et P. Potus, *Notre pain quotidien*).

Le professeur de botanique Adam Maurizio propose de substituer les notions d'âge de la pierre, d'âge du bronze et d'âge du fer par celles d'âge du blé grillé et écrasé, d'âge de la bouillie et d'âge de la galette (*Histoire de l'alimentation végétale depuis la préhistoire jusqu'à nos jours*).

En Europe, des traces de monoculture du seigle ont été trouvées en Pologne et en Roumanie et remonteraient au milieu du IVe millénaire av. J.-C. (voir SEIGLE, *Secale cereale*).

ANTIQUITÉ

Le riche vocabulaire concernant l'art du boulanger révèle l'importance du pain dans la vie quotidienne des Sumériens. Le mot *ninda*, « pain », apparaît sur les tablettes d'argile dès la naissance de l'écriture à Uruk, vers 3 600 av. J.-C. Son pictogramme représente un bol rond, parfois ovale, qui sert pour le pétrissage et désigne aussi une unité de mesure de grains (voir SUMER).

« Le pain a dominé l'esprit et la matière du monde antique, depuis les Égyptiens qui l'ont inventé et en firent le fondement de toute leur vie économique, jusqu'aux Juifs qui en firent le point de départ de leur législation religieuse et sociale. Puis vinrent les Grecs qui créèrent les légendes les plus profondes et les plus solennelles des mystères d'Éleusis. Enfin les Romains en firent une politique. Jusqu'au jour où Jésus-Christ dit : *Mangez ! Je suis le pain de vie !* » (Heinrich Eduard Jacob, *Histoire du pain depuis 6 000 ans*).

« Si déjà, la consommation de céréales, blé et orge, est attestée en haute Mésopotamie par les découvertes archéologiques de meules, de fours et de moules pour la fabrication du pain, c'est avec les Sumériens, comme en témoignent de nombreux documents épigraphiques en caractères cunéiformes sur des tablettes de terre cuite, que s'établit la prééminence du pain dans l'alimentation » (R. Drapron, J. Potus, F. Laplume et P. Potus, *Notre pain quotidien*).

Quatre mille cinq cents ans av. J.-C., un médecin chinois dit que « si trop de sel est ajouté aux aliments, le pouls durcit ». Six mille cinq cents ans plus tard, la responsabilité du sel dans le développement de l'hypertension a été mise en évidence par des études cliniques sur les animaux et sur l'homme ainsi que par des études épidémiologiques. De 0,5 % du poids de la farine au XVIIIe siècle, on est passé à plus de 2 % de sel de nos jours (voir SEL).

Un mythe originaire de Mésopotamie rapporte qu'à l'origine des temps les dieux eux-mêmes vivaient nus, broutant l'herbe et lapant l'eau à la manière des bêtes ; on ne les voit se civiliser, c'est-à-dire se vêtir, écouter de la musique, adopter des manières de table, manger de la nourriture panifiée et boire de la boisson fermentée, essentiellement de la bière, qu'après la création de l'homme, cette création n'étant pas autre chose, en ultime analyse, que leur acte de naissance (voir MÉSOPOTAMIE).

Le principe de base est de faire cuire le pain dans un espace clos, la chaleur nécessaire étant fournie soit par un apport constant pendant la cuisson, soit par une accumulation préalable dans la masse du four. Les Égyptiens ont choisi la première technique, reprise bien plus tard par les boulangers modernes, celle des moules renfermant la pâte à pain, recouverts de cloches. On retrouve en Asie centrale des fours de type égyptien, à ouverture supérieure, de type tannur, puis progressivement des fours à ouverture frontale avec voûte (voir FOUR).

La racine *l-ḫ-m* désigne, dans les langues sémitiques, la nourriture par excellence : en arabe, elle signifie la viande, en hébreu, le pain. La guerre, *milḫamah*, lui est liée étymologiquement (la racine *l-ḫ-m* comportant l'idée de lutte pour la survie). L'autre élément essentiel de l'alimentation est le sel, anagramme du pain : *melaḫ*. Le pain est également un support privilégié des rapports entre le ciel et la terre. Le pain est le produit par excellence de la terre, comme l'indique la bénédiction rituellement prononcée avant sa consommation : « Béni sois-Tu, Éternel, roi de l'Univers, qui fait sortir le pain de la terre.» En revanche, il existe un autre pain, qui lui descend des cieux : la manne (voir HALLAH, MANNE, PAINS DE PROPOSITION).

«Quatre ou cinq mille ans avant Rome et le christianisme, des paysans laboureurs et éleveurs revêtirent l'Europe d'une seule et même civilisation, à la fois diverse dès l'origine dans ses expressions régionales ou locales, et constante dans ses fondements partagés, de la mer Noire à l'Atlantique et de la Méditerranée à la Baltique. Ils ont fait l'unité première et foncière de ce continent, la plus vive et la plus durable» (Claude Macherel et Renaud Zeebroek [éd.], *Une vie de pain. Faire, penser et dire le pain en Europe*).

C'est à Douane (lac de Bienne) que Max Währen, responsable des Archives suisses pour l'étude du pain, aurait identifié le plus vieux pain européen : il daterait de 3560 à 3530 av. J.-C. (Néolithique moyen). Il a été fabriqué à partir de froment finement moulu et de levain (voir PAIN LEVÉ D'EUROPE, le plus ancien).

«Un écart d'environ un millénaire a dû exister entre la Mésopotamie et l'Égypte pour la culture de l'orge et du blé, ce qui provient probablement du fait que la cueillette dans la plaine alluviale du Nil a suffi pendant cette période aux sociétés en cours d'organisation et disposant de nombreuses espèces végétales qui composaient leur diète quotidienne» (R. Drapron, J. Potus, F. Laplume et P. Potus, *Notre pain quotidien*).

«Les Égyptiens se dénommaient eux-mêmes "Chemet", fils de Chemi, la terre noire, prenant leur nom et leurs origines dans l'instant divin qui leur apportait l'humus gras. C'est ainsi qu'ils devinrent le peuple le plus intimement lié au blé» (Heinrich Eduard Jacob, *Histoire du pain depuis 6 000 ans*).

«La Bible atteste la connaissance du pain non seulement chez les Hébreux, mais chez les Égyptiens, ce que nous confirment d'ailleurs de nombreuses peintures égyptiennes relatives à la culture du blé, à la moisson, comme au broyage entre deux pierres, au pétrissage, à la cuisson [...]. Les Égyptiens qu'Hécatée de Milet appelle en 500 av. J.-C. le peuple "mangeur de pain", un peu comme les Anglais et les Allemands virent les Français au XIXe siècle apr. J.-C., donnèrent à leur aliment principal toutes sortes de formes fantaisistes et furent ainsi les inventeurs de la boulangerie d'art » (Jean-François Revel, *Un festin de paroles*).

La présence d'orge et de blé dans le sous-continent indien remonte à une très haute antiquité puisque ces grains, ainsi que des greniers et des pierres à moudre, ont été exhumés dans les sites archéologiques de la civilisation de l'Indus et remonteraient au 2e millénaire avant notre ère (voir INDE).

« Mange le pain Enkidu, il le faut pour vivre. Bois la bière, c'est l'usage du pays » (*L'Épopée de Gilgamesh, le grand homme qui ne voulait pas mourir,* XVIIIe siècle av. J.-C.).

Grands observateurs de la nature, les Égyptiens ont compris qu'ils pouvaient fabriquer du pain en mélangeant le grain écrasé ou moulu à l'eau du Nil, particulièrement riche en limons, ceux-ci renfermant des agents de fermentation utilisés encore trois mille ans plus tard par la boulangerie artisanale et industrielle (voir ÉGYPTE).

« Alors que les humains éprouvaient généralement la crainte de la putréfaction des aliments, les Égyptiens faisaient leur pâte de façon qu'elle fût obligée de se corrompre et suivaient avec plaisir le processus de la fermentation » (Heinrich Eduard Jacob, *Histoire du pain depuis 6 000 ans*).

La bière étant fabriquée à partir de pain d'orge, les Égyptiens disent : « La bière est le pain qu'on boit », formule reprise par l'écrivain allemand Georg Christoph Lichtenberg.

Pas moins de dix-neuf variétés de pains ont pu être identifiées en Égypte, grâce aux représentations très précises des fresques et aux exemplaires trouvés dans les tombes (voir ÉGYPTE).

« Si la fabrication du pain en Égypte semble avoir été surtout domestique, les domaines de pharaon, des hauts fonctionnaires et du clergé possèdent déjà leur "entreprise" de panification. Dès lors, on ne peut s'étonner qu'en 1645 av. J.-C., lors de l'exode, les Hébreux manquant de nourriture dans le désert dirent à Moïse et Aaron : "Que ne sommes-nous morts en Égypte où nous pouvions nous rassasier de pain" » (R. Drapron, J. Potus, F. Laplume et P. Potus, *Notre pain quotidien*).

Dans les formules funéraires trouvées dans les tombes égyptiennes, l'expression « pain-bière » résume à elle seule toutes les nourritures dont le défunt espère jouir dans l'au-delà (voir ÉGYPTE).

À cause de techniques de moutures rudimentaires, le pain en Égypte contient souvent de fines particules de pierre. Résultat : les Égyptiens ont souvent les dents usées ou cassées.

L'obligation de s'abstenir de *ẖamets* (pâte levée) durant la fête de Pessah, et donc de consommer uniquement de la matsah (azymes), trouve son explication dans Deutéronome XVI, 3 : « Un pain de pauvreté (*'oni*), car tu es sorti en hâte d'Égypte », qu'on interprète généralement comme « la pâte n'a pas eu le temps de lever ». La hâte renvoie à l'idée que la sortie d'Égypte est une rupture radicale avec le passé, une forme d'« éveil subit » qui fait écho à l'origine radicale de l'homme, donc à l'histoire d'Adam dont elle est une réparation (voir ÉGYPTE, Sortie d').

Certains historiens considèrent qu'Alexandrie était avant tout un vaste entrepôt de blé réparti dans des greniers que la langue grecque de l'époque lagide nommait *thesauroi* (« trésors »). C'est l'incendie de la flotte égyptienne provoqué par les armées de Jules César qui se serait communiqué à ces greniers avant de gagner la célèbre bibliothèque (R. Drapron, J. Potus, F. Laplume et P. Potus, *Notre pain quotidien*).

Grandes divinités dans la poésie homérique, adoptées par les Achéens, Déméter et sa fille Perséphone deviennent les personnifications des « Grandes Déesses », désormais pivots des mystères d'Éleusis, au début comme initiatrices d'un culte agraire qui développe, sous l'influence des Orphiques et l'introduction de Dionysos Zagréus, un véritable penchant mystique et métaphysique (voir DÉMÉTER ET PERSÉPHONE).

Les Grecs se qualifient de « mangeurs de céréales » dans les deux épopées d'Homère, *L'Iliade* et *L'Odyssée*, si importantes toutes deux pour transmettre aux quatre coins du monde grec et aux générations successives leurs valeurs identitaires. Lorsqu'il revient de son épopée, Ulysse salue sa patrie en embrassant « la terre donneuse de blé » (*L'Odyssée*, XIII, 354) (voir GRÈCE).

La pauvreté du sol condamne les Grecs à cultiver plutôt l'orge que le blé, orge guère panifiable dont ils font la *maza*, bouillie qui resta pendant toute l'Antiquité l'essentiel de leur alimentation (voir GRÈCE).

« L'épopée des Argonautes, auréolée d'un halo romanesque, était une expédition grecque en quête de céréales. Jason et ses héros, marchands de blé armés, voulaient rapporter dans leur patrie affamée "la toison", symbole des champs dorés au temps de la moisson » (Heinrich Eduard Jacob, *Histoire du pain depuis 6 000 ans*).

Le pain, appelé *bing* (饼), *baozi* (包子), *bantou* (馒头), *huajuan* (花卷), apparaît dès 600 av. J.-C. en Chine (époque de Confucius) et devient commun vers l'an 0 de la dynastie Han (voir CHINE, HONG KONG ET MACAO).

« C'est avec les Grecs que l'histoire du pain rejoint l'histoire, non pas seulement de l'alimentation, mais de la gastronomie. Au début du premier millénaire, toutes les conditions se trouvent réunies pour permettre d'atteindre dans la fabrication du pain un progressif raffinement, à savoir : d'abord la maîtrise de la mouture, ou du blutage [...] ; ensuite l'adoption et la mise au point définitive du grand four (par opposition à "petit four" qui sera plus tard adapté à la pâtisserie fine). Le four de boulangerie est, encore aujourd'hui, à peu près semblable à ce qu'il était dans l'Antiquité, au VIe siècle av. J.-C. Enfin et surtout, l'idée de mêler au pain toutes sortes d'herbes ou graines odoriférantes, d'huiles et de fruits aux parfums ou aux goûts subtilement modulés et d'une gamme très étendue » (Jean-François Revel, *Un festin de paroles*).

Athénée Naucratis (IIe siècle) mentionne quelque soixante-douze espèces de pain dans son *Deipnosophistes, ou le Banquet des sophistes* (voir ATHÉNÉE DE NAUCRATIS).

« Il revient aux Grecs d'avoir inventé le véritable four préchauffé à l'intérieur et s'ouvrant de face, qui sera ensuite utilisé en cuisine » (Maguelonne Toussaint-Samat, *Histoire naturelle et morale de la nourriture*).

Ce sont les *démétrioi karpoi*, les « fruits de Déméter », que les Latins appelaient *cerealia*, « fruits de Cérès », et nous « céréales » (voir DÉMÉTER ET PERSÉPHONE).

Les Grecs découvrent le riz lors des expéditions d'Alexandre le Grand (344-324 av. J.-C.) (voir RIZ, *Oryza sativa*).

« À la fin du IIe siècle av. J.-C., la diffusion de la culture du blé s'est faite à partir de colonies de la Grande Grèce par l'intermédiaire des Étrusques. L'épeautre, blé rustique appelé *far* qui est à l'origine du mot farine, et le blé barbu, le *fromentum*, probablement un blé dur, constituaient alors la base de l'alimentation » (R. Drapron, J. Potus, F. Laplume et P. Potus, *Notre pain quotidien*).

Plaute : « *Pulte autem, non pane, vixisse longo tempore Romanos manifestum* » (« Il est manifeste que les Romains vécurent longtemps de bouillie et non de pain »). Les notables romains font alors venir (vers 160 av. J.-C., d'après Pline), en tant qu'esclaves, des boulangers grecs pour leur préparer différents pains, et y prennent goût.

Les boulangers romains se regroupent au sein d'une corporation dont l'empereur garantit les droits. Ils portent le même nom que les meuniers, *pistores*, c'est-à-dire pileurs. Au IXe siècle, les boulangers français s'appellent encore les *pestores* (voir BOULANGERS ET BOULANGERIES, histoire de France des).

L'*Africa romana* est alors le grenier de Rome. Pline l'Ancien : « Le sol d'Afrique a été donné tout entier à Cérès, toute la gloire du pays est dans la moisson » (voir ALGÉRIE).

Ier siècle av. J.-C. : Le boulanger romain Vergilius Eurysacès, d'origine grecque, se fait construire pour lui et sa femme Atinia un monumental tombeau retrouvé lors de la restauration de la porte Maggiore à Rome (voir EURYSACÈS).

Vers l'an 0 : Naissance, sous la dynastie Han, du « hamburger » chinois, petit pain rond avec des graines de sésame fourré à la viande et autres aliments (voir CHINE, HONG KONG ET MACAO).

Ier siècle : L'agronome romain Columelle publie son *Rei rusticae libri*, en douze volumes. Il représente avec l'ouvrage de Caton l'Ancien *De agricultura* les deux sources d'informations essentielles que nous possédions sur l'agriculture dans le monde romain (voir COLUMELLE).

Apparition à Rome, à l'époque de l'empereur Auguste (mort en 14 apr. J.-C.), des premiers fours publics (voir ITALIE).

Vers l'an 30 : Selon la tradition chrétienne, la Cène se déroula dans la chambre haute, ou Cénacle, située sur le mont Sion à Jérusalem. Dans quatre récits du Nouveau Testament (Matthieu XXVI, 20-29 ; Marc XIV, 17-25 ; Luc XXII, 14-38 ; I Corinthiens XI, 23-26), la Cène est présentée comme le repas instituant l'eucharistie (voir CÈNE).

24 août 79 : Le Vésuve entre en éruption et ensevelit les villes d'Herculanum, de Pompéi et de Stabies. Cette tragédie nous a permis de retrouver un nombre considérable de pains prêts à être consommés, dont un au moins marqué du nom du boulanger, et les vestiges d'une boulangerie.

Vers l'an 90 : « En vérité, en vérité, je vous le dis, si le grain de blé qui est tombé en terre ne meurt, il reste seul ; mais, s'il meurt, il porte beaucoup de fruit » : par cette formule promise à une extraordinaire destinée, l'évangéliste Jean (XII, 24) semble résumer la déjà longue histoire entre l'homme et le grain à laquelle les sociétés de la préhistoire et de l'Antiquité ont contribué chacune à leur manière (voir GRAIN ET GRAINE).

La formule lapidaire du poète satirique Juvénal (*Satire* X, 81) *panem et circenses* (« du pain et des jeux ») stigmatise la veulerie du peuple romain réduit à se satisfaire de l'aumône des gouvernants d'un peu de pain et de divertissement.

Les plus anciennes représentations de moulins à eau sont byzantines. Elles sont figurées sur les mosaïques d'Apamée (IIe siècle) et du grand palais de Byzance (Ve siècle) (voir MOULIN).

Pendant les invasions barbares, l'art boulanger semble disparaître à Rome, et les seuls lieux où l'on continue à faire du pain sont les monastères, et ce jusqu'au Moyen Âge (voir ITALIE).

MOYEN ÂGE

La plus importante meunerie antique connue se trouve en France. Il s'agit d'un ensemble de seize moulins à eau datant du IIe-IIIe siècle et situé à Barbegal (Fontvieille). Mais le moulin à eau ne s'impose véritablement qu'au VIIIe-IXe siècle (voir MOULIN).

492 : Le pape Gélase Ier christianise la fête romaine de la sortie de l'hiver, qui devient alors celle de la Présentation au Temple de Jésus, et en fixe la date au 2 février. Les processions aux chandelles prenant le pas sur les rituels païens, la fête prend le nom de *festa candelorum*, « fête des chandelles », notre chandeleur (voir CRÊPE).

Le dogme de la transsubstantiation au cœur du christianisme est remis en cause tout au long de l'histoire par des communautés aux marges de la chrétienté, comme les encratites, les sévériens, les artotyrites, les barsaniens, les stadingues, les albigeois (voir MIRACLES EUCHARISTIQUES).

« À quel niveau de civilisation étaient les peuples qui dévastèrent l'Empire romain ? César disait à propos des Germains : "*Agriculturae non student*" ("Ils ne s'intéressent pas à l'agriculture"), et il expliquait que c'était pour éviter l'attachement à la possession d'une région déterminée et l'amollissement des mœurs » (Heinrich Eduard Jacob, *Histoire du pain depuis 6 000 ans*).

« Notre connaissance de la céréaliculture dans la Gaule, la Belgique et la Germanie avant ou après les conquêtes romaines demeure imprécise. Les historiens ont largement puisé dans les œuvres des agronomes latins (Varron, Columelle, Palladius et surtout Pline l'Ancien), dont le savoir et les citations ont alimenté le discours sur l'agriculture jusqu'au XVIIe siècle. Mais l'interprétation de ces sources écrites reste malaisée. [...] les céréales apparaissent sous des appellations souvent ambiguës : comme l'écrit Pline, "les espèces de blé ne sont pas les mêmes partout, et là où elles sont les mêmes, elles ne portent pas toujours le même nom" » (Jean-Pierre Devroey, « Expansion et recul des céréales cultivées dans la longue durée », *in* C. Macherel et R. Zeebroek [dir.], *Une vie de pain. Faire, penser et dire le pain en Europe*).

La légèreté du pain consommé par l'élite gauloise est réputée et attribuée à la présence d'écume de cervoise dans la pâte – autrement dit la levure de bière, redécouverte quelques siècles plus tard seulement.

Le samossa, petit friand originaire de la province d'Abadan, au sud de la Perse, commence sa migration (*sambosa* afghan ; *samsa* ou *sambusek* des républiques turcophones ; *sambousak* au Moyen-Orient, etc.). Il s'agit sans doute de l'un des aliments qui ont le plus voyagé dans le monde (voir IRAN).

L'usage de pain azyme dans l'Église catholique romaine se développe à partir du VIe ou VIIe siècle et ne se généralise qu'à partir du milieu du XIe siècle (voir HOSTIE).

« En rompant, au XIe siècle, avec le pain fermenté de la Pâque qui dans la chrétienté d'Orient présente l'avantage de marquer la frontière avec le judaïsme tout en faisant agir la métaphore du Christ-levain, le christianisme romain s'est contraint à d'incessantes manipulations symboliques » (Claudine Fabre-Vassas, « L'azyme des juifs et l'hostie des chrétiens », *in* D. Fournier et S. D'Onofrio [dir.], *Le Ferment divin*).

Les musulmans partent à la conquête du monde et semblent n'avoir aucune considération pour le labour. « Le Coran n'en tenait pas compte, le calife Omar l'interdisait, l'éthique des cavaliers-chevaliers arabes l'abandonnait aux peuples assujettis. Un jour, à la vue d'un soc de charrue, Abu Umama al Bahali raconte qu'il avait entendu Mahomet dire : "Des outils de cet ordre n'entrent pas dans la maison d'un musulman sans y apporter un esprit de mesquinerie…" » (Heinrich Eduard Jacob, *Histoire du pain depuis 6000 ans*).

Presque partout en terre d'islam, on ne jure qu'au nom de Dieu ou sur Dieu et les grands imams infaillibles (pour les chiites) ; en Irak, les gens jurent également de nos jours sur le pain : « Je jure sur le pain ! », ou encore « Je jure sur Celui qui a germé de la terre ! » (voir IRAK).

VIIe siècle : L'*Ordo romanus I* fixe, dans le moindre détail, les cérémonies de la messe solennelle (voir MESSE).

Vers 831 : Paschase Radbert, de l'abbaye de Corbie, publie le premier traité théologique sur l'eucharistie (voir EUCHARISTIE).

Xe siècle : Pain de seigle et kvas sont attestés dans la consommation courante des Russes dès cette époque, concurrencés seulement aux XVIe et XVIIe siècles par l'usage de farine d'avoine (voir RUSSIE).

Sous les rois francs, les populations connaissent la famine, lorsqu'elles ne subissent pas les conséquences désastreuses de la consommation de pain confectionné avec de la farine ergotée. L'ergot est un parasite des poacées sauvages ou cultivées. L'espèce cultivée la plus sensible est le seigle. L'ergotisme a été décrit à l'époque romaine, au Moyen Âge et jusqu'au XIXe siècle ; toutes les régions de France ont été touchées, aux époques où le seigle était beaucoup plus utilisé que de nos jours. Cette maladie a été évoquée également sous le nom de feu de saint Antoine, de mal des ardents, et a pu être parfois confondue avec la peste (voir ERGOTISME).

1054 : Séparation définitive de l'Église d'Occident et de l'Église d'Orient. Pour le monde orthodoxe, le *prosphore* (« offrande »), le pain levé avec le vin liturgique, préparés lors de la *proscomidie* (office de préparation des saints dons), constituent les éléments propres à la célébration eucharistique, fonction première de toute divine liturgie. La consommation du *prosphore* « matérialise » la communion mystique avec Dieu et assure la bénédiction de tous ceux qui participent au « festin du Royaume » (voir RITE ORTHODOXE).

Le pain, dont la fabrication était restée essentiellement familiale, devient, dans les villes, la spécialité d'un corps de métier original, les talemeliers, nom qui provient probablement du tamis qu'ils utilisaient pour débarrasser la farine de ses impuretés. Corps de métier appelé à jouer dans la vie de la cité un rôle majeur que les souverains vont chercher à réglementer (voir BOULANGERS ET BOULANGERIES, histoire de France des).

À partir du XIe siècle, le seigneur impose le monopole de l'infrastructure agricole : les paysans sont contraints à se servir du four, du moulin et du pressoir seigneuriaux moyennant une redevance, souvent en nature. Le seigneur contrôle et taxe également la circulation des biens et des personnes. Les banalités sont répandues dans tout le royaume (voir BAN ET BANALITÉS).

À en croire certains économistes pessimistes, l'agriculture n'est jamais exercée de bon gré, mais toujours imposée par la misère ou la force ; jamais les peuples ni les particuliers ne se font volontairement paysans (Heinrich Eduard Jacob, *Histoire du pain depuis 6 000 ans*).

XIIe siècle : Le mot « boulanger » apparaît pour la première fois au côté de celui de « talemelier » (voir TALEMELIER).

À partir du XIIe siècle, les moulins à grain mus par le vent font leur apparition dans le paysage rural et urbain. Ils sont mentionnés dans les textes en 1180 à la fois sur les deux rives de la Manche et en Provence (voir MOULIN).

« Dans un certain sens, ces moulins sont un triomphe du christianisme, car les anciens Gaulois et Germains n'auraient jamais permis d'abuser du génie cosmique du vent pour lui faire mouvoir des moulins » (Heinrich Eduard Jacob, *Histoire du pain depuis 6 000 ans*). C'est peut-être ce qui va nourrir la méfiance des populations vis-à-vis de celui qui pactise avec les forces invisibles et, au besoin, détourne le blé à son profit : « Il n'y a pas de meunier au ciel », dit le dicton (voir MEUNIER DANS L'HISTOIRE).

1202 : Jeune homme dissipé, Honoré joue un tour à sa nourrice en lui révélant vouloir devenir prêtre. Parce qu'elle cuit son pain à l'instant où Honoré se confie, elle lui répond : « Quand ma pelle aura des feuilles, tu seras évêque ! » Puis sous leurs yeux ébahis, la pelle se met à reverdir. En souvenir de ce miracle, un boulanger parisien offre neuf arpents de terre pour construire une chapelle à saint Honoré, consacré dès lors saint patron des boulangers (voir HONORÉ, saint).

Novembre 1215 : Au cours de la messe, au moment de la consécration, la substance du pain et du vin est mystérieusement transformée pour devenir la chair et le sang du Christ. Cette transformation, appelée « transsubstantiation », est officialisée par la profession de foi adoptée lors du IVe concile du Latran (voir EUCHARISTIE).

1227 : Les boulangers viennois apportent des *chipfen* – aujourd'hui *kipfeln* – en cadeau de Noël au duc Léopold de Babenburg (chronique d'Enenkel) : c'est la première mention de l'ancêtre autrichien du croissant français (voir CROISSANT).

1268 : Dans le registre des corporations, tel qu'il est spécifié dans *Le Livre des métiers* d'Étienne Boileau, le grand panetier appartient aux officiers de premier rang de la couronne (voir GRAND PANETIER).

Fin du XIIIe siècle : Les Juifs sont les victimes toutes désignées des crimes de profanation d'hostie. Pour leurs accusateurs chrétiens, ils martyrisent et poignardent des hosties consacrées afin de se venger de leurs misères en crucifiant à nouveau le Christ (voir HOSTIE PROFANÉE).

Le tranchoir est un morceau de pain rassis, ou un épais morceau de pain bis de forme ronde, sur lequel les viandes sont posées et qui tient donc lieu d'assiette (voir TRANCHOIR ET TAILLOIR).

« Si le temps n'est jamais réellement immobile, les quatre siècles précédant la Révolution française constituent un écosystème assez figé : instruments aratoires qui évoluent peu, traction animale inefficace, manque criant d'engrais, jachère à la fois nécessaire et appauvrissante, lourdes contraintes collectives en l'absence de la clôture, baux ruraux (notamment le métayage) excluant toute rationalisation, atomisation de la propriété paysanne, prolifération de journaliers sans terre, etc. Néanmoins, malgré son inertie, cette agriculture, source de quasiment toute la richesse, permet à l'État dit moderne de se construire » (Steven L. Kaplan, « Introduction »).

ÉPOQUE MODERNE

1311 : À la suite du concile de Vienne, la Fête-Dieu ou fête du Pain de Vie est adoptée dans l'ensemble de la chrétienté (voir FÊTE-DIEU).

1358 : Jacquerie dans les campagnes de Picardie, de Normandie, d'Artois, de Champagne. Le cri de ralliement des paysans (qu'on appelle les Jacques) est alors « Le pain se lève ! », repris par la paysannerie anglaise : « *The bread will raise !* » (Heinrich Eduard Jacob, *Histoire du pain depuis 6 000 ans*).

1397 : Les statuts de la confrérie des oublieurs, habilités par les autorités ecclésiastiques à fabriquer des hosties, en interdisent la fabrication aux femmes ; la qualité des hosties doit être approuvée par les maîtres de la confrérie (voir HOSTIE).

1419 : Sous l'impulsion de Jean Ier de Bourgogne, dit Jean sans Peur, les juristes interviennent pour la première fois sur la vente du prix du pain à la livre. Les boulangers ont l'obligation de peser le pain avec des balances conformes à la législation et de signaler le poids à leur étal. Dès 1482, le marquage des pains à l'aide de poinçons est rendu obligatoire (voir RÉGLEMENTATION).

1492 : Les galettes de manioc – ou cassaves – sont les premiers « pains » rencontrés par les Espagnols sur le continent amérindien (voir AMÉRIQUE LATINE). Quand les Européens découvrent l'Amérique, le maïs y est cultivé des rives du fleuve Saint-Laurent, au Québec, jusqu'à celles du Río de la Plata, en Argentine (voir AMÉRINDIENS D'AMÉRIQUE DU NORD).

1495-1497 : Léonard de Vinci, *La Cène*, réfectoire du couvent Santa Maria delle Grazie, Milan (voir PEINTURE OCCIDENTALE).

Les pâtes trop hydratées sont censées produire des pains peu nourrissants. Ce sont alors des pâtes particulièrement fermes que travaillent les boulangers, qui nécessitent d'être pétries également avec les pieds (www.cannelle.com).

XVe-XVIe siècle : Époque où apparaît en Grèce le célèbre pain *pita*. Son nom vient peut-être des *plakountès* antiques, pains plats cuits au four. Les brassages ethniques vont favoriser différents métissages entre les *pitès* grecques, les *böreks* turcs et les *pastèlès* ou *enkioussas* juifs. La langue en garde trace, puisque le *börek* hellénisé est devenu *bouréki*, ou *pourekkin* à Chypre (voir GRÈCE).

XVIe siècle : Les Portugais, débarquant à Kyûshu (au sud de l'archipel nippon) au milieu du XVIe siècle à des fins d'évangélisation et de commerce, apportent les *tempura* (beignets très légers à la farine de riz) et le pain lui-même ainsi que le mot qui le désigne (*pão*), bientôt transcrit en *pan* (voir JAPON).

Deux types de pain coexistent désormais au Mexique : la tortilla de maïs et le pain de froment, pain de sel autant que « pain doux », *bizcocho* (voir MEXIQUE).

Gros consommateurs de bière, les Flamands utilisent l'écume de bière riche en levures dans la fabrication de leur pain. Le pain des Flamands est alors connu pour être beaucoup plus léger que celui des Français (www.cannelle.com).

1535 : Calvin déclare que la messe est « comme un sacrilège extrême », un « spectacle frivole de l'ancienneté », une occasion de « badinage et jeu de farce ». Elle « fait très grand déshonneur à Jesus Christ, opprime et ensevelist sa croix, met en oubly sa mort », elle « efface et oste de la mémoire des hommes la vraye et unique mort de Jesus Christ » (voir MESSE).

1541 : *Décret sur la très sainte Eucharistie* proclamé lors du concile de Trente (voir EUCHARISTIE).

1581 : Édit obligeant les artisans faubouriens à rejoindre une communauté ou à en former une (voir GRAND PANETIER).

XVIIe siècle : Les premiers arrivants en Nouvelle-France sèment les graines de blé qu'ils ont emportées de France et sont bien étonnés de voir que, malgré la rigueur du climat, la terre est si fertile qu'un minot de blé rend deux et trois fois plus qu'en Europe (voir CANADA ET QUÉBEC).

1606 : Le Caravage, *Le Souper à Emmaüs,* Pinacothèque de Brera, Milan (voir PEINTURE OCCIDENTALE).

1616 : Francesco Pacheco, *Le Christ servi par les anges dans le désert,* Musée Goya, Castres (voir PEINTURE OCCIDENTALE).

1630-1635 : Francisco de Zurbarán, *Saint Hugues au réfectoire des Chartreux*, musée des Beaux-Arts de Séville (voir PEINTURE OCCIDENTALE).

1658 : Les statuts de la corporation des boulangers détaillent le parcours du compagnon boulanger aspirant à la maîtrise et tenu de présenter à ses « maîtres » son « chef-d'œuvre » (voir MAÎTRE).

1662 : Suite à une famine, le peuple de Paris est rassemblé dans la cour du palais des Tuileries pour une distribution de pain. La gravure que nous conservons de cet épisode nous montre qu'il s'agissait de pains d'une longueur pour nous peu commune (plus de un mètre).

1677 ou 1680 : Le drapier et savant Antoni Van Leeuwenhoek est le premier à observer des cellules de la levure de bière (voir CHIMISTES ET MICROBIOLOGISTES DU PAIN).

1683 : Le siège de Vienne par les Turcs est la source de plusieurs mythes qui intéressent l'histoire de la boulangerie. Le plus répandu – souvent démenti, mais tenace – veut que les boulangers viennois, travaillant de nuit, aient perçu le mouvement des troupes turques assiégeant Vienne et aient donné l'alarme. En commémoration de ce haut fait patriotique, ils auraient créé le *kipfel*, ancêtre du croissant, emblème de la Sublime Porte. On a prétendu, de la même manière, que le kougelhopf avait été inventé pour se moquer de la coiffe du sultan et que le bagel était une imitation de l'étrier du roi Jean Sobieski (voir FRANCE, pains actuels, pains régionaux ; PAINS MONDIAUX).

À la suite d'un séjour en France, l'écrivain et bibliophile John Evelyn déclare que c'est en France que, « de l'aveu général, on mange le meilleur pain du monde » (Steven L. Kaplan, *Le Meilleur Pain du monde*).

1694 : L'Académie française définit le *pain d'espice* en une recette qui semble n'avoir pas évolué, comme « fait avec de la farine de segle, & de l'escume de sucre, du miel, de l'espice ». La corporation des « pains-d'épiciers » semble pourtant remonter au XIIe siècle (voir ÉPICES, pain d').

Fin du XVIIe siècle : L'introduction en France du pain mollet, particulièrement prisé par Marie de Médicis (surnommé *pain à la Reine*), ensemencé à la levure de bière, inaugure un vaste débat sur les bienfaits ou méfaits de cette dernière (voir FRANCE, pains historiques, du Moyen Âge à la Révolution française).

Deux jours par semaine, le mercredi et le samedi, les boulangers forains convergent vers les douze marchés de la capitale, celui de la Halle étant le plus important. En dépit de sa renommée, le pain forain, y compris le plus prisé, celui de Gonesse, ne peut être frais au moment du marché, ayant été cuit la veille afin que le boulanger puisse prendre la route au petit matin (voir BOULANGERS FORAINS).

XVIIIe siècle : Début de l'obsession des Parisiens pour le pain blanc : « Le blanc était le symbole universel (et manifestement intemporel) de la bonté, de la pureté, de certaines formes de pouvoir et d'une foule d'autres dignités. À cet égard, les Parisiens n'étaient pas différents des aristocrates romains que décrit Pline (observant qu'ils employaient parfois la craie pour blanchir leur farine), ou des consommateurs américains modernes, dont la consommation augmentait lorsque la farine était blanchie, et diminuait quand le produit final était légèrement plus sombre faute de produit blanchissant » (Steven L. Kaplan, *Le Meilleur Pain du monde*).

Le mot « pain » est attesté dans diverses langues amérindiennes, soit sous le terme castillan *pan*, soit sous un terme propre, éventuellement dérivé du mot *tortilla*. Dans les Andes, au moins depuis le XVIIe siècle, le terme *tanta* désigne en aymara et en quechua aussi bien la galette de maïs ou de quinoa que le pain de blé. Le succès de l'introduction du blé en Amérique est lié en partie à l'influence des rites catholiques (voir AMÉRIQUE LATINE).

La boulangerie citadine comme les foyers britanniques ensemencent la farine avec une forme liquide de levure appelée *barm*, et réalisée à partir de l'alcool extrait de céréales maltées trempées et de houblon bouilli (voir GRANDE-BRETAGNE).

Jethro Tull (1674-1741), avocat qui avait abandonné sa profession pour s'établir cultivateur, inventa la première charrue mécanique combinée avec un semoir : un cheval entraînait une série de socs, et dans les sillons ainsi creusés, des tubs placés en arrière des socs laissaient tomber les semences (Heinrich Eduard Jacob, *Histoire du pain depuis 6 000 ans*).

1715 : Un boulanger parisien anonyme publie *La Misère des garçons boulangers de la ville et faubourgs de Paris*.

Mai 1719 : Les statuts de la corporation des boulangers prévoient qu'ils seront désormais administrés par six jurés, dont trois élus chaque année pour deux ans.

Années 1720 : La boulangerie est perçue désormais par les gouvernants comme un « service public » dont la mission quotidienne est de proposer à la population du pain en quantité suffisante.

1720 : Une note retrouvée, émanant d'un officier de police, estime à « 1 607 âmes le monde de la boulange [à Paris] : 489 maîtres en ville et dans les faubourgs (195 dans la cité proprement dite, 244 dans les neuf faubourgs, dont 4 dans le faubourg Saint-Antoine, et 50 veuves dont la résidence n'est pas précisée) ; 252 boulangers dans des endroits "privilégiés", pour la plupart dans le faubourg Saint-Antoine ; 16 "boulangers privilégiés" qui suivent la cour royale ; et 850 forains » (Steven L. Kaplan, *Le Meilleur Pain du monde*).

1730 : Le médecin Casal identifie en Espagne les symptômes de la pellagre, qui font penser à ceux induits par la consommation de seigle ergoté (voir PELLAGRE).

1742 : Le médecin et naturaliste italien Giacomo Bartolomeo Beccari publie les résultats de ses expérimentations pour séparer le gluten et l'amidon de la farine de blé : ils sont considérés comme la toute première publication scientifique sur la fonctionnalité des protéines insolubles du blé constitutives du gluten (voir CHIMISTES ET MICROBIOLOGISTES DU PAIN).

« En France, au milieu du XVIIIe siècle, le pain accouche le libéralisme. Sous l'Ancien Régime, l'astreinte des subsistances impose un type de gouvernance et un mode d'échange, et postule une anthropologie pessimiste de l'homme (âpre au gain, mû par un intérêt particulier implacablement opposé au bien public, facilement véreux), que les philosophes dits "économiques" (ou libéraux) vont contester impitoyablement. Le pain finit ironiquement par susciter une vision du monde profondément hostile à sa primauté dans le jeu social, économique et politique » (Steven L. Kaplan, « Introduction »).

1744 : Le médecin et chimiste français Paul Jacques Malouin rédige son fameux *Art du meunier, du boulanger, du vermicellier*, inséré dans *La Description des arts et métiers,* éditée en 1767 et 1771. Il y fait déjà mention des « pains de fantaisie » et de la méthode dite de l'« éponge », alors en faveur en Grande-Bretagne. Une planche de son ouvrage montre des pains longs qui préfigurent notre baguette. Une autre montre des pains oubliés, tels le pain artichaut et le pain cornu (voir CHIMISTES ET MICROBIOLOGISTES DU PAIN ; MALOUIN, Paul Jacques).

1750 : À la suite d'une disette sévère, l'interdiction de « remouture » des sons gros est levée. À Paris, des minotiers élaborent la « mouture économique », mouture progressive grâce à laquelle les blés sont mieux nettoyés, les produits de mouture repassés plusieurs fois sous de nouvelles meules. Le meunier, qui auparavant avait un rôle effacé, devient marchand de farine (www.cannelle.com).

1760 : Premier pétrin mécanique, dû à un certain M. Salignac. Par manque de force motrice, il ne connaîtra que très peu de succès (voir PÉTRIN).

La mise en régie des blés et le dirigisme imposé ravivent les rumeurs d'un complot, ou « Pacte de famine », selon lequel le roi spécule sur les blés, contribuant ainsi à affamer le peuple (voir FARINES, guerre des).

1762 : Dans son journal, à la date du 24 novembre, Edward Gibbon, célèbre historien anglais, note qu'il s'est rendu au *Cocoa Tree* (Le Cacaotier), club de jeu et « maison de chocolat » en vogue à l'époque à Londres, où il a retrouvé « vingt ou trente, peut-être, des premiers personnages du royaume [...] à de petites tables recouvertes d'un napperon, en train de souper d'un morceau de viande froide ou d'un Sandwich, arrosé d'un verre de punch ». C'est la première mention du « sandwich ». C'est, en revanche, à John Montagu, quatrième comte de Sandwich, qu'on attribue son « invention » : passant vingt-quatre heures d'affilée à une table de jeu, peu enclin à s'arrêter de jouer pour se restaurer, il se serait fait servir de la viande entre deux tranches de pain (voir SANDWICH).

13 septembre 1774 : Édit de Turgot libérant le commerce des grains. La mise en place de la réforme survient au moment où sévit sur la France un hiver particulièrement rigoureux. Les récoltes sont déplorables : c'est le déclenchement de la guerre des farines (voir FARINES, guerre des).

Février 1776 : Turgot supprime les corporations.

29 octobre 1778 : Antoine Augustin Parmentier convie toute la communauté scientifique, administrative et militaire devant les fours de la boulangerie de l'Hôtel royal des Invalides, auquel il a été rattaché, pour faire goûter son pain aux pommes de terre. Cette même année, il publie *Le Parfait Boulanger, ou Traité complet sur la fabrication & le commerce du pain* ; il y note l'abandon progressif de la forme ronde des pains en faveur de la forme longue (voir PARMENTIER, Antoine Augustin).

8 juin 1780 : « Propager par la voie de l'enseignement les lumières d'un art aussi utile que la boulangerie, ce n'est pas seulement travailler pour les générations présentes, c'est songer encore au bonheur des générations futures » (Antoine Augustin Parmentier, *Discours prononcé à l'ouverture de l'École gratuite de boulangerie* ; voir ÉCOLE DE BOULANGERIE, première).

1781 : Chaque compagnon est tenu de se procurer un livret auprès du bureau de la corporation sur lequel figure son nom, son âge, son lieu de naissance, l'adresse et le nom du dernier maître auprès duquel il a travaillé. Chaque fois qu'il change de maître, il dispose de vingt-quatre heures pour faire ratifier son changement sur son livret (Steven L. Kaplan, *Le Meilleur Pain du monde*).

1782 : L'ingénieur américain Oliver Evans entreprend à Philadelphie de mécaniser entièrement la meunerie (voir MEUNERIE).

1788 : « La récolte est détestable par suite de conditions climatiques défavorables : le 13 juillet, la grêle détruit une part importante de la récolte et pendant l'hiver 1788-1789, près du tiers du blé ensemencé gèle. Dès le mois d'août 1788, la hausse du prix des céréales commence et continue sans arrêt jusqu'en juillet 1789 »

(R. Drapron, J. Potus, F. Laplume et P. Potus, *Notre pain quotidien*).

5 et 6 octobre 1789 : « Il est profondément significatif que les femmes, à la fois paniquées et affamées, qui marchent sur Versailles pour ramener Louis XVI et sa famille à Paris l'aient fait aux cris de "le boulanger, la boulangère et le petit mitron". Appeler le monarque "boulanger", c'est désigner à la fois l'attribut et le devoir de la royauté, la norme et l'exhortation à l'honorer » (Steven L. Kaplan, « Introduction »).

21 octobre 1789 : Le boulanger Denis François est pendu et décapité sur la place de Grève à Paris (voir ASSASSINAT DU BOULANGER DENIS FRANÇOIS).

1793 : La Convention décrète, le 23 novembre (3 frimaire an II), qu'« il ne sera plus consommé de pain à la fleur de farine, pour les riches, ni de pain de son pour les pauvres, tous les boulangers sont tenus sous peine d'amendes de faire une seule et bonne espèce de pain, le pain de l'Égalité » (voir ÉGALITÉ, pain).

Abolition des banalités (voir BAN ET BANALITÉS).

1796 : Hyacinthe Lembert, boulanger à Paris, propose une machine à pétrir, baptisée la « Lembertine », mais considérée davantage comme une mélangeuse que comme un vrai pétrin (voir PÉTRIN).

XIXe SIÈCLE

1800 : « Les armées napoléoniennes disposent de boulangeries itinérantes perfectionnées. Les fours mobiles métalliques permettent la cuisson de pain pour les soldats, qui propageront ainsi un pain relativement blanc à travers toute l'Europe » (www.cannelle.com).

1810 : Le chimiste et physicien français Louis Joseph Gay-Lussac établit l'équation chimique de la fermentation alcoolique. En l'absence d'air, la levure tire l'énergie de la fermentation du sucre qui engendre en quantités égales du gaz carbonique (dioxyde de carbone) et de l'alcool éthylique (voir CHIMISTES ET MICROBIOLOGISTES DU PAIN).

1811 : Pour la première fois dans l'histoire du compagnonnage, deux boulangers sont faits compagnons à Blois, à la Toussaint, lors d'une cérémonie dite « de réception ». La première cayenne y est fondée : les compagnons boulangers y ont désormais un lieu de réunion (voir COMPAGNONS BOULANGERS).

1823 : Les pains de moins de 70 cm sont taxés, ce qui explique qu'on voit surgir des pains d'une longueur étonnante.

1829 : Sylvester Graham propose aux Américains son fameux « Graham Bread » dont il donne la recette dans *The New Hydropathic Cookbook* (1855), et qui pourrait bien prétendre au titre de premier pain bio de l'histoire moderne (voir BOULANGERS DE FRANCE).

1833 : Le chimiste français Anselme Payen, aidé de Jean-François Persoz, isole, à partir d'un extrait de malt, une substance qui catalyse la transformation de l'amidon en glucose. Il la baptise « diastase », du grec « séparer », considérant qu'elle sépare les blocs constitutifs de l'amidon en unités individuelles de glucose (voir CHIMISTES ET MICROBIOLOGISTES DU PAIN).

1834 : La première mention de la coupe des pains apparaît dans *Le Guide du boulanger*... (Legouix, Paris) : « [...] on les mouille légèrement avec une brosse puis on les coupe au-dessus avec un canif, très légèrement, en inclinant la main [...] » (voir SCARIFICATION).

1837 : Le botaniste allemand Franz Julius Ferdinand Meyen baptise la levure de bière *Saccharomyces cerevisiae* (voir LEVURE DE BOULANGER).

1838-1839 : Fils d'un célèbre chirurgien viennois, Auguste Zang ouvre, au 92 de la rue de Richelieu, à Paris, sa « Boulangerie viennoise », où il propose le *kipfel* et le *kaiser semmel*, ancêtres du croissant et du pain viennois. Son choix du four à vapeur étonne mais suscite bientôt de nombreux imitateurs. On voudrait aussi qu'il ait introduit en France la baguette et la méthode de fermentation connue sous le nom de « poolish », mais rien ne le prouve. Le pain ensemencé à la levure prend désormais le nom de « pain viennois », l'usage du levain qualifiant le « pain français » (voir ZANG, Christophe Auguste).

22 novembre 1840 : L'ordonnance Delessert définit avec rigueur le pain de fantaisie, autorise sa vente non en fonction de son poids, mais à la pièce (voir RÉGLEMENTATION).

1844 : Le maître boulanger parisien Antoine Boland invente l'aleuromètre, l'un des tout premiers appareils destinés à définir la valeur boulangère (voir CHIMISTES ET MICROBIOLOGISTES DU PAIN).

1846 : Adolphe Mautner invente la levure comprimée et remporte un concours organisé par l'Association des boulangers viennois, qui cherchait une levure plus pure que la levure de bière (voir AUTRICHE).

Années 1850 : Les boutiques de boulangeries des centres-villes se métamorphosent : plafonds peints, décors en céramiques, vitres gravées, comptoirs en marbre, étagères porte-pains en fer forgé, etc. Des inscriptions comme « Pains chauds à toute heure, travail soigné » apparaissent (voir ÉQUIPEMENTIERS).

La consommation de volumineux pains pur seigle, souvent dénommés « tourtes », s'est maintenue jusque dans les années 1850, sur les terres agricoles impropres à la culture du blé et en moyenne montagne, en Sologne, Auvergne, Bretagne, Champagne, Creuse, Haute-Loire, Cantal, Lozère (voir PAIN NOIR).

1852 : Le chimiste et agronome Jean-Baptiste Boussingault publie une étude sur le rassissement du pain qui lui assure une notoriété mondiale dans le cercle des biochimistes du pain (voir CHIMISTES ET MICROBIOLOGISTES DU PAIN).

1853 : Création du groupe Lesaffre par Louis Lesaffre-Roussel et Louis Bonduelle-Dalle à Marcq-en-Barœul, dans le nord de la France, aujourd'hui leader mondial sur le marché des levures.

1856 : Louis de Vilmorin communique à l'Académie d'agriculture les principes de la sélection généalogique appliqués à la betterave puis bientôt au blé. Il s'agit d'autoféconder les plantes en les isolant pour créer des lignées pures. Ces lignées sont ensuite croisées entre elles pour former des hybrides, qui sont commercialisés directement ou sont eux-mêmes fixés pour créer de nouvelles lignées. Henry de Vilmorin, fils de Louis, créera en 1883 la première variété à partir de cette méthode (voir BLÉS, sélection des).

1857-1867 : Le chimiste et physicien Louis Pasteur publie des études sur la fermentation en montrant qu'elle est l'œuvre d'organismes vivants. Il découvre la capacité des levures à vivre en absence d'air, c'est-à-dire en anaérobie (voir CHIMISTES ET MICROBIOLOGISTES DU PAIN).

1860 : Produite de longue date en Belgique et en Hollande, la biscotte apparaît chez quelques artisans boulangers parisiens. Sa grande digestibilité fait qu'elle est recommandée par le corps médical. Sa consommation massive démarre véritablement dans les années 1950 (voir BISCOTTE).

1862 : Dans le tome IV des *Misérables*, Victor Hugo raconte comment un boulanger arrête un voleur qui lui a dérobé un pain en brisant sa vitrine. Trahi par son bras ensanglanté, Jean Valjean est condamné à dix-neuf ans de bagne. Devenu un notable, il œuvrera toute sa vie pour que les pauvres ne meurent pas de faim (voir JEAN VALJEAN).

Années 1860 : Généralisation de l'emploi de farine de fèves ou de féveroles (jusqu'à 20 %). À plus faible pourcentage, les boulangers considèrent qu'elle constitue un excellent améliorant (www.cannelle.com).

Années 1870 : Naissance en France de l'industrie de la levurerie grâce aux progrès de la microbiologie et des méthodes de cultures pures (voir LEVURIERS).

Années 1880 : Différentes expériences établissent la pertinence de la mouture sur cylindres dans la recherche des farines toujours plus blanches. L'Exposition universelle de 1867 avait permis de consacrer le « modèle viennois » découvert à Paris avec l'ouverture de la boulangerie d'Auguste Zang en 1838-1839. Or les boulangers viennois utilisaient de la farine hongroise très blanche obtenue à partir d'une mouture sur cylindre. La mouture sur meule va désormais se marginaliser.

1883-1884 : Le savant français Aimé Girard étudie les produits de la mouture des blés provenant des expériences comparatives de mouture par meules et par cylindres (voir CHIMISTES ET MICROBIOLOGISTES DU PAIN).

1884 : Parution de *La Porteuse de pain*, roman de Xavier de Montepin.

1885 : Philibert Jacquet brevette un « pain grillé digestif », mais la dénomination de « biscotte » l'emporte (voir PAIN GRILLÉ).

1889 : Création de la CNBPF, Confédération nationale de la boulangerie-pâtisserie française (voir CNBPF).

Le *pizzaiolo* Raffaelle Esposito et sa femme Rosa confectionnent pour le roi Umberto Ier et la reine Margherita, de passage à Naples, une pizza spéciale baptisée *pizza margherita*. Les princes la trouvant à leur goût, la *margherita* quitte Naples pour entreprendre sa domination du monde : la consommation de pizza est en augmentation dans le monde de 15 % tous les cinq ans (voir PIZZA).

1891 : Le *Nouveau Guide pratique des jeunes filles dans le choix d'une profession* mentionne, à l'adresse des porteuses de pain à domicile (profession qui remonterait à Saint Louis) : « Il faut être levée de grand matin, porter des charges de pain quelquefois bien lourdes, monter, descendre incessamment pour le service de tous les clients logés un peu partout » (voir PORTEUSE DE PAIN).

Malgré les innovations technologiques, la boulangerie française est nettement moins mécanisée que les boulangeries allemande et autrichienne. Les fours restent à chauffage direct, bien que, dès 1891, apparaisse le gueulard, qui permet la combustion de bois ou de charbon sous la chambre de cuisson (www.cannelle.com).

1892 : Le chimiste céréalier français Marcel Arpin met en place un laboratoire d'analyses et de recherches sur les farines commerciales au Syndicat de la boulangerie de Paris (voir ARPIN, Marcel).

1893 : Thomas Burr Osborne publie *Proteids of Wheat Kernel*, ouvrage devenu un classique de la biochimie céréalière. Sa classification de la biochimie des protéines du blé s'est durablement imposée auprès de la communauté scientifique (voir CHIMISTES ET MICROBIOLOGISTES DU PAIN).

1897 : Le chimiste allemand Eduard Buchner, prix Nobel en 1907, montre que la fermentation est provoquée par une substance sécrétée par la levure, qu'il nomme la « zymase ». Les composants chimiques présentant des effets similaires seront appelés ultérieurement « enzymes » (voir CHIMISTES ET MICROBIOLOGISTES DU PAIN).

1898 : Au cours d'une insurrection contre le prix du pain à Milan, les canons tuent quatre-vingts personnes. Pour venger ces morts, un anarchiste tire sur le roi Umberto Ier et le tue (voir ITALIE).

XXe ET XXIe SIÈCLE

Il faut attendre l'électrification des fournils pour que les boulangeries commencent à se doter, à un rythme lent, de pétrins mécaniques. Le constructeur suisse du pétrin à deux bras plongeant Artofex s'impose, ainsi que son concurrent, le constructeur allemand Werner Pfleiderer, avec son pétrin Vienara. Les boulangers du nord de la France adoptent le pétrin à axe oblique, tandis que leurs collègues au sud optent pour le pétrin à axe vertical (voir ÉQUIPEMENTIERS).

La mode du « pain blanc » incite la meunerie à proposer aux boulangers des farines peu extraites (voir PAIN BLANC).

La Russie est le premier producteur mondial de blé avant la Grande Guerre (voir RUSSIE).

1906 : Le botaniste Aharon Aharonson croit découvrir, dans la contrée de Haute-Galilée, ce qu'il nomme « la mère du blé », la graine rustique à partir de laquelle s'est développé l'épi de blé à double graine, cultivé sur toutes les étendues limitrophes au bassin méditerranéen (voir ISRAËL).

– ***22 décembre :*** Sœur Gertrude-Marie de la Congrégation de Saint-Charles d'Angers voit sortir de l'hostie un petit Jésus (voir EUCHARISTIE).

Années 1910 : Premiers brevets de grille-pain à résistances électriques (voir GRILLE-PAIN).

27 novembre 1911 : Dans sa communication intitulée « L'action des sucres sur les acides aminés », le biochimiste français Louis Camille Maillard montre que la réaction en question, appelée depuis « réaction de Maillard », explique pour une grande part les réactions de coloration de la croûte du pain (voir CHIMISTES ET MICROBIOLOGISTES DU PAIN).

1913 : Sur un total de 800 boulangers examinés par des médecins dans le cadre d'une enquête diligentée par une commission municipale dans les boulangeries de New York : 453 sont malades ; 32 % souffrent de tuberculose, rhumatismes, anémie ou maladies vénériennes ; 26 % souffrent de catarrhes chroniques ; 12 % des yeux ; 7 % ont l'« eczéma du boulanger » (Heinrich Eduard Jacob, *Histoire du pain depuis 6 000 ans*).

1914-1918 : La Grande Guerre contraint les pouvoirs publics à organiser le rationnement et à exiger de la meunerie une extraction plus performante. La mauvaise qualité du pain, la rareté de tout contribuent au développement du marché noir. La mobilisation des boulangers au front permet aux femmes de recouvrer leurs anciennes prérogatives (voir PAIN RATIONNÉ).

28 mars 1919 : L'Assemblée nationale ratifie la proposition de loi déposée par le député lyonnais Justin Godart en faveur de la suppression du travail de nuit dans les boulangeries. Certains ont prétendu que cette tentative de réforme dans les fournils aurait contribué à l'apparition de la baguette à cette même époque, celle-ci exigeant un temps de préparation plus court. Cependant, la loi va se trouver, dans les faits, inapplicable (voir MINEURS BLANCS).

Années 1920 : Marcel Chopin, jeune ingénieur travaillant aux Grands Moulins de Paris, propose, avec l'alvéographe, un appareil capable de caractériser les blés et les farines (voir ALVÉOGRAPHE).

Le mot « baguette » commence à être utilisé à Paris pour désigner un pain long (synonyme alors de « flûte », employé depuis déjà plus d'un siècle) (voir BAGUETTE).

Certains meuniers commencent à s'équiper d'installations de blanchiment des farines (voir BLANCHIMENT EN MEUNERIE).

1922 : Le chimiste céréalier français Marcel Arpin initie l'analyse de la valeur boulangère des blés français à partir de ses essais de panification (voir CHIMISTES ET MICROBIOLOGISTES DU PAIN).

« Le blé sauvera le franc » : déclaration du ministre français de l'Agriculture lors de la Semaine nationale du blé et du pain. Les sélectionneurs de céréales sont invités à trouver au plus vite des variétés de blé performantes, afin de faire cesser les importations coûteuses. Ils s'aideront de la première version de l'alvéographe de Chopin (www.cannelle.com).

1924 : Création de l'EMF (École française de meunerie), qui deviendra en 1971 l'ENSMIC (École nationale supérieure de meunerie et des industries céréalières). Elle décerne un brevet de technicien (BT des industries des céréales) et un brevet de technicien supérieur

(BTS des industries céréalières). Elle a fusionné en 2006 avec l'ENLIA (École nationale d'industrie laitière et des industries agroalimentaires) pour constituer le Pôle agroalimentaire de Surgères, en Charente-Maritime (voir ÉCOLE NATIONALE SUPÉRIEURE DE MEUNERIE ET DES INDUSTRIES CÉRÉALIÈRES).

William Ward fonde la Continental Baking Corporation, qui inaugure aux États-Unis l'ère du pain industriel. Le slogan de cette industrie est : « Éloignez la main de l'homme de la farine. »

1925 : Charlie Chaplin fait danser des petits pains dans *The Gold Rush* (*La Ruée vers l'or*).

1928 : Invention du pain prétranché, ou plus exactement de la machine d'Otto Rohwedder qui permet sa production industrielle ; celle-ci coïncide avec le développement des *luncheonettes* et d'une restauration rapide et bon marché qui va permettre la démocratisation rapide du sandwich aux États-Unis (voir SANDWICH).

Publication de *La Gerbe d'or* d'Henri Béraud (voir *GERBE D'OR*, *La*).

8 mars 1930 : Création du CAP de boulangerie (voir EBP).

Années 1930 : Les boulangers urbains adoptent progressivement la méthode dite directe : il n'y a plus de préfermentation, mais l'ensemencement se fait *directement* à l'aide d'une levure fabriquée, depuis les années 1920, à partir de mélasse issue de la betterave. Le pain français jouit alors d'une excellente réputation (voir MÉTHODE DIRECTE/INDIRECTE).

1931 : Raoul Lemaire ouvre à Paris la première boulangerie dédiée à son fameux « pain naturel Lemaire » (voir BOULANGERS DE FRANCE).

1932 : Pierre Poilâne s'installe rue du Cherche-Midi (voir POILÂNE, Pierre et Lionel).

1933 : *Las Hurdes* (*Terre sans pain*) de Luis Buñuel (voir DOCUMENTAIRES ET FILMS). – *Les Maîtres du pain* de Bernard Lentéric (voir *MAÎTRES DU PAIN*, *Les*).

1934 : « Le pain nous sauvera », proclame John Sims, chômeur reconverti en paysan dans *Our Daily Bread* (*Notre pain quotidien*), tourné par King Vidor et traitant de la grande dépression de 1929 sur le mode de l'utopie sociale (voir DOCUMENTAIRES ET FILMS).

1936 : Premières armoires frigorifiques.

1938 : *La Femme du boulanger* de Marcel Pagnol, d'après Jean Giono : Raimu y perd l'amour du pain lorsqu'il est quitté par sa femme (voir DOCUMENTAIRES ET FILMS).

15 mai 1940 : Les frères Mike Dick et Maurice McDonald ouvrent à San Bernardino (Californie) leur « restaurant McDonald's ». Dès 1948, ils se consacrent à mettre au point une ligne de préparation « aérodynamique » pour hamburgers (voir HAMBURGER).

1940-1944 : Les premières cartes et tickets de rationnement sont distribuées dès octobre 1940 pour les produits de base : pain, viande, pâtes, sucre. La qualité des farines est déplorable et éloigne les Parisiens du pain (taux d'extraction trop élevé, emploi de succédanés). Le problème est moins aigu dans les campagnes (voir PAIN RATIONNÉ).

1942 : Gallimard publie le recueil de Francis Ponge *Le Parti pris des choses*, où figure le poème « Le Pain ».

Création du CNERNA, le Centre national d'études et de recommandations sur la nutrition et l'alimentation (voir CNERNA).

Les essais d'introduction du riz en France ont été nombreux entre le XVe et le XIXe siècle ; mais ce n'est que pendant la Seconde Guerre mondiale que la culture se développe en Camargue, dans le delta du Rhône (voir RIZ, *Oryza sativa*).

Après la guerre : Médecins et nutritionnistes dénoncent la qualité exécrable du pain. Il n'est pas seulement mauvais, il est dangereux pour la santé. Les farines industrielles sont responsables de l'amidonisme, de l'alcoolisme et de la détresse sociale. « Si la France perd, de jour en jour, la primauté intellectuelle que nul ne lui contestait, c'est uniquement parce que France et Français ont abandonné l'usage massif du pain tel que le fabriquaient leurs ancêtres » (G. Barbarin, *Le Scandale du pain* ; voir PAIN BLANC).

1949 : Création du rendez-vous international des boulangers pâtissiers, l'IBA (« World Market for Baking »), qui se tient alternativement à Düsseldorf et à Munich tous les deux ans, en octobre (voir BOULANGERIE, salons internationaux de la).

Août 1951 : Les habitants de Pont-Saint-Esprit, dans le Gard, sont victimes d'une intoxication alimentaire par le pain. Sept personnes en meurent. Plusieurs causes sont suspectées : ergot de seigle, mercure contenu dans un fongicide utilisé alors par la meunerie pour la conservation des grains, *Bacillus mesentericus* responsable du pain filant, mycotoxyne. Mais l'enquête ne parvient pas à conclure (voir PAIN MAUDIT).

1952 : *Císaruv Pekar a Pekaruv císar* (*Le Boulanger de l'empereur – L'Empereur du boulanger*) de Martin Fric (voir DOCUMENTAIRES ET FILMS).

1953 : *Le Boulanger de Valorgue* d'Henri Verneuil, joué par Fernandel (voir DOCUMENTAIRES ET FILMS).

1954 : Raymond Calvel se rend pour la première fois au Japon pour y effectuer des démonstrations de pain français. Durant les années 1960, il y implantera avec succès le pain français avec ses élèves Philippe Bigot et Pierre Prigent (voir CALVEL, Raymond).

1955 : Un ouvrier boulanger invente, en Vendée, accidentellement, le pétrissage dit « intensifié » qui a le mérite de donner un pain blanc très volumineux, mais parfaitement insipide et se conservant très mal. Malgré cela, le « pain blanc » gagne toute la France, qui compte alors 55 000 boulangeries (voir PÉTRISSAGE).

1958 : Le pain de mie tranché industriel s'impose aux États-Unis, en Australie et en Europe (voir MIE, pain de).

1959 : La taxation du pain est assouplie : création d'un secteur libre pour les pains de 3 livres, de 500 g et de 250 g (le prix des ficelles et des petits pains était déjà libre). Restent taxés le pain de 4 livres, le pain boulot, le 700 g de 50 à 60 cm, le 300 g de 30 à 50 cm. Fin des goûters des enfants à base de larges tartines beurrées et début des casse-croûte et autres « choco » issus des biscuiteries industrielles (www.cannelle.com).

Création à Genève de la Confrérie des chevaliers du bon pain (voir BOULANGERS DE FRANCE).

Années 1960 : Premiers pains spéciaux. Naissance de la boulangerie industrielle. Les fournils s'équipent de fours métalliques multi-étages à recyclage ou à tubes annulaires apparus quelques années plus tôt (voir ÉQUIPEMENTIERS).

1960 : La société Jacquet met sur le marché les larges tranches de pain grillé industriel telles que nous les connaissons. Philibert

Jacquet, propriétaire de la Boulangerie viennoise ayant appartenu autrefois à Christophe Auguste Zang, faisait cependant de la publicité pour ses pains grillés bien avant 1900 (voir PAIN GRILLÉ).

1961 : Mise au point du Chorleywood Baking Process (CBP) par l'Association de la minoterie et de la recherche en panification, à Chorleywood, en Angleterre (voir CHORLEYWOOD BREAD PROCESS).

1962 : Publication des résultats de l'enquête de la commission du CNERNA sur la qualité du pain en France ; l'étude, qui aura duré six années et mobilisé toutes les forces vives et pensantes de la filière, jouera un rôle considérable dans le sursaut et le réveil de la profession (voir CNERNA).

Court-métrage d'Éric Rohmer, *La Boulangère de Monceau* (voir DOCUMENTAIRES ET FILMS).

1963 : Technique du pétrissage amélioré, qui tente d'enrayer la vogue du pétrissage intensifié et du pain sans âme.

1964 : *Le Petit Boulanger de Venise* (*Il fornaretto di Venezia*, 1963) de Duccio Tessari (voir DOCUMENTAIRES ET FILMS).

1967 : Le frigoriste nantais Norbert Cosmao propose un équipement qui permet un « blocage » de l'activité fermentaire sur une période allant jusqu'à quarante-huit heures. Il va permettre l'adoption progressive de la technique de pousse lente, ou pousse contrôlée en chambre de fermentation (voir COSMAO, Norbert).

Création d'Europain, le salon mondial de la boulangerie, pâtisserie, glacerie, chocolaterie et confiserie (voir BOULANGERIE, salons internationaux de la).

1968 : Le four à chariot rotatif de la société Pons, sorti en 1968, équipé de filets souples Demarle, permet d'atteindre des cadences inégalées. La mécanisation des fournils éloigne progressivement la main du boulanger du ressenti de la pâte et conduit à de fâcheuses dérives qualitatives (voir ÉQUIPEMENTIERS).

Salvador Dalí, aidé par Lionel Poilâne, crée une « chambre en pain » (voir ŒUVRE D'ART EN PAIN).

1970 : *Nan va Koutcheh* (*Le Pain et la Rue*), premier film d'Abbas Kiasrostami (voir DOCUMENTAIRES ET FILMS).

Années 1970 : Des groupes automatiques de fabrication de pâtes boulangères équipés de diviseuses volumétriques commencent à entrer dans les fournils (voir ÉQUIPEMENTIERS).

Certaines voix s'élèvent contre l'utilisation de la farine de fève. Prise de conscience que l'obsession du pain blanc a conduit à des dérives fâcheuses. Raymond Calvel montre que « plus le pain est blanc et volumineux, plus il est inodore et insipide » (voir CALVEL, Raymond).

Premiers fournils dans les hypermarchés.

Les musiciens rassemblés autour de David Gates se choisissent le nom de « Bread » (voir BREAD, groupe musical).

1974 : Création à Rouen de l'INBP (Institut national de la boulangerie-pâtisserie).

1977 : Les équipementiers élargissent leur offre aux boulangers. Le slogan du spécialiste français des fours à recyclage Pavailler devient : « Du four à l'équipement total » (voir ÉQUIPEMENTIERS).

– ***18 et 19 janvier :*** Les plus importantes « émeutes de la faim » que l'Égypte contemporaine ait affrontées (voir ÉMEUTES DE LA FAIM EN ÉGYPTE).

Les croissanteries font leur apparition.

Le CNERNA organise un colloque à Paris sur le pain ; publication d'un recueil des usages concernant les pains en France. D'abord extrêmement critique, l'opinion médicale vis-à-vis du pain commence à évoluer (voir PAIN BLANC).

1978 : Annonce de la libération du prix du pain ; mais des hausses importantes constatées l'année suivante conduisent à la signature d'accords de modération (www.cannelle.com).

Années 1980 : Apparition des terminaux de cuisson. Ils sont aujourd'hui environ sept mille en France (voir TERMINAL DE CUISSON).

Début de la mode des « pains spéciaux », pain à l'ail, aux noix, à l'oignon, etc. (voir PAINS SPÉCIAUX).

Regroupement ou rachat d'entreprises, disparition de petites structures : la meunerie achève de se restructurer (voir MEUNIERS ET MINOTIERS).

1981 : À l'initiative d'Alain Storione, meunier à Marseille, une quarantaine de meuniers décident d'associer leur savoir-faire à celui de boulangers pour renouer avec un pain de tradition de qualité. Le nom de Banette désigne ainsi un nouveau pacte entre deux professions qui, jusqu'à ce jour, ne se sont pas fait de cadeaux, mais qui ont besoin d'unir leurs forces pour enrayer la chute continue de la consommation de pain. Cette forme de partenariat entre meuniers et boulangers va connaître un grand succès. L'historien Steven L. Kaplan, revenant sur ces décennies 1970-1980, parlera du « retour du bon pain » (voir BANETTE ; MARKETING DU PAIN).

5 et 6 octobre 1983 : États généraux de la boulangerie organisés à l'initiative de Jean Paquet, élu l'année précédente à la tête de la Confédération nationale de la boulangerie-pâtisserie française (voir BOULANGERIE, 5 et 6 octobre 1983, états généraux de la).

1er janvier 1987 : La liberté totale des prix accordée aux boulangers met fin au régime des taxations et de surveillances administratives obsessionnelles auxquelles les boulangers étaient astreints (voir RÉGLEMENTATION).

1988 : Premier automate (japonais) de fabrication de pain ménager : il permet l'obtention en quatre heures d'un pain moulé sans aucune intervention, hormis les pesées de départ. Les machines à pain commencent à apparaître en France massivement en 2003-2004 (voir MACHINE À PAIN).

1990 : Ouverture de l'École française de boulangerie d'Aurillac (voir BOULANGERS DE FRANCE).

– ***24 décembre :*** À l'initiative du CNJA (Centre national des jeunes agriculteurs), associé au ministère de l'Agriculture, à la Ville de Paris, au Crédit agricole et à la filière céréalière, les Champs-Élysées deviennent un immense champ de blé.

Années 1990 : Redécouverte des pains et des méthodes de panification « à l'ancienne » (pains régionaux, farine de meule, fermentation au levain). Paradoxe : à la même époque, les ingénieurs italiens parviennent à mécaniser intégralement la fabrication de la *ciabatta* (voir ÉQUIPEMENTIERS).

Montée en puissance des thématiques environnementales en réaction aux conséquences jugées désormais négatives de la « révolution verte ».

Les nutritionnistes rappellent que la qualité nutritionnelle du pain pourrait être entièrement satisfaisante si on corrigeait les dérives subies au siècle précédent : farines blanches trop appauvries en fibres et micronutriments ; pains trop aérés de mauvais index glycémique ; fermentations trop rapides à la levure ; surcharge en sel (voir SANTÉ).

1992 : Création de la Coupe du monde de la boulangerie par Christian Vabret (voir BOULANGERIE, Coupe du monde de la).

1993 : Misant sur la sandwicherie et la restauration rapide, les boulangeries Paul ont commencé à se développer dans toute la France et adoptent en 1993 des devantures noires. En 2008, la marque a ouvert pour la première fois davantage de boutiques à l'international qu'en France (voir HOLDER, Francis).

– ***13 septembre :*** Décret signé du Premier ministre définissant les appellations « pain maison », « pain de tradition française » et « pain au levain » (voir DÉCRET PAIN, 13 septembre 1993).

1994 : Création du Grand Prix de la baguette de la Ville de Paris (voir BAGUETTE DE LA VILLE DE PARIS, Grand Prix de la).

1995 : Jean-Pierre Raffarin, alors ministre des Petites et Moyennes Entreprises, du Commerce et de l'Artisanat, instaure chaque année une « fête du pain » débutant le lundi précédant le 16 mai, jour de la Saint-Honoré, patron des boulangers.

1996 : Dans *L'Alimentation, ou la Troisième Médecine*, le médecin et chirurgien Jean Seignalet montre que le patrimoine génétique du chasseur-cueilleur du Paléolithique n'a pu s'adapter à l'alimentation moderne, et notamment à la structure de certaines protéines du blé et du maïs. Il propose la suppression pure et simple des céréales contenant du gluten et « alimente » à sa manière la « glutenophobie » contemporaine (voir RÉGIME SEIGNALET SANS PAIN).

Le boulanger Michel Suas ouvre le San Francisco Baking Institute, la seule école aux États-Unis dédiée exclusivement à la formation des artisans boulangers (voir BOULANGERS DE FRANCE).

1997 : La France traduit par l'arrêté du 2 octobre 1997 (*JO* RF du 08/11/1997) la directive européenne sur les additifs autorisés dans les produits de boulangerie, autres que les colorants et les édulcorants (voir ADDITIF).

Le guide des bonnes pratiques en boulangerie-pâtisserie, validé en 1997, détaille la tenue réservée au travail que le salarié est tenu de porter : chaussures, pantalon, veste ou chemise, tablier, calot (voir BOULANGER, tenue du).

Michel Moisan crée, place d'Aligre, à Paris, la première boulangerie cent pour cent bio (voir BOULANGERS DE FRANCE).

1998 : Décret nº 98-247 du 2 avril 1998 portant définition du titre d'artisan ; loi nº 98-405 du 25 mai 1998 définissant les appellations « boulangerie » et « boulanger » (voir ARTISAN ET ARTISANAT).

Création du salon international Bakery China (voir BOULANGERIE, salons internationaux de la).

2002 : Publication au Japon de la bande dessinée culte *Yakitate ! ! Ja-pan* (« Japon tout chaud », traduit en français par *Un pain, c'est tout*). Elle met en scène un fils de cultivateurs de riz, Azuma Kazuma, fasciné par la variété des pains d'un boulanger occidental et se découvrant un don : des mains irradiant la chaleur et favorisant donc la levée du pain (voir *UN PAIN, C'EST TOUT*).

2003 : Avec l'invasion américaine, le « toast » occidental fait son apparition en Irak. De leur propre initiative ou à la demande de certains GI, les femmes irakiennes offrent de leur faire goûter du *khobz* chaud, rapport aussi humain que surprenant mais qui n'a duré que deux à trois mois, jusqu'à ce qu'un fossé irrémédiable se creuse entre les Américains et la population irakienne (voir IRAK).

Le pain de tradition française est intégré au référentiel d'examen du CAP.

2004 : Exposition « Pain couture » proposée en 2004 par Jean Paul Gaultier à la Fondation Cartier pour l'art contemporain (voir ŒUVRE D'ART EN PAIN).

2005 : Création du Consortium international pour le séquençage du génome de blé : International Wheat Genome Sequencing Consortium (voir BLÉ, séquençage du génome de).

À l'occasion du SIRHA (Salon international de la restauration, de l'hôtellerie et de l'alimentation) tenu à Lyon, des boulangers, dont huit MOF (meilleurs ouvriers de France), créent les « Ambassadeurs du pain » autour de deux événements dont ils prennent en charge le rayonnement, la Coupe de France de la boulangerie et le Mondial du pain (voir BOULANGERS DE FRANCE).

2007 : L'humanité fait désormais face à l'incapacité de la « ferme monde » à produire suffisamment. De 1998 à 2008, la planète a connu sept années déficitaires en céréales. En 2007, les stocks ne suffisent plus à réguler le marché, étant au plus bas depuis la Seconde Guerre mondiale (soit un mois et demi de consommation). Les cours flambent (voir CÉRÉALES, cours mondiaux des).

Sortie du film de Doris Dörrie *How to Cook Your Life*, consacré au moine zen, cuisinier et boulanger Edward Epse Brown.

2008 : Publication du *Pain maudit. Retour sur la France des années oubliées, 1945-1958* (Fayard), enquête de l'historien américain Steven Laurence Kaplan sur le drame de Pont-Saint-Esprit de l'été 1951, au cours duquel quelque trois cents personnes ont souffert de symptômes plus ou moins graves ou persistants, une trentaine ont été internés dans des hôpitaux psychiatriques et sept sont morts… pour avoir mangé du pain (voir PAIN MAUDIT).

Règlement (CE) nº 852/2004 du Parlement et du Conseil européens du 29 avril 2004 relatif à l'hygiène des denrées alimentaires ; il stipule qu'« une personne travaillant dans une zone de manutention de denrées alimentaires doit respecter un niveau élevé de propreté personnelle et porter des tenues adaptées et propres assurant si cela est nécessaire sa protection » (voir BOULANGER, tenue du).

25 % des foyers français fabriquent leur pain maison à l'aide d'une machine à pain.

Les dernières statistiques de la meunerie française fournies par l'ANMF (Association de la meunerie française) font état d'environ 350 entreprises en France et 10 000 en Europe. La France comptait près de 7 000 entreprises de meunerie au lendemain de la guerre (voir MEUNIERS ET MINOTIERS).

1er janvier 2009 : Entrée en vigueur du règlement (CE) nº 834/2007 du Conseil de l'Union européenne relatif à la production biologique et à l'étiquetage des produits biologiques (voir AGRICULTURE BIOLOGIQUE).

2010 : Le principal débouché de la meunerie française est la panification : près de 40 % pour les seules boulangerie et pâtisserie artisanales ; 20 % pour la boulangerie et la pâtisserie industrielles ; 6 % pour les grandes et moyennes surfaces (GMS) et 34 % pour l'industrie alimentaire et l'alimentation animale. Biscuitiers, biscottiers, fabricants de pain de mie, etc., constituent les autres débouchés. Les meuniers français ont exporté plus de 650 000 tonnes de farines vers 90 pays (chiffres 2008). La meunerie française se place ainsi au 3e rang européen, derrière l'Allemagne et le Royaume-Uni, et au 11e rang mondial (voir MEUNIERS ET MINOTIERS).

Octobre 2012 : Le quatorzième congrès des céréales et du pain se tiendra à Pékin.

Chacun dans sa zone climatique, le blé et le riz ont partout supplanté les autres céréales : le blé a supplanté l'orge, le seigle et l'avoine, le riz les millets. Et là où blé et riz coexistent (Inde et Chine), c'est le blé qui l'emporte peu à peu. « Une manière de comprendre l'histoire plutôt chaotique du pain des peuples, en somme, c'est de la voir comme une géographie se transformant peu à peu en hiérarchie », suggère François Sigaut (voir BLÉ, *impérialisme du).*

ITINÉRAIRES THÉMATIQUES

Nous avons tous des certitudes sur le pain et nous croyons, mangeurs invétérés, « accros » que nous sommes, bien le connaître. Ce *Dictionnaire* de plus de 1 000 pages doit nous convaincre du contraire. Parce qu'il participe de toute l'étendue de l'histoire d'une civilisation, née, croyons-nous, en Mésopotamie, il n'est pas un chapitre de cette histoire où le pain n'ait été appelé à jouer son rôle, à tenir son rang. Sa longévité extraordinaire doit nous convaincre d'ailleurs qu'il est infiniment plus résistant et coriace que toutes les sociétés qui l'ont tour à tour enfanté, adopté, réinventé, toujours abondamment pétri, avant de le transmettre aux vainqueurs, aux conquérants, d'abord méfiants puis définitivement conquis. « Le pain vaincu a vaincu son farouche vainqueur. » Car même les Barbares, descendant sur Rome pour la brûler, indifférents à l'agriculture, allergiques au labour, nomades dans l'âme, ont fini par se laisser attendrir.

Ainsi le pain, venu des terres irriguées par le Tigre et l'Euphrate, s'est-il aussi bien acclimaté en Égypte, en Grèce, qu'à Rome avant de convertir des peuples qui ne le connaissaient pas et qui semblaient s'en passer très bien. Cette manière qu'il a de narguer le temps qui passe, de l'accompagner, d'en être presque la mesure, de susciter à chaque détour de son chemin des gloses magiques, théologiques, savantes, techniques, nous fait comprendre que, quelle que soit l'expérience que nous en avons, il ne peut nous appartenir en propre et nous devons le partager. Ainsi, dans ces pages, comme nous y avons déjà insisté, biologistes, boulangers, agronomes, documentaristes, ethnolinguistes, conteurs, anthropologues, agriculteurs, cinéastes, historiens, romanciers, économistes, couturiers, meuniers, peintres, équipementiers, levuriers tâchent de s'entendre, comme ils le peuvent, et nous les y aidons ; et chacun, jouant sa propre partition, participe de cette approche concertante sans laquelle le pain que vous croyiez fermement tenir vous glisse entre les doigts. C'est à une méditation sur la simplicité désarmante d'une rencontre toujours recommencée entre la farine et l'eau, qui a fait donc tant parler, rêver, fantasmer, couler d'encre depuis tant de siècles que nous vous invitons.

Pour compléter vos savoirs et expériences, pour vous ouvrir de nouveaux chemins d'exploration, nous vous proposons de parcourir 18 itinéraires thématiques. Ils prennent chacun appui sur un champ de recherche en particulier, par exemple l'histoire, la panification, la meunerie, etc., et cherchent à placer quelques-unes des entrées qui ressortissent à ce champ en archipel et à vous aider ainsi à aller de l'une à l'autre. L'itinéraire proposé est parfois plus inattendu, plus aventureux et nous induisons des passerelles entre ces différents mondes du pain auxquels vous n'auriez peut-être pas songé. Rien n'est jamais fermé ; personne ne peut ni ne doit conclure, de telle manière que les itinéraires se croisent, se chevauchent, se perdent avant de découvrir leur propre raison d'être et de rebondir. Il faut ici se laisser porter.

Pour chaque itinéraire, un ou deux ou trois mots en **caractères gras** signalent un possible point de départ. Vous vous rendez alors à l'entrée indiquée, la lisez et trouvez un ensemble de « renvois » en fin d'article qui vous permettent de compléter, poursuivre, peut-être dans une direction où vous ne souhaitiez pas vous embarquer. Mais trop tard.

ITINÉRAIRE 1 : Au commencement était le grain

La domestication des céréales sauvages s'accompagne d'une puissante rêverie sur le cycle du grain qui meurt pour pouvoir porter beaucoup de grains. Ce sont les Grandes Déesses de la fécondité qui se sont chargées de ces grains, de leur cycle, de leur destin dans une grande partie des régions où la révolution néolithique s'est mise en marche. En revanche, en Égypte, c'est Osiris qui prend en charge les céréales. Dieu des morts, il est comparé au grain de blé (ou d'orge) enseveli et germant à la lumière du soleil, pour devenir la nourriture essentielle des hommes mais aussi pour leur offrir une boisson sacrée, la bière, le « pain liquide ».

Aborigènes ; Amérindiens d'Amérique du Nord ; Bouillie ; Brigitte, Brigit, sainte, déesse de la fécondité ; Calendrier celte et rites céréaliers ; Calendriers et mesure du temps ; Calendrier grec ancien, rites funéraires et culture des céréales ; Calendrier romain, fêtes saisonnières et cultures céréalières ; **Céréales sauvages aux premières formes domestiques (des)** ; Déméter et Perséphone ; Égypte ; Éleusis (mystères d') ; Épi (symbolique de l') ; Femmes ; **Grain et graine** ; Grèce ; Hestia, Vesta et le feu sacré ; Isis et Osiris ; Kollyva, collyves ; Kykéon et initiation aux mystères ; Maïs chez les Amérindiens (mythologie du) ; Mangeurs de pain chez Homère ; Mésopotamie ; Mortier-pilon ; Morts (pain des) ; Musées du pain ; Museum der Brotkultur (Ulm) ; Pain (définition universelle du) ; Pain levé d'Europe (le plus ancien) ; Pierre à moudre ; Saturne ; Tannur ; **Terre-Mère primordiale** ; Vierge et cycle des cultures céréalières.

ITINÉRAIRE 2 : Anatomie du grain de blé

Un grain est un fruit qui contient une graine. On distingue les grains, ou fruits simples nus (enveloppe de l'ovule + péricarpe du fruit), des grains vêtus (enveloppe de l'ovule + péricarpe du fruit + glumelles + glumes). Le grain est nu en perdant ses enveloppes, glumelles, par battage (blé, maïs, seigle...) ; il reste vêtu lorsque ses enveloppes demeurent attachées ou soudées après battage (orge, avoine, riz, sorgho, épeautre...).

Akène → Grain ; Albumen ; Albumines ; Aleurone ; Amande farineuse ; Amidon ; Amidon endommagé ; Blé (séquençage du génome de) ; **Blé tendre ou froment** ; Caryopse ; Cellulose ; Enveloppe ; Épi ; Épi (symbolique de l') ; Germe ; Glume et glumelle ; **Grain** ; Grain et graine ; Grain nu, grain vêtu ; Maltage ; Péricarpe → Grain ; Semence ; Son ; Tégument → Enveloppe.

ITINÉRAIRE 3 : Les céréales (graminées)

Au sens strict, on qualifie de céréales les grains produits par des plantes de la famille des graminées. Par extension, on qualifie aussi de céréales les grains ou graines riches en amidon produits par des plantes relevant d'autres familles botaniques, comme le sarrasin (polygonacées), le quinoa et d'autres chénopodes (chénopodiacées) et les amarantes (amaranthacées).

Amidonnier ; Avoine ; Blé (maladies du) ; **Blé, genre *Triticum*** ; Blé dur ; Blé hybride ; **Blé tendre ou froment** ; Blé vêtu ; Blés (sélection des) ; Blés anciens ; **Céréales** ; Engrain ; Épeautre ; Graminée ; Hybride ; Ivraie ; Kamut ; Légumineuses ; Maïs ; Méteil ; Mil et millet ; Orge ; Riz (*Oryza sativa*) ; Sarrasin ; Seigle (*Secale cereale*) ; Sorgho ; Teff ; Triticale ; Triticum.

ITINÉRAIRE 4 : Fermentation

En s'alimentant, les hommes n'ont jamais fait que satisfaire un besoin primaire, mais ce n'est qu'en discriminant puis en transformant la production de la nature qu'ils entrent dans un processus culturel. Même s'il est difficile d'affirmer que le feu a précédé le recours à la fermentation contrôlée, force est de constater que les systèmes de pensée ont toujours opéré un rapprochement entre ces deux types de transformation à la base des systèmes culinaires.

Acide acétique ; Acide lactique ; Acides organiques ; Aérobiose et anaérobiose ; Alcool ; Bactérie lactique ; Bière ; Ensemencer ; Enzyme ; Éthanol → Alcool ; **Fermentation (approche anthropologique de la)** ; **Fermentation panaire** ; Gaz carbonique ; Isis et Osiris ; Levain (intérêt nutritionnel du) ; Levain (symbolique du) ; **Levain, levain-chef, levain de première, de seconde, de tout point** ; Levain de panification ; Levain-levure ; Levure de boulanger ; Méthode directe/indirecte ; Micro-organisme ; Morts (pain des) ; Pain-bière dans l'ancienne Égypte ; Pain levé d'Europe (le plus ancien) ; PH ; Pression osmotique ; Rafraîchir, rafraîchi ; Réseau ou tissu glutineux ; Sucres fermentescibles.

ITINÉRAIRE 5 : Le blé en terre

Avec le début de l'agriculture, les observations météorologiques se précisent, les calendriers, dorénavant soli-lunaires, évoluent et gagnent en exactitude. Les divinités saisonnières et les rites appropriés font leur apparition pour garantir la survie des graines, la santé des germes, leur sortie réussie du sol, leur développement sain et enfin leur moisson en bonnes conditions… Toutes ces nouveautés vont s'épanouir et s'organiser en système religieux cohérent avec l'avènement du Néolithique et le perfectionnement des techniques agricoles.

Agriculture biologique ; Assolement ; Balle ; Barbe ; Battage des céréales et aire de battage ; Blé (impérialisme du) ; **Calendriers et mesure du temps** ; Charançon ; Chaubage ; Conservation des grains, de la farine et du pain ; Crible et criblure ; Dépiquage ; Dessiccation ; Engrais ; Épi ; Épi (symbolique de l') ; Épouvantail ; Faucille ; Faux ; Fléau ; Grain et graine ; Itinéraires techniques ; Javelage, javelle ; Maïs chez les Amérindiens (mythologie du) ; **Moisson** ; Moissonneuse-batteuse ; Moissons (symbolique des) ; Moyette ; Mycotoxines ; Paille ; Production (système de) ; Récolte → Hagberg (appareil) ; Rotation ; Semailles ; Semence ; Tamis (symbolique du) ; Tribulum → Battage, Afghanistan, Syrie ; Van.

ITINÉRAIRE 6 : Mortier, pierre à moudre, moulin à eau et à vent

Les plus anciennes pierres à moudre retrouvées par les archéologues, en Afrique du Sud, datent de presque 50 000 ans : elles travaillent par friction et tous nos moulins ont continué à fonctionner ainsi jusqu'à ce que les pierres soient supplantées par les cylindres à la fin du XIXe *siècle. Le moulin est mû par l'une des trois énergies naturelles suivantes : l'eau, le vent, la force musculaire. Son nom vient du latin* molinum, *issu lui-même de* mola, *la « meule ».*

Ailes ; Alarme ; Alluchon ; Allumelle ; Anche ; Anille ; Arbre moteur, grand arbre ; Archure ; Auget ; Babillard ; Bât ; Beffroi, meulage ; Bief ; Bois (essence de) ; Boîtard ; Boucharde ; Chavalon ; Cotret ; Crapaudine ; Entoiler ; Éveillure ; Ferrure du moulin ; Frayon, fuseau ; Lanterne ; Meunerie ; **Mortier-pilon** ; **Moulin** ; Œillard ; **Pierre à moudre** ; Rhabillage des meules ; Rouet ; Sommier ; Trempure.

ITINÉRAIRE 7 : Pain des femmes, pain domestique, pain maison

La nourriture est un domaine où les phénomènes sont souvent de très longue durée. L'un d'entre eux est particulièrement massif ici : c'est le caractère féminin de la fabrication du pain. Les hommes ne s'y sont intéressés et consacrés que très récemment.

Accouchement (pains d') ; Brigitte, Brigit, sainte, déesse de la fécondité ; Déméter et Perséphone ; **Femmes** ; Hestia, Vesta et le feu sacré ; Isis et Osiris ; Machine à pain ; Maie ; Mariage (pains de) ; Pain domestique ; *Pain est de sexe féminin* (*Le*) → Documentaires et films ; Paysan boulanger ; Pensée unique ; Sexuelle (le pain comme métaphore) ; Terre-Mère primordiale ; Vierge et cycle des cultures céréalières.

ITINÉRAIRE 8 : Mythologie, croyances, religion

Du judaïsme au christianisme, le pain reste, mais la traduction de l'hébreu en grec ou en araméen, puis en latin et dans les langues vernaculaires ne donne pas (toujours) la recette : qu'il soit azyme ou « levé » est, temporairement, passé sous silence par un effet, sinon de contresens, du moins de « violente transposition » qui est au cœur de ce que l'on est en droit d'appeler, à la suite du poète Pierre Emmanuel, une « théologie du pain » (et du vin).

Antoine, saint ; Arbre à pain ; Aubert, saint ; Autel ; Bethléem ; Cène ; Ciboire ; Compagnons boulangers ; *Corpus Christi* → Fête-Dieu ; Égypte (Sortie d') ; **Eucharistie** ; *Évangile selon saint Matthieu* (*L'*) → Documentaires et films ; **Fête-Dieu** ; *Fractio panis* ; Franc-maçonnerie ; **Hallah, manne, pains de proposition** ; Honoré, saint ; **Hostie** ; Hostie profanée ; Interdits liés au pain ; Isidore de Séville, saint ; La Mecque ; Lazare, saint ; Maïs chez les Amérindiens (mythologie du) ; Mangeurs de pain chez Homère ; Matsah et hamets ; **Messe** ; Miracles christiques ; Miracles eucharistiques ; Moulin mystique ; Musées du pain ; Museum der Brotkultur (Ulm) ; Ostensoir ; Pain bénit ; Pain et vin ; Pain posé à l'envers ; *Pange Lingua* → Fête-Dieu ; *Panis angelicus* ; Patène ; Rite orthodoxe ; Santon ; Si le grain tombé en terre ne meurt ; **Théologie du pain** ; Transsubstantiation.

ITINÉRAIRE 9 : La France et son pain

« Le pain est un des plus grands acteurs de l'histoire de France. Intervenant au carrefour du matériel et du symbolique, il joue de nombreux rôles, profanes et sacrés. Il donne sens et une structure au temps long et lent, tout autant qu'il bouleverse la vie dans le très court terme. Raison de survie pendant des siècles, le pain est aussi promesse de salut, agent de sociabilité, et marqueur de vulnérabilité. Scellant le contrat social, il dote le pouvoir de sa légitimité : seul un prince nourricier peut gouverner » (Stephen L. Kaplan, Le Pain maudit*).*

Assassinat du boulanger Denis François (21 octobre 1789) ; Aubert, saint ; Ban et banalités ; Blatier ; Boisseau ; Boulanger de dernière instance ; *Boulangère a des écus* (*La*) ; **Boulangers et boulangeries (histoire de France des)** ; Boulangers forains ; Bréer ; Cadet de Vaux,

Antoine Alexis François ; Chef-d'œuvre ; Chimistes et microbiologistes du pain ; *Conquête du pain* (*La*) ; Crédit (vente à) ; Disettes, famines et révoltes pour le pain en France ; Duhamel du Monceau, Henri Louis ; École de boulangerie (première) ; Égalité (pain) ; Émeutes de la faim en Égypte ; Farines (guerre des) ; Feu ou mal de saint Antoine ; Fouacier ; **France (pains historiques)** ; *Frumenta, frumentum* ; Frumentaire ; Gluten social ; Grand panetier ; Honoré, saint ; Invalides ; Isidore de Séville, saint ; Jean Valjean ; Kaplan, Steven Laurence ; Lazare, saint ; Maître ; Malouin, Paul Jacques ; Mineurs blancs ; Minot ; Moisson, 24 juin 1990 (la Grande) ; Munition ; Orve, orvier ; Oublieur, oubloyer ; Pain maudit ; Pain rationné ; *Panem et circenses* ; Panasse ; Parmentier, Antoine Augustin ; Physiocrates ; Porcs (droit d'engraisser les) ; Porte-chape ; Porteuse de pain ; **Réglementation** ; Riz-pain-sel ; *Sur la législation et le commerce des grains* ; Taille ; Talemelier ; Tranchepain ; Tranchoir et tailloir ; Valet soudoyé ; Vilmorin, Louis de.

ITINÉRAIRE 10 : Monde agricole

L'inscription au catalogue officiel des espèces et variétés de plantes cultivées est une étape obligatoire pour commercialiser en France et au sein de l'Union européenne des variétés de blé tendre. Le Comité technique permanent de la sélection des plantes (CTPS), comité consultatif associant tous les acteurs privés et publics des filières agricoles et agro-industrielles, est chargé par le ministère de l'Agriculture de la gestion de ce catalogue sur la base des résultats des études techniques réalisées par le Groupe d'étude et de contrôle des variétés et des semences (GEVES).

AGPB ; AGPM ; ANIA ; Arvalis-Institut du végétal ; BPMF ; Céréales (cours mondiaux des) ; **Céréales (disponibilité mondiale des)** ; Céréaliers de France ; CIC ; CRC ; CTPS ; FAO ; France Export Céréales ; *Frumenta, frumentum* ; GEVES ; GNIS ; Hagberg (appareil) ; Harvest Index ; INRA ; IRTAC ; Mille grains ; Offices agricoles ; OGM ; ONIGC ; ORAMA ; Passion Céréales ; Production (système de) ; Variétés de blé ; **Variétés de blé tendre au catalogue officiel**.

ITINÉRAIRE 11 : Meunerie et minoterie

La meunerie moderne peut être définie comme une activité industrielle dont le but est de transformer une matière première brute agricole, le blé tendre, en une matière première, la farine, utilisable par les boulangers, les biscuitiers, les biscottiers et bien d'autres encore. Le principal débouché de la meunerie française est la panification (60 %). Les meuniers français ont exporté en 2008 plus de 650 000 tonnes de farines vers 90 pays, dont les principaux sont l'Union européenne pour un tiers, puis l'Angola, la Libye, la Guinée, Cuba, etc.

AEMIC ; Amidon endommagé ; ANMF ; Balance en meunerie ; Banette ; Bisaille ; Bis-blanc ; Blanchiment en meunerie ; Blé (fosse à) ; Blés (préparation des) ; Blutage ; Bluteau, blutoir ; Boucharde ; Boulange ; Bran ; Brosse à blé ou à son ; Broyage ; Broyeur ; Cadre ; Cannelure ; Chambre ou silo à farine ; Claqueur ; Conditionnement ; Conservation des grains, de la farine et du pain ; Convertisseur ; Courroie ; Cyclone ; Cylindre ; Cylindres (appareil à) ; Décorticage ; Dégommage ; Diagramme meunier ; Dodinage ; Doseur ; Échangisme ; Élévateur à godets ; Ensachoir ; École nationale supérieure de meunerie et des industries céréalières ; Enveloppe ; Épierreur ; Euromill ; Farine ; Farine (rendement) ; Farine basse ; Farine de passage ; Filière blé-farine-pain ; Filtre ; Finot ; Fleur de farine ; Grands Moulins ; Gruau ; Hagberg (appareil) ; Impureté ; Issues ; Laveuse ; Lixiviation ; Meule ; **Meunerie** ; **Meunier dans l'Histoire** ; **Meuniers et minotiers** ; Minoterie ; Mixe et prémixe → Lesaffre ; Mortier-pilon ; Moudre ; Mouilleur à blé ; **Moulin** ; Moulins (don Quichotte contre les) ; Mouture ; Mouture (table de) ; Museum der Brotkultur (Ulm) ; Mutation ; Nettoyage ; Nettoyeur-séparateur ; Pekar (essai) ; Pierre à moudre ; Piqûre ; Plancher ; Plansichter ; Poids spécifique ; Remoulages ; Repos ; Rhabillage des meules ; Sasseur ; Semoule ; Semoule bise ; Setier ; Silo à grains ; Table densimétrique ; Tamis ; Tapotin ; Tarare ; Taux de cendres ; Taux d'extraction ; Transport pneumatique ; Trémie ; Trieur à graines ; Valeur meunière ; Vis à blé, à farine ; VRM.

ITINÉRAIRE 12 : Approches symboliques

Conçues jadis comme un « meurtre rituel », les moissons étaient une forme de sacrifice, mais aussi un drame « sacré » indispensable à la régénération végétale et à la pérennité des hommes. Elles constituaient « une fin du monde », dont aurait surgi « le renouvellement du temps » et la revitalisation de la « fertilité cosmique », grâce à la capacité des laboureurs à prélever la récolte, à partir de ce qu'ils avaient semé, sans épuiser la force de la végétation et la puissance de la glèbe. Cette double exigence motivait tous les rites et les multiples précautions qui entouraient cette étape essentielle des travaux agricoles.

Accouchement (pains d'); Amoureux (pains d'); Anniversaire (pains d'); Enfournement (rituel thérapeutique d'); Épi (symbolique de l'); Fermentation (approche anthropologique de la); Four (symbolique du); Franc-maçonnerie; Grain et graine; Mariage (pains de); Moisson (pains de); **Moissons (symbolique des)**; Noël (pains de); Nouvel An (pains du); **Nuit (symbolique de la)**; Pâques (pains de); Pâte à pain (symbolique de la fertilité et de la fécondité de la); Pétrin (symbolique du); Purgatoire (pains du); Saint-Nicolas (pains de la); **Sexuelle (le pain comme métaphore)**; Tamis (symbolique du); Vendange.

ITINÉRAIRE 13 : Boutique et fournil

Dans la grande majorité des cas, l'activité et l'économie de la boulangerie artisanale reposent sur le binôme que forment le boulanger et la femme du boulanger, lui au fournil, elle au magasin. Il y a là une osmose qui constitue très précisément l'essence d'un métier bicéphale, pour le meilleur et pour le pire.

• *La boutique :* Boulangerie contemporaine, artisanale et industrielle; Équipementiers; **Femme du boulanger**; File d'attente; Marketing du pain; Mutation; Vendeuses → Femme du boulanger.

• *Le fournil :* Balance en boulangerie; Balancelle; Banneton, panneton; Bassin; Bouleuse; Chambre de fermentation (ou pousse) contrôlée; Chambre de repos; Chambre froide; Chaudière; Corbeille et corbillon; Couche; Coupe-pâte, grattoir et ratissoire; Doroir; Échelle viennoise; Enfournement-défournement; Façonneuse; **Four**; **Fournil**; Laminoir; Moule; Parisien; Pelle; Peseuse-diviseuse; **Pétrin**; Plaque; Refroidisseur d'eau; Rouleaux; Spatule; Tour.

• *Les acteurs d'hier et d'aujourd'hui :* Apprentissage; Boulanger (tenue du); Boulangères; **Boulangers de France**; Boulangers forains; Brigadier; Compagnons boulangers; Enfourneur; Femme du boulanger; Geindre; Mains (à deux); Maître; Mitron; Pétrisseur; Porteuse de pain; Savate; Talemelier; Valet soudoyé; Vendeuses → Femme du boulanger.

• *Boulanger forçat et martyr :* Assassinat du boulanger Denis

François (21 octobre 1789) ; Boulangers et boulangeries (histoire de France des) ; Geindre ; Misère des garçons boulangers ; Nuit (symbolique de la) ; Nuit (travail de) ; Pénibilité ; Sueur ; **Troglodytes enfarinés**.

ITINÉRAIRE 14 : Étapes de la panification

La panification désigne l'ensemble des étapes qui conduisent in fine *à la réalisation du pain : pétrissage ; pointage (premier temps de la fermentation) ; division ; pesée ; façonnage des pâtons ; apprêt (deuxième temps de la fermentation) ; cuisson ; ressuage.*

• *Les ingrédients pouvant entrer dans la composition des pâtes et des pains :* Acide ascorbique ; Acidifiant ; **Additif** ; Adjuvant ; Air ; Améliorant ; Amylase fongique ; Auxiliaire technologique ; Céréales torréfiées ; Condiments du pain ; Conservateur ; Cystéine ; **Eau** ; Eau de coulage ; Émulsifiant ; Épaississant ; **Farine** ; Fève ; Gélifiant ; Hémicellulase fongique ; Levain, levain-chef, levain de première, de seconde, de tout point ; Levain-levure ; Levure de boulanger ; Levure désactivée ; Malt et produits maltés ; Protéase fongique ; Sel ; Soja (farine de) ; Soja (lécithine de) ; Stabilisant → Additif.

• *Le pétrin et le pétrissage :* Artofex ; Barboter ; Bassin ; Bassinage ; Brie ou barre pour battre les pâtes ; Contre-frasage ; Découpage et passage en tête ; Délayage ; Eau ; Eau de coulage ; Étirage et soufflage ; Fontaine ; Frasage ; Frase ; Lissage ; Main ; Marrons ; Mélange ; Oxygénation ; Paroi propre ; **Pétrin** ; Pétrin (symbolique du) ; **Pétrissage** ; Pétrissage (sur-) ; Pétrissage avec les pieds ; Pétrisseur ; Remouillure ; Température de base.

• *Étapes et processus de la fermentation :* Acide acétique ; Acide lactique ; Acides organiques ; Aérobiose et anaérobiose ; Alcool ; Apprêt ; Autolyse ; Bactérie lactique ; Bière ; Chambre de fermentation (ou pousse) contrôlée ; Chambre de repos ; Chimistes et microbiologistes du pain ; Ensemencer ; Enzyme ; Éponge ; Éthanol → Alcool ; Fermentation (approche anthropologique de la) ; Fermentation (pré-) ; Fermentation contrôlée ; **Fermentation panaire** ; Fermento-levain ; Gaz carbonique ; Isis et Osiris ; Levain (intérêt nutritionnel du) ; Levain (symbolique du) ; **Levain, levain-chef, levain de première, de seconde, de tout point** ; **Levain de panification** ; Levain-levure ; **Levure de boulanger** ; Levure désactivée ; Levure pressée ; Levurerie → Levuriers ; Méthode directe/indirecte ; Micro-organisme ; Moût ; Pain-bière dans l'ancienne Égypte ; Parisien ; PH ; Pile ; Planches ; Pointage ; Poolish ; Poudre levante chimique ; Pression osmotique ; Rafraîchir, rafraîchi ; Réseau ou tissu glutineux ; Starter ; Sucres fermentescibles.

• *Travail sur les pâtes :* Abaisse ; Allonger ; **Apprêt** ; Blanchiment de la pâte ; Boulage ; **Bréer** ; **Chiqueter** ; Clé ; Corne ; Coupe « polka » et coupe « saucisson » ; Découpage et passage en tête ; Délayage ; Détailler ; Détente ; Diagramme en boulangerie ; Différer ; Division ; Emmoulage ; Empreinte ; Étirage et soufflage ; Façonnage ; Farinage ; Fendu ; Fleurage ; Fonçage ; Fontaine ; Force boulangère ; Force en boulangerie ; Freinte ; Froid ; **Grigne** ; Humidité relative ; Hydratation ; Hydrolyse ; Hygrométrie ; Lame et coup de lame → Grigne ; Laminage → Façonneuse ; **Méthode directe/indirecte** ; Oreille → Grigne ; Oxydation ; Pain ferré ; Panification ; Pâte ; Pâton ; Pâtonnage et mise en planches ; Pesage ; Pétrissée ; Pliage → Façonnage ; Pâtonnage et mise en planches ; **Pointage** ; Pression atmosphérique ; Queue du pain ; Rabat ; Rompre, donner un tour ; Scarification ; Signature du boulanger → Scarification ; **Technologies boulangères** ; Torsadé et tressé ; Tourne ; Tourne à clair/tourne à gris.

• *Évaluation de la qualité de la pâte :* Alvéolage ; Chimistes et microbiologistes du pain ; Défauts de la pâte ; Élasticité ; Extensibilité ; Force boulangère ; Force en boulangerie ; Mie de pain ; **Pâte** ; **Pâte bâtarde, molle, douce, ferme, raide** ; **Pâtes (définition des)** ; Porosité ; Propriété organoleptique ; Réseau ou tissu glutineux ; Ressuage ; Rhéologie ; Suinter ; Ténacité ; Tenue ; Tolérance ; Valeur boulangère.

• *Four et cuisson :* Allume ; Après-coup ; Âtre ; Attisoir ; Autel ; Baiser de boulanger ou baisure ; Bois de boulange ; Bouche (à) ; Bouche, gueule du four ; Bouchoir, fermoir du four ; Buée ; Caramélisation ; Chaleur tombante ; Cintrage ; Corsetage ; **Cuisson directe/indirecte** ; Cuisson sur filets ; Cuisson sur pavé ; Écouvillon ; Empois ; Enfournement ; Enfournement (rituel thérapeutique d') ; Enfournement-défournement ; Étale ; Étouffoir ; Filets ; **Four** ; Four (rue du) ; **Four (symbolique du)** ; Four d'enfer ; Fourgon ; Fournée ; Fournier et fornillon ; Gaz carbonique ; Gueulard ; Lauriot ; **Maillard (réaction de)** ; Oura ; Pain ferré ; Panier ; Pelle ; Pyromètre ; Quartier ; Queue du pain ; Rondeau ; Rouable ; Sole ; Tannur ; Terminal de cuisson ; Tirer le pain du four ; Tour du chat ; Tourne à clair/tourne à gris ; Voûte ou chapelle du four à bois.

• *Conservation et hygiène :* Atmosphère contrôlée ; Chimistes et microbiologistes du pain ; Congélation ; **Conservation des grains, de la farine et du pain** ; DLC ; DLUO ; Froid ; HACCP ; Lyophilisation ; Marche en avant ; Pasteurisation ; Rassissement ; Sporulation ; Stérilisation ; Surgélation ; **Traçabilité** ; UHT.

ITINÉRAIRE 15 : Le pain et tous les pains du monde

Classiquement, la très grande majorité des pains résultent de l'emploi de farines dites panifiables de blé (froment) et de seigle seul ou en mélange. En y regardant de plus près, il faut ajouter l'épeautre et le blé dur, ce dernier étant utilisé, par exemple, pour la fabrication de pains régionaux en Italie du Sud. Une approche plus fine oblige à intégrer également des produits réalisés avec des farines d'orge et de maïs. Pourtant, le critère « panifiable », appliqué à des pains à texture aérée résultant d'une fermentation demeure encore trop restrictif pour une définition internationale.

• *Description et dégustation du pain :* Acidité ; Alvéolage ; Condiments du pain ; Consistance ; Croustillant ; Croûtage ; Croûte ; Défauts du pain ; Gastronomie ; Goût du pain ; Mie (couleur de la) ; Mie de pain ; Mie de pain œilletée ; Moisissure ; **Pain (aspect du)** ; Pain ferré ; Pain filant ; Pain raté ; Propriété organoleptique ; Rondin et rondine ; Surface du pain.

• *Les grandes familles du pain :* Campagne (pain de) ; Condiments du pain ; Femmes ; Miche ; Mie (pain de) ; Musées du pain ; Museum der Brotkultur (Ulm) ; **Pain (définition universelle du)** ; Pain complet ; Pain domestique ; Pain noir ; Pains mondiaux ; Pains spéciaux ; Seigle (pain de) ; Son (pain de) ; Technologies boulangères ; Tourte ; Viennois (baguette et pain).

• *Tour du monde du pain :* AMÉRIQUES ET CARAÏBES : Amérindiens d'Amérique du Nord ; Amérique latine ; Andes boliviennes ; Argentine ; Bolivie ; Brésil ; Canada et Québec ; Caraïbes ; Chili ; Colombie ; Équateur ; États-Unis ; Mexique ; Pérou – ASIE CENTRALE ET ASIE : Afghanistan ; Azerbaïdjan ; Bangladesh ; Bhoutan ; Cambodge ; Chine, Hong Kong et Macao ; Corée ; Inde ; Japon ; Ladakh ; Mongolie ; Népal ; Région himalayenne ; Russie ; Tibet ; Turkménistan – EUROPE : Albanie ; Allemagne ; Arménie ; Autriche ;

Belgique ; Chypre ; Corse ; Croatie ; Danemark ; Espagne ; Estonie ; France (pains actuels, pains régionaux) ; France (pains historiques) ; Géorgie ; Grande-Bretagne ; Grèce ; Hongrie ; Irlande ; Italie ; Lituanie ; Malte ; Norvège ; Pays-Bas ; Pays basque ; Pologne ; Portugal ; République tchèque ; Roumanie ; Suède ; Suisse – MAGHREB, AFRIQUE : Afrique de l'Ouest ; Algérie ; Djibouti ; Égypte ; Éthiopie ; Libye ; Madagascar ; Mali ; Maroc ; Sénégal ; Somalie ; Tunisie – OCÉANIE : Aborigènes ; Australie ; Nouvelle-Zélande ; Outre-mer – PROCHE ET MOYEN-ORIENT : Arabie saoudite ; Bahreïn ; Bédouins ; Émirats arabes unis ; Irak ; Iran ; Israël ; Jordanie ; Koweït ; La Mecque ; Liban ; Mésopotamie ; Oman ; Pakistan ; Palestine ; Péninsule Arabique ; Qatar ; Syrie ; Turquie ; Yémen.

• *Quelques-unes des plus remarquables réalisations de la boulangerie universelle :* Baguette ; Baozi ou mantou → Chine ; Börek → Turquie ; Borodinski → Russie ; Cassave → Brésil ; Chleb pradnicki → Pologne ; Croissant ; Eptazymo → Grèce ; Galette → Crêpe et pains mondiaux ; Halah → Israël ; Injera → Éthiopie ; Ka'ak → La Mecque ; Khobz al'Abbas → Irak ; Lavache → Arménie ; Marraqueta → Chili ; Pain de Beaucaire → France (pains actuels, pains régionaux) ; Pain de mer ; Pain de tradition française → Décret pain ; Pain géant ; Pain marchand de vin → France (pains actuels, pains régionaux) ; Plié de Morlaix → France (Pains actuels, pains régionaux) ; Pumpernickel → Allemagne ; Rewena parapoa → Nouvelle-Zélande ; Tagi thaltak → Ladakh ; T'anta wawas → Pérou ; Tordu du Gers → France (pains actuels, pains régionaux) ; Trahanas → Grèce ; Viennois (pain et baguette).

• *Les autres vies du pain :* Bouche (pain de) ; Casse-croûte ; Cataplasme farineux ; Chanteau ; Chapelure ; Chapon ; Chiffon de pain ; Croûte à potage ; Croûton, croûtons ; Entame ; Fatteh → Syrie ; Figurines en mie et en pâte de pain ; Fruits en pâte ; Interdits liés au pain ; Miette ; Mouillette ; Pain bénit ; Pain grillé ; Pain perdu ; Pain rassis ; Pain sec (au) ; Panade ; Panure ; Quignon ; Santon ; Soupe ; Soupe de pain ; Talon ; Tartine ; Toast.

• *Les périphéries du pain :* Biscotte ; Boulghour ; Brioche ; Crêpe ; Épices (pain d') ; Feuilletage ; Galette des Rois ; Gaufre, gaufrette ; Hamburger ; Lait (pain au) ; Pâtes alimentaires ; Précuit ; Pudding → Grande-Bretagne ; Sandwich.

ITINÉRAIRE 16 : L'univers de la boulangerie

La boulangerie s'est progressivement libérée d'un souci exorbitant de production qui, trop longtemps, l'a empêchée d'évoluer. Assujettie désormais au marché, elle réorganise ses usages ancestraux autour d'une nouvelle exigence de qualité, qui est la dernière arme pour enrayer la diminution de la consommation du pain. L'enjeu est de se prouver et de prouver aux consommateurs que le « bon pain » demeurera pour toujours la base la plus économique de notre gastronomie quotidienne, conservant à la boulangerie le titre de dernier et irremplaçable commerce de proximité.

• *La formation au métier de boulanger :* **Apprentissage** ; BEP ; CAP de boulangerie ; CFA ; École de boulangerie et pâtisserie de Paris ; École Carrefour ; École de boulangerie (première) ; École française de boulangerie d'Aurillac → MOF ; École Grégoire-Ferrandi ; **Formations à la boulangerie et à la pâtisserie** ; INBP ; Invalides ; MOF.

• *Les acteurs de la filière blé-farine-pain d'hier et d'aujourd'hui :* Biscottiers ; Biscuitiers ; Blatier ; Boulangères ; Boulangers de France ; **Boulangers et boulangeries (histoire de France des)** ; Boulangers forains ; Brigadier ; CNBPF ; Compagnons boulangers ; Équipementiers ; FEBPF ; **Femme du boulanger** ; **Filière blé-farine-pain** ; Fouacier ; Fournaliste ; Frigoristes → Équipementiers ; Geindre ; Grand panetier ; Levuriers ; **Meunier dans l'Histoire** ; **Meuniers et minotiers** ; Orve, orvier ; Oublieur, oubloyer ; Paysan boulanger ; Porte-chape ; Porteuse de pain ; Semenciers ; Semouliers ; Talemelier ; Tranchepain ; Valet soudoyé ; Vendeuses → Femme du boulanger ; Vermicelliers → Pâtes alimentaires.

• *Boulangers et autres personnages très remarquables :* Aebersold, Bernhard → « Recettes de pains » ; Boulet, Guy → Boulangers de France ; Ancco Condo, Damasino Uldarico → « Recettes de pains » ; Arpin, Marcel ; Auriat, Pascal → « Recettes de pains » ; Barriga, Xavier → « Recettes de pains » ; **Boulangers de France** ; Bouton, Michel ; Cadet de Vaux, Antoine Alexis François ; Calvel, Raymond ; Cherikoff, Vic → « Recettes de pains » ; Chrysippe de Tyane ; Columelle ; Cosmao, Norbert ; Croquet, Alex → « Recettes de pains » ; Dagdeviren, Musa → « Recettes de pains » ; Debieu, Franck → « Recettes de pains » ; Delmontel, Arnaud → « Recettes de pains » ; Duhamel du Monceau, Henri Louis ; Feuillas, Roland →

« Recettes de pains » ; Fradette, Benoît → Boulangers de France ; Galloyer, Michel → Boulangers de France ; Ganachaud, Bernard ; Gautier, Jean-Yves → « Recettes de pains » ; Giorilli, Piergiorgio → « Recettes de pains » ; Graham, Sylvester → Boulangers de France ; Guinet, Roland ; Herzog, Roland → « Recettes de pains » ; Holder, Francis ; Kamir, Basile → Boulangers de France ; Kaplan, Steven Laurence ; Kayser, Éric → « Recettes de pains » ; Lalos, Frédéric → « Recettes de pains » ; Leader, Daniel → « Recettes de pains » ; Lemaire, Raoul → Boulangers de France ; Lepard, Dan → « Recettes de pains » ; Mahou, Jacques → Boulangers de France ; Malouin, Paul Jacques ; Moisan, Michel → Boulangers de France ; Nury, Pierre → « Recettes de pains » ; Parmentier, Antoine Augustin ; Physiocrates ; Planchot, Dominique → « Recettes de pains » ; Poilâne, Apollonia → « Recettes de pains » ; Poilâne, Lionel et Pierre ; Pozzoli, François → « Recettes de pains » ; Poujauran, Jean-Luc → Boulangers de France ; Putka, Wladyslaw → « Recettes de pains » ; Saibron, Dominique → « Recettes de pains » ; Scheft, Uri → « Recettes de pains » ; Swinnen, Benny → « Recettes de pains » ; Vabret, Christian → Boulangerie (Coupe du monde de la), Boulangers de France, MOF, « Recettes de pains » ; Vilmorin, Louis de ; Zang, Christophe Auguste.

• *L'épopée héroïque de la boulangerie* : Ambassadeurs du pain ; Artisan et artisanat ; Bagatelle ; Baguépi ; Baguette de la Ville de Paris (Grand Prix de la) ; Baguettocentrisme ; Banette ; Bleuette ; Boulangerie (Coupe du monde de la) ; Boulangerie (salons internationaux de la) ; Boulangerie, 5 et 6 octobre 1983 (états généraux de la) ; Boulangerie contemporaine, artisanale et industrielle ; Boulangers de France ; Chef-d'œuvre ; CNERNA ; Consommation du pain ; Copaline ; Décret pain (13 septembre 1993) ; Festival des Pains ; Fête du pain ; Grands Moulins ; Grenier à blé ; Lesaffre (Coupe Louis) → Lesaffre (groupe) ; Lesaffre (groupe) ; Marketing du pain ; MOF ; Musées du pain ; Mutation ; Pain blanc ; Pain-théonisation ; Pensée unique ; Précuit ; Prêt à façonner, prêt à pousser ; Reine des Blés ; Rétrodor ; Ronde des Pains ; Terminal de cuisson.

ITINÉRAIRE 17 : Le mot « pain »

« Je connais la faim, je l'ai ressentie. Enfant, à la fin de la guerre, je suis avec ceux qui courent sur la route à côté des camions des

Américains, je tends mes mains pour attraper les barrettes de chewing-gum, le chocolat, les paquets de pain que les soldats lancent à la volée. [...] Cette faim est en moi. Je ne peux pas l'oublier. Elle met une lumière aiguë qui m'empêche d'oublier mon enfance » (J. M. G. Le Clézio, La Ritournelle de la faim*).*

• *Le pain dans les langues, les maximes et proverbes :* Casse-croûte ; Compagnon ; Gagne-pain ; Interdits liés au pain ; **Maximes et proverbes** ; Mot « pain » (étymologie du) ; **Mot « pain » dans la langue française** ; Mot « pain » dans quelques langues européennes ; Sexuelle (le pain comme métaphore).

• *Le pain comme valeur de partage, de don, d'entraide :* Bread & Roses ; Bread for the Journey ; **Compagnon** ; **Disettes, famines et révoltes pour le pain en France** ; Émeutes de la faim en Égypte ; FAO ; Farines (guerre des) ; Fête du pain ; Frumentaire ; Mie de pain (association La) ; Musées du pain ; *Panem et circences* ; Postillon.

• *La place du pain dans l'imaginaire des créateurs : Boulanger de l'Empereur – L'Empereur du boulanger (Le)* → Documentaires et films ; *Boulanger de Valorgue* (*Le*) → Documentaires et films ; Boulanger-poète ; Boulanger-prophète ; *Boulangère de Monceau* (*La*) → Documentaires et films ; Bread (groupe musical) ; Bread & Roses ; *Christ servi par les anges dans le désert* (*Le*) → Peinture occidentale ; Couture (pain) ; Danse des petits pains dans *La Ruée vers l'or* (*The Gold Rush*, 1925) de Charlie Chaplin ; **Documentaires et films** ; *Effarés* (*Les*) ; *Fée aux miettes (La)* → Miette ; ***Femme du boulanger* (*La*)** ; *Gerbe d'or* (*La*) ; *Hänsel et Gretel* ; Jean Valjean ; *Maîtres du pain* (*Les*) ; Moulins (don Quichotte contre les) ; Œuvre d'art en pain ; *Pain nu* (*Le*) → Documentaires et films ; *Patouillard fait son pain* → Documentaires et films ; **Peinture occidentale** ; *Petit Boulanger de Venise* (*Le*) → Documentaires et films ; *Raisins de la colère* (*Les*) → Documentaires et films ; *Repas d'Emmaüs* (*Le*) → Peinture occidentale ; *Secret de Maître Cornille* (*Le*) → Meunier dans l'Histoire ; *Si le grain ne meurt* ; *Un pain, c'est tout.*

ITINÉRAIRE 18 : Contributions scientifiques à notre connaissance du pain

L'interrogation sur la qualité nutritionnelle du pain est légitime dans la mesure où le pain blanc que nous consommons est très différent du pain bis au levain consommé depuis des millénaires.

Tout a changé en moins d'un siècle : la nature des variétés de blé pour la production de farines plus riches en gluten et plus aisément panifiables ; les procédés de mouture, les appareils à cylindres ayant largement supplanté les meules de pierre ; l'utilisation de levure pour faire lever rapidement la pâte, à la place d'un levain naturel ; la teneur du sel plus élevée ; la liste des améliorants utilisés et totalement absents dans la panification ancienne ; le temps de fermentation abrégé, le mode de cuisson et même la forme des pains en baguette.

• *Approche microbiologique :* Acide acétique ; Acide lactique ; Acide linoléique ; Acide phytique ; Acide propionique ; Acides gras essentiels ; **Acides organiques** ; Acidité ; Aérobiose et anaérobiose ; Albumines ; Alcool ; Amidon ; Amylase et activité amylasique ; Amylolyse ; Amylopectine → Amidon ; Antioxydant ; Arabinoxylane ; Bactérie ; Bactérie lactique ; Betaglucanes ; Biodisponibilité ; Blé (séquençage du génome de) ; Caroténoïdes ; Enzyme ; Gaz carbonique ; Gliadines ; Globulines ; Glucide ; Glucide complexe ; **Gluten** ; Gluténines ; **Levain de panification** ; Lipide ; Lipoxygénase ; Magnésium ; Maltose et maltodextrine ; Micro-organisme ; Minéraux ; Mycotoxines ; Pentosane ; Phosphore ; Potassium ; Protéine ; Sporulation ; Sucres fermentescibles ; Vitamine E ; Vitamines ; Zinc.

• *La recherche :* Alvéographe ; Cadet de Vaux, Antoine Alexis François ; Calvel, Raymond ; **Chimistes et microbiologistes du pain** ; Columelle ; Duhamel du Monceau, Henri Louis ; GEVES ; GNIS ; INRA ; Lixiviation ; Malouin, Paul Jacques ; **Panification (essais de)** ; Parmentier, Antoine Augustin.

• *Approche nutritionnelle :* Acide linoléique ; Acide phytique ; **Acides gras essentiels** ; Agriculture biologique ; Allergie ; Biodisponibilité ; CNERNA ; Denrée ; Diabète ; Fibres ; Filière bio ; Index glycémique ; **Levain (intérêt nutritionnel du)** ; Lipide ; Magnésium ; Maladie cœliaque ; Minéraux ; **Perte nutritionnelle de la graine au pain** ; Phosphore ; Protéines (valeur biologique des) ; Régime alimentaire méditerranéen ; Régime Seignalet sans pain ; **Santé** ; Transit digestif ; Valeur énergétique du pain ; **Valeur nutritionnelle du pain** ; Vitamine E ; Vitamines ; Zinc.

• *Le pain sous surveillance :* AFSSA ; CHSCT ; DGAL ; DGCCRF ; DLC ; DLUO ; GEVES ; HACCP ; Observatoire du pain ; **Réglementation** ; **Traçabilité**.

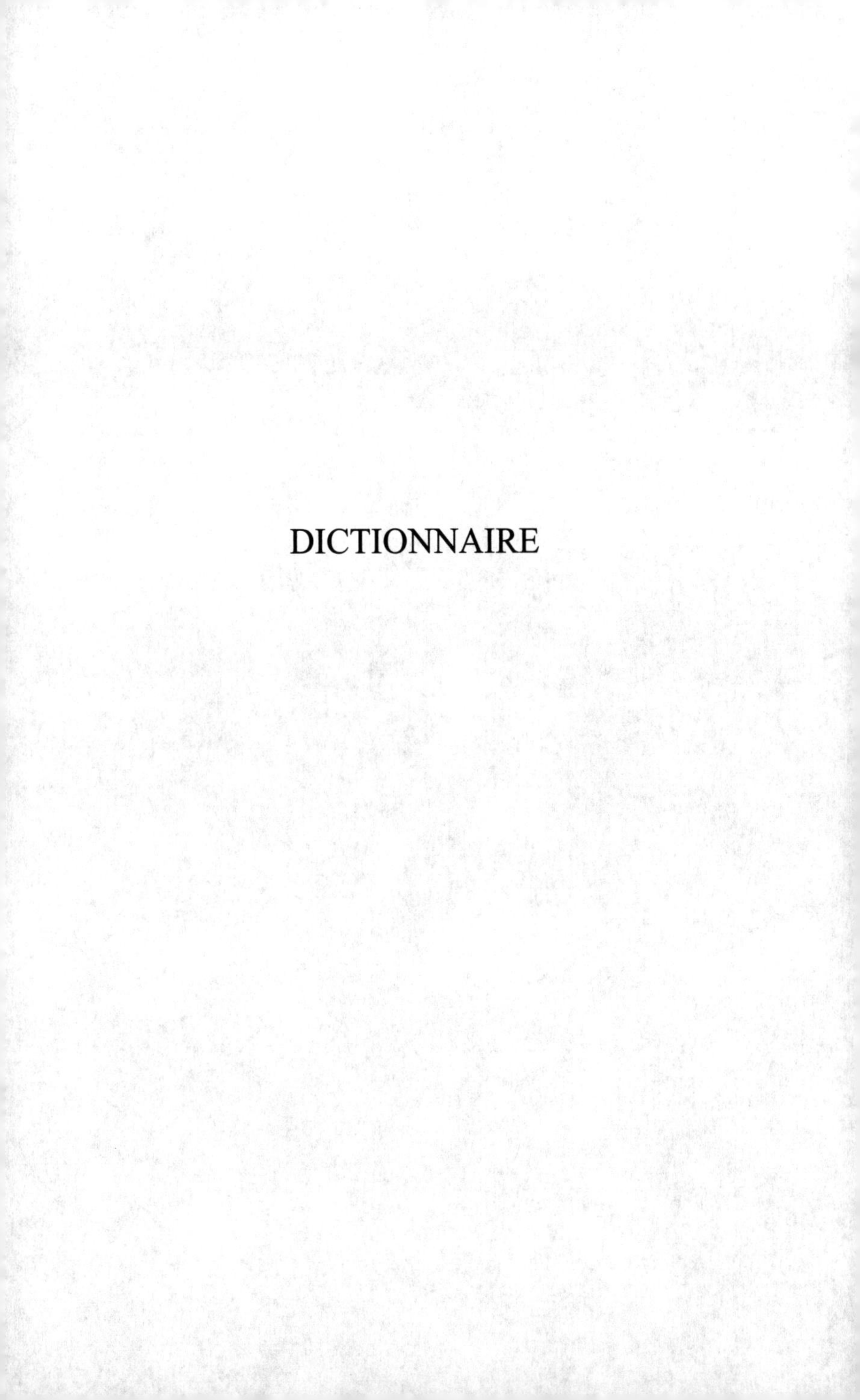

DICTIONNAIRE

A

ABAISSE. – Morceau de pâte, pâton, que l'on a abaissé, aminci, étalé, étendu grâce au rouleau ou au laminoir, et quelles que soient la forme et l'épaisseur finale souhaitées (abaisse d'un fond de pizza, d'un fond de tarte). Par analogie, se dit de toute pièce de pâte cuite divisée horizontalement pour en diminuer la hauteur. Un fond de biscuit (de 4 cm d'épaisseur par exemple) qui aura été aminci par division au couteau donnera deux abaisses de 2 cm.

Guy Boulet

• *Voir aussi :* Allonger ; Boulage ; Bréer ; Chiqueter ; Détailler ; Détente ; Emmoulage ; Farinage ; Freinte ; Froid ; Laminage → Façonneuse ; Pâte ; Pâton ; Pâtonnage et mise en planches ; Pliage → Pâtonnage et mise en planches ; Technologies boulangères

ABEL (l'éleveur) et CAÏN (l'agriculteur). – Voir TERRE-MÈRE PRIMORDIALE

ABORIGÈNES (traditions du pain chez les). – Les Aborigènes d'Australie fabriquent du pain depuis des milliers d'années. Communément appelé « pain du bush » ou « gâteau de graines », c'est une composante naturelle de leur alimentation et il est habituellement confectionné par les femmes. À la fin du XVIIIe siècle, l'arrivée des Européens apportant avec eux de la farine de froment moulu provoqua la quasi-extinction de leur mode de fabrication du pain – les femmes continuant cependant à confectionner les « gâteaux de graines » en Australie centrale et ce jusque dans les années 1970. L'usage des braises pour la cuisson du pain s'y est d'ailleurs maintenu jusqu'à nos jours. Dans la plupart des cas, la panification était effectuée par plusieurs femmes à la fois, en raison de la main-d'œuvre importante qu'elle nécessitait. Elles ramassaient des graines, des légumineuses, des racines ou des noix de saison, les réduisaient en farine, puis en formaient une pâte. Les graines utilisées variaient en fonction du moment de l'année et de la région. En Australie centrale, le millet indigène (*Panicum decompositum* ; *Panicum australianse*) et le *spinifex* étaient couramment employés. Les graines de Wattleseed étaient aussi parfois utilisées dans le mélange de farines.

Les graines de la plante, parvenues à pleine maturité et séchées, étaient récoltées en battant les graminées (ou les arbres chargés de gousses, à l'aide de bâtons, dans le cas des graines d'acacia). Certaines des graines utilisées sont issues des variétés suivantes : pourpier (*Portulaca oleracea*), acacia épineux de type Victoriae (*Acacia victoriae*), mulga (*Acacia aneura*), graines de *Dead finish* (*Acacia tetragonophylla*), haricot du bush (*Rhyncharrhena linearis*).

En Australie occidentale, les femmes ramassaient de nombreuses graines à l'entrée des nids de fourmis. Les fourmis avaient ainsi collecté et décortiqué les graines à leur place, et leur travail s'en trouvait donc grandement facilité puisque tout ce qu'elles avaient à faire était de les rassembler. Une fois les graines séchées, elles pouvaient commencer à préparer la farine. Elles étaient d'abord vannées, parfois en plusieurs fois, à l'aide d'un *coolamon*, sorte de récipient servant au transport aussi bien de graines et de fruits que de nouveau-nés, aux bords incurvés, habituellement fabriqué par des hommes et, selon la longueur du voyage, parfois porté sur la tête. Ensuite, elles étaient broyées à l'aide d'une meule. Certaines des meules utilisées dans cette région se sont révélées vieilles de cinquante mille ans. Elles se composent d'un long caillou assez plat et d'une pierre ronde de la taille d'une paume – on les appelle parfois « la mère et l'enfant ». On mélangeait ensuite la farine avec de l'eau pour former une pâte, que l'on plaçait dans les cendres chaudes afin de la cuire. Cette pâte était façonnée de différentes manières, en petites portions, que l'on désigne aujourd'hui du nom de *johnny cakes*, ou en grosse miches, connues de nos jours sous le nom de *dampers*. La pâte était quelquefois consommée crue, sauf si le groupe devait voyager. La cuisson était une bonne manière de préparer le pain de façon à pouvoir le transporter plus facilement, ce qui se révélait utile pour les groupes de population les plus nomades. Certains pains employaient des ingrédients tirés des racines et des bulbes de plantes. Dans le Top End de l'Australie, qui est le point du continent situé le plus au nord, les Yolngu utilisaient des racines de lotus et du taro sauvage moulus et mélangés jusqu'à ce qu'ils forment une purée assez épaisse pour constituer la pâte. Un autre type de pain de la région était le pain de graines de nénuphar. Les deux variétés de nénuphar consommées étaient *Nelumbo nucifera* et *Nymphaea macrosperma*. Dans la région du mont Tamborine, dans le Queensland, les habitants utilisaient les pommes de pins bunya, que l'on trouve dans cette zone, pour faire du pain de la même façon. Les graines de cycas (*Cycas media*) sont hautement toxiques lorsqu'elles sont encore crues et nécessitent un décorticage, un concassage, un lessivage à l'eau courante pouvant aller jusqu'à cinq jours, puis une cuisson. Une fois ce traitement achevé, la pâte est divisée en petites miches qui se conserveront pendant des semaines. Cette connaissance de la neutralisation des substances toxiques contenues dans les plantes était détenue par les femmes. Des histoires circulent à propos d'explorateurs essayant de confectionner ces pains sauvages, mais qui ne comprenaient pas plus la nature des plantes qu'ils employaient qu'ils n'étaient informés du processus long et complexe que constituait la préparation des ingrédients. Il est reconnu à présent qu'il est essentiel de tremper les graines avant de les moudre afin d'en chasser la thiaminase, qui détruit la vitamine B1 du corps.

Pain du bush. Il est fait à partir des racines et des bulbes des plantes, telles que la racine de lotus, du lis d'eau et du taro sauvage. Ceux-ci ont été broyés, puis mélangés de manière à confectionner une pâte pour faire le pain. Mais les graines ont dû être d'abord détoxiquées, car certaines d'entre elles sont fortement cancérogènes et exigent un traitement approprié incluant décorticage, broyage, nettoyage à l'eau courante jusqu'à cinq jours, puis cuisson. La pâte obtenue est travaillée pour réaliser de petits pains, qui peuvent se conserver pendant un certain nombre de semaines.

Diane Castiglioni
(trad. de l'américain
par Myriam Daumal)

• *Voir aussi :* Australie ; Céréales sauvages aux premières formes domestiques (des) ; Meule ; Meunerie ; Pain (définition universelle du)

Bibl. : Calder CHAFFEY, « A Fern which Changed Australian History », *Australian Plants online, Association of Societies for Growing Australian Plants*, http://asgap.org.au/APOL26/jun02-6.html, juin 2002 • Jennifer ISAACS, *Bush Food : Aboriginal Food and Herbal Medicine*, New Holland Publishing Australia Pty Ltd, 1989 • James KEITH, Patricia MAGGIORE et Janette MILLER, *Tables of Composition of Australian Aboriginal Foods*, Aboriginal Studies Press, 1993.

ACCOUCHEMENT (pains d'). – Le pain, symbole de vie, est souvent associé à la naissance, qui représente l'espoir d'une force nouvelle pour la communauté villageoise. Si une femme souhaite être enceinte, en Iran, on secoue sur sa tête la nappe qui servit au repas offert à la suite de son vœu : avaler les miettes de pain, semences de vie, la rend féconde. L'accouchement est un moment dangereux, à la fois pour la mère et pour l'enfant, tous deux en état de faiblesse, sensibles aux mauvaises influences. En Roumanie, comme dans l'ancienne Tchécoslovaquie ou en Bulgarie, des pains spéciaux étaient préparés. En Iran, au moment de la naissance, on présentait à l'enfant du *halvâ-yé-zendégâni*, « halva de vie », fait de farine, de beurre et de sucre. Si, dans la rue, le mari recueillait des miettes de pain tombées à terre, ce qui est un geste pieux, de respect, son enfant vivrait. En Italie, comme en Grèce, la mère devait respecter un isolement de quarante jours, le temps qu'elle soit purifiée du sang répandu ; en Lombardie, l'accouchée avait droit à du pain blanc, luxe suprême à l'époque : « le paysan s'il a gâteau de blanche farine, à son seigneur le destine, ou à sa dame en gésine » (évêque Étienne de Fougères, XIIe siècle).

En France, c'était au bout de vingt jours que la jeune mère retournait pour la première fois à l'église pour la cérémonie des relevailles. À cette occasion, elle distribuait à la sortie une brioche ou un « pain de purification » qu'elle avait fait bénir par le curé lors de la messe. Les parents et voisins donnaient en échange une petite pièce de monnaie, en signe de bénédiction. Dans tout l'Islam, la femme doit respecter certains interdits durant toute la période de la quarantaine, *tchellé*. Pendant les dix premiers jours, elle ne doit jamais rester seule, sinon les démons, les *djin* et *âl*, la diablesse qui apporte la maladie, le mauvais génie des accouchées, en profiteraient pour venir la tourmenter. En Afghanistan, la jeune mère doit se reposer les quarante premiers jours. On ne la laisse pas sortir dans la cour sans être accompagnée ; et elle ne doit pas s'approcher du four à pain, le *tandûr*, sinon, « cela ferait tourner son lait en beurre » : le four à pain est un symbole féminin, c'est la matrice féconde, à laquelle l'accouchée ne doit pas s'associer à ce moment. Quarante jours après la naissance, pour sa première sortie dans le monde, la mère va présenter l'enfant aux grands-parents, en leur offrant des pains saupoudrés de sucre, garnis de graines de pavot ou de sésame.

Bernard Dupaigne

• *Voir aussi :* Afghanistan ; Bulgarie ; Iran ; Italie ; Grèce ; Pâte à pain ; République tchèque ; Roumanie ; Sexuelle (le pain comme métaphore) ; Tandûr → Tannur

Bibl. : Bernard DUPAIGNE, *Le Pain*, Paris, La Courtille, 1979. – ID., *Le Pain de l'homme*, Paris, La Martinière, 1999 • Henri MASSÉ, *Croyances et coutumes persanes*, Paris, Maisonneuve, 1938 • Irène MÉLIKOFF, « Notes sur les coutumes des Alévis. À propos de quelques fêtes d'Anatolie centrale », *Quand le crible était dans la paille. Hommage à P. N. Boratav*, Paris, Maisonneuve, 1978 • Monette RIBEYROL, « Une collecte de pains rituels en Bulgarie », *Objets et Mondes*, X, n° 1, printemps 1970 • Paul SÉBILLOT, *Le Folklore de France*, 1904-1906 ; rééd. Paris, Omnibus, 2002 • Arnold VAN GENNEP, *Manuel de folklore français contemporain*, Paris, Picard, 1937-1958 ; rééd. sous le titre *Le Folklore français*, Paris, Robert Laffont, coll. « Bouquins », 4 vol., 1998 • Nicole VIELFAURE, Anne-Christine BEAUVIALA, *Fêtes, coutumes et gâteaux*, Le Puy, Christine Bonneton, 1978.

ACIDE ACÉTIQUE. – Principal constituant du vinaigre, l'acide acétique est un acide organique, dont la formule chimique est CH_3CO_2H. La fermentation du pain par des levures de boulangerie de type *Saccharomyces cerevisiae* aboutit à une production d'éthanol. Dans un levain naturel fait de levures sauvages et de plusieurs espèces de bactéries lactiques, la fermentation alcoolique est mineure et elle laisse la place à une production spécifique d'acide lactique et acétique. Le rapport lactique/acétique est typique d'un levain et d'une conduite de panification. Les pains au levain les plus typés sur le plan de leur goût présentent une teneur plutôt élevée d'acide acétique.

Christian Rémésy

• *Voir aussi :* Acide lactique ; Acides organiques ; Alcool ; Bactérie lactique ; Fermentation panaire ; Levain de panification ; Levure de boulanger

ACIDE ASCORBIQUE (vitamine C). – Produit d'addition, classé comme additif (code E300), il est utilisé dans de nombreux aliments pour ses fonctions antioxydantes, comme dans les farines et les pâtes boulangères, même si cette propriété n'est pas celle qui justifie son autorisation. La réglementation européenne sur les additifs l'intègre aussi dans une nouvelle catégorie dénommée « agents de traitement des farines ». Son action dans les pâtes boulangères (pâtes fermentées) se traduit, selon l'expression boulangère, par une augmentation de la prise de force des pâtes (augmentation de l'élasticité et de la tenue au détriment de l'extensibilité). Au cours du pétrissage, l'acide ascorbique s'oxyde, cette molécule oxydée contribue, dans un deuxième temps, à l'oxydation du gluten et provoque, ainsi, la rigidification du réseau protéique et l'augmentation de la résistance des pâtes. Si cette évolution est recherchée pour les pâtes boulangères, un excès de force provoqué par une dose trop forte d'acide ascorbique donne des pâtes difficilement machinables et des pains qui se développent moins bien.

Philippe Roussel

• *Voir aussi :* Additif ; Élasticité ; Extensibilité ; Force en boulangerie ; Oxydation ; Pâte ; Pétrissage ; Réglementation

Bibl. : Philippe ROUSSEL, Hubert CHIRON, *Les Pains français. Évolution, qualité, production*, Vesoul, Maé-Erti, 2002.

ACIDE LACTIQUE. – Acide organique produit principalement au cours d'un processus de panification favorisant l'action des bactéries lactiques (comme le levain naturel), mais aussi avec des diagrammes de fermentation à la levure, utilisée en faibles concentrations. Les bactéries lactiques peuvent produire, à partir des mêmes sucres simples, soit de l'acide lactique et des composés aromatiques (bactéries homofermentaires) ; soit de l'acide lactique, de l'acide acétique, du gaz carbonique et des composés aromatiques (bactéries hétérofermentaires). L'acide lactique est soluble dans l'eau et considéré comme un acide faible, c'est-à-dire que la réaction de dissociation dans l'eau n'est pas totale. Du point de vue gustatif, la perception acide est moins forte que celle provoquée par l'acide acétique. L'acide lactique est encore utilisé dans l'industrie alimentaire comme additif (E270) en tant qu'antioxygène, acidifiant ou exhausteur de goût. Il se présente aussi sous forme de sels : sel de sodium (E325), de potassium (E326) et de calcium (E327).

Philippe Roussel

• *Voir aussi :* Acide acétique ; Additif ; Gaz carbonique ; Levain de panification ; Levure de boulanger

ACIDE LINOLÉIQUE. – Voir ACIDES GRAS ESSENTIELS

ACIDE LINOLÉNIQUE. – Voir ACIDES GRAS ESSENTIELS

ACIDE PHÉNOLIQUE. – Voir ANTIOXYDANT

ACIDE PHYTIQUE. – Biomolécule présente dans les céréales et les légumes (son de froment, haricots, soja), responsable, selon certains scientifiques, de déminéralisation. La présence de cet acide dans le pain rendrait impossible l'assimilation des sels minéraux qui y sont présents. Une fermentation au levain naturel est génératrice d'acidité ; or celle-ci, activant des enzymes appelées phytases, aurait pour effet de dégrader l'acide phytique en inositol et phosphore minéral, et de libérer les minéraux piégés.

Monica Francioso

• *Voir aussi :* Acides gras essentiels ; Levain (intérêt nutritionnel du) ; Minéraux ; Santé ; Valeur nutritionnelle du pain

ACIDE PROPIONIQUE. – Cet acide est utilisé comme conservateur, notamment dans des produits de panification préemballés. L'acide propionique a une activité antimicrobienne plus importante que ses sels (propionates) ; mais il est plus corrosif et laisse une odeur plus marquée dans les produits de la boulangerie. C'est pourquoi il est moins utilisé que ses sels, comme le propionate de calcium, préféré aux autres en raison de sa contribution à l'enrichissement nutritionnel apporté par le calcium, mais également en raison de son faible coût.

Philippe Roussel

• *Voir aussi :* Conservateur ; Valeur nutritionnelle du pain

ACIDES GRAS ESSENTIELS. – Les acides gras sont les composants les plus importants des lipides, qui participent des fonctions structurelles, énergétiques et métaboliques de l'organisme. Ils peuvent, d'habitude, être synthétisés par l'organisme à partir d'autres molécules, mais deux d'entre eux en particulier, l'acide linoléique et l'acide linolénique, doivent être apportés par l'alimentation, et pour cette raison ils sont dit *essentiels*. L'acide linoléique est d'origine végétale et se trouve principalement dans les huiles de tournesol, de lin, de maïs, de soja. L'acide linolénique se trouve, lui, dans les poissons gras, comme le saumon, le maquereau, le hareng, la sardine. La farine complète employée en boulangerie est riche en acides gras essentiels contenus dans le germe de blé. La carence en acides cause asthénie, peau sèche, déficit immunitaire, retard de croissance, stérilité. Ils sont indispensables pour la production de l'énergie, la formation des membranes cellulaires, le transfert de l'oxygène de l'air au sang, la synthèse de l'hémoglobine, la fonction des prostaglandines, l'équilibre hormonal et la production hormonale.

Monica Francioso

• *Voir aussi :* Farine ; Germe ; Lipide ; Santé ; Valeur nutritionnelle du pain

ACIDES ORGANIQUES. – Les acides organiques sont les composés organiques naturels du pain au levain, constitués principalement d'acides lactique, acétique et propionique de formule générale R–COOH. Le levain est obtenu en hydratant de la farine et en laissant développer une flore dominante de levures sauvages et de bactéries lactiques au détriment des autres espèces bactériennes et des moisissures. Les acides organiques sont produits à partir de la dégradation des sucres de la farine. Durant la fermentation panaire, les bactéries lactiques homofermentaires produisent seulement de l'acide lactique, et les espèces hétérofermentaires principalement des acides lactique et acétique. De fait, la flore d'un levain est toujours complexe, si bien que le pain contient toujours les deux principaux acides, lactique et acétique, mais en proportion variable selon la conduite de la panification.

Christian Rémésy

• *Voir aussi :* Acide acétique ; Acide lactique ; Bactérie lactique ; Fermentation panaire ; Levain (intérêt nutritionnel du) ; Levain de panification

ACIDIFIANT. – Substance qui a la capacité d'augmenter l'acidité du milieu où elle se trouve. Pour ce qui concerne les aliments, les acidifiants font partie de la classe des additifs ajoutés en vue d'obtenir un goût acidulé, ou pour activer certains enzymes. Dans le pain, ils favorisent l'activité des levains et améliorent ainsi la fermentation. L'emploi, par exemple, de l'acide ascorbique augmente la ténacité du gluten, l'élasticité de la pâte, la capacité d'absorption de l'eau ; il uniformise la structure de la mie et améliore la coloration du pain. Certains acidifiants tels que l'acide sorbique baissent l'activité microbienne en bloquant la formations des moisissures.

Monica Francioso

• *Voir aussi :* Acide ascorbique ; Additif ; Enzyme ; Fermentation panaire ; Gluten ; Levain de panification

ACIDITÉ. – L'acidité totale correspond à la quantité totale d'acides présents dans le milieu analysé. Elle est mesurée par addition de soude diluée (solution décinormale : NaOH 0,1 N ou N/10) jusqu'au changement de couleur d'un indicateur coloré ajouté au milieu. Il s'agit du point de neutralisation de l'acide (ions H^+) par la base (ions OH^-). Les substances ajoutées à l'eau qui peuvent augmenter les ions H^+ et OH^- sont appelées respectivement « acides » et « bases » (exemple : la soude basique NaOH $\rightarrow Na^+ + OH^-$, l'acide acétique $CH_3CO_2H \rightarrow CH_3COO^- + H^+$). Dans les solutions diluées, l'acidité, la basicité ou la neutralité d'un milieu est déterminée par la mesure du potentiel hydrogène, plus connu sous le nom de pH. Un pH moins élevé que celui de la neutralité (par exemple 5 pour une solution aqueuse) qualifie le milieu d'« acide », et un pH plus élevé (par exemple 9 pour une solution aqueuse) indique un milieu « basique » ou « alcalin ». Un acide diminuera le pH d'une solution neutre ou basique ; une base augmentera le pH d'une solution acide ou neutre. Lorsque le pH d'une solution est peu sensible aux acides et aux bases, on dit qu'il s'agit d'une solution « tampon » (de pH) ; c'est le cas du sang, du lait ou de l'eau de mer, qui renferment des couples acido-basiques susceptibles d'amortir les fluctuations du pH. Cet effet tampon existe aussi dans les pâtes, par la présence des protéines ; il est notamment plus fort avec les farines complètes qu'avec les farines blanches. Dans une fermentation au levain, on percevra donc moins la baisse de pH avec une farine complète qu'avec une farine blanche pour une acidité voisine. Un pain fermenté exclusivement à la levure est peu acide (pH $\cong$ 5,5-5,7) ; au levain, son pH est compris entre 3,80 et 4,50.

Philippe Roussel

• *Voir aussi :* Farine ; Levain de panification ; Levure de boulanger ; pH ; Protéine

ACTIA (Association de coordination technique pour l'industrie agroalimentaire). – Voir CNERNA

ADDITIF. – On entend par « additif alimentaire » toute substance alimentaire habituellement non consommée comme aliment en soi et habituellement non utilisée comme ingrédient caractéristique dans l'alimentation, possédant ou non une valeur nutritive et dont l'adjonction intentionnelle aux denrées alimentaires, dans un but technologique, au stade de leurs fabrication, transformation, préparation, traitement, conditionnement, transport ou entreposage a pour effet de devenir elle-même, directement ou indirectement, un composant de ces denrées alimentaires (directive 89/107/CEE). Excepté pour les auxiliaires technologiques (enzymes principalement) et les adjuvants (farine de malt, de fève, de soja, gluten…), dont les autorisations dépendent des réglementations nationales, la directive européenne (95/2) sur les additifs autres que les colorants et les édulcorants est mise en application. La France a traduit ce texte dans l'arrêté du 2 octobre 1997 (JO RF du 08/11/1997). Le principe de la liste positive ayant été retenu, seuls sont autorisés et codifiés les additifs mentionnés dans cette directive. Les additifs peuvent être classés suivant leurs propriétés fonctionnelles dans les groupes suivants :

Conservateurs	Émulsifiants	Amidons modifiés
Antioxygènes	Sels de fonte	Gaz d'emballage
Supports	Affermissants	Propulseurs
Acidifiants	Exhausteurs de goût	Poudres à lever
Correcteurs d'acidité	Agents moussants	Séquestrants
Anti-agglomérants	Gélifiants	Stabilisants
Antimoussants	Agents d'enrobage	Épaississants
Agents de charge	Humectants	Agents de traitement des farines

Dans le domaine de la panification, les additifs autorisés sont les suivants (annexe II de la directive 95/2) :

Pain courant français	**Pain de « froment » (pain préparé exclusivement à partir de farine de froment, eau, levure ou levain, sel)**	**Pains de l'Union européenne et produits de boulangerie fine**
E 260 (acide acétique) E 261 (acétate de potassium) E 262 (acétate ou diacétate de sodium) E 263 (acétate de calcium) E 270 (acide lactique) E 300 (acide ascorbique) E 301 (ascorbate de sodium) E 302 (ascorbate de calcium) E 304 (esters d'acides gras de l'acide ascorbique : palmitate ou stéarate d'ascorbyle) E 322 (lécithine) E 325 (lactate de sodium) E 326 (lactate de potassium) E 327 (lactate de calcium) E 471 (mono- et diglycérides d'acides gras)	E 260 E 261 E 262 E 263 E 270 E 300 E 301 E 302 E 304 E 322 E 325 E 326 E 327 E 471 E 472a (esters acétiques des mono- et diglycérides d'acides gras) E 472d (esters tartriques des mono- et diglycérides d'acides gras) E 472e (esters mono- et diacétyltartriques des mono- et diglycérides d'acides gras) E 472f (esters mixtes acétiques et tartriques des mono- et diglycérides d'acides gras)	additifs autorisés dans les denrées alimentaires (annexe I de la directive 95/2)

Dans le pain courant français, seul l'acide ascorbique est couramment utilisé. Si dans le pain de tradition française les additifs sont interdits, des produits d'addition comme des auxiliaires technologiques et des adjuvants peuvent être autorisés.

Philippe Roussel

• *Voir aussi :* Acidifiant ; Adjuvant ; Auxiliaire technologique ; Émulsifiant ; Épaississant ; Fève ; Gélifiant ; Gluten ; Malt et produits maltés ; Soja (farine de)

Bibl. : Philippe ROUSSEL, Hubert CHIRON, *Les Pains français. Évolution, qualité, production*, Vesoul, Maé-Erti, 2002.

ADJUVANT. – « Produit que l'on ajoute généralement en faible quantité à un matériau pour en améliorer certaines caractéristiques » (Larousse). On parlera d'adjuvants en boulangerie pour les produits d'addition qui ne sont ni des additifs ni des auxiliaires technologiques au sens réglementaire, mais qui jouent un rôle correcteur sur les farines et sur les pâtes. Leur incorporation est soumise à une réglementation nationale ; parmi ces produits, on trouve le gluten de blé, les farines de malt de blé, de fève et de soja, la levure désactivée.

Philippe Roussel

• *Voir aussi :* Additif ; Auxiliaire technologique ; Fève ; Gluten ; Levure désactivée ; Malt (farine de) ; Soja (farine de)

AEMIC (Association des anciens élèves des écoles des métiers des industries céréalières). – Créée il y a soixante ans, l'AEMIC dénombre actuellement près de mille adhérents. Son principal but est de faire partager la passion de la filière céréalière au plus grand nombre, en organisant notamment chaque année les journées techniques des industries céréalières.

Julien Couaillier

• *Voir aussi :* ANMF ; ENSMIC

Bibl. : voir le site de l'AEMIC, www.aemic.com

AÉROBIE. – Voir AÉROBIOSE ET ANAÉROBIOSE

AÉROBIOSE ET ANAÉROBIOSE. Se dit d'une réaction biochimique qui a lieu en présence d'air, plus précisément en présence de l'oxygène de l'air. La réaction aérobie la mieux connue est la respiration (des humains, des plantes, des levures, en bref de la plupart des êtres vivants). À l'inverse, une réaction biochimique qui s'opère en l'absence d'oxygène est qualifiée d'anaérobiose. La réaction la plus utilisée par l'homme depuis la nuit des temps est la fermentation.

Catherine Peigney

• *Voir aussi :* Bière ; Fermentation panaire ; Levain de panification ; Levure de boulanger

AFGHANISTAN (traditions du pain en). – En Asie du Sud-Est, lorsque l'on demande à un ami s'il a déjeuné, on dit : « As-tu mangé du riz ? » De même, en Afghanistan, l'on demande : *Nân khordi ?*, « As-tu mangé du pain ? » Le pain y est la nourriture de base, associée le midi avec un oignon, une tomate ou un melon, le soir émietté dans un bouillon léger. Seuls les plus riches cuisinent du riz, accompagné de viande de mouton, un plat de luxe. Le blé est cultivé partout, en blé d'hiver, moissonné au début de l'été en champs irrigués, ou bien en blé semé au printemps sur les collines qui ont pu bénéficier des neiges puis des pluies. Semer au printemps expose l'agriculteur à perdre ses semences en cas de sécheresse. La qualité du goût du pain étant un élément recherché, les blés de culture sèche sont préférés à ceux issus de cultures irriguées dans les vallées, où l'augmentation des rendements se fait au détriment, précisément, du goût. Le blé est dépiqué pour séparer les grains des épis et de la paille. Il peut l'être sous les pas de deux chevaux qui tournent inlassablement sur l'aire. Ou bien il est écrasé par le *tribulum*, bien connu sur tout le pourtour de la Méditerranée : une large planche de bois garnie à l'envers de silex coupants, attelée à une paire d'animaux de trait, et alourdie par des pierres. L'homme monte sur le *tribulum* pour le diriger. Les grains de blé sortis de l'épi, il faut les séparer de la paille, les vanner : on lance les grains en l'air, contre le vent, avec une fourche de bois ; les grains retombent aux pieds de l'ouvrier. Un passage au crible, le plus souvent effectué par les femmes, complétera la séparation. Un tarare est maintenant souvent employé, ou bien une dépiqueuse actionnée par le tracteur, quand on en dispose. Apparus au moins dès le VIIe siècle dans l'Iran oriental, des moulins à vent à axe vertical subsistaient jusqu'en 1980 dans la région de Hérat. Ils ont tous été détruits durant la guerre soviétique. Les ailes verticales actionnent la meule supérieure directement, sans système de transmission de l'énergie. Ils fonctionnaient quatre mois par an, quand souffle le fameux « vent des 120 jours ». Des canaux d'irrigation secondaires peuvent être aménagés pour fournir la force motrice nécessaire à un moulin à eau. Dans le Logar, à Kondoz et Djalâlâbâd, le riz était décortiqué au pilon de bois renforcé de fer ; l'eau étant utilisée comme moteur grâce à une roue à aubes. Aujourd'hui, les moulins sont presque tous actionnés au moteur diesel.

Le pain est préparé à l'échelle familiale par les femmes, dans chaque maison, tôt le matin, dès la prière du jour levant ; en ville, par des boulangers, ou boulangères, professionnels. Les nomades ne peuvent s'encombrer d'un four à pain : ils consomment des galettes de pâte de blé non levée, fines et circulaires, cuites sur une plaque de fer plate ou légèrement bombée, posée directement sur les braises. La feuille de pâte étant très fine, point n'est besoin de la retourner, et la cuisson est très rapide. Dans le sud du pays, de nombreux nomades sédentarisés continuent de préférer ces galettes cuites sur plaque aux pains levés et cuits au four. Dans les villages, le pain est une stricte affaire de femmes. Interrogez un homme pachtoune sur le sujet, il ne saura rien vous dire. Les hommes ne sont pas dans les cuisines quand, au petit matin, les femmes s'activent à malaxer la pâte et à alimenter le feu de buissons. Dans le Nord, la pâte est laissée à lever, puis pétrie sur une fine peau de chèvre ronde. Le four à pain, *tandour*, en torchis cru, acheté chez le potier, est hémisphérique, avec large ouverture en partie supérieure. Un petit trou est ménagé dans la partie inférieure, comme prise d'air et pour pouvoir évacuer les cendres régulièrement. Le *tandour* est chauffé par des buissons épineux ramassés dans la steppe. Quand les braises sont suffisantes, la femme jette un peu d'eau à l'intérieur pour faire tomber les flammes et applique les galettes sur la paroi brûlante. Elle les sort à main nue. Les boulangers professionnels emploient un plus grand four, toujours fabriqué par un potier. Dans les zones à dominante pachtoune, à Hérât, Kandahâr, Gardez, Kaboul, souvent à Mazâr-é Charif, le four est installé au centre d'une banquette de pisé, l'ouverture supérieure affleurant le niveau de la banquette. On y cuit différents types de pain, dont les noms varient. À Mazâr, le *nân-é qasa*, allongé, fin, dont les rayures sont tracées avec les doigts, doit être consommé sans délai. Le *nân-é pandja*, plus épais, à dessins, peut se conserver un jour. Le *nân-é gerda*, épais et rond, a des dessins circulaires.

La galette est posée sur un coussinet mouillé de tissu blanc, allongé ou rond suivant la forme du pain, et plaquée par l'enfourneur sur les parois du four. Le défourneur, ensuite, retire du four une première galette, avec une broche de fer et une palette à long manche. Aussitôt, l'enfourneur met en place une nouvelle galette de pâte. La division du travail est poussée ; en général, six employés travaillent dans une boulangerie. L'atelier est largement ouvert sur la rue et les acheteurs choisissent eux-mêmes parmi les pains exposés. Le four des Ouzbeks, dans le Nord, peut cuire simultanément jusqu'à quarante galettes. Les clients ne viennent pas chercher leur pain à la boulangerie, qui n'est ni grande ouverte ni située, comme dans le Sud, dans une rue passante. Ce sont de petits revendeurs qui proposent les galettes à des endroits fixes du marché, prélevant une commission d'un sixième du prix de vente ; ils peuvent écouler trois cents à cinq cents pains chaque jour. Même si ce n'est pas toujours vrai, ils appâtent les acheteurs en criant *nân-é khânegi*, « pain de maison », car celui-ci est considéré comme meilleur.

À l'occasion des fêtes, on améliore le pain en ajoutant à la pâte du lait, des œufs, du beurre et du sucre, ou encore du petit lait. La surface de la galette est mieux décorée, avec des sceaux anciens de bronze ou avec l'empreinte d'une clé que l'on imprime sur le pourtour de la pâte. La coutume est aussi de faire frire à l'huile de sésame des carrés de pâte de blé non levée : ces offrandes, frites et consommées en l'honneur des morts d'autrefois, conservent la trace d'anciennes communions rituelles. Le jour de la fête du sacrifice du mouton, à la sortie de la prière à la mosquée, les hommes s'embrassent, se demandent le pardon de leurs offenses et se souhaitent les meilleures choses. C'est un moment d'union et de rassemblement de la communauté (y compris les défunts), en commémoration du sacrifice de son fils imposé à Abraham. Des carrés de pâte à pain frits dans l'huile, *katlama*, que les femmes ont préparés, sont partagés chacun en quatre morceaux pour en distribuer à tous, grands ou petits. Les notables se rendent dans chaque maison du village et récitent des prières pour les vivants et les morts. Ils distribuent un carré de pâte pour chaque membre de la famille, mort, vivant ou encore à naître. L'après-midi, les femmes emportent de la nourriture pour pique-niquer au milieu des tombes, entre parentes et voisines, diverties par des musiciens et des colporteurs. Durant trois jours, on se rend visite en famille et l'on partage les carrés frits, en récitant des bénédictions en l'honneur des disparus de l'année.

À Kaboul, la capitale, les familles se rendaient au « cimetière des martyrs ». Elles venaient déjeuner là pour s'associer aux morts, et le gardien leur remettait un pain frit à l'huile, qu'elles mangeaient sur les tombes. Ce pain était en forme de nœud bouddhique, symbole de prospérité dans l'ancienne religion du pays. La fête de rupture du jeûne, le jour de la fin du ramadan, est également l'occasion d'associer les morts aux vivants. Les trois soirs précédant la fête, les hommes se partagent à la mosquée ces carrés cuits. Le jour même de la levée du jeûne est consacré aux morts. Après la prière collective, les hommes se rendent au cimetière sur la tombe de leurs parents. Le lendemain d'un enterrement, la famille distribue à tous ceux qui ont participé aux cérémonies un carré de beignet frit. Et de nouveau aux cérémonies de bénédictions et de prières après un décès, le troisième jour, le septième, le vingtième, à la fin de la quarantaine, et le centième jour. Quarante jours après une naissance heureuse, la mère va présenter son nouveau-né à ses grands parents, en leur offrant des pains saupoudrés de sucre, garnis de graines de pavot ou de sésame, symboles de prospérité. En cas de cherté des grains, on peut ajouter de la farine d'orge à celle de blé, mais on n'aime pas cela, car « cela fait froid au ventre en hiver ». Le maïs peut être également utilisé quand le blé est trop cher : c'est un pain qui est bon, quand il est encore chaud, sucré, avec beaucoup de goût, mais lourd à digérer.

À Kaboul, une boulangerie industrielle, établie dans les années 1960, gérée par le gouvernement, produisait des miches, vendues en ville dans des roulottes à un prix subventionné. Ce silo a été détruit lors de la guerre civile, entre 1992 et 1994. Il n'a toujours pas été reconstruit, alors que le nombre de pauvres a considérablement augmenté.

Katlama. Carré de pâte à pain frit dans l'huile, préparé à l'occasion des fêtes privées ou religieuses.

Nân-é gerda. Galette de boulanger, épaisse et ronde, avec des dessins circulaires.

Nân-é pandja. Galette de boulanger, plus épaisse, à dessins, qui peut se conserver une journée.

Nân-é qasa. Galette de boulanger, fine et allongée, dont les rayures sont tracées avec les doigts, préférée dans les villes. Doit se consommer rapidement pour garder son croquant.

Nân-é ouzbeki. Galette ronde, petite et épaisse. Elle est ornée de dessins marqués par un manche de bois garni de pointes, ou par un peigne de bois à larges dents. Peut provenir d'une boulangerie, ou bien être préparée par des femmes chez elles et vendues au marché par de jeunes garçons. On parle alors de *nân-é khânégi*, « pain de maison ».

Pâstaï (en pachto). Galette cuite sur la plaque de fer. On la nomme *rayi* chez les Hazâras de Ghazni. C'est le *chapâtî* indien.

Rothay (en pachto). Le pain sorti du four, mais également la nourriture en général. Au Pakistan et en Inde, on dit *rotî*.

Tkala (en pachto). Pain sorti du four. Comme ce mot signifie « la nourriture » en général, on peut préciser : *spora tkala*, « simple pain ».

Bernard Dupaigne

• *Voir aussi :* Inde ; Iran ; Morts (pains des) ; Pakistan ; Tarare ; Tribulum → Battage ; Syrie

Bibl. : Klaus FERDINAND, « The horizontal windmills in Western Afghanistan », *Folk*, Copenhague, 1963 • Alain JEANNERET, « Contribution à l'étude des boulangers de Kaboul », *Bulletin annuel du Musée et* *de l'Institut d'ethnologie de Genève*, n° 7, 1964.

AFRIQUE DE L'OUEST – CIVILISATION DU MIL (traditions du pain en). – À côté des civilisations du blé (Europe), du riz, (Asie) et du maïs (Amérique) répertoriées par l'historien Fernand Braudel, une place peut être faite à la civilisation africaine du mil et, dans une moindre mesure, du sorgho. En français, le mil désigne un groupe de céréales très cultivées sur le continent africain : généralement, il s'agit du *Pennisetum glaucum* ou petit mil, une céréale à petites graines dont l'épi fait 10 à 15 cm de longueur. Avec un potentiel de rendement plus élevé que les autres espèces de mil et une bonne résistance à des conditions climatiques sèches et des sols pauvres, c'est la culture traditionnelle céréalière de l'Afrique occidentale et surtout de la bande sahélienne, mais également de certaines régions d'Afrique centrale. Le sorgho est une céréale complémentaire au mil, appelé également gros mil, mais qui nécessite des conditions climatiques plus clémentes. Le mil, qui est l'aliment de base de nombreuses populations de l'Afrique subsaharienne, ne se présente pas sous la forme du pain que l'on produit en Occident, à partir de céréales panifiables et d'une cuisson au four.

Après avoir été plusieurs fois pilé et vanné, le mil est généralement cuit dans une marmite avec de l'eau, jusqu'à obtenir une bouillie dure, comme la *polenta*, ou plus molle, comme la *madidä* au Tchad, ou semi-molle, comme la *fura* ou la boule de mil du Niger. Cru, le mil est utilisé pour des occasions particulières, notamment lors de voyage ou pour faire grossir les femmes. Que ce soit chez les Touaregs du Niger ou au sein de populations d'Afrique centrale comme les Duupa du Nord-Cameroun, le mil est l'aliment de base, au sens où il est celui qui fournit l'essentiel de la ration calorique, mais aussi celui qui a la charge affective et symbolique la plus forte. Le caractère primordial de cet aliment dans tous les domaines de la vie sociale, économique ou cultuelle est encore renforcé par le fait que le mil sert également à préparer la bière de mil, appelée localement *tchapalo*, *toko*, *lossomissi*, *merisa* ou encore *bumma*... Cette bière est préparée à partir de la fermentation du mil ou du sorgho. La fabrication de la bière de mil est traditionnellement une activité masculine, chaque chef de famille possédant sa « brasserie », au même titre que chaque épouse possède sa « case à écraser » le mil. Le partage de la bière de mil, obtenue grâce au travail complémentaire de l'homme et de la femme, est alors l'occasion de réjouissances festives. Il est également nécessaire pour obtenir la bienveillance des ancêtres qui assurent la fécondité des personnes et des champs. C'est à travers le cycle des céréales, de la graine à la bière, que se révèle le fonctionnement de la société.

Cette omniprésence du mil dans la vie alimentaire et sociale a connu quelques transformations après la colonisation, puis le développement de la vie urbaine en Afrique subsaharienne. Certaines céréales naguère minoritaires ont été valorisées, comme le maïs ou le riz. Dans certains pays, comme le Niger, le riz, facile à cuire et peu cher, a même tendance à se substituer au sorgho ou au mil, ce qui a pour résultat de rendre les populations dépendantes des importations pour satisfaire leurs besoins alimentaires. De son côté, le blé s'est lui aussi imposé sous la forme du pain occidental, notamment dans les zones urbaines. Au Niger, il n'est pas rare que les salariés de la capitale se contentent de manger à midi un « silencieux », c'est-à-dire une demi-baguette de pain fourrée de beignets de légumes pimentés, au lieu de rentrer traditionnellement chez eux. En ville et même à la campagne, les femmes vendent des beignets, des galettes, des crêpes ou des biscuits pour apporter un complément de revenus au ménage. Ainsi, les *kosay*, qui sont des beignets de farine de niébé, une légumineuse beige proche du haricot, les *tsala* faits à base de mil, ou les *biski*, qui sont cuits au four ou sur une plaque de métal, en galettes. On assiste en somme au passage d'une alimentation fondée sur des céréales autoproduites et sacralisées, à une alimentation produite selon des schémas exogènes.

Mais, parallèlement à ces transformations qui affectent davantage les agglomérations urbaines, on constate également un retour à la tradition. Les années de disette qu'ont traversées certains pays, notamment dans les années 1980, ont d'abord remis en valeur certains aliments négligés, comme la farine de manioc. Un mouvement plus affirmatif d'une identité culinaire propre a contribué à revaloriser le « pain de brousse », tout en l'améliorant. Ainsi, au Sénégal, assiste-t-on à un retour en force du *tapalapa* pour contrer le *toubab*, (littéralement « homme blanc » ou « docteur ») ou baguette. Le *tapalapa* est fait avec du blé, de la levure, du sel et de l'eau, mais également 20 % de farines locales, essentiellement du mil. Après un pétrissage à la main, il fermente dans des linges et est passé au four. Il forme ainsi un bon compromis entre le pain occidental et la boule de mil de la campagne, qui, en l'absence de gluten, ne peut se développer et reste très compacte. Sa mie ferme a cependant le goût ancestral et toujours apprécié du mil.

Crêpe. Alors que *polenta* et bouillies constituent la diète quotidienne, la crêpe est mangée à de plus rares occasions et essentiellement en zone urbaine. Pour la préparer, on mélange de la *polenta* et du mil germé, qui donne un goût sucré. Puis on cuit la pâte molle sur une plaque de cuisson pendant 2 à 3 min avant de servir. Dans certains pays, on sucre la crêpe à l'aide de pulpe de noix, de dattes ou d'autres aliments sucrés.

Fura. La boule de mil du Niger. Pour confectionner une bonne *fura*, il faut suivre de nombreuses étapes. Un premier pilage (*surwha*) est nécessaire pour séparer le son (*dussa*) des grains nus (*surhe*), avant de vanner au tamis métallique pour séparer la farine fine (*gari*) des grosses moutures (*tsaki*) et piler à nouveau ces dernières. Ensuite, il faut ajouter un peu d'eau à la farine et façonner 5 à 6 boules. Elles seront alors plongées dans de l'eau bouillante durant 30 min. Les boules, délayées dans une calebasse avec de l'eau, du lait caillé acheté aux Peuls de la région, du piment, mais jamais de sel, seront enfin refaçonnées en une grosse boule, qui, semi-cuite, peut se conserver 3 jours.

Madidä. La bouillie du Tchad la plus appréciée. On en prend au petit déjeuner ou lors d'occasions festives. Elle se boit dans une calebasse qui passe de main en main. Pour la préparer, il faut mélanger une pâte faite à base de mil dans de l'eau ou du lait et obtenir une bouillie fine que l'on boit tiède.

Polenta. La bouillie épaisse la plus fréquente en zone sahélienne. Elle est faite de mil ou de sorgho. Pour la préparer, on ajoute un peu d'eau aux grains et on pile rapidement. Après un premier vannage, on fait un pilonnage prolongé, puis un second vannage, avant d'obtenir une farine grossière ou fine. La farine grossière est versée dans de l'eau bouillante et cuite, avant de recevoir la farine fine. On verse ensuite la préparation dans une calebasse où elle prend la forme d'une boule. Cette boule sera démoulée, servie avec des sauces et mangée avec les doigts. Il n'y a jamais de sel.

Tapalapa. « Pain de brousse » au Sénégal. Ce pain est un compromis entre le pain occidental et les bouilles traditionnelles. Il fait un retour en force en raison de l'augmentation du coût de la vie. Il est préparé comme un pain occidental avec du sel, de la levure et de l'eau, mais on lui rajoute au moins 20 % de farines locales, issues généralement du mil. Il est pétri à la main, fermente et passe une demi-heure au four.

Laurence d'Hondt

• *Voir aussi :* Bouillie ; Crêpe ; Mali ; Manioc ; Mil et millet ; Sénégal

Bibl. : Gilles BEZANÇON, « Le mil », *in* P. Hamon *et al.* (éd.), *Diversité génétique des plantes tropicales cultivées*, Montpellier, CIRAD, 1999 • Monique CHASTANET, François-Xavier FAUVELLE-AYMAR, Dominique JUHÉ-BEAULATON, *Cuisine et société en Afrique*, Paris, Karthala, 2002 • Paul CREAC'H, *Se nourrir au Sahel. L'alimentation au Tchad*, Paris, L'Harmattan, 1993 • Sabine TOSTAIN, « Le mil, une longue histoire : hypothèse sur sa domestication et ses migrations », *in* Monique Chastanet, *Plantes et paysages d'Afrique*, Paris, Karthala, 1998.

AFSSA (Agence française de sécurité sanitaire des aliments). – Créée en 1999, cette agence est placée sous la triple tutelle des ministères de l'Agriculture, de la Santé et de la Consommation. C'est un établissement indépendant de veille, d'alerte, d'expertise, de recherche et d'impulsion de la recherche. Elle regroupe plus d'un millier de collaborateurs, auxquels viennent s'ajouter environ 500 experts indépendants, sollicités en fonction des sujets. Elle a rendu plus de 6000 avis et 120 rapports scientifiques depuis sa création. Ses avis sont mandatés par ses ministères de tutelle. L'agence peut également s'autosaisir. Ses avis et recommandations, toujours très attendus, ont pour objectif l'évaluation du risque, la gestion du risque revenant à l'État. Elle représente la France auprès de l'AESA (Agence européenne de sécurité des aliments).

Catherine Peigney

• *Voir aussi* : CHSCT ; DGAL ; DGCCRF ; GEVES ; IRTAC ; Observatoire du pain ; Traçabilité

Bibl. : voir le site de l'AFSSA, www.afssa.fr

AGÈNE. – Voir PAIN BLANC

AGPB (Association générale des producteurs de blé et autres céréales). L'AGPB représente les intérêts des producteurs français de céréales à paille (blé tendre, blé dur, orge, sorgho, avoine, seigle...). Elle adhère à la FNSEA. Elle fait partie d'ORAMA, union syndicale qu'elle a constituée avec l'AGPM (Association générale des producteurs de maïs) et la FOP (Fédération française des producteurs d'oléagineux et de protéagineux). L'AGPB assure deux fonctions essentielles pour le compte des céréaliers : elle exprime leurs besoins et défend leurs positions auprès des pouvoirs publics français et européens. Elle pratique aussi une concertation continue avec les secteurs de l'approvisionnement des exploitations (agrofourniture) et avec ceux de la commercialisation, du transport et de la transformation des récoltes.

Julien Couaillier

• *Voir aussi :* AGPM ; Céréaliers de France ; CIC ; ONIGC ; ORAMA

AGPM (Association générale des producteurs de maïs). – Créée en 1934, l'AGPM est au cœur de l'organisation maïsicole syndicale avec un rôle de représentation et de promotion du maïs ainsi que des producteurs auprès des autorités françaises et européennes. Avec l'AGPB, Association générale des producteurs de blé, et la FOP, Fédération française des producteurs d'oléagineux et de protéagineux, l'AGPM est membre fondateur d'ORAMA, l'union des grandes cultures françaises.

Julien Couaillier

• *Voir aussi :* AGPB ; Céréaliers de France ; CIC ; ONIGC ; ORAMA

AGRICULTURE BIOLOGIQUE. L'agriculture biologique est un mode de production agricole qui cherche à valoriser les ressources naturelles de façon durable et qui respecte les équilibres écologiques et la biodiversité. Elle s'interdit l'utilisation de produits chimiques de synthèse. Elle cherche à produire des aliments de haute qualité, dont l'obtention ne nuit pas à l'environnement, à la santé humaine, à la santé des végétaux, des animaux ou à leur bien-être. Elle est fondée sur les quatre principes de santé, d'écologie, d'équité et de précaution, établis par l'IFOAM (Fédération internationale des mouvements d'agriculture biologique). Ces principes guident les prises de position, les programmes et les règles élaborés par l'IFOAM. L'agriculture biologique respecte un cahier des charges régi par une réglementation européenne qui a été modifiée en 2008 et a pris effet au 1er janvier 2009. Les opérateurs en agriculture biologique sont contrôlés au moins une fois par an par des organismes certificateurs privés et indépendants, eux-mêmes accrédités selon la norme EN 45011 et agréés par les autorités compétentes. L'agriculture biologique met en œuvre un ensemble de techniques fondées sur la prévention (rotations longues et diversifiées, gestion des équilibres écologiques, stimulation des défenses naturelles des plantes et des animaux, respect des caractéristiques pédoclimatiques des plantes, respect du bien-être animal, etc.). Quand c'est nécessaire, des traitements phytosanitaires peuvent être utilisés avec des produits autorisés par les cahiers des charges. Une période de conversion de deux ou trois ans pour les cultures, variables pour les animaux selon les espèces, est nécessaire pour pouvoir obtenir la certification « bio ».

Les exigences en termes de qualité technologique des blés bio ne sont pas les mêmes selon les filières longues ou courtes. En filière longue, les transformateurs recherchent, pour les blés bio, presque systématiquement des teneurs en protéines voisines de celles observées en agriculture conventionnelle (tout type d'agriculture non « biologique »). Des teneurs en protéines élevées sont exigées pour répondre aux contraintes des processus de panification intensifs. Cela nécessite des variétés spécifiques (les variétés actuelles ont été sélectionnées à partir de critères conventionnels inadaptés à la bio et une gestion culturale orientée vers l'obtention de teneurs en protéine satisfaisantes) : fertilisation azotée de printemps ; blé cultivé après une culture de légumineuse, laquelle capte l'azote de l'air pour sa croissance et son développement et en restitue une partie dans le sol à la fin de son cycle (luzerne, trèfle, pois, féverole, soja, etc.) ; optimisation des facteurs limitants, comme la gestion des adventices ou du climat (irrigation par exemple), ou des contraintes techniques. Il faut rappeler qu'il est aussi possible de faire de bons pains avec certaines variétés ayant des teneurs en protéines relativement plus faibles. La profession devrait prendre en compte le couple variété-teneur en protéines pour les transactions, et non uniquement le critère teneur en protéines, comme c'est le cas actuellement. Par ailleurs, on peut compenser la faible valeur boulangère d'une variété par l'assemblage de variétés complémentaires. En filière courte (ce sont souvent des paysans boulangers), les variétés, les moutures, le processus (durée de pétrissage, de pointage et d'apprêt) sont adaptés pour produire des pains répondant à une clientèle spécifique.

En général, les meuniers fabriquent des farines biologiques ayant des teneurs en cendres plus élevées qu'en agriculture conventionnelle, avec une répartition équivalente entre farines de cylindres et farines de meules de pierres. Par les variétés qu'ils utilisent et les assemblages qu'ils réalisent, ils recherchent le meilleur compromis entre les aspects technologiques et nutritionnels. En effet, des teneurs en cendres et en fibres plus élevées ont tendance à pénaliser la qualité technologique des farines (volume plus faible, densité plus élevée des pains), mais améliorent nettement leur densité nutritionnelle. Historiquement, le pain bio était fabriqué principalement avec du levain, mais l'évolution des consommateurs et des contraintes de travail font que levure et levain sont maintenant utilisés, en association ou non. Le levain donne des caractéristiques gustatives spécifiques au pain et favorise la biodisponibilité des minéraux et micronutriments, du fait de son acidité.

Les consommateurs réguliers de pains biologiques privilégient des pains plus denses, fabriquées avec une farine de type 80 voire plus complète, et du levain. C'est principalement la densité nutritionnelle de ces types de pain qui les intéresse, et ils sont moins exigeants sur les aspects visuels et organoleptiques. Les nouveaux consommateurs de pains biologiques recherchent des pains se rapprochant des pains proposés classiquement (forme, volume, aération, etc.), tout en étant intéressés par les aspects nutritionnels. Des recherches sont actuellement en cours pour optimiser, en lien avec chaque maillon de la filière blé-farine-pain biologique, la fabrication de pains satisfaisant des points de vue technologiques, organoleptiques et nutritionnels.

Bruno Taupier-Letage

• *Voir aussi :* Boule bio ; Farine ; Filière bio ; Filière blé-farine-pain ; Levain (intérêt nutritionnel du) ; Levain, levain-chef, levain de première, de seconde, de tout point ; ONIGC ; Paysan boulanger

Bibl. : Joël ABECASSIS, Bruno TAUPIER-LETAGE, Philippe VIAUX *et al.*, *Évaluation de la qualité d'un blé panifiable en agriculture biologique et contribution à l'élaboration des qualités nutritionnelle et organoleptique des pains biologiques*, Rapport final Enveloppe Recherche INRA-ACTA-ACTIA 2005-2007, 2007 • *Du blé au pain. Le bio, une filière d'avenir*, Actes du forum Pain Bio, 6 novembre 2007, Paris, ITAB, 2007 • Christian RÉMÉSY, Bruno TAUPIER-LETAGE, Philippe VIAUX *et al.*, *Maîtrise de la production de blé en agriculture biologique et des procédés de mouture adaptés à la fabrication de farine de haute densité nutritionnelle*, Rapport final Contrat AQS n° 2001 / FN 18, 2004 • Voir sites sur l'agriculture biologique et sa réglementation : www.agencebio.org ; www.inao.gouv.fr ; www.agriculture.gouv.fr ; www.itab.asso.fr

AILES. – Généralement au nombre de quatre, les ailes du moulin à vent réceptionnent le vent. Elles semblent jouer avec lui. Pour ce faire, elles sont entoilées de manière à capter l'énergie éolienne, comme le feraient les voiles d'un navire, et la transformer en énergie mécanique ; la rotation des ailes entraîne l'arbre moteur qui tourne alors sur lui-même et entraîne à son tour la meule tournante. L'art du charpentier-amoulageur réside alors dans le choix des essences des bois utilisés pour permettre cette transmutation du vent en puissance d'écrasement des grains. Ces bois seront choisis de manière à assurer la flexibilité de l'ensemble de la charpente, et affûtés pour garantir le meilleur mouvement de vrille aux ailes. Les mécaniciens de moulin n'ont jamais pu tirer avantage des progrès considérables que l'aviation a permis d'apporter dans le domaine de l'aérodynamique. Les résultats obtenus par les maîtres charpentiers forcent cependant le respect : même de manière empirique, les solutions retenues ont permis d'écraser les grains durant des siècles et de nourrir une partie de l'humanité.

Roland Feuillas
et Jean-Philippe de Tonnac

• *Voir aussi :* Arbre moteur ou grand arbre ; Bois ; Entoiler ; Moulin

Bibl. : Auguste ARMENGAUD et Claude RIVALS, *Moulins à vent et meuniers des pays d'Oc*, Montpellier, Loubatières, 1992.

AIR. – Cet élément qui nous enveloppe, nous entoure, nous pénètre, nous arrache notre premier cri, et à qui nous rendons notre dernier soupir, est essentiel dans l'acte de la panification. Parce qu'il est invisible, impalpable, l'erreur serait de l'oublier. Une microscopique flore et faune s'anime, évolue, grouille et danse en son sein. Fluide d'une prodigieuse richesse, il est aussi truffé de vitamines, d'oligo-éléments et de levures sauvages (micro-organismes capables de produire une fermentation). L'air met en jeu la création. Il est la création. C'est avec lui que l'aventure boulangère commence. Quand, dans la chaleur du fournil, eau et farine sont réunies, les levures sauvages ensemencent, sans artifice aucun, le mélange. Il en naît un ferment : le levain-chef, qui, à son tour, de fournée en fournée, transmet la vie à chaque nouvelle pâte à pain. Pour que soit préservé ce vivant héritage, il est facile de comprendre que la qualité de l'air soit une préoccupation prioritaire et incontournable. Toujours en mouvement, l'air, mélange gazeux par excellence, se charge systématiquement des émanations des lieux qu'il traverse. Il capte et véhicule les parfums et les substances sans discrimination aucune. C'est ainsi qu'il peut très vite se saturer de poussières, s'empoisonner des pollutions, de tout ce que nous lui rejetons. L'air, souffle universel, vital et nourricier, imprègne tout. Une des tâches essentielles du boulanger est de veiller, avant tout, à toujours rester intimement respectueux de cet élément-nutriment. Dans sa gestuelle, son savoir-faire, il tient compte d'une action mutuelle et réciproque entre l'air et lui. C'est en tandem qu'ils foisonnent la farine, lui donnent du volume ; qu'ils pétrissent la pâte la brassent, la ventilent. Au rythme du boulanger, étape par étape, la pâte se transforme. Tout au long de sa métamorphose, protégée et activée par la chaude atmosphère du fournil, elle fermente, pointe, s'apprête. Elle se vivifie. L'humain et l'aérien, totalement accordés, lui confèrent une force, semblable à la leur, issue et appartenant à un tout. Par les mains et l'esprit, la pâte se crée.

Pourtant, c'est au moment de la cuisson que l'air révèle ses plus beaux atouts. À la chauffe, il anime les flammes. Changeant, adaptable, contractile, expansif, entre la sole et la chapelle (voûte) du four, tout lui appartient. En cette alcôve, aux senteurs ardentes et par lui sublimées, chaleur et humidité s'unissent. Suivant de très près le processus de la cuisson, il en contrôle les modifications, les échanges internes et externes. Sous la poussée du gaz carbonique, les grignes s'ouvrent, se dessinent. Grâce à la fine pellicule de buée, délicatement déposée par sa vapeur d'eau, la croûte dore et se patine. Dès leur sortie du four, dans l'ambiant des notes aromatiques du fournil qu'il diffuse dans les moindres recoins, à l'air libre, les pains cuits et brûlants ressuent et refroidissent. Baignés par sa douce omniprésence, ils s'éveillent, se nourrissent. Quant au reste de gaz carbonique finissant de s'évacuer lentement par les alvéoles de la mie, léger, empressé, il le remplace par un air propre et nouveau, délicieusement fumé. Il fixe ainsi, définitivement, les saveurs à cœur. Lorsque la cuisson se réalise au feu de bois, l'air exhale l'ensemble des essences qu'il a pris soin de capturer aux premières braises. À leur dégustation, les pains restituent alors un goût et une odeur boisés, inégalés et infalsifiables. La sagesse du boulanger est donc de choisir avec discernement l'environnement écologique de son fournil. Il se doit de protéger ce temple sacré des agressions et des intrigues, physiques, morales, qui peuvent altérer, corrompre, la bonne marche de la création du pain. L'air, messager extra-ordinaire, transporterait-il aussi le monde des pensées… acheminerait-il les consciences… à chacun d'en décider… pour le boulanger, la réponse est donnée.

Henri Granier et Cathy Giraud

• *Voir aussi :* Alvéolage ; Fournil ; Gaz carbonique ; Levain, levain-chef, levain de première, de seconde, de tout point ; Levure de boulanger ; Pâte ; Pétrissage

Bibl. : Henri GRANIER, *Apprendre à faire son pain au levain naturel*, Rennes, Ouest-France, 2003.

AKÈNE. – Voir GRAIN

ALARME. – Dispositif qui prévient le meunier que la trémie ne contient presque plus de grains. L'absence de grains dans l'auget provoque la remontée de celui-ci, qui déclenche la vibration d'une clochette. Le risque est ici que le moulin s'emballe et que les meules travaillent à vide, provoquant une usure prématurée de celles-ci. Roland Feuillas

• *Voir aussi :* Auget ; Meule ; Moulin ; Trémie

ALBANIE (traditions du pain en). Les Albanais se nourrissent traditionnellement, à peu de chose près, de la même façon que les autres peuples des Balkans. L'alimentation végétale et animale ainsi que les produits laitiers étaient autrefois entièrement préparés au foyer, y compris le pain et les boissons. On invite à prendre un repas en disant : « Allons manger du pain » ; le pain se trouve sur la table à tous les repas. Autrefois, dans les montagnes albanaises, quand il n'y avait pas d'invité et quand la famille était peu nombreuse, le dîner, repas principal de la journée, rassemblait autour de la même table toute la famille, hommes, femmes et enfants. En entrée, on mangeait du pain et du fromage ou du pain et des pickles. Le plus âgé des membres de la famille coupait le pain avec les mains, puis mélangeait ses morceaux au plat principal qui était servi dans un récipient en bois (*bluda*). Le pain était respecté : on jurait sur le pain afin d'assurer dire la vérité, tout comme on jurait sur la Bible ou sur le Coran. Maudire le pain était considéré comme un grand pêché, que Dieu « pouvait punir ». Il était interdit de jeter les restes du pain dans les toilettes ou dans tout autre endroit sale ou de les piétiner. Il était préférable de jeter ses restes sur les braises, les enterrer ou les donner à manger aux volatiles et aux animaux domestiques. Le pain était le symbole saint de l'hospitalité. Même quand le pain manquait au sein de la famille, un morceau était toujours conservé afin que l'hôte ne manquât de rien. Dans la tradition albanaise, *miku* a un sens beaucoup plus fort que le mot « hôte » en français, car son sens premier est « ami ». Des coutumes et des dispositions transmises oralement, restées en vigueur jusqu'à tardivement dans une bonne partie de l'Albanie du Nord et codifiées sous le nom de *Kanun de Lekë Dukagjini*, « L'honneur social » (recueillies à partir de la fin du XIXe siècle par le moine franciscain Shtjefën Gjeçovi, 1874-1929), font une large part à l'honneur social, à l'hôte et à la manière de le recevoir chez soi :

– Il faut faire honneur à l'hôte : « Du pain, du sel et du cœur » (§ 608).

– Le pain, le sel et le cœur, le feu et la bûche et un peu de fougère en litière doivent se trouver prêts pour l'hôte à tout moment du jour et de la nuit (§ 609).

– Pour un hôte de qualité, il faut du café, de l'eau-de-vie, du pain et une table un peu plus abondante (§ 612).

– Pour un hôte particulièrement cher, il faut du tabac, du café sucré, de l'eau-de-vie, du pain et de la viande (§ 613).

Kanun de Lekë Dukagjini, chap. 18, art. 96, « L'hôte »

Les événements relatés ici se sont réellement produits dans les montagnes albanaises au début du XXe siècle. Tard dans la nuit, un ami arriva à l'improviste chez une famille de paysans. Le pain avait manqué au dîner, mais, pour honorer l'hôte imprévu, quelqu'un de la famille se rendit chez les voisins et demanda du pain que l'on offrit à l'ami, en même temps que des mets de légumes et de viandes. Les odeurs de la cuisine réveillèrent un jeune enfant ; celui-ci se mit à pleurer et dit qu'il n'avait pas mangé de pain au dîner. L'ami refusa le pain en pensant le laisser aux enfants. Malgré l'insistance du père, il refusa toujours au prétexte qu'il avait mangé tard. Dans son désespoir et pour ne pas vouloir punir le jeune enfant qui avait malgré lui révélé le secret, le père sortit et mit fin à ses jours.

La nourriture à base de pâte (pain, galette, crêpe, feuilleté), cuisinée avec de la graisse, du jus de noix ou des produits laitiers, était parmi les plus variées. Pour confectionner du pain, on se servait essentiellement de farine de blé, mais aussi, dans une moindre mesure, de farine d'orge, de seigle, de millet. Du XVIIIe au XXe siècle, le maïs est devenu la culture principale. Depuis les années 1990, le maïs n'est plus requis comme il l'était auparavant pour la confection du pain. Si les farines de blé et de maïs étaient les plus couramment utilisées, on confectionnait du pain d'orge et de seigle dans des périodes de guerre et de famine. Il y avait deux façons de confectionner le pain : une pâte simple non levée, ne contenant que de l'eau et du sel, et une pâte au levain. Plus couramment utilisée, la pâte de blé levée donnait au pain davantage de goût. Les pains de blé réservés aux jours de fêtes étaient confectionnés également avec de la pâte fermentée. Les pains confectionnés à partir de farine d'autres céréales (maïs, orge, seigle) étaient généralement sans levain. Dans certaines régions de l'Albanie du Nord, riches en châtaigneraies, les marrons cuits ou bouillis et la farine de marron compensaient la rareté des céréales. Le pain de maïs confectionné exclusivement par la maîtresse de maison était sans levain. Elle utilisait le pétrin (*magje*), un coffre contenant trois compartiments : un pour pétrir le pain, un pour conserver la farine et un pour garder les ustensiles de cuisine. Le pain avait en général la forme arrondie du *tepsi*, plateau circulaire pour la cuisson du pain ou des feuilletés. La région de Himara est réputée pour la qualité et la diversité de ses pains confectionnés avec de la farine de blé, ce qu'atteste la multiplicité de leurs noms : *karvele*, *pogaçe*, *çyrek*, *kullure*, *pite*. Nous trouvons autant de façons de le confectionner que de le décorer.

Les pains des fêtes religieuses et des cérémonies familiales étaient décorés sur le dessus avec de la pâte non levée, que les habitants appellent « broderies » (*qëndisma*). Sur les pains du mariage, on trace une grande croix avec le doigt, on décore ses quatre extrémités avec des fleurs ou des feuilles en pâte, on pique des trous et on trace des lignes à l'aide d'une fourchette sur le dessus. Les pains pour la Pâque, ceux du déjeuner familial et ceux offerts aux proches par alliance, sont parmi les plus décorés. Avant de les faire cuire, on mettait dans la pâte de ces derniers quelques œufs dans leur coquille. On badigeonnait leur surface avec du jaune d'œuf. Pour le pain de Noël, on enrichissait la pâte avec des œufs, de l'huile, des noix, des amandes, des raisins secs et des fèves sèches. Ce pain était consommé par tous les membres de la famille ; de petits morceaux étaient placés dans l'étable, dans les champs, les vignobles, les oliveraies et près des sources d'eau. Les paysans de la côte jetaient un morceau de ce pain à la mer pour l'« amadouer ». Dans les villages, le pain était généralement cuit dans des fours à pain, situés dans la partie de l'habitat réservée aux femmes ou plus rarement dans un coin de la cour. Il y a un siècle, des fours publics commencèrent à voir le jour dans les villes. Ce n'est qu'après 1950-1970 que des fours publics apparurent en nombre dans les villages. Par manque de temps ou pour des économies de bois, le pain et la galette pouvaient être cuits sous une plaque métallique, bombée au milieu et pourvue d'une poignée (*saç*). Elle chauffait rapidement et était recouverte de braises. Elle était aussi utilisée avec le moule à pain (*çerep*, ou *çerem*). On pouvait aussi cuire le pain soit directement sur les braises de la cheminée, soit dans le moule à pain chauffé au préalable et recouvert de braises, soit encore dans un plateau circulaire posé directement sur les braises, recouvert du *saç* et de braises.

Les pains festifs étaient présents aussi bien dans les fêtes d'origine païenne que chrétienne et musulmane. Ils étaient associés à des vœux de chance, de prospérité, de santé. La *kolendra* était une galette circulaire et perforée en son centre, servant aux rituels du 22 au 24 décembre. Les galettes étaient enfilées sur un bâton de bois ressemblant à une fourche, que l'on portait sur une épaule. Le pain ou la galette de l'Eau bénite (célébrée le 6, 12 ou 18 janvier) était aussi en couronne. C'est ceints de cette couronne que les membres de la famille buvaient l'eau bénite au bec d'une jarre. Dans les villages de la Labëria (sud de l'Albanie) et dans quelques endroits au Kosovo, le premier jour des semailles des céréales, la maîtresse de maison confectionnait, au petit matin, une galette qu'elle mettait dans le sac contenant la semence. Au moment du premier sillon, on cassait la galette sur la corne d'un des bœufs de la charrue, en quatre parts. On donnait deux parts à manger aux bœufs. La troisième était celle du paysan, la quatrième était enfouie sous la terre au moment du second sillon creusé par la charrue.

Bukë çerepi. Pain obtenu en mélangeant l'eau bouillie et la farine de maïs à l'aide d'une cuillère ; puis on pétrit avec les mains. On verse la pâte dans le moule chauffé au préalable. On décore généralement la surface du pain en le badigeonnant d'une couche de yogourt. On le recouvre du *saç*.

Bukë gështenje. Mélange d'eau bouillie et de farine de marron. La pâte obtenue est chauffée sur le feu jusqu'à ce qu'elle ramollisse. Elle est pétrie avec les mains et versée dans le moule, comme les pains de céréales. Ce pain est sucré et se prépare pour les fêtes.

Bukë leqeniku. Mélange d'eau froide et de farine de maïs. Ce pain n'étant pas très apprécié, il était honteux de le proposer à l'hôte.

Kulaç. Galette dont il existe plusieurs sortes, entre autres la galette de « celui qui part en long voyage » (*kulaç shtegëtimi*), la galette de la marraine (*kulaç i ndrikullës*), la galette des morts (*kulaç i të shumtëve*). Elles étaient confectionnées avec de la farine blanche finement tamisée. Arrondies, d'un diamètre de 10 cm et d'une épaisseur de 4-5 cm. La pâte de la galette du voyageur était plus salée et on la laissait cuire plus longtemps afin d'assurer une plus longue conservation. La galette des morts était distribuée avec un morceau de fromage dans les cimetières, à la mémoire des morts.

Kulaçi i nuses. Galette de la mariée que l'on distribuait à tous les invités qui adressaient des vœux de bonheur au jeune couple.

L'auteur remercie les ethnologues Afërdita Onuzi et Mark Tirta pour leur disponibilité et leur gentillesse.

Aida Karanxha

• *Voir aussi* : Calendriers et mesure du temps ; Mariage (pains de) ; Moissons (symbolique des) ; Noël (pains de) ; Pains mondiaux

Bibl. : *Le Kanun de Lekë Dukagjini*, trad. de l'albanais par Christian Gut d'après l'édition de Shtjefën Gjeçovi, Dukagjini Publishing House, Pejë, 2001 • Llambrini MITRUSHI, « Ushqimi popullor në Nikaj-Mërtur » (« L'alimentation traditionnelle à Nikaj-Mërtur »), *Ethnographie albanaise*, 11, Tirana, 1981, p. 198-239 • Afërdita ONUZI, « Ushqime tradicionale të krahinës së Bregut të Sipërm » (« Aliments traditionnels de la région du haut littoral »), *Himara à travers les siècles*, publié par l'Académie des sciences d'Albanie, Tirana, 2006, p. 391-400 • Mark TIRTA, *Traditions du pain en Albanie et parmi les Albanais*, texte non publié mis à notre disposition par son auteur, Tirana, 25 juillet 2009.

ALBUMEN. – Partie centrale du grain de blé, ou amande, essentiellement composée d'amidon, qui représente le nutriment de réserve de la plante. L'amidon sera utilisé comme source d'énergie lors de la phase de germination de la graine.

Philippe Duret

• *Voir aussi :* Amande farineuse ; Amidon ; Grain

ALBUMINES. – Protéines du grain qui ont la propriété d'être soluble dans l'eau. Ces protéines, bien équilibrées en acides aminés indispensables, sont relativement peu abondantes puisqu'elles représentent environ 10 % de l'ensemble des protéines du grain. Elles sont plus abondantes dans la couche à aleurone et l'embryon que dans l'albumen farineux. Parmi ces protéines figurent de nombreuses enzymes nécessaires à la vie cellulaire et à l'accumulation des réserves, telles que des glucosidases, amylases, oxydoréductases. Les gènes codant ces albumines sont répartis sur l'ensemble des chromosomes du génome de blé.

Gérard Branlard

• *Voir aussi :* Albumen ; Aleurone ; Blé (séquençage du génome de) ; Enzyme ; Grain ; Protéine

ALCOOL. – Aussi surprenant que cela puisse paraître de prime abord, l'alcool appartient bien à l'univers de la boulangerie. Tout boulanger est un producteur d'alcool en puissance. En réalité, il s'agit de l'éthanol dégagé lors de la fermentation panaire, qui est une fermentation alcoolique opérée grâce à l'action des levures ou des levains. L'éthanol est produit en conditions anaérobies à partir d'un sucre simple, le glucose. Le glucose provient de la dégradation de l'amidon contenu dans la farine de blé sous l'effet des enzymes (amylases), elles-mêmes contenues dans la farine. La réaction biochimique se symbolise ainsi :

$$\underset{\text{glucose}}{C_6H_{12}O_6} \rightarrow \underset{\text{gaz carbonique}}{2\,CO_2} + \underset{\text{éthanol}}{2\,C_2H_5OH} + \text{énergie } (+)$$

L'éthanol n'est plus présent dans le pain, car il s'est complètement évaporé au cours de la fermentation et surtout au cours de la cuisson.

Catherine Peigney

• *Voir aussi :* Amidon ; Amylase et activité amylasique ; Fermentation panaire ; Levain, levain-chef, levain de première, de seconde, de tout point ; Levain de panification ; Levure de boulanger

ALEUROMÈTRE. – Voir CHIMISTES ET MICROBIOLOGISTES DU PAIN

ALEURONE (couche à). – Couche (environ 6 % du grain) constituante de la graine du grain des céréales, située entre la bande hyaline et l'albumen amylacé. L'aleurone se présente sous forme de grains enchâssés dans des cellules formant une couche appelée aussi « assise protéique ». Les grains d'aleurone sont riches en protéines (environ 20 %) et ont une forte activité enzymatique. Ils constituent des protéines de réserve de la graine, mais leurs propriétés fonctionnelles au plan technologique sont mauvaises. Cette couche est riche en éléments nutritionnels, mais elle contient aussi des facteurs antinutritionnels, comme certains glucides et l'acide phytique ; la libération de son contenu suppose un éclatement des parois cellulaires, qui sont assez résistantes.

Philippe Roussel

• *Voir aussi :* Acide phytique ; Albumen ; Enzyme ; Grain ; Protéine ; Valeur nutritionnelle du pain

ALGÉRIE (traditions du pain en). De nos jours encore, le pain est l'aliment de base de tous les Algériens. On ne saurait imaginer le moindre repas sans pain. C'est la nourriture par excellence. Il partage avec le couscous l'appellation de *naama* (« nourriture », en arabo-berbère) qui, par extension, désigne également les grains et graines qui servent à leur fabrication. Tout ce qui peut les accompagner n'est qu'accessoire. Le pendant de l'expression « du pain et des jeux » (*panem et circenses*) est ici : pain et sérénité. Les céréales, connues et consommées déjà à l'état sauvage au temps des cueillettes, connaîtront, à l'instar des autres pays méditerranéens, les évolutions que permettront progrès de la céréaliculture et de la gastrotechnie. De crus, les grains passeront le baptême du feu. « On se contentait peut-être souvent de faire griller les grains : ils ne font pas cuire le froment, l'épeautre, l'orge ; ils n'en font ni farine, ni bouillie, mais ils mangent le grain… » (Procope, cité par S. Gsell 1903). Il s'agit là très probablement du mode de consommation des peuplades nomades. Le même témoin historique décrira plus loin « une femme numide broyant le froment sous une pierre et faisant du pain en le mettant simplement à cuire sous la cendre ». Cette façon de faire est toujours en exergue dans certaines régions où le nomadisme a cours. Toujours selon les auteurs antiques, le pain n'était qu'un complément de la ration alimentaire qui, chez les Berbères errants, était constituée essentiellement de laitage et de viande tirés de leurs troupeaux légendaires.

C'est dans les cités et leur pourtour que le pain avait une importance certaine. Des premières galettes cuites sur des pierres à la panification (dans le sens moderne du terme), les influences furent nombreuses. La Grèce, Rome, Carthage et sûrement l'ancienne Égypte ont laissé des traces indélébiles dans la tradition du pain en Algérie. Les Carthaginois et les Romains ont instauré la suprématie du pain dans les usages de table des habitants de l'Afrique du Nord. La présence de nombreux vestiges de fours publics dans les ruines des cités antiques plaident éloquemment pour cette hypothèse. L'*Africa romana* fut le grenier de Rome, ne l'oublions pas ! Le développement de la céréaliculture a pris un essor si extraordinaire que certains écrits parlent de deux récoltes annuelles. « Le sol d'Afrique a été donné tout entier à Cérès, toute la gloire du pays est dans la moisson », rapporte Pline l'Ancien. La preuve en est que la statue de la déesse trônait sur toutes les places de marché. La décadence de l'Empire romain entraînera celle de la colonie. Les Berbères se virent contraints à revenir par nécessité économique à une panification sommaire surtout à base d'orge avec une introduction d'additifs (farines de glands, sorgho, caroube). Plus tard, lors de la conquête musulmane, les conquérants connaissaient le pain aussi bien que les autochtones. Nous savons qu'au VIIIe siècle le repas frugal d'un imam se composait de galettes réchauffées réduites en miettes et arrosées de beurre fondu. Mais ce n'est qu'à partir du XVIe siècle, avec l'implantation de groupements de morisques exilés d'Andalousie, que le pain prendra les formes que nous lui connaissons aujourd'hui. Les musulmans d'Espagne étaient en effet passés maîtres dans l'art de la panification. Certains mangeaient du pain non levé, d'autres le préféraient frit, ou le faisaient cuire à la casserole, dans le petit four romain, ou dans le grand four oriental voté, qui donnera dans tout l'occident le four banal fixe ou mobile. Dans une liste impressionnante, on distinguait le pain d'Ispahan, le pain *tabuna*, le pain cuit à l'étouffée, le pain mouillé, etc. Le luxe, dès le XIIIe siècle, consistait à se faire présenter sur un plateau diverses sortes de pains parmi lesquelles on choisissait ce que l'on préférait.

À la veille de la colonisation, on distingue nettement une panification rurale et une autre citadine. Pour la première, la galette azyme (*kesra*) ou levée (*matlo'*), avec cuisson sur un plat d'argile (*tajine*) et plus rarement dans le four (*tannur*) de type romain construit à partir d'argile et de bouse de vache (*ougid*). Pour la seconde, le four banal (*koucha*), où cuisent généralement les pâtes levées. Le pain reste exclusivement de fabrication domestique jusqu'à l'occupation française, qui introduira la notion de boulangerie publique. Les premiers débits de pains vont apparaître ainsi avec la création de centres urbains coloniaux. Leur mission est de fournir aussi bien l'armée coloniale que les colons. En général, les boulangers qui y sont employés viennent d'Espagne, et plus particulièrement de la ville de Mahon. Ils laisseront une trace indélébile dans la fabrication boulangère du pain : le *maounis* (mahonnais), qui se vend encore de nos jours comme pain de luxe principalement durant le ramadan. Les pains des boulangeries européennes sont alors appréciés plutôt comme des viennoiseries. Rares sont les indigènes qui en consomment quotidiennement.

Il faut attendre la Deuxième Guerre mondiale et les effets du rationnement des grains et des farines pour que les populations musulmanes se dirigent par nécessité vers les boulangeries. La réglementation des formes du pain datant de cette époque abolie en France, à la fin des années 1950, prévaudra dans la panification jusque dans les premières années de l'indépendance. Cette situation ne changera que dans les années 1970, qui verront l'avènement de la baguette instituée par la planification socialiste.

Hamda. Paradoxalement, l'orge (*chiir*, *zaraa*, *timszin*), considérée comme moins nutritive que les blés, est très appréciée par les populations rurales. Les pains à base de celle-ci, plutôt des galettes, sont cuits sur des plaques lisses traditionnellement en terre cuite (*tajine*), qui tendent à être de plus en plus remplacées par du métal. Il existe deux façon de faire : la farine grossière amalgamée avec de l'eau et du sel en pâte molette est façonnée en forme ronde puis mise à reposer pour développer une certaine acidité, ce qui lui vaut l'appellation de *hamda* (« aigrelette »). Ce pain accompagne généralement les mets cuisinés. La deuxième méthode consiste à pétrir la semoule d'orge tamisée avec sel et corps gras, généralement de l'huile d'olive. Ces galettes sont consommées en collation et servent également de provisions pour les travailleurs des champs et les voyageurs. Aujourd'hui, on retrouve du pain à l'orge dans la boulangerie moderne. Dans ce cas, les pâtes comprennent environ 20 % de farine de semoule d'orge ajoutée à de la farine blanche pétrie avec levain ou levure, sel, et parfois corps gras. La cuisson se fait au four.

Kesra. Le blé dur réduit en semoule de différentes grosseurs sert à la confection de pains et galettes azymes ou levés et cuits au four (type romain, ou traditionnel *tannur*) ou sur plaques (*tajine*) striées en circonvolutions. Ces galettes azymes ont nom *kesra*, *mbasass*, *mtaqba*, *rakhsis*. La *kesra* (terme générique désignant le pain non levé) est à base de semoule de blé dur amalgamée avec huile ou beurre et sel. Elle est cuite sur *tajine* et striée.

Khobz. Pain domestique fait de farine de blé tendre (considéré en milieu urbain comme supérieur à l'orge ou au blé dur), de levure boulangère, d'eau et de sel. Cette recette basique voit sa composition changer d'une région à une autre avec ajout de graine aromatique (nigelle, anis, sésame), d'eau de rose, d'eau de fleur d'oranger, de la dorure à l'œuf. La préparation prend parfois la forme de brioche avec incrustation d'un œuf au centre, fixé avec deux bandes de pâte croisées. Ces préparations étaient cuites au four banal (four public), supplanté aujourd'hui par les fours domestiques.

Matlo'. Il s'agit d'une galette de pâte levée, par opposition à la *kesra*, et préparée à base de semoule de blé dur pétrie avec de l'eau, du sel, du levain ou de la levure dans la *guesa'* (grand plat de bois qui sert de pétrin, remplacé de nos jours par des ustensiles en aluminium). Cuite sur le *tajine* et striée.

Pain aux herbes. Généralement à base de semoule de blé dur mélangée à des herbes (origan, menthe, vert d'oignon, d'ail), avec ajout de graisse animale (mouton, bœuf, chameau) et épicé (paprika, piment).

Taguela. Spécialité des Touaregs, faite à partir de semoule de blé dur pétrie avec de l'eau et du sel, non levée et cuite sous la cendre. À l'origine, ce furent des farines de mil ou de sorgho qui servaient à la confection de la *taguela*.

Mohammed Medjahed

• *Voir aussi :* Égypte ; Espagne ; Italie ; Libye ; Maroc ; *Panem et circenses* ; Tannur ; Tunisie

Bibl. : Abdelhamid BENCHARIF (dir.), *La Filière blé en Algérie : le blé, la semoule et le pain*, Paris, Karthala, 1996 • Joseph BRUNET, *Les Blés durs d'Algérie devant l'Exposition universelle de 1867*, Fabrique de semoules de J. Brunet, 1867 • Stéphane GSELL, *L'Algérie dans l'Antiquité*, Imp. A. Jourdan, 1903 • Zohra MEHEDI, *La Cuisine d'Algérie*, Paris, Publisud, 1996.

ALLEMAGNE (traditions du pain en). – Aucun autre pays ne possède une gamme de pains aussi étendue que l'Allemagne : plus de 300 sortes de pains et plus de 1 200 sortes de petits pains. Pays parmi les plus peuplés d'Europe, l'Allemagne est même excédentaire pour ce qui concerne sa production de blé ou de seigle (une partie est exportée). Le seigle y apparaît comme la céréale par excellence, alors même qu'elle n'est pas la céréale la plus facilement panifiable, les autres pays européens ayant fait majoritairement le choix du blé. Le seigle ne réclamant pas un sol très riche et pas non plus des conditions climatiques particulières, il est devenu la céréale principale retenue pour la panification, principalement en Europe du Nord et de l'Est. Les Romains avaient ainsi déprécié le seigle comme aliment des peuples barbares, peut-être parce que la panification à base de seigle réclame toujours une pâte acidifiée ; dans les régions des Alpes, il est même possible de faire du pain seulement une fois par an, les pains de seigle pouvant être conservés infiniment plus longtemps que les pains de froment.

Au fil des siècles, les Allemands ont ainsi marqué une prédilection pour ces deux sortes de céréales (seigle et blé), qui diffèrent d'une région à l'autre et qui, par conséquent, ont façonné toute la diversité des pains dans ce pays. Une typologie s'est imposée alors en fonction du rapport établi entre ces deux céréales. Les pains de froment (par exemple le pain blanc, le pain de mie, le pain de froment complet) sont ainsi constitués d'au moins 90 % de farine de blé pure. Pour assouplir la pâte, on utilise principalement la levure de boulanger. Les pains de froment mêlé, comme par exemple le *schwäbisches Bauernbrot*, le pain paysan de la Souabe, contiennent de la farine de blé et de seigle, mais la farine de blé l'emporte (50-89 %). Ces pains ne supportent pas une trop importante acidification. Viennent ensuite les pains de seigle mêlé, comme par exemple le *Frankenlaib*, la miche de la Franconie, qui se composent en revanche d'un mélange de farine de seigle et de blé (avec des taux d'extraction variés), mais avec un avantage ici au seigle (50-89 %). Ces pains sont normalement faits à base de levain. Les pains de seigle à proprement parler, comme par exemple le *berliner Landbrot*, le pain campagnard de Berlin, ou le pain de seigle complet, le *Pumpernickel*, sont constitués d'au moins 90 % de seigle, avec des taux d'extraction variés. Ces pains réclament, comme nous l'avons dit, une acidification marquée. Le groupe des pains spéciaux, enfin, se caractérise par l'emploi de produits de la mouture particuliers, d'additifs d'origine végétale ou animale, le processus utilisé et la méthode de cuisson mise en œuvre.

Une autre typologie peut être aussi proposée à partir des régions. Les régions du Nord semblent avoir adopté des pains à dominante très écrasante de seigle, ces pains noirs qui sont, d'une certaine manière, une marque distinctive de la boulangerie allemande, ici avec un goût acidulé très prononcé. Même les pains bis ont une acidification élevée, comme par exemple le *Heidebrot*, le pain de la lande, qui est un pain de seigle mêlé. Dans l'est du pays, les Allemands apprécient les pains au levain. Les clients demandent en priorité des pains de seigle et de seigle mêlé, comme par exemple le *berliner/schlesisches Landbrot*, le pain campagnard de Berlin et de la Silésie, et toutes sortes de pains de seigle. Dans le Sud, les pains avec une saveur plus douce sont préférés. Dans l'ensemble, ces pains sont plus blancs, le blé étant préféré au seigle, et surtout en Souabe et dans les pays de Bade, comme par exemple le *genetztes Schwabenweiss*, le « blanc mouillé » de la Souabe, un pain de froment, ou le *badisches Landbrot*, le pain campagnard badois, un pain de froment mêlé. En Bavière, le pourcentage de farine de seigle augmente, les pains de seigle mêlé y étant très populaires, comme par exemple le *münchner Hausbrot*, le pain maison de Munich ; en Franconie, les pains ont en général une teneur en seigle encore plus forte, comme par exemple le *Frankenlaib*, la miche de la Franconie. Au sud-est du pays, ce sont les pains de froment mêlé blancs et doux qui dominent. Ils ont généralement un goût légèrement acidulé et une mie molle, comme par exemple le *elsässer Bauernbrot*, le pain paysan de l'Alsace. Il existe une certaine harmonie entre ces différentes sortes de pains et le vin qui est produit dans cette région et dans le pays voisin, la France. En Hunsrück et dans le Palatinat, les gens préfèrent à nouveau des pains de seigle mêlé, plutôt fortement acidulés, comme par exemple le *hunsrücker Bauernbrot*, le pain paysan de l'Hunsrück, et le *pfälzer Krustenbrot*, le pain de croûte du Palatinat, deux pains de seigle mêlé. À l'Ouest, la tendance est en faveur des pains doucement acidifiés, et même les pains de gruau de seigle y ont un goût plutôt doux. En Rhénanie, les pains sont plus doux qu'en Westphalie, comme par exemple le *westfälisches Graubrot*, le pain bis de la Westphalie, un pain de seigle mêlé. Les pains bis sont bien les plus populaires en Allemagne de l'Ouest, surtout le *Paderborner-*, le *Kasseler-*, l'*Oberländer-* et l'*Eifelerbrot*, autrement dit, le pain de Paderborn, de Kassel, de l'Oberland et de l'Eifel.

Une autre distinction au sein de cette très grande variété de pains relève des différents processus mis en œuvre. Il existe ainsi un très grand nombre de méthodes de production parfaitement adaptées à ces différents mélanges et pourcentages de farines, lesquelles influent sur le volume du pain, sur l'aspect de la croûte, sur la structure de la mie et sur le goût : la méthode directe, qui préconise l'emploi de levure ; la méthode indirecte, à partir de la confection d'un levain, en deux ou trois étapes ; la méthode de production à partir d'une pâte fragmentée, comme dans le cas du pain de gruau.

Ces différentes méthodes permettent d'obtenir une grande variété de pains : des pains longs ou ronds, enfournés librement et sans moule, ne se touchant pas au four ; des pains enfournés et placés côte à côte, sans moule (et parce qu'ils se touchent, ils n'ont pas de croûte sur les côtés), comme les pains de Kassel et de

Paderborn (par exemple le *Kommissbrot*, ou « pain de munition »), des spécialités comme le *genetztes Brot*, du pain mouillé ou du pain à l'orge, et encore d'autres sortes de pains régionaux. Si l'on prend maintenant comme critère la surface, on distinguera les pains brillants des pains farinés. Des dessins sur le ventre des miches indiquent que les pains étaient posés sur un support de paille ou de rotin au moment de subir sa dernière fermentation. La courbe de température pendant la cuisson influe également considérablement sur la qualité du pain. Des températures élevées qui saisissent le pain à son entrée dans la chambre du four engendrent des croûtes épaisses, qui lui confèrent un goût intense – comme par exemple lorsque le pain est cuit au feu de bois.

Cette diversité se retrouve avec les petits pains (moins de 250 g). Il est possible ici de regrouper petits pains et gâteaux en cinq catégories.

Les *Formgebäck* sont des petits pains-gâteaux avec une forme tout à fait spéciale : avant fermentation, on façonne la pâte de manière à obtenir une variété de produits dont la surface de contact avec la chaleur du four est la plus grande possible, ce qui leur confère davantage de goût et d'arôme, comme par exemple le *Zopfberches* en forme d'une tresse, qui est en plus couvert de graines de pavot.

Les *Schnittbrötchen* sont des petits pains coupés : dans le four, la coupure s'ouvre encore davantage (le mot allemand *Ausbund* désigne les brèches faites sur les pains ou petits pains), ce qui contribue à augmenter la surface de la croûte et par conséquent à en renforcer l'arôme, comme par exemple le *rheinisches Spitzbrötchen*, ou « petit pain aigu » de la Rhénanie, pain de froment mêlé, et le *berliner Knüppel*, le « bâton » de Berlin, un petit pain de froment.

Les *Rundstücke*, ou « bouts ronds » (sans brèches) : ils ont une forme ronde ou oblongue avec une surface brillante, comme par exemple le *kasseler Rundstück*, le bout rond de Kassel, et le *Bouillonbrötchen*, le « petit pain de bouillon », qui sont deux petits pains de froment.

Les *Hörnchen* ou « petites cornes » : au Sud, on les appelle aussi les *Kipfel* (« croissants »). Leur forme typique est obtenue en répétant l'action d'étirer puis d'enrouler des abaisses de pâte un grand nombre de fois, comme par exemple le *Splitterhörnchen*, la « petite corne éclatée », le *Salzstengel*, la « (petite) barre de sel », et le *Kipferl*, trois petits pains de froment.

Les *Brezeln*, ou bretzels : pains décorés et noués qui sont généralement le signe de reconnaissance des boulangers ; ils font partie également du blason des boulangers. Aujourd'hui, le bretzel est surtout populaire en Allemagne du Sud, comme par exemple le *Laugenbrezel*, le « bretzel à la lessive », un petit pain de froment, mais aussi le *burger Brezel*, le bretzel (sucré) de Burg (en Rhénanie-du-Nord-Westphalie), dont la recette est un secret bien gardé.

Durant les cent dernières années, la consommation de pain a diminué de moitié en Allemagne. Aliment de base relativement bon marché et nourrissant, le pain a été souvent sacrifié au profit de modes d'alimentation mieux adaptées aux exigences de la vie moderne, et un éventail de denrées de luxe nouvelles lui ont été progressivement préférées. Le fait qu'on le trouve malgré tout encore chaque jour sur la table est dû, dans l'ensemble, à la capacité de la boulangerie allemande d'innover sans cesse. Au XIXe siècle, la consommation était encore d'environ 400 ou 500 g de pain par personne et par jour, et constituait presque 80 % des apports énergétiques (contre 234 g de pains, petits pains et gâteaux en 2005-2006). Pourtant, les Allemands restent encore les plus gros mangeurs de pain en Europe. En plus de cela, l'intérêt grandissant pour des spécialités étrangères permet d'élargir sans cesse l'offre de la boulangerie allemande et de la rendre toujours plus attractive.

Il n'est pas utile de rappeler le rôle que le pain joue en Europe depuis des milliers d'années. Il est possible de dire que le pain a été le marqueur des différences sociales et le symbole par excellence de la culture. Pour cette raison, le mot *Brot*, le « pain », passe en Allemagne pour être porteur d'une certaine sacralité, étant naturellement rattaché à la religion restée majoritaire en Allemagne, le christianisme. Le pain reste, dans l'inconscient collectif, le symbole de la grâce de Dieu et, dans ce contexte, on peut l'assimiler au mot *Leben*, la « vie ». Le pain est ainsi la nourriture à travers laquelle un peuple peut exprimer ses aspirations les plus diverses. Il a tissé à lui seul le réseau des traditions et rites populaires et jusqu'aux manifestations religieuses ou superstitieuses profondément inscrites dans la culture allemande. Il est demeuré aussi, dans les régions, le reflet des idéologies politiques ou des réalités économiques locales : la prédilection pour telle sorte de pain plutôt que pour une autre traduit toute la diversité des goûts qui s'expliquent le plus souvent par l'origine régionale et le milieu social des consommateurs.

Bauernbrot (« pain paysan »). Également appelé *Landbrot* (« pain campagnard »), le *Bauernbrot* est le terme générique pour un pain à croûte noire, épaisse, mâte et crevassée, avec une mie irrégulière et un goût prononcé. S'il s'agit d'un pain paysan de seigle ou de seigle mêlé, il est confectionné avec une farine au taux d'extraction élevé et du levain – si on a recours à des acidifiants, l'acidité nécessaire à la panification doit être produite par le levain, au moins pour les deux tiers.

Bretzel. Pain décoré et noué dont l'origine est un anneau de pâte que les Romains utilisaient pour des pratiques cultuelles. Déjà au IIe siècle, les premiers chrétiens adaptèrent cette forme annulaire comme pain d'eucharistie. La forme du bretzel actuelle est celle de deux « 6 » renversés et entrelacés. L'origine du bretzel est sujette à de nombreuses variantes. Il est présent dans un très grand nombre de pays ; en Allemagne, on le fabrique surtout dans le Sud sous la forme du *Laugenbrezel* (« bretzel à la lessive »). À cause de sa forme si caractéristique, le bretzel est devenu l'emblème des boulangers. Dès le XIVe siècle et jusqu'à nos jours, on le trouve sur les sceaux des corporations de boulangers.

Dinkelbrot. Pain constitué d'au moins 90 % de farine d'épeautre. L'épeautre (en allemand *Spelt*, *Spelz*, ou *Triticum spelta*) dérive d'un croisement de l'amidonnier et du blé hérisson (*Triticum compactum*). Après la détérioration du climat à l'âge de bronze (vers 800 av. J.-C.), l'épeautre est devenu la céréale dominante en

Europe centrale ; il est encore cultivé de nos jours dans la région du Haut-Rhin.

Frankenlaib. Aussi appelé *kränkisches* (*Landbrot*), « pain campagnard franconien ». Il s'agit du nom générique pour un pain de seigle mêlé, bien cuit, avec une surface farineuse ou bien madrée. Ce pain rond est enfourné librement et sans moule.

Genetztes Brot (« pain mouillé »). On produit encore ce pain dans le sud de l'Allemagne. On assemble grossièrement des morceaux de pâte non fermentée avec des mains mouillées, avant de les mettre au four sans fermentation à l'aide d'un instrument en forme de louche. Le pain mouillé est un pain de froment mêlé blanc, qui se distingue par sa forme irrégulière et par un goût particulièrement intense.

Holzofenbrot (« pain cuit au feu de bois »). Pains enfournés librement et sans moule, mais parfois aussi placés côte à côte dans un four à bois. La température élevée qui saisit le pain au moment de son entrée dans la chambre de cuisson et la longue durée de la cuisson favorisent la constitution d'une croûte épaisse qui lui confère un arôme intense. La croûte du pain cuit au feu de bois est mate et noire ; elle est marquée par de grandes brèches. Le four au feu de bois, aussi appelé « four tudesque », est très ancien : il se compose de la sole plate du four, de la voûte maçonnée au-dessus, de la cheminée (pour le détournement du gaz du chauffage) et d'une bouche pour charger le four. Il est chauffé avec du bois qui est brûlé sur la sole du four. La chaleur est emmagasinée dans la maçonnerie de la sole et de la voûte. Une fois le bois brûlé, on enlève la cendre, on place les pains sur la sole et on les fait cuire pendant que la température tombe.

Kastenbrot (« pain en forme de boîte »). Pain cuit dans un moule rectangulaire. Les pains en forme de boîte peuvent être cuits longtemps, la croûte ne se formant que très lentement. Ils ont une forme régulière et font parfaitement fonction de pain en tranches. Du pain de blé ou de seigle et du pain blanc sont souvent confectionnés en forme de boîte.

Kommissbrot (« pain de munition »). Pains faits de farine avec un taux d'extraction de 85 % (en Allemagne, type 1370) et placés côte à côte, sans moule, dans le four. Jusqu'en 1945, le pain de munition a été le pain standard des troupes allemandes. Il est apprécié pour son goût intense et son aptitude à être conservé pendant une période assez longue.

Mehrkornbrot (« pain aux céréales »). Pain fait avec plus de trois sortes de céréales (au moins 5 % chacune). Parmi ces céréales figurent nécessairement le blé, le seigle ou l'épeautre. Les autres céréales employées sont le sarrasin, l'orge, l'avoine, le millet, le maïs, le riz ou le triticale. La dénomination se fait en fonction du nombre de céréales employées : « pain aux trois céréales », « pain aux quatre céréales », etc.

Pumpernickel. Pain de seigle cuit au moins pendant seize heures, avec un goût particulièrement intense et ne possédant pratiquement aucune croûte. Sa mie est noire et juteuse avec un arôme très riche. D'autres produits issus de la mouture du seigle ou du blé peuvent être utilisés (jusqu'à 10 %). Les différentes variétés de *Pumpernickel* jouent sur la finesse du grain moulu et/ou sur le degré d'acidité. Originaire de la Westphalie, les *Pumpernickel* sont mis en moules rectangulaires et placés dans le four côte à côte.

Annette Hillringhaus
(trad. de l'allemand
par Andrea Fadani et Martha Volk)

• *Voir aussi :* Museum der Brotkultur ; Pains mondiaux ; Seigle (*Secale cereale*)

Bibl. : Hermann EISELEN (éd.), *Brotkultur*, DuMont Buchverlag, 1995 – ID., *Die Neuzeit der Bäckerei. Ein Streifzug durch die Geschichte von 1860 bis 2005*, Back-Media Verlagsgesellschaft, 2006 • Hans HUBER, *Europäische Kleingebäcke. Aktuelle Backtrends und typische Rezepte*, Matthaes Verlag, 2000 • *IREKS ABC der Bäckerei*, Ellwanger Druck und Verlag, 2004 • Paul PELSHENKE, *Gebäck aus deutschen Landen*, Gildeverlag, 1949 • Franz-Josef STEFFEN, *Brotland Deutschland. Standardbrote. Ein Fachbuch der DBZ*, Deutscher Bäcker-Verlag, 1989 • Wilhelm ZIEHR, *Das Brot. Bauer, Müller, Bäcker. Von der Steinzeit bis heute*, Atlantis Verlag, 1984.

ALLERGIE. – Manifestation clinique consécutive à un mécanisme immunologique propre à un individu. L'agent provoquant la réponse allergique est appelé l'allergène. C'est une substance capable de sensibiliser l'organisme de certains individus qui, lorsqu'il se trouvera à nouveau en contact avec cette substance, manifestera sa réponse pathologique. Aucune réaction n'est révélée chez les sujets non allergiques. Les allergènes sont généralement très différents entre les adultes et les enfants. L'allergie ne doit pas être confondue avec l'intolérance alimentaire, qui implique de nombreux mécanismes enzymatiques et qui, dans le cas du blé, correspond souvent à la maladie cœliaque. Parmi les quatre grands types de réactions immunologiques identifiées, c'est l'hypersensibilité de type I qui est la plus fréquente. Elle est immédiate et implique des immunoglobulines de type E (IgE). La réaction immunologique de type I se décompose habituellement en deux étapes : la sensibilisation provoquée par le premier contact entre l'organisme et l'allergène, entraînant la production d'IgE spécifiques ; la réaction allergique proprement dite lors du deuxième contact avec l'allergène, qui se lie alors avec les IgE spécifiques, entraînant la libération de médiateurs chimiques provoquant les manifestations cliniques. Le blé est un des douze allergènes majeurs en France : bien qu'il soit nettement moins allergène que le blanc d'œuf ou la cacahuète, 2 % des allergies alimentaires peuvent lui être attribués. Plusieurs symptômes sont généralement associés aux allergies alimentaires et spécialement aux produits à base de blé. Citons principalement :

– des réactions cutanées : la dermatite atopique, allergie cutanée qui se rencontre principalement chez les jeunes enfants. L'urticaire et l'eczéma, qui touchent respectivement le derme et l'épiderme ;

– des réactions oro-pharyngées : œdèmes, rhinites (irritation, inflammation du nez) ;

– l'asthme et les maladies inflammatoires affectant les bronches. L'asthme du boulanger représente 20 % des maladies professionnelles. C'est la première maladie professionnelle en Europe. Ce sont principalement les albumines et globulines de la farine qui sont impliquées dans l'asthme du boulanger. De nombreuses enzymes ont été identifiées comme responsables de cette pathologie. Il sera sans doute impossible de créer un blé dépourvu de toutes ces protéines ;

– des symptômes gastro-intestinaux : nausées, douleurs abdominales avec ou sans diarrhées ;

– le choc anaphylactique : il s'agit de la réaction d'hypersensibilité immédiate la plus intense (effondrement de la pression sanguine), qui se développe de quelques minutes à quelques heures après le contact avec l'allergène. La plus connue pour ce qui concerne le blé est le choc anaphylactique observé après une ingestion d'un produit panifié suivie d'un effort physique. Il a été montré qu'une ω-gliadine est l'agent principal causant le choc anaphylactique après effort. Des variétés de blé dépourvues de cette protéine peuvent être créées.

Des recherches sont en cours afin d'identifier l'ensemble des protéines allergènes du blé et leurs séquences spécifiques (appelées épitopes) reconnues par les anticorps. Selon les allergies identifiées causées par le contact, l'inhalation, l'ingestion de produits issus du blé, des allergènes ont été identifiés dans une ou plusieurs familles des protéines du grain. Des différences ont été trouvées entre les espèces de blés hexaploïdes (blé tendre : *Triticum aestivum* ; épeautre : *Triticum spelta*), tétraploïdes (blé dur : *Triticum durum*) et diploïdes (engrain ou petit épeautre : *Triticum monococcum*). Le seigle (*Secale cereale*), espèce apparentée au blé, est généralement pourvu de nombreux facteurs allergènes.

Gérard Branlard

• *Voir aussi :* Blé, genre *Triticum* ; Blé tendre ou froment ; Maladie cœliaque ; Régime Seignalet sans pain ; Santé

Bibl. : Sandra DENERY-PAPINI, Michel LAURIÈRE, Gérard BRANLARD *et al.*, « Influence of the Allelic Variants Encoded at the *Gli-B1* Locus, Responsible for a Major Allergen of Wheat, on IgE Reactivity for Patients Suffering from Food Allergy to Wheat », *Journal of Agriculture and Food Chemistry*, n° 55(3), 2007, p. 799-805 • Voir aussi le site du GERMC (Groupe d'étude et de recherche sur la maladie cœliaque) : www.maladiecoeliaque.com

ALLONGER. – Classiquement, le pain français est vendu sous forme de baguette, qui permet un subtil équilibre entre la croûte craquante et la mie fondante. Pour faire cette baguette, une fois la pâte pétrie et fermentée une première fois, on la découpe en pâtons, mis sous forme de boules d'environ 10 cm de diamètre, et on transforme ces pâtons en cylindres d'une longueur de 60 à 80 cm. Pour cela, il faut allonger la pâte en la comprimant et en l'étirant. Le comportement de la pâte lors de cette opération est déterminant pour la qualité de la baguette.

Ludovic Salvo

• *Voir aussi :* Baguette ; Croustillant ; Croûte ; Façonnage ; Mie de pain ; Pâton ; Pâtonnage et mise en planches ; Pesage ; Rabat ; Technologies boulangères

ALLUCHON. – Pièces de bois placées sur le grand rouet et qui servent à transmettre le mouvement de rotation à la deuxième partie de l'engrenage constitué du couple rouet-lanterne. Chaque alluchon donne une impulsion à un des fuseaux (ou frayon) de la lanterne. Le rapport du nombre d'alluchons et du nombre de fuseaux est déterminé en fonction de la puissance nécessaire qui doit être transmise aux meules et au nombre de tours de meule par tour d'ailes. Toutefois, les charpentiers de moulin savaient que ce rapport devait être premier, de manière à ce qu'il y ait le moins possible de contacts entre les mêmes pièces. Par exemple, un rapport de 41 alluchons/9 fuseaux permet de ramener les mêmes alluchons contre les mêmes fuseaux tous les 369 tours de rouet. Ainsi, la répartition des taux d'usure est optimale. Dans ce cas, un tour d'ailes (ou un tour de roue à aubes) donne 4,55 tours de meule.

Roland Feuillas

• *Voir aussi :* Ailes ; Frayon ou fuseau ; Lanterne ; Moulin ; Rouet

Bibl. : Auguste ARMENGAUD et Claude RIVALS, *Moulins à vent et meuniers des pays d'Oc*, Montpellier, Loubatières, 1992.

ALLUME. – Ce mot est associé aux anciens fours, comme le four banal, qui étaient généralement chauffés au bois. Pour allumer le bois, on préparait des brindilles ou du « petit bois » facilement inflammable, parce que très sec, que l'on disposait dans le foyer, ou directement sur la sole. On parlait aussi de « bois d'allume ». Les allumes (ou flambards) servaient aussi à éclairer l'intérieur de la chambre de cuisson au moment de la mise au four et du défournement. Pour permettre un éclairage satisfaisant et d'une durée suffisante, on utilisait de petits morceaux de bois résineux ou imbibés d'un produit combustible. L'allumette ne serait rien d'autre qu'un petit allume, où le phosphore a remplacé tout autre substance facilement inflammable.

Roland Guinet

• *Voir aussi :* Ban et banalités ; Cuisson directe/indirecte ; Four ; Fournier et fornillon ; Sole

ALLUMELLE. – L'arbre moteur prend appui, à chacune de ses extrémités, sur les paliers. En forme de berceaux, semi-circulaires, ceux-ci sont enchâssés d'allumelles métalliques sur la partie en contact avec l'arbre moteur. Maintenues par un cerclage à l'avant et à l'arrière de chaque palier, des allumelles métalliques protègent aussi l'arbre moteur. Il y a donc frottement en ces parties entre les allumelles de l'arbre moteur et celles des paliers. Pour gérer l'usure, le charpentier de moulin choisit le bronze (plus dur) pour les allumelles des paliers et le fer (plus tendre) pour les allumelles de l'arbre moteur. Il suffira d'écarter les cerclages sur l'arbre moteur pour retirer et changer ses allumelles usées. Pour changer celles des paliers, il faudrait soulever l'arbre moteur, ce qui est éminemment plus complexe.

Roland Feuillas

• *Voir aussi :* Arbre moteur ou grand arbre ; Bois ; Moulin

Bibl. : Auguste ARMENGAUD et Claude RIVALS, *Moulins à vent et meuniers des pays d'Oc*, Montpellier, Loubatières, 1992.

ALVÉOGRAPHE. – Lorsque l'on observe la mie du pain, on constate que celle-ci est constituée par la superposition d'alvéoles remplies d'air. Ces alvéoles sont le résultat, figé par la cuisson, de la production de gaz carbonique retenu par le réseau glutineux pendant la fermentation en tout point de la pâte. Dans les années 1920, un jeune ingénieur travaillant aux Grands Moulins de Paris, Marcel Chopin, a l'idée de construire un appareil capable de reproduire les alvéoles de la mie du pain. Pour cela, il invente un pétrin pour former une pâte, accouplé à un système ingénieux capable de produire à partir de celle-ci un disque serti dans un anneau ; en insufflant de l'air sous ce disque, il forme une bulle de pâte dont il mesure la pression liée à la variation de diamètre et ce jusqu'à ce que cette bulle finisse par éclater (tout comme on gonfle jusqu'à l'éclatement un ballon de baudruche) : c'est l'alvéographe, produit par la société Chopin. À l'aide de cet appareil, il est possible d'enregistrer et calculer des données comme le travail de déformation de la pâte, la pression maximale à l'intérieur de la bulle et le diamètre maximal de la bulle au moment de son éclatement, des données qui sont alors utilisées pour caractériser les blés et les farines.

Ludovic Salvo

• *Voir aussi :* Alvéolage ; Force boulangère ; Gaz carbonique ; Grands Moulins de Paris ; Mie de pain ; Pâte ; Réseau ou tissu glutineux

Bibl. : Marcel CHOPIN, *Cinquante années de recherches relatives aux blés et leur utilisation industrielle*, Boulogne, M. Chopin, 1973.

ALVÉOLAGE. – Dans la mie de pain, les alvéoles peuvent être de taille très petite et très régulière, comme dans le cas du pain de mie, ou au contraire de tailles très variables avec parfois même des petites cavernes, comme dans le cas du pain de tradition française. C'est ce qui caractérise l'alvéolage de la mie. La taille et la régularité de l'alvéolage produit par le gaz carbonique pendant la fermentation sont la conséquence du pétrissage, du façonnage de la pâte et de la cuisson du pain.

Ludovic Salvo

• *Voir aussi :* Façonnage ; Fermentation panaire ; Gaz carbonique ; Mie de pain ; Mie de pain œilletée ; Pain de tradition française → Décret pain ; Pétrissage

AMANDE FARINEUSE. – Expression qui recouvre à la fois des notions de résistance et de couleur de l'amande du grain de blé. Littéralement, il s'agit d'un type d'amande susceptible de se fragmenter facilement en éléments suffisamment petits pour être qualifiés de farine ; dans le cas contraire, une fragmentation difficile conduit à favoriser la production de semoules. Cette caractéristique de friabilité est associée à la variété des blés pour une même espèce ou à l'espèce de blé (blé dur ou tendre), c'est donc un caractère génétique. L'aspect farineux est aussi assimilé à un aspect blanc de l'amande, par opposition à un aspect translucide ou vitreux. Certaines variétés ont systématiquement une amande blanche, pour d'autres c'est le caractère vitreux qui domine. Il existe une variabilité dans cette caractéristique qui est fonction des conditions de maturation de la graine, de sa teneur en protéines. Une variété à dominante vitreuse peut donc présenter des zones farineuses plus ou moins marquées ; cette alternance est qualifiée de mitadinage. Ces différences d'apparence sont associées à des variations dans l'absorption ou la réflexion de la lumière, influencées par la microstructure du grain ; elles disparaissent lorsque le produit est en farine. Les variétés dont l'aspect est généralement blanc ont un caractère farineux plus marqué, mais il n'y a pas de corrélation avec la dureté de l'amande et donc l'aptitude du grain à se fragmenter facilement.

Philippe Roussel

• *Voir aussi :* Farine ; Grain ; Meunerie ; Mouture ; Variétés de blé

Bibl. : Philippe ROUSSEL, Hubert CHIRON, *Les Pains français. Évolution, qualité, production*, Vesoul, Maé-Erti, 2002.

AMBASSADEURS DU PAIN. – Présidés par Dominique Planchot, les « Ambassadeurs du pain » œuvrent à défendre et promouvoir le pain de tradition artisanale et à redorer davantage son prestige en France et à l'étranger. Composée de dix membres fondateurs et de nombreux adhérents de la filière blé-farine-pain, l'association insiste pour défendre auprès des jeunes les qualités nutritionnelles du bon pain, en participant à des expositions, salons, foires, concours nationaux et internationaux. Dans cet esprit, l'association a créé « Le Mondial du pain » sur le thème du goût et de la nutrition, qui a lieu tous les deux ans dans le cadre du SIRHA à Lyon.

Jean-Pierre Deloron

• *Voir aussi :* Artisan et artisanat ; Boulangerie (Coupe du monde de la) ; Boulangerie contemporaine ; Filière blé-farine-pain ; SIRHA → Boulangerie (salons internationaux de la)

AMÉLIORANT. – Appelé aussi régulateur, correcteur, l'améliorant est utilisé en panification pour répondre à un besoin technologique : en agissant en effet sur les composants de la pâte, on lui donne une meilleure « machinabilité », une plus grande tolérance à la fermentation, etc., et on peut ainsi jouer sur la qualité du produit fini : le volume, l'alvéolage, la couleur de la mie, l'aspect et la couleur de la croûte, le goût, la conservation… L'améliorant permet, dans certains cas, de remédier à une anomalie des farines quand une récolte de blé a été déficiente : insuffisance (ou excès) amylasique, quantité et/ou qualité de gluten, par exemple. Il est également indispensable pour adapter les pâtes à certain processus de fabrication ou à des « formulations » particulières, surtout lorsqu'il est utilisé pour la boulangerie fine ou la viennoiserie, les pains spéciaux. L'améliorant est généralement composé d'ingrédients alimentaires ou adjuvants (farine de fève, soja, malt, etc.), d'un auxiliaire technologique (enzyme, etc.) et d'un additif (acide ascorbique, émulsifiant). Les améliorants sont soumis à une réglementation européenne (directive 95/2/CE, modifiée par la directive 98/72/CE), qui repose sur le principe de la liste positive : « Toute substance qui n'est pas spécifiquement autorisée est interdite. » Cette directive définit aussi les catégories de pains et les améliorants autorisés pour chacune. En France, le « décret pain » du 13 septembre 1993 limite les améliorants pour le « pain de tradition française » à la farine de malt et de blé, à la farine de fève et de soja, au gluten et à l'amylase fongique.

Roland Guinet

• *Voir aussi :* Acide ascorbique ; Additif ; Adjuvant ; Alvéolage ; Amylase et activité amylasique ; Amylase fongique ; Auxiliaire technologique ; Décret pain ; Fève ; Gluten ; Malt et produits maltés ; Mie (couleur de la) ; Soja (farine de)

AMÉRINDIENS D'AMÉRIQUE DU NORD (traditions du pain chez les). – Encore aujourd'hui, on spécule sur les origines des peuplades amérindiennes disséminées un peu partout sur le territoire de l'Amérique du Nord. L'une des hypothèses veut que ces Amérindiens soient venus de Sibérie après avoir traversé le détroit de Béring il y a plus de quarante mille ans, mais il serait très improbable que ces migrations les aient conduits aux quatre coins de l'Amérique du Nord.

Certains seraient donc venus en Amérique d'Europe et d'Asie. Quant aux Amérindiens eux-mêmes, la plupart sont convaincus que leurs ancêtres ont toujours habité l'Amérique ! Au Québec, il y a trois groupes autochtones importants : les Inuits de l'Arctique, les Algonquiens de la forêt boréale et les Iroquoiens de la plaine du Saint-Laurent, mais chacun de ces trois groupes se subdivise en une dizaine de nations qui comptent environ 75 000 personnes. Quoi qu'il en soit, les milieux dans lesquels les autochtones évoluent sont si distants les uns des autres que leur culture diffère d'une nation à l'autre. Plusieurs tribus nomades se contentent de chasse et de pêche pour se nourrir. Quant aux autochtones qui vivent dans le Grand Nord, ils se nourrissent surtout de cétacés et de phoques. Ceux qui vivent dans les bois ou les prairies mangent les plantes indigènes, du buffle, du caribou, de l'orignal et de l'ours, en plus de chasser les oiseaux. Plusieurs tribus, dont les Ogibwés, se nourrissent de riz sauvage. Comme on mange la viande crue, la plupart du temps sans aucun apprêt, les autochtones sont généralement en bonne santé.

Dans les zones plus fertiles, les autochtones mangent d'innombrables petits fruits, des haricots, des courges et du maïs qu'ils appellent les « trois sœurs ». Ils ont aussi découvert le secret de l'eau d'érable (sève qu'on recueille des arbres en mars), qui permet d'élaborer le fameux sirop. Le maïs, qu'on appelle toujours « blé d'Inde » au Québec, constitue la base même de leur alimentation. La plante, introduite en Europe au XVIe siècle, est même divinisée. Si plusieurs botanistes sont convaincus qu'il existait du maïs sauvage, la biologie moléculaire moderne semble accréditer la théorie selon laquelle le téosinte est l'ancêtre du maïs. La domestication du maïs par sélection de plants de téosinte mutés aurait commencé il y a neuf millénaires au sud-ouest du Mexique. Quand les Européens découvrent l'Amérique, le maïs est déjà cultivé des rives du fleuve Saint-Laurent, au Québec, jusqu'à celles du Río de la Plata, en Argentine. Dans ses relations de 1534, Jacques Cartier rapporte que dans la bourgade d'Hochelaga, aujourd'hui Montréal, il y a des « terres labourées et belles grandes champaignes plaine de blez lequel croist de groz mil comme poix ainsi que au Bresil qu'ilz mangent en lieu de pain ». Dans ses relations de 1535-1536, Cartier décrit la cuisson du pain en forme de petits tourteaux, que les autochtones appellent *carraconny* et qu'ils préparent avec de la farine de maïs. La farine de maïs sert aussi à préparer la *sagamité*, une espèce de bouillie dans laquelle les autochtones ajoutent de la viande, du poisson ou des haricots. On n'en sait pas plus sur le pain *carraconny*.

Ce n'est qu'après l'arrivée des Blancs que les autochtones commencent à faire du pain, et c'est à un colon écossais qu'on devrait la *bannique*, le pain traditionnel. Le mot – on dit parfois *bannock* – vient du celte *bannuc*, qui signifie « bouchée ». La *bannique* est le pain de tous les autochtones d'Amérique du Nord et plusieurs tribus en revendiquent la paternité. Elle peut, selon les peuplades, porter des noms différents ou tout simplement s'appeler *Indian bread* ou le « pain indigène ». Toutes les tribus en préparent, autant celles d'Alaska que celles de l'est ou du centre du Canada et des États-Unis. Certains ethnologues attribuent son introduction chez les autochtones aux Navajos, qui auraient appris comment faire la *bannique* par les militaires les gardant prisonniers à Fort Summer, au Nouveau-Mexique. Cette hypothèse est peu crédible, puisque la *bannique* constitue une partie de la nourriture de base des autochtones de l'est de l'Amérique dès le milieu du XVIIe siècle. La farine de blé a rapidement remplacé la farine de maïs, puis la farine d'orge ou d'avoine primitivement employées. La *bannique* est préparée sans levain avec du sel et de l'eau et elle a la forme d'une petite crêpe épaisse ou d'une galette ronde et plate. Quand elle n'est pas cuite dans la braise, on la cuit enroulée autour d'une branche de saule vert. Dans ce cas, la pâte est apprêtée en un long pain tubulaire d'environ 30 cm de longueur et de 2 à 3 cm d'épaisseur. La pâte est enroulée en spirale sur une branche de saule débarrassée de son écorce. On tourne la branche au-dessus du feu pour que la *bannique* cuise également. Une fois séchés, les bleuets, les canneberges, les raisins sauvages et d'autres petits fruits sont souvent ajoutés.

De nos jours, la *bannique* « traditionnelle » se compose d'environ deux parties de farine pour une partie d'eau, de levure chimique et de sel. On la façonne en galettes de 1 cm d'épaisseur sur 20 cm de diamètre et on la cuit 10 à 12 min dans une poêle de fonte dans laquelle on a fait chauffer un peu d'huile. Les galettes triplent d'épaisseur. On les coupe en pointes pour les servir. Chez les autochtones des États-Unis, la *bannique* porte le nom de *frybread* et, en 2005, le *frybread* est même devenu le pain « officiel » du Dakota du Sud !

Bannique, bannock. La *bannique* telle qu'on la prépare aujourd'hui comporte les ingrédients suivants : farine, sucre, levure chimique, sel et eau. On mélange tous les ingrédients secs, puis on ajoute de l'eau jusqu'à l'obtention d'une pâte très épaisse. On aplatit pour en faire une galette d'environ 1 cm d'épaisseur et 20 cm de diamètre. On cuit la galette dans une poêle de fonte, à feu moyen, de 10 à 12 min de chaque côté. La galette gonfle jusqu'à deux ou trois fois. On la laisse tiédir avant de la couper en pointes.

Frybread, fried bread, fry bread. Toutes les tribus indigènes des États-Unis en ont fait leur aliment de base. La pâte est préparée avec de la farine (de blé, de maïs, d'orge ou d'avoine), du sel, mélangée avec de l'eau ou du lait, pétrie et façonnée pour avoir à peu près la forme d'une crêpe. Certains font lever la pâte après y avoir ajouté de la levure chimique. On fait cuire dans du saindoux ou en haute friture. Aux États-Unis, le département de la Santé estime que le *frybread* est le grand responsable de l'obésité chez les autochtones.

Guy Fournier

• *Voir aussi :* Amérique latine ; Canada ; États-Unis ; Maïs ; Pains mondiaux

Bibl : John Robert COLOMBO, *L'Encyclopédie canadienne*, Fondation Historica du Canada, 2009 • *Heritage Community Foundation*, 2002 • Odette MORIN, *L'Héritage amérindien*, www.journaldeprevost.ca • Anna Paola MOSSETTO, *Paroles et images amérindiennes du Québec*, Bologne, Pendragon, 2004 • NetState.com, *Official State Foods*, 2006 • René THÉVENIN, *Mœurs et histoire des Indiens d'Amérique du Nord*, Paris, Payot, 2004.

AMÉRIQUE LATINE (traditions du pain en). – La question du pain en Amérique latine nous fait remonter à l'arrivée des Européens sur ce continent. Afin de pouvoir confectionner ce qu'ils considéraient comme l'aliment par excellence, ils y introduisirent le blé, mais y découvrirent aussi des mets élaborés par les Amérindiens à partir de céréales ou de tubercules, qu'ils comparèrent au pain. Les galettes de manioc – ou cassaves – furent les premiers « pains » rencontrés par les Espagnols, dès 1492, chez les Taïno de l'île de Saint-Domingue, un peuple arawak originaire d'Amazonie et établi aux Antilles plusieurs siècles auparavant. Bien que la cassave séchée ne semble pas avoir été du goût des Espagnols, ils l'incorporèrent à leurs provisions maritimes, en raison de son excellente capacité de conservation. En fait, quand les premiers explorateurs partirent des Antilles vers la péninsule de Yucatán, ils décidèrent d'emmener avec eux des cassaves.

Au Mexique, ils découvrirent les galettes (*tortillas*) de maïs, ainsi que les *tamales*, élaborés aussi à base de maïs et cuits à la vapeur enveloppés dans des spathes ou des feuilles. *Tortillas* et *tamales* firent partie des présents portés par les envoyés de l'empereur aztèque Montezuma aux Espagnols, qui leur offrirent en échange ce qu'ils trouvèrent à bord, soit du vin et du pain rassis. Malgré la dureté du pain, les envoyés aztèques en apprécièrent la douceur, une saveur alors peu commune dans leur alimentation. Les *tortillas*, servies chaudes par des femmes au moment du repas, trouvèrent immédiatement grâce aux yeux des Espagnols, non seulement par rapport à la cassave, mais aussi par rapport au pain, rarement confectionné le jour même. La consommation de *tortilla*, au même titre que le pain, était pour les Espagnols un signe de civilisation. Aussi, lorsqu'en pays maya ils rencontrèrent des Indiens qui ignoraient encore la *tortilla* – originaire du Mexique central –, ils s'empressèrent de leur imposer cet aliment. Au cours de leur exploration du reste du continent, notamment en Amérique centrale et dans les régions andines, les Espagnols rencontrèrent à nouveau des galettes de maïs et des *tamales* (décrits au Pérou comme *pan en empanada*).

Aujourd'hui, les galettes sont appelées *tortilla* ou *tanta* au Pérou, *arepa* en Colombie et au Venezuela, *catuto* au sud du Chili, *beiju* ou *marapatá* au Brésil ; les *tamales* de maïs sec sont dénommés de la même façon en Argentine et au Pérou, où ceux de maïs frais sont appelés *humitas*, terme usité de l'Équateur au Chili ; au Venezuela, ils portent le nom d'*hallacas* ; au Brésil, les *pamonhas* sont faits uniquement à base de maïs frais. Sur les côtes de Colombie, du Venezuela, des Guyanes et du Brésil, puis en Amazonie, les explorateurs retrouvèrent les cassaves (*cazabe* ou *beiju*) et autres dérivés du manioc. Les Portugais dénommèrent « farine » (*farinha*) la semoule de manioc torréfiée, aujourd'hui appelée *couac* en Guyane. Comme elle était plus transportable encore que la cassave séchée, elle leur servit de ravitaillement au cours des explorations de l'intérieur des terres et des traversées maritimes, et nourrit les esclaves sur les bateaux négriers.

Parallèlement, les Européens tentèrent d'implanter le blé, et éventuellement l'orge, partout où ils le purent, et en exigèrent des tributs. Sur les hauts plateaux tempérés du Mexique, du Guatemala, du Honduras, du Costa Rica et des Andes, ainsi que dans la pampa argentine, les céréales venues d'Europe s'adaptèrent facilement, parfois au détriment du maïs et d'autres cultures traditionnelles, mais dans les basses terres tropicales, notamment celles aux mains des Portugais, leur culture était loin d'être aussi aisée. À Saint-Domingue, Cuba, Porto Rico, le blé croissait mais donnait très peu de grains ; à Panamá, il était de plus affecté par le climat très pluvieux ; au nord-est du Brésil, les épis ne mûrissaient pas simultanément. Certaines régions du Mexique et des Andes devinrent les greniers à blé du continent, approvisionnant les colonies espagnoles des Antilles et des basses terres d'Amérique centrale et du Sud. Les Portugais restèrent en partie dépendants des importations de farine de leur pays et durent souvent s'accommoder des ingrédients locaux tels que la fécule de manioc.

Dans l'Amérique hispanique, les monastères jouèrent un rôle indéniable, non seulement dans l'introduction – et l'imposition – des céréales, mais aussi des outils et des savoir-faire qui permirent la transformation du grain en nourriture. Là où les épis de blé prédominaient, l'araire, le moulin et le four faisaient aussi partie du paysage. Les Indiens en étaient avant tout les cultivateurs, tandis que le moulin et le four restaient aux mains des Espagnols. Les Indiens du Mexique et des Andes intégrèrent les nouvelles céréales dans leur alimentation, en les transformant selon leurs techniques ancestrales : en faisant griller ou bouillir (parfois avec de la cendre) les grains entiers et en les écrasant à la molette sur des meules en pierre. Ces aliments sont encore confectionnés de nos jours. Ainsi, par exemple, les Mixtèques du sud du Mexique consomment des bouillies liquides (*atole*) de blé, semblables à celles de maïs, et des *tortillas* de maïs et blé ; les métis de Piura, au nord du Pérou, cuisinent des galettes, des soupes et du « riz » de blé ; les Quechua de Zumbagua, en Équateur, qui vivent à plus haute altitude, consomment des soupes et du « riz » d'orge ; les habitants des Andes péruviennes, boliviennes et argentines mangent le blé comme le maïs, sous forme de *mote* (grains bouillis) ; les galettes traditionnelles des Mapuche du sud du Chili (*catuto* ou *mültrün*), autrefois à base de maïs, sont maintenant élaborées à base de blé cuit et moulu, et cuites au four ou dans la cendre. Blé et orge côtoient maïs, amarante, quinoa et pommes de terre, parfois même manioc ou patate douce provenant de zones plus chaudes, et s'y substituent en partie. Aujourd'hui, il arrive qu'ils soient à leur tour remplacés par le riz et la farine blanche de blé produite industriellement.

Jusqu'à l'arrivée des minoteries industrielles, les Espagnols et leurs descendants ont contrôlé les moulins et la transformation du grain en farine. En revanche, il leur a été plus difficile de conserver l'exclusivité de la transformation de la farine en pain. La transmission des savoir-faire vers les populations métisses et indiennes a suivi, selon les lieux, un cheminement plus ou moins rapide. Aujourd'hui, chez les Aymara des hauts plateaux boliviens, le pain est encore rarement consommé. Dans les villages indiens du Mexique, l'élaboration des *tortil-*

las (de la mouture du maïs à la cuisson) est un savoir-faire qui requiert plusieurs années d'apprentissage, mais est détenu par toutes les femmes ; l'élaboration du pain n'est pas aussi complexe, dans la mesure où le blé arrive déjà moulu, sous forme de farine, or seules quelques personnes maîtrisent ce savoir-faire et en font commerce. En revanche, dans des villes situées au sein de régions productrices de blé, dès l'époque coloniale, des Indiens vendaient le pain sur les marchés et parfois le préparaient eux-mêmes. À Puebla, en 1682, la détention de ce savoir-faire devint un enjeu de pouvoir. Cinquante boulangers espagnols, percevant les boulangers indiens comme des usurpateurs, s'adressèrent en bloc à l'autorité coloniale pour réclamer le monopole de la production et la vente de pain de blé. Les Indiens reçurent l'ordre de cesser immédiatement de confectionner cet aliment, ce qui entraîna une terrible pénurie, car les boulangers espagnols n'arrivaient pas à satisfaire toute la demande. Le pain n'était plus seulement destiné à la population espagnole, mais aussi aux métis et aux Indiens de la ville qui, tout en conservant la *tortilla*, l'avaient intégré à leur alimentation. En réalité, dès le XVIe siècle, le *pan de Castilla* était vendu sur le marché indien de Tenochtitlan (Mexico), au même titre que les *tortillas* et les *tamales*, et, en pays mixtèque, il arrivait à la table des nobles indigènes.

Au début du XVIIIe siècle, le terme « pain » était attesté dans diverses langues amérindiennes, soit sous le terme castillan, *pan*, soit sous un terme propre, éventuellement dérivé du mot *tortilla*. Dans les Andes, au moins depuis le XVIIe siècle, le terme *tanta* désigne en aymara et en quechua aussi bien la galette de maïs ou de quinoa que le pain de blé. Le succès de l'introduction du blé en Amérique est lié en partie à l'influence des rites catholiques. Bien que quelques religieux se prononçassent en faveur de la substitution du blé lors des eucharisties par ce qu'ils appelaient le « blé des Indes », ou maïs, l'Église ne consentit jamais à cette adaptation, qu'elle jugeait ouvertement hérétique.

La question concernant l'incarnation du corps du Christ dans un pain autre que du blé devint, pour la première fois, un véritable enjeu et contribua à affirmer le statut du blé auprès des anciens et nouveaux fidèles. Les indigènes, qui sanctifiaient déjà le maïs, attribuèrent probablement au blé – et à l'orge – un statut similaire. Juste après la conquête espagnole, il est attesté que des grains de blé et d'orge furent utilisés comme offrandes à la Terre dans un centre cérémoniel inca des Andes argentines. L'une des traces actuelles du rôle rituel du pain dans les populations de souche indienne du Mexique et des Andes s'exprime par l'élaboration, pour la fête des morts, de pains en forme de personnages, qui se sont probablement substitués à des offrandes alimentaires autrefois en pâte de maïs, d'amarante ou d'autres plantes. Tout cela ne signifie pas pour autant que l'ensemble de la population a pu d'emblée accéder au pain. Les classes populaires ont pendant longtemps consommé du pain de son, appelé *sema*, *cemita* ou *acemita* (en portugais *sêmea*), tandis que le pain blanc n'était qu'à la portée des classes les plus élevées. Moins récurrents, mais très significatifs, ont été le sens ainsi que les répercussions que le pain acquérait lorsqu'il était préparé sans levure. Cette pratique, souvent le seul signal délateur de pratiques judaïsantes en Amérique latine, obligeait certains boulangers et foyers à cacher leurs préférences aux yeux vigilants des voisins et des autorités ecclésiastiques.

Actuellement, dans de nombreux pays d'Amérique latine, on trouve toute une variété de pains – et leurs dérivés – issue de l'apport colonial (pains à l'anis, pains parsemés de graines de sésame, *empanadas*…). L'insertion d'ingrédients locaux a également permis des innovations, telles que des pains à base de maïs ou de fécule de manioc, mais surtout, la culture de la canne à sucre a donné lieu à toute une gamme de pains sucrés. Cependant, le pain a rarement pris la place qu'occupaient les galettes de maïs, de quinoa ou de manioc, la semoule de manioc et les petits paquets de pâte de maïs (*tamales*, *humitas*, *pamonhas*…).

Au XIXe siècle, lorsque les pays d'Amérique latine ont gagné leur indépendance, les élites ont tourné leurs intérêts culturels vers d'autres pays que l'ancienne mère-patrie, en l'occurrence la France, d'où la diffusion de pain dit « français » sur tout le continent et l'apparition de brioches et beignets (*buñuelos a la francesa*) dans les livres de recettes latino-américains. Puis, avec les vagues d'immigration d'Europe et du Moyen-Orient, de nouvelles sortes de pains sont arrivées dans ces pays (pains à l'italienne, pains d'Europe centrale, pains arabes non levés…) et y ont pris plus ou moins d'importance selon la proportion d'immigrants par rapport au reste de la population. La production de pain a augmenté et s'est industrialisée, les importations de grain des États-Unis et du Canada et la modernisation de la culture du blé en Argentine et au sud du Brésil ayant permis d'accéder à de plus grandes quantités de farine. La production des régions montagneuses, anciens greniers à blé, persiste mais n'est pas aussi performante.

En dépit de la concurrence industrielle, les boulangeries artisanales continuent à se multiplier, jusque dans des régions éloignées des grands centres urbains. Dans les villes, elles proposent parfois une ample variété de pains et ont remis au goût du jour les farines non raffinées, qui apparaissent comme plus saines. Le pain, en Amérique latine, se conjugue sous différentes formes, salé ou sucré, avec des ajouts d'œufs, de lait ou d'autres ingrédients. Il est généralement consommé au petit déjeuner, en sandwich, aux casse-croûtes, lors d'un dîner léger et pour diverses collations, notamment lors de fêtes religieuses, mais il est rarement mangé au cours des repas. Dans la plupart des pays, les repas consistants sont accompagnés de galettes de maïs ou de manioc, de semoule de manioc, de banane plantain ou, de plus en plus souvent, de riz. L'Argentine, l'Uruguay et dans une moindre mesure le Chili, qui comptent une forte proportion de population européenne, sont les seuls pays où le pain est systématiquement placé sur la table à tous les repas. Même s'il n'est pas présent à tous les repas, le pain, inconnu en Amérique latine il y a cinq siècles, y occupe aujourd'hui un espace indéniable.

Atole (du nahuatl *atolli*). Au Mexique, bouillie liquide à base de pâte de maïs ou de grains de maïs frais. Le maïs peut être remplacé par du blé cuit et moulu, de la farine de blé, de la maïzena, des flocons d'avoine, etc.

Empanada (espagnol), **empada** (portugais). Chausson ou tourte de pâte à pain ou de pâte brisée fourré de divers ingrédients (viande, fromage, légumes). On les trouve dans toute l'Amérique latine, et ils sont particulièrement réputés en Argentine.

Galette de maïs. *Tortilla* (en espagnol, « galette » ; Mexique, Amérique centrale, Pérou), *arepa* (Colombie, Venezuela), *tanta* (en quechua et aymara), *catuto*, *mültrün* (en mapuche, sud du Chili), *beiju* (Brésil) *marapatá* (nord-ouest de l'Amazonie). Galettes de différentes tailles et épaisseurs, élaborées à partir de maïs frais ou sec (préalablement bouilli avec de la cendre ou de la chaux, grillé ou bien transformé en farine), parfois agrémentées d'autres ingrédients. Ces galettes constituent la base de l'alimentation au Mexique, en Amérique centrale et dans diverses régions andines, débordant sur les basses terres de Colombie et du Venezuela. Quelques groupes tukano de la frontière Brésil-Colombie élaborent occasionnellement des galettes de maïs, dites *marapatá* en *lingua geral* (tupi véhiculaire), et les Mbya-Guarani du sud du Brésil en consomment de plusieurs sortes (*mbeju* – équivalent de *beiju* – et *mbojapé*). Dans diverses régions, le blé (bouilli et moulu ou sous forme de farine) s'est ajouté ou substitué au maïs pour l'élaboration des galettes (voir également MEXIQUE).

Galette de manioc (cassave). Espagnol : *casabe*, *cazabe*, *cazabí* (du taïno), portugais : *beiju* (du tupi) ; galette fraîche ou séchée de pulpe ou fécule de manioc amer, élaborée selon un processus complexe (râpage, égouttage, pressage, tamisage, cuisson). Consommée à l'arrivée des Européens par de nombreux groupes amérindiens des basses terres d'Amérique du Sud et des Antilles, et encore importante dans le nord de l'Amazonie. Quelques ethnies qui consomment du manioc doux (généralement bouilli) en font aussi des galettes (Mbya-Guarani du sud du Brésil et groupes d'Amazonie péruvienne). Voir également BRÉSIL.

Mote (du quechua *muti*). Grains de maïs (ou blé) bouillis, puis placés dans de la cendre chaude, si bien qu'ils gonflent et sont débarrassés de leur enveloppe.

Pain au fromage. Espagnol : *pandequeso* (Colombie), *pão de queijo* (Brésil) ; pains à base de fécule de manioc et de fromage (voir également COLOMBIE et BRÉSIL).

Pain de son. Espagnol : *sema*, *cema*, *semita*, *cemita*, *acemita*, *pan de acemite*, portugais : *sêmea* (de l'arabe *zemit*). Ce type de pain a été longtemps le plus consommé par les classes sociales les plus pauvres dans toute l'Amérique latine. Actuellement, les pains à base de farines non raffinées sont considérés comme plus sains.

Pan de Castilla (« pain de Castille »). Terme sous lequel on désignait le pain de blé à l'époque coloniale en Amérique hispanique pour le différencier des « pains » locaux (galettes de maïs ou de manioc).

Pan dulce. Pains sucrés de forme et de composition très diverses, consommés très fréquemment au petit déjeuner ou pour des collations dans toute l'Amérique hispanique, avec des équivalents au Brésil.

Pan en empanada (« pain en chausson »). Terme par lequel les *tamales* étaient parfois désignés au Pérou à l'époque coloniale.

Paquets de pâte de maïs. *Tamales* (du nahuatl *tamalli* ; le terme mexicain est aussi utilisé dans une partie des Andes), *humita* (du quechua *humint'a* ; Andes), *hallaca* (Venezuela), *pamonha* (Brésil). La pâte de maïs frais (râpé ou moulu) ou sec (préalablement bouilli, éventuellement avec de la chaux ou de la cendre) est salée ou sucrée, éventuellement fourrée de haricots, viande, fromage, condiments, etc., puis enveloppée dans des spathes de maïs ou des feuilles (actuellement celles de bananiers sont les plus communes). Les paquets ainsi formés sont cuits à l'eau ou à la vapeur.

Esther Katz
et Sarah Bak-Geller

• *Voir aussi :* Amérindiens ; Andes boliviennes ; Argentine ; Brésil ; Caraïbes ; Colombie ; Maïs ; Manioc ; Mexique ; Pain (définition universelle du) ; Pain rassis ; Pains mondiaux ; Pérou

Bibl. : Sergio ACHA ZAPATA, *Diccionario de gastronomía peruana*, Lima, Universidad de San Martín de Porres, 2006 • Francisco AJOFRÍN, *Diario del viaje que hizo a la América en el siglo XVIII*, Mexico, Instituto Cultural Hispano Mexicano, 1964, 2 vol. • Solange ALBERRO, *Les Espagnols dans le Mexique colonial. Histoire d'une acculturation*, Paris, Armand Colin-EHESS, 1992 • Marcelo ÁLVAREZ, Luisa PINOTTI, *A la mesa. Ritos y retos de la alimentación argentina*, Buenos Aires, Grijalbo, 2000 • Aylen CAPPARELLI, Verónica LEMA, Marco GIOVANNETTI, Rodolfo RAFFINO, « The Introduction of Old World Crops (wheat, barley and peach) in Andean Argentina during the 16th Century A.D. : Archeobotanical and Ethnohistorical Evidence », *Vegetation History and Archeobotany*, n° 14, 2005, p. 472-484 • Virginia GARCÍA ACOSTA, *Las panaderías, sus dueños y trabajadores. Ciudad de México, siglo XVIII*, Mexico, Ediciones de la Casa Chata, Ciesas, 1989 • Anne-Marie HOCQUENGHEM, Susana MONZON, *La cocina piurana. Ensayo de antropología de la alimentación*, Lima, CNRS/IFEA/IEP, 1995 • Esther KATZ, « Du mûrier au caféier : Histoire des plantes introduites en pays mixtèque (XVIe-XXe siècle) », *Journal d'agriculture traditionnelle et de botanique appliquée*, vol. 36, n° 1, 1994, p. 209-244. – *ID.*, « Tortillas, haricots et sauce piquante. L'alimentation au Mexique », Agropolis Muséum, Savoirs Partagés, http://museum.agropolis.fr/, 2004 • Janet LONG (éd.), *Conquista y comida. Consecuencias del encuentro entre dos mundos*, Mexico, UNAM, 2005 [1996] • Sonia MONTECINO, *Cocinas mestizas de Chile. La olla deleitosa*, Santiago du Chili, Museo Chileno de Arte Precolombino/Santander Santiago, 2004 • Víctor Manuel PATIÑO, *Plantas cultivadas y animales domésticos en América equinoccial*, t. IV, *Plantas introducidas*, Cali, Imprenta Departamental, 1963 • Carlos SIGÜENZA Y GÓNGORA, *Relaciones históricas*, Mexico, UNAM, 1992 • Karl TAUBE, « The Maize *tamale* in Classic Maya Diet, Epigraphy and Art », *American Antiquity*, vol. 54, n° 1, 1989, p. 31-41 • Martin Cesar TEMPASS, « Orerémbiú : a relação das práticas alimentares e seus significados com a identidade étnica e a cosmologia Mbyá-Guarani », maîtrise en anthropologie sociale, Porto Alegre, Universidade Federal do Rio Grande do Sul, 2005 • Mary WEISMANTEL, *Food, Gender and Poverty in the Ecuatorian Andes*, Philadelphie, University of Pennsylvania Press, 1989.

AMIDON. – L'amidon au microscope se présente sous forme de granules de dimensions inférieures à 100 micromètres (μm) ; pour les gros grains d'amidon de blé, elles se situent à environ 40 μm. À l'intérieur, non visibles en microscopie optique, de longues chaînes glucidiques appelées chaînes d'amidon sont organisées de manière telle que l'amidon prend l'apparence extérieure d'un granule. Leurs dimensions peuvent atteindre quelques centaines d'unités glucose. La chaîne peut être linéaire (amylose) de 100 à 300 unités glucose ou ramifiée (amylopectine) de 1 000 à 5 000 unités glucose. Dans le granule, les chaînes d'amylose sont associées de manière régulière sous forme cristalline, diminuant de ce fait leur affinité pour l'eau. Dans le cas de l'amylopectine, les zones où se forment les ramifications sont dites amorphes car non cristallines et accessibles à l'eau et aux enzymes ; les zones linéaires se présentent sous forme cristalline. Ces zones cristallines peuvent être identifiées lorsque l'on passe les granules aux rayons X. On met ainsi en évidence que la périphérie de l'amidon est cristalline. Avec cette caractéristique, le granule peut difficilement s'hydrater.

Philippe Roussel

• *Voir aussi :* Albumen ; Amande farineuse ; Amidon endommagé ; Enzyme ; Enveloppe ; Germe ; Glume et glumelle ; Grain ; Meule ; Meunerie ; Moulin ; Mouture ; Son

Bibl. : Pierre FEILLET, *Le Grain de blé, composition et utilisation*, Paris, INRA Éditions, 2000.

AMIDON (gélatinisation de l'). – Voir EMPOIS

AMIDON ENDOMMAGÉ. – État des granules d'amidon modifiés physiquement par les sollicitations mécaniques imposées aux produits au cours de la mouture du blé. Les produits de passages de la mouture (grains, grosses et fines semoules…) sont des fractions des grains qui doivent subir une réduction dimensionnelle avant d'être considérés comme des produits finis (farines, sons ou remoulages issus de la mouture du blé). L'endommagement se traduit par des phénomènes d'aplatissement léger, de coupures, de fissures qui les rendent plus accessibles à la pénétration de l'eau et aux enzymes. Ces sollicitations sont principalement les effets de cisaillement engendrés par les broyeurs (cylindres cannelés) et les effets de compression des convertisseurs (cylindres lisses) d'une ligne de mouture de céréales, sur cylindres, mais aussi sur meules de pierre. Les grains ou granules d'amidon sont des structures de petites dimensions (voir AMIDON), qui leur permettent de passer entre des cylindres, même serrés, sans subir de fortes contraintes.

La proportion de ces amidons « libres » est très faible, ils se trouvent sous forme compactée dans des fragments plus ou moins gros (semoules ou farines) issus de l'albumen amylacé (amande du grain). Les fractions plus grosses subissent, pour être réduites, des effets de compression et de cisaillement importants entre des cylindres dont l'écartement est inférieur à leur grosseur. Si, au passage entre les cylindres, les produits se fragmentent facilement, les sollicitations qui vont s'exercer sur ces particules sont faibles ; à l'inverse, un albumen dur, « peu farineux », se friabilise difficilement, il subit davantage de contraintes lors du passage. Il existe, par conséquent, une corrélation entre la dureté du grain et la production d'amidons endommagés au cours de la mouture.

Philippe Roussel

• *Voir aussi :* Albumen ; Broyage ; Broyeur ; Cylindre ; Cylindres (appareil à) ; Meule ; Meunerie ; Moulin ; Mouture

AMIDONNIER (*Triticum turgidum*). – Tire son nom du mot « amidon », mais rien ne permet de dire que cette espèce serait plus riche en amidon qu'une autre (*emmer*, en anglais). L'amidonnier appartient au genre *Triticum* et à l'espèce *Triticum turgidum* L., famille des poacées (syn. graminées). Il existe une forme cultivée, sous-espèce *dicoccon*, et une forme sauvage, sous-espèce *dicoccoïdes*. La forme sauvage a un rachis cassant et un grain vêtu. La forme cultivée possède également un grain vêtu, mais son rachis n'est pas cassant. Comme tous les *T. turgidum*, l'amidonnier possède 28 chromosomes, soit les génomes A et B. L'amidonnier était le blé le plus cultivé au Néolithique (8000 av. J.-C.) et au début de l'âge de bronze (2000 av. J.-C.). Il était utilisé pour l'alimentation, notamment pour la confection de galettes et aussi sans doute pour brasser de la bière. Il a été par la suite remplacé progressivement par des types tétraploïdes et hexaploïdes mieux adaptés à grain nu (blés durs et blés tendres). Le blé amidonnier a aussi été utilisé en panification, notamment en France au XIXe siècle. C'est actuellement une espèce relique cultivée sporadiquement dans certaines parties d'Europe et d'Asie du Sud-Ouest : Balkans, est de la Slovaquie, Hongrie, Espagne, Anatolie, Iran, Caucase et Inde ainsi qu'en Éthiopie. L'ancêtre commun de tous les tétraploïdes est sans doute l'amidonnier sauvage *T. turgidum* subsp *dicoccoïdes* à rachis cassant et grain vêtu présent à l'état sauvage au Proche-Orient. Des hybridations spontanées se produisent encore dans cette région entre la forme sauvage et les formes cultivées. La particularité de l'amidonnier sauvage est qu'à maturité les épis cassants se fragmentent en épillets qui, du fait de leur forme pointue, se plantent dans le sol pour germer au printemps suivant.

Jean Koenig

• *Voir aussi :* Amidon ; Bière ; Blé, genre *Triticum* ; Blé dur ; Blé tendre ou froment ; Caroténoïdes ; Céréales ; Céréales sauvages aux premières formes domestiques (des) ; Épi

Bibl. : Daniel ZOHARY, Maria HOPF, « Emmer and durum-type wheats », in Domestication of Plants in *the Old World*, 3e édition, Oxford, Oxford University Press, 2000.

AMOUREUX (pains d'). – Si l'amoureux, pour plaire à l'objet de sa flamme, doit lui offrir des cadeaux, il n'y a plus en France, sauf en Alsace, de pain spécifiquement préparé pour les fiançailles. Autrefois, en Normandie, le fiancé rapportait du marché un pain brioché à sa promise, comme « part d'Assemblée », tout comme les maris attentionnés. Dans toute l'Europe centrale, ainsi qu'encore en Alsace, la brioche et le pain d'épices, qui contiennent du sucre, symbole de douceur, et de l'œuf, symbole de fertilité, prouvent encore à la belle l'amour de son prétendant. Une image imprimée, représentant à la fois la jeune fille et le garçon, est collée sur le pain d'épices plat. En Hongrie, en Pologne, en Croatie comme en Serbie, ces pains d'épices étaient vendus dans les villages à l'occasion de la fête votive annuelle du saint patron qui avait donné son nom à l'église locale. Les garçons en offraient alors à la fille dont ils se prétendaient amoureux. Si la jeune fille acceptait le cadeau, c'est qu'elle était prête à partager cet amour ; elle offrait alors en retour à ce bel ami de ses rêves un cavalier juché sur un éblouissant cheval rouge. On peut acheter encore de ces pains d'épices, en particulier le 6 septembre pour la fête de la Sainte Vierge, patronne de nombreux villages. Ce sont des cœurs ornés d'une exubérante décoration de fleurs multicolores en sucre, et garnis au centre d'un miroir, selon la tradition ancienne. Au-dessus du miroir est collé un bandeau de papier imprimé d'une déclaration en forme de poème : « Tu es si belle, divine, douce. Aime-moi, aime-moi, sois mon amour », ou bien : « Dans le jardin, il cueillait des fleurs cherchant son amour et il chantait », ou encore : « Raconte-moi ce que tu penses, honnêtement, pour que mon cœur ne soit pas aveugle ».

En Allemagne, la tradition est florissante depuis des siècles, et l'on trouve aux fêtes foraines, comme celle de Kehl ou d'Aix-la-Chapelle, des cœurs, *Lebkuchen*, de pain d'épices brun, décorés de fleurs et de phrases délicieuses à l'œil de celle qui brûle de les entendre : « Chérie », « Je suis en rêve auprès de toi », « À deux, que nous vienne une longue belle vie », « Si belle que toi », « Entends-tu mon appel secret ? », « Toujours à toi », « Petite fille », « Une vie pleine d'amour, pleine de joie et de soleil ». Ces pains d'épices sont fabriqués, dans l'ouest de l'Allemagne, par la maison Pahna, à Lemgo. Sur d'autres, datés de 1830, on lisait : « Je n'arrive pas à bien me remettre du petit baiser que je t'ai volé », « Puis-je l'avouer, là où elle se trouve, je ne regarde personne d'autre », « Laisse-moi régner dans ton cœur, et tu régneras dans le mien ». Ou aussi : « Un beau livre, une belle femme restent pour moi le meilleur passe-temps », et même « Comme j'ai le cœur joyeux d'avoir cette gerbe dans mon lit ».

En Alsace, l'amoureux se procurait un « pain d'épices d'amoureux », *Schaetzelslebküeche*, fabriqué en ville par des pâtissiers, et proposé sur les foires par les colporteurs. Ces pains d'épices sont moulés dans des formes de bois creusé, souvent en forme de cœur, puis ornés de fleurs de sucre coloré et filé. Au centre est collé un miroir dans lequel l'aimée pouvait se mirer ; miroir recouvert d'une image imprimée au nom de la belle. Cette coutume a duré jusqu'à la Première Guerre mondiale. Les cœurs de pain d'épices que l'on achète encore à Strasbourg, fabriqués par la maison Fortwenger à Gertwiller, portent bien encore l'image d'une belle jeune fille, mais ce ne sont plus guère que des souvenirs touristiques. Ne sont plus tracés en sucre blanc filé que les simples mots « Souvenir d'Alsace », ou « Strasbourg ». D'autres cœurs d'Allemagne sont en pâte à biscuit compacte, et d'une seule couleur brun clair, sans sucre ni inscription. Ces cœurs sont moulés dans des moules de bois gravé, ce qui fait que le décor apparaît en relief. La tradition en remonte au moins au XVIIIe siècle, et on en fabrique encore à Aix-la-Chapelle.

Les couques de Dinant, en Belgique, sont de la même facture, et leur nom est apparenté : *kuchen*, devenu *couque*, *peperkoek* en hollandais. On y produit encore en quantité importante des couques à cœurs fleuris ou enflammés, surtout dans les ateliers de la maison V. Collard, dont la fondation remonterait à 1720. Les présents de pain d'épices donnés, le cœur est pris. En croquant le pain avec sa désirée, le jeune homme s'engage pour toujours.

Paul Sébillot, dans son *Folklore de France*, raconte que naguère encore les fiancés du village de Braye-les-Pesnes, en Haute-Saône, se rendaient le jour de la Chandeleur auprès d'une source sacrée pour y échanger des gâteaux. Après les avoir trempés dans l'eau de la fontaine, ils les mangeaient ; et les fiançailles étaient ainsi confirmées. De même pour les pains d'épices de Bâle et d'Alsace, des bretzels salés, gages symboliques de fidélité.

Dans tout l'Islam, où le blé est la culture traditionnelle principale, le pain joue encore un grand rôle dans les cérémonies de fiançailles, le jour où les deux familles signent le contrat d'accord en vue du mariage, quand elles s'engagent à se donner l'une à l'autre leurs enfants. Le pain partagé scelle l'accord et l'alliance, les graines jetées dans la pâte sont un signe de bon augure et de fertilité (comme elles le sont dans les traditions judaïques, et chez les Slaves d'Europe). La douceur du sucre peut rendre aussi plus facile la conclusion du contrat de mariage, et apaise les éventuels différends et conflits d'intérêts. En Iran, « quelques heures avant la signature du contrat, la jeune fille reçoit de son futur un grand plateau de bois portant une partie des objets nécessaires à la cérémonie : "rue sauvage", encens, un grand pain *sendjek* (feuille de pâte sans levain, avec souhait de bonheur inscrit en or ou en rouge), un pain de sucre, un sac de henné, un pain de savon » (Massé 1938). En Afghanistan, la cérémonie se nomme « le jour où l'on mange les douceurs ». Les femmes ont préparé des galettes de pain et des beignets de fête, *katlama* : des carrés de pâte de blé frits dans de l'huile de sésame. À chaque invité, on remettra une galette de pain, des *katlama*, et une poignée de graines, des jujubes, des pois chiches, et des raisins noirs secs. En Inde, la cérémonie des fiançailles, le *tilak* (cérémonie scellant une promesse de mariage), se fête pareillement avec force galettes frites de toutes sortes, échangées entre les deux familles.

Bernard Dupaigne

• *Voir aussi :* Accouchement (pains d') ; Brioche ; Épices (pains d') ; Mariage (pains de) ; Pâte à pain ; Sexuelle (le pain comme métaphore)

Bibl. : Bernard DUPAIGNE, *Le Pain*, Paris, La Courtille, 1979. – *ID.*, *Le Pain de l'homme*, Paris, La Martinière, 1999 • Henri MASSÉ, *Croyances et coutumes persanes*, Paris, Maisonneuve, 1938 • Irène MÉLIKOFF, « Notes sur les coutumes des Alévis. À propos de quelques fêtes d'Anatolie centrale », *Quand le crible était dans la paille. Hommage à P. N. Boratav*, Paris, Maisonneuve, 1978 • Monette RIBEYROL, « Une collecte de pains rituels en Bulgarie », *Objets et mondes*, X, n° 1, printemps 1970 • Paul SÉBILLOT, *Le Folklore de France*, 1904-1906 ; rééd. Paris, Omnibus, 2002 • Arnold VAN GENNEP, *Manuel de folklore français contemporain*, Paris, Picard, 1937-1958 ; rééd. sous le titre *Le Folklore français*, Paris, Robert Laffont, coll. « Bouquins », 4 vol., 1998 • Nicole VIELFAURE, Anne-Christine BEAUVIALA, *Fêtes, coutumes et gâteaux*, Le Puy, Christine Bonneton, 1978.

AMYLASE ET ACTIVITÉ AMYLASIQUE. – L'amylase, enzyme présente dans les céréales, plus ou moins active, dont l'action est l'hydrolyse des chaînes d'amidon en éléments simples ou sucres fermentescibles comme le glucose ou le maltose. On distingue plusieurs sortes d'amylases :

– les α-amylases, qui hydrolysent au hasard les chaînes d'amidon ;

– les β-amylases, qui hydrolysent les chaînes courtes ou longues à partir de leurs extrémités non réductrices, de manière systématique, et séparent ainsi des molécules de maltose (2 unités glucose) – leur activité dépend en grande partie des α-amylases, qui, par leur action, augmentent le nombre de chaînes ;

– les amylo-glucosidases, qui permettent de scinder ou séparer les molécules de glucose. Parler de l'amylase au singulier n'a donc pas de sens même si l'on peut considérer que l'α-amylase jour un rôle majeur. Son activité est très dépendante des conditions climatiques avant et pendant la récolte et de la conservation après récolte. Un blé humide passe assez rapidement à un stade de prégermination et de germination, ce qui provoque une synthèse de l'α-amylase. Les activités des autres enzymes sont plus fortes, en particulier les enzymes qui hydrolysent les substances de réserve (protéines, amidon, lipides, etc.) en éléments simples utilisables dans le développement de la nouvelle plantule. À un stade avancé dans ce processus de dégradation, le blé n'est plus panifiable ; à un stade moins avancé, certains défauts en boulangerie, comme le collant des pâtes, l'excès d'activité de fermentation ou le rougissement excessif de la croûte du pain, seront difficiles à corriger. À l'inverse, un défaut d'activité amylasique entraîne un manque d'activité fermentative, des pains moins développés et une couleur de croûte pâle. Les activités sont appréciées par deux méthodes : le temps de chute de Hagberg et l'amylographe de Brabender (voir tableau).

Activités	Temps de chute de Hagberg (secondes)	Amylographe de Brabender (unités Brabender)
faibles	> 300	> 400
normales	250 - 300	300 - 400
fortes	< 250	< 300

Philippe Roussel

• *Voir aussi :* Amidon ; Enzyme ; Fermentation panaire ; Hagberg (appareil)

Bibl. : Pierre FEILLET, *Le Grain de blé, composition et utilisation*, Paris, INRA Éditions, 2000.

AMYLASE FONGIQUE. – La vitesse de fermentation du pain nécessite une forte biodisponibilité de sucres solubles pour entretenir la fermentation alcoolique induite par la levure de boulangerie *Saccharomyces cerevisae*. Afin d'accélérer la production de maltose à partir de l'amidon, il est autorisé en boulangerie d'introduire une enzyme présentant la capacité de dégrader l'amidon. On la désigne sous le terme d'amylase fongique parce qu'elle provient du champignon *Aspergillus oryzae*. Une autre manière d'apporter du maltose et des amylases est d'utiliser du malt produit à partir d'une céréale germée.

Christian Rémésy

• *Voir aussi :* Alcool ; Amidon ; Fermentation panaire ; Levure de boulanger ; Malt et produits maltés

AMYLOLYSE. – Processus d'hydrolyse de l'amidon par les amylases.

Comme pour toute action enzymatique, celui-ci est favorisé par la teneur en eau du milieu, la température, il dépend aussi du pH (acidité) et de la force ionique (influence des sels). Le processus démarre dans la graine si les conditions sont favorables et, bien entendu, dès la formation de la pâte. Dans ce milieu, l'hydrolyse de l'amidon non endommagé est très faible, elle est plus forte sur les amidons endommagés, mais elle reste limitée au cours de la panification jusqu'au début de la cuisson. À ce stade, vers 60°, le phénomène de gélatinisation de l'amidon permet, grâce à une agitation moléculaire qui croît, une perte de cristallinité des granules d'amidon. Les chaînes dissociées deviennent alors accessibles à l'action enzymatique. L'amylolyse est donc maximale entre 60° et 85°, zone de température maximale pour l'action des amylases. Si la farine possède une forte activité amylasique, le phénomène d'amylolyse au cours de la gélatinisation contribue à une forte diminution de la viscosité du milieu et risque de provoquer une instabilité de la pâte en cours de cuisson. Lors de la fabrication de la bière, l'amylolyse de l'amidon provenant du malt et éventuellement d'autres céréales doit être complète avant de démarrer le processus de fermentation; cette opération se réalise au cours du brassage.

Philippe Roussel

• *Voir aussi :* Amidon; Amidon endommagé; Amylase et activité amylasique; Bière; Enzyme; Malt et produits maltés; PH

Bibl. : Pierre FEILLET, *Le Grain de blé, composition et utilisation*, Paris, INRA Éditions, 2000.

AMYLOPECTINE. – Voir AMIDON

AMYLOSE. – Voir AMIDON

ANAÉROBIOSE. – Voir AÉROBIOSE ET ANAÉROBIOSE

ANCHE. – Pièce métallique à la base de l'archure, qui permet l'écoulement de la farine dans la huche.

Roland Feuillas

• *Voir aussi :* Archure; Huche → Maie; Moulin

ANDES BOLIVIENNES (traditions du pain dans les). – Au XVIe siècle, les conquistadores espagnols débarquaient en terre américaine avec, dans leurs malles, l'argent monnaie et le dieu des catholiques. La cordillère et les hauts plateaux ne couvrent qu'environ un tiers du territoire bolivien, le reste étant occupé par les forêts et les savanes des basses terres. La conquête espagnole s'est principalement déployée dans les Andes en raison de leurs richesses minières. Aujourd'hui, la région andine concentre encore plus de la moitié des habitants du pays. Les Espagnols y apportèrent également le blé et le pain levé jusqu'alors inconnus des Indiens. Dans les Andes, les systèmes agricoles reposaient sur l'usage d'autres céréales (maïs, quinoa, amarante) ainsi que sur la pomme de terre. Et l'on se prend à imaginer que ce fut sous la forme d'une hostie que les Indiens découvrirent leur premier pain de blé. Cinq cents ans plus tard, le pain a totalement conquis l'Amérique du Sud, y compris les sociétés indigènes. En Bolivie, le blé est aujourd'hui l'une des principales céréales cultivées et la présence du pain lors de certains rituels métis témoigne de la recomposition des traditions locales au contact des cultures européennes. Investi de valeurs sociales particulières, le pain reflète les clivages économiques, sociaux, ethniques et géographiques qui traversent et structurent les sociétés andines. Pour les pauvres et les paysans, le pain n'est pas toujours quotidien.

En Bolivie, comme au Pérou et en Équateur, le blé occupe les mêmes zones écologiques de montagnes que les productions agricoles autochtones avec lesquelles il entre en compétition. Historiquement, il s'est surtout développé dans les fonds de vallées, mais a su s'adapter aux hauts plateaux, jusqu'à près de 3 500 m d'altitude, sans pour autant imposer la monoculture. Cultivé en rotation (après la pomme de terre et le maïs), sa culture suit la logique paysanne de la « mosaïque » ou de l'« archipel ». D'origine pré-inca, ce système se caractérise par la dispersion horizontale et verticale des champs tant pour limiter les risques que pour favoriser les échanges et permettre le contrôle du territoire et des populations. Dans les basses terres, la culture extensive de blés sélectionnés accompagne l'explosion de l'agro-industrie depuis le milieu du XXe siècle. Pourtant, dès les années 1870 et les politiques de libre-échange qui ont permis l'importation massive de blés et de farines du Chili puis, plus récemment, d'Argentine, du Canada et des États-Unis, la production locale ne cesse de perdre du terrain. La dépendance s'est fait particulièrement ressentir lors de la crise alimentaire de 2007. Dans un pays où, pour gérer la pauvreté, on achète plus volontiers un peso de petits pains blancs (*pan de batalla*) qu'une quantité au poids, la hausse des prix de la farine se traduit immédiatement par une réduction de la taille des pains... et une augmentation drastique (et peu savoureuse) de leur contenu en bromate.

La fabrication et la vente du pain sont principalement une affaire de citadins. Fabriqué dans des boulangeries semi-industrielles, le pain est présent sur les marchés, dans les petites épiceries de quartier et quelques supermarchés. Si, dans les campagnes, certaines familles possèdent leur propre four en terre, on y trouve surtout des fours communautaires activés une ou plusieurs fois par semaine. La rareté du combustible (bois de feu et excréments d'animaux) et le coût de la farine expliquent en partie que le pain levé ne soit pas devenu un élément central de l'alimentation paysanne. Son ordinaire est plutôt fait de soupes, ainsi que d'autres céréales, de fèves et de tubercules bouillis. C'est principalement sous ces formes que le blé (comme le maïs) est d'ailleurs consommé. Il est également vrai que les variétés locales et la technologie des moulins artisanaux, qui produisent une farine complète ou intégrale, compliquent la panification. La fabrication de pain blanc, préféré au pain intégral et à celui obtenu à partir d'autres céréales, implique alors l'achat préalable de farine. Ainsi, le pain reste un « mets de riche », signe d'accès à l'argent et d'ascension sociale. Le plus souvent, il est acheté lors des migrations et des séjours en ville et offert aux parents demeurant dans les campagnes. Le pain est également un mets de fête et de cérémonie. C'est sous forme de miches rondes un peu sucrées que sont savourés les gâteaux de mariage inspirés par les coutumes urbaines. Il est enfin l'élément incontournable des autels dédiés aux âmes des défunts à l'occasion de la Toussaint.

En ville, dans les bourgs et les campements miniers, en revanche, le pain est sur toutes les tables. On n'en mange pourtant pas n'importe quand, ni en n'importe quelle quantité. Seuls les restaurants internationaux, peu fréquentés par le commun des Boliviens, offrent du pain en libre service et proposent des sandwichs. Vendus dans les kiosques de rue et les quelques fast-foods, les hamburgers sont plus chers qu'un plat du jour bien garni. Dans les familles et les restaurants populaires, la consommation de pain est strictement réglementée, voire rationnée. Matin, midi et soir, le pain se doit d'accompagner le café ou la soupe servie en entrée ou en plat de résistance, selon les niveaux de vie. En milieu d'après-midi, il revient pour celle qu'on appelle « l'heure du thé », y compris lorsqu'on y prend un café. Cette coutume, étonnante pour un pays qui semble si loin de l'Europe, et partagée par les Chiliens (*el once*) et les Péruviens, remonte peut-être à l'arrivée – entre la fin du XIXe et la première moitié du XXe siècle – des ingénieurs anglais pour les mines et les travaux publics. La présence du pain y est si centrale que ceux qui n'en désirent pas (ou n'en ont pas les moyens) prendront un thé (ou un café) dit *puro*, « pur », sans pain. Sans fromage ni confiture, l'heure du thé se transforme chez les pauvres en repas du soir. Au pire, le pain sec sera remplacé par du *pito*, de la farine de blé simplement toastée à la poêle.

Ainsi, les contraintes économiques des populations les plus défavorisées de Bolivie – mais aussi d'Équateur ou du Pérou – ne permettent pas toujours au pain de jouer le rôle d'« aliment du pauvre » qu'il possède dans les pays émergents voisins, comme le Chili, l'Argentine ou le Brésil. Sa présence, ou son absence, sa qualité, et ses modes de consommation reflètent et construisent les stratifications sociales traversées par des logiques coloniales. Aujourd'hui encore, et à l'inverse des travailleurs urbains, ce n'est pas du pain, mais des terres que réclament les paysans et les indigènes de Bolivie.

T'anta wawa. Chaque année, à la Toussaint, les *t'anta wawas* (littéralement « enfants de pain » en langues quechua et aymara) accueillent les âmes des morts récents qui reviennent parmi les vivants. Le corps de ces figurines de pain sucré ressemble à celui d'un nouveau-né emmailloté. Certaines en possèdent même la taille, d'autres portent un masque anthropomorphe de plâtre. Le 1er novembre, les *t'anta wawas* sont placées sur l'autel, appelé « tombe », dressé pour les défunts dont elles incarnent les âmes. Une échelle, parfois un cheval, également en pain, facilitent l'arrivée du mort venu partager avec sa famille la coca, les cigarettes, les aliments et les boissons posés sur l'autel. Le lendemain, les *t'anta wawas* sont réparties entre les participants. Un baptême fictif transforme ceux qui la reçoivent (et la mangent) en parrain de la *t'anta wawa* et en nouveau compère ou commère de ceux qui la leur offrent. Véritables membres de la famille, les « enfants de pain » participent ainsi des logiques d'alliances et de construction de la parenté. Symboliquement, le blé dont ils sont faits célèbre l'arrivée des pluies apportées par les morts qui, de novembre à février, irrigueront les champs. Leur destin cannibale rappelle que c'est sous forme de pain que se commémore également la présence du dieu des catholiques.

Pascale Absi
et Charles-Édouard de Suremain

• *Voir aussi :* Amérique latine ; Chili ; Maïs ; Morts (pains des) ; Pérou

Bibl. : Pascale ABSI, *Les Ministres du Diable. Le travail et ses représentations dans les mines de Potosí, Bolivie*, Paris, L'Harmattan, 2003 • Jean BOURLIAUD, Pierre MORLON et Raymond RÉAU, « Quels blés pour les boulangers dans les Andes du Pérou ? L'exemple de la province de Chumbivilcas (Cuzco) », *Études et recherche sur les systèmes agraires et le développement*, n° 28, 1994, p. 137-140 • André FRANQUEVILLE, Ruth VILLEGAS, « La consommation alimentaire dans les Andes de Bolivie : pratiques et représentations », *Revue Tiers-Monde*, n° 33 (132), 1992, p. 849-859 • Olivia HARRIS, *To Make the Earth Bear Fruit. Essays on Fertility, Work and Gender in Highland Bolivia*, Londres, Institute of Latin American Studies, 2001 • Erwan LE CAPITAINE, Charlotte SERVADIO, *Du grain à moudre. Valoriser des dynamiques territoriales autour des céréales au Pérou, département de Huancavelica (Synthèse)*, Montpellier, Centre national d'études agronomiques des régions chaudes, 2006 • Pierre MORLON (éd.), *Comprendre l'agriculture paysanne dans les Andes centrales. Pérou-Bolivie*, Paris, Institut national de la recherche agronomique, 2004 • John V. MURRA, *Formaciones económicas y políticas del mundo andino*, Lima, Instituto de Estudios Peruanos, 1975 • Jacqueline PELTRE-WURTZ, *Alimentation et pauvreté en Équateur. Manger est un combat*, Paris, Éditions de l'Institut de recherche pour le développement, 2004 • Tristán PLATT, *Estado boliviano y ayllu andino : tierra y tributo en el norte de Potosí*, Lima, Instituto de Estudios Peruanos, 1982 • Charles-Édouard de SUREMAIN, « Shawarmas contre McDo. Mondialisation et standardisation alimentaire à l'épreuve des contestations identitaires (Bolivie) », *Anthropology of Food*, n° S4, 2008 [http://aof.revues.org/sommaire2763.html] • Charles-Édouard de SUREMAIN, Esther KATZ, « Introduction : modèles alimentaires et recompositions sociales en Amérique latine », *Anthropology of Food*, n° S4, 2008 [http://aof.revues.org/sommaire2763.html]

ANIA (Association nationale des industries alimentaires). – L'ANIA est le porte-parole de l'industrie alimentaire française, premier secteur industriel national avec, en 2008, un chiffre d'affaires de 162,9 milliards d'euros. Constituée de 10 568 entreprises, pour la plupart des PME, elle est, en France, le deuxième employeur industriel avec 412 500 salariés. Interlocutrice privilégiée des pouvoirs publics et des institutions françaises, mais également européennes, l'ANIA agit en cohérence et en synergie avec ses membres dans le cadre de ses champs de compétences afin de promouvoir l'industrie alimentaire française.

Julien Couaillier

• *Voir aussi :* AGPB ; Céréaliers de France ; CIC ; CRC ; FAO ; IRTAC ; Offices agricoles ; ONIGC ; ORAMA ; Passion Céréales

ANILLE. – Pièce métallique enchâssée dans la partie inférieure de la meule tournante et destinée à transmettre le mouvement de rotation à celle-ci et de la supporter. Sa forme stylisée sert très souvent dans la représentation des moulins.

Roland Feuillas

• *Voir aussi :* Meule ; Moulin

ANIS (*Pimpinella anisum*). – Voir CONDIMENTS DU PAIN

ANMF (Association nationale de la meunerie française). – L'ANMF est le principal syndicat représentatif de la meunerie française. Il assure la représentation et la défense des intérêts des entreprises meunières auprès des instances nationales publiques ou professionnelles. L'ANMF apporte une expertise à ses adhérents dans différents domaines : social, technique, économique, juridique et communication. Sa filiale CIFAP, Centre d'information des farines et du pain, soutient la filière pain par des actions de communication en boulangeries.

Michel Daube

• *Voir aussi :* AEMIC ; ENSMIC ; Filière blé-farine-pain ; Meunerie ; Meuniers et minotiers

ANNIVERSAIRE (pains d'). – En Europe centrale, les parrains et marraines offrent un pain d'épices à leur filleul, ou filleule, à l'occasion de leur anniversaire. En Yougoslavie et en Pologne, il était moulé en forme de poupon emmailloté. Au XIXe siècle, ce poupon s'est simplifié et est décoré d'une image de petite fille, collée à l'emplacement de la tête. En Tchécoslovaquie, on présentait un gâteau en forme d'enfant emmailloté. En Alsace, ces gâteaux en forme de poupon étaient servis comme gâteau de Noël ou de baptême, et représentaient l'enfant Jésus. On trouvait aussi des poupons sur des pains d'anis, avec d'autres symboles de fertilité : oiseaux, cerises, corne d'abondance. En Hollande, les amis d'un enfant lui offrent pour son anniversaire un bonhomme de pain d'épices ; ce bonhomme est dessiné en relief, et peint de couleurs. L'anniversaire de cinquante ans d'un homme ou d'une femme est particulièrement fêté : à une femme, on offre un pain d'épices représentant le patriarche centenaire Abraham, décoré de sucre blanc et de fruits confits. Et à un homme, un pain d'épices qui a la forme de Sara, femme d'Abraham, laquelle enfanta Isaac à l'âge de quatre-vingt-dix ans. En France, la tradition ancienne des pains d'anniversaire revient ; il commence à être de bon ton d'apporter une belle miche de pain au levain, décorée de figures en pâte dure, d'épis de blé ou de graines de raisins, et garnie du nom de la personne que l'on fête.

Bernard Dupaigne

• *Voir aussi :* Amoureux (pains d') ; Calendriers et mesure du temps ; Épices (pain d') ; Mariage (pains de) ; Morts (pains des) ; Nouvel An (pains du)

Bibl. : Bernard DUPAIGNE, *Le Pain*, Paris, La Courtille, 1979. – ID., *Le Pain de l'homme*, Paris, La Martinière, 1999 • Henri MASSÉ, *Croyances et coutumes persanes*, Paris, Maisonneuve, 1938 • Irène MÉLIKOFF, « Notes sur les coutumes des Alévis. À propos de quelques fêtes d'Anatolie centrale », *Quand le crible était dans la paille. Hommage à P. N. Boratav*, Paris, Maisonneuve, 1978 • Monette RIBEYROL, « Une collecte de pains rituels en Bulgarie », *Objets et mondes*, X, nº 1, printemps 1970 • Paul SÉBILLOT, *Le Folklore de France*, 1904-1906 ; rééd. Paris, Omnibus, 2002 • Arnold VAN GENNEP, *Manuel de folklore français contemporain*, Paris, Picard, 1937-1958 ; rééd. sous le titre *Le folklore français*, Paris, Robert Laffont, coll. « Bouquins », 4 vol., 1998 • Nicole VIELFAURE, Anne Christine BEAUVIALA, *Fêtes, coutumes et gâteaux*, Le Puy, Christine Bonneton, 1978.

ANTILLES. – Voir AMÉRIQUE LATINE ; CARAÏBES

ANTIOXYDANT. – Composé capable de neutraliser les radicaux libres (molécules chimiquement instables réagissant avec de nombreux composés par oxydation) qui endommagent les macromolécules constitutives de l'organisme comme les protéines, les lipides et l'ADN. Les céréales contiennent de nombreux composés antioxydants, présents principalement dans le son et le germe. La vitamine E, les acides phénoliques, certains minéraux, les lignanes, les alkyrésorcinols et l'acide phytique sont parmi les plus significatifs. Le pain bis ou complet est donc une source importante d'antioxydants (plus de 30 composés).

Anthony Fardet

• *Voir aussi :* Acide phytique ; Germe ; Lipide ; Minéraux ; Oxydation ; Protéine ; Son ; Vitamine E

ANTOINE, saint. – Le saint Antoine du 17 janvier correspond à saint Antoine Abbé. Ce saint très populaire, protecteur et guérisseur, est représenté avec un cochon à ses pieds et habillé en moine. On lui consacre de nombreux pèlerinages. En Corse, lors de la procession de *Sant' Antoni di u Monti* le 17 janvier à Ajaccio, la fête débute par une messe avec bénédiction et distribution de petits pains. Ces petits pains (*panioli*) de saint Antoine (distribués également pour la Saint-Roch et la Saint-Cyprien) constituent une protection contre le mal et les catastrophes naturelles. Confectionnés sans levain, ils ne moisissent pas, ont le pouvoir de guérir les hommes et les bêtes des maux de gorge et préservent le grain de la pourriture. Ils rappellent la charité de saint Antoine pour les pauvres. On peut en placer un dans la voiture ou dans la maison, les pains des années précédentes étant soit enterrés, soit brûlés. En Italie, les boulangers d'Anacapri confectionnent également des pains pour la treizaine de Saint-Antoine du 1er au 13 juin.

Tony Fogacci

• *Voir aussi :* Aubert, saint ; Corse ; Fête-Dieu ; *Fractio panis* ; Honoré, saint ; Isidore, saint ; Lazare, saint ; Miracles christiques ; Miracles eucharistiques ; Musées du pain ; Museum der Brotkultur ; Saint-Nicolas (pains de la)

Bibl. : Geneviève MORACCHINI MAZEL, *Corsica Sacra*, vol. 1, IVe-Xe siècle, [s.l.], A Stamparia, 2004 • Roccu MULTEDO, *Le Nouveau Folklore magique de la Corse*, Sammarcelli, 1998.

APANER. – Voir MOT « PAIN » DANS LA LANGUE FRANÇAISE

APEX. – Voir ÉPI

APPAREIL À LEVAIN. – Voir LEVAIN

APPRENTISSAGE. – Système de formation développé à la fin du Moyen Âge, étroitement lié à l'existence des corporations, qui pouvaient en exercer une sorte de contrôle, et auquel ont été progressivement associées les structures municipales et associatives. Organisation reposant sur l'existence du maître artisan, qui bénéficiait du droit d'employer des jeunes en échange de l'initiation à son métier qu'il leur apportait. Les apprentis étaient jeunes, voire très jeunes, célibataires pour la plupart, de sexe masculin, et résidaient à temps plein au domicile du maître artisan qui assurait gîte, couvert, nourriture, constituant ainsi pour eux une sorte de seconde famille et conférant au boulanger une quasi-autorité paternelle. Bien souvent, du fait de la prise en charge complète de l'apprenti, aucun salaire n'était versé et la durée des contrats était modulable, mais s'étalant généralement sur deux ans – les parents étant souvent tenus de payer pour la formation de leur enfant.

Avec la disparition des corporations en 1791 (lois Allarde et Le Chapelier), l'embauche des apprentis fut libérée de tout contrôle, ce qui entraîna un allongement de la durée de l'apprentissage. Le mode d'acquisition des compétences professionnelles lié au système reposait sur le principe du « voir et faire » directement dans le fournil. La durée de l'apprentissage était alors fonction de la taille de la boulangerie : l'apprenti se trouvait plus rapidement formé dans une boulangerie où le patron, réalisant tout lui-même, était susceptible de tout lui montrer et donc de tout lui enseigner. Puis, lorsque les tâches devenaient répétitives, l'apprenti changeait de « maître » afin d'élargir ses compétences. Méthode ancestrale de transmission qui ne consistait pas seulement à apprendre aux apprentis les gestes du métier, mais à leurs confier aussi les tâches ingrates : balayage, nettoyage du fournil, des plaques de cuisson, des sacs de farine de 100 kg en toile de jute, souvent consignés par le meunier. Plus ingrates encore étaient la préparation du bois destiné au chauffage du four (séchage, découpe) ainsi que les livraisons. De cet apprentissage souvent très long, l'enfournement et sa maîtrise, l'organisation des tâches permettant de lancer en même temps plusieurs fabrications, constituaient l'étape ultime autorisant à passer du côté des boulangers.

Le contenu des savoirs à transmettre ainsi que la durée de l'apprentissage ne se trouvaient ainsi pas codifiés, mais en réalité détachés de tout apport scolaire et théorique, et ce en vertu d'un contrat de travail non réglementé et le plus souvent oral. Plusieurs réformes tentèrent de donner un cadre législatif à la fois au statut de l'apprenti et au contenu de sa formation : à propos de la durée excessive de l'apprentissage (12 avril 1803) ; des abus soufferts par les apprentis, mais touchant assez peu le monde de l'artisanat (loi de 1851) ; du contrat écrit (1928) ; de la durée de l'apprentissage en boulangerie artisanale établi à deux ans (1937). Sur le plan du contenu, le point majeur fut la création, en octobre 1911, du certificat de capacité professionnelle réservé aux apprentis justifiant de trois années de pratique, réforme élargie au CAP de boulanger le 8 mars 1930 (loi Astier du 25 juillet 1919). Cela se traduisit par la scolarisation de l'apprentissage, autrement dit la délivrance d'un diplôme et l'organisation des examens le sanctionnant, sous l'autorité de l'État, lequel mit en place des normes nationales codifiant l'acquisition de savoirs théoriques et pratiques, considérés comme partie intégrante du métier et applicables à toutes les situations de la vie professionnelle. Cette scolarisation impliquait désormais l'existence de lieux de scolarisation : écoles techniques fondées par des entreprises, comme l'École des Grands Moulins de Paris créée en 1929 et instigatrice du CAP de boulanger, ou centres d'apprentissage devenus plus tard collèges techniques.

C'est à partir de 1971 qu'un modèle original se met en place, faisant de l'entreprise un lieu de formation, donnant un statut à l'apprenti, créant les CFA (centres de formation d'apprentis), structures d'accueil des apprentis. Le contrat d'apprentissage devient une variété du contrat de travail, assorti d'un niveau de rémunération défini en pourcentage du SMIC. Les CFA prennent en charge la formation des apprentis, financée par une fraction de la taxe d'apprentissage réservée à cette filière. Une pédagogie originale est proposée, qui permet d'alterner des périodes de formation en centre et des périodes en entreprise durant toute la durée de préparation au diplôme. Les apprentis acquièrent une réelle expérience professionnelle qui les rend opérationnels dès la fin de leur formation. Ces dispositions n'empêchent pas une baisse continue des effectifs dans les centres de formation jusqu'en 1975. Une série de mesures prises en 1985, 1986 et 1987 (loi Séguin) visent alors à dynamiser cette filière de formation en étendant l'âge maximum de l'entrée en apprentissage à vingt-cinq ans, en élargissant le nombre de diplômes accessibles et cumulables et en rattachant davantage l'apprentissage à l'enseignement supérieur.

Les effectifs passent alors de 154 000 en 1975 à 360 000 en 2005, résultats en lien direct avec la loi de décentralisation, qui confère désormais aux régions un rôle majeur dans l'apprentissage. Le niveau V (chaque diplôme est situé sur une échelle de niveau de formation, allant de VI, formation fin de scolarité obligatoire, à I, formation de niveau égal ou supérieur à celui de la licence ou des écoles d'ingénieurs), relatif à la préparation d'un diplôme de second cycle court professionnel (CAP, BEP), rassemble encore la majorité des apprentis en 2004 (61 %), mais sa position par rapport aux autres niveaux de formation s'est effritée au cours de la période puisqu'il concernait 87 % des apprentis en 1992. Le BEP (brevet d'études professionnelles) a connu cependant une progression rapide dans les années 1990. En 2004, 23 % des apprentis le préparaient. De même, la part relative au niveau IV, qui concerne la préparation d'un diplôme de type brevet professionnel ou baccalauréat professionnel, a augmenté sensiblement, passant d'environ 10 % en 1992 à plus de 20 % en 2004. Les baccalauréats professionnels attirent globalement autant de candidats apprentis que les brevets d'études professionnelles (46 %). Le BEP constitue ainsi la porte d'accès au baccalauréat professionnel.

L'apprentissage, tel qu'il est aujourd'hui conçu, constitue un bon passeport pour l'emploi des jeunes, permettant de les insérer aisément dans la vie active (tout particulièrement pour les titulaires de diplômes de niveau V).

L'image de l'apprentissage a été revalorisée, ainsi que les métiers auxquels il prépare, avec l'accès aux niveaux supérieurs de formation ou à des diplômes de même niveau venant compléter et parfaire une première expérience professionnelle (BEP boulanger + BEP pâtissier, par ex.). La réforme du baccalauréat professionnel instituée dès la rentrée 2009 (préparation en trois ans à l'issue du collège dès la fin de troisième, fin des BEP) contribuera d'ailleurs à renforcer cette revalorisation auprès des familles en mettant sur un pied d'égalité, au moins dans ses modalités d'accès, ce diplôme avec les baccalauréats de l'enseignement général.

Cette filière n'est pas spécifique à la France et se retrouve en Europe comme voie dominante (Allemagne, Danemark) ou minoritaire (Pays-Bas, Royaume-Uni) selon d'autres modalités (formation professionnelle de base en établissement scolaire, puis spécialisation ou orientation précoce conduisant à la voie professionnelle, mais avec peu d'échecs, comme en Allemagne). Mais le développement de l'apprentissage reste encore relativement récent en France et connaît son plus fort taux de progression dans les formations supérieures, qui, pour l'heure, n'ont pas de déclinaison véritable en boulangerie susceptible de drainer des jeunes d'un autre profil vers elles.

Dominique Descamps

• *Voir aussi :* BEP ; CAP de boulangerie ; CFA ; EBP ; École Carrefour ; École de boulangerie (première) ; École Grégoire-Ferrandi ; INBP ; Formations à la boulangerie et à la pâtisserie ; MOF

Bibl. : Laurianne BARBIER, « L'heureux temps du bon pain », maîtrise d'histoire, université Paris IV, 1996 • Christian ENAULT, *L'Enseignement technique d'hier à demain*, synthèse technique, IUFM de Reims, DRESTI/CNED, s. d. • Patrice PELPEL, Vincent TROGER, *Histoire de l'enseignement technique*, Paris, Hachette Éducation, 2003 • Yves DEFORGE, *De l'éducation technique à la culture technique*, Paris, ESF, 1993 • Philippe MARCHAND, « L'enseignement technique et professionnel en France 1800-1919 », *Techniques et cultures*, nº 45, 2005 • *Emploi, l'actu de l'apprentissage*, capcampus.com • « L'apprentissage en 2005 », DARES, mars 2007 • « Les effets de la formation initiale sur l'insertion », CEREQ, *Bref* nº 222, septembre 2005 • *Chiffres clés*, nº 2, Région Île-de-France, DEPP ministère de l'Éducation nationale, juillet 2007 • *Les Dossiers*, nº 191, « Points de vue sur l'apprentissage : actes du colloque du 28 novembre 2006 », DEPP ministère de l'Éducation nationale, novembre 2007.

APPRÊT. – Phase finale de la fermentation qui précède directement l'enfournement. L'apprêt consiste à disposer le pâton façonné (mis en forme) soit dans un banneton, soit sur couche, soit sur filets, afin de le laisser se développer (seconde période de « pousse », la première étant le pointage). Étape qui conditionne le volume futur du pain et dont la durée varie en fonction de la tenue du pâton.

Dominique Descamps

• *Voir aussi :* Banneton ; Couche ; Enfournement ; Fermentation panaire ; Filets ; Pâton ; Pointage

APRÈS-COUP. – « Coup » n'étant pas un terme technique de boulangerie (sauf à parler de « coup de lame »), il serait difficile de définir l'après-coup si le langage professionnel ne nous apprenait que, contrairement au dictionnaire qui lui donne un sens négatif (« quand il n'est plus temps »), ce terme désigne une opération consistant à cuire des pains « quand il est encore temps », autrement dit après défournement d'une fournée et sans avoir à chauffer le four à nouveau. Le pain en après-coup était généralement du pain de gros format, nécessitant moins de chaleur, que l'on cuisait après la dernière fournée de « fantaisie » à l'endroit (encore) le plus chaud du four et ayant pris bien soin de garder le maximum de buée.

Roland Guinet

• *Voir aussi :* Coup de lame ; Enfournement ; Four ; Fournée ; Quartier ; Sole

ARABIE SAOUDITE. – Voir PÉNINSULE ARABIQUE

ARABINOXYLANE. – Molécule glucidique formée de chaînes de xylose sur lesquelles se greffent des molécules d'arabinose, elles-mêmes associées à des molécules d'acide férulique. Ces sucres (xylose et arabinose) contiennent cinq atomes de carbone et sont appelés pentoses ; les chaînes glucidiques formées par ces sucres sont appelées pentosanes. Les pentoses peuvent être associés à des hexoses, dans ce cas on parle d'hémicelluloses. Ces fibres entre elles ne forment pas de structures cristallines : l'affinité avec l'eau est donc très bonne à chaud et à froid et elles contribuent à donner des gels assez résistants. Elles peuvent fixer en moyenne 7 à 8 fois et au maximum 10 fois leur poids en eau. Ces fractions, en faible proportion dans les farines de céréales (2 à 6 %), permettent d'expliquer un tiers à un quart de l'hydratation des pâtes de farines de blé ou de seigle. Les caractéristiques visqueuses de ces gels formés interviendront sur la tenue, l'extensibilité et l'aptitude au développement des pâtes. On distingue les arabinoxylanes solubles et celles insolubles dans l'eau ; les solubles, plus présentes dans l'albumen amylacé, sont plus viscosifiantes que les insolubles, que l'on retrouve principalement dans les téguments externes du grain.

Philippe Roussel

• *Voir aussi :* Extensibilité ; Grain ; Hydratation ; Pâte ; Pentosane

Bibl. : Pierre FEILLET, *Le Grain de blé, composition et utilisation*, Paris, INRA Éditions, 2000.

ARAIRE. – Voir TERRE-MÈRE PRIMORDIALE

ARBRE À PAIN (*Artocarpus altilis*). – L'arbre à pain a certainement été une des découvertes qui ont le plus contribué à faire croire aux Européens qu'ils avaient retrouvé le paradis terrestre dans les mers du Sud. Des îles où il suffisait de tendre la main pour cueillir son pain ne pouvaient pas avoir été soumises à la malédiction « tu gagneras ton pain à la sueur de ton front ». Bien entendu, la réalité n'est pas tout à fait aussi souriante. Le fruit de l'arbre à pain demande un minimum de préparation et, si l'*Artocarpus* lui-même n'est pas devenu une plante nourricière majeure, il y a certainement des raisons. Mais si l'arbre à pain nous intéresse ici, c'est à cause de son nom. Car ce nom atteste, mieux que de longs discours, de la facilité et de la spontanéité avec laquelle nos explorateurs identifiaient au pain ce que nous avons appelé la nourriture de chaque peuple. Attitude opposée à celle de l'Église, qui s'est toujours tenue à une définition rigoureusement technique du pain utilisable dans l'eucharistie. Pour nos explorateurs au contraire, il était tout naturel de considérer que la cassave de manioc était le pain des Caraïbes, comme les *tortillas* de maïs étaient le pain des Mexicains, comme certaine purée d'igname ou de banane était le pain des habitants de la côte africaine.

De quoi fait-on le pain ? On voit qu'il y a deux façons d'entendre la question. La façon de l'Église, et il n'y a alors qu'une seule réponse : le pain est fait de farine de froment et d'eau, exclusivement. La façon des explorateurs, et alors il faut prendre en compte toutes les plantes dont les différents peuples du monde font ou ont fait leur pain. Pour nous, la réponse de l'Église est trop étroite, puisqu'elle exclut une grande partie des pains d'usage courant en Europe même. Nous n'avons pas d'autre choix que de suivre les explorateurs, même si cela nous impose d'élargir notre propos aux dimensions d'un petit traité de botanique. On compte en effet au moins une centaine de plantes cultivées qui servent ou ont servi au pain d'au moins un peuple. Et si nous tenons compte des plantes de cueillette et des plantes de famine, il faut au moins doubler ou tripler ce chiffre. Plus personne chez nous, depuis longtemps, ne considère les rhizomes de fougère comme comestibles. Qu'on ait parfois été réduit à en incorporer au pain lors des famines du XVIIe ou du XVIIIe siècle est seulement cité comme l'indice d'une misère particulièrement épouvantable. Or les rhizomes de fougère étaient véritablement le pain des Maoris de Nouvelle-Zélande au moment où y touchèrent les premiers navigateurs européens à la fin du XVIIIe siècle. Et nous n'avons aucune raison de penser que le cas de la Nouvelle-Zélande était unique. Si on n'en connaît pas d'autre pour l'instant, c'est très probablement parce qu'on n'a pas songé à en chercher.

Les glands offrent un exemple semblable. Il y a longtemps qu'ils ne servent même plus à nourrir les cochons, sauf peut-être dans un dernier canton d'Estrémadure ou de Sardaigne. Or les glands faisaient l'ordinaire des Indiens de la Californie centrale avant que les aventuriers de la ruée vers l'or ne viennent les exterminer dans les années 1850. Et nous savons, cette fois, qu'il ne s'agit pas d'un cas unique. Depuis quelques années, les archéologues découvrent que de nombreuses populations du Néolithique méditerranéen, et même à l'âge du bronze, vivaient de glands et d'autres graines (noisettes, pignons, etc.) bien plus que de céréales. L'usage du pain de glands a d'ailleurs survécu jusqu'à une époque récente dans une petite région isolée de l'est de la Sardaigne (Ogliastra), et les glands doux (dépourvus de tanin) étaient l'objet d'un commerce actif à Murcie (Espagne) au début du XIXe siècle. Nous en savons encore bien peu sur ce sujet. Mais nous en savons assez pour pouvoir dire que l'importance des glands dans l'histoire et dans la préhistoire de notre alimentation a été très sous-estimée.

Les glands ne sont d'ailleurs que les représentants d'une catégorie qui, sous nos climats, comprend aussi les châtaignes, et sous les tropiques la banane plantain, le fruit de l'arbre à pain, etc. De nombreux arbres de la famille des légumineuses (acacia, prosopis, ceratonia, etc.) fournissent également des gousses ou des graines comestibles. La liste n'est pas close. Il y a une vingtaine d'années, les archéologues ont proposé *Brosimum alicastrum* Swartz. comme aliment de base chez les anciens Mayas d'Amérique centrale ; cet arbre porte le nom significatif de *ramon breadnut tree*. Plus étranges pour nous que les arbres à pain par leurs fruits, il y a les arbres à pain par leur moelle. Tel est le sagoutier d'Indonésie et de Mélanésie (*Metroxylon sagu* Rottb.), qui a son équivalent avec un autre palmier, *Mauritia flexuosa* L., dont une population du bas Orénoque, les Warao, fait son pain. En Éthiopie, c'est un bananier, *Ensete ventricosum* (Welw.) Chees., dont la moelle féculente est l'aliment de base des Oromo, qui habitent le sud-ouest du pays ; les Amhara, qui habitent plus au nord, préfèrent une céréale à graines minuscules, le teff (*Eragrostis tef* [Zucc.] Trott.).

Les arbres à pain ont cette particularité intéressante que l'époque des grandes découvertes européennes n'a pas changé grand-chose à leur distribution géographique. La plupart sont restés confinés à une région, à un milieu, à une population. Seul le bananier plantain a connu une assez vaste diffusion, puisque, parti d'Indonésie, il a gagné toute l'Afrique forestière. Mais cette diffusion s'est faite pour l'essentiel avant les grands voyages de découvertes. Et aucun arbre à pain n'a eu l'extraordinaire destinée de la pomme de terre, du maïs ou du manioc. Dans sa relative stabilité, autrement dit, la géographie des arbres à pain nous aide à imaginer l'état des choses avant que la mondialisation des échanges ne vienne simplifier de façon drastique la carte des pains des peuples.

François Sigaut

● *Voir aussi :* Caraïbes ; Éthiopie ; Eucharistie ; Manioc ; Nouvelle-Zélande ; Pains mondiaux ; Teff

Bibl. : Marie-Claire AMOURETTI, *Le Pain et l'huile dans la Grèce antique*, Paris, Les Belles Lettres, 1986 • Takako ANKEI, *Cookbook of the Songola : An Anthropological Study on the Technology of Food Preparation among a Bantu-Speaking People of the Zaire Forest*, Kyoto University, The Center for African Area Studies, African Study Monographs, supplément au nº 13, 1990 • Paola ATZENI, *Il corpo, i gesti, lo stile. Lavori delle donne in Sardegna*, Cagliari, CUEC, 1988 • AVITSUR, « The Way to Bread, The Exemple of the Land of Israel », *Tools and Tillage*, nº 2, 4, 1975, p. 228-241 • Fred BINDER, *Die Brotnahrung, Auswahl-Bibliographie zu ihrer Geschichte und Bedeutung*, Ulm/Donau, Deutsches Brotmuseum, 1973 • Jean-Pierre DEVROEY, Jean-Jacques VAN MOL (dir.), *L'Épeautre (*Triticum spelta*), Histoire et ethnologie*, Treignes (Belgique), Éditions Dire, 1989 • Anni GAMERITH, *Speise und Trank im südoststeirischen Bauernland*, Graz, Akademische Druck-und Verlagsanstalt, 1988 • Franco GARIBOLDI, *L'Étuvage du riz*, Rome, FAO, 1974 • Marceau GAST, *Alimentation des populations de l'Ahaggar*, Paris, Arts et métiers graphiques, 1968 • S. H. KATZ, M. L. HEDIGER, L. A. VALLEROY, « Traditions Maize Processing Techniques in the New World », *Science*, nº 184, 4138, 1974, p. 765-773 • James G. LEWTHWAITE, « Acorns for the Ancestors : the Prehistoric Exploitation of Woodland in the West Mediterranean », *in* S. Limbrey, M. Bell (dir.), *Archaeological Aspects of Woodland Ecology*, Oxford, BAR, 1982, p. 218-230 • Marie-Claude MAHIAS, *Délivrance et convivialité. Le système culinaire des Jaina*, Paris, Éditions de la Maison des sciences de l'homme, 1985 • Adam MAURIZIO, *Die Nahrungsmittel aus Getreide*, Berlin, Paul Parey, 2 vol., 1924-1926 • L. A. MORITZ, *Grain-Mills and Flour in Classical Antiquity*, Oxford, Clarendon Press, 1958 • José MUCHNIK, Dominique VINCK, *La Transformation du manioc, technologies autochtones*, Paris, Presses universitaires de France, 1984 • Sigmund REHM, Gustav ESPIG, *Die Kulturpflanzen der Tropen und Subtropen*, Stuttgart, Eugen Ulmer, 1976 • Françoise SABBAN-SERVENTI *et al.*, « Contre Marco Polo : une histoire comparée des pâtes alimentaires », *Médiévales*, nºs 16-17, 1989 • Nicolas-Charles SERINGE, *Monographie des céréales de la Suisse*, Berne, chez l'auteur, 1818 • Kathleen SHAWCROSS, « Fern Root and 18th Century Maori Food Production in Agricultural Areas », *The Journal of the Polynesian Society*, nº 76, 3, 1967, p. 330-352 • François SIGAUT, « Moulins, industrie et société », *Culture technique*, nº 16, 1986, p. 215-223 • Alain TESTART, *Les Chasseurs-cueilleurs, ou l'Origine des inégalités*, Paris, Société d'ethnographie, 1982.

ARBRE MOTEUR, GRAND ARBRE. – Pièce maîtresse du moulin à vent, principalement taillée dans du chêne dont on n'a gardé que le bois de cœur ; elle porte les ailes à sa tête et le grand rouet dans sa partie médiane. Afin d'en expurger la sève, de minéraliser les fibres du bois et leur offrir les meilleures chances de résister aux énormes efforts de torsion que les fluctuations du vent leur imposaient, les meuniers traditionnels et les compagnons charpentiers-amoulageurs maîtrisaient l'art du séchage de ces « grands arbres » en les mettant à tremper dans l'eau douce durant de nombreuses années.

Roland Feuillas

• *Voir aussi :* Ailes ; Bois ; Moulin ; Rouet

Bibl. : Auguste ARMENGAUD et Claude RIVALS, *Moulins à vent et meuniers des pays d'Oc*, Montpellier, Loubatières, 1992.

ARCHURE. – Coffre de bois enfermant les meules et permettant de contenir la mouture, qui s'échappe dans la huche par l'anche.

Roland Feuillas

• *Voir aussi :* Anche ; Huche → Maie ; Moulin ; Mouture

ARGENTINE (traditions du pain en). – En Argentine, l'histoire du pain commence véritablement avec l'époque coloniale, c'est-à-dire après 1589. Les colons qui s'installent apportent avec eux leurs traditions, y compris celles dont ils ont hérité à l'époque de la domination arabe du sud de l'Espagne. Produit devenu, au fil des siècles, la base de l'alimentation, le pain a fait l'objet d'une surveillance attentive de la part de l'État, et particulièrement pour faire face à des abus de la part de certaines boulangeries. La panification dans les boulangeries de Buenos Aires est demeurée longtemps un travail ardu et complexe dans la mesure où les boulangers assumaient mouture et sélection des farines obtenues. L'emploi du levain jusqu'en 1940, et encore aujourd'hui dans certaines communes rurales, a contribué à rendre l'activité plus contraignante encore.

L'écrivain Carlos Villafuerte, originaire de la province de Catamarca, a évoqué ces traditions d'un autre temps. Avant de commencer à pétrir, les femmes de la campagne faisaient des signes de croix sur la pâte en disant : « Jésus, Maria et José, faites qu'aucun corps étranger ne s'introduisent dans la pâte et que le diable ne nous joue pas de mauvais tour. » Le temps de pétrissage dans de grands bacs de bois et celui de la poussée en trois temps représentaient alors environ six heures. Ces techniques ancestrales abandonnées sont aujourd'hui redécouvertes par certains boulangers argentins. Les fours étaient chauffés au bois de manière que, une fois les braises obtenues, elles soient réparties sur toute la surface de la sole. Tout le savoir-faire du boulanger s'évaluait alors à son aptitude à déterminer si la température obtenue était suffisante, soit en jetant une poignée de farine dans le four, soit en y déposant une feuille de papier blanc et en calculant le temps qu'elle mettait à dorer et brûler. Une fois la température adéquate trouvée, on balayait méticuleusement le four.

La production de la boulangerie se caractérisait par une mie ferme et compacte et un arrière-goût acide assez accentué, provenant de l'emploi du levain. L'usage d'une farine blanche très tamisée ou, au contraire, bise induisait une sorte de discrimination sociale dans la population, le pain blanc étant le marqueur des classes les plus aisées. La baisse du prix des farines à taux d'extraction bas à partir des années 1850 permit de démocratiser la consommation de pain blanc. La *cemita*, le « pain du peuple », élaborée à partir d'une farine contenant un pourcentage élevé en son, continua cependant à être proposée. On donnait à ces pains, plus denses et plus lourds que les pains blancs, la forme de grosses miches d'un poids qui tournait autour de 500 g. Les boulangeries ne comportant pas de boutique, le pain était vendu sur la place publique, dans les épiceries ou directement à domicile, pratique qui s'est maintenue jusqu'au XXe siècle. Le pain se conservait dans des poches de cuir (*petacones*), à l'abri des bestioles qui cohabitaient avec les habitants de Buenos Aires. Quand le pain séchait trop, lorsqu'il devenait dur comme de la pierre, il agrémentait alors plats cuisinés, ragoûts et soupes. On l'utilisait aussi comme chapelure, pour épaissir les sauces.

Ces traditions importées par les immigrants ont évolué au fil des siècles pour produire une variété de pains originaux dont la graisse constitue désormais l'ingrédient principal. Dans cette catégorie, il convient de citer le *pan con chicharrones*, pain aplati et piqué et contenant des morceaux de rillon ; la *tortilla norteña* ou galette nordique, consommée dans le nord de l'Argentine, dans la recette de laquelle entre du saindoux ; la *galleta talonera*, qui est une galette de pâte feuilletée piquée en forme de carré ; la *cremona*, également faite à partir de pâte feuilletée à laquelle on donne la forme d'un soleil ; et deux produits qui relèvent davantage de la pâtisserie mais contribuent à brouiller des lignes de partage qui, ici ne semblent pas pertinentes, la *medialuna de manteca*, préparée à partir d'une pâte au beurre et qui a la forme d'un croissant, et la *medialuna de grasa*, où le beurre est remplacé par du saindoux, l'une et l'autre étant garnies de crème pâtissière et de coing.

Cremona. Feuilleté fait à partir d'une pâte contenant une très grande quantité de matière grasse et auquel on donne la forme d'un soleil. Consommées quotidiennement, les *cremonas* s'accompagnent le plus généralement d'une infusion et se conservent très bien.

Medialuna de grasa. Faite à partir d'une pâte feuilletée préparée avec du saindoux et de la levure, et mis en forme par roulage à la main. La dextérité nécessaire à la confection des *medialunas* (« demi-lunes ») *de grasa* explique qu'on ne les trouve pas partout en Argentine. Il est de tradition de les garnir de crème pâtissière et de coing.

Medialuna de manteca. Comme souvent, les *medialunas de manteca*, très populaires à Mar del Plata, sont nées d'une recette mal réalisée. Au lieu d'être craquants comme ils auraient dû l'être, les croissants, ou « demi-lunes », se retrouvèrent imbibés de sirop et donnèrent ainsi naissance à une nouvelle variante d'une recette existante. Comme les *medialuna de grasa*, elles sont garnies de crème pâtissière, de coing et de *dulce de leche*.

Pan con chicharrones (« pain aux rillons »). Pain parmi les plus classiques consommés en Argentine intérieure, majoritairement en zone rurale. Grâce à sa haute teneur en graisse, le *pan con chicharrones* possède une grande aptitude à la conservation. De ce fait, il est produit en grandes pièces aplaties du type *tortilla*, bien rainurées. Idéalement, il se consomme froid ou grillé.

Tortilla norteña (« galette nordique »). Consommée dans le nord de l'Argentine, composée de farine, de saindoux, d'eau et de sel. La pâte est pétrie de manière à former des boules que l'on étire et que l'on pique avant de les faire cuire dans le four. Se mange de préférence tiède.

Claudio Sebastián Olijavetzky
(trad. de l'espagnol par Alain Bodar)

• *Voir aussi :* Amérique latine ; Brésil, Chili ; Pain (définition universelle du) ; Pains mondiaux

Bibl. : León BENAROS, « Picaros panaderos en la época colonial », *Todo es historia*, 1969 • Elvira CANIL, « Folklore, algunas manifestaciones, cocina y algo mas… », Catamarca, Fundación centro integral del docente, 1990 • Jorge Alberto GARUFI, « El pan nuestro de cada día », *Todo es historia*, 1999 • Malcolm HOLLOWAY, *Cómo hacer el pan y la bollería*, Barcelone, 1981 • Voir le site de l'IAG (Instituto Argentino de Gastronomía), www.iag.com.ar

ARMÉNIE (traditions du pain en). Le *lavache*, le pain traditionnel arménien, qui se présente comme une grande galette circulaire très fine, synthétise la forme la plus incontestable de la sagesse populaire. Étymologiquement, il vient du verbe *las* (« faire ») et de *dough* (« pâte »). Les Arméniens, doués pour les contes et légendes, en ont de nombreux à propos du *lavache*. L'un d'entre eux mérite d'être conté. Aux temps jadis vivait en Arménie un roi nommé Aram. Durant une bataille, il fut fait prisonnier par le roi assyrien Nassor. Le vainqueur imposa ses conditions : « Durant dix jours tu resteras sans pain, affamé. Au 11e jour, nous nous livrerons, toi et moi, à une compétition de tir à l'arc. Si tu gagnes, je te laisserai la vie sauve et tu pourras rejoindre ton peuple avec tous les honneurs dus à un roi. » Le jour suivant, Aram exigea des Assyriens qu'ils aillent quérir dans l'armée arménienne massée à la frontière sa plus belle cuirasse et la lui rapportent. Les messagers assyriens se mirent en route aussitôt. Comprenant ce que leur roi avait en tête, les Arméniens prirent la nuit entière pour préparer la cuirasse. Au lever du jour les messagers assyriens prirent la route du retour et remirent la cuirasse au roi. Ils ne savaient pas qu'à l'intérieur de celle-ci était dissimulée une très fine, une indiscernable feuille de pain. En effet, personne à cette époque n'avait entendu parler du *lavache* et n'imaginait qu'on pouvait cacher du pain dans une armure ! Aram prit la cuirasse, mais déclara aussitôt que ce n'était pas la plus belle et supplia qu'on lui en apportât une autre. On renvoya les messagers assyriens à la recherche de sa plus belle cuirasse. Le manège se poursuivit les jours suivants et ainsi, à leur insu, les messagers assyriens transportèrent onze jours durant du pain au roi. Au onzième jour, Aram et Nassor se retrouvèrent sur le champ de tir. Nassor écarquillait les yeux car il n'en revenait pas qu'Aram, après dix jours de jeûne, n'ait perdu ni sa force ni sa présence d'esprit. Mais le miracle était bien là ! Aram sortit vainqueur de l'épreuve et put rentrer dans son royaume avec tous les honneurs. Le pain arménien l'avait sauvé. De retour, il décréta que le *lavache* serait désormais le seul pain fabriqué dans toute l'Arménie à l'exclusion de tout autre. La fine galette était facile à conserver, à emporter en voyage. On pouvait même s'en servir en guise de cuillère ou de serviette.

Il est inconcevable d'aller en Arménie sans goûter à ce pain national. Le véritable *lavache* arménien n'est pas si facile à réussir, même si, pour le fabriquer, il suffit d'un peu d'eau, de farine et de sel. Mais… pour obtenir cette finesse remarquable, il faut étirer longuement la pâte. Sa cuisson nécessite également un procédé particulier dans un four spécial muni d'un couvercle. Ce four aux parois en briques inclinées est enterré d'un demi-mètre dans le sol. On l'alimente de fine sciure ou de petit bois mort. La cuisson des *lavaches* se fait en plusieurs flambées de chacune au moins cinq minutes, alimentées par des brassées de petit bois. Cuire un kilo de *lavache* consomme un kilo de bois. Sitôt cuit, le *lavache* est apporté à la boulangerie et suspendu sur une sorte d'étendoir. À chaque vente, on plie plusieurs fois le *lavache* dans le sens de la longueur. Tout cela peut sembler d'une simplicité absolue, pourtant, pour rien au monde on ne le confectionnerait à la maison ! Toutefois, aujourd'hui, la fabrication du *lavache* en ville a quelque peu changé puisqu'on utilise des fours métalliques. On peut cuire jusqu'à trois *lavaches* en une fournée, collés sur la paroi arrière du four. Car, à la différence d'autres, le four à *lavache* arménien nécessite qu'on dispose les galettes exclusivement sur la partie supérieure de la paroi arrière. La cuisson ne dure pas plus d'une minute et demie à deux minutes. Après, on détache la partie supérieure du *lavache* avec une lame de fer pour l'extirper ensuite à la main.

Dans de nombreuses régions d'Arménie subsiste l'habitude de cuire des réserves de *lavaches* pour trois à quatre mois. On les sèche, on les empile et on les conserve ainsi. Au fur et à mesure des besoins, on réhumidifie le *lavache* en le laissant tremper une demi-heure dans un récipient fermé à l'abri de l'air afin qu'il retrouve sa souplesse initiale. Le *lavache*, pain arménien traditionnel, est apprécié dans le monde entier. La cuisine arménienne n'existerait tout simplement pas sans lui ! D'ailleurs ce n'est pas sans raison qu'une même question fuse à tous les repas, du petit déjeuner au déjeuner ou au dîner : « Il y a du pain ? » Feuille fine et élastique, le *lavache* peut être garni de viande, de légumes, de champignons ou de poisson. Parmi les pains qu'on trouve le plus généralement en Arménie, mais également en Iran, le *lavache* est le plus répandu. Parfois, avant la cuisson, on ajoute des graines de sésame ou de pavot. Si le *lavache* frais est moelleux comme une crêpe, il sèche et durcit cependant très vite et devient alors cassant. Sa forme souple est la plus prisée, tant pour sa saveur que pour sa commodité puisqu'elle permet de préparer aussi bien les sandwichs qu'à envelopper les brochettes. Enfin, dans l'Église apostolique arménienne, lors des cérémonies religieuses, on remplace le pain par un *lavache* desséché.

Lavache. La pâte non levée du *lavache* s'obtient en ajoutant un peu de l'ancienne à la nouvelle. C'est le *xach*. On utilise le même procédé en Géorgie. Mais la consistance de la pâte y est habituellement plus liquide. La recette demande : 1 kg de farine, 1 noix de ferment ou de levain (2 cuillères à café), 2 verres d'eau, 1 cuillère de sel. Il faut laisser reposer la pâte 30 à 60 min jusqu'à ce qu'elle lève, afin d'obtenir la bonne consistance, puis compter encore 2 à 3 h, après quoi la pâte est prête à être divisée en morceaux arrondis d'environ 500 g. Après encore 30 à 60 min, on les abaisse avec un pilon rond en noyer appelé *grtnack* sur des planches de noyer bien ajustées. Les morceaux de pâte sont ensuite étirés en les passant de main en main jusqu'à obtenir cette feuille caractéristique. On la dispose enfin sur une sorte de coussin à enfourner où on la déplisse avec soin et l'étire encore un peu. Ce coussin à enfourner ressemble à un bouclier en osier tressé tendu d'une peau de mouton cousue. Sa partie interne est munie d'une poche pour les mains. Le *lavache* étiré est aspergé d'eau en surface ; puis le boulanger glisse sa main droite dans la poche et, d'un mouvement tournant preste, l'applique sur la paroi du four.

Matkache. Pain domestique populaire. Il faut 500 g de farine saupoudrée de 1 cuillérée à café de levure, plus 1 de sucre, 1 de sel, 300 à 400 ml d'eau tiède et 2 à 3 cuillères d'huile végétale.

Tcheurek. Pain de fête, spécialement préparé pour les grandes occasions. On délaie de la levure et du sel dans du lait. On mélange les œufs et le sucre à blanc, on ajoute le lait avec la levure et on remue énergiquement. Sans cesser de tourner, on saupoudre de farine, on verse un peu de beurre fondu et on laisse reposer la pâte 20 à 25 min. La pâte obtenue est à nouveau pétrie et laissée à pousser durant 2 h dans un endroit tiède (en la retournant 2 fois). La pâte est divisée ensuite en 5 parts qu'on étale dans un moule épais enduit préalablement d'huile. On laisse alors lever durant 30 min. On badigeonne le dos du pain avec du jaune d'œuf et on le saupoudre d'amandes pilées. On place le tout dans le four préalablement chauffé et on laisse cuire 40 min.

Tata Ivanidze
(trad. du russe par Annie Radzynski)

• *Voir aussi :* Pain (définition universelle du) ; Pains mondiaux

Bibl. : Nathalie Maryam BARAVIAN, *La Cuisine arménienne*, Arles, Actes Sud, 2007 • Gérard MARKARIAN, *100 Recettes de cuisine traditionnelle arménienne*, Paris, Jacques Grancher, 1996 • Rosette KRIKORIAN-FABRE, *Ma cuisine arménienne*, Aix-en-Provence, Édisud, 1998.

ARMOIRE DE FERMENTATION CONTRÔLÉE. – Voir CHAMBRE DE FERMENTATION CONTRÔLÉE

ARPIN, Marcel (1862-1946). – Grand chimiste céréalier français, Marcel Arpin fut incontestablement un visionnaire lorsqu'il mit en place, dès 1892, un laboratoire d'analyses et de recherches sur les farines commerciales au Syndicat de la boulangerie de Paris. Il fut un pionnier et un partisan acharné de l'introduction des méthodes scientifiques et expérimentales en meunerie et en boulangerie. Il enchaîna de multiples travaux sur les protocoles de dosage de gluten sec ainsi que sur les méthodes d'identification des fraudes des farines. Expert reconnu de la filière céréalière française de 1892 à 1937, il se prononça contre les procédés de traitements physiques et chimiques des farines françaises. Il fut aussi un virulent adversaire des tentatives de promotion de pains dits complets et se fit l'avocat du pain blanc produit par la boulangerie parisienne. De plus, il contribua activement à la codification d'un essai de panification et à la première enquête annuelle sur la valeur boulangère de variétés de blé pures du millésime 1922. Marcel Arpin enseigna la chimie et dirigea le premier laboratoire d'analyses de l'École française de meunerie. Passionné par l'histoire de ces deux professions et bibliophile averti, il collecta durant des décennies des documents qui lui permirent de rédiger un historique de la meunerie et de la boulangerie ; cet ouvrage posthume est, aujourd'hui encore, très prisé.

Hubert Chiron

• *Voir aussi :* Cadet de Vaux ; Calvel ; Chimistes et microbiologistes du pain ; Duhamel du Monceau ; ENSMIC ; Malouin ; Parmentier ; Valeur boulangère ; Variétés de blé ; Vilmorin

Bibl. : Marcel ARPIN, *Farines, fécules amidons, pains, pâtes alimentaires, pâtisseries*, Paris, Librairie Polytechnique, 1913. – ID., *Historique de la meunerie et de la boulangerie*, t. 1, *Meunerie*, t. 2, *Boulangerie*, Paris, Le Chancelier, 1948 • Hubert CHIRON, « Merci Marcel Arpin », *Revue industries des céréales*, n° 129, 2002, p. 38-44.

ARTISAN ET ARTISANAT. – L'artisanat peut se définir comme une technique de production fondée sur une faible industrialisation des procédés et une production limitée de pièces identiques. Le sens peut être porteur d'une certaine ambiguïté, car, selon les produits, il peut exprimer des points de vue opposés (confiture artisanale/bombe artisanale). Dans l'organisation sociale, l'artisanat trouve ses sources dans les corporations qui, avant la Révolution française, structuraient les métiers. Ce n'est qu'entre les deux guerres que le statut et le rôle économique de l'artisanat furent reconnus, avec la création du Registre des métiers et un régime fiscal spécifique. Car l'artisanat c'est aussi, et surtout, une catégorie d'entreprises sous le statut de société, mais, bien souvent, dirigées par des entrepreneurs individuels, qui doivent être inscrites au registre de la Chambre de métiers. L'artisanat rassemble 3 millions d'actifs en France, pour 920 000 entreprises de 510 activités différentes. L'artisan exerce son métier seul ou avec l'aide de salariés, d'apprentis et de membres de sa famille. Il s'agit d'un secteur majeur dans l'aménagement du territoire, car il permet de créer des emplois et d'offrir des services de proximité, notamment en zone rurale. Le titre d'artisan est défini par le décret n° 98-247 du 2 avril 1998. La qualité d'artisan est reconnue aux personnes qui justifient soit d'un certificat d'aptitude professionnelle (CAP) ou d'un brevet d'études professionnelles (BEP) dans le métier ou un métier connexe, soit de six années d'immatriculation dans le métier. Le titre de maître artisan est défini par l'article 3 du décret n° 98-247 du 2 avril 1998. Il est attribué aux personnes titulaires d'un brevet de maîtrise (BM) et justifiant de deux années d'expérience au minimum. Les personnes ayant plus de dix ans d'expérience dans le métier peuvent aussi bénéficier de cette mention s'ils ont participé à diverses actions de formation. Ce sont les chambres des métiers qui apprécient la valeur de ces actions. Par ailleurs, la loi de modernisation de l'économie n° 2008-776 a créé le régime d'auto-entrepreneur applicable au 1er janvier 2009. Il permet à quiconque de se mettre à son compte et d'exercer une activité dont le chiffre d'affaires est toutefois limité. Si ce statut a permis d'encourager la création d'entreprise, il peut créer une certaine confusion avec le secteur artisanal, l'auto-entrepreneur n'étant pas soumis aux mêmes exigences que l'artisan et n'ayant pas l'obligation de s'inscrire au Répertoire des métiers.

Au sein de cet ensemble, la boulangerie représente 33 000 entreprises qui revendiquent 65 % du marché du pain et emploient plus de 160 000 actifs. Les entreprises de boulangerie sont inscrites au Répertoire des métiers, comme à celui du commerce. Il ne faut pas confondre le titre d'artisan et les appellations « boulangerie » ou « boulanger » définies par la loi n° 98-405 du 25 mai 1998. C'est ainsi qu'on peut gérer une boulangerie sans être artisan et inversement disposer de ce titre sans pouvoir faire mention de l'appellation « boulangerie ».

Sur un plan philosophique, l'artisan considère qu'il y a deux conceptions du travail manuel. La première est celle d'une activité où l'agent de production est interchangeable. Il ne maîtrise pas l'ensemble de la fabrication et ne peut mesurer la qualité du produit final. La deuxième est celle d'un individu qui suit la fabrication de son produit qui, d'une certaine façon, s'identifie à lui. Il est soucieux de la qualité, car une part de lui-même se trouve dans sa production, c'est cette conception qui est la sienne. Cette dernière façon de penser s'accompagne d'une volonté d'indépendance, et, si l'artisan ne cherche pas forcément à « monter très haut », il aime monter seul. Seul ne veut pas dire sans collaborateur, même si c'est lui qui assume complètement la responsabilité du fonctionnement de l'entreprise. L'artisan dans cette acception est en même temps un homme de relation. Si l'entreprise reste de taille modeste, ce n'est pas par incapacité à la faire grandir, c'est par choix d'en maîtriser tous les échelons, et surtout de garder une relation directe avec ses collaborateurs, comme avec ses fournisseurs. Il ne fait d'ailleurs pas de distinction très nette entre son statut et celui de ses salariés, dont l'appellation « compagnon » a perduré depuis les corporations. C'est ainsi que, chose impensable dans d'autres branches, chefs d'entreprise et salariés suivent ensemble des stages de formation. Ceci explique aussi sa répulsion naturelle pour les grands organismes ou une administration tentaculaire, qui symbolise à ses yeux une dilution des responsabilités, source d'inefficacité. Au moment d'annoncer un licenciement à un salarié, un artisan dira « je », tandis que le DRH dira « nous », faisant remonter l'origine de la décision à une supra-direction difficilement identifiable. On pourrait résumer le sentiment identitaire des artisans par cette citation de Jean Paquet, président de la Confédération de la boulangerie en 1974 : « Plus que l'attachement au passé, à l'enseignement reçu, à un certain mode de vie, l'artisanat témoigne du souci fondamental de la dignité de l'homme dans son travail. »

Gérard Brochoire

• *Voir aussi :* BEP ; Boulangerie contemporaine ; CAP de boulangerie ; CFA ; CNBPF ; FEBPF ; Formations à la boulangerie et à la pâtisserie

Bibl. : Michel AUVOLAT, Jean-Claude LAVIGNE, *L'Artisanat en France*, Paris, La Documentation française, 1985 • Luc JACOB-DUVERNET, Alain LEBAUDE, *La République des artisans – 100 artisans témoignent*, Paris, Balland, 1999 • Jean PAQUET, ancien président de la Confédération de la boulangerie, *L'Artisanat, valeur d'avenir*, Paris, Plon, 1980 • Jean-Claude RIGAULT, *Profession artisan – Mode d'emploi*, Héricy, Éditions du Puits

Fleuri, 2004 • Maurice ROBERT, *Les Artisans et les métiers*, Paris, PUF, coll. « Que sais-je ? », 1999 • UNESCO, *Raconte-moi... L'artisanat*, Paris, Nane Éditions, 2008 • Bernard ZARCA, *L'Artisanat français : du métier traditionnel au groupe social*, Paris, Economica, 1986.

ARTOFEX. – Avant l'invention des pétrins mécaniques, les boulangers ont pétri les pâtes avec les bras et parfois les pieds. Un des tout premiers pétrins a reproduit le travail du boulanger qui, avec ses deux bras, malaxait la pâte dans une cuve : c'est le pétrin Artofex. Le mouvement rotatif d'un moteur est transformé grâce à deux bielles, c'est-à-dire deux « bras », en un double mouvement horizontal et vertical qui comprime et étire la pâte verticalement et horizontalement, pendant que la cuve tourne dans le plan horizontal, ce qui permet de réaliser cette compression et cet étirement dans les trois dimensions. On obtient avec ce type de pétrin une pâte pétrie de façon très homogène.

Ludovic Salvo

• *Voir aussi :* Brie ou barre pour battre les pâtes ; Découpage et passage en tête ; Étirage et soufflage ; Maie ; Main ; Pétrin ; Pétrissage ; Pétrissage avec les pieds

ARVALIS-INSTITUT DU VÉGÉTAL. – Institut de recherche appliquée en agriculture qui met au point et diffuse des informations et des techniques permettant aux producteurs de céréales à paille, de protéagineux, de pommes de terre, de maïs et de fourrages, de s'adapter à l'évolution des marchés agroalimentaires et de rester compétitifs au plan international, tout en respectant l'environnement. Son programme d'activités est réalisé avec le soutien financier des filières (filière céréalière, protéagineux, etc.) et la participation financière du Compte d'affectation spécial pour le développement agricole et rural, géré par le ministère de l'Agriculture et de la Pêche.

Philippe Viaux

• *Voir aussi :* GEVES ; GNIS ; INRA

ASPECT DU PAIN. – Voir PAIN (aspect du)

ASSASSINAT DU BOULANGER DENIS FRANÇOIS (21 octobre 1789). – Le boulanger Denis François est pendu et décapité sur la place de Grève à Paris, le 21 octobre 1789. Installé dans la rue du Marché-Palu, proche de Notre-Dame, François avait la réputation d'un homme bon et travailleur qui faisait huit à neuf fournées par jour et qui n'hésitait pas à prêter de la farine à ses confrères. À neuf heures ce matin-là, toute la fournée de la nuit étant vendue, il a fallu attendre la suivante. Quelques personnes entrées dans la boulangerie ont trouvé deux pains que les garçons boulangers se réservaient pour leur casse-croûte. Pendant que des agitateurs accusent Denis François de laisser durcir son pain plutôt que de le distribuer aux pauvres, une femme, inconnue du quartier, fait semblant de découvrir deux morceaux de pain moisi dans la boutique. C'est l'émeute. On s'empare de François pour le pendre aussitôt ; il est sauvé par une patrouille qui décide de le conduire à l'Hôtel de Ville, mais en arrivant sur la place de Grève, la foule manifeste contre les boulangers affameurs du peuple. Face à cette masse vociférante, la garde nationale se révèle incapable de protéger Denis François. Et la foule se saisit du malheureux boulanger pour le pendre au même réverbère où Foulon et Berthier agonisèrent. Ensuite, on lui coupe la tête pour la mettre sur une pique afin de la porter chez lui, où ses bourreaux la déposent sur le comptoir devant sa jeune veuve enceinte qui s'évanouit sur-le-champ. Ce fait divers sordide a décidé la Constituante à décréter la loi martiale.

Anne Muratori-Philip

• *Voir aussi :* Boulangers et boulangeries (histoire de France des) ; *Conquête du pain* (*La*) ; Disettes, famines et révoltes pour le pain en France ; Égalité (pain) ; Farines (guerre des) ; France (pains historiques, du Moyen Âge à la Révolution française) ; Pain rationné

ASSISE PROTÉIQUE. – Voir ALEURONE

ASSOLEMENT. – Répartition des cultures dans l'espace. Les deux notions d'assolement et de rotation sont souvent confondues, bien que différentes. Elles sont néanmoins intimement liées. L'assolement est une décision annuelle pour les agriculteurs. Ces derniers ont tendance à optimiser leur assolement en fonction des marchés. Ainsi, si les marchés sont porteurs, l'augmentation de leur sole en blé se fera au détriment d'aspects agronomiques et d'un maillage du territoire par des cultures diversifiées. L'augmentation moyenne de la taille des parcelles pour améliorer l'efficacité du travail mécanique a fait perdre de vue que les très grandes parcelles sont responsables de nombreux problèmes agronomiques et environnementaux et aggravent les problèmes parasitaires.

Philippe Viaux

• *Voir aussi :* Grain et graine ; Moisson ; Production (système de) ; Rotation ; Semailles

ASTHME DU BOULANGER. – Voir ALLERGIE ; LEVURE DE BOULANGER

ATHÉNÉE DE NAUCRATIS. – Érudit d'origine grecque, Athènaios Naucratios est né vers 170 apr. J.-C. à Naucratis, cette ville-porte des Grecs en Égypte, où ils achetaient du blé, du papyrus et du lin locaux contre des céramiques, du vin et de l'huile. Il aurait fait ses études à Alexandrie, probablement à l'époque de Marc Aurèle, pour s'établir ensuite à Rome, comme tout membre de la société cosmopolite de son époque, où il a rédigé son principal ouvrage les *Deipnosophistes*, ou le « Banquet des sophistes » – dans la lignée du *Propos de table* de Plutarque, en lointain écho au *Banquet* de Platon –, avant de mourir vers 230. Il s'agit de la transcription savante d'une série de conversations fictives tenues parmi plusieurs convives raffinés et illustres, lors d'un dîner imaginaire organisé à Rome, au début du IIIe siècle. Cette collection d'anecdotes et de citations sur l'art culinaire, l'ordre des symposiums grecs, leurs coutumes et les digressions des convives, est contenue en quinze livres thématiques, sous forme de compilations diachroniques. Cette œuvre unique, où pullulent des informations provenant de 1 500 œuvres de quelque 700 auteurs, dont les ouvrages ont souvent disparu, est un vrai traité de gastronomie, avec une partie dédiée (IIIe livre, chap. XXV et suiv.) à la variété des pains fabriqués en Grèce, étonnante par l'inventivité, la richesse et le raffinement des panifications régionales rapportées.

Yvonne de Sike

• *Voir aussi :* Grèce ; Mangeurs de pain chez Homère

Bibl. : Alexandre Marie DESROUSSEAUX, introduction à *Athénée. Les Deipnosophistes*, Paris, Les Belles Lettres, 2002 [1re édition 1956] • Dominique LENFANT (éd.), *Athénée et les fragments d'historiens*, Paris, De Boccard, 2007 • Luciana ROMERI, *Philosophes entre mots et mets. Plutarque, Lucien et Athénée autour de la table de Platon*, Grenoble, Jérôme Millon, 2002 • Pour la lecture de la partie dédiée au pain, voir http://remacle.org, *Les Deipnosophistes*, livre III, ouvrage numérisée par Marc Szwajcer, chapitre XXV et suiv.

ATMOSPHÈRE CONTRÔLÉE. – Un conditionnement dit « sous atmosphère contrôlée » consiste à modifier la composition de l'atmosphère interne d'un emballage (en général de denrées alimentaires) dans le but d'améliorer sa durée de vie. Le processus tend à réduire le taux d'oxygène (O_2), entre 20 % et 0 %, afin de ralentir la croissance des formes de vie aérobie et les réactions d'oxydation. L'oxygène enlevé est remplacé par d'autres gaz, le plus souvent de l'azote ou du dioxyde de carbone. Il existe deux techniques utilisées dans l'industrie pour emballer les produits sous atmosphère modifiée : le balayage gazeux et le vide compensé. Le balayage gazeux est utilisé pour sa simplicité technique : l'emballage est rincé par le mélange de gaz désiré, lequel expulse l'air qui contient de l'oxygène. La technique de vide compensé nécessite de supprimer totalement l'air avant d'introduire le mélange de gaz désiré. La popularité croissante de ces conditionnements s'explique par le comportement du consommateur moderne qui exige des aliments avec une longue durée de vie sans ajout de conservateurs. Les pains précuits sous atmosphère contrôlée bénéficient de cette technologie, conservant ainsi leur fraîcheur pendant plusieurs semaines (jusqu'à trois mois). Une remise en œuvre est alors nécessaire pour achever la cuisson, soit au grille-pain, soit au four ménager.

Guillaume de Blignières

• *Voir aussi :* Aerobiose et anaérobiose ; Congélation ; Conservation ; DLUO ; Froid ; Lyophilisation ; Pasteurisation ; Stérilisation ; Surgélation

ÂTRE. – Désigne la partie plane d'un four ; on parle aussi de sole. Mais l'âtre désigne aussi bien le foyer de la cheminée que la cheminée elle-même ; d'une manière plus générale, il était le cœur de la vie domestique, le lieu où, dans la maison ou la ferme glacée, on trouvait un peu de chaleur et de réconfort. Le lieu où l'on cuisinait, où l'on faisait cuire, et y compris le pain. C'était aussi la pièce où les personnes affaiblies, malades, mourantes séjournaient avant de revenir parmi les vivants ou rejoindre les ancêtres.

Jean-Philippe de Tonnac

• *Voir aussi :* Enfournement ; Four ; Sexuelle (le pain comme métaphore) ; Sole

ATTISOIR. – Crochet ou, plus généralement, ustensile servant à attiser le feu.

Jean-Philippe de Tonnac

• *Voir aussi :* Allume ; Âtre ; Bois de boulange ; Bouche, gueule du four ; Four ; Fourgon

AUBERT, saint. – Aubert de Cambrai, ou Aubert d'Arras, ou Albert ou Aybert, évêque de Cambrai et d'Arras, est mort en 669 ou 670. Il est moins connu que saint Honoré comme patron des boulangers. Pourtant, saint Aubert, vivant en ermite dans les environs de Tournai, faisait cuire des petits pains que son âne allait livrer seul à la ville. Il convertissait les bénéfices réalisés en aumônes et pour sa subsistance très frugale. Il est mort en évêque. Ce sont les seuls souvenirs qu'il laisse dans l'histoire des saints patrons. Il est fêté le 13 décembre.

Olivier Pascault

• *Voir aussi :* Antoine, saint ; Fête-Dieu ; *Fractio panis* ; Honoré, saint ; Isidore, saint ; Lazare, saint ; Miracles christiques ; Miracles eucharistiques ; Musées du pain ; Museum der Brotkultur ; Saint-Nicolas

Bibl. : Régine PERNOUD, *Les Saints au Moyen Âge*, Paris, Plon, 1984.

AUGET. – Cuve en bois dans laquelle se déverse le grain descendant de la trémie. La rotation du frayon fait vibrer l'auget, qui laisse tomber le grain dans l'œil de la meule.

Roland Feuillas

• *Voir aussi :* Frayon ; Meule ; Meunerie ; Moudre ; Moulin ; Rouet ; Trémie

Bibl. : Auguste ARMENGAUD, Claude RIVALS, *Moulins à vent et meuniers des pays d'Oc*, Montpellier, Loubatières, 1992.

AUSTRALIE (traditions du pain en). – L'Australie est la terre d'accueil d'un patchwork de traditions. Les habitants originels sont les Aborigènes, qui ont vécu là pendant plusieurs milliers d'années avant l'arrivée des Européens. La colonisation européenne a débuté avec l'arrivée des Britanniques à la fin du XVIIIe siècle, et c'est de cette manière qu'ont commencé à s'établir des liens avec d'autres parties du monde, des pays méditerranéens jusqu'à l'Asie du Sud-Est. Cela se reflète dans la cuisine, qui combine des plats d'influence britannique avec d'autres de types asiatique et méditerranéen, tout en utilisant le *bush tucker*, la grande variété de légumes, d'herbes, d'épices, de fleurs, de fruits, de champignons, d'animaux, d'insectes et de reptiles indigènes. Cette profusion s'explique par la diversité climatique en Australie, où pratiquement tout peut pousser. On trouve parmi les cultures les plus répandues haricots, lentilles, pois chiches, ananas, mangues, bananes, ainsi que différentes céréales – blé, orge, et avoine, avec laquelle est confectionné le pain de campagne.

De nombreuses recettes de pain ont été apportées en Australie par des immigrants, femmes et hommes, et ont été transmises sur de nombreuses générations tout en s'adaptant à ce nouvel environnement. Le *damper* constitue un bon exemple d'un aliment qui est passé d'une tradition à une autre et qui est le point de départ de nombreuses variétés de pains australiens, comme le *jam tin damper* ou les *johnny cakes*. Durant l'époque coloniale, il s'agissait d'un aliment de base dans la région du bush, car les ingrédients secs pouvaient être transportés facilement par les gardiens de bestiaux et les bergers dans les zones reculées. Il était souvent servi avec du thé préparé dans une gamelle cylindrique, un récipient léger à suspendre, muni d'un couvercle bien ajusté. Ce pain provenait du peuple aborigène et était réalisé à partir de graines indigènes moulues pour obtenir une sorte de farine, mélangée à de l'eau, et cuit dans les braises de leurs feux de cuisine. Le *damper* devint le moyen pour les habitants de l'arrière-pays d'avoir du pain frais, en n'employant que les farines plus traditionnelles et en utilisant une marmite pour la cuisson dans les braises du feu de camp. Une variante du *damper* était le *burdekin duck*, qui, en dépit de son nom, n'a rien à voir avec le volatile éponyme.

Au fur et à mesure de la progression de la colonisation, le gouvernement se mit à distribuer des rations de nourriture aux nouveaux citoyens. La farine était un produit de base aux premiers temps de la colonie, et l'un des membres de la Première Flotte arrivée en 1788, John Palmer, mit en place le premier magasin d'État de céréales et la première boulangerie de la ville de Sydney. Elle possédait tout l'équipement nécessaire, y compris un moulin à vent. Il broyait des céréales, dont du blé, du maïs et de l'orge. La farine était employée à la fabrication du pain, qui était fourni sous forme de rations trois fois par semaine. La production de pain augmenta après la ruée vers l'or des années 1850, lorsque les poêles à bois importés des États-Unis améliorèrent la fabrication du pain maison. Au début des années 1900, la fabrication et la distribution du pain, blanc principalement, étaient effectuées par de petites boulangeries familiales indépendantes, et le pain était livré à domicile au moyen de charrettes tirées par des chevaux. Lorsque la Première Guerre mondiale commença et que des soldats partirent pour le front, les femmes étaient préoccupées par la valeur nutritionnelle de la nourriture fournie aux hommes, car la plupart des navires ne disposaient pas d'installations réfrigérées et la nourriture envoyée devait pouvoir se conserver pendant plus de deux mois. Un groupe de femmes inventa un biscuit nutritif utilisant des ingrédients qui ne s'altéraient pas facilement. Ces biscuits furent d'abord appelés « biscuits des soldats », mais furent rebaptisés « biscuits ANZAC » après le débarquement à Gallipoli. Ils ne contenaient pas d'œufs, en raison de la rareté de ceux-ci pendant la guerre, remplacés ici par de la mélasse ou du sirop de sucre roux en guise d'agent de liaison. Beaucoup d'associations de femmes passèrent du temps à les confectionner et à les emballer dans des boîtes usagées, comme les boîtes hermétiques Billy Tea, de manière que les biscuits restassent croustillants. Après la Seconde Guerre mondiale, les nouveaux immigrants, principalement de l'Europe continentale, arrivèrent avec des habitudes alimentaires variées et une préférence pour différentes sortes de pain. Ils suscitèrent une autre demande pour le pain que la gamme limitée de pain blanc que l'on produisait sur place. Les boulangers australiens n'y répondirent pas et, en conséquence, les migrants créèrent leurs propres boulangeries, produisant des pains comme le pain de seigle, le pain au grain concassé et le pain croustillant, que les gens vivant en Australie, issus de nombre de cultures différentes, désiraient à leur tour consommer.

Dans les années 1950, les boulangeries et minoteries furent regroupées, et le pain commença à être vendu en supermarchés. La mécanisation de la production conduisit à l'apparition de boulangeries largement automatisées et bénéficiant de contrôles qualité. Les petites boulangeries ne pouvaient rivaliser avec ces grosses usines et furent reprises par celles-ci. L'Institut de recherche sur le pain d'Australie réduisit le temps nécessaire à la préparation de la pâte en y ajoutant des agents oxydants. Ces nouvelles méthodes de fabrication et d'emballage permirent au pain de rester frais pendant plusieurs jours. Les mélanges de farines prêtes à l'emploi, l'équipement automatisé et la pâte congelée permirent à des propriétaires de magasins, qui n'étaient pas des boulangers au départ, de se spécialiser, de concurrencer les fabricants plus importants et d'assurer la fourniture de pain frais en continu.

Les réglementations en Australie se sont montrées particulièrement strictes en ce qui concerne le contrôle de la production, la livraison et le prix du pain, ce qui a minimisé la compétition entre boulangers avant les années 1950. Il était interdit de distribuer du pain à plus de 48 km d'une boulangerie (afin de protéger les boulangeries de campagne) jusqu'en 1991. Comme l'on consomme du pain dans la plupart des foyers, le secteur est très concurrentiel. Les gros fabricants de pain tentent de persuader les consommateurs de manger encore plus de pain en développant de nouveaux produits, pour lesquels ils disposent de moyens de recherche ; mais les boulangers artisanaux demeurent plus réactifs et se trouvent en mesure d'offrir une plus grande variété de pains. Au cours des vingt dernières années, on a pu observer davantage de diversité dans les ingrédients utilisés et l'on trouve partout différentes sortes de pain – blanc, aux céréales, de seigle, complet, continental, méditerranéen et moyen-oriental. Cette sophistication, parfois extrême, à laquelle certains procédés sont parvenus ne peut nous faire oublier la rusticité de ce que fut, en Australie, la panification, à peine un siècle plus tôt : « Une recette de Bushman : certains ne jurent que par elle, tandis que d'autres l'abominent. Faites un puits au milieu d'une certaine quantité de farine, dans un *ration bag* [havresac contenant la ration alimentaire du soldat], versez-y un pot d'un litre d'eau bouillante, mélangez avec un bâton jusqu'à l'obtention d'une boule de pâte, que vous sortez de la farine restante, aplatissez légèrement et faites cuire dans les cendres. Une façon plus raffinée de mélanger la pâte est de retirer vos cuissardes de cuir et de la pétrir là-dessus, ou sur un fragment d'écorce » (extrait de *The Kookaburra Cookery Book*, paru en 1911).

Biscuit ANZAC. Confectionnés à partir de flocons d'avoine, de noix de coco et de sirop. Selon la légende, ils ont été réalisés la première fois pour les troupes appartenant à l'ANZAC (Australian and New Zealand Army Corps), envoyées au combat durant la Première Guerre mondiale dans la campagne de Gallipoli. La recette avait été choisie dans le but de créer un biscuit qui se conserverait bien.

Burdekin duck. Ce repas typique est réputé avoir été conçu par les premiers colons qui vivaient le long de la rivière Burdekin. Les seuls ingrédients qui le constituaient étaient de la pâte de *damper*, plutôt souple, et du corned-beef, que l'on introduisait dans la pâte ; l'ensemble était frit jusqu'à devenir brun doré, dans une marmite posée sur les braises du feu de camp.

Damper. Très proche du *soda bread* (réalisé avec de la poudre levante chimique), le *damper* était préparé par les cowboys australiens au cours de leur randonnée à travers des espaces inhabités et ne disposant que de rations quotidiennes de farine, de poudre levante, de beurre, d'eau et de sel. Le *damper* originel était un pain compact, donc peu levé et cuit dans les braises. Le *damper* est resté rustique, mais désormais suffisamment civilisé pour séduire une clientèle urbaine.

Fairy bread (« pain des fées »). Ce pain est composé de pain de froment tartiné de beurre ou de margarine et saupoudré de *hundreds and thousands*, qui sont de petites billes de sucre multicolores. Les tranches de pain sont découpées en triangles et empilées sur des assiettes.

Jam tin damper. Cette recette utilise un pot de confiture, qui doit être grand, propre et débarrassé de son étiquette. Le pot est ensuite rempli avec de la farine à gâteaux (contenant de la levure) mélangée à une pincée de sel et assez d'eau pour former une pâte épaisse. On le met à cuire à four très chaud jusqu'à ce que le pain soit brun doré.

Johnny cake. Les *Johnny cakes* étaient de petits *dampers* ressemblant à des petits pains, que l'on cuisait en déposant de grosses cuillerées de pâte dans un poêlon chaud et huilé, suspendu au-dessus d'un feu – contrairement aux *dampers*, qui cuisaient dans les braises.

Melba toast, toast Melba. Créé par le chef Auguste Escoffier en 1897, pour la grande diva Nellie Melba, nom de scène de la chanteuse d'opéra australienne Helen Porter Mitchell. Le toast Melba est fait à partir de tranches de pain très fines, grillées jusqu'à obtenir un brun doré croustillant.

Diane Castiglioni
(trad. de l'américain
par Myriam Daumal)

• *Voir aussi :* Aborigènes ; Nouvelle-Zélande ; Pains mondiaux

Bibl. : Sharon ROBARDS, *Australian Flavour : Traditional Australian Cuisine*, GMM Press, 2008 • Wendy ZEFFERTT, *Cultured Foods*, Hyland House, 1999.

AUTEL. – Sur les anciens fours de brique, c'était la petite tablette horizontale, en légère avancée, au cœur de la façade et sur laquelle reposait la porte du four et la pelle à enfourner. L'enfournement se passait là. Tous les efforts de la nuit convergeaient là. Lieu du sacrement, peut-être autel des sacrifices : la symbolique du pain continue à imprégner profondément l'univers du fournil. Dans les fours modernes, l'autel est devenu une large table de travail, généralement en acier inoxydable, sur toute la longueur de la façade du four et sur laquelle reposent le tapis d'enfournement et un aménagement destiné au rangement de plaques, voir d'étuve à viennoiserie.

Guy Boulet

• *Voir aussi :* Enfournement ; Enfournement (rituel thérapeutique d') ; Four ; Pelle ; Plaque ; Sexuelle (le pain comme métaphore) ; Tapis d'enfournement

AUTOLYSE. – Lors du pétrissage de la pâte, on hydrate les différents constituants de la farine, c'est-à-dire les protéines qui formeront le réseau glutineux, les amidons et les fibres, chacun de ces composants ayant des vitesses d'hydratation différentes. Il s'ensuit que l'homogénéité de la pâte et son aptitude à la déformation (extensibilité, élasticité, fermeté) peuvent ne pas être optimisées. L'autolyse consiste à malaxer ensemble la farine et l'eau, puis laisser un temps de repos de l'ordre d'une demi-heure, afin de permettre à tous les constituants de s'hydrater avant de pétrir la pâte avec la levure et le sel. Lorsqu'on réalise une autolyse, on obtient pour une même farine une pâte plus lisse, plus extensible, plus élastique et moins collante, gage d'un pain qui aura à la fois un meilleur aspect (croûte et mie) et un volume plus élevé. L'autolyse trouve tout particulièrement son intérêt dans la fabrication des pains de tradition française réalisés avec une pâte très hydratée.

Ludovic Salvo

• *Voir aussi :* Élasticité ; Extensibilité ; Hydratation ; Pâte ; Pétrissage ; Réseau ou tissu glutineux

AUTRICHE (traditions du pain en). – Si la boulangerie autrichienne ne se réduit pas aux pains de Vienne, il est néanmoins vrai que ce sont les méthodes et les pains viennois qui ont fait la réputation de l'Autriche en Europe. Au début du XXe siècle, le boulanger autrichien Emil Braun écrit que « Vienne est vraiment La Mecque de la fraternité boulangère en Europe, aussi bien que Paris est La Mecque pour la grande cuisine » (Braun 1901). L'influence viennoise sur la panification française a été telle qu'en 1918 l'Américain Paul Richards a pu écrire que le pain français était très largement « un pain viennois, fait selon des procédés viennois ». Apollonia Poilâne, fille du célèbre boulanger parisien et aujourd'hui à la tête de l'entreprise, va dans ce sens aussi en affirmant, dans un entretien donné au *Times* (2007), que la baguette « fut importée d'Autriche à la fin du XIXe siècle ». Si ces questions méritent d'être nuancées, il n'en demeure pas moins vrai que diverses innovations viennoises ont profondément modifié le paysage de la boulangerie française au XIXe siècle. La qualité des produits viennois a été saluée par les boulangers parisiens dès l'arrivée, vers 1839, d'Auguste Zang (*La Presse*, 1839). Les imitateurs français de sa « Boulangerie viennoise » étaient déjà fort nombreux au moment où l'Exposition universelle de 1867 rappela aux Parisiens l'existence d'un modèle original dont ceux-ci s'étaient inspirés (Payen *et al.* 1842 ; Chevalier 1868).

Après l'Exposition universelle de 1873, cette fois à Vienne même, un commissaire américain était allé jusqu'à écrire tout un livre sur ce modèle viennois, fondé sur ses entretiens avec Roman Uhl, boulanger travaillant à la cour de Vienne (Horsford 1875). Il était impressionné déjà par l'uniformité de la production des boulangers viennois, lesquels déclaraient n'avoir qu'un seul « secret » : « Nous utilisons la farine hongroise et la levure comprimée, et ses constituants sont manipulés avec propreté, soin et intelligence. » S'ils utilisaient essentiellement, à cette époque, le four à vapeur – introduit en France par Zang et devenu très vite essentiel dans la panification française –, Horsford parle aussi de four traditionnel. Les boulangers viennois utilisaient d'abord une « éponge » (une « préfermentation » préparée à partir d'un simple mélange d'eau, de farine et de levure), déjà courante en Angleterre et en Amérique, mais pas en France. La levure comprimée avait été inventée en 1846 par Adolphe Mautner, gagnant d'un concours organisé par l'Association des boulangers viennois, qui cherchaient une levure plus pure que la levure de bière. En France, dit Braun, on a adopté cette levure ainsi que la farine hongroise, mais seulement au début pour les produits de luxe, le prix des transports entre Vienne et Paris étant très coûteux. Il est à noter qu'Horsford ne parle pas du tout de la poolish (variante de l'éponge), alors qu'on prétend qu'elle a été introduite par Zang en France. Cette méthode était en revanche déjà courante avant la fin du siècle ; Braun parle plusieurs fois de « pouliche ». Il est donc probable que cette méthode ait été introduite dans les dernières décennies du XIXe siècle.

La boulangerie viennoise a une longue histoire, bien documentée par la corporation des boulangers à partir de 1452. Déjà avant cette date, la chronique d'Ennenchel raconte qu'en 1227 les boulangers viennois ont apporté, en cadeau de Noël, des *Chipfen*, c'est-à-dire des *Kipfel*, au duc Léopold de Babenburg. Pourtant, un mythe tenace veut que cet ancêtre du croissant ait été inventé lors d'un siège de Vienne par les Turcs, en 1683 : travaillant la nuit, les boulangers auraient entendu avant tout le monde les sapeurs turcs approcher et auraient donné l'alarme. Ce pain en forme de croissant, fait d'une pâte riche et à l'occasion saupoudrée de sel, cumin, cannelle, etc., est souvent cité de pair avec le *Kaisersemmel*, le véritable pain viennois d'origine. On dit que ce « petit pain empereur » est apparu en 1487, sous le règne de l'empereur Frédéric III (Leber 1844). Il s'agissait d'un pain rond portant cinq grignes. Il reste aujourd'hui le pain le plus apprécié à Vienne. « Un *Kaisersemmel* parfait, délicieux, est vraiment la fierté du boulanger viennois. Le façonnage de ces petits pains exige de l'art, et sur cent boulangers vous n'en trouverez qu'un seul capable de confectionner correctement un *Kaisersemmel*… Naturellement, chaque boulanger se doit d'être un expert dans ce domaine. Tant qu'il n'a pas acquis la maîtrise, il n'est pas considéré comme un bon boulanger. » L'un ou l'autre de ces deux pains est dégusté au petit déjeuner ou dans l'après-midi. On cite aussi comme « boulangerie fine », au XIXe siècle, les bretzels et les *Wecken*. Les *Salzstängel*, pains longs saupoudrés de sel et de cumin qui ressemblent à des bretzels en forme de bâtonnet, sont aussi courants. Comme le croissant et le pain viennois en France, ces pains sont alors de luxe.

La farine utilisée pour ces produits est plus finement moulue, mais, d'une façon générale, jusqu'à la Seconde Guerre mondiale, la farine est grossière et le plus souvent de seigle. Comme le dit l'historien Roman Sandgruber, « plus pauvres sont les gens, plus noir est le pain ». Dans la campagne, chaque ferme produit son propre pain, un pain noir qui a l'avantage de se garder plus longtemps. Il n'est pas rare qu'on utilise de la farine d'avoine, d'orge et de maïs. La diversité des pains est alors fort restreinte. Braun donne ces chiffres correspondant à la consommation à Vienne au début du XXe siècle : *Laiberl* (grands pains), 17 % ; *Mohnstriezel* (bâtonnets à grains de pavot), 5 % ; *Wecken* (petits pains au beurre), 3 % ; *Kaisersemmel*, 70 % ; *muerbes Gebaeck* (petits pains au beurre, de formes diverses), 4 %. À l'époque, il y a 675 établissements, dans lesquels travaillent 6 000 employés et 500 assistants. Ayant souligné que la boulangerie est, à cette époque, dans la plupart des pays européens, une affaire de petits commerçants, Braun note déjà une évolution à Vienne vers des structures plus imposantes. Il cite alors des pains de Vienne d'origines diverses : le *Kugelhupf* (variante du *kugelhopf* d'Alsace), le *Mahustriezel* (pain tordu aux graines de pavot), le *Salzstange*, le *muerbes Striezel* (pain tordu au beurre), le *Lai-*

berl (petit pain fendu), le *heiligen Laiberl* (« tordu des saints »), le *schwarzes Hausbrot* (« pain noir ménager »), le *feines Kartoffelbrot* (« pain fin de pomme de terre »), le *Milchbrot* (« pain de lait »), le *Kaiserweckerl* (petit pain au lait « empereur »), le *Kaisersemmel*, le *gemischtes Brot* (« pain mélangé »), le *Kipfel*, le *Brotwecken* (petit pain simple), le *muerbes Weckerl* (petit pain au beurre), etc. Si on retrouve la plupart de ces pains aujourd'hui, l'influence étrangère et le goût pour les produits santé ou « bio » se manifestent aussi dans le choix proposé. Le croissant français (*Butter-Croissant*) côtoie même son aïeul, le *Kipfel*. Des spécialités des régions telle la Styrie et le sud du Tyrol font aujourd'hui partie des pains courants.

Grahamweckerl. Petit pain dur Graham d'une forme oblongue, fait de blé complet, d'un brun doré, saupoudré avec des graines de sésame. Aide la digestion.

Kärntner Brot. Pain de Carinthie, fait de blé et de seigle, qui possède beaucoup de croûte et une surface crevassée, avec des grains de cumin. Il est traditionnellement utilisé avec la charcuterie, et se garde longtemps.

Konduktsemmel. Connu comme « le pain des morts », le *Konduktsemmel* est présent surtout dans la Haute-Autriche où il est servi après un enterrement. Plus grand qu'un pain courant, il est saupoudré d'anis.

Kornspitz. Pain rustique, allongé et aminci à chaque bout, avec des grignes sur la surface, fait avec des farines de seigle et de blé, du soja et du lin, et saupoudré avec du sel ou du cumin. C'est un des pains le plus consommés en Autriche.

Kürbiskernbrot. Pain de grains de potiron. Il est préparé avec des farines de seigle et de blé auxquelles on mélange des grains de potiron, ce qui lui donne un petit goût de noisette. Il se conserve longtemps.

Langsemmel ou Baunzerl. Originaire de la Styrie, de pain a une forme ovale avec des cannelures, ce qui facilite sa division en deux morceaux. En certaines régions, il est aussi fait avec des grains de potiron.

Malzdinkerlbrot. Pain de blé moelleux à base de malt et d'épeautre.

Mischbrot. Pain traditionnel, fait de seigle et de blé, souvent appelé « pain de maison », *Hausbrot*.

Mohnflesserl. Pain en natte saupoudré avec des grains de pavot, fait entièrement à la main à partir d'une pâte simple. On ne le trouve que dans certaines régions. Les morceaux de pâte sont formés après avoir été pesés, puis allongés (70 cm). Ces morceaux de pâte sont ensuite « tressés » par trois. Avant d'être cuit, il est recouvert de grains de pavot. C'est un des pains les plus esthétiques d'Autriche.

Mohnstriezel. Pain de blé tressé et assez croustillant, fait à la main, parsemé de pavot bleu.

Roggenbrot. Pain de seigle.

Saltzstange. Pain long croquant et aromatique de blé, d'environ 35 cm, saupoudré de sel et de cumin. C'est un classique de la boulangerie autrichienne.

Schweizerbrot. Petit pain suisse, de blé et de seigle. Il a un goût plus marqué que les autres pains blancs, en raison de l'ajout de seigle.

Sennerlaib. Fait d'un mélange égal de farines de seigle et de blé. Souvent utilisé pour des sandwichs. Il a un goût doux et aromatisé très apprécié.

Sonnenblumenbrot. Pain de seigle et de blé auquel on ajoute des graines de tournesol.

Vintschgau-Laibchen ou Vintschgauer. Pain rond de seigle et de blé, de Vintschgau (Sud-Tyrol). Sa surface est rustique. L'ajout de cumin lui donne un goût caractéristique.

Vollkornbrot. Pain complet de seigle noir de forme rectangulaire, avec un goût fort et un peu aigre.

Wachauer-Laibchen. Pain de blé (avec du seigle) rustique, parfumé au cumin, souvent offert dans les *Heurige* (« bistrots à vin »).

Winzer Brot. Pain de vigneron, fait de blé et de 30 % de seigle. Une partie de l'eau est remplacée par du vin blanc.

Zwiebelbrot. Pain aux oignons frits ajoutés à la pâte de seigle et de blé. Préparé à l'occasion de certaines festivités.

Jim Chevallier

• *Voir aussi :* Baguette ; Croissant ; Éponge ; France (pains actuels, pains régionaux) ; Viennois (baguette et pain) ; Viennoiserie ; Zang

Bibl. : A. R. v. P. « Über die verschiedenen Formen des Gebäckes in Wien », *Mittheilungen der Kaiserl. Königl. Centralcommission zur Erforschung und Erhaltung der Baudenkmale*, Vienne, K.K. Hof- und Staatsdruckerei, 1869 • Emil BRAUN, *The Baker's Book : A Practical Hand Book of the Baking Industry in All Countries*, New York, Braun, 1901 • Raymond CALVEL, *Le Goût du pain*, Les Lilas, Jérôme Villette, 1990 • Michel CHEVALIER, *Rapports du Jury international*, tome 11e, Paris, Dupont, 1868 • Hans ENNENCHEL, « Aus Ennenchels Reimchronik », *in* G. Wolfgang, K. Lochner, *Zeugnisse über das deutsche Mittelalter aus den deutschen Chroniken*, Nuremberg, Bauer and Raspe, 1837 • Jacob et Wilhelm GRIMM, *Deutsches Wörterbuch von Jacob Grimm und Wilhelm Grimm*, Leipzig, S. Hirzel, 1854-1960, 16 vol. ; http://germazope.uni-trier.de/Projects/DWB_ • E. N. HORSFORD, *Report on Vienna Bread*, Washington, Government Printing Office, 1875 • Friedrich Otto von LEBER, *Rückblicke in deutsche Vorzeit : die Ritterburgen Rauheneck, Scharfeneck und Rauhenstein mit geschichtlichen Andeutungen über die Vemgerichte und Turniere*, Vienne, Braumüller & Seidel, 1844 • Anselme PAYEN, Jules ROSSIGNON, J.-Jules GARNIE, *Manuel du cours de chimie organique : appliquée aux arts industriels et agricoles*, Paris, N. Béchet Fils, 1842 • Paul RICHARDS, *Baker's Bread*, 4e éd., Chicago, The Bakers' Helper Company, 1918 • STRÖCK, *Ströck Brot*, Vienne, 2004 • www.wissensforum-backwaren.de/index.php?article_id=33, 2009

AUXILIAIRE TECHNOLOGIQUE. – Substance non consommée comme ingrédient alimentaire en soi, mais volontairement utilisée dans la transformation des matières premières, des denrées alimentaires ou de leurs ingrédients. L'emploi d'un auxiliaire alimentaire répond à certains objectifs technologiques particuliers pendant le traitement ou la transformation ; il peut avoir cependant pour inconvénient de faire apparaître des résidus de cette substance ou de ses dérivés dans le produit fini, lesquels seront tolérés à la seule condition qu'ils ne présentent pas de risque sanitaire et n'aient pas d'effets technologiques sur le produit fini (89/107/CEE). Sont considérées comme auxiliaires technologiques dans les produits de panification les enzymes et préparations enzymatiques.

Philippe Roussel

• *Voir aussi :* Acide ascorbique ; Acidifiant ; Additif ; Adjuvant ; Améliorant ; Conservateur ; Emulsifiant ; Enzyme ; Épaississant ; Fève

AVOINE (*Avena sativa*). – L'avoine appartient au genre *Avena* L. (du latin *avena* ; *oat* en anglais) et à la famille des poacées (syn. graminées). L'espèce de loin la plus cultivée est l'avoine commune *Avena sativa* L., espèce hexaploïde possédant 2n = 42 chromosomes. Les autres espèces cultivées de façon marginale sont une espèce diploïde, *Avena strigosa* L., et une espèce tétraploïde, *Avena abyssinica* Hochst. Il existe des espèces sauvages, diploïdes, tétraploïdes et hexaploïdes, et toutes originaires du Moyen-Orient. Deux espèces sauvages sont adventices des céréales : *Avena sterilis* L. et *Avena fatua* L. Ces espèces sont hexaploïdes et s'hybrident parfaitement avec *Avena sativa*. Elles sont largement répandues tout autour du bassin méditerranéen. Du fait de leur relation étroite avec l'avoine commune, ces espèces sont maintenant reconnues comme les formes sauvages de l'espèce cultivée et donc associées au complexe *A. sativa*. Toutes les variétés d'avoine commune sont interfertiles, c'est-à-dire qu'elles peuvent s'hybrider entre elles et leurs panicules sont résistantes à l'égrainage. La plupart possèdent un grain vêtu (c'est-à-dire que la glume reste attachée au grain après battage), mais quelques variétés, souvent appelées *nuda* L., c'est-à-dire « nues », présentent un grain nu après battage. La nudité est un caractère dérivé, n'étant apparu qu'après la domestication.

Au niveau archéologique, on ne trouve pas de traces d'avoines cultivées avant le IIe millénaire av. J.-C. La domestication ne se serait produite qu'à cette époque, ce qui pourrait signifier que l'avoine serait d'abord apparue comme adventice d'autres céréales (blé, orge) ; puis des agriculteurs auraient sélectionné des formes insensibles à l'égrainage pour les cultiver en monoculture. L'avoine commune est cultivée avec succès dans les zones humides des latitudes tempérées : principalement Europe du Nord-Ouest (Royaume-Uni, Scandinavie, Pologne, Russie…), Amérique du Nord (nord des États-Unis, Canada). La valeur nutritionnelle de l'avoine est élevée. Les grains contiennent de 15 à 16 % de protéines, et 8 % d'huile : ils font partie des produits de base en nutrition humaine et sont un supplément à haute valeur énergétique en alimentation animale.

Jean Koenig

• *Voir aussi :* Battage des céréales et aire de battage ; Céréales ; Céréales sauvages aux premières formes domestiques (des) ; Glume et glumelle

Bibl. : Daniel ZOHARY et Maria HOPF, « Common oat », in *Domestication of Plants in the Old World*, 3e édition, Oxford, Oxford University Press, 2000.

AZERBAÏDJAN (traditions du pain en). – Le pain azerbaïdjanais représente la prospérité, l'abondance et la satiété, mais aussi symbolise la pureté et la vérité. Le pain est l'un des principaux mets dans l'alimentation quotidienne. Il est fait à partir de farine de blé dans un four traditionnel, mais dans le passé furent également employés la farine d'orge ou un mélange de farine de blé et d'orge. Le pain a une place toute particulière dans la société azerbaïdjanaise, car il porte une symbolique très forte en tant qu'aliment de première nécessité. Il ne se jette jamais, même rance. On préfère dans ce cas le déposer proprement dans un sachet à part dans la rue pour qu'il puisse rassasier un inconnu affamé. Les Azerbaïdjanais ont une préférence certaine pour leurs pains nationaux. Le pain le plus commun est le *Chiorek* (grand pain rond), qui symbolise richesse et prospérité. Le four, dans le paysage azerbaïdjanais, constitue un élément qui réchauffe les cœurs, rien qu'à la vue. Ce n'est pas pour rien que le *Chiorek* ressemble à un soleil.

Il existe une multitude de manières de fabriquer le pain en Azerbaïdjan, mais ce n'est pas tant l'art qui importe que la manière. En effet, le pain se doit d'être préparé avec amour et dans la prière, pour obtenir un goût véritablement savoureux. Pour respecter la tradition religieuse, le morceau de pâte (*halo*) levée au levain est roulé en quatre « cordes » tressées ensemble avant la cuisson. Cette tradition existe également en Israël et est partagée encore de nos jours par les peuples montagnards du Caucase de Krasnaya Sloboda et Gouba, par exemple, vieilles communautés juives de montagne. Durant la levée du levain (*moïé*) destinée au pain du samedi (*noun shoboti*), il est de tradition de placer un morceau de pâte dans un pot d'argile saupoudré de sel afin de préparer le pain suivant. La cuisson du pain rond ou ovale nécessite un feu intense dans le *tènou* (four rond en argile). On prépare aussi des sortes de friands, humectés d'un mélange d'eau et de jaune d'œuf, puis parsemés de graines de pavot, de cumin mais aussi parfois d'épices piquantes, et des pains sucrés (*noun tainoui*). Lorsque le pain est prêt, il est extrait à l'aide d'un racloir en bois appelé *soudoum*. Rien de meilleur qu'un pain « maison » et que des torsades de pain croustillantes (*noun hareki*), cuites au feu de bois, sortant d'un four à deux niveaux (*harek*).

Selon une coutume partagée par bien des peuples du Caucase, et en particulier les juifs des montagnes, un des plus forts serments que l'on puisse prononcer est celui que l'on fait sur le pain : « Je jure sur le pain ! » (« *Eh Cherek Akke !* »). Le pain est sacré dans l'esprit populaire et mis sur le même pied d'égalité que le Livre saint. Je me rappelle avoir vu sur un trottoir de Bakou du pain rance et entamé. L'endroit où il reposait avait été nettoyé au point de pouvoir l'embrasser. Les pains rances et secs accumulés sont donc conservés dans l'idée qu'ils peuvent toujours nourrir quelqu'un ou au moins les bêtes. Dans les rues, on entend souvent les gens crier avec leur accent bakinois « *Guru Chiorek Olin ! Guru Chure Olin !* » (« Qui a conservé du pain sec ? Je cherche du pain sec ! »). Les gens conservent de nombreuses superstitions autour du pain. Les miettes de pain sur la table, par exemple, ne peuvent être ramassées à la main mais avec une brosse ou un tissu spécialement dédiés à cet effet. Les miettes sur le plancher ne sont pas ramassées et l'on ne jette pas le pain rance à la poubelle. Il serait de trop mauvais augure que la maison ne comporte pas trace de pain ! Lors des mariages, le pain est cuit à l'avance durant près de trois jours. Les familles préparent du pain dans la maison de la mariée et dans celle du marié. Une fois la pâte préparée, coupée, roulée et enfournée, on offre le premier pain aux mariés en leur disant : « Que votre maison respire la prospérité, que votre pain soit frais. »

Depuis les temps les plus anciens, l'Azerbaïdjan connaît une grande variété de pains. On en dénombre aujourd'hui près de trente différents. Le fond du four d'argile cylindrique (*tendir*) contient une plaque de fonte circulaire (*sadj*) sur laquelle repose une sole d'argile ovale (*kil sadj*) où l'on place bûches et petit bois. La forme des fours varie selon le pain que l'on souhaite cuire. On explique la spécificité des *tendirs* azerbaïdjanais par la complexité technique de la cuisson, où la chaleur doit être maintenue élevée. Certains sont destinés à la cuisson des pains, tandis que d'autres cuiront uniquement les *samsi* (sorte de *samossa* : pain sans levain comportant de la graisse de mouton). L'orifice du foyer sert aussi bien à enfourner les pains qu'à les sortir, et ainsi ils sont cendrés, les flammes qui noircissent les parois donnant aux pains un dos zébré de noir. L'enfournement est rapide. On procède généralement à un jeté à la main sur les parois brûlantes. Les pains y cuisent vite et leur sortie nécessite l'emploi d'instruments particuliers : pelle ou perche à four. Sur les parois du four, qui servent également de sole, sont habituellement cuits les pains de taille moyenne ; sur la sole sablée centrale, les *gogali* (petits gâteaux ronds et épais), les *choras* (sablés) ; sur le *sadj* de fonte sont cuits les *lavaches* (sorte de *pita* très fine découpée en rectangle), les *feselis* (gâteaux de pâte feuilletée), les *kyata* (biscuit feuilletés), les *khamraliyev* (pain rond dense et aéré à l'huile). Chacun a une forme, une épaisseur et une méthode de cuisson propre. Ils constituent la principale richesse de la table. La tradition veut que l'on commence par manger le pain au début du repas par respect pour ce qu'il représente. Le pain est bénit et l'on prie avant de le consommer, selon le Coran.

Chiorek. Grand pain rond traditionnel qui est consommé quotidiennement par les Azerbaïdjanais. Sa pâte, faite de farine, d'eau et de sel, est laissée à fermenter (*hemir kelir*) avant emploi. Au façonnage, on forme des abaisses de 1 mm d'épaisseur et de 30 cm de diamètre, cuites au four sans y ajouter de matière grasse.

Khamraliyev. Pain rond dense et aéré, à l'huile.

Lavache. Le *lavache* azerbaïdjanais prend la forme d'une mince feuille de papier journal découpée en rectangle ; il se différencie ainsi nettement du *lavache* arménien par sa taille et sa forme. L'origine du mot *lavache* est expliquée de diverses façons. La plus courante élabore une corrélation entre le mot azéri *Yavas*, qui signifie « lent », et le temps de fabrication de ce pain. Une autre version renvoie au terme *Lay*, qui peut se traduire par le mot « couche » (*Aç*), dont le sens rejoint celui du mot « ouvert » (la feuille de *lavache* est ouverte à toutes sortes de garnitures pour être ensuite repliée). Le *lavache* azerbaïdjanais traditionnel fait encore aujourd'hui partie de tout repas familial chaque jour de la semaine, mais aussi durant les jours fériés. Rien ne peut remplacer le pain. Dans certaines régions, il est cuit et stocké sec pour être conservé durant une longue période. Au quotidien, on l'humecte d'eau ou on le trempe dans des plats en sauce. Le *lavache* est également utilisé à l'apéritif en amuse-gueule, sous une forme plus fine (*dülmək*), qui enveloppe du fromage et de l'aneth.

Tata Ivanidzé

(trad. du russe par Tiphaine Ricordel)

• *Voir aussi :* Arménie ; Géorgie ; Iran ; Pains mondiaux (essai de classification des) ; Russie ; Tendir → Tannur

Bibl. : *La Cuisine azerbaïdjanaise*, Bakou, Ishyg Publ. House, 2006 (en russe) ; http://en.wikipedia.org/wiki/Azerbaijani_cuisine ; Marion TRUTTER, *Culinaria Russia : Ukraine, Georgia, Armenia, Azerbaijan*, Königswinter, Tandem Verlag, 2006.

AZYME. – Voir HOSTIE ; MATSAH ET HAMETS

AZYMITE ET PROZYMITE. – Voir THÉOLOGIE DU PAIN

B

BABILLARD. – Ensemble formé par l'auget et le fuseau qui se choquent au passage des arêtes de ce dernier en donnant le son « ba-ba-ba, ba-ba-ba… ». Dans le sud-ouest de la France, on y perçoit le trot du cheval.

Jean-Pierre Henri Azéma
et Roland Feuillas

• *Voir aussi :* Auget ; Chavalon ; Fuseau ; Moulin ; Rouet

BACTÉRIE. – Micro-organismes unicellulaires appartenant au règne des procaryotes. Elles sont de petite taille, de l'ordre du micron (1 μm = 0,001 mm) à quelques microns, et de formes diverses (rondes ou coques, allongées ou bacilles, spiralées, etc.). Elles se reproduisent par scissiparité (multiplication par simple division binaire) et tirent leur énergie de différents substrats du milieu qu'elles dégradent (composés organiques ou minéraux selon les cas). Elles présentent des comportements vis-à-vis des facteurs environnementaux différents d'une espèce à l'autre (caractéristiques propres à l'espèce vis-à-vis de la température, de l'activité de l'eau, du pH…). Les bactéries sont présentes un peu partout : l'air, les sols, l'eau, la peau, les aliments, le matériel, etc. Certaines bactéries sont pathogènes, provoquant des maladies (infections cutanées, toxi-infections alimentaires, telle la listériose), lorsque d'autres sont responsables d'altération des produits alimentaires (*Bacillus subtilis* : pain filant). Il existe aussi des bactéries « positives », qui jouent un rôle de flore technologique ou fermentaire pour la fabrication d'aliments ou de boissons (bactéries lactiques du yaourt, bactéries acétiques du vinaigre, etc.).

Les bactéries sont indispensables à la vie terrestre (cycles du carbone, de l'azote, fermentations, flore digestive, etc.). Un tube digestif humain sain peut contenir jusqu'à 100 000 milliards de bactéries. Les bactéries sont sensibles à différents agents chimiques, aux traitements thermiques. Elles résistent de façon variable à la congélation. Les cellules bactériennes ont des sensibilités diverses aux traitements thermiques et sont tuées, pour certaines, à partir de quelques minutes à 60° – la durée d'application du traitement thermique étant déterminante pour la survie ou non d'une population microbienne. Certaines bactéries sont capables de sporulation et forment des endospores thermorésistantes. Si la cuisson du pain détruit les cellules bactériennes, les spores bactériennes peuvent en revanche y résister.

Bernard Onno

• *Voir aussi :* Bactérie lactique ; Micro-organisme ; Pain filant ; Sporulation

Bibl. : Claude Marcel BOURGEOIS, Jean-François MESCLE, Joseph ZUCCA, *Microbiologie alimentaire*, t. 1, *Aspect microbiologique de la sécurité et de la qualité des aliments*, Paris, Tec et Doc-Lavoisier, coll. « Sciences et techniques agroalimentaires », 1996.

BACTÉRIE LACTIQUE. – Bactéries dont le développement s'accompagne d'une production d'acide lactique, d'où leur nom. Selon les espèces, leur croissance et leur activité (métabolisme) donne soit de l'acide lactique presque exclusivement (métabolisme homofermentaire), soit de l'acide lactique, de l'acide acétique et du gaz carbonique (métabolisme hétérofermentaire). Ces bactéries sont anaérobies (croissance en absence d'oxygène) ou microaérophiles (croissance en présence de faible concentration en oxygène). Ce groupe microbien est composé de différents genres : lactobacilles, streptocoques, lactocoques, leuconostoc, pédiocoques, etc. D'autres genres, telles les bifidobactéries, sont dits apparentés au groupe des bactéries lactiques. Chacun de ces genres comporte différentes espèces (ex : *Streptococcus thermophilus* et *Lactobacillus bulgaricus* composant les ferments du yaourt). *Lactobacillus sanfranciscensis* (isolé du levain dit « de San Francisco ») est une bactérie lactique hétérofermentaire caractéristique des levains de panification et n'a été isolée que dans ce type d'écosystème. Selon les espèces, différents substrats sont utilisés et les températures de croissance sont également variables (thermophiles pour les bactéries du yaourt, mésophiles pour celles du levain).

Les bactéries lactiques, assez exigeantes nutritionnellement, peuvent se développer sur différents milieux et substrats. On retrouve ces bactéries seules ou en associations avec d'autres micro-organismes (bactéries, levures), dans de nombreux produits fermentés à base de lait (yaourt, kéfir, fromages, crème, beurre, etc.), de produits carnés (saucissons, salamis, jambons, etc.), de légumes (choucroute, olives, etc.), de légumineuses (soja fermenté tamari, miso, etc.), de céréales (pain au levain, brioche, panettone, bières, etc.). Par leur métabolisme, les bactéries lactiques transforment les produits alimentaires : acidification, production de composés aromatiques ou de précurseurs d'arômes, transformation des constituants (protéines, amidon, etc.) *via* leurs activités enzymatiques. Les bactéries lactiques ne sont pas pathogènes.

Bernard Onno

• *Voir aussi :* Acide acétique ; Acide lactique ; Acidité ; Aérobie ; Aérobiose et anaérobiose ; Bactérie ; Enzyme ; Gaz carbonique ; Levain de panification ; Micro-organisme

Bibl. : Claude Marcel BOURGEOIS, Jean-François MESCLE, Joseph ZUCCA, *Microbiologie alimentaire*, t. 2, *Aliments fermentés et fermentations alimentaires*, Paris, Tec et Doc-Lavoisier, coll. « Sciences et techniques agroalimentaires », 1996 • Bernard ONNO, Philippe ROUSSEL, « Technologie et microbiologie de la panification au levain », in *Bactéries lactiques*, t. 2, *Acidification*, Uriage, Lorica, 1994 • Bernard ONNO, Rossi VALCHEVA,

Xavier DOUSSET, « Les levains de panification : un écosystème microbien céréalier complexe et des fonctionnalités spécifiques », *in* Djamel Drider, Hervé Prévost (éd.), *Bactéries lactiques : physiologie, métabolisme, génomique et applications industrielles*, Paris, Economica, 2009.

BAGATELLE (Générale des farines de France). – GFF est un regroupement créé en 1982 de douze moulins et minoteries (minoterie Giraud, minoterie Laurin, moulin de Verdonnet, minoterie Hinault, moulin du Feuillou, etc.) et qui assure la promotion des farines et pains Bagatelle, lesquels ont obtenu le Label Rouge en 2002.

Catherine Peigney

• *Voir aussi :* Baguépi ; Banette ; Bleuette ; Copaline ; Festival des Pains ; Meunerie ; Meuniers et minotiers ; Reine des Blés ; Rétrodor ; Ronde des Pains

BAGUÉPI (Moulins Soufflet). – La marque créée par les Moulins Soufflet est commercialisée par plus de 1 500 artisans boulangers. Elle propose des farines haut de gamme, des outils de communication pour valoriser la qualité artisanale des produits (étuis à baguettes, affiches, catalogue d'articles, opérations promotionnelles, aides à la vente), des conseils pour l'acquisition d'une boulangerie-pâtisserie et des formations professionnelles aux techniques de fabrication ou de vente.

Jean-Pierre Deloron

• *Voir aussi :* Bagatelle ; Banette ; Bleuette ; Boulangerie (Coupe du monde de la) ; Boulangerie (salons internationaux de la) ; Boulangerie contemporaine ; Boulangers de France ; Copaline ; Consommation du pain ; File d'attente ; Festival des Pains ; Fête du pain ; Marketing du pain ; Reine des Blés ; Rétrodor ; Ronde des Pains

BAGUETTE. – La baguette est à la fois pain et symbole. En anglais, la baguette a souvent été appelée *French stick* (« bâton français ») et jusqu'à récemment l'idée de manger de tels « bâtons » semblait caractériser les Français. Dans les pays anglophones, pour stigmatiser un personnage comme français, il suffit toujours de le montrer avec un béret basque sur la tête et une baguette à la main. En France, la baguette, bien qu'objet de consommation courante, n'est pas définie d'une façon précise. Ni la forme ni le poids de la baguette ordinaire ne sont réglementés, comme l'explique le site de la Confédération nationale de la boulangerie-pâtisserie française : « Ainsi, dans la région parisienne, l'appellation baguette est attachée à un pain de 250 g et l'appellation flûte à un pain de 200 g. Par contre, en Seine-Maritime par exemple, l'usage commercial est inverse, c'est-à-dire que l'appellation baguette correspond à un pain de 200 g et la flûte à un pain de 250 g. » La neuvième édition du Dictionnaire de l'Académie française (1992) la définit comme « pain long et mince pesant deux cent cinquante grammes ». Au Québec, l'Office québécois de la langue française la définit plus précisément comme « un pain doré, long de 60 cm et de 5 à 6 cm d'épaisseur ». Ces définitions restent muettes sur les grignes, traditionnellement au nombre de cinq, qui marquent la surface des baguettes, mais dans la pratique on conçoit difficilement une baguette sans grignes. Les grignes ne sont pas purement décoratives ; elles laissent échapper le gaz carbonique pendant la cuisson. Elles sont d'une invention assez récente, étant apparues vers la fin du XVIIIe siècle ; Vaury est peut-être le premier, en 1834, à décrire la manière de les réaliser : « On les coupe au-dessus avec un canif, très légèrement, en inclinant la main. » La baguette ordinaire est faite, en principe, avec une pâte composée de farine, de sel, d'eau et de levure. Cependant, dit la Fédération professionnelle de la boulangerie du Maine-et-Loire, « l'appellation pain permet [...] de vendre [...] un produit ne contenant pas d'additif ou en contenant 14 ou 18 ou 106 et plus dans les produits pré-emballés ». La composition de ces derniers suffit parfois à les écarter lorsqu'il s'agit de suivre les lois de la kashrout (code alimentaire du judaïsme) ou un régime végétaliste.

Diverses versions de l'origine de la baguette ont été proposées, mais toutes sont discutables et la plupart invraisemblables. La plus pittoresque raconte que cette forme de pain aurait été inventée pour permettre aux soldats de Napoléon de transporter le pain dans leurs pantalons. Même si la baguette avait existé avant le XXe siècle – ce qui paraît ne pas être le cas –, on imagine difficilement des soldats encombrés d'une telle façon. D'autres versions lui donnent une origine viennoise. La baguette aurait été inventée à Vienne même, ou bien elle serait le descendant du pain viennois qu'Auguste Zang a introduit en France dans la première moitié du XIXe siècle. Pourtant, aucun des pains typiques de Vienne avant l'invention de la baguette ne lui ressemblait. Le pain viennois, s'il est fait aujourd'hui en forme de baguette, était à l'origine un petit pain rond qui comportait toujours du lait dans sa composition. En revanche, certaines méthodes utilisées pour confectionner les baguettes, notamment le four à vapeur, sont bien d'origine viennoise. La thèse d'une origine viennoise est d'autant moins probable que la France a connu, depuis fort longtemps, des pains de forme longue. À l'origine (XVIIe siècle), les pains longs n'étaient pas forcément étroits ; il faut attendre le XVIIIe et surtout le XIXe siècle pour voir les boulangers parisiens produire ce genre de pains. C'est à cette époque que de tels pains commencèrent à remplacer la boule qui a donné son nom au *boul*anger.

En 1871, Fontenelle expliquait les avantages de cette forme allongée : « Il est incontestable que le pain de forme longue est plus commode que celui de forme ronde à mettre au four, qu'il cuit mieux et qu'il prend plus de croûte : il est également vrai que la pâte douce réussit mieux sous cette forme que sous une autre, et sous un petit volume que sous un gros. » Ces pains atteignaient à l'époque jusqu'à 2 m de longueur, notamment, le jocko, fait avec des grignes transversales, qui ressemblait à une baguette géante et comportait, comme la baguette, une forte proportion de croûte. Il existait aussi un autre pain très long, le grignon, marqué d'une seule longue grigne, et le pain « marchand de vin », aplati vers le milieu. Rien ne permet de démontrer que la baguette dérive du jocko ; cependant, la ressemblance entre ces deux pains est nettement plus évidente qu'entre, par exemple, la baguette et le pain viennois du XIXe siècle. Déjà, à cette époque, les visiteurs anglophones utilisaient le mot *stick* pour désigner les jockos et autres pains longs, et il est fort possible que l'association faite entre les Français et le « bâton » de pain soit née bien avant la baguette. À l'autre bout de l'échelle, on trouve comme pain « bâton » la flûte, dont le nom évoque bien la forme fluette qu'avait ce pain avant le XXe siècle. La flûte aurait pu aussi très bien inspirer la baguette (certains textes, comme une loi de 1947, semblent même les considérer comme synonymes).

Ce qui paraît certain, c'est que le mot « baguette » n'a pas été utilisé pour un pain avant 1920, même si le mot existait déjà dans les boulangeries pour désigner un bâton coché dont on se servait pour la vente. C'est aussi à cette même époque qu'une loi (mars 1919) décréta qu'il était « interdit d'employer des ouvriers à la fabrication du pain et à la pâtisserie entre dix heures du soir et quatre heures du matin ». On explique ainsi que les boulangers se trouvèrent obligés d'inventer un pain qui pouvait être préparé en suffisamment peu de temps pour pouvoir être livré aux clients le matin.

Une des premières mentions de la baguette (*Le Figaro* du 4 août 1920) précède justement la mise en application, en octobre 1920, de la loi de mars 1919 : « Nous ne pourrons plus envier le sort des ouvriers, qui, se rendant au travail, à six heures, pouvaient se régaler en sortant de chez eux, de ces exquises "baguettes" » (à noter que le mot est encore entre guillemets). Cette même année, le *Journal des débats politiques et littéraires* parle de la baguette – une baguette plutôt petite : « La baguette ayant un poids minimum de 80 grammes et une longueur maximum de 40 centimètres ne pourra être vendue à un prix supérieur à 0 fr. 35 pièce. » L'année suivante, il donne le prix d'une « baguette de 100 grammes : 0 fr. 39 ». L'année d'après apparaît une baguette de 300 g. La baguette, semble-t-il, a mis du temps avant de trouver le poids que nous lui connaissons. En 1922, un journal américain (*New Outlook*) parle de la baguette comme d'un objet de consommation courante ; le pain est donc déjà devenu une référence outre-Atlantique. Les dictionnaires, en revanche, sont plus lents à réagir et à donner ce sens au mot, qu'on ne trouve toujours pas dans la huitième édition du *Dictionnaire de l'Académie française* (1932-1935). La baguette était un pain de fantaisie, donc, en théorie au moins, un produit de luxe, comme le précise *Le Figaro* en 1925 : « Il est certain qu'à chaque hausse correspond une diminution de la vente du pain dit de luxe, mais cette diminution ne dure pas, du moins entièrement, nombre de clients reviennent au bout de quelques jours à la baguette croustillante, quitte à l'abandonner encore, temporairement, à la première alerte. » La baguette est ainsi demeurée longtemps un produit de luxe ; même après la Deuxième Guerre mondiale, elle est restée interdite comme telle pendant un temps.

Dans la période récente, les mécontentements suscités par la baguette industrielle ont incité certains boulangers à renouer avec les méthodes artisanales anciennes afin de produire une baguette dite « traditionnelle », c'est-à-dire d'avant-guerre. En 1993, la loi Balladur a précisé la composition de plusieurs sortes de pain, dont le « pain de tradition française ». Néanmoins, cette loi ne vise pas la baguette spécifiquement Il n'existe donc pas, à ce jour, de définition juridique générale. Seule l'appellation « label rouge » a fait l'objet d'un arrêté du ministre de l'Agriculture et de la Pêche en 2002, homologuant un cahier des charges pour « la baguette de pain de tradition française». Celui-ci impose l'utilisation de farine label rouge n° 32.89, d'eau potable, de sel et de levure de panification dans la limite de 1,5 % et d'autres éléments : la baguette doit comporter 5 coups de lame ; doit être d'une longueur d'environ 60-65 cm, d'une largeur de 5 à 6 cm, et d'un poids d'environ 250-300 g.

Jim Chevallier

• *Voir aussi :* Baguette de la Ville de Paris (Grand Prix de la) ; CNBPF ; Décret pain ; Four ; Grigne ; Pain de fantaisie ; Pensée unique ; Viennois (baguette et pain) ; Zang

Bibl. : *Dictionnaire de l'Académie française*, 8e édition, 1832-1835, atilf.atilf.fr, 2009 • *Dictionnaire de l'Académie française*, 9e édition, 1992, www.academie-francaise.fr/dictionnaire/index.html, 2009 • A. BOLAND, *Traité pratique de la boulangerie*, Paris, E. Lacroix, 1860 • Charles BONAVENTURE, Marie TOULLIER, Alexandre DURANTON, *Le Droit civil français, suivant l'ordre du Code*, Bruxelles, Wahlen, 1837 • Emil BRAUN, *The Baker's Book : A Practical Hand Book of the Baking Industry in All Countries*, New York, Braun, 1901 • Confédération nationale de la boulangerie-pâtisserie française, www.boulangerie.org, 2009 • Fédération professionnelle de la boulangerie du Maine-et-Loire, www.boulangerie49.com, 2009 • Philippe-Martin BENOÎT, Jean-Sébastien JULIA DE FONTENELLE, François MALEPEYRE, *Nouveau Manuel complet du boulanger...*, Paris, Roret, 1846 • *Journal officiel de la République française. Lois et décrets, arrêtés, circulaires, avis, communications et annonces*, Paris, Imprimerie des journaux officiels 1919, 1947, 1973 et 2002 • Steven Laurence KAPLAN, *The Bakers of Paris and the Bread Question, 1700-1775*, Durham, Duke University Press, 1996 • Pierre Jean-Baptiste LEGRAND D'AUSSY, *Histoire de la vie privée des Français depuis l'origine de la nation jusqu'à nos jours*, Paris, Pierres, 1783 • Anselme PAYEN, *Précis de chimie industrielle*, Paris, Hachette, 1878 • S. VAURY, *Le Guide du boulanger*, Paris, 1834.

BAGUETTE DE LA VILLE DE PARIS (Grand Prix de la). – Chaque année, la Mairie de Paris organise le Grand Prix de la baguette de la Ville de Paris. Ce concours récompense un artisan boulanger propriétaire ou locataire gérant d'un fonds de commerce dans la capitale. Une centaine de baguettes sont ainsi soumises à un jury composé de personnalités issues de la filière blé-farine-pain, de la presse et du secteur gastronomique. Elles doivent répondre aux normes du pain de tradition française selon le décret de septembre 1993. La notation prend en compte l'aspect, la cuisson, l'odeur, l'alvéolage et le goût. Chaque baguette doit mesurer environ 65 cm de longueur et peser entre 250 et 300 gr. L'utilisation d'adjuvants et d'améliorants est interdite. En plus du titre, le lauréat remporte une somme de 4 000 euros et devient le fournisseur officiel de la Présidence de la République. Ce prix a été créé par la Mairie de Paris afin de soutenir les métiers de l'artisanat et du commerce de la capitale. Le lauréat du Grand Prix est membre de droit du jury l'année suivante et ne peut plus concourir pendant quatre ans. Les quatre derniers lauréats sont : en 2007, Arnaud Delmontel (39, rue des Martyrs, Paris IXe, et 57, rue Damrémont, Paris XVIIIe) ; en 2008, Anis Bouabsa (« Au duc de la Chapelle », 32, rue Tristan-Tzara, Paris XVIIIe) ; en 2009, Franck Tombarel (« Le Grenier de Félix », 64, avenue Félix-Faure, Paris XVe) ; en 2010, Djibril Bodian (« Le Grenier à pain des Abbesses », 38, rue des Abbesses, Paris XVIIIe).

Jean-Pierre Deloron

• *Voir aussi :* Adjuvant ; Améliorant ; Baguette ; Boulangerie contemporaine ; Boulangers de France ; Filière blé-farine-pain ; MOF ; Pain de tradition française → Décret pain

BAGUETTOCENTRISME. – Le « retour du bon pain » dont parle l'historien des subsistances Steven Laurence Kaplan signale ce moment (années 1970-1980) d'une prise de conscience collective qui conduisit l'ensemble d'une profession, meuniers, boulangers, équipementiers enfin réunis, à réaliser que le bon pain de France était allé rejoindre les autres cartes postales dans les boutiques ouvertes aux touristes de la capitale. Il fallut donc que ce soubresaut aille en réaction à une période au cours de laquelle les boulangers avaient cédé à des facilités diverses, « se débrouillant pour gagner leur vie avec des méthodes de plus en plus risquées, mais bradant leur héritage artisanal » (Kaplan 2002). Cette lente déchéance, cette inéluctable perte des repères qu'une profession se donne tout au long de son histoire, s'est traduite par l'adoption massive et irréfléchie de la baguette, qui, à elle toute seule, trop vite pétrie, trop vite poussée, trop vite cuite, souvent bâclée, en était venue à cacher et à faire oublier l'extraordinaire variété des pains de France. Pourtant, ce « baguettocentrisme », qui exaspérait déjà des boulangers comme Lionel Poilâne et son père, Pierre, lesquels s'étaient orientés très tôt vers la célèbre miche au levain, est un contre-sens absolu, une sinistre « perte de mémoire ». Mais le débat était ouvert. Et la baguette déjà « painthéisée ».

Jean-Philippe de Tonnac

• *Voir aussi :* Baguette ; Kaplan ; Levain, levain-chef, levain de première, de seconde, de tout point ; Pain blanc ; Pain-théonisation ; Poilâne ; Viennois (baguette et pain)

Bibl. : Steven L. KAPLAN, *Le Retour du bon pain. Une histoire contemporaine du pain, de ses techniques et de ses hommes*, Paris, Perrin, 2002.

BAHREÏN (traditions du pain au). Voir PÉNINSULE ARABIQUE

BAISER DE BOULANGER OU BAISURE. – Marque faite sur un pain par un autre pain en le touchant (au figuré, en le « baisant »), lorsqu'ils ont été placés trop près l'un de l'autre au moment de l'enfournement.

Dominique Descamps

• *Voir aussi :* Enfournement ; Four ; Pelle ; Quartier ; Sexuelle (le pain comme métaphore)

BAKERY CHINA. – Voir BOULANGERIE (salons internationaux de la)

BAKING CENTER. – Voir LESAFFRE

BALANCE EN BOULANGERIE. Les balances interviennent à différents stades de la fabrication : dans la préparation des ingrédients (sel et levure sont pesés avant incorporation) ; dans la phase de division qui consiste à former, à partir de la masse de pâte, des pâtons dont le poids est défini en fonction du poids du produit cuit, compte tenu des pertes en eau à la cuisson et au ressuage. La pâte est découpée directement dans la masse à l'aide d'un coupe-pâte. Chaque pâton est ensuite déposé sur le plateau de la balance préalablement saupoudré de farine. Les balances électroniques ont très souvent remplacé les balances mécaniques.

Dominique Descamps

• *Voir aussi :* Coupe-pâte, grattoir et ratissoire ; Diagramme en boulangerie ; Division ; Pâton ; Ressuage

BALANCE EN MEUNERIE. – Appareil de mesure qui pèse les produits de mouture à différents stades du processus. Il peut être installé sur un flux continu de produit et les données enregistrées, rapportées au temps d'écoulement, permettent d'en calculer le débit. Il peut également équiper une trémie peseuse juste avant la mise en sacs ou en sachets et permettre ainsi la pesée avant conditionnement.

Philippe Duret

• *Voir aussi :* Meunerie ; Minoterie ; Moulin ; Mouture ; Trémie

BALANCELLE. – Chambre de repos comprenant plusieurs balancelles permettant d'augmenter la durée de la détente des pâtons qui précède le façonnage. Son emploi est lié au développement de la mécanisation et en particulier à l'usage des diviseuses mécaniques. Constituées d'un cadre métallique allongé, les balancelles sont fixées aux deux extrémités sur une chaîne par un axe articulé sur roulement à billes. Elles effectuent une succession de déplacements avec un dispositif d'introduction des pâtons, manuel ou automatique. Les pâtons sont disposés sur une bande de feutre et effectuent un circuit avec un temps de repos lié au nombre de pâtons à charger et à la cadence de chargement. On distingue des balancelles sans renversement de pâtons, rencontrées plutôt dans le secteur artisanal, et avec renversement de pâtons, correspondant à des utilisations industrielles à débits élevés.

Dominique Descamps

• *Voir aussi :* Chambre de repos ; Détente ; Division ; Façonnage ; Pâton ; Peseuse-diviseuse

BALLE. – Constituée des glumes et glumelles, sorte de petites feuilles qui entourent et protègent la base de l'épillet. La balle est indigeste à l'homme. Les céréaliers disposent de différentes machines qui permettent d'ôter cette balle après moissons. Certaines balles de blé ont retrouvé un usage ancestral ; les oreillers en balle d'épeautre, par exemple, auraient des vertus calmantes et apaisantes.

Roland Feuillas

• *Voir aussi :* Battage des céréales et aire de battage ; Épillet → Épi ; Glume et glumelle ; Moisson ; Moissons (symbolique des)

BAN ET BANALITÉS. – Le ban désigne à l'origine le droit de commander, de contraindre et de punir. Élément essentiel du pouvoir par octroi d'un droit du plus fort chez les barbares, le ban fusionne avec l'idée romaine de puissance publique, pour devenir, sous les Francs, l'expression de l'autorité royale dont il désigne les prérogatives politiques, militaires, judiciaires et fiscales. Pouvoir de commandement, le ban est une prérogative royale consistant à l'origine pour le roi à convoquer les hommes libres de son royaume à l'assemblée (plaid) et à l'armée (ost), cette seconde obligation pouvant être compensée par des prestations financières. Chaque homme libre doit obéir au ban militaire (ou hériban) du roi, sous peine d'une lourde amende. De même, la non-obéissance au ban administratif attire le bannissement, c'est-à-dire la mise hors la loi (*foris bannitio*, « hors le territoire de validité de la loi »).

Ainsi, le ban a également un sens territorial : il désigne l'unité territoriale sur laquelle s'exerce l'autorité royale ou seigneuriale (banlieue). Pouvoir délégué aux représentants provinciaux du roi, le ban est le fondement de l'autorité comtale. Avec le morcellement de l'autorité royale franque, au Xe siècle, les détenteurs du ban que sont les comtes et princes territoriaux confisquent les prérogatives d'origine publique qui leur sont déléguées et les exploitent à leur propre profit. Le ban devient alors l'expression d'une domination d'ordre privé, assujettissant les paysans libres d'une seigneurie banale.

À partir du XIe siècle, le seigneur impose le monopole de l'infrastructure agricole : les paysans sont contraints à se servir du four, du moulin et du pressoir seigneuriaux moyennant une redevance, souvent en nature. Le seigneur contrôle et taxe également la circulation des biens et des personnes. Il fait prévaloir son droit de prévente sur les produits : le banvin pour le fruit de la récolte viticole, le four banal pour la cuisson du pain. Au Moyen Âge, les banalités sont répandues dans tout le royaume. Protecteur de ses sujets, le seigneur rend disponibles les équipements lourds de gros investissements et, en échange des droits que ceux-ci lui versent, doit en assurer l'entretien ainsi que celui des chemins permettant d'accéder à son domaine. Moulin et plus encore four banal sont des installations vitales pour les communautés paysannes, dont le pain représente la partie primordiale de l'alimentation solide. Mais l'utilisation du four banal est aussi impérative pour le seigneur, dans la mesure où il constitue pour lui une source de revenus importante, sinon la plus importante. Quant au pressoir, largement répandu, il est indispensable à la fabrication des vins et alcools, les boissons principales. Le système des banalités est lié au régime communautaire et caractérise l'économie rurale d'Ancien Régime. On partage les communaux, donc on partage l'utilisation du four à pain, du moulin, ce qui donne au fournier et au meunier, représentants du seigneur, une place de premier plan dans ces communautés. Afin d'asseoir son autorité, le seigneur, parfois sous l'impulsion du meunier, interdit l'installation de fours ou de pressoirs privés.

Ces banalités sont des exactions au sens strict. Contestées dès leur installation, elles figurent invariablement parmi les revendications paysannes des cahiers de doléances jusqu'à la fin de l'Ancien Régime. Les banalités sont abolies et déclarées rachetables lors de la nuit du 4 août 1789.

Olivier Pascault

• *Voir aussi :* Blatier ; *Conquête du pain (La)* ; Crédit ; Fouacier ; Grand panetier ; Orve et orvier ; Physiocrates ; Porcs (droit d'engraisser les) ; Réglementation ; *Sur la législation et le commerce des grains* ; Talemelier

Bibl. : Jean-Louis BOURGEON, *Les Colbert avant Colbert*, Paris, PUF, 1992 • Daniel DESSERT, *Argent, pouvoir et société au Grand Siècle*, Paris, Fayard, 1984 • Steven L. KAPLAN, *Le Meilleur Pain du monde. Les boulangers de Paris au XVIIIe siècle*, Paris, Fayard, 1996 • Olivier PASTRE, *La Méthode Colbert, ou le Patriotisme économique efficace*, Paris, Perrin, 2006.

BANDE HYALINE. – Voir ALEURONE

BANETTE. – En réaction à la chute de la consommation du pain en boulangerie artisanale après la guerre, Alain Storione, petit-fils du fondateur des Grands Moulins Storione, à Marseille, a eu l'idée en 1981 de créer une baguette utilisant de la pâte fermentée pour toute levure, et dont les bouts pointus seraient le gage d'un façonnage manuel et d'un retour aux valeurs ancestrales oubliées. Le nom « Banette » a été choisi pour désigner l'ensemble des produits répondant à des critères de qualité très stricts imposés par la Filière qualité Banette. C'est la raison pour laquelle on parle aussi bien de pains Banette que de farines Banette et, par extension, de boulangers « certifiés » Banette et de meuniers Banette. Banette est aujourd'hui un groupement de 14 entreprises, rassemblant 35 moulins produisant de la farine pour plus de 3 000 artisans boulangers en France. Ces derniers s'engagent à respecter des méthodes de fabrication artisanale établies par le centre de recherche de la marque.

Michel Daubé

• *Voir aussi :* Bagatelle ; Baguépi ; Bleuette ; Boulangerie, 5 et 6 octobre 1983 (états généraux de la) ; Copaline ; Festival des Pains ; Meunerie ; Meuniers et minotiers ; Minoterie ; Reine des Blés ; Rétrodor ; Ronde des Pains

BANGLADESH (traditions du pain au). – Le pays est essentiellement rural et majoritairement pauvre. La pauvreté est si importante que les chercheurs n'ont de cesse d'affiner leurs grilles d'analyse afin de déterminer les différentes catégories de pauvres. Dans ce contexte, le pain est considéré comme un luxe. La nourriture de base, le riz, constitue souvent le seul aliment et sert même de monnaie d'échange, surtout pour les femmes : nombre de journaliers agricoles sont rémunérés en rations de riz, aussitôt consommées. Le partage de nourriture a une signification symbolique importante. Il concerne essentiellement le riz. Manger dans le même pot de riz a une connotation liée à la généalogie, l'ascendance. Aussi musulmans et hindous ne partagent-ils que des nourritures dites « sèches », comme le riz soufflé ou le pain, non le riz cuit. Parmi les classifications établies dans le domaine alimentaire et qui font référence au système des humeurs, fondé sur les oppositions du « froid » et du « chaud », ou du « sec » et de l'« humide », le pain est rangé dans la catégorie des nourritures sèches, alors que le riz l'est dans l'« humide », le « dur ». Ainsi, la parturiente (musulmane ou hindoue) ne mange pas de riz. Elle consomme du pain non levé, *ruti*. Dans les familles les plus riches, on le fait ramollir dans du lait et on l'accompagne de bananes ou de légumes. Le riz grillé (dit « sec ») peut être une alternative (Blanchet 1984).

Le *ruti* est un pain de froment non levé très commun. Cuit sur une plaque de cuisson, il a l'apparence d'une galette ronde d'une douzaine de centimètres de diamètre. Il est consommé pour accompagner les ragoûts de viande ou de légumes, voire des sauces au petit déjeuner. Parmi les communautés vivant au nord du pays, le *ruti* est un pain à pâte de blé levée, cuit dans la friture à l'huile. Il sert d'aliment principal pour le petit déjeuner ou comme collation. Les deux formes de *ruti* sont aussi fabriquées par des boulangers locaux. C'est peut-être par leur intermédiaire et par les boutiquiers « bengalis » (c'est-à-dire de la majorité musulmane) que les communautés (bouddhistes pour la plupart) de l'est du pays ont connu le *ruti*, galette à pâte non levée. Dans les années 1950, elles ne connaissaient pas le pain, d'après les enquêtes ethnologiques menées par Lucien Bernot (1967).

Contrairement au *ruti* qui serait originaire de l'Inde du Sud, le *luchi* serait bengali (nord-est du continent indien). La pâte est faite de farine de blé et d'un peu de *ghee* (beurre clarifié). Elle est divisée en petites boules qui sont aplaties au rouleau et chacune d'elles est frite dans l'huile ou dans du *ghee*, de sorte qu'elle gonfle à la cuisson. Le *luchi* est considéré comme une entrée au plat principal. Il peut être consommé au petit déjeuner ou au souper comme repas léger. Fourré de légumes écrasés, il est nommé *kochuri*.

Le *puri* ressemble au *luchi*, mais il est fait avec de la farine de froment. Il est répandu dans tout le continent indien. Il est consommé pour le petit déjeuner ou en collation en accompagnement de sucreries (*halwa*) ou de plats tels que les pommes de terre *masala*, la sauce de lentilles, ou encore de légumes mélangés, à l'occasion des célébrations hindoues (*puja*). D'une dizaine de centimètres de diamètre, sa variante, le *bhatûra*, est trois fois plus grand, aussi un seul *bhatûra* constitue-t-il le plat principal, d'autant qu'il est servi avec des pois chiches pimentés.

Originaire du Penjab (Pakistan actuel), le *paratha* est répandu dans tout le continent indien et bien au-delà tant il est apprécié. Fabriqué à partir de farine de blé, il est non levé et frit dans l'huile ou le beurre clarifié. Il peut être consommé tel quel ou fourré de légumes, de viande, de fromage, etc. De fait, ce sont deux couches de pâtes mises l'une sur l'autre, de forme circulaire, carrée ou triangulaire, à l'intérieur desquelles on glisse la farce ; les bords étant ensuite collés. Sa longue préparation en fait un plat réservé à des hôtes ou pour des occasions particulières.

Un autre type de pain très répandu depuis la Turquie, l'Iran, jusqu'au Bangladesh et la Birmanie, est le *nân*. À base de pâte levée (levain naturel ou levure), il est composé de farine de blé et est cuit sur les parois du four en terre (*tandûr*) typique du Moyen-Orient. Afin d'en augmenter l'épaisseur et de rendre la mie plus moelleuse, la pâte peut être mêlée à du lait ou à du yoghourt. Des saveurs particulières lui sont données par ajout de graines de nigelle ou de cumin dans la pâte. Lorsque celle-ci est mêlée à des fruits secs ou à des pommes de terre, ou encore à des morceaux de viande, cela en fait un plat complet. Le plus souvent, il accompagne un plat chaud et permet de saisir la nourriture avec la main pour la porter à la bouche. Au Bangladesh, il est surtout consommé au petit déjeuner dans les hôtels qui le fabriquent eux-mêmes.

Dans les régions du Nord où vivent un certain nombre de minorités, outre le *ruti*, le *pitta* tend à devenir le plat traditionnel, même si le riz, comme partout ailleurs, demeure l'aliment de base. Le *pitta* est fait d'un mélange de farine de blé et de riz, à quoi s'ajoutent de l'eau et de la molasse (*gur*), qui sont pétris dans un pot en terre, puis bouillis. Cela forme un gâteau. Le *pitta* comme le *ruti* sont consommés au petit déjeuner ou en collation. Chez les minorités de l'est du pays, outre le *ruti*, le *luchi* et le *paratha* ont été adoptés sous l'influence des Bengalis qui, de plus en plus, occupent cette région. Ces pains sont fabriqués par les femmes pour la consommation familiale, ou bien elles les achètent chez les commerçants bengalis. Chez tous, désormais, ils sont servis au petit déjeuner en accompagnement de légumes, ou en soirée avec un curry de viande ou de légumes.

Luchi. Galette de farine de blé mêlée à du beurre clarifié (*ghee*), non levée. La pâte est aplatie au rouleau et mise en forme arrondie d'une douzaine de centimètres de diamètre, puis frite dans l'huile ou le beurre clarifié ; elle gonfle à la cuisson. Considéré comme une entrée au plat principal, le *luchi* est aussi consommé au petit déjeuner ou au souper. Fourré de légumes écrasés, il est nommé *kochuri*.

Nân. Pain à pâte levée de farine de blé cuite sur les parois d'un four en terre (*tandûr*) et qu'on trouve de la Turquie à la Birmanie. Afin d'en augmenter l'épaisseur et de rendre la mie plus moelleuse, la pâte peut être mêlée à du lait ou à du yoghourt.

Paratha. Pain constitué de deux couches de pâte non levée mises l'une sur l'autre. Elles peuvent être cuites ainsi, dans une friture d'huile ou de beurre clarifié ; ou bien on peut y mettre une farce de légumes ou de viande et les faire cuire comme précédemment.

Pitta. Pain constitué d'un mélange de farine de riz et de blé, pétri avec de l'eau et de la molasse (*gur*) dans un pot en terre, et bouilli.

Puri. Répandu dans tout le continent indien, le *puri* est une galette qui ressemble au *luchi*, mais elle est faite de farine de froment. Il est consommé pour le petit déjeuner ou en collation en accompagnement de sucreries (*halwa*) ou de plats tels que les pommes de terre *masala*, la sauce de lentilles, ou encore de légumes mélangés, à l'occasion des célébrations hindoues (*puja*).

Ruti (bengali). Galette de froment originaire de l'Inde du Sud, d'une douzaine de centimètres de diamètre, non levée, cuite sur une plaque de cuisson (*tawa*). Accompagne les ragoûts de viande ou de légumes, voire des sauces, au petit déjeuner. Mais c'est aussi un pain à pâte de blé levée, cuit dans la friture à l'huile pour les communautés vivant au nord du pays. Les deux formes de *ruti* sont aussi fabriquées par des boulangers locaux.

Anie Montigny

• *Voir aussi :* Inde ; Pain (définition universelle du) ; Pains mondiaux ; Pakistan ; Riz (*Oryza sativa*)

Bibl. : Lucien BERNOT, *Les Paysans arakanais du Pakistan oriental*, Paris-La Haye, Mouton & Co, 1967 • Thérèse BLANCHET, *Women Pollution and Marginality. Meanings and Rituals of Birth in Rural Bangladesh*, Bangladesh, The University Press Ltd, 1984 • Sarah C. WHITE, *Arguing with the Crocodile. Gender and Class in Bangladesh*, Londres et New Jersey, Zed Books Ltd-Dhaka, University Press, 1992.

BANNETON, PANNETON. – Corbeilles en osier, rondes ou allongées, garnies de toile de lin, dans lesquelles on dépose la pâte lorsqu'elle est pesée et tournée, pour fermenter et s'apprêter jusqu'au moment de l'enfournement.

Mouette Barboff

• *Voir aussi :* Apprêt ; Enfournement ; Fermentation panaire ; Fournil ; Pâton

BAQUET. – Voir POOLISH

BARAGOUINER. – Voir MOT «PAIN» DANS LA LANGUE FRANÇAISE

BARBE. – Une barbe, ou arête, est un prolongement fin et raide de la nervure médiane de la glumelle inférieure (lemme) de certaines graminées. Les espèces ou variétés portant des barbes sont dites barbues ou aristées. Une barbe peut être longue de plusieurs centimètres ou très courte, droite on incurvée, simple ou multiple. La présence ou l'absence de la barbe, son insertion sur la glumelle, sa forme, sa denticulation sont des caractères distinctifs des espèces ou des variétés. Plusieurs rôles leur ont été attribués : protection de l'épi contre les prédateurs, aide à la dispersion des graines, meilleur remplissage du grain grâce à leur activité photosynthétique et contrôle de l'état hydrique et de la température de l'épi.

Jacques Le Gouis

• *Voir aussi :* Épi ; Glume et glumelle ; Grain ; Grain et graine ; Variétés de blé

BARBOTER. – Au cours du pétrissage, il arrive qu'un excès d'eau (ou un manque de farine), suite à une erreur de dosage, donne, dès le frasage, une pâte surhydratée. La farine «barbote» alors dans l'eau, ce qui nuit à la formation de la pâte. On y remédie rapidement en rajoutant de la farine.

Roland Guinet

• *Voir aussi :* Eau ; Frasage ; Hydratation ; Pâte ; Pétrissage

BARITE. – Voir BLUTEAU, BLUTOIR

BARM. – Voir GRANDE-BRETAGNE

BARREAU. – Voir ENTOILER

BASSIN. – Récipient généralement en tôle étamée, muni d'une anse en forme de crochet, permettant de le suspendre à un endroit proche du «seau de coulage» ou dans le seau lui-même. Le bassin a une contenance de 4 ou 5 l et sert de mesure pour l'«eau de coulage» : on coule un seau ou deux (ou plus) et un bassin ou deux (ou plus) en fonction du nombre de seaux de farine afin d'apporter à la pâte la consistance désirée. Le bassin était un moyen empirique de juger du pouvoir d'hydratation d'une farine : celui-ci était jugé bon s'il fallait ajouter un bassin (ou un demi-bassin) à l'hydratation prévue, laquelle était fondée sur la farine d'une livraison antérieure, ou celle d'un autre moulin.

Roland Guinet

• *Voir aussi :* Bassinage ; Coulage et eau de coulage ; Farine ; Frasage ; Hydratation ; Pétrin

BASSINAGE. – Action qui consiste à ajouter de l'eau à une pâte en formation ou déjà formée après le début du pétrissage, lorsque la pâte est jugée trop ferme.

Dominique Descamps

• *Voir aussi :* Frasage ; Pâte ; Pétrin ; Pétrissage

BÂT. – Selle grossière de formes et de dimensions variables, à l'usage des bêtes de somme. «Mettre le bât sur l'âne» (Littré). L'âne du meunier servait au transport des sacs de grain et des sacs de farine. Le bât, posé sur son échine, changeait de forme selon les régions. Le plus original et le plus équilibré était celui du Pays basque et du Béarn. Par-dessus la selle, une armature en bois permettait de suspendre un sac le long de chaque flanc de l'animal.

Jean-Pierre Henri Azéma
et Roland Feuillas

• *Voir aussi :* Boulangers forains ; Meunerie ; Meunier dans l'Histoire ; Moulin

Bibl. : Jean-Pierre Henri AZÉMA, *Meuniers, meunières. Noblesse farinière*, Saint-Cyr-sur-Loire, Alain Sutton, coll. « La mémoire en images », 2009.

BÂTON DE CRÉDIT. – Voir CRÉDIT

BATTAGE DES CÉRÉALES ET AIRE DE BATTAGE. – *Aghja* en corse, *aloni* en grec : espace circulaire de 10 à 15 m de diamètre, délimité par des pierres, dont la surface en terre battue ou revêtue de dalles était soigneusement entretenue à l'approche des moissons. Cet aménagement, que l'on découvre dans la proximité des agglomérations, dès le Néolithique, construit dans un endroit exposé au vent, pouvait être « communal » ou privé. Jusqu'à l'invention des batteuses mécaniques, l'aire de battage était l'endroit où avait lieu le dépiquage, la séparation des graines des épis, à l'aide de fléaux ou par le foulage humain ou animal. Des couples de chevaux, de mulets, d'ânes ou de bœufs, les yeux bandés et attachés par de longues cordes, étaient conduits par un homme placé au centre de l'aire qui les faisait tourner en trottinant sur les gerbes d'épis déployées sur le sol.

Dans les pays méditerranéens, on utilise toujours le *tribulum*, ancien instrument de dépiquage, constitué par une épaisse planche de bois garnie de silex sur sa face inférieure, tirée par un animal, sur laquelle s'installe un homme qui surveille le travail et facilite par son poids l'écrasement des épis. Une fois cette étape accomplie, on procédait au vannage. À la fin des travaux, au coucher du soleil, on organisait des réjouissances ; les riches repas étaient accompagnés de chants polyphoniques – conservés sous forme de patrimoine culturel en Corse, au Portugal et ailleurs –, de danses et de pantomimes. On suppose que la naissance du théâtre en Grèce ancienne a eu lieu justement sur les aires de battage, à l'occasion des fêtes agraires où l'on chantait en l'honneur de Dionysos et où l'on mimait les comportements des satyres.

Yvonne de Sike

• *Voir aussi :* Calendrier grec ancien ; Calendrier romain ; Calendriers et mesure du temps ; Dépiquage ; Épi ; Épi (symbolique de l') ; Fléau ; Grain et graine ; Grèce ; Moissons (symbolique des) ; Saturne ; Vannage ; Vierge et cycle des cultures céréalières

Bibl. : Anne GAUFRIER, « Céréales et polyphonies féminines dans le parc de Peneda Gerês », in *Recherches en anthropologie du Portugal*, vol. 4, nº 4, 1992, p. 21-34 • Opera di Rutali, association corse ayant entrepris la restauration de certaines aires de battage et la conservation des chants polyphoniques : www.cddp-haute-corse.fr/opera_di_rutali/

BÉDOUINS (traditions du pain chez les). – Voir PALESTINE ; SOMALIE ; SYRIE

BEFFROI, MEULAGE. – Assemblage de charpente (moulin à vent et moulin à eau) composé de pieds droits et de pièces d'enchevêtrure, qui soutient le meulage. On entend par meulage l'ensemble des pièces et dispositifs de meunerie comprenant les deux meules (tournante et dormante).

Roland Feuillas

• *Voir aussi :* Meule ; Moulin

Bibl. : *Encyclopédie méthodique*, « Art et métiers mécaniques » (tome cinquième), 1788.

BELGIQUE (traditions du pain en). La tradition du pain et des autres produits de la panification est très riche en Belgique. Traditionnellement, le pain est consommé en tranches, sous forme de tartines à la confiture (le matin surtout), au fromage et à la charcuterie. Quatre formes sont légalement définies : le pain dit « de ménage » qui doit présenter des « baisures », signes que les pains se sont touchés lors de la cuisson ; le pain carré (qui est en réalité rectangulaire, cuit en moule et « piqué » pour que la croûte ne se déchire pas) ; le pain galette (rond et incisé en losanges) et le pain boulot (allongé et incisé en biais). Ces quatre pains se déclinent en « blanc » et « gris » car fait de farine bise, voire « complète » si la farine se compose de l'entièreté du grain de blé. La farine bise ou complète peut être de « fine mouture » ou de « grosse mouture » selon que le grain a été finement ou grossièrement moulu, voire simplement « écrasé ». D'une mie blanche, aux alvéoles fines et régulières, on passe progressivement à une mie bise, donc brunâtre, jusqu'à franchement brune et rude. Le volume du pain est plus ou moins important selon la façon dont le boulanger travaille et selon les ingrédients qu'il utilise. Dans le courant des années 1950 est apparu le pain amélioré, ceci par rapport au pain de l'époque d'après-guerre, panifié à partir d'une farine pauvre en protéines. D'après la loi belge, ce pain doit contenir au minimum 3 % de matières grasses. Plus léger, le pain amélioré est notamment idéal pour faire des toasts. Il est aujourd'hui un des pains les plus consommés.

Si la loi est restrictive, les boulangers belges ont pour habitude de produire quantité de pains différents. Située à un carrefour de cultures, la Belgique est demeurée toujours sous influence. Si l'on se rapproche de la frontière allemande, les boulangers utilisent davantage le seigle, comme leurs collègues d'outre-Rhin. Si l'on se rapproche de la France, la baguette et les croissants seront populaires. Près de la frontière hollandaise, c'est le pain cuit en moule – pain « gris et complet » – qui a la faveur des consommateurs. Et, dans le Luxembourg belge, les pains de campagne, contenant un peu de seigle et parfois de l'avoine et de l'épeautre, ressemblent comme deux gouttes d'eau à ceux de leurs voisins grand-ducaux. Quant aux émigrés venus principalement d'Italie, de Turquie et du Maghreb, ils ont emporté leurs cultures panaires dans leurs bagages. On trouve tous ces pains d'origine dans les différentes régions du pays. Même si la mondialisation tend à assoupir quelque peu leurs traditions, les Belges sont à nouveau friands de pains au levain, à mie crème et à saveur délicieusement surette, tel le pain O-tentic, qui remporte un franc succès. Soucieux de leur bien-être, les Belges recherchent également des pains à caractère nutritionnel, tel le pain Vita-Plus, qui contient un savoureux bouquet de céréales (40 % de la composition).

Traditionnellement, les Belges courageux se lèvent tôt le dimanche matin pour aller acheter des *pistolets* croustillants (petits pains ronds de 50 g, ornés d'une fente) ainsi que des *couques* à la crème (faites de pâte levée feuilletée et fourrées de crème pâtissière). Ils auront également acheté un *cramique* ou un *craquelin*, le premier étant un pain brioché contenant souvent des raisins de Corinthe et le second, issu de la même pâte, étant enrichi de beurre et de gros sucre perlé. Le pâton, assez collant, est « emballé » par une abaisse en pâte à *cramique*, moins collante, et dorée à l'œuf entier battu. Une incision est pratiquée de façon arrondie pour former une sorte de couronne décorée de grains de sucre. Selon la région, il existe une foule de spécialités, tels les gâteaux de Verviers, du nom d'une petite ville proche de la frontière allemande. Ces gâteaux sont faits de pâte briochée fortement enrichie de beurre et de sucre perlé. La pâte est extrêmement collante et est cuite en moule. Parfois, le boulanger ajoute des morceaux de macarons confectionnés à partir de pâte d'amande, une autre spécialité de cette région. Il y a également les *cougnous*, qui, selon la région, changent de nom (les *cougnolles*). Pains festifs faits uniquement à certaines périodes de l'année, ils étaient parfois décorés d'une pièce de monnaie, qui, au cours des siècles, s'est muée en « patacon », un disque en plâtre décoré de motifs peints. Les patacons font le bonheur de collectionneurs passionnés et celui de nombreuses « fabriques » depuis le Moyen Âge jusqu'au milieu du XXe siècle. Enfin, impossible de passer sous silence la *gaufre*, une spécialité typiquement belge qui prend les accents des différentes régions, qui, bien entendu, détiennent toutes LA meilleure recette.

La tradition de la panification belge est soigneusement conservée dans plusieurs musées, notamment à Furnes (Veurne) – le Bakkerijmuseum – à deux pas de la côte belge et de la frontière française – et à Harzé, dans les Ardennes. Dans la banlieue bruxelloise, Puratos, une entreprise belge active dans la fabrication de matières premières pour boulangers, pâtissiers et chocolatiers, a également créé un très intéressant musée au sein de son centre d'innovation, démontrant ainsi, si besoin en était, que la tradition est le vrai moteur du futur. La panification belge est un peu comme ses habitants : multiculturelle, extrêmement diversifiée, inclassable, modeste et riche à la fois, et surtout chaleureuse !

Cougnou. Pains festifs faits uniquement à certaines périodes de l'année qui, selon la région, changent de nom (les *cougnolles*). Ils étaient parfois décorés d'une pièce de monnaie, qui, au cours des siècles, s'est muée en « patacon », un disque en plâtre décoré de motifs peints.

Couque de Dinant. Dinant est une petite ville située sur la Meuse. L'origine de cette spécialité remonte à 1466, lorsque Charles le Téméraire assiégea la ville. Les Dinantais, ne disposant plus que de quelques vivres – de la farine et du miel –, décidèrent d'en faire une pâte et de la cuire. Bien involontairement, ces assiégés venaient d'inventer une spécialité qui allait connaître un très grand renom. Quelqu'un eut un jour l'idée de mouler cette pâte particulièrement ferme dans le creux d'une dinanderie, objet décoratif en cuivre ou laiton fondu, moulé et décoré de motifs finement martelés par les artisans de la ville. À partir du XVIe siècle, la couque de Dinant fut confectionnée dans toute l'Europe. Dès le XIXe siècle, les moules

« dinanderies » furent progressivement remplacés par d'autres sculptés dans des bois de hêtre ou de poirier. Certains d'entre eux sont de véritables chefs-d'œuvre et font le bonheur des collectionneurs.

Gaufre. Impossible de passer sous silence la gaufre, une spécialité typiquement belge qui prend les accents des différentes régions, qui, bien entendu, détiennent toutes LA meilleure recette.

Pain à la grecque. Spécialité bruxelloise, le pain à la grecque est fait d'un morceau rectangulaire de pâte à pain au lait accommodée de cassonade (sucre roux) et de cannelle et généreusement saupoudrée de sucre cristallisé. Contrairement à ce que son nom pourrait faire croire, cette spécialité n'évoque en rien la Grèce car, en patois flamand bruxellois, *grecht* signifie « fossé ». Son origine remonte au XVIe siècle, alors que les moines du lieu-dit Fossé-aux-loups, proche du centre de Bruxelles, distribuaient du pain aux pauvres. Ce pain était appelé *Wolf-Grecht brood*, « pain du fossé-aux-loups ». À la suite de l'occupation de Bruxelles par les Français, *grecht* devint « grec » et c'est ainsi que naquit le nom « pain à la grecque ».

Vollaard. *Vollaard*, en flamand, désigne un pain brioché de forme allongée dont les extrémités sont formées d'excroissances. Cette spécialité est cuite à Noël et symbolise l'enfant Jésus emmailloté. Le *vollaard* était souvent décoré d'un « patacon », monnaie d'argent qui eut cours aux XVIIe et XVIIIe siècles aux Pays-Bas. Le patacon est également appelé « rond de Jésus ». La monnaie fut remplacée au fil du temps par un disque fabriqué en argile blanche, connue aussi comme « terre à pipe », moulé, décoré parfois avec grand talent et cuit. La tradition des *vollaards* décorés de patacon est encore bien vivante sur la côte belge, de Wendune à Blankenberge.

Georges Grignard

● *Voir aussi :* Allemagne ; France (pains actuels, pains régionaux) ; Gaufre ; Pains mondiaux ; Pays-Bas

Bibl. : Louis WILLEMS, Raymonde CLAES, Renaat VAN DER LINDEN, *La Pâtisserie, les douceurs de la vie*, Deurne, Éditions MIM, 1988 • Wilhem ZIEHR, Emil BÜHRER, Dr. h.c. Max WÄHREN, *Farmer, Miller, Baker. Bread through the Ages*, Tielt, Lannoo, 1987 • Walter PLAETINCK, Renaat VAN DER LINDEN, Phil MERTENS, *Le Rayonnement du pain*, Tielt, Lannoo, 1980.

BÉNIT (pain). – Voir PAIN BÉNIT

BEP (brevet d'études professionnelles). – Voir APPRENTISSAGE

BERCEAU. – Voir PÉTRIN

BETAGLUCANES. – Chaînes glucidiques formées de molécules de glucose, associées entre elles par des liaisons de type béta entre les atomes de carbone, comme la cellulose. À la différence de ce type de fibre, le lien entre deux atomes de carbone ne se fait pas seulement entre des carbones 1 et 4, mais aussi avec des liaisons 1 et 3. On trouve les bétaglucanes dans les couches à aleurones et dans les tissus pariétaux de l'albumen amylacé, en proportion plus faible (25 %) que les arabinoxylanes (75 %), dans le cas du blé. Pour l'orge, ce rapport s'inverse. Ces fibres ont une affinité pour l'eau. Ils contribuent donc à l'absorption de l'eau par la farine.

Philippe Roussel

• *Voir aussi :* Albumen ; Aleurone ; Arabinoxylane ; Fibres ; Glucide

Bibl. : Pierre FEILLET, *Le Grain de blé, composition et utilisation*, Paris, INRA Éditions, 2000.

BETHLÉEM. – La ville de Bethléem, en hébreu *Beth Lehem*, « maison du pain », est mentionnée pour la première fois dans la Genèse (XXXV, 19) au moment de la mort de la matriarche Rachel, épouse de Jacob : « Et Rachel mourut et fut enterrée sur la route d'Éphrat, c'est-à-dire Bethléem. » Dans les autres livres bibliques, elle est dénommée Bethléem-Éphrat ou Bethléem de Juda pour la distinguer d'une autre Bethléem, située en Galilée, appelée quant à elle Bethléem de Zabulon. C'est à Bethléem de Juda que Naomi et sa belle-fille Ruth reviennent s'installer après leur exil moabite. Ruth la convertie est l'ancêtre du roi David, lui aussi originaire de Bethléem : c'est dans cette ville qu'il est oint par le prophète Samuel. Pour autant, Bethléem n'est jamais devenue un grand centre de population juive ; peut-être fut-elle éclipsée par le prestige de la capitale du royaume davidique, Jérusalem. C'est surtout le tombeau de Rachel, situé en dehors de la ville, qui est pour les juifs un lieu signifiant : enterrée sur la route, la matriarche veille sur ses fils en exil et pleure pour réclamer leur retour.

Julien Darmon

• *Voir aussi :* Hallah, manne, pains de proposition ; Israël ; Matsah et hamets ; Théologie du pain

BHOUTAN. – Voir RÉGION HIMALAYENNE

BIEF. – Canal de dérivation d'une partie de l'eau d'une rivière. Situé en aval d'un barrage ou d'une prise d'eau, le bief permet l'alimentation en eau de turbines ou de roues, entraînant les engrenages du moulin. L'entretien du bief favorise l'écoulement de l'eau, qui est primordial pour le bon fonctionnement du moulin.

Philippe Duret

• *Voir aussi :* Meunerie ; Moulin

BIÈRE. – *Bier ist flüssiges Brot.* Cette devise germanique affirme l'essentiel : la bière est un pain liquide. Les images d'Épinal l'attestent, tout comme l'étymologie du mot « cervoise » et son agent commercial, Astérix. Les données nutritionnelles et les recherches récentes le confirment. Quels liens unissent le pain à la bière ? Qui a inventé la bière ? Nous tenterons de répondre à ces questions en considérant tout d'abord les besoins nutritionnels de l'homme.

L'homme, un omnivore. Claude Fischler, sociologue et chercheur au CNRS, dans son livre consacré à l'histoire de l'alimentation (2001), parle d'(h)omnivore. L'être humain est constitué majoritairement d'eau, les deux tiers de sa masse, dont 73 % pour son cerveau. L'eau potable, au même titre que l'oxygène, est essentielle : 1,5 à 2 l de boisson sont nécessaires journellement, sachant que l'alimentation « solide » apporte aussi son contingent. Une carotte dure sous la dent contient 75 % d'eau. La grève de la soif n'existe pas. Il est grand le mystère de la soif. En effet, la machine humaine dispose de mécanismes bien complexes pour gérer l'eau du corps. La sensation de soif est le premier indicateur pour prévenir tout dérèglement de la machinerie humaine. Elle est provoquée par un déficit hydrominéral dû à des pertes en eau et en sels. Ces pertes résultent de l'excrétion rénale, de l'évaporation pulmonaire et de la sudation. Une perte d'eau de 2 % du poids du corps réduit la capacité du travail musculaire et mental de 20 %. Les standards nutritionnels, quant à eux, établissent les besoins énergétiques. Ils devraient s'exprimer en joules, mais restent exprimés en kilocalories. On admet généralement que l'apport journalier doit être de l'ordre de 2 000 à 3 000 kcal par jour, les constituants des aliments classés en glucides (sucres), protides (viande), lipides (graisse) apportant chacun d'entre eux entre 4 et 9 kcal par gramme, l'alcool étant crédité de 7 kcal par gramme. La répartition de ces éléments nutritionnels est importante. Les pourcentages des besoins alimentaires journaliers se répartissent ainsi :

- glucides : 55 à 65 %
- lipides : 25 à 35 %
- protides : 10 à 15 %

L'homme est donc prioritairement un mangeur de féculents, constitués d'amidon. Cet amidon est une molécule complexe composée d'un assemblage de plusieurs milliers de molécules d'un sucre simple, un ose, le glucose. Lors de la digestion par des phénomènes mécaniques, enzymatiques, chimiques, l'amidon ingéré sera transformé en glucose véhiculé dans le sang comme carburant pour le moteur humain. Le réservoir « d'essence » sera le foie, riche en « amidon animal », le glycogène, qui assurera la fourniture de glucose pour les dépenses musculaires, intellectuelles, mais il devra être rechargé régulièrement. En conclusion, nous pouvons affirmer que l'homme est un omnivore mangeur de féculents, assoiffé d'eau. Le problème réside dans l'eau : source de vie, mais souvent véhicule de la mort.

La bière, une boisson hygiénique. L'image de l'eau source de vie a été reprise par bien des rites religieux. La pureté d'une eau de source génératrice de bienfaits perdure dans la mémoire collective. Élément de purification, elle reste pourtant trop souvent impropre à la consommation humaine. Il faut dire que notre planète Terre porte bien mal son nom puisqu'elle est constituée aux quatre cinquièmes d'eau, essentiellement d'eau salée, non utilisable par l'homme. L'eau a été néoformée aux temps géologiques, il y a 3,4 milliards d'années. La masse d'eau reste constante et est perpétuellement recyclée ; l'eau des océans s'évapore pour retomber en pluie qui retourne à la mer. L'eau est plutôt empruntée que consommée. Le recyclage dans le temps et dans l'espace peut être illustré par deux exemples. À Jérusalem, on peut boire de l'eau utilisée il y a deux mille ans par Jésus-Christ ou Ponce Pilate. L'habitant d'Amsterdam, quant à lui, peut boire de l'eau du Rhin recyclée sept fois… Pas étonnant alors qu'il boive de la bière. Si 97,5 % de l'eau sur la planète est l'eau des océans, les 2,5 % d'eau douce restants sont constitués pour 79 % de glace dans l'Arctique, l'Antarctique et les glaciers, 20 % sous forme d'eau souterraine : il reste alors 1 % comme eaux superficielles facilement utilisables. De plus, l'eau est répartie sur le globe de façon « atomisée », les Grands Lacs du Canada ne pouvant pas venir lubrifier le Sahel. Le problème du XXIe siècle sera la disponibilité en eau potable, enjeu géopolitique majeur. L'assainissement de l'eau demeure, lui aussi, un problème déterminant. L'eau véhicule la mort de façon spectaculaire par les tsunamis, les tornades, les inondations ou de façon plus insidieuse par les maladies hydriques mortelles. Les organismes internationaux rappellent que plus de 1 milliard d'êtres humains n'ont pas accès à l'eau potable. La mortalité infantile des pays les plus pauvres est due aux diarrhées liées à l'ingestion d'eau douteuse. Au cours de l'Histoire, la qualité de l'eau a préoccupé l'homme. Aussi a-t-il inventé les boissons, non seulement pour leur rôle physiologique, mais encore pour leur rôle psychologique et sociologique. En plus du côté désaltérant, les boissons auront d'autres vertus, nourrissante dans le cas du lait, euphorisante dans le cas des boissons alcoolisées, dopantes dans le cas du café, du thé. L'histoire des boissons accompagne l'histoire de l'homme. Qu'en est-il de la bière ? Qui a inventé la bière ?

La première boisson mondiale est le thé. L'ébullition de l'eau garantit une protection vis-à-vis des microbes pathogènes. Le thé fabriqué dans le cercle familial, au coup par coup, rend difficile l'établissement de statistiques pour satisfaire notre esprit cartésien. En revanche, pour la bière, les chiffres sont considérables. En 2008, la production mondiale s'élève à 1,8 milliard d'hectolitres, soit 180 000 000 000 litres. À cette production dûment référencée, il faut ajouter les productions autochtones ; des bières traditionnelles, les *dolos*, *bil-bil*, *chapalo* en Afrique, les *chichas* en Amérique latine, les *chang*, *saké* en Asie. Pour la plupart, ces productions artisanales, familiales échappent aux statistiques… et ainsi aux impôts ! Il faut dire que la bière présente un avantage considérable. Produite dans toutes les régions du monde (excepté là où règne la charia), la bière est une boisson hygiénique. Pasteur a affirmé que « le vin est la plus hygiénique des boissons » en précisant, mais on l'a oublié, « consommé avec modération ». La contribution de ses travaux sur la bière, publiés en 1876, a débouché sur la pasteurisation. Il voulait que son procédé dûment breveté serve à produire la « bière de la revanche ». La défaite de 1870 qu'avaient infligée les Prussiens à la France lui était en effet restée bien amère. La bière comme le vin, résultant d'une fermentation alcoolique, sont des boissons hygiéniques. La présence d'alcool et un pH (mesure d'acidité) bas inhibent les microbes pathogènes, qui ne peuvent pas se développer. Les moines du Moyen Âge ne s'y sont pas trompés. Les pèlerins constituaient des masses humaines importantes et à l'eau incertaine, véhicule des épidémies, étaient préférées les bières : bière de table pour les pauvres et les pèlerins, bière bock pour les moinillons, bière de luxe pour les moines, bière spéciale pour le chef moine. La législation française s'en inspirera pendant de nombreuses années.

La bière et le pain, une histoire commune. Au préalable, il convient de définir ce que l'on entend par bière. L'image d'une belle blonde, limpide, brillante, pétillante, couverte d'une mousse crémeuse, crépitante, voluptueuse, est très récente. La pils est née en 1842 à Plzen (Pilsen, en allemand), en Bohême tchèque. Auparavant, la bière était servie dans la robuste chope en grès qui conservait certes la bonne température mais qui cachait au dégustateur son aspect trouble. En remontant le cours de l'Histoire, la cervoise tiède d'Astérix devait être un brouet, une soupe relevée avec des herbes aromatiques, légèrement alcoolisée. Aujourd'hui encore, les bières autochtones traditionnelles en Afrique, Amérique, Asie sont troubles, certaines bues avec des pailles faisant office de filtre. Dans les années 1950, dans le nord de la France, la bière « de garage » fabriquée à la maison à l'aide de l'autobrasseur comportait encore beaucoup de « voltigeurs », de « matous » dans la boisson de table familiale. Pour nous, la bière au sens large est une boisson provenant d'une source d'amidon. Notre pils internationale provient de l'orge, le *dolo* africain du sorgho, la *chicha* d'Amérique latine du maïs, le *chang*, le *saké* asiatique du riz. En parcourant le monde, d'autres sources amylacées que les céréales peuvent être répertoriées : bières de manioc, de bananes, d'ignames, etc., mais aussi de pommes de terre, de châtaignes.

Comme l'affirme l'ethnologue Bertrand Hell dans son livre *L'Homme et la bière* (1982), la bière résulte du travail de l'homme alors que le vin est un don de Dieu. La différence est de taille. Un suc végétal donnera un vin après une fermentation spontanée sous l'effet de micro-organismes véhiculés par l'air, des levures bienveillantes mais aussi des bactéries perfides acidifiantes. Quant à la bière, le génie de l'homme devra s'évertuer à transformer un solide, un grain dur comme de la corne, en un liquide appétissant. Après six millénaires de pratiques s'améliorant sans cesse, on pourra comprendre. L'amidon, quelle que soit son origine, assemblage de milliers d'unités de glucose, sera découpé, à l'image d'un arbuste transformé en briquettes, pour redonner des glucoses liés par deux, transformés en maltose, par trois, en maltotriose, par quatre, en maltotétraose – toutes les racines latines sont alors réquisitionnées pour définir les produits dérivés de l'amidon. Quand l'édifice comporte quelques centaines de glucoses élémentaires, on parle alors de dextrines. L'amidon mélangé à l'eau chaude formant un empois collant sera, sous l'effet d'enzymes amylolytiques (capables de couper l'amidon), transformé en un jus sucré fermentescible. Sous l'effet de levures dans le cas de la fermentation alcoolique, une bière sera produite, mais parfois des bactéries lactiques ou acétiques produiront des acides rendant la boisson imbuvable, mais hygiénique, dans la mesure où les microbes pathogènes sont inhibés. Nous proposons donc une définition générique de la bière : une boisson alcoolique obtenue par transformation de matières amylacées par voies enzymatiques et microbiologiques.

Qui a inventé la bière ? Nul ne le sait. Cette question soulève beaucoup d'interrogations. Notre vision de l'Histoire est très fragmentaire ; Babylone, l'Égypte, la Grèce, les Romains, les Gaulois sont des souvenirs d'écoliers français. En revanche, à ces époques bien lointaines, que se passait-il dans le Grand Nord finlandais ou sibérien, dans le Sud-Est asiatique, sur les continents américains ? Grands mystères. Pour l'histoire de la bière, notre référentiel judéo-chrétien nous orientera vers des preuves archéologiques, mésopotamiennes ou égyptiennes. Pourtant, les chants des griots africains, des troubadours finnois venus du fond des âges parlent d'un breuvage qui délie les langues. L'oralité a-t-elle une valeur démonstrative ? Pour l'invention de la bière, on peut raconter de belles histoires. En Chine, on évoque la légende du bol de riz abandonné par le paysan qui, le consommant quelques jours plus tard, lui a trouvé un goût fort sympathique. Pierre André Dubois, de l'association nordiste très tonique des Amis de la bière, imagine la bière des petits oiseaux. Des graines disséminées par le vent germent dans une petite cuvette d'un rocher, le soleil sèche les graines puis vient une ondée. Quelques jours plus tard, l'oiseau vient se désaltérer et chante merveilleusement bien. Toute la fabrication d'une bière est décrite : une source d'amidon, une source d'enzymes générées lors de la germination de la graine – on parlera de maltage –, une source de levures par ensemencement par l'air génèrent la fermentation qui, à partir des sucres fermentescibles, produit l'alcool qui délie les langues. Les archéologues chinois quant à eux parlent d'un îlot d'anthropoïdes saouls ; dans le village de Shuangou, de la province de Jiandhu, dans le delta du fleuve Huaihe, ils ont retrouvé un fossile de quinze millions d'années d'anthropoïdes ayant consommé de l'alcool !

En Europe, on évoque les civilisations mésopotamiennes comme inventrices de la bière. Rien n'est moins sûr, mais il reste que la première preuve archéologique est d'origine sumérienne en Mésopotamie, aux confins du Tigre et de l'Euphrate, du côté de la Syrie et de l'Irak, entre 3000 et 2800 avant J.-C. Cette preuve est apportée par le monument « Blau », actuellement au British Museum. Il s'agit en fait de deux plaques de faible épaisseur, l'une sous forme d'un stylet de 18 cm de hauteur pour 4,5 cm de largeur, l'autre en demi-cercle de 16,7 cm, découvertes puis revendues par un certain médecin en poste en Turquie, A. Blau. Parfois appelé abusivement monument « Bleu » et souvent présenté comme une offrande de bière à la déesse Nin-Hara ; il s'agit de fait, d'après Christian Berger (1985), de documents faisant état d'un achat de terre énumérant les produits et biens échangés contre le champ. Dans le cas de cette transaction, 120 livres de pain et 10 pots de bière font partie des échanges. D'autres documents commerciaux de ce type confirmeront le rôle du pain et de la bière comme contrepartie matérielle de la vente, et pour la bière comme boisson symbolique de la cérémonie clôturant l'échange. Il faut rester prudent quant à l'origine et aux recettes de bière de la Préhistoire. Les tout premiers écrits ne concernaient pas la technologie, la fabrication du pain et de la bière n'intéressant pas les scribes, les intellectuels occupés à la comptabilité publique et aux échanges commerciaux. Mille cinq cents ans plus tard, la bière sera évoquée par le législateur, soucieux aussi de prélever des taxes. Il s'agit du célèbre code de lois du roi de Babylone Hammourabi (1728-1686 av. J.-C.). Il comporte 360 paragraphes et 3 000 articles gravés sur une stèle de diorite polie. La référence monétaire était le grain « ské » et les prix fixés en « shekel », correspondant à 360 grains de blé. Dans ces temps babyloniens, les bières *sikaru*, *kás*, étaient brassées par des femmes, servies par des prêtresses, consommées dans des maisons à bière, véritables temples. Personne ne discutait l'autorité d'Hammourabi ; il avait reçu la loi des mains de Shamash, le dieu du soleil et de la justice. La brasseuse, en cas de manquement à la qualité, était noyée ! La qualité totale, tarte à la crème du XXIe siècle, était inventée !

Le monument « Blau » atteste l'importance, il y a cinq mille ans, du pain et de la bière, aussi bien comme valeur monétaire que comme valeur symbolique. On peut légitimement penser que les premières fabrications de bières sont concomitantes aux premiers développements de l'agriculture, lorsque l'homme nomade devient sédentaire. C'est la révolution du Néolithique, il y a sept à huit mille ans. Dans notre référentiel européen, elle se situe dans le Croissant fertile. La sédentarisation est un tsunami culturel, rappelant l'opposition entre Caïn et Abel, l'agriculteur sédentaire et l'éleveur nomade. L'avènement de l'agriculture va générer une vie sociale regroupée, impliquant des règles. La production agricole, notamment des graines, facilement stockables, va révolutionner les mentalités, en permettant de faire des projections pour l'avenir. Les stocks seront enregistrés, comptabilisés, gérés. L'écriture va être inventée, des pictogrammes gravés dans l'argile permettront d'enregistrer les stocks, de les gérer pour prévenir une pénurie. Une hiérarchie sociale se dessine pour gérer la cité. La géométrie permet de structurer l'espace. Quelques millénaires plus tard, la civilisation égyptienne nous donnera de nombreuses indications. À Cambridge, Samuel Delwen (1996) décrypte la fabrication des bières à partir des nombreux hiéroglyphes. Le zythum, beau mot pour les amateurs de Scrabble, est élaboré à partir de céréales, un blé amidonnier, de l'orge, des dattes et du miel. La technique de fabrication associe brasseurs et boulangers. En effet, des pains d'orge sont cuits avec précaution. Des pâtons frais sont versés dans des moules brûlants, de façon à obtenir une croûte dorée, mais l'intérieur reste crû, préservant ainsi les enzymes amylolytiques du grain. Les pains sont alors émiettés et placés dans une cuve emplie d'eau, de dattes et de miel. Un mélange mystérieux récupéré d'une préparation antérieure, le levain, permettra la fermentation. Après quelques jours, le contenu de la cuve de fermentation est transvasé dans les jarres. L'écume qui surnage est recueillie ; séchée, elle constitue le levain réutilisé par la suite. Une filtration retient les morceaux gorgés de bière ; essorés et lavés, ils donneront une boisson de moindre qualité. La bière est alors conditionnée dans des amphores bouchées par du plâtre, de l'argile ou de la paille. La bière, boisson des pharaons, des prêtres, des constructeurs de pyramides, plaira bien plus tard aux envahisseurs grecs. Le géographe Strabon (58 av. J.-C.-21 apr. J.-C.) rapporte, dans sa *Géographie* universelle du monde antique, que le vin d'orge de Péluse, l'actuel Port-Saïd, était exporté vers la Grèce.

La bière, pain liquide universel. Le pain et la bière ont une histoire commune. Selon toute vraisemblance, ils sont apparus au Néolithique il y a sept à huit mille ans, quand les premières civilisations agricoles se sont fixées quelque part dans le Croissant fertile. Leurs points communs sont évidents : tous deux dérivent de l'amidon, majoritairement de céréales, panifiables pour le pain, même si on connaît au Brésil des pains levés à partir de *farinha de mandioca*, farine de manioc obtenue à partir d'amidon de manioc fermenté en milieu solide. Pain et bière nécessitent un levain pour assurer la fermentation alcoolique, génératrice aussi de gaz carbonique. Le pain levé bénéficiera de la malléabilité du réseau de l'amidon conforté par les priorités rhéologiques d'une protéine unique commune aux céréales panifiables : le gluten. Si les levains ont gardé longtemps leur part de mystère, on utilise aujourd'hui des souches de levure sélectionnées pour leurs qualités technologiques induisant les qualités organoleptiques des produits finis. En brasserie, on distinguera les fermentations basses donnant des bières blondes, de création récente à l'échelle de l'Histoire (1842), alors que les fermentations hautes utilisent des souches de levure, les mêmes que les levures de boulangerie. Leur nom : *Saccharomyces cerevisiae*, traduisible par « champignon consommateur de sucres » véhiculé par l'air sous la protection de la déesse des moissons Cérès (Déméter), et donnant la force : *Vis.* Cette étymologie nous permet de conclure en reprenant la devise de l'école de brasserie de Nancy aujourd'hui ENSAIA : *Cervesariis feliciter* : « Félicité aux cervoisiers », ou « Vivent les brasseurs ».

Jean-Paul Hébert

• *Voir aussi :* Amidon ; Céréales sauvages aux premières formes domestiques (des) ; Déméter et Perséphone ; Eau ; Fermentation (approche anthropologique de la) ; Fermentation panaire ; Levain panifiable ; Levure de boulanger ; Malt et produits maltés ; Mésopotamie ; Pâte à pain

Bibl. : Christian BERGER, Philippe DUBOË-LAURENCE, *Le Livre de l'amateur de bière*, Paris, Robert Laffont, 1985 • Samuel DELWEN, « Investigation of Ancient Egyptian Baking and Brewing Methods by Correlative Microscopy », *Science*, juillet 1996 • Claude FISCHLER, *L'Homnivore*, Paris, Odile Jacob, 2001 • Bertrand HELL, *L'Homme et la bière*, Paris, Jean-Pierre Gyss, 1982.

BIÈRE DANS L'ANCIENNE ÉGYPTE. – Voir PAIN-BIÈRE DANS L'ANCIENNE ÉGYPTE

BIÈVRES (Manufacture de). – Voir POILÂNE

BIODISPONIBILITÉ. – Définit la proportion à partir de laquelle un composé alimentaire peut exercer un effet physiologique spécifique au niveau d'une cellule ou d'un tissu et par rapport à la quantité ingérée. En premier lieu, elle dépend de la quantité libérée dans le tube digestif à partir de l'aliment et disponible pour l'absorption au niveau de la muqueuse intestinale : elle peut donc varier de 0 à 100 %. Pour ce qui concerne l'amidon du pain, par exemple, une fraction n'est pas dégradée en glucose au niveau de l'intestin grêle et arrive dans le côlon où elle est fermentée par la flore bactérienne (amidon résistant). Dans ce cas, la biodisponibilité de l'amidon est inférieure à 100 %. Quant à l'amidon disponible, il peut être lentement et rapidement dégradé en glucose dans l'intestin grêle, selon divers paramètres liés à l'aliment : on parle alors de sucres lents et rapides. La biodisponibilité est donc un paramètre essentiel en nutrition, puisque la quantité d'un composé dosé dans un aliment n'est que très rarement celle qui sera absorbée par l'intestin.

Anthony Fardet

• *Voir aussi :* Amidon ; Santé ; Transit digestif ; Valeur énergétique du pain ; Valeur nutritionnelle du pain

BIOLOGIQUE. – Voir AGRICULTURE BIOLOGIQUE ; BOULE BIO ; FILIÈRE BIO ; PAIN BIO

BISAILLE. – C'est la dernière des farines, la plus « bise » (du latin *bisus*, « gris », « brun noirâtre »), contenant le germe du grain, dont elle tire sa couleur, et le son. La bisaille est aussi un mélange de pois gris et de vesces dont on nourrit les animaux.

Mouette Barboff

• *Voir aussi :* Bis-blanc ; Farine ; Fleur de farine ; Germe ; Grain ; Mouture ; Provende ; Son

BIS-BLANC. – La farine passée par le bluteau qui tombe dans la huche se décompose de la façon suivante : la première farine (deux tiers) est nommée fleur de farine, ou première farine. L'autre tiers est appelé seconde farine, ou bis-blanc : ordinairement, on mêle ces deux farines. « Les différentes grosseurs des bluteaux font la différence entre trois sortes de moutures rustiques : la mouture pour le Pauvre, celle pour le Bourgeois, et celle pour le Riche. Pour la mouture du Bourgeois, le blutoir n'est pas si fin que celui de la mouture du Riche, ni si gros que celui de la mouture du Pauvre. Cela donne une bonne farine qu'on nomme du bis-blanc, qui fait du bon pain » (Malouin 1779).

Mouette Barboff

• *Voir aussi :* Bisaille ; Blutage ; Bluteau, blutoir ; Fleur de farine ; Huche → Maie

Bibl. : Paul Jacques MALOUIN, *Description et détails des arts du meunier, du vermicellier et du boulanger*, Paris, 1779.

BISCOTTE. – Tranche de pain ayant subi une double cuisson (formule standard : farine de blé 100, eau 57, sucre 5, matière grasse 5, levure 5, sel 1,7), la biscotte (1807 ; it. *biscotto*, « bis-cuit », pain cuit deux fois) appartient aux produits de panification sèche. Sa teneur en eau inférieure à 4 % lui assure une conservation de plus de neuf mois sous emballage étanche, qui en outre doit la protéger des chocs afin de préserver sa fragile intégrité. Elle se distingue de son ancêtre la « rôtie » et du pain grillé par une texture plus friable et fondante. Produite de longue date en Belgique et en Hollande (biscottes rondes, *zwieback*), elle apparaît chez quelques artisans boulangers parisiens vers 1860. Sa grande digestibilité fait qu'elle sera immédiatement prescrite par le corps médical. Des lignes de fabrication industrielles voient le jour à partir des années 1920. La consommation de biscottes s'envole dans les années 1950 ; elle est alors fréquemment utilisée dans les régimes minceur et substituée au pain. Bien qu'historiquement associée à une alimentation de régime (biscottes sans sel), elle se décline désormais en de multiples variantes gourmandes et nutritionnelles.

Hubert Chiron

• *Voir aussi :* Biscottiers ; Biscuit ; Pain grillé

Bibl. : R. GEOFFROY, *La Fabrication de la biscotte*, Paris, Desforges, 1957.

BISCOTTIERS. – Le secteur de la biscotterie française est aujourd'hui très concentré. Une dizaine d'entreprises (Albatros, Corvisart, Faissole & Ballester, Financière Villemur, Jacquet Panification, Nutrition et santé, Pasquier, Roger) produisent plus de 100 000 tonnes de produits, dont les principales déclinaisons sont : biscottes au froment, aux céréales, pains spéciaux grillés et braisés, petits pains grillés, extrudés, croûtons, gressins, chapelure, azymes et galettes de riz. Cette profession, vieille de plus d'un siècle, est une branche du syndicat professionnel L'Alliance 7 ; elle met aujourd'hui en œuvre un savoir-faire de tradition boulangère à l'échelle industrielle. Elle s'est dotée d'un guide de bonnes pratiques en matière d'hygiène et de sécurité alimentaire ainsi que d'un répertoire des dénominations afin de préserver les recettes traditionnelles de certains produits croustillants.

Hubert Chiron

• *Voir aussi :* Azyme → Pains mondiaux ; Biscotte ; Biscuitiers ; Chapelure ; Croûton ; Filière blé-farine-pain ; Grissini → Pains mondiaux

Bibl. : Voir aussi le site du Syndicat de la panification croustillante et moelleuse : www.panification.org

BISCUIT. – Produit de cuisson céréalier qui a la particularité de bien se conserver, à la différence du pain et des pâtisseries. Cette caractéristique suppose une déshydratation assez poussée. Le qualificatif « sec » lui est souvent associé, notamment dans l'expression « biscuit sec ». Le caractère moelleux lié au biscuit est très rare, le biscuit de Savoie, aussi appelé « gâteau de Savoie », en est une exception. Cette nécessité de sécher, on la retrouve dans l'étymologie du mot biscuit, « bis-cuit », « cuit deux fois », dont la technique était appliquée autrefois pour des produits de panification. Cette pratique était courante pour préparer des pains destinés aux voyageurs, notamment pour les marins et les militaires. Cette deuxième cuisson combine à la fois des effets de grillage et de dessèchement. Notre biscotte actuelle n'en est qu'une déclinaison étymologique et technologique.

Si la fabrication du pain grillé répond à ces critères, il présente davantage d'hétérogénéité de couleur et de teneur en eau, qui ne lui donnait pas cette aptitude à une longue conservation ; mais il valorisait un pain rassis. La préparation de ces biscuits de mer ou de guerre supposait souvent plusieurs passages au four pour s'assurer d'une dessiccation suffisante. Ce produit sec ne devait pas être dur, pour être consommable facilement, avec une sensation agréable. Sec et friable, deux caractéristiques fortes, qui étaient obtenues avec des tranches de pain cuites « deux fois ». Le « cuit deux fois », ou biscuit, semble avoir été associé progressivement à cette double caractéristique qualitative, plutôt qu'au produit qui a été à son origine, à savoir le pain. Obtenir un produit sec à partir de farine et d'eau, c'est possible, mais la structure obtenue après un simple mélange donne un produit dur après cuisson et dessèchement. Pour obtenir un produit sec qui soit friable, du point de vue technologique, il faut réaliser :

– soit des pâtes de faible épaisseur avant cuisson, pâtes laminées de type « pain azyme » ou des pâtes de type crêpes cuites sur plaques et ensuite desséchées, à l'image des crêpes dentelles, gaufrettes… Le produit feuilleté, qui a ce caractère friable, n'est en fait qu'une structure multicouche, à la différence de la crêpe, qui est monocouche ;

– soit des pâtes à structure alvéolaire comme les produits de panification ou les produits de pâtisserie à base d'œuf battu (biscuit à la cuiller) ;

– soit des pâtes à structure discontinue comme dans le cas des pâtes sablées ou brisées, de conception plus récente, enrichies en sucre et en matières grasses, à la base de la biscuiterie moderne. Dans ce cas, la matière grasse utilisée au cours du mélange assure l'enrobage des ingrédients, donne de la cohésion, empêche ou limite la formation du réseau de gluten. Cette matière en cours de cuisson se liquéfie et contribue ainsi à la dissociation des ingrédients de la recette, notamment la farine, mais stabilise à chaud cette phase grasse. Ces agrégats de farine plus ou moins hydratés, riches en sucre et qui vont se gorger de matière grasse, se séparent sous la pression de vapeur au four pour créer une structure « ouverte » ou poreuse qui va contribuer à la fragilité de sa structure et à la friabilité du biscuit. Avec cette technique, il devient donc possible d'obtenir la double caractéristique sec et friable en une seule cuisson. La fabrication de pâtes fermentées, avec des durées de fermentation longues sans sucre et matières grasses, produit par hydrolyse une déstructuration de la pâte, notamment du réseau de gluten. Les pâtes obtenues, laminées, découpées, donnent alors une texture friable – le crackers anglais est associé à cette technologie.

Philippe Roussel

• *Voir aussi :* Alvéolage ; Azyme → Pains mondiaux ; Biscotte ; Biscuitiers ; Crêpe ; Feuilletage ; Hydratation ; Pain de munition ; Pain grillé

BISCUITIERS. – Ce qualificatif désigne les fabricants de biscuits ; il apparaît au XIXe siècle dans les écrits et il est associé à la fabrication moderne et industrielle des biscuits dont l'origine est anglo-saxone. Paradoxalement, les termes « biscuiterie » et « biscuitiers » n'ont pas de traduction spécifique en langue anglaise. Il semble donc que le terme « biscuitier » ait été créé en langue française pour désigner une catégorie professionnelle ou un métier. Il est apparu dès le Moyen Âge, dans la définition des métiers, des distinctions entre le boulanger (fabricant de pains), le pâtissier (fabricant de pâtés) et l'oublieur (ou oubloyer), fabricant d'oublies ou d'hosties mais progressivement de gaufres, beignets, échaudés… Si les boulangers et pâtissiers avaient pignon sur rue, l'oublieur ne vendait que sur les foires ou dans la rue ; son mode de commercialisation se distinguait du lieu de fabrication. Est-ce que l'oublieur d'autrefois est devenu le biscuitier d'aujourd'hui avec l'évolution des caractéristiques qualitatives des produits et leur fabrication mécanisée ? Sans doute que non, car majoritairement les biscuitiers d'aujourd'hui sont souvent des anciens boulangers ou des pâtissiers ; mais il est probable que la spécialisation vers des produits secs, friables mais aussi sucrés et les conditions d'exercice de fabrication aient conduit aux dénominations « biscuitier » et « biscuiterie ». La commercialisation des produits se distingue aussi de celles des boulangers et pâtissiers. Le nom de biscuitier associé à l'exercice d'un métier n'apparaît que très récemment dans les dictionnaires, mais n'est toujours pas associé à un diplôme.

Philippe Roussel

• *Voir aussi :* Biscotte ; Biscottiers ; Biscuit ; Boulangers de France ; Feuilletage ; Hostie ; Munition (pain de) ; Oublieur ; Pain grillé ; Pâtissier

BLANCHIMENT DE LA PÂTE. Phénomène caractéristique de l'utilisation de la méthode de pétrissage dite intensifiée. Cette méthode, par sa durée et son intensité, induit un apport important d'air et associe le plus souvent l'utilisation de farine de fève comprenant une enzyme conduisant à l'oxydation et à la destruction des pigments caroténoïdes, naturellement présents dans la pâte.

Dominique Descamps

• *Voir aussi :* Caroténoïdes ; Fève ; Oxydation ; Pain blanc ; Pétrissage

BLANCHIMENT EN MEUNERIE. – Dans la seconde moitié du XIXe siècle, avec comme objectif d'obtenir une meilleure valeur commerciale pour des consommateurs qui recherchaient du pain blanc, se sont développées de manière discrète, mais peu généralisées, des pratiques de traitements chimiques pour blanchir les farines. Des produits comme l'ozone, le peroxyde d'azote furent utilisés, mais ces traitements furent jugés peu intéressants et déjà critiqués par le corps scientifique, médical mais aussi réglementaire, avec la création de la répression des fraudes naissante. Les pays anglo-saxons ont en revanche étudié davantage ces procédés et ont amélioré leur efficacité avec d'autres molécules à base de chlore.

Les années 1920 sont très mouvementées en ce qui concerne la qualité des farines. Entre 1922 et 1927, dans un contexte de sous-production de blé et d'importations coûteuses, l'État impose un relèvement du taux d'extraction des farines, puis l'incorporation de succédanés (farine de seigle, d'orge ou de riz). En réaction, à l'instar de leurs collègues anglais, quelques moulins s'équipent d'installations de blanchiment des farines par voie physique ; d'autres utilisent des oxydants chimiques de type persulfate d'ammonium ou bromate de potassium. Le procédé Humphries, proposé aux meuniers en 1926, revendique par exemple un gain de volume des pains de 20 %. La meunerie, confrontée à l'essor de la variété de blé Vilmorin 23, très productive mais très faible, résume sa position avec le slogan « soit des blés exotiques, soit des produits chimiques ». Ces pratiques sont contraires aux lois interdisant les produits chimiques dans les substances alimentaires et au principe de la liste positive d'avril 1912 ; plusieurs meuniers sont traduits devant les tribunaux. La révélation de ces fraudes au grand public soulève une vive polémique en 1930. En 1931, le président de la Meunerie française obtient la relaxe des quelques fraudeurs contre l'engagement solennel de ne plus traiter les farines avec des sels chimiques. La même année, les autorités françaises interdisent formellement le blanchiment chimique en meunerie, quels que soient le procédé et l'agent chimique. Ces pratiques sont restées interdites en France et dans la majorité des pays européens et elles ont été, de fait, non introduites dans la réglementation européenne sur les additifs de 1995. La Grande-Bretagne et l'Irlande, qui pratiquaient ces techniques, ont été obligées de les interdire. Aux États-Unis et dans plusieurs pays du continent américain, elles restent toujours en vigueur.

De manière naturelle, une farine blanchit au cours du temps à la fois à cause de l'oxygène contenu dans l'air présent dans la farine et grâce à l'activité des enzymes dites « d'oxydation ». Cette action était obtenue en laissant les farines se reposer avant leur utilisation par le boulanger. L'oxydation des pigments carotènes des farines s'accompagne aussi d'une oxydation des protéines du gluten et conduit à une meilleure stabilité des pâtes. Autrefois, les sacs de jute contenant de la farine étaient stockés et empilés sur les plancher des moulins avant expédition ; d'où l'expression « donner du plancher à une farine ». Ces phénomènes d'oxydation sont intensifiés au cours du pétrissage. Dans les années 1950, la découverte du pétrissage intensifié, auquel s'ajoute une action plus intense des enzymes d'oxydation, présentes notamment dans la farine de blé, mais aussi de fève et, plus tard, de soja, dans les années 1980, a compensé largement cette absence d'oxydation des farines.

Philippe Roussel

• *Voir aussi :* Additif ; Caroténoïdes ; Enzyme ; Gluten ; Meunerie ; Oxydation ; Pain blanc ; Pétrissage ; Plancher (donner du) ; Taux d'extraction

BLATIER, ou marchand de grains, de blés, de céréales. – Marchand qui tente de commercer un grain bon marché. Du verbe *blatier* (ou *blastrier*, ou *blatrer*, selon l'*Encyclopédie* de Diderot), on le retrouve rattaché aux métiers de l'alimentation depuis 1292, au même titre que les meuniers et les boulangers. D'un caractère protéiforme, son activité de marchand est occasionnelle et irrégulière. Colporteur de grains, il est un rouage du système originaire d'approvisionnement, de la ferme au marché. Il achète tous les grains que les autres ne veulent pas. Presque toutes les sociétés marchandes en développement ont leur blatier par équivalence. En Jamaïque, les *country higglers* tiennent un rôle essentiel dans tout le système de distribution, des contrées rurales jusqu'aux centres urbains. Au Maroc, les *arbitragers*, ou au Mexique les *viajeros* remplissent les fonctions blastrières. Colporteur, ou « pauvre voiturier », selon l'expression idoine décelable chez nombre d'auteurs critiques de la fonction, il lui est capital d'être parfaitement renseigné pour savoir où s'achalander, mais aussi pour éviter les marchés gérés par des officiers ou quelques vendeurs hostiles. Il doit entretenir des contacts solides pour être autorisé à stocker des grains dans des lieux propices à la conservation de ceux-ci.

Au XVIe siècle, les blatiers sont tenus de marchander de « proche en proche », en respectant la direction de la capitale (Paris, Montereau, Bray, Provins, Reims…), sous peine de châtiment corporel. À partir du XVIIe siècle, ils deviennent objet de polémique. Vendant les grains dans les villes à des prix inférieurs aux laboureurs, on les dénonce comme « profiteurs » ou « regratteurs » – « regratter », selon des rapports de police du XVIIIe siècle qui suggéraient leur suppression immédiate, signifiait renchérir sur les prix et concomitamment épuiser la fourniture du marché parisien plutôt que de l'enrichir de grains. Parmentier, dans son plaidoyer *Le Parfait Boulanger*, va dans ce sens ; il les qualifie de « tricheurs », proposant « des marchandises de moindres qualités ». Il soutient ainsi les mesureurs de grains parisiens, qui ne voient pas d'un bon œil la livraison directe des grains aux boulangers. Aussi, durant la période révolutionnaire, blatier devint synonyme d'accapareur ou de pilleur des marchés. Facteur auprès des laboureurs, le blatier put se défendre grâce à des gains réalisés au moindre profit. Certains blatiers évoluèrent dès les années 1790 dans le commerce de la farine.

Olivier Pascault

• *Voir aussi :* Ban et banalités ; Boulangers et boulangeries (histoire de France des) ; Boulangers forains ; Disettes, famines et révoltes pour le pain en France ; France (pains historiques, du Moyen Âge à la Révolution française) ; Grand panetier ; Orve et orvier ; Talemelier

Bibl. : Antoine Augustin PARMENTIER, *Le Parfait Boulanger ou Traité complet sur la fabrication & le commerce du pain*, Paris, Imprimerie royale, 1778 ; réimpr. Marseille, Jeanne Laffitte, préface de Lionel Poilâne, 1983.

BLÉ (fosse à). – Réceptacle de voirie, souvent de grande capacité, permettant aux véhicules de transport de décharger les blés. Cette fosse est ensuite vidée et le blé envoyé et réparti dans des silos à l'aide de transporteurs mécaniques ou pneumatiques.

Philippe Duret

• *Voir aussi :* Meunerie ; Silo à farine (chambre ou) ; Silo à grains ; Transport pneumatique

BLÉ (grenier à). – Voir COLUMELLE

BLÉ (guerres pour le). – Voir TERRE-MÈRE PRIMORDIALE

BLÉ (impérialisme du). – On ne compte guère plus d'une demi-douzaine d'espèces dont on puisse dire qu'elles fournissent le pain d'une partie significative de l'humanité : le blé tendre, le blé dur, le riz, le maïs, le manioc et le mil à chandelle (*Pennisetum glaucum* L.). Toutes les autres espèces sont en recul, ou au mieux se maintiennent dans leurs régions traditionnelles, ce qui équivaut à un recul relatif. La pomme de terre, par exemple, a largement reperdu le terrain qu'elle avait gagné en Europe au XIXe siècle. Les ignames (il en existe une quarantaine d'espèces, dont cinq ou six sont économiquement importantes) restent liées à des complexes alimentaires traditionnels où elles se maintiennent, mais dont elles ne peuvent pratiquement pas sortir ; la seule région où elles sont la base de l'alimentation est la zone forestière qui s'étend de la Côte d'Ivoire au Nigeria, mais la concurrence du manioc s'y fait de plus en plus sentir. Les autres cultures, tubercules comme céréales dites secondaires, sont partout en régression plus ou moins rapide dans l'alimentation humaine. Certaines se maintiennent comme spécialités culinaires (le pain de seigle, qui accompagne les huîtres en France), comme *ethnic foods* (le porridge d'avoine en Écosse) ou encore comme produits biologiques. À ce titre, des cultures quasiment disparues comme le sarrasin, le millet, l'épeautre, etc., peuvent même regagner un peu de terrain. Mais les productions restent minimes.

Dans notre liste, en réalité, seuls les blés (tendre et dur), le riz et le manioc sont véritablement en expansion. Le maïs progresse un peu dans les pays tropicaux mais, plus encore que la pomme de terre, il a perdu la place qu'il avait prise autrefois dans l'alimentation des Européens et des Américains du Nord. Quant au mil, son devenir est incertain. De toutes les céréales qu'on classe habituellement dans la catégorie un peu vague des « millets », le mil à chandelle est certainement la plus importante (en Afrique et en Inde) et la plus appréciée. Mais il est aussi en recul devant le blé et le riz, et, si on peut penser qu'il se maintiendra, c'est parce que les immenses étendues semi-arides où on le cultive ne peuvent évidemment pas produire de blé ni de riz, ni même de maïs ou de manioc en qualité appréciable. Si donc le recul du mil devait se prolonger, cela signifierait pratiquement la disparition de toute agriculture dans une grande partie de l'Afrique et de l'Inde ; il est peu vraisemblable que le processus aille si loin. Le manioc joue aujourd'hui, dans les régions tropicales humides, le rôle qui a été celui de la pomme de terre dans les pays tempérés au XIXe siècle. On le cultive beaucoup dans les immenses banlieues des villes du tiers-monde, où s'est développé un important artisanat pour sa transformation.

Quant au blé et au riz, ils ont, chacun dans sa zone climatique, supplanté les autres céréales : le blé a supplanté l'orge, le seigle et l'avoine, le riz a supplanté les millets. Et finalement, là où blé et riz sont en présence, c'est-à-dire en Inde et en Chine, c'est le blé qui l'emporte peu à peu. Ce qui ne signifie pas que le riz recule, mais seulement qu'il prend une place inférieure à celle du blé dans la hiérarchie des préférences et des valeurs. Une manière de comprendre l'histoire plutôt chaotique du pain des peuples, en somme, c'est de la voir comme une géographie se transformant peu à peu en hiérarchie. Au départ, chaque peuple aurait développé l'usage de ses propres ressources. Puis, avec le temps et l'extension des échanges, les cultures les plus productives, les plus sûres et les plus appréciées auraient peu à peu pris le pas sur les autres, dans une compétition de plus en plus large, s'étendant finalement à toute la planète. Certaines ressources ont ainsi été très tôt rejetées au rang des plantes de famine, puis tout à fait abandonnées. D'autres ont été conservées, mais uniquement pour l'alimentation des animaux, où elles ont pu d'ailleurs acquérir une importance considérable. D'autres encore ont trouvé une place assurée dans l'alimentation humaine, mais dans des usages limités ou à un rang subalterne. Et finalement, le blé et le riz à sa suite apparaissent nettement détachés en tête de la course ; une course qu'ils semblent bien avoir toujours fait en tête, depuis des milliers d'années qu'elle dure. Il y a là une permanence un peu mystérieuse, mais qui n'en est que plus impressionnante.

François Sigaut

• *Voir aussi :* Blé, genre *Triticum* ; Blé dur ; Blé tendre ou froment ; Céréales sauvages aux premières formes domestiques (des) ; Mésopotamie ; Pain (définition universelle du) ; Pain levé du monde (le plus ancien) ; Terre-Mère primordiale

Bibl. : Marie-Claire AMOURETTI, *Le Pain et l'huile dans la Grèce antique*, Paris, Les Belles Lettres, 1986 • Takako ANKEI, *Cookbook of the Songola : An Anthropological Study on the Technology of Food Preparation among a Bantu-speaking People of the Zaire Forest*, Kyoto University, The Center for African Area Studies, African Study Monographs, supplément au n° 13, 1990 • Paola ATZENI, *Il corpo, i gesti, lo stile. Lavori delle donne in Sardegna*, Cagliari, CUEC, 1988 • AVITSUR, « The Way to Bread, The Exemple of the Land of Israel », *Tools and Tillage*, n° 2, 4, 1975, p. 228-241 • Fred BINDER, *Die Brotnahrung, Auswahl-Bibliographie zu ihrer Geschichte und Bedeutung*, Ulm/Donau, Deutsches Brotmuseum, 1973 • Jean-Pierre DEVROEY, Jean-Jacques VAN MOL (dir.), *L'Épeautre (*Triticum spelta*), Histoire et ethnologie*, Treignes (Belgique), Éditions Dire, 1989 • Anni GAMERITH, *Speise und Trank im südoststeirischen Bauernland*, Graz, Akademische

Druck-und Verlagsanstalt, 1988 • Franco GARIBOLDI, *L'Étuvage du riz*, Rome, FAO, 1974 • Marceau GAST, *Alimentation des populations de l'Ahaggar*, Paris, Arts et métiers graphiques, 1968 • S. H. KATZ, M. L. HEDIGER, L. A. VALLEROY, « Traditions Maize Processing Techniques in the New World », *Science*, n° 184, 4138, 1974, p. 765-773 • James G. LEWTHWAITE, « Acorns for the Ancestors : the Prehistoric Exploitation of Woodland in the West Mediterranean », *in* S. Limbrey, M. Bell (dir.), *Archaeological Aspects of Woodland Ecology*, Oxford, BAR, 1982, p. 218-230 • Marie-Claude MAHIAS, *Délivrance et convivialité. Le système culinaire des Jaina*, Paris, Éditions de la Maison des sciences de l'homme, 1985 • Adam MAURIZIO, *Die Nahrungsmittel aus Getreide*, Berlin, Paul Parey, 2 vol., 1924-1926 • L. A. MORITZ, *Grain-Mills and Flour in Classical Antiquity*, Oxford, Clarendon Press, 1958 • José MUCHNIK, Dominique VINCK, *La Transformation du manioc, technologies autochtones*, Paris, Presses universitaires de France, 1984 • Sigmund REHM, Gustav ESPIG, *Die Kulturpflanzen der Tropen und Subtropen*, Stuttgart, Eugen Ulmer, 1976 • Françoise SABBAN-SERVENTI *et al.*, « Contre Marco Polo : une histoire comparée des pâtes alimentaires », *Médiévales*, n°s 16-17, 1989 • Nicolas-Charles SERINGE, *Monographie des céréales de la Suisse*, Berne, chez l'auteur, 1818 • Kathleen SHAWCROSS, « Fern Root and 18th Century Maori Food Production in Agricultural Areas », *The Journal of the Polynesian Society*, n° 76, 3, 1967, p. 330-352 • François SIGAUT, « Moulins, industrie et société », *Culture technique*, n° 16, 1986, p. 215-223 • Alain TESTART, *Les Chasseurs-cueilleurs, ou l'Origine des inégalités*, Paris, Société d'ethnographie, 1982.

BLÉ (maladies du). – Le blé tendre peut être attaqué par des champignons qui provoquent des maladies sur différents organes : les racines et la base des tiges (« maladies du pied »), les feuilles, les épis et les grains. Toutes ces maladies peuvent avoir un effet sur le rendement de la culture, mais aussi sur la qualité technologique et la qualité sanitaire. Les principales maladies du pied sont le piétin verse et le piétin échaudage. Ces maladies peuvent entraîner de très fortes baisses de rendement, mais elles génèrent aussi souvent une baisse de la qualité du grain par échaudage (manque d'alimentation en eau en fin de végétation, qui donne des petits grains ridés). Les maladies du feuillage les plus fréquentes sont la septoriose, la rouille brune et jaune, et l'oïdium. Ces maladies à multiplication rapide, avec plusieurs générations par an, ont un caractère épidémique. Elles sont présentes tous les ans avec des niveaux d'infestation variables en fonction du climat et des régions. Ainsi, la rouille brune sévit davantage dans le sud de la France que dans le nord. Sur épis, les maladies les plus à craindre sont les fusarioses, qui produisent des toxines dangereuses pour la santé humaine : les mycotoxines. D'autres maladies affectent la qualité des grains : la carie et l'ergot. La carie, transmise par les semences, donne une odeur de poisson pourri au grain, mais n'est pas dangereuse pour la santé humaine. L'ergot est au contraire très toxique pour l'homme. Ces deux dernières maladies sont peu fréquentes, mais doivent être surveillées. D'une manière générale, elles sont contrôlées par des fongicides, produits de protections des plantes limitant le développement des champignons. Les traitements fongicides des semences permettent de lutter contre les maladies transmises par la graine (carie) ou par le sol (piétin échaudage). Les traitements en végétation peuvent intervenir à différents stades de développement de la culture : début, courant montaison, ou à l'épiaison. Des viroses peuvent aussi entraîner des maladies du blé. La plus fréquente est la jaunisse nanisante de l'orge (JNO) transmise par des pucerons à l'automne. Les mosaïques moins fréquentes sont transmises par un champignon du sol.

Philippe Viaux

• *Voir aussi :* Blé tendre ou froment ; Épis ; Ergotisme ; Mycotoxines

BLÉ (séquençage du génome de). Le blé tendre (*Triticum aestivum* L.) est cultivé sur 95 % des surfaces mondiales de blé et représente l'aliment de base pour 35 % de la population mondiale. Dans un contexte de stagnation des rendements depuis dix ans, de demandes sociétales accrues en termes d'amélioration de la qualité et d'une production réalisée dans un meilleur respect de l'environnement, de compétition croissante entre l'utilisation pour la nourriture ou les biocarburants et de changements climatiques majeurs, son amélioration représente un challenge sans équivalent dans l'histoire de l'agriculture. Pour relever ces nouveaux défis, la sélection de nouvelles variétés doit devenir plus rapide et efficace. Cela passe en particulier par une meilleure connaissance des caractères agronomiques impliqués dans la résistance aux maladies et aux conditions environnementales (sécheresse, salinité, etc.), dans le rendement (meilleure utilisation des engrais, production plus régulière…) et la qualité (meilleures caractéristiques sanitaires et nutritionnelles). Toute l'information requise est renfermée dans le génome (ensemble des chromosomes, gènes et ADN qui constitue le matériel génétique d'un individu) du blé et son décryptage représente donc un enjeu majeur de la recherche agronomique.

De la même façon que depuis le séquençage du génome humain, les chercheurs sont capables d'identifier tel ou tel gène responsable d'une maladie et de développer de nouveaux médicaments plus efficaces et spécifiques, le séquençage du génome de blé permettra de déterminer quels gènes sont impliqués dans une meilleure tolérance aux maladies ou à la sécheresse, pour mettre en place une agriculture capable de mieux répondre aux enjeux et plus raisonnée. Or, les outils d'exploration du génome de blé qui permettront d'aboutir à son séquençage sont très en retard par rapport à d'autres céréales comme le maïs, le riz ou le sorgho. Ce retard est dû en partie à la difficulté d'accès à un génome très particulier. D'une part, le génome de blé est de très grande taille : avec 17 milliards de bases (unité composant l'ADN de tous les organismes vivants ; il existe quatre types de bases, dont les symboles sont A, C, T et G. La taille d'un génome est généralement chiffrée en mégabases [10^6]) distribuées sur 21 chromosomes, il est 5 fois plus grand que le génome humain et 40 fois plus grand que celui du riz, dont les séquences ont été obtenues après des années d'effort et de gros investissements financiers. D'autre part, le blé est un organisme dit polyploïde, c'est-à-dire que chacune de ses cellules possède plusieurs génomes. Dans le cas du blé tendre, trois génomes, dénommés A, B et D et issus de trois espèces ancestrales différentes, ont été rassemblés naturellement au sein de chaque cellule de blé au cours de l'évolution. Enfin, le génome de blé est composé à 80 %

de séquences répétées à des milliers d'exemplaires et dont la fonction reste encore inconnue. Ces caractéristiques complexes ont souvent fait apparaître le blé comme un génome impossible à séquencer. À cela s'ajoute un sous-investissement chronique dans la recherche sur une espèce qui, malgré son poids socio-économique majeur, dégage une moindre valeur ajoutée pour le secteur privé que d'autres céréales comme le maïs.

Malgré ces difficultés, la communauté scientifique internationale du blé est très mobilisée et travaille d'arrache-pied depuis les années 1990 pour mettre en place des initiatives communes visant à produire les ressources nécessaires au démarrage de projets de génomique. Dès 1999, le consortium français Génoplante a permis de développer des ressources moléculaires et des outils, notamment de bio-informatique, qui ont comblé une partie du retard accumulé. En 2005, sous l'impulsion de la Commission du blé et de l'université du Kansas, le Consortium international pour le séquençage du génome de blé (International Wheat Genome Sequencing Consortium, www.wheat genome.org) voit le jour avec mission d'obtenir la séquence du blé tendre dans les dix ans à venir. Piloté par un comité composé de six membres, originaires des États-Unis, d'Australie, du Japon, d'Europe, dont une directrice de recherche de l'INRA, l'IWGSC définit ses objectifs et ses stratégies pour relever ce défi technologique et politique majeur.

L'une des spécificités de l'IWGSC est d'être ancré au cœur de la sélection et de mettre en œuvre une approche qui permette tout au long du projet de générer des outils immédiatement accessibles aux sélectionneurs et aux agriculteurs. Il ne s'agit pas d'un exercice de style pour chercheurs en mal de défi à relever, mais bien d'une entreprise au service de l'agriculture et des citoyens du monde. À ce jour, aucun génome de plantes faisant plus de 400 millions de bases n'a été entièrement séquencé (le génome de maïs, qui fait 2,5 milliards de bases, c'est-à-dire six fois plus petit que le blé, n'est que partiellement séquencé). Pour tenter de simplifier le séquençage des 17 milliards de bases du génome de blé et développer une approche la plus efficace possible au niveau international, l'IWGSC a établi une stratégie qui s'attaque individuellement à chacun des 21 chromosomes. C'est grâce aux progrès réalisés dans la technique de cytométrie de flux (technique permettant de faire défiler des particules – molécules, cellules, chromosomes – à grande vitesse dans le faisceau d'un laser et de trier suivant différents critères, par exemple la taille) et dans la fabrication des banques d'ADN par des équipes tchèque et française que cette approche est devenue possible au début des années 2000. En effet, cette technique permet de trier les chromosomes et de les isoler les uns des autres en quantité suffisante pour fabriquer des banques d'ADN spécifiques de chacun d'eux. Ces banques, qui renferment des milliers de fragments d'ADN représentant un chromosome chacune, sont le matériel de base pour obtenir la séquence du génome de blé. La stratégie dite « spécifique des chromosomes » permet de réduire le travail et le coût de l'opération.

En 2004, la France, au travers de l'INRA, se lance dans l'aventure en exploitant la première banque d'ADN (collection de fragments d'ADN d'une espèce obtenus par découpage des molécules d'ADN et insertion de chaque fragment dans un vecteur – le plus souvent une bactérie – permettant la production de chaque fragment en très grande quantité) du plus gros des chromosomes de blé, le chromosome 3B (1 milliard de bases, soit trois fois le génome de riz à lui tout seul). Quatre ans plus tard, l'INRA apporte la preuve que la stratégie fonctionne en publiant la première carte physique (reconstitution d'un chromosome ou d'un génome à partir de fragments d'ADN contenus dans des banques). Chaque fragment est analysé et comparé avec les autres fragments de la banque. Les fragments issus d'une même région sont identifiés et assemblés dans un fragment plus long appelé « contig ». Les contigs sont ensuite ordonnés grâce à des ancres moléculaires appelées marqueurs, de façon à reconstituer le chromosome dans son ensemble. Peu après, les États-Unis s'attaquent au chromosome 3A, et d'autres pays européens puis l'Inde obtiennent des financements pour entamer le travail sur dix autres chromosomes.

Parallèlement à ces efforts et sous la pression de la génomique humaine, une révolution s'opère depuis quelques années dans les techniques de séquençage, les rendant beaucoup moins chères et plus rapides. Ainsi, le coût du séquençage du génome de blé, estimé à 150 millions d'euros au début des années 2000, ne représenterait plus que 30 millions d'euros actuellement. Les conditions technologiques ne sont donc actuellement plus un frein à l'obtention de la séquence du génome de blé. Reste à persuader les bailleurs de fonds de l'importance d'investir dans ce domaine si stratégique pour l'agriculture de demain.

Catherine Feuillet

• *Voir aussi :* Blé, genre *Triticum* ; Blé tendre ou froment ; INRA ; Variétés de blé

Bibl. : Catherine FEUILLET, Kellye EVERSOLE, « Physical Mapping of the Wheat Genome : A Coordinated Effort to Lay the Foundation for Genome Sequencing and Develop Tools for Breeders », *Isr. J. Plant Sci.*, nº 55, 2007, p. 307-313 • Étienne PAUX *et al.*, « A Physical Map of the 1-Gigabase Bread Wheat Chromosome 3B », *Science*, nº 322, 2008, p. 101-104.

BLÉ (variétés de). – Voir VARIÉTÉS DE BLÉ

BLÉ, GENRE *TRITICUM*. – Le mot « blé » vient de *blad*, mot francique qui était la langue des anciens Francs. Au plan agronomique, le blé est une céréale, c'est-à-dire une espèce dont les grains réduits en farine servent à la nourriture de l'homme et des animaux domestiques (Larousse).

Zones de culture et adaptation à l'environnement. La zone de prédilection du blé pour sa culture se situe entre les latitudes 30° et 60° N et entre 27° et 40° S (Nuttonson 1955), mais il peut encore être cultivé au-delà de ces limites depuis la zone du cercle arctique jusqu'aux plus hautes altitudes de la zone équatoriale. En altitude, la culture est possible depuis le niveau de la mer jusqu'à plus de 3 000 mètres, John Percival (1921) le signale même à 4 570 mètres au Tibet. La température de culture optimale se situe aux alentours de 25°. Les variétés de blé peuvent être classées en types « hiver », « printemps » ou « alternatif », suivant leurs besoins en vernalisation, c'est-à-dire en températures proches de 0° pendant l'hiver. En effet, chez les variétés d'hiver, la floraison est retardée tant que les plantes n'ont pas été exposées à des températures froides proches de 0° pendant un temps donné. Au contraire, les variétés de printemps n'ont pas ce besoin en températures froides, elles sont insensibles ou peu sensibles à la vernalisation. Quant aux variétés alternatives, elles n'ont qu'un besoin partiel de vernalisation pour acquérir l'aptitude à fleurir.

La plupart des blés cultivés en Europe du Nord-Ouest sont de type hiver, mais présentent des sensibilités à la longueur du jour et des précocités intrinsèques diversifiées qui expliquent des précocités d'épiaison (sortie de l'épi de la gaine de la dernière feuille) variables. Dans ces régions, le blé d'hiver (ou d'automne) est semé à l'automne (octobre est souvent la période optimale), il germe et lève avant l'hiver, la jeune plante herbacée subit les températures froides hivernales vernalisantes qui permettent au bourgeon terminal, ou apex, d'acquérir l'aptitude à mettre en œuvre le programme floral. Au printemps, la précocité d'épiaison et de floraison est alors principalement dépendante de la précocité intrinsèque et de la sensibilité de la plante à la longueur du jour. La diversité génétique du blé pour ces caractéristiques de besoin en températures vernalisantes, de sensibilité à la photopériode et de précocité intrinsèque explique à la fois la grande diversité des environnements susceptibles d'accueillir la culture du blé et la relative étroitesse de l'adaptation régionale d'une variété donnée. Les besoins en températures vernalisantes et en jours longs sont des caractères ancestraux du blé tendre, ce qui fait qualifier cette espèce, qui doit subir les froids hivernaux naturels et les jours longs croissants du printemps pour fleurir, de « plante bisannuelle, de jours longs ».

Utilisation. Le principal produit utilisable dans le blé est le grain, qui est un fruit particulier, le caryopse. C'est un fruit sec indéhiscent (il ne s'ouvre pas spontanément à maturité), constitué de trois parties principales : l'embryon, l'albumen et les enveloppes. La paille, ou chaume, peut être récoltée ; elle sert à l'alimentation des animaux ou comme litière. Du point de vue de la texture et de la composition du grain de blé tendre, on distingue, suivant la terminologie anglo-saxonne, les types *hard* et *soft*, selon la granulométrie des farines. Lors du broyage, les blés *hard* donnent de plus grosses particules que les types *soft*, qui donnent une mouture plus pulvérulente. Une raison de ne pas traduire le terme anglo-saxon *hard* en « dur » est d'éviter la confusion avec le nom « blé dur » attribué à l'espèce *T. durum*. À ce caractère de dureté de l'albumen s'ajoute celui de la vitrosité, qui traduit l'aspect vitreux ou farineux de l'amande lors d'une coupe transversale.

L'alimentation humaine est la plus ancienne utilisation des blés. Aujourd'hui, le blé dur est toujours presque exclusivement utilisé en alimentation humaine sous forme de semoule et de pâtes alimentaires. En revanche, pour le blé tendre, la part de la collecte destinée à l'alimentation humaine sous forme de farine et de produits de cuisson (pain, viennoiserie, biscuiterie…) tend à diminuer au profit d'autres utilisations. L'alimentation animale constitue à présent un débouché important pour le grain de blé tendre sur le marché intérieur français. En effet, le blé tendre entre dans la composition des aliments du bétail, poulets en croissance, porcs… Plus récemment, comme c'est le cas pour le maïs, s'est développée l'utilisation du blé tendre pour la chimie et en raffinerie végétale. Ces productions débouchent à la fois vers l'alimentation humaine (l'amidon et certain de ses dérivés) et vers des utilisations non alimentaires (biocarburants, biomatériaux…). Ces industries représentent aujourd'hui un débouché important pour le blé tendre, de l'ordre de 15 % du marché intérieur (Abécassis et Bergez 2009). Lors de l'inscription des variétés de blé tendre au catalogue officiel, on distingue plusieurs classes de qualité d'utilisation : améliorants ou de force, panifiables supérieurs, panifiables, biscuitiers et blés réservés à d'autres usages.

Approche botanique et agronomique. Plusieurs espèces apparentées au blé tendre ont été domestiquées par l'homme au cours des millénaires. Elles appartiennent aux genres *Triticum* et *Aegilops*. Selon Claire Doré (2006), des données archéologiques suggèrent que l'engrain (*Triticum monococcum*), l'amidonnier (*Triticum dicoccum* Schrank. Ex Schübler) et le blé dur (*Triticum durum* [Desf.] Husn.) étaient cultivés en Mésopotamie. C'est au ve siècle av. J.-C. que le blé tendre à épi compact, le blé hérisson (*Triticum aestivum* L. *compactum* [Host] McKay) a été introduit en France, puis s'est substitué progressivement à l'engrain et à l'amidonnier. Dans la période 2000-1000 av. J.-C., l'épeautre était la forme de blé tendre la plus cultivée dans le nord de l'Europe. Plus tard, le blé tendre à grain nu, ou froment, a supplanté l'épeautre. Il était moins volumineux, donc plus facile à transporter, que l'épeautre à grain vêtu. Les principales espèces cultivées de nos jours sont le blé tendre ou froment (*Triticum aestivum* [L.] Thell.) et le blé dur. Plusieurs espèces de la famille des graminées (*Poaceae*), dont le blé (genre *Triticum*), le riz (genre *Oryza*), et le maïs (genre *Zea*), ont été domestiquées dans une période comprise entre huit et douze mille ans avant notre ère. Les espèces cultivées du genre *Triticum* possèdent différents niveaux de ploïdie (nombre de chromosomes multiple d'un nombre haploïde de base : n = 7 ; des résultats récents font penser que le nombre chromosomique de base pourrait n'être que de 5 [J. Salse, communication personnelle]). Elles peuvent être diploïdes (2n = 14 chromosomes) comme l'engrain, tétraploïdes (2n = 28 chromosomes) comme le blé dur, ou hexaploïdes (2n = 42 chromosomes) comme le blé tendre. L'apparition des blés à 28 chromosomes remonte à environ 300 000 ans et celle du blé tendre à 42 chromosomes à environ 8 000 ans (Salamini *et al.* 2002).

Parmi les blés diploïdes, l'engrain est toujours cultivé sur des surfaces limitées, sa forme sauvage est la sous-espèce subsp *Aegilopoides* largement répandue à travers le Moyen-Orient. Les blés tétraploïdes présentent deux formes distinctes largement cultivées : *T. turgidum* et *T. timopheevii*, chacune de ces espèces se trouve dans le Croissant fertile (Gill et Friebe 2002). La forme tétraploïde à grain nu la plus largement cultivée dans le genre *Triticum* subsp est le blé dur

(*T. durum*). *T. dicoccum* fut très probablement la première forme de blé cultivé. Les études cytologiques, archéologiques et de génétique moléculaire suggèrent que *T. dicoccoides* provient de l'hybridation, il y a environ 10 000 ans, entre *T. urartu*, espèce sauvage proche de *T. monococum*, et une espèce diploïde inconnue, dont la composition génomique est proche du genre *Aegilops* (Zohary et Hopf 2000).

Les blés hexaploïdes sont constitués de deux types, *T. aestivum*, le blé commun ou froment, et *T. zhukovskyi* (2n = 42). L'espèce *T. aestivum* provient de l'hybridation entre un blé tétraploïde en voie de domestication, *T. turgidum*, et l'espèce diploïde *Aegilops squarrosa* (McFadden et Sears 1946). *T. zhukovskyi* pourrait provenir de l'hybridation entre *T. timopheevii* et *T. monococcum* (Upadhya et Swaminathan 1963). Les génomes des espèces sont communément désignés par des lettres. Ainsi on peut lire que *T. monococum* possède le génome A, *Aegilops squarrosa* le génome D. Le blé dur issu du croisement d'une espèce diploïde avec *T. monococum* possède les génomes AB. Et donc le blé tendre, issu du croisement du blé tétraploïde avec *Aegilops squarrosa*, les génomes ABD. On peut penser que les formes hexaploïdes sont apparues lors de la culture des progéniteurs tétraploïdes à proximité immédiate des formes apparentées diploïdes.

La domestication des premiers blés (diploïdes, tétraploïdes) a commencé dès le Xe millénaire av. J.-C. Elle s'est accompagnée de la disparition de caractères primitifs qui favorisaient la dissémination des semences (désarticulation des épillets et ténacité des glumes) et de l'acquisition de l'aptitude au battage (grain nu favorisant la séparation du grain et des balles). Malgré son appellation, le blé noir ou sarrasin est botaniquement très éloigné du blé tendre ; il appartient à la famille des polygonacées.

Michel Rousset

• *Voir aussi :* Amidonnier ; Blé (séquençage du génome de blé) ; Blé dur ; Blé tendre ou froment ; Caryopse ; Céréales sauvages aux premières formes domestiques (des) ; Engrain ; Épeautre ; Grain nu, grain vêtu ; Mésopotamie ; Paille ; Sarrasin

Bibl. : Joël ABECASSIS, Jacques-Éric BERGEZ (dir.), *Les Filières céréalières. Organisation et nouveaux défis*, Versailles, Quae Éditions, 2009 • Bob BELDEROK, Hans MESDAG, Dingena A. DONNER, *Bread-Making Quality of Wheat : A Century of Breeding in Europe*, Dordrecht, Kluwer Academic Publishers, 2000 • Claire DORÉ, « Le blé », in *Histoire et amélioration de cinquante plantes cultivées*, Paris, INRA, 2006 • Bikram S. GILL, Bernd FRIEBE, « Cytogenetics, Phylogeny and Evolution of Cultivated Wheats », *in* B. Curtis, S. Rajaram, H. Gómez-Macpherson (éd.), *Bread Wheat-Improvement and Production. Plant Production and Protection*, Rome, FAO Crop and Grassland Service, n° 30, 2002, p. 71-88 • E. S. MCFADDEN, E. R. SEARS, « The Origin of *Triticum spelta* and its Free-Threshing Hexaploid Relatives », *Journal of Heredity*, n° 37, 1946, p. 81-89 • Paul H. MOORE, Ray MING (éd.), *Genomics of Tropical Crop Plants*, New York, Heidelberg, Springer, 2008 • A. MUJEEB-KAZI, S. RAJARAM, « Transferring alien genes from related species and genera for wheat improvement », *in* B. Curtis, S. Rajaram, H. Gómez-Macpherson (éd.), *Bread Wheat-Improvement and Production. Plant Production and Protection*, Rome, FAO Crop and Grassland Service, n° 30, 2002 • M. Y. NUTTONSON, « Wheat-climate Relationships and the Use of Phenology in Ascertaining the Thermal and Photo-Thermal Requirements of Wheat », *Ecology*, vol. 38, n° 1, janvier 1957, p. 183 • John PERCIVAL, *The Wheat Plant*,

Londres, Duckworth, 1921 • Francesco SALAMINI, Hakan OZKAN, Andrea BRANDOLINI, Ralf SCHAEFER-PREGL, William MARTIN, « Genetics and geography of wild cereal domestication in the near east », *Nature Reviews Genetics*, nº 3, 2002, p. 429-441 • M. D. UPADHYA, M. S. SWAMINATHAN, « Genome analysis in *Triticum Zhukovskyi*, a new hexaploid wheat », *Chromosoma*, vol. 14, nº 6, novembre 1963, p. 589-600 • Daniel ZOHARY, Maria HOPF, *Domestication of Plants in the Old World*, 3e éd., Oxford, Oxford University Press, 2000.

BLÉ CORNU. – Voir ERGOTISME

BLÉ « DE FORCE » ET BLÉ « FAIBLE ». – Voir BLÉ TENDRE OU FROMENT

BLÉ DE LIMAGNE. – Voir LIMAGNE

BLÉ DUR (*Triticum durum*). – Le blé dur provient de l'hybridation de deux espèces sauvages, le *Triticum urartu* et une espèce inconnue du genre *Aegilops* section *Sytopsis*. Son hybride spontané a fait naître l'espèce *Triticum dicoccoides*, l'aïeul selvatique du *Triticum durum*. Elles étaient présentes dans les régions reconnues comme étant le berceau de la civilisation, c'est-à-dire l'ancienne Égypte, le Levant et la Mésopotamie. Dans ces régions, les premières civilisations rurales tirèrent avantage de leur aptitude à utiliser les espèces de blé dur sauvage pour se développer. Les caractéristiques botaniques et nutritives de cette plante en favorisèrent la diffusion rapide pendant tout le Néolithique jusqu'à ce qu'elle finisse par supplanter l'épeautre (*Triticum spelta* L.) dans la zone méditerranéenne et moyen-orientale. L'aire de culture du blé dur est aujourd'hui moins étendue que celle du blé tendre, son usage étant limité à la confection de la semoule (couscous, etc.), des pâtes alimentaires et de quelques rares types de pains de tradition. Il est d'ailleurs moins apte à s'adapter à une grande variété de climats que le blé tendre, et c'est pour cette raison qu'il est moins diffusé : le blé dur est en effet moins résistant au froid et à une humidité excessive. Des conditions climatiques défavorables peuvent compromettre irrémédiablement la qualité de son grain. Pour ce qui concerne le terrain, le blé dur donne des résultats meilleurs dans les terrains argileux et avec bonne aptitude hydrique.

L'Italie est le pays qui en Europe cultive la majorité du blé dur : en 2000, on y a consacré 1,6 Mha sur 2,3 Mha cultivés, avec une production de 4,5 Mt. La production de blé dur y a considérablement augmenté dans les années 1970 du fait de l'incitation à la culture par des aides de la Communauté européenne, qui ont surtout profité aux régions du Sud et aux îles. Les contributions communautaires par hectare, bien supérieures à celles allouées pour le blé tendre, ont ainsi favorisé le remplacement du blé tendre par le dur, et même dans les aires de l'Italie centrale et du Nord (dont l'Émilie-Romagne). Les principales aires de production se trouvent aujourd'hui en Europe occidentale (7,3 Mt), au Canada et aux États-Unis (4,8 Mt), en Turquie (2,3 Mt), en Syrie, au Maroc, en Algérie et en Tunisie (2,9 Mt au total), en Inde (1,2 Mt), en Russie (1,2 Mt), et dans une moindre importance en Australie et en Argentine. En Europe occidentale, l'Espagne et la Grèce suivent désormais de près l'Italie. En 2007, la production française de blé dur était estimée à près de 2 Mt sur une aire de 453 000 ha avec un rendement moyen de 4,4 t/ha. L'Union européenne importe cependant aussi le blé dur, principalement du Canada, des États-Unis et de l'Australie, essentiellement pour la production de pâtes industrielles, dont l'Italie produit 27,1 %.

La mouture du blé dur produit des semoules caractérisées par de gros granules (rendement de 60-64 %). Dans certaines zones de l'Italie du Sud, depuis des siècles, l'usage est de moudre une seconde fois les semoules de manière à en réduire la granulométrie, et ce afin de pouvoir les utiliser dans la confection de certains pains de tradition. Les pains de blé dur ont ainsi une consistance toute particulière, avec une couleur jaunâtre provenant de la teneur élevée en caroténoïdes, qui favorisent leur conservation. En comparaison du blé tendre, la semoule et la semoule remoulue de blé dur sont caractérisées par une teneur élevée en protéines (de 14-15 %) et en gluten, par une plus haute teneur en fibres alimentaires (de 9-10 %), en sels minéraux (potassium, fer, phosphore), en vitamines (E ou tocophérol, B1 ou thiamine, B3 ou niacine) et en caroténoïdes, surtout en lutéine (de 5,5-7 mg/kg) et bêta-carotène. L'amélioration génétique du blé dur a suscité ces dernières années beaucoup d'intérêt. Plusieurs variétés de pays ont été étudiées et réimplantées dans leurs zones de culture originelles. L'amélioration génétique pour une meilleure adaptabilité de la plante au climat froid et humide permettrait l'extension de sa culture, y compris dans des zones considérées comme peu favorables.

Les grains, ou caryopses, proviennent de la fécondation des fleurs. Les épis de la plupart des variétés de blé dur portent des barbes qui favorisent le remplissage du grain en conditions de sécheresse ou de hautes températures ; il existe cependant des blés durs non aristés, c'est-à-dire sans ou avec des barbes très courtes. Le grain, ou caryopse, est constitué du germe riche en huile, de l'albumen riche en amidon et d'une couche externe protéique, l'assise à aleurone ; il est entouré d'une paroi externe constituée d'un tégument et de péricarpes (les parois externes forment le son lors de l'extraction de la semoule). L'intérieur du caryopse a une consistance « dure » et une couleur ambrée, la couleur de l'albumen constitue d'ailleurs un indice de qualité pour la fabrication des semoules et des pâtes alimentaires ; elle est mesurée par les indices de jaune et de clarté (ou indice de brun). Le blé dur se distingue du blé tendre ou froment (*Triticum aestivum*) en ce que ses caryopses à maturité sont gros et allongés.

On peut diviser les protéines du blé en quatre classes : d'une part les albumines et les globulines (protéines solubles ayant des fonctions enzymatiques) et d'autre part les gliadines et les gluténines (protéines insolubles ayant des fonctions de stockage). Les albumines et les globulines sont particulièrement présentes dans l'embryon et l'aleurone, tandis que les gliadines et les gluténines sont localisées dans l'albumen. Ces dernières sont les protéines responsables de la formation du gluten et sont donc fondamentales en boulangerie. Le blé dur contient un pourcentage comparable de gliadines et de gluténines, avec une composition en acides aminés spécifiques. La haute teneur en acide glutamique et en proline (acide aminé), la faible teneur en lysine (acide aminé) permettent la formation d'un gluten structuré qui possède des propriétés plastiques et élastiques recherchées, soit dans la production des pâtes soit en boulangerie.

Chiara Dall'Asta

• *Voir aussi :* Aleurone ; Blé, genre *Triticum* ; Caryopse ; Épeautre ; Gliadine ; Gluténine ; Italie ; Pâtes alimentaires ; Semoule ; Senatore Cappelli

Bibl. : Paolo CABRAS, Aldo MARTELLI, *Chimica degli alimenti*, Padoue, Piccin-Nuova, 2004 • Barbara CARRAI, *Arte bianca (materie prime, processi e controlli)*, Bologne, Calderini-Edagricole, 2001 • Hans-Dieter BELITZ, Werner GROSCH, Peter SCHIEBERLE, *Food Chemistry*, Berlin, Springer, 2005 • Voir aussi le site de l'Istituto di Cerealicoltura, Università degli Studi di Parma, www.cerea licoltura.it

BLÉ HYBRIDE. – Le blé hybride résulte du croisement par allofécondation (fécondation croisée) entre deux lignées pures génétiquement différentes. Si les deux parents portent des allèles (séquences génétiques ou nucléotidiques du gène) différents pour un gène donné, la plante résultante sera hétérozygote, c'est-à-dire qu'elle portera deux allèles différents à ce gène. La plante hybride manifeste généralement une vigueur accrue par rapport aux lignées parentales, c'est le phénomène d'hétérosis (le terme « heterosis » a été initialement proposé par Schull en 1914 comme la contraction du mot anglais *heterozygosis*, pour décrire le phénomène par lequel l'« hybridité », ou hétérozygotie, c'est-à-dire l'union de séquences génétiques dissemblables, a un effet stimulant sur les activités physiologiques de l'organisme. Aujourd'hui, on a conservé le terme « hétérosis » pour décrire le gain résultant de l'hybridité).

En conditions naturelles, le blé tendre est essentiellement autogame grâce au phénomène de cléistogamie, c'est-à-dire que la fécondation a lieu dans la fleur hermaphrodite enfermée dans les glumelles avant leur ouverture à l'anthèse (la floraison). Celle-ci s'observe par la sortie des étamines et la libération du pollen à l'extérieur. Néanmoins, différents processus permettent la fabrication de semences hybrides par croisement contrôlé, ce sont : la castration et la pollinisation manuelles et, à l'échelle industrielle, la stérilité mâle génique ou génocytoplasmique ; la castration par traitement chimique gamétocide appelé aussi agent chimique d'hybridation (ACH). La vigueur hybride chez le blé tendre se traduit par une supériorité des hybrides comparés aux lignées pures parentales pour les caractères de productivité en matière sèche du grain, la longueur de la paille, la résistance aux maladies et la résistance aux stress abiotiques (sécheresse…).

Michel Rousset

• *Voir aussi :* Blé, genre *Triticum*

Bibl. : Claire DORÉ et Fabrice VAROQUAUX, « Le blé tendre », in *Histoire et amélioration de cinquante plantes cultivées*, INRA, Paris, 2006 • Adrian A. PICKETT, « Hybrid wheat », in *Wheat and Wheat Improvement*, Agronomy Monograph, n° 13 (2e éd.), Madison (Wis.), ASA-CSSA-SSSA, 1987.

BLÉ NOIR. – Voir SARRASIN

BLÉ TENDRE OU FROMENT (*Triticum aestivum*). – Le froment est le nom vernaculaire couramment utilisé pour le blé tendre. Le blé tendre (*Triticum aestivum*) se distingue du blé dur (*Triticum durum*) par son équipement chromosomique hexaploïde (2n = 42 ; génome AABBDD). Le blé dur (tétraploïde, 2n = 28 ; génome AABB) est en général vitreux avec une amande dure permettant la production de semoule et de pâtes alimentaires. En France, le blé tendre est largement plus cultivé que le blé dur.

La production de blé tendre en France. La culture du blé tendre est la plus importante des grandes cultures françaises avec en moyenne 35 Mt produites par an. Le blé est cultivé dans toutes les régions françaises, sauf les sols forestiers des landes et les zones d'altitude. La France exporte environ la moitié de sa production de blé tendre à destination de l'alimentation humaine. L'autre moitié se répartit entre l'alimentation animale (37 % en 2006), la meunerie (36 %), l'industrie amidonnière (21 %) et le bio-carburant (7 %). La teneur en protéines des blés tendres conditionne l'accès au marché avec un seuil minimal de commercialisation de 11 %. En dessous de ce seuil, le manque de protéines est pénalisé de l'ordre de 2,5 euros/t par tranche de 0,5 % en dessous de 11 %. En 2008, la France a produit 37 Mt de blé tendre, dont trois quarts présentaient un taux protéique supérieur à 11 %. Les taux protéiques les plus faibles (< 11 %) se situent dans l'ouest de la France, en Normandie, Bretagne et Pays de Loire en raison d'une plus forte pluviométrie moins favorable à un bon taux protéique. Les taux plus élevés (≥ 12 %) correspondent aux régions du centre (Limousin, Auvergne), aux plaines de l'est de la France (Champagne, Franche-Comté et Bourgogne) et du Sud (Alpes-Maritimes). En France, 92 % des surfaces sont cultivés avec des blés panifiables. Les 8 % restant sont utilisés pour la production de blé à destination principalement de la production biscuitière et fourragère.

Données agronomiques. D'une manière générale, le blé tendre se développe bien dans une terre argileuse. Les collections mondiales rassemblent actuellement plus de 20 000 variétés de blé tendre et chaque année de nouvelles variétés apparaissent. En France, les 10 premières variétés cultivées couvrent 50 % des surfaces cultivées en 2008 ; les 5 variétés de blé tendre les plus multipliées pour la production de semences en 2009 sont Premio, Apache, Caphorn, Aubusson et Bermude. On distingue le blé tendre de printemps du blé tendre d'hiver. Le blé de printemps est semé au printemps et est récolté à la fin de l'été ou au début de l'automne (août, septembre et octobre). Ce blé sensible au froid ne nécessite pas de vernalisation pour fleurir, il est cultivé dans les pays à hiver rude, le semis de printemps permet d'éviter les risques de dégâts par le froid hivernal et la montaison est déclenchée généralement par l'allongement de la durée du jour. C'est grâce à ce blé que la Sibérie occidentale et le Canada sont devenus de gros producteurs. Le blé d'hiver est planté de septembre à novembre, voire décembre dans l'hémisphère Nord, et est récolté à partir du mois de juin. Ce blé a besoin d'une période de froid de 10 à 60 jours pour fleurir. Il caractérise les régions méditerranéennes et tempérées et est majoritairement cultivé en France.

Les itinéraires de production influencent le rendement et la qualité du blé. Par exemple, la fertilisation azotée doit être pratiquée de manière raisonnée et fractionnée en fonction des différents stades de développement. C'est au stade de formation des grains que l'apport azoté doit être le plus important pour obtenir un taux protéique satisfaisant, généralement compris entre 10 et 13 %. Le blé est aussi sensible à la fertilisation soufrée (montée et fertilité des épis), magnésique (développement des talles), potassique (accumulation des réserves) et phosphorique (mise en place des racines). Outre l'effet non maîtrisable du milieu (climat et type de sol), deux possibilités s'offrent donc à l'agriculteur afin d'améliorer la teneur en protéines du blé : le choix des variétés et la fertilisation azotée qui tient compte des caractéristiques variétales. Le choix de la variété peut avoir une incidence de 0,75 à 1 point sur la teneur en protéines pour les blés panifiables à même niveau de rendement. Le choix de la variété englobe également d'autres objectifs, comme un rendement élevé, la résistance à la verse (affaiblissement ou inclinaison de la paille sous le poids des feuilles ou de l'épi par suite d'intempéries, vent, pluie violente, ou en raison de parasites) et aux stress biotiques (organismes vivants) et abiotiques (stress hydrique et thermique).

La culture du blé tendre peut en effet subir des attaques parasitaires qui affectent le rendement et la qualité du produit. Les principaux parasites qui sévissent aujourd'hui en France sont les maladies fongiques, comme les septorioses, les fusarioses, les piétins ou les rouilles, les viroses, comme la jaunisse nanisante et les mosaïques ; mais aussi les ravageurs animaux, comme la mouche grise, la cécydomie, les zabres… Par ailleurs, les grains entreposés peuvent également subir des attaques parasitaires. Dans le souci de préserver l'environnement et la santé humaine se développe l'agriculture biologique. Toutefois, son cahier des charges est contraignant : le recours à des apports extérieurs, comme les engrais de synthèse, les boues de stations d'épuration et les pesticides, est interdit. Il donne la préférence à des systèmes culturaux de type rotation des cultures, associations culturales, engrais organiques et luttes biologiques.

Données botaniques et biochimiques. Le grain de blé tendre (voir figure) est constitué de l'albumen (amande ou *endosperm* des Anglo-Saxons : 80-85 % du grain) contenant les ressources en énergie sous forme d'amidon et des protéines ; des enveloppes (10-16 % du grain), qui constituent une pellicule cellulosique riche en fibres protégeant le grain et comprenant la couche à aleurones riche en protéines et micronutriments (minéraux, vitamines du groupe B, polyphénols, pigments…) ; le germe (2-3 % du grain), qui correspond à l'origine à l'embryon et qui est un organe de réserve riche en protéines (35-40 %), lipides (15 %, dont des acides gras poly-insaturés de bonne qualité) et vitamine E.

Le grain de blé tendre contient des glucides, substances énergétiques et majoritaires (plus de 60 % du grain) qui comprennent essentiellement l'amidon, un sucre dit complexe rassemblé sous forme de granules sphériques ou lenticulaires de 1 à 40 µm de diamètre ; des protéines (10-13 %

Coupe d'un grain de blé
(source : INRA, Surget et Barron, 2005)

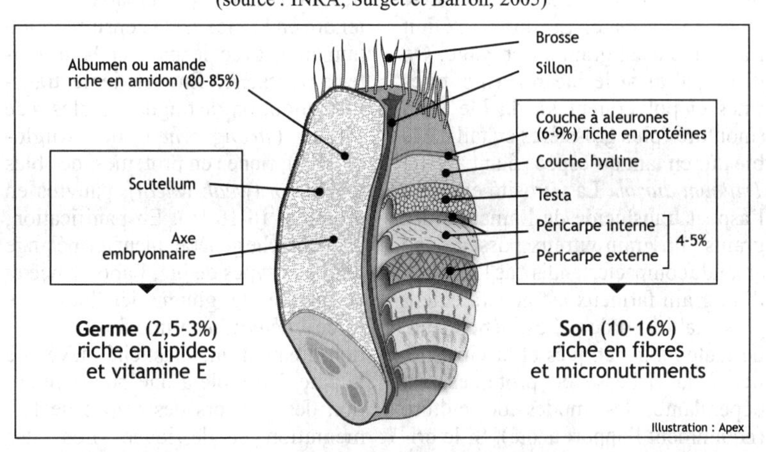

du grain), qui sont constituées d'éléments classés d'après leur propriété de solubilité, comme les albumines, les globulines, les gliadines, et le gluten ; des fibres (10-13 % du grain), qui comprennent un ensemble de substances très diverses non digestibles mais partiellement fermentescible chez l'homme ; des lipides (1-2 % du grain), qui comportent des acides gras insaturés (acides oléique et linoléique) et saturés (acides palmitique et stéarique) ; des matières minérales (1-2 % du grain), comme le potassium (K), le phosphore (P) (50 % des minéraux) et le magnésium (≈ 0,1 %) ; des vitamines, dont deux tiers de vitamines du groupe B et un tiers de vitamine E.

Les utilisations du blé. Le grain de blé tendre est un caryopse avec trois différentes parties de différentes compositions pour différentes utilisations. Lors de la mouture du blé, ces trois fractions sont, en général, séparées pour donner la farine blanche ou farine de froment, le son, souvent utilisé pour l'alimentation animale bien que très riche nutritionnellement, et le germe, car il tend à rancir sur le long terme en raison de sa forte teneur en lipides. Son et germe peuvent ensuite être réincorporés à la farine pour donner des farines bise ou semi-complète (type 80), complète (type 110) ou intégrale (type 150). Cependant, le germe est rarement réincorporé : il est plutôt stabilisé à la chaleur et utilisé comme complément alimentaire (céréales du petit déjeuner). Le type de farine est défini à partir de son taux de cendres (masse sèche ou teneur minérale) obtenu après incinération. Plus le taux est bas et plus la farine est raffinée et blanche, puisque les minéraux sont avant tout contenus dans les couches externes, ou son. Ainsi, la farine blanche de type 55, très couramment utilisée, contient 0,5 à 0,6 % de matières minérales. Les farines raffinées de type 45, 55 et 65 sont généralement utilisées pour la fabrication des pâtisseries, des pains courants ou biscottes et des biscuits, respectivement.

En première transformation, la qualité d'un blé tendre dépend de sa dureté et de sa vitrosité. La dureté définit l'aptitude d'un grain au broyage. On distingue ainsi le blé *soft* (moutures fines et pulvérulentes), du blé *hard* (moutures plus grossières en taille), le blé dur en tant qu'espèce étant appelé *Triticum durum*. La vitrosité exprime l'aspect translucide de l'amande des grains : un grain vitreux possède une amande compacte, tandis que l'amande d'un grain farineux est généralement plus friable. La dureté est dépendante de facteurs génétiques et la vitrosité, liée à la richesse en protéines, est dépendante des modes de culture (notamment l'apport azoté). Si le critère de qualité premier du blé tendre reste le taux protéique, on recherche aujourd'hui à améliorer le taux d'extraction (taux de cendres), reflet du degré de raffinage des farines, une farine moins raffinée étant plus riche en micronutriments protecteurs (minéraux, vitamines…) et fibres alimentaires. L'influence de la qualité nutritionnelle incite donc les meuniers à produire des farines avec des taux d'extraction plus forts, par l'utilisation de la meule de pierre ou par la réincorporation des issues de mouture (comme le son) à la farine blanche. Les farines de meules présentent ainsi systématiquement des taux de cendre plus élevés que ceux obtenus au moulin à cylindre conventionnel et sont donc plus riches en micronutriments provenant des couches externes du grain (+ 30-40 % pour le magnésium et le zinc). La combinaison de la culture biologique avec une mouture sur meule donne des résultats encore plus significatifs pour les teneurs minérales (+ 50 % de zinc et magnésium) (Chaurand *et al.* 2005).

Outre l'alimentation animale, un des débouchés principaux du blé tendre en France est la consommation humaine, avec le pain et la biscuiterie-pâtisserie. En deuxième transformation, on distingue les blés « de force » (*strong wheat* des Anglo-Saxons), riches en protéines, des blés « faibles » (*weak wheat*), pauvres en protéines (8-10 %). En panification, on recherche généralement un mélange des deux types de blé, l'abondance et la qualité du gluten des blés « de force » déterminant une forte absorption d'eau et une élasticité élevée de la pâte favorable à une bonne rétention des gaz lors des étapes de fermentation et de levée. Les blés « faibles » sont préférés en biscuiterie et pâtisserie. La qualité en boulangerie est par ailleurs fortement dépendante de la composition du gluten et de l'importance qualitative et quantitative en gliadines et gluténines, qui sont des protéines insolubles. Le rapport gliadines/gluténines permet ainsi d'expliquer le comportement des différentes variétés de blé tendre en panification. Le blé tendre peut aussi être utilisé comme enrichissant de diverses préparations, comme les soupes ou les bouillies. Dans la vague des produits biologiques, on utilise également le grain de blé tendre germé, seul ou en accompagnement de salades. En boulangerie, le développement récent de nouveaux procédés, comme la surgélation, se traduisent par des besoins plus élevés en protéines car elles favorisent une meilleure résistance de la pâte en termes d'élasticité et de ténacité lors des différentes étapes de fabrication.

En amidonnerie, l'amidon de blé tendre entre dans la composition de préparations alimentaires comme les soupes, les sauces, les charcuteries, la glucoserie pour les boissons ou la confiserie. En plus de ces usages alimentaires, l'amidon est à l'origine de nombreux produits de synthèse élaborés par l'industrie chimique, que l'on retrouve en pharmacie, papeterie, industrie textile, dans la fabrication des colles (rubans adhésifs), peintures, dans les matériaux de construction, dans les engrais comme liant, dans la fabrication des semences (enrobage), mais aussi en agrochimie et dans la fabrication de bioéthanol (issu de la fermentation de l'amidon) incorporé à l'essence. Le gluten, coproduit de l'industrie amidonnière, est utilisé en alimentation animale et comme ingrédient dans la boulangerie ou les produits carnés transformés. En alimentation animale, le blé est souvent préféré à l'orge ou au maïs du fait de sa teneur supérieure en protéines. Chaque année, les fabricants d'aliments pour le bétail incorporent 5 à 6 Mt de blé tendre dans leurs formulations.

Anthony Fardet

• *Voir aussi :* Agriculture biologique ; Albumen ; Aleurone ; Amidon ; Blé, genre *Triticum* ; Blé (maladies du) ; Blé dur ; Caryopse ; Enveloppe ; Farine ; Fibres ; Germe ; Gliadine ; Gluten ; Gluténine ; Grain ; Son ; Taux d'extraction ; Taux de cendres ; Variétés de blé tendre au catalogue officiel

Bibl. : Mars CHAURAND, Christian RÉMÉSY, Anthony FAEDET *et al.*, « Influence du type de mouture (cylindres *vs* meules) sur les teneurs en minéraux des différentes fractions du grain de blé en cultures conventionnelle et biologique », *Industrie céréales*, n° 142, avril-mai 2005, p. 3-11 • Anne SURGET, Cécile BARRON, « Histologie du grain de blé », *Industrie des céréales*, n° 145, nov.-déc. 2005, p. 3-7.

BLÉ VÊTU. – Un blé vêtu conserve l'enveloppe protectrice du grain ou glumelle après battage. C'est un caractère ancestral que tous les blés primitifs, tels l'engrain, l'amidonnier et l'épeautre, ont conservé. La sélection de blés non vêtus, c'est-à-dire à grain nu, est d'origine humaine : c'est le cas du blé dur (*Triticum turgidum* subsp *durum* L.) et du blé tendre (*Triticum aestivum* subsp *aestivum* L.)

Jean Koenig

• *Voir aussi :* Amidonnier ; Battage et aire de battage ; Blé, genre *Triticum* ; Blé dur ; Blé tendre ou froment ; Céréales ; Céréales sauvages aux premières formes domestiques (des) ; Engrain ; Épeautre ; Épi ; Glumelle

BLED. – « Ce mot de bled, écrit l'agronome Olivier de Serres, est pris généralement pour désigner tous les grains » (1600). On nomme donc ainsi, au XVIIe siècle, l'ensemble des céréales, même si, ajoute l'agronome, dans certaines régions du royaume, le bled désigne d'abord le blé tendre ou froment (*Triticum aestivum*).

Jean-Philippe de Tonnac

• *Voir aussi :* Blé tendre ou froment ; Céréales

Bibl. : Roger DRAPRON, Jacques POTUS, France LAPLUME, Pierre POTUS, *Notre pain quotidien*, Paris, AGP, 1999 • Olivier de SERRES, *Le Théâtre d'agriculture et mesnage des champs* (1600), Arles, Actes Sud, 2001.

BLEND. – Voir LESAFFRE

BLÉS (préparation des). – Ensemble des opérations de mouillage et de repos du blé. Le blé est aspergé de fines gouttelettes d'eau afin de l'amener à une certaine humidité. On le laisse ensuite reposer pendant 24 à 48 heures dans des silos spécifiques (les boisseaux de repos), afin que l'eau pénètre le grain, de manière à rendre l'amande plus friable et l'enveloppe plus souple. Celle-ci est alors à même de se séparer plus facilement de l'amande au cours de la mouture.

Philippe Duret

• *Voir aussi :* Amande ; Enveloppe ; Grain ; Mouilleur à blé ; Mouture ; Repos ; Silo à grains

BLÉS (sélection des). – Comme la plupart des animaux et des plantes familières, le blé a profondément évolué depuis son origine. Son évolution a souvent été guidée par l'homme, comme le montre ce rapide résumé de l'histoire de la sélection du blé. « Et à Adam Il dit : parce que [...] tu as mangé de l'arbre au sujet duquel je t'ai commandé, disant : tu n'en mangeras pas, [...] tu en mangeras en travaillant péniblement tous les jours de ta vie. Et il te fera germer des épines et des ronces, et tu mangeras l'herbe des champs. À la sueur de ton visage, tu mangeras du pain, jusqu'à ce que tu retournes au sol, car c'est de lui que tu as été pris ; car tu es poussière et tu retourneras à la poussière... » (Genèse III, 17-23). À partir de ce passage de la Bible relatant l'expulsion d'Adam et Ève du jardin d'Éden, des érudits juifs ont considéré, au IIIe siècle av. J.-C., que le blé était cet arbre de la connaissance. Ils ont interprété cette histoire biblique comme l'histoire de la domestication du blé par l'homme dans son souhait de contrôler sa production alimentaire et d'assumer l'idée qu'il a été créé à l'image de Dieu (Feldman 2001).

La création du blé tendre que nous utilisons aujourd'hui pour fabriquer du pain est récente. L'espèce a été créée il y a environ dix mille ans seulement, à l'occasion de croisements accidentels entre un blé dur (*Triticum turgidum*) et une herbe sauvage, l'égilope (*Aegilops tauschii*), qui poussaient côte à côte dans la même région du Croissant fertile au nord de l'Irak, en Israël et en Mésopotamie. L'histoire aurait pu en rester là, mais les graines issues de ces croisements accidentels ont été choisies par les premiers agriculteurs du Néolithique, qui étaient aussi les premiers « sélectionneurs » de blé. Ces sélectionneurs ont multiplié cette nouvelle espèce de préférence à d'autres céréales et ils l'ont fait évoluer pour l'adapter à leurs besoins. On parle de domestication pour ce lent processus qui a consisté à ne retenir au fil des générations que les mutations favorables, notamment celles permettant de réduire les pertes à la moisson (un rachis solide, un égrenage réduit), ou celles facilitant la préparation des repas (grain nu qu'il n'est pas nécessaire de décortiquer)...

Depuis le Croissant fertile, les premiers blés ont suivi les migrations des hommes sur tous les continents, en s'adaptant à tous les climats. À chaque fois, des agriculteurs sélectionneurs ont patiemment observé et retenu les plantes les plus adaptées aux conditions climatiques locales, aux maladies qui prévalaient localement, à leurs habitudes alimentaires. Ils ont fait évoluer l'espèce pour l'adapter au froid des hivers européens ou à la sécheresse des semi-déserts australiens. Les rendements restèrent cependant faibles pendant des millénaires. Pour un grain semé, on pouvait ainsi espérer, les bonnes années, en récolter quatre à cinq en Europe, au XVe siècle.

Au milieu du XIXe siècle, les variétés cultivées en Europe sont ce qu'on appelle des « variétés de pays » ou des « populations de pays », qui ont été améliorées année après année par les agriculteurs sélectionnant les plus beaux grains des plus belles parcelles pour leurs semis de l'année suivante. La qualité boulangère des récoltes est médiocre et les rendements restent insuffisants, de l'ordre de dix quintaux récoltés par hectare alors qu'il a fallu plus d'un quintal de grain pour ensemencer. L'Europe, dont la population augmente rapidement, importe du grain d'Ukraine et d'Argentine. Une partie des grains importés est utilisée comme semence et plusieurs « variétés de pays » françaises sont de fait originaires d'Ukraine.

Dans différents pays européens, une nouvelle technique s'impose : la sélection généalogique. En France, Louis de Vilmorin communique à l'Académie d'agriculture, en 1856, les principes de cette méthode, appliqués à la betterave puis bientôt au blé. Il s'agit d'autoféconder les plantes en les isolants pour créer des lignées pures. Ces lignées sont ensuite croisées entre elles pour former des hybrides qui sont commercialisés directement ou sont eux-mêmes fixés pour créer de nouvelles lignées. Ce concept de sélection est antérieur à la découverte des lois de la génétique par Mendel, en 1865. Il permet des progrès rapides. La première variété créée selon cette méthode est la variété DATTEL, diffusée en 1883 par Henry de Vilmorin, fils de Louis (Bonjean 2001).

Aujourd'hui, les méthodes de sélection restent essentiellement fondées sur les mêmes principes de la sélection généalogique. Le premier travail du sélectionneur est toujours de collecter et de conserver les ressources génétiques, c'est-à-dire plusieurs milliers de blés anciens et modernes de tous les pays. La deuxième étape consiste à observer ces ressources et à les caractériser. La troisième étape consiste enfin, chaque année, à réaliser quelques centaines de croisements entre un petit nombre d'entre elles et à trier parmi leurs descendants ceux qui sont meilleurs que les lignées parentales. Les croisements se font manuellement en apportant le pollen d'une lignée dite « mâle » sur la fleur d'une autre lignée dite « femelle » dont les étamines ont été enlevées (généralement avec une pince à épiler). La semence récoltée sur cette plante femelle est un hybride. Les années suivantes, le sélectionneur choisit, parmi la multitude des descendants de chaque croisement, les plantes réunissant le maximum des qualités des lignées parentales et le minimum de leurs défauts…

Dans les années 1960, les croisements réalisés entre la lignée de blé japonaise NORIN 10 à paille courte et des lignées locales de différentes régions du monde ont permis, en association avec une évolution des techniques de culture, d'augmenter rapidement les rendements du blé, notamment en Chine et en Inde, qui sont aujourd'hui les deux principaux producteurs mondiaux de blé. Cette révolution verte, parfois critiquée, a permis de faire reculer considérablement la sous-alimentation dans le monde. Les famines ont diminué de manière très significative et sont davantage liées à des conflits ou à des problèmes de systèmes économiques qu'à l'incapacité de l'homme à produire son alimentation. Les techniques de sélection qui ont permis cette fragile autosuffisance alimentaire ont évolué ces dernières années dans plusieurs directions. La création de nouvelles variétés de blé est devenue plus rapide : cinq années au lieu de dix en utilisant des serres, des chambres de culture, des générations en contre-saison dans l'hémisphère Sud. La technique des haploïdes doublés, qui consiste à récupérer des embryons ne possédant qu'un seul jeu de chromosomes, puis à doubler ce stock chromosomique, a permis également d'accélérer la création variétale en fixant plus rapidement les caractères. Les méthodes d'évaluation des variétés ont également évolué et font appel à des réseaux d'essais multilocaux, des techniques de laboratoire permettant de mieux prédire la qualité des blés produits, des outils moléculaires qui permettent d'accéder directement à l'information génétique du blé pour aider à choisir les meilleures plantes. Le séquençage en cours du génome de blé devrait constituer une étape importante pour rendre encore plus efficace la sélection assistée par marqueurs moléculaires.

La récente flambée des prix des matières premières agricoles l'a montré en 2008 : l'époque de la nourriture bon marché est révolue (Carfantan 2009). Le risque du retour des pénuries alimentaires est bien réel et les prix du blé seront structurellement orientés à la hausse dans les prochaines années pour des raisons diverses : la croissance de la population mondiale, l'évolution des tendances alimentaires qui privilégient la consommation de viande, les risques que font peser une intensification trop importante de la culture du blé à l'environnement et enfin la compétition entre les utilisations alimentaires et industrielles des produits végétaux. Le premier critère de sélection reste donc le rendement, et les sélectionneurs recherchent année après année des variétés plus productives. La résistance aux maladies du blé, qu'elles attaquent le pied, les feuilles ou les épis, est prise en compte en parallèle, car c'est l'un des facteurs importants du rendement d'une variété. Même si aujourd'hui le rendement du blé est obtenu dans la plupart des régions du monde avec un apport optimisé de fongicides, d'insecticides et d'engrais, la tendance à la réduction des apports est bien prise en compte par les sélectionneurs en même temps que la progression du rendement des variétés. L'une de ces maladies, la fusariose, qui attaque les épis de blé, produit des mycotoxines dommageables pour la santé. La meilleure façon de la combattre est le choix d'une variété tolérante, car les meilleurs fongicides ont une efficacité de seulement 60 %. Les qualités physiques du grain (remplissage, forme et taille du grain) et les qualités boulangères ont évolué et évoluent encore pour s'adapter aux cahiers des charges des meuniers et des boulangers.

À partir de 1879 en France, la mouture par cylindre a remplacé les meules de pierre pour permettre l'extraction d'une plus grande quantité de farine du blé en lui conservant sa couleur (Roussel et Chiron 2002). Les variétés ont dû être adaptées à cette modification des procédés industriels, notamment leur dureté. Le pétrissage manuel par le boulanger a cédé la place aux pétrins mécaniques permettant un pétrissage plus rapide et plus intensif avec une vitesse adaptée en fonction du produit souhaité. La force boulangère des variétés de blé a donc dû être adaptée à cette demande de blés possédant une force de gluten plus élevée. Les méthodes de panification ont également évolué, avec un temps de repos pour la pâte plus court et l'utilisation d'acide ascorbique. Le sélectionneur a donc adapté la composition du gluten du blé, notamment en modifiant la composition en gluténines et gliadines, qui apportent la ténacité et l'extensibilité de la pâte, pour répondre à ces évolutions techniques.

Les situations économiques et les conditions climatiques changent, de même que les besoins des industriels et ceux des hommes. Depuis la création du blé il y a dix mille ans, les sélectionneurs, qu'ils soient agriculteurs du Néolithique ou aujourd'hui obtenteurs travaillant pour des entreprises semencières, observent les plantes, les croisent et les trient pour retenir les meilleures variétés adaptées aux besoins des hommes. Les défis à relever pour les sélectionneurs de blé sont multiples pour faire face à l'augmentation de la population mondiale, à la préservation de l'environnement et aux souhaits d'une alimentation de qualité, mais les nouveaux outils disponibles au XXIe siècle sont à la hauteur de ces défis.

Thierry Ronsin
et Jayne Stragliati

• *Voir aussi :* Blé, genre *Triticum* ; Blé tendre ou froment ; Céréales ; Céréales sauvages aux premières formes domestiques (des) ; Force boulangère ; Mésopotamie ; Meule ; Meunerie ; Mouture

Bibl. : Alain BONJEAN, « French Wheat Pool », in *The World Wheat Book, a History of Wheat Breeding*, Paris, Lavoisier, 2001 • Jean CARFANTAN, *Le Choc alimentaire mondial*, Paris, Albin Michel, 2009 • Moshe FELDMAN, « Origin of Cultivated Wheat », in *The World Wheat Book, a History of Wheat Breeding*, Paris, Lavoisier, 2001 • Philippe ROUSSEL, Hubert CHIRON, *Les Pains français. Évolution, qualité, production*, Vesoul, Maé-Erti, 2002.

BLÉS ANCIENS. – Jusqu'à la fin du XVIIIe siècle, on cultivait des populations de blés, c'est-à-dire des mélanges de blés sélectionnés par les agriculteurs pour leur productivité et leur adaptation au terroir dans lequel ils avaient leurs champs. La sélection variétale a rendu possible la culture d'une seule variété dans un champ, ce qui a permis d'augmenter considérablement la production de blé pour une surface donnée. Ces blés anciens – ou blés de populations – sont conservés et sont parfois cultivés avec des rendements de l'ordre de 50 % des rendements des variétés modernes.

Ludovic Salvo

• *Voir aussi :* GEVES ; GNIS ; Variétés de blé ; Variétés de blé tendre au catalogue officiel

BLEUETTE (Générale des farines). Première farine « développement durable » créée par Générale des farines, société coopérative de dix meuniers. La farine T65 est issue de blés CRC® cultivés selon les normes de l'agriculture durable. Les blés sont tracés depuis les parcelles jusqu'à leur mise en œuvre au moulin. Les grains ne sont pas traités après récolte et refroidissent à l'air naturel. Le conditionnement des sacs et les supports de communication utilisent des matières éco-responsables : impression avec des encres écologiques non polluantes, papier éco-labellisé ou recyclé, etc.

Jean-Pierre Deloron

• *Voir aussi :* Bagatelle ; Baguépi ; Banette ; Copaline ; Festival des Pains ; Marketing du pain ; Reine des Blés ; Rétrodor ; Ronde des Pains

BLOCAGE. – Voir CHAMBRE DE FERMENTATION (OU POUSSE) CONTRÔLÉE

BLUTAGE. – Terme de meunerie désignant les opérations de tamisage. Les différentes fractions du blé issues des passages dans les appareils à cylindre vont être tamisées et pouvoir ainsi être classifiées à la sortie de ces tamis. En fonction de leur position dans le diagramme du moulin, les tamis auront une ouverture de maille plus ou moins large, laissant passer ou retenant les particules en fonction de leur grosseur. La destination des particules qui passent au travers des mailles du tamis est différente de celles qui restent sur le tamis (on parle de refus de tamis). La finalité du blutage est donc de séparer les farines des semoules, finots, remoulages et autres sons. Pour mieux comprendre le fonctionnement d'un moulin, il faut savoir qu'un des axiomes de base est que plus un produit issu de la mouture est fin plus il est blanc. Il suffit donc de récupérer les produits les plus fins passant au travers des mailles du tamis pour obtenir la farine. Les tamis sont fixés à des cadres et empilés les uns au-dessus des autres, l'ensemble constituant un plansichter (de l'allemand *sichten*, « tamiser », et *Plan*, « plan »). Un plansichter est animé d'un mouvement de rotation horizontal, de façon à faciliter le passage des particules au travers des tamis, comme le font les enfants sur la plage avec le sable. Les plansichters ont fait leur apparition dans les moulins à la fin du XIXe siècle. Ils ont été précédés par des techniques reposant sur un simple tamis circulaire manipulé manuellement, que l'on peut encore voir en action dans certains pays. Puis, avec la mécanisation (moulins à vent ou à eau), ce tamis fut monté sur un tambour circulaire actionné par la force motrice du moulin : le blutoir. Celui-ci fut successivement équipé de tamis de plusieurs ouvertures, ce qui permit de diviser le produit en plusieurs fractions.

Philippe Duret

• *Voir aussi :* Bluteau, blutoir ; Cadre ; Cylindre ; Cylindres (appareil à) ; Diagramme en meunerie ; Finot ; Meunerie ; Mouture ; Plansichter ; Remoulages ; Semoule ; Son ; Tamis

Bibl. : Bernard GODON, Claude WILLM, *Les Industries de première transformation des céréales*, Paris, Tec et Doc-Lavoisier, 1991.

BLUTEAU, BLUTOIR. – Pour bluter la farine, on s'est servi d'abord de toiles claires nommées « canevas », et l'on a employé pareillement des tamis de crin ; on a encore fait pour cet usage des espèces de cribles avec des peaux apprêtées et trouées. On a nommé ces divers tamis du nom de *seta* (« soie »), parce qu'on en a fait autrefois avec des soies de cochon et de sanglier. On a fabriqué depuis des étamines plus fines, en fil, en laine, en poils de chèvre et en soie. Malouin, dans *Description et détails des arts du meunier, du vermicellier et du boulanger* (1779), précise que le bluteau de forme cylindrique est composé d'un arbre tournant, de fuseaux, de cercles, de bâtons, d'une baguette, d'une manivelle, d'une trémie et d'un auget. Les étamines sont de différentes finesses. Les bluteaux de soie sont employés pour les farines les plus fines, les farines de gruau, et durent plus longtemps que les autres (ceux en laine ou en quintin).

Mouette Barboff

• *Voir aussi :* Auget ; Blutage ; Farine ; Gruau ; Moulin ; Tamis ; Trémie

BLUTEUR. – Voir APPRENTI

BOIS (essence de). – Le charpentier ou mécanicien de moulin se doit de très bien connaître les essences de bois. Chacune de celles-ci trouvera sa place dans le moulin en fonction des caractéristiques qui lui sont propres ; par exemple le buis pour sa dureté, le châtaignier pour sa capacité à éloigner les insectes de la farine, le frêne pour sa flexibilité, etc. On doit éviter l'emploi de bois gélifs, c'est-à-dire ceux qui ont des gerçures ou fentes causées par la gelée ; ainsi que le bois carié ou vicié, qu'on reconnaît à ses crevasses, roulures et nœuds pourris, et le bois qui n'est pas entièrement purgé de son aubier ou qui est piqué des vers (Touaillon 1867).

Jean-Pierre Henri Azéma
et Roland Feuillas

• *Voir aussi :* Alluchon ; Anche ; Anille ; Arbre moteur ou grand arbre ; Archure ; Auget ; Beffroi ; Éveillure ; Ferrure du moulin ; Frayon ou fuseau ; Lanterne ; Moulin ; Rouet ; Sommier ; Trempure

Bibl. : Ch. TOUAILLON Fils, *La Meunerie*, Paris, Librairie agricole de la Maison rustique, 1867.

BOIS DE BOULANGE. – Bois avec lequel les boulangers chauffent leur four.

Dominique Descamps

• *Voir aussi :* Allume ; Âtre ; Autel ; Four

BOISSEAU. – Ancienne unité de mesure. Le boisseau correspond à 16 litrons ; le minot de froment, à 3 boisseaux ; la mine, à 2 minots ou 6 boisseaux ; le sextier, à 4 minots ou 2 mines, ou 12 boisseaux ; le muid, à 12 sextiers, ou 144 boisseaux.

Mouette Barboff

• *Voir aussi :* Blatier ; Boulangers et boulangeries (histoire de France des) ; Boulangers forains ; France (pains historiques, du Moyen Âge à la Révolution française)

BOISSEAUX DE REPOS. – Voir BLÉS (préparation des)

BOÎTARD. – Pièce de bois monoxyle (en bois de bout) ou pièce de fonte, garnie à l'intérieur de coussinets en bronze servant de boîtes à graisse. Le boîtard est fixé au centre de la meule gisante. Il est traversé par le fer de meule et assure l'étanchéité (ainsi qu'une certaine élasticité) entre la meule dormante et le fer. Il sert donc de collet au fer de meule.

Jean-Pierre Henri Azéma
et Roland Feuillas

• *Voir aussi :* Ferrure ; Meule ; Moulin

BOLIVIE. – Voir ANDES BOLIVIENNES

BOUCHARDE. – Outil de rhabillage (taillage) utilisé par le tailleur de pierre pour maintenir en état ses meules.

Philippe Duret

• *Voir aussi :* Meule ; Piquage, repiquage et rhabillage des meules

BOUCHE (à). – Toujours en usage, l'expression était utilisée pour l'enfournement dans les fours à chauffage direct. Ces fours, chauffés le plus souvent au bois ou au charbon (dans les régions minières), comportaient un foyer situé sous la sole et la flamme pénétrait dans la chambre de cuisson par un orifice placé à l'entrée (« à bouche ») ; on disposait sur celui-ci une tuyère en fonte qui permettait d'orienter la flamme dans toutes les directions. Dans l'enfournement à la pelle, on garnissait d'abord « au fond » avec les pains les plus gros et on finissait « à bouche », là où la température était plus élevée, ce qui convenait mieux aux petites pièces. La mise au four devait être très rapide, afin de synchroniser les durées de cuisson des pains du fond et des pains de bouche. Bien qu'enfournés en dernier, ceux-ci étaient défournés en premier, leur temps de cuisson étant plus court.

Roland Guinet

• *Voir aussi :* Cuisson directe/indirecte ; Enfournement ; Four ; Gueulard ; Pelle ; Quartier ; Sole

BOUCHE (pain de). – L'appellation suggère que le pain se mange pour lui-même accompagné d'un gobelet de vin ou avec quelques fruits ou du fromage. C'est le pain du goûter qui coupe la longue journée d'activité, celui de l'en-cas que l'on prend en voyage, sur la route ou à l'auberge ; mais c'est aussi celui qui marque sur les tables raffinées la place de chaque convive, posé à côté du couteau.

Mouette Barboff

• *Voir aussi :* Casse-croûte ; Lait (pain au) ; Fantaisie (pain de) ; Sandwich

BOUCHE, GUEULE DU FOUR. Dans un four à bois, ouverture du four par laquelle on charge le combustible, enfourne et défourne les pains. « Il faut, lorsqu'on brûle du gros bois, tirer la braise vers la bouche du four quand il est presque chaud. C'est ce qu'on nomme "tirer à bouche" ; et il faut y remettre à l'entrée quelques morceaux de bois plus menus et secs, pour faire un feu clair qui chauffe la chapelle, c'est ce qu'on entend dire par "chauffer à bouche" ; car on commence par chauffer plus le fond du four que la bouche, et d'abord plus un côté que l'autre ; ensuite on chauffe plus la bouche » (Burnet 1836).

Mouette Barboff

• *Voir aussi :* Bouche (à) ; Bouchoir, fermoir du four ; Enfournement ; Voûte ou chapelle du four

Bibl. : BURNET, *Dictionnaire de cuisine et d'économie ménagère : à l'usage des maîtres et maîtresses de maison, fermiers, maîtres d'hôtel, chefs de cuisine, chefs d'office, restaurateurs, pâtisseurs, marchands de comestibles, confiseurs, distillateurs, etc.*, 1836.

BOUCHÉE DE PAIN. – Lorsqu'il est l'aliment de base, le pain se doit d'être d'un prix abordable, non seulement pour que chacun puisse concrètement se nourrir, mais aussi pour éviter tout soulèvement populaire et garantir, autant que faire se peut, la paix sociale. Si le pain est bon marché, un morceau de pain de la taille d'une bouchée l'est davantage, et obtenir quelque chose « pour une bouchée de pain » revient à l'acquérir pour une somme modique, voire ridiculement faible au regard de son prix supposé ou admis. La valeur marchande du pain l'emporte alors dans cette expression figée sur sa valeur nutritive, la bouchée devenant une image de l'argent dépensé pour obtenir tel ou tel objet. Nécessairement au singulier, cette locution – qui a remplacé l'ancienne expression « pour du pain » – met l'accent sur le côté dérisoire de la transaction. Pourtant, on peut finalement tout acheter « pour une bouchée de pain », y compris une maison, par exemple, ce qui confère à ladite bouchée des dimensions gargantuesques. Mais on n'achète jamais de pain pour une bouchée de pain, comme si le pain reprenait pour lui ses prérogatives de prix juste et raisonnable.

Anne-Élisabeth Halpern

• *Voir aussi :* Disettes, famines et révoltes pour le pain en France ; *Frumenta, frumentum* ; Frumentaire ; Jean Valjean

BOUCHOIR, FERMOIR DU FOUR. – Le four donne sa pleine mesure une fois clos par ce qu'on nomme un bouchoir, ou fermoir, le plus souvent en fer ou en tôle, plus rarement en bois. Cependant, lorsque c'est le cas, on le fait tremper dans l'eau une heure ou deux avant de s'en servir pour éviter qu'il brûle. Mais le bouchoir peut être aussi une plaque de fonte fermant hermétiquement l'entrée du four pour éviter la déperdition de chaleur et conserver la buée produite par la cuisson. Cette buée retombe sur le pain et lui conserve son poids, lui donne la couleur et le goût de noisette si agréable.

Mouette Barboff

• *Voir aussi :* Bouche (à) ; Buée ; Enfournement ; Four ; Voûte ou chapelle du four

BOUDINAGE. – Voir FAÇONNEUSE

BOUFFÉ. – Voir GRIGNE

BOUILLIE. – Les céréales doivent être cuites pour se consommer. Pour cela, la technique la plus primitive a dû être le grillage. Mais c'est la bouillie, produit de la cuisson de céréales (et aussi de plantes féculentes ou de légumes secs) par ébullition, qui a fait entrer l'humanité dans l'ère de l'alimentation à base de céréales. Dans son ouvrage fondateur, Adam Maurizio (1932) consacre une partie importante à la bouillie, et le titre des parties suivantes est éloquent : « Des bouillies aux galettes », « Passage des galettes au pain » et « La fermentation… ». La bouillie apparaît ainsi pour beaucoup comme l'ancêtre à la fois du pain et de la bière. En tout cas, dans bien des cultures, elle précède le pain. Pour les Romains de l'Antiquité, le *puls* (bouillie de froment) en général, ou la polenta d'orge, étaient perçus comme l'aliment des Anciens, ou des paysans.

Ce terme « bouillie » recouvre cependant une bien vaste famille de mets, dont il convient de décrire la diversité. On découvre alors que nombre de mets ne sont pas perçus comme des bouillies, mais portent des noms particuliers, qui diffèrent d'une langue à l'autre. Tout d'abord, le liquide dans lequel on fait bouillir la céréale peut être de l'eau, mais aussi du lait ou un mélange des deux. Ce liquide peut être abondant, auquel cas on obtient une bouillie liquide, ou rare, auquel cas la bouillie est épaisse. Celle-ci peut avoir une consistance molle quand elle est chaude, mais devenir solide quand elle refroidit. C'est le cas de la polenta de maïs, qui une fois refroidie, peut se couper en tranches et être reprise en friture. Par ailleurs, la bouillie peut s'accommoder avec du sel, du sucre ou diverses épices. Le riz au lait est ainsi un dessert. Enfin, certaines bouillies peuvent être fermentées après cuisson, ce qui est d'ailleurs une évolution spontanée en l'absence de réfrigération mais a pu donner des produits où le goût aigre issu de cette fermentation est recherché.

On peut faire des bouillies avec toutes les céréales, et celles-ci sont souvent transformées de diverses manières avant la confection de la bouillie. La forme de la matière première varie du grain entier (en particulier pour les millets) au grain concassé, au gruau, à la semoule ou à la farine. Mais on trouve aussi des grains écrasés en flocons (cas du porridge de flocons d'avoine) ou de l'amidon aggloméré en billes (le tapioca). Quel que soit son stade de transformation, la céréale peut avoir été préalablement grillée, ce qui a pour avantage de la précuire et de lui donner du goût. C'est le cas des gaudes de maïs en Bresse, ou de la *tsampa* d'orge tibétaine. On passe alors à des mets qui sont faits avec de la farine grillée simplement ajoutée d'eau, sans cuisson. Ce sont la *maza* d'orge de la Grèce antique, ou la *bsīsa* et la *zummita* tunisiennes. Doit-on alors encore parler de bouillie, surtout quand ces mets sont mangés ou bus froids ?

Alors que les bouillies ont été pendant des millénaires l'aliment de base de la plupart des peuples, elles ont perdu en prestige avec l'avènement du pain, et se sont trouvées parfois confinées à l'alimentation des enfants ou des malades. L'alimentation moderne tend à les oublier, et peu d'études leur ont été consacrées.

Michel Chauvet

• *Voir aussi :* Bière ; Fermentation (approche anthropologique de la) ; Gaudes → France (pains actuels, pains régionaux) ; Gruau ; Maza → Grèce ; Polenta → Italie ; Semoule ; Tapioca → Manioc ; Tsampa → Région himalayenne

Bibl. : Marie-Claire AMOURETTI, *Le Pain et l'huile dans la Grèce antique*, Paris, Les Belles Lettres, 1986 • Jacques ANDRÉ, *L'Alimentation et la cuisine à Rome* (1961), 2e éd. Paris, Les Belles Lettres, 1981 • Jacques BARRAU, *Les Hommes et leurs aliments*, Paris, Messidor-Temps actuels, 1983 • Alan DAVIDSON, *The Oxford Companion to Food*, Oxford, Oxford University Press, 1999 • Hélène FRANCONIE *et al.*, *Couscous, boulgour et polenta. Transformer et consommer les céréales dans le monde*, Paris, Karthala, 2010 • Adam MAURIZIO, *Histoire de l'alimentation végétale depuis la préhistoire jusqu'à nos jours*, trad. F. Gidon, Paris, Payot, 1932.

BOULAGE. – Opération qui consiste à faire tourner le pâton sur lui-même jusqu'à ce qu'il ait pris la forme d'une boule plus ou moins régulière. Elle intervient après le découpage de la pâte et permet de rassembler les parties du pâton plus ou moins déchirées au découpage. Le boulage contribue ainsi à la restructuration de la pâte, qu'il raffermit. Il constitue donc un moyen de régulation des caractéristiques de la pâte et varie ainsi en fonction d'elle. Il peut se faire à la main ou à l'aide de machines qui reproduisent les gestes du boulanger.

Dominique Descamps

• *Voir aussi :* Bouleuse ; Découpage et passage en tête ; Division ; Façonnage ; Main ; Pâte ; Pâte bâtarde, molle, douce, ferme, raide ; Pâton

BOULANGE. – Terme de meunerie désignant le produit issu du broyage et non tamisé. C'est encore le terme familier par lequel on désigne, au sein de la profession, l'activité de la boulangerie.

Dominique Descamps

• *Voir aussi :* Boulangerie contemporaine ; Boulangers et boulangeries (histoire de France des) ; Broyage ; Meunerie

BOULANGE (maison de). – Voir BOULANGER FORAIN

BOULANGER (femme du). – Voir FEMME DU BOULANGER

BOULANGER (tenue du). – Pas vraiment de coquetterie dans le fournil. Longtemps le boulanger était vêtu d'une simple « cotte » réputée pour être le vêtement le plus adapté à sa tâche, sans sous-vêtement ; parfois d'une toile de sac de farine nouée autour de son corps, une ficelle en guise de ceinture. Lionel Poilâne explique que, lorsque la vendeuse descendait apporter une tasse de café au malheureux qui trimait depuis l'après-minuit, il n'était pas rare qu'il remonte ce sac pour s'essuyer le front, et de conclure : « J'ai vu beaucoup de mariages entre boulangers et vendeuses » (2005). Si la tenue légère a ses avantages, surtout lorsque règne, dans ce réduit sombre où rayonne et crépite le four, une chaleur d'enfer, elle ne permet pas au boulanger, à ses aides et mitrons, de quitter le fournil sans passer par le vestiaire. La tenue est donc, ici, une sorte de signe de relégation qui ajoute à l'exclusion du temps social. Mais les boulangers, depuis ces âges barbares, se sont habillés, notamment à l'invitation des règlements et directives nationales et européennes (voir en fin d'article). Pantalon pied-de-poule, tee-shirt blanc (l'usage est que les fournisseurs d'ingrédients offrent ces tee-shirts après avoir pris soin d'y imprimer leur logo), tabliers jetables qui se généralisent, chaussures de sécurité, calot en coton, ou en papier, voire charlotte si les cheveux sont longs, constituent la panoplie très officielle de ceux qui œuvrent de nos jours dans un fournil. Mais la réalité est bien différente, dans la mesure où il ne s'agit pas de poser pour la photo de classe ou de fournil, mais d'abattre le travail en se sentant bien dans sa peau. Les petits carreaux cèdent devant le jean ou le pantalon de toile blanc, le calot devant la casquette, le bandana, la sécurité devant les pompes, sans étiquette. Le signe distinctif sera toujours le poil et le cheveu enfariné.

Règlement (CE) n° 852/2004 du Parlement et du Conseil européens du 29 avril 2004 relatif à l'hygiène des denrées alimentaires (extrait) : « Une personne travaillant dans une zone de manutention de denrées alimentaires doit respecter un niveau élevé de propreté personnelle et porter des tenues adaptées et propres assurant si cela est nécessaire sa protection. » Le guide des bonnes pratiques en boulangerie-pâtisserie, validé en 1997, précise que le salarié doit porter une tenue de travail propre, claire et complète (chaussures, pantalon, veste ou chemise, tablier, calot) réservée au travail.

Jean-Philippe de Tonnac

• *Voir aussi :* Apprenti → Apprentissage ; Brigadier ; Enfourneur ; Fournil ; Geindre ; Mains (à deux) ; Maître ; Mitron ; Pétrisseur ; Savate ; Talemelier ; Valet soudoyé

Bibl. : Lionel et Apollonia POILÂNE, *Le Pain par Poilâne*, Paris, Le Cherche Midi, 2005.

BOULANGER DE DERNIÈRE INSTANCE. – Dans la France d'Ancien Régime, comme dans l'Égypte de Moubarak, l'ordre quotidien repose sur un « contrat social de subsistance », ainsi que le rappelle Steven Laurence Kaplan (1987, 1988, 1996). L'absolue soumission du peuple aux injonctions étatiques (imposition, conscription, etc.) est à la condition que le monarque s'engage, en toutes circonstances, et plus particulièrement lorsqu'elles sont déplorables, à ne pas le laisser mourir de faim et de misère. « Prince nourricier, incarnation de l'État, le roi devient, non pas le pourvoyeur de vivres de tous les jours, même s'il surveille les modalités instituées à cette fin, mais le boulanger de dernière instance. » Il y a ainsi, derrière ceux qui approvisionnent le peuple au quotidien, ceux qui se dévouent à subvenir à ses besoins fondamentaux, les paysans, les marchands de grains, les meuniers, les boulangers, une sorte de boulanger en chef qui, seul, lorsque la famine revient, engage sa responsabilité, auquel le peuple est en droit de demander des comptes et à qui, en effet, il les demande. « Les femmes qui défilèrent en octobre 1789 à Versailles pour faire respecter le contrat, en ramenant le boulanger, la boulangère et leur petit mitron dans la capitale, ont bien compris le rôle du roi et sa signification » (Kaplan 1996 et 2008). C'est encore et toujours le devoir et la crainte des gouvernants que de ne pouvoir s'abriter derrière aucune excuse (flambée du cours des céréales, fluctuation du prix du pétrole, cours du dollar, etc.) pour venir au secours, au quotidien, d'une partie de la population maintenue la tête un peu en dessous de la ligne de flottaison. « Craignant d'être débordé par un mouvement populaire contre le manque de pain subventionné, à la suite de bagarres mortelles devant des boulangeries, le régime Moubarak a mobilisé l'armée égyptienne *voilà deux semaines* pour fabriquer et distribuer cette denrée, dernier rempart de la stabilité politique. Le manque de pain est toujours la faute du gouvernement aux yeux du peuple consommateur. En 1951 en France, où la qualité du pain était en question, "mauvais pain, mauvais gouvernement", disait-on » (Kaplan 2008).

Jean-Philippe de Tonnac

• *Voir aussi :* Assassinat du boulanger Denis François ; Ban et banalités ; Boulangers et boulangeries (histoire de France des) ; Boulangers forains ; Crédit ; Disettes, famines et révoltes pour le pain en France ; Farines (guerre des) ; Gluten social ; Kaplan ; Pain rationné ; Physiocrates ; Réglementation ; *Sur la législation et le commerce des grains*

Bibl. : Nicolas BOURGUINAT, « L'État et les violences frumentaires en France sous la Restauration et la Monarchie de Juillet », *Ruralia*, 1997-01 • Steven L. KAPLAN, *Le Pain, le peuple et le roi*, Paris, Perrin, 1987. – ID., *Les Ventres de Paris : pouvoir et approvisionnement dans la France d'Ancien Régime*, Paris, Fayard, 1988. – ID., *Le Meilleur Pain du monde. Les boulangers de Paris au XVIIIe siècle*, Paris, Fayard, 1996. – ID., *Le Pain maudit. Retour sur la France des années oubliées 1945-1958*, Paris, Fayard, 2007. – ID., « Mauvais pain, mauvais gouvernant », *Le Monde*, 11 mai 2008.

***BOULANGER DE L'EMPEREUR – L'EMPEREUR DU BOULANGER* (*Le*)** (*Císařův Pekař a Pekařův císař*). Voir DOCUMENTAIRES ET FILMS

***BOULANGER DE VALORGUE* (*Le*).** – Voir DOCUMENTAIRES ET FILMS

BOULANGER DES PETITS CHIENS BLANCS. – Voir FRANCE (pains historiques, du Moyen Âge à la Révolution française)

BOULANGER PÂTISSIER. – Voir PÂTISSIER

BOULANGER-POÈTE. – Une bonne moitié de la journée consacrée au travail manuel, l'autre, cultivée jusqu'à l'érudition, donnée aux Muses. Boulanger-poète : c'est effectivement l'appellation que revendiquent eux-mêmes, avec la fierté d'une élite populaire et locale qui se sait abusivement négligée, ceux qui ont œuvré à la composition de rimes réalistes, toujours en suspens entre patient labeur, génie quotidien et culture prolétarienne. Ces « voix d'en bas », si chères à Henry Poulaille, sont entrées dans le champ des lettres au cours des dernières années de la Restauration, à travers la figure méconnue du Nîmois Jean Reboul (1796-1864), auteur de poésies élégiaques comme *L'Ange et l'enfant* (1828) et figure singulière des lettres françaises entre autres visitée par Nodier, Dumas, Chateaubriand et Lamartine. Tout le contraste entre ces francs-tireurs et les gens de lettres consacrés tient à la différence entre le caractère exclusivement métaphorique de l'écriture de ces derniers dans leur rapport à la *boulange*, et celle, bien réelle, des *poètes blancs* pour dépeindre prosaïquement, et tout autant, leur humble condition comme la fabrique rituelle du pain, des oublies ou des fougasses. Mi-rimailleur mi-troubadour, le boulanger-poète se double d'un artisan, créateur d'une écriture qui ne se cantonne en rien dans une tour d'ivoire, mais qui tend, au contraire, à s'inscrire sans allégories à même l'aliment bénit (symbole de vie dans la tradition judéo-chrétienne).

Cette authentique tradition littéraire se poursuit jusqu'au XXe siècle, en témoigne l'itinéraire haut en couleur de François Jouve (1901-1968), maître-fournier à Carpentras et majoral du mouvement félibrige, véritable porte-voix de la culture occitane. Et pas mieux qu'un écrivain-voyageur pour témoigner de la place prise par ces créateurs de l'immuable et du mouvement, toujours à la lisière du Landerneau des lettres : « J'allai donc trouver maître François Jouve à son Four des Blondins [...]. Le boulanger était le torse nu, le tablier noué à la ceinture. Mes amis me firent savoir que le boulanger de Carpentras n'était pas un boulanger ordinaire, mais le plus grand poète provençal vivant, et que rien ne lui était impossible, car il était visionnaire » (Blaise Cendrars, *Bourlinguer*). Manière de donner à entendre qu'il ne mange pas de ce pain-là, mais bien d'un autre, qu'il estime plus vivifiant parce que à la fois croquant et déclamé.

Cédric Méletta

• *Voir aussi :* Agriculture biologique ; Boulanger-prophète ; Boulangers et boulangeries (histoire de France des) ; Boule bio ; Filière bio ; Pain bio ; Paysan boulanger

Bibl. : Marcel BRUYÈRE, *Un poète chrétien au XIXe siècle : Jean Reboul de Nîmes (1796-1864), sa vie, ses œuvres*, Paris, Champion, 1925 • Blaise CENDRARS, *Bourlinguer*, Paris, Denoël, 1948 • Paul GARD, *François Jouve, le boulanger félibre de Carpentras*, Nîmes, Roudelet et Bousquet, 1988.

BOULANGER-PROPHÈTE. – Amadeo Barbarossa, boulanger à Rocamadour, cédant un jour à la tentation du métier double, désormais très en vogue – fromagiste-ébeniste ; quincailler-primeur ; charcuterie-joaillerie –, se décida à créer la première boutique de boulanger-prophète. Et ainsi qu'on le fait d'ordinaire dans nos boulangeries, il prit l'habitude de communiquer avec sa clientèle par voie de petites annonces punaisées quelque part près de la caisse, et pour la prévenir simplement de la date exacte de la *prochaine* fin du monde – prochaine car, en effet, le monde avait une fâcheuse tendance à se survivre à lui-même. Émue par cet état de vigilance chronique, la clientèle, ainsi que le rapporte Roger-Pol Droit dans l'une des quarante-neuf fictions qui composent *Un si léger cauchemar* (Flammarion, 2007), continua cependant à se porter davantage vers ses fougasses que vers ses prophéties.

Jean-Philippe de Tonnac

• *Voir aussi :* Boulanger-poète ; Compagnon boulanger ; Paysan boulanger

***BOULANGÈRE A DES ÉCUS* (*La*).** Au début du XVIIIe siècle, dans son épicerie-droguerie de la rue de la Grande-Truanderie, le chansonnier Pierre Gallet (1698-1757) écrivit une chanson grivoise mettant en scène une boulangère coquine. Habitué des agapes arrosées, il l'adapta sur un rythme de contredanse pour que son air accompagne rondes et quadrilles : « La boulangère a des écus / Qui ne lui coûtent guère, / La boulangère a des écus / Qui ne lui coûtent guère. / Elle en a, je les ai vus ; / J'ai vu la boulangère aux écus, / J'ai vu la boulangère. »

Ironie de l'histoire, le premier couplet de cette chanson s'est peu à peu transformé en une innocente ronde enfantine. Le compositeur Offenbach s'en inspira, en 1875, pour écrire son opérette *La boulangère a des écus*, une drôlerie inspirée de la chanson de Pierre Gallet, qui a contribué à populariser l'épouse du boulanger.

Olivier Pascault

• *Voir aussi :* Boulangères ; Boulangers et boulangeries (histoire de France des) ; Femme du boulanger ; *Femme du boulanger* (*La*)

Bibl. : Pierre BARBIER, France VERNILLAT, *Histoire de France par les chansons*, Paris, Gallimard, 1956-1959.

***BOULANGÈRE DE MONCEAU* (*La*).** – Voir DOCUMENTAIRES ET FILMS

BOULANGÈRES. – Il y a la femme du boulanger, celle qui règne sur la boutique et sans laquelle tout le savoir-faire de l'artisan, fût-il de génie, homme aux mains couleur de blé, ne trouverait pas de mots pour se dire. Mais il y a aussi celle qui franchit le pas, qui entre dans le fournil ou, plus exactement, avant le fournil, qui entre en formation, qui se pousse un peu des coudes dans un monde encore presque exclusivement masculin, et même si la réputation de pénibilité attachée au métier n'est plus ce qu'elle était, comme la nostalgie d'ailleurs. Le pain, faire le pain fait-il rêver les femmes ? Existe-t-il des exemples à partir desquels une jeune fille puisse nourrir son imaginaire et mettre en train un projet de formation ? Existe-t-il en d'autres mots de possibles vocations au métier de la boulangerie chez une lycéenne, une étudiante, une salariée en recherche de reconversion ?

À ces interrogations, l'anthropologie répond en rappelant que le pain a toujours été une affaire de femmes. Pendant des millénaires, les femmes ont fait le pain et sans doute ont-elle fini par en connaître à peu près tous les secrets, bouillie, galette, pâte ensemencée au levain ou à la levure, etc. – alors que les hommes ne s'en occupent, après tout, que depuis quelques siècles *seulement*, ce qui, au regard de la profondeur du temps, ne constitue en aucune manière un droit de se l'attribuer. « Agenouillée derrière la pierre à moudre comme dans l'Égypte ancienne, écrit François Sigaut dans ces pages, ou assise à côté du moulin à bras comme dans des milliers de villages de l'Inde encore aujourd'hui, c'est la femme qui écrase le grain, c'est elle encore qui pétrit la pâte et qui la fait cuire. » Sans doute ne s'agissait-il pas alors de « vocation », à proprement parler, mais plutôt d'une répartition des tâches entre l'homme et la femme qui semble avoir revêtu une sorte d'universalité. En ce sens, les femmes gardent certainement mémoire, au fond d'elles-mêmes, de cette activité à laquelle leur communauté, de tout temps, les a consacrées, et nul doute que le commerce des pâtes ne leur soit familier. N'est-ce pas, après tout, elles qui reprirent, durant la guerre, la place de leurs compagnons et maris mobilisés, et plus durablement lorsqu'ils ne revinrent pas ? N'est-ce pas encore elles qui plébiscitent ces machines à pain et recommencent à faire le pain à la maison ?

Pourquoi faudrait-il qu'elles rechignent devant l'aventure du fournil et, mieux que cela, devant cette fonction qui consiste, au sein de la collectivité, puisque cette fonction leur fut naturellement attribuée, à faire le pain ? Maintenant que les fournils sont en grande partie mécanisés, que le pétrissage n'est plus l'affaire des geindres aux dos cassés, que les fournils remontent des entrailles de la terre, que le pain des artisans semble avoir, tout au moins en France, remporté son impérieux pari de pouvoir participer à la suite de l'aventure occidentale, pourquoi les femmes ne pourraient-elles pas reprendre à leur tour une partie des tâches qui étaient autrefois les leurs ? Pour clouer définitivement le bec des persifleurs, le vocabulaire anglais rappelle qu'une *lady*, c'est « celle qui pétrit le pain » (*hlaefdige* en vieil-anglais). Mais, à notre connaissance, il n'y a pas davantage de femmes boulangères, au sens de celles qui pétrissent, façonnent et cuisent, en Angleterre qu'en France.

Le pain n'a pas de sexe. Soit. Le métier de boulanger non plus. C'est ce que rappelaient les partenaires du projet FAMME (Faciliter l'accès et le maintien des femmes aux métiers porteurs d'emploi) financé par le FSE (Fonds social européen), en offrant à des candidates, mal soutenues par leur milieu familial ou professionnel, des voies d'accès aux formations permettant d'acquérir le savoir-faire et les diplômes nécessaires et de s'installer (2007). Peut-être le versant féminin de la profession manque-t-il encore d'exemples, de figures de proue à partir desquelles l'identification serait possible ? Ou bien les Valérie, Isabelle et Marianne Ganachaud (Paris), Catherine Picquenard (Vaucresson), Apollonia Poilâne (Paris), Véronique Gest (formatrice, Rouen), Rose-Mary Lefetey (formatrice et auteure) sont-elles trop discrètes, ou bien encore mal mises en valeur par une profession qui tarde à donner au mot boulanger son féminin ?

À noter : le pourcentage de jeunes filles inscrites en apprentissage serait de 5 % en boulangerie et de 30 % en pâtisserie ; on passe à 18 % pour les adultes en boulangerie et 60 % en pâtisserie (2008) ; la tendance s'inverse avec la formation au métier de la vente, qui ne compte que 8 % d'hommes (chiffres communiqués par l'EBP).

Jean-Philippe de Tonnac

• *Voir aussi :* Accouchement (pains d') ; Apprentissage ; CAP ; CFA ; Déméter et Perséphone ; EBP ; Femmes ; Formations à la boulangerie et à la pâtisserie ; Hestia, Vesta et le feu sacré ; INBP ; Machine à pain ; Maie ; Mariage (pains de) ; Pain domestique ; Terre-Mère primordiale

Bibl. : Rose-Mary LEFETEY, *Pain, passion et fantaisie*, Les Lilas, Jérôme Villette, 1994. – ID., *Emballer, c'est séduire*, Rouen, INBP, 1989. – ID., *Développer la vente en magasin*, Les Lilas, Jérôme Villette, 2006

BOULANGERIE (Coupe du monde de la). – Créée en 1992 par Christian Vabret, MOF boulangerie et directeur de l'École française de boulangerie d'Aurillac (EFBA), la Coupe du monde de la boulangerie est une épreuve internationale qui réunit les meilleurs artisans boulangers du monde entier. Les candidats sont sélectionnés à travers des épreuves sur tous les continents, et la finale du concours a lieu tous les quatre ans dans le cadre du salon Europain à Paris-Nord Villepinte. Chaque équipe, composée de trois professionnels, doit réaliser une présentation salée, une pièce artistique, des baguettes, des pains spéciaux et de la viennoiserie sucrée. Outre la qualité des produits, le jury prend en compte la capacité d'organisation, la gestion du temps et de l'espace, le travail d'équipe et la maîtrise des compétences de chaque participant. La France a gagné la Coupe du monde en 1992, 1996 et 2008. La Suisse en 1994. Les États-Unis en 1999 et 2005. Le Japon en 2002.

Jean-Pierre Deloron

• *Voir aussi :* Boulangerie contemporaine ; Boulangers de France ; Europain → Boulangerie (salons internationaux de la) ; Filière blé-farine-pain ; MOF

BOULANGERIE (Masters de la). Voir BOULANGERIE (salons internationaux de la)

BOULANGERIE (salons internationaux de la). – L'évolution des salons de la boulangerie, dont le caractère commun est d'être exclusivement réservés aux professionnels, est révélatrice d'un monde traversé par des ambivalences : l'artisanat côtoie l'industrie, le marché local et l'économie globale s'entrecroisent, la tradition et la modernité sont voisines. Et c'est une formidable pâte humaine que ce monde en évolution et mouvement pétrit, professionnels de toute origine étant pris dans contexte de retrouvailles, d'échanges et découvertes, agrémenté par l'excitation du commerce et du business. L'accumulation des matériels exposés, des matières premières mises à la disposition du public et des innombrables dégustations qui font de ces lieux des boulangeries géantes participent naturellement aussi de cette excitation. Ajoutons-y un zeste de compétitions internationales créées par des passionnés et soutenues par de grandes marques du secteur, et le tableau sera complet pour souligner combien ces manifestations servent la valeur universelle du pain. Quelques-unes d'entre elles sont incontournables.

En France, l'événement majeur est Europain : créé en 1967, le salon vivait sur un rythme triennal. Signe de l'évolution positive du marché, un Salon national de la boulangerie-pâtisserie a été créé en 1997 pour combler ce rythme jugé insuffisant ; puis, devant le succès croissant d'Europain (+ 9 % de fréquentation en 2008), il a été décidé que la manifestation se tiendrait tous les deux ans, donc en 2010. Europain a accueilli, en 2008, 86 347 visiteurs sur cinq jours, chiffre très important pour un salon professionnel spécialisé. Le fait qu'un gros bataillon des visiteurs soit constitué d'artisans (plus de 50 %) n'est pas étranger à ce chiffre, mais chaque année la représentation internationale s'étoffe. Elle représente en 2008 plus de 36 % des visiteurs. Europain c'est également 642 exposants répartis au

Parc des expositions de Villepinte sur 80 000 m^2. Cette place prise par Europain limite, en région parisienne, l'écho du Salon national de la boulangerie-pâtisserie, qui a accueilli, porte de Versailles en 2009, 16486 visiteurs (70 % d'artisans) et 150 exposants. De fait, ce salon dit « national » tend à prendre un caractère régional, alors qu'Europain s'affirme de plus en plus comme le salon mondial qu'il entend être, rassemblant boulangerie, pâtisserie, glacerie, chocolaterie et confiserie, avec l'apport du salon Intersuc.

Il fallait ce véritable essor pour se placer au niveau de l'autre grand rendez-vous international, l'IBA, qui se tient alternativement à Düsseldorf et à Munich tous les deux ans, en octobre. Ce « World Market for Baking » rassemble, sur une surface supérieure de moitié à celle d'Europain, plus de 1 000 exposants, bien qu'il accueille 10000 visiteurs de moins. Pourquoi ? Parce que là où le salon français est ancré dans un pays où l'artisanat pèse toujours très lourd, l'IBA a pris son essor dans un pays qui comptait 55000 boulangeries artisanales dans la seule Allemagne de l'Ouest, dans les années 1950, et où il n'en reste plus aujourd'hui que 15337 (moitié moins qu'en France). Conséquence : ce salon a une affluence moindre mais est plus international qu'Europain (55 % d'étrangers et, parmi eux, 55 % venus de l'Union européenne avec, du reste, nombre de Français, et 19 % du reste de l'Europe). Il est également plus orienté vers la machine-outil. Rien de plus normal puisque, dans ce domaine, l'Allemagne est le deuxième intervenant mondial en machines de boulangerie, derrière l'Italie. C'est d'ailleurs en Italie, à Vérone, que se tient chaque année un salon des techniques boulangères, le SIAB, dont le principe est désormais décliné à São Paulo au Brésil.

Outre le dynamisme des grandes entreprises internationales présentes sur ce marché (pour la France, on pense forcément à Lesaffre), auquel s'ajoute celui des meuniers, et des confédérations d'artisans, l'organisation de concours participe au succès de ces salons et à l'ambiance chaleureuse qui y règne. Grâce à l'initiative de Christian Vabret, Meilleur Ouvrier de France, et de quelques autres boulangers passionnés, Europain est rythmé depuis des années par la Coupe du monde de la boulangerie, relayée en 2010 par les Masters de la boulangerie. Les journées de salon de l'IBA sont rythmées par l'IBA Cup, et en 2009 le Salon national de la boulangerie pâtisserie a accueilli plus modestement la Coupe de France des écoles. Les organisateurs de salons ont compris que ces concours étaient des étendards. À Lyon, le Bocuse d'or, qui oppose en une joute culinaire des chefs du monde entier, a été un formidable accélérateur du rayonnement du SIRHA. Événement gastronomique lyonnais (ce qui est presque un pléonasme), le SIRHA est en premier lieu un salon d'hôtellerie et de restauration. Mais il comprend désormais un véritable salon de la boulangerie avec des acteurs régionaux puissants, des marques internationales et, comme toute manifestation qui se respecte, des concours professionnels : le Mondial du pain goût et nutrition (la deuxième édition se tenait en 2009), et la Coupe du monde de la pâtisserie. Avec plus de 140000 visiteurs en 2009, le SIRHA est devenu, pour beaucoup de professionnels du pain, presque aussi incontournable que ses homologues parisiens, parce qu'il leur offre l'avantage d'exercer leur curiosité vers des univers de marché voisins des leurs.

C'est mus par cette même curiosité que beaucoup de professionnels se pressent chaque année au Salon du sandwich, qui se tient à Paris. Rien d'artisanal dans ce petit salon, mais des idées à glaner pour tous ceux qui ont compris le marché que représentait la « pause-déjeuner ». À Nantes, Serbotel surfe également sur l'engouement des Français (35 000 visiteurs en 2009) pour la gastronomie et crée des Lauriers d'or, parrainés par Joël Robuchon. Indispensable accompagnement des repas, le pain est aussi à l'honneur avec un salon thématique de la boulangerie et les Pellons d'or, coupe d'Europe de la boulangerie artisanale où neuf pays étaient en compétition. Hors d'Europe, le Bakery China est sans doute l'événement le plus notable. Créé en 1998 avec tout le savoir-faire des organisateurs de l'IBA, il vit à un rythme annuel : 65 000 visiteurs étaient présents lors de sa dernière édition, avec plus de 930 exposants, un bon nombre venus d'Europe.

Parcourir les allées d'un salon professionnel comporte une part de rêve. C'est un immense marché ouvert où tout boulanger, tout industriel, tout distributeur trouvera forcément une part de grain à moudre. Les meilleurs boulangers aux cols tricolores sont souvent aux fours pour démontrer les vertus de tel ou tel nouvel équipement, pendant que les meuniers ne sont pas aux moulins, mais bel et bien sur leurs stands à accueillir des cohortes de clients, et même à faire du pain sur place pour vanter leurs produits et leurs marques. À ces salons, il manque un invité de première importance, le consommateur ! On rêverait qu'un salon lui soit réservé, ou au moins d'une journée grand public, pour que l'engouement toujours pérenne pour le bon pain puisse ici être satisfait. Reste une foule réjouissante de jeunes apprentis, qui montre, du moins en France, que la relève est assurée. À Europain, la « Rue des Écoles » est une allée très fréquentée, c'est un signe de vitalité supplémentaire de ce marché.

François Dumoulin

• Chaque salon dispose d'un site Internet donnant toutes les informations indispensables. **Europain (& Intersuc)** : le salon se tient tous les deux ans, en mars, au Parc des expositions de Villepinte ; www.europain.com – **Salon national de la boulangerie pâtisserie** : se tient alternativement avec Europain, porte de Versailles à Paris ; www.salonboulangerie.com – **IBA** : se tient alternativement tous les trois ans au mois d'octobre à Munich et Düsseldorf ; www.iba.de – **SIAB** : se tient habituellement en mai à Vérone ; 9e édition du 22 au 26 mai 2010 ; www.siabweb.com – **SIRHA** : se tient à Lyon tous les deux ans, à la fin du mois de janvier ; www.sirha.com – **Salon du sandwich** : a lieu chaque année début mars, Porte Maillot au Palais des congrès, à Paris – **Serbotel** : a lieu tous les deux ans, en mars, au Parc des expositions de la Baujoire, à Nantes ; www.serbotel.com – **Bakery China** : se tient au mois de mai de chaque année, à Shanghai ; www.bakery-china.de

• *Voir aussi :* Ambassadeurs du pain ; Artisan et artisanat ; Baguette de la Ville de Paris (Grand Prix de la) ; Boulangerie (Coupe du monde de la) ; Boulangers de France ; Équipementiers ; Fête du pain ; Lesaffre (Coupe Louis) → Lesaffre ; Musées du pain

Bibl. : Steven L. KAPLAN, *Cherchez le pain*, Paris, Plon 2004 (lire l'excellente introduction de l'auteur à ce guide des meilleures boulangeries de Paris) • Philippe ROUSSEL, Hubert CHIRON, *Les Pains français. Évolution, qualité, production*, Vesoul, Maé-Erti, 2002 (une synthèse sur l'évolution de la technologie française en matière de panification) • Par ailleurs, des revues professionnelles traitent du marketing du pain avec sérieux sous forme de grandes interviews et de dossiers de fond : *Valeurs boulangères* (www.valeursboulangeres.fr) ; *Questions boulange'* (www.questions-boulange.com).

BOULANGERIE, 5 et 6 octobre 1983 (états généraux de la). – La baisse continuelle de la consommation de pain, la fermeture des boulangeries, la crise du recrutement, la perte d'un savoir-faire chez certains artisans, le manque de pugnacité face aux nouveaux enjeux d'une société où l'artisanat doit réinventer sa place et sa mission ont amené les instances de la boulangerie française à concevoir la nécessité d'une riposte et, préalablement, d'un sursaut. L'élection de Jean Paquet à la tête de la CNBPF (Confédération nationale de la boulangerie-pâtisserie française) en juin 1982, l'organisation, après son élection, des « états généraux » de la boulangerie (5 et 6 octobre 1983) réunissant les acteurs maussades d'une filière partagée alors entre le simple déni et une propension à l'autocritique, laquelle est, comme on sait, cette coupe amère où viennent se mélanger complaisance et esprit de renouveau, ont participé activement et quasi miraculeusement d'une prise de conscience. Différentes commissions (« Santé », « Pain et gastronomie », « Pain et société », etc.) permirent alors aux professionnels de sonder les précipices qu'ils avaient fait trop longtemps semblant de ne pas voir. Les débats furent vifs, dans la mesure où chacun comprenait qu'on se trouvait, à force de ne rien faire, de laisser faire, au pied du mur.

Or c'est à ce pied du mur que les acteurs d'une collectivité acceptent de dépasser ou non leurs égoïsmes forcenés pour tenter de sauver les meubles communs. La France ne pouvait pas se penser sans son réseau de boulangeries, ultimes commerces de proximité, peut-être dernier rempart face à un modèle de société dont le pays s'accommoderait mal. « Présidée par le sociologue Michel Crozier, qui s'y connaissait en situations de blocage social, la Commission "Pain et Société" explorait un tas de questions fascinantes concernant le rôle quasi institutionnel et symbolique du pain dans la vie quotidienne. Comment faire des individus une société ?, demandait Jean-Jacques Rousseau voilà plus de deux cents ans. Michel Crozier y répondait ainsi [...] : tisser dans la fabrique sociale des boulangeries de proximité et/ou de portage qui, comme une sorte de gluten social, constituent des réseaux de sociabilité structurant la vie quotidienne » (Kaplan 2002).

Jean-Philippe de Tonnac

• *Voir aussi :* Baguettocentrisme ; CNBPF ; CNERNA ; Décret pain ; Filière blé-farine-pain

Bibl. : Steven L. KAPLAN, *Le Retour du bon pain. Une histoire contemporaine du pain, de ses techniques et de ses hommes*, Paris, Perrin, 2002.

BOULANGERIE CONTEMPORAINE, ARTISANALE ET INDUSTRIELLE. – Parce que le pain est demeuré l'aliment de base des Français jusqu'au milieu du XXe siècle, la boulangerie contemporaine est riche de toute une histoire qui, en dépit des travaux des historiens, reste mal connue. Pourtant qui voudrait comprendre la situation de la boulangerie actuelle ne pourrait faire l'économie de ce détour par une longue genèse qui se confond par bien des aspects avec celle d'une culture et d'un peuple. Cette histoire de la boulangerie contemporaine se déploie entre deux temps forts et temps de rupture que sont le siècle de la Révolution française et les débats autour de la libération du prix du pain, autrement dit une manière d'affranchissement d'une profession qui avait vécu jusque-là dans la main ou le poing du pouvoir. Débats qui aboutissent à la liberté totale des prix en 1986, laquelle met fin au régime des taxations et de surveillances administratives obsessionnelles auxquelles les boulangers étaient astreints.

Jusqu'à la Révolution, la corporation est soumise au roi et tenue de garantir l'approvisionnement et l'apaisement du peuple. À Paris, la boulangerie constitue une industrie privilégiée. Le nombre des fours et des boutiques est limité ; si le bénéfice tiré de la fabrication et de la vente du pain ne peut dépasser une certaine mesure, il est sûr, car garanti par les règlements – même les variations du cours des farines ne peuvent y porter atteinte. L'administration veille à ce qu'il y ait toujours à disposition des consommateurs une quantité suffisante de pain, de bonne qualité et au meilleur prix. Classé dans les « arts mécaniques », on parle du métier en termes d'industrie. L'organisation du travail est divisée par spécialité sur le modèle redécouvert par Taylor : le *geindre* au pétrissage, le *fournier* à la cuisson et les *aides garçons* à toutes les étapes intermédiaires. Le nombre minimal d'ouvriers tourne autour de quatre, chiffre en dessous duquel le boulanger a « bien de la peine à vivre de son métier » (Malouin 1779). Hors des villes, c'est-à-dire pour la paysannerie, qui fait l'essentiel de la population française, c'est encore la production ménagère qui domine, dépendante, elle, du four banal.

La Révolution passée et les corporations dissoutes, la liberté d'installation concerne surtout les villes moyennes et les campagnes au détriment de la panification familiale ou ménagère. Ce mouvement est accompagné et encouragé par l'industrialisation au XIXe siècle qui, progressivement, relativise le poids de la paysannerie, laquelle se décharge désormais de la « préoccupation » et de la « tyrannie » du pain sur des professionnels installés dans les bourgs et villages. Une étude réalisée dans le Jura recense et explique le triplement du nombre de boulangers ruraux de 1851 à 1899 (Boulet 1991).

Liberté d'installation ne rime pas encore, cependant, avec liberté des prix. Le pain est l'aliment de premier et dernier recours, et l'État régalien encadre de manière très étroite une activité qui demeurera pour longtemps sous surveillance. Ainsi, les pouvoirs publics prennent le relais des mains du roi et les syndicats de patrons boulangers de la corporation dissoute. Les régimes changent, mais la conspiration autour du pain demeure. C'est dans ce cadre d'« économie dirigée » qu'évoluera, tant bien que mal, la boulangerie au XXe siècle et jusqu'à arracher la libération des prix au terme de longues tergiversations. Paradoxe lié au principe acquis de la libre installation, le modèle familial succédera à celui de la division du travail des entreprises antérieures à la Révolution, et la qualité d'artisan sera revendiquée en réaction au nouveau modèle industriel.

Bien modestes entreprises familiales mises, d'ailleurs, à la peine par les deux conflits mondiaux et par la réalité d'une activité dont la pénibilité n'est qu'imparfaitement soulagée par la mécanisation croissante des fournils. Difficulté du labeur et faible rentabilité contribuent à une désaffection de la profession. Ce manque de bras renforce le besoin de mécanisation, qui connaît son véritable essor à partir des années 1960 : pétrin, diviseuse, façonneuse, chambre de fermentation, groupe automatique, four rotatif entrent alors dans l'univers du boulanger – autant de matériels qui vont progressivement modifier les pratiques au sein des fournils et permettre enfin de dégager quelques profits. Ceux-ci sont favorisés par la croissance du pouvoir d'achat des Français, qui permet à l'État de céder aux demandes d'augmentation du prix du pain émanant de l'unique organisation professionnelle (la Confédération nationale de la boulangerie française, CNBF), laquelle compte pratiquement toute la boulangerie artisanale dans ses rangs.

À prix standard, produits standard. Baguettes et flûtes banalisées pour l'essentiel feront aussi l'affaire d'une production industrielle en forte augmentation du fait du développement de la grande distribution et de la restauration collective. Artisans et industriels ont chacun leur marché, que la quantité distingue et sépare plus que la qualité. Tandis que la boulangerie artisanale, commerce de proximité par excellence, commence en milieu urbain à élargir son activité à la viennoiserie, à la pâtisserie, puis à la restauration rapide, elle tente de pallier, dans les campagnes, la disparition du petit commerce en se transformant en multiservice rural. L'une et l'autre cherchant à s'adapter à l'évolution du marché et à compenser la diminution inexorable de la consommation de pain, qui passe de 900 g par habitant et par jour au début du siècle, à 170 g en 1986.

Désormais standardisé, banalisé, au plus bas de sa consommation, le pain perd son rang d'aliment de première nécessité des Français. Sa part dans le budget des ménages en constant recul, il perd progressivement du même coup son aura symbolique, et les pouvoirs publics se sentent mieux à même d'envisager la question de la libération de son prix. Il s'agira pourtant d'un événement sans précédent dans une profession historiquement toujours corsetée, tributaire des pouvoirs successifs qui l'ont en partie façonnée. La boulangerie est désormais livrée aux seules contraintes du marché. Mais ces évolutions masquent aussi de lourds archaïsmes. Héritières – par succession – de fonds de commerce que les reconfigurations successives des bourgs et des villes ont parfois relégués dans des zones peu commerciales, héritières aussi d'un savoir-faire transmis de génération en génération et trop peu remis en question, les boulangeries sont encore, pour une large part, dotées de matériels qui se trouvaient justifiés au temps de la taxation, mais qui maintenant freinent leur essor.

La CNBF, qui a perdu ses prérogatives de défenseur du prix du pain, fait désormais de la qualité son mot d'ordre et obtient du législateur en 1993 une définition du « pain de tradition française » (sans additif), pain labellisé, laquelle marque une réelle avancée. Stigmatisant tous les professionnels, elle fait de la qualité un objectif prioritaire dans l'espoir d'inverser la courbe de consommation du pain. Le souci de la formation, associé à la vogue des concours, est censé participer de ce renouveau. C'est par ce levier de la qualité que la boulangerie contemporaine espère alors redynamiser un marché atone et qu'elle y parvient en partie.

Une tutelle en remplaçant une autre, la meunerie, jusqu'alors bailleur de fonds favorisant l'installation des artisans boulangers, se transforme progressivement en manager, créant dès 1981 la première marque de pain meunière : Banette. S'adressant directement aux consommateurs par le biais de campagne de publicité à grande échelle, les meuniers cherchent à tirer profit d'un mécontentement croissant à l'égard d'un pain devenu trop blanc et trop fade. Face à une certaine asthénie de la profession, au manque flagrant d'initiative, la meunerie française développe auprès des boulangers une offre de service totalisante : de la livraison de la farine jusqu'à l'optimisation des ressources marketing, en passant par l'élaboration de recettes et du diagramme que le boulanger s'engage à suivre à la lettre. Pour des artisans coincés dans leur fournil, peu entreprenants, l'effet de dynamisation du fonds de commerce est souvent providentiel. Les enseignes meunières se multiplient rapidement, apportant d'une manière indiscutable une véritable modernité à la boulangerie. Ces boulangeries se signalent désormais par des magasins et des vitrines rénovés, un souci de formation continue du boulanger et de ses équipes, des matériels adaptés au processus mis en place. Leur dynamisme reste cependant lié à leur tutelle meunière ou bien à leur capacité à s'en affranchir, pour retrouver l'attractivité d'une production artisanale personnalisée. Ces entreprises forment la part la plus en vue, sinon la plus active, du paysage. Encore marginales sur l'ensemble du territoire, mais bien représentées à Paris et dans toutes les grandes villes de province, elles se recentrent sur leurs fondamentaux, exigeant des meuniers la qualité de farine souhaitée, recherchant les fermentations naturelles les plus riches en goût et en conservation, choisissant variétés de pains et présentation les mieux adaptées aux nouveaux modes de consommation. Entreprises traditionnelles ou ralliées à l'offensive meunière, les boulangeries voient cependant leur part de marché, entre 1987 et 2007, diminuer de 78 % à 64, 7 %, au bénéfice de la boulangerie industrielle (23,7 % en 2007), et aux GMS (9,7 %).

Libéré des âges des pénuries, libre de fixer ses prix, le monde de la boulangerie cherche ainsi à s'adapter aux nouvelles attentes du marché et se montre plus soucieux de garantir les qualités organoleptiques, nutritionnelles et sanitaires du « bon pain » ressuscité. Ces nouveaux boulangers ambitionnent alors de rendre au pain sa vocation de premier plat cuisiné au monde et de le replacer au cœur des pratiques culinaires des consommateurs, qui évoluent sans cesse. Quel que soit le prix auquel il est désormais vendu, le meilleur pain du monde demeure un luxe gastronomique à la portée de toutes les bourses. Une nouvelle génération de maîtres boulangers ambitieux et commerçants

(Kayser, Debieu, Saibron) affirme sa haute exigence et tire toute la profession vers le haut (Kaplan 2004).

La boulangerie s'est ainsi libérée d'un souci exorbitant de production qui, trop longtemps, l'a empêchée d'évoluer. Assujettie désormais au marché, elle réorganise ses usages ancestraux autour d'une nouvelle exigence de qualité, qui est la dernière arme pour enrayer la diminution de la consommation du pain. L'enjeu est de se prouver et de prouver aux consommateurs que le « bon pain » demeurera pour toujours la base la plus économique de notre gastronomie quotidienne, conservant à la boulangerie le titre de dernier et irremplaçable commerce de proximité.

Guy Boulet

• *Voir aussi :* Banette ; Boulangerie (salons internationaux de la) ; Boulangers de France ; Boulangers et boulangeries (histoire de France des) ; Boulangers forains ; CNBPF ; Décret pain ; FEBPF ; Fête du pain ; Filière blé-farine-pain ; Mutation

Bibl. : L. AMMANN, *Meunerie et boulangerie*, Paris, Librairie J.-B. Baillière et Fils, 1914 • Guy BOULET, *Boulangers, artisans de demain*, Paris, INBP-L'Harmattan, 1991 • Bénigno CACÉRÈS, *Si le pain m'était conté…*, Paris, La Découverte, 1987 • Henri LE MONNIER, *Le Pain à travers les âges*, Paris, Scoopedit, 1985 • Ambroise MOREL, *Histoire illustrée de la boulangerie en France*, Paris, Syndicat patronal de la boulangerie de Paris et de la Seine, 1924 • Antoine Augustin PARMENTIER, *Le Parfait Boulanger, ou Traité complet sur la fabrication & le commerce du pain* (1778). – ID., *Avis aux bonnes ménagères des villes et des campagnes sur la meilleure manière de faire leur pain* (1777).

BOULANGERS DE FRANCE. – Sous l'impulsion de quelques artistes de talent ou de génie, alchimistes du levain, dépoussiéreurs et rénovateurs d'enseignes, entrepreneurs aguerris, ambassadeurs ou apôtres du pain dans leur pays et partout dans le monde, même là où le blé ne pousse pas, boulangers éducateurs ou maîtres en communication, la boulangerie s'est réinventée en France ces trente dernières années. À tel point que, dans des pays où elle semblait indétrônable et où elle recule au profit des points de vente ou des supermarchés (Italie, Grèce, Espagne, etc.), des délégations représentatives d'artisans viennent en France essayer de comprendre dans quelle sorte de potion magique nos boulangers sont tombés durant leur apprentissage.

Il existe plusieurs facteurs qui participent de ce phénomène typiquement gaulois de résister lorsque l'envahisseur paraît être le maître incontesté du paysage, en l'occurrence la grande distribution, le pain industriel ou plus de pain du tout. Nous avons passé en revue, dans les pages de ce dictionnaire, quelques-unes des explications pouvant justifier cette renaissance inespérée. Mais toutes les bonnes raisons qu'avait la boulangerie française de ne pas baisser les bras n'auraient produit aucun miracle si elle n'avait pu compter sur deux ou trois générations de boulangers particulièrement pugnaces, décidés à réinventer un métier qui, il est vrai, s'était largement assoupi sur ses lauriers. Si, à la suite de son séjour en France, à la fin du XVIIe siècle, l'écrivain et bibliophile John Evelyn peut déclarer que c'est en France que, « de l'aveu général, on mange le meilleur pain du monde », trois siècles plus tard, dans la plupart des quelque 32 000 boulangeries de France, en dehors de quelques exceptions notables à partir desquelles la résistance va s'organiser et, lentement, faire tache d'huile, le pain est tout à fait détestable. Au point que quelques âmes charitables, douées d'une forte gueule, n'ont pas hésité à tirer le signal d'alarme : « La masturbation rend sourd, paraît-il, écrit ainsi Jean-Pierre Coffe en 1992. On dirait que la boulangerie fait de même. Depuis des lustres, la majorité des boulangers ont décidé de ne plus entendre les plaintes, les lamentations et la colère de leurs clients. » La majorité, peut-être, mais, comme on sait, le feu se propage à partir de quelques brandons ou flammèches. Qui sont alors les incendiaires ?

L'audace de ces réformateurs a permis en tous les cas que le métier se diversifie de manière inespérée, s'ouvre à de nouveaux horizons et défis, et suscite alors de nouvelles vocations et ambitions qui sont venues et viennent le réinventer de manière quasiment permanente, comme la révolution. Le boulanger, « troglodyte enfariné », les yeux cerclés de sommeil, comme hébété de solitude, sorte d'épouvantail qui finissait par faire fuir les jeunes gens conduits de force par leurs familles au fournil, a cédé sa place à un entrepreneur redoutable qui sait tirer de la bonne et ancestrale fermentation d'appréciables marges et bénéfices et n'a plus à s'excuser d'être, comme autrefois, celui qui nourrit ou affame ses concitoyens. Il fait même payer son « meilleur pain du monde » au prix le plus fort et se moque bien des commentaires. Sorte d'artisanat de combat qui a su admirablement marier la mémoire et l'innovation en tirant avantage de sa fonction de trait d'union entre tout ce qui compose une « identité », mot périlleux entre tous, mais qu'il faut oser ici, identité nationale, européenne, méditerranéenne, moyen-orientale, occidentale, comme on voudra, la boulangerie a désormais du grain à moudre et à revendre et peut donner des leçons à la terre entière. Il est d'ailleurs symptomatique que nos boulangers partent à la conquête des « far west » et transforment des mangeurs de maïs, de sorgho, de riz, de millet en mangeurs de pain. C'est Homère qui devrait réécrire son *Odyssée*, lui qui distinguait ceux qui savaient panifier des autres, c'est-à-dire les sauvages mangeurs de bouillies et galettes de hasard, et qui a fait passer déjà dans le pain – comme à sa manière aussi le christianisme – cet orgueil et ce toupet qui caractérisent nos « nouveaux boulangers ».

Une manière d'appréhender ce phénomène typiquement français est de tenter des rapprochements, de créer des typologies, ce qui est toujours réducteur, mais permet d'indiquer les tendances, les lignes de force qui structurent aujourd'hui cet univers et justifient son insolent dynamisme. Car demandez à un boulanger de vous dire comment la crise ou les crises affectent son activité et il vous expliquera comment le pain est précisément ce vers quoi on se retourne lorsque tout se dérobe, une sorte de repère atemporel qui ne se laisse bien voir qu'au moment où tous les autres repères se brouillent. Ce qui pourrait expliquer aussi pourquoi les écoles de boulangerie accueillent tant d'adultes en reconversion, tout d'un coup passionnés à l'idée de faire du pain, de renouer avec cette simple vérité qu'est le pain dans des sociétés qui flirtent et s'accouplent plus qu'aucune autre ne l'a fait avant elles avec le mensonge et enfantent d'effrayants succubes. Dans ce paysage occidental dévasté, voilà donc que les boulangers reprennent leurs droits, rappellent à l'ordre leur communauté qui s'est par trop détachée de ce à quoi le pain infailliblement renvoie, à savoir la terre-mère, le cycle des saisons, une certaine loi universelle dont la créature humaine veut s'affranchir et dont elle paie le prix. Nous proposons ici quatre grandes familles de boulangers qui n'épuisent absolument pas d'autres tentatives de regroupement, mais qui permettent d'y voir un peu plus clair. Les noms ne manquent alors pas pour illustrer ces tendances de la boulangerie contemporaine et il faut faire des choix. Sans compter que les meilleurs représentants de chaque génération aiment à s'exprimer dans tous les compartiments d'un métier qu'ils ont contribué à faire puissamment évoluer.

Artistes de la fermentation. La boulangerie, lorsqu'elle veut se réinventer, commence toujours par revenir au lieu de cette simple et si complexe transformation. Le secret du bon pain et des files d'attente gît tout entier dans cette capacité que le boulanger possède ou non de porter le pain issu de la fermentation jusqu'au plus haut point de son « exaltation ». Ils sont nombreux, artisans anonymes ou boulangers de renom, à avoir essayé de percer le mystère ou de l'accompagner, mus par cette seule exigence de vouloir faire et vendre du bon pain et de chercher chaque jour auprès de leur clientèle une toujours fragile confirmation. Quelle que soit la méthode employée, levain, levain-levure, levure exclusivement, l'opération réclame la même aptitude à laisser s'exprimer les matières mises en présence, à induire cette chimie dont vont procéder les quelque 200 à 300 composés aromatiques présents dans le pain, la couleur et le croustillant de la croûte, la structure et la texture de la mie, etc. Chaque génération a connu ses orfèvres. Pierre Poilâne, en son temps, tourna le dos à cette mode funeste du pain blanc et s'entêta à vouloir proposer à ses clients de la rue du Cherche-Midi une grosse miche au levain qui reste la valeur sûre de l'entreprise plus d'un demi-siècle plus tard, parti pris d'abord contesté ou moqué par ses confrères, puis assez unanimement salué comme l'un de ces actes fondateurs du retour au bon sens. Sur cette pierre d'angle, le « pain Poilâne », son fils Lionel a bâti la renommée internationale de la maison, théorisé les choix de son père en parlant de « rétro-innovation », qui est très précisément ce à quoi s'emploie désormais une partie de la profession. Le mariage de la tradition – sans qu'on sache toujours très bien ce que recouvre ce terme – et du progrès qui avait commencé à bouleverser de fond en comble l'agencement des fournils était donc la condition *sine qua non* de la survie d'un artisanat que les géants de la distribution étaient prêts à enterrer comme ils ont enterré le petit commerce de proximité. C'était sans compter cette hargne caractérisant une profession qui a traversé toutes les intempéries de l'Histoire.

Dans la brèche, d'autres artistes se sont engouffrés. Bernard Ganachaud a remis à l'honneur la poolish, méthode de fermentation dite indirecte, née probablement en Pologne et transmise à la France *via* les boulangers viennois qui nous ont donné encore les prémices du croissant et de la baguette. Sa boulangerie, rue de Ménilmontant, à Paris, est rapidement devenu La Mecque des gastronomes du pain, et la longueur des files d'attente devant sa boutique avait la valeur d'un indiscutable plébiscite. Plus récemment, Éric Kayser, issu du compagnonnage, a mis au point avec Patrick Castagna le fermentolevain qui permet au boulanger de conserver à toute heure du jour un levain liquide naturel à une température idéale. Il fait partie de cette dernière génération d'artisans qui, sur le chemin de la rétro-innovation, n'ont littéralement peur de rien, pour qui ni le « tout point » ni les arcanes de l'économie libérale et son marché sans frontière n'ont de secret. Il faut citer ici ces boulangers qui n'ont rien lâché quant aux exigences et à une certaine ascèse associées à l'image traditionnelle du métier, mais qui les ont mâtinées du moelleux de la réussite, qui les a rendus tout d'un coup plus « humains ». Tard venu au métier, Basile Kamir est de ceux-là : à partir de l'acquisition d'une ancienne boulangerie sise à l'endroit d'un légendaire moulin dont le meunier aurait été détourné d'une mésalliance avec le diable par la Vierge, il a retrouvé les fondamentaux du métier et les a fait vivre avec intelligence. Ses Moulins de la Vierge sont aujourd'hui, dans Paris, des lieux où les panivores se rendent volontiers. Mais les fournils où l'on cherche la « formule » d'un principe fermentaire apte à ensemencer et faire vivre chaque fournée sont nombreux en France et sont la preuve que les boulangers sont revenus à l'école de la fermentation, dont on ne saurait quitter les bancs trop longtemps sans perdre quelque chose de l'âme du pain. Il faut citer ici des artistes comme Pascal Auriat (Laguiole), Franck Debieu (Sceaux), Benoît Fradette (Aix-en-Provence), Roland Herzog (Muntzenheim), Pierre Nury (Loubeyrat), Dominique Saibron (Paris), Frédéric Lalos (Paris), David Sausseau (île de la Réunion), etc.

Biolangers. La différence entre les artistes précédents et ces adeptes du « tout-bio » réside dans une exigence exorbitante et totalisante chez ces derniers de pouvoir travailler avec des matières premières qui ne comportent aucune trace de produit chimique de synthèse, de la production à la transformation de celles-ci, qui résultent donc d'une agriculture dite « biologique », autrement dit respectueuse de l'environnement « pour ce qui concerne le recyclage des produits, la fertilisation et les traitements et du bien-être animal ». Pour obtenir le logo AB (agriculture biologique), ces artisans doivent déclarer leur activité auprès de l'Agence Bio une fois par an et choisir un organisme certificateur (Ecocert, Aclave, Agrocert, Qualité France SGS ICS, Ulase). Démarche contraignante qui doit en décourager plus d'un, mais qui reste, pour le consommateur, la seule garantie que la parole et le geste ici ne font qu'un, que l'idéal « biologique » concerne la totalité des produits qui entrent dans le processus et peut-être aussi, pourquoi non, la personne qui pétrit et façonne, sa disposition au moment où elle fait du pain pour la communauté. « Il n'est pas inutile de rappeler en fin de parcours, écrit Steven L. Kaplan (2002), que le bon pain dépend avant tout de la qualité des femmes et des hommes qui le fabriquent. » En ce sens, cette nouvelle boulangerie biologique qui se met en place est un pléonasme. Quel artisan un tant soit peu sérieux n'irait s'enquérir du meilleur blé avant de panifier, de l'eau la plus pure, ne créerait dans son fournil les conditions d'aération adéquate pour que matières et hommes respirent et donnent le meilleur de ce qu'ils sont ? Depuis longtemps les artistes de la boulange se battent donc pour trouver le meunier le plus proche de leur idéal, et, si le pain demeure, même sorti de son contexte spirituel, « pain de vie », comment pourrait-il provenir d'autre chose que du « blé de vie », de l'« eau de vie », sans jeu de mot, du « sel de vie », des « mains de vie » car ici, comme c'est le cas dans la production boulangère estampillée « biologique », l'homme est toujours au cœur du dispositif. Probablement, les artisans cités dans la catégorie précédente, sans afficher le label Bio sur leurs produits, ne doivent pas en être très éloignés. Il faut citer ici deux exemples extrêmes de cette attention tatillonne, obsessionnelle à ce qui entre dans le pétrin et à ce qui sort du four : Alex Croquet et Roland Feuillas. Dans un certain sens, ces deux-là sont « bio » moins par la lettre que par l'esprit. Nul logo « AB » qui fasse foi, mais plutôt une exigence qui affleure partout.

Dans son laboratoire-fournil de Wattignies, au sud de Lille, Alex Croquet est l'un de ces chimistes du pain qui, en même temps, sait en parler comme un authentique poète. On l'imagine avec des alambics autour de lui, penché devant la gueule de son four-athanor, réfléchissant nuit et jour, corrigeant, « rectifiant », cherchant ce « pain philosophal » qui répondrait à ses exigences infinies. Car la révolution « bio », ici avec les guillemets, au sein du fournil du « Génie du Pain », le nom de sa boulangerie, est partout. Pas un domaine qui échappe à l'investigation du boulanger-chercheur, inlassable ensemenceur de vie. Dernièrement, portant son attention sur la question de l'eau, l'autre grand acteur de la panification, il s'est pris à vouloir lui redonner les méandres et tourbillons que le courant naturellement induit dans la rivière, cette « rondeur » dit-il, par laquelle elle se construit et fomente ses rencontres. Alors il a créé au sein du fournil une rivière en céramique et restitué expression et vie à l'eau dirigée vers le pétrin. Qu'ils œuvrent dans leur fournil à Wattignies ou rue Monge, à Paris, les Archimède du pain tirent discrètement mais fermement toute la profession vers davantage d'excellence.

Perfectionniste d'un autre genre, Roland Feuillas a choisi d'adosser son fournil à un moulin à vent, en l'occurrence celui de Cucugnan, dans les hautes Corbières, au pied des châteaux de Quéribus et de Peyrepertuse. L'aventure est ici plus solitaire mais pareillement prometteuse, découvrant de nouvelles voies d'exploration pour la boulangerie du XXIe siècle. Mais il fallait d'abord métamorphoser un simple fût de pierres, vestige d'un moulin seigneurial délaissé, en une machine de haute précision capable de transformer l'énergie éolienne en une force mécanique subtile transmettant ou traduisant le souffle du vent, à travers une succession de roues et de rouages, jusque dans la faine et le pain. Autrement dit, trouver un charpentier au fait de ces savoirs perdus, des équipes inspirées, des bois susceptibles de résister aux bourrasques ou tempêtes de vent ; chercher les bons blés à moudre, de préférence les blés anciens pour leur extraordinaire pouvoir nourricier, des blés à la hauteur de cette rencontre toujours recommencée, depuis l'aube de l'aventure humaine, entre la meule et le grain. Puis se mettre aussitôt dans le pétrin, dans les difficultés attenantes au lancement d'un tel navire immobile, toute cette appréhension qui est la rançon de l'audace ; revenir là encore aux fondamentaux qui sont dans le fournil l'expérience de la fermentation, ici celle du levain, et de la cuisson (ici exclusivement à « chaleur tombante », dans un four à bois à chauffe directe de 3,8 m de diamètre, avec une inertie thermique de plus de 30 T constituées de briques d'argile pleines). Car rien n'est ici non plus hors du champ de la réflexion et de l'expérience qui a poussé récemment Roland Feuillas à cultiver ses propres blés et à se faire, comme il se plaît à le dire, « paysan ». Pour cet ancien ingénieur informaticien, le saut de périlleux s'est fait vertueux.

À ces singularités que produit toute communauté et qui sont les lieux aussi où elle se réinvente, il faut associer les grands noms du domaine. L'ancêtre mythique est ici, sans conteste, Sylvester Graham, qui propose aux Américains, dès 1829, son fameux *Graham Bread*, dont il donne la recette dans *The New Hydropathic Cookbook* (1855) et qui pourrait bien prétendre au tire de premier pain bio de l'histoire moderne, dans la mesure où, bien avant l'ère industrielle qui est celle des apprentis sorciers sans grand scrupule, le pain bio devait être le pain le mieux partagé. En France, le pendant du *Graham Bread*, c'est à Raoul Lemaire qu'on le doit, ouvrant à Paris, en 1931, un siècle plus tard, la première boulangerie dédiée à son non moins fameux « pain naturel Lemaire » qui, depuis, fait école. Dans ce sillon ouvert par les pionniers, il faut mentionner quelques significatives avancées. Michel Moisan est allé plus loin en 1997 en créant, place d'Aligre, à Paris, la première boulangerie 100 % bio et en étendant rapidement son emprise sur la capitale avec, aujourd'hui, sept boutiques et deux corners au Japon, belle réussite aux destinées de laquelle œuvre aujourd'hui Christian Vabret (voir plus bas). L'association du boulanger Louis Réthoré, qui, au Puiset-Doré (Maine-et-Loire), a renoué dans les années 1970 avec la tradition d'un levain authentique, et de l'ingénieur agronome Jean-Yves Fouché a donné, quant à elle, naissance à Biofournil, qui, en l'an 2000, a pris pied aux États-Unis (à Seattle), comme s'il s'agissait d'aller gentiment défier sur leur terrain les re-découvreurs du bio. Les initiatives sont légion, qui s'inscrivent toutes dans ce souci croissant en Occident pour l'environnement, souci vrai ou opportuniste, mais encore tout à fait poussif. Citons ici encore les noms de quelques « biolangers » fameux : Pierre Delton à Lardy (« Le Pain de Pierre ») ; Marc Dewalque, boulanger à Malmedy, près de Liège, en Belgique (« La Boulangerie du Gonesse ») ; François Pozzoli à Lyon (« Maison F. Pozzoli ») ; Dominique Brun à Chabreuil (« L'Artisan du bio ») ; Thomas Teffri-Chambelland à Sisteron (« Boulangerie La Paline ») ; Jacques Mahou à Tours et Blois (« Au vieux four ») ; Jan

Demaître à Bordeaux (« Pain Maître »), etc.

Entrepreneurs. Dans cette catégorie encore, les candidats se bousculent. Pourquoi ? Réfléchissons. Transformer une farine nutritive, de préférence « bio », hydratée à 60 % ou 70 %, y ajouter un peu de sel et parvenir à une baguette vendue jusqu'à 1 euro peut permettre de dégager de significatives marges et, pour peu qu'on ait l'esprit d'entreprise, de sortir de son fournil, de communiquer, de surfer sur la vague du « retour du bon pain » ; il n'y a aucune raison alors pour qu'on ne parvienne pas très vite à constituer un petit empire. Et ce sont ces réussites, celle de Francis Holder, d'Éric Kayser, de Michel Galloyer, de Bernard Ganachaud, de Jérôme Reynes, de Philippe Bigot qui ont sans doute le plus fait pour stimuler le secteur, le mettre en tension, et attirer des jeunes et moins jeunes gens, désireux de réussir et de s'enrichir par le pain. Guizot n'y avait pas pensé ! Disons tout d'abord que, s'il s'agit de vendre le pain artisanal et l'image et la mythologie qui lui sont associées, tous ces entrepreneurs doivent résoudre une sorte de quadrature du cercle qui est que plus grand sera leur empire et plus longue la distance qui séparera leur odorat, leurs yeux, leurs mains de tous les pétrins qu'ils auront contribué à faire tourner, et donc plus grande la probabilité que la qualité soit immolée sur l'autel de la productivité ou rentabilité. Dans la mesure où ceux que nous citons ici ont fait la preuve que l'écart, pour vertigineux qu'il soit, entre les impératifs du fournil et ceux de la finance n'empêchait pas qu'on puisse garder une manière de contrôle sur la production et en garantir l'empreinte artisanale, il n'y a plus lieu de réduire le monde de la boulangerie à des clichés bucoliques et passéistes qui, s'ils lui collent encore à la peau, demeurent assez peu fidèles à la réalité. Voilà donc venu le temps des réussites boulangères tapageuses.

Le premier boulanger de France, Francis Holder, au moins par son chiffre d'affaires, puisque c'est l'étalon de mesure qui prime sur tous les autres, est issu d'une famille de boulangers lillois, et son extraordinaire parcours n'est dû, *a priori*, qu'à lui, à la capacité qu'il possède d'avoir anticipé avant les autres les grands mouvements de fond qui agitent notre société contemporaine depuis une cinquantaine d'années. Témoin de la naissance de la grande distribution, il a pris dès les années 1960 le parti de lancer, à partir de ses ateliers de La Madeleine, dans la banlieue de Lille, des produits de boulangerie et de pâtisserie de qualité, mais précuits frais, puis surgelés, en direction des moyennes et grandes surfaces. Parallèlement il a mis en place le concept des boulangeries Paul en décidant de tout montrer, de théâtraliser le processus et d'y impliquer le consommateur devenu voyeur pour l'occasion. C'était anticiper, là encore, l'obsession de la transparence qui s'est s'emparée du mangeur occidental, le devoir de traçabilité auquel les professions de l'alimentaire se sont vues progressivement assujetties, comme il a su, avant tous les autres, faire de la boulangerie le lieu par excellence de la restauration rapide et parer les assauts des chaînes américaines, italiennes ou japonaises. Lorsque Francis transmet les commandes à son fils Maxime, l'entreprise lilloise compte 330 boutiques réparties dans 25 pays, et toujours postées aux lieux des plus fortes affluences. La réussite a de quoi donner le vertige et détruire, en effet, un certain nombre de clichés.

Avec d'égales ambition et démesure, Éric Kayser est parti à la conquête de la planète Terre avec cette simple conviction : aucun consommateur doué d'un palais ne peut rester longtemps insensible aux charmes de nos produits boulangers français, à partir du moment où ils portent la marque d'un savoir-faire artisanal et traditionnel. Là encore, l'itinéraire de cet ancien compagnon et éducateur est impressionnant. Parti d'une première boulangerie rue Monge, entrée immédiatement en concurrence avec celle d'un autre prodige de la boulange, Dominique Saibron, compétition racontée avec humour par Steven L. Kaplan dans *Le Retour du bon pain* (2002), il a su associer son nom et son expertise à une soixantaine d'affaires, et rien ne permet de penser qu'il en restera là. Autre réussite jalousée, celle des Ganachaud au grand complet ; Bernard, le patriarche, déjà mentionné, qui rêvait de devenir avocat et que son père boulanger a rappelé au fournil, et peut-être, si on en juge par sa réussite et la reconnaissance que lui voue la profession, avec raison ; ses trois filles aux commandes de deux boulangeries à Paris et de deux à Vincennes et Saint-Mandé ; son gendre Olivier Santrot, ancien *trader* et désormais à la tête d'un « Comptoir Gana » rue Oberkampf. Sans compter quelque 280 artisans boulangers sur toute la France que la famille a su fédérer pour produire et vendre, sous forme de licence, la célèbre flûte Gana issue des recherches de Ganachaud père et reconnaissable à son seul et unique coup de lame. Doué d'un même esprit entrepreneurial, mais lancé plus récemment dans la course, Michel Galloyer s'est illustré à la tête du « Trianon », fameuse pâtisserie-chocolaterie d'Angers, avant de jeter son dévolu sur ce monde de la boulange qui suscite décidément toutes les convoitises. À la tête d'une vingtaine de boutiques à Paris et en province, on le voit chercher à prendre pied dans les régions du monde où le pain français est encore une sorte de fantasme ou de mirage (l'un de ses boulangers, Djibril Bodian, s'est vu distinguer par le Grand Prix de la baguette de la Ville de Paris en 2010).

Autre personnalité de la boulangerie conquérante, mais dans un style différent, le dandy Jean-Luc Poujauran, qui continue à ensemencer ses pétrissées à partir de souches de levain héritées du paternel boulanger, s'est récemment rangé des voitures pour se consacrer exclusivement, depuis son fournil de la rue Jean-Nicot, à fournir bistrots et restaurants chics de la capitale ; et, depuis son bastion invisible, il cultive jalousement sa singularité. Associons à ces maîtres boulangers de la capitale des réussites françaises à l'étranger, comme celle de Jérôme Reynes, ancien publicitaire parti ouvrir son premier « Fournil » à Santiago du Chili, suivi bientôt de six autres boulangeries-restaurants, puis du lancement d'une activité de traiteur à domicile, et de la mise en place d'un service de *lunch box* pour les entreprises ; celle de Philippe Bigot, jeune mitron dans la boulangerie familiale qui s'embarque pour le Japon avec la complicité de

Raymond Calvel (voir plus loin) où il ouvre une première boulangerie à Ashia, une seconde à Kobe, une troisième à Tokyo, puis neuf autres dans un pays qui ne connaissait alors que le pain de mie. Il est certain que si les *aliens* viennent enfin, depuis le temps que nous les attendons, prendre leurs quartiers sur notre planète, les boulangers français seront les premiers à venir essayer de leur faire goûter une de leurs prestigieuses réalisations. Nouveaux débouchés commerciaux assurés pour nos artisans sans peur et sans reproche.

Ambassadeurs et transmetteurs. Cet extraordinaire retournement de situation qui fait que notre pays, qui avait perdu jusqu'au goût du bon pain, est à nouveau en mesure de proposer le « meilleur pain du monde » a forcément fait enfler les chevilles des maîtres artisans français. Il y pas mal d'arrogance dans l'air et le sentiment que le pain est redevenu, même si les Français en mangent moins, un sujet noble et un sujet surtout d'intérêt général, ce qui, à peine quarante ans en arrière, était loin d'être gagné. Comme ivres de cette évolution assez miraculeuse, ils sont nombreux à être sortis de leur fournil pour communiquer – cette passion moderne –, défendre le pain là où ils le sentaient menacé ou pas assez respecté, faire du prosélytisme avec passion, auréolés de cette réputation d'artisans désormais rompus aux réalités du monde globalisé. Nos boulangers sont donc partis à l'assaut des nouveaux mondes – même pas peur –, décidés à tirer avantage et profit de cette nouvelle renommée. Ils ne se contentent du reste pas d'ouvrir de nouveaux fournils, de multiplier les petits pains et les clients, ils donnent aussi des cours, ouvrent des écoles, restaurent des moulins, animent des stages, pactisent avec l'ancien ennemi, le meunier, s'introduisent dans la restauration, font profiter de leur expérience les levuriers, créent de vraies boulangeries au sein des hypermarchés, publient des ouvrages à l'intention de ceux qui vont venir après eux, inventent des concours de toutes sortes (de la meilleure baguette, du meilleur boulanger, de la meilleure vendeuse), mettent en place de monstrueux salons professionnels qui attirent des foules considérables, etc., comme si cette renaissance annonçait une reconversion massive au pain, un infléchissement des courbes de la consommation en Occident du seul fait de cette frénésie boulangère.

Venons-en au détail de l'offensive. Deux figures ont œuvré en France à rappeler ce qu'était ou serait le bon pain dans un temps où l'ensemble de la profession s'employait à le faire oublier. Celui qu'on appelait le « professeur » Raymond Calvel a pris une part déterminante dans cette renaissance du pain français en stigmatisant les dérives au sein du processus, les dangereux compromis avec tous ces diables qui guettent l'artisan peu scrupuleux, fatigué, dépassé par les événements, et rien de ce qui se passait alors dans les fournils à partir des années 1950 ne lui fut étranger. Ainsi prit-il position contre le pétrissage intensifié, le recours à la farine de fève, mais sans jamais condamner une certaine mécanisation maîtrisée et se montrant, chaque fois qu'il en eut l'occasion, comme enseignant à l'École française de meunerie, ou comme ambassadeur du pain à l'étranger, un farouche défenseur des valeurs de la boulangerie française. Même envergure, même aptitude à redresser la barre du navire chez Roland Guinet, fils de boulanger entré au laboratoire de biochimie et physico-chimie des céréales de l'INRA, puis aux Grands Moulins de Paris, responsable à la fois du pôle de recherche et développement en France et à l'étranger et de l'École de boulangerie-pâtisserie (EBP). Ils ont l'un et l'autre été au cœur de tous les grands débats suscités par la CNBPF (Confédération nationale de la boulangerie-pâtisserie française), le CNERNA (Centre national d'études et de recommandations sur la nutrition et l'alimentation), ou par eux-mêmes. De telle sorte qu'on ne voit pas très bien ce qu'il serait advenu sans cette vigilance que Calvel et Guinet ont incarnée dans cette période déterminante de l'histoire de la boulangerie française où peu de prophètes pariaient véritablement sur sa survie. À ces deux figures tutélaires, il convient d'associer Steven Laurence Kaplan, l'historien américain des subsistances, venu en France enquêter sur notre XVIIIe siècle, cette extraordinaire période de notre histoire qui a vu le grain et le pain devenir enjeux politiques nationaux majeurs et constituer, au sein des Lumières, des lignes de fracture dont on peut dire, après lui, qu'elles ont anticipé les affrontements idéologiques d'après 1789. Délaissant parfois les archives, il en est venu à mettre aussi la main à la pâte, à passer son CAP et à devenir l'un des meilleurs experts du pain de France et de ses artisans, et à encourager leurs réussites dont il a patiemment étudié les ressorts (2002). Ceux-là sont donc un peu la bonne ou la mauvaise conscience de la profession, puisque leur rôle est de la rappeler à l'ordre lorsqu'ils la croient engagée dans des impasses.

Mais cette offensive des ambassadeurs, professeurs, animateurs est véritablement tous azimuts, et peut-être faut-il terminer cette évocation succincte du monde de la boulangerie par un feu d'artifice. Gérard Brochoire, boulanger, prend la direction de l'INBP (Institut national de la boulangerie-pâtisserie) à Rouen en 1973, organisme à stature nationale ou internationale, proposant des formations longues préparant à un diplôme, des formations courtes de perfectionnement ou personnalisées. L'équipe enseignante réunit quelques-uns des boulangers formateurs ou enseignants les plus doués de leur génération, parmi lesquels Patrick Castagna, Franck Dépériers, Jean-Yves Guinard, Jean-Marie Viard, etc. Moins de dix ans plus tard, meuniers et boulangers décident de pactiser pour enrayer la chute qui semble inéluctable de la consommation de pain et créent le concept « Banette » qui va contribuer à redynamiser tout le secteur. Meilleur Ouvrier de France, Christian Vabret ouvre en 1990 son École française de boulangerie d'Aurillac et s'appuie sur son réseau de « MOF » pour prodiguer un enseignement qui attire jusqu'en Auvergne de nombreux apprentis ou boulangers confirmés. Il lance dans la foulée la première édition de la Coupe du monde de la boulangerie en 1992, avec le soutien d'Ekip, les équipementiers du goût, puis du levurier Lesaffre, qui se chargera des présélections nationales. C'est l'année ou Dominique Saibron discute avec les responsables de Carrefour venus lui demander de repenser toute la panification dans les différents magasins de l'enseigne où il restera six ans avant d'ouvrir sa célèbre boulangerie de la rue Monge. Autre boulanger français, formé par de bons maîtres, Michel Suas met le cap sur la Californie et ouvre en 1996 le San Francisco Baking Institute, la seule école aux États-Unis dédiée exclusivement à la formation des artisans boulangers. En 2003, Jean-Yves Guinard, MOF et enseignant à l'EBP, comme on l'a vu, publie avec Pierre Lesjean, *Le Livre du boulanger*, présenté depuis comme un des livres de référence dans les différentes écoles de boulangerie. À l'occasion du SIRHA à Lyon en 2005, des boulangers, dont huit MOF, créent les « Ambassadeurs du pain » autour de deux événements dont ils prennent en charge le rayonnement, la Coupe de France de la boulangerie et le Mondial du pain. Lassé de vendre de la mode et des foulards, Christophe Vasseur ouvre au 34, rue Yves-Toudic, à Paris, « Du pain et des idées » et est sacré meilleur boulanger de Paris en 2008 par Gault & Millau. 2009 : la maison Kayser affiche 69 créations de boulangerie au compteur. La suite dans les rééditions de ce dictionnaire.

La conclusion revient à un boulanger qui a observé et analysé mieux qu'un autre, comme il l'a fait dans ces pages, les mues spectaculaires qui ont bouleversé le paysage de la boulangerie contemporaine. Enraciné dans son terroir premier et définitif, le Jura, syndicaliste engagé au service d'une boulangerie rurale chahutée, qu'il aime et défend avec ferveur, Guy Boulet campe une manière de témoin atemporel essentiel apte à véritablement qualifier l'évolution d'un secteur pris ces dernières décennies d'une frénésie inattendue. « Mon sentiment, écrit-il (1991), est d'avoir vécu une période très intéressante de l'histoire de la profession : j'aurai connu la panification ménagère, le pétrissage à la main et la prestation de savoir-faire que constituait l'échange farine-pain avec les agriculteurs. J'aurai participé aux évolutions technologiques d'une profession aux pratiques inchangées depuis plus de cinq mille ans et observé son rapport avec la société industrielle et capitaliste, rapport qui provoquera sa prise de conscience "artisanale". » Quant à expliquer pourquoi la France incarne aujourd'hui, dans le monde, le lieu de cette Renaissance du pain, il faut revenir aux travaux de Steven L. Kaplan ou écouter cet extraordinaire historien, biographe et écrivain Heinrich Eduard Jacob, juif allemand réchappé de l'Allemagne nazie et réfugié aux États-Unis, qui, entre autres travaux consacrés aux compositeurs Mendelssohn, Mozart, Strauss, etc., nous a laissé une histoire du pain depuis six mille ans, d'une finesse et d'une profondeur sans équivalent. C'est dans ces pages qu'on trouve notamment cette perle, de nature à confirmer nos ardents boulangers dans leur impérieuse ou céleste mission : « Si les Égyptiens n'avaient pas trouvé le pain en l'an 4000 avant J.-C., ce sont les Français qui l'auraient sûrement inventé. Ces deux peuples se ressemblent par leur amour du pain, par la joie qu'il leur donne, et ils ont en commun le goût des recherches culinaires. D'ailleurs, ce sont les Français qui, sous la conduite de Bonaparte, ont découvert l'Égypte… Les Anglais ne vinrent que bien après. »

Jean-Philippe de Tonnac

• *Voir aussi :* Ambassadeurs du pain ; Baguette de la Ville de Paris (Grand Prix de la) ; Boulangerie (Coupe du monde de la) ; Boulangerie (salons internationaux de la) ; Boulangerie contemporaine, artisanale et industrielle ; Calvel ; File d'attente ; Ganachaud ; Guinet ; Holder ; Kaplan ; MOF ; Mutation ; Pain blanc ; Poilâne ; Troglodytes enfarinés

Bibl. : Guy BOULET, *Boulangers, artisans de demain. L'hypothétique mariage de la tradition et du progrès*, Rouen-Paris, INBP-L'Harmattan, 1991 • Jean-Pierre COFFE, *Au secours le goût*, « Après lecture » de Jean-Claude Carrière, Paris, Le Pré aux Clercs, 1992 • Heinrich Eduard JACOB, *Histoire du pain depuis 6 000 ans*, trad. M. Gabelle, Paris, Seuil, 1958 • Steven L. KAPLAN, *Le Meilleur Pain du monde. Les boulangers de Paris au XVIIIe siècle*, Paris, Fayard, 1996. – *ID.*, *Le Retour du bon pain*, Paris, Perrin, 2002. *Voir aussi :* www.boulangerie.net.

BOULANGERS ET BOULANGERIES (histoire de France des). – Le mot « pain » vient du latin *panis*. Cicéron prétendait que ce terme descendait lui-même d'un vieux mot grec signifiant « tout ». Une définition forte pour cet aliment, mélange d'eau et de farine, qui fut pendant des siècles le symbole de l'existence et du travail des hommes, de leur bonheur et de leur désespoir. Même si les Romains n'ont pas inventé le pain, c'est à Rome qu'apparaissent, vers 500 av. J.-C., les premières boulangeries. On les retrouvera par la suite dans tout l'Empire. Les boulangers romains se regroupent au sein d'une corporation dont l'empereur garantit les droits. Ils portent le même nom que les meuniers, *pistores*, c'est-à-dire « pileurs ». Ce nom vient du pilon utilisé par certains pour écraser le blé. Cette appellation leur restera après l'invention de la meule de pierre au Ier siècle. Au IXe siècle, les boulangers français s'appelaient encore les pestores. Au Ve siècle, les peuples d'Europe du Nord et d'Asie Mineure envahissent l'Empire romain. Pour eux, la nature représente la propriété des dieux et l'homme n'a pas le droit d'y toucher. Quand ils s'installent dans une région, ils sèment juste assez d'avoine pour leur consommation de bouillie. Il s'agit là de leur seule activité agricole. La forêt recouvre peu à peu les terres cultivées. Le pain se fait rare ; les hommes adoptent l'élevage et la cueillette pour tout mode de subsistance. Seuls les monastères, qui vivent en complète autarcie, perpétuent les techniques de culture et de panification.

À partir du VIIe siècle, le christianisme s'impose en Europe. Cette religion reconnaît au pain un caractère sacré. Sous son influence, le paysan défriche et se remet à cultiver le blé, le seigle, l'orge et l'avoine. Mais les terres ne lui appartiennent pas. Pour le droit féodal en vigueur, nulle terre sans seigneur. Celui-ci possède d'ailleurs aussi le moulin et le four. Pour son labeur, le paysan ne perçoit qu'une partie de sa récolte et doit payer des taxes supplémentaires pour moudre son grain et cuire son pain. Pour subsister en temps de disette, chacun complète sa farine comme il peut. On rajoute des graines de légumes, parfois du sang d'animaux séché et même de la terre. Dans le Nord, on confectionne un pain abominable qui contient un quart d'écorce de sapin et de la paille. À partir du XIe siècle, le pain, dont la fabrication était restée essentiellement familiale, va devenir, dans les villes, la spécialité d'un corps de métier original, les talemeliers, nom qui provient probablement du tamis qu'ils utilisaient pour débarrasser la farine de ses impuretés. Corps de métier appelé à jouer dans la vie de la cité un rôle majeur, que les souverains vont chercher aussitôt à réglementer. Les pouvoirs publics adoptent d'ailleurs, dans chaque pays, des positions différentes. Dès 1200, le roi anglais Jean Sans Terre fixe le prix du pain par rapport à celui du blé. En Allemagne et en Suisse, les autorités prennent des ordonnances précises sur la qualité, le poids et le prix du pain et interdisent aux boulangers de pratiquer une autre activité. En France, le grand panetier du roi nomme dans chaque ville un maître des talemeliers, chargé de l'administration de la profession, et douze jurés pour l'assister. Une fois par semaine, ils examinent les pains et infligent des amendes à ceux qui ne répondent pas aux critères de conformité. Les pains qui ne sont pas aux normes sont distribués aux pauvres. Comme pour les autres, le temps de travail des boulangers est réglé sur les offices religieux et le soleil. Ils sont les seuls à pourvoir travailler de nuit. L'apprenti qui entre dans le métier ne doit pas être un enfant naturel. Après un bref délai de probation, il signe un contrat pour deux ou trois ans. Le maître-boulanger veille sur son éducation technique et morale. Une fois son certificat obtenu, il part sur les routes pour connaître d'autres pays et de nouvelles expériences de panification. Par la suite, s'il désire s'installer, il doit souvent attendre la vacance d'une boulangerie. Cette réglementation permet à la profession de se protéger d'une concurrence sauvage.

Alors que Christophe Colomb débarque en Amérique et, après lui, les conquistadores espagnols, la Renaissance atteint son apogée. C'est une période d'une grande fécondité intellectuelle, bien que l'alimentation repose toujours sur le pain, lequel ne se mange jamais frais par souci d'économie. Au début du repas, le maître de maison le rafraîchit avec de la soupe, du lait ou du vin. À cette époque, le commerce des farines et du pain donne lieu à toutes sortes de spéculations. À la suite de redoutables famines, les meuniers et les boulangers sont accusés de s'enrichir au détriment de la population. Sully, ministre d'Henri IV, durcit les réglementations de la vente en boulangerie. Désormais, les clients pèsent eux-mêmes leur pain sur une balance installée sur la fenêtre ou dans l'endroit le plus clair de la boutique. Peu à peu, pourtant, la qualité du pain s'améliore. À côté du pain noir des campagnes, du pain gris destiné aux hospices de malades et aux couvents de religieux apparaissent, à la fin du XVIe siècle, des petits pains blancs de luxe, légers et aérés, privilège des riches marchands et des gens de la noblesse. Ces pains dits « de bouche » ont un secret. Les boulangers ajoutent à leur pâte un levain particulier : l'écume de bière. Sans le savoir, ils ont ainsi redécouvert une pratique très ancienne, en usage chez les Gaulois, qui façonnaient leur pain avec de la cervoise. Tout au long du XVIIe siècle, les boulangeries voient leur production augmenter régulièrement. La fabrication se réalise désormais en sous-sol et de nuit. La corporation des boulangers gagne aussi en puissance, et ce en dépit de problèmes récurrents d'approvisionnement, consécutifs à des disettes réelles ou d'« opinions ». L'autorité publique, redoutant la colère du peuple, pousse les savants du « siècle des Lumières » à proposer des remèdes à partir de l'étude de l'agronomie, ainsi que des techniques de mouture et de panification.

En 1780, Louis XVI autorise l'ouverture à Paris de la première école de boulangerie au monde, placée sous l'autorité d'Antoine Augustin Parmentier et d'Antoine Alexis François Cadet de Vaux. En 1789, le peuple français a faim. Les dernières moissons se sont révélées désastreuses, le pain devient rare et cher. Une rumeur circule à Paris : de grandes quantités de blé seraient entreposées dans la prison de la Bastille. Le 14 juillet 1789, les Parisiens la prennent d'assaut. Elle ne renferme en réalité qu'un petit nombre de prisonniers. Pourtant, comme on sait, le peuple n'en reste pas là. L'Ancien Régime aboli, les gouvernements révolutionnaires rompent avec le système rigide des corporations et décrètent pour tous les boulangers l'ordre de ne cuire qu'une sorte de pain, appelée « pain de l'égalité ». Dès le début de son règne, en 1804, Napoléon Ier attache une importance particulière à la question des subsistances, gage de la paix sociale. Il suit de près la production de blé, surveille étroitement le prix du pain. Homme de guerre, il dote ses armées de boulangeries mobiles destinées à assurer un pain de qualité à ses soldats sur tous les champs de bataille. L'on retrouvera ces boulangeries itinérantes dans toutes les guerres du XIXe et du XXe siècle.

Au XIXe siècle la panification s'améliore. Avant d'enfourner les pâtons, les boulangers pratiquent une incision avec une lame de rasoir. Cette sorte de signature est appelée « grigne ». Elle constitue la signature du boulanger et ravive le côté croustillant de son pain. Le nombre de boulangeries ne cesse d'augmenter et certaines d'entre elles se font plus attractives, voire luxueuses. À partir de 1850, elles proposent aussi des pâtisseries. En Autriche, vers la même époque, les boulangers fabriquent un pain, réputé pour son moelleux doux et sucré, obtenu en ajoutant un peu de lait au cours du pétrissage. Cette production s'impose également à Paris sous le nom de « viennoiserie ». Dans le même temps, la fabrication du pain dans les fermes diminue d'autant, au grand soulagement des femmes, qui se déchargent enfin de la corvée du pétrissage.

Cependant, dans l'imagerie populaire, le travail des boulangers reste étroitement associé à la notion d'effort intense sans lequel il n'y aurait pas de bon pain. Pour ces « mineurs blancs », les conditions de travail sont restées les mêmes que celles décrites en 1778 par Parmentier : « Les boulangers sont forcés de renoncer aux agréments de la vie pour travailler sans relâche dans le silence de l'obscurité au milieu d'une atmosphère brûlante, environnés de fumée et de poussière, à des heures où la nature entière se repose ; de ne pouvoir céder ensuite que très peu de temps au sommeil qui les accable à l'instant précisément où les hommes de tous les états se délassent dans les plaisirs. » En 1848, en Allemagne, les apprentis font grève pour pouvoir dormir dans un lit et non pas se contenter d'un sac de paille posé dans le pétrin. En 1913, à New York, une commission municipale mène une enquête approfondie dans les boulangeries. Sur 800 boulangers auscultés, 453 sont malades : 32 % de tuberculose, anémie ou maladies vénériennes ; 26 % souffrent de catarrhes chroniques ; 12 % des yeux et 7 % d'eczéma. Il faut attendre le début du XXe siècle pour constater l'arrivée des premiers progrès techniques dans les fournils. La mise en place du pétrissage mécanique soulage d'autant les boulangers et leur permet de mieux disposer de leur temps. Par ailleurs, le niveau de vie de la population, dans son ensemble, s'améliore, et la façon de se nourrir se modifie. Le statut du pain change : il n'est plus le premier constituant d'un repas mais devient élément d'accompagnement. À partir des années 1930, les boulangers s'inquiètent de voir la consommation de pain diminuer. Et la Seconde Guerre mondiale accroît leur mauvaise situation : les tickets de rationnement resteront en service jusqu'en 1950.

Après la guerre, la boulangerie connaît de profondes mutations : les artisans doivent faire face à la concurrence importante des boulangeries industrielles. Les fournils s'équipent de machines (façonneuse, diviseuse, chambre de fermentation, etc.) qui « humanisent » le métier. Mais le souci de productivité conduit peu à peu à une érosion de la qualité. Le pain en France est devenu en quelques décennies tout à fait insipide. Il faut attendre la fin du XXe siècle pour voir s'inverser cette tendance. Certains boulangers, incités parfois par les meuniers, réapprennent à faire du bon pain et contribuent à enrayer quelque peu la chute de la consommation. Les clients apprennent à être plus sélectifs et reviennent dans les boulangeries. Face à la concurrence farouche des super- et hypermarchés, la boulangerie artisanale va s'imposer comme l'un des derniers commerces de proximité. Ces boutiques, au nombre de 32 000 en 2010, restent dépositaires, dans la conscience populaire, d'un certain nombre de valeurs de qualité, de convivialité et de lien social. Dans certains villages, la boulangerie s'apparente même au service public, au même titre que l'école ou la poste. Sa fermeture sonne déjà la mort du village.

Jean Lapoujade

• *Voir aussi :* Assassinat du boulanger Denis François ; Ban et banalités ; Boulangers forains ; Cadet de Vaux ; Crédit ; Disettes, famines et révoltes pour le pain en France ; École de boulangerie (première) ; Égalité (pain) ; Farines (guerre des) ; Feu ou mal de saint Antoine ; France (pains historiques, du Moyen Âge à la Révolution française) ; Grand panetier ; Invalides (hôtel royal des) ; Honoré, saint ; Levain, levain-chef, levain de première, de seconde, de tout point ; Levain de panification ; Malouin ; Mineurs blancs ; Moisson, 24 juin 1990 ; Oublieur ; Pain blanc ; Pain maudit ; Pain rationné ; Parmentier ; Physiocrates ; Réglementation ; *Sur la législation et le commerce des grains* ; Talemelier ; Théologie du pain

Bibl. : Anonyme, *La Misère des garçons boulangers de la ville et fauxbourgs de Paris*, Troyes, Veuve Garnier, 1715, réimpr. Phénix, 1999 • Marcel ARPIN, *Historique de la meunerie et de la boulangerie depuis les temps préhistoriques jusqu'à l'année 1914*, Le Chancelier, 1948, 2 vol. • Christian BOUYER, *Folklore du boulanger*, préface de Claude Gaignebet, Paris, Maisonneuve & Larose, 1984 • Bénigno CACÉRÈS, *Si le pain m'était conté...*, Paris, La Découverte, 1987 • Françoise DESPORTES, *Le Pain au Moyen Âge*, Paris, Olivier Orban, 1987 • F. EVRARD, *Le Pain à Versailles pendant la révolution* (1789-An V), Versailles, Librairie Léon Bernard, 1922 • Heinrich Eduard JACOB, *Histoire du pain depuis 6 000 ans*, Seuil, 1958 • Steven L. KAPLAN, « Le complot de famine : histoire d'une rumeur au XVIIIe siècle », trad. de l'américain M. et J. Revel, *Cahier des Annales*, nº 39, Paris, Armand Colin, 1982. – ID., *Les Ventres de Paris. Pouvoir et approvisionnement dans la France de l'Ancien Régime*, trad. de l'américain S. Boulongne, Paris, Fayard, 1988. – ID., *Le Meilleur Pain du monde. Les boulangers de Paris au XVIIIe siècle*, Paris, Fayard, 1996 • Claude MACHEREL, Renaud ZEEBROEK (éd.), *Une vie de pain. Faire, penser et dire le pain en Europe*, Bruxelles, Crédit Communal, 1994 • Anne MURATORI-PHILIP, *Parmentier*, Paris, Plon, 1994 et 2006 • Antoine Augustin PARMENTIER, *Le Parfait boulanger, ou Traité complet sur la fabrication & le commerce du pain*, Paris, Imprimerie royale, 1778 ; réimpr. Marseille, Jeanne Laffitte, préface de Lionel Poilâne, 1983 • Jean-François REVEL, *Un festin de paroles. Histoire littéraire de la sensibilité gastronomique de l'Antiquité à nos jours*, Paris, Tallandier, 2007 • Jean TOUCHARD, *Histoire des idées politiques*, Paris, PUF, 1958.

BOULANGERS FORAINS, de la fin du Moyen Âge au XVIIIe siècle. Les boulangers forains étaient des boulangers ruraux qui, au-delà des faubourgs de Paris, dans un rayon d'une quinzaine à une vingtaine de kilomètres, ont contribué à l'approvisionnement en pain de la capitale, de la fin du Moyen Âge au XVIIIe siècle. À la différence du boulanger de la ville, le forain n'avait pas de boutique ni à Paris ni dans le village où il fabriquait le pain. Il vendait sur les marchés parisiens un gros pain d'au moins trois livres et qui pouvait peser jusqu'à huit livres, au levain, à pâte ferme et blanc, produit de la transformation réalisée dans sa « maison de boulange » de la farine et des grains qu'il avait achetés obligatoirement sur place, car il lui était interdit de se fournir à la Halle et dans les ports de Paris.

Essor de la boulangerie foraine. Au XIIIe siècle, les forains étaient peu nombreux sur les marchés au pain parisiens. On y rencontrait ceux de Chilly-Mazarin au sud de Paris, qui vendaient le pain de Chailli. En plein guerre civile opposant Armagnacs et Bourguignons, le journal *Le Bourgeois de Paris* note, en juin 1419 : « Et vint grant foison de pain de Corbeil, de Melun et du plat pays d'entour Paris [...] fors qu'il était plus blanc. » Le pain blanc du territoire parisien était déjà renommé dès les années terribles du XVe siècle. Ce système précoce de la boulangerie foraine correspond à la nécessité de nourrir la plus grande ville d'Occident au nord des Alpes qu'était devenu Paris et que les maîtres boulangers de la corporation et ceux des faubourgs ne pouvaient, seuls, rassasier. Il s'explique également par les données anciennes de la technique de panification. Le stockage et le transport de la farine étaient délicats. Le blutage était retardé jusqu'au fournil. La réglementation royale et le soutien intéressé des seigneurs locaux confortèrent sans relâche cette organisation de la production et de la commercialisation foraines du pain. Depuis le début du XVIe siècle, il était interdit aux marchands de grains parisiens de s'approvisionner dans un large périmètre de huit puis de dix lieues de rayon autour de la capitale, comme il était interdit aux boulangers de la ville d'acheter leurs grains hors de Paris dans un rayon de huit lieues. Obliger les boulangers forains à venir sur les marchés parisiens supposait qu'ils puissent s'approvisionner en blé sur les marchés aux grains locaux, comme celui de Gonesse, et donc d'interdire aux boulangers parisiens d'y accéder. Ces règlements, sans cesse réaffirmés sous les Bourbons, avaient donc pour seul but d'assurer un ravitaillement suffisant en grains et en pain des Parisiens tout en cherchant à contrôler les prix, surtout dans les périodes de disette. Dans les campagnes proches de la capitale, aux terroirs limoneux et fertiles, producteurs de grains en abondance, dotés de la capacité de fournir la farine nécessaire grâce aux nombreux moulins à eau broyant le grain quatre des six jours ouvrables de la semaine pour les boulangers, et lorsque des marchés aux grains locaux actifs facilitaient un approvisionnement direct, toutes les conditions étaient réunies pour favoriser l'essor de la boulangerie foraine.

Telle était la configuration du Pays de France dans le périmètre des huit à dix lieues au nord de Paris avec Saint-Denis, Gonesse et des villages riches en hommes. Avec près de 2000 habitants dans la dernière décennie du XVIe siècle, le bourg de Gonesse, avec sa halle aux grains hebdomadaire et ses cinq moulins à eau, comptait de 140 à 160 boulangers forains selon un arrêt du parlement du 30 mars 1589, et une soixantaine d'entre eux étaient propriétaires de biens immobiliers dans la censive royale en 1599. Le pain de Gonesse assure dès lors sa réputation et affirme son intérêt stratégique des guerres de Religion à la Fronde, pour ceux qui cherchent à couper les vivres aux Parisiens. Le blocus de Paris est organisé en 1590 par le futur Henri IV depuis le camp de Gonesse avec 10000 chevaux et 3000 fantassins « persuadé que, si deux semaines se passaient sans que l'on apportât de Gonesse ou d'ailleurs les quantités de pain qui arrivaient habituellement autrefois à la Halle [...] la ville ne pourrait pas tenir plus longtemps contre la famine ». Et en 1649, alors que les troupes royales de Condé s'efforcent de bloquer le ravitaillement de la capitale révoltée, les Gonessiens aident avec difficulté les Parisiens à maintenir ouverte la route du pain.

Pain de forain, pain de marché. Contrairement au fournil parisien que Parmentier décrit « rarement commode, toujours mal exposé [...] la plupart du temps obscur et peu aéré », la maison de boulange du forain est une maison rurale avec les dépendances utiles à l'exercice du métier. La maison, l'étable et l'écurie sont disposées autour d'une petite cour dans laquelle le boulanger entasse les bourrées indispensables à la cuisson du pain. Charrettes, guimbardes et surtout la voiture de boulange utilisée pour le transport du pain à Paris, montée sur un essieu en fer, recouverte d'un hayon avec à l'intérieur des nattes et une grande banne pour protéger la marchandise, y sont remisées. La maison de boulange est à la fois lieu d'habitation et de travail. Au rez-de-chaussée, le fournil est attenant à la cuisine, et à proximité se trouvent une ou deux bluteries avec distinction ou non d'une « chambre à farine ». À l'étage, les chambres, et au-dessus la « grange », dans laquelle le stock de blé est conservé. La bluterie contient souvent deux moulins à bluter la farine pour accroître le rendement, mais aussi en raison de la fragilité de cet outillage, équipés de leurs ustensiles et trémies en bois, plus rarement en fer blanc. Dans le fournil, chaudière en cuivre, chaudron, étouffoir à braises en fonte servant à boucher le four, pelles à braises en métal, pelles à enfourner en bois, deux ou trois pétrins, des couches en toile sur lesquelles le pain est levé, des corbillons, des tablettes en bois, une balance composent l'essentiel du matériel de fabrication. Des paillasses permettent au boulanger et à son compagnon de se reposer.

Deux jours par semaine, le mercredi et le samedi, les boulangers forains convergeaient vers les quinze marchés au pain qui existaient à la fin du XVIIe siècle à Paris et particulièrement vers le plus important d'entre eux, celui de la Halle. Ils y détenaient chacun au moins une place qu'ils pouvaient vendre ou inclure dans une dot lors d'un mariage entre familles de boulangers. En dépit de sa renommée, le pain forain, y compris le plus prisé, celui de Gonesse, ne pouvait être frais au moment du marché puisqu'il fallait cuire les miches à l'avance et que le temps du trajet jusqu'à la capitale était long. Acheté par le petit peuple, le pain de marché était moins cher que le pain vendu dans les boutiques et il était encore moins cher à partir de quatre heures de l'après-midi, son prix ne pouvant plus augmenter une fois passé midi. Il était aussi apprécié des milieux aisés, dès lors qu'il s'agissait du pain de Gonesse ou du pain façon de Gonesse. Malgré les règlements qui l'interdisaient, les forains n'hésitaient pas à livrer à domicile dans les hôtels particuliers et à fournir cabaretiers et aubergistes, concurrençant directement les boulangers de la ville qui en avaient le monopole et provoquant ainsi des conflits incessants.

Le pain de marché, qui était en grande partie le pain des forains, assurait les deux tiers des ventes de pain consommé à Paris en 1727, un peu moins six ans plus tard, selon les registres Delalande conservés à la bibliothèque de l'Institut. Les boutiques progressent sans menacer la prépondérance des marchés. Les estimations concernant le nombre des boulangers forains dits de deuxième classe, ceux qui transformaient les blés qui n'étaient pas entrés à Paris avant d'être convertis en pain, demeurent incertaines. En recoupant les différentes sources (*Traité de la Police* de Nicolas Delamare et registres Delalande), Steven L. Kaplan estime qu'il y avait au total une majorité de boulangers de marchés sur les 2 000 boulangers qui s'activaient dans la capitale, mais les chiffres très variables du seul corps des forains (900, 850, 650…) lui paraissent excessifs. En 1727, sur les 927 boulangers fournissant les douze marchés (et non plus quinze), il y avait 369 forains, soit près de 40 % ; et sur 747 enregistrés en 1733, on relève 298 forains, soit toujours près de 40 %. La boulangerie foraine s'inscrivait dans une couronne d'approvisionnement s'étendant de Saint-Germain-en-Laye et de Versailles à l'ouest, de Sceaux et de Villejuif au sud, de Créteil et de Vincennes à l'est jusqu'à Goussainville et Roissy-en-France au nord. Les boulangers du Pays de France, ceux de Gonesse et du village voisin de Bonneuil-en-France étaient alors les plus nombreux et les plus actifs en quantité de pain vendu.

Grandeur et décadence de la boulangerie foraine. Marcel Arpin (1948) attribue le déclin du pain de Gonesse, le pain forain de marché par excellence, à l'introduction, dans les années 1770, de la mouture économique, celle-ci permettant une forte production de pain de gruau, qui aurait été, avec le levain et l'eau, un des secrets de fabrication du célèbre pain au moment où les boulangers des boutiques utilisaient la levure de bière tant décriée depuis la querelle du pain mollet. Or il est clairement établi que le déclin de la boulangerie foraine et du pain de Gonesse s'engage dès les débuts du XVIIIe siècle pour des raisons plus économiques et sociales que techniques. En septembre 1693, une liste de 95 boulangers gonessiens est dressée par la prévôté pour livrer les quantités de pain nécessaires aux habitants de Gonesse victimes de la première des crises de subsistances meurtrières de la fin du règne de Louis XIV. Trente ans plus tard, les registres Delalande mentionnent la présence de 90 boulangers forains de deuxième classe sur les marchés au pain parisiens, 103 en 1726 et seulement 64 en 1733. Les trente rôles d'imposition à la taille royale conservés entre 1740 et 1790 n'autorisent aucun doute. De la cinquantaine dans les années 1740 (49 exactement), on chute à 22 en 1780, puis il ne se trouve plus que 10 survivants, dont la moitié n'acquittent pas dix livres de taille. L'abbé Lebeuf avait bien remarqué, au milieu du siècle, que « présentement il ne vient à Paris que peu de pain de Gonesse, et les boulangers de ce lieu se sont établis dans les faubourgs de Saint-Martin et de Saint-Denis ». Il faut y ajouter surtout le faubourg Saint-Antoine.

Un double mouvement de départ des villages de production foraine vers la capitale et de concentration de l'activité sur les lieux de fabrication est enclenché de manière irréversible. L'enquête de 1717 de l'intendant de Paris indique que Dugny, village proche de Gonesse, a déjà perdu 18 des 24 forains connus en 1700 et que ceux-ci « se sont établis dans Paris et aux faubourgs ». Les registres Delalande confirment : 8 boulangers en 1725, 9 en 1726 et 6 en 1733 approvisionnent encore les marchés de la capitale, essentiellement celui de la Halle. La diminution du nombre des boulangers forains s'accompagne d'une forte concentration et d'une augmentation de la productivité des boulangers de Gonesse en particulier. Alors qu'en 1725 et 1726 on enregistre 73 et 84 Gonessiens transformant et commercialisant moins de 24 setiers de blé pour seulement 17 et 19 d'entre eux dépassant les 24 setiers, on en trouve une majorité au-dessus des deux muids en 1733 (34 précisément). Les boulangers forains de Gonesse et du Pays de France sont à ce moment à la fois les plus nombreux et les plus productifs sur les marchés de Paris. À l'autre extrémité de la banlieue, les 13 forains recensés à Versailles ne fournissent que 13,2 muids comparés aux 115,11 muids transformés par les Gonessiens.

Lorsqu'ils quittent le plat pays, les boulangers forains sont dans deux situations opposées : ceux qui subissent le déclassement et ceux qui bénéficient, à l'inverse, d'une trajectoire ascendante. Les premiers, petits boulangers en position fragilisée depuis les crises frumentaires du début du XVIIIe siècle, abandonnent la profession une fois arrivés dans la capitale, tel François-Antoine Tremblay, de Gonesse, endetté auprès des fermiers et devenu ouvrier en glaces, ou tel Charles-Nicolas Mouchy, dont les parents demeurés à Gonesse renoncent à la succession de leur fils, « travaillant pour les maîtres, comme leur étant [...] plus onéreuse que profitable ». Les seconds, moyens et gros boulangers, quittent délibérément les villages d'origine et réussissent leur installation parisienne parce qu'ils font le choix de se rapprocher de leur clientèle et qu'ils ont surtout le moyen de financer ce choix. Les Destors, établis à Gonesse depuis le milieu du XVIIe siècle, forment une solide lignée de boulangers forains qui ont su bénéficier des crises de la fin du règne de Louis XIV en associant le métier de fermier à celui de boulanger. C'est à partir des années 1720 qu'une partie des fils comme des filles, une fois mariées à un boulanger de Gonesse, choisissent le départ. Gabriel, l'aîné des sept garçons de Pierre Destors et de Marguerite Félix, épousée en secondes noces, s'installe au faubourg Saint-Antoine puis à Charenton. Un de ses demi-frères, Jean-Baptiste, est parti réussir à la ville au cours des années 1730 et intégrer l'élite des boulangers de la corporation. Son petit-fils, Jean-François, vend à son frère Vincent en 1777 un « fonds de boutique rue Notre-Dame des Victoires [...], les ustensiles de la boulangerie plus le privilège de marchand boulanger privilégié », moyennant 12 000 livres. Dans la dernière partie du siècle, alors que la disparition de la boulangerie foraine est presque consommée, les Destors adoptent le métier de fermier, abandonnant celui de boulanger, et demeurent à Gonesse ou bien, fidèles à l'activité ancestrale, quittent définitivement le village, comme Jean, forain à Bonneuil-en-France établi par son père dans les années 1740, qui, en 1775 au plus tard, est installé au faubourg Saint-Antoine. Il est évident que Jean avait réussi à maintenir l'exercice de la boulangerie foraine plus longtemps que beaucoup d'autres de ses collègues qui avaient abandonné ou étaient déjà partis, car il appartenait à l'élite boulangère foraine.

La fortune du pain de Gonesse associée au mode de commercialisation du pain sur les marchés parisiens, qui a perduré tout en régressant au cours du XVIIIe siècle, a permis la poursuite jusqu'au début du règne de Louis XVI, à Gonesse plus qu'ailleurs, d'une activité de fabrication rurale du pain que l'évolution des techniques de production, de stockage et de transport de la farine a ensuite rapidement et définitivement condamnée. Quand ils quittaient le village du Pays de France, les forains choisissaient en premier lieu les faubourgs Saint-Laurent et Saint-Antoine, car ils y conservaient en quelque sorte leur statut initial et leur installation n'était pas soumise aux statuts réglementant la communauté des maîtres boulangers de la corporation. Ils maintenaient des liens étroits avec les villages de provenance et leurs familles, le retour restant possible. Une fois établis aux portes de Paris, les plus audacieux pénétraient dans la ville pour se hisser au sommet prestigieux de la hiérarchie boulangère.

L'apparition, le développement puis la disparition de la boulangerie foraine autour de Paris illustre pour le pain, comme pour le vin, la viande, les légumes et les fruits, la spécialisation des campagnes franciliennes au service du grand marché de Paris. Depuis la fin du Moyen Âge jusqu'au XVIIIe siècle, des villages et des hommes ont répondu à un besoin vital, fournir en pain les Parisiens constamment obsédés par le risque d'en manquer, même en dehors des crises de subsistances qui provoquaient disettes et famines meurtrières. Fortement encadré par l'autorité royale, le système de la boulangerie foraine correspondait à la fois aux conditions techniques de la panification, qui impliquaient la fabrication du pain non loin de la production de la farine, et aux nécessités de l'approvisionnement des marchés au pain de Paris, qui dominaient sur les boutiques des boulangers de la ville. Les boulangers forains étaient bien des ruraux, qui ont pu constituer une classe moyenne originale dans les sociétés villageoises du plat pays à économie essentiellement céréalière, entre la minorité des riches fermiers et la grande majorité des manouvriers pauvres. Mais, bien avant l'introduction de la mouture économique dans la dernière partie du XVIIIe siècle, les crises catastrophiques de la fin du règne de Louis XIV ont, au début du siècle, affaibli une partie importante d'entre eux jusqu'au point de provoquer le déclassement et l'émigration vers Paris. À l'inverse, elles ont conforté la minorité de ceux qui formaient le sommet de la hiérarchie du monde hétérogène de ces boulangers ruraux. Quelques-uns ont pu associer le métier de fermier, voire de meunier, à celui de boulanger avant d'intégrer l'élite locale des fermiers opulents. D'autres ont été attirés par la capitale, la proximité de la clientèle et le désir d'appartenir à une autre élite, celle des marchands boulangers de la ville. Finalement, peu avant la Révolution, le doublement de la population parisienne au cours du siècle et la conjoncture économique et sociale des dernières années de l'Ancien Régime ont stimulé la concentration de la production de blé aux mains des fermiers et de la fabrication et de la commercialisation de la farine dans celles des meuniers et des marchands, le plus souvent issus des mêmes familles, achevant la destruction d'une activité multiséculaire devenue archaïque.

Jean-Pierre Blazy

• *Voir aussi :* Ban et banalités ; Blatier ; Blutage ; Boulangers et boulangeries (histoire de France des) ; Disettes, famines et révoltes pour le pain en France ; Farines (guerre des) ; Feu ou mal de saint Antoine ; France (pains historiques, du Moyen Âge à la Révolution française) ; Grand panetier ; Honoré, saint ; Mouture ; Réglementation

Bibl. : Marcel ARPIN, *Historique de la meunerie et de la boulangerie, depuis les temps préhistoriques jusqu'à l'année 1914*, Paris, Le Chancelier, 1948, 2 vol. • Jean-Pierre BLAZY, *Gonesse, la terre et les hommes, des origines à la Révolution*, Meaux, 1982 • Steven L. KAPLAN, *Le Meilleur Pain du monde. Les boulangers de Paris au XVIIIe siècle*, Paris, Fayard, 1996 • Robert MUCHEMBLED, Hervé BENNEZON, Marie-José MICHEL, *Histoire du Grand Paris de la Renaissance à la Révolution*, Paris, Perrin, 2009.

BOULE BIO. – La boule bio a été lancée par la chaîne Carrefour en 1994. Son succès s'explique autant par le fait que ce pain soit bio que par ses propriétés organoleptiques qui ont plu au consommateur ainsi que sa bonne conservation. La farine utilisée est écrasée sur meule. Les ventes de boules bio représentent environ 10 % des ventes de pain de l'enseigne, ce qui est dix fois plus que le marché national.

Catherine Peigney

• *Voir aussi :* Agriculture biologique ; École Carrefour ; Filière bio ; Meule ; Traçabilité

BOULEUSE. – Machine qui reproduit les gestes du boulanger consistant à faire tourner le pâton sur lui-même jusqu'à ce qu'il ait pris la forme d'une boule plus ou moins régulière. On distingue les bouleuses à bandes, dans lesquelles les pâtons avancent et tournent sur eux-mêmes sous l'effet de deux tapis ; les bouleuses coniques, dans lesquelles les pâtons avancent et tournent sur eux-mêmes le long d'une gouttière en spirale fixe sous l'effet d'un cône rotatif ; enfin, les diviseuses-bouleuses, qui incluent le découpage de la pâte dans leur action.

Dominique Descamps

• *Voir aussi :* Boulage ; Division ; Façonnage ; Fournil ; Pâton

BOULGHOUR. – Ce mot d'origine turque (*bulgur*) désigne du blé dur germé, cuit, séché et concassé. La préparation du boulghour, que l'on cuit sur des pierres dans d'énormes chaudrons de cuivre avant de le sécher sur les toits en terrasses des habitations, est une activité toujours vivante chez les villageois du centre et du sud de la Turquie. Le boulghour (*borghol*, en arabe) est employé en cuisine dans tout le Moyen-Orient, soit en le cuisant de nouveau, soit en le réhydratant. Le boulghour, riche en fibres, en vitamines et en sels minéraux, possède un agréable goût de noisette. Le concassage du blé peut être fin ou grossier, déterminant des utilisations différentes : fin, on l'emploiera dans la confection du *kebbé* (agneau haché, épicé, en croûte de boulghour) ou du *taboulé* libanais, mais aussi dans les *çiğköfte* (boulettes de viande crue et épicée mélangée à du boulghour réhydraté) et autres *içli köfte* (boulettes de viande en croûte de boulghour, frites) turques ; grossier, on le trouvera donnant du corps à une soupe, ou en céréale accompagnant viandes ou légumes… On ne fabrique pas de pain à partir du boulghour, bien que l'on puisse rencontrer celui-ci dans certains pains multicéréales, contenant divers grains concassés, qui relèvent davantage d'expériences individuelles ou artisanales que d'une quelconque tradition.

Myriam Daumal

• *Voir aussi :* Blé dur ; Kamut ; Liban ; Semoule ; Turquie

BOUTON, Michel. – Artisan boulanger qui optimise, en 1957, les essais de panification « méthode pain blanc » dans son fournil de Pouzauges, en Vendée. Peu après, il contacte le frigoriste Magneron et participe à la mise au point du premier refroidisseur d'eau. Expérimentateur dans l'âme, il brevette un fraseur autofreineur très innovant et met au point une méthode d'apprêt longue durée. Il rédige un traité de panification édité en 1958 par la société Vitex, qui commercialise des améliorants de panification. Puis il crée la société Bouton & Briquet en 1963 et se spécialise dans l'agencement méthodique des fournils. Michel Bouton fut le concepteur, dès 1963, d'enceintes de fermentation conditionnées à chariots (produites par Bouton & Briquet). Ayant déposé plus de trente-deux brevets, il fut un boulanger créatif et un chef d'entreprise charismatique, qui a su prouver à ses collègues qu'il existait bien des alternatives au travail de nuit.

Hubert Chiron

• *Voir aussi :* Apprêt ; Artisan et artisanat ; Boulangers de France ; Pain blanc ; Équipementiers ; Nuit (travail de)

BPMF (Blés pour la meunerie française). – Sigle émanant de l'ANMF

(Association nationale de la meunerie française). Il s'agit de la liste réactualisée annuellement de blés que la meunerie estime pouvoir utiliser en mélange pour la panification ou la biscuiterie. Ces blés pour la meunerie française sont classés suivant quatre débouchés : blés panifiables, blés de force, blés à tendance biscuitière, blés convenant à l'agriculture biologique (sous réserve d'adaptation aux conditions agronomiques).

Hubert Chiron

• *Voir aussi :* ANMF ; Variétés de blé ; Variétés de blé tendre au catalogue officiel ; VRM

BRAN. – Lorsque le son est séparé de la farine, on le nomme « gros son », ou « son sec » ou « bran » (mot anglais pour désigner le son, du latin *brennus*, « excrément »). Lorsqu'il adhère encore à la farine, on le nomme « son gras ». Dans le nord de la France (Artois, Picardie, Flandre), le mot désignait toutes les issues d'une farine (synonymes *gruis* et *tercheul*) (Desportes 1987).

Mouette Barboff

• *Voir aussi :* Enveloppe ; Meunerie ; Mouture ; Remoulages ; Son

Bibl. : Françoise DESPORTES, *Le Pain au Moyen Âge*, Paris, Olivier Orban, 1987.

BREAD (groupe musical). – Bread est l'un des groupes de musique pop les plus populaires du début des années 1970, avec une série impressionnante de singles à succès, écrits par le claviste-chanteur David Gates. Le nom du groupe vient de ce que le jour où les musiciens s'étaient réunis pour se choisir un nom un camion transportant du pain vint stationner non loin d'eux. « Bread » s'est imposé sans discussion. Il comportait à la fois le sens que l'argot donne à ce mot (l'équivalent de notre « blé »), et l'idée d'une fermentation chaude, réconfortante, dont procède le pain et, pourquoi pas, la bonne musique. Le groupe a sorti son premier album du même nom fin 1968. Leur style, le « soft rock », accessible et mélodique, est devenu la « signature sound » du groupe. Leur deuxième album est intitulé *Manna*.

Diane Castiglioni
(trad. de l'américain
par Jean-Philippe de Tonnac)

• *Voir aussi :* Boulanger-poète ; Bread & Roses ; Danse des petits pains ; Documentaires et films ; Couture (pain) ; *Un pain, c'est tout*

BREAD & ROSES. – Poème écrit par James Oppenheim en 1912 au sujet d'une grève dans les textiles dans le Massachusetts, où plus de dix mille femmes et enfants se mobilisèrent pour dénoncer des conditions de travail brutales et des salaires insuffisants. Inspiré par ce poème, Mimi Fariña, chanteuse et militante, sœur de Joan Baez, a donné à son agence fondée en 1974 le nom et l'esprit qui l'inspiraient, agence destinée à faire partager musique et autres formes artistiques aux laissés-pour-compte de la société américaine. Bread & Roses, qui parie sur la puissance curative de la musique, est devenu au fil des années une institution.

Diane Castiglioni
(trad. de l'américain
par Jean-Philippe de Tonnac)

• *Voir aussi :* Bread for the Journey ; Compagnon ; Disettes, famines et révoltes pour le pain en France ; Émeutes de la faim en Égypte ; FAO ; Farines (guerre des) ; Fête du pain ; Frumentaire ; Mie de Pain (association La)

BREAD FOR THE JOURNEY. – Le propos de l'association Bread for the Journey, née à Santa Fé (Nouveau-Mexique) en 1988 et actuellement basée en Mill Valley (Californie), est de stimuler la générosité de personnes « ordinaires », en les incitant à se regarder comme philanthropes, œuvrant ensemble à transformer leurs propres communautés. Les volontaires de Bread for the Journey réunissent ainsi des fonds, souvent fort modestes, à partir de dons faits par les amis, la famille, les voisins, et peuvent alors venir en aide à ces « justes » qui, partout, sont toujours prêts à entreprendre, à aider, à réparer, à guérir, à faire en sorte que leur vision prenne force et vie et devienne réalité. Fondateur du Bread for the Journey, Wayne Muller est pasteur, thérapeute et auteur de nombreux ouvrages, parmi lesquels *How Then, Shall We Live ? : Four Simple Questions That Reveal the Beauty and Meaning of Our Lives* (1997). Diplômé de Harvard Divinity School, il a passé les vingt-cinq dernières années au côté des personnes parmi les plus démunies de la société.

Diane Castiglioni
(trad. de l'américain
par Jean-Philippe de Tonnac)

• *Voir aussi :* Bread & Roses ; Compagnon ; Disettes, famines et révoltes pour le pain en France ; Émeutes de la faim en Égypte ; FAO ; Farines (guerre des) ; Fête du pain ; Frumentaire ; Mie de Pain (association La) ; Musées du pain

BRÉER. – Terme ancien désignant une certaine manière de broyer la pâte. La confection du pain broyé, fait de fine fleur de farine, devait répondre à des règles d'hygiène assez strictes, puisque, dans les coutumes des Cluny, « il était interdit aux moines qui bréaient de psalmodier, de crainte que leur salive ne tombe dans la pâte ».

Mouette Barboff

• *Voir aussi :* Brie ou barre pour battre les pâtes ; Fleur de farine ; Pétrissage ; Sueur

Bibl. : Mouette BARBOFF, *Pains d'hier et d'aujourd'hui*, Paris, Hoëbeke, 2006.

BRÉSIL (traditions du pain au). – Les colons portugais qui s'installèrent au XVIe siècle en territoire brésilien avaient l'habitude de manger du pain de blé. Ils essayèrent en vain d'introduire la culture de cette céréale aux alentours de Recife et de Salvador. Les chroniques de cette époque relatent l'inutilité de leurs efforts, car les épis ne mûrissaient pas tous au même moment, ce qui rendait difficile la récolte. Comme il était bien plus rentable de cultiver de la canne à sucre ou du tabac, ils renoncèrent au blé. Il fallut donc recourir aux diverses farines de manioc que les indigènes savaient préparer. Les tubercules de cette plante, râpés, pressés et cuits pour éliminer les glucosides cyanogènes contenus dans la pulpe, offraient divers aliments jugés nourrissants et de bonne conservation : les cassaves (*beijus*), galettes consommées fraîches ou séchées, les semoules torréfiées aux grains plus ou moins fins, que les Portugais appelèrent *farine* (*farinha*). On torréfiait également la fécule blanche et fine qui se déposait au fond des récipients après l'extraction du liquide vénéneux. On obtenait en outre une farine dite de *carimã* en faisant rouir les racines, puis en les séchant à feu doux avant de les réduire en poudre.

Les premiers gouverneurs du Brésil déclarèrent préférer le goût de telles farines à celui du blé. Il s'agissait probablement d'une affirmation politique car, une fois la prospérité coloniale assurée, la flotte portugaise venue chercher la production annuelle de sucre ne manqua pas de débarquer des provisions de blé moulu, complétées par le blé que des colons faisaient cultiver par les Indiens sur le plateau de São Paulo au climat tempéré. Acheter de la farine de froment bien blanche, faire pétrir du pain, en manger et en offrir aux invités se transforma donc en un facteur de prestige colonial. Les femmes qui vendaient du pain vivaient confortablement. Pierre Moreau, Français qui vécut à Recife au XVIIe siècle, sous la domination hollandaise, souligna le goût des Portugais pour le pain et leur plaisir à couvrir de sucre celui qu'ils réussissaient à obtenir. Pourtant, en temps de crise, lorsque le blé se faisait rare, ou lorsque le blé disponible n'était plus assez frais, les ménagères portugaises n'hésitaient pas à faire usage des farines locales, surtout employées pour confectionner des bouillies ou des biscuits, car elles ne se prêtaient pas aisément à la panification. Les cassaves reçurent alors des additions d'œufs, de beurre ou de sucre, et les innovations culinaires se multiplièrent. Ingrédients locaux et ingrédients introduits par les colonisateurs furent incorporés au pain. Le prêtre Fernão Cardim signala, par exemple, la confection de pains de patate douce et la mise au point d'une recette savoureuse qui mélangeait farines de *carimã* et de riz, parfois même de maïs. Au XVIIIe siècle, la découverte de mines d'or dans le Minas Gerais stimula la conquête de l'intérieur du continent, rendant encore plus difficile l'accès aux provisions de blé et donnant lieu à la création de nombreuses recettes de pâtisseries, préparées avec de la fécule de manioc ou de la farine de maïs.

Libéré de son statut de colonie, le Brésil acquit en 1808 le droit d'intégrer le réseau du marché mondial et reçut un afflux de commerçants européens habitués à se nourrir de pain. Cependant, même à Rio de Janeiro, capitale du nouvel empire, cet aliment était réservé à une élite. De surcroît, il subissait la concurrence, d'une part du *pão-de-ló*, une sorte de génoise consommée au petit déjeuner et au goûter, et d'autre part de la farine de manioc, à laquelle allait s'ajouter plus tard le riz. Celle-ci accompagnait les repas substantiels, en l'occurrence la *feijoada*, un plat de haricots cuits avec de la viande sèche et du lard. Les quelques familles qui consommaient du pain avaient à leur service des esclaves détentrices de ce savoir-faire ou bien se fournissaient auprès de vendeurs ambulants, esclaves d'un boulanger.

En 1816, Rio de Janeiro ne comptait que six boulangeries, dont les principaux clients étaient les marins étrangers qui, dans le port, s'approvisionnaient en petits pains et « biscuits de mer » (*bolachas de embarque*). La construction de moulins et l'importation de blé des États-Unis donnèrent de l'essor à la panification. Des boulangeries, tout d'abord françaises, puis italiennes et portugaises, ne tardèrent pas à s'établir dans la plus européenne des villes brésiliennes. Dès 1829, leur pain, vendu à un prix désormais raisonnable, commença à détrôner la génoise matinale. Sa consommation finit par s'imposer non seulement le matin, mais aussi l'après-midi et le soir, lors des repas les moins substantiels. Selon un almanach commercial, l'*Almanak Laemmert*, on recensait près de 50 boulangeries en 1845, le triple en 1860 et plus du quadruple en 1890, tandis que la population de Rio de Janeiro, enrichie par l'exode rural et l'arrivée de nombreux étrangers, passait de 100 000 à 500 000 habitants en cinquante ans. Les annonces de vente de pain et d'offres d'emploi dans des boulangeries publiées dans le *Jornal do Commercio* attestent aussi l'importance croissante du pain à cette époque. Elles prouvent que, dès 1849, les habitants de Rio consommaient déjà une ample variété de pains le dimanche, mangeant surtout des baguettes (*bisnagas*) les autres jours. L'horaire des fournées confirme l'absence du pain au repas de midi : on vendait du pain chaud à l'aube, en fin d'après-midi ou en début de soirée. La main-d'œuvre esclave, accaparée par les plantations de café en plein essor, était devenue rare et chère. Unc demande croissante de main-d'œuvre qualifiée et mieux rémunérée, souvent constituée d'immigrants européens, semble avoir accompagné la mécanisation des techniques de boulangerie, qui allait permettre de vendre le pain encore moins cher.

La croissance parallèle du nombre de boulangeries et de l'immigration se faisait sentir non seulement à Rio de Janeiro, mais aussi dans les provinces voisines, notamment celle de São Paulo. Bien que les études sur ce thème fassent défaut, on peut supposer que ce fut le cas de tout le sud-est du pays, où il y eut une immigration massive à partir du XIXe siècle en provenance d'Europe, puis du Moyen-Orient et du Japon. C'est ainsi qu'une plus grande variété de pains fut introduite au Brésil, tels la *pita*, dite « pain syrien » ou « pain arabe », et des pains de seigle allemands et slaves. À São Paulo, c'est grâce à l'immigration italienne que le commerce du pain acquit une certaine visibilité et fournit à une foule d'immigrants peu instruits des emplois de boulanger ou de marchand ambulant. Le pain le plus apprécié par les immigrants italiens était le *pão de peito* (« pain de poitrine »), appelé aujourd'hui « pain italien », un grand pain rond à croûte dure qui se conservait plus d'une semaine. Les Italiens introduisirent également la *pizza*, qui devint par la suite emblématique du goût alimentaire des habitants de São Paulo et se diffusa dans tout le pays. Au cours des années 1950 et 1960, la production commerciale du pain changea de mains et de nombreux Portugais y participèrent. Un petit pain, dit « français », appelé « pain de sel » dans le centre du Brésil et *cacetinho* dans le Nordeste, conquit alors les amateurs de croûtes légèrement croquantes et de mies blanches et tendres.

Dans les années 1980 et 1990, la consommation du pain augmenta et l'offre d'une gamme inédite de pains accompagna l'expansion de la panification industrielle. Des pains de céréales intégrales, considérés comme bons pour la santé, surgirent, enrichis de vitamines et de sels minéraux et présentant des teneurs réduites en graisses, en sucres et en calories. Les boulangeries aussi diversifièrent leur production et des magasins d'alimentation raffinés, portant le nom français de « boutiques », se mirent à proposer des pains de diverses origines, tels que baguettes, croissants, brioches et *muffins*. Des hôtels et des supermarchés, en produisant leur propre pain, contribuèrent également à populariser la consommation de cet aliment, ainsi que celle des *pitas* et des *pizzas*. Un petit pain originaire du Minas Gerais, le *pão de queijo* (« pain au fromage »), remporte depuis les dernières décennies un franc succès dans tout le pays. De la taille d'une ou deux bouchées, il est confectionné avec de la fécule de manioc et du fromage râpé. Il est vendu dans les boulangeries, les pâtisseries, les cafés, les supermarchés et surtout dans les *lanchonetes*, petits établissements qui servent des snacks (*lanches*) à toute heure. En réalité, la fécule de manioc entre dans la composition de nombreux pains.

L'actuelle production de blé dans les régions tempérées du Sud (Rio Grande do Sul et Paraná) ne satisfait que la moitié des besoins du pays. Les principales importations proviennent d'Argentine, où le grain est plus adéquat à la panification. Le pain est maintenant présent dans tout le Brésil, jusque dans des petites villes éloignées d'Amazonie, où il tend à se substituer, pour le petit déjeuner, aux collations à base de manioc, de fruits ou d'autres tubercules. Tout comme à Rio de Janeiro au XIXe siècle, le pain est aujourd'hui rarement placé sur la table des repas, sauf dans des groupes culturels d'origine européenne ou syro-libanaise, qui conservent en famille leurs habitudes alimentaires. Dans le modèle alimentaire brésilien, c'est le riz qui l'a emporté. Les plats de résistance sont constitués de viande, de riz et de haricots, parfois encore de farine de manioc, mais ne sont pas accompagnés de pain. En revanche, le repas du soir est souvent léger et peut inclure du pain. Consommé au dîner, au petit déjeuner et lors des casse-croûtes, le pain de blé est quasi omniprésent dans les foyers brésiliens, qui ne peuvent plus s'en passer.

Beiju (« cassave »). Galette élaborée à partir de manioc amer, consommée juste après cuisson ou bien séchée afin d'être conservée. Il en existe une grande variété, à base de pulpe du tubercule de manioc (râpé, égoutté, pressé et tamisé) et/ou de fécule, de diverses tailles et épaisseurs. Elle constitue, encore actuellement, la base de l'alimentation des populations amérindiennes du nord de l'Amazonie. Dans d'autres régions, la plus commune est une fine galette de fécule souvent appelée *tapioquinha*.

Bisnaga. Au XIXe siècle, synonyme de baguette (pain français) ; actuellement, petit pain au lait sucré (voir *pão sovado*).

Bolacha. « Biscuit », pain sec, dur et peu levé, de longue conservation, surtout utilisé dans l'alimentation des marins à bord et des soldats en campagne. Connu au XIXe siècle sous le nom de *bolacha de embarque* (« biscuit de mer »). Aujourd'hui, *bolacha* signifie « biscuit », dans le sens de « gâteau sec ».

Broa (pão de milho à moda portuguesa). Pain de maïs, contenant également de la farine de blé et des œufs.

Empada, empadinha. Petite tourte (à base de pâte brisée) fourrée au fromage, au jambon ou au cœur de palmier.

Farinha (farinha de mandioca). D'origine amérindienne, la « farine de manioc », *couac* en français de Guyane, est une semoule torréfiée, de longue conservation, généralement à base de manioc amer, plus rarement de manioc doux. Selon les régions, les tubercules sont rouis ou bien râpés crus, ou encore les deux sortes sont mélangées. La pâte obtenue est égouttée, pressée, tamisée et torréfiée en grains plus ou moins fins, de couleur crème à beige foncé. La *farinha* a été pendant longtemps un aliment de base dans tout le Brésil, mais le riz s'y est ajouté et, souvent, s'y est substitué. Elle reste néanmoins importante en Amazonie et dans le Nordeste.

Folhado. Feuilleté farci à la viande, au fromage ou aux légumes.

Pão de família (sêmea). Pain de son.

Pão-de-ló. Gâteau à base de farine de blé, de sucre et d'œufs battus, semblable à une génoise, mais plus épais.

Pão de queijo (« pain au fromage »). Petit pain de la taille d'une bouchée (ou deux à trois fois plus grand), à base de fécule de manioc et de fromage râpé, originaire du Minas Gerais, actuellement consommé comme snack dans tout le Brésil.

Pão francês (pão de sal, cacetinho) (« pain français »). Pain à mie blanche et à croûte croustillante. Il se présente sous forme de petits pains de 50 g.

Pão italiano (autrefois *pão de peito*, « pain de poitrine »). Grand pain rond à croûte dure, avec une mie compacte, d'origine italienne, consommé couramment au début du XXe siècle à São Paulo, où il est encore vendu dans quelques boulangeries.

Pão sirio, pão árabe (« pain syrien », « pain arabe »). Pain non levé originaire du Proche-Orient (pain *pita*). À São Paulo, on l'utilise souvent pour préparer le *beirute*, un sandwich farci de viande ou de jambon, de tomate, de salade, de fromage et de mayonnaise.

Pão sovado (« pain pétri »). Pain longuement malaxé, enrichi d'œufs et de beurre, que l'on appelle parfois *pão de leite* lorsque l'on ajoute du lait à la pâte. Il sert alors à préparer des *bisnagas*, petits pains ovales ou ronds de consistance molle, à la croûte dorée. On le désigne alors sous le nom de *pão doce*, car il s'accommode facilement d'addition de sucre, de crème pâtissière à la vanille, de fruits confits, de pâte de goyave, de raisins secs ou de chocolat.

Sonho (« songe »). Pain rond fourré de crème pâtissière à la vanille.

Almir El-Kareh, Janine Helfst Leicht Collaço, Esther Katz, Claude Papavero

• *Voir aussi :* Amérique latine ; Andes boliviennes ; Argentine ; Biscuit de mer → Mer (pain de) ; Chili ; Manioc ; Morts (pain des) ; Pain syrien → Égypte ; Pérou ; Pita → Pains mondiaux ; Pizza

Bibl. : *Almanak Administrativo, Comercial e Industrial* (*Almanak Laemmert*), Rio de Janeiro, 1849-1889 • Jorge AMERICANO, *São Paulo nesse tempo (1915-1935)*, São Paulo, Edições Melhoramentos, 1962 • Ambrósio Fernandes BRANDÃO, *Diálogos da grandeza do Brasil*. São Paulo, Melhoramentos, 1977 • Ernani Silva BRUNO, *História e tradições da cidade de São Paulo*, São Paulo, Hucitec, 1954, 3 vol. • Fernão CARDIM, *Tratados da terra e gente do Brasil*, 3e éd., São Paulo, INL. MEC/Comp. Ed. Nacional, 1978 • Almir C. EL-KAREH, « Cozinhar e comer, em casa e na rua : culinária e gastronomia na Corte do Império do Brasil », in *Estudos Históricos*, Rio de Janeiro, n° 33, janvier-juin 2004 • EMBRAPA (éd.). *Mandioca, o pão do Brasil/Manioc, le pain du Brésil*, Brasilia, EMBRAPA, 2005 • *Jornal do Commercio*, Rio de Janeiro, 1849-1888 • Pierre MOREAU, *História das últimas lutas no Brasil entre holandeses e portugueses*, trad. L. B. Rodrigues, BH-SP, Itatiaia-

Edusp, 1979 • Gabriel Soares de SOUSA, *Tratado descritivo do Brasil em 1587*, 4e éd., São Paulo, Comp. Ed. Nacional-Edusp, 1971.

BREVET DE MAÎTRISE. – Voir FORMATION À LA BOULANGERIE

BRICHETON. – Voir MOT « PAIN » DANS LA LANGUE FRANÇAISE

BRIE OU BARRE POUR BATTRE LES PÂTES. – Instrument servant à brier ou broyer la pâte, qui porte différents noms selon l'époque ou la région où on l'utilisait : brie, brayon, brée, brayon, breyon, broie, braie, brayoire. Du Cange (*Glossarium ad scriptores mediæ et infimæ græcitatis*, 1688) cite « une broie à faire gastiaux », le pain blanc étant synonyme de gâteau jusqu'au XIIIe siècle. Dès 1403, la brie ou broye est mentionnée dans de nombreux comptes. Elle consistait en une table de bois massif sur laquelle était articulée une barre de bois, tenue à l'extrémité par deux anneaux en fer formant charnière. Cet instrument usité pour brier ou brayer la pâte serait à l'origine étymologique du « pain brié » ou « broyé ».

Mouette Barboff

• *Voir aussi :* Bréer ; Pain brié → Brioche ; Pain broyé → France (pains historiques, du Moyen Âge à la Révolution française)

Bibl. : Mouette BARBOFF, *Pains d'hier et d'aujourd'hui*, Paris, Hoëbeke, 2006 • DU CANGE, *Glossarium ad scriptores mediæ et infimæ græcitatis*, 1688.

BRIFE. – Voir MOT « PAIN » DANS LA LANGUE FRANÇAISE

BRIGADIER. – Celui qui est à la tête d'une brigade, d'un groupe de boulangers professionnels spécialisés dans certaines tâches. Terme hiérarchique très utilisé dans la corporation d'avant la Révolution, où la division du travail par spécialité était courante. Vient peut-être de l'organisation de la boulangerie dans les armées de l'époque, qui comptait son brigadier général des boulangers, ses brigadiers boulangers, ses sous-brigadiers... Aujourd'hui, le brevet professionnel donne la qualification de brigadier.

Guy Boulet

• *Voir aussi :* Boulanger (tenue du) ; Boulangères ; Boulangers de France ; Enfourneur ; Femme du boulanger ; Geindre ; Mains (à deux) ; Mitron ; Pétrisseur ; Porteuse de pain ; Savate ; Talemelier ; Valet soudoyé

BRIGITTE, BRIGIT, sainte, déesse de la fécondité. – Cette illustre divinité de l'univers celtique occidental est directement liée à la fête d'Impolc ou Oimelc, célébrée le 1er février avec des lustrations purificatrices des souillures hivernales, mais aussi des pratiques qui révèlent le caractère agricole de la déesse inhérent à la « renaissance » printanière. Le nom de la déesse irlandaise, Brigit, signifie « brillante », « exaltée », « élevée », ce qui explique ses attributs, qui font d'elle une divinité du feu, de la poésie de la fertilité et de la médecine, protectrice des animaux, de la végétation et, par extension, de l'agriculture. Brigit concentre, d'une certaine façon, les caractéristiques que l'on rassemble, ailleurs, sous l'intitulé de « grandes déesses », de « Magna Mater » ou encore de la Madone chrétienne. Elle aussi était acclamée comme « Mère des dieux ». Sur ce fond cultuel se développe la « personnalité » de sainte Brigitte, qui préserve l'héritage celtique, polythéiste et rural, jusqu'à l'orée du XXIe siècle.

Brigitte, immergée toujours dans les brumes légendaires, aurait vécu à la fin du Ve ou au début du VIe siècle et tirerait son origine du clan royal des Fotharta. Sa naissance, annoncée par l'oraison d'un druide, fait d'elle « une autre Marie, mère du Grand Seigneur », ce qui lui vaut le surnom de « Marie de Gaëls » ; son « manteau », sous l'influence de « magies » qui se manifestent dans la nuit qui précède sa fête, devient un « placenta cosmique », qui protège et guérit. Cette même nuit, la veille du 1er février, on fabrique avec de la paille conservée depuis les dernières moissons *an crios Bhride*, « la croix de Brigitte », qui, après une aspersion rituelle avec de l'eau bénite, est accrochée au-dessus de la porte pour protéger la maison de la foudre et du feu, mais aussi ceux qui y habitent du mal et des famines. Si la forme de cette croix diffère d'une région à l'autre, le fait que jadis on lui associait un petit sac de graines prélevées sur la même gerbe que la paille dont elle est fabriquée lui confère une toute autre dimension. Ces graines étaient par la suite mélangées aux semences pour assurer la fertilité des champs de l'année en cours.

Une légende populaire explique la coutume de fabrication de ces croix, par le fait qu'une croix fut à l'origine de la révélation de la foi chrétienne de notre future sainte. Issue d'une famille noble, où le père était païen tandis que la mère avait été convertie par Patrick au christianisme, Brigitte veillait son géniteur mourant dans une pièce où, comme d'habitude, le sol était couvert de paille et de nattes ; elle tissait distraitement sa première croix avec cette matière végétale qui s'offrait à elle. Son père, voyant la croix, lui demanda des explications sur la signification de cette forme symétrique et resplendissante, grâce à l'éclat doré de la paille sous la lumière hésitante des cierges. Instruit par sa fille sur le symbolisme chrétien de l'objet, il fut profondément touché au point de se convertir, juste avant sa mort. Depuis, la croix en paille est l'emblème de la sainte qui, au long des siècles, prend soin des fidèles et de leur bien-être, et surveille l'état des semences et de leur germination, promesse d'abondance des futures moissons. Parfois, les croix de sainte Brigitte se transforment en *Brideog*, petites poupées en paille, les bras étendus, habillées et coiffées avec soin, représentant une forme intermédiaire entre la croix et l'être « cosmique primordial » dont la sainte serait la génitrice.

Yvonne de Sike

• *Voir aussi :* Calendrier celte et rites céréaliers ; Calendriers et mesure du temps ; Grain et graine ; Éleusis (mystères d') ; Terre-Mère primordiale ; Vierge et cycle des cultures céréalières

Bibl. : Paul-Marie DUVAL, *Les Dieux de la Gaule*, Paris, Payot, 1993 • Albert GRENIER, *Les Gaulois*, Paris, Petite Bibliothèque Payot, 1994 • Christian-Joseph GUYONVARC'H, *Magie, médecine et divination chez les Celtes*, Paris, Bibliothèque scientifique Payot, 1997 • Christian-Joseph GUYONVARC'H, Françoise LE ROUX, *La Civilisation celtique*, Ouest-France Université, coll. « De mémoire d'homme : l'histoire », Rennes, 1990. – ID., *Les Fêtes celtiques*, Ouest-France Université, coll. « De mémoire d'homme : l'histoire », Rennes, 1995 • Philippe JOUËT, *Aux sources de la mythologie celtique*, Fouesnant, Yoran embanner, 2007 • Venceslas KRUTA, *Les Celtes, Histoire et Dictionnaire*, Paris, Robert Laffont, coll. « Bouquins », 2000.

BRIGNOLET. – Voir MOT « PAIN » DANS LA LANGUE FRANÇAISE

BRIOCHE. – L'appellation brioche n'est pas définie par la réglementation française, il n'y a donc pas de base de formulation obligatoire ou minimale. Concernant la réglementation sur les additifs, la brioche, dans l'ancienne réglementation française, pouvait être apparentée soit à la catégorie des pains spéciaux, soit aux produits de viennoiserie ; actuellement, ce type de produit s'inscrit dans la directive générale européenne 95/2 sur les additifs, s'apparente aux produits de boulangerie fine et est répertorié par les industriels de ce secteur dans les viennoiseries. La conduite de fabrication est assez semblable à celle du pain. Dans ce contexte, la conformité à une appellation « brioche » ne peut être admise que par rapport à des usages professionnels ou à des références historiques. Il existe, par exemple, un label rouge brioche vendéenne.

Les appellations brioches correspondent, malgré tout, à des produits dont la formule de base comprend de la farine, de l'œuf, de la matière grasse, du sucre. Les mêmes ingrédients se retrouvent dans la majorité des produits de pâtisserie ; la brioche ne peut pas être classée dans cette catégorie, car sa technologie de fabrication s'apparente aux pâtes levées. La pâte doit subir un pétrissage nécessaire à la formation d'une structure gluténique continue, susceptible de pouvoir retenir le gaz carbonique pendant le processus de fermentation et de levée au four. Une durée de pétrissage assez longue est nécessaire, compte tenu de la difficulté à structurer un réseau gluténique avec une pâte riche en ingrédients qui freinent cette texturation (matière grasse, sucre, œufs). La formule fait donc appel à l'utilisation d'agent de fermentation : levure ou levain. L'utilisation de techniques de pré-fermentation est une pratique courante et traditionnelle pour la fabrication des brioches. Autrefois, ces pâtes pré-fermentées correspondaient aux pâtes à pain qui pouvaient être repétries avec des œufs, du beurre, de la crème et des matières sucrantes ; la brioche n'était en fait qu'une pâte à pain enrichie.

En Normandie, l'opération de pétrissage de pâtes boulangères assez fermes était réalisée à l'aide d'une brie (nom normand pour désigner la broie ou broye, en vieux français) ; on fabrique encore dans cette région un pain brié. La brie ancienne est un instrument composé d'une table basse lourde et d'une barre en bois assez longue dont une extrémité est fixée à la table par un système qui permet son articulation. La pâte peut être ainsi compressée entre la barre et la table, l'utilisation de cet appareil dans la fabrication de la brioche aurait conduit à l'expression « briocher la pâte » et par voie de conséquence au nom de « brioche » pour le produit fabriqué. Cette expression a été utilisée en Vendée ; à titre d'exemple, aussi, dans les îles Anglo-Normandes, à Jersey, la brioche est à la fois un gâteau et aussi un couteau de poche qui se plie dans une encoche comme les bries à fendre le lin ; la brioche pourrait être aussi une petite brie. Dans son dictionnaire jersais-français, Le Maistre (1966), indique que le nom *Briochi* signifie « hacher » ou « couper avec une brioche » ; l'auteur rapporte aussi l'expression suivante : « Les viers Jèrriais ont d'la peine à briochi l'Angliais ». Cette origine du mot « brioche » semble plus crédible que celle qui associe cette pâtisserie aux briochins, habitants de Saint-Brieuc, ou le lien avec le fromage de Brie, même si du fromage pouvait être introduit dans ce type de pâte.

La brioche est considérée par les professionnels et les consommateurs comme un produit de qualité supérieure par rapport aux produits classiques de boulangerie, elle est qualifiée de fine, moelleuse, aromatique… La « brioche fine » est la seule dénomination ayant un caractère officiel ; la proportion de beurre mis en œuvre correspond à environ trois quarts du poids de la farine. C'est aussi un pain festif et religieux : le nom de « brioche », qui n'apparaît dans certains textes qu'à la fin du XVIe siècle, était souvent synonyme de pain bénit. Suivant les régions, les coutumes, la disposition de matières premières nobles ou de l'esprit inventif des boulangers, les variations qualitatives sont donc courantes. En Normandie ou en Île-de-France, pays d'élevage, celles-ci renfermaient une forte proportion de beurre et portaient le qualificatif « brioche fine ». En Vendée, région où l'élevage est moins présent, les produits nobles étaient le sucre et les alcools ; la proximité des ports de Bordeaux et de Nantes n'y est sans doute pas étrangère. C'est ce type de brioche qui s'est développé en France et notamment sous la forme des brioches tranchées. La proportion de beurre dans les recettes est pratiquement réduite de moitié par rapport aux brioches du nord de la Loire. Dans le sud de la France, les fruits apparaissent ; ils se substituent en partie au beurre et au sucre.

Philippe Roussel

• *Voir aussi :* Additif ; Brie ou barre pour battre les pâtes ; Fermentation (pré-) ; Fermentation panaire ; Gaz carbonique ; Levain, levain-chef, levain de première, de seconde, de tout point ; Levure de boulanger ; Pain bénit ; Pains spéciaux ; Pâtisserie ; Réseau ou tissu glutineux ; Viennoiserie

BROSSE À BLÉ OU À SON. – Dans l'opération de mouture, machine qui, par action mécanique (friction ou projection), permet de séparer des parties fines de parties plus grosses. La brosse à blé, présente au nettoyage, permet, par friction des grains entre eux et projection sur une surface dure, d'éliminer les poussières restant en surface des grains, notamment dans le sillon, et de séparer les parties externes du péricarpe. La brosse à son, quant à elle, permet de récupérer les fragments d'amande qui resteraient encore attachés aux sons en fin de mouture. L'objectif est d'améliorer le rendement en farine.

Philippe Duret

• *Voir aussi :* Amande ; Grain ; Meunerie ; Mouture ; Son

BROWN, Edward Espe. – Chef accompli de renommée internationale, Edward Espe Brown participa à la fondation du restaurant « Greens » à San Francisco et cosigna avec Deborah Madison *The Greens Cookbook* (2001). Ed Brown, qui pratique le zen depuis 1965, dirige méditation, ateliers et retraites autour de différentes questions, et notamment la cuisine. Dans ses enseignements, il insiste notamment pour dire que « *every dough is different, just as every day is different* » (« chaque pâte préparée est différente, exactement comme chaque jour est différent »), et pour rappeler que vivre et cuisiner doivent nous conduire à éveiller notre attention et notre conscience. Il veut persuader ses apprentis que cuisiner n'est pas seulement cuisiner, pas seulement travailler à transformer des aliments, mais également se transformer et transformer les autres. Il est l'auteur, entre autres, d'un ouvrage devenu un classique aux États-Unis, qui a beaucoup influencé les boulangers américains, *The Tassajara Bread Book*, du nom du centre de méditation zen à San Francisco où il enseigne et pétrit. Le réalisateur allemand Doris Dörrie lui a consacré en 2007 un documentaire joliment titré *How to Cook Your Life*.

Diane Castiglioni
(trad. de l'américain
par Jean-Philippe de Tonnac)

• *Voir aussi :* Boulangers de France ; États-Unis

Bibl. : Edward Espe BROWN, *The Tassajara Bread Book*, Boston, Shambhala, 2009. – ID., *The Complete Tassajara Cookbook : Recipes, Techniques, and Reflections from the Famed Zen Kitchen*, Boston, Shambhala, 2009 • Edward Espe BROWN et Deborah MADISON, *The Greens Cookbook*, New York, Broadway Books, 2001.

BROYAGE. – Première opération de la mouture du grain qui a pour objectif de séparer le son de l'amande. Cette opération se fait à l'aide de plusieurs types de broyeurs.

Philippe Duret

• *Voir aussi :* Amande ; Broyeur ; Grain ; Meunerie ; Mouture

BROYEUR. – Les plus courants sont les broyeurs à cylindres utilisés par la meunerie industrielle. Ils sont constitués des deux cylindres cannelés, tournant en sens inverse et à des vitesses légèrement différentes entraînant un cisaillement du grain, plus qu'un broyage proprement dit. Le premier broyeur est alimenté par le grain entier. Les autres broyeurs sont alimentés par le broyeur le précédant dans le diagramme. Les issues de fin de broyage constituent les sons. Il existe aussi des broyeurs à percussion, qui permettent de fragmenter les particules en fractions plus fines par projection centrifuge sur une paroi dure. Cette méthode est utilisée pour broyer les grains d'une manière intégrale et grossière. Elle est peu utilisée en meunerie, si ce n'est pour réduire les sons en plus fines particules. Il faut enfin citer les meules, qui sont marginalement utilisées en France. Dans le diagramme meunier, les broyeurs sont numérotés B1, B2, B3, B4…

Philippe Duret

• *Voir aussi :* Cannelure ; Cylindre ; Cylindres (appareil à) ; Diagramme en meunerie ; Grain ; Issues ; Meule ; Mouture ; Son

Bibl. : Bernard GODON et Claude WILLM, *Les Industries de première transformation des céréales*, Paris, Tec et Doc-Lavoisier, 1991.

BUÉE. – Phénomène physique par lequel une substance à l'état gazeux passe à l'état liquide par suite de la diminution de la température ou de l'augmentation de la pression extérieure. Pendant la cuisson du pain, La buée se condense sur la surface par suite de la différence de température entre le four (220-250°) et la pâte (25-30°), formant une pellicule qui va participer de la genèse de la croûte et la modifier. Grâce à cette pellicule protectrice, empêchant la sortie de l'anhydride carbonique, la pâte va rester plus moelleuse et le pain se développer mieux. Ce phénomène persiste jusqu'à ce que la surface du pain atteigne à la température de 100° (température d'évaporation de l'eau). Les couches superficielles finissent par se déshydrater en formant la croûte, cependant qu'une partie de cette buée reste au cœur du pain pour en constituer la partie la plus moelleuse. Une fois le pain sorti du four, la croûte apparaît moins dure et plus mince. Les fours sont aujourd'hui équipés d'appareils à buée ; les boulangers en usent pour contrôler et affiner la cuisson des pâtons.

Monica Francioso

• *Voir aussi :* Caramélisation ; Chaleur tombante ; Croûte ; Cuisson directe/indirecte ; Cuisson sur filets ; Cuisson sur pavé ; Four ; Gaz carbonique ; Maillard (réaction de) ; Pyromètre

BUSE. – Voir GUEULARD

C

CADET DE VAUX, Antoine Alexis François (1743-1828). – Né à Paris, Antoine Alexis Cadet de Vaux est le plus jeune frère de l'apothicaire Louis Claude Cadet de Gassicourt, à qui l'on doit les pastilles d'ipéca, la pâte de guimauve, ou encore les pastilles de menthe. Il a seize ans lorsqu'il succède à son frère comme apothicaire major à l'hôtel royal des Invalides, le 14 octobre 1759. Reçu maître six ans plus tard, on le retrouve à la pharmacie de l'hôpital du Val-de-Grâce. Mais, n'ayant pas la vocation d'un apothicaire d'officine, Cadet préfère enseigner la chimie et la pharmacie à l'école vétérinaire d'Alfort à partir de 1771. Lui et son ami Parmentier s'orientent ensemble vers l'étude de l'économie domestique, des subsistances et de l'hygiène. Ils deviennent les grands spécialistes français des maladies du grain. Experts auprès du gouvernement, ils se rendent en mission dans les provinces et publient de nombreuses études dans le *Journal des savants*. En 1777, avec Corancez, Dussieux et Sautreau de Marsy, Cadet fonde et dirige le *Journal de Paris*, un quotidien dont le succès le conduit à la présidence de l'assemblée de son département en 1791 et 1792. Son nom reste intimement lié à celui de Parmentier dans la création de l'École de boulangerie à Paris en 1780. Membre de l'Académie de médecine, du Comité des soupes économiques, inspecteur de la Salubrité publique, il meurt à Nogent-les-Vierges, dans l'Oise. Il est l'auteur de nombreuses publications, parmi lesquelles : *Mémoires sur la matière sucrée de la pomme* (1808), *Le Ménage, ou l'Emploi des fruits dans l'économie domestique* (1810), *Traité de la culture du tabac* (1810), *Les Bases alimentaires de la pomme de terre* (1813) ou *De l'économie alimentaire du peuple et du soldat* (1814).

Anne Muratori-Philip

• *Voir aussi :* Boulangers et boulangeries (histoire de France des) ; Disettes, famine et révoltes pour le pain en France ; École de boulangerie (première) ; Égalité (pain) ; France (pains historiques, du Moyen Âge à la Révolution française) ; Invalides (hôtel royal des) ; Malouin ; Parmentier ; Physiocrates ; *Sur la législation et le commerce des grains* ; Vilmorin

Bibl. : Antoine BALLAND, *La Chimie alimentaire dans l'œuvre de Parmentier*,

Paris, Librairie Baillière et Fils, 1902 • Steven L. KAPLAN, *Les Ventres de Paris. Pouvoir et approvisionnement dans la France de l'Ancien Régime*, traduit de l'américain S. Boulongne, Paris, Fayard, 1988. – *ID.*, « Le complot de famine : histoire d'une rumeur au XVIIIe siècle », trad. de l'américain M. et J. Revel, *Cahier des Annales*, n° 39, Paris, Armand Colin, 1982 • Anne MURATORI-PHILIP, *Parmentier*, Paris, Plon, 1994 et 2006.

CADRE. – Autrefois en bois, de nos jours métallique, le cadre est un support pour les tamis. Il supporte aussi le système de dégommage qui permet au tamis d'être nettoyé en continu. Ces cadres sont empilés dans des caisses de plansichter ou des sasseurs.

Philippe Duret

• *Voir aussi :* Brosse ; Meunerie ; Moulin ; Mouture ; Plansichter ; Remoulages ; Sasseur ; Tamis

CALENDRIER CELTE ET RITES CÉRÉALIERS. – Il est difficile de donner une image unitaire concernant le calendrier celtique et les rites agraires qui lui sont attachés, pour deux raisons principales. La première a trait à l'extrême étendue des territoires occupés par ces Indo-Européens, présents pendant les temps historiques dans la quasi-totalité de l'Europe avec une densité variable d'une région à l'autre – l'apogée d'expansion se situant entre le VIIIe et le IVe siècle avant notre ère. Leur dispersion les a mis en contact avec des populations aux cultures les plus diverses, mais aussi avec des écosystèmes contrastés. En effet, entre la Galicie, au nord du Portugal actuel, et l'Irlande, à l'ouest, la Roumanie et la partie nord-ouest de l'Asie Mineure – où les Celtes ont fondé un État éphémère –, le Danemark, au nord, et la Gaule Cisalpine, au sud, les variantes culturelles locales ont fini par estomper l'impact de ses prompts envahisseurs, auteurs d'une succession de conquêtes ayant induit autant de vagues migratoires, mais qui n'ont pas déterminé d'unité politique. Même dans les régions où la population celte ou gauloise (selon les traditions grecque ou romaine) était plus compacte, ils étaient segmentés en tribus indépendantes les unes des autres, contractant des alliances temporaires et ne formant jamais une vraie confédération. La conquête de la Gaule par Jules César et la romanisation d'une grande partie de l'Europe occidentale est en partie due à leur incapacité de s'unir ; seules certaines régions placées aux extrémités ouest de l'aire celte ont résisté à l'acculturation, à savoir la Bretagne en France, le pays de Galles, l'Écosse, les îles Britanniques et l'Irlande.

Parallèlement à cette esquisse historique, le refus des Celtes en général de consigner par écrit leur histoire et leur mode de vie constitue la deuxième difficulté à connaître les rites agraires du monde celtique, puisque les sources sont étrangères, donc partielles et souvent partiales, ou tardives. De fait, la culture celte a survécu jusqu'au Moyen Âge en Irlande avant de disparaître avec l'évangélisation de l'île. Mais, c'est grâce au clergé gallois et surtout irlandais, qui a consigné par écrit les mythes et les traditions conservés oralement pendant des générations, que nous connaissons ce patrimoine immatériel, souvent concordant avec les découvertes archéologiques et soumis aux épreuves d'une celtomanie persistante. Nous savons ainsi que, malgré leur dispersion, les différentes tribus celtes se rapprochaient par une langue, une religion, des lois, des institutions et des coutumes communes, et surtout un attachement aux vertus royales et héroïques qui constituent le fondement de leur mythologie et de leurs valeurs morales.

Dans ce contexte, les informations sur les rites agraires celtes se fondent sur les documents irlandais, confrontés au calendrier de Coligny, et les découvertes archéologiques. Ces observations concordent par ailleurs avec certaines traditions populaires conservées jusqu'à nos jours dans différentes régions, comme avec nombre de particularités cultuelles du christianisme pratiqué en Europe occidentale. L'ensemble de ces données met en évidence le fait que les Celtes célébraient quatre festivités liées au cycle des saisons, qui regroupaient aussi les pratiques agraires : il s'agit des fêtes de Samain, Imbolc, Beltaine et Lugnasad, associées à différentes divinités du panthéon ayant trait, directement ou indirectement, à la nature et à la fécondité, mais aussi au fonctionnement des institutions politiques et au culte des ancêtres. Le substrat culturel et cultuel d'une partie des régions sur lesquelles se sont répandus les Celtes (cf. les cultures mégalithiques de l'Europe occidentale) avait une longue tradition de connaissances sur les mouvements solaires et lunaires et avait consigné sur le sol des repères pour l'orientation en liaison avec les solstices et les équinoxes. En effet, ces quatre dates fixes dans l'année se combinaient aux festivités celtiques proprement dites (dont les dates n'étaient pas fixes, mais dépendantes des mois lunaires) pour former un calendrier civil et rituel ponctué de huit repères séparés d'environ six semaines. On retrouve l'écho de ces fêtes, correspondant à l'environnement naturel de l'Europe occidentale, même de nos jours et malgré les influences romaines et les effets du monothéisme importé. Ainsi, lorsque le christianisme a voulu imposer son modèle de l'année rituelle, inspiré de l'année cyclique, telle qu'elle fut configurée entre la Mésopotamie et la Méditerranée orientale, il n'a pas pu éradiquer les repères temporels locaux qui modulent toujours la vie rituelle et religieuse.

Les fêtes de Samain, Imbolc, Beltaine et Lugnasad sont inséparables de la vie terrestre et des étapes de l'évolution de la flore et de la faune ; elles désignaient plutôt une période qu'une date fixe, à cause de l'appellation lunaire des mois. Et, comme chez les Celtes le jour commençait au coucher du soleil, la fête de Samain (correspondant par convention au 1er novembre) déterminait le début de la nouvelle année et la fin de l'année précédente, au moment justement où toutes les forces de la nature sont descendantes et convergent vers le monde souterrain. C'est le début de la saison sombre, une période de transition et de passage d'un monde à un autre : la fête est largement mentionnée dans les épopées irlandaises comme une date propice aux événements magiques et mythiques et le temps du passage à l'Autre Monde, le *Sidh*, la demeure des dieux. Dans le calendrier de Coligny, nous retrouvons la mention *tri nox Samoni*, les « trois nuits de Samain ». C'était le moment où rafles, conquêtes et guerres finissaient provisoirement, mais aussi les travaux des paysans, avec l'achèvement des labours et des semailles et l'engrangement des dernières récoltes. Samain signifie « réunion » et cette fête commune aux trois « classes sociales », placées sous l'autorité des druides et la présidence du roi, avait comme but de célébrer les acquis, mais aussi d'honorer la mémoire des ancêtres. Des riches banquets rituels et des beuveries faisaient partie de la fête, qui durait entre trois et sept jours, où, parmi les réjouissances, déguisements et travestissements avaient toute leur légitimité (avec sa correspondance dans le folklore d'Halloween). Il s'agissait certainement d'une période où l'ordre du monde s'abolissait momentanément pour se régénérer par la suite. La fête de Samain et ses rites du culte des ancêtres sont à l'origine de la Toussaint, que l'Église catholique a instaurée pour intégrer les festivités « païennes ». Le solstice d'hiver marque toujours le triomphe hésitant de la lumière sur les ténèbres, qui a lieu la nuit la plus longue de l'année, moment où la force de la germination s'opère au sein de la terre endormic, comme une réponse terrestre à la victoire solaire. La naissance de l'enfant divin (le Mabon pour les Celtes) fait partie de cette date capitale de l'année où le Christ est venu remplacer Mithra, afin que les archétypes sur le renouveau de la vie trouvent une continuité rituelle malgré les ruptures culturelles. Rappelons pour mémoire que le solstice d'hiver correspond aux Saturnales, où les graines en pleine germination étaient honorées en même temps que se renouvelaient le « vieux Temps » et l'année.

La fête d'Imbolc était placée au début d'*anagnantios*, suivant le calendrier de Coligny, le 1er février, par convention, au moment où la nature « se réveille » et la vie reprend toute sa force. Les premières pousses « déchirent » la glèbe gorgée d'eau, les agneaux et les chevreaux naissent et avec eux commence la nouvelle lactation des troupeaux. Février est un mois de purification pour les Romains, tandis qu'il est placé sous les auspices de Brighid chez les Celtes, la divinité lumineuse célébrée plus particulièrement par les femmes. La fête de la chandeleur et ses crêpes traditionnelles et la célébration de la Sainte-Brigitte en Irlande font partie des survivances de cette manifestation dans le calendrier contemporain. L'équinoxe du printemps, qui marque le retour du beau temps, était aussi l'occasion des semailles du printemps. Les pousses couvrent dorénavant la terre d'un vert tendre et la floraison s'empare des arbres et des arbustes.

Suit la fête de Beltaine ou Beltan, au début de *giamonios*, le 1er mai de notre calendrier. Elle est dédiée à Bel ou Bélénos, avatar de Lug, la divinité qui représente le soleil, mais aussi à Belisame, « la très Brillante », sa parèdre. Elle détermine l'ouverture de la saison claire qui va s'étaler jusqu'à la fête de Samain, mais elle marque aussi le départ d'une nouvelle période de chasse, de travaux champêtres, et encore la reprise des activités guerrières mises entre parenthèses à la fête de Samain à l'automne précédent. Les récits insistent sur les allumages de feux par les druides et les incantations prononcées pour protéger la santé du bétail lorsqu'on le faisait traverser les bûchers. Le folklore du 1er mai, conservé dans toute l'Europe, témoigne de ces pratiques communes aux Indo-Européens installés en Europe, dont les célébrations de Beltaine faisaient partie. C'est la saison des amours et de la fusion des polarités sexuelles, comme en témoignent les retrouvailles de la Reine de Mai avec le Seigneur de la Lande. L'ambiance de jovialité, de licence sexuelle et d'épanouissement de la jeunesse, particulièrement appréciée à travers les siècles, a dû froisser la sensibilité des autorités ecclésiastiques, qui ont tenté d'éradiquer les comportements jugés scandaleux en faisant du joyeux mois de mai le « mois de Marie », dédié à la chasteté et la virginité. L'arbre de mai, axe du monde temporaire, couronné d'une roue et décoré de victuailles et de rubans, rassemblait les foules qui célébraient, par des danses frénétiques et des piétinements le retour définitif de la fécondité de la terre, mais aussi la bonne santé des champs afin de susciter de bonnes récoltes à la saison suivante.

La symbolique du solstice d'été est suffisamment connue dans toutes les traditions européennes, constituant l'une des dates clés pour la divination et la prévention de la santé des hommes, des bêtes et des plantes, pendant ce moment critique où le soleil bascule sur le balancier du temps et du ciel. Pluies abondantes ou sécheresses prolongées menacent les épis à moitié mûris à cette saison, qui risquent de rougir (rouille) ou de plier sous le poids de l'humidité. Pour les Celtes, Lug était le dieu de la lumière, dieu multiple, placé au-dessus des autres dieux ; sa fête, Lugnasad, qui signifie « assemblée de Lug », présidée par le roi, correspond au 1er août et elle se matérialise dans l'or des moissons et dans la fructification des arbres. Jadis, on célébrait les mariages et on réglait les contentieux entre les différents segments de la société. Enfin, l'équinoxe de l'automne était l'occasion de remercier la déesse-mère pour les cadeaux qu'elle avait dispensés pendant l'année. C'est la saison des pluies qui adoucissent le sol pour que les labours soient aisés et qu'ils deviennent aptes à abriter de nouveau les graines.

Yvonne de Sike

• *Voir aussi :* Brigitte, Brigit, sainte ; Calendrier grec ancien ; Calendrier romain ; Calendriers et mesure du temps ; Éleusis (mystères d') ; Grain et graine ; Moissons (symbolique des) ; Terre-Mère primordiale ; Vierge et cycle des cultures céréalières

Bibl. : Paul-Marie DUVAL, *Les Dieux de la Gaule*, Paris, Payot, 1993 • Albert GRENIER, *Les Gaulois*, Paris, Petite Bibliothèque Payot, 1994 • Christian-Joseph GUYONVARC'H, *Magie, médecine et divination chez les Celtes*, Paris, Bibliothèque scientifique Payot, 1997 • Christian-Joseph GUYONVARC'H, Françoise LE ROUX, *La Civilisation celtique*, Ouest-France Université, coll. « De mémoire d'homme : l'histoire », Rennes, 1990. – ID., *Les Fêtes celtiques*, Ouest-France Université, coll. « De mémoire d'homme : l'histoire », Rennes, 1995 • Philippe JOUËT, *Aux sources de la mythologie celtique*, Fouesnant, Yoran embanner, 2007 • Venceslas KRUTA, *Les Celtes, Histoire et Dictionnaire*, Paris, Robert Laffont, coll. « Bouquins », 2000.

CALENDRIER GREC ANCIEN, rites funéraires et culture des céréales. – Le calendrier de chaque société est une mise en ordre du temps qui se déploie naturellement, et dans lequel on inscrit aussi bien les événements « historiques » essentiels du passé – commémorations de victoires ou de défaites, cultes héroïques, etc. – que les faits récurrents, qui se reproduisent inlassablement, de façon cyclique tous les ans et dépendent de la succession des saisons – investis à leur tour de « divinités » tutélaires. Chaque calendrier devient ainsi la matérialisation d'une vision du cosmos et de la structure d'une société donnée, une traduction temporaire de ce que sont les relations entre l'homme et l'environnement naturel ou politique. Dans la Grèce ancienne, il n'y a pas le correspondant des calendes romaines où tout est fixé et déterminé par un pouvoir central qui incarnait dimensions politique et religieuse. Divisée en plusieurs entités politiques, la Grèce n'a pas un seul calendrier et nous ne connaissons relativement bien que celui d'Athènes, où la succession des mois, des festivités et des rites nous est transmise avec une certaine clarté. Il est quasiment impossible d'établir des comparaisons entre ces différents calendriers tellement les témoignages qui nous sont parvenus sont disparates et de valeur inégale. En revanche, il semble beaucoup plus probant de considérer globalement les fêtes organisées autour des pratiques agricoles qui structurent l'année et replacent les rites agraires et les pratiques initiatiques en corrélation avec le culte et les mythes des divinités chtoniennes, celui des ancêtres et les pratiques funéraires.

Par exemple, le culte de Déméter connaît des variantes saisonnières, inégalement connues, mais étalées dans tout le monde grec : elle est tantôt honorée comme Déméter *Chloé* ou *Euchloos*, la « verdoyante », au printemps lors de la fête de Chloeia, tantôt comme Déméter *Ioulô*, qui signifie « épis », en tant que *Proêrosia*, ou encore *Thesmophoros*. Elle est associée au culte des *Horai*, des « saisons », mais aussi de Dionysos, qui représente l'autre plante du sacrifice, la vigne – les céréales étant les premières à subir une double mort, une à la moisson par le fer et une seconde lors des semailles, lesquelles correspondent à un vrai enterrement. Il convient aussi d'examiner avec prudence les rites initiatiques, dont les mystères d'Éleusis constituent le tronc central et impliquent non seulement une fête de fertilité et une représentation du mythe de la succession des saisons, mais aussi une promesse d'immortalité symbolique à travers les arcanes initiatiques enseignées aux adeptes. Il est évident que le rôle de la mythologie reste vital dans la compréhension du calendrier grec, mais il faut se montrer particulièrement prudent quant à leur valeur étiologique, qui est souvent démentie par la polysémie qui la caractérise.

Force est alors de constater que le calendrier grec est largement inspiré de celui de l'Égypte et de la Mésopotamie, mais aussi des variantes intermédiaires produites dans l'aire culturelle de la Méditerranée orientale et l'Asie Mineure. Nous n'allons pas nous attarder ici sur les combinaisons des calendriers lunaires et solaires et soli-lunaires inventés dans cette aire – qui pourtant ont influencé largement les festivités et les rites correspondants. Nous allons nous attacher plutôt aux saisons et à l'année agricole pour tenter de faire ressortir l'importance accordée aux cultures céréalières qui faisaient des Grecs des « hommes mangeurs de pain », donc civilisés, par rapport à d'autres populations nourries aux bouillies, considérées comme barbares.

Tous les mythes grecs convergent vers une conception d'une année tripartite : Perséphone passe un tiers de l'année auprès de son époux et deux tiers avec sa mère. De même, Adonis passe, selon le mythe, un tiers de l'année avec Perséphone, un autre avec Aphrodite et le troisième tiers, lui appartenant, qu'il avait consacré de son propre gré à Aphrodite. On pourrait difficilement exclure l'influence de l'année agricole égyptienne partagée en trois parties : la saison des inondations, la saison des semailles et celle des moissons. Mais il faut aussi prendre sérieusement en considération le facteur « écologique » dans cette aire du Sud-Est européen exposée aux vents chauds venant du Sahara, mais aussi aux vents froids déferlants des steppes du septentrion.

Chez Hésiode, trois « divinités » se partagent l'année avec des fonctions civilisatrices : *Eunomia*, *Dike* et *Eiréné* (« bonne gouvernance », « justice » et « paix »). Mais aussi trois Charites : *Aglaia*, *Euphrosyni* et *Thalie* (« celle qui provoque la jouissance », « la prudente » et « la verdoyante »). Plus communément, ce sont les trois Heures (*Horai*), *Auxo*, *Thallo* et *Karpô* (« celle qui fait pousser », « celle qui fait verdoyer » et « celle qui fait mourir les fruits ») qui régissent l'année et c'est d'après elles que s'organisent les manifestations sacrées et rituelles dans la Grèce ancienne, où l'on avait pourtant pleinement conscience des solstices et des équinoxes et de la possibilité d'une division en quatre périodes quasiment égales suivant le mouvement apparent du soleil. Un fragment du poète Alcman explique bien ce chiasme entre les trois et les quatre saisons, et donne une interprétation plausible au choix des Grecs : « Il a institué trois saisons, l'été, l'hiver et troisième l'automne et il a ajouté une quatrième, le printemps, lorsque tout est en fleur, mais où il n'est pas possible de manger à satiété. » Il y donc *a priori* deux périodes, celle où les récoltes sont engrangées, qui contient le *théros* et l'*opora*, l'« été des moissons » et l'« automne de l'abondance des fruits », une période de restrictions au fur et à mesure que les provisions s'épuisent et le printemps, où les réserves se vident et les prochaines récoltes ne sont pas encore à maturité. Ces deux dernières, le *cheimon*, l'« hiver », et l'*éar*, le « printemps », composent la saison des restrictions et des attentes. Autrement dit, il y a deux saisons normales où la plénitude des biens facilite la vie des mortels et une saison « inutile et vide » qui les conduit à penser à la précarité de la vie et les motive pour inventer des palliatifs de l'angoisse physique et métaphysique. Cette tripartition de l'année, qui se justifie par les étapes successives de la vie agricole, implique des rites agraires placés le plus souvent au moment du passage de l'une à l'autre. Lorsque Zeus a partagé le monde entre les différentes divinités, leurs prérogatives se sont inscrites dans les mailles de ce système de mise en ordre du temps, sans qu'elles soient toutes d'origine agraire.

Mis à part les fêtes célébrées en l'honneur de Déméter et Korè, comme les mystères d'Éleusis, nous allons présenter trois fêtes où le blé avec d'autres grains (*démétrioi karpoi*) sont mis en exergue, constituant le noyau symbolique de la manifestation. Ces offrandes ressemblent étonnamment aux *kollyva*, les gâteaux funèbres et les bouillies de céréales contemporaines connues dans tout le monde orthodoxe. En réalité, ce sont les coutumes contemporaines qui tirent largement profit des anciens rites organisés en l'honneur des morts et des divinités agraires (et par extension chtoniennes) pendant toute l'Antiquité, rites dont l'origine remonte aux temps préhistoriques, lorsque s'est structuré le culte des grandes déesses. Il s'agit notamment de « bouillies » appelées *panspermies* (« plusieurs graines ») ou *polycarpies* (« plusieurs fruits ») ; elles étaient faites de mélanges de graines de différentes plantes cuites ensemble et leur composition pouvait varier en fonction de la date des offrandes. Parfois, elles prenaient la connotation d'ex-voto, mais aussi de dons propitiatoires (*Eirésionè*), de remerciement pour les bonnes récoltes obtenues (*Pyanepsies*) ou souhaitées ; ou encore, ces offrandes de graines bouillies étaient utilisées à des fins initiatiques (cf. le *kykéon* des mystères d'Éleusis), ou comme nourriture rituelle lors de rites de passage, par exemple les *Pentaploa*, marquant le passage de l'adolescence à l'âge adulte.

Dans le calendrier festif de la Grèce ancienne, il y a trois principales dates où les *panspermies* et les *polycarpies* faisaient partie intégrante du rituel. D'abord, pendant la fête des *Anthestéries*, célébrée à Athènes en l'honneur de Dionysos. Elle avait lieu les onzième, douzième et treizième jours du mois *anthestérion*, correspondant à la fin février et au début mars de notre calendrier ; elle aurait exprimé la sortie de l'obscurité hivernale et la marche vers la belle saison. Le premier jour, *Pithigia*, était dédié à l'ouverture des *pithoi*, des jarres contenant le vin produit à l'automne ; le deuxième, appelé *Khoai*, « fête des pichets », était consacré à des concours de boissons, combinés à des libations et à l'hiérogamie entre l'épouse de l'archonte roi et Dionysos ; enfin le troisième jour, appelé *Khytroi*, c'est-à-dire « marmites », était dédié aux morts, supposés rôder sur terre en cette période de l'année : pour se protéger de leurs vagabondages, on badigeonnait les portes des maisons de goudron et on mangeait du *rhamnos*, une plante apotropaïque qui nous est connue par Théophraste. C'est pour ce jour que l'on faisait cuire une *panspermia*, composée de plusieurs graines de céréales, comme offrande à tous les morts ; on ne la consommait pas, mais on la dédiait à Hermès Chtonien. En ce jour, les temples restaient fermés et l'on terminait la fête en demandant aux âmes de quitter la terre : « Partez Kères, les Anthestéries sont finies. » Ainsi, l'ordre se rétablissait, le haut et le bas se séparaient et la vie continuait avec ses soucis pragmatiques, mais sans les menaces métaphysiques qui découlaient de la présence mal vécue des ancêtres.

L'occasion suivante d'une *panspermia* était la fête de *Thargélies*, où l'on faisait cuire des légumineuses et des céréales. Il s'agissait d'une festivité organisée en l'honneur d'Apollon, pendant le onzième mois de l'année correspondant à la fin mai et au début juin. Elle avait comme finalité de favoriser la fertilité et la prospérité agricoles et probablement *thargélia* signifie-t-il « prémices ». On portait alors en procession des vases contenant cette *panspermia*, qu'on dédiait à Déméter, à Hélios, le Soleil, et aux trois *Horai*, les Heures (saisons). La fête s'adressait en priorité à Apollon, qui y associait Artémis, sa sœur. Avec le temps, le caractère agricole de la fête s'est estompé et la cérémonie a été investie d'une signification civique, devenant une lustration pour le bien de l'État, et l'on mêlait aux offrandes végétales des sacrifices humains réels ou symboliques, sous forme d'expulsion de boucs émissaires.

La troisième occasion de préparation d'une *panspermia* était la fête des *Pyanepsies*, qui se déroulait pendant le mois homonyme, au début novembre. La partie essentielle de cette fête était le *pyanion*, qu'Athénée, citant Socibe, décrit comme une *panspermia en glykei hepsiménè*, une «*panspermia* douce cuite». Le principal ingrédient ce cette *panspermia*, à côté du blé, est le *kyamos*, la « fève », et on ajoutait probablement à cette «bouillie» du miel. La *panspermia* des *Pyanepsies* avait un sens tout particulier : dans les traditions helléniques, les fèves ont une connotation exceptionnelle qui les lient aussi bien à la mort qu'à la sexualité. On considérait qu'elles représentaient le fœtus, mais aussi que leur jus était comparable au sang humain, puisque l'odeur dégagée par une fève mastiquée est celle du sang frais. La tige de la plante était, d'une certaine façon, assimilée à un axe cosmique reliant le monde d'ici avec celui d'en bas, à l'instar des croyances chamaniques. C'est peut-être la raison pour laquelle on déposait des fèves sur les tombes. Nous ne comptons pas entrer ici dans la problématique pythagoricienne concernant les fèves (voir Porphyre, *Vie de Pythagore*, 44), dont l'influence s'est exercée jusqu'à la fin de l'Antiquité, *via* les néopythagoriciens.

La fête des *Pyanepsies* marquait le passage d'une année agricole à l'autre et correspondait à la célébration des semailles. Certains chercheurs ont voulu attribuer la présence des fèves à des rites précédant la culture des céréales, mais ceci reste une spéculation, d'ailleurs fort intéressante. Dans ce cas, il faudrait attribuer le rôle de la célébration propitiatoire pour les semailles céréalières à la fête des *Thesmophories*, qui se tenait elle aussi en automne (quelques jours avant les *Pyanepsies*). Cette fête exclusivement féminine fut par la suite détournée vers le domaine d'une célébration civique (*thesmos* = règle, loi) et Déméter devenait ainsi garante de l'institution du mariage. Avec cette *panspermia* d'automne, les Athéniens honoraient aussi la mémoire des compagnons de Thésée, qui étaient morts lors de leur expédition en Crète. Mais les Athéniens faisaient aussi, pour l'occasion, des offrandes en l'honneur d'Hélios et des Heures, afin d'éviter les épidémies, mais surtout les famines, selon une information provenant d'Hésychius ; ce qui est fort compréhensible, puisqu'on se trouve à la saison des semailles qui ne préfigurent pas automatiquement l'abondance des futures moissons.

Yvonne de Sike

• *Voir aussi :* Battage des céréales et aire de battage ; Calendrier celte et rites céréaliers ; Calendrier romain ; Calendriers et mesure du temps ; Déméter et Perséphone ; Éleusis (mystères d') ; Épi (symbolique de l') ; Grain et graine (histoire symbolique et morale du) ; Hestia, Vesta et le feu sacré ; Kollyva, collyves ; Kykéon et initiation aux mystères ; Moissons (symbolique des) ; Saturne ; Terre-Mère primordiale

Bibl. : M. COMPS-GASSET, *L'Année des Grecs : la fête et le mythe*, Besançon, Presses universitaires de Franche-Comté, 2004 • Jean HAUDRY, *La Religion cosmique des Indo-Européens*, Milan-Paris, Archè-Les Belles Lettres, 1987 • Henri JEANMAIRE, *Dionysos*, Paris, Payot, 1951 • Voir aussi plusieurs sources antiques : Polybée, Pline, Porphyre, etc.

CALENDRIER ROMAIN, fêtes saisonnières et cultures céréalières. Les fêtes romaines se déroulaient à Rome ou dans la campagne environnante et, mis à part le cœur sacré des manifestations, elles étaient accompagnées par des rites souvent spectaculaires qui mobilisaient toute la plèbe : processions, danses, courses, spectacles divers, etc. (les noms de ces fêtes se terminent souvent en *-alia*, nominatif, neutre au pluriel). Elles répondaient pour l'essentiel aux vœux des Romains, qui exigeaient de leurs dirigeants *panem et circenses*, « du pain et des jeux ». Les fêtes romaines saisonnières, civiques ou liées aux cultes des ancêtres constituaient une forme vivante de la religion ; elles étaient inscrites dans le calendrier de la cité et étaient souvent célébrées en l'honneur de plusieurs divinités à la fois, syncrétisme opéré dans les marges de la *pax romana* entre les coutumes italiques et les apports des autres cultures des peuples conquis et soumis. Néanmoins, toutes ces fêtes débutaient avec des sacrifices animaux et des offrandes de céréales, de vin, de fruits de saison et de l'encens que l'on brûlait sur l'autel du temple de la divinité tutélaire, à l'instar des offrandes faites sur le foyer domestique. Le pain était l'aliment indispensable de toutes ces festivités, mais à certaines dates qui combinaient les étapes essentielles des cultures céréalières ou du culte des ancêtres les graines, les épis, les gâteaux et les pains offerts aux divinités étaient investis d'une connotation particulière. Voici les fêtes les plus importantes de l'année romaine, relatives aux offrandes céréalières :

1er janvier. *Strenae* aux calendes de janvier. Ces étrennes, en dehors des grandes sommes d'argent échangées parmi les riches, comportaient aussi, pour le commun des mortels, des offrandes de fruits secs, de gâteaux au miel et quelques pièces de monnaie (cf. saint Basile dans le monde orthodoxe).

9 janvier. Dans le carde des *Agonalia*, fête en honneur de Janus marquant le début des sacrifices annuels, on faisait un large usage de céréales ainsi que de farine salée et de gâteaux salés placés sur la tête des béliers sacrifiés aux sanctuaires des *Régia* et au temple archaïque de la Vesta, la *tholos*, où résidaient les rois.

18 janvier-17 février. Les différentes curies célébraient les *Fornacalia* en l'honneur de Fornax, la déesse des fours que l'on utilisait pour torréfier les grains des céréales non panifiables, mais aussi pour séparer la balle du grain lorsque l'opération s'avérait difficile, et enfin pour la préparation de différents mets et bouillies. Selon la légende, les Romains offraient à Cérès les prémices de leurs moissons, mais ensuite, lorsqu'ils torréfiaient les graines des épeautres et des autres céréales dures, ils les brûlaient dans leurs fours et parfois ils mettaient accidentellement le feu à leurs maisons. La déesse, présidant à la torréfaction, les aurait affranchis de cette malchance. La fête était aussi connue comme fête des sots.

24-31 janvier. La fête appelée *Fériai Sementivai*, dont le nom est lié aux *sementis*, « semailles », assurait la protection des tendres pousses céréalières qui pointent en janvier. On invoquait alors le *Tellus*, la Terre-Mère nourricière, qui incarnait, dans les traditions romaines, les forces productives du sol et correspondait aux « Grandes Déesses » de la Méditerranée orientale. Ovide témoigne de rites de purification que l'on pratiquait à cette date dans l'ensemble de l'espace habité. On offrait aussi à *Tellus* et à Cérès des grains mêlés dans les entrailles des truies pleines, afin de protéger les champs verdoyants des grandes intempéries.

21 février. *Dies parentales*. Chaque famille romaine prenait soin de ses morts et les traitait en ancêtres, les mânes, afin qu'ils soient favorables à leur descendance. Les tombes étaient fleuries pour l'occasion, et pour apaiser les âmes des défunts on y répandait du sel tout en offrant des libations de vin avec du pain trempé (cf. les Anthestéries en Grèce ancienne et la Saint-Théodore dans le monde orthodoxe).

22 février. *Caristia*. Un banquet familial festif était offert en l'honneur des lares, esprits du foyer, au cours duquel des pains particuliers étaient proposés pour tous et des offrandes pour les morts censés participer au repas. Conservée longtemps après la fin de l'Empire romain, cette fête fut condamnée par le concile de Tour en 576 et remplacée par des banquets en l'honneur de saint Pierre.

1er mars. Jour du nouvel an selon l'ancien calendrier. Les vestales allumaient le nouveau feu et préparaient des offrandes céréalières, cérémonie reproduite dans le cadre familial.

17 mars. *Liberalia*. Fête en l'honneur de Liber, divinité qui protégeait la fertilité des champs et des hommes. Les paysans avaient recours à des danses et des amusements grossiers et tous consommaient des gâteaux de farine au miel préparés par des vieilles dames, les « prêtresses de Liber ». Elles prélevaient un petit morceau de chaque gâteau vendu, qu'elles brûlaient ensuite sur un autel ambulant comme offrande de l'acheteur au dieu Liber. Mais, plus important, les jeunes gens qui, ayant atteint l'âge de la maturité à cette date, ôtaient ce jour-là les bulles d'or qui leur servaient d'amulettes et leurs vêtements d'enfants pour revêtir ceux des hommes, la *toga virilis*, offrant pour l'occasion des sacrifices à la chapelle de la déesse Junventas.

19 avril et pendant trois jours. *Cerialia*. Fête de croissance des céréales introduite à Rome en 493 avant notre ère sur indication des livres sibyllins et pratiquée à l'instar des fêtes grecques en l'honneur de Déméter, sous l'influence des colonies grecques de Sicile. Elle commémorait le retour de Prospérine (Perséphone) sur terre après un passage de quatre mois dans le royaume souterrain de son époux. La fête avait lieu dans le vallon où se trouvait le Circus Maximus et le temple de Cérès. Le public, vêtu en blanc, était convié aux sacrifices non sanglants et ensuite les statues de Cérès et de Prospérine « assistaient » aux commensalités organisées pour l'occasion. Le dernier jour de la fête, on pratiquait les *Robigalia*, une bien curieuse coutume qui consistait à introduire dans le Circus Maximus des renards qui portaient, attachées à leurs queues, des torches allumées pour le grand plaisir de spectateurs. Les animaux ainsi martyrisés, dans leur course effrénée, étaient censés prévenir le *robigo*, la rouille des céréales

28 avril. *Ludi Florales*. Fête en l'honneur de la déesse Florès. Lors de cette fête, le flamine (le prêtre) de Florès apportait à son sanctuaire de

Quirinal des épis de céréales en fleur ; puis suivaient des spectacles organisés pour la plèbe.

7-14 mai. Les vestales cueillaient dans les champs les épis pour la *mola salsa*, c'est-à-dire qu'elles se procuraient des grains primeurs pour faire de la farine qui allait servir à la fabrication du mélange destiné à la consécration des victimes sacrificielles.

15 mai. *Argea*. Fête de la noyade rituelle, dans les rivières, des mannequins, faits de paille et de joncs, nommés *Argei* (Argiens). À Rome, ce sont les vestales qui opéraient cette noyade, précipitant les mannequins ayant les pieds et les mains liés dans le Tibre depuis le pont Sulpicius.

29 mai. *Ambarvalia*. Fête mobile, célébrée pour la purification des champs avant la maturation des céréales.

11 juin. *Matralia*. Dans le cadre des *Vestalia*, cette fête était donnée en l'honneur de Mater Matuta, « mère du matin », la déesse de l'aurore, fatiguée à cette époque de se lever de plus en plus tôt. Elle était célébrée par les matrones romaines, qui offraient des galettes jaunes, représentant le soleil.

7 juillet. Célébration dans le Circus Maximus de la plèbe, en présence des pontifes et des vestales (cf. *Consualia* du 21 août) : « Les cultivateurs d'autrefois, vaillants et contents de peu, après avoir engrangé le blé, délassaient, aux jours de fête, leur corps et leur esprit, que soutenait dans leurs fatigues l'espoir d'en finir. Avec les compagnons de leurs travaux, enfants et fidèles épouses, ils offraient un porc à la Terre, du lait à Silvain, des fleurs et du vin au Génie qui n'oublie pas la brièveté de la vie. À la faveur de cette coutume naquit la licence féminine, déversant en vers alternés de rustiques injures » (Horace, *Epîtres*, II, I, 139-150).

2 août. *Sacrum anniversarium Cereris*. Grande fête anniversaire de Cérès introduite à Rome après la deuxième guerre punique, pendant laquelle les femmes habillées en blanc offraient les prémices de toutes les céréales produites pendant les dernières moissons à Cérès, ayant au préalable jeûné et pratiqué l'abstinence.

21 août. *Consualia*. Fête du blé engrangé, organisée autour de trois piliers construits dans le Circus Maximus : 1. *Seia*, (d'après *semen*, « semence »), pilier protecteur des semailles ; 2. *Messia* (d'après *messis*, « moisson »), pilier protecteur des moissons ; 3. *Tutulina* (d'après *tutus*, « lieux sûr »), pilier protecteur des céréales engrangées.

4 octobre. *Jejunium Cereris* (« le jeune de Cérès »). Fête instituée tardivement (191 avant notre ère), et correspondant aux Thesmophories grecques.

15 décembre. *Consualia* d'hiver. On sortait le blé des réserves pour le moudre. La fête était célébrée par des courses de mulets, d'ânes et de chevaux de trait.

17 décembre. *Sigillaria*. Dans le cadre des *Saturnalia*, cette fête était l'occasion d'offrir des figurines de pain.

19 décembre. *Opalia*. Fête où le blé était vendu sur les marchés.

Yvonne de Sike

• *Voir aussi :* Calendriers et mesure du temps ; Déméter et Perséphone ; Épi (symbolique de l') ; Grain et graine ; Hestia, Vesta et le feu sacré ; Moissons (symbolique des) ; *Panem et circences* ; Terre-Mère primordiale ; Vierge et cycle des cultures céréalières

Bibl. : LACTANCE, *Institutions divines* • OVIDE, *Fastes,* excellentes traductions en ligne • PLINE L'ANCIEN, *Histoire naturelle,* XVIII • PLUTARQUE, *Questions romaines.*

CALENDRIERS ET MESURE DU TEMPS (naissance des). – Avec le passage graduel de la cueillette des grains alimentaires à l'agriculture, il y a d'abord une remise en question de la valeur ancestrale attribuée aux hommes-chasseurs, qui perdure néanmoins jusqu'aux temps modernes avec la survalorisation de la chasse en tant qu'occupation honorifique et sport favori des souverains et des classes supérieures. La cueillette organisée des grains et ensuite la culture des céréales déplacent indiscutablement le poids de la production et imposent une nouvelle distribution des responsabilités et du travail entre les sexes. Jadis, les hommes-chasseurs assuraient l'essentiel des moyens de survie, même s'il faut s'abstenir de l'image caricaturale et absurde de l'homme charognard et exclusivement carnivore pour la période paléolithique. Nous savons pertinemment, grâce à la carpologie, que le menu de l'homme préhistorique comprenait des grains alimentaires et des condiments aromatiques plusieurs millénaires avant l'invention de l'agriculture, surtout sous forme de soupes et de bouillies. Du fait de la sédentarisation et de la création des premiers villages – devançant l'invention de l'agriculture –, qui impliquent simultanément l'importance de la cueillette intensive des grains sauvages et le début balbutiant de l'agriculture des céréales, le rôle des femmes se voit largement réévalué au sein de ces sociétés désormais sédentaires.

Depuis le Paléolithique, les hommes savaient certainement calculer le temps et ils avaient établi un calendrier lunaire. Avec le début de l'agriculture, il fallait anticiper, organiser le travail plusieurs mois à l'avance, élaborer des projets, suivant les phases d'inondation et de retrait des eaux, partager les réserves de grains entre la partie destinée à la consommation annuelle qu'ils engrangeaient soigneusement (souvent en les grillant pour les conserver) et la partie destinée à la « reproduction », etc. Il fallait prélever de la dernière récolte les grains qui allaient être semés et consentir à leur « enterrement-sacrifice » en vue d'un résultat lointain et surtout incertain. Il semblerait que seule la persévérance féminine ait été capable d'accomplir ce travail de patience et de longue haleine. Avec le temps, pour favoriser l'abondance des récoltes, de nouvelles règles magico-religieuses ont été instituées, qui avaient comme but d'éviter aux semailles et aux nouvelles plantes les dangers saisonniers qui auraient condamné le groupe à la famine, dont on retrouve l'écho jusqu'à l'époque contemporaine. Ainsi, le temps commence à devenir cyclique, les observations météorologiques se précisent, les calendriers, dorénavant soli-lunaires, évoluent et gagnent en exactitude, avec toutes les variantes saisonnières, dépendantes du cycle solaire, où les mois, toujours lunaires, commencent à s'exprimer en termes de constellations zodiacales, avec des références célestes et cosmiques. Les divinités saisonnières et les rites appropriés font leur apparition pour garantir la survie des graines, la santé des germes, leur sortie réussie du sol, leur développement sain et enfin leur moisson en bonnes conditions…

Toutes ces transformations vont s'épanouir et s'organiser en système religieux cohérent avec l'avènement du Néolithique et le perfectionnement des techniques agricoles.

Ces changements structurels dans la conception du temps et de la vie sociale entraînent des modifications de la vie spirituelle et religieuse. Progressivement se développe une théologie alimentaire associant les plantes nourricières (et animaux domestiqués) à un don divin, qui assure la survie des hommes, se substituant aux résultats incertains de la chasse, qui devient plus aléatoire compte tenu du réchauffement climatique et du recul des glaciations, observés à la fin du Mésolithique. Mais, en consommant les grains produits spontanément ou cultivés, l'homme « mange », en dernière instance, le divin, il consomme le don des dieux bienfaiteurs. Et comme ce sacrilège n'est pas facile à supporter, en raison des dangers qu'il comporte, les « paléocultivateurs » – ayant intégré depuis des millénaires la chasse du gibier comme une forme de meurtre sacré, dont ils se purifient par des rites appropriés – se mettent à imaginer que la production des grains alimentaires est aussi à l'origine une forme de meurtre sacré, dont on peut s'affranchir par l'instauration de règles propitiatoires. Lorsque ce « meurtre » du dieu-grain ou dieu-végétal est accompli – par vague analogie avec le processus de consommation du gibier –, le mythe créé pour l'occasion attribue à des conseils « surnaturels » le « traitement rituel du dieu meurtri » : les hommes dépècent les corps divins et enterrent les morceaux avec des honneurs rituels. Les plantes alimentaires poussent alors abondamment sur ces différentes « tombes », ce qui augmente leur production…

Le mythe d'Osiris est la transcription « historique » de cet état mythique (sinon mystique) des choses. Parfois, c'est un héros, une divinité de type prométhéen, un dieu bienfaiteur, qui se charge de voler les grains (comme le feu) retenus au ciel et de les accorder aux hommes. Dans d'autres contextes, c'est un dieu qui décide de les offrir aux hommes de son propre gré, lorsqu'il vieillit ou lorsqu'il est chassé du pouvoir par les jeunes dieux qui lui succèdent : Saturne en est la figure type. Il y a encore la possibilité que les céréales naissent à travers un mariage sacré, une hiérogamie entre un dieu céleste, maître de l'orage et de la pluie avec la Terre Mère, l'ancêtre de toutes les Grandes Déesses. Ces mariages sacrés deviennent obligatoirement annuels, obéissant au temps cyclique de l'agriculture. Par la suite, avec l'éclosion du Néolithique, les hiérogamies s'associent parfois à des drames sacrés impliquant, à la suite de l'acte sexuel, la mort et la résurrection du dieu, fils, époux ou amant.

D'une façon ou d'une autre, dans cette nouvelle mythologie des plantes nourricières, qui exprime la mentalité de l'homme producteur (agriculteur et pasteur par la suite), l'importance réelle et symbolique de la femme semble indéniable. Une version insolite de cette conception des choses nous parvient de l'Afrique : chez les Dinga et autres peuples de Haute-Volta, le mythe cosmique des origines prend une forme inattendue : « Jadis, le ciel était si poche de la terre que Bumvulvun [le dieu Ciel] vivait avec les hommes. Mais il était si proche que les hommes ne pouvaient se déplacer que le dos courbé. En revanche, ils n'avaient pas de soucis à se faire pour leur subsistance : il leur suffisait de tendre la main pour déchirer des lambeaux de ciel pour le manger. Mais un jour une jeune fille, une fille qui était une *mukawam* [« insolite, ingénieuse »], qui faisait tout à l'envers, au lieu de prendre des morceaux de la voûte céleste pour se nourrir, commença à regarder la terre et à choisir les graines qu'elle y trouvait. Elle se fit un mortier et un pilon pour écraser les graines qu'elle avait choisies sur le sol afin de faire de la farine pour une bouillie. Chaque fois qu'elle élevait le pilon, le Ciel blessé se rétractait et finalement il prit de la distance et s'éloigna de la terre. Depuis, les hommes se déplacent debout, mais il leur faut chercher de la nourriture, peiner pour l'avoir… »

Telle sera la conséquence de l'initiative de cette Ève (ou Pandore) africaine : par son impertinence, elle fait en sorte que les hommes gagnent, depuis, leur pain « à la sueur de leur front », en courbant le dos pour cultiver… À cet égard, le message biblique de la Genèse, avec la perte du Paradis initial, semble parfaitement analogue, comme l'action néfaste de Pandore sur le destin des hommes, telle que la laisse entendre Hésiode dans son épopée-précis de la mythologie grecque.

Yvonne de Sike

• *Voir aussi :* Battage des céréales et aire de battage ; Calendrier celte et rites céréaliers ; Calendrier grec ancien ; Calendrier romain ; Déméter et Perséphone ; Femmes ; Isis et Osiris ; Grain et graine ; Maximes et proverbes ; Saturne ; Sueur ; Terre-Mère primordiale ; Vierge et cycle des cultures céréalières

Bibl. : Gérald BRONNER, *L'Empire des croyances*, Paris PUF, 2003 • Mircea ELIADE, *Histoire des croyances et des idées religieuses*, t. I, *De l'âge de pierre aux mystères d'Éleusis*, Paris, Bibliothèque historique Payot, 1976 • Marija GIMBUTAS, *Le Langage de la déesse*, trad. A. Fouque, Paris, Des Femmes, 2006 • Yves LAMBERT, *La Naissance des religions*, Paris, Armand Colin, 2009 (surtout les deux premiers chapitres) • Yvonne de SIKE, *Fêtes et croyances populaires en Europe, au fil des saisons*, Paris, Bordas, 1994 • Odon VALLET, *Une autre histoire des religions*, t. 1, *Héritage des religions premières*, Paris, Gallimard, coll. « Découvertes », 2003.

CALLOT. – Voir BOULANGER (tenue du)

CALVEL, Raymond (1913-2005). Professeur de boulangerie de notoriété mondiale et auteur très prolifique d'ouvrages de référence dans le domaine de la panification, et d'articles techniques (plus de 500). Après un apprentissage dans une boulangerie du Tarn, Raymond Calvel « monte » à Paris pour s'initier à la fabrication de pain fermenté directement à la levure. Recruté peu après à l'École française de meunerie (EFM), il publie en 1952 l'ouvrage intitulé *La Boulangerie moderne*, qui sera un best-seller durant plus de vingt ans. Grand voyageur, il s'envole pour le Japon dès 1954 pour y effectuer de multiples démonstrations de pain français. Durant les années 1960, il implante avec succès le pain français au pays du Soleil-Levant avec ses élèves Philippe Bigot et Pierre Prigent. Raymond Calvel est également le témoin de la mécanisation des fournils dans l'Hexagone et surtout du raz-de-marée de la méthode de pétrissage intensifié (1957).

Constatant quelques années plus tard que « plus le pain est blanc et volumineux, plus il est inodore et insipide », il recommande la suppression de l'incorporation de farine de fèves dans les farines panifiables et un pétrissage modéré, afin de préserver la teinte naturelle crème et les qualités organoleptiques du pain. Baigné dans un univers professionnel dédié à la farine raffinée, il apprécie peu le « goût de bis » des farines à fort taux d'extraction, considérant qu'au-delà de 0,60 % de teneur en cendres, il y a perte des arômes spécifiques du froment. Pragmatique, il conseillera aux boulangers de profiter des techniques de réfrigération pour optimiser les conduites de fermentations dans le but de favoriser la richesse aromatique du pain. Très attaché à la renommée mondiale du pain français, il a été pendant cinquante ans un ambassadeur exceptionnel de son rayonnement à l'étranger. Par ses compétences professionnelles tout autant que par sa volonté de transmettre ses connaissances, il aura été l'une des chevilles ouvrières du redressement qualitatif du pain français qui intervint au début des années 1980. Ses amis et anciens élèves ont fondé en 1986 l'« Amicale Calvel », qui a vocation à pérenniser les méthodes de fabrication respectueuses du goût du pain.

Hubert Chiron

• *Voir aussi :* Boulangers de France ; ENSMIC ; Fève ; Guinet ; Kaplan ; Pain blanc ; Pétrissage ; Taux d'extraction ; Taux de cendres

Bibl. : Raymond CALVEL, *Le Goût du pain*, Les Lilas, Jérôme Villette, 1990. – ID., *La Boulangerie moderne*, Paris, Eyrolles, 1952. – ID., *Une vie du pain et des miettes*, Mende, publié à compte d'auteur par l'Amicale Calvel, 2002 • Voir aussi le site de l'Amicale Calvel : http://prof.calvel.free.fr

CAMBODGE (traditions du pain au). – Au Cambodge, l'alimentation est à base de riz, que l'on consomme avec un peu de poisson séché. Mais le pain est apprécié depuis le temps du Protectorat français (1863-1949). Au bord du Mékong, le soir à la fraîche, les familles aimaient, en flânant, acheter à de petits vendeurs des rues des baguettes « à la française », qu'elles dégustaient en contemplant le fleuve. Dans les camps de réfugiés des années 1980, en Thaïlande, des entrepreneurs locaux avaient installé de petits fours à pain. Les réfugiés achetaient ces baguettes avec plaisir, quand ils le pouvaient. C'était le seul luxe dans leur camp.

Bernard Dupaigne

• *Voir aussi :* Riz (*Oryza sativa*)

CAMP RÉMY. – Cette variété de blé, inscrite au catalogue officiel en France en 1980, a été très cultivée pour la raison que sa productivité, à l'époque, était plus élevée que celle des autres variétés disponibles et que sa qualité en meunerie et en panification était d'un très bon niveau, permettant d'obtenir des pains à mie crème avec une odeur et une saveur excellentes. Toujours demandée, elle est encore un peu cultivée car recherchée par certains meuniers pour des boulangers qui continuent à faire du pain avec de la farine de cette variété.

Ludovic Salvo

• *Voir aussi :* Blés anciens ; Variétés de blé ; Variétés de blé tendre au catalogue officiel

CAMPAGNE (pain de). – Ce pain est défini par un code des usages : « C'est un produit évoquant la rusticité des pains fabriqués avant l'introduction de la méthode directe. Sa fabrication implique l'utilisation d'une farine de panification ou d'une farine bise ou d'un mélange de ces farines avec addition ou non de farine de seigle. Le pétrissage est conduit de manière à éviter le blanchiment de la pâte. La fermentation est amorcée par un apport volontaire de levure de boulangerie associée à un levain ou levain de pâte ; elle est conduite de façon à développer une saveur légèrement acidulée et à obtenir une plus longue conservation. » Il peut se trouver des pains de campagne ne possédant pas exactement ces propriétés organoleptiques. Raymond Calvel parlait de « travestis farinés » pour évoquer des pains dits de campagne, simplement obtenus en prélevant de la pâte sur la pétrissée de pain blanc et farinés avant enfournement, pour leur donner un aspect rustique.

Catherine Peigney

• *Voir aussi :* Blanchiment de la pâte ; Calvel ; Fermentation panaire ; Levain de première, de seconde, de tout point ; Levure de boulanger ; Méthode directe/indirecte ; Pain (définition universelle du) ; Pain complet ; Pain domestique ; Pain noir ; Pains mondiaux ; Pains spéciaux ; Pétrissée ; Son (pain de)

Bibl. : Jean BURÉ, *Recueil des usages concernant le pain en France*, Actes du colloque du CNERNA, novembre 1977.

CAMPAILLETTE. – Voir RONDE DES PAINS

CAMPAILLOU. – Voir RONDE DES PAINS

CANADA ET QUÉBEC (traditions du pain au). – Pendant près d'un siècle après sa découverte par Jacques Cartier, la Nouvelle-France est littéralement abandonnée. Quand le cardinal de Richelieu fonde la Compagnie des Cent-Associés en 1626, il n'y a qu'une cinquantaine de colons français en Amérique. Les statuts de la Compagnie exigent que 300 hommes s'y installent chaque année, qu'ils soient logés et nourris. Les premiers arrivants sèment les graines de blé qu'ils ont emportées de France et ils sont bien étonnés de voir que, malgré un climat beaucoup plus froid que dans leur pays, la terre est si fertile qu'un minot de blé rend ici jusqu'à 30 mesures, soit deux et trois fois plus qu'en Europe. En 1626, les Jésuites bâtissent un premier moulin à farine qui se manœuvre à bras. Deux ans plus tard, Champlain fait construire un moulin à eau. Pour moudre son grain, le paysan doit surmonter bien des obstacles : les distances sont énormes, les pistes sont mauvaises et le moulin de Champlain, mal conçu, produit de la farine de très piètre qualité. On doit donc continuer d'importer de la farine de France et il faut attendre plus de cinquante ans pour que les seigneurs qui possèdent des fiefs en Nouvelle-France soient tenus de bâtir et d'entretenir des moulins à eau. La colonie pourrait alors se suffire en farine, mais Versailles doit continuer d'en expédier afin d'alimenter ses 3 000 soldats. En janvier 1690, on règle le prix du pain par ordonnance et on permet aux paysans d'en vendre au marché pour prévenir la spéculation des marchands, qui profitent de la rareté des farines pour en augmenter les prix.

Dans le meilleur des mondes, la colonie ne peut produire que 120 000 minots de blé alors que, pour passer l'hiver de 1757-1758, il faudrait 20 000 minots de plus, tant la population a augmenté, en particulier le nombre de soldats. Le pain est rationné à un quart de livre par jour par habitant mais, comme la ration des soldats est du double, des émeutes éclatent à Montréal. Jusqu'à la défaite des Français face aux Anglais, la farine se fait rare et le rationnement du pain continue. Par la suite, la plupart des soldats et des fonctionnaires rentrant en France, la population diminue très rapidement et la farine qu'on produit localement suffit aux besoins, mais elle est la plupart du temps de mauvaise qualité. Laissés à eux-mêmes, les colons cultivent le blé qu'il faut pour nourrir leur famille et construisent de petits fours à pain, la plupart du temps à quelques pas de la maison pour limiter les risques d'incendie, les maisons étant construites en bois. Dans les familles les plus pauvres, on se contente souvent de boules de pâte faites de farine, d'un peu de saindoux et de sel qu'on fait cuire dans de la graisse de lard ou du saindoux. On les mange arrosées d'un peu de mélasse noire ou, dans certaines régions, d'un peu de sirop d'érable ou de sirop de maïs. Dans les camps de bûcherons, ces boules de pâte sont servies aux hommes pour le petit déjeuner. Très roboratives, elles leur permettent de travailler presque toute la journée sans manger autre chose. Ce sont les bûcherons qui les ont surnommées « plogues », du mot anglais *plug*, qui signifie « bouchon ».

À l'exception des agglomérations plus importantes – Montréal, Québec et Trois-Rivières –, le modèle du pain maison se perpétue jusqu'à la fin du XIXe siècle, alors que de petites boulangeries ouvrent leurs portes dans les bourgs où habitent 150 à 200 familles. Le pain qu'on y fabrique est à peu près le même que celui qu'on cuit chez soi : de la farine de froment, de l'eau, du levain liquide et du sel. On forme la pâte, on la pétrit, elle lève une première fois, puis on la pétrit de nouveau avant de constituer une miche double qu'on dépose sur une tôle pour faire ce que les Québécois appellent le « pain de fesses », ou une seule miche, façonnée en longueur, que les Québécois nomment « pain sur la sole ». Une partie de la pâte est aussi coupée en pâtons qu'on dépose dans de grands moules à cake afin de faire un pain à la croûte plus légère. Dans tous les cas, on laisse la pâte lever une deuxième fois avant de l'enfourner.

Au Canada anglais, les ménagères confectionnent aussi le pain de la famille qu'elles cuisent dans un four de brique ou de pierre ou, vers le milieu du XIXe siècle, dans des poêles de fonte chauffés au bois. Là aussi, il faut attendre la fin du XIXe siècle pour que surgissent des boulangeries dans les villages et les petites villes. Partout dans le pays, au Québec comme ailleurs, c'est un pain très léger et très doux qui a la faveur de la population pendant près d'un siècle. Comme la croûte ne doit pas être craquante, on remplace dans la pâte une partie de l'eau par du lait et une partie du sel par du sucre. Au milieu du XXe siècle, c'est ce « pain au lait » qu'on mange dans tous les foyers canadiens. Toutes les petites boulangeries en fabriquent, ajoutant à leur mince gamme de pains (seules les formes diffèrent, car c'est toujours la même pâte), le pain aux raisins et le pain à la cannelle et aux raisins.

Au moment de la Deuxième Guerre mondiale, au Québec comme dans les autres provinces canadiennes, les petites boulangeries, qui pour la plupart distribuent encore le pain de porte à porte, ferment les unes après les autres devant la concurrence croissante des boulangeries industrielles. Celles-ci fabriquent un pain assez semblable à celui fait à la maison, mais il est encore plus doux, car elles ajoutent du saindoux et encore plus de sucre à la pâte. On ajoute aussi des vitamines et des minéraux, et la publicité martèle que leur pain est nécessaire à une bonne santé. Une fois cuit, le pain est prétranché et emballé dans du papier ciré ou du papier Cellophane afin qu'il conserve sa moiteur et que la croûte reste presque aussi tendre que la mie. Cette pratique de prétrancher le pain industriel avait commencé dans les années 1930, mais on l'avait interrompue durant la Deuxième Guerre mondiale, car on ne pouvait plus se procurer de lames pour les machines à trancher ! À part quelques immigrants nostalgiques du pain qu'ils mangeaient dans leur pays, tous les Canadiens se contentent désormais de ce pain fade et moite. Une grande partie du pain industriel est fabriquée par Weston Bakeries sous le nom de *Wonder Bread* (« merveille du pain ») d'après une recette mise au point aux États-Unis par Continental Baking. Les Montréalais sont les premiers à se lasser de ce type de pain et les plus audacieux s'approvisionnent de plus en plus dans de petites boulangeries artisanales qui desservent les immigrants venus au Québec entre les deux guerres mondiales, notamment les Italiens, les Portugais et les juifs d'Europe de l'Est. C'est ainsi qu'en 1919 Isadore Schlafman ouvre une boulangerie minuscule dans laquelle il fabrique à la main des *bagels* qu'il cuit dans un four à bois. En 1949, il déménage rue Fairmount et agrandit son établissement. Fairmount Bakery produit aujourd'hui des millions de *bagels* qu'on vend dans les grandes surfaces partout au Canada et aux États-Unis.

En 1921, un immigrant d'origine normande, Léon Cousin, démarre « La Maison Cousin », une boulangerie artisanale, rue Labelle, à Montréal. Il y fabrique des baguettes que les Montréalais appellent « pain français ». Pendant des années, seuls une certaine élite et quelques immigrants d'origine française mangent ces baguettes croûtées, mais elles gagnent en faveur à mesure que le pain industriel s'affadit. En 1956, une autre boulangerie artisanale, « Au pain doré », ouvre ses portes à Montréal, mais sa clientèle se recrute uniquement parmi l'élite. C'est à une femme, Liliane Colpron, que le Québec doit sa « révolution tranquille » du pain. Voyant le succès que remportent « La Maison Cousin », « Au pain doré » et les quelques boulangeries ethniques de la grande région de Montréal, Liliane Colpron fonde « Première Moisson ». Dès le départ, sa boulangerie remet au goût du jour des recettes traditionnelles et des techniques de panification ancestrales, utilisant une méthode de fermentation lente. C'est la première boulangerie à n'employer pour ses pains que de la farine non blanchie et non traitée, sans aucun additif ni produit chimique. Le succès est instantané. En 2007, « Première Moisson » s'allie à la Meunerie milanaise et fonde Les Moulins de Soulanges, qui se spécialisent dans la production de farines à pain naturelles, issues de grains cultivés sans aucun intrant chimique. Les Moulins fabriquent aussi diverses farines de spécialité. En 2009, « Première Moisson » compte des dizaines de points de vente et ses pains se retrouvent dans toutes les grandes surfaces du Québec et de l'Ontario. La croissance de l'entreprise de Liliane Colpron a été si phénoménale qu'elle a transformé les habitudes alimentaires de millions de foyers de l'est du Canada, si bien que des dizaines et des dizaines de boulangeries artisanales voient le jour chaque année. Pour les artisans boulangers, les pains de « Première Moisson » constituent l'idéal à atteindre ou à dépasser. Les Canadiens voyageant de plus en plus à l'intérieur du pays comme à l'étranger, la tendance vers une alimentation plus saine s'accentuant, la consommation de pain industriel diminue graduellement et certaines grandes boulangeries industrielles ont déposé leur bilan. Le marché du pain industriel rétrécit à mesure que le pain artisanal gagne la faveur des consommateurs.

Bagel. Petit pain rond troué au centre et créé en 1683 par un boulanger juif pour remercier le roi de Pologne d'avoir chassé les Turcs d'Autriche. C'est le pain traditionnel de la communauté juive. Les *bagels* faits à New York comme ceux fabriqués à Montréal sont parmi les plus célèbres au monde. Fairmount Bakery et Saint-Viateur Bakery, à Montréal, exportent les leurs aux quatre coins du monde.

Pain au lait. Clone de l'American White Bread des États-Unis. C'est le pain industriel de tous les jours dans la plupart des foyers canadiens, particulièrement en dehors du Québec. Il est fait de farine blanchie, de lait, d'eau, de saindoux ou d'huile végétale, de levure, d'un peu de sel et de sucre, environ 2 à 3 c. à soupe par pain de 1 kg. On y ajoute aussi des vitamines et des minéraux sous prétexte de le rendre plus nutritif. C'est au milieu du XXe siècle que ce pain est devenu le pain courant de toutes les familles canadiennes. Il est sans saveur, parfois très massif, avec une croûte aussi tendre que la mie.

Pain français. Encore aujourd'hui, bon nombre de Québécois appellent la baguette « pain français ». C'est en 1921 qu'un immigrant d'origine normande, Léon Cousin, ouvre à Montréal une boulangerie où il confectionne uniquement des baguettes qu'il vend dans un sac à l'effigie de la tour Eiffel et identifiée comme « pain français ». L'appellation s'est perpétuée jusqu'à nos jours. Pendant des années, les baguettes très croûtées de « La Maison Cousin » attirent les gourmets de tous les arrondissements de Montréal et, en 1950, Cousin ouvre une boulangerie de type industriel, rue Bridge, puis commence à vendre des baguettes congelées que chacun peut faire cuire à sa guise et au moment souhaité. Cette initiative a tellement de succès que « La Maison Cousin » est achetée par Canada Bread Frozen Bakery, une grande boulangerie industrielle qui établit son usine à Laval, au nord de Montréal. Aujourd'hui, presque toutes les boulangeries du Québec, industrielles comme artisanales, produisent des baguettes.

Pain sur la sole. Pain allongé que les Québécois vont faire cuire dans le four du boulanger du quartier, jusqu'à l'avènement du pain industriel vers la fin de la Deuxième Guerre mondiale. Cette pratique cesse graduellement à mesure que les boulangeries de quartier disparaissent. Plusieurs de ces boulangeries font elles-mêmes ces pains sur la sole, très populaires dans les familles québécoises, qui apprécient le fait qu'ils soient très croûtés.

Plogue. Les *plogues* sont des boules de pâte faites de farine, d'eau, de sel et d'un peu de saindoux ou de gras de lard. Incapables de se procurer de la farine de qualité, les colons mangent des *plogues* en guise de pain. On fait frire les boules de pâte dans du gras de lard ou un peu de saindoux et on les sert arrosées de mélasse, de sirop d'érable ou de sirop de maïs. Dans les camps de bûcherons, les *plogues* constituent souvent l'unique plat du petit déjeuner. En une saison, de septembre à mai, un camp de 100 travailleurs consomme en moyenne 90 barils de farine et 1 600 l de sirop. L'aliment est si indigeste qu'il permet aux bûcherons de travailler dur tout en restant plusieurs heures sans manger. Pour les propriétaires de chantiers, c'est une aubaine. Le mot *plogue* vient de l'anglais *plug*, qui signifie « bouchon » !

Guy Fournier

• *Voir aussi :* Baguette ; États-Unis ; France (pains actuels, pains régionaux) ; Minot ; Pains mondiaux

Bibl. : T. ADAMS, *The Independent*, 13 novembre 1992, Gallup (NM), p. 14 • Gérard BOUCHARD, *Quelques arpents d'Amérique*, Montréal, Boréal, 1996 • Jean-Éric LABIGNETTE, *Revue d'histoire de l'Amérique française*, vol. 17, nº 4, 1964, p. 490-503 • National Restaurant Association, Washington • Official Canadian website (George Weston Bakeries) • Official US website (Interstate Bakeries).

CANEVAS À BLUTEAUX. – Voir BLUTEAU, BLUTOIR

CANNELURE. – Incision réalisée sur les cylindres en fonte destinés au broyage. La cannelure est définie par son inclinaison, sa taille (caractérisée par le nombre de cannelures au centimètre), sa forme (angles, méplat). Ses caractéristiques varient en fonction du produit à traiter et de son devenir dans le processus meunier.

Philippe Duret

• *Voir aussi :* Broyage ; Broyeur ; Cylindre ; Meunerie

CAP DE BOULANGERIE. – Diplôme professionnel institué le 25 juillet 1919 (loi Astier) et élargi à la boulangerie le 8 mars 1930. Préparé par la voie scolaire (lycées professionnels) ou la voie de l'apprentissage (centres de formation d'apprentis) après deux ans de formation initiale, ou plus rapidement par la voie de la formation continue. Ce diplôme s'obtient après réussite à des épreuves écrites (épreuves en français, vie sociale et professionnelle, mathématiques, sciences, préparation d'une production ; durée : 7 h), orales (histoire, géographie : durée 15 min), et pratiques (réalisation d'une commande type de pain blanc, pains spéciaux, viennoiserie et décor : durée 7 h, dont 15 min à l'oral en technologie et sciences). En 2007, 4 535 candidats (France métropolitaine) se sont présentés à cet examen qui, dans sa partie pratique, met en avant la maîtrise par le candidat des opérations traditionnelles de panification. 79 % d'entre eux ont fait preuve de cette maîtrise en réussissant leur examen cette année-là et en s'ouvrant ainsi les portes d'un métier où l'ascenseur social continue à fonctionner.

Dominique Descamps

• *Voir aussi :* Apprentissage ; BEP ; CFA ; EBP ; École Carrefour ; École de boulangerie (première) ; École française de boulangerie d'Aurillac → MOF ; École Grégoire-Ferrandi ; INBP ; Formations à la boulangerie et à la pâtisserie

CAPUCHON MOBILE. – Voir GUEULARD

CARAÏBES (traditions du pain dans les). – Les premiers habitants des Caraïbes sont les Ciboney, qui peuplent d'abord les îles d'Hispaniola et de Cuba. Leur nom vient de l'arawak et signifie « ceux qui habitent des grottes ». Ce sont des chasseurs nomades qui auraient émigré du nord de l'Amérique du Sud ou du sud de la Floride. Ils sont bientôt refoulés par les Tainos aux confins d'Hispaniola et de Cuba ou sur de petites îles éloignées. Plutôt pacifiques, les Tainos se regroupent en petites tribus pour cultiver le maïs, les courges, les poivrons, les patates douces, le manioc et l'igname, des légumes qui figurent encore au menu de tous les habitants des Caraïbes. Les Tainos, qui vivent en bordure de la mer, mangent surtout du poisson, de la tortue, du canard et des serpents. En guise de pain, les femmes préparent des galettes de maïs ou des galettes de manioc (aussi appelé *yuca* ou *cassava*) qu'elles font cuire sur la braise. Pour faire les galettes, on commence par éplucher le tubercule et on le râpe avant de l'essorer le plus possible dans un morceau de tissu. On le fait ensuite sécher légèrement à l'air libre, puis on l'écrase avant de le saler et de le façonner en galette d'environ 2 à 3 cm d'épaisseur dans un emporte-pièce circulaire. On fait cuire la galette à feu doux durant quelques minutes, puis on la retourne. On la fait ensuite sécher au soleil jusqu'à ce qu'elle devienne croustillante. Après des siècles, on fait toujours ces galettes, mais à partir de la farine de manioc. On confectionne la pâte en y ajoutant de l'eau, de la levure chimique, du sel, de l'huile d'olive et des œufs.

L'arrivée de Christophe Colomb en 1492 marque le début de la fin pour les Tainos et les Caribs, les autres indigènes qui se partagent les îles avec les Tainos. Tainos et Caribs meurent les uns après les autres, décimés par la variole et la rougeole, des maladies inconnues jusqu'alors. Des centaines s'enfuient vers d'autres îles, en particulier Trinidad et Tobago, Saint-Vincent et les Grenadines. À la fin du XVIe siècle, presque tous les indigènes ont disparu et l'hégémonie des Caraïbes passe de la Hollande à la France, à l'Espagne ou à l'Angleterre, certaines îles changeant d'allégeance plusieurs fois. L'Espagne n'en continue pas moins de dominer les îles les plus importantes comme Cuba, la Jamaïque, Porto Rico et Hispaniola, aujourd'hui partagée entre la République dominicaine et Haïti. La cuisine des Caraïbes s'inspire alors de la cuisine des conquérants et il en va de même pour le pain. Aujourd'hui, le *roti* a remplacé toutes les variétés de pain importées par les Européens et on le trouve partout, dans les boui-bouis comme dans les restaurants huppés. Le *roti* ressemble à la *tortilla* du Mexique. On le fait avec de la farine qu'on mélange à de la levure chimique et un peu de sel. On pétrit ensuite en ajoutant du saindoux et juste assez d'eau pour constituer une pâte épaisse sans être collante. On laisse lever environ 1 h, puis on sépare en portions qu'on abaisse pour constituer des galettes d'environ 15 à 20 cm de diamètre. On fait cuire individuellement comme des crêpes dans une poêle de fonte non graissée, environ 2 min de chaque côté. Il ne reste plus qu'à fourrer le *roti* selon ce qu'on a sous la main. Parmi les farces les plus populaires, il y a la créole, constituée de fruits de mer et de poivrons, celle au chutney à la mangue et celle aux légumes. À part la farce créole, toutes les autres sont relevées de cari.

Bammy. Le pain *bammy* était autrefois, en Jamaïque, l'accompagnement préféré pour plusieurs sortes de mets. Préparées à partir de la farine de manioc extraite des racines de *cassava*, les *bammies* avaient la forme de biscuits ronds d'approximativement 10 cm de diamètre et 1 cm d'épaisseur, cuits sur une plaque chaude afin qu'ils prennent une couleur brun doré. Leur production a été relancée dans les années 1990 avec succès.

Biscuit de cassava. Spécialité de La Barbade, mais originaires du Nigeria, ces petits pains ronds sont à base de farine de noix de coco râpée et de manioc.

Float. Petits pains ronds frits dans l'huile, spécialité de Trinidad. Ces pains sont servis tels quels avec du beurre ou du fromage, ou accompagnent les croquettes de morue. Ils sont faits avec de la farine, de la levure, du sucre, de l'eau et du sel et pétris jusqu'à l'obtention d'une pâte assez ferme mais non collante. On badigeonne la pâte d'un peu de beurre fondu et on la fait lever jusqu'à ce qu'elle ait doublé en volume. On façonne ensuite en petites boules qu'on fait lever une deuxième fois, puis on abaisse et fait frire dans l'huile.

Pan dulce. Ce pain de maïs, qu'on fait surtout à Saint-Domingue, est à base de semoule de maïs et de coco râpé. Sa fabrication comporte aussi du sucre, du sel, du beurre, de la levure et des œufs. Farci d'écorces de fruits confits, le *pan dulce* accompagne le thé ou le café. Il est aussi très populaire au Mexique.

Pastelitos (*pastellos*, *pastechi* ou *patty* selon les îles). Petits chaussons farcis de viande. Semblables aux *empanadas*, les *pastelitos* sont très prisés en République dominicaine où on les farcit toujours de bœuf haché assaisonné d'ail, d'origan et de sel. On achète en général la pâte toute faite dans les marchés et il ne reste plus qu'à la farcir, puis à la façonner en chaussons qu'on fait frire dans l'huile, à feu moyen, d'un côté, puis de l'autre jusqu'à ce qu'ils soient bien dorés.

Roti. Crêpe assez semblable à la *tortilla* mexicaine ou au pain *nân*, mais plus légère. Elle a été importée de l'Inde au milieu du XIXe siècle et est devenue le fast-food des Caraïbes. On la fabrique avec de la farine de blé, du sel et de l'eau, et on la cuit dans une *tava*, une poêle ronde, légèrement concave, en fonte, en acier ou en aluminium. On farcit le *roti* de plusieurs façons : avec du poulet, des conques, du bœuf ou des légumes. Il en existe plusieurs variétés et, dans certaines îles comme à Sainte-Lucie, on l'appelle plutôt *bake*.

Guy Fournier

• *Voir aussi :* Manioc ; Nân → Inde ; Pain (définition universelle du) ; Tortilla → Mexique ; Pains mondiaux

Bibl. : *Encyclopaedia Universalis*, 2009 • Beverly COX, Martin JACOBS, *Eating Cuban : 120 Authentic Recipes from the Streets of Havana to American Shores*, New York, Stewart, Tabori and Chang,

2006 • Jane MILTON, Jenni FLEETWOOD, Marina FILIPPELLI, *The Complete Mexican South American & Caribbean Cookbook*, Londres, Hermes House, Anness Publishing Ltd, 2005.

CARAMÉLISATION. – Phénomène rencontré au cours de la cuisson et qui se manifeste au-dessus de 100°. Les sucres produits au cours de la fermentation et restant dans le pâton subissent alors une oxydation déterminant un début de la coloration de la croûte, qui se déshydrate peu à peu en se solidifiant.

Dominique Descamps

• *Voir aussi :* Croûte ; Fermentation ; Four ; Maillard (réaction de) ; Oxydation

CAROTÉNOÏDES. – Les caroténoïdes sont exclusivement synthétisés par les végétaux et certains micro-organismes. Nos apports en caroténoïdes sont donc dépendants de notre alimentation. Ce sont des pigments naturels, responsables de la couleur jaune orangé des grains de blé. Dans les grains immatures, la couleur des caroténoïdes est masquée par les chlorophylles. D'après les résultats de l'étude Suvimax, la consommation de caroténoïdes en France est de l'ordre de 3,5 mg/jour (Hercberg *et al.* 1998). Ainsi, les grains de blé dont la teneur en caroténoïdes est comprise entre 0,3 et 0,6 mg/100 g ne sont pas des sources importantes de ces pigments, d'autant que les procédés de panification en détruisent une partie, en particulier par l'action des lipoxygénases (Drapron *et al.* 1974).

Les principaux caroténoïdes du grain de blé sont la lutéine et la zéaxanthine, deux isomères appartenant à la famille des xanthophylles. De par leurs propriétés anti-oxydantes ils sont susceptibles de limiter la peroxydation des lipides, phénomène impliqué dans l'étiologie des maladies cardio-vasculaires (MCV) (Dwyer *et al.* 2001). En outre, ils protégeraient certains tissus de l'œil contre les radicaux libres produits par les rayons lumineux, limitant le risque de cataracte ou de dégénérescence maculaire liée à l'âge (Granado *et al.* 2003). L'appétence actuelle pour les pains blancs n'a guère aidé à optimiser la teneur en caroténoïdes des farines issues du blé tendre, à l'instar de la filière des pâtes alimentaires, qui a encouragé la prise en compte de la teneur en caraténoïdes des semoules de blé dur, sélectionnées d'après leur indice de jaune. En ce qui concerne le blé tendre, le fait d'ignorer le potentiel de synthèse de ces micronutriments dans les programmes de sélection a certainement été une erreur, non seulement pour la présentation du pain, dont la couleur crème est actuellement recherchée, mais aussi sur les plans organoleptique et nutritionnel. En effet, les caroténoïdes jouent certainement un rôle non négligeable comme support d'arômes et il est important que le pain soit une source importante d'anti-oxydants naturels afin d'aider l'organisme à lutter contre le stress oxydant.

D'autre part, pour s'assurer de la conservation optimale des caroténoïdes au cours de la panification, l'activité lipoxygénasique des grains doit être considérée. Si l'on compare les rapports des concentrations en pigments à l'activité lipoxygénasique des farines, les possibilités d'enrichissement en caroténoïdes du pain sont importantes avec l'utilisation de farines d'engrain (petit épeautre) ou de blé dur (Leenhardt 2006). Il existe par conséquent un réel potentiel d'amélioration des teneurs en caroténoïdes dans le pain : par la sélection de nouvelles espèces de blé tendre riches en ces pigments, mais aussi par l'incorporation de farine ou de semoules en provenance d'espèces de blé peu courantes en panification.

Fanny Leenhardt

• *Voir aussi :* Grain ; Lipoxygénase ; Pain (aspect du) ; Pain blanc ; Santé ; Valeur nutritionnelle du pain

Bibl. : Roger DRAPRON, Y. BEAUX, M. CORMIER, J. GEFFROY, Jean ADRIAN, « Répercussions de l'action de la lipoxygénase en panification. Destruction des acides gras essentiels à l'état libre, des caroténoïdes et des tocophérols, altération du gout du pain », *Annales de technologie agricole*, nº 23, 1974, p. 353-365 • James H. DWYER, Mohamad NAVAB, Kathleen M. DWYER *et al.*, « Oxygenated carotenoid lutein and progression of early atherosclerosis : the Los Angeles atherosclerosis study », *Circulation*, nº 103, 2922-7, 2001 • Fernando GRANADO, Begoña OLMEDILLA, Inmaculada BLANCO, « Nutritional and clinical relevance of lutein in human health », *British Journal of Nutrition*, vol. 90, nº 3, 2003, p. 487-502 • Serge HERCBERG, Paul PREZIOSI, Serge BRIANÇON *et al.*, « A primary prevention trial using nutritional doses of antioxidant vitamins and minerals in cardiovascular diseases and cancers in a general population : The Su.Vi.Max study-design, methods, and participant characteristics. Supplementation en vitamines et mineraux antioxydants », *Contemporary Clinical Trials*, vol. 19, nº 4, 1998, p. 336-351 • Fanny LEENHARDT, Bertrand LYAN, Edmond ROCK, Aline BOUSSARD, Jacques POTUS, Élisabeth CHANLIAUD, Christian RÉMÉSY, « Carotenoids content of wheat grain : importance of varietal selection in a perspective of breadmaking », *European Journal of Agronomy*, vol. 25, nº 2, 2006, p. 170-176.

CARREFOUR (école). – Voir ÉCOLE CARREFOUR

CARTE DE RATIONNEMENT. – Voir PAIN RATIONNÉ

CARVI, CUMIN NOIR (*Carum carvi*). – Voir CONDIMENTS DU PAIN

CARYOPSE. – Fruit sec simple indéhiscent (qui ne s'ouvre pas à maturité), dont la graine est intimement soudée par son tégument à la paroi du fruit, ou péricarpe. Il est différent de l'akène, qui est aussi un fruit sec simple indéhiscent, mais dont la graine est libre. Le caryopse, appelé « grain » dans le langage courant, est le fruit particulier des espèces de la famille des poacées. Le mot a été créé par le botaniste français Louis-Claude Richard (1754-1821) à partir du grec *karuon* (« noix », « noyau ») et *opsis* (« apparence »).

Jacques Le Gouis

• *Voir aussi :* Akène → Grain ; Péricarpe → Grain ; Tégument → Enveloppe

CASSAVE (farine de). – Farine issue de tubercules de manioc (ou magnoc), de camagnoc, ou de yucca, préalablement épluchés, lavés puis râpés. La pulpe est pressée de manière à en extraire tout le jus nocif (acide cyanhydrique), puis tamisée. Avec la farine, on prépare une galette qui porte le nom de « cassave ».

Mouette Barboff

• *Voir aussi :* Amérique latine ; Manioc ; Pain (définition universelle du)

CASSE-CROÛTE. – À l'origine, le « casse-croûte » (attesté en 1803) est un petit maillet métallique destiné à broyer la croûte du pain rassis, trop dure pour les édentés, vieillards ou enfants en bas âge. En 1898, quittant la fonction d'outil, il devient le résultat de cet émiettement : un « petit repas sommaire » qu'emportaient les ouvriers agricoles, les artisans ou les ouvriers d'usine en guise de déjeuner, parce qu'ils ne pouvaient ni rentrer chez eux au milieu de la journée, ni s'offrir, en ville, un repas. Composé de tranches de pain accompagnées de charcuterie, de fromage, voire simplement enduites de beurre ou de saindoux, le « casse-croûte » est l'équivalent français de « sandwich ». Peu à peu, il a désigné tout repas pris sans s'installer à une table, et sans utiliser ni vaisselle ni couvert, sauf un couteau de poche. Les expressions verbales « casser la croûte » ou « casser la graine » (depuis 1940) sont synonymes de prendre un repas rapide, composé ou non de pain, finalement. La croûte, partie extérieure du pain et proportionnellement la moindre, est ainsi devenue emblématique du pain tout entier et même du repas au cours duquel le pain est consommé.

Anne-Élisabeth Halpern

• *Voir aussi :* Bouche (pain de) ; Croûte ; Croûte à potage ; Croûton, croûtons ; Mangeurs de pain ; Pain rassis ; Sandwich ; Soupe ; Soupe de pain ; Tartine ; Toast

CATAPLASME FARINEUX. – Les cataplasmes farineux utilisés autrefois dans les campagnes étaient préparés de différentes façons, selon l'usage qu'on voulait en faire ; on n'y employait pas de levain, lorsqu'on avait besoin de résolutif ; dans ce cas, pour les faire amollissants, on les composait de farine, ou de mie de pain, trempée auparavant dans de l'eau ou du lait, pour en ôter le levain. Quand, au contraire, on voulait avoir un cataplasme attendrissant et maturatif, on se servait de mie de pain levé, ou du levain même, qu'on faisait chauffer en l'amollissant avec de l'eau chaude, ou avec une décoction de mauve (Malouin 1779).

Mouette Barboff

• *Voir aussi :* Enfariner et s'enfariner ; Figurines en mie et en pâte de pain ; Mie de pain ; Œuvre d'art en pain ; Santon

Bibl. : Paul Jacques MALOUIN, *Description et détails des arts du meunier, du vermicellier et du boulanger*, Paris, 1779.

CELLULOSE. – Elle est constituée d'unités glucose associées par des liaisons de type béta entre les carbones 1 et 6 des molécules, leur nombre pouvant atteindre 10 000. Les fibres de cellulose forment entre elles des structures principalement cristallines présentant peu d'affinité avec l'eau, donc impossible à solubiliser. Ces structures sont résistantes à l'attaque enzymatique, aux acides et aux déformations physiques. La cellulose se localise dans les téguments du fruit et de la graine des céréales ; après mouture, on la retrouve dans les sons et les remoules et dans les farines à taux d'extraction élevés.

Philippe Roussel

• *Voir aussi :* Enzyme ; Grain ; Mouture ; Son ; Remoulages ; Taux d'extraction ; Tégument → Enveloppe

Bibl. : Pierre FEILLET, *Le Grain de blé, composition et utilisation*, Paris, INRA Éditions, 2000.

CENDRES (taux de). – Voir TAUX DE CENDRES

CÈNE. – Nom donné, dans la tradition chrétienne, au dernier repas de Jésus, avec les douze apôtres, la veille de son exécution. Selon la tradition chrétienne, la Cène se déroula dans la chambre haute, ou cénacle, située sur le mont Sion à Jérusalem. Dans quatre récits du Nouveau Testament (Matthieu XXVI, 20-29 ; Marc XIV,

17-25 ; Luc XXII, 14-38 ; I Corinthiens XI, 23-26), la Cène est présentée comme le repas instituant l'Eucharistie. Dans les évangiles synoptiques (Matthieu, Marc et Luc), la Cène est explicitement décrite comme un repas pascal juif. Dans l'Évangile de Jean, la Cène n'est pas présentée comme un repas pascal. De plus, elle n'apparaît pas comme le modèle de l'Eucharistie. Certains exégètes et historiens estiment que, même si Jésus a effectivement dîné avec les Douze la veille de son exécution, les récits du Nouveau Testament ne nous apprennent rien sur ce repas. Ces récits, pour eux, sont une création de l'Église primitive. Cependant, la majorité des spécialistes est convaincue que les descriptions de la Cène que l'on peut lire dans le Nouveau Testament contiennent un noyau historique significatif, même si la pratique et la théologie des premiers chrétiens en ont influencé la rédaction. La reconstitution de la Cène n'est cependant pas sans problème, dans la mesure où les récits du Nouveau Testament présentent entre eux des différences parfois significatives.

Beaucoup d'exégètes estiment que les versions de Marc et de Matthieu, au style plus sémitique, dérivent d'une tradition similaire provenant de Jérusalem. De même, ils pensent que les récits de Paul et Luc ont pour origine une tradition hellénistique commune provenant peut-être de l'Église d'Antioche. La reconstitution, déjà hypothétique, est rendue encore plus complexe par le fait qu'il existe une version courte et une version longue dans les manuscrits de l'Évangile de Luc. Voici les récits de l'institution de l'Eucharistie de Paul et de Marc dans la traduction de la Bible de Jérusalem : « Le Seigneur Jésus, la nuit où il était livré, prit du pain et, après avoir rendu grâce, le rompit et dit : "Ceci est mon corps, qui est pour vous ; faites ceci en mémoire de moi." De même, après le repas, il prit la coupe en disant : "Cette coupe est la nouvelle alliance en mon sang ; chaque fois que vous en boirez, faites-le en mémoire de moi. Chaque fois en effet que vous mangez ce pain et que vous buvez cette coupe, vous annoncez la mort du Seigneur, jusqu'à ce qu'il vienne."

« Et tandis qu'ils mangeaient, il prit du pain, le bénit, le rompit et le leur donna en disant : "Prenez, ceci est mon corps." Puis, prenant une coupe, il rendit grâce et la leur donna, et ils en burent tous. Et il leur dit : "Ceci est mon sang, le sang de l'alliance, qui va être répandu pour une multitude. En vérité, je vous le dis, je ne boirai plus du produit de la vigne jusqu'au jour où je boirai le vin nouveau dans le Royaume de Dieu." »

Quelques différences importantes sont faciles à identifier. En I Corinthiens XI, 23-26, le pain est rompu avant le repas et la coupe est bue après le repas. Une action de grâce (eucharistie) est prononcée au moment où le pain est rompu et peut-être aussi quand la coupe est bue. Dans Marc, le rite du pain est accompagné d'une bénédiction et celui de la coupe d'une action de grâce. Ces rites semblent prendre place au cours du repas. Chez Paul, Jésus institue un repas en mémoire de sa mort alors que l'aspect mémorial n'est pas explicité chez Marc. Chez Marc et non chez Paul, le repas, dans une certaine mesure, anticipe le repas messianique qui suivra l'instauration du Royaume de Dieu. Chez Marc, et non chez Paul, il est indiqué que Jésus demanda à ses disciples de boire la coupe.

La version longue de Luc présente un scénario plus élaboré avec le rite de la coupe et une action de grâce, la rupture du pain et une action de grâce et, après le repas, de nouveau le rite de la coupe. Les spécialistes ne s'accordent pas sur la version qui se rapproche le plus de la Cène. Pour certains il s'agit de Marc, pour d'autres I Corinthiens, ou encore la version longue de Luc, qui serait plus authentique. Les spécialistes se demandent également si la Cène était un repas pascal comme l'affirment les évangiles synoptiques et, si la réponse est négative, à quel repas juif on peut l'identifier. La question est complexe en raison du caractère partiel et contradictoire des récits du Nouveau Testament et de la nature spéculative et limitée de nos informations sur les repas juifs au début de notre ère. Le pain et le vin, et les rites qui les associaient, occupaient une place importante dans les repas festifs juifs au temps de Jésus. Les juifs se conformaient à des traditions très anciennes chez les Israélites comme chez presque tous les peuples du Proche-Orient antique. Le vin, cependant, n'apparaissait pas dans la plupart des repas ordinaires. Traditionnellement, le père de famille initiait un repas en prenant le pain. Puis il prononçait une bénédiction, brisait le pain et le distribuait aux autres participants. Les repas festifs commençaient par une coupe de vin accompagnée d'une bénédiction. D'autres coupes avec des bénédictions ou actions de grâce suivaient. Les repas pascals contenaient quatre rites associés à une coupe de vin.

La Cène, telle qu'elle est décrite par Marc, Matthieu, Luc et Paul, contient des rites et pratiques juives. Il est cependant difficile de l'identifier à un repas pascal ou à un autre repas, festif ou non, que nous connaissons. Mais ces difficultés sont peut-être dues aux transformations opérées par les chrétiens après la mort de Jésus, lesquels auraient combiné des éléments de la Cène avec certains aspects d'autres repas où Jésus était présent. En résumant les conclusions de Jerome Kodell (1991) : que la Cène ait été un repas pascal ou non, Jésus donna à ce repas une signification nouvelle. Il prit le pain, prononça une bénédiction, le rompit et le distribua à ses disciples en disant : « Ceci est mon corps. » Après le repas, il prit une coupe de vin, la bénit et la donna à ses commensaux en identifiant le vin avec son sang. Jésus, d'une certaine façon, donna son corps à ses disciples. Jésus anticipait sa mort au bénéfice des hommes. Il inaugurait une nouvelle alliance et annonçait le festin dans le royaume de Dieu. Le repas constituait un modèle à répéter en souvenir de lui en attendant son retour.

La Cène, telle qu'elle peut être reconstituée, a peut-être moins d'ancrage historique que ne le pensent beaucoup de spécialistes. Il n'est pas sûr que Jésus anticipa sa mort et des expressions telles que « prenez, mangez, ceci est mon sang » (Matthieu XXVI, 26) et « buvez-en tous, car ceci est mon sang » (Matthieu XXVI, 27) paraissent insolites, voire sacrilèges, dans un contexte juif. Elles semblent provenir davantage des religions à mystères.

Pierre-Antoine Bernheim

• *Voir aussi : Corpus Christi* → Fête-Dieu ; Eucharistie ; *Fractio panis* ; Hostie ; Hostie profanée ; Matsah et hamets ; Messe ; Miracles christiques ; Miracles eucharistiques ; Moulin mystique ; Pain bénit ; *Panis angelicus* ; Rite orthodoxe ; Si le grain tombé en terre ne meurt ; Théologie du pain ; Transsubstantiation

Bibl. : Paul F. BRADSHAW, *The Search for the Origin of Christian Worship*, New York, Oxford University Press, 1992 • Maurice BROUARD (dir.), *Eucharistia. Encyclopédie de l'Eucharistie*, Paris, Cerf, 2002 • Joachim JEREMIAS, *The Eucharistic Words of Jesus*, trad. N. Perrin, Londres, SCM Press, 1966 • Jerome KODELL, *The Eucharist in the New Testament*, Collegeville, Michael Glazier, 1991 • Xavier LÉON-DUFOUR, *Le Partage du pain eucharistique selon le Nouveau Testament*, Paris, Seuil, 1982 • Hyam MACCOBY, *Paul and Hellenism*, Londres, SCM Press, 1991.

CENS. – Voir CHAMPART

CÉRÉALES. – Les céréales fournissent une bonne part des glucides nécessaires à l'alimentation humaine. D'autres catégories d'aliments y contribuent aussi, comme les tubercules féculents, les fruits ou les moelles et sèves d'arbres. Mais les céréales offrent l'immense bénéfice de produire naturellement des grains à haute teneur en matière sèche (85-90 %), ce qui leur procure plusieurs avantages comparatifs par rapport aux tubercules, dont la teneur en matière sèche est de l'ordre de 30 %. Le premier avantage est que les grains étant en vie ralentie, ils peuvent se conserver plus facilement. Tant qu'ils restent secs, ils sont dormants et ont besoin d'être humectés pour germer. Cette capacité permet de stocker les céréales plusieurs années sans problème majeur. Au contraire, les tubercules pourrissent facilement, et reprennent un nouveau cycle de végétation au plus tard l'année suivante. Deuxième avantage, les céréales se transportent plus facilement que les tubercules. Ces différences relatives au stockage et au transport ont eu des conséquences historiques et socio-économiques considérables. Dans les régions du globe où l'alimentation est fondée sur des tubercules, le stockage se fait au niveau de la famille ou du village, et l'organisation sociale est restée largement locale. En revanche, les céréales ont pu très tôt être appropriées par des chefs ou des rois, qui ont créé des entrepôts, ce qui leur permettait à la fois d'entretenir des guerriers, des fonctionnaires et des prêtres, et de redistribuer des céréales lors des années de disette ou des périodes de soudure entre récoltes. On voit ainsi apparaître, en particulier au Proche-Orient, de petits royaumes qui s'agglomèrent jusqu'à devenir des empires, les surplus de céréales constituant la base matérielle de la diversification des sociétés, de l'émergence des villes et de l'histoire de nos civilisations. Ce que nous a légué la civilisation de l'Égypte antique repose sur l'accaparement par les pharaons d'une partie importante des céréales produites par les paysans.

La botanique et l'origine des céréales. Au sens strict, on qualifie de céréales les grains produits par des plantes de la famille des Graminées. Par extension, on qualifie aussi de céréales – certains préférant alors parler de pseudo-céréales – les grains ou graines riches en amidon produits par des plantes relevant d'autres familles botaniques, comme le sarrasin (Polygonacées), le quinoa et d'autres chénopodes (Chénopodiacées) et les amarantes (Amaranthacées). Le « grain » des céréales est un caryopse, autrement dit un fruit sec à graine unique – la paroi du fruit étant soudée à celle-ci. Le son est ainsi constitué de la paroi du fruit et du tégument de la graine, associés à l'embryon. Le caryopse est entouré par les glumelles, et l'épillet entier est entouré par les glumes. Suivant les espèces, l'épillet comprend un seul grain (engrain, orge, avoine, sorgho) ou plusieurs (blé dur, blé tendre). Chez nombre de céréales cultivées, c'est le grain nu que l'on sème. Mais, habituellement, la propagule des Graminées comprend au moins les glumelles (orge, engrain), un épillet entier, voire toute l'inflorescence. C'est chez les céréales que l'on a mis le plus clairement en évidence un « syndrome de domestication », c'est-à-dire un ensemble de gènes très réduit qui, en mutant, ont permis à diverses espèces de devenir domestiquées, génétiquement parlant. Parmi ces caractères, on mentionnera le fait d'avoir un rachis solide. Chez les Graminées sauvages, toutes les propagules tombent au sol à maturité. Chez les céréales cultivées, les grains restent sur l'inflorescence, ce qui permet la moisson. Par ailleurs, les graines ne sont plus dormantes et lèvent toutes l'année de leur semis. Les espèces importantes proviennent d'un nombre limité de centres d'origine. Deux blés (engrain et amidonnier) et l'orge font ainsi partie des plantes fondatrices de l'agriculture dans le Croissant fertile du Proche-Orient. Vont ensuite s'y ajouter, au cours des millénaires, des types de blé nouveaux, le blé tendre et l'épeautre, par hybridation de l'amidonnier cultivé avec un aegilops (sauvage), le poulard et le blé dur par mutations et évolution des amidonniers, et enfin le seigle et les avoines diffusés d'abord comme adventices des premières céréales.

En Chine du Nord, ce sont deux millets (*Setaria* et *Panicum*) qui ont contribué aux débuts de l'agriculture, le riz étant, lui, au départ une céréale tropicale domestiquée en plusieurs lieux du sud de l'Asie, et que les Chinois ont adoptée lors de l'expansion de leur culture vers les régions tropicales du sud de la Chine actuelle. En Mésoamérique (Mexique et Guatemala), c'est un *Setaria* qui va également participer aux débuts de l'agriculture, pour disparaître plus tard au bénéfice du maïs. Le maïs – ou plutôt son ancêtre le téosinte – a en effet probablement d'abord été cultivé comme légume, ou sous forme de grains immatures éclatés, les utricules de téosinte étant trop dures pour être transformées comme céréale. En Afrique subsahélienne, deux autres espèces, le sorgho et le mil à chandelle, vont également être domestiquées, à une époque difficile à déterminer par manque de données archéologiques.

La diffusion des céréales connaîtra ensuite des fortunes diverses, certaines comme le teff restant pratiquement endémique à l'Éthiopie, d'autres comme le sorgho, le mil à chandelle et l'éleusine passant d'Afrique en Asie. Le blé tendre se répand d'abord dans toute l'Eurasie tempérée jusqu'en Chine du Nord, ainsi que dans le nord de l'Afrique. Lors de l'expansion européenne après Christophe Colomb, il connaîtra une diffusion mondiale dans toutes les zones tempérées et méditerranéennes, mais aussi dans les hautes terres tropicales. La diffusion du maïs et du riz est encore plus spectaculaire, transgressant les barrières climatiques. À l'arrivée des Européens, le maïs avait conquis pratiquement toutes les Amériques, depuis le centre du Chili jusqu'au fleuve Saint-Laurent, où Jacques Cartier a vu les Iroquois le cultiver. Quant au riz, il est cultivé au Japon jusque dans l'île d'Hokkaidô (44° de latitude nord), dans des zones où il gèle plus de 220 jours par an. Il faut alors réchauffer l'eau destinée aux rizières. Mais son expansion vers l'ouest (Moyen-Orient et Europe) va longtemps être freinée par le fait que sa culture suppose non seulement la diffusion des semences, mais aussi celle des savoir-faire élaborés nécessaires pour créer des rizières et y contrôler le niveau de l'eau. Le riz est ainsi arrivé en Mésopotamie un peu avant notre ère, et en Europe au Moyen Âge, pour se développer au XVe siècle.

Diversité des qualités et des usages. On trouve au sein des espèces une grande diversité de caractères technologiques, qui ont pu être retenus en fonction des préférences culinaires locales. Dans le sud de l'Asie, par exemple, le goût pour les céréales « gluantes » ou « glutineuses » – c'est-à-dire à amidon riche en amylopectine – a conduit les populations locales à préférer les riz gluants, mais aussi à sélectionner des variants de gluants au sein d'autres espèces, comme des millets, du sorgho et même du maïs. La présence dans le sud de l'Asie de ce maïs dit *waxy* a même longtemps servi d'argument aux historiens pour affirmer que le maïs était présent en Asie avant Christophe Colomb, car il n'était pas connu en Amérique précolombienne. Les céréales gluantes servent à faire divers gâteaux, raviolis, etc., mais entrent aussi dans la préparation de boissons fermentées (des « bières »), pour lesquelles certaines variétés colorées sont souvent préférées (Afrique, Asie).

Les premiers aliments obtenus avec les céréales ont probablement été des bouillies, dont il existe une grande diversité : plus ou moins liquides ou épaisses, fermentées ou non, élaborées avec des grains entiers, des gruaux, de la semoule ou de la farine. Les premières bières connues en Mésopotamie et en Égypte étaient obtenues à partir de bouillies cuites, voire de pain. Les « vins » ou « bières » de riz asiatiques dérivent aussi de riz cuit. De nos jours, la plupart des bières sont élaborées après maltage des grains (germination suivie de grillage). Les pains primitifs, faits d'orge, d'amidonnier ou plus tard de blé dur, sont fabriqués avec une pâte qui subit une fermentation mais ne lève pas ou peu, ce qui fait que les Européens les appellent souvent « galettes ». De tels pains restent appréciés dans de nombreuses régions du monde, et on peut y inclure les *tortillas* de maïs et l'*injera* de teff. Seul le blé tendre contient du gluten en qualité et quantité suffisantes pour lever et donner la structure alvéolée si appréciée des pains européens, qui commencent à apparaître dès la Rome antique.

Les pâtes alimentaires forment un monde à elles seules. Fabriquées en Europe essentiellement à partir de blé dur (encore qu'on en connaisse aussi de poulard et de blé tendre), elles sont plus diversifiées en Asie, où l'on trouve surtout des pâtes de blé tendre, mais aussi de riz, de sarrasin ou faites de mélanges entre céréales et légumes secs (fréquents en Inde). On connaît également en Chine des pâtes de gluten de blé tendre, dont on a éliminé l'amidon par lavage. La consommation des grains entiers est caractéristique du riz, dont c'est l'usage de loin le plus important. Mais les pays arabes connaissent divers types d'aliments à base de blé ou d'orge mondé, certains étant faits avec des grains immatures. En Europe, on a utilisé aussi l'orge mondé ou perlé, alors que l'avoine était surtout écrasée. La diversité des aliments obtenus à la suite d'un concassage ou d'une mouture (sous forme de farine ou semoule) est trop grande pour être résumée ici. De nombreux produits traditionnels utilisent l'étuvage ou le grillage, qui ont l'avantage de stabiliser le produit et de raccourcir le temps de cuisson final, voire de le supprimer.

L'histoire moderne des céréales. Au niveau de la production, l'histoire d'une céréale comme le blé peut se résumer par le constat d'un accroissement considérable des rendements, qui sont passés de 10 à 100 quintaux/ha en cent ans. Ce bouleversement s'explique par l'amélioration des pratiques culturales, l'apport considérable d'intrants comme les engrais minéraux, la mécanisation et l'impact de la sélection variétale. C'est en effet le blé qui a été (avec la betterave sucrière) l'une des premières espèces à bénéficier de la sélection raisonnée, inaugurée en France par les Vilmorin au milieu du XIXe siècle. Le maïs va suivre dans les années 1930 avec la création d'hybrides F1 aux États-Unis, la sélection du maïs lui permettant par ailleurs d'élargir la zone climatique où il était cultivé (en France à partir des années 1950). Dans les régions tropicales, le rôle des fondations nord-américaines (devenues centres internationaux de recherche agricole, ou CIRA) allait être déterminant après guerre, à Manille (IRRI, Philippines) pour le riz et à Mexico (CIMMYT, Mexique) pour le blé. Ces nouvelles variétés vont être à la base de la « révolution verte », symbolisée par le prix Nobel accordé à Borlaug, chercheur au CIMMYT, pour ses blés à paille courte. Du côté de la transformation, l'industrialisation a permis l'émergence de filières nouvelles (amidonnerie, glucoserie…) et le développement considérable de l'industrie alimentaire, entrée dans l'ère du marketing et de la création de produits nouveaux. Les procédés industriels ont même permis à une céréale comme le maïs de devenir la principale plante à sucre aux États-Unis. Les céréales ont également pris une grande importance en alimentation animale. Le commerce mondial des céréales a connu de grands changements. Jadis, les échanges restaient relativement limités à l'approvisionnement des grandes villes, ou visaient à compenser des déficits dus aux aléas climatiques. La révolution des transports a entraîné la mondialisation du commerce des céréales, avec des enjeux économiques et politiques à la mesure de la place qu'occupent les céréales dans l'alimentation.

Michel Chauvet

• *Voir aussi :* Amidonnier ; Avoine ; Blé (impérialisme du) ; Blé, genre *Triticum* ; Blé dur ; Blé tendre ou froment ; Caryopse ; Céréales sauvages aux premières formes domestiques (des) ; Engrain ; Épeautre ; Épi ; Glume et Glumelle ; Grain ; Maïs ; Maltage ; Mil et millet ; Moût ; Orge ; Riz (*Oryza sativa*) ; Seigle ; Son ; Sorgho ; Teff ; Vilmorin

Bibl. : Alain BONJEAN et Émile PICARD, *Les Céréales à paille*, Softword, Groupe

ITM, 1990 • Fernand BRAUDEL, *Civilisation matérielle, économie et capitalisme (XVe-XVIIIe siècle)*, Paris, Armand Colin, 1979, 3 vol. • M. BRINK, G. BELAY *et al.* (éd.), *Prota*, vol. 1, *Céréales et légumes secs*, « Ressources végétales de l'Afrique tropicale », Wageningen, Fondation PROTA - Backhuys - CTA, 2006 • Michel CHAUVET, *Des céréales : l'histoire, la culture et la diversité*, Nantes, Gulf Stream, 2004 • Jean PERNES, « La génétique de la domestication des céréales », *La Recherche*, nº 146, 1983, p. 910-919 • Daniel ZOHARY et Maria HOPF, *Domestication of Plants in the Old World. The Origin and Spread of Cultivated Plants in West Asia, Europe and the Nile Valley*, Oxford, Oxford University Press, 2000 • Voir aussi le site d'Agropolis-Museum à Montpellier : http://museum.agropolis.fr/pages/expos/egypte/fr/cereales/index.htm

CÉRÉALES (calendrier grec ancien, rites funéraires et culture des). – Voir CALENDRIER GREC ANCIEN

CÉRÉALES (cours mondiaux des). Les gouvernements, quels qu'ils soient, ont toujours été très attentifs à l'approvisionnement alimentaire des grandes villes et en particulier des capitales. Sous toutes les latitudes, ils ont appris à leurs dépens que la faim provoque des émeutes incontrôlables qui parfois mènent au renversement du pouvoir.

En France, les rois suivaient de près le prix du pain à Paris. Dès 1268, le *Livre des métiers* d'Étienne Boileau marque le début d'une surveillance extrême des conditions de fabrication et de vente de cette denrée en France. Une véritable « police du pain » s'instaure vers 1366, date à laquelle Charles V réglemente précisément à la fois son poids et son prix. La phrase longtemps attribuée à Marie-Antoinette : « Le peuple n'a pas de pain, qu'on lui donne de la brioche », qui a contribué à lui coûter la vie, est restée célèbre jusqu'à aujourd'hui. Il a fallu attendre 1986 pour que les préfets cessent de fixer eux-mêmes le prix du pain à Paris. Historiquement, à peu près tous les autres pouvoirs politiques dans tous les autres pays ont fait de même concernant leurs productions alimentaires stratégiques.

Avec l'ouverture des marchés internationaux, le prix mondial du blé, et plus généralement des céréales, s'est fixé au niveau du coût de production des pays les plus rentables. En effet, le commerce international des grains ne concerne qu'une petite partie de la récolte, et seuls exportent les pays régulièrement excédentaires et en mesure de produire à faible coût, comme le Canada ou le Brésil, ou de façon subventionnée, comme les États-Unis, le Canada ou l'Europe, ce qui revient au même.

Ce prix mondial n'a cessé de baisser à partir des années 1970, comme on peut le voir sur le graphique p. 221. Mais, à partir de l'année 2007, on rentre dans une nouvelle époque, où l'incapacité de la « ferme monde » à produire suffisamment devient une thématique récurrente. Depuis les années 1960, on comptait trois à quatre années déficitaires en céréales par décennie (les années de mauvaises récoltes), compensées en écoulant les stocks importants amassés dans les années excédentaires. Ces stocks représentaient entre 90 et 130 jours de consommation mondiale. On arrive à un réel tournant au début du XXIe siècle, où l'incapacité de continuer à augmenter les rendements des céréales provoque des pénuries régulières. De 1998 à 2008, la planète a connu sept années déficitaires en céréales. En 2007, les stocks n'ont plus suffi à réguler le marché, qui était au plus bas depuis la Deuxième Guerre mondiale (ils ne représentaient plus qu'un mois et demi de consommation). Les cours ont donc flambé, tels ceux du blé sur les quais des installations françaises d'export à Rouen : après avoir décliné régulièrement pour se situer autour de 100 € la tonne au début des années 2000, le prix est remonté à 130 €/t à l'été 2006, a dépassé les 200 €/t en juillet 2007, et frôlait les 300 €/t en mars 2008… avant de s'affaisser à nouveau autour de 100 €/t à la fin de l'année 2008. Car, pour profiter des cours élevés, on a semé du blé un peu partout dans le monde. De ce fait, la récolte 2008 a été la plus abondante de toute l'histoire de l'humanité, et même supérieure à la demande, ce qui a permis de reconstituer un peu les stocks.

Les cours du maïs ont également flambé en 2007, dopés par la demande issue de l'industrie de l'éthanol des États-Unis (170 usines construites, 20 à 30 % de la récolte de ce pays le plus gros producteur du monde est brûlé dans les moteurs de ses voitures pour ne fournir qu'un maigre 3 % d'incorporation dans l'essence). Quant au riz, on n'en a pas vraiment manqué sur la planète en 2007, et on ne l'utilise que très peu à la place du blé et du maïs pour l'alimentation animale. Mais, dans le contexte d'inquiétude ambiante, plusieurs pays exportateurs comme l'Égypte, l'Inde, l'Indonésie, la Thaïlande ou le Vietnam ont décidé de fermer leurs frontières. Sans que cette stratégie soit aussi concertée et organisée que celle des pays pétroliers de l'OPEP, cette simultanéité a produit ses effets : une très forte hausse des cours. Le riz thaïlandais, qui valait 311 $/t en 2006, a grimpé jusqu'à 919 $/t au printemps 2008. Ajoutons qu'en sept ans les stocks de riz blanc de la planète ont été réduits de moitié, passant de 147 Mt en 2000 à 71 Mt en 2007.

Il faut observer que les produits alimentaires de première nécessité ont un rapport très spécifique entre volume et prix, dû au fait que la consommation reste à peu près stable quel que soit le prix : quand on a fini de déjeuner, on ne se remet pas à table immédiatement sous prétexte que la nourriture n'est pas chère, et, à l'inverse, on a besoin de manger des céréales tous les jours pour rester en vie, même si elles sont chères. C'est ainsi qu'une pénurie mondiale de 2 à 5 % provoque un doublement ou un triplement des prix, alors qu'un excédent équivalent, en l'absence de politique publique de stockage, provoque un véritable effondrement des prix.

Au total, il est probable que les premières décennies du XXIe siècle vont être durablement marquées par des années de pénurie de céréales et donc d'envolée des cours et d'émeutes de la faim dans de nombreux pays qui n'arrivent pas à l'autosuffisance alimentaire.

Le phénomène de hausse des prix des céréales est en effet beaucoup plus lourd de conséquences dans le tiers-monde que dans les pays riches. D'une part, les populations pauvres des grands bidonvilles du tiers-monde réservent entre la moitié et les trois quarts de leurs revenus à la nourriture, alors que les populations riches des pays développés n'y consacrent que 10 à 15 % de leur budget. L'effet produit par les hausses de prix sur ces populations n'est donc pas du tout le même. D'autre part, comme on mange

Prix du blé français à l'exportation
(€ 2006/tonne ; Source : Céréaliers de France)

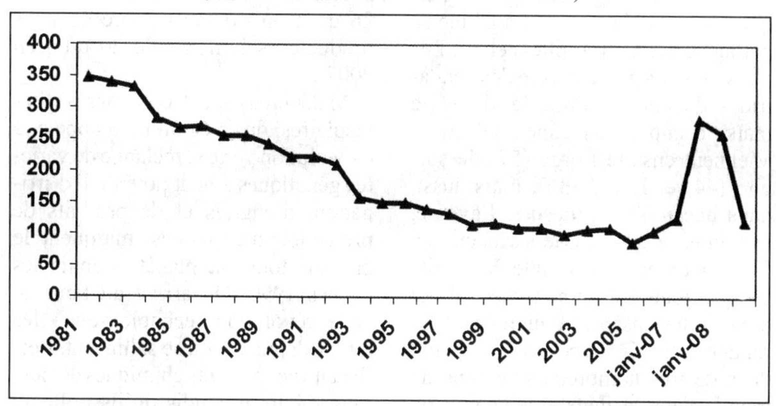

beaucoup de produits bruts – non transformés – (riz, haricots, maïs, farine de blé, soja, etc.) dans les pays pauvres, les cours mondiaux ont un impact direct sur le pouvoir d'achat ; à l'inverse, dans les pays riches, les seuls produits agricoles consommés bruts sont les fruits et légumes, et, pour les autres produits, largement transformés, bien d'autres facteurs interviennent dans l'évolution du prix à la consommation. Prenons un exemple : une tonne de blé permettant de fabriquer 4 000 baguettes, 100 € de plus à la tonne ne représentent que 2,5 centimes d'euro supplémentaires par pain. Car le prix de la baguette répercute surtout les coûts de main-d'œuvre, d'énergie, de machines, de transport et de loyer, le blé ne pesant que pour 5 %. Ce qui explique qu'entre 1990 et 2005 le prix du pain à la consommation a augmenté de 43 % en euros courants, tandis que le prix du blé à la production diminuait de 56 %.

Bruno Parmentier

• *Voir aussi :* AGPB ; ANIA ; Céréales ; Céréales (disponibilité mondiale des) ; Céréaliers de France ; CIC ; CRC ; FAO ; France Export Céréales ; ORAMA ; Passion Céréales

CÉRÉALES (disponibilité mondiale des). – Les céréales sont à la base de l'alimentation mondiale, particulièrement le riz, le blé et le maïs. Leur disponibilité en quantité suffisante a toujours été et reste donc un objectif majeur de tout gouvernement digne de ce nom. Elles occupent à elles seules la moitié des terres cultivables, soit environ 700 Mha (chiffres FAO disponibles sur www.fao.org) sur 1,5 milliard. Ces surfaces n'évoluent pratiquement pas, car on perd par urbanisation ou érosion à peu près autant de terres que celles qu'on gagne en défrichant les forêts : on cultivait 650 millions d'hectares en 1960.

Le blé se taille la meilleure part avec 217 Mha en 2007 ; en effet il a toujours été, dans la civilisation occidentale et au Moyen-Orient, un composant central de l'alimentation humaine. Vingt-cinq pays, principalement en Eurasie et en Afrique, continuent à le privilégier dans leur alimentation : Algérie, Égypte, Turquie, Iran, Pakistan, etc. La Chine se partage entre blé (nouilles) et riz. Les deux autres « grandes céréales fondatrices de civilisation », le riz et le maïs, occupent chacune 160 Mha. Viennent ensuite l'orge (57), le sorgho (44) et le mil (36), mais aussi, dans une moindre mesure, l'avoine, le seigle, le triticale, le sarrasin, etc. Pour pouvoir nourrir une humanité chaque jour plus nombreuse, il est donc indispensable d'augmenter les rendements. C'est ce qui a été fait dans de très nombreuses régions du monde dans la deuxième moitié du XXe siècle. C'est ainsi que les rendements mondiaux ont triplé, passant par exemple pour le blé de 10 à 30 q en moyenne par hectare, avec des différences qui restent considérables. C'est en Europe de l'Ouest que le progrès a été le plus spectaculaire, puisque les rendements moyens sont stabilisés entre 60 et 70 q/ha, de même qu'en Nouvelle-Zélande ou en Égypte. La Chine arrive à 48 q, mais l'Inde, l'Argentine et les États-Unis restent très loin de ces performances, puisqu'ils en sont encore autour de 26 q, et on trouvait encore 45 pays producteurs à moins de 20 q/ha en 2007.

Malheureusement, ces progrès spectaculaires, dus à ce qu'on a appelé la « révolution verte », mélange de variétés génétiques à haut potentiel, d'irrigation, d'engrais et de produits de protection des plantes, marquent le pas sur toute la planète depuis les années 1990. On arrive au bout de cette révolution technologique : les terres s'épuisent ou se salinisent, l'efficacité des produits chimiques devient plus aléatoire, tandis qu'ils polluent les nappes phréatiques, le coût de l'énergie augmente considérablement celui des intrants, etc. La nécessité d'augmenter la production se heurte au manque de terre, d'eau (il faut une tonne d'eau pour obtenir 1 kg de blé), d'énergie (un tiers de kilo de pétrole par kilo de blé) et au réchauffement de la planète (sous nos latitudes, 4° en plus = 25 % de blé en moins). L'intensification de la production se double d'une prise de risque en matière

Chiffres clés de la production mondiale de blé (source : FAO)

Années	Surfaces cultivées (millions ha)	Production (millions tonnes)	Rendement (quintaux/ ha)	**Production France**	**Rendement France**
2007	217	607	27,92	33	62,50
1997	226	613	27,11	34	66,24
1987	221	505	22,90	27	55,58
1977	229	382	16,72	17	42,30
1967	220	294	13,39	14	36,37
1961	204	222	10,89	10	23,95

de biodiversité : 4 variétés constituent à elles seules les deux tiers de la récolte française ; reste à espérer qu'elles n'auront pas toutes les quatre des problèmes sanitaires la même année… En conséquence, la production mondiale, qui augmentait très régulièrement, recommence à stagner : on a produit moins de blé en 2007 qu'en 1997.

Il ne s'agit pas là d'un simple ajustement de l'offre à la demande. Cette dernière ne cesse d'augmenter, en particulier pour nourrir les animaux, la consommation mondiale de viandes et de produits lactés ne cessant d'augmenter à mesure qu'une classe moyenne, dans les pays asiatiques et latino-américains en particulier, se constitue ; ceci compensant largement la baisse de la consommation directe de céréales chez les plus riches de la planète. Au début des années 2000, 45 % du blé et 70 % du maïs mondial servaient à nourrir les animaux, principalement porcs et poulets. À cela s'ajoute une nouvelle utilisation des céréales, la production d'éthanol pour agrocarburants (près de 5 % de la consommation mondiale en 2008). On manque ainsi de céréales sur la planète au XXIe siècle : les stocks ont fondu et les prix deviennent très instables.

Le premier pays producteur de blé est la Chine, qui pourtant ne mange pas de pain (mais énormément de nouilles et de raviolis) ; sa production approchait en 2007 les 110 Mt, soit 18 % de la production mondiale (la Chine est aussi le premier producteur de riz, avec 187 Mt, 28 % de la production mondiale et le deuxième producteur de maïs). Viennent ensuite l'Inde (12 %), les États-Unis (9 %) et la Russie (8 %), qui y consacrent énormément de surfaces avec une faible productivité. La France arrive en cinquième position avec 33 Mt, soit 5,5 % de la production mondiale. Puis viennent le Pakistan, l'Allemagne le Canada, la Turquie et le Kazakhstan. L'Ukraine, qui était un pays de référence au début du XXe siècle, à une époque où le cours du blé se fixait à Odessa, ne représente plus que 2 % de la production mondiale, mais, vu la qualité de ses terres, elle pourrait probablement doubler, voire tripler, ses rendements et redevenir un grand pays exportateur (de même pour la Russie). Les grands pays exportateurs sont les États-Unis, le Canada, la France l'Australie, l'Argentine, et la Russie ; à l'autre bout de la chaîne, les pays qui importent le plus sont la Chine, l'Inde, le Japon, l'Italie l'Algérie, la Corée, etc. (ces listes varient chaque année en fonction des récoltes). Mais, au total, le commerce mondial du blé et des autres céréales ne représente qu'environ 15 à 20 % de la production mondiale ; les hommes mangent d'abord ce qui est produit chez eux.

Bruno Parmentier

• *Voir aussi :* AGPB ; ANIA ; Céréales ; Céréales (cours mondiaux des) ; Céréaliers de France ; CIC ; CRC ; FAO ; France Export Céréales ; ORAMA ; Passion Céréales

CÉRÉALES ET AIRE DE BATTAGE (battage des). – Voir BATTAGE DES CÉRÉALES ET AIRE DE BATTAGE

CÉRÉALES SAUVAGES AUX PREMIÈRES FORMES DOMESTIQUES (des). – La domestication des céréales est l'une des caractéristiques majeures de l'époque dite néolithique, au cours de laquelle certains groupes préhistoriques, jusqu'alors chasseurs-collecteurs, adoptent progressivement une économie agropastorale. Cette transformation essentielle des sociétés humaines, qui fonde toutes les civilisations actuelles, a eu lieu, de façon relativement concomitante (entre 12000 et 6000 av. J.-C. environ), dans plusieurs foyers indépendants. Selon les régions, les céréales varient : blés, orges et seigles au Proche-Orient, maïs en Mésoamérique, riz en Amérique du Nord, mils et sorghos en Afrique, riz et millet en Asie centrale et en Extrême-Orient. Nous nous intéressons ici au Proche-Orient, dont proviennent toutes les céréales domestiques exploitées en Europe, à l'exception de l'avoine. Là comme ailleurs, si l'apparition d'une économie pleinement agropastorale est bien cernée, nous verrons que les processus qui y conduisent posent encore aux spécialistes bien des problèmes.

Les débuts de l'exploitation des céréales au Proche-Orient. Les céréales ont été, semble-t-il, intégrées relativement tard dans le régime alimentaire de l'homme. D'après les données actuellement disponibles, il faut attendre leur rapide expansion, lors de l'amélioration climatique qui a suivi le dernier maximum glaciaire, pour que les chasseurs-collecteurs du Levant commencent à les exploiter, en même temps que toute une gamme d'autres plantes sauvages. Dès 17000 av. J.-C., les occupants du site d'Ohalo II, près de la mer de Galilée, récoltaient de l'amidonnier et de l'orge sauvages, en sus des amandes et des glands. Quelques millénaires plus tard, dans la période dite natoufienne (vers 12500-10200 av. J.-C.), la collecte des céréales sauvages est suffisamment intensive pour permettre la sédentarisation de certains groupes de chasseurs-collecteurs et la construction de petits hameaux permanents. On y trouve des lames de faucille en silex, des fosses soigneusement aménagées qui ont pu servir de silos, des meules et des mortiers de basalte, tous potentiellement associés à l'exploitation et à la préparation des céréales sauvages (Belfer-Cohen et Bar-Yosef 2000, Valla 2000). Au demeurant, ni la collecte ni le traitement des céréales sauvages ne sont tâches aisées. La productivité des champs de céréales sauvages se compare bien à celle de champs cultivés selon des techniques traditionnelles, mais les mécanismes adaptatifs qui assurent la reproduction optimale des céréales en conditions naturelles sont défavorables à leur exploitation par l'homme. Contrairement aux céréales actuelles, chaque grain qui germe donne plusieurs épis, de tailles différentes et qui arrivent successivement, et non simultanément à maturité, nécessitant des récoltes répétées. En outre, les épillets qui contiennent la graine se détachent et tombent à terre au fur et à mesure de leur maturité : ces plantes présentent ce que l'on appelle un « rachis [la partie sommitale de la tige] déhiscent ». Pénétrer, pour les récolter au moment optimal de maturité, dans un champ de céréales sauvages n'aboutit alors qu'à en faire tomber la majorité à terre, sauf si la récolte est faite par battage dans un panier. L'alternative consiste à récolter avant maturité, à l'état dit « vert », soit en arrachant les épis, soit en les coupant avec une faucille armée de silex taillés. Mais le traitement est alors long : les grains de céréales sauvages sont protégés par des glumes et des glumelles épaisses et bien adhérentes, prolongées par de longues barbes. On les appelle « grains vêtus ». Après battage et détachement des épillets, il faut, pour supprimer tout ou partie de ces enveloppes, tremper ou chauffer les épillets, puis les broyer dans un mortier avant de les vanner et enlever la balle. Les meules et molettes de pierre sont, à cet égard, moins efficaces qu'un mortier et un pilon en bois (Anderson 1992, Procopiou 2003).

La domestication des céréales : un processus inconscient. La transformation des formes sauvages en formes domestiques, ou « syndrome de domestication », consiste donc en un certain nombre de modifications génétiques des plantes, qui permettront d'en faciliter la récolte, le traitement, et les semis : augmentation de la taille des épis (qui portent plus d'épillets, c'est-à-dire de graines) ; diminution du nombre d'épis par graine germée et sélection des plants qui portent moins d'épis, dont la maturation sera plus concentrée dans le temps ; homogénéisation de la taille des épis ; disparition des formes à rachis déhiscent ; diminution de la taille des barbes ; diminution de l'épaisseur des glumes et glumelles et apparition des céréales dites « nues », aux glumes et glumelles peu épaisses. On peut alors séparer les grains de leur enveloppe (le « décorticage ») par simple battage, tandis qu'avec les céréales vêtues il faut pratiquer, en plus du battage, un broyage dans un mortier et un pilon (Procopiou 2003). Enfin, diminution du temps de latence de la semence : les graines domestiques stockent en majorité des glucides, facilement mobilisables. Les graines germent toutes ensemble et peuvent lutter plus facilement contre la concurrence des adventices.

L'ensemble de ces mutations correspond en fait à un nombre limité de gènes et, si étonnant que cela puisse paraître, ne nécessite pas une sélection consciente des plants par l'agriculteur. En effet, certaines pratiques de récolte des céréales encore génétiquement sauvages aboutissent à une sélection automatique des plants mutants, dont le génotype sera fixé et développé pour peu qu'une partie au moins des graines soit semée dans un champ nouveau. De plus, l'autofécondation de la plupart des céréales limite les hybridations avec des plantes sauvages et favorise la fixation génétique de ces caractères. Prenons l'exemple du rachis : dans une population sauvage à rachis déhiscent, des plants mutants à rachis solide vont occasionnellement être présents. Arrivés à maturité, leurs grains se détacheront moins facilement de l'épi et seront potentiellement mieux représentés dans les récoltes et les futurs semis que dans la population d'origine. Toutefois, les techniques de récolte sont déterminantes à cet égard. Ainsi, le battage en panier favorise les plantes à rachis fragile et ne sélectionne pas les plants mutants. Il en est de même des récoltes avant maturité, que ce soit par arrachage, par cueillette à la main ou avec une faucille. En revanche, une récolte à la faucille ou par arrachage, peu avant maturité, favorisera les plants à rachis solide et induira une augmentation de la proportion de mutants dans la récolte. Mais, pour que ces caractères mutants soient fixés et se répandent au sein de la population de céréales, il faut ensuite que les graines soient semées dans un nouveau champ. En effet, selon les expérimentations de Patricia Anderson (2000), les champs de céréales génétiquement sauvages laissent perdre au moins 50 % des grains à la récolte, quelle que soit la technique utilisée. Dans ces conditions, il n'y a pas besoin de semis pour entretenir le champ. La fixation des mutations exige donc un déplacement des céréales et la création de nouveaux champs pendant plusieurs années.

On saisit donc dans quelles conditions culturales une population de céréales génétiquement sauvages peut être transformée, en quelques générations, en une population génétiquement domestique sans qu'il y ait eu de sélection consciente et intentionnelle (Hillman et Davies 1990). Les tout premiers indices en sont anciens et remonteraient au Natoufien : dans le site d'Abu Hureyra, en Syrie, Gordon C. Hillman (2000) a découvert une fraction de grains de seigle de morphologie domestique. Mais cet exemple demeure totalement isolé et demande confirmation. Il faut attendre en fait la période dite du « Néolithique préceramique B moyen », vers 8200 av. J.-C., pour qu'apparaissent les premiers engrains, amidonniers et orges de morphologie domestique, associés aux lentilles et aux fèves. D'après la distribution actuelle des formes sauvages et les analyses génétiques, la plupart auraient été domestiquées dans un foyer situé vers le sud-est du Taurus et le Moyen-Euphrate, d'où elles auraient rapidement diffusé sur l'ensemble du Proche-Orient (Lev-Yadun *et al.* 2000). L'engrain semble faire exception, plusieurs foyers de domestication étant possibles.

Une agriculture « pré-domestique » ? Est-ce à dire que l'agriculture elle-même ne se généralise que vers la fin du IXe millénaire ? Rien n'est moins sûr. Car l'analyse que nous venons de présenter sur les conditions de la domestication des céréales induit une conséquence symétrique, autrement plus problématique pour le préhistorien : selon les techniques de récolte, ou si les champs ne sont pas déplacés, il est possible, en théorie du moins, de pratiquer pendant des générations et des générations une forme d'agriculture sans que cela n'induise de transformation génétique et morphologique des céréales. La culture des céréales n'est donc pas nécessairement synonyme de leur domestication et il peut exister une longue phase d'agriculture dite pré-domestique (Cauvin 1997, Wilcox 2000). Or, les plantes étant alors de morphologie sauvage et l'outillage étant identique qu'il s'agisse de collecte ou de culture, il n'existe aucun moyen direct de mettre en évidence de telles pratiques. Deux ordres d'arguments sont alors invoqués pour conférer une bien plus grande ancienneté à l'agriculture : d'une part, la difficulté à envisager que les grandes bourgades du Néolithique précéramique A (vers 9000-8500 av. J.-C.) aient pu prospérer uniquement sur la base de la collecte de plantes sauvages. D'autre part, la présence, dans les assemblages de graines, de « mauvaises herbes » caractéristiques des cultures de céréales, tels l'avoine, la gaillet, les gesses, les coquelicots, etc. Ces pratiques d'agriculture pré-domestique concerneraient des espèces différentes selon les régions : on mettrait en culture les espèces qui abondaient à l'état spontané dans un environnement proche, blé amidonnier au Sud-Levant, engrain sur le Moyen-Euphrate, orge un peu partout. Au contraire de l'agriculture sur formes domestiques, très uniforme sur l'ensemble du Proche-Orient, cette première phase de production serait très sensible aux niches écologiques particulières (Wilcox 2000). Mais, faute de preuves directes, l'existence de cette phase d'« agriculture pré-domestique » ne fait pas l'unanimité. Nous avons déjà indiqué que les champs de céréales sauvages étaient aussi productifs que des champs cultivés, et que le taux de perte de grains à la récolte était tel qu'il n'était nul besoin de réensemencer le champ pour la récolte suivante. Aussi certains spécialistes réfutent-ils purement et simplement l'existence de cette longue phase pendant laquelle l'agriculture n'aurait concerné que des plantes génétiquement sauvages. On peut effectivement s'étonner, si l'agriculture a été pratiquée de façon intensive pendant plus d'un millénaire, que les conditions n'aient jamais été réunies pour une domestication plus précoce. Le débat est actuellement ouvert.

Collectées ou cultivées, génétiquement sauvages ou domestiques, il n'en reste pas moins que les céréales sont exploitées depuis plus de dix-sept mille ans. Mais à quelles fins ? Dans notre région d'étude, les données archéologiques sont muettes sur ce point. Aucun reste de galettes, de gruau, de pain ne nous est parvenu. La première remarque que l'on puisse faire est que les meules sont, dans l'ensemble, de dimensions trop petites pour moudre du blé en farine, et que les céréales vêtues se prêtent mieux à la fabrication de gruaux. La seconde est que nous associons spontanément céréales, farine et pain. N'oublions pas cependant que les céréales fermentent et que le mil, dans certaines régions d'Afrique, est cultivé exclusivement pour la production de bière. Entre galettes et boissons, il faut envisager que le pain n'ait été qu'un ajout tardif à l'attrait pour les céréales…

Catherine Perlès

• *Voir aussi :* Battage des céréales et aire de battage ; Bière ; Bouillie ; Calendriers et mesure du temps ; Céréales ; Fermentation (approche anthropologique de la) ; Grain et graine ; Mésopotamie ; Moissons (symbolique des) ; Mortier-pilon ; Pain (définition universelle du) ; Pain levé du monde (le plus ancien) ; Pierre à moudre ; Si le grain tombé en terre ne meurt ; Tannur ; Terre-Mère primordiale

Bibl. : Patricia ANDERSON (éd.), *Préhistoire de l'agriculture. Nouvelles approches expérimentales et ethnographiques*, Paris, CNRS, Monographie du CRA nº 6, 1992. – *ID.*, « La tracéologie comme révélateur des débuts de l'agriculture », *in* J. Guilaine (éd.), *Premiers Paysans du monde. Naissance des agricultures*, Paris, Éditions Errance, 2000, p. 99-119 • Anna BELFER-COHEN, Ofer BAR-YOSEF, « Early Sedentism in the Near-East, a Bumpy Ride to Village Life », *in* I. Kuijt (éd.), *Life in Neolithic Farming Communities*, New York, Kluwer Academic-Plenum Publishers, 2000, p. 19-37 • Jacques CAUVIN, *Naissance des divinités, naissance de l'agriculture. La révolution des symboles au Néolithique*, Paris, CNRS Éditions, 2e éd. révisée, 1997 • G. C. HILLMAN, M. S. DAVIES, « Domestication Rates in Wild-Type Wheats and Barley Under Primitive Cultivation », *Biological Journal of the Linnean Society*, vol. 39, nº 1, 1990, p. 39-78 • Simcha LEV-YADUN, Avi GOPHER, Shahal ABBO, « The Craddle of Agriculture », *Science*, vol. 288, nº 5471, 2000, p. 1062-1063 • Hara PROCOPIOU, « Les techniques de décorticage dans le monde égéen. Étude ethnoarchéologique dans les Cyclades », *in* P. Anderson, L. S. Cummings, T. K. Schippers, B. Simonel (éd.), *Le Traitement des récoltes : un regard sur la diversité, du Néolithique au présent*, Antibes, Éditions APDCA, 2003, p. 115-136 • François VALLA, « La sédentarisation au Proche-Orient : la culture natoufienne », *in* J. Guilaine (éd.), *Premiers Paysans du monde*, *op. cit.*, p. 11-30 • George WILCOX, « Nouvelles données sur l'origine de la domestication des plantes au Proche-Orient », *in* J. Guilaine (éd.), *Premiers Paysans du monde*, *op. cit.*, p. 121-139.

CÉRÉALES TORRÉFIÉES. – En chauffant des céréales, blé, maïs, orge, par exemple, on en change à la fois la couleur et la saveur. Ces céréales torréfiées peuvent être incorporées à faible dose soit en l'état, soit sous formes de farine, dans la farine de blé, ce qui aura pour conséquence de modifier la couleur et la saveur de la mie du pain. On peut aussi grossièrement concasser ou aplatir ces céréales et les utiliser pour recouvrir les pâtons après le façonnage ; lors de la cuisson du pain, elles vont être à nouveau légèrement torréfiées et assurer à la fois une présentation inédite de la croûte du pain et un goût particulier.

Ludovic Salvo

• *Voir aussi :* Céréales ; Croûte ; Façonnage ; Mie de pain ; Pâton

CÉRÉALIERS DE FRANCE. – Regroupement de cinq organisations au service de la filière céréalière, destinées à assurer le développement de la production, son adaptation aux besoins du marché et ses débouchés. L'AGPB (Association générale des producteurs de blé et autres céréales) est un syndicat professionnel qui défend les intérêts des producteurs. Elle adhère à la FNSEA. Arvalis-Institut du végétal est un organisme de recherche appliquée agricole, financé et géré par les producteurs. Unigrain est un établissement financier qui intervient auprès des entreprises sous forme de participation financière et de conseil stratégique. Univers Céréales est une collective de promotion des produits finis, alimentaires et non alimentaires, à base de céréales. Enfin, France Export Céréales est chargé de la promotion des céréales françaises à l'étranger.

Catherine Peigney

• *Voir aussi :* AGPB ; AGPM ; Arvalis-Institut du végétal ; BPMF ; CIC ; CRC ; France Export Céréales ; ONIGC ; Passion Céréales

CÉRÈS. – Voir DÉMÉTER

CFA (centres de formation d'apprentis). – Voir APPRENTISSAGE

CHALEUR TOMBANTE. – Principe de cuisson s'appliquant plus particulièrement aux fours à pain (à bois) qui possèdent une courbe de température décroissante (ou chaleur tombante). Cela convient tout particulièrement à la cuisson du pain et spécifiquement des grosses pièces : la température du four diminue d'une manière lente au fur et à mesure que la cuisson progresse, que la pâte perd de son eau à la périphérie et que la croûte se forme. La cuisson s'opère ainsi grâce à la chaleur accumulée dans les parois du four, en permettant d'éviter une croûte brûlée ou trop colorée.

Dominique Descamps

• *Voir aussi :* Après-coup ; Croûte ; Cuisson directe/indirecte ; Cuisson sur filets ; Cuisson sur pavé ; Four ; Fournée ; Pyromètre ; Voûte ou chapelle du four à bois

CHAMBRE À COUCHER EN PAIN. – Voir POILÂNE

CHAMBRE DE FERMENTATION (OU POUSSE) CONTRÔLÉE. – La fermentation est la résultante de trois facteurs : la quantité de ferments (généralement la levure), la durée et la température. Dans un travail de panification classique, si on veut du pain à l'ouverture de la boulangerie, par exemple à 7 heures le matin, il faut, dans le cas où la fermentation s'effectue à température ambiante (plus ou moins 20°), que le boulanger commence son travail à partir de 1 ou 2 heures du matin. Pour améliorer les conditions de travail des boulangers et leur permettre de proposer des pains récemment cuits, et ce pendant toute la durée d'ouverture du magasin, il a été nécessaire de contrôler la température de fermentation : soit en ralentissant la fermentation pendant une journée (pousse lente à une température de 10 à 15°) ; soit en bloquant la fermentation pendant une à deux journées (pousse contrôlée à une température de 4°). Au-delà de ces temps de ralentissement ou de bloquage, il s'agit de remonter progressivement la température de manière à permettre une reprise de la fermentation. Cette fermentation différée est désormais possible grâce aux chambres de fermentation contrôlée, c'est-à-dire à des enceintes dans lesquelles on peut à la fois réguler la température (de 0 à 30°) et contrôler l'humidité de façon à éviter le dessèchement des pâtons.

Ludovic Salvo

• *Voir aussi :* Fermentation contrôlée ; Fermentation panaire ; Levure de boulanger

CHAMBRE DE REPOS. – Concerne une des phases de la fermentation : la détente ou pré-fermentation de l'apprêt. Elle suit la division et précède le façonnage. Elle permet à la pâte (sous forme de pâton) de se relaxer et facilite donc le façonnage. La détente se fait dans une armoire ou chambre, où température et humidité peuvent être mieux maîtrisées.

Dominique Descamps

• *Voir aussi :* Apprêt ; Balancelle ; Détente ; Division ; Façonnage ; Fermentation (pré-) ; Parisien

CHAMBRE FROIDE. – En boulangerie, on utilise une chambre froide pour conserver la levure ainsi que les produits utilisés en pâtisserie. Ces produits peuvent être surgelés ou congelés dans une chambre à – 18°. S'il s'agit de produit frais, ils seront conservés à + 4°. En revanche, pour pouvoir bénéficier de l'appellation boulangerie, les pains vendus ne doivent avoir été soumis à aucun processus de congélation, et à aucun stade de la fabrication (pâte ou pain). Le pain cru surgelé ou précuit surgelé est remis en œuvre et vendu dans des « points chauds » qui n'ont pas l'appellation boulangerie.

Ludovic Salvo

• *Voir aussi :* Congélation ; Précuit ; Surgélation ; Terminal de cuisson

CHAMBRE OU SILO À FARINE. Voir SILO À FARINE

CHAMPART. – Impôt féodal de l'Ancien Régime. Prélevé en nature sur les récoltes après la dîme octroyée au clergé, il est proportionnel à la bonne ou mauvaise récolte des céréales. Il est environ d'une gerbe de grains sur huit de chaque récolte.

Selon les provinces de France, on l'appelle arrage, gerbage, ou encore terrage. À partir du XVIe siècle, le champart est converti en paiement en argent, qu'on appelle le cens.

Olivier Pascault

• *Voir aussi :* Ban et banalités ; Boulangers et boulangeries (histoire de France des) ; Boulangers forains ; Disettes, famines et révoltes pour le pain en France ; Farines (guerre des) ; France (pains historiques, du Moyen Âge à la Révolution française) ; Physiocrates ; Réglementation ; *Sur la législation et le commerce des grains* ; Taille

Bibl. : Jean FAVIER, *Dictionnaire de la France médiévale*, Paris, Fayard, 1993.

CHANTEAU. – « Morceau coupé à un grand pain » (Le Robert). Selon l'ethnologue et folkloriste français Arnold Van Gennep, le principe est que la partie étant prise pour le tout il suffit de donner à quelqu'un un fragment de quelque chose d'entier, comme un morceau de pain ou une part de gâteau, où l'un des éléments d'un tout, pour transférer d'une personne à une autre, et même d'une collectivité à une autre, les qualités de ce tout avec les droits et devoirs qu'il implique. C'est sur cette théorie magique que repose la transmission du pain bénit, et, dans les cérémonies matrimoniales, celle du don de fragments du gâteau de noce. L'idée sous-jacente est que, par ce don, la qualité de la personne qui donne se transmettra à la personne qui reçoit. C'est ce qui explique que l'invitation aux noces, surtout l'assistance à la toilette de la mariée, soient très recherchées des filles. Ne pas être invitée est considéré non pas tant comme une insulte, mais comme un acte de malveillance. Ainsi, le morceau de gâteau que la nouvelle mariée remet à telle jeune fille de son village fait d'elle la prochaine candidate au mariage. En Berry, le chanteau se nomme grigne ; dans la Beauce, chanteau ou grigne ; en Languedoc, croustet ; en Champagne on lui donne la forme d'une pelote. Autres appellations : canté, cantieu.

Mouette Barboff

• *Voir aussi :* Bouche (pain de) ; Cataplasme farineux ; Chapelure ; Chiffon de pain ; Croûte à potage ; Croûton, croûtons ; Entame ; Fatteh → Syrie ; Figurines en mie et en pâte de pain ; Fruits en pâte ; Interdits liés au pain ; Miette ; Mouillette ; Pain bénit ; Pain grillé ; Pain rassis ; Pain sec (au) ; Panure ; Quignon ; Santon ; Soupe ; Talon ; Tartine

Bibl. : Arnold VAN GENNEP, *Manuel de folklore français contemporain*, Paris, Picard, 1937-1958 ; rééd. sous le titre *Le Folklore français*, Paris, Robert Laffont, coll. « Bouquins », 4 vol., 1998.

CHAPELLE DU FOUR. – Voir VOÛTE OU CHAPELLE DU FOUR À BOIS

CHAPELURE. – Ancien français (1398), *chapeler*, « enlever le dessus, le chapeau ». Pain séché ou biscotte, râpé ou émietté. Au XVIIIe siècle, il était d'usage de chapeler les petits pains rassis. Une jeune fille placée derrière un comptoir de la boutique s'acquittait de cette tâche avec un couteau. Une fois mise en sac, la chapelure était vendue aux pauvres et gens de la campagne pour grossir leur soupe. La chapelure est utilisée aujourd'hui pour paner certains aliments, en accompagnement d'un plat à gratiner, pour épaissir une sauce.

Mouette Barboff

• *Voir aussi :* Bouche (pain de) ; Cataplasme farineux ; Chanteau ; Chiffon de pain ; Croûte à potage ; Croûton, croûtons ; Entame ; Fatteh → Syrie ; Figurines en mie et en pâte de pain; Fruits en pâte; Interdits liés au pain; Miette; Mouillette; Pain bénit; Pain grillé; Pain rassis; Pain sec (au); Panure; Quignon; Santon; Soupe; Talon; Tartine

CHAPON. – On sait que le chapon est un coq castré, servi farci à Noël. Rome ayant interdit qu'on consomme la viande de poule dans le souci d'économiser le grain, les éleveurs avaient découvert cette propriété du coq castré qui est d'engraisser plus vite que ses semblables et permettait donc de contourner la loi. Mais le chapon est aussi un bon morceau de pain mis à tremper dans le potage maigre durant sa préparation. C'est encore une croûte du pain frottée d'ail utilisée dans les salades.

Jean-Philippe de Tonnac

• *Voir aussi :* Chanteau; Chapelure; Chiffon de pain; Croûte à potage; Croûton, croûtons; Entame; Miette; Mouillette; Pain grillé; Pain perdu; Pain rassis; Pain sec (au); Panade; Panure; Quignon; Soupe; Soupe de pain; Talon; Tartine; Toast

CHARANÇON. – Insecte qui peut attaquer les grains de blés pendant la période de stockage : la femelle pond ses œufs dans les grains, qui sont alors identifiables par la présence d'un petit trou. De fait, il n'y a pas de charançon dans la farine. En revanche, on peut trouver éventuellement des insectes tels que la pyrale de la farine ou le ténébrion meunier dont les larves sont appelées « ver de farine », ainsi que d'autres sortes d'insectes, improprement appelés charançons. À noter que la conservation dans un endroit sec et frais (température inférieure à 10°) interdit tout développement d'insecte quel qu'en soit la forme : œuf ou larve.

Ludovic Salvo

• *Voir aussi :* Conservation; Grain; Silo à grains

CHARLOTTE. – Voir BOULANGER (tenue du)

CHARPENTIER-AMOULAGEUR. Voir ARBRE MOTEUR OU GRAND ARBRE

CHASSE-MAISNIÉ. – Voir MEUNIER

CHASSE-MULET. – Voir MEUNIER

CHÂTAIGNE (farine de). – Voir CORSE

CHAUBAGE. – Un des procédés manuels utilisés pour séparer les grains de l'épi après la moisson. On saisit tout ou partie d'une gerbe et on en frappe la tête sur une surface dure (planche, chevalet, rebord de tonneau, bord du plancher d'un char, arête d'une pierre, etc.). Cela permet de ne pas abîmer la paille et de gagner du temps puisqu'il n'est pas utile de délier la gerbe pour la chauber. Le chaubage est souvent complété par un battage au bâton et au fléau.

Mouette Barboff

• *Voir aussi :* Battage des céréales et aire de battage; Épi; Épi (symbolique de l'); Femmes; Fléau; Paille

CHAUDIÈRE. – Construite ordinairement dans une des parois du four à proximité du pétrin, elle sert à chauffer l'eau pour pétrir. Sa taille était autrefois proportionnelle à celle du pétrin en bois, elle-même proportionnelle à celle du four. La chaudière devait être en cuivre étamé, plus large que profonde, et garnie d'un robinet à l'extrémité inférieure. L'autorité exigeait qu'elle soit toujours tenue dans un état complet de propreté, et qu'elle soit à cet effet fermée d'un couvercle en cuivre étamé.

Mouette Barboff

• *Voir aussi :* Four ; Fournil ; Pétrin ; Refroidisseur d'eau

CHAUME. – Voir PAILLE

CHAUSSURES DE SÉCURITÉ. – Voir BOULANGER (tenue du)

CHAVALON. – Dans les moulins à grain traditionnels du bassin de la Garonne (à eau ou à vent), les augets sont décorés à leur extrémité d'une sculpture figurant une tête de cheval (parfois avec crinière et muselière). Dans certains moulins, on trouve aussi des têtes de colombes, d'écureuil, de coq. Le frottement des arêtes du fuseau donne un rythme binaire rappelant le trot du cheval : tra-tram, tra-tram, tra-tram. Autres noms : chabalou ; cabalou.

Jean-Pierre Henri Azéma
et Roland Feuillas

• *Voir aussi :* Auget ; Fuseau ; Moulin

CHEF OU LEVAIN-CHEF. – Voir LEVAIN, LEVAIN-CHEF, LEVAIN DE PREMIÈRE, DE SECONDE, DE TOUT POINT

CHEF-D'ŒUVRE. – Les statuts de la corporation des boulangers de 1658 détaillent très précisément le parcours du compagnon boulanger aspirant à la maîtrise, qui était tenu de présenter à ses « maîtres » son « chef-d'œuvre ». Le compagnon boulanger doit ainsi préalablement communiquer son brevet aux jurés ainsi que les certificats de service de deux années chez son ou ses maîtres. Puis il est tenu de prendre deux setiers de bonne farine et de les convertir en pain blanc brayé et coiffé (vraisemblablement un pain à tête – base ronde surmontée d'une plus petite boule – réalisé à partir d'une pâte briée), du poids de 20 onces en pâte, pour revenir à 16 onces une fois cuit : « Le chef-d'œuvre sera apporté devant nous et le postulant jugé capable d'être reçu maître prêtera serment devant nous et paiera les droits et devoirs accoutumés. » Aujourd'hui, l'accès à la maîtrise en boulangerie ne nécessite plus la réalisation d'un chef-d'œuvre, hormis chez les Compagnons boulangers du Devoir et ceux de l'Union compagnonnique. Toutefois, divers concours permettent aux boulangers de mettre en valeur leur dextérité. Les chefs-d'œuvre en boulangerie sont réalisés de nos jours lors du concours de MOF (Meilleur Ouvrier de France) ou à l'occasion de la Coupe du monde de la boulangerie, à la fois en pains et viennoiseries, mais aussi en pièces artistiques réalisées en pâte morte. Le véritable challenge du boulanger reste avant tout de produire quotidiennement du bon pain, à partir d'une recette d'une confondante simplicité.

Hubert Chiron

• *Voir aussi :* Boulangerie (Coupe du monde de la) ; Boulangerie (salons internationaux de la) ; Compagnons boulangers ; Maître ; MOF ; Pain brié → Brioche ; Setier

CHICAGO BOARD OF TRADE. La bourse du commerce de Chicago (CBOT) a été fondée en 1848 afin de sécuriser les transactions entre acheteurs et vendeurs négociant des matières premières telles que, notamment, le blé, le soja, et le riz. Le

Chicago Board of Trade, premier dans son genre, offre aux acheteurs et aux vendeurs un lieu centralisé de rencontres et de négociations et la garantie, dès 1864, du premier contrat d'échange standardisé appelé « contrat à terme ». Depuis 1930, le Board of Trade Building est situé au 141, West Jackson Boulevard à Chicago et était, jusqu'à l'édification du Richard J. Daley Center, le plus haut gratte-ciel de la ville. Le 12 juillet 2007, le CBOT a fusionné avec le CME (Chicago Mercantile Exchange) pour former le CME Group, la première bourse du monde en volume d'opérations traitées. Les fluctuations sur le cours des céréales affectent directement le prix du pain.

Diane Castiglioni
(trad. de l'américain
par Jean-Philippe de Tonnac)

• *Voir aussi :* Céréales (cours mondiaux des) ; Céréales (disponibilité mondiale des)

CHIFFON DE PAIN. – Dans le *Dictionnaire de la langue verte* d'Alfred Delveau (1883), il s'agit d'un « morceau de pain ».

Jean-Philippe de Tonnac

• *Voir aussi :* Cataplasme farineux ; Chanteau ; Chapelure ; Croûte à potage ; Croûton, croûtons ; Entame ; Fatteh → Syrie ; Mouillette ; Pain grillé ; Pain perdu ; Pain rassis ; Pain sec (au) ; Panure ; Quignon ; Soupe ; Talon

CHILI (traditions du pain au). – Avant l'arrivée du conquérant espagnol, la majeure partie des sociétés installées sur le vaste territoire correspondant au Chili actuel pratiquait une agriculture qui permettait à des plantes telles que le maïs, le haricot, le quinoa ou la pomme de terre de tenir un rôle plus ou moins notable dans leur système alimentaire. Même les communautés de pêcheurs de la Terre de Feu n'ignoraient pas totalement les aliments farineux, grâce à la cueillette de certaines racines. Toutefois, la plupart de ces sociétés consommèrent vraisemblablement l'essentiel des produits de leur récolte sous des formes différant sensiblement de celles des aliments entrant dans la grande famille des pains, même lorsqu'elles les réduisaient en farine avant de les mettre en œuvre. Brièvement décrit par quelques chroniqueurs, le *covque*, confectionné par certains groupes mapuches à partir de la farine issue des espèces de bromes qu'ils cultivaient, semble cependant avoir été une galette non levée d'un type fort classique. Dans le courant du XVIe siècle, la culture des céréales venues de l'Ancien Monde commença à être pratiquée en terre chilienne. À l'aube du siècle suivant, le froment était exploité dans une très vaste région s'étendant depuis les vallées environnant Arica jusqu'à l'île de Chiloé. L'orge se vit aussi régulièrement semée dans quelques contrées. Le succès de ces plantes fut largement conditionné par les exigences de conquérants venus d'un pays où les blés étaient rois. Néanmoins, ces céréales parvinrent aussi à séduire des populations indigènes par leurs qualités intrinsèques. Elles furent notamment intégrées à leurs répertoires alimentaires par des groupes mapuches en lutte avec les Espagnols. Parmi les mets qui rappellent aujourd'hui cet enracinement des grains venus d'Europe dans les paysages alimentaires de l'Araucanie, il convient de signaler le *mültrün* ou *catuto*. En effet, cette préparation à base de grains de blé cuits avant d'être écrasés se sert sous la forme de petits pains allongés, qui peuvent être frits, voire passés au four en certaines occasions.

Outre les céréales auxquelles ils étaient attachés, les Espagnols implantèrent en terre chilienne les techniques de meunerie et les savoir-faire boulangers européens. En 1614, pas moins de trente-neuf moulins étaient déjà en activité à Santiago ! Si la majeure partie des habitants des régions rurales consomma durablement de la rustique *tortilla*, les citadins se virent précocement proposer une gamme de pains présentant une certaine diversité. Au XVIIIe siècle, par exemple, l'offre en produits panifiés disponible dans de nombreuses villes comprenait les pièces fabriquées par les artisans locaux et le *pan de mujer*, un pain réputé de qualité inférieure, qui était vendu par des marchandes originaires des villages alentour. Dans l'ensemble du Chili, l'art boulanger colonial ne valorisa pratiquement que la farine de froment. Sans ignorer totalement les possibilités offertes par la mouture de maïs, il ne les exploita pratiquement pas. L'introduction du seigle par les colons allemands, qui s'installèrent dans les provinces du sud du pays à partir du XIXe siècle, n'affecta guère le quasi-monopole du froment dans l'approvisionnement de la boulangerie nationale, le pain de seigle demeurant un pain aussi identitaire que confidentiel. À la charnière des XXe et XXIe siècles, l'écrasante majorité des pains consommés au Chili continue d'être fabriquée avec de la farine de froment. Néanmoins, les préoccupations diététiques d'une certaine élite font que le noir *pan alemán* est en vogue dans les principales villes du pays.

Progressivement, le pain devint un élément fondamental du paysage alimentaire chilien. Conjuguée à sa position dans l'univers symbolique occidental, cette importance lentement acquise dans l'imaginaire national valut au pain d'être célébré par des plumes remarquables. Dans plusieurs de ses écrits, Gabriela Mistral fit la part belle au pain, qu'il fût de Coquimbo, de Santiago ou d'ailleurs. Quant à Pablo Neruda, il consacra une de ses odes élémentaires à cet aliment essentiel. Pilier de la diète de milieux populaires qui se trouvaient parfois exposés à de sérieux risques de carences, le pain intéressa aussi les médecins et les législateurs. Dès les années 1950, l'enrichissement des farines destinées à la panification apparut comme un bon moyen pour améliorer l'état nutritionnel des Chiliens. Les premiers éléments ajoutés furent des vitamines du groupe B, du fer et du calcium, ce dernier cessant d'être apporté en 1967. Au début du XXIe siècle, le gouvernement fit le pari de l'enrichissement en acide folique (B9) du pain national pour faire baisser le nombre de naissances d'enfants atteints de malformations congénitales. Il est vrai qu'intervenir sur la composition de cette denrée était alors une méthode fort efficace pour modifier l'état nutritionnel des Chiliennes et des Chiliens. En effet, ils étaient les deuxièmes plus gros mangeurs de pain au monde avec une consommation moyenne par personne frôlant les 100 kg par an.

Bocado de dama (« bouchée de dame »). Petit pain blanc de froment, dont la croûte est fine et la mie uniforme. Du fait des deux saillies en colimaçon qui occupent ses faces latérales, il pourrait être rangé dans la catégorie des pains masculins. Type de pain adopté par la boulangerie industrielle, il se rencontre communément dans une bonne partie du pays.

Hallulla. Petit pain peu levé de forme circulaire, fabriqué avec de la farine de froment raffinée (*hallulla corriente* et *hallulla especial*) ou complète (*hallulla integral*). Une matière grasse solide, dont l'origine est fréquemment végétale de nos jours, figure nécessairement parmi les ingrédients de ce pain cuit dans un four. En effet, la *hallulla* chilienne n'est pas le pain cuit dans les braises que le castillan classique connaît sous le même nom. Dotée d'une mie compacte et tendre, la *hallulla* continue d'être fort appréciée par les Chiliens. En 2005, par exemple, son commerce représenta un cinquième du marché total du pain dans le pays.

Marraqueta, pan batido, pan francés. Pain levé obtenu à partir d'une farine de froment raffinée (*marraqueta corriente*) ou complète (*marraqueta integral*). Lorsque sa composition respecte les formules les plus classiques, ce qui n'est pas toujours le cas dans les boulangeries industrielles, ce pain à la mie irrégulière ne contient aucune matière grasse. Divisé par une entaille longitudinale très profonde, il devient aisément fractionnable à l'issue de sa cuisson. Aujourd'hui, les *marraquetas* se présentent souvent sous une forme double permettant d'obtenir en les rompant quatre petits pains de taille identique. De par son aspect, la *marraqueta* peut se classer dans la catégorie des pains féminins. Son nom fait d'ailleurs partie des termes employés dans le parler chilien vulgaire pour désigner la vulve. Plus rarement, *marraqueta* s'utilise dans le même registre de langue pour qualifier une paire de fesses disgracieuses. Pain le plus consommé dans l'ensemble du Chili, la *marraqueta* est aussi une référence évoquée dans des expressions plus recherchées. Ainsi, les bébés chiliens les plus chanceux ne naissent pas avec une cuillère d'argent dans la bouche, mais « avec une *marraqueta* sous le bras ». Si la *marraqueta* proverbiale est bien connue dans tout le pays, le pain désigné par ce terme se voit souvent proposé sous un autre nom en dehors de la capitale. Sans trop déformer une réalité complexe, il peut être écrit que le nord du Chili mange plutôt du *pan batido* et le sud du *pan francés*.

Pan coliza (« pain plate-forme »). Petit pain blanc à pâte laminée. De forme rectangulaire et très peu épais, il est entaillé sur l'ensemble de son périmètre. Certains boulangers distinguent du reste de leur production un pain dit « à la péruvienne » (*Coliza peruana*).

Pan de huevo (« pain aux œufs »). Petit pain blanc de froment amélioré par l'adjonction à sa pâte d'œufs, de beurre et de lait. La recette de ce mets apparaît dans de nombreux manuels, car il s'imposa précocement comme un classique de la cuisine bourgeoise chilienne. Parallèlement, il devint une spécialité exploitée par de nombreux marchands ambulants. Au tout début du XXe siècle, le *pan de huevo* faisait déjà partie des douceurs fréquemment proposées aux passagers des trains. Plus tard, il connut de francs succès auprès des touristes alanguis sur les plages.

Pan de Pascua. Pain de froment dont la pâte est considérablement améliorée par l'adjonction de lait, d'œufs, de beurre, de sucre, de fruits confits et de fruits secs. Il est consommé au moment des fêtes de Noël.

Raspa-buches (« râpe-estomacs »). Pain réalisé avec un blé de seconde qualité. Il était consommé autrefois par certaines classes laborieuses du Norte Chico. Au début du XXe siècle, par exemple, il composait l'essentiel de ration quotidienne des mineurs des environs d'Ovalle.

Sopaipilla. Pain petit pain frit évoqué dans des sources chiliennes dès le début au moins du XVIIIe siècle. Sa pâte, toujours enrichie par de la matière grasse, peut contenir du potiron. Servies ou non avec une sauce à base de mélasse, les *sopaipillas* constituèrent précocement un plat classique dans la majeure partie du Chili. Toutefois, celles préparées dans le centre-sud du pays prirent une place particulière dans le discours gastronomique national. Dans le magnifique poème qu'il consacra aux nourritures chiliennes, Pablo de Rokha chanta ainsi la *sopaipilla* qui gémissait dans le lard non loin du Bío-Bío. En terre mapuche, le même petit pain devient une *simita* lorsqu'il est cuit dans de l'eau au lieu d'être frit.

Telera. Pain bis de bonne taille qui servait généralement de ration journalière aux ouvriers agricoles et aux mineurs dans le nord du Chili (Coquimbo, Atacama). Sa forme variait selon les lieux. Certains étaient ovales, d'autres rectangulaires.

Tortilla. Galette non levée obtenue à partir d'une pâte composée de farine, de matière grasse, d'eau et de sel. Traditionnellement cuite sous la cendre (*tortilla de rescoldo*), elle diffère de la *tortilla de harina* mexicaine. Elle fut le premier pain largement consommé dans le Chili colonial. Au XVIIIe siècle, par exemple, elle apparaissait avec régularité sur les tables des ménages aisés de Talca. Progressivement délaissée par les amateurs de pains levés, elle devint un mets caractéristique des diètes les plus frugales dans les campagnes comme dans les villes, car des *tortilleros* ambulants parcoururent longtemps les rues de celles-ci. Dans un Chili où les promoteurs de conduites alimentaires alternatives ne manquèrent pas dès le XIXe siècle, la *tortilla* populaire intéressa précocement certains d'entre eux. Par exemple, l'auteur du *Consejero doméstico* estima qu'une *tortilla* sans graisse ni sel pourrait constituer une excellente alternative à un *pan francés* qu'il considérait comme malsain parce que « pourri » par l'adjonction de levure et « salé ». Aujourd'hui, la *tortilla* est encore régulièrement consommée par certains ménages du sud du pays. Elle constitue également une spécialité de terroir très appréciée en certaines occasions. Si la cuisson dans les braises n'a pas totalement disparu, un passage au four, voire dans la poêle, remplace désormais fréquemment cet antique mode de cuisson.

Frédéric Duhart

• *Voir aussi :* Amérique latine ; Andes boliviennes ; Argentine ; Brésil ; Pain (définition universelle du) ; Pains mondiaux ; Pérou ; Sexuelle (le pain comme métaphore)

Bibl. : Bette BITTMANN, « Recursos y supervivencia en el desierto de Atacama », *in* S. Masuda (éd.), *Recursos naturales andinos*, Tokyo, Université de Tokyo, 1988 • Claudio GAY, *Historia física y política de Chile : Agricultura*, Santiago du Chili, Museo de Historia Natural, 1862-1865 • John Alexander HAMMER-

TON, « Chili. Its Varied Climes and its Virile People », in *Peoples of All Nations*, Londres, Fleetway House, 1922 • Eva HERTRAMPF, « Fortificación de la harina de trigo en Chile : hierro y ácido fólico », *Fortificación de harinas con hierro, ácido fólico y vitamina B12 en las Américas*, Santiago du Chili, OPS, 2003 • Sonia MONTESINO AGUIRRE, « Identidades, mestizajes y diferencias sociales en Osorno, Chile : lecturas desde la antropología de la alimentación », thèse, université de Leyden, 2006 • Roberto PÁEZ, « Porotos y *raspa buches* : alimentación del peonaje minero en el Norte Chico (1814-1910) », *Revista de Historia Social y de las Mentalidades*, n° 6, 2002 • Oriana PARDO, José Luis PIZARRO, *Especies botánicas consumidas por los Chilenos prehispánicos*, Santiago du Chili, Mare Nostrum, 2005 • Eugenio PEREIRA SALAS, *Apuntes para la historia de la cocina chilena*, Santiago du Chili, Editorial universitaria, 1977 • Carlos RAMÍREZ, Francisco CARRILLO, « El molino harinero artesanal de Chiloé insular. Estudio lingüístico-etnográfico », *Revista de Dialectología y Tradiciones Populares*, n° 39, 1984.

CHIMISTES ET MICROBIOLOGISTES DU PAIN. – L'intérêt des savants et des chimistes pour la panification semble assez récent au regard de l'histoire des sciences ; il commence, semble-t-il, par l'infiniment petit. Deux principaux thèmes ont fait phosphorer les cerveaux des médecins, pharmaciens, chimistes et scientifiques impliqués dans différentes disciplines : les mécanismes de la fermentation et les protéines de la farine de blé aux propriétés fonctionnelles si singulières. Les sociétés savantes, les encyclopédistes, les laboratoires de recherche vont engager sur ces questions d'importants travaux et encourager les publications. Puis, des chimistes de renom vont participer à la lutte contre la répression des fraudes alimentaires, contribuant à renforcer ce que nous appelons aujourd'hui la « sécurité alimentaire ». Voici une sélection forcément imparfaite de ces scientifiques qui ont apporté des éclairages décisifs sur ce monde, que les professionnels résument en parlant de filière blé-farine-pain.

Antoni Van Leeuwenhoek (1622-1733), drapier de Delft connu pour ses améliorations du microscope et comme l'un des précurseurs de ce que l'on appellera plus tard la microbiologie, est le premier à observer, entre autres choses, les cellules de la levure de bière (1680), puis les bactéries (1683), avant de s'opposer à la théorie de la génération spontanée.

Giacomo Bartolomeo Beccari, (1682-1766), médecin et naturaliste italien, effectue en 1728 une communication à l'Académie des sciences de Bologne dans laquelle il décrit ses expériences de séparation du gluten et de l'amidon de la farine de blé. La publication de ses expérimentations interviendra en 1742 : elle est considérée comme la toute première publication scientifique sur la fonctionnalité si unique des protéines insolubles du blé, constitutives du gluten.

Paul Jacques Malouin (1701-1778), médecin et chimiste français réputé, nommé à l'Académie des sciences en 1744, rédige l'*Art du meunier, du boulanger, du vermicelier*, qui sera inséré dans les *Descriptions des arts et métiers, faites ou approuvées par Messieurs de l'Académie royale des sciences de Paris*. Les deux éditions (1767 et 1771) sont agrémentées d'une histoire abrégée de l'origine, des progrès et de l'état actuel de la meunerie, de la vermicellerie et de la boulangerie ainsi que de dix superbes planches en taille douce. Un dictionnaire ou vocabulaire de ces arts clôt l'ouvrage. Ce premier livre technique en langue française sur la meunerie et la boulangerie, qui présente un intérêt majeur, contient tout de même certains archaïsmes dans les renvois de bas de page à caractère scientifique. Après avoir assisté à l'une des conférences de Parmentier sur la technologie boulangère à l'Académie des sciences, Malouin lui aurait confié : « Recevez mon compliment ; vous avez vu mieux que moi. »

Louis Joseph Gay-Lussac (1778-1850), chimiste et physicien français, connu pour ses études sur les propriétés des gaz, établit en 1810 l'équation chimique de la fermentation alcoolique. En absence d'air, la levure tire l'énergie de la fermentation du sucre, qui engendre en quantités égales du gaz carbonique (dioxyde de carbone) et de l'éthanol.

Anselme Payen (1795-1871), chimiste français, isole en 1833, avec Jean-François Persoz, à partir d'un extrait de malt, une substance qui catalyse la transformation de l'amidon en glucose. Il baptise cette substance « diastase », du grec « séparer », considérant qu'elle sépare les blocs constitutifs de l'amidon en unités individuelles de glucose. C'est la première fois qu'est isolée une enzyme, composé qui, tout en n'étant pas lui-même vivant, présente les propriétés d'un catalyseur organique. Le suffixe -ase de « diastase » sera dorénavant employé pour désigner des enzymes.

V. Parisot rédige en 1840 un essai sur les falsifications qu'on fait subir aux farines, au pain et sur les moyens de les reconnaître. Les progrès réalisés en matière de dosages de substances illicites permettront d'envisager, quelques années plus tard, une loi sur la répression des fraudes alimentaires.

Jean-Baptiste Boussingault (1802-1887), chimiste et agronome français, étudie en 1836 le gluten ; mais c'est son étude de 1852 sur le rassissement du pain qui lui assurera la notoriété mondiale dans le cercle des biochimistes du pain. Cette expérience avait pour but de déterminer la cause de la transformation du pain tendre en pain rassis. À partir d'observations simples et d'un protocole rigoureux, il aboutit à des déductions confirmées depuis, qui rendront cette expérimentation célèbre : « Il est je crois permis de conclure que ce n'est pas par la moindre proportion d'eau que le pain rassis diffère du pain tendre, mais par un état moléculaire particulier qui se manifeste pendant le refroidissement, se développe ensuite et persiste. » Boussingault sera ainsi le premier à montrer la réversibilité du rassissement.

Antoine Boland (1795-1859), maître boulanger parisien, se passionne pour la chimie des farines et de la panification. Après avoir conçu un pétrin mécanique en 1839, il invente, cinq ans plus tard, l'aleuromètre, l'un des tout premiers appareils destinés à prédire la valeur boulangère. On lui doit également un impressionnant tableau analytique comparatif des blés français et étrangers de la récolte 1853. Boland est enfin l'auteur d'un excellent traité pratique de boulangerie, publié en 1860.

Hippolyte Mège, dit Mège Mouriès (1817-1880), plus connu pour l'invention de la margarine que pour ses travaux sur les farines et le pain, a néanmoins activement travaillé, entre 1854 et 1858, à la conception de nouveaux procédés de mouture et de panification. Son objectif : améliorer le rendement en farine sans pénaliser l'acceptabilité du pain par les consommateurs. Il met au point, à la meunerie-boulangerie de l'Assistance publique, un nouveau procédé de préparation préalable du blé à la mouture conduisant à l'obtention d'un pain qui a les qualités digestives du pain bis et pratiquement l'apparence du pain blanc. Il publie en 1860 une étude intitulée *Du froment et du pain de froment*.

Louis Pasteur (1822-1895), chimiste et physicien, pionnier de la microbiologie, publie, de 1857 à 1867, des études sur la fermentation, appliquant des méthodes de culture pure ; il établit que la fermentation est l'œuvre d'organismes vivants. Il découvre la capacité des levures à vivre en absence d'air c'est-à-dire en anaérobie. Dans ses travaux, il montre que la fermentation n'est pas le résultat d'une action physiologique au sein de la levure, mais qu'il s'agit d'une réaction chimique provoquée par une substance sécrétée par la levure. Cette substance, issue de la levure de bière et découverte par Buchner en 1897, est la zymase ; les composants chimiques d'origine physiologique et présentant des effets similaires seront appelés ultérieurement enzymes.

Thomas Burr Osborne (1859-1929), éminent scientifique américain, qui étudie durant près de quarante ans les protéines de différentes graines dont le blé, publie en 1893 *Proteids of Wheat Kernel*, ouvrage devenu un classique de la biochimie céréalière. *The Proteins of the Wheat Kernel* (1907), représente alors la synthèse de ses études approfondies. Sa classification de la biochimie des protéines du blé s'est durablement imposée auprès de la communauté scientifique.

Louis Camille Maillard (1878-1936), biochimiste français mondialement connu, notamment grâce à l'analyse de la réaction entre sucres et acides aminés chauffés ensemble, donne, le 27 novembre 1911, une importante communication, « L'action des sucres sur les acides aminés », passée malheureusement inaperçue. Également appelé « brunissement non enzymatique », ladite réaction intervient à chaque cuisson de pain, puisqu'elle explique pour une grande part les réactions de coloration de la croûte du pain. Les molécules aromatiques produites développent notamment les notes aromatiques de pain grillé.

Émile Fleurent (1865-1938), chimiste français, est le premier à étudier l'incidence du rapport des deux composants du gluten, les gliadines et les gluténines, sur la valeur d'utilisation des farines. Dans son livre *Le Pain de froment* sorti en 1911, Fleurent se fait l'apôtre de la meunerie moderne.

Aimé Girard (1830-1898), savant de grande notoriété, a publié à partir de 1884 des études chimiques et microscopiques sur le grain de froment et la valeur alimentaire de ses diverses parties. Il étudie également les produits de la mouture des blés provenant des expériences comparatives de moutures par meules et par cylindres en 1883 et 1884. Il fut un apologiste des farines raffinées et de la nouvelle mouture par cylindres métallique.

Marcel Arpin (1862-1946), un des plus grands chimistes céréaliers français, normalise le dosage du gluten et milite activement pour l'ouverture d'une école de meunerie. Il initie par ailleurs l'analyse de la valeur boulangère des blés français en incluant des essais de panification, à partir de la récolte 1922. Bibliophile averti et collectionneur d'ouvrages rares, il rédige, à la fin de sa vie, un incontournable historique de la meunerie et de la boulangerie, publié en 1948.

Léon Boutroux (?.-?), microbiologiste, apporte un éclairage remarquable sur la fermentation panaire et tout particulièrement sur la fermentation au levain. Son excellent livre *Le Pain et la panification, chimie et technologie de la boulangerie et de la meunerie*, paru en 1897, atteste d'une formidable compétence sur le sujet.

Jean Buré (1912-1986), ingénieur agronome, professeur à l'École française de meunerie de 1938 à 1960, directeur des laboratoires d'analyses céréalières de la même EFM de 1940 à 1960, professeur à l'ENSIA (École nationale supérieure des industries alimentaires) de 1960 à 1978, a consacré sa vie aux industries des céréales. Il est le coordonnateur du grand colloque CNERNA, « Le pain » en 1977 et aura grandement contribué à diffuser les thèses des médecins Burkitt et Trowel, partisans d'un retour des fibres dans les régimes alimentaires.

Marcel Chopin (1889-1979), ingénieur électricien qui, après quelques années au service des Grands Moulins de Nancy puis de Paris, va concevoir l'extensimètre en 1921, puis breveter en 1937 le fameux alvéographe Chopin avec son singulier pétrin extracteur. Ce matériel de laboratoire connu dans le monde entier est apprécié pour sa faculté à contrôler tous types de farine et prédire sa valeur d'utilisation.

Roger Drapron (1922-2007), ingénieur au CNAM (Conservatoire nationale des arts et métiers) en chimie agricole, est l'un des pionniers de l'enzymologie. Ses travaux au sein de l'équipe de recherches de l'INRA qu'il dirige à l'ENSAIA (École nationale supérieure d'agronomie et des industries alimentaires) de Massy durant une vingtaine d'années ont contribué très largement au renouveau de la qualité du pain français. En effet, les études sur les lipides, lipases et lipoxygénase, d'une part, et sur l'arôme de la mie du pain, d'autre part, ont conduit les technologues de la panification à remettre en cause leur façon de travailler. Son livre *Notre Pain quotidien* est un exemple remarquable de vulgarisation scientifique.

Aujourd'hui comme hier, les scientifiques du pain utilisent les outils les plus performants. Certains déplacent un mini-fournil pour soumettre 500 mg de pâte à pain à la lumière synchrotron extrêmement brillante de l'ESRF (European Synchrotroon Radiation Facility) afin de mieux comprendre, par exemple, les mécanismes qui régissent l'alvéolage de la mie de pain. D'autres développent des logiciels d'analyse d'image (C-CELL) pour caractériser objectivement les tranches de pain et prédire leurs propriétés en termes de moelleux. D'autres enfin identifient les centaines de molécules aromatiques de la croûte et de la mie. De nouvelles disciplines scientifiques sont apparues, telles l'intelligence artificielle et les sciences cognitives. Des informaticiens travaillent à la représentation de la connaissance en panification pour construire des systèmes experts et des logiciels d'aide à la décision. Qu'ils travaillent dans des laboratoires de recherche publics ou privés, ces scientifiques explorent avec passion les mystères du pain, et nombre d'entre eux ne dédaignent pas de mettre la main à la pâte. Certains brevettent, d'autres publient et ils seront encore plusieurs centaines à se réunir en octobre 2012 à Pékin au quatorzième congrès des céréales et du pain.

Hubert Chiron

• *Voir aussi :* Aérobiose et anaérobiose ; Alcool ; Alvéographe ; Amidon ; Céréales ; CNERNA ; Enzyme ; Fermentation panaire ; Fibres ; Gaz carbonique ; Gliadines ; Gluten ; Gluténines ; Levain, levain-chef, levain de première, de seconde, de tout point ; Levain de panification ; Levure de boulanger ; Pain grillé ; Pain rassis ; Protéine ; Rassissement ; Types de farine → Farine ; Valeur boulangère

Bibl. : Jean ADRIAN, *Les Pionniers de la science alimentaire*, Paris Tec et doc-Lavoisier, 1994 • Antoine BALLAND, *La Chimie alimentaire dans l'œuvre de Parmentier*, Paris, Baillière et Fils, 1902 • Roger DRAPRON, Jacques POTUS, France LAPLUME, Pierre POTUS, *Notre pain quotidien*, Paris, AGP, 1999 • Jean BURÉ, *In memoriam*, Paris 1987.

CHINE, HONG KONG ET MACAO (traditions du pain en). – La Chine, qui reprend confiance après quelques longues décennies d'obscurantisme intellectuel, ne manque pas de rappeler l'illustre antériorité de ses « inventions » en vantant les prouesses des différentes dynasties impériales. Ainsi, il est régulièrement rappelé que le papier est né en Chine vers la fin du IIIe siècle avant l'ère chrétienne, sous le règne de l'empereur Chiuangdi (dynastie des Qin). Durant la dynastie des Tang, la poudre à canon a été inventée, sans oublier une longue liste d'autres inventions aussi diverses que l'abaque, les cerfs-volants, les feux d'artifice, la porcelaine, la soie, le compas et l'horloge. Cette impressionnante liste prend une autre dimension sitôt qu'on considère les revendications chinoises en matière culinaire, au rang desquelles figurent la découverte des pâtes, du hamburger et même du pain. On laissera à l'Italie le soin de répliquer pour ce qui concerne les pâtes. En revanche, force est d'admettre que le hamburger chinois (nous définirons par hamburger un petit pain rond avec des graines de sésame fourré à la viande et autres aliments) apparaît dès l'an 0 (dynastie Han), tout comme on retrouve avec précision de nombreuses références au pain dès Confucius. La Chine a donc assurément une très longue histoire de pain.

Le pain, appelé *Bing* (饼), *Baozi* (包子), *Mantou* (馒头), *Huajuan* (花卷), apparaît dès 600 av. J.-C. (époque de Confucius) et devient commun vers l'an 0 de la dynastie Han. À cette époque, il est principalement dénommé *Bing* et ne prendra le nom de *Mantou* qu'au moment de la guerre des Trois Royaumes. Il n'est toutefois pas certain que toutes les petites têtes brunes qui déboursent, à la sortie de l'école, la modique somme de 5 *mao* (moins de 5 centimes d'euro) pour ces délicieux *Mantou* cuits et maintenus chauds à la vapeur en connaissent l'origine quelque peu morbide. La guerre des Trois Royaumes (三國, Sānguó) commence en l'an 220 après la chute de la dynastie Han et se termine avec l'établissement de la dynastie Jin en 265. Les trois royaumes de Shu (蜀), Wei (魏) et Wu (吴) s'affrontent pour la domination de la Chine et sont marqués par la personnalité charismatique du général Zhuge Liang, brillant stratège, premier ministre du royaume de Shu, connu pour sa logique implacable et ses ruses machiavéliques. En pleine guerre, pour passer une rivière, il faut offrir des têtes humaines en offrande au « dieu de la rivière ». Zhuge Liang a alors l'idée de remplacer les têtes par des pains remplis de viande, d'où le nom *Mantou*, qui signifie littéralement « tête qui trompe le dieu de la rivière ». Le pain contenant de la viande prend ensuite le nom de *Baozi* (包子 ; « petit sac », en référence à son contenant) à l'époque de la dynastie des Song du Nord (an 1000) alors que le *Mantou* est plus communément lié au pain non garni, à l'exception de certaines régions, comme Shanghai et le bassin du Yangtzé, où le *Mantou* est tout autant naturel que fourré à la viande. Le pain (cuit au four) *Hu Bing* (胡饼), *Mian Bing* (面饼), *Shao Bing* (烧饼), *Da Bing* (大饼) (饼, « galette ») apparaît vers l'an 0 de la dynastie Han, en provenance de l'Ouest par la route de la soie. Le *Hu Bing* (胡饼) (le mot *Hu* désignant les habitants du Moyen-Orient, on le retrouve dans des produits typiques, tels que le poivre *Hu Jiao*, une espèce de courge *Hu Lu*, la carotte *Hu Luobo*, etc.) est la galette traditionnelle des Moyen-Orientaux, qui devient très populaire durant la dynastie des Tang (vers l'an 700).

La diversité géographique de la Chine s'accompagne aussi d'une mosaïque unique de peuples qui ne font pas partie des Han. Ainsi, le *Nang* (馕), qui est un pain venant de Perse et qui trouve lui aussi ses racines dans la route de la soie, est le principal aliment de la minorité ouïgoure. Les Ouïgours l'appelaient *Aimaike*, le mot *Nang*, étant celui utilisé par les musulmans, viendrait de l'arabe. Les Ouïgours ont également vulgarisé le *Kao Baozi* (烤包子), souvent appelé *Shamusa*, sorte de petit pain fourré à la viande, aux légumes et aux épices, cuit au four. Il existe aussi des aliments frits à base de farine, que l'on peut apparenter au pain, car ils servent d'aliments de base. Le plus courant est le *Youtiao* (油条), qui est courant dans toute la Chine au petit déjeuner et comme snack. Dans les régions du nord de la Chine, qui cultivent le maïs, c'est cette céréale qui entre dans la composition de certains aliments rappelant le pain : ils se présentent la plupart du temps sous forme de galettes peu appétissantes. La pauvreté de ces régions du Nord, conjuguée à un climat rigoureux, fait que ces galettes de maïs sont souvent la nourriture de base à bas prix. La colonisation de Macao par les Portugais et celle de Hong Kong par les Britanniques y coïncident avec l'introduction du pain et de spécialités européennes. Enclave portugaise en Chine fondée en 1557 par des missionnaires et des marchands originaires du Portugal, Macao possède une longue tradition pour ce qui concerne le pain. Une des spécialités y est le hamburger local, un pain coupé en deux avec un steak de porc grillé aux oignons, appelé le *pork chop bread*. L'île de Hong Kong – Xianggan en mandarin, c'est-à-dire « le port parfumé » – a été rattachée à la couronne britannique en 1843 à l'issue de la première guerre de l'Opium, qui opposait la dynastie des

Qing (Mandchous) aux troupes britanniques. Les Britanniques y ont apporté la pratique des toasts, notamment pour le petit déjeuner. L'entrée du pain d'inspiration occidentale dans la Chine moderne – celle de l'ouverture économique de 1979 – s'est faite à vitesse accélérée. Les boulangeries à l'européenne sont omniprésentes et proposent des gammes de pains pourtant assez éloignées du pain à la française. Les consommateurs chinois, de par leur culture de pains « mous », acceptent difficilement les pains « français » jugés durs à mâcher. On remarquera un goût prononcé pour le pain (toast) légèrement sucré, sûrement dû au fait qu'ils n'y ajoutent pas de beurre mais le consomment tout seul. Les jeunes générations adaptent de plus en plus, pour leur petit déjeuner, l'habitude occidentale de consommer du pain. Le pain, dont le prix est encore très modique, représente dorénavant un enjeu financier à l'échelle de la Chine : les réseaux de boulangeries peuvent peser plusieurs centaines de points de ventes pour une seule enseigne.

Baozi (包子), Mantou (馒头). La préparation du *Baozi* ou *Mantou* consiste à faire une pâte avec de la farine qui sera ensuite cuite à la vapeur. On mange le pain ainsi cuit, soit tout seul (surtout s'il est fourré à la viande), soit en le trempant dans une sauce, mais seulement à l'époque moderne. Le *Baozi* offre une variété de garnitures qui peut varier d'une région à l'autre : viande, légumes, légumes et viande, pâte de haricots rouges… Il existe même une variante appelée *Huajuan* (花卷), qui a une forme tortillée et est souvent accompagnée de fines herbes crues, essentiellement une variété de ciboulette, qui cuisent avec le pain. À l'époque du consumérisme effréné en Chine, le *Baozi* a valeur de simplicité, d'authenticité et d'économie : il accompagne les écoliers, mais demeure encore la référence des adolescents et des étudiants qui, peu fortunés, consomment volontiers ces petits pains très nourrissants, toujours frais, abordables, qui font office de petits déjeuner, voire de repas express. La grande distribution ne s'y est pas trompée : les rayons surgelés de *Baozi* sont aussi importants que peuvent l'être en France le rayon des produits laitiers ! Il n'est pas rare non plus que les restaurants les plus huppés les ajoutent à leur carte. Ces *Mantous* de « première classe » peuvent être frits après cuisson et sont en général accompagnés d'un peu de lait concentré. On les sert en fin de repas comme les raviolis ou les pâtes. Les mauvaises langues diront que les Chinois, portés sur la boisson, s'en servent pour éponger le trop-plein d'alcool. Le *Mantou* n'échappe pas aux règles de préséance : il est préférable de ne pas finir son dessert panifié sous peine d'offenser la personne qui invite, cela voulant dire que le repas en lui-même n'a pas été assez copieux. Il existe des variantes dans chaque province chinoise : petits tubes d'un centimètre de diamètre et de hauteur, pains en forme de pêches (symbole de longévité et en particulier servis pour les anniversaires), *Mantou* ayant la taille d'un pain. Dans le sud de la Chine, en particulier dans la province du Guangdong, d'où les Hongkongais sont pour la plupart originaires, l'influence de l'ex-colonie britannique est forte : les marchands ambulants proposent des petits pains vapeurs qui rappellent fortement le pudding et autres pâtisseries traditionnelles anglaises.

Nang (馕). Principal aliment de la minorité ouïgoure. Le *Nang*, ou *Aimaike*, se cuit dans un four à pain ressemblant à ceux utilisés en Europe ; il est en général de forme ronde. Il est souvent nature avec un peu de sésame noir ou blanc, plus rarement fourré à la viande ou bien badigeonné à l'huile (la conservation étant alors limitée).

Shao Bing (胡饼) (appellation ancienne : **Hu Bing** 胡饼). Galette traditionnelle des Moyen-Orientaux, le *Hu Bing* est devenu très populaire durant la dynastie des Tang (vers l'an 700). Il existe nature, fourré à la viande et à la purée de haricots, résultant d'un mélange d'huile et de pâte de farine et d'eau, avec des graines de sésame sur le dessus. Il faut souligner ici sa ressemblance troublante (pour les graines de sésame et la forme, car la consistance est bien différente) avec le pain utilisé aujourd'hui pour les hamburgers. Plus qu'une ressemblance, il faudrait désormais demander un *Shao Bing* chez McDonald's en lieu et place d'un prétendu Big Mac. Il faut noter aussi la technique relativement sophistiquée de cuisson du *Shao Bing :* la boule de pâte est collée à l'intérieur d'un four spécial, la partie collée cuit sur la paroi, l'autre à la braise ; il existe aussi une autre technique de cuisson au four très similaire à la nôtre. L'une des hypothèses sur l'origine du hamburger l'attribue au temps des conquêtes mongoles qui l'auraient vulgarisé en Europe.

Youtiao (油条). Tortillon de pâte de pain d'une longueur de 20 cm environ, frit dans l'huile, le *Youtiao* est la composante principale du petit déjeuner de beaucoup de Chinois, souvent en accompagnement de lait de soja, froid ou chaud, sucré ou salé, suivant les régions. On le retrouvera souvent en binôme à Shanghai avec le *Shao Bing* sous le nom de *Dabing* ou *Youtiao*.

Olivier Candiotti
et Guillaume Cadilhac

• *Voir aussi :* Hamburger ; Pain (définition universelle du) ; Pains mondiaux ; Pâtes alimentaires

Bibl. : *Guide de l'École de cuisine chinoise de Beijing* • *Guide de la cuisine du Shanxi*, Association culinaire du Shanxi • LIU ZHIXIAO, *Histoire de la minorité WeiWuEr* • LUO GUANZHONG, *Histoire des Trois Royaumes*, XVe siècle • MENG ZHAOPING, *La Cuisine à la farine de Maître Meng*.

CHIQUETER. – Geste qui consiste à entailler, à l'aide de l'envers de la pointe d'un couteau d'office, le pourtour de deux abaisses de pâte feuilletée afin d'éviter que les deux disques ne se désolidarisent durant la cuisson (si on utilise la lame à l'endroit, l'incision a tendance à se ressouder et sera moins visible sur le produit cuit). La lame du couteau est tenue en position oblique par rapport au plan de travail. Cette action de chiqueter confère un aspect « dentelé », elle est pratiquée tous les 5 mm environ sur une profondeur d'environ 10 mm. Le boulanger chiquette par exemple toutes ses galettes feuilletées, ce qui contribue à en améliorer la présentation.

Hubert Chiron

• *Voir aussi :* Abaisse ; Galette des Rois ; Pâte feuilletée → Pâtes (définition des) ; Pâtisserie

CHORLEYWOOD BREAD PROCESS. – Le procédé Chorleywood (Chorleywood Bread Process ou CBP) est un procédé de fabrication du pain ultrarapide, mis au point en 1961 par la Flour Milling and Baking Research Association (Association de la minoterie et de la recherche en panification) à Chorleywood, en Angleterre. Il est utilisé dans la fabrication de plus de 80 % du pain industriel, ainsi que dans celle de beaucoup de pains spéciaux et biologiques, au Royaume-Uni, en Australie, en Nouvelle-Zélande et en Inde. Le procédé Chorleywood est employé dans 28 pays, y compris en France, en Allemagne et en Espagne, et on prévoit de l'introduire en Chine. Cette méthode a été créée pour permettre à une plus grande proportion de blé issu de la production nationale, pauvre en protéines, d'entrer dans la catégorie du blé à moudre, étant donné que peu de variétés locales possédaient les caractéristiques requises pour la confection de produits panaires de qualité supérieure.

Bien que cela ait profité à l'agriculture britannique, en valorisant ses produits sur le marché, la valeur nutritionnelle réduite des produits « CBP » soulève quelques inquiétudes. Le procédé CBP permet en effet d'utiliser du blé pauvre en protéines, en association avec des compléments chimiques et, par un travail mécanique intense de la pâte à l'aide de batteurs à grande vitesse, avec l'ajout de matières grasses végétales solides, de grandes quantités de levure boulangère et d'eau, de produire du pain en trois heures trente environ. Avec quelques minutes de ce puissant pétrissage, la période de fermentation se trouve réduite de manière significative, ce qui augmente la vitesse de production de chaque pain.

Diane Castiglioni
(trad. de l'américain
par Myriam Daumal)

• *Voir aussi :* Boulangerie contemporaine ; GMS ; Grande-Bretagne ; Marketing du pain ; Prêt à façonner, prêt à pousser ; Précuit ; Quenelle ; Terminal de cuisson

CHRISTIQUES (miracles). – Voir MIRACLES CHRISTIQUES

CHRYSIPPE DE TYANE. – Nos connaissances sur ce savant, auteur de livres sur l'art culinaire et plus particulièrement sur la confection de pains et de gâteaux, proviennent d'Athénée, qui le caractérise comme *sophos pemmtologos* (« savant quant aux recettes ») : « Mais comme le traité de la boulangerie de Chrysippe de Tyane m'est tombé sous la main, et que j'ai connu par expérience, chez nombre de mes amis, les pains dont il fait mention, je vais vous dire quelque chose à ce sujet » (*Deipnosophistes*, l. III, chap. XXVIII, 113). On lui attribue la conception du *plakous*, sorte de pain plat correspondant à la pâte de la pizza actuelle. Amandes, noix, grains de sésame et de pavot sucrés au miel constituaient la garniture de ce mets, fort apprécié dans l'Antiquité, offert souvent en ex-voto aux temples, mais aussi consommé lors les fêtes familiales. On considère aussi que c'est lui qui inventa les *lagana*, mets constitué de plusieurs couches de pâte fine superposées et garnies de viande et d'aromates. La même recette, qui n'est pas sans rappeler celle des *lasagne* modernes, est parfois attribuée à Mithaikos, auteur et cuisinier sicilien d'origine grecque, né à Syracuse au Ve siècle avant notre ère.

Yvonne de Sike

• *Voir aussi :* Athénée de Naucratis ; Calendrier grec ancien ; Déméter et Perséphone ; Éleusis (mystères d') ; Grèce ; Kollyva, collyves ; Kykéon et initiation aux mystères ; Saturne

Bibl. : Shaun HILL et John WILKINS, « Mithaikos and other Greek cooks », *in* H. Walker (éd.), *Cooks and Other People : Proceedings of the Oxford Symposium on Food and Cookery, 1995*, Totnes, Prospect Books, 1996, p. 144-148.

CHSCT (Comité d'hygiène, de sécurité et des conditions de travail). – Constitué dans tous les établissements occupant au moins cinquante salariés, le CHSCT a pour mission de contribuer à la protection de la santé et de la sécurité des travailleurs ainsi qu'à l'amélioration des conditions de travail. Composé notamment d'une délégation du personnel, le CHSCT dispose d'un certain nombre de moyens pour mener à bien sa mission (information, recours à un expert…), d'un crédit d'heures et d'une protection contre le licenciement. Ces moyens sont renforcés dans les entreprises à haut risque industriel. En l'absence de CHSCT, ce sont les délégués du personnel qui exercent les attributions normalement dévolues au comité.

Julien Couaillier

• *Voir aussi :* AFSSA ; CHSCT ; DGAL ; DGCCRF ; Observatoire du pain ; Traçabilité

CHYPRE (traditions du pain à). – L'île de Chypre, nichée dans la partie orientale de la Méditerranée, occupe une place stratégique à 65 km au sud des côtes méridionales de la Turquie, et à 96 km à l'ouest de la côte syrienne ; elle est à 385 km au nord de l'Égypte et à 400 km à l'est de Rhodes. Cet emplacement géographique lui confère une place particulière dans la diffusion de la culture des céréales à partir du Croissant fertile, comme dans la propagation des techniques de panification transmises par l'Égypte au reste du monde méditerranéen. Chypre, d'abord inhabitée, semble avoir été colonisée brusquement au début du IXe millénaire par des colons venus de l'Asie Mineure d'abord et du Proche-Orient par la suite, lesquels ont importé une vie agropastorale qui s'est très bien implantée. Ainsi, l'engrain (*Triticum monococum*), l'amidonier (*Triticum dicoccon*), l'orge (*Hordeum* L.) font leur apparition sur l'île ainsi que d'autres légumes, tels la lentille, la vesce, le pois chiche et le lin. Il est donc légitime de penser que les céréales cultivées furent introduites à Chypre en même temps que les pratiques culturelles et cultuelles observées dans les premiers foyer néolithiques du sud de l'Asie Mineure et du Proche-Orient : après la récolte, on conservait une partie de la semence pour la saison suivante et on torréfiait le reste destiné à la consommation, afin d'éviter la germination. Les grains étaient écrasés sur des meules dormantes aplaties, que l'on trouve encore dans les gisements archéologiques : l'homme chargé de cette tâche se servait de socles pour y écraser les graines, avec des pierres oblongues de taille plus petite, à partir d'un mouvement de va-et-vient, et produire une farine grossière qui servait à faire des bouillies ou à préparer des galettes cuites dans les cendres. Au Néolithique, on ne fabriquait pas de pain, la levure n'étant pas encore connue. Avec l'introduction des blés durs et des blés tendres contenant plus de gluten, et du levain (probablement à partir de l'Égypte), la procédure de panification a été enclenchée.

Les informations directes manquent par rapport aux millénaires où l'île s'est trouvée sous influence orientale (philistine et phénicienne) et même après l'arrivée des Grecs, qui s'y installèrent vers 1450 avant notre ère. Il est cependant certain que l'idéologie associant les céréales au culte des grandes déesses et aux rites funéraires y fut introduite, puisqu'elle constitue un maillon indispensable dans le cheminement de ces courants culturels vers l'Occident. Chypre, l'île du *cuprun* (« cuivre »), métal indispensable à la sortie du Néolithique, devient, à partir du IIe millénaire, le lieu de naissance de Vénus (pour les Grecs), l'un des avatars occidentaux de la déesse primordiale. Beaucoup plus tard, c'est grâce aux *Deipnosophistes* d'Athenée de Naucratis (livre III, 72a, 112a) que nous apprenons que l'on produisait à Chypre d'excellents pains.

Nous pouvons néanmoins remarquer que la consommation de galettes non panifiées (les *pittes*), produit commun dans tout le Proche-Orient et dont la fabrication remonte aux temps les plus reculés, s'est conservée sur l'île jusqu'à nos jours. D'autre part, les Chypriotes d'origine grecque ont adopté la double appellation du pain, comme la majorité des Grecs du continent : d'une part *psomi*, expression de grec moderne qui signifie « bouchée » ou « miche qui s'émiette », utilisée lorsqu'il s'agit du pain de consommation quotidienne, mais aussi des métaphores, véhiculées dans le langage courant et la poésie populaire sur la valeur morale et symbolique de cet aliment. L'autre appellation est *artos :* c'est le terme générique qui désigne le pain dans le grec ancien et aussi dans la *katharevoussa*, la langue savante, et qui signifie à proprement parler « goût », « saveur ». *Artos* est le terme appliqué aux pains rituels utilisés pour la communion des deux espèces (cf. *artoclassia*, « découpage rituel du pain »), pour les pains offerts à l'église lors des commémorations ou des fêtes patronales, partagés par la suite parmi ceux qui avaient participé à l'office. En revanche, les pains consommés à l'occasion des fêtes saisonnières avec les prémices des produits agricoles sont appelés *psomia* (par ex. *staphidopsomo*, « pain aux raisins », etc.) Par ailleurs, les Chypriotes conservent la haute valeur symbolique de cet aliment (le pain, c'est la vie) et considèrent que toutes les étapes de la panification et de la cuisson ont trait à la reproduction, la sexualité et la naissance, comme en témoignent la littérature orale et plusieurs pratiques populaires.

Jusqu'aux dernières décennies, on fabriquait des pains à la maison pour la consommation quotidienne, mais aussi des pains particuliers pour toutes les occasions festives. Cet aliment constitue la base de la convivialité (« nous partageons le pain et le sel » signifie « nous sommes des amis jurés ») et de toute commensalité insulaire. Dès l'annonce de l'arrivée d'un hôte, la maîtresse de la maison se mettait à pétrir un pain nouveau en son honneur, dont l'odeur embaumait toute la demeure et dont le partage renouvelait les liens entre la famille et leur invité. De même, des pains particuliers étaient préparés pour recevoir les futurs alliés, pour annoncer et célébrer les fiançailles. Les pains de mariage chypriotes sont parmi les plus spectaculaires de toute la Méditerranée orientale ; seuls les pains crétois rivalisent en beauté et inventivité décorative. On fabriquait d'abord des petits pains aux formes d'oiseaux, de paniers, de fleurs, ou d'autres qui représentaient schématiquement les sexes des hommes et des femmes que l'on les plaçait dans un *tsestos*, vannerie décorée. Des jeunes garçons de la lignée de la mariée les distribuaient aux parents et amis, en guise d'invitation au mariage. Une grande *couloura*, pain en forme de couronne, placée sur le goulot d'une gourde servait d'emblème lors de la distribution. Les invités apportaient des pains pour le repas de mariage, les familles des futurs mariés en fabriquaient aussi et cela dans une ambiance de joyeuse bienveillance et de chants dont le but était d'éprouver, par cet échange rituel de nourriture, la solidité de la nouvelle alliance. Les amies de la future mariée et elle-même se chargeaient entre-temps des pains particuliers (en forme de serpents) pour parfaire le décor de la chambre nuptiale, dont le but apparent était d'assurer la fécondité du couple, mais aussi de rendre hommage aux ancêtres et de remercier la terre dispensatrice de richesses et de fertilité. La naissance d'une enfant était l'occasion de préparer des pains destinés à la sage-femme, d'autres à favoriser la lactation de la jeune mère, à s'assurer encore la bonne volonté des *Moires*, les fées du destin, etc. De même, pour le baptême, on faisait des pains pour les parrains et pour la fête commensale qui intégrait l'enfant, grâce à son prénom, dans les réseaux familiaux ; les parrains apportaient des pains décorés pour leurs filleuls, don qu'ils réitéraient tous les ans, lors des grandes fêtes. Céréales et pains marquaient aussi les rites funéraires, comme partout ailleurs dans le monde orthodoxe.

Les pains et les gâteaux rituels liés aux fêtes saisonnières, et les fêtes religieuses qui leur font écho, sont très variés quant aux formes, aux farines et aux recettes utilisées. Les *christopsoma*, « pains du Christ », les *tsourekia*, « pains au lait », ou les *genitopittes*, gâteaux rituels de la naissance, appartiennent à la célébration de Noël ; la *Vassilopitta*, est le pain-gâteau du Nouvel An, qui sert de support à la divination sur l'avenir des membres de la famille, lors de l'année à venir. Chaque maîtresse de maison avait sa propre technique pour mieux faire lever ses pains, les parfumer avec des écorces de citron ou du jus d'orange, fruits qui arrivent à cette saison à leur pleine maturité. Pendant les trois semaines du carnaval, ce sont les feuilletés fourrés de viande, *kréatopittes*, de crème de lait, *galatopittes*, de fromage, *tyropittes*, etc., qui prennent le relais. Pour le premier jour du Carême, le « Lundi pur », les boulangers préparent, partout dans le monde hellénique, des *laganes*, pains aplatis, abondamment parsemés de sésame, dont les prototypes au goût exquis étaient déjà vantés par Athénée. Pour Pâques, les *coulouria*, délicieux gâteaux en forme de petites couronnes, parfumés à l'orange ou la vanille, selon les traditions familiales, sont échangés lors des visites de courtoisie entre parents, alliés et parentés spirituelles. On confectionne aussi les pains de Pâques en forme de nattes décorées d'œufs teints en rouge, qui s'offrent en cadeaux rituels aux enfants et aux parents âgés en signe d'affection, de respect et de reconnaissance. Plusieurs types de pains parfumés au miel et aux épices, avec des amandes, font partie des gâteaux préparés vers la fin du printemps, auxquels s'ajoute une particularité chypriote : le pain au *halloumi*, parfumé à la menthe fraîche et au basilic. Le *halloumi* est un fromage de chèvre, spécialité locale, consommé aussi grillé avec des *coulouria*, assemblage qui constitue le *mézé* préféré des Chypriotes. Pendant l'été, on confectionne des pains aux légumes, aux fruits, ou aux grains odoriférants, tels le pain à la coriandre, le pain aux épinards, etc. À l'automne, ce sont les pains aux olives, aux raisins secs, aux pruneaux et les incomparables pains au moût et aux noix qui clôturaient la saison des récoltes.

Pendant quelques décennies, vers la fin du XXe siècle, après le partage de l'île, les jeunes Chypriotes éprises de modernité, contemporaines de l'urbanisation forcée ou choisie, ont négligé la cuisine familiale et la confection de pains domestiques. Depuis peu, on observe à Chypre, comme partout dans le monde, une forte tendance néotraditionnelle dont les émigrés furent les premiers initiateurs. Si la génération des grand-mères connaît encore les recettes familiales, ce sont des jeunes Chypriotes installées en Angleterre, en Amérique, en Australie, etc., qui ont remis en valeur le patrimoine culinaire de l'île, profitant d'Internet pour diffuser leurs recettes préférées. Les activités touristiques ont pris le relais, et l'on retrouve de nos jours d'excellentes *lavroches* et des pains de toutes sortes, en dehors des contextes rituels et saisonniers, pour la plus grande satisfaction des nouvelles générations, qui croient au biologique, à l'écologique et au traditionnel, vrai ou faux.

Christopsomo (« pain du Christ »). – Voir GRÈCE

Coulouria. Préparés pour Pâques, ce sont de délicieux petits gâteaux en forme de couronnes, parfumés à l'orange ou la vanille, selon les traditions familiales, et qui sont échangés lors des visites de courtoisie entre parents, alliés et parentés spirituelles.

Laganes. – Voir GRÈCE

Pain au halloumi. Parfumé à la menthe fraîche et au basilic, ce pain typiquement chypriote est farci de *halloumi*, fromage de chèvre qui est une spécialité locale, consommé aussi grillé.

Vassilopitta. Pain-gâteau du Nouvel An, qui sert de support à la divination sur l'avenir des membres de la famille, au début de l'année nouvelle.

Yvonne de Sike

• *Voir aussi :* Amidonnier ; Athénée de Naucratis ; Engrain ; Four (symbolique du) ; Grèce ; Levain (symbolique du) ; Orge ; Pétrin (symbolique du) ; Rite orthodoxe ; Sexuelle (le pain comme métaphore)

Bibl. : M.-C. ANEST, « La confection des pains de la période Noël-jour de l'An à Chypre : la recréation domestique du monde », *Cahiers de la sociologie économique et culturelle*, n° 24, 1995, Institut havrais de sociologie économique et culturelle, p. 33-47 • Jean GUILAINE, « Le début du Néolithique à Chypre », *L'Archéologue*, n° 33, 1997-1998. – ID., *La Mer partagée. La Méditerranée avant l'écriture, 7000-2000 avant J.-C.*, Paris, Hachette, 2005 • Vassos KARAGIORGIS, *Les Anciens Chypriotes. Entre Orient et Occident*, Paris, Armand Colin, 1992 • Alain LE BRUN, « Khirokitia, un village néolithique », in *Dossiers d'archéologie*, n° 205, 1995 • Eliezer D. OREN, *The Sea People and Their World : A Reassessment*, University Museum Monograph

108, Philadelphie, University of Pennsylvania Museum of Archaeology and Anthropology, 2000 • Madeleine PETERS-DESTÉRACT, *Pain, bière et toutes bonnes choses... L'alimentation dans l'Égypte ancienne*, Paris, Éditions du Rocher, 2005 • Donald Bruce REDFORD, *Egypt, Canaan, and Israel in Ancient Times*, Princeton, Princeton University Press, 1992 • Yvonne de SIKE, Catalogue de l'exposition *Chypre les travaux et les jours*, musée de l'Homme, 1982 • Jean-Denis VIGNE, « Chypre et le début de l'élevage », www.larecherche.fr • George WILLCOX, « Présence des céréales dans le Néolithique précéramique de Shilourokambos à Chypre : résultats de la campagne 1999 », *Paléorient*, vol. 26, n° 1, 2000, p. 129-135 • Pour les appellations et les recettes de différents types de pains festifs en Grèce et à Chypre, voir *Artos*, http://sandrakavital.blogspot.com/2009/06/artos-pain-des-fetes-grec-epices-miel.html

CIBOIRE. – Les hosties consacrées destinées aux fidèles sont mises dans le ciboire, qui n'est pas consacré mais simplement bénit. En raison du contact avec le pain consacré, il doit être de métal précieux, l'argent étant explicitement requis par Rome en septembre 1588. Mais les matières sont très diverses : cristal, cuivre, verre, ivoire, bois, marbre... Le Louvre possède le ciboire d'Alpais, pièce du XIIe-XIIIe siècle. Deux valves, reposant sur un pied ajouré en cuivre doré, sont agrémentées d'émaux et de pierres fines. En période de persécutions, ce faste est vite oublié. Lors de la Révolution, les prêtres réfractaires doivent user de ciboires de bois ou de plomb, dont l'intérieur est tapissé d'une toile de lin bénite. Les ciboires ont pu affecter la forme d'une tour, miniature des tours eucharistiques où est conservé le Saint Sacrement en dehors des offices. D'autres ressemblent à une colombe, symbole de l'innocence, cet usage venant sans doute d'Orient ; une colombe du XIIe siècle est conservée à Amiens. D'autres encore sont des boîtes cylindriques, à couvercle plat ou conique, surmontées d'une croix, forme très répandue au XIe-XIVe siècle ; ce sont les pyxides si fréquentes dans les musées. À partir du XIIIe siècle, on prend l'habitude de faire des ciboires en forme de coupe à pied, ce qui permet de bien les saisir et de les porter facilement. Au XVIIIe siècle, l'abbé Boudon, archidiacre d'Évreux, imagine de les munir de charnières permettant de dégager une lamelle de métal ; lorsque le fidèle s'approche du prêtre pour communier, elle est déployée sous son menton pour qu'aucune miette ne tombe sur le sol : le ciboire et la patène en un seul objet !

Philippe Martin

● *Voir aussi :* Cène ; Eucharistie ; Hostie ; Messe ; Ostensoir ; Patène ; Rite orthodoxe ; Théologie du pain

Bibl. : Robert CABIÉ, *Histoire de la messe des origines à nos jours*, Paris, Desclée, 1990 • Philippe MARTIN, *Mondains et dévots. Les catholiques français face à la messe, du concile de Trente à Vatican II*, Paris, CNRS Éditions, 2009 • Lionel de THOREY, *Histoire de la messe de Grégoire le Grand à nos jours*, Paris, Perrin, 1994.

CIC (Conseil international des céréales). – Le CIC (ou IGC, International Grains Council) est une association intergouvernementale spécialisée dans les échanges de céréales, qui est en charge d'étudier la situation de l'offre et de la demande au niveau mondial. C'est notamment le CIC qui administre la convention sur le commerce des céréales de 1995. Cette convention comporte deux volets : l'un sur la coopération en matière d'échanges de céréales ; l'autre sur la sécurité alimentaire au niveau mondial.

Michel Daube

• *Voir aussi :* AGPB ; ANIA ; Céréales ; Céréales (cours mondiaux des) ; Céréales (disponibilité mondiale des) ; FAO ; France Export Céréales

CIFAP (Centre d'information des farines et du pain). – Voir ANMF

CINÉMA (le pain au). – Voir DOCUMENTAIRES ET FILMS

CINTRAGE. – Déformation en forme de courbe des pains longs de faible section, en cours de cuisson. Ce phénomène est favorisé lorsque les pâtes ont de la force, mais également par une irrégularité des flux thermiques dans le four.

Philippe Roussel

• *Voir aussi :* Baguette ; Force en boulangerie ; Four ; Technologies boulangères

CLAQUEUR. – Appareil à cylindres lisses, dont la finalité est de réduire la taille des granules. Il reçoit les produits issus du broyage et ceux des claqueurs précédents, qui sont en fait des semoules. Les issues de fin de claquage constituent les « remoulages bis ». Dans le diagramme meunier, ils sont numérotés CL1, CL2, CL3, CL4…

Philippe Duret

• *Voir aussi :* Broyage ; Cylindres (appareil à) ; Finot ; Remoulages ; Semoule

CLÉ. – Lorsqu'on façonne un pain à la main, en boule ou en baguette, il y a un point, dans le cas de la boule, et une ligne, dans le cas de la baguette, où la pâte est repliée et soudée : c'est ce qu'on appelle la clé, ou soudure. Lors de la fermentation, on peut mettre la clé au-dessus (à gris) et enfourner clé au-dessus sans donner de coup de lame ; la clé se déchire lors de la cuisson dans le four, ce qui permet d'obtenir une grigne sauvage qui donne un aspect rustique aux boules et aux baguettes. Lorsqu'on veut scarifier les boules ou les baguettes, on fait fermenter la clé au-dessous (à clair) pour obtenir des beaux coups de lame.

Ludovic Salvo

• *Voir aussi :* Baguette ; Coup de lame ; Fermentation panaire ; Tourne à clair/ tourne à gris

CLOQUE. – Voir DÉFAUTS DE LA PÂTE

CNBPF (Confédération nationale de la boulangerie-pâtisserie française). – Au terme du Congrès national de la boulangerie, qui réunit plusieurs centaines de participants venus de toute la France, la Confédération est créée en 1889. Forte de ses 95 syndicats départementaux et 16 fédérations régionales, la CNBPF représente les artisans boulangers et boulangers-pâtissiers, et défend leurs intérêts sur tous les plans : économique, fiscal, social, de la formation, de l'innovation, de la réglementation, de la communication… Elle est également à l'origine du décret « pain de tradition française », du guide de bonnes pratiques d'hygiène, du plan de mise en conformité des matériels, etc. Le bi-mensuel *Les Nouvelles de la boulangerie* est un vecteur privilégié d'information de ses adhérents. La CNBPF a fondé, avec le Syndicat de la boulangerie de la Seine-Maritime, l'Institut national de la boulangerie-pâtisserie (INBP), centre de formation et de perfectionnement de la profession, également doté d'un centre de documentation et de renseignements téléphoniques, et reconnu « pôle d'innovation technologique ». Au fil des années, elle a multiplié les structures au service de ses adhérents comme les « Risques civils de la boulangerie », le Centre de gestion agréé, etc. Par ses initiatives, comme la création de la Fête du pain (du 12 au 18 mai), la mise en place du service « Espace pain information », la participation à des salons professionnels ou encore le souci d'une meilleure visibilité de la profession dans les médias, la CNBPF contribue à valoriser l'image des artisans français en France et à l'étranger, et à réhabiliter le bon pain auprès des Français. Jean-Pierre Crouzet préside aux destinées de la CNPBF depuis 1998. Jacques Mabille et Christian Vabret en sont les présidents adjoints.

Gérard Brochoire

• *Voir aussi :* Artisan et artisanat ; Boulangerie (salons internationaux de la) ; Boulangerie contemporaine ; Fête du pain ; INBP

Bibl. : Voir les sites www.boulangerie.org ; www.lafetedupain.com ; www.espace-pain-info.com

CNERNA (Centre national d'études et de recommandations sur la nutrition et l'alimentation). – Le CNERNA doit contribuer à la réflexion sur les problèmes d'intérêt collectif liés à l'alimentation, en fournissant des repères utiles à l'élaboration de toute politique alimentaire. Il est chargé d'établir le pont entre les connaissances scientifiques et leurs implications concrètes dans les différents domaines de la nutrition et de l'alimentation. Le CNERNA n'est ni un laboratoire de recherche, ni un organisme doté de pouvoir réglementaire ; il dégage les fondements scientifiques des textes qui seront publiés par les organismes habilités à légiférer. Créé en 1946 au sein du CNRS (Centre national de la recherche scientifique), le CNERNA est, depuis le 1er octobre 1992, un groupement scientifique réunissant la DGCCRF (ministère de l'Économie et des Finances), la DGAL (Direction générale de l'alimentation, ministère de l'Agriculture), la DGS (Direction générale de la santé, ministère de la Santé), le CNRS, l'INRA (Institut national de la recherche agronomique), l'INSERM (Institut national de la santé et de la recherche médicale), le CNEVA (Centre national d'études vétérinaires et alimentaires) et l'ACTIA (Association de coordination technique pour l'industrie agro-alimentaire). La publication des résultats de l'enquête de la commission du CNERNA chargée de questionner la qualité du pain en France, en 1962, enquête qui aura duré six années et mobilisa toutes les forces vives et pensantes de la filière, jouera un rôle considérable dans le sursaut et le réveil de la profession.

Julien Couaillier

• *Voir aussi :* DGAL ; DGCCRF ; INRA

Bibl. : CNERNA, *Les Journées scientifiques du CNERNA : le pain*, Paris, Éditions du CNRS, 1948 • CNERNA, *Les Journées scientifiques du CNERNA : la qualité du pain*, novembre 1954-avril 1960, Paris, Éditions du CNRS, 1962, 2 vol.

CNEVA (Centre national d'études vétérinaires et alimentaires). – Voir CNERNA

CODEX ALIMENTARUS. – Voir FILIÈRE BIO

COLLYVES. – Voir KOLLYVA

COLOMBIE (traditions du pain en). – La diversité ethnique et culturelle et la diversité agricole et des écosystèmes en Colombie sont le ferment de base pour commencer à discuter des différentes sortes de pains qu'on y trouve. Située à l'extrême nord-est de l'Amérique du Sud, la Colombie compte une très grande variété de cultures et de peuples qui, pendant le cours de son histoire, depuis les temps précolombiens jusqu'à nos jours, ont contribué à faire du pain, à travers toute la diversité de ses formes et recettes, un aliment essentiel de la gastronomie colombienne. Lorsqu'on parle de pain en Colombie, il faut entendre toutes sortes de pâtes cuites au four, ou bien grillées ou frites, et faites à partir de farines extraites de différentes plantes domestiquées depuis l'Antiquité sur le continent américain, telles que le maïs (*Zea mays*), le manioc (*Manihot utilissima*), la canne (*Canna Indica* ou *Canna edutis*), le quinoa (*Chenopodium quinoa*) mais aussi le blé, plante introduite par le colon espagnol.

Les pains colombiens sont consommés quotidiennement en tant qu'accompagnement de boissons comme le chocolat, l'*agüepanela* (boisson faite à partir du miel de la canne à sucre cristallisé) et, surtout, le suave et aromatique café colombien, au petit déjeuner et pendant les casse-croûtes de la matinée et de l'après-midi. Ils peuvent aussi accompagner des plats traditionnels tels que les viandes, les soupes et les ragoûts. Quoique, comparativement, la Colombie soit l'un des pays où l'on consomme le moins de pain de blé sous sa forme industrielle – on calcule que chaque Colombien consomme moins de 26 kg de pain de blé par an, pendant que dans les pays européens la consommation par personne se situe entre 50 et 100 kg –, il existe deux sortes de pain de blé industriel très répandues : la *mongolla*, dont la forme est ronde et qui peut être salée ou sucrée, et le *panacho*, qui n'est que la version colombienne du croissant. Il existe aussi une grande variété de pains préparés artisanalement au four à bois, mais consommés plutôt dans les petits villages que dans les grands centres urbains, et ainsi connus sous le nom de « pains de village ». Parmi eux, on peut noter le *pan de sal y de dulce* (« pain salé et sucré ») et les *asemas* ou *semas*. Le département de Cauca présente une variété de pains sucrés, comme les *roscones*, biscuits ronds, de pain, couverts d'un mélange de sucre et de blanc d'œuf ; la *cuca* et le *mazapán*, faits de mélasse de canne à sucre. Les peuples indiens du sud de Cauca et de Nariño, pour sceller leur amitié, effectuent un rituel de compérage appelé *guaguas de pan*. Ce rituel est effectué par les couples qui n'ont pas d'enfants et dont le fils est remplacé par un pain de blé en forme d'enfant qui est en l'occurrence baptisé. Une fois le rituel achevé, le pain est mangé.

Le maïs, aussi bien connu comme « le pain d'Amérique », héritage de divers peuples indigènes qui, depuis l'époque préhispanique, le cultivaient et le panifiaient, surtout dans la région andine, est le produit de base de l'alimentation colombienne avec lequel on prépare plusieurs sortes de pains. L'*arepa*, mot d'origine caribéenne, est la variété de pain de maïs la plus répandue et la plus consommée en Colombie et dans le pays voisin le

Venezuela ; l'*arepa* est une *tortilla* (galette de maïs) cuite, ronde et plate. Elle peut être de maïs tendre (*choclo*), de maïs pelé (maïs sec cuit sous la cendre et haché) et de *mote* (lorsqu'on ne lui retire pas la bagasse). L'*arepa* peut également être cuite dans une casserole de terre cuite ou au gril. C'est le cas de l'*arepa* qui est consommée sans sel dans le département d'Antioquia, en accompagnement de mets ; de l'*arepa de tiesto* (cuite dans casserole de terre cuite) de la région des Santanderes ; ou de l'*arepa de huevo* de la côte atlantique, qui consiste en une *tortilla* de maïs à l'intérieur de laquelle on introduit un œuf et qui est frite dans l'huile. Lorsqu'elles sont farcies, de fromage ou de viande, les *arepas* deviennent un substantiel casse-croûte. Dans la région amazonienne et en Orinoquia, surtout parmi les peuples indigènes, on consomme le *casabe*, fait de farine de manioc, plante qui exige un procédé spécial avant d'être consommée, car elle contient une substance vénéneuse qu'il faut extraire.

Autre variété de pains colombiens, l'*envuelto* (« enveloppé »), autrement dit de la pâte de farine de maïs enveloppée dans des feuilles de maïs ou de bananier, l'ensemble étant cuit à l'eau ou à la vapeur. Il est consommé dans le sud-ouest du pays. Il existe une grande variété d'*envueltos* : de maïs tendre ou *choclo*, pour lequel on utilise la feuille de l'épi ; de *mote pelado* et d'*engrudo* (amidon de maïs), appelés aussi *insulsos* (« fades ») dans le département d'Huila, où on les utilise en tant qu'accompagnement du rôti *huilense*. Dans le département de Nariño, où se perçoit l'influence de la culture équatorienne, on savoure les *quilombolitos*, préparés avec de la farine de blé, du sucre et des raisins secs, enveloppés dans des feuilles d'*achira*. Dans le Cauca, on consomme les *envueltos de yucca*, dont la pâte est préparée avec du sucre de canne non raffiné ; ils contiennent un « cœur » de fromage paysan.

Almojábana. De la farine de maïs, du lait caillé et des œufs sont les ingrédients de l'*almojábana*.

Buñuelo. Pâte de fécule de maïs, d'amidon de yucca et de fromage sec, frite dans de l'huile de soja. Le *buñuelo* accompagne le café et la *natilla* (confiture de lait) de la Noël.

Pain d'achira. Ce pain contient de l'amidon d'*achira* et du lait caillé ; il est courant dans le sud de la Colombie, dans les départements de Huila, Cauca et Nariño.

Pain de maïs. Élaboré à partir d'une pâte de maïs cuit et haché, il est consommé surtout par les paysans.

Pandebono. La pâte du *pandebono* est faite de maïs battu, d'amidon de yucca, de fromage frais, de lait caillé et d'œufs. Il est l'une des spécialités gastronomiques de Cali ; le groupe de salsa Grupo Niche lui rend même hommage dans *Cali Aji*.

Pandequeso. Confectionné avec de l'amidon, du yucca amer, du fromage, du lait et des œufs.

Pandeyuca. Fait à base de farine de maïs, d'amidon de yucca, de fromage et d'œufs, dont la forme est d'un croissant ou alors ronde et creuse.

Rosquilla. Faite de farine de blé, d'œufs et de levure, la *rosquilla* prend une forme ronde avec un centre creux, est rayée de petites incisions verticales faites avec des ciseaux et est frite dans de l'huile d'olive dans laquelle on la retourne avec une petite branche d'oranger.

Ces pains peuvent se trouver soit dans de petites baraques de vente d'aliments préparés dans les rues, soit dans les boulangeries des quartiers. Et dans chaque maison, il y a toujours un pain qui sort du four, du grill, de la poêle ou de la casserole.

Claudia Leonor López Garcés
(trad. de l'espagnol par Almir El-Kareh)

• *Voir aussi :* Amérique latine ; Andes boliviennes ; Caraïbes ; Consommation de pain ; Figurines en mie et en pâte de pain ; Guagua → Pérou (T'anta wawas) ; Manioc ; Pains mondiaux ; Pérou

Bibl. : *Como pan caliente ? El consumo de pan en Colombia no levanta cabeza*... http://www.dinero.com/noticias-negocios/como-pan-caliente/27658.aspx • Claudia Leonor LÓPEZ GARCÉS, « Caquiona : frianos de sangre caliente », mémoire de licence en anthropologie, Popayán, Universidad del Cauca, 1991 • Gloria VALENCIA DE CASTAÑO (éd.), *El gran libro de la cocina colombiana*, Santafé de Bogotá, Instituto Colombiano de Cultura, Edición para el Círculo de Lectores, 1991, 2 vol.

COLUMELLE, Lucius Lunius Moderatus Columella, dit (Ier siècle). Agronome romain né à Cadix, Columelle a voyagé dans tout l'Empire avant de travailler à l'écriture de son grand œuvre, *De l'agriculture* (*Rei rusticae libri*), en douze volumes consacrés à l'agriculture et aux grands domaines terriens (les *latifundia*). Avec celui de Caton l'Ancien, *De l'agriculture* (*De Agricultura*), ce sont les deux sources d'informations essentielles que nous possédions sur l'agriculture dans le monde romain. Il y est question notamment d'une réalité qui avait mobilisé avant lui les agronomes et savants égyptiens et grecs, celle du stockage des grains. Si l'Égypte avait opté « pour des fosses creusées dans le sol dont le fond et les parois [étaient] tapissées de nattes de roseau liées par du limon entremêlé de paille, la fermeture étant assurée par une dalle en pierre jointée avec de l'argile » (Drapron *et al.* 1999), la Grèce et Rome avaient préféré la solution de greniers à blé, dont Columelle révèle les principes de constructions dans son ouvrage

Jean-Philippe de Tonnac

• *Voir aussi :* Calendrier romain ; Conservation ; Grain et graine ; Silo à grains

Bibl. : Roger DRAPRON, Jacques POTUS, France LAPLUME, Pierre POTUS, *Notre pain quotidien*, Paris, AGP, 1999.

COMMUNION. – Voir EUCHARISTIE

COMPAGNON, celui avec qui on partage le pain. – Le pain est un aliment primordial, indispensable à la survie de l'homme. Il est l'aliment que l'on emporte avec soi lorsque l'on quitte un espace domestique. Il constitue la denrée privilégiée du voyage. Un voyage pouvant être entendu telle une quête spirituelle ponctuée d'épreuves à passer en compagnie de ceux qui permettent de prendre des repères ou de se retrouver sur le chemin de la fortune qui, bien souvent, relève du parcours initiatique. C'est dans ce sens que l'on peut observer une extension logique de la signification religieuse du terme « compagnon » : des apôtres, compagnons de Jésus, qui partagent le corps du Christ, aux compagnons artisans qui faisaient le tour de France pour se former, à ceux francs-maçons en quête de la maîtrise. Autour du pain, aliment matériel vital, se construit la sociabilité spirituelle, bien souvent liée au voyage. Pendant des siècles, la formation intellectuelle des hommes se fait par le voyage effectué exclusivement à pied. L'élément indispensable à ce parcours n'était autre que le pain, plus léger à porter que l'eau et les autres denrées, qui pouvaient se trouver chemin faisant. Il est encore intéressant de relever le sens de bien des expressions populaires relatives notamment à la valeur accordée au pain, nous citerons un exemple corse : *avè pane et cumpane*, qui signifie « ne manquer de rien sur le plan matériel ». Le terme *cumpane* renvoie à ce qui accompagne le pain en termes de mets complémentaires et suggère l'idée de compagnie. Le pain partagé est bien le gage de la force communautaire.

Le pain se caractérise par son extraordinaire propension à accompagner tous les mets, toutes les saveurs. De plus, le partage du pain avec le compagnon de son choix scelle une relation privilégiée. Le compagnon, celui avec qui l'on partage le pain, devient le « copain ». Le choix de l'accompagnement, tant en termes alimentaires qu'humains, renvoie à une structuration sociétale et culturelle établie : le rapport à l'autre. Que donner, à qui, en quelles circonstances, dans quelle proportion ? À ce titre, le pain peut être considéré comme l'élément régulateur d'une société. On retrouve dans de nombreux récits une référence faite à l'importance de l'aumône : donner un morceau de pain, c'est faire que l'autre échappe à la mort, c'est aussi faire preuve de bon cœur, démontrer sa volonté de partager. C'est dans ce sens que l'on rappellera toutes les métamorphoses, des princes, fées, ou saints, destinées à tester l'aptitude individuelle à partager avec l'autre. Durant la fête des Morts, dans bien des régions, les plus riches se devaient de distribuer et de manger avec les plus pauvres le pain des morts, également appelés le pain des pauvres ; il s'agissait d'un véritable rituel de passage en période d'équinoxe hivernal, mais également au moment du carnaval, durant l'équinoxe de printemps, de telle sorte que le pain partagé se trouve être un élément propitiatoire régulateur d'inégalités.

Jacqueline Acquaviva-Bosseur

• *Voir aussi :* Bread & Roses ; Bread for the Journey ; Compagnons boulangers ; Disettes, famines et révoltes pour le pain en France ; Égalité (pain) ; Franc-maçonnerie ; Mie de pain (association La) ; Morts (pain des) ; Mot « pain » dans la langue française

Bibl. : Tony FOGACCI, « La mort », *Encyclopaedia Corsicae*, Bastia, Dumane, 2005, 7 vol., vol. III, p. 872.

COMPAGNONS BOULANGERS. Nimbé de ses origines légendaires, le compagnonnage incarne la branche sans doute la plus ancienne et la plus méconnue du mouvement ouvrier français. La tradition associe sa naissance à la construction du Temple de Jérusalem, œuvre démesurée bâtie près de mille ans avant la naissance du Christ. Le roi Salomon et ses deux contremaîtres, Jacques et Soubise, sont ainsi considérés comme les fondateurs mythiques du compagnonnage. Ses premières véritables traces n'apparaissent cependant qu'avec les croisades et les grands chantiers de cathédrales. Durant les siècles où le travail se confondait souvent avec le servage, le compagnonnage offrit aux hommes de gagner leur liberté en s'appuyant sur des valeurs telles que le voyage, la transmission et la fraternité.

La mission de ses multiples corporations qui se constituèrent, bientôt regroupées par métiers, fut, dès lors, de former et d'accueillir des jeunes sur le Tour de France afin de leur transmettre les principes du travail émancipateur. Confronté aux difficultés inhérentes au monde ouvrier, le compagnonnage prit, au XIXe siècle, l'initiative de créer les premières mutuelles et caisses de retraite, tout en réorganisant les principes de l'embauche de ses membres. Ayant survécu avec difficulté à la révolution industrielle, le compagnonnage existe aujourd'hui à travers trois institutions, dont deux qui peuvent recevoir des jeunes boulangers : l'Union compagnonnique et l'Association ouvrière des Compagnons du Devoir. Près de 300 compagnons boulangers du Devoir exercent aujourd'hui leur activité en France et hors de nos frontières. Travaillant principalement dans le secteur artisanal, ils sont appréciés pour leur solide formation, leurs compétences et leurs qualités humaines développées au cours de leurs voyages, rencontres et cérémonies initiatiques. Animés par le sens du devoir de transmission acquis au cours de leurs cinq à huit ans de Tour de France, les compagnons boulangers devenus « sédentaires » se réunissent toujours en « cayenne » dans le but de permettre à chacun des jeunes « itinérants » boulangers de se réaliser grâce et par leur métier.

Si les Compagnons (du latin *cumpanio*, « celui qui partage son pain avec un autre ») existent depuis le Moyen Âge, les compagnons boulangers restent, eux, les héritiers d'une plus récente tradition qui remonte à la Toussaint 1811. Pour être reconnu compagnon, il fallait traditionnellement travailler le bois, le fer ou la pierre, seuls matériaux nobles aux yeux des bâtisseurs. Aucun corps de métier ne souhaitait alors initier aux rites du compagnonnage les boulangers. Ceux-ci voyageaient pourtant déjà depuis longtemps, observant les règles de discipline et de solidarité propres au compagnonnage. Ils purent enfin intégrer la famille des Compagnons lorsqu'un compagnon doleur (celui qui réalise la partie en bois des tonneaux) décida de leur révéler les secrets du rituel. Malade pendant dix mois à Nevers, il n'avait reçu aucune aide des compagnons de sa corporation ; deux boulangers se mobilisèrent pour sa guérison. Par gratitude, il les fit compagnons à Blois à la Toussaint 1811 lors d'une cérémonie dite « de réception ». La première cayenne y fut fondée : les compagnons boulangers avaient désormais un lieu de réunion.

D'autres réceptions de compagnons boulangers furent organisées, malgré la désapprobation des autres corps de métiers. Durant plusieurs décennies, les compagnons boulangers encouraient injures et coups parfois mortels. À partir de 1860, pourtant, les autres corps de métiers commencèrent progressivement à les reconnaître comme compagnons à part entière. En 1952, le premier congrès des boulangers eut lieu à Blois ; désormais, tous se réuniraient régulièrement, tous âges confondus, pour discuter les projets du corps de métier. En 1938, ils permirent aux pâtissiers d'intégrer à leur tour le compagnonnage en les parrainant. Les compagnons boulangers adhérèrent en 1946 à l'Association ouvrière des Compagnons du Devoir du Tour de France (AOCDTF), fondée cinq ans plus tôt. La création de cette association avait pour but d'unir différents corps de métiers et de les structurer pour perpétuer le compagnonnage. Sous son impulsion, le Tour de France se modernisa. Un réseau de maisons d'accueil et de centres de formation fut constitué afin de faciliter l'évolution professionnelle des futurs compagnons.

Aujourd'hui, les compagnons boulangers du Devoir forment environ 150 apprentis dans les centres de formation de l'AOCDTF et une centaine de boulangers en perfectionnement sur leur tour de France vont toujours de ville en ville chaque année. Un nombre croissant de jeunes femmes vient également se former au métier ; elles peuvent être reçues compagnons depuis 2004. L'AOCDTF permet désormais à ces jeunes femmes et hommes de se perfectionner à l'étranger dans le cadre du Tour de France. Cette expérience façonne des boulangers expérimentés, bilingues, polyvalents, ouverts sur le monde, ambassadeurs du savoir-faire français hors de nos frontières. Cette évolution du compagnonnage des « chiens blancs » (surnom des compagnons boulangers) demeure placée sous l'égide de leur devise : « Respect au Devoir, honneur et gloire au Travail ».

Laurent Gaudré

• *Voir aussi :* Apprentissage ; BEP ; CAP de boulangerie ; CFA ; EBP ; École Carrefour ; École de boulangerie (première) ; École française de boulangerie d'Aurillac → MOF ; École Grégoire-Ferrandi ; Éleusis (mystères d') ; Franc-maçonnerie ; Formations à la boulangerie et à la pâtisserie ; INBP ; Si le grain tombé en terre ne meurt ; Théologie du pain

Bibl. : Pierre BARRET, Noël GURGAND, *Ils voyageaient la France : Vie et traditions des Compagnons du Tour de France au XIXᵉ siècle*, Paris, Hachette, 1980 • Georges PAPINEAU, *Les Compagnons boulangers et pâtissiers du Devoir présentent l'histoire compagnonnique de leur corps d'état*, Paris, Imprimerie du Compagnonnage, 1991.

CONDIMENTS DU PAIN. – De nos jours, les boulangers rivalisent d'ingéniosité pour offrir des pains à la croûte ornée ou la mie parfumée de divers condiments. Au-delà de l'innovation commerciale, il existe des usages anciens et bien établis dans certains pays. On peut parler de condiment quand le produit, généralement une graine, est placé entier sur la croûte ou dans la pâte. Quand il a été réduit en farine, il devient un adjuvant, qui contribue à la qualité de la pâte. C'est le cas bien connu de la farine de fève et de celle de soja. Mais il faut mentionner aussi la farine de fenugrec (*Trigonella foenum-graecum*), autre légumineuse dont les graines odorantes sont connues pour faire grossir, mais contribuent aussi, par leurs propriétés mucilagineuses, à la tenue d'un pain égyptien croustillant et très fin. Les condiments les plus courants sont des graines aromatiques ou oléagineuses, qui se prêtent bien à être grillées. En voici la liste.

Anis. Anglais, *anise*, *aniseed* ; arabe, *kammûn halû* (« cumin doux ») ou *habbat halâwa* (« graine douce »). Il s'agit des « graines » brun noir (en fait des fruits secs) d'une Ombellifère, *Pimpinella anisum*. L'anis entre dans la préparation de divers pains arabes. On le trouve aussi dans des gâteaux et des bonbons un peu partout. Il est surtout connu pour être à l'origine de l'ensemble des boissons anisées, même si l'on utilise aujourd'hui des substituts.

Carvi ou cumin noir. Anglais, *caraway* ; allemand, *Kümmel*, *Schwarzküm-*

mel ; polonais, *kminek* ; arabe, *karwiyâ*. Il s'agit des « graines » brun noir (en fait des fruits secs) d'une ombellifère, *Carum carvi*. Il en existe deux types, l'un bisannuel qui est connu en Europe centrale, et l'autre annuel connu dans la Méditerranée. Les vendeurs d'épices distinguent ce dernier, qui a un goût moins anisé, en lui donnant son nom arabe *karouïa*. Le carvi est largement utilisé dans et sur les pains dans toute l'Europe centrale. Le plus connu est le « pain au cumin » polonais, qui est un pain au seigle. On le trouve aussi dans certains fromages. Il ne faut pas confondre le carvi avec le vrai cumin, *Cuminum cyminum*, qui donne des graines claires et verdâtres à goût plus âpre, et sont très utilisées en cuisine arabe sous le nom de *kammûn*.

Pavot. Anglais, *poppy ;* allemand, *Mohn ;* polonais, *mak.* Il s'agit des graines de *Papaver somniferum*. Il existe des types à graines blanches en Inde, mais c'est la forme à graines bleues que l'on utilise en Europe. Elle se reconnaît par sa petite taille et sa forme arrondie. Le pavot était autrefois largement cultivé pour l'huile de ses graines, sous le nom d'œillette. De nombreux pains et gâteaux d'Europe centrale sont saupoudrés de pavot. Les graines entrent aussi dans des gâteaux (comme le *makowiec* polonais). N.B. : Le pavot à opium appartient à la même espèce, mais à un autre groupe de variétés. De plus, les alcaloïdes se forment dans la paroi de la capsule fraîche, mais pas dans la graine, qui contient surtout des protéines et des lipides. Enfin, la réglementation européenne impose de cultiver pour la graine et l'huile uniquement des variétés à très faible teneur en alcaloïdes.

Sésame. Anglais, *sesame*, *beniseed*, *gingelly*, *til* ; espagnol, *ajonjolí*, *sésamo* ; arabe, *simsim*, *juljulân*. Il s'agit des graines de *Sesamum indicum*, plante oléagineuse tropicale et subtropicale. L'huile est largement utilisée de l'Inde jusque dans le monde arabe et en Afrique noire. On connaît surtout la *tahina*, qui est une pâte de sésame onctueuse et huileuse, qui entre dans la composition des *halvas*. En tant que graine, le sésame s'est diffusé mondialement, en particulier sur les hamburgers. Les meuniers la proposent nature ou toastée (grillée). On en trouve un type blanc et un type noir.

Pépins de courges. Il s'agit des graines d'une courge, *Cucurbita pepo*, Groupe Styriaca. Ce type de courge à chair orange a des graines nues, ou plutôt à tégument très fin, ce qui fait qu'on n'a pas besoin de les décortiquer pour les manger. La couleur des cotylédons est vert olive. Elle est surtout cultivée dans une région d'Autriche, la Styrie, où l'on en fait traditionnellement une huile alimentaire. On trouve ces graines surtout sur des pains autrichiens ou allemands.

Graines de tournesol. Il s'agit des graines d'une composée, *Helianthus annuus*. Le tournesol a été domestiqué par les Indiens d'Amérique du Nord pour ses graines riches en huile et en protéines, et il est devenu, depuis les années 1970, une importante culture oléagineuse en Europe. En tant que condiment du pain, il est apparu bien plus récemment, avec la commercialisation des graines décortiquées. On le distingue des pépins de courge par sa forme plus fine et terminée par un petit bec.

Graines de lin. Anglais, *linseed;* allemand, *Leinsamen*. Il s'agit des graines de *Linum usitatissimum*, plante à fleurs bleues cultivée soit pour ses fibres, soit pour ses graines. Celles-ci sont riches en huile et en protéines et entrent dans l'alimentation sous forme de graines entières ou d'huile depuis le Néolithique. Elles sont restées utilisées en Inde et en Éthiopie. Dans l'Europe du Nord et en Allemagne, c'est un ingrédient traditionnel de certains pains. Les meuniers proposent du lin jaune et du lin brun. N.B. : Les graines de lin ressemblent à celles de sésame, et seule une observation attentive permet des les distinguer : elles sont un peu plus grosses.

Nigelle. Autres noms français : toute-épice, poivrette. Anglais, *black cummin, fennel flower, nutmeg flower* ; espagnol, *ajenuz*, *neguilla* ; arabe, *shûnîz, sûnêg, sânûj, habbah sawdâ'* (« graine noire »), *kammûn aswâd* (« cumin noir »). Il s'agit des graines d'une Renonculacée, *Nigella sativa*. Elles sont utilisées depuis la plus haute Antiquité pour aromatiser les pains. Cet usage a pratiquement disparu en Europe, mais persiste de nos jours de l'est de la Méditerranée jusqu'en Inde, où elles sont souvent utilisées sur les *nans*. Curieusement, dans le commerce, les graines se voient parfois surnommées *onion seeds*, parce qu'elles ressemblent à des graines d'oignon. Comme elles, elles sont noires et à contour arrondi, mais couvertes de petits tubercules.

Michel Chauvet

• *Voir aussi :* Adjuvant ; Fève ; Hamburger ; Soja (farine de)

CONDITIONNEMENT. – Lors de la préparation des blés, la phase de repos peut s'effectuer à une température supérieure à la température ambiante. On parle alors de conditionnement. Cette technique est abandonnée de nos jours.

Philippe Duret

• *Voir aussi :* Meunerie ; Mouture ; Repos

CONGÉLATION. – Comme de nombreux produits alimentaires, on peut congeler le pain. Cela peut être fait à différentes étapes de la fabrication : la pâte avant ou après fermentation, le pain précuit ou cuit. Généralement, le pain cuit sera congelé par le consommateur pour pouvoir en disposer à tout moment. Il est important de congeler le pain rapidement après cuisson, c'est-à-dire frais et non rassis, dans des sachets hermétiques pour éviter le dessèchement produit par la conservation au froid. Il devra être décongelé soit à l'air libre, soit dans un four classique pour en préserver le croustillant – le four à micro-ondes ramollit le pain. La pâte crue, fermentée ou non, et le pain précuit surgelés sont produits industriellement et distribués dans des magasins qui auront à les remettre en œuvre ; dans ce cas, le point de vente n'a pas droit à l'appellation boulangerie (loi n° 98-405 du 25 mai 1998 JORF du 26/05/1998). Le pain précuit surgelé est le mode le plus rapide à mettre en œuvre : quelques minutes au four suffisent à la décongélation et à la finition de la cuisson. La pâte fermentée crue sous forme de pains peut également être mise directement au four pour décongélation et cuisson. Dans les deux cas, on a une grande rapidité de mise en œuvre, mais un volume important de produits à transporter de l'usine au point de vente.

Ces deux types de pains surgelés sont essentiellement destinés aux consommateurs qui parachèvent par eux-mêmes la cuisson. On trouve aussi dans les grandes surfaces des pains précuits surgelés remis en œuvre sur place. De fait, c'est la pâte crue non fermentée, sous forme de baguette, qui est la plus courante ; elle nécessite une décongélation et une fermentation dans une chambre de fermentation, suivie d'une cuisson. Cette technique permet d'obtenir du pain là où la demande augmente ponctuellement très fortement, ce qui est le cas des lieux de vacances.

Ludovic Salvo

• *Voir aussi :* Chambre de fermentation (ou pousse) contrôlée ; Chambre froide ; Conservation ; Précuit ; Surgélation ; Terminal de cuisson

***CONQUÊTE DU PAIN* (*La*, 1892).** Essai du révolutionnaire russe Pierre Kropotkine. Pierre Kropotkine (1842-1921) est le descendant du grand-prince de Kiev Vladimir II. En 1857, il embrasse la carrière militaire dans l'armée impériale russe comme officier de Cosaques en Sibérie. Il quitte l'armée en 1867 et étudie les mathématiques et la géographie à l'université de Saint-Pétersbourg. Il publie plusieurs opuscules scientifiques sur l'Asie septentrionale et explore la péninsule scandinave. À partir de 1872, il fait partie de la fédération jurassienne de la Première Internationale. Il est consacré alors comme étant un théoricien de l'anarchisme de premier plan. Il repart à Saint-Pétersbourg où il mène une activité de militant clandestin. Emprisonné en 1874, il s'évade deux ans plus tard pour se réfugier en Angleterre. Il s'installe en Suisse et fonde le journal *Le Révolté* en 1879, période qui marque une intense activité militante et de parutions d'essais politiques. À la suite des grèves des soieries lyonnaises, il est arrêté en France en 1883. Détenu à Lyon, il doit son amnistie en 1886 à l'intervention de Victor Hugo. Il va faire paraître alors plusieurs ouvrages de géographie et de politique, et collaborer notamment à la *Géographie universelle* d'Élisée Reclus. En 1917, il retourne en Russie et refuse un poste de ministre proposé par Kerenski. Critique vis-à-vis du pouvoir bolchevique, son enterrement le 13 février 1921 sera l'occasion de la toute dernière manifestation publique anarchiste en URSS.

Le thème central des nombreux travaux de Kropotkine est l'abolition de toute forme de gouvernement en faveur d'une société qui puisse être exclusivement régie par les principes d'entraide et de coopération, sans avoir recours à des institutions étatiques. Cette société idéale, le communisme anarchiste, serait alors le dernier pas d'un processus révolutionnaire qui passerait d'abord par une phase de collectivisme libertaire. *La Conquête du pain* est sans doute le livre qui a été le plus important pour la pensée anarchiste. Kropotkine y a exposé tous les thèmes qui lui sont chers. Le titre du livre doit être pris dans le sens le plus large, car « l'homme ne vit pas de pain seulement ». Le pain est pourtant la première conquête de l'homme révolutionnaire, car elle constitue la première des « jouissances » et répond à « la pleine satisfaction d'un besoin des pauvres avec nous ».

Olivier Pascault

• *Voir aussi :* Assassinat du boulanger Denis François ; Disettes, famines et révoltes pour le pain en France; Nuit (travail de); Pain rationné; Troglodytes enfarinés

Bibl. : Pierre KROPOTKINE, *La Conquête du pain. L'économie au service de tous* (1892), Paris, Éditions du Sextant, 2006.

CONSÉCRATION. – Voir EUCHARISTIE; MESSE; RITE ORTHODOXE

CONSERVATEUR. – Les conservateurs employés en boulangerie sont des agents bactériostatiques ou fongistatiques. Aux doses utilisées, ils ne permettent pas de diminuer le nombre de bactéries ou de moisissures, mais limitent leur développement. En effet, les doses d'utilisation sont trop faibles pour espérer une élimination totale. Des effets indésirables, tels que des modifications de la flaveur ou l'inhibition des levures, limitent aussi leur emploi. Ces conservateurs étant des acides organiques ou des sels d'acides organiques, ils ne présentent pas de risques nutritionnels majeurs et, excepté l'acide sorbique et ses sels, ils n'ont pas de DJA (doses journalières admissibles par kilo de poids corporel). Les conservateurs autorisés sont les suivants (annexe III de la directive 95/2, Parlement et Conseil européens, 20 février 1995)

Additifs	Dénomination	Utilisation	Quantité maximale
E 200 E 202 E 203	Acide sorbique Sorbate de potassium Sorbate de calcium	Pain tranché et préemballé; Pain de seigle; Produits de boulangerie précuits et préemballés destinés à la vente au détail; Produits de boulangerie fine dont l'activité de l'eau est supérieure à 0,65	2000 mg/kg
E 280*	Acide propionique	Pain tranché et pain de seigle préemballés	3000 mg/kg
E 281* E 282* E 283*	Propionate de sodium Propionate de calcium Propionate de potassium	Pain à valeur énergétique réduite; Produits de boulangerie précuits et pré-emballés, et produits de boulangerie fine dont l'activité de l'eau est supérieure à 0,65	2000 mg/kg exprimé en acide propionique

* La présence d'acide propionique et de ses sels est admise dans certains produits fermentés obtenus par un processus de fermentation conforme aux bonnes pratiques de fabrication.

Philippe Roussel

• *Voir aussi :* Bactérie; Moisissure; Pain de seigle; Précuit

Bibl. : Philippe ROUSSEL, Hubert CHIRON, *Les Pains français. Évolution, qualité, production*, Vesoul, Maé-Erti, 2002.

CONSERVATION des grains, de la farine et du pain. – L'homme s'est sédentarisé à partir du moment où il a maîtrisé l'art de cultiver et de conserver les céréales. Le blé est l'un des meilleurs exemples de conservation : n'a-t-on pas retrouvé du blé en bon état dans les pyramides de l'Égypte ancienne ? Cette maîtrise de la conservation des grains a mis des siècles à se perfectionner : combien de récoltes ont été ravagées par des attaques de rongeurs ou d'insectes, quand ce n'était pas des dégâts causés par les maladies ou les moisissures ! Petit à petit, l'homme a compris comment construire des silos étanches, comment protéger les grains, comment contrôler la germination… Il est vrai que le grain de blé est par nature un excellent organe de conservation, de par sa structure et sa composition : le germe, organe de reproduction de la plante, est protégé par une solide enveloppe et puisera la nourriture nécessaire à son développement dans l'amande, essentiellement composée d'amidon, lorsque les conditions de températures et d'humidité seront propices. La transformation du grain de blé en farine va profondément modifier sa capacité de conservation : la mouture va éclater la « forteresse » du grain en trois parties, la farine, les enveloppes et le germe. Ces trois formes sont sujettes au démarrage des réactions physico-chimiques et enzymatiques (oxydation, hydrolyse…) qui entraînent une dégradation des conditions de conservation. La farine se conserve environ un an, à condition de la garder à température ambiante et à l'abri de l'humidité.

L'ultime étape de transformation de la farine en pain conduit à un produit dont les performances de conservation sont très médiocres si aucun traitement supplémentaire n'est appliqué : la baguette se conserve à peine 24 heures, un pain au levain une huitaine de jours. Si d'autres produits se gardent plus longtemps, comme les biscottes ou le pain de mie, c'est qu'ils ont été fortement séchés comme les premiers, additionnés de conservateurs comme le pain de mie, ou conditionnés sous gaz inerte comme certains pains longue conservation. Une autre alternative de conservation est la surgélation, pouvant intervenir à différentes étapes de la fabrication du pain : cru, façonné, mais non fermenté, façonné et fermenté, ou précuit ou cuit. Plus l'étape de surgélation est appliquée tôt dans ces étapes du diagramme boulanger, meilleur est généralement le résultat final. Chacun sait, pour l'avoir expérimenté, qu'un pain cuit, puis congelé dans le compartiment de son congélateur, ne se conserve correctement que quelques jours. Passé ce délai, la croûte s'écaille et la mie blanchit, signe d'un dessèchement avancé. À l'inverse, des pâtons crus et non fermentés peuvent se conserver plusieurs mois à – 18°.

Catherine Peigney

• *Voir aussi :* Biscotte ; Blé (fosse à) ; Blé (impérialisme du) ; Blé (maladie du) ; Céréales sauvages aux premières formes domestiques (des) ; Charançon ; Congélation ; Conservateur ; Diagramme en boulangerie ; Égypte ; Enveloppe ; Farine ; Germe ; Grain ; Grain et graine ; Meunerie ; Mouture ; Mycotoxines ; Silo à farine (chambre ou) ; Surgélation

CONSISTANCE. – Elle s'apprécie par la mesure de la résistance de la pâte à la déformation (notion de « ferme » ou de « mou »). Cette mesure est liée principalement aux propriétés d'écoulement et de cohésion de la matière (propriétés visqueuses), mais elle évoque souvent pour le boulanger une notion de stabilité. L'expression boulangère « pâte molle = pâte folle /

pâte dure = pâte sûre » est révélatrice de cette association entre la fermeté et le relâchement. Dans le cas de la matière grasse, une consistance élevée correspond à un état de la matière complètement cristallisé, et donc à l'impossibilité des cristaux de se déplacer les uns par rapport aux autres. En augmentant la température, la consistance diminue parce que l'état cristallin disparaît partiellement pour devenir liquide, les cristaux restants pouvant donc se déplacer dans cette phase fluide. La disparition complète de la phase cristalline par échauffement entraîne la liquéfaction complète de la matière grasse, l'appréciation de mou fait place à la notion de liquide. Dans le domaine des pâtes, de composition hétérogène, si la notion de changement de phase n'intervient que pour une faible part, la consistance est toujours liée à une possibilité de déplacement des constituants, l'insuffisance d'agents lubrifiants comme l'eau ou les matières grasses donne des pâtes fermes. À l'inverse, l'augmentation de ces deux matières premières ainsi que l'ajout de produits non structurants, comme le sucre, ou déstructurants, comme les enzymes d'hydrolyse, les produits réducteurs, diminue la consistance.

Philippe Roussel

• *Voir aussi :* Pâte ; Pâte bâtarde, molle, douce, ferme, raide

Bibl. : Philippe ROUSSEL, Hubert CHIRON, *Les Pains français. Évolution, qualité, production*, Vesoul, Maé-Erti, 2002.

CONSOMMATION DU PAIN (les quatre temps de la). – L'évolution de la consommation du pain suit directement celle de nos habitudes sociales liées à la transformation d'un modèle de société familial archaïque en celui de société postindustrielle à « réseau » ; dans ce contexte, les produits alimentaires perdent progressivement leurs valeurs symboliques liées à la tradition et à la qualité, pour en acquérir de nouvelles, déterminées davantage par ces questions actuelles que sont la « relation » et l'« expérience ». Le positionnement du pain dans l'imaginaire collectif suit donc un parcours dessiné par le développement de la société de consommation. Par rapport aux autres produits alimentaires, son évolution a cependant des caractéristiques uniques et distinctives, qui ont trait à sa forte charge symbolique. Du point de vue théorique, nous pouvons distinguer quatre moments dans l'évolution de la consommation du pain : le « temps sacré », le « temps profane », le « temps de la consommation » et le « temps de la surconsommation ». Comme tous les schémas, celui-ci procède d'une simplification visant à décrire les phénomènes de consommation dans le monde occidental, alors qu'en d'autres régions du monde le modèle proposé peut s'avérer inadéquat. Cependant, même à l'intérieur de nos sociétés modernes, nous pouvons très bien considérer que le « temps de la surconsommation » coexiste avec le « temps sacré ». Nous pouvons remarquer, par exemple, que les migrants venus de l'Europe de l'Est apportent avec eux un mode de consommation du pain encore étroitement lié aux valeurs archaïques de la famille. Produit fascinant, matière complexe, monde confus : il est urgent de proposer un schéma de lecture qui nous guide dans notre approche.

Au « temps sacré », le pain est d'abord un symbole : c'est le symbole de la vie qui, en fusionnant trois éléments simples, eau, farine, levure, donne naissance au pain. Cela pourrait probablement suffire : si la dévotion envers la vie semble être la première des religions et si toute forme de religion s'origine dans la vie, alors le cercle se referme et le pain devient le symbole sacré par excellence. Le pain et le grain de blé d'où il provient sont à ce titre les symboles les plus anciens de renaissance à l'œuvre au sein de la nature où tout se transforme, d'un éternel retour que symbolise le cycle de la vie et de la mort. Le pain, par conséquent, est le symbole de tous les aliments de l'esprit, de l'intelligence, des émotions. Tout ce qui fait de nous des humains, qui peut enrichir nos pensées, ouvrir notre conscience, notre aptitude à connaître et à comprendre, à évaluer, à choisir. Ce caractère sacré du pain se retrouve à l'échelle d'une économie familiale ou domestique, où la table tient lieu d'autel, assorti d'un rituel qui se répète chaque jour. Le premier soin qui est pris, après l'achat ou la fabrication, est celui de la conservation du pain. Chaque famille a ses méthodes propres : sachet, récipient en terre cuite, comme dans les pays anglo-saxons, frigidaire et même aujourd'hui le congélateur. Le pain doit être conservé, dans la mesure du possible, tel qu'en lui-même, de manière à pouvoir répéter, appliqués à lui, les gestes habituels. Il ne s'agira pas, par exemple, au moment d'en faire usage, de le déchirer, de l'abîmer donc, mais de le couper selon des règles précises. Un couteau et une planche à pain sont requis et tant pis pour les miettes qui sont d'ailleurs anoblies par le bon sens populaire : « *Chi non lavora non fa briciole* », dit un ancien proverbe italien, autrement dit « celui qui ne travaille pas ne fait pas de miettes ». Mais c'est lorsque le pain arrive sur la table qu'il vient occuper sa place emblématique. Il ne peut pas y manquer, à la fois pour la tablée tout entière, mais aussi pour chacun de ceux qui y sont assis ; il ne doit pas être présenté à l'envers, et chacun se trouvera invité à terminer son morceau. Coupé en excès, ou déjà rassis, il ne sera pas question de le jeter : il en irait d'un péché, un peu comme si on jetait sa propre vie. Quittant la table, le pain renaît à une vie nouvelle : il va servir à nourrir les animaux, ou à d'autres préparations.

Au « temps profane », le pain est un moyen de subsistance, soit pour ceux qui le mangent, soit pour ceux qui le produisent. Homère qualifiait les hommes de « mangeurs de farine », celle-ci ayant toujours été la référence alimentaire incontestée dans nos sociétés : ainsi, le pain, qui en est le plus naturel et le plus sophistiqué prolongement, présente l'avantage d'être savoureux, nourrissant, bon marché, se mariant parfaitement bien avec les autres aliments. Aucun produit n'a accompagné comme le pain la vie sociale, soit dans sa dimension individuelle, soit lorsqu'il s'agissait des grands événements collectifs, influençant aussi bien le langage commun, que les mœurs et les lois. Le pain représentait dans la vie sociale un étalon permettant de mesurer un « état d'être », une position sociale, un seuil de pauvreté. L'expression « vivre au pain et à l'eau » rend moins compte d'une existence ascétique que d'un seuil en deçà duquel l'humanité en nous est en danger. Car même la prison garantit « du pain et de l'eau » aux détenus. L'expression

« ne pas avoir du pain pour ses enfants » signe l'échec et l'humiliation du *pater familias*. Le pain, en tant qu'indicateur de l'état de santé de la population (une sorte de PIB *ante litteram*), participe alors du dispositif de contrôle des masses : Alessandro Manzoni a illustré ce principe dans son roman *Les Fiancés* (*I promessi sposi*, 1825-1827) en décrivant l'assaut par la foule de fours à pain ; mais Marie-Antoinette, tout aussi bien, lâchant, devant la foule vociférante qui réclamait du pain : « S'ils n'ont plus de pain, donnez-leur des brioches. » Le pain est en crise lorsque l'équilibre entre les valeurs qu'il incarne est sur le point de céder. Perdant son caractère sacré, il perd par contrecoup sa distinction et son rôle social. Dans une société qui ne pense et n'achète que le superflu, le pain devient désuet ; il est un produit réservé aux pauvres dans une société où la majorité peut s'en passer ; un produit artisanal sans marque ou sans « griffe » dans un monde estampillé par des logos ; un produit en somme tellement simple qu'il ne vous procure plus d'émotion. Dans une société fondée sur le culte de l'image, la farine, le pain, le boulanger ne sont décidément pas *cool* ; ils sont l'équivalent artisanal de ce qu'est, dans un autre domaine désormais archaïque, l'ouvrier, la chaîne de montage, archétype d'une société qui n'existe plus et dont personne ne veut se souvenir.

Au « temps de la consommation », le pain est une marchandise. La crise des valeurs, décrite précédemment, associée au développement des grandes surfaces commerciales, championnes de la distribution moderne, marque alors le passage du pain-icône au pain-produit. Le pain est en *option*, à acheter seulement lorsqu'on se souvient qu'il existe. On le surgèle comme s'il vous encombrait, ou on l'achète précuit – les succédanés du pain (gressins, crackers, galettes, etc.) recueillant désormais les faveurs des consommateurs. L'innovation technologique permettant d'avoir du pain chaud à toute heure du jour et en tout lieu, le produit se banalise et suit les logiques de standardisation des goûts. Le boulanger, artisan et prêtre, personnage marxiste et religieux, qui résumait à lui tout seul les valeurs des temps passés, devient un commerçant qui réchauffe plutôt qu'il ne pétrit, enfourne et défourne. Lorsqu'elles ne sont pas obligées tout simplement de fermer, les boulangeries n'offrent pas aux jeunes générations une image du métier très attractive et perdent leur fonction première de trait d'union social – ghetto pour personnes d'un certain âge, pour qui le « temps sacré » est encore à fleur de peau. Résultat : le pain-marchandise à un goût plus que médiocre et il est cher. C'est la grande distribution qui, paradoxalement, pour sortir de cette impasse, cherche à repositionner le « pain sacré » en distillant ses valeurs à travers un discours marketing musclé qui mêle bio et tradition. C'est le prélude du dernier « temps ». Le boulanger se fait déposséder de son bien. Plus préoccupé de mécaniser son affaire, il ne se rend pas compte que son avenir se joue sur sa capacité à théâtraliser son activité et son commerce. Le métier s'interroge, mais ne se renouvelle pas.

Au « temps de la surconsommation », le pain est une expérience. Aujourd'hui, dans le secteur alimentaire, comme dans tous les secteurs, le gage de la réussite est de savoir transformer la consommation d'un produit simple en une expérience unique. Ce faisant, le pain se repositionne sur le marché avec une nouvelle image de qualité et une fonction d'usage propre. Dans les dernières années, le consommateur occidental, bon gymnaste, a dû s'habituer aux goûts les plus bizarres et très éloignés de ses habitudes : poisson cru, mélange sucré-salé, tomates « globales » chinoises, viandes « folles ». Le pain tire sa force de son goût inimitable, d'une sorte de bonté qui le caractérise et reste difficile à décrire, qui pourrait se résumer par la tautologie suivante : « Il est bon parce qu'il est bon. » Ainsi la recherche de la qualité, que les valeurs artisanales, vraies ou fausses, ne traduisent pas nécessairement, doit viser la redécouverte du bon pain, à travers recettes et matières premières anciennes ou modernes, appellations d'origine protégées, pain glamour, boutique qui sache mettre la singularité du pain à l'honneur. Le pain est encore porteur de valeurs que recherchent des consommateurs égarés. Dans ce monde improbable, la boulangerie reste un repère au petit déjeuner, à l'heure du déjeuner, au moment du goûter et jusqu'à temps de prendre l'apéritif. Si le pain ramenait à la maison, on dirait maintenant qu'il vous invite à en sortir, permettant de valoriser de nouvelles formules de vente comme la restauration rapide de qualité ou encore la vente au détail de produits gourmets. Dans sa fonction d'usage, le pain se démarque des tables « sacrées » : il se fait *snack* par excellence ; il se diversifie pour pouvoir s'assortir aux aliments les plus différents ; les boulangeries redécouvrent leur fonction de commerce de proximité pour ceux qui travaillent, sont pressés, veulent acheter quelque chose pour le déjeuner ou le dîner avant de rentrer. Mobilité, horaires flexibles, fantaisie : ce sont les nouveaux mots d'ordre. Le boulanger se transforme en entrepreneur de plus en plus soucieux des tendances du marché, récupérant un peu du prestige de l'artisan-prêtre. L'évolution des techniques de production n'est prise en compte que dans la seule mesure où elle permet d'accompagner ce repositionnement du pain. Le pain au « temps de la surconsommation » est un produit de luxe accessible désormais à tout le monde.

La consommation en quelques chiffres. Le pays qui consomme le plus de pain en Europe est la Bulgarie (110 kg par personne et par an) ; ceux qui en consomment le moins sont l'Angleterre et la Norvège (51 kg), la Suède (50 kg). Entre ces extrêmes se situent la République tchèque (89 kg), l'Allemagne (80 kg), la Pologne (73 kg), le Danemark (70 kg), l'Autriche (69 kg), Chypre (64 kg), la Finlande (62 kg). La France ne vient qu'au dixième rang (58 kg, soit 160 g par personne et par jour). L'Italie au treizième (55 kg) [chiffres donnés par le président de l'Union internationale de la boulangerie et de la boulangerie-pâtisserie, salon Europain, 2007]. Chaque jour dans le monde, une personne consacre 9 min de son temps pour acheter du pain ; le Japon et les États-Unis détiennent la valeur la plus élevée (14 min). Le secteur du marché du pain qui a augmenté le plus durant ces quatre dernières années est celui du pain complet (il a doublé entre 2004 et 2008). Malgré l'importance des boulangeries industrielles en Europe, les boulangeries artisanales continuent à assurer 48 % de la production.

98 % des Français consomment du pain et 74 % des pains achetés sont des baguettes (Sofres 2001). Dix milliards de baguettes sont produites par an, soit 320 par seconde. On compte 33 900 boulangeries et/ou pâtisseries en France (2000), 5 000 pâtisseries et 3 200 terminaux de cuisson. 150 000 personnes travaillent dans la filière boulangerie-pâtisserie.

Carlo Meo

• *Voir aussi :* Artisan et artisanat ; Boulangerie (salons internationaux de la) ; Boulangers et boulangeries (histoire de France des) ; Boulangers forains ; Céréales ; Femmes ; Pain (définition universelle du) ; Pain levé du monde (le plus ancien) ; Pains mondiaux ; Panivore ; Théologie du pain

Bibl. : Andrea AGOSTINI, « Il pane di corsa », *Il Salvagente*, 5-12 mai 2005 • Corrado BARBERIS, *Atlante dei prodotti tipici : Il pane*, Rome, Agra-Rai-Eri, 1995 • Piero CAPECCHI, Alberto CIPRIANI, Letizia TESI, *Una fetta di pane. Storia e ricette del pane toscano*, Pistoia, Libreria dell'Orso, 2004 • Anna GARBAGNA, Antonella MANTOVANI, *Il livello culturale incide sui consumi di pane ?*, 2004 • Licia GRANELLO, « Non solo fornai, ecco il pane fai-da-te », *La Repubblica*, 2-5 mai 2006 • Philip KOTLER, *Marketing management*, Pearson Education Italia, 2004 • Carlomaria LINGFIELD, « Pane in busta, la legge c'è ma non si vede », denaro.it, 22 août 2006 • Carlo MEO, *Pane e marketing. Con un assaggio di pasticceria e gelateria*, Rome, Agra, 2007. – *ID.*, « La vetrina serve ancora ? », *Il panificatore italiano*, mai 2006 • C. MEO, N. SACCHI, N. R. TICOZZI, « Design e tendenze del nuovo panificio », *Il panificatore italiano* • Daniela OSTIDICH, *Consumare qualità : l'illusione del brand e le opportunità del made in Italy*, Milan, Hoepli Editore, 2007 • Günther SCHWAB, *La cucina del diavolo*, Diegaro di Cesena, Macro Edizioni, 2000.

CONTINGENTEMENT. – Voir MEUNIER DANS L'HISTOIRE

CONTRE-FRASAGE. – Pour pétrir une pâte, on commence par mélanger la farine et l'eau, ce qui permet l'hydratation des constituants de la farine. Cette première étape est appelée frasage et peut être faite soit à la main, soit avec un pétrin mécanique en vitesse lente. Ensuite, on pétrit la pâte à la main ou avec un pétrin mécanique (soit en vitesse lente, soit en vitesse rapide) pour former le réseau glutineux. Pour obtenir la consistance finale de la pâte souhaitée, on peut soit ajouter de l'eau si la pâte est trop ferme (c'est le bassinage), soit ajouter de la farine si la pâte est trop molle : il s'agit là de contre-frasage. Lors du pétrissage à la main, il est plus facile de pétrir une pâte ayant une consistance plus faible puis de contre-fraser à la fin du pétrissage en ajoutant un peu de farine pour obtenir une consistance plus élevée.

Ludovic Salvo

• *Voir aussi :* Bassinage ; Frasage ; Pétrin ; Réseau ou tissu glutineux

CONVERTISSEUR. – Comme le claqueur, le convertisseur est un appareil à cylindres lisses, dont la finalité est aussi de réduire la taille des granules ; mais, étant alimenté par les claqueurs et les autres convertisseurs, il reçoit des produits plus fins (les finots). Les issues de fin de convertissage constituent les remoulages blancs. Dans le diagramme meunier, ils sont numérotés C1, C2, C3, C4, etc.

Philippe Duret

• *Voir aussi :* Claqueur ; Cylindres (appareil à) ; Diagramme en meunerie ; Finot ; Issue ; Meunerie ; Remoulages

COPAIN. – Voir COMPAGNON ; MOT «PAIN» DANS LA LANGUE FRANÇAISE

COPALINE (Inter-Farine). – Née en 1987, cette farine originale a été connue par l'appellation du pain Copaline « la baguette du chef ». Ce produit a été distribué dans la France entière grâce aux trente-sept meuniers adhérents réunis dans le cadre du GIE Inter-Farine. Cette baguette a une durée de conservation et une saveur exceptionnelles, grâce à un mélange subtil de blés du terroir et de germe de maïs. Elle répondait aux besoins des artisans boulangers d'avoir un produit de très haute qualité afin de se différencier du pain fabriqué en grande surface. Aujourd'hui, la gamme de pains s'est étendue à huit produits pour répondre aux besoins des nouveaux consommateurs.

Hubert François

• *Voir aussi :* Artisan et artisanat ; Bagatelle ; Baguépi ; Baguette ; Banette ; Bleuette ; Festival des Pains ; Reine des Blés ; Rétrodor ; Ronde des Pains

CORBEILLE ET CORBILLON. Garnie d'une toile à l'intérieur, la corbeille sert à porter la farine jusqu'au pétrin. Le corbillon (également sébille ou sébillon), qui est de plus petite taille, plus large que haut, sert au boulanger à déposer le levain souche pour le conserver.

Mouette Barboff

• *Voir aussi :* Levain, levain-chef, levain de première, de seconde, de tout point ; Pétrin

CORÉE (traditions du pain en). – Comme les autres pays du Sud-Est asiatique, la Corée a connu tardivement le pain introduit par les Européens ; son nom coréen, *ppang*, est emprunté au français. La Corée du Nord n'a pratiquement pas de pain, produit de luxe réservé aux dirigeants, même si, en juin 2009, s'est ouvert le premier établissement de restauration rapide à Pyongyang, nommé « Samtaseong », où sont servis des sandwichs au bœuf, aux légumes dans des pains de mie ronds à l'américaine… En Corée du Sud, trois franchiseurs aux noms d'enseigne français (Paris-Croissant ou Paris-Baguette, Tous-Les-Jours) et nordique (Crown Bakery) se partagent le tiers du marché, fort de 8 000 boulangeries. Près de 70 % des produits de boulangerie coréens sont importés, et l'influence américaine se marque dans la fabrication et la consommation de pains de mie avec ou sans lait, légèrement sucrés, plutôt assimilables à des pâtisseries, du type brioches ou viennoiseries, souvent fourrées aux graines de tapioca et de citrouille, aux haricots rouges ou à la crème, même si l'on trouve aussi des pains fourrés aux olives, tomates, etc.

Dans la composition du pain coréen entre de la farine de riz associée à de la farine de blé. Il peut contenir aussi, pour des pains salés, du *chapsal* (pâte de riz collant ordinairement utilisée pour des gâteaux) en sus de la farine. Le pain noir est composé d'un mélange de farines de blé, de malt et de soja fermenté, auxquelles on ajoute du piment rouge. On trouve en hiver dans les échoppes de rue des petits pains servis chauds tels le *hoppang*, demi-sphère blanche de pâte levée cuite au four, fabriquée à partir de farine de blé et fourrée de pâte de haricots rouges ou de légumes, curry, etc. Le *bungeoppang* ou *hwanggeum ingeoppang* (« pain en forme de poisson rouge ») est un pain importé du Japon à base de farine de blé, riz glutineux et farci de pâte de haricots rouges.

Bungeoppang. – Voir ci-dessous « Hwanggeum ingeoppang »

Gyeranppang. Petit pain coréen rectangulaire à base de pâte à gaufre, dont le nom signifie « gâteau œuf de poulet », farci d'œuf.

Hoppang. Pain coréen en forme de demi-sphère blanche de pâte levée cuite au four, fabriqué à partir de farine de blé et farci de pâte de haricots rouges, ou de légumes, ou de curry, etc. Il est servi chaud et vendu dans des échoppes de rue, presque exclusivement en hiver.

Hwanggeum ingeoppang. Ce pain coréen un peu élastique, dont le nom signifie « pain en forme de poisson rouge », est une sorte de petite gaufre à base de farine de blé et de riz glutineux, et farcie de pâte dc haricots rouges. On l'achète chaud dans de petites échoppes de rue, uniquement l'hiver.

Anne-Élisabeth Halpern

• *Voir aussi :* Bouillie ; Japon ; Manioc ; Mil et millet ; Pains mondiaux

Bibl. : Jean-Marie THIÉBAUD, *La Présence française en Corée de la fin du XVIIIe siècle à nos jours*, Paris, L'Harmattan, 2005.

CORN FLAKES. – Voir MAÏS

CORNE. – Genre de spatule souple, sans manche, originellement en corne et qui se glisse sur les parois lisses des cuves à pétrin, cul-de-poule, et autres récipients, pour en ramasser les pâtes où crèmes y adhérant, d'où l'action de corner (ramasser) un fond de cuve ou de pétrin. Aujourd'hui, on les trouve en plastique, en nylon, en polypropylène, souple ou rigide. Les cornes cannelées servent aux décors des bûches de Noël.

Guy Boulet

• *Voir aussi :* Pâte ; Pétrin

COROZO. – Voir FLEURAGE

CORPUS CHRISTI. – Voir FÊTE-DIEU

CORRECTEUR. – Voir AMÉLIORANT

CORSE (traditions du pain en). – *U fiore* désigne, en Corse, la farine de blé dans sa forme la plus raffinée ; ce terme était par ailleurs fréquemment utilisé pour vanter la pureté d'une jeune fille, *u fiore di e zitelle*, lors d'un *Sirinatu* (sérénade) par exemple. Une constance s'observe dans l'imaginaire insulaire : le blé apparaît par le biais d'une représentation symbolique de la croissance, et mêle l'image du végétal, en particulier du blé, à celle des hommes. Le blé est bien un élément vivant, qui est certes cultivé par l'homme, mais néanmoins soumis à l'imprévisible, aux aléas d'un temps incontrôlable. Le blé constitue une source de richesse certaine. Il correspond à une monnaie d'échange de prédilection pour une société corse de tradition agropastorale, qui, des siècles durant, fonctionnait à partir d'un système de circulations des marchandises axé sur l'échange (*scambiu, barattu*). *U mulinaghju*, le meunier, était, dans ce sens, rémunéré directement par une partie du blé moulu, *u lemu*, qui correspondait ainsi à environ un dixième de la récolte.

Outre sa valeur matérielle, le blé suscite un intérêt beaucoup plus complexe dans l'imaginaire collectif des Corses. Élément primordial du partage, de l'échange et de la réunion au sens le plus large, nous le retrouvons dans les offrandes faites aux futurs époux, et dans celles destinées aux morts, aux familles endeuillées ou encore à travers l'offrande faite au Divin par l'intermédiaire, notamment, du pane *di u purgatoriu* donné aux prêtres en échange de messes à célébrer. Ainsi, le blé est encore présent dans les *prigantule* (« formules ») de carnaval, puisqu'il est au centre des vœux adressés à la communauté par les plus jeunes : « *Appiate oliu assai / Granu ùn vi manchi mai* » (« N'ayez jamais à manquer de blé,/et puissiez-vous avoir de l'huile en quantité »).

Ces souhaits d'abondance mentionnent le blé et l'huile tels les ingrédients les plus précieux. Dans le cas où la maisonnée ne saurait rendre grâce à de telles prières, la troupe rétorquait : « *Ch'una tavula panaghja / Vi tagli la culaghja* » (« Qu'une planche à pain/vous casse l'arrière-train » ; Verdoni 1996).

Les injures fusent d'images ridiculisant l'ennemi touché par une extrême pauvreté : « *Ch'è tù manghji orzu à debbitu !...* » (« C'est de l'orge que l'on lui destine ! »).

La culture du blé constitue un axe majeur autour duquel s'organise une communauté en accord avec son espace-temps, et par là même sa vision de la religiosité. Si nous devions particulièrement étudier la symbolique de la fabrication du pain, il nous faudrait mentionner en amont le travail de production de la céréale même : des labours (*u lavoru*) à la semence (*a suminera*), à la récolte (*a sighera*), jusqu'au dépiquage (*a tribbiera*). Nous pouvons noter une nette répartition des tâches distinguant production et traitement du blé. Seule l'étape de la *spullera*, visant à dégager le blé de la paille par l'action du vent circulant à travers le jet ou l'écoulement du blé dépiqué, semble concerner les deux sexes. La première étape, essentiellement masculine, dans laquelle nous inclurons le moulage, est complétée par l'apport féminin comprenant le triage des grains, les différentes étapes du pétrissage, l'allumage du four, la gestion de la cuisson. Ajoutons à ces faits que l'apprentissage de l'allumage, de la cuisson, du pétrissage ne se fait qu'après la puberté (Verdoni 1996). Il semble que la symbolique de la fécondité, si représentative du blé, trouve ici une illustration à travers les attributs sexuels essentiels à toute (re)production des denrées au même titre que celle de la communauté. Cette gestion du travail déterminante pour la survie des hommes traduit une conception ancestrale du principe de vie : rythmé par les saisons et les divers fruits qu'elles pourraient produire, temps et espace s'entremêlent dans un profond désir de renouveau perpétuel, liant vie et mort dans une dynamique créative très fréquemment sacralisée par l'alimentaire.

La culture des Corses est marquée par le sceau de l'oralité, un système de communication où la parole est polysémique et s'exprime par une multitude de formes. Pourtant, si l'oralité use d'interprétations multiples, elle n'en répond pas moins à un besoin unique et fondamental : comment subvenir aux besoins alimentaires d'une société tout en lui permettant de s'inscrire de manière symbolique sur un territoire donné, dès lors, spécifique. C'est dans ce sens que la figure du cercle, si présente dans la fabrication des pains, pourrait traduire l'idée d'un cycle que l'homme espère voir sans cesse renouvelé. C'est la vision d'un temps inspiré des rythmes naturels, unissant vie et mort vers une nécessaire évolution. Cette figure se retrouvera par exemple à travers la forme des *aghje* (« aires de battage »), à travers le sens, le rythme des *tribbiere* (« chants de dépiquage »), à travers la forme des pains, et pourquoi pas encore autour du *ròtulu* (« rouleau à pâtisserie »)…

Campanile ou caccavelli. Il s'agit de gâteaux consacrés aux fêtes de Pâques. À base d'œufs, de farine, de sucre, de graisse animale, la pâte est levée puis cuite au four. La pâte obtenue est relativement compacte afin de lui conférer la forme d'un cercle sur lequel on placera des œufs. Ces gâteaux s'offrent, selon l'usage, aux enfants ou aux adolescents, qui, le lundi de Pâques, avaient coutume de déjeuner à l'extérieur pour fêter l'arrivée du printemps.

Canistrelli. Biscuits secs, cuits au four, obtenus à partir d'une pâte composée de farine, de sucre, d'œufs, dont le parfum varie en fonction des régions et de leurs ressources naturelles : vin blanc, citron, amandes ou graines d'anis. Le terme *canistrelli* renvoie à la forme de la pâte : les biscuits sont découpés à partir d'une pâte homogène et roulée de manière à obtenir une canne à découper.

Canistrò à la finuchjetta ou finuchjetti. Spécialité d'Ajaccio. Pains secs en forme de « 8 » parfumés aux graines de fenouil. La pâte est composée essentiellement de farine, d'eau et de sel ; elle est pétrie et travaillée de manière à obtenir un « 8 » plus ou moins épais selon le tour de main. La particularité de ces pains concerne leur type de cuisson : la première étape, une forme de pré-cuisson, se fait dans de l'eau bouillante additionnée d'huile et de sel. La seconde et ultime étape se fait au four afin d'obtenir une pâte bien sèche et croustillante. Cette spécialité est proposée, selon l'usage, aux bébés pour soulager la douleur due à la pousse des dents. Ces biscuits sont généralement servis avec du vin ou du café, l'usage étant de les tremper dans une boisson avant de les déguster.

Fritelle di zucca « (beignets de courge »). Spécialité de Corte (Haute-Corse), cuisinée le jeudi saint à partir d'œufs, de farine, d'eau, de sel et de levain. Les beignets pourraient s'inscrire dans la même symbolique que les *frittelle au brocciu* (beignets garnis d'un fromage spécifique). Ces *fritelle au brocciu*, salés dans le Nord, sucrés dans le Sud, de forme arrondie, sont garnis et rappellent la symbolique de l'œuf annonçant le fruit futur que l'on espère voir naître de l'événement fêté (généralement un baptême ou un mariage). La courge offre la particularité de se conserver durant la plus rude des saisons, depuis *I Morti* (novembre) jusqu'à Pâques. Elle semble végéter entre vie – puisqu'elle se conserve – et mort – de la nature. C'est certainement dans ce sens que s'explique l'usage de sa chair dans les *inzuccati* (« chaussons à la courge »). Son écorce singulière étant destinée, en Corse également, à la constitution de lampions rappelant d'inquiétants visages. Les pâtes associées à la courge fêtent ainsi le retour des morts. Il est intéressant de remarquer que cette cucurbitacée assure en quelque sorte la jonction des saisons et par là même celle des mondes. Faut-il ébaucher un lien avec un autre type de beignet très apprécié en Corse, les *frittelle cù u fiore di zucchinu* (« beignets à la fleur de courgette »). Ces beignets semblent réitérer le message porté par l'usage symbolique des œufs, des fruits à coquille, des graines et autres jeunes pousses : un appel à l'abondance et à la fertilité durant des périodes symboliquement marquées par la mort.

Pain de châtaigne ou pain de bois. La châtaigne est, comme le blé, un élément qui sauve de la disette et se trouve intimement lié à l'imaginaire de la faim, ou de la mort. C'est par exemple un ingrédient que les enfants portaient autour du cou en novembre, durant la fête des Morts en Corse… C'est sous forme de farine que la conservation de la châtaigne permet de lutter le plus durablement contre la disette. Dans le calendrier agricole, on pourrait considérer la châtaigne comme le blé de l'hiver. Ainsi, lorsque les instabilités météorologiques sont fréquentes, la châtaigne s'adapte aux terrains hivernaux, aux périodes rudes, elle devient gage de survie. C'est sous forme de *pulenda* (farine cuite dans l'eau bouillante à peine salée consommée telle quelle, coupée au fil, grillée, ou encore frite selon les occasions), que la population corse a su passer les périodes les plus difficiles. Malgré l'évolution des techniques de conservation, c'est sous forme de farine que la châtaigne, aujourd'hui encore, se consomme majoritairement (confection de pains, gâteaux ou *pulenda*). Son utilisation contemporaine renvoie à l'image du produit *identitaire*, gage d'équilibre tant culturel qu'alimentaire. Ne peut-on voir dans la consommation actuelle du pain de bois une réinterprétation nouvelle de la quête pour la survie, pour l'équilibre et contre la mort ou le chaos ? Une quête, où mondialisation et surconsommation effrénées renvoient à l'angoisse d'une mort à multiples facettes…

Pain testamentaire. En Corse, les dispositions prises pour les funérailles constituaient une part importante des testaments des XVIe et XVIIe siècles. Pierre Lamotte (1957) nous apprend que ces testaments faisaient part d'un souci constant du testateur pour des honneurs alimentaires *post mortem*, dans le cadre d'une conception particulière de l'au-delà, l'expression employée dans les actes étant celle-ci : *« Honori in pani, è carni »* (« Honneurs en pain et viande »). C'était une coutume symbolique, le testateur se léguant en quelque sorte des biens alimentaires qui le concernaient personnellement. En général, on évoque du blé, du pain et de la viande, la plupart du temps bovine, pour le futur repas de funérailles. Prescriptions symboliques puisque le testateur se léguait du pain et de la nourriture pour sa veillée funèbre et son au-delà. Selon cet usage, le mort serait arrivé à un point de régénération grâce à une nourriture de substitution, matérialisée par un animal légué en sacrifice. [Tony Fogacci]

Pane di mistura (« pain mélangé »). L'usage de mélanger les céréales, ou les céréales et les légumineuses, remonte probablement bien avant le Néolithique. En Corse, le pain demeure un élément fondamental de l'alimentation. Toutes les graines rentrent dans la confection du pain, ainsi il était d'usage de faire du pain avec du seigle mélangé au blé, à l'orge ou à la farine de châtaigne. Il est vrai que la farine de châtaigne a souvent remplacé des céréales comme le blé, en cas de manque alimentaire, dans la préparation des recettes. On comprend pourquoi le châtaignier était même désigné symboliquement comme l'« arbre à pain » de l'île pendant ces périodes. Le *pane di mistura* est donc un pain confectionné à partir de farines mélangées, par exemple de blé et de seigle. En Italie, le *pane mistura* est produit traditionnellement dans toute la province de Pavie, il est composé de farine de froment et de farine de *granoturco*. [Tony Fogacci]

Jacqueline Acquaviva-Bosseur

• *Voir aussi :* Boulangers et boulangeries (histoire de France des) ; Chapelure ; France (pains actuels, pains régionaux) ; Mot « pain » (étymologie du) ; Mot « pain » dans la langue française ; Pain perdu

Bibl. : Jocelyne BONNET, *La Terre des femmes et ses secrets*, Paris, Robert Laffont, 1988 • COLLECTIF, *Savoirs culinaires et pratiques alimentaires en Corse*, Corte, Publications universitaires de linguistique et d'anthropologie (PULA) nº 2, Université de Corse, 1990 • Félicienne RICCIARDI-BARTOLI, « Cuisine et alimentation », *Cahiers d'ethnologie corse*, Ajaccio, 1993 • Yvonne VERDIER, *Façons de dire, façons de faire*, Paris, Gallimard, coll. « Bibliothèque des sciences humaines », 1982 • Dominique VERDONI, « Asphodèle, blé, fève : Nourritures symboliques », *Le Boire et le manger*, Actes des 7e Rencontres culturelles interdisciplinaires de l'Alta Rocca, 1999.

CORSETAGE. – Déformation latérale des pains cuits en moule, les côtés se creusant. Ce phénomène apparaît notamment en cours de refroidissement ou de ressuage, lorsque le pain est trop volumineux, l'activité amylasique trop élevée, ou lorsque le pain manque de cuisson. Lorsqu'il s'agit d'une cuisson en moules fermés, et lorsque la pâte a trop fermenté et qu'elle vient pousser sur le couvercle, ces contraintes favorisent la déformation latérale.

Philippe Roussel

• *Voir aussi :* Amylase et activité amylasique ; Baiser de boulanger ou baisure ; Moule ; Ressuage

COSCINOMANTIE. – Voir TAMIS (symbolique du)

COSMAO, Norbert. – Frigoriste niortais, créateur de la marque Panem, Norbert Cosmao brevette en 1967 un meuble de fermentation très innovant. L'avancée technique de ce matériel réside dans un système très sophistiqué de gestion des flux d'air limitant le croûtage de la pâte et surtout dans le tout premier double système de régulation d'air réfrigéré puis réchauffé piloté par un minuteur. Cet équipement fut le premier à permettre un « blocage » de l'activité fermentaire sur une période allant jusqu'à 48 heures, puis de programmer une lente remontée en température qui « réveille » la fermentation. Ce matériel très fiable fut par la suite décliné en cellules et tunnels. Grande personnalité de la boulangerie, Norbert Cosmao a inventé une solution complémentaire aux enceintes dites de pousse lente, il a définitivement solutionné la maîtrise des conduites de fermentation et fait reculer le travail de nuit dans les fournils.

Hubert Chiron

• *Voir aussi :* Chambre de fermentation (ou pousse) contrôlée ; Équipementiers ; Nuit (travail de)

COSTA RICA. – Voir AMÉRIQUE LATINE ; CARAÏBES

COTRET. – Voir ENTOILER

COUCHE. – Toile de lin longue et étroite que l'on étend sur une table ou une surface plane afin d'y déposer les pâtons, juste après qu'ils ont été pesés et mis en forme. La toile saupoudrée de farine ou de petit son est parfois disposée en plis pour éviter aux pâtons de coller entre eux. Les couches ne se lavent jamais, mais il faut avoir soin de les tenir au sec, car l'humidité et la chaleur leur donneraient une mauvaise odeur qu'elles pourraient communiquer au pain. Des perches situées à proximité du four permettent de les suspendre pour sécher ; après quoi le boulanger les roule sur elles-mêmes afin de les ranger. Pour libérer le pétrin, on se sert parfois d'une table dénommée « la couche », sur laquelle on couche, pèse et façonne la pâte. C'est pourquoi on dit que la pâte mise à pointer sous des sacs sur cette table est « sur couche ». La couche est également une armoire garnie de cinq à six tiroirs placés les uns au-dessus des autres. Lorsque les pains sont formés, on les place dans ces tiroirs, en commençant par ceux du bas, sur des toiles plus ou moins longues et plus ou moins larges que l'on nomme aussi des couches. La pâte y conserve mieux la chaleur en hiver. C'est aussi un moyen de gagner un peu de place dans des fournils qui sont souvent de trop petite dimension.

Mouette Barboff

• *Voir aussi :* Façonnage ; Fleurage ; Four ; Fournil ; Parisien ; Pâte ; Pâton ; Pointage

COULAGE (eau de). – Voir EAU DE COULAGE

COUP DE LAME. – Voir GRIGNE ; SCARIFICATION

COUPE LOUIS LESAFFRE. – Voir LESAFFRE

COUPE « POLKA » ET COUPE « SAUCISSON ». – Coups de lame pratiqués sur le pain de manière à former, dans un cas, des losanges ou des carrés à la cuisson ; dans l'autre, des diagonales très rapprochées en adoptant un angle plus prononcé que sur les baguettes.

Dominique Descamps

• *Voir aussi :* Baguette ; Grigne ; Lame et coup de lame ; Scarification

COUPE-PAIN. – Au XVIIIe siècle, on l'appelait couteau. Posé sur le comptoir, il permettait à la boulangère de débiter le pain vendu au poids et de le peser sur la balance. Cet instrument a quasiment disparu des boulangeries, mais on le trouve dans toutes les cantines et restaurants où les pains sont coupés en tranches avant de garnir les corbeilles à pain.

Mouette Barboff

• *Voir aussi :* Couteau à pain

COUPE-PÂTE, GRATTOIR ET RATISSOIRE. – Pour détacher la pâte du pétrin, on se sert d'une ratissoire, ou, selon la forme du pétrin, d'un coupe-pâte. Si les côtés du pétrin sont courbes, on emploie la ratissoire, parce qu'elle est courbe ; si au contraire les côtés du pétrin sont droits, on se sert d'un coupe-pâte, qui est plat (on parle aussi de grattoir) ; il faut pouvoir disposer dans ce cas d'un coupe-pâte à retour, et d'un à queue. Ces outils sont ordinairement en fer. Le coupe-pâte sert aussi à nettoyer la ratissoire et à couper la pâte ferme pour en former les pâtons. Les boulangers s'en servent également pour décoller la pâte qui adhère aux mains.

Mouette Barboff

• *Voir aussi :* Main ; Pâte ; Pâton ; Pétrin

COURROIE. – Pièce souple utilisée dans les moulins permettant la transmission de puissance entre un organe moteur et une machine. Ces courroies étaient autrefois plates et en cuir, puis en matière synthétique ; ensuite sont apparues les courroies trapézoïdales et crantées, qui permettent de meilleurs rendements.

Philippe Duret

• *Voir aussi :* Meunerie ; Minoterie ; Moulin

COURGE (*Cucurbita pepo* ; pépins de). – Voir CONDIMENTS DU PAIN

COUTURE (pain). – Curieuse noce. En juin 2004, Jean Paul Gaultier explore à la Fondation Cartier pour l'art contemporain les liens insoupçonnés entre l'univers de la boulangerie, de ses artisans dévoués, et celui de la mode. Avec l'aide de quelques maîtres boulangers, meilleurs ouvriers de France, ambassadeurs d'une profession éternellement mal-aimée parce que trop aimée des Français, le couturier a proposé des stores vénitiens en baguettes, des rideaux de perles remplacées par des boules de pain miniatures, des robes bustiers en tranches de pain de campagne, ou en langues de chat, voire en petits-beurre, des perruques en croissants et, au sous-sol de l'exposition, un fournil produisant un pain prêt à déguster. « Quand, à la façon d'un jeu d'enfant, on pose à Jean Paul Gaultier la question : "Que ferais-tu si tu changeais de métier ?", il répond, comme un coup de poing sur la table en forme de banco : "Boulanger !" » Ingénieux rapprochement de deux termes et de deux professions placées aux antipodes de l'échiquier social, mais que le créateur entrechoque à l'envi et à plaisir pour produire du sens.

Jean-Philippe de Tonnac

• *Voir aussi :* Boulanger-poète ; Boulanger-prophète ; Bread (groupe musical) ; Danse des petits pains ; Moulins (don Quichotte contre les) ; Documentaires et films ; Œuvre d'art en pain ; Peinture occidentale ; *Un pain, c'est tout*

Bibl. : Jean Paul GAULTIER, *Pain couture*, Paris-Arles, Fondation Cartier-Actes Sud, 2004.

CRAPAUDINE. – Pièce généralement en fer ou en bronze, la crapaudine repose sur la poutre principale de la trempure et constitue le point d'appui du grand fer. Le grand fer tourne, entraînant la meule courante par l'intermédiaire de l'anille. La crapaudine pouvait aussi contenir une bille d'acier baignant dans l'huile ou bien la graisse pour limiter tout frottement en cette partie.

Roland Feuillas

• *Voir aussi :* Ailes ; Anille ; Ferrure du moulin ; Moulin ; Trempure

Bibl. : Claude RIVALS, *Le Moulin et le meunier*, vol. 2 : *Une symbolique sociale*, Portet-sur-Garonne, Empreinte, 2000.

CRAVATE (pain). – Voir RASSISSEMENT

CRC (Céréales et ressources contrôlées). – Marque déposée il y a une vingtaine d'années par la CAPS (coopérative de Sens) pour caractériser les bonnes pratiques culturales du blé mises en place par ses adhérents sous l'impulsion d'Alain Peretti. En 1999, le référentiel est officiellement « Certifié conformité produits ». Avec la promulgation, le 25 avril 2002, du décret sur l'agriculture raisonnée (2002-631), toute communication sur ces termes est devenue exclusivement réservée aux agriculteurs dont l'ensemble de l'exploitation (toutes cultures et tous élevages) était officiellement qualifié selon le référentiel « Agriculture raisonnée ». CRC® signifie aujourd'hui « Céréales et ressources contrôlées » et appartient au GIE éponyme regroupant 21 organismes stockeurs, 20 meuniers et une dizaine d'utilisateurs de farine (industriels, distributeurs, regroupement d'artisans boulangers), organisés en filière pour promouvoir jusqu'au consommateur 150 000 t de blés cultivés dans le respect de bonnes pratiques culturales extrêmement exigeantes et contrôlées, et certifiées en termes d'utilisation d'engrais, de produits phytosanitaires et de protection de l'environnement (chiffres 2006).

Catherine Peigney

• *Voir aussi :* Agriculture biologique ; Filière bio

CRÉDIT (vente à). – La relation marchande règle la vie économique des hommes. La transaction ou vente à crédit demeure un terrain de recherches peu exploré dans l'histoire de la boulangerie. L'un de ses caractères spécifiques tient dans sa temporalité. Elle suppose une interaction entre personnes, le cultivateur, le meunier et le boulanger, interaction vouée à se prolonger de manière plus ou moins durable. C'est le fondement même du crédit. Elle ne se réduit pas non plus à un lien ponctuel et isolé, établi entre deux individus. La vente à crédit s'inscrit dans des chaînes relationnelles et des formations sociales et historiques, selon l'évolution du commerce des grains, de la meunerie et l'organisation industrielle de la filière céréalière depuis l'Ancien Régime jusqu'à l'époque contemporaine. Son dernier caractère repose sur la confiance, la garantie, voire la dépendance dont elle ne peut s'exonérer pour exister. Enfin, le crédit ne se construit pas non plus en dehors des normes sociales et juridiques, élaborées ou tacitement acceptées au fil de l'Histoire. Pour tenir ensemble ces dimensions, la relation de crédit entre les acteurs de la fabrication finale du pain dépend de l'histoire même de leur interdépendance ou de leur émancipation progressive. Des types de réseaux se construisent autour de cet échange, et en particulier leur dimension dynamique. Le crédit est une transaction qui met aux prises deux ensembles d'acteurs, les créanciers et les débiteurs, d'ailleurs susceptibles d'échanger leurs rôles, voire de les tenir simultanément. La relation de crédit, autrement dit penser ensemble celui qui fait et celui à qui on fait crédit, ouvre sur une histoire des sociabilités et des dépendances.

Afin de pouvoir disposer de pain sans bourse délier, le boulanger et le cultivateur se mettent d'accord sur les modalités d'un échange. Dans l'Histoire, le premier échange est le troc : une quantité de blé pour une quantité de pain. La matière première est vitale et forme, économiquement, un circuit : blé-farine-pain. Le boulanger se charge de moudre le grain et élargit ainsi son commerce aux fonctions de grainetier et de vendeur d'issue de mouture. Cet échange non monétaire et libre marchand strict a pu survivre jusque dans les années 1960. Jusqu'alors, les circuits commerciaux s'affranchissaient des taxes, franchises, recettes et cotisations intéressant l'État. Les défenseurs de la ruralité pesèrent lourd devant le Parlement. Meuniers et boulangers se défendent, car l'échange est l'objet d'attaques virulentes, provenant des libéraux et de partisans d'une rationalisation économique, au sein de l'administration et de la filière céréalière. En réalité, le crédit entre le cultivateur, le meunier et le boulanger illustre l'édification de l'État moderne : petit à petit, l'État doit sa formation et sa légitimité à sa capacité de s'emparer du contrôle du marché des céréales. Tous les gouvernements français s'engagent du côté des consommateurs de pain, tout en régulant la production céréalière. Grâce au développement économique, à la mécanisation de l'agriculture et à l'amélioration générale du niveau de vie, ainsi qu'à la diversification du régime alimentaire qui en résulte, l'État maintient quelques recettes. Et le crédit direct entre producteurs et boulangers prend les tours convenus du crédit bancaire.

Olivier Pascault

• *Voir aussi :* Ban et banalités ; Blatier ; Boulangers et boulangeries (histoire de France des) ; Boulangers forains ; Échangisme ; Physiocrates ; Réglementation ; *Sur la législation et le commerce des grains*

Bibl. : Stephen L. KAPLAN, *Le Pain maudit. Retour sur la France des années oubliées, 1945-1958*, Paris, Fayard, 1987 ; Jacques NECKER, *Sur la législation et le commerce des grains* [1775], Paris, EDIRES, 1986.

CRÊPE. – Une crêpe est une galette plus ou moins fine, cuite à la poêle ou sur une plaque chauffante, de consistance moelleuse ou croustillante. En France, elle est réalisée à partir d'une pâte fluide, composée principalement de farine, d'œufs et de lait. On la consomme généralement fourrée avec divers ingrédients, salés ou sucrés. Mais de nombreuses cultures ont leurs crêpes : à base de riz cuit mixé comme en Inde (où on les appelle *dosas*) ; ou de farine de blé, de millet ou de maïs (*naans* et *chapatis* confectionnés en Inde, mais aussi dans d'autres pays d'Asie) ; ou bien de farine de riz (Viêt Nam, Chine, Thaïlande…) ; ou encore contenant de la levure, comme au Moyen-Orient (*baghrir*, *qatayef*)… La frontière se révèle parfois mince entre pain, galette et crêpe. D'aucuns font remonter l'origine des crêpes aux premières galettes de l'histoire de l'humanité, constituées d'eau et de grains écrasés. Sans aller aussi loin, les Romains consommaient déjà des galettes de céréales, de forme ronde, au moment des Lupercales : des cérémonies variées célébraient la fin de l'hiver en février, dernier mois du calendrier romain, et comportaient des rites de fécondité. En 472, le pape Gélase Ier christianisa cette fête, qui devint celle de la Présentation au Temple de Jésus, et en fixa la date au 2 février. Des « crêpes » étaient servies aux pèlerins qui arrivaient à Rome et les processions aux chandelles prirent le pas sur les rituels païens, d'où le nom que prit cette fête : *festa candelorum*, « fête des chandelles », devenue la chandeleur.

Ce n'est qu'au XIXe siècle, lorsque la farine de froment se répandit, que la crêpe que nous connaissons s'établit dans les foyers : auparavant, elle était fabriquée à partir de farine de blé complète, ou de farine de sarrasin. La galette bretonne, autrefois confectionnée à partir de farine de sarrasin, d'eau et de sel, était à l'origine utilisée et considérée comme du pain. Une autre variante de la crêpe, le « matefaim », est plus proche d'un pain plat cuit à la poêle que d'une crêpe. La « crêpe dentelle », très croustillante, ne contient pas d'œufs mais beaucoup de beurre. Elle est cuite au four puis roulée sur elle-même. La « crêpe Suzette », créée par le grand cuisinier Auguste Escoffier pour l'actrice Suzanne Reichenberg, est une crêpe sucrée qui contient du beurre fondu, de l'orange, du citron et du Grand Marnier. La crêpe prend d'autres noms dans certaines régions de France : « tantimolles », « vautes » ou « berdelles » qui gonflent sous l'effet de la levure en Champagne-Ardenne ; « crupets » en Gascogne (à rapprocher des très britanniques *crumpets*)… Enfin, on ne peut parler de la crêpe sans évoquer son cousin américain, le *pancake*, roi des petits déjeuners en Amérique du Nord, ou le *blin*, un autre cousin venu de l'Europe de l'Est.

Baghir. Ce terme, utilisé au Maroc, en Algérie et en Tunisie, désigne une petite crêpe moelleuse, épaisse, très alvéolée, réalisée avec de la semoule, de la farine, des œufs, de l'eau, de la levure et du sel. On la sert chaude, garnie de beurre et de miel qui l'imbibent, pendant le mois de ramadan (mois du calendrier musulman consacré au jeûne).

Blini. Les *blini* (singulier *blin*, la forme francisée du pluriel, « blinis », étant redondante) sont de petites crêpes épaisses, que l'on fabrique non seulement en Russie, mais aussi dans l'ensemble de l'Europe de l'Est. À l'origine, la confection de *blini* était partie intégrante de rituels marquant la fin de l'hiver, leur forme et leur couleur dorée annonçant le retour du soleil. Cette fête païenne, comme bien d'autres, fut assimilée par l'Église orthodoxe et célébrée jusqu'à l'avènement de l'URSS. Restaurée après la perestroïka, certains ne voient dans la *Maslenitsa* d'aujourd'hui, cette fête qui dure une semaine et pendant laquelle on brûle une effigie appelée *Kostroma*, que la résurgence dépourvue de sens d'une fête ancienne. Mais, n'en déplaise aux puristes, elle reste très populaire et l'occasion de manifestations joyeuses. Les *blini* russes ne sont pas aussi épais que ceux que nous connaissons. Ils peuvent être à base de farine de blé comme de sarrasin et sont traditionnellement préparés à partir d'une pâte au levain, celui-ci pouvant être remplacé par des blancs d'œufs. Si aujourd'hui on les cuit à la poêle comme des crêpes, ils étaient autrefois enfournés. On les garnit de crème aigre, de hareng, de caviar, de fromage frais, de beurre, mais aussi, pour la version yiddish appelée *blintz*, de poulet ou de viande hachée, voire d'ingrédients sucrés tels que confiture ou fruits. En Europe de l'Est, la pâte des *blini* peut aussi contenir de la pomme de terre râpée et, en Ukraine, ils sont ordinairement faits à partir de farine de sarrasin.

Crêpe ou galette bretonne. Histoire ou légende, on raconte que la duchesse Anne de Bretagne, lors de son tour de Bretagne, effectué pour mieux connaître ses sujets, s'arrêta chez un bûcheron avec sa suite. La fille de celui-ci confectionna pour ces illustres hôtes des crêpes : c'était en 1455, et les crêpes bretonnes sont attestées depuis ce moment-là. Ces crêpes ou galettes étaient réalisées à partir de farine de sarrasin, de sel et d'eau. Elles cuisaient sur une plaque appelée *pillig* ou *billig*, dans la cheminée. Le sarrasin n'est pas une céréale autochtone, mais une graminée qui fut introduite en France au XIIe siècle, au moment des retours de croisades. Les galettes de sarrasin, à l'origine, étaient considérées comme du pain et occupaient une place de choix dans l'alimentation bretonne. Plus épaisses que de nos jours, on les mangeait sans garniture ou bien on les faisait sécher, pour les consommer dans de la soupe, par exemple, à laquelle elles donnaient de la consistance. Aujourd'hui, la galette bretonne peut être de froment ou de sarrasin, ou d'un mélange des deux farines, et on la garnit de toutes sortes d'ingrédients, salés ou sucrés.

Matefaim. Mot composé à partir de *mater* (« tuer ») et de *faim*, la forme *matafain* est attestée dès 1546 dans le *Tiers Livre* de Rabelais. Proche tantôt d'une galette, tantôt d'une omelette, on retrouve cette variante épaisse et roborative de la crêpe dans de nombreuses régions françaises – Berry, Limousin, Charentes, Lyonnais… Le matefaim, que l'on rencontre également en Belgique, peut être garni d'ingrédients variés, salés ou sucrés. Le lait y est parfois remplacé par de l'eau ou de la bière, et il contient généralement peu d'œufs, voire pas d'œufs du tout. Dans ce dernier cas, le matefaim peut être considéré comme une sorte de pain plat, cuit à la poêle. En revanche, lorsqu'il contient beaucoup d'œufs, le matefaim s'apparente davantage à une omelette. La farine ajoutée à cette omelette, qui la rend très nourrissante, justifie alors ce nom de « matefaim » qui lui est donné.

Pancake. Littéralement « gâteau à la poêle », le *pancake*, proche de la crêpe, est plus épais que sa parente française. Alvéolé grâce à l'adjonction de levure chimique ou de bicarbonate de soude à la pâte, le *pancake* est souvent d'un diamètre inférieur à celui d'une crêpe. On le garnit traditionnellement de sirop d'érable, mais aussi de miel, de beurre, de fruits secs pour les versions sucrées, et de bacon, de fromage, de saucisse pour les versions salées… Les *pancakes* sont servis chauds, au petit déjeuner, dans l'ensemble des pays d'Amérique du Nord. Ils sont appelés « crêpes » au Québec, et on les déguste au Royaume-Uni pour le Mardi gras, où ils sont désignés par l'expression *Tuesday pancakes*. Les pancakes sont aussi appelés, selon les régions, *flapjacks* ou *hotcakes* – pour ne citer que ceux-ci, mais il n'existe pas moins d'une dizaine de termes pour les désigner !

Qatayef. Dans les pays du Moyen-Orient, les *qatayef* ou *'atayef* désignent de petites crêpes « mille trous », épaisses, réalisées à partir de semoule, de farine, d'œufs, d'eau, de levure et de sel, et que l'on imbibe de beurre et de miel, ou d'un sirop parfumé à la rose. Ces crêpes sont appelées *baghrir* dans les pays du Maghreb. Mais ce terme désigne également ces mêmes crêpes, cuites d'un seul côté, farcies de fruits secs, de crème fraîche, repliées en cornets ou en chaussons, fermées et parfois plongées dans la friture, avant d'être arrosées de sirop. Ce délicieux dessert est servi chaud durant le mois de ramadan, consacré au jeûne chez les musulmans.

Myriam Daumal

• *Voir aussi :* Bouillie ; Calendrier romain ; Chapâtî, Nân → Inde ; Pains mondiaux ; Sarrasin

CREUX. – Voir DÉFAUTS DU PAIN

CRIBLE ET CRIBLURE. – Le crible (ou rège) était une sorte de tamis dont le fond perforé pouvait être en peau de porc ou de veau, en métal ou en fil de fer. Il permettait de retenir les débris mêlés aux grains : balles, semences étrangères, petites pierres, insectes et parasites en tous genres et qu'on appelait les criblures. Ces déchets étaient ensuite récupérés et triés. Certains appelés « clivures » (ou « crulures », « arrière-clivures ») et composés de grains mal calibrés ou mal débarrassés de leur balle étaient définitivement écartés pour être écrasés en farine ou donnés tels quels à la basse-cour (Desportes 1987). Le criblage se faisait généralement sur l'aire de battage ou au moulin.

Mouette Barboff

• *Voir aussi :* Balle ; Battage des céréales et aire de battage ; Grain ; Moulin ; Tamis

Bibl. : Françoise DESPORTES, *Le Pain au Moyen Âge*, Paris, Olivier Orban, 1987.

CROATIE (traditions du pain en). En Croatie, aujourd'hui, les céréales sont le plus souvent consommées sous forme de pain. C'est l'accompagnement de presque tous les repas, du café le matin, au déjeuner où il est mangé avec la soupe et le plat principal, et jusqu'au dîner. Depuis deux siècles, le pain est devenu ainsi la nourriture essentielle. Dans un texte ethnographique décrivant la vie dans la Dalmatie reculée à la fin du XIXe siècle, on peut lire : « Pain et vin sont les meilleures nourritures. On dit : "Là où il y a du pain et du vin, le pays est en paix." Mais par-dessus tout, le pain est, pour dire vrai, la plus précieuse des nourritures. La vie est dure pour ceux dans la maison de qui il n'y a pas de pain, car là où il y a du pain, il n'y a pas de faim. » Les céréales traditionnelles, tels l'orge, le millet, le blé et le seigle, ont fait partie de l'alimentation populaire depuis des siècles dans la zone géographique correspondant à l'actuelle Croatie. Le millet surtout était consommé sous forme de bouillie, la nourriture principale dans les campagnes. Ces bouillies étaient connues dès les temps pré-slaves, comme en témoigne la parenté des noms de certains types de céréales et de plats à base de céréales en croate et dans les autres langues slaves. Plus tard, d'autres céréales furent adoptées : le maïs, cultivé depuis le milieu du XVIIe siècle, et le sarrasin, cultivé depuis le XVIe siècle. Peu à peu, le maïs a remplacé les anciennes cultures traditionnelles. Une sorte de bouille épaisse à base de semoule de maïs et d'eau est connue dans le nord de la Croatie sous le nom de *žganci*, et dans le sud sous celui de *palenta* ou *pura*. Dans certaines régions, cette bouille constitue même une manière de socle alimentaire quotidien.

Le pain plat non levé (*pogača*), typique de la tradition paysanne des siècles passés, est fait de différentes farines moulues à la main, ou au moulin à eau. Le plus connu de ces pains de pauvre est à base de millet (*prosenica*), mais on utilisait aussi beaucoup la farine de blé complet.

Ces pains étaient placés dans le foyer ouvert et sous un couvercle convexe en argile ou en métal qui servait de poêle primitif ; le couvercle était préalablement chauffé, posé sur la pâte et recouvert de braises. Pour le levain traditionnel, on prenait un petit morceau d'estomac d'agneau ou de veau non sevré. On utilisait également un mélange de moût de raisin et de farine de seigle laissé quelque temps en fermentation. Mais les femmes prélevaient ordinairement un morceau de la pâte du précédent pain. Dès le début du XXe siècle, on a acheté davantage de levure en magasin ; émiettée et séchée à la maison, elle était employée au fur et à mesure des besoins. À la même époque, les paysans du nord de la Croatie abandonnèrent peu à peu la tradition d'une cuisson à foyer ouvert et adoptèrent les différents poêles de cuisine, ou utilisèrent des fours avec cheminée dans la cour. De tels fours nécessitaient tant de bois qu'on ne cuisait ordinairement le pain qu'une fois par semaine. La préparation et la cuisson du pain pour une famille nombreuse n'étaient pas une tâche aisée, en particulier parce qu'il fallait pétrir une pâte d'environ vingt kilos de farine. Les femmes, s'affrontant ainsi à cette redoutable obligation, se rappelaient leurs mères et grands-mères disant : « Plutôt accoucher que de pétrir la pâte à pain ! »

Quoique certaines régions de Croatie soient associées à la consommation de pain blanc (*bijeli kruh*), une large part de la population croate, aux XIXe et XXe siècles, préparait un pain à base de farine de blé complet, ou d'un mélange de farines. Par exemple, dans la région de Pokuplje, ce type de pain se nomme *zmesni kruh* (« pain de farines mélangées »). Les habitants de la région de Zagreb aiment le *kuružnjak* (à base de farine de maïs et de seigle), encore très populaire aujourd'hui. Il y a encore de nos jours des ménagères qui font le pain pour leur famille, utilisant de la farine achetée en magasin. Pourtant, et même dans les campagnes, le pain est le plus souvent acheté. Des boulangeries artisanales offrent partout du pain aux consommateurs locaux, et jusqu'aux habitants des fermes éloignées qui sont livrés à jour et heure convenus. Les centres commerciaux, petits ou grands, proposent également une large variété de pains, ceux-ci industriels : pains complet, de seigle, de maïs, blanc, et jusqu'aux pains saupoudrés de graines de céréales et/ou de farine portant les noms de « pain de mamie » ou « pain maison ». Quoi qu'il en soit, on continue à cuire à la maison certains pains pour les fêtes : Noël, Pâques, naissances, mariages, funérailles. Ils portent des noms spéciaux et sont ornés de décorations délicieuses (généralement en pâte morte). Jusqu'à la fin du XXe siècle, on a cuit dans beaucoup de régions de Croatie une sorte de pain pour Noël et le jour de l'An : le *božićnjak*, *ljetnica* ou *česnica*. Les miches restaient sur la table de Noël un certain temps, avant quelles ne soient distribuées aux membres de la famille et aux animaux domestiques. Ailleurs, on a préservé aussi la tradition des petits pains de Pâques. En Međimurje, le *perec* de Pâques est en forme de croissant ; en Podravine, le *vrtanj* est percé d'un trou, tandis que dans la région adriatique, le plus souvent, c'est une petite miche ronde profondément gravée d'une croix ou d'une étoile à trois branches.

Sur le littoral croate, ce pain est appelé *vazmena pogača*; dans la plupart des villes côtières : *pinca* ; et en Dalmatie : *kvasnica* ou *sirnica*.

Jusque dans les années 1950, le pain a eu une signification importante dans les coutumes liées aux naissances. Quand une femme accouchait, les autres femmes de sa famille et ses amies venaient la féliciter, apportant en cadeau des paniers de nourriture, dont le principal élément était un pain sucré décoré. Ces offrandes, excepté celles qui étaient destinées à remettre l'accouchée sur pied, représentaient une aide substantielle pour la famille – notamment pour les enfants –, qui subsistait grâce à elle. Les grands pains de mariage sont décorés de cœurs, de roses et de tresses. La coutume voulait que la jeune mariée apportât un pain décoré spécial dans sa nouvelle maison et en offrît des morceaux à tous les invités de la noce. Dans certaines régions, elle jetait de petits morceaux de pain aux enfants du cortège défilant dans le village. Aujourd'hui, on peut commander des pains de mariage dans les boulangeries et les placer sur la table de noce en guise de décoration, mais cette coutume a presque disparu. La tradition d'un pain spécial pour les funérailles n'est plus guère en usage, ces réunions prenant place dans les tavernes de village, le temps du repas est écourté.

D'une manière générale, le pain en Croatie a toujours été respecté : si un morceau tombe à terre, on le ramasse, l'époussette, l'embrasse et on le mange ou le donne aux animaux, mais en aucun cas il n'est gâché. Il existe de nombreux proverbes relatifs au pain et tous le traitent comme une denrée précieuse à ne jamais mépriser. Pour les jours de fêtes, les familles riches doivent donner du pain aux pauvres ou les inviter à partager le repas, en veillant à ce que chacun mange du pain à sa faim (« *nitko ne smije ostati kruha gladan* »).

Baškotin, baškot (« biscotte »). La variété de pains croustillants de longue durée est typique du bassin méditerranéen. Autrefois, ils étaient préparés par les femmes de marins pour leurs maris, si bien que l'appellation « pain de marin » est restée en usage. La tradition du pain croustillant a survécu dans les régions côtières de la Croatie. L'un des plus connus est le *baškotin* confectionné selon une recette de plus de trois siècles au couvent des Bénédictines de Sainte-Margaret sur l'île de Pag. On le prépare comme du pain : après cuisson, on replace les tranches au four pour les sécher. Une autre sorte de pain croustillant est le *baškot*, en forme d'anneau, fabriqué sur le littoral croate. Les enfants le mangent traditionnellement trempé dans du lait, et les adultes dans du vin, du café ou du *prosecco* (vin blanc italien).

Bijeli kruh (« pain blanc »). Au temps où le pain était préparé avec un mélange de farines, le pain blanc, fait de fine fleur de farine, était le plus prisé. Ordinairement, on fabriquait quatre miches de trois kilogrammes chacune par fournée. Avant la cuisson, on enrobait le pain de farine mêlée d'eau tiède pour lui donner une croûte brillante. Avant la cuisson, on marquait le centre du pain avec les doigts ou on y traçait une décoration en croix. Le *cipovec* de Samobor et le *bijelac* de Jelsa, sur l'île de Hvar, étaient particulièrement réputés.

Božićnjak («pain de Noël»). Les pains de Noël étaient toujours confectionnés à partir de farine de blé blanche et étaient diversement décorés, selon la région ou l'origine : empreintes à la fourchette ou au verre, motifs végétaux ou animaux (épi de céréale, pomme, bœuf de labour, truie avec ses petits, oiseaux dans un nid, etc.). Souvent, le dessus du pain était divisé en quatre parts représentant les saisons et assurant santé et fertilité à la famille pour l'année à venir. Le pain de Noël traditionnel du village de Plemenšćina est protégé comme un héritage intangible en République de Croatie : appelé *koledo*, il est orné de sept noix entières au pouvoir supposé de guérison (par exemple pour les difficultés d'élocution des jeunes enfants).

Kuružnjak («pain de maïs»). Largement diffusée jadis dans toute la Croatie, la tradition du pain de maïs artisanal ne survit aujourd'hui que dans la région de Zagreb. On en trouve sur les marchés, d'une belle couleur jaune doré, vendus par les fabricants des environs de Samobor. Il se compose d'un mélange de farines de maïs, de seigle et/ou de blé complet. Avant de le pétrir, on ébouillante la farine de maïs qui, une fois refroidie, est mélangée aux autres farines et à la levure prélevée sur un morceau de pâte d'un pain précédent, et au sel. La pâte lève pendant une heure, est repétrie et modelée en miches rondes que l'on cuit dans un four à bois. Quand il est encore chaud, on enveloppe le pain dans un linge pour en ramollir la croûte et il est vendu en tranches épaisses qui se conservent plusieurs jours.

Pinca («pain de Pâques»). La particularité des pains de Pâques – dont la *pinca* est l'une des variétés – est leur couleur jaune. Ils sont faits de fine farine de blé, œufs, lait, levure et sucre. La pâte est façonnée en rond et décorée d'une croix ou d'un triskel et badigeonnée de jaune d'œuf. Cette recette est sujette à variations : dans certaines régions, on y ajoute des raisins, ou des écorces d'oranges et de citrons. En Dalmatie, on ajoute du fromage de chèvre frais à la pâte et le pain s'appelle *sirnica* ou *prisnac*. La même pâte est utilisée pour les pains soit tressés (avec un œuf à l'une des extrémités), soit en forme d'oiseau en guise de cadeau courant pour les enfants.

Zmesni kruh («pain multicéréale»). Le pain de tous les jours était le plus souvent préparé à partir d'un mélange de farines de blé, de millet et de maïs. Seigle et maïs étaient ébouillantés avec de l'eau avant qu'on y ajoute la levure et les autres ingrédients. Avant la cuisson, le pain était recouvert d'un mélange de farine détrempée. Avec les restes de pâte, on cuisait et mangeait d'abord une petite miche de pain pour les enfants.

Jelena Ivanišević

(trad. par Anne-Élisabeth Halpern)

• *Voir aussi :* Accouchement (pains d'); Amoureux (pains d'); Anniversaire (pains d'); Femmes; Mariage (pains de); Noël (pains de); Nouvel An (pains du); Pâte à pain (symbolique de fertilité et de fécondité de la); Vierge et cycle des cultures céréalières

Bibl. : Jasna ANDRIĆ, «Pitao je "da li ga vide" i zaželio da ga "dogodine ne bi vidjeli"», *Etnološka tribina*, nº 14, Etnografski muzej, 1991 • Jasna ČAPO ŽMEGAČ, *Hrvatski uskrsni običaji*, Golden marketing, 1997 • Frédéric DUHART, *Du monde à l'assiette*, Paris, Dilecta, 2007 • Milan GAVAZZI, *Vrela i sudbine narodnih tradicija*, Liber, 1978 • Andrija LISAC, *Pekarstvo i mlinarstvo Zagreba*, Žitokombinat, 1977 • Mirjana RANDIĆ, « Prehrana », *Etnološka tribina*, nº 6, Etnografski muzej, 1999 • *ID.*, « Žumberak : tradicijski okviri prehrane stanovništva », *Sociologija sela*, nº 32, 1996 • Mirjana RANDIĆ, Nives RITIG BELJAK, *Svijet hrane u Hrvatskoj*, Etnografski muzej, 1996 • Dunja RIHTMAN AUGUŠTIN, *Knjiga o Božiću*, Golden marketing, 1995 • Manda SVIRAC, *Darivanje kruhom u običajima Hrvata*, Družina, 1998. – *ID.*, « Uskrsni kruh i pecivo iz Istre », *Studia ethnologica Croatica*, nºs 10-11, Etnografski muzej 1998-1999.

L'auteur remercie Mirjana Randić, conseillère du Musée ethnographique de Zagreb depuis 1972.

CROISSANT. – Le croissant moderne est une pâtisserie élaborée à partir d'une pâte feuilletée faite avec de la levure. Depuis les dernières décennies, il a épousé différentes autres formes, notamment avec l'ajout de produits comme le jambon, les amandes, etc. Disons tout de suite qu'il n'a pas été invente lors du siège de Vienne (ni de Budapest), même si cette version – démentie depuis le XIXᵉ siècle – reste la plus répandue. Si Marie-Antoinette l'a peut-être fait confectionner pour elle-même, elle ne l'a pas non plus introduit en France, où il était inconnu encore bien après sa mort. En revanche, le croissant est bien d'origine autrichienne, ayant à peu près une histoire comparable à celle du *Kipferl* dans sa version française, un petit pain qui a existé en Autriche au moins à partir du XIIIᵉ siècle. Le *Kipferl* n'était sûrement pas le premier pain en forme de croissant. Le croissant évoquant soit la lune, soit les cornes d'un taureau, il est fort probable que de tels pains ou gâteaux aient été faits dans l'Antiquité. Très tôt dans l'ère chrétienne (IIᵉ siècle), le texte de prière d'un couvent suisse fait mention de *panem lunatem*, c'est-à-dire de pains en forme de lune (*The Archaeological Journal*, 1864).

Le *Deutsches Wörterbuch* fait référence au siège de Vienne en 1683, seulement pour dire ensuite que « déjà au XIIIᵉ siècle il existait à Vienne des *Chipfen* comme fine pâtisserie. » Il cite alors la chronique rimée d'Enenkel, qui parle des *Chipfen* (*Kipferl*), que les boulangers viennois apportèrent en cadeau de Noël au duc Léopold de Babenburg en 1227. Entre autre références précédant la date mythique, il cite Abraham a Sancta Clara (1644-1703), qui a parlé des « *Kipferl* longs, courts, courbés et droits ». Le *Kipferl* courbé n'était pas le seul pain, en Europe moderne, à avoir pris cette forme ; à Parme, par exemple, le mot *cornètt* était utilisé au début du XIXᵉ siècle pour un « pain fin, ainsi appelé en raison de sa forme de petite corne. » Le *Kipferl* est fait de diverses façons, souvent assaisonné de sel, de cumin, etc., ou farci, par exemple avec des noix. Mais c'est la forme la plus simple qui a le mieux réussi en France, où ce petit pain a été introduit vers 1839 par August Zang quand il a ouvert sa « Boulangerie viennoise ». La réussite de cette boulangerie a vite inspiré des imitateurs français, et la version française du *Kipferl* a tout naturellement pris le nom de sa forme. Déjà en 1850, Payen, alors à Londres, le désignait comme un produit français : « Je n'ai rien trouvé d'assimilable [...] à nos petits pains de fantaisie dits *viennois, de dextrine, de gruaux, croissants...* » (*Mémoires d'agriculture, d'économie rurale et domestique*, 1850).

Le croissant du XIXᵉ siècle était fait, non pas de pâte feuilletée, mais d'une pâte riche dans laquelle entrait (comme pour le pain viennois) une part de lait. Il était doré, comme beaucoup de produits viennois, parce que cuit dans un four à vapeur. Même sous cette forme, le croissant séduisait les étrangers et est souvent cité dans les mémoires de l'époque comme un des plaisirs de Paris. Henry James, en rappelant ses années d'enfance passées à Paris, parlait des « doucement-croustillants petits pains en croissant ». Charles Dickens parlait du « croissant délicat sur la table du boudoir » (*All the Year Round*, 1872). Vers la fin du siècle, Cérieux, dans un article sur des pains régionaux, écrivait : « Il nous paraît d'autant plus à propos de sauver de l'oubli certaines formes rares que le *croissant* tend partout à les remplacer [...] Le *croissant*, si délicieux lorsqu'il est bien réussi, ne date que du milieu du présent siècle » (*Revue des traditions populaires*, 1879). En 1891, *Le Gaulois* parlait de « croissant d'un sou et croissant de deux sous », lesquels correspondaient vraisemblablement aux poids de 36-37 et 60-80 g (*Publication industrielle des machines, outils et appareils*, 1881).

On voit une rare utilisation du mot « viennoiserie » dans *Le Correspondant* en 1907, bien après l'introduction du croissant et de son « cousin », le pain viennois. Vers cette époque aussi, on commence à trouver des recettes pour le croissant qui parlent de pâte feuilletée. Cette version devient le « croissant beurre » (suivi plus tard par le « croissant ordinaire », fait avec margarine, plus récemment connu comme « croissant nature »). Pendant des siècles, la pâte feuilletée avait été utilisée comme garniture ou contenant (comme pour les vols-au-vent) ou tout au plus pour les galettes. L'idée, si pertinente, d'y ajouter de la levure et d'en faire un petit pain – surtout un petit pain déjà apprécié dans sa forme existante – a dû être assez originale pour l'époque. Ce changement revenait aussi à couper le cordon ombilical avec la viennoiserie, aujourd'hui faite d'une manière peu « viennoise ».

Pendant très longtemps, le croissant est demeuré un produit simple et surtout « français ». On ne le trouvait en Amérique, par exemple, que dans les boulangeries spécialisées. Mais, vers la fin des années 1970, on commençait à concevoir des produits plus variés et fournis par des chaînes utilisant une pâte surgelée permettant de produire en quantité tout en jouant sur le côté artisanal, en sortant les croissant du four devant les clients. En 1981, le *New York Times* signalait l'arrivée de plusieurs de ces chaînes à New York. C'est ainsi que le croissant, produit quasiment traditionnel français et d'origine autrichienne, servit à faire (tant soit peu) contrepoids au « fast-food » américain. Aujourd'hui, le croissant s'est répandu dans la plupart des pays industrialisés, même si le mot « croissant » a prit progressivement un sens plus large (aux États-Unis, par exemple, un pain au chocolat est un « croissant chocolat ».) Pourtant, en 2008, une journaliste a parlé de « l'éclipse du croissant » : « en ces temps nutritionnellement corrects, la viennoiserie [est] trop grasse, trop sucrée, trop salée... » – et souvent de fabrication industrielle ; un boulanger demande « pourquoi [...] venir en boulangerie payer plus cher le même produit médiocre que celui vendu en grande surface ? » Résultat ? « Des ventes en constante régression » (*Marianne2.fr*, 2008). Alors, le XXIe siècle verra-t-il le déclin ou, encore une fois, la ré-invention du croissant ?

Jim Chevallier

• *Voir aussi :* Autriche ; Baguette ; Fantaisie (pain de) ; Pâte feuilletée → Pâtes (définition des) ; Pâtisserie ; Viennois (baguette et pain) ; Zang

Bibl. : Auguste COLOMBIÉ, *Nouvelle Encyclopédie culinaire*, Meulan, A. Réty, 1906 • *Dictionnaire général de la cuisine française ancienne et moderne ainsi que de l'office et de la pharmacie domestique*, Paris, Plon frères, 1853 • Jacob et Wilhelm GRIMM, *Deutsches Wörterbuch von Jacob Grimm und Wilhelm Grimm*, Leipzig, Hirzel, 1854-1960, 16 vol., http://germazope.uni-trier.de/Projects/DWB • Henry JAMES, *A Small Boy and Others*, Londres, Macmillan, 1913 • Ilario PESCHIERI, *Dizionario parmigiano-italiano*, Borgo San Donnino, Vecchi, 1836.

CROUSTILLANT. – Descripteur sensoriel qui qualifie la friabilité d'un produit. L'AFNOR (Association française de normalisation) définit ce critère organoleptique de la manière suivante : le croustillant « qualifie un produit dont la surface est à la fois cassante et très friable (pain français frais) » (NF V00.150). Cette définition apporte un degré de précision sur la friabilité « très friable ». Un autre groupe de termes apparaît, évoquant la friabilité : « friable, croquant, cassant » et l'AFNOR en donne les différences suivantes : ils « qualifient la propriété de texture en relation avec la force nécessaire pour qu'un produit s'effrite ou se brise ; friable = faible degré ; croquant = degré moyen ; cassant = haut degré ». On associe la cassure à une résistance à la rupture. Dans une autre catégorie, le craquant est qualifié de « produit dur qui se brise avec du bruit (exemple : chips) ».

On peut deviner dans ces définitions une certaine difficulté à bien préciser ces caractéristiques de friabilité, entre une intensité de friabilité, une intensité sonore et une résistance à la casse, qui représentent des descripteurs simples pour qualifier ces propriétés. Le descripteur simple correspond à une mesure identifiable, alors que le descripteur complexe intègre ou associe plusieurs mesures. Ces mesures ou appréciations sensorielles doivent être quantifiables ou mesurables de manière instrumentale. Les descripteurs complexes (moelleux, craquant, croustillant, rassissement, etc.) peuvent être définis par une somme ou une association de critères simples.

La friabilité peut alors se décliner de la manière suivante :

Caractéristique de la croûte	Force à la rupture	Nombre de ruptures	Intensité sonore
croustillante	*	***	**
craquante	**	**	***
croquante	***	*	*

* peu intense ; ** intense ; *** très intense

Ce tableau a été établi sur la base de questionnaires présentés à des consommateurs et il a l'avantage à la fois de hiérarchiser des qualificatifs, d'en donner des définitions mesurables par des instruments, et il permet, notamment sur les descripteurs de force à la rupture et de nombre de ruptures, de faire le lien avec la structure d'un produit.

Philippe Roussel

• *Voir aussi :* Alvéolage ; Croûte ; Élasticité ; Extensibilité ; Force boulangère ; Force en boulangerie ; Pâte bâtarde, molle, douce, ferme, raide ; Pâtes (définition des) ; Porosité ; Propriété organoleptique ; Rassissement ; Réseau ou tissu glutineux ; Ressuage ; Suinter ; Ténacité ; Tenue ; Tolérance ; Valeur boulangère

Bibl. : Philippe ROUSSEL, Hubert CHIRON, *Les Pains français. Évolution, qualité, production*, Vesoul, Maé-Erti, 2002.

CROÛTAGE. – Phénomène de dessèchement en surface des pâtons, dû à un degré hygrométrique de l'air trop faible. Peut se produire également en cas de contact du pâton avec un objet très sec.

Dominique Descamps

• *Voir aussi :* Air ; Défauts de la pâte ; Hygrométrie ; Pâton

CROÛTE. – Marque distinctive du pain français, par comparaison, notamment, avec le pain anglo-saxon. La croûte constitue pour le consommateur français une caractéristique sensorielle première du pain, caractéristique de sa qualité et tout particulièrement pour la baguette. Réaction de brunissement et de caramélisation à la surface du pâton au moment de la cuisson, dont la température peut atteindre 230 ou 250°, donnant progressivement naissance à la croûte. Ses caractéristiques sont directement liées à la qualité des farines (niveau de protéines, d'enzymes), à la conduite de la cuisson, au type de four et à la quantité de vapeur d'eau utilisée (la buée), qui influent, entre autres, sur la coloration, l'épaisseur, le croustillant, la friabilité et même le goût du pain (le fameux goût de noisette). Il est généralement admis que la baguette comporte 50 % de croûte et les pains de type parisien 25 à 30 %. Le défaut de coloration a donc une influence directe sur le goût du pain et on peut regretter la tendance actuelle, portée par les consommateurs, de proposer « des baguettes bien blanches », ou « pas trop cuites », qui « mutile », du fait d'un niveau de cuisson insuffisant, le produit final en lui ôtant une partie de ses constituants aromatiques et de flaveur.

Dominique Descamps

• *Voir aussi :* Baguette ; Buée ; Caramélisation ; Four ; Goût du pain ; Pain blanc ; Surface du pain

CROÛTE (casse-). – Voir CASSE-CROÛTE

CROÛTE À POTAGE. – La croûte du pain et la croûte à potage sont deux choses différentes. On prépare les croûtes à potage en commençant par chapeler du pain rassis. Les croûtes mises de côté et vidées de leur mie sont déposées sur des grilles et exposées à la chaleur du four pendant un quart d'heure.

Mouette Barboff

• *Voir aussi :* Bouche (pain de) ; Cataplasme farineux ; Chanteau ; Chapelure ; Chiffon de pain ; Croûton, croûtons ; Entame ; Fatteh → Syrie ; Fruits en pâte ; Interdits liés au pain ; Miette ; Mouillette ; Pain bénit ; Pain grillé ; Pain perdu ; Pain rassis ; Pain sec (au) ; Panure ; Quignon ; Soupe ; Talon ; Tartine

CROÛTON, CROÛTONS. – Extrémité d'une baguette, d'une flûte, d'une ficelle, voire d'un bâtard, facile à rompre et croustillant, auquel l'acheteur résiste rarement avant de rentrer chez lui. Mais on parle aussi de croûtons (cette fois au pluriel) pour désigner de petits morceaux de pain rassis que l'on fait frire à l'huile ou au beurre. On peut aussi les frotter d'ail avant de les mettre à frire. Ils accompagnent soupes et salades. On dit aussi d'un homme dont on veut moquer le grand âge apparenté ici à de la sénilité, qu'il est un « vieux croûton ».

Jean-Philippe de Tonnac

• *Voir aussi :* Bouche (pain de) ; Cataplasme farineux ; Chanteau ; Chapelure ; Chiffon de pain ; Entame ; Fatteh → Syrie ; Fruits en pâte ; Interdits liés au pain ; Miette ; Mouillette ; Pain bénit ; Pain grillé ; Pain perdu ; Pain rassis ; Pain sec (au) ; Panure ; Quignon ; Soupe ; Talon ; Tartine

CTPS (Comité technique permanent de la sélection). – Organisme chargé de la gestion du catalogue français des espèces et des variétés des plantes cultivées. Il examine les demandes d'inscription au catalogue officiel des nouvelles variétés et propose ses décisions au ministère de l'Agriculture. Une inscription au catalogue équivaut à une autorisation de mise sur le marché. Les commissions d'experts examinent le matériel végétal, les résultats d'essais et d'analyses et valident (ou non) les observations du GEVES. Ces experts sont des personnes de l'INRA, des instituts techniques et des professionnels de la filière semences.

Julien Couaillier

• *Voir aussi :* GEVES ; GNIS ; INRA ; Variétés de blé ; Variétés de blé tendre au catalogue officiel

CUBA. – Voir AMÉRIQUE LATINE ; CARAÏBES

CUISSON DIRECTE/INDIRECTE. On parle de « chaleur directe » pour un four lorsque la source de chaleur et les produits à cuire sont situés dans la même enceinte (interdit pour le cas du fioul). Ce sont les fours à sole fixe, comme le four à bois, le four à « gueulard » (brûleur orientable sur les différentes parois de la chambre de cuisson), four électrique. On parle de « chaleur indirecte » lorsque la source de chaleur et les produits à cuire sont séparés par un échangeur. Le fluide de transfert de chaleur peut être de la vapeur (fours à tube) ou de l'air (fours à recyclage thermique). Il peut s'agir de fours à sole fixe ou à sole mobile.

Dominique Descamps

• *Voir aussi :* Cuisson sur filets ; Cuisson sur pavé ; Four ; Gueulard ; Sole

CUISSON SUR FILETS. – Mode de cuisson faisant appel à des fours à chariot fixe ou rotatif. Les pâtons sont déposés sur des filets en acier inoxydable revêtus d'un film anti-adhésif ; puis les filets sont rangés sur un chariot placé en étuve de fermentation. Après le coup de lame sur les pains, le chariot est enfourné.

Dominique Descamps

• *Voir aussi :* Cuisson sur pavé ; Four ; Lame et coup de lame ; Pâton

CUISSON SUR PAVÉ. – Relative aux fours à pain et plus spécifiquement aux fours à bois. Méthode de cuisson qui consiste à faire cuire les pâtons sur une sole (partie inférieure de la chambre de cuisson du four) constituée de pavés (terre cuite ou brique réfractaire).

Dominique Descamps

• *Voir aussi :* Cuisson sur filets ; Four ; Sole

CUIT DEUX FOIS. – Voir BISCUIT

CULTIVAR. – Voir VARIÉTÉS DE BLÉ

CUMIN (*Cuminum cyminum*). – Voir CONDIMENTS DU PAIN

CUVE. – Voir PÉTRIN

CYCLONE. – Appareil qui permet, par centrifugation, la séparation de l'air des particules qu'il transporte. On trouvait les cyclones dans les moulins, au niveau des circuits d'aspiration des particules légères, mais ils ont été remplacés par des filtres à manches de tissu, plus efficaces au regard des normes actuelles. Aujourd'hui, on trouve les cyclones au niveau des circuits pneumatiques, depuis que ceux-ci ont remplacé des élévateurs à godets.

Philippe Duret

• *Voir aussi :* Élévateur à godets ; Meunerie ; Moulin ; Transport pneumatique

CYLINDRE. – Les cylindres sont les constituants des appareils à cylindres. Ils peuvent être cannelés ou lisses. Il en existe de différents diamètres (220 à 300 mm), de différentes longueurs (de 0,50 à 1,5 m), de différentes configurations : simples, doubles, superposés.

Philippe Duret

• *Voir aussi :* Cannelure ; Cylindres (appareil à) ; Meunerie ; Moulin ; Mouture

CYLINDRES (appareil à). – La mouture sur cylindres a remplacé la mouture sur meule à la fin du XIXe siècle. Les appareils à cylindres sont appelés broyeurs quand leur surface est cannelée, ou claqueurs ou convertisseurs quand ils sont lisses. Les cylindres sont parallèles, associés par paires, tournent en sens inverse, à des vitesses différentes, et ont un écartement variable. Tous ces paramètres sont réglables en fonction de la dureté du grain de blé, de sa taille, du pourcentage d'amande, mais aussi de la température et de l'hygrométrie ambiante.

Philippe Duret

• *Voir aussi :* Broyeur ; Claqueur ; Convertisseur ; Meule ; Meunerie ; Moulin ; Mouture

CYSTÉINE. – Cet acide aminé (E 920) est autorisé sous forme « pure » dans les pâtes, sauf pour les appellations « pain français » – il peut y être cependant apporté de manière indirecte par de la levure désactivée. En tant que produit d'addition, l'action biochimique de cet acide aminé correspond à sa capacité à provoquer la rupture de liaisons disulfures des protéines. Ce rôle réducteur va réduire les liaisons fortes entre ces macromolécules protéiques et donc faciliter leur glissement, leur déroulement. L'effet sur le développement du gluten se traduit par une amélioration de la rapidité de lissage, donc de l'extensibilité et des capacités de développement du pain. La durée de pétrissage peut ainsi être réduite. Les effets négatifs, en cas d'utilisation excessive, sont le collant et le relâchement des pâtes.

Philippe Roussel

• *Voir aussi :* Extensibilité ; Gluten ; Pain de tradition française → Décret pain ; Pâte ; Protéine

D

DANEMARK (traditions du pain au). – Il faut parler, pour le Danemark, d'une culture culinaire du pain. Le pain constitue toujours une grande part de l'alimentation, voire une denrée de base, en concurrence avec les pommes de terre, arrivées, elles, plus tardivement. Le repas du soir est le seul repas chaud, cuisiné. Cette suprématie des consommations froides (*pålægsmad*) laisse une grande place au pain dans l'alimentation quotidienne : le petit déjeuner, le déjeuner mais aussi les grignotages fréquents au cours de la journée et dans la soirée font donc largement appel au pain. Le Danemark est d'ailleurs considéré par les chaînes de restauration rapide comme particulièrement intéressant à cause de cette spécificité de mangeurs de pain.

Le repas du midi, sous le terme de *frokost*, désigne avant tout une forme de repas froid fondé principalement sur le pain de seigle (*rugbrød*) accompagné de garnitures diverses. Une des caractéristiques de ces *smørrebrød*, littéralement « pain beurré », est l'importance qu'y prennent le hareng, les charcuteries (le pâté de foie) ou le fromage et quelques éléments végétaux (tranche de concombre, etc.). Tout, dans le *smørrebrød*, dit-on, contribue à le différencier du sandwich : les tranches de pain de seigle, rectangulaires, servent de « socle » a un accompagnement plus ou moins surchargé et volumineux, selon qu'il s'agit de l'ordinaire ou du festif. Une grande diversité de pains existe. En restauration collective, par exemple, il peut en être proposé le midi jusqu'à une dizaine de sortes différentes : pains noir, bis, blanc, *knækbrød* (sorte de biscotte très fine), etc. À chaque sorte de pain, sa garniture. Les *smørrebrød* sont ressentis comme part de l'identité danoise (même si un équivalent suédois de ces préparations existe) et souvent offerts à la curiosité des visiteurs étrangers ; des boutiques et restaurants y sont consacrés. La littérature tente d'en faire remonter les origines le plus loin possible, c'est-à-dire à l'époque mythique que constitue celle des Vikings. Certains auteurs en voient un témoignage dans la saga islandaise *Håkonar saga :* « Il faisait si froid que l'on ne pouvait beurrer le pain. » Il s'agit, à l'époque, encore de galette, le *rugbrød* au levain n'arrivant pas avant l'an 1000. C'est du XIIIe siècle que l'on daterait les premières « tartines beurrées », considérées comme la forme primitive du *smørrebrød*. On peut d'ailleurs les désigner également comme des « nourritures beurrées » (*smurte madder*). C'est dans l'accompagnement des *smørrebrød* qu'ont le mieux survécu certaines préparations courantes d'autrefois, telles que la poitrine de bœuf salé avec des *pickles* ou l'anguille fumée.

Le pain de seigle peut également servir d'accompagnement au plat chaud. C'est le cas, par exemple, dans les foyers d'accueil pour déshérités, où des *frikadeller* (boulettes de viande de porc et de veau, autre préparation de base danoise) ou des saucisses sont accompagnées de *rugbrød* et de condiments aigres : concombre, chou rouge, betterave en marinade vinaigrée. Certains plats perçus comme très danois, comme le *hakkebøf* (« bifteck haché »), se servent également avec du pain de seigle – ou de façon plus moderne de la *flute* (terme usité en danois pour désigner l'équivalent de la baguette française). On retrouve aussi le pain de seigle dans la spécialité, aujourd'hui dépréciée, appelée *øllebrød* : entre potage et bouillie, fait de restes de pain noir ramolli dans une bière douce et servi avec de la crème fouettée, ce mets traditionnel marquant la pauvreté d'hier est aujourd'hui uniquement consommé à partir de mélanges tout prêts. Le pain de seigle a été un des aliments les plus importants de la diète des Danois à travers le temps. Aliment de base, son goût un peu aigrelet, au levain, donne le « ton » au reste des aliments (beurre, hareng, chou, porc, bière, lait).

Si le seigle est toujours la céréale du repas du midi, le blé est aujourd'hui celle du petit déjeuner (au grand désespoir des nutritionnistes), sous la forme de céréales ou de pain blanc, et le *rugbrød* n'y apparaît plus qu'en ouverture pour accompagner le fromage. Repas liquide en semaine, le petit déjeuner du week-end est à la fois salé et sucré et recourt à plusieurs sortes de petits « pains blancs », faits maison ou dits « frais » et achetés en boulangerie. Il s'agit de petits pains ronds (*boller*, *birkes*, *rundstykker*) agrémentés de graines de sésame, de pavot ou de cumin, mais aussi de viennoiseries (*wienerbrød*) ou de *fransk brød* (« pain français ») ; la petite histoire voudrait que ce pain à base de blé ait été introduit au Danemark par le biais de la colonie française de huguenots présents dans la ville de Fredericia, dans le Jutland, à partir du début du XVIIIe siècle. Cette appellation rappelle en tout cas à la mémoire la frontière alimentaire tracée d'est en ouest qui a longtemps séparé l'Europe entre mangeurs de blé et mangeurs de seigle. Les « baguettes aromatisées à l'ail » sont une autre spécialité qui condense l'apport français (et l'attrait contemporain pour la Provence) au quotidien danois. Par ailleurs, la restauration rapide danoise traditionnelle des *pølsevogne* (« voiture à saucisses ») utilise des petits pains blancs longs, de mie, pour accompagner les hot-dogs. Le pain à base de blé, considéré comme d'une qualité supérieure, est resté jusqu'au milieu du XXe siècle un pain peu accessible au commun, pain de luxe, réservé aux classes aisées (des gens d'Église du Moyen Âge aux nobles et à la bourgeoisie). Depuis vingt ans, la consommation du pain de seigle a diminué de moitié, concurrencée par des pains à base de farine de blé, comme le pain *pita* du Moyen-Orient, le *nân* d'Inde, le *ciabatta* italien, le *bagel* juif ashkénaze ou les *wraps* (sortes de *tortilla* mexicaine).

Le terme danois *brød* (que l'on retrouve en anglais et en allemand) désignait à l'origine la croûte. Il a un sens plus large qu'en français puisqu'il englobe aussi les gâteaux et pâtisseries. Les boulangeries sont moins nombreuses, avec l'industrialisation de la fabrication du pain. Environ la moitié des achats en pain (sous emballage ou congelé) a lieu dans les supermarchés où des boulangeries intégrées permettent l'achat de pain frais. Deux grands industriels du pain dominent le marché danois, ce qui n'empêche pas les artisans boulangers danois de se distinguer en remportant des prix à l'échelle européenne. Pour des raisons pratiques, pour affirmer un style de vie ou parfois comme loisir avec les enfants, de nombreux Danois font eux-mêmes leur pain, couramment (pour plusieurs jours, des petits pains que l'on congèlera et que l'on consommera le matin) ou de façon plus ponctuelle (pour l'anniversaire qui se fête au saut du lit ou pour un bon repas) dans les familles, comme dans les *kollegium*. Dans ces habitations collectives d'étudiants, la farine et les céréales nécessaires à la fabrication du pain font partie des denrées de base partagées, comme le sel ou les épices. Même dans la restauration collective, pourtant grande utilisatrice de produits issus de l'industrie agroalimentaire, le personnel fabrique une partie des pains consommés, souvent les « petits pains » (*boller*).

Hvedebrød ou franskbrød. Pains dits « clairs » (le pain complet est le *grahamsbrød*, aux noix, à l'avoine, etc.), que l'on choisit pour se faire plaisir ou pour accompagner un moment de sociabilité autour d'un repas. Le *trekornsbrød*, par exemple, est un pain à base de trois céréales, farine de seigle, de blé et d'avoine, qui peuvent être ou non raffinées ; il est levé à la levure et contient, comme la plupart des pains danois, un produit laitier (lait, petit lait, fromage blanc, etc.) et du sucre. Il peut aussi contenir des grains de seigle et des graines de sésame et de lin. Il existe des pains recourant jusqu'à six céréales différentes.

Kringle. Viennoiseries parsemées de sucre perlé ou d'amandes concassées, parfois aux raisins secs ou à la pâte d'amande, qui ont la forme des bretzels allemands et sont servies pour des occasions de fête, quand ils sont faits maison. La pâte (contenant du lait, de la margarine, des œufs, du sucre) est étalée en carré et beurrée puis repliée et beurrée, plusieurs fois de suite, enfin roulée et mise en forme de bretzel. Insigne de la confrérie des boulangers, la *kringle* est toujours l'emblème des boulangeries danoises.

Rugbrød. Un pain dit « sombre », lourd, que l'on peut acheter prédécoupé en tranches dans des variétés de couleurs, avec ou sans grains. À base de levain (désormais souvent en mélange avec de la levure) et de farine de seigle complète ou raffinée, pouvant contenir parfois jusqu'au tiers de grains entiers, il est de forme rectangulaire (12 cm de hauteur et 30 à 35 cm de largeur environ). Il en existe de nombreuses variantes. Il peut ainsi contenir, comme le *fuldkornsrugbrød*, des graines de tournesol, de lin, de sésame et des grains de seigle brisés. D'autres (*rugbrød med kerner*) peuvent contenir jusqu'à 80 % de grains de seigle, ce qui permet une plus longue conservation.

Rundstykker. Petits « pains ronds » accompagnés de beurre, ils font partie des pains du petit déjeuner traditionnel du dimanche matin ; ils sont faits à partir de farine de blé. Parmi les multiples sortes que l'on trouve chez les boulangers, on distingue le petit pain rond complet, dont la croûte est parsemée de graines de sésame et de lin (*grovbolle*), le petit pain ovale parsemé de graines de pavot (*håndværker*), le petit pain rond dit « courant », parsemé de graines de pavot claires (*almindeligt rundstykke*).

Sigtebrød. Pain danois classique, d'ailleurs peu à la mode, à base de farine raffinée (seigle ou blé) et épicé avec du fenouil (et parfois aussi du cumin ou de l'anis). Le miel et le sirop qui entrent dans sa composition lui confèrent un goût aigre-doux particulier que l'on marie avec le salé (saucisse ou fromage). Sa structure est briochée. Il sert pour les *smørrebrød* et apparaît également sur les tables de Noël.

Tebirkes ou københavner birkes. Viennoiseries traditionnelles du petit déjeuner du dimanche. Ils contiennent du beurre (ou plus couramment, au Danemark qui l'exporte, son succédané, la margarine), du lait et des œufs. La pâte est pliée en trois puis roulée et repliée à volonté avant d'être coupée en plus petits morceaux, ce qui lui confère la consistance légère d'une pâte feuilletée. La croûte, de couleur claire ou foncée, est parsemée de graines de pavot. Il en existe aussi avec des graines de lin (*frøsnapper*) ou en mélange (*grovbirkes*). On les trouvait à l'origine comme des pains tressés (*fletbrød*) le vendredi après-midi chez les boulangers juifs (le terme provient de l'hébreu *berakot*, « pain de shabbat »), à qui le Danemark est redevable d'autre viennoiseries comme les *brunsvigeren* et les *sneglen*.

Anne-Élène Delavigne

• *Voir aussi :* Allemagne ; Musées du pain ; Museum der Brotkultur ; Norvège ; Pains mondiaux ; Pays-Bas ; Suède

Bibl. : A.-É. DELAVIGNE, « "Nous, on mange de la chair" ; Approche anthropologique du rapport à la viande au Danemark », thèse de doctorat en anthropologie sociale et ethnologie, option Études européennes, EHESS, 1999, 3 vol. – *ID.*, « À la recherche de la "culture culinaire" danoise au sein de "l'Europe des patrimoines" », *in* P. Marcilloux (éd.), *Les Hommes en Europe*, Paris, CTHS, 2002, p. 323-335. – *ID.*, « Un écologisme à la danoise », *in* F. Dubost, B. Lizet (éd.), « Bienfaisante nature, de l'hygiénisme au développement durable », *Communications*, numéro spécial, 2003, p. 201-216 • O. HØJRUP, *Landbokvinden*, Copenhague, Nationalmuseet, 1967 • L. HOLM, *Kostens forandring*, Copenhague, Akademisk Forlag, 1991 • E. KJERSGAARD, *Mad og øl i Danmarks middelalder*, Copenhague, Nationalmuseet, 1978 • E. KJERSGAARD, J. BOYSEN, *Det daglige brød – tils bords i historien*, Copenhague, Foreningerne Norden, Nordliv, 1998 • M. KOUGAARD, *Bondens køkken*, Copenhague, Nationalmuseet, 1984 • R. RÜHLMANN, « Madpakken – træk af spisevanernes historie », Copenhague, Forlaget Fremad, 1991 • N. SIGGAARD, *Om den danske befolknings fødemidler gennem tiderne. Et landbrugshistorisk studie*, Copenhague, Hagerupsforlag, 1930 • A. STENNSBERG (éd.), *Dagligliv i Danmark 1620-1720*, t. 1, Copenhague, Nyt Nordisk Forlag, 1969 • E. K. WESTERGAARD, *Danske egnsretter. Fra det gamle danske køkken*, Copenhague, Lindhardt og Ringhof, 1974 et 1988.

DANSE DES PETITS PAINS dans *La Ruée vers l'or* (*The Gold Rush*, 1925), de Charlie Chaplin. – Au tiers de ce film sur la misère des chercheurs d'or obsédés surtout par le moyen d'emplir leur estomac affamé, le protagoniste principal, interprété par Chaplin, prépare un repas pour quatre jeunes filles frivoles qui ont accepté par moquerie de passer avec lui le réveillon du Nouvel An. Naturellement, elles oublient leur engagement et le « petit homme », seul devant sa table apprêtée, s'assoupit. Dans son rêve, les jeunes filles l'entourent et lui demandent un discours en guise duquel il exécute une danse en plantant deux petits pains ovales au bout de fourchettes qu'il manipule comme si elles étaient des jambes terminées par des chaussons de danse : petits pas, sauts, entrechats et même grand écart final sont la chorégraphie de ces pains qui prolongent le corps même de Chaplin, ainsi qu'en témoignent les mimiques de son visage. Cette danse onirique dit le bonheur amoureux (illusoire), la satiété (improbable) et la grâce enfin, dans un monde brutal. La scène vient en écho à un épisode antérieur : dans une cabane au milieu de la neige, Chaplin cuisait longuement, pour un compagnon et lui-même affamés, l'une de ses propres chaussures, dont les deux hommes vont déguster l'un la semelle en steak et l'autre les lacets en spaghettis. Mais la fonction des objets s'inverse d'une scène à l'autre : les souliers se consommaient ; les pains deviennent chaussons.

Anne-Élisabeth Halpern

• *Voir aussi :* Disettes, famines et révoltes pour le pain en France ; Documentaires et films ; Jean Valjean ; Moulins (don Quichotte contre les) ; Musées du pain ; Pain sec (au)

DÉCHIRER. – Voir DÉFAUTS DE LA PÂTE

DÉCORTICAGE. – Il est possible d'éliminer les enveloppes de certaines céréales, comme l'avoine ou le riz, en frottant les grains entre eux et contre une surface abrasive : c'est le décorticage. Le produit le plus connu obtenu avec cette technique est le riz blanc. Pour ce qui concerne le blé tendre, une telle opération permet d'obtenir une élimination partielle des enveloppes en raison de la présence d'un sillon sur le grain de blé et de sa faible résistance mécanique à une telle contrainte : les grains se brisent.

Ludovic Salvo

• *Voir aussi :* Avoine ; Enveloppe ; Grain ; Riz (*Oryza sativa*)

DÉCOUPAGE ET PASSAGE EN TÊTE. – Dans la pratique du pétrissage manuel, le découpage intervient juste après le frasage. Il consiste à découper la pâte de ses deux mains en les refermant et en opérant une strangulation sur celle-ci ; elle assure son homogénéité. Cette action doit durer environ cinq minutes. On effectue ensuite le passage en tête, qui consiste à saisir la partie haute de la pâte et à la lancer en avant. Cette projection d'arrière en avant donnera de l'élasticité à la pâte et fera tout son liant.

Guy Boulet

• *Voir aussi :* Étirage et soufflage ; Frasage ; Pâte ; Pâton ; Pétrissage (sur-) ; Pétrissage avec les pieds

DÉCRET PAIN, 13 septembre 1993. Au moment où le pain semblait avoir perdu, sinon son âme, du moins son goût, sa flaveur, les professionnels comme les consommateurs ont souhaité que le législateur en donne le plus précisément possible une définition. L'urgence de la situation n'a pas empêché de très longues tergiversations. Que de commissions de réflexion, mobilisant scientifiques et professionnels, avant que le décret, qui devait nécessairement composer avec le cadre juridique européen, ne voie le jour le 13 septembre 1993 ! Le décret comporte ainsi trois définitions majeures : le « pain maison », le « pain de tradition française » et le « pain au levain ». La dénomination « pain maison » est réservée aux pains entièrement pétris, façonnés et cuits sur leur lieu de vente. Ainsi, elle ne peut s'appliquer aux pains vendus dans un magasin, alors que le boulanger les a produits dans un autre lieu. En revanche, il peut garder cette appellation s'il est vendu de façon itinérante par le boulanger lors de ses tournées. Le pain vendu sous la dénomination « pain de tradition française » ne doit avoir subi aucun traitement de surgélation au cours de sa fabrication et ne contenir aucun additif. Les seuls ingrédients autorisés sont les farines de blé panifiables, la levure de panification, le sel de cuisine et l'eau. De petites quantités de farine de fèves ou de soja et du malt sont également autorisés. Enfin, le décret précise les caractéristiques biochimiques du levain, ainsi que l'acidité requise pour pouvoir employer l'appellation « pain au levain ». Bien que le décret ne prenne pas en compte les procédés de fabrication, il est intéressant de noter qu'il a permis de faire progresser la qualité de tous les pains proposés par les artisans boulangers.

Gérard Brochoire

• *Voir aussi :* Baguette ; Baguettocentrisme ; Boulangerie, 5 et 6 octobre 1983 ; Boulangerie contemporaine ; CNERNA ; Consommation du pain ; Pain blanc ; Pensée unique

Bibl. : *INBP*, Supplément technique spécial « Décret pain », nº 37, février/mars 1994, Paris, Sotal • Steven L. KAPLAN, *Le Retour du bon pain. Une histoire contemporaine du pain, de ses techniques et de ses hommes*, Paris, Perrin, 2002. – ID., *Guide des meilleures boulangeries de Paris*, Paris, Plon, 2004 • Philippe ROUSSEL, Hubert CHIRON, *Les Pains français. Évolution, qualité, production*, Vesoul, Maé-Erti, 2002.

DÉFAUTS DE LA PÂTE. – Dans un fournil à une température et une hygrométrie données, la pâte est d'abord formée d'un mélange de farine, d'eau, de sel et de levure ou de levain par l'action du pétrissage, avant d'être soumise à une première fermentation, le pointage. Ensuite, elle est divisée en pâtons qui, après un temps de repos appelé détente, sont façonnés et soumis à une seconde fermentation, l'apprêt. Enfin les pâtons sont entaillés et mis au four pour cuisson. On peut identifier les défauts de pâte en les attribuant à la qualité de la farine ou bien à des incidents observés lors des différentes étapes de la panification. Voici, pour chaque étape, quelques défauts caractéristiques et leurs causes principales.

Pétrissage. La consistance (ferme ou molle) et le lissage (normal ou insuffisant, rapide ou lent) dépendent de la qualité de la farine, de la température de la pâte, du sur-pétrissage ou du sous-pétrissage. Le collant de la pâte peut être dû à la qualité de la farine, à une hydratation de la pâte trop élevée, ou à une hygrométrie du fournil trop élevée. Ce phénomène apparaît aussi dans le cas de récolte de blés germés.

Pointage. La rapidité ou la lenteur de la fermentation dépendent de la qualité de la farine, de la quantité et de la qualité de levure (ou de levain), des températures de la pâte et du fournil.

Mise en forme de la pâte ou façonnage. Les caractéristiques d'extensibilité, de déchirement, d'élasticité, de fermeté et de collant de la pâte lors de cette étape déterminante dépendent de la qualité de la farine, de la température et de l'hygrométrie du fournil, du pétrissage, du temps de pointage, de la division en pâtons (influencée par le type de peseuse), et de la détente avant la mise en forme des pâtons. C'est lors de cette étape que les éventuels défauts constatés lors du pétrissage et du pointage prennent toute leur ampleur.

Fermentation des pâtons. Cette fermentation, appelée apprêt, effectuée en chambre de fermentation contrôlée, peut mettre en évidence des problèmes de pâtes sèches ou humides, voire collantes, de lenteur ou de rapidité de fermentation, de pâtons qui deviennent poreux et ne retiennent pas le gaz carbonique produit par la fermentation, pouvant conduire à un effondrement lors du coup de lame. Tous ces défauts peuvent être dus à la qualité de la farine, à la qualité et à la quantité de ferment, à la qualité du pétrissage, à la température de la pâte, au temps de pointage, au type de pesage, au temps de détente insuffisant ou trop élevé, au façonnage des pâtons, à la température et à l'hygrométrie de la chambre de fermentation.

Les étapes clés du travail de la pâte ont été définies et les défauts critiques ont été identifiés et qualifiés par des appréciations du type normal, excessif, très excessif... ou insuffisant, très insuffisant, ce qui a permis la rédaction d'un essai de panification normalisé (AFNOR NF V03-716). En appliquant un protocole définissant strictement toutes les conditions – hygrométrie, température, levure, durée – et en quantifiant les défauts observables à chaque étape clé, on peut qualifier les farines (et les blés qui servent à les produire) selon leur aptitude à rendre un pain de qualité. Les défauts énumérés ci-dessus et leurs causes principales sont connus par les professionnels de la boulangerie, qui peuvent donc les identifier et les corriger. La pâte est un système complexe ayant à la fois les propriétés de cohésion d'un solide et d'écoulement d'un liquide. Les propriétés de la pâte sont donc fortement dépendantes des conditions externes (température et hygrométrie), de son élaboration (qualité de la farine, niveau d'hydratation, niveau d'énergie transmis lors du pétrissage), de la quantité et de l'activité des ferments, du temps pris à chaque étape et de la température.

Ludovic Salvo

• *Voir aussi :* Apprêt ; Chambre de fermentation (ou pousse) contrôlée ; Détente ; Élasticité ; Ensemencement ; Extensibilité ; Fermento-levain ; Hygrométrie ; Levain, levain-chef, levain de première, de seconde, de tout point ; Levure de boulanger ; Lissage ; Pâte ; Pesage ; Peseuse ; Pointage

DÉFAUTS DU PAIN. – Les pains qui sortent du four sont, d'une certaine manière, le résumé de toutes les opérations entendues sous le terme « panification ». Si des défauts apparaissent (aspect extérieur ou de la mie), le boulanger doit questionner l'ensemble du processus pour déterminer la source du problème. D'une manière plus immédiate, sur le chariot d'enfournement ou sur la pelle, les pains sont d'abord le résultat de la cuisson des pâtes : les pâtes ont été incisées (c'est ce qu'on appelle le « coup de lame » ou « scarification ») et déposées dans un four saturé en vapeur d'eau (appelée « buée »). Si la cuisson n'est pas à mettre en cause, alors il faut considérer que les défauts constatés peuvent provenir de la pâte, voire de la période de refroidissement des pains après la sortie du four.

Quels sont ces défauts ? La section peut être plate ou ronde selon la qualité de la farine, l'excès ou le manque d'hydratation, la température de la pâte, le sous-pétrissage, la durée du pointage, la durée de l'apprêt, la température du four trop élevée ou trop faible. La croûte peut être molle ou dure, sèche, fine ou épaisse selon la qualité de la farine, l'excès d'hydratation, le manque d'hygrométrie, le manque ou l'excès de buée, le temps de cuisson trop faible ou trop élevé, et l'hygrométrie de l'air lors du refroidissement des pains. La croûte peut être aussi cloquée (grosses ou petites cloques) ou écaillée ; cela peut être dû à une quantité de levure excessive, une pâte trop chaude ou trop froide, un sous-pétrissage, une hygrométrie trop élevée, un excès de buée ou des pâtons trop poussés. Enfin, sa couleur peut être très prononcée, pâle ou terne. Cela peut être dû à la qualité de la farine, un manque ou un excès d'hydratation, une température de pâte trop faible ou très élevée, un temps de pointage trop faible ou trop élevé, un manque ou un excès d'hygrométrie de la chambre de fermentation, un four trop chaud ou pas assez, un excès ou un manque de buée, une cuisson trop longue ou trop courte.

Les coups de lame peuvent ne pas être jetés, irréguliers ou déchirés selon la qualité de la farine, un excès d'hydratation, un manque d'hygrométrie dans le fournil, un excès d'apprêt, un mauvais coup de lame du boulanger, un excès ou un manque de buée. Les pains peuvent manquer de volume et les baguettes peuvent être cintrées au lieu d'être rectilignes. Cela peut être dû à la qualité de la farine, à la température de la pâte, au sur-pétrissage, à un manque ou à un excès d'apprêt. La couleur de la mie peut être crème, blanche ou grise, et son aspect peut être collant ou sec. Cela peut être dû à la qualité de la farine, à l'excès d'hydratation, au sur-pétrissage ou au sous-pétrissage, à la cuisson trop courte ou trop longue. La mie peut manquer de souplesse ou d'élasticité, rassir rapidement ou s'émietter rapidement. Cela peut être dû à la qualité de la farine. L'alvéolage de la mie, irrégulier ou serré, la présence ou l'absence de cavernes, la structure des parois, fine ou épaisse, sont dues à la qualité de la farine, au manque ou à l'excès d'hydratation, au sous-pétrissage ou au sur-pétrissage et à la cuisson.

Ludovic Salvo

• *Voir aussi :* Alvéolage ; Buée ; Consistance ; Croustillant ; Croûte ; Défauts de la pâte ; Enfournement-défournement ; Four ; Goût du pain ; Lame et coup de lame ; Mie (couleur de la) ; Mie de pain œilletée ; Pain (aspect du) ; Pâte ; Propriété organoleptique ; Scarification ; Surface du pain

DÉFOURNER. – Voir ENFOURNEMENT

DÉGOMMAGE. – Terme générique qui signifie « déboucher » ou « décolmater » les mailles des toiles et tissus utilisés dans les moulins. Le dégommage des tamis est nécessaire dans les opérations de blutage pour faciliter le passage des produits, ainsi que dans l'entretien des manches des filtres pour faciliter le passage de l'air.

Philippe Duret

• *Voir aussi :* Blutage ; Meunerie ; Moulin ; Tamis ; Transport pneumatique

DÉLAYAGE. – Action qui consiste à détremper, dissoudre, diluer, étendre, incorporer une substance dans un liquide ; avant le frasage, on délayera le levain dans l'eau de coulage. De même la levure, le sel pourront être délayés avant leur incorporation dans la pâte.

Guy Boulet

• *Voir aussi :* Coulage ; Eau ; Eau de coulage ; Frasage ; Levain, levain-chef, levain de première, de seconde, de tout point ; Levure de boulanger ; Sel

DÉMÉTER ET PÉRSÉPHONE (Cérès et Proserpine). – Déméter, dont le nom peut signifier « Terre-Mère », mais aussi « Mère de l'orge » – si l'on prend en compte le dialecte crétois –, est une ancienne divinité préhellénique, intimement apparentée à la Rhéa crétoise, à la Cybèle de l'Asie Mineure et aux autres déesses-mères du Proche-Orient. On pourrait aussi l'associer aux divinités primitives italiotes, telles la *Bona Dea* ou *Ops*, l'épouse de Saturne, et la *Fortuna Primigenie* de Préneste. Il est possible aussi de faire le lien avec le terme *Dèmos* (c'est-à-dire, ici, les aires occupées à Athènes par les différentes tribus) et ainsi de rappeler son lien avec le sol et la législation athénienne qui s'est configurée à travers les siècles. Pour Platon, Déméter est une contraction de *didoussa os mètèr*, « celle qui donne comme une mère » ; enfin, une dernière possibilité serait de l'associer à la signification inhérente à la forme *Déméteira* (*Dmêteira*) de son nom, ce qui aurait donné « celle qui dompte, qui abat ». Déméter est formellement identifiée par Hérodote comme une divinité des Pélasges, cet assemblage de tribus préhelléniques qui occupaient, avant les invasions indo-européennes, le sud-est européen. Elle fut rapidement adoptée par les Achéens et elle est déjà une grande divinité dans la poésie homérique, pour devenir avec Korè (Perséphone), sa fille, la personnification des « Grandes Déesses », terme remis à la mode récemment mais dont le sens remonte à la plus haute Antiquité. Les deux déesses deviennent le pivot des mystères d'Éleusis, au début comme initiatrices d'un culte agraire, qui développe, sous l'influence des orphiques et l'introduction de Dionysos Zagréus, un penchant mystique et métaphysique. Sous cette dernière forme, le culte de Déméter et Korè connut une grande expansion géographique, dépassant les limites du monde grec (cf. Cérès et Prospérine à Rome).

L'enlèvement de Perséphone. Héritière des prérogatives de *Gê*, la Terre, sous sa forme de puissance cosmique primordiale, Déméter devient très rapidement une représentation plus spécifique de celle-ci, envisagée sous sa forme de dispensatrice de la végétation et des fruits, indispensables à la nourriture des hommes. Elle se spécialise par la suite dans la culture des céréales, mais sauvegarde toujours ses « droits » de divinité « civilisatrice » qui veille à la santé morale des hommes, présidant à la constitution des sociétés et à l'institution du mariage. Enfin, elle est aussi une divinité chtonienne et infernale et elle veille au sort des défunts et des « êtres » enterrés, qui « demeurent » dans les royaumes souterrains d'Hadès. Elle serait donc la déesse des céréales, domptées par la révolution néolithique, qui a permis la constitution des premières unités de peuplement de cultivateurs fixes et par conséquent des sociétés. La déesse veille alors à leur bon fonctionnement et à leur maintien à travers la légalité et la pérennité des mariages, mais elle se soucie aussi des morts, qui deviennent des ancêtres (parfois héroïsés) et dont on souhaite la « présence » sur terre lors de difficultés survenues dans le monde des vivants. L'enlèvement de Perséphone, la fille de Déméter, par Hadès, son oncle maternel et paternel, le roi du monde d'en bas, comme le jugement de Zeus, son père, quant au partage du temps de son séjour entre les morts et les vivants (cf. l'année calendaire des Grecs), permet une mise en scène mythique représentative des préoccupations agricoles des paysans et des éleveurs installés dans les latitudes du Sud-Est européen et la Méditerranée orientale. Les mythes sur les aventures des deux « Grandes Déesses » est au fond une parabole « écologique », qui met en œuvre une allégorie poétique au service des préoccupations les plus pratiques de l'humanité. Ces mythes figurent « les travaux et les jours » des hommes, qui peinent pour s'assurer le pain quotidien, mais qui espèrent aussi que leur *bios*, leur « bien », ne sera pas vain et qu'au-delà de leur descendance biologique il y aura « une ascendance » individuelle. Le drame de la mort est plus particulièrement pris en charge par la fille et son destin en tant que « Reine des Enfers ». Celle-ci, par l'adjonction du mythe de Dionysos, accordera un espoir nouveau d'une « vie » de bonheur dans l'au-delà… orphique. Le culte joint de la Mère et de la Fille, dans sa version mystique – mais néanmoins toujours fondé sur la réalité agraire –, devient ainsi la plus belle espérance après le trépas, une certaine promesse furtive de bonheur éternel où l'être débarrassé de son ego « individuel » est enfin fondu dans la divinité.

Le culte de Déméter et les *démétreioi karpoi*, les fruits de la déesse. Déméter *Orêphoros*, « celle qui ramène l'ordre des saisons », aussi bien sur la terre que dans le ciel, mais aussi leurs vicissitudes dont dépendent les phases de l'agriculture, et l'abondance des végétaux, autant d'attributions qui font d'elle une déesse aussi bien chtonienne qu'*Ourania*, « céleste ». C'est dans ce sens que son oiseau sacré est la grue, dont le passage en septembre vers les terres du Sud annonce les *protovrochia*, les premières pluies d'automne qui regonflent la terre crevassée, et appelle les laboureurs aux charrues. Sous cet aspect, la déesse représente le principe féminin, la fertilité universelle et l'« explosion » végétative annuelle sur la surface de la terre. Elle devient alors *Biodoros* ou *Zôodoteira*, « donatrice de vie », *Phéresvios*, « celle qui apporte la vie » ; on retrouve ces qualificatifs plus tardivement dans les acclamations de la Vierge.

La personnalité de Déméter change suivant les saisons de l'année agraire, avec les labeurs qui se pratiquent suivant les mois de l'année et avec les phases correspondantes de la végétation. Différents épithètes et diverses pratiques cultuelles expriment sa polyvalence. Avant les labeurs, à Athènes, elle est honorée comme Déméter *Prôerosia*, en même temps que Zeus *Ombrios* et Poséidon *Phytalmios*, divinités favorisant l'arrivée des pluies automnales. À Rhodes, on célébrait la fête de Déméter *Episkarpia* au moment du hersage, et partout en Grèce on invoquait sa présence au moment des semailles. Au printemps, le 6 du mois de *thargelion* (entre avril et mai), on sacrifiait sur l'autel de Déméter *Chloé* pour qu'elle aide les pousses à grandir, tandis que sous l'épiclèse (surnom) de *Kalamaia* (*kalamos*, « roseau ») elle aidait les jeunes tiges à se fortifier. Ensuite, en tant que *Spermeia*, elle veillait à la formation des graines et, en qualité d'*Erusibè*, elle les défendait de la rouille. C'est avant tout Déméter qui encourageait le soleil à faire mûrir les céréales de sa chaleur et elle était alors appelée *Kaustis*, « celle qui chauffe ». Enfin, le moment de la maturité des champs était celui du triomphe de la déesse, dont les poètes ont vanté la chevelure blonde, dorée, comme la paille ; elle était *Euplocamos*, « celle qui a des cheveux ondulés », et *Xanthi*, « la blonde ». Les Spartiates n'oubliaient pas d'offrir en juin les prémices de leurs récoltes à la déesse appelée pour l'occasion *Prologia*. Dans l'*Iliade*, on commet des hécatombes pour honorer la déesse qui sépare le grain de la paille, grâce au souffle du vent, et à cette époque, vers la fin juin, on célèbre partout les *Thalysia* pour que la déesse soit favorable au moment du vannage : ni trop ni trop peu de vent et surtout pas de pluie. Théocrite, dans la VIIe Idylle, décrit le déroulement de la fête sur l'île de Cos qui avait lieu à son époque. Il y a par ailleurs trois fêtes où Déméter et Korè s'associaient à Dionysos pour célébrer les récoltes – mis à part des mystères d'Éleusis : pour les *Thalysia*, les *Protrygie*, les premières vendanges et les *Haloa*, en hiver au moment des dionysies rurales, au mois de Poséidon.

Sous les épithètes de *Anésidora*, *Anaxidora* et *Doris*, Déméter « fait pousser les dons », ou « fait des dons », mais elle est aussi *Pammêteira*, « Mère de tous », comme *Gê*, la Terre, ou *Olbiodotis* et *Ploutodoteira*, « dispensatrice des richesses ». Mais les épiclèses les plus courantes sont *Polycarpos*, « qui produit beaucoup de fruits », *Eukarpos*, « qui produit des bons fruits », et *Karpopoios*, « celle qui crée les fruits ». C'est ainsi que l'on adore cette déesse de l'agriculture, qui prodigue la richesse végétale et dispense à l'homme les fruits indispensables à sa nourriture et surtout ceux qui font de lui un être civilisé, c'est-à-dire les *êmeroi karpoi*, les « fruits civilisateurs », par opposition aux *agrioi karpoi*, les « fruits sauvages ». Ce sont les *démétrioi karpoi*, les « fruits de Déméter », que les Latins appelaient *cerealia*, « fruits de Cérès », et nous « céréales ».

Au côté des céréales, la déesse protégeait aussi les *lachana*, les plantes potagères, et les *ospria*, les légumineuses, et toutes les autres herbacées dont on peut cueillir les fruits à la main et dont les grains étaient les *démétreia spermata*, les « semences de Déméter ». Cela explique les compositions de *polycarpia*, ou *polysporia*, les bouillies de plusieurs graines offertes à des dates clés du calendrier agricole en l'honneur des divinités diverses ; et encore de nos jours, les *Kollyva*, dans les cultures balkaniques et orthodoxes, sont préparés en l'honneur des morts ou de la Vierge. Une autre plante connue pour ses capacités psychotropes était aussi sous la protection de Déméter : le *mêkon*, le pavot, que les Grecs cultivaient à une assez grande échelle. On utilisait les grains de pavot pour décorer les pains et pour fourrer les gâteaux, comme, par ailleurs, on connaissait leur valeur narcotique. On prétendait que c'était la déesse qui avait utilisé la première le pavot pour apaiser son chagrin lorsqu'elle avait perdu sa fille, et avait initié les hommes à son usage et à sa la culture. Reste à donner les contours du culte mystique de deux déesses lors des mystères d'Éleusis, qui, tout en ayant un aspect moral et métaphysique, restent associés au caractère agraire de ces divinités. De même, pendant les Thesmophories, où la déesse revêtait un aspect politique et institutionnel, en tant que protectrice des mariages et garante du bon fonctionnement de la cité, l'aspect agraire n'était pas non plus complètement exclu.

Yvonne de Sike

• *Voir aussi :* Calendrier grec ancien ; Calendriers et mesure du temps ; Éleusis (mystères d') ; Grain et graine ; Kollyva ou Collyves ; Kykéon et initiation aux mystères ; Moissons (symbolique des) ; Saturne ; Si le grain tombé en terre ne meurt ; Terre-Mère primordiale ; Vierge et cycle des cultures céréalières

Bibl. : Mircea ELIADE, *Traité d'histoire des religions*, Paris, Payot 1949. – ID., *Histoire des croyances et des idées religieuses*, t. I, *De l'âge de pierre aux mystères d'Éleusis*, Paris, Payot, 1976 • Karl KERENYI, *Eleusis : Archetypal Image of Mother and Daughter*, Princeton University Press, 1991 • PSEUDO-ORPHÉE, *Les Argonautiques orphiques*, trad. F. Vian, Paris, Les Belles Lettres, 1987 • Günter ZUNTZ, *Persephone : Three Essays on Religion and Thought in Magna Graecia*, Oxford, 1973.

DENRÉE. – Tiré de l'ancien français *denerée*, c'est-à-dire la valeur d'un denier (ancienne monnaie du royaume), la denrée désigne une marchandise ou un produit alimentaire. Les denrées périssables sont sujettes à une extrême précaution et à un contrôle hygiénique soigné. On distingue sept familles de denrées alimentaires, aussi bien chez les nutritionnistes que chez les planificateurs des transports périssables. Il y a d'abord tous les types de boissons. Puis viennent les corps gras riches en lipides, vitamine A et vitamine D (beurre et crème), en vitamine E et acides gras essentiels. Ensuite, ce sont les féculents plus facilement transportables que sont le pain, les pâtes, le riz, les pommes de terre, les légumes secs et toutes les autres céréales ; ce sont des denrées riches en glucides mais également en protéines, vitamine B, minéraux et fibres. Puis viennent le lait et produits laitiers, riches en protéines, calcium et vitamine B, les légumes et fruits, riches en vitamines antioxydantes et vitamine C (dans leur forme de fruits ou légumes crus). Les produits sucrés, riches en glucides, et enfin la viande, les poissons et les œufs, riches en protéines et en fer, ferment la marche des catégories de denrées.

Olivier Pascault

• *Voir aussi :* AFSSA ; CHSCT ; DGAL ; DGCCRF ; Disettes, famines et révoltes pour le pain en France

DÉPIQUAGE. – Procédé utilisé sur l'aire de battage pour détacher les grains de l'épi à l'aide d'un instrument attelé : rouleau en bois ou en pierre, tronconique et souvent cannelé ; tribulum (planche armée de silex) ; ou plaustellum (plancher équipé de rouleaux à dents). Le dépiquage consiste à faire passer l'instrument sur les gerbes déliées, étalées sur l'aire, opération qui oblige à retourner la paille, puis à séparer la paille des grains, à les évacuer et garnir l'aire à nouveau jusqu'à épuisement des gerbes.

Mouette Barboff

• *Voir aussi :* Battage des céréales et aire de battage ; Épi ; Épi (symbolique de l') ; Grain et graine ; Paille ; Tribulum → Afghanistan, Syrie

Bibl. : Mouette BARBOFF, « Le pain des femmes », thèse de doctorat, EHESS, publication en cours.

DERNIÈRE TENTATION DU CHRIST*, *La (*The Last Temptation of Christ*). – Voir DOCUMENTAIRES ET FILMS

DESSICCATION. – Opération destinée à provoquer l'évaporation de l'eau contenue en excès dans les produits minéraux, organiques, dans les matières alimentaires (Lachiver 2006). La qualité du froment se conserve par la sécheresse et augmente par le vieillissement jusqu'à un certain point. Le blé, en perdant de son humidité superflue, devient plus aromatique, a une meilleure odeur ; son huile augmente et se perfectionne par une maturité qui se fait encore dans le grain pendant les premiers temps, longtemps après qu'il a été moissonné. Le froid sec est ce qu'il y a de meilleur pour le conserver, et le chaud sec pour le perfectionner ; c'est pour cette raison que les Provençaux exposent leurs blés au soleil avant de les serrer. Antoine Augustin Parmentier énumère (1785) plusieurs procédés de dessiccation du maïs par l'intermédiaire de l'air, aidé par la chaleur du soleil ou par le froid, moyen naturel et le moins coûteux de tous : maïs suspendu au plancher ; maïs répandu dans le grenier ; maïs exposé au soleil. Le processus peut débuter avant la cueillette en ôtant les feuilles des épis afin que les rayons du soleil agissent plus immédiatement et en accélèrent la dessiccation.

Mouette Barboff

• *Voir aussi :* Conservation ; Épi ; Grain ; Moisson ; Parmentier

Bibl. : Mouette BARBOFF, « Le pain des femmes », thèse de doctorat, EHESS, publication en cours • Marcel LACHIVER, *Dictionnaire du monde rural. Les mots du passé*, Paris, Fayard, 2006 • PARMENTIER Antoine-Augustin, *Le Maïs ou le bled de Turquie*, fac-similé, Bordeaux, 1785.

DÉTAILLER. – Action de découper la pâte en pâton, de la diviser en autant de parties que l'on souhaitera de pains. L'opération à la main se fait généralement au coupe-pâte ; mécaniquement, à la diviseuse. En pâtisserie, on emploiera le couteau, l'emporte-pièce, le découpoir.

Guy Boulet

• *Voir aussi :* Coupe-pâte ; Division ; Main ; Pâte ; Pâton ; Peseuse-diviseuse

DÉTENTE. – Période de repos de la pâte qui suit la division (suivi ou non d'un boulage) et précède le façonnage. Phase importante qui complète la première fermentation et permet la diminution des contraintes nées lors du boulage. Elle favorise la « relaxation » de la pâte et son allongement en facilitant ainsi le façonnage. L'opération se réalise le plus souvent dans une balancelle où température et humidité relative peuvent être mieux maîtrisées.

Dominique Descamps

• *Voir aussi :* Allonger ; Apprêt ; Balancelle ; Boulage ; Division ; Façonnage ; Fermentation panaire ; Four

DGAL (Direction générale de l'alimentation). – La DGAL relève du ministère de l'Agriculture ; elle a des compétences sur l'hygiène, l'organisation des systèmes de qualités, la santé animale et végétale, la sécurité de la filière alimentaire. Forte de 4 400 agents en services déconcentrés, répartis dans les 100 directions départementales des services vétérinaires (DDSV) et 22 services régionaux de la protection des végétaux au sein des direction régionales de l'agriculture et de la forêt, elle cherche à agir sur l'ensemble de la chaîne alimentaire ; à rapprocher les acteurs professionnels et institutionnels ; à coordonner les interventions des acteurs ; à faciliter normalisation et accréditation dans l'alimentaire ; à participer à la reconnaissance internationale du modèle alimentaire et sanitaire français.

Michel Daube

• *Voir aussi :* AFSSA ; CHSCT ; DGCCRF ; Réglementation ; Traçabilité

DGCCRF (Direction générale de la concurrence, de la consommation et de la répression des fraudes). – Organisme d'État qui a pour mission de veiller au bon fonctionnement des marchés et de contribuer ainsi à créer un environnement favorable au consommateur. Elle s'assigne trois missions : la régulation concurrentielle des marchés pour en garantir les conditions d'un fonctionnement équilibré et transparent (lutte contre les ententes, contrôle des concentrations, lutte contre les contrefaçons, etc.) ; la protection économique des consommateurs en les informant et les protégeant au quotidien contre les pratiques commerciales abusives (règles d'étiquetage, signes de qualité, soldes, veille sur les prix, etc.) ; la sécurité des consommateurs en préservant leur sécurité physique et leur santé par la prévention et l'évaluation des risques (information, signalement des produits dangereux, contrôle de la première mise sur le marché, etc.). Une antenne de la DGCCRF existe dans chaque région (DDCCRF)

Guillaume de Blignières

• *Voir aussi :* AFSSA ; CHSCT ; DGAL ; Observatoire du pain ; Réglementation

Bibl. : Voir le site de la DGCCRF, www.dgccrf.bercy.gouv.fr

DGS (Direction générale de la santé). – Voir CNERNA

DIABÈTE (pain et). – Maladie métabolique se caractérisant par une perte de contrôle de l'augmentation de la glycémie (niveau de glucose dans le sang) résultant d'un dérèglement direct ou indirect du fonctionnement de l'insuline (hormone responsable de ce contrôle glycémique en permettant l'entrée du glucose dans les cellules). On distingue le diabète insulino-dépendant, résultant d'une diminution ou d'un arrêt de production de l'insuline par le pancréas, et le diabète non insulino-dépendant (de type 2) résultant d'une résistance à l'insuline, à savoir une moindre efficacité de l'insuline à faire entrer le glucose dans les cellules. Selon le type de diabète, les traitements sont différents. Le diabète de type 2 peut être en partie traité par un régime alimentaire adapté, comprenant notamment des sucres lents ; or, la majorité des pains commercialisés est plutôt une source de sucres rapides. Seuls certains pains au levain légèrement acides, les pains contenant des grains de céréales plus ou moins intacts et les pains avec une mie plus dense peuvent apporter ces sucres lents.

Anthony Fardet

• *Voir aussi :* Biodisponibilité ; Levain de panification ; Santé ; Valeur nutritionnelle du pain

DIAGRAMME EN BOULANGERIE. – Document technique de boulangerie, sous format papier ou feuille de calcul de tableur, précisant l'ensemble des informations nécessaires pour assurer de façon répétable la fabrication d'un pain donné. Ce document contient la formule de fabrication détaillée. Tous les pourcentages des ingrédients (précisément décrits) et leur masse sont indiqués, ainsi que la présence ou l'absence d'améliorants. L'ensemble des paramètres de conduite de chaque étape unitaire est ensuite rigoureusement indiqué. Type de pétrin, température de base, température de pâte de fin de pétrissage. Même chose pour les réglages des étuves, ceux de la façonneuse et du four, voire les conditions de ressuage. Le document peut être enrichi de schémas ou tirages photo montrant par exemple le type de scarification souhaité, la couleur de croûte et l'aspect extérieur visés. Le diagramme peut décrire tous les types de fabrication : en fermentation directe ou cuisson différée. Les préparations nécessitant une pré-fermentation requièrent généralement deux tableaux de pesées. Dans les grandes boulangeries disposant d'un système d'assurance qualité, ce document est daté : il porte un numéro de version et la signature du rédacteur. Ce formulaire, qui dévoile inévitablement un savoir-faire, est considéré comme sensible. On parle aussi de « protocole de fabrication ».

Hubert Chiron

• *Voir aussi :* Améliorant ; Fermentation ; Fermentation (pré-) ; Four ; Fournil ; Pétrin ; Pétrissage ; Ressuage ; Scarification ; Température de base

DIAGRAMME MEUNIER. – On parle de diagramme meunier pour qualifier le schéma d'ensemble des différentes opérations de mouture, qui vont du premier broyage au dernier convertissage, en passant par les opérations de tamisage, ainsi que toutes les « reprises » nécessaires pour passer d'un appareil à l'autre. Un diagramme classique comprendra 5 ou 6 broyeurs, 4 claqueurs et 5 ou 6 convertisseurs.

Philippe Duret

• *Voir aussi :* Broyeur ; Claqueur ; Convertisseur ; Meunerie ; Moulin ; Mouture

DIFFÉRER. – Reporter, retarder l'action prochaine. Laisser à l'écart la préparation d'un pétrissage ; différer le façonnage ou l'enfournement d'une pâte qui n'aura pas assez levé.

Guy Boulet

• *Voir aussi :* Enfournement ; Façonnage ; Pâte ; Pétrissage

DÎME. – Voir CHAMPART

DIRECTE/INDIRECTE (méthode). Voir MÉTHODE DIRECTE/INDIRECTE

DISETTES, FAMINES ET RÉVOLTES POUR LE PAIN EN FRANCE. – Des variations climatiques aux crises historiques que sont guerres, disettes et famines engendrent réactions, colères, troubles sociaux et révolutions modernes. Sous l'Ancien Régime, les famines sont liées aux difficultés nées des grandes guerres. Mais, pour l'essentiel, elles sont engendrées par des conditions météorologiques défavorables au développement et aux récoltes des grains, depuis les semailles jusqu'à la moisson : pluies excessives, grands hivers. Et, inversement, échaudage et sécheresse, l'un et l'autre étant la conséquence notamment des canicules. Les troubles et mouvements sociaux qui s'ensuivent sont politiques ou strictement sociopolitiques, au sens plein et dramatique du terme. Ces périodes de cherté excessive des subsistances, cherté du pain quotidien, accroissent notoirement le mécontentement plébéien ambiant et jettent de l'huile sur le feu révolutionnaire ou simplement contestataire qui, bien souvent, couve. Ainsi, les mauvaises récoltes de 1788 précipitent une dynamique déjà à l'œuvre, qui aboutit aux événements de 1789. De 1827 à 1832, la cherté du pain accompagne les Trois Glorieuses et détermine une crise institutionnelle radicale. L'année 1846 est marquée par la conjonction chaleur-sécheresse, exécrable pour la production céréalière. Autant de facteurs qui accroissent les tensions et conduisent à la révolution de 1848. Au plan météorologique, trois grands acteurs déterminent essentiellement l'adversité du climat sur les mauvaises récoltes. Il y a d'abord les dépressions venues de l'Atlantique, porteuses éventuellement de précipitations excessives et scélérates pour les moissons. Ce fut le cas en 1315, en 1692, en 1816. En deuxième lieu, les très grands hivers, nés des incursions d'air arctique, donc de l'anticyclone d'origine scandinave, génèrent des crises agricoles graves, comme celles de 1709 ou 1956. Enfin, les canicules estivales dérivent d'un expansionnisme considérable de l'anticyclone des Açores sur nos territoires ouest et centre-européens avec effet négatif sur les rendements des céréales.

Les perturbations, surtout printanières et estivales, venues en trop grand nombre de l'Ouest, donc de l'espace océanique, les ciels mouillés, les soleils brouillés, pourrissent les moissons sous l'excès des pluies. Elles produisent, à l'âge médiéval ou moderne, de simples disettes ou de vraies famines par déficit des récoltes de blé, celui-ci devenant détrempé, en germes ou en gerbes. Ce fait a conditionné les célèbres famines de 1314-1316 en Europe occidentale et centrale. Les historiens médiévistes s'accordent pour y voir la raison de la fin du Moyen Âge gothique. Années trop humides, pluies incessantes, mauvaises moissons déterminent des vagues de mortalité. Les épisodes à fortes pluies d'été ne manquent pas au cours de la longue période qui va de l'an 1315 jusqu'à la fin du petit âge glaciaire, que l'on situe vers 1860. Surtout en France, la grande famine de 1693 est une catastrophe préparée par des abats d'eau incessants dès l'été et l'automne 1692. Son bilan est dramatique : famine et épidémies s'ensuivent, causant la mort de 1 300 000 personnes sur une population française de quelque 20 millions (1693-1694). Plus tard, l'épisode de 1740 se caractérise par quatre saisons froides, dont trois saisons très pluvieuses, provoquant, là encore, une disette importante. L'année 1816 fut une année sans été, sans récoltes. Sur toute la planète, les poussières ont encombré le ciel à la suite de l'énorme explosion du volcan indonésien de Tambora l'année précédente. Par ailleurs, l'excès des pluies pendant plusieurs années, de 1648 à 1650 et de 1827 à 1831, a généré une incroyable cherté du pain, fomentant respectivement la première Fronde (1648-1650) et la révolution de 1830.

L'hiver de 1709 reste le plus terrible que l'Europe ait connu en cinq cents ans. Il a déclenché la famine par destruction des blés en herbe en raison du gel. Les semis gelaient en terre. Le manque à gagner de la production des grains a provoqué, par ricochets, 600 000 morts en France. Les populations moururent de froid, le plus souvent de faim et à cause des épidémies collatérales (typhus, dysenterie, fièvres) que provoque la sous-alimentation excessive. Un peu plus tard, le grand hiver de 1829-1830 porte préjudice aux semis des céréales et contribue ainsi à la cherté des subsistances lors des prodromes de la révolution, essentiellement politique, de juillet 1830.

À côté des grandes incursions d'air arctique, l'anticyclone des Açores est lui-même responsable de crises alimentaires engendrant des mortalités importantes. Ainsi furent les années 1420, 1719, 1788, 1811, 1846. Les conséquences de ces canicules semblent plus graves sous l'Ancien Régime en raison des conjonctions entre climat et donne économique, surtout avant 1860. Le petit âge glaciaire était encore dans toute sa force jusqu'à 1860 précisément, mais n'empêchait pas des étés chauds, voire caniculaires, notamment au XVIIIe siècle, période où se produisit un assez remarquable réchauffement estival entre les fraîches décennies 1690-1700 et 1812-1820.

Les spécialistes distinguent deux types de traumatismes caniculaires. Le premier se caractérise par les mauvaises moissons. La mortalité due aux maladies infectieuses touche les enfants du fait de la pollution microbienne dans les nappes phréatiques et les rivières ainsi que les grains touchés par les microbes et bactéries. Les dégâts sur le système digestif des enfants et des adultes sont considérables. La toxicose a marqué les chauds étés du XVIIIe siècle. Ainsi la France compta, en 1719, 450 000 morts supplémentaires dus à la dysenterie caniculaire ainsi qu'à d'autres infections. Ce fut une mortalité sans disette. Quant à la disette proprement dite, avec ou sans mortalité, ou disette céréalière, elle est provoquée par l'échaudage et la sécheresse. La destruction des céréales pousse les peuples à la révolte face à des autorités publiques incapables de gérer des stocks de grains soumis à la pression du marché. La famine francilienne de 1420, dans le Bassin parisien, a été effectivement provoquée par un été brûlant la même année. L'été très chaud de 1556, avec des incendies de forêt et de cultures céréalières jusqu'en Normandie, est un autre exemple de crise. Ces dates cruciales coïncident avec les dates des révoltes ou révolution telles que 1788, 1846.

L'année 1788 constitue à cet égard, si l'on peut dire, une sorte de modèle. L'automne 1787 se caractérise par de fortes pluies éprouvant les semailles automnales. Au cours d'une année 1788 assez uniformément chaude, l'été débute avec des moissons qui grillent sur pied. Les récoltes de céréales sont maigres. Puis les intempéries de l'été 1788, avec grêle, orage, averses et une sorte de temps de mousson, humide et chaud, finit d'abattre les épis ou les fait verser. La récolte de 1788 est alors diminuée d'un tiers, les prix du blé montent en flèche, les émeutes de subsistance sont dans la rue jusqu'au 13 juillet 1789. Notons qu'il n'y a pas de mortalité supplémentaire en 1788-1789 : l'effet contestataire est immense, l'effet sur la mortalité est très mince.

En 1846, tout l'hémisphère Nord est plus ou moins affecté par un épisode chaud et sec. Sous Louis-Philippe, et même lors de sa chute, les conséquences vont se révéler considérables : baisse d'un tiers du rendement des moissons, conjuguée à la raréfaction des pommes de terre, celle-ci déterminée par les spores du *fungus infestans* venus des États-Unis jusqu'en Irlande et sur le continent européen. La mauvaise moisson de 1846 entraîne une cherté du pain, ainsi que des mortalités déclenchées notamment par la médiation des épidémies collatérales. Lesquelles se développent sur la misère physiologique des populations pauvres, endémiquement sous-alimentées. Par ailleurs, la concentration du pouvoir d'achat, en 1846-1847, sur le pain, lui-même devenu trop cher, accroît une mévente du textile qui génère un chômage ouvrier. Mécontentement social et révoltes débouchent sur le mouvement populaire de février 1848 et la révolution, qui proclame « Droit au pain, droit au travail » dans l'enceinte du Sénat où se tiennent les dirigeants insurgés.

Dans un tout autre contexte, celui du XXe siècle et des étés caniculaires comme celui de l'année 1947, les causes habituelles des mauvaises récoltes se trouvent, semble-t-il, désormais majorées par les mécanismes complexes désignés par l'expression « effet de serre », comme au cours des années 1976, 2003 et 2006. Les manifestations dangereuses de cet anticyclone açorien nous sont devenues familières depuis désormais quelques années, et pas seulement en France : les mauvaises récoltes céréalières des pays du Sud provoquent disettes, cherté et révoltes du pain, notamment sur les continents africain et asiatique en 2007 et 2008.

Olivier Pascault

• *Voir aussi :* Boulangers et boulangeries (histoire de France des) ; Boulangers forains ; *Conquête du pain (La)* ; Émeutes de la faim en Égypte ; Farines (guerre des) ; Jordanie ; Pain rationné ; Physiocrates ; *Sur la législation et le commerce des grains*

Bibl. : Gérard BELTRANDO, *Les Climats : processus, variabilité et risques*, Paris, Armand Colin, 2004 • Sophie BESSIS, *L'Occident et les autres : histoire d'une suprématie*, 3e éd., Paris, La Découverte, 2001 • Jean-Pierre JESSENNE, *Histoire de la France : Révolution et Empire*, Paris, Hachette, 1993 • Albert SOBOUL, *Comprendre la Révolution française*, Paris, Maspero, 1981.

DIVISEUSE AUTOMATIQUE VOLUMÉTRIQUE. – Voir PESEUSE-DIVISEUSE

DIVISION. – Opération intervenant après le pointage et consistant à fractionner la masse de pâte issue du pétrin en un certain nombre de pâtons correspondant à la commande à réaliser. Cette opération est manuelle ou mécanique même en fabrication artisanale. On parle aussi de « divisage ».

Dominique Descamps

• *Voir aussi :* Main ; Pâte ; Pâton ; Pétrin ; Pointage

DJIBOUTI (traditions du pain à). Des décennies de colonisation française ont largement influencé les usages gastronomiques de la petite République de Djibouti. Chaque quartier de la capitale possède ainsi sa boulangerie, où les Djiboutiens achètent communément une baguette de farine de froment semblable à son modèle tricolore – et ce, à un prix unique fixé par le gouvernement en 1979, que tentent de respecter tant bien que mal les boulangers locaux. Dans la rue, des marchands ambulants tirent à bout de bras des charrettes surchargées de pains frais et souvent encore chauds. La baguette, qui accompagne viandes grillées et ragoûts, sert aussi à confectionner les « petites viandes », copieux sandwichs garnis de morceaux de bœuf ou de veau, d'une sauce légèrement épicée et de quelques légumes. Les diverses communautés installées sur ce territoire de migration ont établi la consommation d'autres pains « étrangers », tels que l'*injera*, galette éthiopienne, le *kisra*, galette soudanaise, ou le *khobz*, pain plat arabe des Yéménites.

Un deuxième pain quotidien des Djiboutiens, traditionnel celui-ci, est la *lohoh*, ou *louhouh*, galette mince de sorgho ou de froment (parfois des deux farines mélangées). Sa pâte est préparée chaque soir par les femmes, afin de fermenter jusqu'au matin. C'est une pâte liquide, cuite sur une plaque métallique posée directement sur le feu et recouverte d'un couvercle en forme de cloche. La *lohoh* est généralement appréciée au petit déjeuner, avec du thé, du lait, du miel, du beurre, ou le soir en accompagnement d'un léger repas. Elle peut également être servie avec les viandes et les ragoûts, mais ces derniers le sont plus habituellement avec du riz ou des pâtes, très présents dans la cuisine régionale.

Plus rural, et de moins en moins consommé : le *moffo*. Un petit pain rond de sorgho, reconnaissable à son profond parfum d'épices. Sa pâte épaisse est pétrie avant d'être posée en boule sur les parois internes d'un four rond d'argile chauffé au bois. On le mange le matin ou le soir ; coupé en petits morceaux, par exemple, imbibé d'un peu de thé chaud, de beurre, de sucre, se dégustant alors comme du gâteau. On servait autrefois, chaque matin pendant les trois premiers mois de leur mariage, des petits *moffos* assortis de beurre, de dattes ou de viande séchée aux jeunes époux. Un régime énergétique susceptible d'encourager l'arrivée d'un premier enfant. La tradition s'est quasiment perdue, comme le petit pain épicé. Une clientèle urbaine à la recherche de qualité artisanale peut cependant l'acheter – à un prix dix fois plus élevé que celui du pain courant – auprès de femmes qui se sont spécialisées dans sa fabrication. Quelques restaurants élégants sont également réputés pour leur *moffo*.

L'*ambabur* enfin, est une variante de la *lohoh*, préparée pour les grandes occasions, et surtout pour célébrer la fin du ramadan, dans un pays en grande majorité musulman. À l'aube du jour de l'aïd-el-fitr, les femmes préparent des quantités de cette galette de fête à base de farine de blé et de sorgho, et parfois teintée à l'aide d'un colorant alimentaire. Dans la pâte, elles ont ajouté des oignons, du lait, du curry, quelques pincées de graines de nigelle. L'*ambabur* est ensuite mangée simplement accompagnée de thé noir et de lait caillé, après la prière du matin. Par la maisonnée, mais aussi par les visiteurs, qui peuvent être nombreux lors de ce rassemblement empreint de générosité. Les voisins, de palier ou de village, se verront eux aussi offrir quelques galettes.

Ambabur. – Voir ci-dessous, « Lohoh »

Lohoh ou louhouh. Pain quotidien traditionnel des Djiboutiens, galette non levée, mince et souple, de sorgho ou de froment (parfois des deux farines mélangées). Sa pâte fermentée est liquide, cuite sur une plaque métallique posée directement sur le feu et recouverte d'un couvercle en forme de cloche. La *lohoh* est généralement appréciée le matin, avec du thé, du lait, du miel, du beurre, ou le soir en accompagnement d'un léger repas. Elle peut être servie avec les viandes et les ragoûts, mais ces derniers le sont plus habituellement avec du riz ou des pâtes, très présents dans la cuisine régionale. Variante de la *lohoh*, l'*ambabur* est agrémentée d'oignons, de lait, de curry, de quelques pincées de graines de nigelle. Galette des grandes occasions, elle est notamment préparée lors de l'aïd-el-fitr, fête célébrant la fin du ramadan.

Moffo. Le *moffo* est un petit pain rond et épais de sorgho, reconnaissable à son profond parfum d'épices. Sa pâte, parfois agrémentée d'oignons et d'ail, est posée en boule sur les parois internes d'un four rond d'argile chauffé au bois. Sa consommation se perd, notamment dans les villes, où, jusque dans les années 1960, il était apprécié sur les tables des familles aisées, le matin ou le soir avec un peu de thé chaud, de beurre et de sucre. Aujourd'hui, une clientèle urbaine à la recherche de qualité artisanale peut cependant l'acheter – à un prix dix fois plus élevé que celui du pain courant – auprès de femmes qui se sont spécialisées dans sa fabrication.

Noémie Videau

• *Voir aussi :* Égypte ; Injera → Éthiopie ; Pain (définition universelle du) ; Pains mondiaux ; Somalie ; Yémen

Bibl. : François PIGUET, *Des nomades entre la ville et les sables : sédentarisation dans la corne de l'Afrique*, Paris, Karthala, 1999 • Olivier WEBER, *Corne de l'Afrique*, Paris, Autrement, 1987.

DLC (date limite de consommation). – Utilisée pour les denrées alimentaires très périssables et préemballées, cette indication est obligatoire sur l'étiquetage et les durées sont déterminées par le fabriquant en fonction des produits, suite à des tests de vieillissement. Par exemple, la DLC d'un produit frais (laitier ou autre) ne peut dépasser trente jours.

Catherine Peigney

• *Voir aussi :* AFSSA ; CHSCT ; Conservation ; DGAL ; DGCCRF ; DLUO ; HACCP ; Réglementation

DLUO (date limite d'utilisation optimale). – Utilisée pour les denrées alimentaires non périssables et préemballées, pour lesquelles chaque fabricant s'engage sur une durée de conservation des propriétés organoleptiques et technologiques. L'indication de la DLUO est donc obligatoire, mais les durées ne sont pas déterminées réglementairement, elles sont de la seule responsabilité du fabricant. Les pains vendus en boulangerie artisanale ne sont pas considérés comme pré-emballés et ne sont par conséquent pas soumis à cette réglementation.

Catherine Peigney

• *Voir aussi :* AFSSA ; CHSCT ; Conservation ; DGAL ; DGCCRF ; DLC ; HACCP ; Réglementation

DOCUMENTAIRES ET FILMS. Plusieurs centaines de films prennent le pain soit pour thème ou ressort dramatique, soit seulement pour titre, en raison d'abord de sa charge symbolique, et s'inspirant très largement de ce que firent les peintres bien plus tôt. Mais, au cinéma, le pain possède un autre atout, qu'il n'était pas en mesure de dévoiler dans la peinture occidentale : dans cet art du mouvement, la vitalité de la pâte, sa dynamique et ses métamorphoses au cours de son élaboration physique (pétrissage, fermentation, cuisson, etc.) constituent un objet d'exploration en soi. Documentaires et fictions autour du pain ont ainsi presque systématiquement une dimension anthropologique, le pain n'étant jamais un objet neutre.

Le documentaire sur le pain obéit à une démarche sociologique et immédiatement emblématique : par exemple, *Le pain est de sexe féminin* (1998) d'Evguenia Yannouri, montre une organisation sociale matriarcale fondée sur la fabrication du pain par les femmes sur l'île de Karpathos. C'est aussi le cas de *O Pão* (*Le Pain*, 1959) de Manoel de Oliveira, commandé par la Fédération nationale des industriels minotiers, dans lequel le processus complet de l'élaboration du pain – des semailles aux miches sortant du four – est l'occasion d'une réflexion sur la spiritualité de l'homme au travail. Certains documentaires sont de véritables œuvres esthétiques, tel *Las Hurdes* (*Terre sans pain*, 1933) de Luis Buñuel : dans ce pays de misère, le pain est une denrée rare que les enfants reçoivent du maître d'école et mangent trempé dans l'eau saumâtre d'un maigre cours d'eau ; ou bien, ramolli dans du lait de chèvre, il est réservé aux malades.

La question testimoniale du documentaire reste posée dans les fictions. Les films portent dans certains cas le sceau de leur identité culturelle à travers les éléments d'un décor et différents éléments qui le complètent (vêtements, automobiles, affichages publicitaires, etc.) ; or le pain constitue une signature simple et souvent indiscutable d'appartenance ethnique. Ainsi en va-t-il des *nân* et *chapâtî* dans la filmographie indienne (voir les films de Satyajit Ray, ou *Uski Rotî* [*Le Pain quotidien*, 1970] de Mani Kaul), des *fajitas* au Mexique, de la baguette dans le cinéma français, etc. Dans tous les cas, filmer la fabrication du pain ressortit, pour chaque pays, à l'exposition d'une spécificité nationale ou culturelle, mais aussi à la nostalgie d'un passé qui n'est plus (voir *The Fiddler on the Roof* de Norman Jewison [*Le Violon sur le toit*, 1971]). Le cinéma, avec le pain, montre en quelques gestes simples l'essence des folklores. Un film comme *Le Boulanger de Valorgue* (1953) d'Henri Verneuil, pose même le boulanger comme pivot social et moral d'un village divisé à cause d'un enfant illégitime né de la fille de l'épicière et du fils du boulanger. D'abord intraitable sur la morale, le boulanger (joué par Fernandel), haut en verbe mais au fond « bon comme le pain », finit par accepter cet enfant et permet au village de Valorgue de retrouver sa sérénité.

Dans les films de fiction, il faut sans doute mettre à part les adaptations des romans eux-mêmes célébrant le pain. Elles établissent visuellement le lien implicite entre la pâte à pain et le corps humain, comme dans *La Femme du boulanger* (1938) de Marcel Pagnol d'après Jean Giono, avec Raimu perdant l'amour du pain lorsqu'il est quitté par sa femme ; au retour de celle-ci, le boulanger, jetant enfin un morceau de pâte à pain dans le four remis en chauffe, en sort, comme par hasard, une miche en forme de cœur. *Le Pain nu* (2009) de Rachid Benhadj d'après Mohammed Choukri, met aussi en scène un garçon affamé de pain autant que de tendresse. Quant à *La Porteuse de pain*, inspiré par le roman à succès de Xavier de Montépin, il a connu plusieurs adaptations : Louis Feuillade (1906), Georges Denola (1912), René Le Somptier (1923), René Sti (1934), Maurice Cloche (1963), Marcel Camus (1973).

Lorsque le cinéma s'empare de textes comme les Évangiles – poursuivant en cela la tradition picturale chrétienne –, il n'omet presque jamais la séquence obligée du pain équivalant à la chair dans l'Eucharistie : *Il vangelo secondo Matteo* (*L'Évangile selon saint Matthieu*, 1964) de Pier Paolo Pasolini (qui en emprunte la trame à l'Évangile de Matthieu XXVI), *Jésus de Nazareth* (1977) de Franco Zeffirelli, ou *The Last Temptation of Christ* (*La Dernière Tentation du Christ*, 1988) de Martin Scorsese inspiré par le roman de Nikos Kazantzaki, l'attestent. La scène de la multiplication des pains se prête aussi facilement à un traitement cinématographique, comme dans *L'Évangile* de Pasolini.

La première fiction profane de l'histoire du cinéma dans lequel le pain tient une place importante est un court-métrage burlesque français de Bruce La Bruce tourné en 1906, *Je vais chercher le pain* : un ouvrier part acheter le pain oublié pour le déjeuner ; mais la maison est séparée de la boulangerie par une série de bistrots et d'amis. Le mythe de la baguette au cinéma est né… Roméo Bosetti, sous les traits de Patouillard, héros récurrent et fauteur involontaire de chaos, produit en 1911 *Patouillard fait son pain*, dans la même veine burlesque. Le ressort comique de la pâte à pain se trouve aussi dans *The Rough House* (*Fatty chez lui*, 1917) de Roscoe Arbuckle et Buster Keaton, où un jeune cuisinier s'empêtre dans de la pâte levée collante à souhait, qu'il met à cuire en vrac, et où le personnage de Mister Rough fait danser pendant quelques secondes deux petits pains plantés dans des fourchettes, au grand dam de sa femme et de sa belle-mère – danse des petits pains qui sera autrement développée dans *The Gold Rush* (*La Ruée vers l'or*, 1925), de Charlie Chaplin. Reprenant un classique de la littérature carcérale, Buster Keaton, dans *Steamboat Bill Junior* (1928), apporte une miche de pain farcie d'outils d'évasion à son père emprisonné, qui la refuse d'abord tant il a honte de son dadais de fils. La pluie détrempant la miche, tous les outils tombent par terre et Steamboat Bill Junior est incarcéré à son tour.

Mais il est frappant que cet aliment vital soit souvent, au cinéma, une représentation *a contrario* de la faim : le pain dans *The Gold Rush* (1925) ou *The Kid* (*Le Kid*, 1928) de Charlie Chaplin sont allégoriques de la misère des années 1920. Les comédies italiennes plus tardives, *Pane, amore e fantasia* (*Pain, amour et fantaisie*, 1953) et *Pane, amore e gelosia* (*Pain, amour et jalousie*, 1954) de Luigi Commencini, ou *Pane, amore e...* (*Pain, amour et...*, 1955) et *Poveri ma belli* (*Pauvres mais beaux*, 1956) de Dino Risi, associent le pain matériel (souvent manquant) et les sentiments, traitant sur le mode comique la pauvreté de l'Italie d'après-guerre. Plus récemment, la série télévisée taïwanaise *Wo De Yi Wan Mian Bao* (qu'on peut traduire par « Amour ou pain », 2008-2009) de Lin He-Long, fait jouer à nouveau deux aspirations, l'une à la vérité des sentiments, l'autre à l'appât du gain matériel représenté par le pain, qui est, par ailleurs, le sujet de la chanson du générique de fin, « *Mian Bao De Zi Wei* » (« Le goût du pain »), chanté par l'héroïne.

Le pain filmé a manifestement une fonction sociale et politique forte. *The Price of Bread* (*Le Prix du pain*, 1909) de T.-J. Gobbett, ou *A Corner in Wheat* (*Les Spéculateurs*, 1909) de David Wark Griffith, opposent les spéculateurs et les plus pauvres autour d'une hausse drastique et artificielle du prix du pain qui ruine les paysans et affame les miséreux. « Le pain nous sauvera », proclame quant à lui John Sims, chômeur reconverti en paysan dans *Our Daily Bread* (*Notre pain quotidien*, 1934) tourné par King Vidor et traitant de la grande dépression de 1929 sur le mode de l'utopie sociale. Cette crise de 1929, sujet encore du roman de John Steinbeck *The Grapes of Wrath* (*Les Raisins de la colère*, 1939), transposée au cinéma par John Ford dès l'année suivante, montre une famille affamée incapable même de s'offrir une miche de pain. De même, en Union soviétique délibérément affamée par Staline, des cinéastes dénoncent le rôle répressif de la police, notamment dans *Khleb* (*Pain*, 1934) tourné par le collectif d'ouvriers Kino : un miséreux vole un pain et se fait rosser par un policier. Le pain – l'un des cris fédérateurs de la révolution de 1917 – est, dans le cinéma russe, le symbole d'une lutte des classes théoriquement abolie, mais pratiquement intacte, et l'instrument de dénonciation de la bureaucratie soviétique, comme dans *Nash tchestniy khleb* (*Notre pain honnête*, 1964) de Kira Mouratova. La période des famines des années 1920-1930, soldées par la Terreur, est aussi le thème de *Khleb – imya sushchestvitelnoe* (qu'on peut traduire par : « Pain – le substantif », 1988) de Grigori Nikulin. Mais le procédé est quasiment universel, et la misère de l'Albanie des années 1990 en proie à la mafia, par exemple, est représentée par des séquences récurrentes de chaussures et de pains dans *Lamerica* (1994) de Gianni Amellio.

La question des rapports entre pouvoir et pain avait été posée déjà, notamment dans une comédie fantastique tchèque en diptyque, de 1951 : *Císařův Pekař a Pekařův císař* (*Le Boulanger de l'Empereur – L'Empereur du boulanger*) de Martin Fric : un boulanger, mis en prison pour avoir donné aux pauvres les pains destinés à la cour, s'en évade et se fait passer pour l'empereur Rodolphe II, démasque les imposteurs du régime, sur fond de quête du Golem, qui finit comme pourvoyeur de feu pour les fours à pain. Le boulanger, sans qui la cité est affamée et qui a donc un pouvoir exorbitant, est, socialement, aux antipodes du pouvoir politique et s'y heurte assez systématiquement ; ici, Matej promet du pain pour tous dans un monde meilleur. Un autre exemple en est fourni par *Il fornaretto di Venezia* (*Le Petit Boulanger de Venise*, 1964) de Duccio Tessari, qui raconte les démêlés d'un boulanger du XVe siècle avec l'un des puissants de la Sérénissime trouvé assassiné. Plus largement encore, le pain au cinéma serait un signe visible du progrès social si l'on veut bien suivre le western de John Ford *The Man Who Shot Liberty Valance* (*L'homme qui tua Liberty Valance*, 1962), construit sur une série d'oppositions entre la morale et la force brute, la civilisation et la barbarie, et où le pain, longuement fabriqué, est le symbole de la socialisation conçue ici comme sommet de la culture, le contraire des haricots représentant la nourriture des hommes sans feu ni lieu.

Le pain, objet politique et social, est aussi signe patent de la morale. Éric Rohmer, dans l'un de ses *Contes moraux*, fait des gâteaux achetés dans une boulangerie parisienne des substituts du corps désiré d'une jeune femme ; elle est poursuivie par un étudiant en droit qui trompe son attente en séduisant, de manière immorale, la vendeuse de la boulangerie. *La Boulangère de Monceau* (1962) reconduit l'alliance entre pain, corps, jeu social et circulation vitale. Peut-être cette leçon morale se retrouve-t-elle dans *Sois sage* (2008) de Juliette Garcias, qui évoque les souffrances de l'inceste en montrant la reconquête d'un homme (remarié et père d'une fillette) par une jeune femme – en réalité sa fille –, livreuse de pain à la campagne. Les trajets dans sa camionnette font d'elle une errante du cœur et sont l'occasion de mensonges qu'elle s'invente comme autant de moyens pour dire sa vie mutilée. Les gestes des boulangers pétrissant la pâte, sains et francs, sont à l'encontre de ceux du père, pianiste, malsains et destructeurs.

Le pain est ainsi, dans toute l'histoire du cinéma, emblématique d'un partage social et, au-delà, d'une circulation de la vie. Ainsi *Nan va Koutcheh* (*Le Pain et la rue*, 1970), le premier film d'Abbas Kiasrostami, montre-t-il en onze minutes l'épreuve initiatique d'un petit garçon marchant vers l'école dans une ruelle et qui, d'abord terrorisé par un chien, a l'idée de l'amadouer avec du pain pour oser passer devant lui ; grâce au pain, l'enfant devient adulte, tout fier ensuite que le chien le suive humblement. De même, dans *Viagem ao Princípio do Mundo* (*Voyage au début du monde*, 1997) de Manoel de Oliveira, Afonso retournant dans le village de son père, d'abord observé avec méfiance, puis reconnu par sa famille, se voit finalement offrir par sa tante un pain en signe de paix et de réconciliation.

Anne-Élisabeth Halpern

• *Voir aussi :* Chapâtî, nân → Inde ; Danse des petits pains ; *Encore un jour* (1969) ; Fajita → Mexique ; *Femme du boulanger* (*La*) ; Peinture occidentale

Bibl. : Patrick BRANTLINGER, *Bread and Circuses : Theory of Mass Cultures as*

Social Decay, Cornell University Press, 1983 • Paul HOCKINGS, *Principles of Visual Anthropology*, Leyde, Mouton de Gruyter, 3e éd., 2003.

DODINAGE. – C'est un bluteau lâche, destiné à extraire le gruau. Dans la mouture économique, c'est le second blutoir ; il a le même mouvement que le bluteau de la farine, qui frappe par la lanterne. Le dodinage est composé de trois parties : la première est la plus fine, la deuxième est un quintin, et la troisième un canevas (Malouin 1779).

Mouette Barboff

• *Voir aussi :* Bluteau, blutoir ; Gruau ; Lanterne ; Mouture

Bibl. : Paul Jacques MALOUIN, *Description et détails des arts du meunier, du vermicellier et du boulanger*, Paris, 1779

DOMESTIQUE (pain). – Voir PAIN DOMESTIQUE

DOROIR. – Quelques boulangers, pour donner de la couleur à certains pains, ont une espèce de brosse ou de pinceau appelé doroir, qu'ils trempent dans une dissolution de miel ou de jaune d'œuf, ou dans du lait, ou simplement dans de l'eau, afin d'en mouiller le dessus du pain (Malouin 1779).

Mouette Barboff

• *Voir aussi :* Croûte ; Empreinte ; Lame et coup de lame ; Scarification ; Surface du pain

Bibl. : Paul Jacques MALOUIN, *Description et détails des arts du meunier, du vermicellier et du boulanger*, Paris, 1779.

DOSEUR. – Appareil utilisé pour le dosage du blé, de la farine ou des ingrédients. Le doseur permet de mesurer (à la tonne) la quantité nécessaire à l'élaboration d'un mélange.

Michel Daubé

• *Voir aussi :* Moulin ; Meunerie

DUHAMEL DU MONCEAU, Henri Louis (1700-1782). – Henri Louis Duhamel du Monceau est un physicien, botaniste et agronome français. Il a été membre, dès 1738, de l'Académie royale des sciences. Son imposante œuvre scientifique embrasse des domaines aussi variés que la construction et le service des vaisseaux, la pêche, la culture et la conservation du froment et des grains, la gestion des forêts. Nommé inspecteur général de la marine en 1739, il crée en 1741 une école de marine qui deviendra en 1765 l'école des ingénieurs-constructeurs, ancêtre de l'École du génie maritime. Il poursuit les travaux de Réaumur (1683-1757) à partir de 1757 par sa *Description des arts et métiers* et s'oppose farouchement aux encyclopédistes. Ingénieur, ses travaux abordent volontiers les problèmes concrets par l'expérimentation et la vulgarisation. Il est considéré comme l'un des précurseurs de l'agronomie et de la sylviculture moderne. Son œuvre proprement agronomique le devient à partir de 1748, date de la traduction de l'ouvrage de Jethro Tull (pionnier anglais de l'agronomie, 1674-1741), que Duhamel est chargé de superviser. Comme il est d'usage à l'époque, la traduction est libre, l'auteur enlevant tel développement perçu comme superflu, remplaçant la description d'une machine par une autre jugée plus performante. C'est ainsi que naît de 1750 à 1761 le *Traité de la culture des terres*. Il s'agit en réalité d'un traité de la culture du blé, production agricole essentielle à l'époque pour nourrir les populations. Tull comme Duhamel ont noté les effets bénéfiques du tallage des céréales pour augmenter les rendements. Il note l'intérêt des labours pour affiner la terre et augmenter le contact avec les racines. Il teste les modalités d'une diminution de la densité de semis. Celui-ci se fait en ligne de façon à pouvoir désherber entre deux rangs de céréales. Duhamel met ainsi au point des semoirs et charrues étroites pour réaliser cette nouvelle opération agraire essentielle pour les rendements.

À partir de 1762, il publie *Les Éléments d'agriculture* dans lesquels il synthétise les principes de la « nouvelle culture » développés dans le *Traité de la culture des terres*. Concernant la nutrition végétale, il s'intéresse à toutes sortes de résidus et minerais et se distingue ainsi de Jethro Tull, qui préconise uniquement l'usage du fumier. Les prairies artificielles sont étudiées en remplacement de prairies naturelles peu productives. Animé par une démarche de filière, Duhamel expérimente la conservation des céréales par ventilation mécanique forcée, technique qu'il juge alors plus utile que le seul étuvage. En 1753, il publie le *Traité de la conservation des grains*. Le roi lui demande de lui présenter une maquette de son installation et lui attribuera, quelques années plus tard, une pension de 1 500 livres à titre de récompense. Dix ans avant les publications d'Antoine Parmentier (1737-1813), et précédant l'agronome et géographe suisse Samuel Engel (1702-1784), il s'intéresse à la pomme de terre, dont il décrit la plante et la culture.

Olivier Pascault

• *Voir aussi :* Boulangers et boulangeries (histoire de France des) ; Boulangers forains ; Cadet de Vaux ; École de boulangerie (première) ; Égalité (pain) ; France (pains historiques, du Moyen Âge à la Révolution française) ; Farines (guerre des) ; Invalides (hôtel royal des) ; Parmentier ; Physiocrates ; *Sur la législation et le commerce des grains* ; Vilmorin

Bibl. : Jean BOULAINE, Jean-Paul LEGROS, *D'Olivier de Serres à René Dumont. Portraits d'agronomes*, Paris, Tec et Doc-Lavoisier, 1998 • Adrien DAVY DE VIRVILLE (dir.), *Histoire de la botanique en France*, Paris, SEDES, 1954.

DUMUSI, le dieu-grain (mythologie akkadienne). – Voir TERRE-MÈRE

DURE. – Voire CONSISTANCE

DURETÉ OU ÉTAT DE COHÉSION DU GRAIN. – Voir FARINEUX

E

EAU. – L'eau utilisée par les boulangers doit être naturellement potable, c'est-à-dire propre à la consommation humaine. La réglementation sur l'eau potable est définie par la norme européenne, décret nº 2001-1220 du 20 décembre 2001 relatif aux eaux destinées à la consommation humaine ; elle fixe la concentration maximale de plus de 30 paramètres (microbiologiques, organoleptiques, physiques, chimiques, éléments toxiques), parmi lesquels : **1.** paramètres organoleptiques ; **2.** paramètres en relation avec la structure naturelle des eaux : chlorures : 200 mg/l (Cl), sulfates : 250 mg/l (SO4), sodium : 200 mg/l (Na) – pour les eaux superficielles, pourcentage d'oxygène dissous inférieur à 30 % ; **3.** paramètres concernant des substances indésirables, dont nitrates, 50 mg/l (NO3) pour les eaux superficielles, 100 mg/l (NO3) pour les autres eaux ; **4.** paramètres concernant des substances toxiques : mercure, 1 µg/l (Hg), plomb, 25 µg/l (Pb) depuis 2003, pesticides, 5 µg/l par substance individualisée ; **5.** paramètres microbiologiques : eau contenant plus de 20 000 *Escherichia coli* et plus de 10 000 entérocoques par 100 ml d'eau prélevée.

L'eau peut provenir de sources sans être traitée ou de bassins versants ou de fleuves. Elle est acheminée après traitement par un réseau de distribution. Les eaux prélevées dans la nature ont des compositions et des charges microbiennes différentes. L'eau provenant des circuits de distribution est traitée après pompage, en deux ou trois étapes principales : la clarification, la filtration et la désinfection. La clarification ou décantation a pour but d'éliminer les impuretés grossières ; elle est suivie d'une filtration sur charbon actif qui supprime les micropolluants organiques par adsorption. La désinfection est effectuée par le chlore ; elle peut être combinée avec un traitement d'ozonation qui permet la destruction des bactéries et des virus, l'élimination de certains goûts et la dégradation des micropolluants. L'adjonction de chlore préserve l'eau de toutes altérations ultérieures, ce qui n'est pas sans influence possible sur les activités fermentatives. L'activité des levains de panification, dont la flore microbienne est moins active qu'une flore levurienne obtenue par ensemencement direct, est plus affectée par ce type de traitement. Certaines souches sont plus sensibles que d'autres. On peut signaler que l'intensité des traitements est variable suivant les risques de contamination et de recontamination dans le circuit.

Les eaux potables n'ont pas toutes la même composition. Il existe de nombreuses différences dans la quantité des sels dissous (notamment pour les sels de calcium et de magnésium). Ces deux sels principalement conduisent à la formation de dépôts après évaporation de l'eau et à l'entartrage des canalisations. Leur concentration détermine la dureté de l'eau. Le titre hydrotimétrique (Th) ou niveau de la dureté de l'eau (dureté totale) correspond à la quantité de sels de calcium ou de magnésium, exprimée en carbonate de calcium (CaCO3). Le degré hydrotimétrique français correspond à une valeur moyenne de 10 mg/l. Une eau est dite douce lorsque le Th est inférieur à 15 degrés et dure si celui-ci est supérieur à 30. Dans ce cas, l'utilisation d'un système d'adoucisseur d'eau se justifie ; le principe est de faire passer l'eau sur une résine échangeuse d'ions. Les ions calcium et magnésium (divalents) de l'eau sont remplacés par des ions sodium et la résine est régénérée par du chlorure de sodium. L'adoucissement de l'eau est nécessaire pour protéger les canalisations d'eau. Paradoxalement, aucune justification n'est avancée pour des raisons de santé ou pour l'élaboration des pâtes. L'influence de la dureté de l'eau sur le comportement des pâtes et sur la fermentation ne doit pas être négligée. L'exigence de pureté de l'eau est quelquefois recherchée pour certains procédés de panification ou pour certaines démarches qualité. L'élimination du chlore et de certains composés organiques peut être assurée par des filtres à charbon actif. Les techniques d'osmose inverse sont souvent proposées pour l'élimination de bactéries, de certains ions et de composés organiques. L'élimination des nitrates suppose l'utilisation de filtres échangeurs d'ions pour capter ces molécules.

L'augmentation de la quantité d'eau dans les pâtes (hydratation) entraîne une diminution de leur consistance. Elle apporte une amélioration de l'extensibilité au stade du pétrissage lorsque la pâte est étirée. À l'inverse, l'aptitude à la déformation en compression, au façonnage, est moins bonne. De plus, les phénomènes de prise de force sont accélérés. Cela se traduit souvent par une plus grande difficulté au niveau de l'allongement au façonnage. Une plus grande hydratation facilite l'activité des microorganismes, et l'activité fermentative s'en trouve accélérée. À cela s'ajoute une meilleure aptitude des pâtes au gonflement ; le résultat se traduit en général par des pains plus développés. L'effet positif de l'hydratation des pâtes est l'amélioration du moelleux de la mie du pain et une meilleure aptitude à la conservation (texture plus moelleuse). On constate aussi l'apparition d'un alvéolage plus irrégulier. Si les pâtes plus molles font apparaître un certain nombre d'avantages, elles sont néanmoins plus difficiles à travailler. Elles apportent des phénomènes de collant, une fragilité de leur structure et également une moins bonne plasticité. La qualité de l'eau intervient également sur le comportement des pâtes. Une eau dure et alcaline (basique), riche en sels (carbonates, nitrates…) et contenant du chlore tend à diminuer l'activité fermentative. La richesse en produits oxydants (eau « javellisée ») va faciliter la prise de force des pâtes, et la force ionique des sels joue favorablement sur la stabilité du gluten. Les solutions possibles sont l'augmentation des doses de levure et l'utilisation en plus fortes proportions d'enzymes d'hydrolyse (produits maltés et enzymes fongiques).

Philippe Roussel

• *Voir aussi :* Alvéolage ; Eau de coulage ; Enzyme ; Extensibilité ; Façonnage ; Force en boulangerie ; Gluten ; Hydratation ; Pâte ; Pétrissage ; Sel

EAU DE COULAGE. – Eau qui entre dans la recette du pain. Elle doit être évidemment potable. Sa quantité est le plus souvent exprimée en litre pour 100 kg de farine, dans la plupart des cas entre 55 l et 65 l. Sa température est un paramètre important du réglage de la température finale de la pâte et fait l'objet d'un ajustement et d'un relevé précis de la part des boulangers. La quantité de sel ajouté à la recette est exprimée soit par rapport aux 100 kg de farine, soit au litre d'eau de coulage. Ainsi, les boulangers ajouteront 30 g au litre d'eau de coulage (ce qui correspond à 1,8 kg de sel pour 100 kg de farine, à laquelle auront été ajoutés 60 l d'eau). Ce mode de calcul alambiqué est un signe de reconnaissance très fort du métier de boulanger.

Catherine Peigney

• *Voir aussi :* Eau ; Farine ; Frasage ; Sel ; Température de base

ÉCHANGISME. Pacte ancien qui lie ensemble étroitement les trois acteurs essentiels de l'histoire du pain en France, à savoir le paysan, le meunier et le boulanger. « C'est un échange non de partenaires, mais de substances tout aussi vitales : blé-farine-pain » (Kaplan 2008). Une opération à la barbe d'un état régalien, toujours prompt à taxer les mouvements de capitaux et de biens sur son territoire – ou tout au moins d'une administration qui, dans ce cas, ferme les yeux. Le principe est généralement le suivant. En échange d'un bon pour une certaine quantité de pains qu'il se procurera chez lui exclusivement, le boulanger prend, chez le paysan, livraison du blé qu'il apporte alors à son meunier. Celui-ci, en « échange » d'une partie du volume du grain, opération consignée sur un registre spécial, restitue au boulanger le blé restant, maintenant écrasé, sous forme de farine. Le boulanger produit alors son pain en prélevant sur ses fournées la part du paysan. « Atavisme frappant », l'échangisme, mis en lumière notamment à l'occasion de l'affaire spiripontaine (été 1951), n'a pas cessé de gêner un pays alors obnubilé par la question de sa modernisation. « D'abord, par son étrangeté et son archaïsme, il donne une image de la campagne qui ne semble plus compatible avec les techniques mécanisées et productivistes. » Ainsi violemment attaqué par les partisans d'une « rationalisation économique », l'échangisme, symbole d'une histoire nationale qui devait alors davantage à la terre et à ses acteurs et serviteurs dévoués qu'aux bureaucrates parisiens, disparut progressivement. La conclusion revient au regard distancié, en l'occurrence celui de Julien Gracq (*Lettrines 2*) : « La promesse d'immortalité faite à l'homme, dans la très faible mesure où il m'est possible d'y ajouter foi, tient moins, en ce qui me concerne, à la croyance qu'il ne retournera pas tout entier à la terre qu'à la persuasion instinctive où je suis qu'il n'en est jamais tout à fait sorti. »

Jean-Philippe de Tonnac

• *Voir aussi :* AGPB ; Conservation ; Ergotisme ; Feu ou mal de saint Antoine ; Grain et graine ; Itinéraires techniques ; Offices agricoles ; Pain maudit ; Production (système de)

Bibl. : Steven L. KAPLAN, *Le Pain maudit. Retour sur la France des années oubliées, 1945-1958*, Paris, Fayard, 2008.

ÉCHANTILLON. – Voir TAILLE

ÉCHELLE VIENNOISE. – Support en étagère destiné à recevoir les plaques de viennoiserie. Fixes ou roulantes, ces échelles permettent d'y glisser un certain nombre de plaques de viennoiserie (croissants, pains au lait, etc.) dans l'attente de l'action suivante : dorer, mettre au four, etc. ; comme de les recevoir après cuisson.

Guy Boulet

• *Voir aussi :* Brioche ; Croissant ; Pain au lait ; Plaque ; Viennois (baguette et pain) ; Viennoiserie

ÉCOLE CARREFOUR. – Centre de formation intégré de l'enseigne « Carrefour », créé en 2001. Elle contribue au recrutement et à la qualification des jeunes dans le cadre de l'alternance et de l'apprentissage ; elle favorise l'intégration et le développement des compétences des collaborateurs non cadres. La structure est une école sans murs, originellement dédiée à deux métiers (assistantes de caisses et équipiers de vente) puis élargie, dans son champ de compétences, aux métiers les plus directement concernés par le développement de l'apprentissage au sein de l'enseigne. Elle est ainsi en lien avec le réseau des écoles et CFA partenaires, conformément à la charte de l'apprentissage signée par l'enseigne, et en particulier à travers l'organisation du concours national annuel du meilleur apprenti en boulangerie.

Dominique Descamps

• *Voir aussi :* Apprentissage ; BEP ; CAP de boulangerie ; CFA ; EBP ; École de boulangerie (première) ; École française de boulangerie d'Aurillac → MOF ; École Grégoire-Ferrandi ; INBP ; Formations à la boulangerie et à la pâtisserie

ÉCOLE DE BOULANGERIE (première). – En 1778, dans *Le Parfait Boulanger ou Traité complet sur la fabrication et le commerce du pain*, Parmentier réclamait déjà la création de cette école : « Pourquoi n'établirait-on pas dans la capitale une école de meunerie et de boulangerie, dont les élèves, munis de certificats authentiques, seraient distribués dans nos villes de province ? L'École vétérinaire a perfectionné l'art hippiatrique ; la principale nourriture de l'homme vaut bien la santé des animaux. » Le projet aboutit deux ans plus tard avec l'ouverture de l'École de boulangerie, le 8 juin 1780, à Paris. Elle a pour administrateurs et professeurs Parmentier, Cadet de Vaux, Brocq, intendant de la boulangerie des Invalides, le meunier-farinier Destors et Mouchy. Dans son discours d'inauguration, Parmentier déclare : « Propager par la voie de l'enseignement les lumières d'un art aussi utile que la boulangerie, ce n'est pas seulement travailler pour les générations présentes, c'est songer encore au bonheur des générations futures » (*Dis-*

cours prononcé à l'ouverture de l'École gratuite de boulangerie, le 8 juin 1780, Paris, Imprimerie de D. Pierres, imprimeur ordinaire du Roi, 1780).

L'École prospère et les élèves qu'elle forme gratuitement ne tardent pas à s'installer dans les différents quartiers de Paris et dans plusieurs départements. En 1789, le gouvernement la prend sous sa protection et la place sous la tutelle de la Société d'agriculture à laquelle appartiennent Parmentier et Cadet de Vaux ; en contrepartie, cette société doit payer la moitié du loyer des locaux qu'elle occupe dans la rue de la Grande-Truanderie. Un comité spécial composé de Tillet, Fougeroux de Bondaroy et Cretté de Palluel est chargé de surveiller les expériences commanditées par la Société ou par le gouvernement. Malgré l'enthousiasme des membres de la Société d'agriculture et de quelques aristocrates éclairés de l'entourage de Louis XVI, Parmentier et Cadet se heurtent à l'opposition des meuniers et des boulangers. C'est la période du grand débat opposant la mouture dite « à la grosse » consistant en un broyage rapide entre deux meules rapprochées, pour soumettre le grain à une pulvérisation maximale et la « mouture économique » – cette technique permettant la réduction progressive du grain de blé par le biais de broyages successifs. Adeptes de ce nouveau système, Parmentier et Cadet souhaitaient le diffuser par le biais d'établissements d'enseignement de la mouture économique créés dans les grandes villes du royaume. Ces écoles devaient être prises en charge par des meuniers entrepreneurs qui, en récompense, recevraient la médaille civile et seraient exemptés de la corvée du logement des troupes. Le fait de voir de savants chimistes, « docteurs en mouture et en boulangerie », ignorants des secrets du métier, imposer leur science toute nouvelle provoque la colère du meunier César Bucquet. Il les qualifie de « théoriciens sans pratique », parlant systématiquement le langage de la chimie incompréhensible « aux esprits ordinaires et communs », incarnation de la culture élitiste des scientifiques. Parmentier et Cadet passent outre et entreprennent, avec Brocq, un périple à travers le royaume pour dispenser des cours de boulangerie dans les principales villes, à l'invitation des intendants, des états provinciaux et même des communautés religieuses. Comme la plupart des écoles de l'Ancien Régime, l'École de boulangerie ne survivra pas à la Révolution.

Anne Muratori-Philip

• *Voir aussi :* Apprentissage ; Boulangers et des boulangeries (histoire de France des) ; Boulangers forains ; Cadet de Vaux ; CAP de boulangerie ; EBP ; École Grégoire-Ferrandi ; Égalité (pain) ; Formations à la boulangerie et à la pâtisserie ; France (pains historiques, du Moyen Âge à la Révolution française) ; INBP ; Invalides (hôtel royal des) ; Malouin ; Parmentier ; Physiocrates ; *Sur la législation et le commerce des grains*

Bibl. : Antoine BALLAND, *La Chimie alimentaire dans l'œuvre de Parmentier*, Paris, Librairie Baillière et Fils, 1902 • Steven L. KAPLAN, *Les Ventres de Paris. Pouvoir et approvisionnement dans la France de l'Ancien Régime*, trad. S. Boulongne, Paris, Fayard, 1988. – *ID.*, « Le complot de famine : histoire d'une rumeur au XVIIIe siècle », trad. M. et J. Revel, *Cahier des Annales*, nº 39, Paris, Armand Colin, 1982 • Anne MURATORI-PHILIP, *Parmentier*, Paris, Plon, 1994 et 2006.

ÉCOLE DE BOULANGERIE DU CAIRE. – Voir ÉGYPTE

ÉCOLE DE BOULANGERIE ET PÂTISSERIE DE PARIS (EBP). – École fondée en février 1929 par les Grands Moulins de Paris, à l'initiative de son président Jean Vilgrain et avec le concours du Syndicat général de la boulangerie française, sous la dénomination d'École professionnelle de boulangerie des Grands Moulins de Paris, avec pour objectif de contribuer à l'amélioration de la qualité du pain produit grâce à une meilleure formation des futurs professionnels. Abritée jusqu'en 1996 sur le plus important site de production du groupe sur la rive gauche de la Seine, à Paris XIIIe, l'École a été l'instigatrice de la création du CAP de boulangerie, le 8 mars 1930. Établissement privé reconnu par l'État le 23 janvier 1935, l'École des Grands Moulins, du fait de son antériorité et du soutien apporté par les instances professionnelles à sa création, a ensuite aidé au lancement de l'INBP (Institut national de la boulangerie-pâtisserie) par l'envoi d'enseignants pour la mise en place des cours professionnels. Avec la mise en place de la loi sur la formation professionnelle en 1971, l'École a élargi son public aux adultes. Depuis sa création, elle a accueilli plusieurs milliers de jeunes et adultes français et étrangers en formation, qui ont essaimé partout dans le monde et dans la filière. L'esprit d'origine a été conservé grâce à la création d'une structure de CFA (Centre de formation d'apprentis) en 1995, associée à celle de formation professionnelle pour adultes. Installée avec l'aide du Conseil régional d'Île-de-France dans de nouveaux locaux classés situés dans le XIIe arrondissement, l'École a maintenu des liens étroits avec l'entreprise fondatrice, la Chambre professionnelle de la boulangerie de Paris et la Chambre des métiers de Paris. Accueillant 250 apprentis annuellement et plus de 650 stagiaires, l'EBP poursuit sa mission de former les futurs professionnels et repreneurs d'entreprise, tout en élargissant les perspectives offertes aux élèves et anciens élèves, grâce notamment à ses nombreux partenariats noués à l'international.

Dominique Descamps

• *Voir aussi :* Apprentissage ; BEP ; CAP de boulangerie ; CFA ; École Carrefour ; École de boulangerie (première) ; École française de boulangerie d'Aurillac → MOF ; École Grégoire-Ferrandi ; Guinet ; INBP ; Formations à la boulangerie et à la pâtisserie ; MOF

Bibl. : Voir le site de l'EBP, www.ebp-paris.com

ÉCOLE FRANÇAISE DE BOULANGERIE D'AURILLAC. – Voir BOULANGERIE (Coupe du monde de la) ; MOF

ÉCOLE GRÉGOIRE-FERRANDI. Établissement d'enseignement dédié aux métiers de la restauration, de l'alimentation, du commerce, de la distribution et de l'artisanat. Elle dépend de la Chambre de commerce et d'industrie de Paris (CCIP). L'école adapte en permanence ses formations et ses pratiques pédagogiques, anticipant les nouveaux besoins en compétences. Le département formation continue, certifié ISO 9001 version 2008, propose des formations diplômantes et des perfectionnements professionnels qui s'adressent aussi bien à la restauration qu'aux boulangeries-pâtisseries traditionnelles. Située 28, rue de l'Abbé-Grégoire à Paris VIe, elle est placée sous la direction de Bruno de Monte.

Jean-Pierre Deloron

• *Voir aussi :* Apprentissage ; BEP ; CAP de boulangerie ; CFA ; EBP ; École Carrefour ; École de boulangerie (première) ; INBP ; Formations à la boulangerie et à la pâtisserie.

Bibl. : Voir le site de l'école Grégoire-Ferrandi, www.egf.ccip.fr

ÉCOLE NATIONALE SUPÉRIEURE DE MEUNERIE ET DES INDUSTRIES CÉRÉALIÈRES (ENSMIC). – Née en 1924 des attentes de toute une profession de voir prise en compte la question de la formation des personnels de la meunerie française (techniciens, cadres supérieurs, ingénieurs), l'EMF (École française de meunerie) est une émanation de l'ANMF, l'Association nationale de la meunerie française. Installée en 1938 au 16 de la rue Nicolas-Fortin (Paris XIIIe), elle propose, outre une école inaugurée par le ministre de l'Éducation nationale Jean Zay, le 11 novembre, mais également un laboratoire de meunerie et un fournil d'essai pour les travaux pratiques des élèves. L'EMF délivre jusqu'en 1971, après deux ou trois ans d'études, un brevet d'enseignement industriel (BEI meunier) et devient, à partir de cette date, un centre technique et d'analyses au service des professionnels. En 1971, l'EFM devient l'ENSMIC et décerne un brevet de technicien (BT des industries des céréales) et un brevet de technicien supérieur (BTS des industries céréalières) comportant trois options : meunerie (transformation des grains en farine et semoule) ; alimentation humaine (boulangerie, biscotteries industrielles, pâtes alimentaires) ; alimentation animale (fabrication des aliments). Une formation d'ingénieur est créée en 1991 en partenariat avec l'université Paris-VI Jussieu. Peu après sont ouvertes trois formations complémentaires d'initiative locale (FCIL) amenant les étudiants à bac + 3. Le 1er septembre 2006, enfin, l'ENSMIC est venue constituer, avec l'ENLIA (École nationale d'industrie laitière et des industries agro-alimentaires), le Pôle agro-alimentaire de Surgères, en Charente-Maritime.

Jean-Philippe de Tonnac

• *Voir aussi :* AEMIC ; ANMF ; Filière blé-farine-pain ; Meunerie ; Meuniers et minotiers ; Minoterie

Bibl. : Voir le site de l'ENSMIC, www.enilia-ensmic.educagri.fr/.

ÉCOUVILLON. – De l'ancien français *escouve*, bas latin *scopa*, « balai ». Instrument composé d'un long manche au bout duquel est fixé un linge ou vieux chiffon mouillé, que le fournier utilise pour finir de nettoyer le four chauffé au bois et aussi pour l'humidifier. Il faut une certaine pratique pour lancer l'écouvillon dans le four de façon à éponger les cendres éparpillées sur la sole, opération qui doit se réaliser le plus rapidement possible au milieu d'un nuage de fumée. Un baquet nommé « lauriot », placé à portée de main, permet de mettre à tremper l'écouvillon avant et après usage.

Mouette Barboff

• *Voir aussi :* Buée ; Four ; Fournier et fornillon ; Lauriot ; Sole

***EFFARÉS* (*Les*).** – Composée en septembre 1870, cette œuvre de jeunesse du poète Arthur Rimbaud ne fut pourtant découverte que dix-sept ans plus tard, puis publiée dans le « recueil Demeny », du nom du libraire douaisien à qui elle fut jalousement confiée. Elle est un cri de désespoir, celui d'un adolescent fugueur et incompris qui, par un subtil jeu d'allégorie, dépeint ce sentiment de manque qu'éprouve celui qui a faim. Écrit tout en clair-obscur sur une huitaine de tercets octosyllabiques, la rime de l'auteur, maniériste, s'exprime à travers le regard de cinq jeunes chemineaux affamés par le spectacle du « lourd pain blond » porté à cuisson. Le thème de la misère latente, si chère à Victor Hugo, la tourmente vécue de son maître Verlaine ou la palette d'un Goya imprègnent la prose initiatique de l'« homme aux semelles de vent » au seuil de sa destinée.

Cédric Méletta

• *Voir aussi :* Danse des petits pains ; Jean Valjean ; *Notre pain quotidien* → Documentaires et films ; *Raisins de la colère* (*Les*) → Documentaires et films ; *Terre sans pain* → Documentaires et films

Bibl. : Jean-Jacques LEFRÈRE, *Arthur Rimbaud*, Paris, Fayard, 2001 • Émile NOULET, *Le Premier Visage de Rimbaud*, Bruxelles, Palais des Académies, 1953 • Arthur RIMBAUD, *Œuvres complètes. Correspondance*, Paris, Robert Laffont, coll. « Bouquins », 1992.

ÉGALITÉ (pain). – À la veille de la Révolution française, le pain constitue la base de la nourriture des Français. Malgré les nombreuses tentatives pour en abaisser le prix, il reste cher : un pain de 4 livres se vend 12,5 sous à Paris, le salaire moyen d'un ouvrier étant de 20 sous. La création de l'assignat comme papier-monnaie, associée à des difficultés d'approvisionnement de Paris, provoque de nouvelles hausses du prix du pain, notamment à l'automne 1790. La capitale est au bord de l'émeute. Sous la pression des habitants des faubourgs de Paris, la Convention décrète le « maximum », voté le 4 mai 1793 : cette loi fixe un prix de vente maximal pour les grains et la farine. Le 29 septembre 1793, la seconde loi du maximum taxe aussi bien les prix d'un grand nombre de produits alimentaires de première nécessité que les salaires. Ainsi, le pain est taxé afin d'être accessible à tous. Et dès le 23 novembre (3 frimaire An II), « il ne sera plus consommé de pain à la fleur de farine pour les riches, ni de pain de son pour les pauvres, tous les boulangers sont tenus, sous peine d'amendes, de faire une seule et bonne espèce de pain, le pain de l'Égalité ».

En 1795, la situation s'aggrave à la suite d'un hiver rigoureux : la Seine étant gelée, les bateaux ne peuvent plus circuler. Paris manque de pain. Il se vend à cette époque 40 sous la livre. Le 1er avril (12 germinal An III), les sans-culottes envahissent la salle de la Convention et réclament des mesures contre la disette. La Convention décrète que « chaque citoyen vivant du travail de ses mains recevra une livre et demie de pain par jour et que les autres individus, de quelque âge et de quelque sexe qu'ils soient, en recevront une livre ». Mal acceptées, mal appliquées faute d'une administration efficace, les lois du maximum ont contribué à accroître le chaos monétaire et économique de la Terreur. Elles seront abolies le 24 décembre 1794 (4 nivôse An III). Le pain Égalité disparaît avec la chute de Robespierre et l'échec des sans-culottes.

Anne Muratori-Philip

• *Voir aussi :* Assassinat du boulanger Denis François ; *Boulangère a des écus* (*La*) ; Boulangers et boulangeries (histoire de France des) ; Boulangers forains ; Cadet de Vaux ; Disettes, famines et révoltes pour le pain en France ; École de boulangerie (première) ; Farines (guerre des) ; France (pains historiques, du Moyen Âge à la Révolution française) ; Invalides (hôtel royal des) ; Malouin ; Parmentier ; Physiocrates ; *Sur la législation et le commerce des grains*

Bibl. : Antoine BALLAND, *La Chimie alimentaire dans l'œuvre de Parmentier*, Paris, Librairie Baillière et Fils, 1902 • Steven L. KAPLAN, *Les Ventres de Paris. Pouvoir et approvisionnement dans la France de l'Ancien Régime*, trad. S. Boulongne, Paris, Fayard, 1988. – ID., « Le complot de famine : histoire d'une rumeur au XVIIIe siècle », trad. M. et J. Revel, *Cahier des Annales*, n° 39, Paris, Armand Colin, 1982 • Anne MURATORI-PHILIP, *Parmentier*, Paris, Plon, 1994 et 2006.

ÉGYPTE (Sortie d'). – L'obligation de s'abstenir de *hamets* (pâte levée) durant la fête de Pessah, et donc de consommer uniquement de la *matsah* (azymes), trouve son explication dans Deutéronome XVI, 3 : « Un pain de pauvreté [*'oni*] car tu es sorti en hâte d'Égypte », qu'on interprète généralement comme « la pâte n'a pas eu le temps de lever ». Quelle est cette « hâte » dont il est fait mention ici ? En effet, en Exode XII, 11, cette hâte fait l'objet d'un ordre : « Vous mangerez [le sacrifice pascal] en hâte », tandis qu'en Deutéronome XVI, 3 il s'agit d'une justification : « Tu ne mangeras pas [ce sacrifice pascal] avec du *hamets*, pendant sept jours tu mangeras des *matsot*, pain de pauvreté, car tu es sorti en hâte de la terre d'Égypte... » Or, en fait de hâte, voici comment les choses se sont déroulées au moment de la Sortie d'Égypte (XII). Le premier jour du mois de Nissan, Dieu dit à Moïse et à Aaron : « Ce mois sera pour eux le premier des mois [...] Les Hébreux feront le sacrifice pascal et mangeront des azymes [...] Dès le 10 du mois, ils réserveront un agneau, qu'ils sacrifieront le 14... Durant la nuit suivante, au milieu de la nuit, Dieu frappera tous les premiers-nés [...] Alors les Hébreux sortiront d'Égypte. » Donc, depuis au moins le 10 du mois, si ce n'est depuis le 1er ou le 2, tous les Hébreux sont au courant qu'il va falloir manger des azymes dans la nuit du 14 au 15 (qu'on appelle la « nuit du 15 »), et durant les sept jours qui suivent. Donc, les premiers azymes de Pâque ne sont pas des pains qui, à cause du manque de temps, n'ont pas eu le temps de lever, mais des pains qu'on n'a pas laissé lever, délibérément.

La hâte renvoie donc en fait à l'idée que la Sortie d'Égypte est une rupture radicale avec le passé, une nouvelle naissance (voir la symbolique de l'ouverture de la mer qui, dans le texte hébreu, s'appelle non pas la mer Rouge mais la mer de Joncs), une forme d'« éveil subit » qui fait écho à l'origine radicale de l'homme, donc à l'histoire d'Adam dont elle est une réparation. La Sortie d'Égypte est le moment de manifestation grandiose de Dieu dans l'histoire politique, comme la Genèse l'est au plan de l'histoire naturelle. Quant à la justification de l'exil égyptien, on l'appelle « le creuset de fer » : il s'agissait, par l'épreuve de la dépossession de son histoire, de raffiner le peuple descendant des Patriarches (qui avaient fait de Dieu le centre de leur histoire individuelle) en émondant toutes les scories illusoires d'un pouvoir politique de l'humain pour aboutir à reconnaître Dieu comme le centre de l'histoire collective.

En emportant avec eux du levain d'Égypte, les Hébreux auraient emporté une sorte de mémoire génétique de l'Égypte, car le levain, qui passe de pain en pain, et de génération en génération (*mi-dor dor*, en hébreu), conserve *de facto* cette mémoire, et sa conception du monde… Or, sortir d'Égypte, c'était rompre absolument avec le principe même de l'Égypte, c'est-à-dire avec une conception dévoyée de la place du divin dans le monde : le religieux mis au service du pouvoir dictatorial et de la corruption des mœurs.

Julien Darmon

• *Voir aussi :* Bethléem ; Hallah, manne, pains de proposition ; Hostie ; Israël ; Levain (symbolique du) ; Matsah et hamets ; Théologie du pain

ÉGYPTE (traditions du pain en). – « Proscynème à Osiris, dieu grand, seigneur d'Abydos, afin qu'il accorde l'offrande d'invocation en pain, bière, viande, bœuf et volaille. » Avec la bière, le pain est l'une des invocations religieuses – et des nourritures – essentielles de l'Égypte ancienne, grande productrice de céréales dont l'orge (la plus importante), le blé et le sorgho, mais aussi exportatrice vers les pays voisins. Deux blés primitifs ont été importés dans la vallée du Nil : l'engrain, en provenance des pays allant du golfe Persique à la Macédoine en passant par le Liban, et l'amidonnier (longtemps le seul blé cultivé en Égypte ancienne), depuis la Palestine. Quant à l'épeautre, son existence en Égypte n'a jamais été établie. Mais il revient aux Égyptiens des premières dynasties d'avoir probablement découvert la panification, alors que, des siècles plus tard, les Romains se nourrissaient encore de bouillie. Grands observateurs de la nature, les habitants de cette vallée féconde avaient compris qu'ils pouvaient fabriquer du pain en mélangeant le grain écrasé ou moulu à l'eau du Nil, particulièrement riche en limons, ceux-ci renfermant des agents de fermentation utilisés encore trois mille ans plus tard par la boulangerie artisanale et industrielle comme agents de fermentation. Cette découverte – laisser sa pâte en attente, livrée à l'action des germes, puis oser la cuire – donna aux Égyptiens un ascendant considérable sur les peuples mangeurs de bouillie et de galette.

Les bas-reliefs des tombes antiques ont dépeint dans le détail les différentes étapes de la panification. Toutefois, ces scènes sont ainsi disposées qu'il est parfois très difficile d'en discerner les phases successives. Voilà ce qu'il est possible d'en comprendre. Durant les premières dynasties égyptiennes, après nettoyage du grain, vanné avec un crible rond pour éliminer les balles, la mouture se fait avec une grosse pierre sur un plateau de granit posé à terre. Une cavité située en contrebas permet de récupérer la farine afin de l'écraser une seconde fois. Cette opération semble attribuée aux femmes. Toutefois, les représentations montrent aussi des hommes en train de pilonner du grain contenu dans des mortiers, à l'aide de longs bâtons en bois. La farine est tamisée à l'aide d'un panier en osier. C'est alors que les pétrisseuses entrent en scène : dans de petits récipients, elles mélangent farine et eau jusqu'à parvenir à la consistance désirée. Le mélange est versé dans un pétrin où il est brassé à la force des bras ou à l'aide d'un bâton avant de reposer quelques heures sur une dalle inclinée pour que s'évacue l'excédent d'eau. Les représentations des bas-reliefs, à la manière de bandes dessinées, ne sont pas avares de commentaires : « Pétris cela proprement », lance l'une des femmes du *mastaba* (« tombe ») de Ti à sa comparse, qui répond : « Qu'est-ce qui est mieux pétri que ça ? » Pétrie une seconde fois, la pâte est exposée en plein soleil jusqu'au moment de la cuisson. Le boulanger est nommé *reteh*, hiéroglyphe formé à l'origine avec l'instrument qui servait à attiser le feu dans les fours. Sous l'Ancien Empire, deux modes de cuisson se partagent les suffrages : la cuisson directe de la pâte dans les braises ou sur une sorte de foyer constitué de trois pierres à la verticale en soutenant une quatrième, horizontale ; ou bien dans des moules coniques aux parois épaisses, les *bedjaous*, empilés et placés, ouverture vers le bas, au-dessus des flammes. Lorsqu'ils atteignent la bonne température, ils sont prêts à recevoir la pâte qu'y verse la boulangère. Les couvercles fermés, on replace les moules dans les braises. Une fois cuit, on « fait tomber le pain » (*khaout*, selon l'expression égyptienne) et on le met à refroidir dans des corbeilles. Avec le temps, les techniques évoluent et les conditions de travail, elles aussi, s'améliorent : la pierre à écraser le grain est surélevée pour faciliter le travail des meunières ; les *bedjaous* ont une morphologie plus anguleuse, ce qui semble accélérer la cuisson. Le four en dôme apparaît à son tour. Au Nouvel Empire se font jour d'autres innovations techniques : une table à trois pieds, sorte de pétrin, se présentant comme une cuve peu profonde, sans doute en bois, comme on en retrouve aujourd'hui encore dans la campagne égyptienne ; mais aussi des fours ouverts au sommet et sur un côté afin d'alimenter le foyer.

Pas moins de dix-neuf variétés de pains ont pu être identifiées, grâce aux représentations très précises des fresques et aux exemplaires trouvés dans les tombes : semi-arrondi ou *ta* (c'est lui qui a donné son nom à l'aliment), coniques pointus, ovales, carrés, épais ou plats, munis d'une cavité centrale ou encore ronds avec ou sans empreintes de doigts, montrant l'extrême créativité des boulangers égyptiens de l'Antiquité. Des techniques éprouvées et une richesse extraordinaire de production qui faisaient dire à Hérodote que les Égyptiens étaient par excellence des « mangeurs de pain ». Le peuple accompagne le pain de légumes très divers (fèves, pois chiches, lentilles) et l'aromatise d'épices, de miel, de fruits secs, de dattes, de graines de sésame ou de coriandre, car il constitue la base de l'alimentation quotidienne, la viande étant réservée pour des occasions exceptionnelles. Suspendus au-dessus des portes des maisons, des épis d'orge ou de blé : issus de la première ou de la deuxième gerbe moissonnée, ils sont gage d'abondance ; leurs grains seront mélangés aux autres lors des prochaines semailles. Mais le pain revêt aussi une dimension religieuse. On le retrouve sous ses multiples formes sur les tables d'offrandes faites aux dieux, mais aussi dans certains « dépôts de fondation » des temples où il est placé au côté d'autres objets rituels. La notion associant pain et don se retrouve symbolisée dans l'écriture égyptienne : ainsi, le hiéroglyphe *di*, « donner, offrir », représente une paume de main dans laquelle se dresse un pain conique. De même l'idéogramme *htp*, « autel », qui montre une natte de roseaux tressés sur laquelle est déposé le pain d'offrande. Rite d'hospitalité comme dans d'autres cultures, l'offrande du pain, associé à la bière, est aussi celle qui permet d'obtenir la clémence divine et d'atteindre la vie éternelle : « J'ai donné le pain à celui qui a eu faim ; j'ai habillé celui qui allait nu », lit-on encore sur certaines stèles funéraires. Le musée de l'agriculture ancienne du Caire a dédié une salle entière aux pains et gâteaux antiques, dont on peut voir plusieurs spécimens trouvés dans les tombes.

Les découvertes archéologiques – notamment celles du plateau de Guizeh où se trouvaient des villages d'ouvriers, donc des boulangeries – confirment une étonnante permanence dans les traditions du pain en Égypte, depuis l'Antiquité jusqu'à nos jours. Ainsi, les paysans de Haute-Égypte préparent le pain de la même manière que leurs ancêtres pharaoniques, notamment le *shamsi* ou pain de soleil. À la campagne, le four en terre cuite est au centre de la vie : il est le point de ralliement de la famille au moment des nuits froides. Ses parois sont recouvertes d'un mélange de limon, de paille hachée et d'eau, la partie interne étant construite en brique cuite. Deux portes lui sont adjointes : une pour le foyer et l'autre pour introduire le pain. Les femmes utilisent le blé – qui permet une meilleure panification –, mais aussi bien le maïs, l'orge assaisonné de fenugrec. Les mêmes gestes se répètent depuis des millénaires : nettoyage des grains, broyage (au moulin), tamisage de la farine à travers de la soie ou du grillage fin, pétrissage dans un récipient en terre cuite où les paysannes laissent volontairement de la pâte accrochée aux parois. Celle-ci servira de levain pour la préparation suivante. Les paysans les plus riches mangent le produit de leurs terres. Pour les plus pauvres d'entre eux qui doivent acheter les céréales au prix du jour, le pain est encore un produit cher.

De nos jours, le pain occupe toujours une place centrale dans la vie des Égyptiens. Le double système de distribution et de vente du pain reflète parfaitement les défis d'un pays à l'économie émergente. C'est ainsi que, dans un contexte de démographie galopante et de conditions de vie toujours précaires, l'Égyptien peut acheter son pain dans des boulangeries soit privées, soit subventionnées. Comme c'était le cas dans l'Antiquité, il existe quantité de pains en Égypte, qui en détient le record de consommation (400 g par habitant et par jour). L'un des plus appréciés est le pain *fino*, dit aussi « pain des écoliers », en raison de son usage fréquent dans la confection des sandwichs, sa croûte molle et sa mie souple s'apparentant davantage au pain au lait. Selon les recettes, sa composition est plus ou moins riche en huile et en sucre. Mais ces deux ingrédients, néfastes pour la santé au sein d'une population souffrant souvent de diabète et d'excès de poids, ont pu être minorés grâce aux travaux conjoints, en 2002 et 2003, de France Export Céréales avec l'École de boulangerie du Caire et celle de Paris (EBP). Le « pain des écoliers » est vendu dans les boulangeries privées. Son prix de vente, comme celui des pains vendus dans ces boulangeries, n'étant pas réglementé, le boulanger, pour faire face à l'augmentation du coût de la vie, est parfois tenté d'en réduire la taille et le poids. Lorsque le pain blanc devient trop cher, une partie significative de la population préfère alors consommer le pain subventionné – dit *eish mouda'am*, fabriqué avec de la farine à haute extraction – mais dont le prix est garanti. Ce report de consommation a été une des raisons de la « crise du pain » et des tensions dont la presse s'est faite l'écho au printemps 2008. Pour réduire la contrainte budgétaire de la subvention allouée à la boulangerie – de 2 à 5 % du PB, selon les cours du blé –, l'État égyptien favorise aujourd'hui une politique de diversification de production du pain. C'est dans cette optique que les pouvoirs publics font la promotion d'un pain plat, connu sous le nom de *tabahy* (dérivé de *tabah*, « assiette »). Plus grand que le pain *baladi* traditionnel, le *tabahy* a la mâche plus souple et est vendu un peu plus cher que le premier. La subvention allouée au pain constitue un héritage de l'époque nassérienne, dont il est quasiment impossible de se défaire en Égypte. Les partisans de la réduction (et pas forcément de la suppression) de la subvention mettent en avant que le budget de l'État affecté au pain n'est plus disponible pour d'autres dépenses, en matière de santé ou d'éducation notamment. En revanche, le système privé doit faire face à une variation de ses revenus due à la volatilité du prix des blés et des farines. Si, en France, le prix du blé représente bien moins de 10 % du prix de vente d'une baguette, en Égypte, il compte pour 70 % du prix de revient. Or, le pain *fino*, par exemple, est vendu quasiment à prix coûtant. On mesure ainsi l'impact des fluctuations des productions agricoles et des répercussions sur la vie quotidienne d'une famille égyptienne. Les fils et filles de la vallée du Nil ont de toute éternité entretenu un rapport fusionnel, un lien nourricier avec le pain, qu'ils désignent par le mot « vie » (*eish*). Un proverbe arabe dit d'ailleurs : « On ne trahit pas le pain et le sel », c'est-à-dire celui ou celle avec lesquels on a partagé ces deux denrées fondamentales.

Baladi (« pain de pays »). Pain « national », fabriqué à partir de farine de blé subventionnée par l'État égyptien, le *baladi* est l'aliment de base de la population. On le confectionne en l'aplatissant sur une planche de bois couverte de son. Pendant la cuisson, il se scinde en deux couches qui lui donnent cette apparence de grosse bulle prête à exploser. Réenfourné une fois cuit dans un four moins chaud, il sèche et se durcit, et garde ainsi sa forme typique (diamètre d'environ 20 cm, épaisseur de 7 et 8 cm au centre, parfois recouvert d'une couche épaisse de graines de sésame). En 2007, l'Alliance mondiale pour l'amélioration de la nutrition (GAIN, Global Alliance for Improved Nutrition) fit don de trois millions de dollars au Programme alimentaire mondial des Nations unies (PAM), en partenariat avec le gouvernement égyptien, afin d'enrichir en acide folique et en fer les farines de blé entrant dans la composition du pain *baladi*. L'apport de ces deux nutriments devait permettre de réduire considérablement l'anémie qui touche environ 60 % de la population dans les régions les plus pauvres du pays, cause de graves malformations congénitales.

Bettaw. Pain levé fait à partir d'un mélange de farine (de sorgho, d'orge ou de maïs) et de fenugrec graduellement travaillé dans de l'eau chaude préalablement salée. Le fenugrec est utilisé pour donner de la consistance à la pâte. Le *bettaw* de sorgho et d'orge atteignent une taille de 10 à 18 cm de diamètre et une épaisseur variable de 1 à 4 cm (Qena, Moyenne-Égypte). Le *bettaw* de maïs est légèrement plus grand (région du Fayoum, Moyenne-Égypte).

Daidoub. Farine entière de blé et levain sont les deux ingrédients qui entrent dans la confection de ce pain aplati en disques d'environ 12-14 cm de diamètre et 1 cm d'épaisseur. Il est ensuite cuit dans un *kanoun* (four traditionnel en briques de boue), collé sur les parois intérieures. La cuisson terminée, le pain se détache de lui-même et tombe. Ne pouvant être conservé, on le consomme frais (Sharkia, Basse-Égypte).

« Dîner de Notre-Seigneur ». Pain rituel copte levé, réalisé à base de farine de blé de haute qualité, mais sans addition de sel. De forme arrondie (10 cm de diamètre, 3 cm d'épaisseur au centre), il est marqué de douze petites croix inscrites à l'intérieur de carrés qui forment à leur tour une croix autour d'une treizième croix centrale, de plus grande taille celle-là. Seuls les hommes ont le droit de préparer ce pain consacré (Le Caire).

Fayesh. Pour obtenir le levain du *fayesh*, on fait fermenter des pois chiches (ou des lentilles) secs et décortiqués que l'on recouvre de lait. Déposé dans un grand pot fermé, le mélange est alors placé dans un endroit chaud pendant 2 à 3 jours. La pâte de farine de blé est faite avec du lait, mélangé ou non d'eau, le beurre étant facultatif. On donne au pain une forme allongée puis on le cuit. Il est ensuite coupé en tranches épaisses réenfournées pour sécher. La taille finale de chaque tranche est d'environ 3 cm de largeur, 3-4 cm de hauteur et 15 cm de longueur. Il est consommé le plus souvent au petit déjeuner (Sohag, Moyenne-Égypte).

Menattat. Pain levé à base de farine de blé. La pâte est étalée à l'aide d'une baguette jusqu'à obtenir un disque large et mince (30-35 cm de diamètre et 2-3 mm d'épaisseur) déposé sur des cailloux chauds, placés sur la sole du four (environ 2 min). La cuisson achevée, et pour des raisons de conservation, la galette est mise à sécher dans un four à température plus clémente (Minia, Moyenne-Égypte).

Merahrah. Très mince (2 mm) et très large (40 cm ou plus), ce pain à base de pâte levée, extrêmement répandu en Égypte, est fait à partir d'un mélange de farines de maïs et de blé, additionné de 5 % de graines de fenugrec grillées et moulues. Celles-ci augmenteraient la teneur en protéines et rendraient le pain plus digeste tout en prolongeant sa durée de conservation. Fermentée toute la nuit au moyen d'une levure aigre, la farine est ensuite travaillée en petits pains ronds et souples qu'on laisse reposer et lever 30 min. Comme dans la technique du pain *menattat*, la pâte est étalée très finement à l'aide d'une longue baguette que l'on fait rouler. Avant de les mettre au four, on donne aux pains la forme de disques plats. Après un temps de cuisson très court, le *merahrah* est séché dans un four tiède pour une meilleure conservation et peut rester frais pendant 7 à 10 jours s'il est conservé dans des récipients hermétiques. Ce pain de maïs plat a pour autre appellation *mastouh*. Un produit analogue, appelé *makouk*, est consommé au Liban (Sharkia, Basse-Égypte).

Offrande mortuaire juive. Faits de pâte de farine de blé blanche, ces petits pains levés et en rouleaux, de forme elliptique à bouts pointus (d'environ 6-8 cm de longueur et 3 cm d'épaisseur en leur centre), sont couverts de graines de sésame. Dans la tradition juive, on les distribue au cimetière lors de la visite aux morts (Le Caire).

Pain d'orge. C'est la farine d'orge qui est utilisée pour faire ce pain très brun d'apparence. Il est consommé par les Bédouins de l'oasis de Kharga. La pâte levée est façonnée en disques qui atteignent une taille finale d'environ 11 cm de diamètre et 3 cm d'épaisseur en leur centre (oasis de Kharga).

Pain de blé. Préparé par les Bédouins du désert occidental égyptien, ce pain plat à base de farine de blé est fait avec de la pâte levée. Une fois cuit, il prend la forme d'une sphère irrégulière d'environ 14 cm de diamètre et 3 cm d'épaisseur (oasis de Dakhla).

Pain de maïs paysan. À base de farine de maïs pure, la pâte levée de ce pain est aplatie en disques minces. La taille finale après cuisson est d'environ 30 cm de diamètre et 1 cm d'épaisseur. Avant de moudre le maïs, celui-ci est grillé dans le four à pain, au coucher du soleil, au moment où la température est douce. Cette opération est destinée à faciliter le broyage des grains (Gharbia, Basse-Égypte).

Pain de mil. Préparé avec de la farine de mil par les Bédouins du désert occidental, ce pain a une couleur caractéristique, gris foncé. On le façonne en petits disques (8-10 cm de diamètre et 4 cm d'épaisseur en leur centre (oasis de Kharga).

Pain « de pays » mou. C'est une farine à taux d'extraction élevé (82-87 %) qui est utilisée pour faire ce pain plat. Comme pour le pain *baladi*, la pâte est levée et aplatie en disques sur une planche en bois couverte de son. Le *baladi* « mou » est cuit pendant un temps plus court que sous son autre forme, la couche supérieure qui s'était scindée s'effondrant à la sortie du four (Behaira, Basse-Égypte).

Pain de sorgho. Pain levé de couleur gris foncé caractéristique. Aplati (16-18 cm de diamètre, 1 cm d'épaisseur), il présente une surface piquée avant cuisson (Assiout, Moyenne-Égypte).

Pain des moines du monastère du Sinaï. Fait à partir de farine à taux d'extraction élevé, ce pain levé de petite taille est épais et rond (9 cm de diamètre et 4 cm d'épaisseur) (monastère Sainte-Catherine, Sinaï).

Pain syrien. À base de farine blanche, ce pain de forme ronde est fait d'une pâte levée cuite au soleil, ce qui lui donne une couleur « cuite » uniforme et plutôt pâle (Haute-Égypte).

Shamsi. Fait uniquement à partir de farine de blé, ce pain dont la pâte est levée se présente comme une miche ronde et épaisse d'environ 14-18 cm de diamètre et 3-4 cm d'épaisseur. Sa forme particulière évoque le soleil (*shams*, en arabe). On le reconnaît à ce qu'il porte des protubérances sur les côtés, dues à trois ou quatre scarifications faites avec une paille rigide avant enfournement. Une manière d'évacuer l'excès de gaz de fermentation (Assiout, Moyenne-Égypte).

Zallout. On utilise la farine de sorgho pour faire une pâte levée à laquelle est ajouté du fenugrec grillé réduit en poudre. La surface de ces disques aplatis et minces (20 cm de diamètre et 3-4 cm d'épaisseur) montre des encoches faites avant cuisson (Assiout, Moyenne-Égypte).

Florence Quentin
avec la complicité de Laurent Dornon

• *Voir aussi :* Bière ; Calendriers et mesure du temps ; Céréales sauvages aux premières formes domestiques (des) ; Émeutes de la faim en Égypte ; Femmes ; Fermentation (approche anthropologique de la) ; Grain et graine ; Isis et Osiris ; Mangeurs de pain ; Pain (définition universelle du) ; Pain-bière dans l'ancienne Égypte ; Pâte à pain (symbolique de fertilité et de fécondité de la) ; Terre-Mère primordiale

Bibl. : Paul BARGUET, *Livre des Morts des anciens Égyptiens*, Paris, Le Cerf, 1967. – ID., *Les Textes des sarcophages égyptiens du Moyen Empire*, Paris, Éditions du Cerf, 1986 • Aude GROS DE BELER, *Les Anciens Égyptiens, guerriers et travailleurs*, Paris, Éditions Errance, 2006 • Jean-Pierre CORTEGGIANI, *L'Égypte ancienne et ses dieux*, Paris, Fayard, 2007 • Philippe HUGON, *Les Émeutes de la faim : les raisons de la colère*, Institut de relations internationales et stratégiques (IRIS), interview, 15 avril 2008 • Bojana MOJSOV, *Osiris*, Paris, Flammarion, 2007 • Madeleine PETERS-DESTÉRACT, *Pain, bière et toutes bonnes choses… L'alimentation dans l'Égypte ancienne*, Paris, Le Rocher, 2005 • Fawzeya et Kamel RIZQALLAH, *La Préparation du pain dans un village du delta égyptien (Province de Charqia)*, Le Caire, IFAO, 1978 • Ian Spencer HORNSEY, *A History of Beer and Brewing*, Royal Society of Chemistry 2003 • Les céréales dans l'Égypte ancienne, http://museum.agropolis.fr/pages/expos/egypte/fr/index.htm

EKIP. – Voir ÉQUIPEMENTIERS

ÉLASTICITÉ. – Capacité que possède un corps (pâte) à reprendre sa forme initiale après une déformation (extension, compression) et arrêt de la déformation. Elle peut être évaluée par la perception du niveau de résistance permanent lorsqu'on maintient la déformation. Pour avoir un jugement répétable, la mesure doit se faire à déformation constante et avec un même type de sollicitation (étirement ou extension de la pâte, compression avec le doigt ou au passage de la pâte entre les tapis de la façonneuse…

Philippe Roussel

• *Voir aussi :* Défauts de la pâte ; Extensibilité ; Pâte ; Pâte bâtarde, molle, douce, ferme, raide ; Ténacité ; Tenue ; Tolérance

ÉLEUSINE (*Eleusine coracana* L.). Voir MIL ET MILLET

ÉLEUSIS (mystères d'). – L'hymne à Déméter, œuvre d'un poète anonyme, composé entre les temps d'Homère et d'Hésiode (vers 610 av. J.-C. ?), est une longue narration, conservée en entier, qui nous donne le contexte mythique des mystères d'Éleusis, dont l'origine se perd dans l'ère préhistorique, tandis que les racines puisent dans différents courants culturels et religieux. La tradition attribue la fondation des mystères à Eumolpe, un *aoidos* (« aède »), pontife et poète sacré, originaire de Thrace, qu'il ne faut point localiser dans l'emplacement de la Thrace historique, mais entre la Thessalie et la Béotie jusqu'aux marges septentrionales de l'Attique. On ne peut certainement pas donner une identité personnalisée à ces aèdes venus du Nord, vraisemblablement prêtres sacrificateurs et « purificateurs » habiles, attachés à Apollon, dieu des expiations, qui furent à l'origine de la régulation et la systématisation d'un culte chtonien, déjà installé sur la plaine d'Éleusis. Ce sont eux qui ont développé une forme de poésie lyrique et religieuse, dont l'hymne à Déméter constitue une brillante démonstration. De nos jours, les résultats des fouilles viennent à l'appui des témoignages littéraires qui attribuent aux Pélasges, cet assemblage de tribus préhelléniques, la configuration des cultes chtoniens qui sont à l'origine des mystères des temps historiques. Déméter, divinité du sol, de la fertilité et protectrice des plantes « civilisées », était installée à Éleusis bien avant l'arrivée des Hellènes, en suivant la propagation des cultures céréalières. Elle fut l'initiatrice d'un culte entouré de secrets avec des descentes souterraines terrifiantes, à travers un chemin au milieu de grottes et de crevasses. Elle était associée à Poséidon *Hippios* (en relation avec les chevaux ; cf. aussi l'offre de Poséidon d'un cheval pour la domination d'Athènes) dans un culte qui réunissait le double principe, mâle et féminin, *o théos kai ê théa*, le dieu et la déesse, dont l'origine orientale reste indéniable.

Une autre divinité féminine « régnait » également en ces temps dans le monde égéen : une « Grande-Mère » qui avait une fille, Britomartis, la « Bonne Vierge », motif que l'on retrouve à maintes reprises dans la littérature savante, les mythes et les contes populaires de plusieurs siècles postérieurs. La transmission de ces cultes à Éleusis, dont le nom signifie « arrivée », a probablement été véhiculée en passant par la Crète, où la déesse s'était unie à Iasion, une divinité locale secondaire dont elle aura un fils, *Ploutôn* ou Ploutos, ce qui signifie « richesse ». Ainsi, le culte du couple des origines sera définitivement remplacé à Éleusis par celui de la Mère et de Koré (Perséphone), sa Fille, les « Grandes Déesses » des temps historiques. Cependant, le culte de Poséidon, même restreint, fut conservé dans le sanctuaire jusqu'à la fin de l'Antiquité. Par ailleurs, Poséidon conservait le titre d'époux de la déesse en Arcadie, où son culte a sauvegardé sa forme la plus originelle, même à l'époque romaine. Il semble fort probable qu'à l'époque où Éleusis était encore un « royaume » indépendant d'Athènes il y avait dans la cité de Pallas un culte parallèle (la déesse y acquit des responsabilités civiques) en l'honneur de Déméter, célébré lui aussi au début de l'automne. Il fut conservé sous la forme des Thesmophories (en l'honneur de Déméter *Thesmophoros*, « celle qui a apporté les lois ») et, ayant survécu à la réunification de deux cités, il prit la forme d'une célébration exclusive des femmes, où la Mère, Koré, et Ploutos étaient honorés conjointement. En revanche, les mystères d'Éleusis ont gagné une épaisseur morale et philosophique et sont devenus, avec le temps, un grand événement religieux adressé aux hommes et aux femmes, d'origine grecque au départ, mais aussi aux Romains et aux hommes célèbres et pieux, par la suite, indépendamment de leur origine. Plusieurs empereurs romains ont été initiés à Éleusis, même si le culte de Cérès et de Prospérine fut transmis à la capitale romaine à travers les colonies grecques de Sicile.

Les « Grandes Déesses » sont ainsi accompagnées d'un dieu chtonien au départ, Poséidon, qui perd progressivement ses prérogatives ; ensuite c'est un jeune prince qui les rejoint, adopté par la Mère, après que la Fille eut été enlevée par le roi des enfers, qui propagea la culture des céréales à travers le monde, mais aussi les techniques de fabrication du pain. Qu'il soit Triptolème, Iacchos ou Eubolos, ce jeune héros reste toujours « un expert » dans le domaine des travaux agricoles et veille avec les deux déesses sur le bien-être des hommes, agriculteurs et mangeurs de pain, assurant la richesse de leurs foyers. Par la suite, une divinité chtonienne va joindre les deux déesses sous l'éponyme de *Ploutôn*. Celui-ci, fils de Déméter, fruit de sa liaison avec le Crétois Iasion, sera tantôt identifié à Hadès, l'auguste époux de Perséphone, tantôt demeurera une divinité indépendante, comme le suggère l'hymne à Déméter : « Heureux parmi les hommes celui qui aime les deux déesses ; bientôt elles enverront Ploutos habiter son foyer, dispensateur de la richesse aux mortels. » La triade sacrée, les deux *Pontiai théai*, les « puissantes déesses », et leur « homme de confiance » divinisé, est honorée comme dispensatrice de tout le bonheur (matériel et immatériel) de l'humanité civilisée, celle qui a abandonné les pérégrinations des hommes « sauvages », qui a pris ses repères dans l'espace, fondant des villes, enterrant dorénavant ses morts. C'est justement sur cette différence essentielle, pour ce qui concerne les rites funéraires, entre les crémations des nomades, chasseurs ou pasteurs, et les enterrements pratiqués par les sociétés sédentaires, que nous pouvons fonder toute la symbolique des mystères d'Éleusis. Car c'est bien sur la relation symbolique entre les semailles et l'enterrement, ou sur l'allégorie de la double vie de Perséphone, d'une part sous le soleil et d'autre part dans les palais souterrains de son époux, que s'ancre la valeur métaphysique et morale des mystères. « Heureux parmi les hommes vivants sur la terre celui qui les a vus ; mais celui qui n'est pas initié et qui n'a pas participé n'aura pas le même sort après sa mort au royaume d'Hadès. » Ainsi conclut son œuvre le poète de l'hymne à Déméter, justifiant l'engouement des hommes à participer aux mystères, leur ferveur à devenir des mystes, des initiés, et ceci pendant des millénaires, jusqu'à la fin de l'Antiquité et les premiers siècles du christianisme.

Le passage d'un culte agraire, dont le but fut toujours l'obtention de richesses matérielles – la fertilité de la terre et la fécondité du bétail – à un mythe métaphysique et moral ayant trait à la mort et au destin des défunts est attribué à l'orphisme et aux modifications qu'il a introduites dans le culte de deux *Semnai théai* (les Érinnyes), les *Despoinai*, les « Respectables Divinités et Grandes Maîtresses ». Homère et Hésiode ne connaissaient qu'un seul enfant de Déméter : Koré, qui, dans les versions mystiques du mythe, est la *protogonê*, l'« aînée ». C'est un certain Iacchos mystique qui vient la joindre, issu de la déesse – son fils ou son élu. Il est une sorte de héros, de *daimon* sauveur de l'humanité et médiateur entre l'homme et la nature sauvage, figure commune à tous les mythes antérieurs à l'arrivée des Grecs dans l'aire de la Méditerranée orientale. Cet Iacchos deviendra, par la suite, une épiphanie de Dionysos Zagreus (le dieu orphique d'origine crétoise), qui à son tour assimilera l'autre fils crétois de Déméter, Ploutos, pour devenir Dionysos-Bachos-Iacchos-Ploutophoros. Il s'agit là d'une divinité complexe, bienfaitrice, porteuse des dons matériels et immatériels, mais il est aussi un dieu cosmogonique des temps premiers et de la fin des temps, avec une nette tendance vers le monothéisme. Dans les versions orphiques du mythe éleusinien, Perséphone va s'investir, elle aussi, d'un pouvoir cosmogonique, puisque violée par Zeus, son père, elle donnera naissance à ce Dionysos Zagreus, qui sera le dieu du sacrifice, dévoré par les Titans et dont l'homme tire son origine « céleste ». Il s'agit d'une métaphore qui illustre la conception, aussi bien philosophique que religieuse, de l'immortalité de l'âme. C'est de ce meurtre du dieu que provient l'âme humaine, qui représente la parcelle divine de l'homme, digne d'une seconde chance, au-delà de la vie corporelle – ou de son emprisonnement dans le corps –, d'une « survie » après la mort, à condition qu'il acquière une connaissance initiatique pendant la vie sur terre. La valeur symbolique et morale des mystères d'Éleusis réside justement sur cette croyance/déclaration de l'immortalité de l'âme, émanant des cérémonies orchestrées autour du contenu de l'hymne homérique, lui-même fondé sur un rite agraire. Ce sont là les « belles espérances » accordées par Déméter aux initiés à ses mystères, celles qui accompagnaient les hommes dans leur séjour souterrain, lorsque la mort a raison de leur vie ; c'est l'espoir d'une résurgence, semblable à celle du grain qui « renaît » verdoyant au printemps, après sa gestation hivernale. L'espoir d'un retour sur la surface de la terre, après un séjour *ploutophoron*, enrichissant – où « donnant des richesses » –, dans les palais de Plouton-Hadès. La mort devient ainsi source de richesse, une sorte d'utérus de gestation, d'où jaillit une germination symbolique, pour une nouvelle vie « élargie », riche spirituellement, prospère et heureuse. Au cours du IVe siècle, les Athéniens présentaient les mystères comme l'acquis le plus important de toute la civilisation athénienne, comme le fondement de leur éthique, malgré l'aspect « populaire » de ces cérémonies et leur caractère peu élitiste ou intellectuel. Platon présente l'homme qui n'a pas connu de son vivant les mystères comme un être désespéré, croupissant dans le bourbier des enfers après sa mort – dans l'attente d'une réincarnation –, tandis que les initiés, purifiés, avaient droit de jouir dans l'autre vie, dans la société des dieux. Beaucoup plus pragmatique, Diodore de Sicile assurait qu'en son temps on considérait que « ceux qui ont participé aux mystères en deviennent plus pieux, plus justes et meilleurs en toutes choses ». C'est déjà un bénéfice énorme pour cette vie sous le soleil.

Grâce à l'orphisme et aux mystères d'Éleusis, la croyance en l'immortalité de l'âme s'est s'inscrite définitivement dans l'harmonie universelle, comme une phénomène « naturel » du temps cyclique. Le grain, sa germination, l'épi de blé qui en résulte prenaient toute leur signification allégorique. Et dans ce sens, les mystères et leur idéologie pouvaient s'accorder aisément avec la phrase prémonitoire de Jean l'Évangéliste, lorsqu'il affirmait « si le grain ne meurt… ». La phrase résume une sagesse millénaire, les expériences rurales de ces petits paysans que furent les premiers chrétiens en terre de Palestine et un questionnement philosophique sur le destin de l'homme et le rêve d'immortalité qui hantent toujours nos consciences. Par ailleurs, pour les *Epoptai*, les « initiés », et le clergé éleusinien des temps ultimes, un rapprochement devait se faire avec le christianisme, par la dialectique de la vie et de la mort, commune à ces deux approches religieuses. Les champs Élysées pourraient ainsi s'ouvrir à tous les initiés païens et chrétiens. Mais la nouvelle foi, imposée par une forte volonté politique dans toute l'étendue de l'Empire romain, n'avait plus besoin d'un syncrétisme d'ordre mystique, ni d'un compromis d'ordre initiatique, mais de pouvoir, de domination, de pragmatisme.

Quant au calendrier et au déroulement des mystères, notons brièvement qu'il y avait deux sortes de manifestations à Athènes, en rapport avec les principales étapes des activités agricoles. Les « petits mystères », célébrés au mois des Anthéstéries (février-mars) correspondant au moment de la germination printanière des céréales et, au niveau du mythe, au retour de Perséphone sur terre, son *anodos*, sa remontée des enfers. Les « grands mystères », ou Éleusinies, avaient lieu au mois de Boédromion (fin août-septembre) et correspondaient au moment des labours de la terre et des semailles, et, au niveau du mythe, à l'enlèvement de Perséphone et sa *kathodos*, sa descente aux enfers. Deux autres fêtes se déroulaient à Athènes en liaison avec les deux déesses et dans la proximité des deux célébrations des mystères ; les Anthéstéries, au printemps, et les Thesmophories, à l'automne, avec quelques jours de différence par rapport aux cultes mystiques. Il s'agit certainement de reliquats des anciennes cérémonies agricoles athéniennes, célébrées avant l'incorporation d'Éleusis dans le giron politique et religieux d'Athènes et conservées dans les temps historiques où elles ont été investies de prérogatives d'ordre politique. Les « petits mystères » avaient lieu à Agra, un faubourg d'Athènes près de la fontaine de Callirhoè, et dans le voisinage du sanctuaire d'Artémis *Agraia*. Selon la tradition, Héraclès avait été initié à ces mystères, qui servaient de préambule « pédagogique » pour les mystères d'Éleusis et une sorte de *télétê*, « initiation » accordée aux étrangers.

Les « grands mystères » impliquaient, au commencement et à la fin des festivités, des grandes processions rituelles sur la Voie sacrée, entre Athènes et Éleusis (et inversement), qui associaient le sacré et le profane, l'amusement et la bouffonnerie. Elles se composaient de quatre phases distinctes : 1. la *catharsis*, la purification par l'eau de la mer ; 2. la *systassis*, les rites et sacrifices préparatoires ; 3. la *télétê* ou *myêsis*, l'initiation proprement dite (au premier degré) ; 4. la première *myêsis* était complétée par l'*epopteia*, la « vue », le dévoilement, une sorte de *myêsis* plus avancée, à laquelle n'avaient pas obligatoirement accès tous les initiés du premier degré. Les festivités duraient neuf jours (correspondance avec les neuf mois de la gestation ?) pendant lesquels les drames sacrés succédaient aux *droména*, aux « actes ou actions symboliques », qui comportaient, entre autres, le dévoilement de l'épi sacré, constituant le support de toute cette mise en parallèle du destin de l'homme avec celui de l'épi de blé à maturité, plein de grains. L'épi était proposé « en gloire » aux yeux des initiés, déjà conditionnés par l'absorption du *kykéon* destiné à les aider à mieux voir et comprendre « la symbolique des mystères », qui ne s'adressait pas à l'intellect mais à la constituante émotive de l'homme, son cœur et son âme. Il ne faut cependant pas oublier ni le meurtre rituel des épis pendant les moissons, ni leur démembrement sur les aires de battage ou l'enterrement des gains plus tard pendant les semailles, en préambule de la « renaissance » de nouveaux épis au printemps de l'année suivante. Tout était contenu « en résumé » dans ce dévoilement rituel de l'épi. On pourrait dire, sans hésitation, que les mystères d'Éleusis accordaient à l'épi de blé une transcendance, un « traitement » chamanique, dans les sens propre et figuré du terme. La dimension orphique des mystères réservait à Dionysos Zagreus un destin analogue : lui aussi était démembré et ses chairs consommées par les Titans et, comme un dieu-chaman par excellence, il allait par la suite renaître rituellement, en la personne de chacun des initiés, et vivre en lui, grâce à l'immortalité de son âme.

Yvonne de Sike

• *Voir aussi :* Déméter et Perséphone ; Épi (symbolique de l') ; Grain et graine ; Kykéon et initiation au mystères ; Moissons (symbolique des) ; Musées du pain ; Museum der Brotkultur ; Si le grain tombé en terre ne meurt ; Tamis (symbolique du) ; Terre-Mère primordiale ; Vierge et cycle des cultures céréalières

Bibl. : Giorgio COLLI, *La Sagesse grecque*, t. I : *Dionysos, Apollon, Éleusis, Orphée, Musée, Hyperboréens, textes anciens traduits et commentés autour des mystères d'Éleusis*, Paris, Éditions de l'Éclat, 1992 (pour l'édition française) • Paul FOUCART, *Les Mystères d'Éleusis* (1914), Paris, Pardès, 1992 • Albert HOFMAN, Robert Gordon WASSON, *The Road to Eleusis : Unveiling the Secret of the Mysteries*, New York, Harcourt, Brace, Jovanivich, 1978 • Georges MÉAUTIS, *Les Dieux de la Grèce et les mystères d'Éleusis*, Paris, PUF, 1959 • Robert TURCAN, « Les Mystères d'Éleusis, la quête du bonheur suprême », *Religions & Histoire*, n° 24, janvier-février 2009 • Voir aussi The Ecole Initiative, « The Eleusinian Mysteries », www.uwec.edu/philrel/faculty/beach/publications/eleusis.html

ÉLÉVATEUR À GODETS. – Ils sont utilisés pour le transport mécanique des produits de la mouture. Ils sont constitués d'une bande en tissu synthétique, animée d'un mouvement vertical, s'enroulant autour de deux tambours en parties inférieure et supérieure. Cette bande est équipée de godets, en métal ou en plastique, dans lesquels sont transportés les produits.

Philippe Duret

• *Voir aussi :* Meunerie ; Mouture ; Transport pneumatique

EMBRYON. – Voir GERME

ÉMEUTES DE LA FAIM EN ÉGYPTE. – Toucher au prix du pain, dans un pays qui en a fait un objet quasiment sacré et une nourriture de première nécessité, provoque immanquablement des réactions de mécontentements d'une violence parfois tout à fait spectaculaire, qualifiées en certaines circonstances particulièrement dramatiques d'« émeutes de la faim ». Ainsi, hausse des prix et raréfaction du pain, conséquence de la montée du prix du blé pour un pays classé parmi les plus gros importateurs mondiaux, enclenchent tension et fébrilité chez les consommateurs et jusqu'au sein des familles, qui peuvent se solder par des manifestations de colère de grande ampleur et même par des morts.

La plus importante « émeute de la faim » de l'Égypte contemporaine a eu lieu les 18 et 19 janvier 1977 sous la présidence d'Anouar El Sadate, qui, sur les recommandations du FMI, avait tenté de baisser le subventionnement du prix du pain. Un véritable soulèvement populaire de masse s'ensuivit, dont la répression brutale par l'armée provoqua soixante-dix morts et de très nombreux blessés. Le traumatisme suscité reste encore présent dans l'esprit des dirigeants et la mémoire du peuple égyptien. En 2007 et 2008, les tensions économiques sur le prix des céréales (dues à la baisse des récoltes mondiales, à la spéculation sur les fonds de pension sur les denrées alimentaires, et à l'utilisation des terres pour les biocarburants) ont favorisé le détournement par les boulangers de la farine destinée au pain subventionné (pain *baladi*), pour la revendre au secteur privé. Ce marché noir et la corruption des autorités locales ont provoqué une grave pénurie. Les phénomènes de foule aux abords des boulangeries d'État et les bagarres pour se procurer cette précieuse denrée se sont traduits en 2008, à nouveau, par une quinzaine de morts et par trois cents blessés. Il a fallu un plan de financement exceptionnel et l'encadrement des boulangers par des soldats pour assurer l'accès du pain *baladi* aux Égyptiens pauvres. La croissance économique égyptienne ne bénéfice ainsi pas aux plus modestes. Et les raisons du renchérissement du pain ou de sa raréfaction semblent non pas simplement conjoncturelles mais structurelles, aux dires des experts internationaux… ce qui laisse présager de nouvelles émeutes si des solutions ne sont pas trouvées.

Florence Quentin

• *Voir aussi :* Céréales (cours mondiaux des) ; Céréales (disponibilité mondiale des) ; Disettes, famines et révoltes pour le pain en France ; Égypte ; FAO ; Farines (guerre des) ; « Introduction » de Steven L. Kaplan ; Jean Valjean ; *Notre pain honnête* → Documentaires et films ; *Terre sans pain* → Documentaires et films

EMF. – Voir ENSMIC

ÉMIRATS ARABES UNIS. – Voir PÉNINSULE ARABIQUE

EMMAÜS (pèlerins d'). – Voir FÊTE-DIEU

EMMOULAGE. – Dépose automatique ou manuelle des pâtons dans des moules, après façonnage.

Philippe Roussel

• *Voir aussi :* Façonnage ; Moule ; Pâton

EMPOIS. – Substance gélatineuse qu'on obtient en plongeant de l'amidon dans de l'eau chaude. Cette substance est très importante en boulangerie : après fermentation, le pain mis au four va subir une série de transformations physiques, chimiques et biologiques. Parmi ces transformations, la formation de l'empois, à partir de 50-60°, la gélatinisation de l'amidon et la coagulation du gluten, à partir de 70° environ, vont faire perdre à la pâte de sa plasticité et faire naître, à la fin du développement, la structure typique et définitive de la mie. La gélatinisation de l'amidon s'achève aux alentours de 110°. L'empois est employé en chimie en raison de sa capacité à montrer la présence d'iode dans des substances. Ce test est rendu possible par le fait que les solutions qui contiennent de l'empois, généralement sans couleur, virent au bleu foncé au contact de l'iode.

Monica Francioso

• *Voir aussi :* Amidon ; Caramélisation ; Cuisson directe/indirecte ; Fermentation panaire ; Gluten ; Maillard (réaction de) ; Mie de pain ; Pâte

EMPREINTE. – Pour signer ses pains avant de les enfourner, le boulanger pouvait les scarifier, non pas comme il le fait avec une lame de rasoir ou la pointe d'un couteau, mais à l'aide de différents motifs en bois ou en plomb (lettre de l'alphabet, fleur, animal, etc.). On parle aussi de marque, de signe ou de signet. C'est en 1546 qu'il est ordonné aux boulangers, pour la première fois, d'imprimer sur le pain les lettres initiales de leur nom, manière de faire que toute plainte des consommateurs puisse être nominale.

Mouette Barboff

• *Voir aussi :* Coupe « polka » et coupe « saucisson » ; Fendu ; Grigne ; Lame et coup de lame ; Scarification

Bibl. : Françoise DESPORTES, *Le Pain au Moyen Âge*, Paris, Olivier Orban, Paris, 1987.

EMPREINTE À FONCER. – Voir FONÇAGE

ÉMULSIFIANT. – Ces molécules sont principalement de nature lipidique, aptes à lier des produits non miscibles (exemple l'eau et l'huile). Elles rentrent dans une classe d'additifs alimentaires dont les principaux sont les E322, E471, E472, E481… Après mélange ou battage, les émulsifiants permettent la formation et la stabilisation d'une structure d'apparence homogène, l'émulsion. Dans ce mélange, l'un des deux produits se trouve sous forme dispersée et l'autre sous forme d'une phase continue. Dans le cas du beurre ou de la margarine, l'émulsion eau/huile (E/H prononcé « eau dans l'huile ») correspond à la dispersion d'eau dans une phase grasse. Lorsque l'on passe du lait au beurre, on pratique une inversion d'émulsion. Dans le cas du lait, l'émulsion huile/eau (H/E) correspond à la dispersion de matières grasses (huile) dans une phase aqueuse (eau) stabilisée par des émulsifiants de type lécithine, caséine, présents dans le lait. Les émulsifiants sont aussi appelés agents tensio-actifs, c'est-à-dire qu'ils peuvent diminuer la tension de surface entre deux produits et permettre leur liaison ou attraction. Pour assurer la liaison entre de l'eau et de la matière grasse (lipide), l'émulsifiant doit posséder des zones ou groupements hydrophiles pouvant se lier à l'eau et des zones ou groupements hydrophobes (lipophile) ayant une affinité avec la matière grasse.

Une pâte boulangère est formée de constituants de nature hydrophile (eau, sucres, alcools, protéines…) et de nature hydrophobe (lipides, protéines…). Les émulsifiants peuvent jouer un rôle dispersant de la matière grasse lorsque celle-ci est ajoutée volontairement (pain de mie, brioche…), mais aussi de liaisons entre les constituants. Ces interactions peuvent assurer : soit une meilleure rétention gazeuse à la pâte (augmentation du volume des pains) ; soit une amélioration de la stabilité des inclusions d'air (structure de mie plus régulière) en évitant le phénomène de fusion entre les microalvéoles, qui conduit à la formation de plus grosses alvéoles (coalescence)

– le E471, en stabilisant des inclusions d'air, contribue aussi à diminuer le cloquage ou la formation de petites pustules en pousse contrôlée – ; soit une plus grande tolérance aux chocs mécaniques permettant ainsi une diminution des risques d'affaissement ; soit, enfin, une association spécifique avec certains constituants comme l'amylose, qui contribue, au cours du processus, à limiter les changements de structure physique responsables du rassissement du pain (cristallisation ou rétrogradation de l'amidon).

Philippe Roussel

• *Voir aussi :* Acide ascorbique ; Acidifiant ; Additif ; Adjuvant ; Améliorant ; Amidon ; Amylose ; Auxiliaire technologique ; Conservateur ; Défauts de la pâte ; Épaississant ; Fève ; Gélifiant ; Pâte ; Soja (farine de) ; Stabilisant → Additif ; Tolérance

ENCORE UN JOUR (1969). – Court-métrage de Jean-Pierre Bonneau. Fils de boulanger « à l'ancienne », le réalisateur filme son père, dans la chaleur du fournil, la nuit, et dans un silence seulement ponctué par le bruit des objets et des machines. L'artisan en artiste solitaire… Ce documentaire en noir et blanc de 16 min a obtenu le Dragon d'argent au festival de Cracovie en 1970. Il est visible au Forum des images à Paris.

Yves Garnier

• *Voir aussi : Fatty chez lui* → Documentaires et films ; Nuit (symbolique de la) ; *Patouillard fait son pain* → Documentaires et films ; Troglodytes enfarinés

ENFARINER ET S'ENFARINER. « Enfariner » signifie aussi bien se couvrir de farine que se fabriquer un masque, un faux visage avec toutes sortes de substances poudreuses, blanches de préférence (farine de blé, craie, farine de riz). Bateleurs et bouffons s'enfarinaient le visage ou « se poudraient de farine » avant de se produire en public. Dans le langage populaire, avoir « la gueule ou le bec enfariné » signifie afficher une satisfaction imprudemment, avoir une confiance niaise, enfin, être ridicule. Mais on pourrait aussi « s'enfariner dans un moulin », à cause de la farine suspendue dans l'air. Il y a encore des extensions dans un sens plus figuré : par exemple « être enfariné d'une opinion, d'une doctrine ou encore d'une science », ce qui signifie avoir une connaissance superficielle, être juste saupoudré, connaître un peu, être à peine averti de quelque chose. En revanche, « rouler dans la farine » signifie tromper quelqu'un volontairement, quand « s'enfariner de quelqu'un ou de quelque chose » peut aussi exprimer le fait d'avoir été pris dans un amour fou.

Pierrots, Gilles, Colombines et autres figures déguisées de la culture d'amusements urbains s'enfarinaient le visage. La majorité des masques blancs (ou colorés) du théâtre italien et les masques vénitiens – faits à l'origine de plusieurs couches de farine diluée dans l'eau, posées les unes sur les autres sur du textile qui couvrait le visage (avec des ouvertures pour les yeux et sous le nez pour respirer) – s'inspiraient certainement des personnages carnavalesques enfarinés. Nous possédons des témoignages littéraires sur le carnaval de Rome, qui aurait été parmi les plus anciens à renaître à partir du XIe siècle. Traditionnellement, les mascarades du carnaval ou celles qui se tenaient dans l'Europe centrale et septentrionale entre la Saint-Nicolas et l'Épiphanie rassemblaient des personnes dont les visages étaient soit enfarinés, soit barbouillés avec de la suie (mais aussi du charbon réduit en poudre), ou violacés avec de la lie de vin. On retrouve cette coutume même de nos jours dans les batailles de farine qui se livrent entre bandes concurrentes de jeunes fêtards ou de jeunes bizutés et bizuteurs, un peu partout dans le monde. Elle est maintenue même dans les carnavals tropicaux, ou tropicalisés, qui s'organisent au sein des populations d'origine extra-européenne et à des dates diverses. Elle survit aussi dans les « conflits » carnavalesques qui se résolvent par le barbouillage des participants et des spectateurs avec le fonds des tonneaux de vin, pratique commune dans les régions viticoles de l'Europe méridionale.

On pourrait découvrir le modèle de ces traditions dans les coutumes développées autour du culte de Dionysos et de la vigne, diffusées dans l'ensemble du monde antique, une des sources du carnaval contemporain. Les gens qui participaient aux joyeux cortèges dédiés à Bacchus (à des dates rituelles) se couvraient le visage avec de la lie de vin comme pour mieux exalter le pouvoir que cette boisson exerçait sur eux. En revanche, les Titans ayant sauvagement assassiné le jeune Dionysos, dans la version orphique du mythe, avaient les visages enfarinés pour déguiser leurs vraies intentions et pour ne pas effrayer le jeune dieu, leur innocente victime. Dionysos du vin et de la transe s'oppose et se confond ainsi avec Dionysos du sacrifice et de la renaissance, grâce aux masques, aux déguisements et à leur symbolique. Il est enfin important de mentionner cette notion de travestissement des vrais sentiments ou la possibilité de jouer un rôle – autre que la réalité que le terme « enfariner » implique –, en se souvenant du point de vue qu'exprime ainsi Montaigne : « C'est assez de s'enfariner le visage, sans s'enfariner la poictrine » (*Essais*, livre III, chap. x). S'enfariner le visage, les cheveux ou la perruque était, d'autre part, une expression de la parfaite mondanité, une mode que suivaient scrupuleusement toutes les personnes de la bonne société pendant les XVIIe et XVIIIe siècles, et jusqu'à la Révolution française.

Par ailleurs, dans le monde extra-européen, on enfarinait le visage de la future mariée, de farine de blé ou de riz, afin qu'elle affiche sa blancheur immaculée ou afin que son visage blanc, presque de mort, lui serve de protection durant cet épisode particulièrement critique de sa vie. Le mariage, rite de passage d'une étape de la vie sociale à une autre, concentre contre lui toutes les convoitises et tous les sortilèges. C'est certainement sous l'influence ottomane que, dans le Sud-Est européen, on enfarinait le visage de la mariée en lui imposant l'immobilité pendant toute la cérémonie du mariage, ceci jusqu'à la fin du XIXe siècle. De même, dans plusieurs parties du monde, on enfarinait le visage des défunts afin de les rendre « beaux et paisibles » (peut-être aussi sans âge) et ainsi les préparer pour leur voyage dans l'autre monde.

Yvonne de Sike

• *Voir aussi :* Maximes et proverbes ; Mariages (pain de) ; Morts (pains des) ; Pétrin ; Pétrissage ; Sexuelle (le pain comme métaphore)

Bibl. : Dictionnaire du Centre national des ressources textuelles et lexicales, de l'Académie, 9e édition (en ligne) • GOETHE, *Voyage en Suisse et en Italie*, 1822 • Michel de MONTAIGNE, *Les Essais*, 1580 • Jean-Pierre TZAUD, *Guide des carnavals du monde entier*, Lausanne, Favre, 2005.

ENFER (four d'). – Voir FOUR D'ENFER

ENFOURNEMENT. – Mise au four qui comprend l'ensemble des opérations liées à l'introduction des pâtons à l'intérieur de la chambre de cuisson. Pour les pains à grigne, c'est au moment de l'enfournement que les pâtons sont incisés d'un coup de lame, incision formant la grigne à sa surface après la cuisson. Les opérations successives de l'enfournement comprennent le contrôle de la température, la dépose des pâtons sur le tapis d'enfournement, l'admission de la buée et l'introduction de ces mêmes pâtons dans le four. L'usage des tapis d'enfournement-défournement permet de déposer les pâtons dans le four de manière plus régulière qu'avec la pelle et en grande quantité, et en une seule opération. L'usage de la pelle est réservé à la dépose des grosses pièces, style boule.

Dominique Descamps

• *Voir aussi :* Buée ; Enfournement-défournement ; Four ; Grigne ; Lame et coup de lame ; Pâton ; Pelle

ENFOURNEMENT (rituel thérapeutique d'). – L'enfournement renvoie très certainement au corps de la femme, à l'image de la gestation et de la naissance, voire de la renaissance. D'après la tradition orale, seules les jeunes filles pubères étaient initiées aux savoirs relatifs à la panification. C'est à ce titre que l'on peut citer une pratique rituelle très significative en Méditerranée, et plus particulièrement en Corse, celle de l'« enfournement » de certains malades. En effet, la population méditerranéenne, et plus particulièrement la population agropastorale corse, pouvait utiliser le four à pain à des fins thérapeutiques, suite à la piqûre d'une araignée très particulière, *u malmignattu* ou *a zinefra*, selon les régions de l'île (scientifiquement répertoriée sous l'appellation *Latrodectus tredecimguttatus*). C'est une araignée appartenant à la famille de la veuve noire, reconnaissable, dit-on, aux treize taches rouges qu'elle porte sur l'abdomen, très dangereuse, pouvant provoquer de fortes fièvres, douleurs, voire la mort dans certains cas. Il s'agit bien d'un insecte symboliquement lié à la mort et qui, par là même, renvoie à tout un réseau symbolique qui utilise le four à pain comme un élément prophylactique étroitement lié à la vie, à la transmutation de la matière. Une transmutation qui rappelle une forme de gestation, un nécessaire retour à l'origine. Il s'agit bien d'une ritualisation, dont la finalité est de purifier les corps et les esprits : la douce chaleur de fin de fournée favorisait, d'après les témoignages, la sudation, l'évacuation des toxines et elle aurait ainsi engendré la rémission ou la libération du souffrant…

Jacqueline Acquaviva-Bosseur

• *Voir aussi :* Enfer (four d') ; Enfourner ; Enfourneur ; Four ; Fournil ; Sexuelle (le pain comme métaphore)

Bibl. : Max CAISSON, « Mort et renaissance symboliques dans la pratique de l'enfournement thérapeutique », in *Études corses. La mort en Corse et dans les sociétés méditerranéenes*, nos 12-13, 1979.

ENFOURNEMENT-DÉFOURNEMENT (tapis d'). – Dispositif comprenant un tapis coulissant permettant la dépose des pâtons façonnés dans le four en une seule fois avec un alignement régulier. Lui est généralement associé un élévateur permettant de choisir l'étage du four où le boulanger souhaitera déposer les pâtons. Originellement, il existait dans les boulangeries un ouvrier chargé de mettre les pâtons au four. Il était appelé l'enfourneur.

Dominique Descamps

• *Voir aussi :* Buée; Enfournement; Enfourneur; Four; Grigne; Lame et coup de lame; Pâton; Pelle

ENFOURNEUR. – Originellement, ouvrier chargé de mettre les pâtons au four. De nos jours, dispositif comprenant un tapis coulissant permettant la dépose des pâtons façonnés dans le four en une seule fois avec un alignement régulier, ainsi que la récupération des produits cuits. Lui est généralement associé un élévateur permettant de choisir l'étage du four où le boulanger souhaite déposer les pâtons.

Dominique Descamps

• *Voir aussi :* Enfournement; Enfournement (rituel thérapeutique d'); Enfournement-défournement; Four; Pâton; Quartier

ENGRAIN (*Triticum monococcum*), ou petit épeautre. – « Engrain », c'est-à-dire « un grain par épillet », que l'on retrouve dans les mots allemand et anglais *Einkorn*. Appelé également « petit épeautre ». L'engrain appartient au genre *Triticum*, à l'espèce *Triticum monococcum* L. et à la famille des poacées (graminées). Il existe une forme cultivée : *T. monococcum* subsp *monococcum*, et une forme sauvage *T. monococcum ssp boeoticum* ; *T. urartu* est une espèce à part présentant des différences significatives avec *T. monococcum*. Comme tous les *T. monococcum*, l'engrain possède le génome A (2n = 14 chromosomes). Il est maintenant admis, suite à des études de marquage moléculaire, que *T. urartu* est à l'origine du génome A du blé tendre. Les engrains sauvages proviennent du Croissant fertile (Turquie d'Asie, Irak, Syrie) et du Caucase. Ces engrains possédaient un rachis cassant. La domestication s'est faite au Néolithique (entre le VIIIe et le VIIe millénaire av. J.-C.) dans l'aire d'origine par sélection de plantes au rachis non cassant. La migration de l'engrain s'est produite ensuite par les voies danubienne et méditerranéenne.

Espèce annuelle, l'engrain est cultivé dans certains pays d'Europe occidentale avec des niveaux de rendement très inférieurs à ceux du blé tendre. En France, citons une variété connue : l'engrain du pays de Sault cultivé dans la Drôme, le Vaucluse, les Alpes-de-Haute-Provence et Alpes-Maritimes. En Allemagne, Suisse… L'engrain est utilisé en alimentation humaine sous forme de flocons et farine pour bouillie et souvent comme produit issu de l'agriculture biologique. Il peut être introduit en faibles proportions dans des farines pour faire du pain. L'engrain, généralement riche en caroténoïdes, produit une farine de couleur crème très appréciée.

Jean Koenig

• *Voir aussi :* Blé, genre *Triticum* ; Blé tendre ou froment ; Caroténoïdes ; Céréales ; Céréales sauvages aux premières formes domestiques (des) ; Épi

Bibl. : G. KIMBER, M. FELDMAN, « T. monococcum », in *Wild Wheat an Introduction*,

Special report 353, College of Agriculture University of Missouri Columbia, avril 1987 • D. ZOHARY, M. HOPF, « Einkorn wheat : *Triticum monococcum* » in *Domestication of Plants in the Old World*, 3e édition, Oxford, Oxford University Press, 2000.

ENGRAIS. – Il ne suffit pas de semer du blé (ou une autre céréale) pour obtenir une récolte abondante. Il faut aussi apporter à la plante tous les nutriments dont elle a besoin pour se développer et produire des grains. C'est ce que permettent les engrais qui contiennent de l'azote (N) du phosphore (P) et du potassium (K) désignés par NPK, engrais indispensables pour obtenir un rendement élevé. À titre d'exemple, le rendement moyen de blé en France est de l'ordre de 6 t/ha et le rendement maximum de l'ordre de 10 t. En ce qui concerne le blé, il faut non seulement obtenir un rendement élevé, lequel conditionne le revenu des agriculteurs, mais aussi un taux de protéines des grains suffisant pour pouvoir fabriquer du pain, ce taux optimal se situant aux environs de 12 %. Pour obtenir ce taux de protéines tout en réduisant les coûts de production (dû à l'emploi d'engrais azoté) et en minimisant les résidus d'azote dans le sol (sous forme de nitrates), on utilise des outils de pilotage et on réalise un fractionnement de l'azote : c'est alors l'azote apporté et utilisé par la plante qui autorise à la fois un bon rendement et un taux de protéines suffisant des grains.

Ludovic Salvo

• *Voir aussi :* Agriculture biologique ; Assolement ; Blé, genre *Triticum* ; Céréales ; Protéine ; Protéine (valeur biologique des) ; Rotation ; Semailles

ENSACHOIR. – Machine à ensacher la farine et le son, autrement dit à les réceptionner dans des sacs. Dans l'organisation d'un moulin traditionnel, l'ensachoir était placé tout de suite après le plansichter.

Guy Boulet

• *Voir aussi :* Meunerie ; Moulin ; Plansichter

ENSEMENCER. – Lorsqu'on mélange de la farine et de l'eau tiède et qu'on laisse ce mélange à l'air libre, il s'ensemence naturellement en levures et en bactéries lactiques, constituant ainsi un levain. Comme la farine contient naturellement peu de levures, on peut faire un apport de levures sauvages en faisant tremper des fruits dans de l'eau et en utilisant cette eau pour constituer le levain. Le but est de faire se reproduire les cellules de levures naturelles pour que le levain soit efficace et fasse lever la pâte. Pour fabriquer une pâte à pain, on ensemence le mélange eau-farine qui sera pétri soit avec le levain défini précédemment, soit avec de la levure de boulanger ou de bière, soit avec un peu de pâte prélevée dans le pétrin précédent et de la levure. Seul l'ensemencement avec un levain permet l'appellation « pain au levain ».

Ludovic Salvo

• *Voir aussi :* Amidon ; Bactérie lactique ; Eau de coulage ; Farine ; Fermentation panaire ; Gluten ; Levain panifiable ; Levure de boulanger ; Pâte

ENTAME. – Premier morceau coupé ou prélevé sur du pain. Autrefois, la miche devait toujours être posée à plat sur la table, et l'entame devait être tournée du côté opposé aux ouvertures de la salle à manger. Avant d'entamer le pain, l'habitude était d'y tracer un signe de croix avec le couteau.

Mouette Barboff

• *Voir aussi :* Chanteau ; Chiffon de pain ; Croûte à potage ; Croûton, croûtons ; Miette ; Mouillette ; Pain sec (au) ; Quignon ; Soupe ; Talon

ENTOILER. – On entend par entoiler le fait de placer la toile sur les ailes du moulin à vent. Les ailes sont formées d'une verge traversée par une vingtaine de barreaux maintenus ou non par des cotrets (ou longerons). Chaque aile reçoit généralement deux toiles symétriques. Un moulin à vent est généralement pourvu de quatre ailes (Rivals 2000).

Jean-Pierre Henri Azéma
et Roland Feuillas

• *Voir aussi :* Ailes ; Moulin

Bibl. : Claude RIVALS, *Le Moulin et le meunier*, vol. 2 : *Une symbolique sociale*, Portet-sur-Garonne, Empreinte, 2000.

ENVELOPPE. – Partie externe du grain de blé, qui, une fois séparée de l'amande dans l'opération de broyage, constitue l'essentiel du son. Les enveloppes (14 à 16 % du poids du grain) sont constituées du péricarpe, ou partie superficielle de la graine, puis des téguments, et de l'assise protéique.

Philippe Duret

• *Voir aussi :* Albumen ; Amande farineuse ; Broyage ; Grain ; Meunerie ; Son

ENVELOPPES (curage des). – Voir MOUTURE

ENZYME. – Le pain azyme (du grec ancien, *α* privatif et *zumos*, levain) est un pain ancien confectionné de céréales comme d'autres, mais non levé (il n'a pas gonflé sous l'effet du levain ou de la levure), car uniquement constitué d'eau et de farine pétris ensemble. C'est du pain azyme qui fut consommé par les Hébreux lors de la Sortie d'Égypte. Ainsi, les bouleversements biochimiques induits par la panification sont à l'origine d'un des concepts les plus importants en biologie, celui d'une réaction facilitée par une protéine spécifique (enzyme), si bien que la vie cellulaire est contrôlée par une machinerie enzymatique très complexe. Le gonflement de la pâte sous l'effet du levain (levures sauvages et bactéries lactiques naturelles) ou de la levure de boulangerie est le résultat des activités enzymatiques végétales de la farine et des ferments microbiens. Ces activités enzymatiques permettent de dégager le CO_2 qui fait lever la pâte. Sur le plan nutritionnel, la fermentation améliore la biodisponibilité de certains minéraux (par la destruction de l'acide phytique sous l'effet des phytases), la tolérance au gluten (sous l'effet des protéases) ou la synthèse de vitamines B. La qualité et la durée de la fermentation sont donc essentielles au goût du pain.

Christian Rémésy

• *Voir aussi :* Acide phytique ; Fermentation panaire ; Gaz carbonique ; Gluten ; Levain panifiable ; Levure de boulanger ; Matsah et hamets

ÉPAISSISSANT. – Les macromolécules d'hydrocolloïdes, en fixant de l'eau, sont dites épaississantes si elles diminuent la fluidité du milieu et, par voie de conséquence, si elles augmentent la viscosité. Ces fibres ne se liant pas entre elles, la viscosité de la solution va dépendre alors de leur concentration, de leur forme, de leur stabilité et de leur taille (masse moléculaire). Les hydrocolloïdes sont issus de deux familles de constituants de la matière organique, les polymères protéiques et glucidiques (polysaccharides), qui possèdent des propriétés épaississantes, gélifiantes ou liantes. Ces agents de texture sont classés dans les additifs et ils comprennent les extraits d'algues, de graines végétales, d'exsudats végétaux, d'exsudats de micro-organismes, de fruits et des polysaccharides modifiés.

Philippe Roussel

• *Voir aussi :* Additif ; Adjuvant ; Améliorant ; Auxiliaire technologique ; Conservateur ; Émulsifiant ; Fève ; Gélifiant ; Soja (farine de) ; Stabilisant → Additif

ÉPEAUTRE (petit). – Voir ENGRAIN

ÉPEAUTRE (*Triticum spelta*), ou grand épeautre. – Appelé aussi grand épeautre par opposition au petit épeautre (engrain), l'épeautre est une espèce hexaploïde possédant les génomes A, B et D et une sous-espèce du blé tendre (*Triticum aestivum* subsp *spelta*. L. [Thell.]) appartenant à la famille des poacées (graminées). Contrairement au blé tendre, l'épeautre possède un gain vêtu : la glumelle adhère au grain après battage. L'épeautre est sans doute l'ancêtre du blé tendre, la première espèce de *Triticum* hexaploïde à 42 chromosomes, issue du croisement dans la nature entre les amidonniers et *Aegilops tauschii*. Une évidence expérimentale indique que lorsque l'on croise et fusionne des blés tétraploïdes avec le diploïde *Aegilops tauschii*, on obtient toujours des hexaploïdes à grain vêtu. Des grains allongés typiques de l'épeautre ont étés retrouvés lors de fouilles à partir du VIe millénaire av. J.-C. Espèce pouvant être qualifiée de relictuelle, l'épeautre est cultivé dans les zones peu fertiles, voire humides, notamment en Allemagne, Belgique, Suisse, où des variétés issues de sélection récente figurent au catalogue des variétés inscrites. Sa culture est marginale en France, essentiellement en agriculture biologique. L'épeautre est souvent préféré dans l'alimentation animale à cause de sa supériorité énergétique apportée par les glumes adhérentes riches en cellulose. Il est aussi connu pour ses grandes qualités nutritives. Le grain contient de nombreuses vitamines et micronutriments importants en alimentation humaine. La farine d'épeautre peut être utilisée en boulangerie, principalement en mélange avec la farine de blé tendre. L'épeautre contient des protéines de réserve identiques, voire très proches de celles rencontrées dans le blé tendre, dont la teneur en gluten est comparable. Lorsqu'il a une teneur en protéines élevée, sa farine peut être également utilisée en pâtisserie.

Jean Koenig

• *Voir aussi :* Amidonnier ; Blé, genre *Triticum* ; Blé tendre ou froment ; Céréales ; Céréales sauvages aux premières formes domestiques (des) ; Variétés de blé ; Variétés de blé tendre au catalogue officiel

Bibl. : D. ZOHARY, M. HOPF, « Bread wheat : *Triticum aestivum* » ; in *Domestication of Plants in the Old World*, 3e édition, Oxford, Oxford University Press, 2000.

ÉPI. – Les graminées possèdent deux types d'inflorescences : la panicule et l'épi. L'épi est une inflorescence complexe qui se développe à la partie terminale de la tige de blé. Au cours du développement de la plante, le bourgeon terminal de la tige, ou apex, commence par produire des feuilles, c'est la phase végétative. Lors de la phase reproductrice, qui correspond à une modification radicale de l'état physiologique de la plante, le fonctionnement de l'apex change. Le stade « double ride » annonce le début de la différenciation des ébauches florales. Dans la phase de montaison et jusqu'à l'épiaison, les organes reproducteurs de la fleur vont se différencier au sein du jeune épi. La méiose, qui donne naissance aux gamètes, a lieu peu avant l'épiaison, qui correspond à la sortie de l'épi de la gaine de la dernière feuille de la talle.

L'épi est constitué d'un axe principal, appelé rachis. Ce rachis porte des épillets séparés par des entre-nœuds courts. Chez les blés ancêtres, le rachis avait la propriété de se désarticuler à maturité, ce qui favorisait la dissémination des semences. Au cours de la domestication, ce caractère a disparu. Chaque épillet est un axe reproductif condensé, constitué de deux bractées stériles insérées à la base, appelées « glumes ». Ces glumes enferment 2 à 5 fleurs insérées de façon alterne sur un axe court, appelé rachillet, suivant deux rangées opposées (disposition distique). Chaque fleur est enfermée dans des structures de type bractée, les glumelles (lemme et paléole). Au sein de chaque fleur, on trouve les organes mâles, les 3 étamines constituées chacune d'un filet et d'une grosse anthère en *X* et un organe femelle, le pistil portant 2 styles ornés de stigmates plumeux.

Au sein des collections mondiales, l'épi de blé présente une diversité de formes et d'aspects très grande. Il existe des épis non barbus (mutiques) et des épis barbus (aristés). Les barbes ou arêtes sont portées par les glumelles. Suivant la longueur du rachis, le nombre d'épillets, la longueur des entre-nœuds et le nombre de fleurs fertiles dans chaque épillet, l'épi présente des aspects très diversifiés. Il existe à la fois des formes compactes comme le blé « hérisson » ou le « club wheat » cultivé dans le nord-ouest des États-Unis, des formes semi-compactes ou semi-lâches que l'on trouve chez la plupart des blés cultivés en Europe et des formes lâches ou effilées comme l'épeautre. Il arrive que l'axe de l'épillet (le rachillet) s'allonge en donnant des épis ramifiés comme chez le blé des pharaons (espèce tétraploïde). Le rendement en grain du blé est exprimé en quintaux ou tonnes de matière sèche à l'hectare (q/ha). Le nombre d'épis à l'unité de surface est un élément important de la description de l'état de la culture du blé et de son potentiel de rendement en grain. Les agronomes prennent donc en considération le nombre d'épis par mètre carré (nb épis/m^2), qui correspond au nombre de plantes de blé par unité de surface de culture multiplié par le nombre moyen de talles fructifères par plante (tallage). Le rendement dépendra ensuite du nombre moyen de grains produit par chaque épi, on parle de fertilité de l'épi (nb de grains/épi) et de la masse moyenne de chaque grain que l'on exprime en masse de 1 000 grains.

Michel Rousset

• *Voir aussi :* Barbe ; Blé (impérialisme du) ; Blé, genre *Triticum* ; Céréales ; Céréales sauvages aux premières formes domestiques (des) ; Épeautre ; Épi (symbolique de l') ; Glume et glumelle ; Grain

Bibl. : C. DORÉ, F. VAROQUAUX, « Le blé tendre », in *Histoire et amélioration de cinquante plantes cultivées*, Paris, INRA, 2006 • N. R. LERSTEN, « Morphology and Anatomy of the Wheat Plant », in *Wheat* *and Wheat Improvement*, Agronomy Monograph, nº 13, 2e éd., Madison (Wis.), ASA-CSSA-SSSA, 1987.

EPI (Espace pain information). – Voir CNBPF

ÉPI (ordre chevaleresque de l'). – Voir ÉPI (symbolique de l')

ÉPI (symbolique de l'). – En botanique, le terme « épi » désigne la partie terminale de la tige de certaines graminées où se réunissent les graines disposées en ramification latérale et en biais par rapport à elle (la tige). Il peut aussi désigner un nombre de fleurs disposées le long d'un axe ou d'un pédoncule commun et, par extension, des assemblages similaires, par exemple un épi de diamants. Dans le sens figuré, le terme désigne aussi les structures ou ouvrages perpendiculaires ou obliques par rapport à un support de base à destinations diverses (par ex., murets destinés à limiter l'érosion des berges, épi décorant le faîte d'une toiture, mais aussi un épi de cheveux). C'est à la fragilité ou à la résistance d'un épi que l'on distingue les céréales choisies comme cultivables parmi les espèces sauvages : les graminées non cultivables ont des épis fragiles dont les graines se dispersent avant la moisson, tandis que les espèces cultivables ont des épis solides qui « sauvegardent » leurs graines jusqu'aux aires de battage où elles sont séparées mécaniquement de leurs supports. Ainsi, l'épi, et surtout l'épi couleur or, est devenu avec le temps synonyme de bonne récolte, voire d'abondance ; le champ aux épis dorés, qui couronne une année de labours, a acquis la valeur symbolique de richesse, depuis l'Antiquité jusqu'aux peintures de l'époque médiévale. La déesse de l'agriculture du panthéon grec, Déméter, était, elle aussi, imaginée blonde semblable à ses épis. « Choir les épis des moissons jaunissantes » (Voltaire) a toujours pris l'aspect d'une catastrophe, comme la rouille qui les attaque lorsqu'ils sont encore verdoyants ; tandis que l'idée de la faiblesse fut associée aux « plus frêles des épis qui courbent leurs têtes », lorsque « quelque zéphyr se glisse » (Chateaubriand) sur eux.

Mais l'abondance et le bonheur du cultivateur dépendent surtout de la qualité des épis : « Les sept vaches si belles et les sept épis si pleins de grain que le roi a vus en songe, marquent la même chose, et signifient sept années d'abondance », nous rappelle la Bible (Genèse XLI, 26). En revanche, il y a des années où « les épis n'ont pas laissé de prendre leur accroissement ordinaire ; ils se sont garnis en grain ; mais tous ou presque tous ces grains sont demeurés flasques ou entièrement privés de farine » (Bonnet). Ce n'est donc pas étonnant si l'Abondance, divinité allégorique de la mythologie romaine, laquelle, dit Ovide, a suivi Saturne lorsque Jupiter le détrôna, est figurée comme une jeune nymphe, couronnée de guirlandes qui rassemblent étroitement fleurs et épis, si elle tient dans sa main droite une corne d'Amalthée et dans sa main gauche un faisceau d'épis en désordre. On découvre une gerbe d'épis dans la main de Déméter, comme dans celles de ses prêtres, lors des mystères d'Éleusis ; une gerbe d'épis désigne également Ops et Cérès dans les médailles et les figurations tardives du monde romain. De même, on couronnaient d'épis les Arvales et les divinités secondaires chargées plus particulièrement de la bonne formation et de la maturation des épis qui sont, d'après saint Augustin (*La Cité de Dieu*, livre IV) : Patélana, Volutina, Hostilina, Lacturcia, etc.

Le rapprochement des épis avec les déesses ou les rois-dieux des origines remonte aux temps préhistoriques, à commencer dans les régions qui sont à l'origine de l'agriculture. Ainsi, chez les Sumériens – les plus anciens habitants de la Mésopotamie attestés historiquement –, nous retrouvons Nisaba (ou Nidaba), déesse des récoltes, avec son épi de céréales, qui devient aussi la déesse des arpenteurs et de l'écriture, tellement la répartition des terres inondées vouées à la culture des céréales et le partage des récoltes étaient indissociablement liés dans l'évolution de l'écriture, les lettres et les chiffres. En Inde, Durga, épouse de Shiva, une incarnation de Devi, la Déesse Mère, est adorée comme *Anapurna*, ce qui signifie « dispensatrice d'épis » (*an*, « grain »). Dans une strophe de la poésie hindi, nous avons une comparaison intéressante quant à la signification des épis : « Les hommes nobles sont comme les pointes des arbres élevés qui se plient, lorsqu'ils sont chargés de fruits, tandis qu'ils se dressent [dans leur orgueil], lorsqu'ils sont des épis vides. »

En Égypte, l'épi est de prime abord, avec la vigne, le don et l'emblème d'Osiris, dieu des morts et de la renaissance annuelle de la nature ; on semait sur les tombes du blé qui poussait et formait des épis, symbolisant la présence divine, coutume reprise sur l'autre berge de la Méditerranée par les Grecs, où les épis de blé sur les tombes signifiaient la présence de Déméter. Dans le pays du Nil, Min est une divinité ithyphallique de la fertilité archaïque qui féconde sa mère, Nout, la déesse Ciel, pour donner naissance quotidienne au Soleil, qui, en même temps, favorise la maturation des céréales et préside aux moissons. Au Nouvel Empire, lors des couronnements et des jubilés, comme pendant les fêtes des moissons, le pharaon coupait la première gerbe de céréales, qu'il offrait à Min pour assurer la transmission du pouvoir royal et en même temps la fertilité des champs, dont il était, à cause de sa fonction, le propriétaire putatif.

Pendant cette fête de « l'offrande de la gerbe », le roi, sur sa litière, entouré des notables et des enfants royaux, se dirigeait vers la chapelle champêtre de Min où avait lieu la cérémonie propitiatoire. Après les sacrifices en l'honneur des ancêtres et l'accomplissement des rites assurant la victoire face aux ennemis possibles, on présentait au pharaon une faucille de cuivre incrustée d'or avec laquelle il coupait une touffe de blé, qu'il déposait aux pieds de la statue du dieu, tandis qu'un épi était offert au roi. Une cérémonie comparable se déroulait à Dendara, où la foule piétinait les gerbes d'orge : « Le sol de la salle est semé d'orge mondée. On fait la procession du dieu [...]. Alors, la troupe [des participants] répand de l'orge sur le sol de la salle et en jette aux pieds du dieu. On joue du sistre et du tambourin et l'on chante : "Tu as écrasé les agresseurs, tu as écrasé les agresseurs, ô, Harsomtous ! Tu as massacré tes ennemis ; ils sont tombés sous tes pieds ; tu les as écrasés comme l'orge ! Fais que tous pays se prosternent en entendant ton nom : car tu es Rê, souverain des pays étrangers !" » Le roi, héritier du dieu, est présenté comme le bon cultivateur qui offre à dieu les prémices des épis de son champ et assure la prospérité de son peuple, en même temps que sa protection contre les ennemis et le « retour annuel de la crue du Nil, qui féconde la terre… »

Dans l'iconographie égyptienne, nous avons les premières représentations des « poupées de blé », ces figurines votives que l'on fabrique toujours avec les premiers ou les derniers épis de la moisson, que l'on accroche au-dessus des portes des maisons ou des granges et qui serviront à la « consécration » des semailles de la saison suivante. Dans la région du Croissant fertile, deux déesses, Innanna et Ishtar, semblent avoir été les déesses des épis, mais aussi le dieu Dâgon (Dâgân) des Philistins, dont l'existence et les pouvoirs sont attestés dans la Bible : c'est dans son temple à Gaza ou à Ashdod que les Philistins ont déposé les armes et la tête de Saül, après leurs victoire contre les Israélites (Samuel XXVIII, 4). Il s'agit du même dieu du blé (ou de l'épi) mentionné dans les textes de Mari, mais aussi d'Ugarit, ce qui dénote par rapport aux divinités féminines des céréales connues du monde ancien.

L'offrande de la gerbe agitée entre dans le contexte des rites propitiatoires des prémices, principe bien connu de l'Ancien Testament et de toute la tradition judaïque. Cette gerbe, qui est une ancienne exigence imposée par la Torah, éclaire d'une manière particulière les implications du sacrifice de Christ et du pouvoir qu'il a reçu au terme de sa résurrection d'entre les morts. Il s'agit d'une offrande rituelle, ou plutôt d'une ordonnance obligatoire associée à la fête de Pâque (le passage), mais aussi à la célébration de la Pentecôte et la consommation des nouvelles récoltes (Lévitique XXIII, 9-14), pour ce qui concerne la tradition judaïque – dans le christianisme, sa signification est associée au sacrifice de Jésus. À ce propos, rappelons-nous l'offrande de Caïn (Genèse IV, 5), le cultivateur, constituée de gerbes d'épis et d'autres fruits de la terre, non agréée par Dieu, ce qui conduit au fratricide et instaure le sacrifice du sang accompli au nom de Dieu.

Dans les traditions populaires, les épis signifient aussi bien la richesse que le pouvoir royal. Dans ce contexte, le ciel est souvent représenté comme une « pelisse parsemée d'épis ». Par ailleurs, en astronomie, la présence des épis au ciel est associée à la constellation de la Vierge, qui tient dans sa main une gerbe d'épis dont la Spica (ce qui signifie « gerbe de blé ») correspond à l'étoile la plus brillante. Cette constellation, la plus étendue dans le ciel, présente dans plusieurs traditions, « incarne » la Mère cosmique, et l'exaltation du principe féminin. La Vierge, dispensatrice de blé puisqu'elle détient la gerbe cosmique, est aussi, suivant une belle tradition grecque, associée à la justice : la constellation de la Vierge serait Astrée, fille de Zeus et de Thémis, dans le contexte suivant : « Lorsque les dieux et les déesses abandonnèrent l'humanité à cause de sa chute dans la matérialité, seule Astrée, déesse de la Justice, demeura parmi les hommes. Mais devant la détérioration de la situation, elle aussi a dû se retirer pour s'installer au ciel, d'où elle continue à guider et bénir la race des hommes. » Belle parabole de la justice « sociale », quant à la possession des terres agricoles et la distribution des récoltes ! Nous retrouvons l'attribut de justicière dans le culte de Déméter, surtout lors de la fête athénienne des Thesmophories.

Une bien curieuse tradition sur la communication par le geste nous parvient de la Grèce ancienne, concernant les épis plus hauts que les autres dans un champ prêt à être moissonné et le pouvoirs abusif des tyrans de l'Antiquité. Hérodote est le premier auteur à avoir transmis ce curieux récit : Périandre, tyran de Corinthe, demanda à Thrasybule, tyran de Milet, comment gouverner la population de la ville sans aucune résistance. Ce dernier répondit en utilisant un code bucolique ; menant le messager hors de la ville, il le guida au cœur même d'un champ de blé. Là, tandis qu'il n'avait de cesse de faire répéter la question au messager, « il coupait tous les épis qu'il voyait dépasser des autres et, coupés, les jetait à terre, jusqu'à ce qu'il eut détruit ce qu'il y avait de plus beau et de plus haut dans ce blé » (Hérodote, *Histoires*, V, 92). Après avoir parcouru le champ sans avoir daigné adresser la parole à l'envoyé de Périandre, il congédia le héraut sans aucune recommandation. Une fois rentré à Milet, le messager raconta l'entretien qu'il avait eu avec Thrasybule, insistant sur le fait que cet homme était fou au point de gaspiller son bien en coupant ses plus beaux épis. Le tyran comprit le sens du code de Thrasybule et l'accomplit avec promptitude : « Il saisit que le conseil de Thrasybule était de mettre à mort les citoyens qui dépassaient les autres. »

Dans la doctrine ésotérique, l'épi devient l'attribut de Vénus, qui a offert le blé à la Terre tandis que la plante, capable de se reproduire sans pollinisation extérieure (autofécondation), jouit d'un pouvoir créateur divin. Il semblerait que le duc de Bretagne François Ier (1414-1450) créa, vers 1450, l'ordre chevaleresque de l'Épi. On retrouve par ailleurs des épis de blé d'orge ou de mil dans l'héraldique sur les blasons de la noblesse de Bretagne, de Normandie ou de province. De nos jours, les gerbes d'épis dorés font partie du décor rituel des églises, lors des fêtes estivales, mais aussi des pratiques populaires grâce à une revalorisation des coutumes agraires et une remise en valeur des pratiques dites « païennes » dans le double sens du mot.

Yvonne de Sike

• *Voir aussi :* Battage des céréales et aire de battage ; Calendrier celte et rites céréaliers ; Calendrier grec ancien ; Calendrier romain ; Calendriers et mesure du temps ; Déméter et Perséphone ; Égypte ; Éleusis (mystères d') ; Grain et graine ; Grèce ; Isis et Osiris ; Kykéon et initiation aux mystères ; Mésopotamie ; Moissons (symbolique des) ; Saturne ; Terre-Mère primordiale

Bibl. : G. COUTURIER (dir.), *Les Patriarches et l'Histoire*, Paris et Montréal, Serf et Fidès, coll. « Lectio Divina », 1998 • H. GAUTHIER, *Les Fêtes du dieu Min*, Le Caire, RAPH II, 1931, en particulier chap. IX • A. GOUBERNATIS, *La Mythologie des plantes, ou les Légendes du règne végétal*, Paris 1882, ou édition en ligne • N. GUILHOU, « Présentation et offrandes des épis dans l'Égypte ancienne (2) », *in* S. Aufrère (éd.), *Encyclopédie religieuse de l'univers végétal* (*ERUV*) II, université Paul-Valéry Montpellier-3, « Orientalia Monspeliensia », 2005.

ÉPIAISON. – Voir ÉPI

ÉPICES (pain d'). – Plus proche du gâteau, le syntagme « pain d'épices » connaît de multiples variétés en Europe, où il semble être apparu, bien qu'une ancestralité chinoise, voire égyptienne (ant.), soit ici et là mentionnée. Robert Estienne signale le *libum* dans son *Dictionarium latino-gallicum* (1552), « une sorte de gasteau faict de pur froument, avec du miel et de l'huile », en référence à Virgile (*Énéide*, 7, 106-122), mais point de « panis mellitus », formule appuyée par Allard (*Dictionnaire des sciences médicales*, 1819), qui, lui, signale d'autre part la *massa*, « comme étant un gâteau à ne pas confondre avec le pain miellé, composé de farine d'orge, du vin cuit, de l'huile et du miel », et de citer Hippocrate. L'Académie française définira dès 1694 le *pain d'espice* (*sic*) en une recette qui semble n'avoir pas évolué, comme « fait avec de la farine de segle, & de l'escume de sucre, du miel, de l'espice », et cite la ville de Reims comme emblème de qualité (nonnettes et croquets). Le trait commun à toutes ces compositions – chaque région d'Europe possède « son » pain d'épice – reste le miel, que l'on ajoute à un mélange de fleur de farine (de froment ou de seigle) et d'eau, formant ainsi la pâte-mère, qui doit fermenter plusieurs heures (voire plusieurs jours) avant que l'on y incorpore des épices selon différents dosages, en priorité les « quatre » (cannelle, anis, poivre, girofle), puis éventuellement : coriandre, gingembre, muscade, cardamome, etc., et d'être enfournée. L'avantage du « pain au miel » est sa longue conservation. Quant aux épices…

Les qualités apéritives, antiseptiques et vermifuges, digestives, voire aphrodisiaques, du pain d'épices transparaissent parfois au travers des histoires plus ou moins légendaires bâties autour des différentes variétés qui existent actuellement (Dumas 1871). Paradoxalement, l'enfant devient dès le début du XIXe siècle la cible privilégiée : le pain d'épices au petit déjeuner, au goûter, comme revigorant, comme « cache-médicaments » (camouflait l'amertume dans le cadre des posologies destinées aux enfants) et aux fêtes de fin d'année. À Gertwiller (Alsace), il se présente sous des formes allégoriques et décorées très réputées ; on en trouve aussi en Allemagne, au Danemark et dans toute l'Europe du Nord. Certains collectionnent les moules à pain d'épices dont les représentations remontent parfois au XVIe siècle (musée des Arts décoratifs). Le Royaume-Uni connut dès la fin du XVIe siècle une version plus proche du biscuit, appelée *gingerbread*, et certaines chroniques soulignent l'intérêt pour les marins d'embarquer avec eux ces biscuits de longue conservation et aux vertus revigorantes. Un autre aspect intéressant du pain d'épices artisanal, quand il n'est pas trop cuit, consiste en la possibilité de le réchauffer, même longtemps après sa fabrication, pour lui redonner du moelleux et de la saveur. Les chefs cuisiniers ont également agrémenté, ces dernières années, de pain d'épices, ou de son arôme composite, différentes créations culinaires, en un mélange sucré-salé très apprécié (gibier, foie gras, glaces, etc.) ; on a même vu du thé au pain d'épices. Bref, une vieille recette qui fait toujours recette.

Philippe Di Folco

• *Voir aussi :* Brioche ; Condiments du pain ; Galette des Rois ; Pain (définition universelle du) ; Pâtisserie

Bibl. : Alexandre DUMAS, *Le Dictionnaire de la cuisine*, 1871 • Robert ESTIENNE, *Dictionarium latinogallicum*, 1552 • Voir aussi le site du Musée du pain d'épices, à Gertwiller, au pied du mont Saint-Odile (www.paindepices-lips.com)

ÉPIERREUR. – Machine utilisée en meunerie au nettoyage et servant à éliminer les pierres d'une taille similaire au grain grâce à sa différence de densité. Cette machine travaille à sec, contrairement à la laveuse.

Philippe Duret

• *Voir aussi :* Grain ; Laveuse ; Meunerie ; Nettoyage

ÉPILLET. – Voir ÉPI

ÉPONGE. – Dans les villes septentrionales, lie de bière ajoutée à la pâte pour accélérer sa fermentation et donner un goût agréable au pain. L'éponge était aussi fort utilisée en Angleterre.

Mouette Barboff

• *Voir aussi :* Autriche ; Bière ; Fermentation panaire

ÉPOUVANTAIL. – À ceux qui ont érigé dans nos campagnes ces christs aux haillons censés faire fuir les volatiles, il faudrait demander, pour finir : « Aimez-vous à ce point les oiseaux / Que paternellement vous vous préoccupâtes / De tendre ce perchoir à leurs petites pattes ? » Car quel oiseau, un peu familier de ces dispositifs cousus de fil blanc, s'est-il longtemps laissé prendre ? Les graines, les fruits en ont-ils été plus protégés que si les champs étaient restés tels qu'en eux-mêmes, libres de ces pantins pathétiques ? Qui a fait le compte des grains ainsi sauvés ? Au lieu de cela, les épouvantails ont trouvé leur place au sein des cultures populaires, n'ayant pas fait fuir les oiseaux, et, tout au contraire, ils ont fini par séduire les foules. On ne compte plus ainsi les fêtes de l'épouvantail, par exemple à Dennens, dans le canton de Vaud, en Suisse (www.epouvantail.ch) ou à Béville-le-Comte, dans l'Eure-et-Loir (www.bevillelecomte.com), ou encore à Omal, dans la province de Liège, en Belgique (www.omal-epouvantail.be). L'épouvantail a aussi été incarné par le personnage de Jonathan Crane, créé par Bill Finger et Bob Kane dans *World Finest Comincs*, en 1943, un professeur en psychologie devenu maître dans l'art de manipuler ses victimes par la peur – interprété par Cillian Murphy dans *Batman Begins*, en 2005. D'où il résulte que l'épouvantail (*scarescrow*) a mieux réussi au cinéma qu'aux champs.

Jean-Philippe de Tonnac

• *Voir aussi :* Calendriers et mesure du temps ; Épi (symbolique de l') ; Grain et graine ; Moissons (symbolique des) ; Paille

ÉQUATEUR. – Voir ANDES BOLIVIENNES

ÉQUIPEMENTIERS. – Pour exercer son activité, le boulanger doit à la fois disposer d'un atelier de fabrication et d'un point de vente qu'il faut équiper. Pour se démarquer des productions ménagères, mais aussi pour fabriquer dans de bonnes conditions de rentabilité, la profession s'est, au fil des décennies, dotée d'outils, a perfectionné des méthodes, puis a investi dans des machines de plus en plus performantes. Au vu de l'importance de ce commerce au sein des métiers de bouche, des artisans, puis des entreprises, se sont spécialisés dans la fourniture de différents matériels adaptés aux exigences contemporaines de la boulangerie. La structure majoritairement artisanale de la boulangerie française explique cependant que les machines aient fait une entrée assez tardive dans les fournils. La mécanisation de la fabrication du pain semblait s'imposer pourtant, et ce dès le début du XXe siècle, en raison d'abord de la grande pénibilité du travail, ensuite des principes d'hygiène alimentaire nouvellement affirmés, puis de la pénurie de personnel. Pour répondre à cette attente exprimée à mots couverts, les équipementiers vont alors concevoir des machines de plus en plus sophistiquées et installer des fournils à différentes échelles de production : artisanale et industrielle (hypermarchés et terminaux de cuisson). Dans le même temps, la profession d'agenceur de magasins va progressivement voir le jour.

L'équipementier le plus crucial pour la profession fut longtemps l'artisan fournier, spécialisé dans la construction du four maçonné dit « four romain ». Ainsi, le compagnon fournier Jomeau, qui s'installe en 1795, construit non seulement des fours neufs, mais intervient tous les sept ou dix ans pour repaver les âtres de fours et les installations de production d'eau chaude. Vers 1891, l'invention de foyers surbaissés et du projecteur de flamme en fonte (baptisé « gueulard ») supprime la corvée de brossage du dessous des pains. Les fourniers disposent d'un syndicat professionnel des constructeurs de fours et les plus dynamiques d'entre eux, tels Biabaud, Damerval, etc., installent près de leurs ateliers des magasins où les boulangers peuvent choisir tel ou tel équipement fabriqué sur place ou revendu. Ils expédient également des catalogues détaillés de matériels de boulangerie à leurs clients, puis étendent rapidement leur offre d'ustensiles pour devenir les interlocuteurs incontournables du boulanger. Les vanneries d'osier sont omniprésentes dans le fournil (pannetons ronds, longs, corbeilles à levain qu'il faut rentoiler régulièrement) tout comme dans le magasin (mannes à petits pains et clayons à pâtisserie). Le menuisier fournit divers agencements, des meubles de fermentation, mais aussi le pétrin en chêne de plus de 3 m de longueur, qui nécessite de fréquentes réparations. Les catalogues proposent également des produits de boisellerie (seaux, baquets à poolish en bois), de la taillanderie (coupe-pâte, coupe-pain), de la tôlerie (mesures à braise, bassins), de la ferblanterie (moules variés, casiers à monnaie, pelles à farine), des produits de brosserie, des vêtements professionnels, de la papeterie et enfin différents instruments de pesage.

Au point de vue des machines, l'application de la mécanique en boulangerie civile fut, comme il a été dit, laborieuse. Il faudra attendre les années 1840 et les progrès de la métallurgie pour que des pétrins mécaniques sortent des ateliers et que des expériences comparatives de pétrissage à bras et par les machines soient organisées. Les premiers acheteurs seront des administrations publiques chargées de l'approvisionnement d'hôpitaux ou de prisons et des manutentions militaires panifiant journellement de grandes quantités de pain. Malgré l'inventivité et les arguments relatifs aux avantages procurés, peu de constructeurs mécaniciens feront fortune au XIXe siècle. Dans un contexte de marché très restreint, plusieurs inventeurs présentent des machines lors des expositions universelles. En 1856, le constructeur Rolland publie une plaquette détaillée mettant en exergue les avantages de ses nouveaux appareils, pétrin mécanique et four à sole tournante ; ce constructeur connaîtra un certain succès puisque ses machines seront commercialisées durant plus de vingt ans. Le maître boulanger parisien Boland, quant à lui, réussira à vendre plusieurs de ses pétrins à la boulangerie de l'Assistance publique. De même, vers 1870, la marque Deliry innove en proposant un pétrin doté d'une cuve tournante et de fraseurs aux géométries nouvelles. À partir de 1878, quelques boulangeries ou coopératives ouvrières de production de pain s'équipent par exemple de pétrins Mahot, dont la marque est parvenue jusqu'à nous (cette société fut initialement spécialisée dans les machines agricoles). Les fabricants de machines sont toutefois confrontés à un problème de taille : la force motrice. Les machines à vapeur ne sont en effet compatibles qu'avec de très grosses installations et les moteurs à explosion, très bruyants, sont peu conciliables avec les horaires des boulangers. L'équipementier Deliry contourne la difficulté en proposant un manège à cheval pour actionner sa machine.

Contrairement aux fournils, les boutiques de boulangeries des centres-villes vont se métamorphoser rapidement, renonçant à l'austérité des façades au profit de décors de plus en plus raffinés. Dans les années 1850, des ateliers spécialisés en décors de boutiques (Thivet en 1854, Benoît en 1859) voient le jour. Plafonds peints, décors en céramique, vitres gravées, stores embellissent les magasins. De nombreuses inscriptions, comme « Pain chaud à toute heure, travail soigné », protégées par des glaces de devantures, sont parvenues jusqu'à nous. Les comptoirs en bois cèdent la place à ceux en marbre à un ou deux pilastres, recouverts de balances aux plateaux en laiton. Les artisans serruriers parisiens, tel Thibaudet, vont concevoir toute une gamme de magnifiques étagères porte-pains en fer forgé doré au four et souvent couronnées d'épis dorés. Dotées de nombreuses volutes et de manchons en cuivre, ces étagères porte-pains, soit droites soit d'angle, sont aujourd'hui devenues emblématiques de la boulangerie parisienne et très recherchées par les antiquaires.

Pour exposer ses machines et convaincre une profession particulièrement frileuse, la profession d'équipementier a naturellement besoin de vitrines. Elle va profiter de l'engouement pour les foires commerciales annuelles de la capitale et des grandes villes de province pour y envoyer des voyageurs représentants placiers (VRP). Un syndicat des constructeurs français de pétrins mécaniques voit le jour dans les premières années du XXe siècle ; il participe à l'exposition de meunerie et de boulangerie de 1905, puis organise ses propres expositions. Il faut attendre l'électrification des fournils pour qu'une première vague d'installation des pétrins intervienne. Le constructeur suisse du pétrin à deux bras plongeant, Artofex, s'impose, rapidement concurrencé par de multiples constructeurs régionaux, mais aussi par le pétrin Vienara, du constructeur allemand Werner Pfleiderer. Finalement, les boulangers du nord de la France vont plébisciter le pétrin, dont l'outil mélangeur est à axe oblique, tandis que les régions plus au sud préféreront les pétrins à axe vertical. Les marques As, Phébus, Rex, Loiselet (qui dispose de sa propre fonderie) et tant d'autres tournent à plein régime dans les années 1920 et 1930.

Bien qu'à l'étranger les fours à vapeur à chauffe continue aient fait leurs preuves dès les années 1890 (Baker and Sons, Kaiser, Werner, etc.) et que d'ingénieux systèmes de soles sortantes aient été conçus, les artisans boulangers français continuent à préférer des fours maçonnés. D'autres équipements, qui procurent des avantages décisifs en termes de gain de temps ou de baisse de pénibilité, sont en revanche adoptés par une grande majorité de la profession. Ils procurent rapidement à leurs inventeurs une renommée nationale, voire internationale. Notons que certaines machines constituent indiscutablement des innovations de rupture : ainsi, les batteurs mélangeurs (Read, Hobart, Bonnet, Bouvard) dotés de fouets, de palettes et de crochets vont se révéler très supérieurs aux anciennes générations de batteuses à œufs et s'imposer sur les quatre continents. Différentes vagues d'installation de machines nouvelles se sont ainsi succédé : citons les brûleurs à gaz ou à fioul sur les fours maçonnés français, entre 1919 et 1950. La suppression du stockage et de la fente du bois fut également perçue comme un grand progrès, jusqu'à ce que la pose de brûleurs à combustion directe de produits pétroliers dans la chambre de cuisson soit prohibée dans les années 1960.

Après la Seconde Guerre mondiale, les boulangers français sont confrontés à différents paramètres qui les obligent à améliorer la productivité de leur fournil par le biais de la mécanisation : la taxation du prix du pain courant ne permet pas, en effet, de dégager de substantiels bénéfices ; par ailleurs, les conditions de travail éreintantes qui caractérisent un métier qui a encore, somme toute, peu évolué suscitent peu de vocations. La proportion de gros pain diminue et, par conséquent, l'étape de façonnage des pains de 700 g et des baguettes prend de plus en plus de temps ; dans ce contexte, les fabricants de façonneuses mécaniques vont offrir de nouveaux modèles. Les premières générations de façonneuses mécaniques employées depuis 1927 en biscotterie, du type « Maréchale », avec son lourd bâti en fonte, vont être modifiées. Les équipementiers vont proposer, au début des années 1950, de nouvelles machines en tôle soudée plus compactes et plus abordables. Un nouveau souffle de mécanisation se fait alors sentir dans les fournils artisanaux français, les banquiers proposant des crédits aux boulangers désireux de s'équiper. Les ventes de façonneuses mécaniques Maréchale, Isambert, Marchand et Puma décollent à partir de 1953. Les diviseuses à leviers connaissent un certain succès, avant de céder la place aux diviseuses hydrauliques électriques. Pour convaincre leurs clients, les équipementiers prêtent leurs machines. Bien que les pâtes françaises, de consistance assez molle et longuement fermentées, soient rebelles à la mécanisation, les contraintes de productivité et les pénuries de personnel poussent au changement. L'apparition de la méthode de fabrication de pain blanc par pétrissage intensifié, qui s'impose sur tout le territoire entre 1956 et 1961, nécessite une refonte complète de la gestion de production du fournil. Les fabricants de pétrins (Rex, Phebus) y voient une occasion unique de renouveler le parc vieillissant des pétrins de première génération. Généralement, trois fournées sont mises sur couche avant le premier enfournement. Ces modifications radicales effraient des boulangeries à faible rentabilité, qui mettent la clé sous la porte, tandis que les fournils plus importants commencent à s'équiper.

Le maître mot des années 1960 est « modernisation ». Les ventes de fours métalliques multiétages à recyclage ou à tubes annulaires, apparus quelques années plus tôt, décollent, engageant des équipementiers tels Bongard, Pavailler Tibiletti, Werner à investir dans des usines de fabrication en série. De brillants ingénieurs, tels René Voegtlin (Mecatherm) et Pierre Gouet, conçoivent des équipements réellement innovants. L'équipementier a vocation à faire gagner du temps à son client : par exemple, les accessoires dits « couches automatiques ou transipat » accélèrent l'étape de l'enfournement, désormais effectuée à l'aide d'un élévateur-enfourneur à tapis. Exit la pelle du boulanger qui figurait sur les blasons de la corporation depuis des siècles. Le challenge consistant à apprivoiser la fermentation panaire et supprimer le travail de nuit nécessitera trois décennies d'efforts ; un ancien boulanger, Michel Bouton, propose en 1964 une enceinte de fermentation conditionnée de type pousse lente, réellement innovante. Son confrère niortais Norbert Cosmao brevette en 1967 le Panem, qui inaugure l'ère de la fermentation contrôlée avec blocage. Dans cette période d'investissements effrénés, les boulangers urbains installent leurs laboratoires de pâtisserie avec laminoir, tour réfrigéré et congélateurs.

L'UFFEB, syndicat des équipementiers français, organise à Paris, en 1967, le premier grand salon de boulangerie-pâtisserie à vocation internationale : Europain. Il aidera, dans les années suivantes, ses adhérents à conquérir des marchés à l'export. Les équipementiers, initialement spécialisés sur une machine (pétrin), vont s'attacher à élargir leur offre de manière à pouvoir répondre à tout type de demande de leur clientèle. Ainsi, en 1977, le slogan du spécialiste français des fours à recyclage Pavailler devient : « Du four à l'équipement total ». Dans un contexte de recherche continue de productivité, des groupes automatiques de fabrication de pâtes boulangères comprenant des diviseuses volumétriques sont proposés dans les années 1970 aux artisans les plus dynamiques. Le four à chariot rotatif de la société Pons, sorti en 1968 et rapidement équipé de filets souples Demarle, permet d'atteindre des cadences inégalées. Inévitablement, ces machines éloignent la main du boulanger du ressenti de la pâte (matériau vivant par excellence), ce qui a conduit à de fâcheuses dérives qualitatives. La demande en croissants et pains au chocolat explosant, les entreprises telles que Rademaker, Fristch, Rijkaart, Rheon, Ostali, Rondo Doge ont, dans les années 1980, mis au point des lignes automatiques de viennoiseries surgelées crues. Peu après, les équipementiers tels que VMI, Benier, Gouet, Mecatherm s'attaquent à la conception de lignes de baguettes surgelées crues. De multiples développements seront nécessaires pour concevoir de nouveaux ensembles (nouvelle génération de stations de pesées associées soit à un pétrin continu, soit à un carrousel de pétrins classiques). Il faut repenser les blocs diviseuses, balancelles façonneuses en raison des hautes cadences, tout en ménageant la pâte. Une des machines qui illustre le plus les progrès de l'ingénierie de panification est sans doute le scarificateur automatique. De multiples terminaux de cuisson fleurissent dans les années 1980 et 1990 ; ils constituent un nouveau marché pour les équipementiers spécialisés dans les agencements de magasins et dans les petits fours ventilés tel Eurofours. Les ouvertures de nouvelles boulangeries dotées de fournils à la vue des clients constituent autant d'opportunités pour les fabricants de matériels. Les équipementiers adaptent leurs machines en proposant par exemple des fours modulables aux façades briquetées.

De plus, les ingénieurs italiens parviennent, dans les années 1990, à mécaniser intégralement la fabrication du pain italien *ciabatta*, qui pourtant résulte d'une pâte extrêmement hydratée et longuement fermentée. Cette nouvelle approche de laminage de pâte sectionnée longitudinalement puis guillotinée inaugure une nouvelle ère de développement d'extrudeurs de pâte moins agressifs, mais aussi une nouvelle génération de diviseuses opérant avec davantage de douceur et permettant la division de pâtes pointées. La société Rheon se singularise par la conception d'une diviseuse gravimétrique dite « stress free ». Durant ces quinze dernières années, de très nombreux équipementiers travaillent sur la conception de machines permettant de produire des pâte à faible viscosité longuement fermentées, se singularisant par des textures de mie très ouvertes. Pour répondre aux besoins de boulangers disposant de multiples points de vente approvisionnés par un seul fournil, les équipementiers allemands proposent des mini-chaînes de fabrication de petits pains, mais aussi, plus récemment, des systèmes d'enfourneurs à étages multiples, voire des automates programmables, assurant l'enfournement et le défournement de plusieurs fours contigus. En proposant différentes machines, les équipementiers améliorent l'hygiène, la sécurité, ils peaufinent l'ergonomie et rendent le travail moins pénible en le simplifiant. En France, la fédération des constructeurs est réunie au sein d'EKIP (les équipementiers du goût). Elle organise le Salon national de la boulangerie-pâtisserie et, tous les deux ans, le salon professionnel Europain (salon mondial de la boulangerie et de la pâtisserie).

Dans un contexte de globalisation des marchés et de mondialisation de quelques standards de pains, la concurrence entre équipementiers est rude. De nouveaux débouchés s'ouvrent, à la fois pour des pays à tradition de boulangerie industrielle souhaitant offrir de nouvelles gammes de pains artisanaux, mais aussi pour des régions du monde où le pain n'était pas familier. La grande nouveauté du secteur tient au fait que, désormais, le professionnel ou l'investisseur disposent d'un vaste choix d'équipements hautement performants, qui leur permet d'associer qualité et productivité. À eux d'indiquer, dans leur cahier des charges, s'ils souhaitent respecter ou bousculer les fondamentaux de la technologie boulangère.

Hubert Chiron

• *Voir aussi* : Biscottiers ; Europain → Boulangerie (salons internationaux de la) ; Bouton ; Cosmao ; Enfournement ; Enfournement-défournement ; Façonneuse ; Four ; Fournier et fornillon ; Fournil ; Gueulard ; Laminoir ; Pelle ; Peseuse-diviseuse ; Pétrin ; Pétrissage ; Poolish ; Terminal de cuisson

Bibl. : Voir le site des équipementiers du goût, www.ekip.com

ERGOT DE SEIGLE. – Voir ERGOTISME

ERGOTISME. – Vient du mot « ergot », qui évoque la forme finale du parasite ressemblant à un ergot de gallinacé. L'ergotisme est une maladie liée à la consommation involontaire et répétée de pain confectionné avec de la farine contenant des sclérotes d'ergot. L'ergot est un parasite des poacées (graminées) sauvages ou cultivées. L'espèce cultivée la plus sensible est le seigle, du fait principalement de son régime de fécondation allogame. Le blé, l'orge et l'avoine sont beaucoup moins sensibles, sauf si une stérilité se produit, liée à un accident climatique. Ce parasite est attaché à un champignon ascomycète, *Claviceps purpurea* (Fries) Tuslane. Les spores du champignon infectent dans un premier temps les graminées sauvages adventices de la culture ; dans un deuxième temps, les spores obtenues infectent les fleurs de seigle suite à l'ouverture des glumelles pour recevoir le pollen provenant d'autres plantes. Le champignon se développe aux dépens du grain et forme un sclérote de forme courbe. Le sclérote peut être appelé également « blé cornu ». Les sclérotes sont toxiques, car ils contiennent des alcaloïdes dont le principal est l'ergotamine, utilisée comme médicament favorisant la vasoconstriction du système circulatoire et donc la diminution de la pression artérielle.

On connaît mal le processus d'intoxication : survenue brutale ou lente, conditions favorisant le développement de la maladie. On reconnaît deux types d'ergotisme sur le plan pathologique : la forme convulsive est marquée par des troubles neuropsychiques, des phénomènes convulsifs et spasmodiques. À ces troubles sont associées des insomnies, des migraines, des phénomènes d'hallucinations, de visions effrayantes. La forme gangréneuse, qui est liée à des problèmes circulatoires aigus, notamment dans les régions périphériques mal irriguées, entraîne le dessèchement de doigts, puis de membres entiers, associé à des douleurs insupportables. L'ergotisme a été décrit dans l'Histoire à l'époque romaine, en France au Moyen Âge et jusqu'au XIXe siècle ; toutes les régions de France ont été touchées, à différentes époques où le seigle était beaucoup plus utilisé que de nos jours pour la fabrication du pain. Cette maladie a été évoquée également sous le nom de « feu de saint Antoine », de mal des ardents, et a pu dans les temps anciens être confondue avec la peste.

Plus récemment, en 1951, une intoxication collective a eu lieu à Pont-Saint-Esprit, dans le Gard, la première hypothèse l'ayant attribuée à la consommation d'ergot dans le pain. Ce qui a frappé l'opinion dans cette épidémie qui a touché plus de 200 personnes, provoqué l'internement en asile psychiatrique d'une cinquantaine d'entre elles et fait 5 morts, c'est le fait que la cause du mal était la consommation de pain, cet aliment essentiel et symbolique, et qui plus est en plein XXe siècle. La raison de cette épidémie était la pénurie en farine après les restrictions dues à la guerre. Les régions de France déficitaires en farine, comme c'était alors le cas du département du Gard, recevaient des lots de farine d'autres régions excédentaires, dans ce cas du département de la Vienne. Les meuniers de ce département préféraient expédier les lots de farine qu'ils ne voulaient pas vendre sur place du fait de leur mauvaise qualité. Les boulangers du Gard s'étaient plaints de nombreuses fois de la mauvaise qualité des farines importées, sans que cela n'ait alors donné lieu à aucun empoisonnement. Les choses changèrent du tout au tout avec la fournée du 16 août 1951. Suite aux symptômes observés chez les malades, semblables à ceux observés lors de précédentes épidémies, les médecins locaux puis les toxicologues incriminèrent aussitôt l'ergot comme responsable de la maladie. Cette explication n'emporta pas la conviction de l'ONIC (Office national interprofessionnel des céréales) et de l'ANMF (Association nationale de la meunerie française), leur responsabilité étant mise en cause du fait de la pénurie en céréales, qui imposait de récupérer même les grains de blé de qualité médiocre et d'y adjoindre une certaine quantité de grains de seigle susceptibles de contenir de l'ergot. Des experts proposèrent d'autres hypothèses, tel un empoisonnement par pollution accidentelle de la farine par un produit de traitement du grain, le Panogen, contenant du mercure. Les symptômes observés chez les malades ne permirent pourtant pas d'étayer cette hypothèse ; ils correspondaient toujours davantage à un empoisonnement par l'ergot, bien que celui-ci ne se fût produit que sur une fournée de boulanger. Plus récemment (en 1982), un chercheur, le professeur Moreau, spécialiste des moisissures, a émis l'hypothèse que les intoxications pourraient provenir de mycotoxines de moisissures inconnues à l'époque, se développant dans les silos à grains et agissant soit seules, soit en association avec d'autres substances. Steven Laurence Kaplan, qui a mené une longue enquête sur la question, dont il publia les conclusions en 2008, n'exclut pas, par ailleurs, l'effet d'agents de blanchiment du pain dans l'intoxication spiripontaine. D'autres cas d'ergotisme ont été cités en Russie, et récemment en Éthiopie (2001), à la suite de consommation d'orge contaminée par l'ergot.

Jean Koenig

• *Voir aussi :* ANMF ; Blanchiment en meunerie ; Échangisme ; Feu ou mal de saint Antoine ; Glume et glumelle ; Kykéon et initiation aux mystères ; Meunerie ; Meunier dans l'Histoire ; Meuniers et minotiers ; Minoterie ; Moulin ; ONIC → ONIGC ; Seigle (*Secale cereale*)

Bibl. : J. ADRIAN, R. ANTON, « L'ergot du seigle, son apparition et sa toxicité », *Industries des céréales*, n° 119, p. 28-30, 2000 • Steven L. KAPLAN, *Le Pain maudit. Retour sur la France des années oubliées (1945-1958)*, Paris, Fayard, 2008

ESCOURGEON. – Voir ORGE

ESPAGNE (traditions du pain en). La majeure partie des contrées qui composent l'Espagne actuelle entrèrent très tôt dans la civilisation du pain : des galettes se fabriquaient déjà dans la péninsule Ibérique avant l'arrivée des Romains. Situées en dehors du monde méditerranéen, les Canaries furent le seul territoire de l'Espagne contemporaine qui ne connut qu'un enracinement tardif du pain dans son paysage alimentaire. En effet, les Guanches installés sur ces îles consommaient les céréales sous la forme d'une mouture grillée, le *gofio*, qui conserva un rôle très notable dans l'alimentation populaire insulaire longtemps après la conquête par la couronne de Castille (1402-1496) et l'introduction des savoir-faire boulangers dans l'archipel. Aujourd'hui encore, alors que le pain fait pleinement partie de la diète canarienne, le *gofio* constitue une spécialité locale largement consommée.

Le pain fut toujours pluriel dans les contrées espagnoles, même dans celles où le froment prospérait. À partir de cette seule céréale, on produisit précocement plusieurs pains. Les uns étaient dignes de figurer sur les tables des puissants, les autres propres à sustenter des appétits populaires. Dans le Barcelone du XVe siècle, par exemple, les élites consommaient à l'ordinaire un pain blanc, frais et fabriqué avec des farines obtenues à partir des meilleures variétés, quand le petit peuple se contentait d'un pain confectionné avec des farines moins fines et plus obscures. Pouvoir ainsi manger quotidiennement du pain brun de froment signifiait néanmoins que l'on se trouvait dans une situation alimentaire assez confortable. Dans les contrées dominées par les chrétiens comme dans celles tenues par les musulmans, ce grain était considéré comme celui qui donnait les meilleurs des pains, étant entendu que des farines issues d'autres céréales alimentaient régulièrement les maies. Pour les médecins de l'al-Andalus (nom de la péninsule Ibérique sous domination musulmane au Moyen Âge), les pains d'orge venaient en bons seconds après ceux de froment et surclassaient largement ceux fabriqués avec de la mouture de millet. À l'instar des *hubz al banîy* du royaume de Grenade, ces derniers n'étaient guère consommés par goût. Toutefois, la nécessité conduisit durablement les paysanneries locales à manger en quantité de ces pains peu estimés. Pour les habitants des régions de la péninsule Ibérique dans lesquelles la culture du seigle était pratiquée, les pains de millet étaient d'autant plus infâmes que ceux réalisés avec de l'orge constituaient déjà des nourritures de famine à leurs yeux. Un fameux proverbe castillan évoque précisément la hiérarchie des pains en vigueur dans l'Espagne moderne : « Le pain de seigle / Est bon pour ton ennemi / Le pain de millet / Ne le donne pas à ton fils / Le pain d'orge / Une nourriture d'âne travestie / Le pain de panis / C'est le diable qui l'a fait / Le pain de froment, du meilleur ou du second / C'est Dieu qui l'a fait et c'est mon pain. »

À partir de la fin du XVIe siècle, le maïs commença à remplacer les millets dans l'alimentation des populations installées sur la côte cantabrique. De nouveaux pains de pauvres vinrent se substituer localement à de plus anciens. À partir de la fin du XVIIIe siècle, le fort développement de la riziculture entraîna un recul notable et durable de la place des pains de blé dans l'alimentation des paysans installés dans certains secteurs de la côte levantine. Comme Luis Buñuel sut le montrer avec un sens consommé de la mise en scène dans *Terre sans pain*

(1933), il y eut des régions, à l'instar des Hurdes, où la pomme de terre remplaça communément les pains dans les diètes populaires. Au temps de la guerre civile (1936-1939), puis durant une terrible période post-guerre qui vit le pain rationné jusqu'en 1952, les pièces confectionnées avec de grossières farines de blé ou de la mouture de maïs redevinrent tristement célèbres jusque dans des villes, où il ne s'était parfois pas mangé de produits équivalents depuis des générations. Bien longue fut ainsi la route qui conduisit à l'accession, pour l'ensemble de la population espagnole, au pain blanc de froment, dans la seconde moitié du XXe siècle.

Parmi les objets traditionnellement mobilisés lors de la fabrication du pain, les sceaux (*sellos*), qui étaient d'un usage courant dans certaines régions, attirent tout particulièrement l'attention. Dans les contrées où la cuisson du pain s'effectuait dans des fours communaux, ils permettaient de reconnaître les pièces appartenant à telle ou telle famille au moyen d'une marque distinctive apposée à l'issue du travail de la pâte. Dans un monde où le pain était un aliment aussi essentiel que précieux, l'utilisation de ces sceaux participait aussi, de la même manière que pouvait le faire la récitation de certaines prières, au rituel qui entourait l'enfournement des pains. Autour de Salamanque, ces ustensiles étaient d'ailleurs qualifiés de *crecedores*, c'est-à-dire d'objets dont le rôle était déterminant dans le gonflement des pains au cours de la cuisson. Un des autres noms donnés aux sceaux à pain est *pintadera*. Il est l'origine de l'expression *pan pintado*, qui sert à désigner tout particulièrement des pains décorés au moyen de tels ustensiles et servis dans les grandes occasions ou lors de certaines fêtes votives.

Dans sa plus parfaite simplicité ou sous des formes améliorées par l'adjonction de matières grasses, d'œufs ou de sucre, en effet, le pain se voyait fréquemment associé à des célébrations religieuses ou à l'accomplissement de certains rites de passage. Toutefois, l'histoire du pain en Espagne est aussi celle d'un aliment incontournable, consommé quotidiennement et très régulièrement mis en cuisine. Le pain constitue en effet l'ingrédient essentiel de nombreux plats populaires, qui firent d'abord partie du répertoire alimentaire des pauvres avant de conquérir une certaine renommée. Les *gazpachos* sont fondamentalement des soupes froides à base de pain, d'huile et d'ail. Les *migas* (« mies ») sont du pain émietté et frit avant d'être accommodé de diverses manières. Songeons notamment aux *migas canas*, servies avec un peu de lait, ou aux *migas de pastor*, nourries de lard. Pour sa part, le fameux *pa amb tomàquet* rappelle délicieusement que le pain est tout à la fois une nourriture ordinaire et un objet hautement symbolique. En effet, ce pain tranché, frotté avec des tomates puis arrosé d'un filet d'huile d'olive vierge, constitue aujourd'hui un puissant marqueur de l'identité catalane et un mets couramment préparé, même en dehors de la petite patrie qui l'a vu naître, par des Espagnols qui continuent d'apprécier le pain même s'ils en consomment de moins en moins dans le cadre de leur foyer.

Dans les grandes villes de l'Espagne d'aujourd'hui, en effet, il n'est pas rare de trouver des boulangeries proposant une très large gamme de pains. Certains de ceux-ci sont des créations récentes, d'autres de fameuses spécialités régionales aux côtés desquelles il convient de ranger les *cocas* aux garnitures salées ou sucrées et des *monas* qui perdent bien souvent leur qualité de pains améliorés pour devenir de véritables pâtisseries. Néanmoins, cette diversité ne doit pas faire oublier que l'offre en pain ordinaire s'est très largement standardisée dans le courant des dernières décennies du XXe siècle. À partir des années 1960, la *barra* (« pain long », « baguette ») commença à s'imposer un peu partout sous des formes plus ou moins massives (250 g ou 500 g). À la charnière des XXe et XXIe siècles, ce fut la baguette à la française qui bénéficia des faveurs de la mode, dans un pays dont les provinces avaient vu l'invention d'une quantité considérable de pains régionaux.

ANDALOUSIE

Mollete de Antequera. Petit pain blanc de froment caractérisé par une forme elliptique, une épaisseur de 2 à 4 cm et une mie abondante et spongieuse. Si le *mollete* est un pain classiquement fabriqué dans toute l'Andalousie, la ville d'Antequera s'illustra tout particulièrement dans sa production au cours de la seconde moitié du XXe siècle, avec l'émergence d'une industrie boulangère dynamique. Dans le courant des années 2000, divers acteurs de la vie économique de cette localité de la province de Málaga ont établi un dossier visant à l'obtention d'une IGP (Indication géographique protégée) « *Mollete de Antequera* ».

Pan cateto (« pain paysan »). Pain de froment de type campagne, dont les formes et les dimensions sont actuellement très variables. Le nom *pan cateto* est employé tout particulièrement dans la province de Málaga.

Pan de Alfacar. Pain blanc de froment bénéficiant d'une IGP (Indication géographique protégée) depuis 2008. Élaborée à une dizaine de kilomètres de Grenade, la production des boulangers d'Alfacar fut appréciée dans cette ville dès au moins le XVIIe siècle. Caractérisé par une mie aux alvéoles irrégulières, le pain d'Alfacar contemporain se présente sous la forme de couronnes et de miches rondes ou allongées pesant 250 g, 500 g ou 1 kg.

Pan de Cachos. Pain de seigle anciennement préparé dans la vallée des Pedroches (nord de la province de Cordoue). La transformation du système agricole local entraîna l'arrêt de sa fabrication dans le courant du XXe siècle.

Pan molinero. Pain de froment dont la pâte intègre une quantité importante d'huile d'olive. Encore pratiquée à petite échelle au début du XXIe siècle, la fabrication de ce pain intéressait surtout des secteurs oléicoles situés dans les provinces de Séville, Jaén (Jaén, Baena) et Cordoue (Priego de Córdoba, Lucena).

Regaña. Petit pain levé de froment de 5 à 6 cm d'épaisseur. De forme ronde ou rectangulaire, il est toujours dépourvu de mie et croustillant. À l'origine, il était surtout fabriqué par les boulangers de la basse vallée du Guadalquivir (Séville, Huelva, Cadix). Aujourd'hui, il est tout particulièrement mis en œuvre lors de la réalisation de certaines tapas.

ARAGON

Pan de cañada. Pain de froment de forme ovale et d'une épaisseur inférieure à 6 cm. Badigeonné d'huile d'olive avant d'être enfourné, il possède une fine croûte dorée. Depuis 2008, ce produit fait partie des pains de la province de Teruel bénéficiant du signe de qualité « C alial ».

Pan de cinta (« pain à la ceinture »). Pain de froment à la mie dense, uniforme et tendre présentant la forme caractéristique d'une miche allongée ceinturée transversalement par un rouleau de pâte. Son poids traditionnel est de 500 g. Spécialité de Saragosse, il fut longtemps considéré comme le meilleur pain local.

Pan de tres moños (« pain aux trois chignons »). Pain de froment constitué par trois boules assemblées en étoile. Sa mie est dense, uniforme et tendre. Il est plus particulièrement fabriqué par les boulangers de Huesca.

ASTURIES

Bollu preñau (« pain garni », littéralement « pain enceint »). Pain de froment garni d'un chorizo avant d'être enfourné. Il est traditionnellement associé à certaines festivités. À Oviedo, il est ainsi un mets largement consommé durant le *Martes de Campo*, le mardi suivant la Pentecôte. Il ne doit pas être confondu avec une autre spécialité asturienne : le *bollo de Avilés*, qui est un biscuit quadricorne consommé à la fin du cycle pascal.

Cantelo, pan del tchoru ou **pan del lloro.** Pain de froment ordinaire ou amélioré par l'adjonction d'œufs et de sucre, traditionnellement associé aux noces dans les environs de Grandas de Salime, Allande ou Cangas de Tineo. L'usage voulait qu'il fût découpé par les époux à l'issue du banquet de noce et distribué par eux-mêmes à tous les voisins. Les noms de *pan del tchoru* et de *pan del lloro*, c'est-à-dire « pain des pleurs », viennent du fait qu'à la fin de la distribution la jeune épouse quittait la maison paternelle pour celle de son mari en pleurant dans le cadre d'un rituel de départ.

ÎLES BALÉARES

Pa de bundrells. Pain qui se préparait traditionnellement sur l'île de Minorque en complément des fournées composées de grosses miches (*hogazas*). Croustillant et pratiquement dépourvu de mie, ce pain doté de plusieurs pointes était consommé le jour de sa cuisson. À l'instar des autres pains des Baléares, il possédait une pâte très peu salée.

Panets de mort. Petits pains de farine de froment, rappelant par leur forme un cadavre enseveli, qui se préparaient sur l'île de Majorque à l'occasion du jour des Morts.

COMMUNAUTÉ AUTONOME BASQUE

Voir PAYS BASQUE

ÎLES CANARIES

Pan de millo (« pain de maïs »). Un peu de farine de froment intervient dans la composition de la pâte de ce pain de maïs parfumé avec de l'anis vert. À la fin du XXe siècle, sa fabrication intéressait essentiellement des artisans installés dans des localités du centre de la Grande Canarie : Teror, Artenara, Tejeda, etc.

Pan de papas (« pain de pommes de terre »). Caractérisé par une pâte obtenue en combinant de la pomme de terre cuite avec de la farine, ce pain levé se fabriquait encore dans certains secteurs ruraux de la Grande Canarie et de Tenerife à la fin du XXe siècle.

Pan de puño (« pain aux poings »). Pain de froment qui tire son nom du fait qu'il était traditionnellement travaillé et façonné à la main. Il constitue aujourd'hui une spécialité de quelques localités de la Grande Canarie, ainsi Ingenio.

CANTABRIE

Pan de Campoó. Type de gros pain de campagne traditionnellement fabriqué dans les environs d'Aguilar de Campoó (Castille et León) et la partie occidentale de la Cantabrie. À la fin du XXe siècle, sa fabrication n'intéressait plus que quelques artisans, qui ne manquaient pas de saupoudrer sa croûte sombre et assez épaisse d'un peu de farine.

CASTILLE-LA MANCHE

Pan de Cruz de Ciudad Real. Pain blanc de froment à la mie consistante et blanche. Miche bombée à croûte lisse, il porte sur sa face supérieure deux profondes entailles perpendiculaires. Depuis 2009, ce pain bénéficie d'une IGP (Indication géographique protégée).

Torta cenceña (« galette fine »). Pain azyme obtenu à partir de farine de blé dur se présentant traditionnellement sous la forme d'une roue de 35 cm de diamètre et de 0,5 cm d'épaisseur. Cuit à haute température, ce pain de longue conservation entrait dans la diète des bergers et s'emploie tout particulièrement aujourd'hui pour préparer des *gazpachos*.

CASTILLE ET LEÓN

Hogaza de León. Miche ronde de froment pesant, dans ses formes actuelles, de 500 g à 2 kg. Très récemment, des procédures ont été engagées qui pourraient conduire dans un avenir proche à l'obtention, pour ce gros pain à la mie blanc-crème, d'une marque de qualité, vraisemblablement d'une Indication géographique protégée.

Pan de Valladolid. Pain bénéficiant de la protection d'une *Marca de garantia* depuis 2001. Six de ses huit variétés entrent dans la catégorie des pains *candeales*, c'est-à-dire « extrêmement blancs ». Il s'agit des pains suivants : **Pan de cuatro canteros** (« pain à quatre bords ») : grosse miche ronde, dont la surface supérieure porte quatre entailles perpendiculaires qui isolent les bords du centre du pain. – **Pan de cuadros** (« pain quadrillé ») : pain rond, dont la surface supérieure est quadrillée par de profondes entailles. – **Pan lechuguino** (« pain à l'aspect soigné ») : pain rond, dont la surface supérieure présente des motifs circulaires ; variété de pain typique de la ville de Valladolid. – **Pan de polea** (« pain poulie ») : pain rond, dont la circonférence porte une entaille profonde, traditionnellement obtenue en employant une corde ; caractéristique des campagnes environnant Valladolid, ce pain ne faisait l'objet que d'une production très limitée au début du XXIe siècle. – **Fabiola :** pain *candeal* présenté sous la forme d'une baguette d'environ 250 g. Créé à Valladolid au début des années 1960, il est aujourd'hui assez populaire dans l'ensemble de la Castille et à Madrid. – **Pan de pico :** baguette de pain *candeal* hérissée de pointes croustillantes. – Les deux pains de Valladolid n'entrant pas dans la catégorie des pains *candeales* sont les suivants : **Barra de riche** ou **Barra de flama :** pain blanc de froment d'une forme allongée, pareil à celui qui est le plus consommé dans l'ensemble de l'Espagne ; **Barra rústica :** pain rustique pareil à ceux que les boulangers de la fin du XXe siècle se plurent à (ré)inventer dans de nombreux pays. Une touche de farine de seigle (10-15 %) vient fréquemment rendre sa mie plus obscure et sa conservation meilleure.

Torta de Aranda. Pain levé de froment présentant une forme circulaire et comptant l'huile d'olive parmi les ingrédients de sa pâte. En 2008, une démarche visant à l'obtention d'une Indication géographique grotégée « *Torta de Aranda* » a été engagée par divers acteurs de la vie économique de la vallée de Duero.

CATALOGNE

Llonguet. Petit pain de froment ovale, dont la face supérieure est fendue plus ou moins profondément sur une grande partie de sa longueur. Dans ses formes les plus classiques, il pèse autour de 120 g. Compte tenu de sa forme, les folkloristes l'ont fréquemment rangé parmi les pains féminins. En qualifiant parfois la vulve de *llonguet*, le catalan populaire ne leur donne pas tort !

Pa de barret (« pain en chapeau »). Pain de froment de type campagne, qui constitue une spécialité des environs de Tortosa, une ville de la province de Tarragone.

Pa de colzes (« pain de coudes »). Gros pain rond de type campagne. Pesant de 2 à 3 kg, il était typique de l'Ampurdan. Son nom découle du fait que les boulangers réalisaient les fentes que portait la face supérieure de cette grosse miche à l'aide de leurs avant-bras. À la fin des années 1970, Luis Bettonica mentionnait déjà que la fabrication de ce pain était pratiquement abandonnée.

Pa de crostons (« pain aux trois croûtons »). Pain triangulaire de type campagne, dont les extrémités sont des pointes relevées. Il se fabriquait surtout dans la région de Gérone. Rendu célèbre par Salvador Dalí, ce pain est encore produit par quelques boulangers en dépit du fastidieux travail de pliage de la pâte qu'appelle sa préparation.

Pa de pagès (« pain paysan »). Pain de froment de type campagne. D'une forme ronde, il est aujourd'hui très populaire et constitue le pain généralement employé pour préparer le *pa amb tomàquet*.

EXTRÉMADURE

Pan de pico. Pain de froment compact à la mie serrée et à la croûte lisse, qui se fabrique traditionnellement dans les environs de Badajoz.

GALICE

Bolla gallega. Gros pain de longue conservation se présentant sous diverses formes (miches, couronnes…). Si ce pain est parfois de pur froment, il peut aussi être réalisé avec un mélange de farines de froment et de seigle.

Borona, boroa, oután, pan de broa, petada. Pain obtenu à partir de farine de maïs coupée, selon des proportions variables, avec de la farine de seigle. Sa forme la plus classique est d'une miche arrondie légèrement écrasée. L'*oután* diffère des pains les plus ordinaires par le fait qu'il est plus large que haut ; tandis que la *petada* se distingue par une plus petite taille. Longtemps nourriture de tous ceux qui, dans les campagnes, ne pouvaient s'offrir un pain plus raffiné, la *borona* à la mie compacte est devenue un mets au bon goût de terroir, apprécié en certaines occasions, alors qu'elle a perdu toute fonction dans les diètes quotidiennes.

Pan de Cea, poia de Cea, pantrigo de Cea. Pain de froment fabriqué sur le territoire de la municipalité de San Cristovo de Cea (Ourense). Présenté sous la forme de miches allongées portant sur leur surface supérieure une fente qui les divise dans le sens de la largeur, ce pain pèse autour de 1 kg dans ses dimensions les plus traditionnelles (*poia*) et entre 500 et 600 g quand il est présenté en demi-pièce (*molete*). Précisément évoqué dans des documents dès au moins le XVIIe siècle, le pain de Cea bénéficie de la protection d'une indication géographique protégée depuis 2004.

COMMUNAUTÉ DE MADRID

Barra de la Sierra madrileña. Pain de froment allongé apparu assez tardivement dans les environs de Madrid sous l'influence d'un goût urbain pour les pains à la française. D'abord pain réservé aux meilleures tables, il devint d'un usage plus commun dans le courant du XXe siècle, avant d'être très largement éclipsé par la désormais classique *barra de flama*.

RÉGION DE MURCIE

Pan de Riguelto. Pain à la mie dense et à la croûte sombre, fabriqué à partir d'un mélange de farines de froment et de maïs.

COMMUNAUTÉ FORALE DE NAVARRE

Voir PAYS BASQUE

LA RIOJA

Bollo de San Prudencio, bollo de leche. Petit pain au lait de forme allongée, qui se prépare dans les environs d'Albelda à l'occasion de la fête de Saint-Prudence.

Pan del Santo. Petit pain circulaire, dont la pâte, principalement composée de farine de froment, était améliorée par l'adjonction d'œufs et de safran. Marqué au moyen d'un sceau, il se consommait rituellement le 1er mai dans le village de Santo Domingo de la Calzada, en mémoire des distributions de pain que fit Dominique sur le chemin de Saint-Jacques-de-Compostelle.

COMMUNAUTÉ VALENCIENNE

Pan quemado (« pain brûlé »), **pa socarrat, pa dormido.** Pain de froment amélioré, dont la pâte contient du sucre, des œufs et de l'huile d'olive. Il tire son nom de sa croûte obscure et glacée. De forme hémisphérique, il est tout particulièrement consommé à Pâques.

Pataqueta. Pain en forme de demilune fabriqué avec une farine plus ou moins fine selon qu'il s'agisse d'une *pataqueta de huerta* (« de campagne ») ou d'une préparation plus urbaine.

ÉGALEMENT

Bimbo (pan). Nom donné par antonomase au pain de mie (*pan de molde*), dans la langue populaire. Installée en 1964 à Granollers, la société Bimbo inaugura en effet la production de ce type de pain en territoire espagnol à partir de l'année suivante. Rapidement devenu le symbole d'une certaine modernité alimentaire, ce pain fut bientôt imité par des artisans urbains puis villageois. Sous ces formes industrielles ou artisanales, il est toujours apprécié aujourd'hui, notamment au petit déjeuner.

Frédéric Duhart
et F. Xavier Medina

• *Voir aussi* : Pays basque ; *Terre sans pain* → Documentaires et films

Bibl. : *Alimentos de Aragón. Un patrimonio cultural*, La Val de Onsera, Huesca, 1997 • José Carlos CAPEL, *El pan nuestro : elaboración, formas, mitos, ritos, gastronomía y glosario de los panes de España*, Saint-Sébastien, R&B Ediciones, 1997 • Javier ESCALERA, Antonio VILLEGAS, *Molinos y panaderías tradicionales*, Madrid, Editora Nacional, 1983 • Consolación GONZÁLEZ CASARRUBIOS, « El pan ritual en España », in *¡A comer! Alimentación y cultura*, Madrid, Ministerio de Educación y Cultura, 1998 • Isabel GONZÁLEZ TURMO, « El pan : del plato al mantel », *in* A. Garrido (éd.), *Los sabores de España y América*, Huesca, La Val de Onsera, 1999 • Arturo HARDISSON DE LA TORRE, José María CABALLERO MESA (éd.), *El gofio. Un alimento tradicional canario*, Las Palmas, Centro Cultura Popular Canaria, 2006 • María Asunción LIZARAZU DE MESA, Rosario PEREZ MARTÍN, Marta SÁNCHEZ MARCOS, « La exposición *El pan de cada día* del museo de Salamanca », in *Alimentación y Cultura*, Huesca, La Val de Onsera, 1999 • F. Xavier MEDINA, *Food Culture in Spain*, Westport, Greenwood Press, 2005 • Yuri MILLARES, *Despensa y fresquera de Gran Canaria. Guía de productos artesanos y agroalimentarios*, Las Palmas de Gran Canaria, AIDRGC, 2001 • José Luis PUERTO, « El pan. Oraciones al meterlo al horno », *Revista de folklore*, nº 172, 1995 • José Miguel REYES MESA, *El pan de Alfacar. Tahonas y hornos tradicionales*, Grenade, Editorial Axares, 2009 • Antoni RIERA MELIS, « Tener siempre bien aprovisionada la población. Los cereales y el pan en las ciudades catalanas durante la Baja Edad Media », in *Alimentar la ciudad en la Edad Media*, Logroño, IER, 2009.

ESTONIE (traditions du pain en). L'Estonie est un pays du nord de l'Europe, de tradition germanique, mais ayant également subi des influences scandinaves. La cuisine estonienne est une cuisine paysanne marquée par la présence des différents occupants : Suédois, Allemands, Russes, etc. Pour cette raison, l'Estonie, ses pratiques alimentaires, ses aliments et ses modes de préparation sont plus ou moins le résultat de la fusion entre une cuisine nordique et une cuisine germanique. Cuisine peu épicée et douce, elle devient plus riche en hiver pour affronter la dureté du climat, s'allège en été avec les produits du potager et de la forêt. Les produits utilisés sont principalement ceux du terroir estonien (blé, avoine, seigle, orge, épeautre, un peu de maïs pour l'ensilage, mais il pousse mal). Traditionnellement, on retrouve de tout dans l'assiette d'un Estonien, dans un registre dans l'ensemble assez simple et parfois même rustique. Les célèbres sprats de Tallinn, par exemple, assaisonnés de douze épices différentes, sont l'un des mets fins de la cuisine estonienne. Ce sont de petits poissons crus marinés dans de la saumure et des épices (coriandre, cumin, etc.). Ils accompagnent en général des œufs durs ou des tranches de pain de seigle beurrées. Les harengs de l'Atlantique ont toujours été également considérés comme un mets délicat par les Estoniens. L'une des spécialités les plus représentatives de la cuisine de l'Estonie depuis les périodes antiques, le hareng est conservé soit par salaison, soit mariné ou fumé. On peut citer aussi la viande salée ; le porridge (à base d'orge perlé accompagné de lard, ou d'orge perlé et de pommes de terre, etc.) ; le *kama* (mélange de céréales grillées, mangé, par exemple en été avec du *keefir*, lait fermenté, ou avec du yaourt et du sucre) ; le *karask* (« gâteau » salé à base de farine d'orge, préparé avec du lait fermenté et auquel on ajoute parfois du sucre, des morceaux de pommes, des raisins, etc. pour faire un *magus karask*, le *karask* sucré) ; les petits pains d'épices croquants (biscuits sucrés de Noël ; à base de farine de froment, au sirop et aux épices variées) ; enfin le *kringel*, gâteau traditionnel de fête, en forme de *pretzel*, sorte de pain sucré aux raisins, auquel on ajoute parfois des noix, et recouvert de chocolat.

Le pain garde néanmoins une place importante lors du repas, le pain de seigle et le pain noir restant les plus appréciés. Le pain est toujours considéré comme sacré ; aujourd'hui encore, les Estoniens ne peuvent se résoudre à jeter du pain même rassis, préférant l'intégrer à une recette. Cette sacralisation du pain se traduit à travers de très nombreux proverbes estoniens, comme celui-ci : « Où il y a du travail, il y a du pain. » De plus, en Estonie, on ne dit pas « Bon appétit » avant de commencer le repas, mais *Jätku leiba*, c'est-à-dire « pourvu que votre pain dure », « pourvu que vous n'en manquiez pas ». Mais le pain noir est ici un symbole de survie. C'est ainsi qu'un Estonien émigré aura toujours la nostalgie du pain de seigle au levain. Même s'il est installé à l'étranger depuis des dizaines d'années, il n'oubliera jamais son goût si particulier. Le pain de seigle accompagne presque tous les repas. On peut même dire sans exagération que la présence du pain de seigle sur une table estonienne est si importante que tout autre aliment est alors considéré comme « quelque chose pour aller avec le pain ». Depuis des années, le pain est un des composants majeurs de la nourriture traditionnelle. Il peut être parfumé à la coriandre, à la cardamome, au cumin, au sésame, etc.

En 2005, le pain de seigle a été reconnu comme étant la nourriture traditionnelle de l'Estonie. Ce pain noir doit avoir cependant certaines caractéristiques. Il est de forme longue et ovale ou se présente sous la forme d'une miche ronde. Il s'agit d'un pain aigre-doux (*magushapu*), de seigle (*rukkileib*) avec ajout d'ivraie, ou de blé (farine fine, *peenleib*, ou farine de gruau, *püülijahu*), préparé à partir de *keet* fermenté. Le *keet*, ou levain naturel, est une préparation à base de farine fine de seigle et d'eau chaude, laissée fermenter pendant trois jours, et constamment remélangée. Le *keet*, qui caractérise le pain estonien, est utilisé comme agent de fermentation naturelle depuis la seconde moitié du XIXe siècle pour la production de *peenleib*.

Le pain acidifié noir de seigle a été ainsi l'aliment de base des Estoniens pendant des siècles. Les origines remontent au XXe siècle, au moment où la culture du seigle est devenue plus répandue que celle de l'orge. Les boules et miches faites à partir de céréales variées (*käkk*, *karask*) furent remplacées par les pains de seigle acidifiés et plus caloriques, au goût plus fin et souple. La méthode de fermentation, bien que connue de longue date, devint alors la mieux adaptée à la confection du pain de seigle estonien. Le pain traditionnel était alors une miche grande et aérée, de forme ronde puis ovale, la forme étant directement déterminée par la forme et la taille du foyer. Jusqu'au milieu du XIXe siècle, l'ivraie était ajoutée dans la pâte, avant qu'on ne panifie avec une farine de seigle pure. L'amélioration des techniques de mouture a permis la création et la confection du *püülileib*, un pain de blé fin au levain (*keet*). Préparé seulement à l'occasion d'événements rares et festifs, le *püülileib* à base de farine de seigle plus rustique est apparu d'abord dans les îles (Muhu, Saaremaa), avant de se répandre dans toute l'Estonie. Les bouleversements de la vie moderne ont affecté, en Estonie comme ailleurs, une certaine convivialité, dont le repas était l'un des fondamentaux. Il y a un siècle, une famille de fermiers estoniens partageait ce repas, encadré par de nombreux rites et habitudes, deux fois par jour : par exemple poser une miche de pain (un grand pain rond) à l'envers sur la table annonçait le décès de la maîtresse de la maison. Mais, malgré tous ses changements qui affectent le mode de vie des Estoniens, le pain noir estonien (*eesti must leib*), demeure le cœur de la pratique culinaire quotidienne.

Koorikleib. Petit pain de forme ronde ou carré, toujours vendu coupé en deux ; idéal pour préparer les sandwichs ou pour passer au grille-pain.

Peenleib. Pain à base de farine de blé fine et de seigle, auquel on ajoute souvent du cumin.

Puuviljaleib. Pain de seigle aux fruits secs, noix et grains, enrichi d'épices, contenant du sirop (mélasse et malt) ; dégusté pendant la période de Noël et des autres festivités d'hiver.

Röstleib. Pain de blé levé de forme rectangulaire, de texture très aérée, coupé en tranches ; idéal pour passer au grille-pain.

Rukki vormileib. Pain moulé en forme de brique.

Rukkileib. Pain traditionnel de seigle, qui peut être moulé.

Sai. Pain blanc à base de farine de froment, non moulé et de forme ovale.

Seemneleib, teraleib. Pain de seigle aux grains, avec de la farine de blé complète.

Sepik. Pain « mi-blanc mi-noir », fait à base de farine d'orge et de froment, avec ajout parfois de grains différents.

Siirupileib, borodino leib. Pain de seigle fait avec du sirop contenant de la mélasse et du malt (*linnaseeks-trakt*).

Eveli Kuuse

(trad. de l'anglais par Myriam Daumal)

● *Voir aussi :* Lituanie ; Pains mondiaux ; Russie ; Seigle (*Secale cereale*)

Bibl. : *Leivaleht* (Journal du pain), septembre 2007, Eesti Päevalehe AS • Suitsu MAIRE, « Les plaisirs du palais », *in* D. Goldstein, K. Merkle (éd.), *Cultures culinaires d'Europe : identité, diversité et dialogue*, Strasbourg, Éditions du Conseil de l`Europe, 2006 • *Le Petit Futé Estonie 2008-2009*, 2e éd., Éditions Le Petit Futé, 2008, voir www.petitfute.com.

ÉTAGÈRE PORTE-PAINS. – Voir ÉQUIPEMENTIERS

ÉTALE. – Bûche de bois qui sert à chauffer le four des boulangers. Ses proportions sont nécessairement adaptées à celles du four. N'ayant que très peu varié depuis les fours du XVIIIe siècle à Paris, ses dimensions sont encore aujourd'hui de 1 m de longueur ; elle est généralement taillée dans des billons de bois d'une vingtaine de centimètres de diamètre, fendus en quatre.

Olivier Pascault

• *Voir aussi :* Allume ; Bois de boulange ; Bouche, gueule du four ; Four

ÉTAMINE À BLUTEAU. – Voir BLUTEAU, BLUTOIR

ÉTATS GÉNÉRAUX DE LA BOULANGERIE, 5 et 6 octobre 1983. Voir BOULANGERIE, 5 et 6 octobre 1983 (états généraux de la)

ÉTATS-UNIS (traditions du pain aux). – Au début des années 1800, l'Amérique demeurait une contrée où prédominaient les petites fermes isolées, dont beaucoup étaient situées à une distance peu commode d'une boulangerie, qu'elle soit de ville ou de village. Par conséquent, les ménagères américaines n'avaient pas d'autre choix que de confectionner elles-mêmes le pain familial – initialement dans le légendaire four en brique (une cavité bombée bâtie dans la cheminée de la cuisine) et plus tard, vers 1840, dans des poêles à bois en fonte fermés. Ce modèle a perduré longtemps après que l'Amérique fut devenue une nation moderne et urbanisée. En 1900, 90 % des Américaines confectionnaient elles-mêmes le pain familial et, aujourd'hui encore, une culture bien vivante du pain « maison » fleurit, même si la plupart des gens achètent le pain industriel vendu en supermarchés ou les pains artisanaux à l'européenne disponibles dans les grandes villes. Bref, la tradition américaine du pain diffère fondamentalement de celles qui prévalent en Europe, en ce sens que, jusqu'à une époque relativement récente, la majeure partie du pain américain était réalisée à la maison, et non achetée en boulangerie, comme cela a toujours été l'usage en Europe.

Le pain américain peut être utilement classé en quatre catégories principales : le pain de froment au levain ordinaire ; les pains bis au levain ou « pains bis » ; les *rolls* et les *buns* ; et les « pains rapides », dont l'agent levant est chimique. Aujourd'hui, en règle générale, l'on achète tous les pains au levain, habituellement dans les supermarchés. Les « pains rapides » à la levure chimique sont encore souvent confectionnés à la maison, bien que l'on utilise parfois des préparations prêtes à l'emploi.

Le pain de froment au levain. Jusqu'en 1840 environ, le pain blanc au levain américain ne différait que par quelques détails des pains blancs ordinaires fabriqués dans toute l'Europe. Le pain américain était constitué de quatre ingrédients identiques à ceux de ses équivalents européens – farine de froment, eau, levain liquide et sel – et était réalisé d'une manière typiquement européenne : on préparait le levain ; de la farine et du sel y étaient ajoutés, formant la pâte ; celle-ci était pétrie, puis elle levait une première fois ; on façonnait les pains, puis on les laissait lever de nouveau avant de les cuire. Néanmoins, en dépit de cette similitude essentielle avec les pains européens, le pain de froment américain s'en distinguait par le goût et la texture. Les Américains manifestaient une prédilection pour le pain « à saveur douce et léger », du moins selon les premières recettes qui décrivent le pain idéal. La légèreté était obtenue en réalisant une pâte très ferme et en la pétrissant avec une extrême énergie. La douceur – que beaucoup dénigreraient aujourd'hui en la qualifiant de fadeur – dépendait de temps d'apprêt très courts, « vingt minutes ou une demi-heure » seulement, trouve-t-on dans une recette en vogue de l'époque. L'apprêt de courte durée avait pour but de prévenir la fermentation excessive, ou l'aigreur, que les gens de ce temps-là avaient en horreur. En effet, s'il y avait suspicion d'aigreur, l'on pratiquait communément l'« adoucissement » de la levure, ou de la pâte à pain, ou des deux, avec des alcalis, dont l'usage était aussi largement répandu que celui des agents levants dans les cuisines américaines en 1830. Il existait une autre préférence américaine caractéristique : une aversion pour les croûtes croustillantes et/ou que l'on doit mâcher. Ainsi, une recette préconise que l'on enveloppe les miches encore chaudes dans un linge humide « pour que la croûte du pain soit moins sèche et moins dure ».

La préférence américaine pour le pain léger, à saveur douce et à la croûte souple préfigura une série de transformations qui affectèrent le traditionnel pain de froment au levain entre 1840 et 1900. La première en date de ces transformations fut la cuisson du pain blanc dans des moules rectangulaires profonds, ou « moules à cake », plutôt que de façonner les miches à la main, ce qui favorise la constitution d'une croûte souple et fine. Autour de 1850, les auteurs d'ouvrages culinaires suggèrent de mélanger la pâte à pain avec un mélange de lait et d'eau plutôt qu'avec de l'eau seulement : il en résulte un pain à la mie plus légère et plus tendre. En 1896, la très influente auteure de livres de cuisine Fannie Farmer introduit de petites quantités de beurre, de lard et de sucre dans la pâte, ce qui attendrit le pain et lui donne aussi une saveur plus douce. Par ailleurs, Farmer se passe de la préparation du levain et se contente de mélanger les ingrédients, pétrir et apprêter la pâte en une seule étape. Le pain blanc de Farmer est à peu près comparable au pain de mie français. Les pains blancs du type de celui de Farmer restent la norme dans les ouvrages culinaires américains publiés de nos jours et sont les prototypes des pains blancs prétranchés vendus dans les supermarchés américains. L'une des variantes préférées du pain blanc est le pain aux raisins – un pain enrichi, au goût sucré perceptible, dans lequel on a ajouté des raisins secs et de la cannelle. Quelques « boulangers maison » se distinguent par l'ajout de noix, de graines, d'herbes hachées ou de fromage râpé à ces pains de froment. Historiquement, le pain blanc était destiné à être servi au cours d'un repas, habituellement avec du beurre. De nos jours, on le consomme plus volontiers sous forme de pain grillé au petit déjeuner ou de sandwichs. Au cours des trente dernières années environ, différents pains blancs artisanaux, d'inspiration européenne pour la plupart, sont arrivés dans les boulangeries et les magasins spécialisés dans les grandes villes d'Amérique. Ces pains vont à l'encontre des pains historiques américains, se présentant en règle générale sous la forme de miches constituées d'une mie humide, dense et lourde, et d'une croûte épaisse et croustillante à mastiquer. De plus, certains de ces pains, comme le célèbre «pain au levain» de San Francisco, en Californie, affichent nettement une saveur aigre.

Les pains bis au levain, ou «pains bis». Historiquement, les pains bis qui avaient la faveur des Américains étaient le pain à la farine complète et le pain désigné par l'expression *third bread*, réalisé avec de la semoule de maïs, de la farine de seigle et de froment, à parts égales. Ces deux types de pain bis étaient à peu près semblables au pain blanc au levain, et évoluèrent parallèlement à celui-ci. À l'origine, ces pains bis étaient essentiellement conçus comme des choix plus économiques que le pain de froment. Mais durant les deuxième et troisième quarts du XIXe siècle, tandis que la farine de froment devenait de moins en moins chère et de plus en plus abondante, ces pains connurent une faveur croissante en raison de leur saveur et de leurs bénéfices supposés pour la santé. Le *third bread* se fait rare dans les ouvrages de cuisine après 1900 et est à peine connu de nos jours, sauf en tant que curiosité historique. Le pain complet demeure cependant à la mode, aussi bien comme produit maison que comme produit de supermarché. Aujourd'hui, il est habituellement confectionné avec de la farine de froment pour moitié et est légèrement sucré avec de la mélasse ou du sucre brun. On trouve, particulièrement dans les brochures publicitaires des supermarchés, différents pains bis dits «complets» en vogue à l'heure actuelle, faits à partir d'un mélange de blé complet, de blé concassé, de son de blé, de farine de seigle et/ou d'avoine. Comme pour le pain blanc américain ordinaire, ces pains bis tendent à être moelleux, avec une texture légère, un peu (et même plus qu'un peu) sucrés, et présentent des croûtes fines et tendres. Ils sont souvent rehaussés de grains de carthame ou de courge, de noisettes émincées ou de raisins secs.

***Rolls* et *buns* au levain.** Les *rolls* individuels au levain ont commencé à gagner les livres de cuisine américains durant la seconde moitié du XIXe siècle et y sont particulièrement présents au milieu du XXe siècle. Généralement appelés *dinner rolls*, ces petits pains sont destinés à être servis – chauds, accompagnés de beurre – lors de dîners d'entreprise, à la place des ordinaires tranches de pain blanc. La plupart sont à base de farine de froment, mais ils se révèlent considérablement plus riches, plus tendres et plus sucrés que le pain blanc ordinaire. Certaines recettes comportent des pâtes fourrées et autres techniques empruntées à la pâtisserie européenne, mais le goût et la texture en sont typiquement américains. Aujourd'hui, relativement peu de gens offrent des *dinner rolls*, et ceux qui le font les achètent généralement en supermarchés, frais ou congelés, et les réchauffent avant de les servir.

Les *hard rolls* et les *hero rolls* sont des petits pains croustillants et/ou qu'il faut mâcher, que l'on utilise pour la confection de sandwichs. Les *hard rolls* sont habituellement longs ou oblongs et ne sont pas très larges – environ la surface d'une tranche de pain blanc ordinaire, bien que plus épais. Ils sont parfois parsemés de graines de pavot. Les *hero rolls* sont des pains longs et rectangulaires avec lesquels on prépare des sandwichs, que l'on appelle tantôt *heroes* (« héros », en toute logique…), tantôt *submarines* (« sous-marins ») ou, dans certains endroits, pour des raisons inconnues, *grinders* (« broyeurs »). Les garnitures des sandwichs appelés *hero* peuvent être froides (comme du salami, du fromage, des tomates et de la laitue coupée en lanières) ou chauds (par exemple, des boulettes de viande avec de la sauce). Les *hero rolls* les plus longs et les plus épais, lorsqu'ils sont correctement garnis, constituent une ration convenable pour deux personnes. Des recettes de *hard rolls* et de *hero rolls* figurent dans quelques ouvrages de cuisine américains, mais la plupart des gens achètent ces pains au supermarché ou dans une boulangerie. Les *hamburger buns* et les *hot-dog buns* sont des petits pains moelleux spécialement fabriqués pour les hamburgers et les hot-dogs. Cependant, ces petits pains sont aussi garnis avec d'autres ingrédients, comme des mélanges de viande hachée avec de la sauce pimentée ou, dans le cas des pains à hot-dogs, de homard mayonnaise en salade, que les Américains appellent un *lobster roll*. Quelques livres de cuisine contemporains ébauchent des recettes de petits pains fantaisie, à hamburgers et à hot-dogs, mais la plupart des gens achètent ces pains.

Le *bun* anglais classique – un pain blanc individuel, enrichi et sucré, comportant des raisins secs et des épices – arriva en Amérique avec les premiers colons anglais et a pris différentes formes au cours du temps. Cependant, il n'est pas très commun de nos jours. Le *bun* à la cannelle, appelé aussi *bun collant*, est bien plus apprécié. On l'obtient en recouvrant de beurre, de sucre brun, de cannelle, de noisettes hachées et, parfois, de raisins secs une fine couche de pâte à pain blanc enrichie, puis en roulant cette feuille de pâte comme un tapis, et enfin en la coupant en tranches individuelles. On fait ensuite cuire ces tranches dans un moule qui, en vue d'un effet spécialement collant, est parfois tapissé de beurre et de sucre. La plupart des Américains mangent les *buns* à la cannelle au petit déjeuner, mais certains les servent chauds au dîner, auquel cas les *buns* sont couramment désignés par le terme de *rolls sucrés*.

Les *quick breads* ou « pains rapides », à agents levants chimiques. La plupart des « pains rapides » d'Amérique reviennent en fin de compte aux traditions des anciens pains anglais qui étaient adaptés pour le service du thé, du café et du chocolat au début du XVIIIe siècle. Dans les formes qu'ils connaissaient à l'origine, ces pains étaient réalisés soit sans levain, soit avec de la levure de boulanger. Mais autour de 1840, les ménagères américaines se mirent à utiliser un agent levant chimique pour faire lever tous ces pains, ce qui leur procurait une texture légère à la fois appréciée et considérée comme saine. Aujourd'hui, l'utilisation d'agents levants chimiques définit cette famille de pains par le facteur qui, de fait, en permet la confection rapide. Le pain de maïs, un pain à pâte battue, composé de semoule de maïs, d'œufs et de lait ou de babeurre, où l'on ajoute parfois de la farine de froment, de la matière grasse et du sucre, était autrefois communément considéré comme une solution expéditive et économique à l'absence de pain de froment au levain. De nos jours, le pain de maïs accompagne le plus souvent certains types de repas précis, en particulier ceux qui comportent de la viande grillée au barbecue, même s'il demeure le pain quotidien ordinaire dans des foyers du Sud américain. Les *biscuits*, des pains blancs individuels, tendres, composés de farine de froment, de matière grasse et de lait ou de babeurre, sont consommés – fraîchement confectionnés et chauds – aussi bien au petit déjeuner qu'au dîner. Comme le pain de maïs, les *biscuits* sont aujourd'hui particulièrement caractéristiques du Sud. Proche des *biscuits* mais généralement plus riche en matières grasses, le *shortcake* était à l'origine fendu en deux, beurré tant qu'il était chaud et dégusté avec du thé ou du café. Aujourd'hui, on le réserve en grande partie à la confection du dessert appelé *strawberry shortcake* (*shortcake* aux fraises).

Les *muffins* sont des pains tendres, riches, sucrés – de nos jours, ce sont quasiment des gâteaux –, cuits dans des moules individuels. Connaissant beaucoup de variantes (contenant du son, des myrtilles, des canneberges, du potiron et même du chocolat), les *muffins* sont généralement dégustés au petit déjeuner. Finalement, les pains à pâte battue constituent un vaste ensemble de pains compacts, moelleux, que l'on cuit habituellement dans des moules à cake ordinaires et que l'on sert coupés en tranches. Quelques pains à pâte battue comportent des ajouts, tels que du fromage ou des herbes, et sont salés. La plupart, toutefois, contiennent des purées de fruits (compote de pommes, citrouille cuite ou banane écrasée), des fruits secs ou des noix et sont sucrés. Les pains à pâte battue salés sont généralement servis au déjeuner ou au dîner, tandis que les pains à pâte battue sucrés sont consommés au petit déjeuner, ou avec du thé ou du café, souvent agrémentés de beurre ou de fromage à tartiner.

Biscuit. Les *biscuits* américains ont évolué de manière complexe à partir des *biscuits* anglais, qui étaient pour la plupart des pains individuels fins ou très fins, relativement croquants (pour ne pas dire durs), qui seraient aujourd'hui décrits sous le terme de *crackers*. Les célèbres « biscuits battus » du Sud ont conservé la texture croustillante des anciens crackers, mais les *biscuits* américains typiques modernes ont évolué différemment et sont vraiment tendres. Les *biscuits* ordinaires sont réalisés en ajoutant du beurre ou une autre matière grasse (comme du saindoux ou une matière grasse végétale) à un mélange de farine, de levure chimique ou de bicarbonate de soude et de sel, puis en liant la pâte avec du lait ou du petit-lait (c'est-à-dire du lait fermenté à faible teneur en matières grasses). La pâte est alors abaissée ou étendue en la tapotant sur 1,25 cm d'épaisseur, découpée en disques de 5 à 7,5 cm de diamètre, puis mise à cuire dans un four très chaud jusqu'à ce qu'elle soit légèrement dorée. La pâte peut également être très molle, de façon à la laisser tomber sur une plaque, plutôt que de l'abaisser ou l'étendre du bout des doigts, puis de la couper. Certains *biscuits* sont riches et de texture plutôt feuilletée, un peu comme une pâtisserie, tandis que d'autres sont plus simples, plus tendres, et ressemblent davantage à du pain ; et il y en a encore qui se situent entre les deux. Mais quel que soit leur type, tous les *biscuits* doivent être réalisés d'une main légère, à la fois pour ce qui est de mélanger la pâte et de lui donner forme, au risque de les rendre coriaces. Beaucoup trouvent le tour de main difficile à acquérir, c'est pourquoi les préparations pour *biscuits* sont appréciées depuis les années 1930. La marque la plus réputée est Bisquick.

Muffin. Les *muffins* américains originaux étaient des pains blancs au levain individuels cuits dans des petits anneaux de métal sur une plaque, et correspondent à ce que les Anglais désignent aujourd'hui sous le nom de *crumpets*. Entre 1860 et 1880, les *muffins* ont évolué pour devenir des gâteaux de froment à pâte battue, cuits au four dans des moules individuels. Au cours des cent ans qui suivirent, les *muffins* en arrivèrent à être confectionnés avec toutes sortes d'ajouts – fruits, noix, etc. – mais les ingrédients de base de la pâte demeurèrent pour l'essentiel inchangés : de la farine de froment, du lait, un œuf ou deux, un peu de matière grasse, très peu de sucre, et de la levure chimique. En bref, les muffins ont conservé leurs caractéristiques de pain, ni trop riches ni trop sucrés. Toutefois, ces dernières années, il est devenu habituel de confectionner des *muffins* avec autant de matière grasse et de sucre qu'on en met dans les gâteaux. Alors qu'on dégustait les *muffins* d'antan chauds, avec du beurre, les muffins d'aujourd'hui, très riches et sucrés, se mangent nature et froids, comme n'importe quel gâteau.

Pain de maïs. Le pain de maïs est en fin de compte une évolution américaine de la galette d'avoine, ou *bannock*, anglo-irlandaise. Comme elle, le pain de maïs (ou « gâteau de maïs », comme on l'appelait primitivement) était à l'origine une galette fine, voire très fine, simplement composée de semoule et d'eau ou de lait, qui était cuite sur une pierre ou sur une planche de bois, devant le feu ou sur une plaque. Des versions cuites au four selon les méthodes de cuisson ancestrales des galettes de maïs subsistent encore de nos jours en Amérique, ne serait-ce qu'à l'état de vestige – sous la forme de *johnny-cakes* dans le Nord et de *corn dodgers* dans le Sud. Cependant, au début du XIXe siècle, la plupart des ménagères américaines faisaient cuire le pain de maïs dans des moules carrés peu profonds, de 2,5 à 5 cm de profondeur, qui donnaient des pains tendres et moelleux. Historiquement, les ingrédients du pain de maïs cuit dans un moule étaient simplement de la semoule de maïs, du lait ou du babeurre, des œufs, un peu de matière grasse et un agent levant chimique, et cette formule est encore privilégiée de nos jours dans certaines régions du Sud américain. De manière plus commune, néanmoins, les pains de maïs d'aujourd'hui contiennent aussi de la farine de blé et une quantité de sucre considérable, ce qui produit un pain assez proche d'un gâteau.

Shortcake. Le *shortcake* originel américain n'était autre que l'historique *scone* britannique – c'est-à-dire un pain plat sans levain, confectionné en ajoutant du beurre ou une autre matière grasse dans de la farine de froment, puis en liant la pâte avec du lait, de la crème ou de l'eau. La pâte était étendue en la tapotant ou abaissée en larges disques d'environ 1,25 cm d'épaisseur ou coupée en disques individuels d'à peu près 7,5 cm de diamètre, puis on la mettait à cuire à petit feu sur une plaque. S'il avait la forme d'un grand disque, le *shortcake* était coupé en parts ou en triangles pour le service – la forme classique d'un scone. Il en résultait un pain plat et riche (d'où son nom de *short*), à la texture dense, avec une croûte épaisse des deux côtés. Le *shortcake* était servi fendu en deux et généreusement beurré. Durant le deuxième quart du XIXe siècle, on introduisit de la levure chimique dans la pâte du *shortcake*, et il devint plus habituel de le cuire au four que sur une plaque (bien que des recettes indiquant une cuisson sur plaque aient persisté dans les ouvrages de cuisine américains jusqu'au début des années 1900). L'utilisation de levure chimique pour faire lever la pâte transforma la texture du *shortcake*, qui de dense et croustillant devint léger et friable. À la fin du XIXe siècle, il devint également banal d'ajouter des petites quantités de sucre à la pâte du *shortcake*, ce qui donnait au final quelque chose qui se situait entre pain et gâteau. Les *scones* britanniques passèrent par une transformation similaire, et de fait le *shortcake* américain et le *scone* britannique contemporains sont à peu près identiques. Les seules différences tiennent à ce que les *scones* britanniques contiennent généralement des raisins secs de Corinthe et ont conservé la forme classique de parts, tandis qu'aujourd'hui le *shortcake* américain prend habituellement la forme de disques individuels. Le dessert américain appelé *strawberry shortcake* évolua à peu près au moment où l'on commença de faire lever les *shortcakes* avec de la levure chimique et de les faire cuire au four. Dans sa forme classique, ce dessert consiste soit en un unique grand *shortcake*, soit en *shortcakes* individuels, coupés en deux, beurrés, garnis de fraises sucrées et recouverts de crème ou de crème fouettée.

Également :

Pop-corn. Fabriqué à partir de variétés de maïs primitives, dont les grains vitreux, excepté une petite partie d'amande farineuse, présentent la particularité d'éclater sous l'effet de la chaleur et d'augmenter jusqu'à trente fois de volume. Les grains sont récoltés lorsqu'ils sont mûrs et durs. À l'échelle industrielle, le maïs est chauffé à sec, généralement par rayonnement, jusqu'à l'éclatement du grain. Ensuite, il peut être glacé avec du sucre ou recouvert de caramel. Aux États-Unis, le pop-corn est très populaire sous forme brute, simplement expansée. Les Anglais en consomment beaucoup également, mais en confiserie, enrobé de caramel. La consommation française de ce type de produits est, quant à elle, encore très limitée. [Philippe Roussel]

Stephen Schmidt
(trad. de l'américain
par Myriam Daumal)

• *Voir aussi :* Amérindiens ; Amérique latine ; Biscuit ; Boulangers de France ; Brown ; Canada ; Documentaires et films ; Grande-Bretagne ; Kaplan ; Mexique ; Mie (pain de) ; Pains mondiaux

Bibl. : Ethan BECKER, Marion ROMBAUER BECKER, Irma S. ROMBAUER, *Joy of Cooking*, New York, Scribner, 2006 •

Leslie ELIZA, *Directions for Cookery in its Various Branches*, Philadelphie, Carey & Hart, 1837 • Fannie FARMER, *The Boston Cooking-School Cook Book*, Boston, Little, Brown, and Company, 1896.

ÉTHANOL. – Voir ALCOOL

ÉTHIOPIE (traditions du pain en). – L'Éthiopie est le grenier de l'Afrique tropicale, elle en est le plus gros producteur d'orge, de blé, de sorgho… Pourtant, un seul grain est l'embryon du pain quotidien : le *teff* (*Eragostis tef*), céréale minuscule (1,5 mm de longueur), à haute valeur nutritive, dont la domestication pourrait remonter à quatre mille ans avant notre ère. Ses variétés les plus exploitées sont les teffs brun-rouge, blanc ou mixte. De cette céréale qui pousse sur les hauts plateaux, frais et secs, les Éthiopiens font depuis des millénaires une grande galette (5 mm d'épaisseur, 35-50 cm de diamètre) qu'ils nomment *injera*, l'aliment roi de la gastronomie éthiopienne, confectionné par les femmes dans chaque foyer et consommé à chaque repas du jour. Les pratiques de culture du teff sont ancestrales. L'équipement agricole moderne est répandu, mais il n'est pas rare de voir, dans les villages, la plante récoltée à la faucille et battue par dépiquage, des bœufs piétinant les épis pour en expulser les graines. Le grain se moud facilement, le moulin peut donc être rudimentaire : deux solides pierres plates posées l'une sur l'autre. Dans les zones urbaines, la farine de teff se trouve aisément dans les commerces, mais on lui préfère le grain entier, que l'on trie et nettoie chez soi avec la plus grande attention. Au marché, les femmes font leur choix dans un emplacement dédié, le *tef tara*, appréciant finesse et couleur – le blanc est préféré, mais il coûte deux fois plus cher que le brun –, avant de repartir, avec rarement moins de 25 kg. Elles le porteront ensuite selon leurs besoins au moulin collectif.

La confection de l'*injera* diffère peu d'une région à l'autre. Dans un grand récipient (*buhaka*) en terre cuite, en bois, en métal ou en plastique, la farine est mélangée à de l'eau tiède, avec une louche ou à la main, jusqu'à obtenir une pâte compacte. La première préparation nécessitera quelques pincées de levure, mais un peu de cette première pâte sera le levain (*ersho*) des suivantes. De la même manière, le *buhaka* ne doit pas être fréquemment lavé, afin de conserver l'agent de fermentation qui s'y dépose. Recouverte d'eau, la pâte repose à l'air ambiant deux à trois jours, fermente et lève. Elle gagne alors en acidité, caractère de l'*injera* tant apprécié par les Éthiopiens. Après plusieurs dilutions, à l'eau bouillante, puis froide, on obtient une pâte liquide (*lit*), parfaitement lisse. La cuisson se fait sur le *metad*, une plaque ronde de métal ou d'argile, d'environ 60 cm de diamètre, pièce la plus précieuse de la batterie de cuisine des ménagères. Il est traditionnellement posé sur un feu ou un four ; en ville, il est de plus en plus souvent métallique et électrique. Une fois la plaque graissée, la pâte est versée dans un mouvement circulaire, de l'extérieur vers le centre, puis recouverte d'un couvercle bombé, l'*akambalo*. L'*injera* est cuite après 2 ou 3 min, sans être retournée. Lisse côté plaque, elle doit présenter une face supérieure brillante, parsemée de petits trous. Un coup d'œil suffit pour juger si l'*injera* sera bonne. Au toucher, elle est souple, ne colle pas aux doigts et ne se déchire pas quand on la manipule. Au goût, elle est fondante et légèrement aigre.

Lors du déjeuner ou du dîner, l'*injera* accompagne le *wat* (« sauce »), ragoût épicé de viande ou de légumes, plat collectif présenté sur une galette. Assis autour de la table basse d'osier traditionnelle (*messob*), chacun déchire un bout d'*injera* et le trempe dans le *wat*, l'utilisant comme une cuillère, avant de le porter à sa bouche… ou à celle de son voisin. Un geste coutumier, la *gursha*, marque de respect qui n'est pas sans surprendre les non-initiés. Quand l'*injera* qui contenait le *wat*, imbibée de son jus, est elle-même consommée, le repas est officiellement terminé. Les jours de fête, on choisit la meilleure farine pour préparer l'*injera*, que l'on présente roulée, ou carrée ; sans ajout dans sa composition, mais accompagnée de sauces raffinées. Au quotidien, les enfants peuvent engloutir une galette avec un peu de sucre pour le goûter. Il n'y a pas si longtemps, la confection d'une *injera* irréprochable faisait partie de l'apprentissage des adolescentes ; et la jeune mariée pouvait être mise à l'épreuve devant le *metad* par sa belle-mère. Les mœurs changent au fil des générations mais, s'il n'y a pas d'*injera* prête dans la cuisine, on en fera la remarque à la maîtresse de maison.

L'*injera* de teff, on le devine, est adorée par les Éthiopiens. Il n'est toutefois pas sacrilège d'utiliser une autre céréale, voire d'en combiner plusieurs, par goût, ou par économie : le sorgho, par exemple, mais aussi l'orge, le froment, le maïs, le mil, l'avoine ; lors d'une période de pénurie, les Éthiopiens bénéficiant d'une aide alimentaire étrangère ont essayé de réduire du riz en farine et d'en faire leur galette ; ils l'ont trouvée indigeste et l'ont rejetée. C'est que l'alimentation éthiopienne est très riche en céréales. Quand un Éthiopien est à jeun, ne dit-il pas : « *T'eré alqammaskum* », littéralement : « Je n'ai pas goûté au grain » ? Boissons, bouillies… Mais il existe aussi d'autres pains (*dado*), levés ou non, de teff ou non, souvent ronds et larges comme l'*injera*, parce qu'également cuits sur le *metad* (qui peut être utilisé comme un four, l'*akambolo* étant alors hermétiquement scellé). Chaque fête religieuse est par exemple l'occasion de préparer un *defo dabo*, très large pain de blé levé, épicé, et cuit enrobé dans des feuilles de bananier. Quand la mère de famille n'a pas le temps de préparer une pâte fermentée, elle fait une *kitta* avec de la pâte fraîche, une galette légèrement salée, parfois décorée d'une empreinte faite avec les doigts. Avec du froment, les boulangers des villes confectionnent des petits pains à l'italienne : *dabbo forno* ; très apprécié aussi, le *dabbo kolo*, biscuit beurré, salé et épicé. Dans les campagnes, l'*aflangna* est une *injera* épaisse, l'*annababaro*, une *injera* « double », l'*eremmto*, un petit pain plat sucré, cuit directement sur le charbon ardent, enveloppé dans des feuilles de chou ou de bananier. Un autre encore, agrémenté d'épices, d'oignon, d'ail, est offert aux proches à qui l'on rend visite, le *bedena balla* ; le *bedena galla*, bien plus petit, est le pain que les chasseurs ou les voyageurs emportent dans leur musette, car il se conserve jusqu'à quatre semaines.

Quant au pain occidental, sa

consommation va souvent de pair avec l'urbanisation et l'élévation du niveau de vie. De même, c'est dans les villes seulement que les galettes d'*injera* s'achètent faites et présentées dans des emballages de plastique. Hors d'Éthiopie, le précieux teff trouve de plus en plus une place dans les cuisines d'Occident, où l'on apprécie sa valeur nutritionnelle et son absence de gluten. Il s'intègre alors à des préparations nouvelles, comme les gâteaux et les gaufres, ou comme céréale de petit déjeuner…

Defo dabo. Le *defo dabo* est un pain levé confectionné par les Éthiopiens pour célébrer une fête religieuse, la nouvelle année, l'anniversaire d'un enfant ou un grand rassemblement. Sa pâte est faite de farine de blé ; de la nigelle, de la coriandre et un peu d'huile entrent également dans sa composition. Le *defo dabo* est cuit au four (traditionnellement en terre cuite), enveloppé de feuilles de bananiers. Fait pour être partagé, c'est un pain généralement de grande taille, de forme ronde ou ovale, dont l'épaisseur peut atteindre 10 cm. Lors du repas, il accompagne le *wat*, ragoût en sauce. S'il est préparé avec du sucre ou du miel, et des raisins, il sera alors servi avec un verre de bière, une tasse de thé ou de café.

Injera. L'*injera* est une grande galette (5 mm d'épaisseur, 35 à 50 cm de diamètre) que les Éthiopiens considèrent comme leur plat national. Ils la confectionnent depuis des millénaires avec le teff, céréale qui ne pousse quasiment que sur leurs hauts plateaux. Sa confection diffère peu d'une région à l'autre : la farine est mélangée à l'eau tiède (avec un peu de levure ou un peu de levain provenant d'une préparation plus ancienne) dans un grand récipient (*buhaka*) en terre cuite, en bois, en métal ou en plastique, avec une louche ou à la main, jusqu'à obtenir une pâte. Recouverte d'eau, la pâte repose à l'air ambiant deux à trois jours, fermente et lève. Elle gagne alors en acidité. Après plusieurs dilutions, à l'eau bouillante, puis froide, on obtient une pâte liquide (*lit*), parfaitement lisse. La cuisson se fait sur le *metad*, une plaque ronde de métal ou d'argile graissée, d'environ 60 cm de diamètre. Dans un mouvement circulaire, de l'extérieur vers le centre, la pâte est versée sur le *metad*, puis recouverte d'un couvercle bombé, l'*akambalo*. L'*injera* est cuite après 2 ou 3 min, sans être retournée. Lors du déjeuner ou du dîner, elle accompagne le *wat* (« sauce »), ragoût épicé de viande ou de légumes, servi dans un plat collectif lui-même tapissé d'une galette.

Kitta. La *kitta* est un large pain rond éthiopien de blé, légèrement levé. Parfumée (au piment, à la coriandre, au fenugrec, au gingembre, à la cannelle…), la *kitta* est souvent décorée de marques réalisées à la main avant d'être cuite au four, sur une plaque ou dans un moule plat. Lorsque les marques sont réalisées avec la pointe d'un couteau, figurant des parts horizontales et verticales, la *kitta* peut s'appeler *ambasha*. Elle accompagne les soupes et les plats de viande, mais peut aussi se manger simplement avec un peu de lait.

Noémie Videau

• *Voir aussi :* Djibouti ; Pain (définition universelle du) ; Pains mondiaux ; Somalie ; Teff

Bibl. : Marcel COHEN, *Documents ethnographiques d'Abyssinie*, Paris, Chez l'auteur, 1920 • M. BRINK, G. BELAY *et al.*

(éd.), *Prota*, vol. 1, *Céréales et légumes secs*, « Ressources végétales de l'Afrique tropicale », Wageningen, Fondation Prota - Backhuys-CTA, 2006 • Joseph TUBIANA, « Sur la consommation des céréales en Éthiopie », *in* M. Chastanet, F.-X. Fauvelle-Aymar, D. Juhé-Beaulaton *Cuisine et société en Afrique : histoire, saveurs, savoir-faire*, Paris, Karthala, 2002.

ÉTIRAGE ET SOUFFLAGE. – Phases qui suivent le découpage et le passage en tête du pétrissage dans un pétrissage à la main. Grâce à l'élasticité et au liant obtenu, il s'agit de soulever et d'étirer verticalement une partie de la pâte, puis à la rabattre dans un léger mouvement de rotation, dans le dessein d'emprisonner en elle un maximum d'air. Cet oxygène est nécessaire à la vie des ferments qui vont s'y développer. C'était la partie la plus pénible du pétrissage ; le gémissement provoqué par l'effort du pétrisseur lui à donné son nom : le geindre.

Guy Boulet

• *Voir aussi :* Découpage et passage en tête ; Geindre ; Maie ; Pétrin ; Pétrissage

ÉTOUFFOIR. – Pour récupérer et neutraliser les braises rouges ou enflammées une fois le four parvenu à bonne température, le boulanger se servait d'un étouffoir, sorte de grand réservoir cylindrique muni d'un couvercle. Les étouffoirs étaient en cuivre ou en tôle. Dans ce dernier cas, ils étaient moins résistants. Une fois percés, il était plus difficile d'y éteindre la braise. Le fournil pouvait être alors envahi de vapeur de charbon ; il pouvait même être la proie d'incendie (Malouin 1779).

Mouette Barboff

• *Voir aussi :* Allume ; Bois de boulange ; Bouche, gueule du four ; Four ; Fournil

Bibl. : Paul Jacques MALOUIN, *Description et détails des arts du meunier, du vermicellier et du boulanger*, Paris, 1779.

ÉTUVAGE. – Voir FERMENTATION (armoire ou chambre de)

ÉTYMOLOGIE DU MOT « PAIN ». Voir MOT « PAIN » (étymologie du)

EUCHARISTIE. – L'Eucharistie (du grec *eukharistia*, « action de grâce »), appelée aussi « fraction du pain », repas du Seigneur, Cène, communion ou messe suivant les traditions chrétiennes, fut, en tout cas jusqu'aux débuts de la Réforme, l'acte le plus important et sacré du culte chrétien. Il le demeure encore aujourd'hui pour la majorité des chrétiens. L'Eucharistie célèbre et actualise le sacrifice du Christ au bénéfice de l'humanité. Elle commémore la Cène et anticipe le retour du Christ et l'instauration du Royaume de Dieu. Le rite eucharistique culmine dans la communion quand les fidèles reçoivent le corps et le sang du Christ sous la forme du pain et du vin.

Selon l'opinion traditionnelle, contestée par certains spécialistes, le rite de l'Eucharistie fut institué par Jésus à l'occasion de son dernier repas avec les douze apôtres. Le déroulement du rite et sa signification sont largement fondés sur les récits du dernier repas de Jésus donnés dans les Évangiles de Matthieu, Marc et Luc ainsi que dans la Première Épître aux Corinthiens. Le discours eucharistique de l'Évangile de Jean (Jean VI, 35-58), qui n'est pas prononcé lors de la Cène, a également considérablement influencé l'interprétation de l'Eucharistie : « En vérité, en vérité, je vous le dis, si vous ne mangez la chair du Fils de l'homme et ne buvez son sang, vous n'aurez pas la vie en vous. Qui mange ma chair et boit mon sang a la vie éternelle et je le ressusciterai au dernier jour. Car ma chair est vraiment une nourriture et mon sang vraiment une boisson» (Jean VI, 53-55).

Jésus se considère comme le pain vivant, descendu du Ciel, qui confère l'immortalité à qui le mange. La plupart des spécialistes décomposent la Cène en sept grandes actions : 1) Jésus prit le pain ; 2) rendit grâce ; 3) le rompit ; 4) le distribua, puis, plus tard, 5) il prit une coupe de vin ; 6) rendit grâce et 7) la donna à ses disciples. En 1945, Gregory Dix soutint que, partout dans le monde chrétien, les sept actes composant la Cène se transformèrent en quatre actes constitutifs du rite eucharistique : 1) l'offertoire, le pain et le vin sont posés sur la table ; 2) la personne qui préside prie en rendant grâce à Dieu ; 3) le pain est rompu et 4) la communion, pendant laquelle le pain et le vin sont distribués ensemble. Pour Dix comme pour beaucoup de spécialistes, cette transformation eut lieu avant la fin du Ier siècle. Et l'Eucharistie cessa d'être une composante d'un véritable repas pour devenir une célébration à part. En réalité, quelques rares témoignages écrits suggèrent une grande diversité de pratiques pendant les premiers siècles de l'Église. Paul F. Bradshaw (2004), outre le modèle qui s'imposera dans la pratique ecclésiastique, identifie trois variantes anciennes : 1) une action de grâce sur la coupe suivie d'une action de grâce sur le pain ; 2) des célébrations utilisant de l'eau à la place du vin ; 3) des célébrations où seul du pain est consommé. Les témoignages suggérant ces variantes ne présentent pas l'Eucharistie comme liée à la mort de Jésus ou à la Cène. De plus, il n'est pas question de manger le corps et de boire le sang du Christ. Le pain et le vin, véritable corps et sang du Christ, furent de plus en plus considérés comme une nourriture d'immortalité. L'Eucharistie devenait proche de cérémonies païennes, comme l'admettait Justin Martyr au milieu du IIe siècle : «Les mauvais démons ont imité cette institution dans les mystères de Mithra.»

Vers 831, Paschase Radbert, de l'abbaye de Corbie, publia le premier traité théologique sur l'Eucharistie. Jusqu'alors, les théologiens, s'ils admettaient généralement que le Christ était réellement présent dans l'Eucharistie, ne cherchaient pas à définir précisément les modalités et la nature de cette présence. C'est ce que fit le moine de Corbie. Radbert défendit la notion que le corps du Christ présent dans l'Eucharistie, donc dans l'hostie et le vin après la consécration, était son véritable corps historique né de Marie. C'est la chair même du Christ qui est consommée lors de la communion. Et si, après la consécration, l'hostie et le vin demeurent toujours visibles, ce n'est qu'une illusion. C'est cette absorption du véritable corps du Christ qui a un effet salvifique. Quelques années plus tard, un autre moine de Corbie du nom de Ratramne publia un traité sur l'Eucharistie où il défendit des conceptions différentes. Ratramne, comme il est parfois avancé, ne défendait pas une conception symbolique de l'Eucharistie selon laquelle le pain et le vin n'étaient que des symboles de la chair et du sang du Christ. Pour Ratramne, le pain et le vin devenaient réellement le corps du Christ, mais ce corps devait être distingué du corps physique et historique. Ce corps n'appartenait pas à notre monde physique normal.

Les conceptions de Paschase Radbert finirent par s'imposer. Mais elles furent contestées au XIe siècle par Bérenger de Tours. Bérenger, pour qui la présence était réelle sans être physique et matérielle, fut forcé, lors d'un concile particulier tenu à Rome en 1079, d'approuver une profession de foi résumant la doctrine officielle de la présence réelle. Il dut confesser que le pain et le vin sont « changés substantiellement en la chair véritable, propre et vivifiante, et au sang de notre Seigneur Jésus-Christ ». Ils deviennent, après la consécration, le vrai corps et le vrai sang du Christ, né de la Vierge Marie. Les théologiens se penchèrent alors sur la question du changement des espèces du pain et du vin en chair et sang du Christ. Utilisant les catégories de la pensée aristotélicienne, ils élaborèrent des explications qui forment le fondement de la doctrine de la transsubstantiation. Au moment de la consécration, la substance du pain et du vin est mystérieusement transformée pour devenir la chair et le sang du Christ. Si le pain et le vin demeurent comme inchangés et perceptibles aux sens, ce n'est qu'une apparence. Seules demeurent perceptibles à la vue et au goût les apparences ou espèces du pain et du vin. Cette transformation, fruit de la puissance divine, fut appelée transsubstantiation et officialisée par la profession de foi adoptée lors du IVe concile du Latran de novembre 1215. En réponse aux conceptions hérétiques des protestants, l'Église catholique romaine définira très clairement sa doctrine dans le *Décret sur la très sainte Eucharistie* proclamé lors du concile de Trente (1541). Le canon du décret expose ce qu'il est interdit de croire sous peine d'excommunication. Ses articles 1, 2 et 3 ne laissent planer aucun doute sur ce qui est mangé :

« 1. Si quelqu'un nie que, dans le très saint sacrement de l'Eucharistie, soient contenus, vraiment, réellement et substantiellement le corps et le sang conjointement avec l'âme et la divinité de Notre-Seigneur Jésus-Christ et, par conséquent le Christ tout entier, mais s'il dit qu'ils n'y sont qu'en signe ou en figure ou par leur vertu, qu'il soit anathème.

« 2. Si quelqu'un dit que, dans le très saint sacrement de l'Eucharistie, la substance du pain et du vin demeure avec le corps et le sang de Notre-Seigneur Jésus-Christ, et qu'il nie ce changement admirable et unique de toute la substance du pain en son corps et de toute la substance du vin en son sang, tandis que demeurent les apparences du pain et du vin, changement que l'Église catholique appelle de manière très appropriée “transsubstantiation”, qu'il soit anathème.

« 3. Si quelqu'un dit que le Christ présenté dans l'Eucharistie n'est mangé que spirituellement et qu'il ne l'est pas aussi sacramentellement et réellement, qu'il soit anathème. »

Le décret affirme aussi que le Christ tout entier est présent dans chaque espèce ou portion de celle-ci. Ces définitions doctrinales de l'Église catholique restant malgré tout assez générales, les théologiens ont cherché à préciser davantage la nature et les modalités de la présence réelle. Pour saint Thomas et d'autres théologiens, le corps du Christ est présent, non de façon spatiale et matérielle, à la façon des corps charnels, mais de façon sacramentelle, à la façon des corps spirituels. Il est donc normal que le pain et le vin n'aient pas le goût de chair et de sang. Saint Thomas rassure les prêtres troublés parce que, en buvant le vin consacré, ils ressentent le goût du vin et non celui du sang. Cela n'est pas dû à une foi insuffisante, explique saint Thomas, mais la providence divine nous fait consommer le corps et le sang du Christ sous forme de pain et de vin parce que les hommes n'ont pas coutume de manger la chair et de boire le sang de l'homme – ils ne sont pas anthropophages –, cela leur inspire de l'horreur. Pour saint Thomas, le corps du Christ ne peut être physiquement blessé et souffrir en raison de son mode d'existence sacramentel. Mais cette conception spirituelle fut souvent éclipsée, surtout parmi les prédicateurs et les laïques, par une approche très matérialiste, charnelle et sensuelle. On perçoit cette approche chez quelques Pères de l'Église. Elle s'exprime clairement dans un serment imposé en 1059 à l'obstiné Bérenger. À son corps défendant, ce dernier dut affirmer que le corps du Christ était véritablement brisé par la main du prêtre et écrasé par les dents des fidèles. Beaucoup d'auteurs useront et abuseront d'expressions similaires. Le corps du Seigneur est mordu, déchiré, brisé ou écrasé lors de la communion. De même, il sera souvent question de nourriture, en particulier de viande. Dans son très populaire *Catéchisme théologique* (1675), le jésuite François Pomey affirme que les fidèles consomment bien de la viande et explique pourquoi :

« Q. — Pourquoi a-t-il voulu se donner en forme de viande ?

« R. — Pour s'unir plus intimement à nous, étant certain qu'il n'est point d'union plus grande que celle qui se fait de la viande avec celui qui la mange, puisqu'elle se convertit en sa propre substance. »

Il n'est donc guère surprenant que certains athlètes de la religion, au lieu d'avoir, comme le commun des mortels, le sentiment de manger du pain et de boire du vin, aient eu la sensation de manger de la chair et de boire du sang. Ainsi, au XIVe siècle, Catherine de Sienne, pendant plusieurs jours, éprouva, par ses sens, le goût et l'odeur du sang et du corps du Christ crucifié. Cependant, le triomphe des doctrines de la présence réelle et de la transsubstantiation, conçues dans une optique matérialiste et consacrées au concile du Latran de 1215, créa chez beaucoup de fidèles une certaine réticence à manger le corps du Christ. Le rythme de la communion se réduisit et, pour beaucoup de fidèles, surtout du XIIIe au XVe siècle, le moment clé de la messe devint l'élévation de l'hostie, pendant laquelle ils pouvaient, avec un peu de chance, voir le corps du Christ. Regarder l'hostie, même sans voir le corps du Christ, était suffisant, selon bien des prédicateurs, pour bénéficier des bienfaits du sacrement de l'eucharistie.

Au XIIIe siècle, le Christ apparaissait surtout sous la forme de l'Enfant Jésus. Ainsi, en 1238, Mathieu Paris vit, dans la Sainte-Chapelle, l'hostie transformée en un enfant d'une indicible beauté. De telles visions, moins fréquentes à partir du XVe siècle, ne disparurent cependant pas. Ainsi, le 22 décembre 1906, sœur Gertrude-Marie de la Congrégation de Saint-Charles d'Angers vit sortir de l'hostie un beau petit Jésus. L'association entre le pain et l'enfant Jésus a joué un rôle important dans la piété populaire. L'enfant Jésus s'incarnait dans le pain bénit souvent consommé pendant la période de Noël. C'est aussi pendant cette période que l'on fabriquait des pains gâteaux évoquant l'enfant Jésus, parfois sous la forme d'un bébé emmailloté. Selon les régions, ces friandises s'appellent « cougnon », « cugneu », « kiniole » ou « coquille ». Ces pains étaient mangés comme de véritables hosties profanes. Mais Jésus ne se montrait pas toujours sous une forme aussi plaisante. Sainte Lydwine de Schiedam, au début du XVe siècle, vit un enfant crucifié qui portait les cinq plaies. À la même époque, le Christ apparut à Colette de Corbie sous forme d'un steak tartare. Ces conceptions catholiques, particulièrement dans leurs formes les plus matérialistes, suscitèrent une opposition radicale et souvent un profond dégoût chez les pères de la Réforme.

Les leaders de la Réforme rejetèrent la notion de l'Eucharistie comme sacrifice, la doctrine de la transsubstantiation ainsi que les conceptions très matérialistes de la présence réelle. Néanmoins ils ne s'accordèrent guère sur la nature et la signification de l'Eucharistie. Luther, comme les catholiques, était convaincu que le pain et le vin se transformaient en corps et sang du Christ. Mais ils ne disparaissaient pas pour autant. Le corps du Christ et le pain, de même que le sang et le vin, sont, selon Luther, étroitement associés dans l'Eucharistie. Il rejetait ainsi la distinction, inspirée par la philosophie aristotélicienne, entre les substances (le corps et le sang du Christ) et les accidents (pain et vin). Cette conception est appelée « consubstantiation ». Ulrich Zwingli, le chef de la Réforme de Zurich, s'opposait aux idées de Luther. Pour lui, le Christ n'est pas présent dans l'Eucharistie après la consécration, et le pain et le vin ne sont pas transformés. Le Christ, qui réside dans le Ciel, est présent de façon spirituelle et divine grâce à l'Esprit-Saint. Le Christ est mangé de manière sacramentelle. Les idées de Zwingli influencèrent, entre autres, les anabaptistes et les anglicans. Jean Calvin défendit une interprétation intermédiaire entre celles de Luther et Zwingli. Comme Zwingli, Calvin était convaincu que le corps historique du Christ se trouvait dans le Ciel et non dans l'hostie. Mais il était également certain que les croyants consommaient réellement le corps du Christ. L'Esprit-Saint apporta la solution en permettant au communiant, d'une façon mystérieuse, de s'élever dans le Ciel pour absorber le corps du Christ. Même si cela n'était guère l'intention de la plupart des leaders de la Réforme, l'Eucharistie, qualifiée généralement de « Repas du Seigneur », perdit de son importance et devint moins fréquente dans beaucoup d'Églises protestantes. Les débats entre catholiques et protestants s'envenimèrent pendant les guerres de Religion du XVIe siècle, les catholiques traitant les protestants d'hérétiques et ces derniers accusant les catholiques d'être des cannibales. Depuis quelques décennies, l'Église catholique romaine et certaines Églises protestantes essayent de rapprocher leurs conceptions de l'Eucharistie.

Pierre-Antoine Bernheim

• *Voir aussi :* Cène ; *Évangile selon saint Matthieu (L')* → Documentaires et films ; Fête-Dieu ; *Fractio panis* ; Hostie ; Matsah et hamets ; Messe ; Miracles eucharistiques ; *Panis angelicus* ; Rite orthodoxe ; Théologie du pain ; Transsubstantiation

Bibl. : Pierre-Antoine BERNHEIM, Guy STAVRIDÈS, *Cannibales !*, Paris, Plon, 1992 • Paul F. BRADSHAW, *Eucharistic Origins*, Londres, SPCK, 2004 • Gregory DIX, *The Shape of the Liturgy*, Londres, Dacre Press, 1945 • Sandra LA ROCCA, *L'Enfant Jésus*, Toulouse, Presses universitaires du Mirail, 2007 • Gary MACY, *The Theologies of the Eucharist in the Early Scholastic Period*, Oxford, Clarendon Press, 1984 • Enrico MAZZA, *L'Action eucharistique : genèse du rite et développement*, Paris, Cerf, 1999 • Andrew MCGOWAN, *Ascetic Eucharists*, Oxford, Clarendon Press, 1999 • James F. WHITE, *The Sacraments in Protestant Practice and Faith*, Nashville, Abingdon, 1999.

EULOGIE. – Voir PAIN BÉNIT

EUROPAIN. – Voir BOULANGERIE (salons internationaux de la)

EUROPEAN FLOUR MILLERS. Voir MEUNIERS ET MINOTIERS

EURYSACÈS (tombeau d'). – Lors de la restauration de la porta Maggiore à Rome par le pape Grégoire XVI, en 1838, le tombeau du boulanger Vergilius Eurysacès (Ier s. av. J.-C.) et de sa femme Atinia réapparut dans toute sa grandiloquence originelle. Au IIe siècle, les Romains ont fait venir de Grèce des boulangers grecs qui possédaient un savoir-faire et une réputation que leurs collègues romains n'avaient pas. Sans doute fournisseur de pain de plusieurs décuries romaines et du palais de l'empereur, Eurysacès était donc né grec. La partie supérieure de l'édifice du fameux boulanger porte une frise sculptée qui nous donne bien des informations sur le monde de la boulangerie romaine. Toutes les étapes qui vont de l'achat du blé à la vente du pain y sont représentées. On y trouve surtout ce qui est sans doute le premier pétrin mécanique représenté de l'Histoire, entraîné ici par un cheval. Peut-être Eurysacès en est-il alors l'inventeur.

Jean-Philippe de Tonnac

• *Voir aussi :* Grèce ; Italie ; Pétrin

***ÉVANGILE SELON SAINT MATTHIEU* (*L'*).** – Voir DOCUMENTAIRES ET FILMS

ÉVEILLURE. – Porosités naturelles d'une roche (silex, calcaire meulier) la rendant propice à la confection de meules (Rivals 2000).

Jean-Pierre Henri Azéma
et Roland Feuillas

• *Voir aussi :* Meule ; Meunerie ; Moulin

Bibl. : Claude RIVALS, *Le Moulin et le meunier*, vol. 2 : *Une symbolique sociale*, Portet-sur-Garonne, Empreinte, 2000.

ÉVENTOUSE. – Voir OURA

EXTENSIBILITÉ. – Lors de la fabrication des baguettes, on allonge la pâte en la comprimant. Cette opération fait appel à l'extensibilité de la pâte, c'est-à-dire à sa capacité d'allongement sans être déchirée. En effet, si la pâte manque d'extensibilité, elle sera déchirée et le réseau glutineux ne pourra pas retenir le gaz carbonique produit lors de la fermentation et expansé lors de la cuisson. Les pâtes doivent donc avoir une extensibilité suffisante pour obtenir des pains bien aérés et appétissants. Cette propriété d'extensibilité est indispensable pour la fabrication des baguettes croustillantes, donc des pains avec peu de mie et beaucoup de croûte (caractéristique essentielle de la baguette), et sera moins indispensable pour la fabrication des pains en boule et des miches, avec peu de croûte et beaucoup de mie.

Ludovic Salvo

• *Voir aussi :* Allonger ; Baguette ; Fermentation panaire ; Gaz carbonique ; Pâte ; Réseau ou tissu glutineux

F

FAÇONNAGE. – Dernière manipulation avant l'enfournement appelée aussi, parfois, « tourne ». Elle permet de donner sa forme définitive au pâton et de corriger éventuellement certains défauts de la pâte par le dégazage réalisé et l'association d'un enroulement et d'un allongement. Selon le degré de fermentation de la pâte, le serrage exercé est plus ou moins accentué. On distingue dans le façonnage trois phases successives : l'aplatissage (ou laminage), le pliage, l'allongement. Ces phases exécutées manuellement sont reproduites dans le cadre d'un façonnage mécanique, réalisé à l'aide d'une façonneuse.

Dominique Descamps

• *Voir aussi :* Allonger ; Enfournement ; Façonneuse ; Fermentation panaire ; Four ; Pâte ; Pâton ; Tourne

FAÇONNEUSE. – Équipement permettant de procéder à la dernière manipulation du pâton avant l'enfournement et destiné à lui donner sa forme définitive. Il comprend un laminoir composé de cylindres, un tapis transporteur, un tapis de charge, un couloir d'allongement et une tablette de réception. Cette machine reproduit les gestes du boulanger en associant trois phases successives : le laminage, le boudinage, l'allongement. Les façonneuses horizontales se rencontrent plus généralement en boulangerie industrielle du fait de leur encombrement ; les façonneuses à transport oblique sont moins voraces en place et de ce fait mieux adaptées au contexte artisanal.

Dominique Descamps

• *Voir aussi :* Allonger ; Enfournement ; Façonnage ; Fournil ; Laminoir ; Pâton

***FAMILLE HEUREUSE* (*La*).** – Voir PEINTURE OCCIDENTALE

FAMINE. – Voir DISETTES, FAMINES ET RÉVOLTES POUR LE PAIN

FANTAISIE (pain de). – La législation française sur le pain a depuis longtemps (depuis au moins 1365) abordé la question des pains de première qualité, voire exceptionnelle (notamment les pains mollets). Mais l'appellation « pain de fantaisie » ne semble être apparue que vers le XVIIIe siècle (Malouin 1779). Il se distingue du pain courant par sa forme, sa composition, son poids et/ou sa taille. Le croissant, le pain viennois et la baguette en sont des exemples. Dans le sens strict, un « pain de luxe » est différent, exigeant des méthodes et/ou des composants plus coûteux ; dans la pratique, ces deux termes ont souvent été confondus. Pendant longtemps, leur importance venait de ce que ces pains n'étaient pas taxés et qu'ils étaient vendus à la pièce et non au poids. Plus rarement, ce terme désigne un type précis de pain allongé (*Annales des Mines*, 1856).

Jim Chevallier

• *Voir aussi :* Baguette ; Croissant ; Lait (pain au) ; Viennois (baguette et pain) ; Viennoiserie

Bibl. : E. BERTRAND, *Descriptions des arts et métiers*, Neuchâtel, Société typographique, 1771 • Paul Jacques MALOUIN, *Description et détails des arts du meunier, du vermicellier et du boulanger*, Paris, 1779 • Anselme PAYEN, *Des substances alimentaires*, Paris, Hachette, 1853.

FAO (Food and Agriculture Organization of the United Nations). – L'Organisation des Nations unies pour l'alimentation et l'agriculture joue un rôle de chef de file dans les efforts internationaux de lutte contre la faim. La FAO, qui est au service à la fois des pays développés et des pays en développement, est une tribune neutre au sein de laquelle tous les pays se réunissent sur un pied d'égalité pour négocier des accords et débattre de politiques d'aide alimentaire. La FAO est également une source de savoir et d'informations. Elle aide les pays en développement et les pays en transition à moderniser et à améliorer les pratiques agricoles, forestières et halieutiques, et à garantir une bonne nutrition pour tous. Depuis sa création, en 1945, elle a consacré une attention particulière au développement des zones rurales, où vivent 70 % des populations pauvres et affamées de la planète.

Julien Couaillier

• *Voir aussi :* Bread & Roses ; Bread for the Journey ; Compagnon ; Disettes, famines et révoltes pour le pain en France ; Émeutes de la faim en Égypte ; Frumentaire ; Mie de Pain (association La) ; *Terre sans pain* → Documentaires et films

FARINAGE. – Action consistant à saupoudrer de la farine sur les pains ou baguettes et souvent destinée à leur donner un aspect rustique avec plus ou moins de bonheur.

Dominique Descamps

• *Voir aussi :* Campagne (pain de) ; Farine ; Fleurage

FARINE. – Le substantif « farine » est employé pour désigner un produit pulvérulent fin, en général inférieur à 200 µm (200 micromètres), issu de la réduction de grains ou de graines. Le recueil des usages des pains en France donne, comme définition de la farine de blé destinée à la panification, le texte explicatif suivant (CNERNA 1977) : « La dénomination de farine de froment ou farine de blé, ou farine sans autre qualificatif désigne exclusivement le produit pulvérulent obtenu à partir d'un lot de blé, de l'espèce *Triticum aestivum*, sous-espèce *vulgare*, sain, loyal et marchand préparé en vue de la mouture et industriellement pur. » La composition et la structure des grains donnent des caractéristiques qualitatives des farines variables ; la farine est donc aussi qualifiée par des critères qualitatifs qui s'ajoutent aux caractéristiques granulométriques. Il existe trois notions de qualité :

La classification des farines est fondée sur leur teneur en cendres ou matières minérales. Elle se décline en types de farine (voir tableau). Du type 45 à 150, on passe de la farine la plus blanche, la plus raffinée et la moins riche en minéraux (taux d'extraction en farine faible) à la plus « piquée », la moins raffinée, donc plus riche en enveloppes du grain et en minéraux (taux d'extraction en farine élevé). Cette différenciation est fondée principalement sur la notion de pureté ou de blancheur.

Types de farine définis dans la réglementation française en 1963

Types de farine	Teneur en cendres ou matières minérales (% ramené à la matière sèche)	Aspect des farines	Usages
45	< 0,50 %	blanches	Usages ménagers, farines de gruaux, pains, pâtisseries, viennoiseries, biscuiterie
55	0,50 % à 0,60 %		
65	0,62 % à 0,75 %		
80	0,75 % à 0,90 %	bises	pains bis
110	1,00 % à 1,20 %		
150	> 1,40 %	complètes	pains complets

La valeur nutritionnelle. Fonction avant tout de la composition en éléments nutritionnels, la concentration de ces composants croît lorsque le type de farine ou le taux d'extraction augmente. Mais richesse en éléments nutritionnels ne veut pas dire meilleure assimilation nutritionnelle. Les couches fibreuses des enveloppes du grain renfermant ces éléments ne facilitent pas leur dispersion dans le bol digestif ; elles accélèrent en revanche le transit intestinal. Il apparaît que le meilleur bilan nutritionnel obtenu sur des animaux se situe à des taux d'extraction de farine de 85-90 %, c'est-à-dire pour des types 80 ou 110, ce résultat étant transposable en alimentation humaine.

La valeur technologique. Il s'agit de la valeur d'utilisation de la farine pour la fabrication d'un produit. La valeur boulangère correspondant à la fabrication du pain, et la valeur biscuitière étant associée à la fabrication d'un biscuit sec.

Philippe Roussel

• *Voir aussi :* Blé tendre ou froment ; Minéraux ; Piqûre ; Taux d'extraction ; Taux de cendres ; Valeur boulangère

Bibl. : CNERNA, *Le Pain*, Paris, CNRS, 1977 • Philippe ROUSSEL, Hubert CHIRON, *Les Pains français. Évolution, qualité, production*, Vesoul, Maé-Erti, 2002.

FARINÉ. – Voir CAMPAGNE (pain de)

FARINE (rendement). – Pourcentage de farine produite par rapport au blé (blé propre mis en mouture, ou blé « sale » avant nettoyage). La proportion de farine extraite se situe autour de 75 % de la quantité de blé initiale entrant au moulin. Ce ratio est particulièrement important à connaître pour apprécier la qualité de la mouture. C'est aussi un facteur économique primordial.

Philippe Duret

• *Voir aussi :* Meunerie ; Moulin ; Mouture ; Nettoyage

FARINE BASSE. – La mouture étant progressive, à chaque passage une fraction de farine est produite et extraite. La farine entière est l'assemblage de toutes les farines élémentaires. Plus la mouture progresse, moins la farine est pure, car on s'approche de l'enveloppe. Quand elles ne peuvent pas être mélangées à la farine entière, les farines de fin de mouture constituent la « farine basse ».

Philippe Duret

• *Voir aussi :* Cylindre ; Cylindres (appareil à) ; Farine ; Farine de passage ; Meule ; Meunerie ; Mouture

FARINE DE PASSAGE. – L'avancée progressive de la mouture nécessite plusieurs passages successifs de broyage, claquage et convertissage. Chaque passage produit une farine spécifique appelée « farine de passage ». Le mélange de toutes les farines de passage constitue la farine entière.

Philippe Duret

• *Voir aussi :* Broyage ; Broyeur ; Claqueur ; Convertisseur ; Farine ; Farine basse ; Mouture

FARINES (guerre des). – Nom donné aux émeutes frumentaires des mois d'avril et de mai 1775, conséquence d'une série de mauvaises récoltes les années précédentes, associée à la réforme de Turgot sur le commerce des grains. L'origine de cette révolte remonte aux dix dernières années du règne de Louis XV, lorsque le gouvernement décide de libéraliser le commerce des grains, en 1764, alors que les récoltes sont désastreuses. Cette loi inspirée des idées des physiocrates inquiète l'opinion publique, qui y voit un encouragement à la spéculation et aux complots de famine. L'expérience prend fin en 1770 à la suite de nouvelles émeutes provoquées par les mauvaises récoltes. Mais la mise en régie des blés et le dirigisme imposé ravivent les rumeurs d'un complot, d'un « Pacte de famine », selon lequel le roi spéculait sur les blés, contribuant ainsi à affamer le peuple. La mort de Louis XV, en 1774, n'arrête pas ces accusations qui se reportent sur Louis XVI.

Pour rompre avec la politique impopulaire de son grand-père, le jeune souverain nomme Turgot (1727-1781) contrôleur général des Finances. Cet ami des philosophes, disciple des physiocrates, passionné d'économie et d'agriculture, est un partisan du libéralisme économique. Sitôt au pouvoir, il rétablit la libre circulation des grains par un édit adopté le 20 septembre 1774 : c'est la suppression des régies et l'abolition de toutes les entraves au commerce intérieur. Si les blés peuvent circuler librement dans tout le royaume, leur exportation hors de France demeure interdite. Ce système doit permettre de fournir du blé à des provinces qui en manquent ; quant à la libre concurrence, elle doit éviter une hausse trop rapide des prix. C'était sans compter avec un hiver rigoureux, qui entraîne des récoltes déplorables. Le blé augmente et c'est la grogne dans les provinces. Dès le 12 mars, des troubles éclatent en Brie, à Lagny, à Pont-sur-Seine, à Montlhéry et à Meaux. Des groupes se forment un peu partout pour empêcher les convois de grains d'atteindre les villes. Le 18 avril 1775, à Dijon, des femmes armées de bâtons s'en prennent à un meunier soupçonné de trafiquer sa farine. Son moulin est pillé, les assaillants prennent une partie de la farine, jetant le reste à la rivière. L'intendant La Tour du Pin, rappelé à l'ordre pour n'avoir pas su calmer les esprits, a prétendu que l'émeute de Dijon résultait d'un complot dont il fallait démasquer les meneurs. Alors que la « guerre des Farines » s'amplifie, Necker, banquier de son état, « envoyé de la République de Genève », publie un ouvrage sur la législation et le commerce des grains qui attaque ouvertement la politique de Turgot et s'érige en défenseur des opprimés. Turgot poursuit ses objectifs. Les émeutes gagnent du terrain : le 27 avril à Beaumont-sur-Oise, les manifestants s'emparent des sacs de blé et de farine qu'ils vendent à leur propre tarif ; le produit de la vente étant remis au procureur. Le lendemain et le surlendemain, la foule s'en prend aux marchandises et aux marchands, sur les marchés de Beauvais et de Méru, des moulins sont pillés à Pontoise. Le 1er mai, les troubles gagnent Poissy, Saint-Germain-en-Laye, Gonesse, Saint-Denis. Le 2 mai, à Versailles, Louis XVI fait face à huit mille manifestants.

La révolte gagne la capitale où le pain de 4 livres est passé de 11 sous en septembre 1774 à 14, le 3 mai 1775. Faute de pouvoir s'approcher de la Halle aux blés, placée sous la triple protection des gardes-françaises, des gardes suisses et des dragons de la Maison du roi, les émeutiers pillent les boulangeries. Certains profitent du pillage, d'autres se contentent d'applaudir un groupe qui brandit un pain noir sous les fenêtres de l'hôtel de Turgot en hurlant : « Voilà le pain qu'on nous fait manger ! » À la surprise générale, les forces de l'ordre temporisent au lieu de réprimer : les gardes-françaises ont toujours répugné à mater les émeutes frumentaires et le lieutenant de police Lenoir traîne les pieds. Finalement Turgot, soutenu par Louis XVI, donne l'ordre de disperser les émeutiers et de procéder à l'arrestation des meneurs. Au cours d'un conseil des ministres extraordinaire, Turgot révoque Lenoir, qu'il rend responsable de la passivité du guet. Les désordres ne cessent pas pour autant, touchant Choisy-le-Roi, Arpajon, Montlhéry, Brie-Comte-Robert pour gagner le Soissonnais, la Beauce, la Normandie. La répression organisée y mettra un terme, tandis que deux mille cinq cents hommes sont affectés à la surveillance des marchés.

À Paris, plus de quatre cents prévenus ont été arrêtés, mais on a condamné deux pauvres garçons, pour l'exemple. Affligé par cette mesure, Louis XVI recommande à Turgot : « Si vous pouvez épargner les gens qui n'ont été qu'entraînés, vous ferez fort bien. » Le jour même est promulguée une ordonnance accordant l'amnistie à tous les séditieux qui regagneront leur paroisse et restitueront ce qu'ils ont pillé. Turgot a cru voir dans ces soulèvements le fruit d'une conspiration ourdie contre sa politique ; pourtant, ce mouvement spontané ressemble aux paniques populaires courantes sous l'Ancien Régime. Avec pour différence : les réformes de Turgot ont été incomprises et c'est la première fois que les émeutiers réclamaient une taxation. En cela, la « guerre des Farines » préfigure les journées d'octobre 1789 et de septembre 1793.

Anne Muratori-Philip

• *Voir aussi :* Boulangers et boulangeries (histoire de France des) ; Boulangers forains ; Cadet de Vaux ; Disettes, famines et révoltes pour le pain en France ; École de boulangerie (première) ; Égalité (pain) ; France (pains historiques, du Moyen Âge à la Révolution française) ; Invalides (hôtel royal des) ; Malouin ; Parmentier ; Physiocrates ; *Sur la législation et le commerce des grains*

Bibl. : Antoine BALLAND, *La Chimie alimentaire dans l'œuvre de Parmentier*, Paris, Librairie Baillière et Fils, 1902 • Steven L. KAPLAN, *Les Ventres de Paris. Pouvoir et approvisionnement dans la France de l'Ancien Régime*, trad. S. Boulongne, Paris, Fayard, 1988. – *ID.*, « Le complot de famine : histoire d'une rumeur au XVIIIe siècle », trad. M. et J. Revel, *Cahier des Annales*, nº 39, Paris, Armand Colin, 1982 • Anne MURATORI-PHILIP, *Parmentier*, Paris, Plon, 1994 et 2006.

FARINEUX. – Un blé est dit farineux s'il a une bonne aptitude à produire facilement et quantitativement de la farine. Ce caractère peut être évalué par la couleur de l'amande du grain ; la couleur blanche, comparativement à l'aspect translucide ou vitreux, est associée au qualificatif « farineux ». La vitrosité est une caractéristique visuelle liée au degré de compaction du grain, elle augmente proportionnellement à la teneur en protéines pour passer d'une couleur blanche (caractère farineux) à un aspect vitreux. L'alternance de parties vitreuses et blanches dans l'amande du grain est qualifiée de « mitadinage ». L'association du caractère « farineux » avec la dureté de l'amande apparaît, pour les professionnels, de plus en plus pertinente.

La dureté, ou état de cohésion du grain, correspond à la proportion de fines particules, après un broyage, et est mesurée principalement par spectrométrie de réflexion dans le proche infrarouge. Les différentes classes de dureté (« extra-soft », « soft », « medium-soft », « medium-hard », « hard » et « extra-hard ») s'expriment par un indice sur une échelle continue graduée de 0 à 100. Conventionnellement, l'indice 25 correspond à la valeur moyenne des blés de type « soft » et l'indice 75 à celle des blés de type « hard ». Cette terminologie anglo-saxonne a été également adoptée en France, pour éviter toute confusion avec le blé dur. La dureté est une caractéristique essentiellement variétale. Avec un indice de dureté élevé, la réduction de l'amande en fines particules est plus difficile, le caractère farineux est donc moins marqué. Cet indice de dureté est en relation, aussi, avec la proportion d'amidons endommagés par la mouture au cours de la fragmentation de l'amande du blé. Les caractères « soft » et « blanc » contribuent à augmenter la production de farine au détriment de la semoule et sont associés donc au qualificatif « farineux »

Philippe Roussel

• *Voir aussi :* Amande farineuse ; Amidon ; Amidon endommagé ; Blé dur ; Broyage ; Broyeur ; Grain ; Semoule

Bibl. : Philippe ROUSSEL, Hubert CHIRON, *Les Pains français. Évolution, qualité, production*, Vesoul, Maé-Erti, 2002.

FARINIER. – Voir MEUNIER

FATTY CHEZ LUI (*The Rough House*). Voir DOCUMENTAIRES ET FILMS

FAUCILLE. – Instrument emblématique des moissons, la faucille se présente sous la forme d'un instrument à lame dentée ou lisse en forme de croissant, montée sur un manche très court. Certaines faucilles comportent un onglet rabattu près de la poignée qui sert de protection et donne une meilleure prise à l'outil. En France, les premières faucilles métalliques seraient apparues vers 2000-1500 av. J.-C.

Mouette Barboff

• *Voir aussi :* Épi ; Épi (symbolique de l') ; Faux ; Moisson ; Moisson (pains de) ; Moissons (symbolique des) ; Paille

Bibl. : Mariel BRUNHES DELAMARRE, Hugues HAIRY, *Techniques de production : l'agriculture*, Paris, Éditions des Musées nationaux, coll. « Guide ethnologiques », n°s 4-5, 1971 • Marcel LACHIVER, *Dictionnaire du monde rural. Les mots du passé*, Paris, Fayard, 2006.

FAUCILLE À PAIN. – Nom donné à un coupe-pain familial, commun à plusieurs régions françaises, spécialement destiné à trancher des pains volumineux. L'outil ressemble à s'y méprendre à une faucille, sa lame plus ou moins courbée mesurant environ 40 cm. On l'utilise en pressant le pain contre sa poitrine et en tranchant des « rouelles » de pain d'un ample mouvement à l'aide de la faucille de l'autre main. Certaines faucilles à pain sont dotées d'une poignée en laiton ressemblant à un manche de sabre. Le manche de ce taille-pain est plus fréquemment en noyer ; une virole en ivoire précédait parfois la lame impeccablement affûtée.

Hubert Chiron

• *Voir aussi :* Coupe-pâte ; Couteau à pain

FAUX. – La faux est composée d'une lame tranchante (60 cm environ), arquée, à rebord ou non, et d'un manche long, en bois, droit ou incurvé, muni ou non d'une poignée. Lorsqu'elle comporte cette poignée, elle est donc maniée des deux mains. La faux a servi longtemps à couper l'herbe, son emploi ayant été longtemps condamné pour la moisson des céréales panifiables (froment, méteil, seigle). Une des raisons invoquées était que la faux ne laissait pas de chaume, propriété traditionnelle des pauvres qui chaumaient après l'enlèvement des récoltes. La moisson à la faux, plus rapide et nécessitant moins de main-d'œuvre, a finalement prévalu et ce dès la seconde moitié du XVIIe siècle, et s'est maintenue jusqu'à l'apparition des faucheuses mécaniques, dans la seconde moitié du XIXe siècle.

Mouette Barboff

• *Voir aussi :* Épi ; Épi (symbolique de l') ; Faucille ; Moisson ; Moisson (pains de) ; Moissons (symbolique des) ; Paille

FEBPF (Fédération des entreprises de boulangerie et pâtisserie françaises). – Au sein de la filière boulangerie existe une représentation des entreprises autres qu'artisanales. Autrefois appelé SNIBP (Syndicat national des industries de la boulangerie-pâtisserie), ce syndicat professionnel et patronal, maintenant appelé FEBPF, regroupe environ cent soixante entreprises rassemblées au sein de la Fédération des industries de boulangerie-pâtisserie (fabricants de produits de boulangerie, viennoiserie, pâtisserie en frais ou surgelé) et du Syndicat des magasins de boulangerie-pâtisserie (regroupement des enseignes organisées ou non en réseau et de boulangeries mettant en œuvre les avant-produits).

Dominique Descamps

• *Voir aussi :* Boulangerie (salons internationaux de la) ; Boulangerie contemporaine ; CNBPF ; Filière blé-farine-pain ; Franchise ; Marketing du pain

FEMME DU BOULANGER. – Le drame d'Aimable Castanier dans *La Femme du boulanger*, interprété avec rondeur et voix rocailleuse par Raimu, est non seulement d'avoir perdu sa femme, partie, par désœuvrement, rejoindre un berger, mais de se trouver tout d'un coup sans son alter ego. Quand Aurélie, femme d'Aimable, s'en va, la boulangerie s'arrête. Si Pagnol avait voulu faire passer un message, il ne s'y serait pas pris autrement. Chagrin d'amour, esseulement. Peut-être. Mais, avant tout, vision réaliste d'une profession qui repose, dans la plupart des cas, sur le binôme que forment le boulanger et la femme du boulanger, lui au fournil, elle au magasin. Et rien qui puisse véritablement laisser penser que le travail de l'un est plus important que celui de l'autre. Histoire de ne pas froisser les susceptibilités. Il y a là une osmose qui constitue très précisément l'essence du métier, pour le meilleur (Aimable et Aurélie collaborent) et pour le pire (Aurélie s'en va). Naturellement, la société évolue et ce couple peut être constitué de nos jours de deux femmes, ou de deux hommes, et quelle que soit leur relation, pourvu seulement que l'alliance soit sans faille ; la règle qui perdure est donc bien que le fournil collabore de façon étroite avec le magasin, le magasin avec le fournil, et que de cette entente dépend le fonctionnement, voire le rayonnement, de l'ensemble. Si le magasin décampe, alors le pétrin s'arrête.

Les boulangères ont cherché, avec les années, à mieux apprécier, détailler, inventorier le rôle qui était le leur, et décidé, peut-être encouragées par l'obtention d'un statut de conjoint longtemps demandé (collaboratrice, salariée ou associée), de prendre les choses en main. Vendre le pain, ce n'est pas se saisir d'une baguette tradition sur le présentoir, avec ou sans gants, ne pas même savoir ce qui la distingue d'une baguette ordinaire, l'emballer et encaisser. Dans de telles conditions, il est préférable, et souvent pour un prix moindre, de prendre son pain au supermarché. La boulangerie ne peut pas être un lieu de simple distribution mais doit offrir, *a contrario*, dans un contexte de concurrence forcenée, une valeur ou *douceur* ajoutée, qui justifiera le détour. La boulangère et ses équipes redoublent d'efforts pour accueillir des consommateurs mieux informés et donc plus exigeants, lesquels ne peuvent plus se satisfaire des leçons mal apprises qui camouflent parfois une vraie méconnaissance du métier. Peut-être cette initiation au mystère de la fermentation passe-t-elle par une journée dans le fournil ou par un « stage de fabrication » où l'on vous apprend à faire le pain et même à composer des décors en pâte morte. C'est l'expérience que rapporte Léone Copin, déléguée nationale des boulangères à la Confédération nationale de la boulangerie-pâtisserie française (CNBPF), qui conclut : « Toutes les boulangères devraient faire au moins une fois ce stage. Il permet de mieux comprendre le travail du boulanger et de répondre aux questions de la clientèle » (*Forum Mag* sept. 2007). Depuis la mise en place du CQP (Certificat de qualification professionnelle) vendeuse/vendeur conseil en boulangerie, il est possible de se montrer plus exigeant dans le recrutement ou bien de participer à la formation continue d'un personnel de vente qualifié. Le monde change. Pourquoi la boulangerie devrait-elle se répéter ?

L'épouse de l'artisan s'adapte alors comme elle peut. Être au four et au moulin : on dirait que l'expression a été forgée spécialement pour elle. En l'occurrence, être à la gestion et à l'administratif ; au suivi des commandes et au service du personnel ; à la dynamisation des équipes de vente et à leur formation ; aux remises en question et au renouvellement du magasin et des vitrines ; aux animations et à la préparation des fêtes qui jalonnent l'histoire du pain (Épiphanie, Pâques, chandeleur, printemps, Fête du pain, Semaine du goût, etc.) ; à la mise en valeur des nouveaux produits sortis du fournil et à leur présentation aux vendeuses qui les feront découvrir à la clientèle, etc. Autrement dit, au magasin et au fournil et retour du matin jusqu'au soir, elles gardent le sourire, même si l'époux claironne contre ses mitrons ou si la clientèle rouspète contre la longueur de la file d'attente : c'est-à-dire contre tout ce qui fait précisément que la boulangerie a justifié cette aimable prise d'assaut.

Jean-Philippe de Tonnac

• *Voir aussi :* Apprentissage ; Boulangerie contemporaine ; Boulangers de France ; Boulangères ; CFA ; CNBPF ; File d'attente ; Formations à la boulangerie et à la pâtisserie ; Galette des Rois ; Marketing du pain

Bibl. : *Forum Mag. Le Journal des concessionnaires Bongard*, n° 33, septembre 2007.

***FEMME DU BOULANGER* (*La*).** C'est en quittant Bruxelles, où il est venu assister à la présentation triomphale de *Marius*, que Marcel Pagnol découvre un texte étonnant dans les pages de la *NRF* de l'hiver 1931. Son titre, *Aurélie et le boulanger*. Il s'agit d'un court chapitre, extrait de *Jean le bleu*, roman coloré de Jean Giono à paraître prochainement aux éditions Bernard Grasset. Ce qui séduit Pagnol chez « le chantre de Manosque », c'est son art unique pour élever jusqu'à l'épique le quotidien de ces hommes du plateau, durs à la tâche et à la peine, au tempérament bien trempé, gardiens dans leur existence d'une tradition ancestrale qui refuse les compromissions du progrès par attachement aux « vraies richesses ». Scénarisées à Villard-de-Lans puis interprétées au Castelet et sur la presqu'île de Giens, les lignes de Giono sont considérablement amplifiées par la verve et la faconde de l'homme d'Aubagne : derrière l'anecdote du boulanger cocu, c'est l'histoire sublime du pain des Hommes que l'auteur a esquissée dans sa fiction. L'occasion est belle pour Pagnol de réaliser, sur un mythe éternel, l'unes de ces grandes œuvres populaires qui marquent leur temps. À Paris, en septembre 1938, *La Femme du boulanger* sort sur les boulevards, au cinéma Marivaux, après une première mondiale réussie dans les travées du César, cinéma marseillais de la place Castellane appartenant au maître d'œuvre. C'est un triomphe. Cette fois, critiques avisés et grand public sont unanimes : à partir d'une situation de vaudeville transcendée par le thème prolétarien du pain quotidien, Pagnol réalise là un film plein, entré presque aussitôt dans la mémoire collective. La scène du boulanger ivre, errant sur la place du village, celle du retour de sa chatte,

Pomponnette, et du monologue éperdu qui s'ensuit entrent au répertoire des séquences classiques du septième art, et le boulanger Aimable Castanier, magistralement porté par la gouaille de Raimu, au panthéon des grands personnages de l'art dramatique national.

Cédric Méletta

• *Voir aussi : Boulanger de Valorgue* (*Le*) → Documentaires et film ; *Petit Boulanger de Venise* (*Le*) → Documentaires et films ; Boulanger-poète ; Boulanger-prophète ; *Secret de Maître Cornille* (*Le*) → Meunier dans l'Histoire

Bibl. : Claude BEYLIE, *Marcel Pagnol, ou le Cinéma en liberté*, Paris, Éditions Atlas, 1986 • Jacques MENY, *Jean Giono et le cinéma*, Paris, Jean-Claude Simoën, 1978 • Marcel PAGNOL, *La Femme du boulanger* (d'après un conte de Jean Giono), Paris, Fasquelle, 1953.

FEMME PRÉPARANT DU PAIN BEURRÉ POUR UN ENFANT. – Voir PEINTURE OCCIDENTALE

FEMMES (pain fait par les). – La nourriture est un domaine où les phénomènes sont souvent de très longue durée. L'un d'entre eux est particulièrement massif ici : c'est le caractère féminin de la fabrication du pain. Il est vrai que nous n'avons pas d'informations directes sur la répartition des tâches entre les sexes pendant la Préhistoire. Mais les données ethnographiques et historiques sont tellement concordantes qu'il est difficile de ne pas se rendre à l'espèce d'évidence qu'elles manifestent. À quelques exceptions près, dont naturellement celle de notre société actuelle, ce sont partout et toujours les femmes qui ont en charge la préparation de la nourriture du groupe familial. Les *Desert people* d'Australie représentent, à cet égard, un modèle pratiquement universel. Agenouillée derrière la pierre à moudre comme dans l'Égypte ancienne, ou assise à côté du moulin à bras comme dans des milliers de villages de l'Inde encore aujourd'hui, c'est la femme qui écrase le grain, c'est elle encore qui pétrit la pâte et qui la fait cuire. Lorsque trois hôtes se présentent devant la tente d'Abraham, au chêne de Mambré, lui-même court prendre un veau qu'il donne à un serviteur pour qu'il le tue et qu'il l'apprête. Mais c'est à Sara, sa femme, qu'il donne l'ordre suivant : « Prends vite trois mesures de farine, pétris et fais des galettes » (Genèse XVIII, 6-8). Et le vocabulaire anglais actuel conserve encore la trace de ce très vieil et très universel usage : la dame, *lady*, c'est « celle qui pétrit le pain », *hlaefdige* en vieil-anglais ; et le seigneur, *lord*, c'est « celui qui a la garde du pain », *hlafweard* (dans ces expressions, *hlaef* – ou *hlaf* – survit dans l'anglais actuel *loaf*, « miche » ; également l'allemand *Laib*, même sens, et le russe *khleb*, « pain »).

Notre société actuelle, dans laquelle le meunier et le boulanger sont des hommes, et des hommes de métier, a complètement tourné le dos à l'ancien usage. Comment cela est-il possible ? On peut imaginer des transitions. Il n'y a pas si longtemps, après tout, que les femmes pétrissaient et cuisaient encore le pain dans nos campagnes. En France, cette tradition était encore bien vivante au siècle dernier et, si elle avait déjà disparu presque partout dans les années 1930, elle connut un regain de faveur pendant l'occupation allemande dans les années 1940, si bien qu'elle ne s'est pas effacée des mémoires. Mais il est clair que cette transition ne fut qu'une étape dans la diffusion aux campagnes d'un mode de vie urbain déjà solidement constitué. Dans le Paris du XVIIe siècle, la corporation des boulangers avait depuis longtemps le quasi-monopole de la fabrication du pain. Quant au monopole de la meunerie, il est, on le sait assez, encore plus ancien. C'est l'origine de ce modèle urbain, dans lequel la fabrication du pain est entièrement masculine, qui nous intéresse ici. Et là, on imagine mal une transition progressive. Car des femmes aux hommes il n'y a pas de moyen terme. Il a bien fallu qu'à un moment donné la société bascule pour ainsi dire d'un modèle à un autre. Où et quand cela s'est-il produit, et avons-nous une chance de savoir comment cela s'est passé ?

Peut-être. Je viens de dire que des femmes aux hommes il n'y a pas de moyen terme. Mais la société peut en inventer. Elle a notamment inventé l'esclavage et, si l'esclave a un sexe biologique, on peut dans une certaine mesure lui ôter son sexe social, surtout si c'est un homme. L'esclave-femme reste femme et, si l'esclavage ajoute à la dépendance de la femme, il ne la crée pas. L'esclave-homme, lui, peut être privé de son sexe même biologique, on peut en faire un eunuque. On peut aussi le priver des prérogatives attachées à la condition d'homme libre, il faut même l'en priver pour qu'il soit véritablement esclave. On peut alors lui imposer des tâches féminines, ce qui serait absolument incompatible avec un statut d'homme libre.

Si l'esclavage a pris une importance si extraordinaire dans la société gréco-romaine antique, n'est-ce pas justement parce qu'on y a « inventé » de faire faire aux esclaves, de façon très systématique, des travaux de femmes ? Ce qui paraît certain en tout cas, c'est que contrairement aux sociétés proche-orientales contemporaines, où le rôle des femmes dans la préparation de la nourriture ne change guère, on assiste dans la civilisation gréco-romaine à une entrée massive des hommes dans les activités de meunerie et de boulangerie. Et en même temps, ce qui n'est pas un hasard, l'innovation technique explose. La pierre à moudre, qui n'avait pas fondamentalement changé en quarante mille ans d'existence, devient en moins de quatre siècles moulin à levier, moulin rotatif à bras ou à manège, et enfin moulin à eau. L'esclavage disparaîtra beaucoup plus tard et fort lentement souvent. Mais les métiers, notamment ceux de boulanger et de meunier, resteront. Et le rôle historique de l'esclavage aura peut-être été de laisser les métiers après lui comme l'héritage que personne n'avait prévu.

Cette hypothèse sur l'esclavage est inédite. Toutes les preuves nécessaires pour l'établir ne sont pas encore réunies, et il est clair qu'elle soulève de nombreuses objections. Celle, par exemple, que l'esclavage aurait été un obstacle à l'innovation technique. Cette objection ne tient pas parce qu'elle ignore le fait que l'esclave, comme la bête de somme, représente un capital coûteux que son maître n'a pas intérêt à mal utiliser. Et d'ailleurs, l'idée d'une stagnation technique sous l'Antiquité est de plus en plus reconnue aujourd'hui comme complètement fausse. Mais je ne puis pas entrer dans ce débat ici. Ce que je voudrais dire pour terminer, c'est que les Anciens eux-mêmes ont eu une certaine conscience de ce remplacement des femmes par les esclaves, remplacement auxquel ils assistaient : « En ce temps-là, écrit par exemple Athénée dans *Le Banquet des sophistes* (263b), personne n'avait d'esclave [...], mais les femmes devaient s'imposer tout le travail de la maison. C'est elles qui, dès l'aube, devaient moudre le grain ; elles faisaient résonner le village du bruit de leurs meules. » Et Pline l'Ancien : « Il n'y eut pas de boulangers à Rome jusqu'à la guerre contre Persée, plus de cinq cent quatre-vingts ans après la fondation de la ville. Autrefois, les Romains faisaient leur pain eux-mêmes, et c'était surtout la tâche des femmes, comme aujourd'hui encore chez la plupart des peuples » (*Hist. nat.*, 18, 28).

François Sigaut

• *Voir aussi :* Athénée de Naucratis; Boulangère; Céréales sauvages aux premières formes domestiques (des); Déméter et Perséphone; Grain et graine; Hestia, Vesta et le feu sacré; Pain (définition universelle du); Pâte à pain; Sexuelle (le pain comme métaphore); Terre-Mère primordiale

Bibl. : M.-C. AMOURETTI, *Le Pain et l'huile dans la Grèce antique*, Paris, Les Belles Lettres, 1986 • T. ANKEI, *Cookbook of the Songola : An Anthropological Study on the Technology of Food Preparation among a Bantu-Speaking People of the Zaire Forest*, Kyoto University, The Center for African Area Studies, African Study Monographs, Supplementary Issue n° 13, 1990 • P. ATZENI, *Il corpo, i gesti, lo stile, lavori delle donne in Sardegna*, Cagliari, CUEC, 1988 • S. AVITSUR, « The Way to Bread, The Exemple of the Land of Israel », *Tools and Tillage*, vol. 2, n° 4, 1975, p. 228-241 • F. BINDER, *Die Brotnahrung, Auswahl-Bibliographie zu ihrer Geschichte und Bedeutung*, Ulm/Donau, Deutsches Brotmuseum, 1973 • J.-P. DEVROEY, J.-J. VAN MOL (dir.), *L'Épeautre (Triticum spelta), Histoire et ethnologie*, Treignes (Belgique), Éditions Dire, 1989 • A. GAMERITH, *Speise und Trank im südoststeirischen Bauernland*, Graz, Akademische Druck-und Verlagsanstalt, 1988 • F. GARIBOLDI, *L'Étuvage du riz*, Rome, FAO, 1974 • M. GAST, *Alimentation des populations de l'Ahaggar*, Paris, Arts et métiers graphiques, 1968 • S. H. KATZ, M. L. HEDIGER, L. A. VALLEROY, « Traditions Maize Processing Techniques in the New World », *Science*, vol. 184, n° 4138, 1974, p. 765-773 • J. G. LEWTHWAITE, « Acorns for the Ancestors : the Prehistoric Exploitation of Woodland in the West Mediterranean », *in* S. Limbrey, M. Bell (dir.), *Archaeological Aspects of Woodland Ecology*, Oxford, BAR, 1982, p. 218-230 • M.-C. MAHIAS, *Délivrance et convivialité, le système culinaire des Jaina*, Paris, Éditions de la Maison des sciences de l'homme, 1985 • A. MAURIZIO, *Die Nahrungsmittel aus Getreide*, Berlin, Paul Parey, 1924-1926, 2 vol. • L. A. MORITZ, *Grain-Mills and Flour in Classical Antiquity*, Oxford, Clarendon Press, 1958 • J. MUCHNIK, D. VINCK, *La Transformation du manioc, technologies autochtones*, Paris, Presses universitaires de France, 1984 • S. REHM, G. ESPIG, *Die Kulturpflanzen der Tropen und Subtropen*, Stuttgart, Eugen Ulmer, 1976 • F. SABBAN-SERVENTI *et al.*, « Contre Marco Polo : une histoire comparée des pâtes alimentaires », *Médiévales*, n°s 16-17, 1989 • N.-C. SERINGE, *Monographie des céréales de la Suisse*, Berne, chez l'auteur, 1818 • K. SHAWCROSS, « Fern Root and 18th Century Maori Food Production in Agricultural Areas », *The Journal of the Polynesian Society*, vol. 76, n° 3, 1967, p. 330-352 • F. SIGAUT, « Moulins, industrie et société », *Culture technique*, n° 16, 1986, p. 215-223 • A. TESTART, *Les Chasseurs-cueilleurs, ou l'Origine des inégalités*, Paris, Société d'ethnographie, 1982.

FENDU. – Pain présentant une fente longitudinale obtenue par un mode de façonnage particulier, reposant sur plusieurs opérations manuelles successives. Sur un pâton « tourné » préalablement en forme de boudin et placé « clé » ou « moulure » en dessous, on forme avec la paume de la main un sillon sur toute la longueur en ayant soin de ne pas écraser les deux bourrelets latéraux ainsi formés. Traditionnellement, la fente est achevée à l'aide de l'avant-bras que l'on fait « rouler » d'un bout à l'autre du pâton. Certaines écoles conseillent d'utiliser le rouleau à pâtisserie. Avant de déposer le pâton façonné, « fente en dessous », dans le banneton, on en saupoudre la fente (seigle, manioc, selon les usages et les régions) pour éviter que les deux parties ne se collent pendant l'apprêt. Au cours de la cuisson « fente au-dessus », le pâton gonfle et les « fesses » se forment. Le pain fendu de 4 ou 6 livres était très populaire en province, avant la dernière guerre. Les petits pains (« pistolets », par ex.) sont également fendus à l'aide d'un mini-rouleau huilé.

Roland Guinet

• *Voir aussi :* Apprêt ; Banneton ou panneton ; Clé ; Fleurage ; Main ; Pâton ; Rouleau à pâtisserie

FENUGREC (*Trigonella foenum-graecum*). – Voir CONDIMENTS DU PAIN

FERMENT. – Voir FERMENTATION

FERMENTAIRE (quotient). – Voir LEVAIN DE PANIFICATION

FERMENTATION (approche anthropologique de la). – Il fallait sans doute que la fermentation eût sa part de mystère pour que de nombreux peuples s'y intéressent au point d'en revendiquer la paternité et justifier ainsi leur place dans l'univers. C'est qu'il était longtemps apparu que ce phénomène naturel était susceptible de servir l'homme pour peu qu'il fût domestiqué. Contrôlé et non pas vraiment dominé puisque l'expérience montrait que la fermentation restait toujours du domaine de l'aléatoire et, donc, que sa dimension immatérielle la ramenait obstinément du côté de la nature, voire des puissances spirituelles. À ce titre, rares ont été les sociétés qui ont choisi de s'affirmer dans une opposition entre la nature et la culture et qui n'aient eu tendance à associer leur émergence à une maîtrise suffisante des processus de fermentation éthylique, lactique ou malolactique. Alors, les civilisations naissent-elles vraiment de la fermentation ?

Que peut l'homme face à la fermentation biochimique ? Il observe le passage à la putréfaction, en pressent l'utilité, sait qu'elle finit par modifier le goût des choses pendant le moment qui précède le pourrissement total. Comment intervenir sur ce destin irrémédiable et transformer le processus en une sorte d'outil facilitant la conservation des produits obtenus à partir des substances fermentescibles ? Le jus des fruits, les sucres contenus dans un grain de céréale, les potentialités dissimulées dans un muscle ou dans du lait évoluent selon leur nature, mais ils peuvent être domestiqués lorsque l'homme décide d'intervenir. Une telle conception d'une technique balbutiante, en équilibre fragile entre la nature et la culture, s'était transmise depuis des millénaires, bien avant qu'en 1866 Pasteur, à la suite de quelques autres savants précurseurs, n'en arrive à nommer les levures ou les bactéries qui contribuent à la transformation des sucres en alcool, celles qui entrent dans les principes de la boulangerie ou ceux de la fromagerie. En s'alimentant, les hommes n'ont jamais fait que satisfaire un besoin primaire, mais ce n'est qu'en discriminant, puis en transformant la production de la nature qu'ils entrent dans un processus culturel. Même s'il est difficile d'affirmer que le feu a précédé le recours à la fermentation contrôlée, force est de constater que les systèmes de pensée ont toujours opéré un rapprochement entre ces deux types de transformation à la base des systèmes culinaires.

À l'évidence, la fermentation fournissait la possibilité d'apporter du goût aux aliments, d'instituer un peu de fantaisie dans le choix initial des plantes sélectionnées par certaines civilisations pour devenir la base de leur alimentation… et de leur pensée. Entre le cru et le cuit, la fermentation s'imposait comme un stade intermédiaire majeur qui permettait à l'homme de reconnaître ce qu'il doit à la fois à la nature et à la culture. Bien plus, elle intégrait en elle-même le principe du feu, puisque les plantes mûrissent et « surmûrissent » grâce à la chaleur du soleil, parfois combinée à l'action de l'eau, et montrent une propension à « bouillir » spontanément, comme dans le cas du jus de la vigne dans la phase initiale de la fermentation tumultueuse dont il faut s'efforcer de maintenir la température autour de 37°C. Mais, même lorsque la température ne s'élève pas, la vie est là qui affleure sous l'effet de la production de dioxyde de carbone. La pâte qui gonfle, les bulles qui s'élèvent vers la surface du liquide gorgé d'éthanol, la nature est à l'œuvre. Le boulanger ou le vigneron se sentent alors investis d'une responsabilité particulière au cœur d'un processus de reproduction qui exprime son évidence sous une forme analogique. Si les connotations sexuelles liées au principe de fécondité abondent dès le stade de l'ensemencement de la terre, elles touchent aussi le pâton qui enfle dans la maie comme le ventre de la femme enceinte, puis le pain enfourné, cuit, enfin devenu artefact.

Comment les représentations de soi ne trouveraient-elles pas un écho dans cette fermentation si indispensable à la vie, celle de l'individu d'abord, puisque le pain et le vin sont des aliments liés à la quotidienneté, celle du groupe ensuite, puisque les boissons fermentées concourent largement à la qualité des relations interpersonnelles et de la communication avec les entités surnaturelles ? Au-delà d'une participation à une démarche créatrice, la fermentation permet de répondre à un souci de conservation de certains végétaux nécessaires à l'homme et de réduire la dépendance au strict cycle saisonnier imposé par la nature. Voilà que l'ensilage de produits agricoles favorise la production de l'acide lactique qui stoppe la prolifération de micro-organismes conduisant à la putréfaction. Voilà aussi que, après avoir été broyés et triturés par l'homme, les grains ou les fruits voient leur vie utile rallongée pendant des jours et des mois, jusqu'au moment où ils entreront plus commodément dans le régime alimentaire. Or, ce contrôle de la temporalité ne se peut imaginer que dans la mesure où l'homme impose sa présence en faisant verser le procès initial dans la sphère technique : il récupère ou laisse mûrir une partie de l'élément fermenté originel, il en ensemence la pâte ou le liquide et améliore de la sorte le goût et les capacités de transformation ou de conservation. Il qualifiera d'ailleurs souvent de « mère » ce levain ou ce ferment, comme pour affirmer la part culturelle de re-création, l'apport décisif qui inscrit le processus dans une démarche digne d'une vie démarquée de l'état sauvage, une vie spécifiquement destinée au groupe.

En fabriquant de la vie, la fermentation ne se contente pas de maintenir des potentialités nutritionnelles et bromatologiques dans la chaîne alimentaire, elle conduit l'homme à relativiser sa conception du temps et à modifier son approche de la mort, perçue comme indispensable à la reproduction de la société dans son ensemble. Cela est vrai surtout des boissons fermentées essentielles, qui, à l'instar du vin ou du pulque mexicain, sont représentées par des divinités masculines investies d'une dimension médicinale. Au IVe siècle avant notre ère, le Dionysos athénien n'était-il pas le « dispensateur de santé » métamorphosé, selon Détienne, en un saint protecteur de la vie tranquille, de la bonne santé et de la félicité conjugale ? Et Patecatl, divinité du pulque aztèque, ne portait-il pas le nom nahuatl de l'herbe médicinale (*patli*) introduite dans la boisson autant pour faciliter ou réguler la fermentation que pour signifier la place du breuvage gonflée de vie dans la pharmacopée locale ? Bien qu'ils soient tous deux les inventeurs d'une boisson tumultueuse consommée pure, à peine sortie de l'état sauvage, Dionysos et Patecatl (mais aussi Osiris et bien d'autres encore) finissent par s'imposer comme dieux civilisateurs, édificateurs principaux des règles conduisant à la consolidation de la culture et à l'inscription du groupe dans la longue durée.

L'une des caractéristiques marquantes de la fermentation est en effet qu'elle établit un rapport avec la divinité et, à travers elle, avec le politique. Dans la mesure où la domestication du processus naturel annonce l'invention des techniques, elle préfigure aussi l'esprit de civilisation et définit les principes de la vie sociale d'un groupe préoccupé par sa propre reproduction. Et puisqu'elle permet à l'homme de s'extraire d'une matérialité fondamentale, elle contribue à l'élever vers les choses spirituelles. On ne s'étonnera donc pas qu'elle constitue un des éléments fondateurs des rapports entre les sexes d'abord, entre les groupes sociaux ensuite. C'est autant à travers la symbolique de la fermentation que dans sa réalité que s'exprime par exemple le thème de la frustration de l'homme confronté au pouvoir de la fécondité féminine. Existe-t-il en effet une raison autre que symbolique qui justifierait qu'une même technique soit ignorée des hommes et associée à l'art culinaire lorsqu'elle permet de nourrir la famille, et qu'elle soit interdite aux femmes quand elle contribue à fabriquer le même produit, mais destiné à sortir de l'espace domestique ? Alors que dans le premier cas la femme menstruée poursuit très naturellement son activité, dans le second, elle se voit interdire l'entrée du local spécialisé où sa seule présence mettrait en péril l'ensemble de la fabrication. On comprend que les esprits liés à la terre et aux produits bruts – Déméter, Isis, Mayahuel… – soient des divinités féminines, et que leurs pendants pour les produits transformés soient masculins.

L'imaginaire est encore à l'œuvre dans la prétention des dirigeants à préserver leur pouvoir par le contrôle strict de la transmission des savoirs : la fermentation, technique fondamentale, restant soumise à l'aléatoire, il importe d'entretenir avec les puissances surnaturelles des liens particuliers dont l'effet se fera sentir dans la vie quotidienne de la communauté. Cette technique ne prouve son efficacité que parce qu'un nombre limité de personnes savent louer les dieux pour les dons faits aux hommes et que c'est à travers elles que passe le souffle de vie mystérieux. Le chef s'arroge donc le pouvoir de rendre efficace cette union de la nature et de la culture, et il justifie par là même la présence du groupe sur le territoire nourricier. Bien plus, il ne cesse de rappeler que la fermentation confine toujours à l'instabilité, surtout dans le cas des effets attendus des boissons fermentées. N'ont-elles pas participé les premières à l'émergence d'une vision hédoniste de la vie sur terre qui serait souvent trop dure sans elles et, comme le souligne un mythe aztèque, ne justifierait pas à elle seule les louanges que les dieux doivent attendre des hommes ? On ne s'étonnera donc pas de lire, dans le récit consacré par Diodore de Sicile au long périple civilisateur qui conduisit Osiris-Dionysos jusqu'en Inde, que le dieu, comme il aimait à rire et se plaisait à la musique et à la danse, veillait toujours à implanter une boisson dans les lieux visités, « et quand le terroir ne permettait pas d'y planter la vigne, il enseignait la boisson préparée à partir de l'orge, guère inférieure au vin pour l'arôme et la force ».

En dépit de cette recherche d'un mieux-être, le danger de l'excès incontrôlé reste pourtant fort vif et il contraint chaque consommateur à suivre les normes qui lui sont imposées, révélant ainsi la force de son caractère et son respect de l'environnement social. Or, s'il est vrai qu'un dirigeant tient moins sa légitimité de son pouvoir de contrainte formelle que de son aptitude à faire accepter au peuple sa propre soumission, on peut supposer que les produits de la fermentation ont pris une grande part dans cette formation idéologique : le citoyen, ou le membre du clan, sera d'autant mieux disposé à respecter les règles édictées que celles-ci réfèrent dès l'origine à une technique et à des produits qu'il est capable de contrôler et d'apprécier, alors même que leur essence viendrait d'une autre sphère. Vivre mieux en fabriquant et en consommant une nourriture vivante vaut sans doute bien que l'on se conforme de bonne grâce à des règles communes.

Dominique Fournier

• *Voir aussi :* Acide lactique ; Alcool ; Bière ; Céréales ; Conservation ; Déméter et Perséphone ; Éleusis (mystères d') ; Femmes ; Fermentation panaire ; Grain et graine ; Isis et Osiris ; Kykéon et initiation aux mystères ; Levain (intérêt nutritionnel du) ; Levain (symbolique du) ; Levain, levain-chef, levain de première, de seconde, de tout point ; Levain de panification ; Levure de boulanger ; Maïs ; Méthode directe/indirecte ; Micro-organisme ; Morts (pains des) ; Pain et vin ; Pâte à pain ; Sexuelle (le pain comme métaphore) ; Si le grain tombé en terre ne meurt ; Silo à grains ; Sucre fermentescible ; Terre-Mère primordiale ; Théologie du pain

Bibl. : Marcel DÉTIENNE, *Dionysos à ciel ouvert*, Paris, Hachette, 1986 • DIODORE

DE SICILE, *Naissance des dieux et des hommes*, Paris, Les Belles Lettres, 1991 • Dominique FOURNIER, « La fermentation : symbolique et réalité », in *La Vigne et le vin*, Paris, La Manufacture, 1988 • Oswaldo GONÇALVES DE LIMA, *El maguey y el pulque en los codices mexicanos*, Mexico, Fondo de Cultura Economica, 1956 • Claude LÉVI-STRAUSS, *Les Mythologiques. Le cru et le cuit*, Paris, Plon, 1964.

FERMENTATION (armoire ou chambre de). – Voir CHAMBRE DE FERMENTATION CONTRÔLÉE

FERMENTATION (pré-). – Il s'agit d'une fermentation intervenant en amont de la panification. Ces pré-fermentations peuvent servir de source de levure et de bactéries, de composés aromatiques et gustatifs et modifier les propriétés rhéologiques de la pâte destinée à être panifiée. Pour le boulanger, la fermentation est synonyme de production de gaz carbonique nécessaire à la levée de la pâte ; les levures assurent seules la production de CO_2, l'action des bactéries est négligeable. Le boulanger peut disposer de ces levures de différentes façons. Par utilisation directe au stade de la panification d'une levure sélectionnée et concentrée, provenant de levurerie ; dans ce cas, il ne fait pas appel à des procédés de pré-fermentation. Par une multiplication préalable de levure sélectionnée dans une pâte de consistance liquide (« poolish ») ou « bâtarde » (levain-levure ou « sponge ») ; on parle alors de « pré-fermentation à la levure ». Enfin, par une multiplication et une culture spontanée des levures contenues dans la farine (pré-fermentation au levain naturel). Dans le cas d'une multiplication de bactéries homo- ou hétérofermentaires sélectionnées dans une pâte de consistance liquide ou ferme (pré-fermentation avec des starters), l'objectif n'est pas de multiplier les cellules de levure, excepté si on se trouve en présence de starters mixtes (bactéries-levures).

Philippe Roussel

• *Voir aussi :* Fermentation (approche anthropologique de la) ; Fermentation contrôlée ; Gaz carbonique ; Levain ; levain-levure ; Levure de boulanger ; Pâte ; Poolish ; Starter

Bibl. : Philippe ROUSSEL, Hubert CHIRON, *Les Pains français. Évolution, qualité, production*, Vesoul, Maé-Erti, 2002.

FERMENTATION CONTRÔLÉE. Le contrôle de la fermentation est dans la pratique le contrôle des paramètres de la fermentation au cours de l'apprêt : temps, température, hygrométrie. L'objectif premier est d'abaisser la température des pâtons de manière à ralentir, voire stopper, la fermentation. Après une période plus ou moins longue, les pâtons seront soumis à une remontée des températures qui permettra le redémarrage de la fermentation. L'enjeu pour le boulanger est facilement compréhensible : les opérations de pétrissage, pointage, façonnage pourront avoir lieu la veille dans l'après-midi. Le blocage en température durera une partie de la nuit et la remontée en température s'effectuera vers 3 heures ou 4 heures du matin de façon à obtenir une levée optimale des pâtons vers 6 heures. Les pâtons seront donc prêts à cuire et sortiront du four au moment de l'ouverture de la boutique.

Par ce travail « en différé », le boulanger aura ainsi gagné quelques heures de sommeil, en comparaison d'un travail dit « en direct », qui commence vers 2 heures du matin. La fermentation contrôlée est conduite dans des installations spécifiques, appelées chambres de fermentation ou chambres de pousse. Les premières sont apparues dans les années 1970. Les chambres de fermentation modernes sont équipées d'un groupe froid, d'un système de réchauffage, de programmateurs, le tout complété par des régulateurs d'hygrométrie évitant soit de déshydrater la pâte, ce qui conduirait à la faire croûter, soit de trop l'humidifier, ce qui conduirait à la rendre collante. L'utilisation de ces matériels est cependant délicate car ils sont aujourd'hui équipés d'une multitude de composants électroniques et pourvus de nombreux réglages qui ajoutent à la complexité de maîtriser la fermentation.

Catherine Peigney

• *Voir aussi :* Apprêt ; Chambre de fermentation (ou pousse) contrôlée ; Fermentation panaire ; Froid ; Hygrométrie ; Nuit (travail de) ; Pâton

Bibl. : Roland GUINET, *Technologie du pain français*, Paris, Éditions BPI, 2004.

FERMENTATION PANAIRE. – Phénomène de transformation des sucres (glucose) contenus dans la pâte, en milieu anaérobie (absence d'oxygène), sous l'action de levures ou de levains. Une partie de la dégradation du glucose a également lieu en présence d'oxygène, en milieu aérobie. La farine est composée essentiellement d'amidon, qui est un sucre complexe que la levure ne peut pas utiliser directement. C'est par l'action des enzymes (amylases) contenues dans la farine, en présence d'eau et à la température du fournil, que l'amidon va commencer à se dégrader en sucres simples, tels que le glucose. La fermentation débute réellement lors de la phase de repos de la pâte qui a lieu après le pétrissage et se termine à la cuisson. Pour le boulanger, cette phase de repos se déroule en deux temps : la première partie, appelée le pointage, se déroule dans une cuve où la pâte a été transférée après le pétrissage. On parle de pointage en cuve ou en masse. À l'issue de cette première phase de repos, le boulanger divise la pâte afin de peser les pâtons au poids recherché (par exemple 350 g pour une baguette). Cette opération peut être manuelle, ou s'opérer mécaniquement à l'aide d'une diviseuse. Le boulanger reprend ensuite les pâtons pour les façonner, c'est-à-dire les mettre dans la forme voulue : baguettes, gros pains, miches... Cette opération peut être effectuée manuellement ou mécaniquement à l'aide d'un matériel appelé façonneuse. À partir de ce moment commence la deuxième phase de repos appelée apprêt.

Le pointage (également appelé première fermentation) représente plutôt la dégradation du glucose en milieu anaérobie et on retiendra que la levure transforme le glucose en gaz carbonique et en éthanol : c'est la fermentation alcoolique. Outre l'éthanol, et si le temps de pointage est suffisamment long, il y a également formation de glycérol, d'alcool divers et d'acides organiques, qui sont sources d'arômes et de goût pour le pain. C'est le retour aux temps de pointage longs (2 h et plus à 27°), qui est prôné dans la fabrication du pain de tradition française. Des temps de pointage longs s'accompagnent de doses de levure relativement faibles (autour de 1 % par rapport au poids de farine). L'apprêt (également appelé seconde fermentation) favorise plutôt la dégradation des sucres en milieu aérobie (c'est-à-dire en présence d'oxygène). En effet, la levure contenue dans les pâtons façonnés accède plus facilement à l'oxygène contenu dans l'air que lors du pointage en cuve. Il se produit alors un dégagement de gaz carbonique, qui se traduit par une augmentation du volume des pâtons. Il convient de noter que le gaz carbonique libéré ne permet pas de former de nouvelles alvéoles, mais qu'il contribue à l'augmentation de volume des alvéoles préformées lors du pétrissage de la pâte. Une méthode de panification s'appuyant sur des temps d'apprêt longs (2 h 30 à 3 h à 27°) s'accompagne de doses de levure relativement élevées (de 2 % à 3 % par rapport au poids de farine). Pour que la pâte résiste à la poussée gazeuse, il faut que ses qualités rhéologiques soient satisfaisantes. Dans le cas contraire, les pâtons deviennent poreux et s'effondrent.

Tout l'art du boulanger consiste à adapter sa méthode de travail en fonction de la farine qu'il utilise et du type de pain qu'il veut obtenir. Ainsi, il choisira de privilégier soit des temps de pointage longs, associés à des temps d'apprêt courts, soit le contraire. En résumé, le boulanger peut jouer sur les paramètres influençant la fermentation que sont la concentration en levure, le temps, l'hygrométrie et la température. La température optimale de développement des levures et des levains se situe autour de 27°. Il est possible de ralentir la fermentation en diminuant la température pendant un temps donné : autour de 10°, on parlera de fermentation lente ; autour de 4°, on évoquera la fermentation bloquée. La fermentation peut aussi être complètement stoppée par la congélation. Plus la température est basse, plus le temps passé à cette température peut être long sans altérer la pâte et les levures. « Pousse », « levée » ou « fermentation » de la pâte ? Ces trois termes sont substituables dans le langage courant utilisé en boulangerie. On parle d'ailleurs indifféremment de fermentation contrôlée ou de pousse contrôlée. En creusant un peu plus (Roussel et Chiron 2002), les termes « pousse » et « levée » sont plutôt réservés au seul développement de la pâte sous l'action du gaz carbonique dégagé.

Catherine Peigney

• *Voir aussi :* Alcool ; Amidon ; Apprêt ; Chambre de fermentation (ou pousse) contrôlée ; Fermentation contrôlée ; Gaz carbonique ; Enzyme ; Levain, levain-chef, levain de première, de seconde, de tout point ; Levain de panification ; Levure de boulanger ; Pâte ; Pointage ; Sucre fermentescible

Bibl. : Philippe ROUSSEL, Hubert CHIRON, *Les Pains français. Évolution, qualité, production*, Vesoul, Maé-Erti, 2002.

FERMENTO-LEVAIN. – Lorsqu'on mélange de la farine et de l'eau tiède à parts égales et qu'on laisse ce mélange à l'air libre, il s'ensemence naturellement en levures et en bactéries lactiques, constituant ainsi un levain capable de faire lever une pâte. Cette propriété est connue depuis environ quatre mille ans en Égypte. Les bactéries produisent de l'acide acétique et de l'acide lactique qui donnent au pain au levain son arôme et son goût particuliers. Pour obtenir un pain levé, il faut incorporer à une pâte de farine et d'eau une quantité de levain qui va lui permettre de lever et donnera au pain une odeur et un goût plus ou moins acide selon la quantité de levain utilisée et selon la façon dont on le maintient en vie en le « rafraîchissant ». En effet, pour remplacer la quantité de levain prélevé pour la fabrication du pain et maintenir son activité fermentaire, on le « rafraîchit » en y incorporant de la farine et de l'eau, ce qui lui permet de maintenir sa capacité de fermentation et permet d'en disposer pour d'autres opérations. L'apparition de la levure industrielle (levure de bière) de qualité standardisée permettant d'obtenir des pains plus volumineux, et les contraintes inhérentes au maintien du levain ont diminué considérablement l'usage de celui-ci au profit du pain à la levure plus volumineux, mais ayant moins d'arômes, moins de goût et se conservant moins bien.

Ce qui est fait avec un levain pâteux peut être fait avec un levain liquide ; c'est l'idée du fermento-levain. L'appareil, mis au point en France par Éric Kayser et Patrick Castagna en 1994 (par la boulangerie allemande dans les années 1970), consiste en une cuve réfrigérée (dont on peut réguler la température) disposant d'un bras rotatif permettant d'homogénéiser un mélange eau-farine en vue de produire un levain, et munie d'un robinet pour soutirer la quantité nécessaire pour la fabrication de pain au levain. La cuve possède une ouverture par laquelle on rajoute les quantités de farine et d'eau tiède nécessaires pour « rafraîchir » le levain. Le fermento-levain permet aux boulangers de produire du pain au levain de façon régulière en maîtrisant l'équilibre organoleptique acétique-lactique sans les contraintes de « rafraîchissement » du levain pâteux. On peut donc trouver à nouveau en boulangerie des pains au levain avec une odeur et un goût plus ou moins typé acide.

Ludovic Salvo

• *Voir aussi :* Acide acétique ; Acide lactique ; Bactérie lactique ; Boulangers de France ; Ensemencer ; Gluten ; Levain, levain-chef, levain de première, de seconde, de tout point ; Levure de boulanger ; Pâte ; Rafraîchir, rafraîchi

FERRURE DU MOULIN. – Les pièces de la charpente du moulin sont renforcées, encadrées ou cerclées par des parties en fer qui, soumises à des forces parfois redoutables, en garantissent la longévité. Le fer de moulin, l'axe moteur (sur pivot), est ainsi engravé dans l'anille (parfois il l'« enfourche »), lui transmettant son mouvement répercuté alors à la meule tournante. On distingue le gros fer, l'axe de fer moteur du moulin à vent et le petit fer, l'axe reposant sur la crapaudine, traversant le boîtard et la meule dormante ; c'est un simple pivot dans le moulin à vent, mais c'est un axe moteur dans le moulin à eau. Le fer, outre ces pièces vitales, est employé pour cercler l'extrémité des arbres, des roues motrices, les meules, etc. Il sert aussi dans les allumelles des collets. Il est enfin la matière première des marteaux à rhabiller, pics, tranchants, bouchardes, mailloches, ou pointes… (Rivals 2000).

Jean-Pierre Henri Azéma
et Roland Feuillas

• *Voir aussi :* Anille ; Boîtard ; Boucharde ; Crapaudine ; Meule ; Moulin ; Rouet

Bibl. : Claude RIVALS, *Le Moulin et le meunier*, vol. 2 : *Une symbolique sociale*, Portet-sur-Garonne, Empreinte, 2000.

FERTÉ-SOUS-JOUARRE (LA). – Voir MEUNIER DANS L'HISTOIRE

FESTIVAL DES PAINS. – Composé de trente-trois moulins régionaux, le groupement Festival des Pains fédère des professionnels de la boulangerie artisanale en leur apportant farines et conseils personnalisés pour réaliser un pain qualitatif. Festival des Pains met à la disposition des artisans une centrale d'achat d'ingrédients de panification, un centre de recherche certifié ISO 9001 version 2000 à Lamotte-Beuvron (Loir-et-Cher), un centre de formation pour les boulangers et boulangères, des outils promotionnels, etc. Élaborée à partir d'une farine Label rouge, la baguette Festive a été reconnue Saveur de l'année 2007, 2008 et 2009 par un panel de consommateurs.

Jean-Pierre Deloron

• *Voir aussi :* Bagatelle ; Baguépi ; Banette ; Bleuette ; Boulangerie (Coupe du monde de la) ; Boulangerie (salons internationaux de la) ; Boulangers de France ; Copaline ; Consommation du pain ; Fête du pain ; Marketing du pain ; Reine des Blés ; Rétrodor ; Ronde des Pains

FÊTE-DIEU. – Fête-Dieu, ou fête du pain de vie, spécifique à l'Église catholique : cette appellation populaire provient du fait qu'à l'origine elle devait être célébrée le jeudi qui suit le dimanche de la Sainte-Trinité (octave de Pâques). C'est une fête tardive, dont la source est aussi ancienne que l'Église elle-même : elle se révèle comme en filigrane et à l'écart au cœur du diocèse de Liège jusqu'à son adoption par le pape Urbain IV, le 8 septembre 1264, avec la bulle *Transiturus*. Thomas d'Aquin en écrira la liturgie dans son intégralité, ainsi que plusieurs hymnes, dont le *Pange Lingua*. Elle ne devient universelle qu'après le concile de Vienne en 1311, et se voit complétée par la première procession solennelle de 1317 en Avignon.

Cette fête, appelée, depuis Jean XXIII, fête du Saint-Sacrement du corps et du sang du Christ, s'enracine dès le XIIe siècle dans l'Église latine, répondant à un désir du peuple de contempler les Saints Dons au cours de la célébration de l'Eucharistie, la communion étant devenue peu fréquente depuis le schisme avec l'Orient en 1054 : le rite de l'Élévation s'impose, préparé aussi par le débat théologique interne suscité à la fin du XIe siècle par l'hérésie de Béranger de Tours, qui niait la présence réelle dans le pain et le vin consacrés – cela dans le sillage des divers courants chrétiens dissidents. Ces courants n'apparaissent en Occident qu'après l'an mil, mais l'Église orientale les affronte bien avant, comme en témoigne le Synodikion orthodoxe de 843, qui en rejette une à une les déviances avec la malheureuse formule de l'anathème, ce que l'on peut regretter – hélas, sa pratique est déjà d'usage courant lors de la rédaction des canons dits apostoliques : ils définissent, au IVe siècle, la discipline d'une Église désormais en voie d'absorption par l'Empire romain sous Constantin, après l'édit de Milan en 313 – pour le meilleur… et pour le pire.

C'est pourquoi il convient ici, avant même d'entrer plus avant dans la compréhension de cette fête ou de sa genèse, d'en souligner l'émergence tardive tout en disposant en miroir les terribles événements dont l'Église catholique se rendit responsable au XIIIe siècle, c'est-à-dire l'holocauste cathare et la destruction d'une Occitanie souveraine, libre et florissante, puisant son unité dans le partage d'une même langue, comprise des Pyrénées jusqu'à la Provence, en passant par les cités de Foix, Toulouse, Limoges, Montluçon, Gap, et jusqu'aux Alpes italiennes. Est-il possible d'éclairer l'abîme ? La chrétienté divisée depuis le schisme est en danger : la vision de Julienne de Liège – une hostie rayonnante scindée verticalement en deux par une fine bande noire – ne le confirme-t-elle pas ? L'islam conquérant menace aux frontières. De nouvelles hérésies se font jour en son sein, rencontrant le meilleur accueil. Or, ces deux attaques blessent la foi en son essence même, révélant un nihilisme identique : la négation de l'Incarnation, de la Passion-Résurrection – la négation du Verbe fait chair : « Et le Verbe s'est fait chair, et Il a habité parmi nous » (Jean I, 14). Saisir le désarroi de ce monde chrétien en proie au vertige, n'est-ce pas tenir un élément de réponse ? Déjà, Tertullien n'adressait-il pas en son temps cet appel aux gnostiques, ennemis de l'humanité du Christ : « N'enlevez pas au monde son unique espérance » (*De carne Christi*, 5-3) ?

« Quand j'aurais été élevé de terre, j'attirerai tout à moi. » « Ils regarderont vers Celui qu'ils ont transpercé. » Tel est le sens de cette fête, si l'on se souvient que l'Eucharistie est aussi présence d'un monde nouveau, celui de la Résurrection. Le Ressuscité se fait Pain et se donne à contempler. « Alors leurs yeux s'ouvrirent, et ils le reconnurent. » C'est dans l'obscurité presque totale et les contradictions que le prince-évêque de Liège introduit pour la première fois la fête en 1246 – elle sera ensuite célébrée de façon discontinue. Elle consiste en une élévation prolongée, c'est-à-dire une exposition de l'hostie consacrée, dévoilée, pleinement visible, en présence de l'évêque et de l'assemblée – plus rarement une procession. Lors de cette ostension (de *ostendere*, « montrer »), le pain de vie (Saint-Sacrement), sous l'apparence d'une mince hostie de pain azyme de forme ronde, préalablement consacrée au cours d'une liturgie conçue en harmonie avec l'intention de la fête, est proposé à l'adoration, tandis que sont chantées des hymnes à la louange et la gloire de l'Agneau. Le Christ ressuscité présent selon sa promesse est acclamé comme sauveur et roi dans le mystère surabondant de son amour « qui se donne jusqu'au bout » : c'est-à-dire dans le souvenir de la Cène. La Fête-Dieu constitue ainsi une reprise du jeudi saint.

« De Toi, Très-Haut, il est le symbole »... L'ostensoir solaire n'apparaît qu'au XVIIe siècle. Pour l'heure, les premières monstrances (ou montres) s'inspirent des reliquaires du Moyen Âge : ce sont de petites églises, des tours, des croix, des figures comme la Vierge ou les anges. Les suivantes sont semblables à de hautes lampes de verre transparent, enchâssées dans une fine structure de métal martelé, ciselé ou émaillé, comme celle de Conques. Sur le plan concret, l'hostie est introduite dans une lunule en verre, elle-même insérée et fixée dans l'ostensoir, ou monstrance. Cet ostensoir peut lui-même être surélevé au-dessus de l'autel grâce au « thabor » (un trône en quelque sorte). Il est à noter qu'ostensions et processions ne sont pas en elles-mêmes une innovation, c'est une pratique très ancienne – la différence étant que le vase sacré et scellé contenant les Saints Dons est là recouvert d'un voile. Dès 675, il existe une procession du Saint-Sacrement dans son tabernacle. Ces processions du tabernacle (à l'intérieur de l'église, et parfois même à l'extérieur) sont courantes au Moyen Âge ; elles ont lieu le dimanche ou pendant la semaine sainte. Les processions du Saint-Sacrement s'inspirent toutes de I Rois VIII, lorsque Salomon fait transporter l'Arche au Temple. La Fête-Dieu est donc une fête joyeuse et glorieuse, une fête de la présence divine. Elle possède une connotation extatique, celle de l'âme esseulée qui va à la rencontre du roi, de l'ami ou de l'époux perdu et retrouvé, contre toute espérance. « Ne fallait-il pas que le Fils de l'Homme souffrît pour entrer dans Sa Gloire ? »

L'Église, née sur la Terre de la Promesse, accompagne, selon la tradition de l'ancienne Alliance, ses fêtes, mystères ou célébrations de chants sacrés, à l'exemple du roi David qui chantait les Psaumes sur la lyre. Jésus lui-même, avant de mourir, ne voulut-il pas exprimer sa douleur en citant le premier verset du Psaume 21 ? « Puis, poussant un grand cri, il expira. » L'identité entre le Jésus de l'Eucharistie et celui qui meurt sur la croix est totale. La liturgie est un drame en action, et l'adoration des dons consacrés n'est pas nouvelle – comme le prouve une hymne de communion rédigée en latin sur le sol irlandais au VIIe siècle, retrouvée en Italie : le *Sancti venite* (Antiphonarium Benchorense). La légende raconte que saint Patrick le reçoit des anges… Cette tradition vocale ou chorale s'impose alors pour la fête du pain de vie. Thomas d'Aquin, prêtre, théologien et philosophe imprégné des mystères de l'Eucharistie et de l'Incarnation, composera plusieurs pièces poétiques : d'abord le *Lauda Sion*, puis ces hymnes dont la piété populaire ne retiendra souvent que les deux dernières strophes. Ainsi, le *Pange Lingua* (soit, aussi, le *Tantum Ergo*), le *Sacris Solemnis* (soit le *Panis angelicus*), le *Verbum Supernum* (ô *Salutaris Hostia*), et l'*Adoro te devote*, cher entre tous : ici, la force théologique et spirituelle de Thomas s'affirme autant que l'adhésion de l'amour. « Je me donne à Dieu », dira saint Jean de Dieu de Grenade. Thomas devient, avec cet hymne, le poète de l'Eucharistie. Quand il la célébrait, des larmes coulaient de ses joues.

Nous savons tous que Bethléem signifie en araméen « maison du pain ». Même si la manne donnée au peuple dans le désert est « miraculeuse », elle reste nourriture corporelle. Jésus déclare « Je suis le Pain de Vie » : « Mon Père vous donne le vrai pain du ciel, car le pain de Dieu, c'est celui qui est descendu du ciel » (Jean VI). Il déclare être lui-même la manne véritable, nourriture substantielle, essentielle, surnaturelle qui donne une vie éternelle. La foi des premiers chrétiens en la présence réelle ne fait aucun doute. La simple lecture des lettres des premiers Pères est éclairante : « Il appela le pain son corps vivant, il le remplit de son Esprit […] et celui qui le mange avec foi mange le Feu et l'Esprit-Saint » (Éphrem le Syrien). « Lorsque tu t'avances, fais de ta main gauche un trône pour recevoir le Roi […]. Ne t'attache pas au pain et au vin comme à des éléments naturels, car ils sont, selon la déclaration du Maître, corps et sang » (Cyrille de Jérusalem, *Catéchèse mystagogique*, IV, 6). « Que personne ne mange cette chair sans d'abord l'adorer» (Cyprien de Carthage). «Le Christ est devenu chair pour que nous devenions divins» (Athanase d'Alexandrie). Justin et Irénée, au IIe siècle, font ouvertement mention des paroles consécratoires. Irénée, devenue évêque de Lyon en 177 après le martyre de Pothin, obligé d'affronter les erreurs ou de répondre aux hésitations, définit par là même la foi orthodoxe – ce qui deviendra l'orthodoxie.

Ignace d'Antioche «théophore», disciple de saint Jean lui-même, martyr au début du IIe siècle, déclare: «L'Eucharistie est la chair de Votre Sauveur Jésus-Christ, chair qui a souffert» (Smyrniotes, VII, 1). Il nous laisse dans ses lettres une théologie eucharistique, affirmant l'unité au sein de la Trinité, la réalité humaine de la vie de Jésus-Christ. C'est lui qui définit l'Eucharistie comme «remède d'immortalité» et recommande aux fidèles de se réunir «pour rompre un même pain qui est remède d'immortalité [...] pour vivre en Jésus-Christ pour toujours» (Éphésiens XX, 2).

Qu'est-ce donc alors que cette nourriture? «Un ferment d'immortalité.» Un médicament, un antidote, un gage de vie divine (Grégoire de Nysse). Quoi d'étonnant dès lors que cette Église une et martyre ait vénéré les Saints Dons? Gardée d'abord au plus secret des maisons, pour les malades ou pour la communion domestique pendant les persécutions, l'Eucharistie est portée suspendue au cou, enroulée dans des tissus, appelés «oraria», à l'intérieur de petits vases d'or, de bois ou d'argile, appelés «encolpia». Le vin consacré lui-même est transporté dans un petit flacon nommé «dolium». Ces custodes primitives, ornées du monogramme du Christ ou de l'alpha et oméga, contiennent aussi les versets des évangiles. C'est de la nécessité de garder une réserve des Dons consacrés que naissent les églises domestiques. Ces dons partagés au cours du repas eucharistique n'étaient rien moins que le Christ, le Don de Dieu, «Pain Vivant descendu du Ciel», vraie Présence promise, expérimentée un soir de tristesse par deux pèlerins à Emmaüs – n'avait-il pas dit «je ne vous laisserai pas orphelins»... «Notre cœur ne brûlait-il pas en nous tandis qu'il nous parlait en chemin?» (Luc XXIV, 32). C'est à la fraction du pain que la vénération devient foi en la présence réelle. Pénétrant les catacombes avec une intention droite, nous pouvons percevoir les messages laissés et entendre cette «clameur du silence» (*strepitus silentis*), dont le chant perdu de Grégoire se voulait l'écho.

Les deux Églises, Orient et Occident, vivent en communion jusqu'au IXe siècle, le privilège pétrinien accordé à l'évêque de Rome va de soi, il est le patriarche d'Occident. Les traditions à l'égard de la sainte réserve évoluent parallèlement, mais il est remarquable d'observer que dès la périodes des basiliques et pendant toute la période romane prévaut partout l'usage de la colombe eucharistique, suspendue au-dessus de l'autel. La colombe elle-même est souvent placée dans une tour ajourée. Le tabernacle est, symboliquement, ce qui renferme l'Essence. Au désert, la tente de la rencontre abrite le saint des saints, où repose l'Arche, et l'Éternel remplit de sa présence divine l'espace entre les deux séraphins sur le propitiatoire d'or pur. C'est pourquoi le cœur de la colombe, parce qu'il reçoit les Saints Dons, devra, s'il est possible, être d'or pur – plus précieux que son apparence, aussi belle soit-elle. Bref, cette colombe eucharistique est la première forme d'une élévation constante du Saint-Sacrement (même s'il est caché). Cet objet étonnant rappelle l'épiclèse prononcée en Orient dès le commencement de la divine liturgie : comme le mystère de l'Incarnation, celui de la présence réelle dans l'Eucharistie est due à la puissance de l'Esprit. La petite pyxide cylindrique à toit conique ne remplacera la colombe et la tour que très progressivement, en parallèle. En Orient, les Saints Dons sont déposés soit dans une haute pyxide, soit dans l'artophorion (patriarcat grec) ou le kovtcheg (patriarcat russe), au-delà de l'iconostase. L'artophorion a la forme d'une boîte en or rectangulaire, le kovtcheg celle d'une « petite église russe » très ornée – une miniature très réaliste. S'il existe bien l'abri en face ou sur l'autel, l'adoration n'est jamais séparée de la communion.

Il est possible qu'en Occident la spiritualité de la présence se soit déplacée de cette voie exclusivement dynamique vers une voie plus contemplative. La pyxide (puis le ciboire) se voit offrir un tabernacle, c'est-à-dire un coffret de bois ouvragé, doré ou ornementé au-dedans et au-dehors, qui vient s'encastrer dans la pierre à gauche ou à droite de l'autel. Sa porte, fermée à clé, présente une ouverture circulaire, ou en forme de trèfles à trois ou quatre feuilles, la lampe éclaire la pyxide. Parfois, ces ouvertures sont pratiquées aussi dans le corps même de la bâtisse et protégées par une grille : elles permettent aux fidèles d'apercevoir en tout temps, de l'extérieur et même la nuit, la présence. « Celui-ci est mon Fils Bien-Aimé, écoutez-Le. » Le regarder, c'était l'écouter. Ces deux voies qui, avant le schisme, auraient pu déboucher sur un dialogue, sont devenues rivales, et chaque Église s'est refermée comme une huître. Pourtant, tout au long du grand Carême, les fidèles orthodoxes ne célèbrent-ils pas la fervente liturgie des Présanctifiés ? Lorsque s'avance le Roi de gloire, que sont apportés les Saints Dons consacrés – les Présanctifiés –, toute l'assemblée n'est-elle pas tenue de se prosterner ? « Venez, adorons et prosternons-nous devant Dieu, notre roi… Venez, adorons et prosternons-nous devant le Christ, notre roi et notre Dieu […] devant le Christ Lui-même, notre roi et notre Dieu. » Et l'Agneau sur la patène et la Coupe remplie sont vénérés à genoux.

« Reste avec nous, car déjà le soir tombe » (Luc XXIV, 28). Et il entra pour rester avec eux. La liturgie des dons présanctifiés a comme caractéristique qu'elle est un office du soir après vêpres. Pourquoi ? La Cène se passe « le soir venu » (Matthieu XXVI, 20, Marc XIV, 14-15). Et c'est le soir du jeudi saint que l'Église célèbre le souvenir de ce dernier banquet : « Ô banquet sacré dans lequel le Christ est goûté » (« *Ô sacrum convitum in quo Christus sumitur* », Thomas d'Aquin). Cette fois-ci, la fête catholique rencontre la fête orthodoxe devant le reposoir, où sont transportés les Saints Dons « célestes, immaculés, vivifiants », dans cette atmosphère de « radieuse tristesse » (*charopeion penthos*, « tristesse source de joie », *bright darkness*) qui accompagne en Orient le carême dans son entier. Le reposoir EST par essence l'origine trans-temporelle du tabernacle. Fleurs, encens et lumières en abondance, chants et silence viennent entourer les Présanctifiés dans une même, identique adoration, tandis que la nuit de Gethsémani s'avance. « Comme elles sont aimées tes demeures, Seigneur tout-puissant ! Je languis à rendre l'âme après les parvis du SEIGNEUR. Mon cœur et ma chair crient vers le Dieu Vivant » (Psaume 83). Là, les Églises catholiques de rite byzantin, maronite ou melchite, ou le monastère basilien de Grottaferrata sont le trait d'union, la passerelle qui réduit le schisme à néant.

« Ce que je vous dis, je le dis à tous : Veillez » (Marc XIII, 37). « Et je veux que ce très Saint-Sacrement soit par-dessus tout honoré, vénéré et conservé dans des endroits précieusement ornés », dit le Poverello (Testament, 11)… « Si je fais cela, c'est parce que, du très-haut Fils de Dieu, je ne vois rien de sensible en ce monde, si ce n'est son Corps et son Sang très saints que les prêtres reçoivent et administrent aux autres » (*ibid.*, 10). Simone Weil a désiré d'un grand désir la communion et comparé le fruit de l'adoration contemplative au processus de photosynthèse des plantes. Laissons-lui la parole : « En 1937, j'ai passé à Assise deux jours merveilleux. Là, étant seule dans la petite chapelle romane du XIIe siècle de Santa Maria degli Angeli, incomparable merveille de pureté, où saint François a prié bien souvent, quelque chose de plus fort que moi m'a obligée, pour la première fois, à me mettre à genoux » (Weil 1950). « Je suis toujours demeurée sur ce point précis, au seuil de l'Église, sans bouger, immobile, *en upomene* […] seulement maintenant mon cœur a été transporté, pour toujours, j'espère, dans le Saint-Sacrement exposé sur l'autel » (1950).

Marianne Jarras

• *Voir aussi :* Bethléem ; Cène ; Ciboire ; Eucharistie ; *Évangile selon saint Matthieu (L')* → Documentaires et films ; *Fractio panis* ; Hostie ; Hostie profanée ; Interdits liés au pain ; Messe ; Miracles christiques ; Miracles eucharistiques ; Moulin mystique ; Ostensoir ; Pain bénit ; *Panis angelicus* ; Patène ; Rite orthodoxe ; Si le grain tombé en terre ne meurt ; Théologie du pain ; Transsubstantiation

Bibl. : BÈDE LE VÉNÉRABLE, *Le Tabernacle*, Cerf, coll. « Sources chrétiennes », 2003 • Anne BRENON, *Les Cathares*, Paris, Gallimard, coll. « Découvertes », 1996 • Anne BRENON, Jean-Philippe de TONNAC, *Cathares, la contre-enquête*, Paris, Albin-Michel, 2008 • COLLECTIF, *L'Esprit saint dans la Bible*, Paris, Cerf, coll. « Cahiers Évangile », 1985 • COLLECTIF, *L'Eucharistie dans la Bible*, Paris, Cerf, coll. « Cahiers Évangile », 1991 • COLLECTIF, « À la naissance de la parole chrétienne », Supplément aux *Cahiers Évangile* n° 77, Paris, Cerf, 1991 • COLLECTIF, « Les récits fondateurs de l'Eucharistie », Supplément aux *Cahiers Évangile* n° 140, Paris, Cerf, 2007 • FRANÇOIS D'ASSISE, *Écrits*, Paris, Cerf, 1981 • IGNACE D'ANTIOCHE, coll. « Sources chrétiennes », Paris, Cerf, 2007 • Simone WEIL, *Attente de Dieu*, La Colombe, 1950. – *ID.*, « En quoi consiste l'inspiration occitanienne ? », *Écrits historiques et politiques*, Paris, Gallimard, coll. « Espoir », 1960. – *ID.*, « L'agonie d'une civilisation vue à travers un poème épique », *ibid.*

FÊTE DU PAIN. – Créée en 1995 à l'initiative de Jean-Pierre Raffarin, alors ministre des Petites et Moyennes Entreprises, du Commerce et de l'Artisanat, la Fête du pain débute le lundi précédant le 16 mai, jour de la Saint-Honoré, patron des boulangers, pour se terminer le dimanche suivant. Organisée par la Confédération nationale de la boulangerie française, cette manifestation nationale est l'occasion de rencontrer les artisans boulangers et boulangères, de découvrir leur métier et leurs produits, dans une ambiance festive, placée sous le signe de la convivialité. L'occasion aussi de découvrir les métiers proposés par la boulangerie, la formation, les diplômes et de susciter des vocations chez les plus jeunes. Des milliers de manifestations sont organisées dans tous les départements de France. Les artisans ouvrent leurs fournils aux enfants de maternelle et primaire, des dégustations de pains et de spécialités sont proposées dans les boulangeries. À Paris, un fournil géant est installé sur le parvis de Notre-Dame. Des centaines d'enfants accompagnés par leurs enseignants mettent la main à la pâte et fabriquent leur propre pain avec l'aide de boulangers.

Jean-Pierre Deloron

• *Voir aussi :* Ambassadeurs du pain ; Artisan et artisanat ; Baguette de la Ville de Paris (Grand Prix de la) ; Boulangerie (Coupe du monde de la) ; Boulangerie (salons internationaux de la) ; Boulangers de France ; Chef-d'œuvre ; CNBPF ; Honoré, saint ; Musées du pain

FEU OU MAL DE SAINT ANTOINE. – On a parfois confondu à tord le mal de saint Antoine avec le mal des ardents, c'est-à-dire la peste. Le mal de saint Antoine n'était autre que l'ergotisme, affection déterminée par l'usage du seigle ergoté, c'est-à-dire parasité par un champignon vénéneux, le claviceps pourpré. Le champignon, qui attaque le seigle, plus rarement le blé, l'orge et l'avoine, forme un corps courbe et allongé, de 1 à 4 cm de longueur, qui occupe la place du grain. C'est pourquoi l'ergot du seigle, le plus commun, s'appelle blé cornu. Il est très toxique et doit être impitoyablement écarté de la consommation car il provoque des phénomènes d'empoisonnement qui se manifestent sous une forme convulsive (qui évoque le mal des ardents), puis gangréneuse, qui va jusqu'à la chute des doigts et des membres. Les Romains de l'Antiquité en connaissait la nocivité. Les gens du Moyen Âge l'avaient oubliée. Il y eut, par exemple, des milliers de victimes à Limoges et dans les villages avoisinants. Les descriptions du mal semblent cependant avoir été contaminées par des souvenir d'un autre fléau qui fit des centaines de milliers de victimes en Europe à cette époque : la peste. L'ergotisme est une maladie caractérisée par des vertiges, des convulsions, l'engourdissement des pieds et des mains, puis la gangrène sèche. Le pouls s'abaisse, les battements du cœur s'affaiblissent, la respiration se ralentit, la démarche devient vacillante, les mouvements convulsifs. La mort vient lentement. La peste, au contraire, appelée au Moyen Âge mal des ardents, était décrite comme un feu intérieur sous l'action duquel le corps se couvrait de pustules et de tumeurs. La chair était consumée et se détachait des os, qui, parfois, tombaient d'eux-mêmes. Une puanteur terrible entourait les malades.

Mouette Barboff

• *Voir aussi :* Antoine, saint ; Blé (maladies du) ; Ergotisme ; Pain maudit ; Seigle (*Secale cereale*)

Bibl. : Pierre DURAND, Marcel SARRAU, *Le Livre du pain*, Monaco, Le Rocher, 1973 • Marcel LACHIVER, *Dictionnaire du monde rural. Les mots du passé*, Paris, Fayard, 2006.

FEU SACRÉ (Hestia, Vesta et le). Voir HESTIA, VESTA ET LE FEU SACRÉ

FEUILLETAGE. – Organisation d'une structure sous forme de feuilles ou de feuillets qui conduit à créer une alternance de couches de pâte et de matière grasse pendant le tourage. Au cours de la cuisson, la matière grasse fond et se dissipe dans les couches de pâte qui s'écartent les unes des autres sous la pression de la vapeur. Après cuisson, un produit bien feuilleté se caractérise à la fois par des feuillets continus et fins (peu épais) et par leur bonne séparation. Si la cuisson est suffisante, le feuilleté sera friable et donc croustillant.

Philippe Roussel

• *Voir aussi* : Croissant ; Croustillant ; Pâte feuilletée → Pâtes (définition des) ; Pâtisserie ; Tourage

FÈVE (farine de). – La fève est une plante annuelle, voisine du haricot, cultivée depuis les temps préhistoriques (Néolithique) pour sa grosse graine comestible (plante légumineuse).

Composition moyenne de la farine de fève

Amidon	47
Protéines	34
Matières minérales (cendres)	3,5
Cellulose + fibres	2
Lipides libres	1,5
Sucres simples	6
Sucres complexes	7
Activité de la lipoxygénase en unités lipoxygénasiques (U LPX/g)	150-200

Compte tenu de sa forte activité en lipoxygénase, cette farine peut être utilisée en boulangerie notamment dans le pain courant français et dans le pain de mie pour son action oxydante favorisant le blanchiment des pâtes et par voie de conséquence la mie du pain. Son incorporation varie entre 0,5 et 1 % par rapport à la farine mise en œuvre.

Philippe Roussel

• *Voir aussi* : Amidon ; Blanchiment des pâtes ; Lipoxygénase ; Protéine ; Taux de cendres

Bibl. : Philippe ROUSSEL, Hubert CHIRON, *Les Pains français. Évolution, qualité, production*, Vesoul, Maé-Erti, 2002.

FIBRES. – Ensemble des composés d'origine végétale non dégradés dans l'intestin grêle et plus ou moins fermentés au niveau du côlon. Les fibres de céréales constituent un ensemble complexe comprenant principalement les hémicelluloses, la cellulose, les lignines, l'amidon résistant et des oligomères de sucres simples (fructanes, stachyose et raffinose). Ces composés sont principalement situés dans les couches externes du grain et le germe. On distingue les fibres solubles hautement fermentescibles (par exemple une fraction des arabinoxylanes et des β-glucanes), susceptibles d'augmenter la viscosité du chyme intestinal et de ralentir la vitesse de vidange gastrique, et les fibres insolubles faiblement fermentées et susceptibles d'augmenter le poids des selles et la vitesse de transit digestif. Une consommation suffisante de fibres (environ 25 à 35 g de fibres par jour) est associée à un meilleur contrôle de la prise de poids et à une réduction de la prévalence des cancers digestifs, notamment coliques. Les pains bis, complets ou au son contiennent au moins deux fois plus de fibres que le pain blanc.

Anthony Fardet

• *Voir aussi* : Amidon ; Cellulose ; Pain blanc ; Santé

FIGURINES EN MIE ET EN PÂTE DE PAIN. – Ces figurines sont produites dans plusieurs cultures et dans des contextes sociaux très divers. Jadis, elles étaient associées à des rites saisonniers ou à des fêtes et des commémorations dont le contenu religieux semblait évident ou au moins sous-jacent. Parce qu'une tradition universelle imposait le respect absolu du pain qu'on ne gaspillait pas impunément. Dans le monde chrétien occidental de sensibilité catholique ou réformée, la représentation des figures saintes en trois dimensions était courante (statues de culte) et par conséquent les figurines de pain fabriquées à la maison ou par des boulangers spécialisés étaient largement usitées. En revanche, dans l'Orient orthodoxe où les statues saintes sont proscrites par l'Église (mis à part quelques rares figurations d'anges et de personnages liés au décor en relief des iconostases), ces figurines trouvaient une place limitée, et cela grâce aux traditions populaires, qui ont toujours su transgresser les oppositions dogmatiques.

Des figurines en pain sont présentes dans les rites de commémoration des morts pratiqués en Amérique latine, où l'on dresse des autels fleuris en leur honneur, le 1er novembre, sur lesquels la présence des pains figuratifs ou non assure les liens indéfectibles entre la communauté des morts et celle des vivants, ces derniers offrant de la nourriture aux défunts, partagée à la fin de la fête sous forme de commémoration. La coutume ne manque pas néanmoins de rappeler les rites funéraires préhispaniques, qui consistaient à accumuler dans les tombes de petites poupées considérées comme les compagnons du défunt dans son voyage dans l'au-delà. On retrouve même en Espagne des personnages en pain ou en pâte d'amandes pour la fête des Morts, peut-être par contamination culturelle avec les traditions d'outre-Atlantique. Substitut improvisé des poupées – pas toujours accessibles à toutes les bourses dans le passé –, des figurines de pain levé ou de pain d'épices, habilement décorées, parfois « habillées » partiellement et ornées de menus bijoux, étaient offertes aux enfants, surtout à la Saint-Nicolas, le 6 décembre, cette fête spécifique de l'enfance pour le monde occidental, tandis qu'en Orient l'évêque de Myre remplaçait les anciennes divinités maritimes, saint Nicolas étant le protecteur des marins. On trouve toujours sur les marchés de Noël qui s'ouvrent à la Saint-Nicolas, dans toute l'Europe centrale et germanique, des figurines de pain parfumées, de plus en plus élaborées et appétissantes, achetées comme souvenirs, mais aussi pour une consommation festive. De même, on peut y acheter des moules en bois gravé pour fabriquer des figurines « à l'ancienne », coutume très répandue dans cette aire culturelle.

Pour Noël, deux traditions se recoupent et fusionnent finalement en Europe, multipliant les figurines en mie, en pâte de pain levé ou en pâte azyme, qui se répandent allègrement dans le monde. Au Nord, on produisait des figurines en pain pour le décor de la maison et de l'arbre de Noël. Le Sud excellait à la production des santons en pain ou mie coloriés, qui s'ajoutaient à la crèche familiale ou communale. De nos jours, les figurines, anges, nourrissons emmaillotés, enfants souriants, etc. remplissent les étals des marchés locaux et encore ceux des supermarchés, comme la promesse d'un décor écologique respectueux des traditions, au côté des figurines en fruits secs ou en feuillage.

La représentation du père Noël, cet hybride culturel entre saint Nicolas et le père des Glaces – représentation nordique de l'Hiver – se confond avec celle de saint Basile – pour l'Orient orthodoxe –, qui prolonge la présence d'un vieillard « porte-cadeaux » jusqu'à la célébration du Nouvel An, date d'échanges matériels et des porte-bonheur dans toute l'aire gréco-romaine. La fabrication de cette figure emblématique de « père Noël » en brioche, en meringue, en pain d'épices ou en pâte feuilletée, etc. devient courante un peu partout dans le monde, indépendamment de toute question confessionnelle ou de tradition ancestrale. On la retrouve même en Extrême-Orient. Jadis, des figurines en pain moulé étaient aussi fabriquées pour la Saint-Sylvestre, dans les pays de l'Europe centrale, offertes en cadeaux aux visiteurs ou échangés entre parents et amis, en guise de vœux de bonne année. Parfois, pour plus de luxe et d'efficacité, elles étaient en cire coulée, supposées assurer joie et bonne santé. On trouve aussi, pendant les célébrations de fin d'année, d'autres figures emblématiques de cette période ambiguë des douze jours, au cœur de l'hiver entre l'ancienne et la nouvelle année : des sorcières, des babas (vieilles grands-mères), des diablotins et d'autres esprits maléfiques voguent dans le froid, immobilisés ainsi dans la pâte cuite, procédé qui les rend inoffensifs. Pâtissiers et boulangers déploient toute leur inventivité artistique pour satisfaire une clientèle gâtée par une surabondance de produits, s'appliquant à réaliser les formes traditionnelles avec des matières nouvelles : par exemple les figurines en chocolat qui abondent aussi bien pour les fêtes d'hiver que pour Pâques.

En marge des innombrables gâteaux pascals et des œufs colorés, le monde orthodoxe s'autorise des figurines en pâte briochée ou de pain sucré qui représentent Lazare mort et ressuscité, juste avant la semaine de la Passion. Les marraines offraient à leurs filleuls les *lazaroudia*, petites figurines emmaillotées, comme s'il s'agissait d'un mort momifié. Elles préfiguraient Pâques, la précarité de la vie terrestre et la promesse de la vie éternelle. Par ce don symbolique, accompagné d'un vêtement neuf porté le jour de Pâques, les marraines se portaient garantes d'une éducation conforme aux idéaux chrétiens de leurs filleuls et renouvelaient leur promesse de se substituer aux parents biologiques, en cas de défaillance de ces derniers. Les gâteaux et les pains anthropomorphes font partie des cadeaux printaniers des jeunes amoureux qui déclaraient ainsi publiquement leurs sentiments et signifiaient leur fidélité à la jeune fille de leur choix. L'usage des figurines en pain simple ou en pain d'épices est sollicité ou conseillé dans la mise en place des rites propitiatoires et pour les offrandes en vue d'une maternité. Elles représentent une partie des ex-voto offerts à la Vierge et autres saints liés à la santé physique des hommes, tel saint Joseph en Italie. Enfin, des pains anthropomorphes sont fabriqués de nos jours pour les fêtes anniversaires, les festins d'enfants ou, plus prosaïquement, pour des commensalités et des repas pris en commun, dans le cadre de fêtes familiales, où l'idée d'un culte des morts édulcoré reste toujours possible.

Il est évident que la fragilité des figurines en pain ne permet pas d'avancer des hypothèses quant à l'ancienneté de leur usage. Mais, compte tenu de la fascination des hommes pour les statuettes et les objets anthropomorphes en général (les racines de la mandragore en Europe, du ginseng en Orient ou au Canada amérindien), mais aussi de la sacralité accordée unanimement au pain, nous pouvons conclure qu'il s'agit là de coutumes très anciennes, auxquelles la modernité a offert le déguisement d'une laïcité joyeuse à vocation universelle.

Yvonne de Sike

• *Voir aussi :* Épices (pain d') ; Fruits en pâte ; Morts (pains des) ; Saint-Nicolas ; Santons ; T'anta wawas → Pérou

Bibl. : Bernard DUPAIGNE, *Le Pain*, Paris, Messidor, 1986. – *ID.*, *Le Pain de l'homme*, Paris, La Martinière, 1999 • Yvonne de SIKE, *Les Poupées, une histoire millénaire*, Paris, La Martinière, 1998.

FILE D'ATTENTE. – Attroupement en principe ordonné qui se forme naturellement à l'intérieur de la boulangerie et même sur le trottoir, insupportant les commerçants alentour, la file d'attente est aujourd'hui une sorte de plébiscite populaire en faveur de tel ou tel maître boulanger, en tous les cas sa meilleure réclame. Il faut avoir vu un dimanche matin, à l'époque ou Bernard Ganachaud tenait encore sa boulangerie rue de Ménilmontant, cette file d'attente se former à partir de sa boutique, au n° 150, et se dérouler, ensuite, comme une pelote. Vous évaluez ainsi l'acidité subtile d'un levain, la croustillance d'une baguette de tradition, l'architecture gaudesque d'un alvéolage simplement à la longueur de la file qui se forme dès le matin devant nos boulangeries, certaines déjà nanties d'une solide réputation, d'autres moins médiatisées, bien que tout aussi prisées. La file d'attente devant ces temples laïques dont la vie moderne aurait dû depuis longtemps nous détourner est donc une sorte de malentendu réjouissant qui nous prouve que l'humain est bien le lieu des plus singulières et touchantes contradictions. Quand le pain était produit de première nécessité, incontournable, issu de farine mal blutée et mélangée souvent à de bien inavouables expédients, à ces rassemblements quotidiens devant nos boulangeries les citoyens semblaient être comme injustement condamnés. Et l'historien Hippolyte Taine de rappeler que, « quant au peuple, pour avoir du pain de chien, il doit faire la queue pendant des heures. On se bat à la queue. On arrache l'aliment » (Kayser 2006). La boulangerie était alors comme réquisitionnée par le pouvoir, qui, pour assurer sa longévité, devait veiller au grain comme au pain et s'assurer que celui-ci était suffisant en quantité, aléatoirement en qualité, pour contenter le peuple. Et même lorsqu'il n'était pas rationné, comme en temps de crise, de guerre, le pain manquait toujours car la faim de ceux dont l'état social est d'avoir faim est bien évidemment sans fond. Ainsi la queue est-elle un indicateur social lorsque les régimes tiennent les peuples par la peur et, précisément, par la faim et les files d'attente ou d'espérance, une manière de sondage facile pour les gouvernants. Mais au temps où nous ne nous servons plus de pain que pour pousser, pour accompagner une nourriture qui est maintenant diversifiée et mieux équilibrée, où les prix de certains pains se sont envolés, que signifie cette passion française surannée ? La question est posée, et y compris dans la presse étrangère, qui regarde toujours notre pays et ses Gaulois irréductibles avec une sorte d'amusement, de commisération ou peut-être d'envie. Ainsi cette agence de presse à Moscou proposant, dans les années 1970, la photo d'une file d'attente devant la boulangerie Poilâne de la rue du Cherche-Midi, avec cette légende : « La crise qui sévit en Europe capitaliste pose des problèmes d'approvisionnement de matières premières, et, par conséquent, entraîne une pénurie de pain… »

Jean-Philippe de Tonnac

• *Voir aussi :* Artisan et artisanat ; Baguette ; Baguette de la Ville de Paris (Grand Prix de la) ; Boulangers de France ; Ganachaud ; MOF ; Poilâne

Bibl. : Éric KAYSER, Jean-Claude RIBAUT, Fabienne GAMBRELLE, *100 % pain. La saga du pain enveloppée de 60 recettes croustillantes*, préface d'A. Ducasse, Paris, Solar, 2006 • Lionel et Apollonia POILÂNE, *Le Pain par Poilâne*, Paris, Le Cherche Midi, 2005.

FILETS. – Ils sont utilisés pour la cuisson du pain dans les fours dits rotatifs, ou verticaux, à convection. Ce sont des toiles métalliques ou (plus rarement) plastiques à mailles très fines, formées en alvéoles à la dimension des produits à cuire et assemblées sur un cadre rigide. Ces cadres sont disposés en étagères sur les glissières d'un chariot qui sera introduit avec son contenu de pâtons pour fermenter dans une armoire ou une chambre, puis dans l'enceinte de cuisson. Les chariots tournent à la façon d'un manège ou restent fixes dans le four. Les filets sont « traités » à l'aide d'un revêtement anti-adhésif pour éviter le collage des pâtons à la toile. Comme les « plaques » en tôle qui furent commercialisées après la Seconde Guerre mondiale (« pain moulé »), les filets évitent des manipulations de la pâte après façonnage ; mais, contrairement à ces plaques, ils ne nécessitent aucun graissage et, grâce à la finesse du maillage, ils permettent un meilleur transfert de la chaleur. La cuisson sur filets donne des pains à croûte très fine et friable et une texture de mie plus finement alvéolée (« nid d'abeille »). Bien que la cuisson de pains boulots se fasse très bien sur filets (qui dans ce cas est souvent plat et non alvéolé), ce type d'équipement est mieux adapté au pain croustillant. Les filets sont pratiquement toujours utilisés par la précuisson des pâtes à pain. Les fours industriels sont équipés d'attelages qui transitent dans le circuit en continu du façonnage au défournement.

Roland Guinet

• *Voir aussi :* Chambre de fermentation (ou pousse) contrôlée ; Croûte ; Cuisson sur filets ; Façonnage ; Four ; Pâton

FILIÈRE BIO. – L'agriculture biologique est un mode de production agricole qui ne fait pas appel à des produits chimiques de synthèse, de la production à la transformation des produits, mais qui prônent, au contraire, des pratiques respectueuses de l'environnement pour ce qui concerne le recyclage des produits, la fertilisation et les traitements et du bien-être animal. La démarche pour obtenir le logo « AB » consiste à déclarer son activité auprès de l'Agence Bio une fois par an puis à choisir un organisme certificateur (Ecocert, Aclave, Agrocert, Qualité France SGS ICS, Ulase). La réglementation est définie au niveau de l'Union européenne. Le 1er janvier 2009, le règlement (CE) nº 834/2007 a remplacé le règlement (CEE) nº 2092/91 modifié ; le nouveau logo européen devenant le logo officiel. Il est complété par le règlement (CE) nº 967/2008 dont la mise en application est prévue le 1er juillet 2010. Le *codex alimentarus* est la référence au niveau mondial. En France, la responsabilité du logo « Agriculture biologique » a été attribuée à l'INAOQ (Institut national de l'origine et de la qualité), dépendant du ministère de l'Agriculture, qui contrôle les cinq signes officiels d'identification de la qualité et de l'origine (AOC ou AOP, STG, IGP, LR et AB) : on estime à environ 2 % la surface agricole utile destinée à l'agriculture biologique, avec une progression annuelle entre 5 et 10 %.

La collecte de blé « bio », principalement dirigée vers la meunerie, se situe à environ 80 000 t pour l'année 2005 (chiffres ONIGC), ce qui représente à peine 0,5 % de la collecte nationale et ne couvre qu'à peine 50 % des besoins nationaux pour l'alimentation humaine. Les utilisateurs meuniers sont principalement des petites unités même si certaines se sont spécialisées dans ce créneau et transforment une partie assez importante du blé « bio ». Les techniques utilisées se partagent entre les procédés sur meule de pierre et sur cylindres métalliques. Les farines produites sont en moyenne plus extraites ou moins raffinées que dans le circuit conventionnel et se partagent entre le type 65 et 80. Les clients principaux restent les boulangers artisans même si l'on voit progressivement une spécialisation des ateliers de fabrication vers du 100 % bio. Cette évolution trouve son explication à la fois dans la diminution du coût des contrôles par rapport au nombre de pains fabriqués, dans l'organisation du travail, dans l'absence de croisements avec des produits non bio et par rapport à la commercialisation des produits qui n'est pas spécifique du commerce de proximité. Les pains fabriqués restent majoritairement élaborés avec une fermentation au levain « naturel ».

Philippe Roussel

• *Voir aussi :* Agriculture biologique ; ONIGC ; Levain (intérêt nutritionnel du) ; Levain de première, de seconde, de tout point ; Taux d'extraction ; Type

FILIÈRE BLÉ-FARINE-PAIN. – Le qualificatif de « filière » est utilisé couramment par les instances politiques agricoles pour désigner les acteurs d'une chaîne de production et de transformation de produits végétaux ou animaux (filière céréalière, laitière, etc.), et/ou à leurs conditions d'élaboration (filière bio). Ils sont liés à la fois par des intérêts économiques (prix et disponibilités des matières premières, subventions, développement de marchés, etc.), d'image et de qualité (sanitaire, nutritionnelle, technologique, certification). La filière blé-farine-pain s'apparente à un sous-groupe de la filière céréalière, non structurée en tant que telle, mais dans laquelle se reconnaissent les acteurs de ce secteur – producteurs et transformateurs de blé – par des préoccupations et des intérêts communs. L'objectif final est lié aux aspects quantitatifs et qualitatifs de la consommation de pains ou produits assimilés, si l'on se réfère à ces critères.

Selon une enquête TNS-Sofres de 2006 à la demande de l'Observatoire du pain, 99 % des six-soixante-cinq ans interrogés consomment du pain. Il fait partie intégrante de l'alimentation des Français, enfants comme adultes ; ils en consomment en moyenne 138 g par jour. Un écart existe cependant entre la consommation quotidienne des hommes (161 g/jour) et celle des femmes (127 g). Les enfants consomment environ 111 g par jour. Le chiffre obtenu (124 g/jour) en divisant la quantité de pain produite par an pour le marché français (2,86 Mt) par 63 millions d'habitants en 2006 et par 365 jours est inférieur. En ajoutant les pains emballés, environ 0,145 Mt (source Alliance 7) et les importations, la consommation de pain par habitant se situe à 134 g/jour, sans la panification sèche (biscottes…). Ce chiffre est assez proche de celui obtenu par les enquêteurs TNS-Sofres.

À chaque variété sont associées des caractéristiques qualitatives, mais souvent insuffisantes pour que les blés soient utilisés purs ; la complémentarité variétale a donc toujours été recherchée. Les bonnes complémentarités que l'on conserve en référence sont celles issues de variétés ayant au départ un bon potentiel qualitatif. Les variétés se distinguent les unes des autres à la fois par des comportements différents, en mouture (taux d'extraction, résistance à l'écrasement) et en boulangerie ou dans d'autres technologies (rougissement de la croûte, absorption d'eau, élasticité…). Cette diversité qualitative conduit à privilégier la démarche de recherche de complémentarités variétales. Même si le terroir, le climat et les conditions de culture influencent

Statistiques blé-farine-pain
(sources ANMF-ONIGC, année 2007)

Blé		Farine				Pain (non emballé)	
Production-destinations		Répartition production		Production		Production-répartition	
Production	32 Mt	Blés utilisés	5,8 Mt	Marché intérieur	3,82 Mt*	Marché intérieur	3,02 Mt**
Commercialisation	27 Mt			Panification	64,4 %	Boulangerie artisanale	64,7 %
Meunerie	21,6 %	Nombre de moulins	471	Autres (produits emballés)	35,6 %	Boulangerie industrielle	23,7 %
Alimentation animale	19,8 %	< 1 000 t	40,6 %	Farines export	0,65 Mt	Ateliers GMS	3,7 %
Amidonnerie	10,4 %	1 000-5 000 t	28,9 %			Secteur public	1,8 %
Export	43,7 %	5 000-10 000 t	9,1 %			Importation	0,1 %
Divers	4,5 %	10 000-50 000 t	14,9 %			Exportation boulangerie industrielle	0,16 Mt
		> 50 000 t	6,6 %				

* La farine produite à partir de blés issus de l'agriculture biologique représente environ 1 % du marché intérieur.
** Le ratio pain/farine est voisin de 1,2 pour la baguette.

la qualité, les caractéristiques qualitatives variétales restent assez constantes. Le mélange variétal de blés constitue donc la base qualitative des farines, l'optimisation de la qualité suppose d'adapter, en fonction des diagrammes de fabrication chez les utilisateurs, le comportement technologique à l'ajout de produits d'addition ou correcteurs. Ces compositions étaient auparavant ajoutées au stade de la boulangerie sous forme d'« améliorants ». Progressivement, des autorisations ont permis aux meuniers d'utiliser ces produits d'addition (additifs, auxiliaires technologiques et adjuvants). Si traditionnellement la filière blé-farine-pain a toujours souhaité faire apparaître le pain comme un produit naturel, il a fallu se résoudre, compte tenu de l'accélération des conditions de fabrication, de la maîtrise du froid en boulangerie, des exigences de qualité technologique (tolérance, développement des pains...), à utiliser des produits d'addition pour pallier les insuffisances qualitatives des blés – et même si la qualité moyenne de ces céréales s'est aussi améliorée. Le développement des diagrammes de fabrication de type « tradition », suite à la définition du pain de tradition française (décret pain du 13/09/93) et reconnu par la commission de Bruxelles, a conduit à des tendances vers « le sans-additif » ou « green label », sans exclure les adjuvants et auxiliaires technologiques.

Quelles sont alors les évolutions marquantes de la deuxième moitié du XXe siècle ? Avant 1980, la production est standardisée et semble répondre à l'impératif suivant : « farine standard pour fabrications standard ». Quelques farines de qualité régulière sont produites, répondant à des conditions de fabrication assez bien standardisées : farines boulangerie, biscuiterie, biscotterie restent la règle. Pour la boulangerie artisanale consacrée à la fabrication du pain français, on trouve la farine courante et la farine de qualité supérieure. Les boulangers gardent encore une certaine maîtrise de l'ajustement de la qualité et de la correction de certains défauts des pâtes et des pains. Dans les années 1980-1990, la production s'oriente vers davantage de diversité. Mécanisation, rationalisation de la production, concurrence amènent la filière à proposer une gamme de farines plus spécifiques : farines « pousse contrôlée », farine adaptée à la viennoiserie, à la surgélation, farine sans fève, farine sans additifs. Le concept Banette (1981) se développe et de nouvelles textures très irrégulières (le pain Paillasse, en 1980) apparaissent, dont les influences progressives sur les préparations prêtes à l'emploi se font sentir. À partir de 1990, les farines sont « à la carte », ce qui libère une forte créativité en boulangerie. La rationalisation de l'organisation du travail, de la production, la diversité de la demande du consommateur, le développement des cahiers des charges des farines, la maîtrise des coûts conduisent progressivement le meunier à adapter la qualité de la farine en fonction de ces contraintes. La mise au point de la qualité se fait au moulin : la farine doit être « prête à l'emploi ». L'obligation de résultat devient une règle. C'est aussi une période de créativité avec la conception de formulations par une meilleure maîtrise des aspects aromatiques, gustatifs et de texture pour satisfaire l'attente des consommateurs toujours plus exigeants, chez les meuniers dans l'élaboration des farines prêtes à l'emploi, mais aussi chez les boulangers.

Philippe Roussel

• *Voir aussi :* Additif; Adjuvant; Agriculture biologique; Améliorant; Auxiliaire technologique; Banette; Décret pain; Diagramme; Filière bio; Observatoire du pain; Variétés de blé

Bibl.: Alliance 7 (Syndicats, biscuitiers, biscottiers, panification fine, céréales petits déjeuners), 2006 (www.alliance7.com).

FILTRE. – Dans les moulins, l'air est abondamment utilisé pour le transport pneumatique des produits. Il est capté et mis en mouvement par de puissants compresseurs et, en fin de parcours, il est rejeté dans l'atmosphère, après avoir été filtré pour le débarrasser de ses poussières.

Philippe Duret

• *Voir aussi :* Meunerie; Moulin; Transport pneumatique

FINOT. – En meunerie, produit de granulométrie fine issu d'une des opérations de claquage, et qui alimente les convertisseurs.

Philippe Duret

• *Voir aussi :* Blutage; Broyage; Claqueur; Convertisseur; Meunerie

FLAMBARD. – Voir ALLUME

FLAVEUR. – Voir GOÛT DU PAIN

FLÉAU. – Instrument utilisé pour le battage des céréales, composé de trois éléments: un manche, généralement long et en bois léger; une partie mobile appelée batte ou verge, ronde ou plate, mais plus courte que le manche et plus lourde; un dispositif d'assemblage de ces deux pièces par un lien souple ou un anneau. Le battage au fléau est effectué par une équipe de batteurs qui frappent la céréale en cadence sur une aire de battage aussitôt après la moisson, ou en grange, pendant l'hiver. Il s'est maintenu en France jusqu'au début du XIXe siècle.

Mouette Barboff

• *Voir aussi :* Balle; Battage des céréales et aire de battage; Calendriers et mesure du temps; Dépiquage; Javelage et javelle; Moisson; Moissons (symbolique des)

FLEUR DE FARINE. – Elle est parmi tous les types de farine celle qui possède le taux de cendres le plus faible (< 0,50 %); elle est donc la plus raffinée, celle qui possède le moins de minéraux, le moins de piqûre. Appelée aussi farine fleur ou farine de première qualité, elle est donc particulièrement adaptée à la pâtisserie. L'orvier était autrefois le marchand d'orve, autrement dit de « fleur » de farine.

Jean-Philippe de Tonnac

• *Voir aussi :* Farine; Minéraux; Orve et orvier; Pâtisserie; Piqûre; Taux de cendres

FLEURAGE. – On désigne par fleurages des substances utilisées en boulangerie pour saupoudrer les toiles de fermentation ou couches, les bannetons et les pelles d'enfournement. L'utilisation des tapis enfourneurs a considérablement réduit leur utilisation. Historiquement, les sous-produits de mouture du blé tels que remoulages et « recoupettes » furent utilisés, ainsi que plus marginalement les sciures de bois. Le fleurage de corozo provenant du noyau du fruit d'un palmier d'Amérique du Sud a également été employé, tout comme le fleurage de riz provenant de la mouture de brisures ou d'enveloppes broyées.

En 1906, Charles Bardon se lança dans la production de fleurage de boulangerie, sorte de farine isolante à base de noyaux d'olives pour les fours à pierre. Le fleurage résultant du broyage de grignons d'olives étuvés à température élevée a été largement utilisé en boulangerie jusque dans les années 1960. En raison de sa grande pulvérulence et de ses propriétés hydrophobes, il est très efficace ; il impose toutefois soit un brossage du dessous du pain, soit un nettoyage de la sole du four. Aujourd'hui, sur les lignes de fabrication industrielles, le fleurage ou farinage s'effectue avec une farine ordinaire ou une farine spécifiquement élaborée de granulométrie plus fine, légèrement étuvée. Le recueil des usages concernant les pains en France, publié en 1977, indique qu'un fleurage doit être finement broyé, sec non hygroscopique, inodore et sans goût et que son utilisation doit être autorisée par le Conseil supérieur d'hygiène publique de France.

Hubert Chiron

• *Voir aussi :* Banneton ou panneton ; Couche ; Enfournement-défournement (tapis d') ; Pelle ; Remoulages

FONÇAGE. – Action d'appliquer une abaisse de pâte dans un moule, un cercle à tarte ; garnir de pâte tous supports à cuire pour lui donner sa forme, son empreinte. Il existe de petits outils à mouler qui donnent à l'abaisse sa forme finale et que l'on appelle « empreinte à foncer ».

Guy Boulet

• *Voir aussi :* Abaisse ; Moule

FONTAINE. – Réservoir d'eau destiné à la fabrication de la pâte. Incorporé aux vieux fours à bois, ce réservoir était placé en façade, dans une niche de brique. Son couvercle était relevable pour y verser l'eau, récupérée en dessous (après son réchauffage), grâce à un robinet. Aujourd'hui se dit des réservoirs d'eau avec refroidisseur et mélangeur, destiné de la même façon au pétrissage.

Guy Boulet

• *Voir aussi :* Four ; Pétrissage ; Refroidisseur d'eau

FOP (Fédération française des producteurs d'oléagineux et de protéagineux). – Créée en 1990, la FOP représente cent cinquante mille producteurs français d'oléagineux et de protéagineux. Au plan économique, la FOP assume son rôle de clé de voûte de la filière oléoprotéagineuse en représentant les producteurs français. Au plan syndical, elle agit en leur nom tant au niveau national avec la FNSEA ou encore avec l'AGPB et l'AGPM au sein d'ORAMA qu'au niveau européen en tant que membre de l'Association européenne pour les oléoprotéagineux.

Julien Couaillier

• *Voir aussi :* AGPB ; AGPM ; ORAMA

FORCE (prise de). – Voir FORCE EN BOULANGERIE

FORCE BOULANGÈRE. – Marcel Chopin a inventé l'alvéographe, qui permet de mesurer le travail de déformation de la pâte, auquel on a donné le nom de « force boulangère ». On a pris depuis l'habitude de caractériser les farines selon leur utilisation, au moyen de la force boulangère : faible pour les farines utilisée en biscuiterie ; élevée pour les farines panifiables et destinées à la fabrication des biscottes ; très élevée pour les farines entrant dans la composition des viennoiseries. À noter que cette force boulangère est en relation avec le taux de protéines des farines : faible, élevé et très élevé.

Ludovic Salvo

• *Voir aussi :* Alvéographe ; Farine ; Pâte

FORCE EN BOULANGERIE. – Caractéristiques physiques d'une pâte à un moment donné au cours de la panification. Cet état de la pâte est fonction de son élasticité, de sa tenue et de son extensibilité. Dans certains cas, on peut sous-entendre « force fermentative », cette expression étant alors associée à la pousse ou à la rapidité de la levée. La « prise de force » désigne l'évolution des caractéristiques physiques de la pâte au cours de la panification, se manifestant par une perte de souplesse et d'extensibilité, et par une augmentation d'élasticité et de tenue. Dans les diagrammes de fermentation de type levain ou utilisant de faibles doses de levure, la force peut être aussi associée à l'activité fermentative de la pâte. Cette notion disparaît lorsque les dosages de levure sont plus importants : dans ce cas, l'activité fermentative n'est plus un facteur limitant. L'expression « trop de force » signale un excès d'élasticité et de tenue au détriment de la souplesse et de l'extensibilité. Le boulanger emploie aussi l'expression « trop de corps », « trop de nerf ». Le « manque de force » est un excès d'extensibilité, un manque de résistance élastique et de tenue.

Philippe Roussel

• *Voir aussi :* Élasticité ; Extensibilité ; Fermentation panaire ; Pâte

Bibl. : Philippe ROUSSEL, Hubert CHIRON, *Les Pains français. Évolution, qualité, production*, Vesoul, Maé-Erti, 2002 • Philippe ROUSSEL, Hubert CHIRON, Amadou NDAYE, Guy DELLA VALLE, « Vers une harmonisation du langage sensoriel dans la filière blé-farine-pain. Méthodologie de communication appliquée à un système d'aide à la décision en panification française (AsCoPain) », *Industries des céréales*, n° 149, 2006, p. 24-31.

FORMATIONS À LA BOULANGERIE ET À LA PÂTISSERIE. – Les métiers de boulanger et de pâtissier (difficile d'évoquer dans ce cadre l'un sans l'autre) offrent des opportunités variées. Les propositions de postes d'ouvrier boulanger ou pâtissier sont traditionnellement nombreuses. L'ouvrier qualifié peut envisager aussi une installation en France, voire à l'étranger où le savoir-faire français s'exporte bien. Mais d'autres voies sont envisageables, comme les postes de technico-commercial, de chef de fabrication, de chef de projet, de boulanger d'essai ou encore de démonstrateur. Les métiers de la boulangerie et de la pâtisserie offrent des évolutions de carrière importantes au sein des entreprises artisanales, mais aussi de toutes les entreprises concernées par ce secteur d'activité : minotiers, fabricants d'avant-produits, fabricants de matériel…

Différents diplômes valident une formation en boulangerie ou en pâtisserie. Délivrés par l'Éducation nationale ou les chambres de métiers, ils sont de niveau V, IV, ou III. Dans le cadre de la formation initiale, ces diplômes peuvent être préparés par la voie de l'alternance école/entreprise en CFA (Centre de formation d'apprentis) ou par la voie de l'enseignement professionnel, à temps plein, en lycée. Les demandeurs d'emploi et les personnes en reconversion professionnelle ainsi que les artisans peuvent suivre des formations diplômantes ou de perfectionnement dans un centre de formation privé, par exemple, l'Institut national de la boulangerie pâtisserie, à Rouen, et développer ou acquérir ainsi de nouvelles compétences. Dans le cadre de la formation adulte, il existe plusieurs voies pour se préparer aux métiers de la boulangerie pâtisserie. Pour les salariés, il est possible de suivre une formation dans le cadre du plan de formation de l'entreprise ; ou bien de demander à titre personnel un congé individuel de formation (CIF) pour une formation longue, ou encore utiliser son droit individuel de formation (DIF : 20 heures par an). Dans ces deux cas, les frais de formation et la rémunération sont pris en charge au titre de la formation professionnelle. Pour les demandeurs d'emploi, diverses sources de financement existent selon la situation individuelle du demandeur (Assedic ; Chèque régional de formation, etc.). Pour les artisans, la prise en charge relève du Fonds d'assurance formation des Chefs d'entreprise artisanale (FAF CEA).

Le certificat d'aptitude professionnelle (CAP). Le CAP valide les connaissances et savoir-faire professionnels de base. C'est un diplôme de niveau V délivré par l'Éducation nationale. Il se prépare dans un lycée professionnel ou dans un CFA en deux ans – la durée de formation est cependant réduite à un an pour les titulaires d'un autre CAP. Dans tous les cas, il faut être âgé de seize ans au moins. La préparation du CAP boulanger comporte une partie d'enseignement général et une partie d'enseignement professionnel. Dans le domaine professionnel, le candidat doit acquérir des connaissances sur les matières premières, les différentes étapes de la panification et les équipements, ainsi que des connaissances sur l'entreprise et son environnement économique, juridique et social. En production, il doit savoir fabriquer le pain de tradition française, le pain de campagne, ainsi que des croissants et une viennoiserie à base de pâte à pain au lait. Les règles d'hygiène et de sécurité doivent être connues et respectées. Le CAP pâtissier comporte également une partie d'enseignement général, et une partie d'enseignement professionnel. Le candidat doit également acquérir des connaissances sur les matières premières, les techniques de conservation et le matériel, ainsi que des connaissances sur l'entreprise et son environnement économique, juridique et social. En production, il doit maîtriser la préparation des entremets, tartes, produits à base de pâte feuilletée ou pâte à choux, et celle de la viennoiserie. Même exigence pour les règles d'hygiène et de sécurité. Dans la préparation du CAP chocolatier confiseur, le candidat étudie les opérations de tempérage, de trempage, d'enrobage et de moulage. Dans celle du CAP glacier fabricant, il doit se montrer capable de réaliser tous les produits courants du secteur de glacerie (sorbets, crèmes glacées…).

Les autres formations. Le baccalauréat professionnel option « métiers de la farine », diplôme de niveau IV, délivré par l'Éducation nationale, se prépare désormais en trois ans. Il est possible de valider pendant le cursus de bac pro le CAP boulanger et le

CAP pâtissier. Le brevet professionnel (BP) boulanger est destiné à former des techniciens spécialisés et atteste d'une haute qualification dans l'exercice de leur métier. Son contenu est donc fortement orienté vers la pratique, la technologie professionnelle, l'organisation du travail et les sciences. Il s'agit d'un diplôme de niveau IV délivré par l'Éducation nationale, le préalable requis étant un diplôme de niveau V dans le métier. En production, le candidat doit connaître les différentes méthodes de fermentation et de travail, savoir fabriquer plusieurs sortes de pains spéciaux, des viennoiseries garnies, des produits traiteur ainsi que des pains décorés. Le BTM (brevet de technique des métiers) est un diplôme de perfectionnement, de niveau IV, requérant une formation initiale de base, délivré par les chambres de métiers. Il se prépare dans le cadre de la formation continue. Le candidat acquiert un niveau de qualification élevé dans le domaine de la production, qui doit lui permettre d'assumer un poste de première responsabilité. Il autorise la maîtrise d'une production de haute qualité, laquelle exige une adaptation aux impératifs économiques de l'entreprise, aux contraintes de la gestion de fabrication, ainsi qu'aux règles d'organisation et d'animation d'équipe. Il existe un BTM pâtissier, ainsi qu'un BTM chocolatier.

Le brevet de maîtrise (BM) et le MOF. Le BM consacre l'achèvement d'un parcours de formation. C'est un diplôme très complet, car il intègre des modules d'enseignements professionnels, technologiques et pratiques de haut niveau, mais également des modules d'enseignements généraux destinés à préparer les candidats à la gestion d'une entreprise (action commerciale, gestion comptable et financière, gestion des ressources humaines). Il est délivré par les chambres de métiers et permet d'accéder au titre de maître artisan. Peuvent y prétendre : les titulaires d'un BP, sans condition d'expérience ; les titulaires d'un CAP, avec un minimum de trois ans d'expérience professionnelle hors apprentissage, sur entretien de positionnement avec le centre de formation chargé d'assurer la formation ; les candidats sans CAP, mais avec au minimum cinq ans d'expérience professionnelle et, même chose, sur entretien de positionnement. Dans le cadre du BM pâtissier, le candidat doit maîtriser toutes les productions, dont la glacerie, la chocolaterie, le travail du sucre, etc., Une qualité irréprochable, tant du point de vue esthétique que gustatif, est alors exigée. Le candidat au BM boulanger doit maîtriser l'organisation de la production en boulangerie et viennoiserie et savoir gérer du personnel.

Le titre de « Meilleur Ouvrier de France » (MOF) est très convoité. Il est décerné lors d'une épreuve organisée généralement tous les trois ans. Il correspond à un diplôme homologué de niveau III. Il est délivré par l'Éducation nationale. C'est une preuve de compétence incontestée dans le milieu professionnel, il ouvre beaucoup de portes tant en France qu'à l'étranger.

Formation continue et perfectionnement. Que l'on soit artisan ou salarié, faire face aux évolutions de son métier est une nécessité. Le perfectionnement par la formation professionnelle continue permet d'entretenir et de développer ses compétences. C'est aussi une opportunité de rencontres et d'échanges, d'enrichissement personnel. Les thèmes de stage sont très variés en boulangerie, pâtisserie, vente gestion, commercialisation, informatique, etc. Ils sont répertoriés dans des catalogues édités par les organismes de formation. Les modalités de formation permettent de s'adapter aux souhaits et contraintes des artisans : formation interentreprises, formation dans l'entreprise, programme sur mesure…

De vraies opportunités. Le secteur est confronté à cette contradiction : un nombre important de jeunes en formation, et une pénurie de salariés. Dans presque tous les départements et en particulier en région parisienne, des postes restent à pourvoir. Si neuf mille jeunes passent chaque année un CAP de boulanger ou de pâtissier, après une formation effectuée principalement par la voie de l'apprentissage, 50 % d'entre eux abandonnent après l'examen. Cela peut s'expliquer par le fait qu'un jeune souhaitant quitter l'école choisit trop souvent ce métier en raison de l'opportunité d'une place d'apprenti disponible, plutôt qu'en raison d'un choix personnel. Par ailleurs, il est certain que les conditions d'exercice du métier avec le travail le week-end et les jours fériés rendent la fidélisation des jeunes difficile. Paradoxalement, on voit des adultes ayant subi un licenciement ou désireux de quitter les contraintes de la grande entreprise se tourner vers les métiers de la boulangerie pâtisserie. Leur objectif est, à terme, de s'installer à leur compte et non de rester salarié. Arrivant sur le secteur avec un esprit neuf, ils contribuent souvent à faire évoluer le métier par une approche ciblée sur le consommateur. D'un abord difficile, car exigeant disponibilité et engagement physique, le métier offre aussi de vraies opportunités de gagner en autonomie et d'exprimer sa personnalité. Par ailleurs, les boulangers français sont réputés à l'étranger. Ils sont nombreux déjà à y travailler, des États-Unis jusqu'à la Mongolie, en passant par la Chine. Attention toutefois, travailler à l'étranger suppose de maîtriser plusieurs compétences, dont la capacité à encadrer une équipe et une certaine polyvalence en boulangerie et en pâtisserie. Enfin, la maîtrise de la langue est une condition importante pour une bonne intégration.

Gérard Brochoire

• *Voir aussi :* Apprentissage ; CAP de boulangerie ; CFA ; Compagnon boulanger ; EBP ; École Carrefour ; École de boulangerie (première) ; École française de boulangerie d'Aurillac → MOF ; École Grégoire-Ferrandi ; INBP

Bibl. : Louis ALDEBERT, Philippe MASCARO, *Métiers passions. Pour l'orientation des jeunes vers l'artisanat*, Paris, Le Cherche Midi, 2003 • Michel DRÉANO, *Qualité de l'apprentissage et conditions de vie des apprentis*, Rapport à Madame Nicole Péry, Secrétaire d'État aux droits des femmes et à la formation professionnelle, 2002 • Gilles MOREAU, *Le Monde apprenti,* Paris, La Dispute, 2003 • SCEREN, CNDP, *Boulanger, une formation, un métier – DVD,* Versailles, CRDP, 2007.

FORME (mettre en). – Voir FAÇONNAGE

FORNILLON. – Voir FOURNIER ET FORNILLON

FOSSE À BLÉ. – Voir BLÉ (fosse à)

FOUACIER. – La fouace, ou *fouasse*, est principalement originaire du Rouergue. Le fouacier la fabriquait et la commercialisait à son étal. Boulanger, il était dénommé fouacier s'il avait la réputation de fabriquer une fouace succulente. Il s'agissait d'une galette de fleur de froment non levée et cuite sous les cendres du feu, d'où son étymologie, du latin *focus*, le « foyer », qui a donné *focaccia* devenu plus tard *fouace*, *fouasse* puis *fougasse*, l'héritière provençale et salée de la fouace. De nos jours, la fouace se compose de farine, de levain, de beurre, d'œufs, de lait, de sucre, d'eau de fleur d'oranger et de sel. Elle prend traditionnellement la forme d'une couronne. Un peu plus tard, vers le milieu du XVIIIe siècle, la fouace du Rouergue ou de l'Aveyron a été considérée comme un gâteau. On l'a volontiers appelée « fouace rabelaisienne ». C'est devenu par la suite une brioche sucrée, généralement présentée sous forme de couronne et dont la fabrication ancestrale nécessite une lente fermentation et un pétrissage intensif. Selon les régions, il existe plusieurs sortes de variantes de la fouace, dont la consistance varie selon les proportions des différents ingrédients qui eux restent constants, que la fouace provienne de l'Aubrac, Laguiole, Pons ou d'ailleurs du pays des volcans. Dans les Pays de la Loire, en Maine-et-Loire, la fouace était appelée *fouée*.

Olivier Pascault

• *Voir aussi :* Boulangers et boulangeries (histoire de France des) ; Focaccia → Italie ; Fougasse, fouace, fouasse → France (pains historiques, du Moyen Âge à la Révolution française) ; Fougasse → France (pains actuels, pains régionaux)

FOUR. – Le four à pain, lieu où se retrouvaient tous les habitants d'un village ou d'une communauté, renvoie à une histoire universelle et à une symbolique qui concernent les arts du feu et la transmission d'un savoir-faire. Il y a d'ailleurs dans l'idée de cuisson dans le four un retour à la matrice, une naissance ou renaissance et une régénérescence, concept qui a donné lieu à de nombreux rites de régénération par le feu. C'est le lieu symbolique du retour à la chaleur du sein maternel, mais aussi l'outil de l'alchimiste qui va travailler la matière, la transformer pour obtenir un produit final proche de la perfection. En ce sens on peut rapprocher cet art de la maîtrise du feu de celui du charbonnier qui va élever un dôme de bûches pour obtenir du charbon de bois de bonne qualité. Nous sommes dans le domaine de la puissance du feu, mais c'est un feu souterrain sous appareillage conique qui va permettre la cuisson par la chaleur emmagasinée dans sa structure même.

Comment rendre compte de cette alchimie qui, du point de vue du pâton enfourné, et par-delà les évolutions et révolutions technologiques, reste invariablement la même ? Maguelonne Toussaint-Samat (1997) la résume ainsi : « [...] le processus de fabrication des 3 millions de tonnes de pain que les Français trouvent sur leur table, chaque année [...] : on fait cuire, au four, à une température de 250°. Sous l'action de la chaleur, les bulles de gaz carbonique résultant de la fermentation se dilatent encore et le pain augmente de volume, jusqu'à ce que l'amidon transformé en dextrine par la chaleur se caramélise à la surface du pain et forme une croûte solide dès que l'évaporation de l'eau contenue dans la pâte s'arrête. » Cette transformation du cru en cuit passe par des étapes qui, pour tout ce qui a trait à la cuisson au bois, n'a pas fondamentalement varié. Le four est préalablement chauffé avant la cuisson, parfois jusqu'à 48 heures avant l'enfournement. On utilise des fagots de bois que l'on brûle à l'intérieur du four en répartissant la braise, l'objectif étant de faire élever progressivement la température. Elle est adéquate lorsque les pierres de la voûte intérieure et les bords de la bouche du four revêtent une coloration blanche. On retire alors les cendres, puis on nettoie la sole avec un balai constitué de végétaux variant selon les régions. Il ne reste plus qu'à enfourner les pâtons et surveiller leur cuisson. L'évaluation de la température du four, la conduite de la cuisson du pain nécessitent un savoir-faire impliquant une connaissance minutieuse, c'est un art véritable, similaire à la surveillance des charbonnières qui produisaient le charbon de bois. Aujourd'hui encore, on peut retrouver de nombreux fours artisanaux dans les campagnes, car chaque ferme ou chaque quartier possédait son propre four à pain. C'est le développement des boulangeries dans les communes qui entraîna leur abandon et leur désaffection. Ce four à pain traditionnel est un ouvrage maçonné comportant une voûte conique ou semi-circulaire dans sa structure interne, ouvert par-devant pour la cuisson du pain et d'autres pâtisseries. Il est souvent constitué de pierres, de briques, de terre glaise, varie en fonction de l'époque et de la région, et de par sa variété constitue un véritable élément du patrimoine architectural et historique. Certains sont d'ailleurs réutilisés après avoir été réhabilités et font l'objet à l'heure actuelle de manifestations culturelles, historiques et rituelles, autour de l'aliment de base fondamental que demeure le pain.

L'origine des céréales entrant dans la constitution du pain se situe sans doute en Mésopotamie, il y a douze mille ans. La découverte du pain a probablement incité l'homme à inventer différentes techniques de cuisson, de là une lente élaboration des différents fours dans le monde. Un four daté de 5800 av. J.-C. où l'on a pu cuire du pain a ainsi été découvert en Asie Mineure. Dès le Néolithique, à Mureybet, en Syrie, des habitations coniques sont constituées de briques (Guilaine 2005). Les peuples de cette région ont peut-être eu la révélation de la céramique après avoir cuit les aliments dans des fosses foyers, des fours enterrés à même le sol (Toussaint-Samat 1997). D'après les chercheurs, de tels fours servent encore aujourd'hui dans la région à la cuisson du pain ou du mouton. Un des plus vieux pains d'Europe, une miche, a été découvert dans les palafittes suisses. À même le sol ou dans le sol, les fours à dôme de terre, chauffés au bois, sont les premiers fours à pain d'Europe apparaissant dès le Néolithique.

Le principe de base est de faire cuire le pain dans un espace clos, la chaleur nécessaire étant fournie soit par un apport constant pendant la cuisson, soit par une accumulation préalable dans la masse du four (pour les fours en pierre, terre ou brique) (Delacrétaz 1993). Les Égyptiens avaient choisi la première technique, reprise bien plus tard par les boulangers modernes, celle des moules renfermant la pâte à pain, recouverts de cloches. Ils utilisaient des moules à pain qu'ils passaient au four et produisaient ainsi des pains coniques. On retrouvera en Asie centrale des fours de type égyptien, à ouverture supérieure, de type *tannur*, puis progressivement des fours à ouverture frontale avec voûte. En Occident vont se répandre les fours où le pain se cuit sur la sole débarrassée de ses braises. Ces fours seront ceux des Grecs et des Romains, des fours à chauffe directe, qui seront ensuite utilisés en Occident jusqu'à une époque récente. Selon Maguelonne Toussaint-Samat, « il revient aux Grecs d'avoir inventé le véritable four préchauffé à l'intérieur et s'ouvrant de face, qui sera ensuite utilisé en cuisine ».

Au Moyen Âge, dans le système féodal, le four est le privilège du seigneur qui exerce son droit de « banalité ». Il s'agit de services et d'installations (four, moulin, pressoir) que le seigneur a l'obligation d'entretenir et de mettre à la disposition de ses vassaux. En échange de l'utilisation du four dit « banal », le seigneur prélève une taxe obligatoire, une sorte de redevance annuelle. Elle dérive du droit de ban, pouvoir des seigneurs sur ses terres, aboli en 1793, à la Révolution. À partir du XIIe siècle, les habitants ont l'autorisation de construire leur propre four, érigé loin des habitations, de peur d'incendier les structures en bois des maisons. Le rapprochement four-domicile se fera beaucoup plus tard, lors de l'apparition des constructions en dur. On cuit alors le pain pour la semaine, voire la quinzaine, et il faut donc assurer sa conservation le plus longtemps possible. Avec l'abolition du droit de ban, la construction des fours à pain devient donc libre. Les fours dits banaux sont rachetés par les fourniers, ou deviennent municipaux.

Les premières boulangeries apparaissent et se développent progressivement. Les premiers essais de fours indirects pour la cuisson ont lieu en 1836. Puis vient la période d'essor des boulangeries en milieu urbain. L'utilisation des fours à chauffe indirecte avec un foyer placé devant et sous la sole du four viendra en précurseur des fours industriels. Au XIXe siècle, on assiste au perfectionnement et à l'amélioration des fours à pain, avec des façades en brique dotées de bouches perfectionnées, des voûtes plus basses et donc plus efficaces et des dalles réfractaires nivelant la sole du four. Il y a encore des fours à chauffe directe, mais l'invention du gueulard (buse en fonte orientable qui permet de diriger la flamme dans la chambre de cuisson), avec combustion de bois sous la sole, constitue une petite révolution et met un terme à l'utilisation de l'écouvillon, sorte de serpillière mouillée qui permettait d'enlever les dernières braises jonchant la sole.

L'après-guerre voit le développement des fours indirects à vapeur et des fours à étages dans les grandes boulangeries. Dès 1957, les fours à vapeur sont construits en série. Il faut attendre les années 1960 pour assister au développement de la cuisson différée. Le premier four à vapeur annulaire entièrement métallique est proposé en 1967 (les premiers modèles étant apparus vers 1954). Dès lors, le boulanger abandonne un outil séculaire, la pelle à enfourner, au profit d'un tapis enfourneur-défourneur qui lui permet de manier une vingtaine de pâtons simultanément. Va suivre ensuite l'invention du four dit rotatif. Très vite, les boulangers peuvent procéder à la programmation automatique de la température dans les fours grâce à la cuisson sur filets ; parallèlement, les hypermarchés s'équipent en fours rotatifs. À la fin des années 1970, on note l'essor de la vente de fours électriques et rotatifs. Ces fours vont se développer grâce à une véritable révolution dans l'art de la boulange : la surgélation de la pâte à pain prête à la cuisson. La boulangerie industrielle reprend les aménagements de la boulangerie traditionnelle en y apportant mécanisation et informatisation. Avec ces fours, fabrication et distribution du pain sont repensées ; ils consacrent l'avènement de la production massive. Dernière innovation : « la mise en scène de la cuisson » visible depuis le magasin. Les boulangers font abattre les murs qui séparent celui-ci du fournil, à moins qu'ils ne fassent déplacer leur four de manière que les clients participent de la geste sans âge de l'enfournement. Dans ce retour aux images d'Épinal du métier, et pour tempérer son évolution mécaniste, les fours maçonnés et la cuisson au feu de bois retrouvent leur place chez nombre d'artisans.

Tony Fogacci

• *Voir aussi :* Ban et banalité ; Bouche, gueule du four ; Cuisson directe/indirecte ; Cuisson sur filets ; Cuisson sur pavé ; Enfournement-défournement ; Équipementiers ; Four d'Enfer ; Fournalistes ; Gueulard ; Maximes et proverbes à propos du pain ; Sexuelle (le pain comme métaphore) ; Sole ; Tannur ; Voûte ou chapelle du four à bois

Bibl. : Pierre DELACRÉTAZ, *Les Vieux Fours à pain*, Yens-sur-Morges (Suisse), Cabédista, « Archives vivantes », 1993 • Jean GUILAINE, *La Mer partagée*, Paris, Hachette Littératures, 2005 • Pierre-Jean LUCCIONI, *Tempi fà*, Aiacciu, Albiana, 2007 • Maguelonne TOUSSAINT-SAMAT, *Histoire naturelle et morale de la nourriture*, Paris, Larousse-Bordas, coll. « In Extenso », 1997.

FOUR (bouche, gueule du). – Voir BOUCHE, GUEULE DU FOUR

FOUR (rives du). – Nécessairement, un four a quatre côtés : trois sont fermés et l'un est ouvert pour pouvoir enfourner et défourner les pains. Des baguettes vont de ce fait se retrouver le long des deux côtés latéraux qu'on appelle « rives » et le long de ces rives les baguettes auront tendance à cuire plus rapidement et à avoir une croûte plus colorée du côté de la rive et un peu moins du côté de l'intérieur du four. On aura donc des baguettes « bien cuites » en rives et « pas trop cuites » au milieu du four.

Ludovic Salvo

• *Voir aussi :* Baguette ; Bouche (à) ; Cuisson directe/indirecte ; Enfournement ; Enfournement-défournement ; Four ; Quartier

FOUR (rue du). – La rue du Four est une célèbre voie du VIe arrondissement de Paris. Elle repose actuellement sur un ancien tronçon du vieux chemin de Paris à Issy et Sèvres, situé dans le prolongement des rues Saint-André-des-Arts et de Buci. Son nom provient du four banal, situé à l'actuel emplacement du croisement des rues du Four et de Rennes, naguère propriété de l'abbaye de Saint-Germain-des-Prés, où les habitants devaient obligatoirement aller faire cuire leur pain sous peine d'amende, ou châtiment suivant l'époque. D'autres villes et villages de France possèdent leur rue du Four dès lors qu'il y exista un ancien four banal. L'une des rues les plus populaires de Nice, par exemple, porte le même nom pour la même raison.

Olivier Pascault

• *Voir aussi :* Ban et banalités ; Four ; Four d'Enfer ; Fournier et fornillon ; Tour du chat

FOUR (symbolique du). – L'invention du four dans l'Antiquité passe nécessairement par un savoir-faire primordial : la découverte du feu, puis sa maîtrise à l'aube de l'humanité. Elle est attestée dans les temps les plus anciens : « Le thème de la maîtrise du feu est à l'origine de nombreuses constructions mythologiques. Cette maîtrise est partout associée au travail du métal et à la singularité des métallurgistes, parfois considérés métaphoriquement comme des "sorciers" » (Bonte et Izard 2004). Le fer météorique fut d'abord utilisé dans l'Antiquité, puis, avec la découverte de la fusion des minerais, la métallurgie du fer se développa. Dans le processus de rationalisation de la nature, l'homme élabora des mythes pour trouver des justifications au feu céleste ou souterrain des volcans. Symboliquement, les métaux poussent « dans le sein de la terre, les cavernes et les mines sont assimilées à la matrice de la Terre-Mère, les minerais extraits des mines sont en quelque sorte des embryons » (Eliade 1976-1978). Tout ce qui est souterrain est ainsi en rapport avec la Terre-Mère, lieu symbolique assimilable à l'utérus. Le travail du minerai, l'activité du forgeron et plus tard celle du fournier seront souvent comparés à la reproduction biologique : « Cette caractéristique, très largement répandue, comme l'a montré Eliade, est souvent associée à un savoir des métallurgistes sur la sexualité et l'obstétrique, savoir parfois appliqué dans la pratique, comme c'est le cas chez les Mafa du Cameroun. Maîtrise du feu et savoir sur la procréation déterminent ainsi les principales fonctions non technologiques dont sont pourvus les forgerons dans de nombreuses sociétés » (Bonte et Izard 2004).

La maîtrise du feu. Depuis l'Antiquité, dès sa découverte, le feu est utilisé comme agent de transmutation. Le fer est aussi un élément important de la transformation de la matière, savoir maîtrisé par les forgerons, puis plus tard par ceux qui seront chargés de la cuisson du pain. Élément ambivalent, le fer est instrument de modification d'un état de la matière. On donne d'ailleurs au fer une origine le liant au ciel ; le mot sumérien désignant le fer, *An-bar*, s'écrit avec deux signes qui prennent le sens de ciel et de feu, feu du ciel, et la sacralité céleste du fer reste sans doute la plus ancienne. Les Égyptiens pendant longtemps ne connurent que le fer météorique et des écrits datant du XIVe siècle av. J.-C. précisent que les rois hittites utilisaient « le fer noir du ciel ». Un lien antique rassemble donc le feu et le fer : si le feu protège contre les êtres de l'autre monde, il modifie aussi la matière, est agent de transmutation et fait office de protection dans de nombreuses sociétés. Le fer reste un moyen de défense, une force contre toute manifestation de l'autre monde, un élément alchimique ambivalent des guérisons magico-religieuses, l'outil majeur de l'activité de la forge. En Bouriatie, le forgeron est souvent représenté tenant à la main une barre de fer en fusion, comme dans certains cas de pratiques chamaniques. Dans d'autres sociétés, il aurait même des pouvoirs dus à son contact permanent avec tout ce qui est rouge, le feu, la braise, le fer rouge, et la rouille. On rappellera le rôle de guérisseur et d'ensevelisseur du forgeron dans beaucoup de sociétés. Il peut rétablir le flux normal du sang féminin menstruel en utilisant de la rouille et de la limaille de fer dans un but thérapeutique. Sa fonction dépasse le simple travail de la forge, comme dans les sociétés archaïques : il possède le pouvoir du feu, celui de transformer la matière et le fer, capable d'enseigner son savoir et de guérir. Tels des fours, les forges des villages et les dolmens des sites mégalithiques étaient peut-être des lieux où l'on pouvait guérir la maladie à des époques différentes. Les gardiens du feu interne du four et de la cuisson que sont les fourniers sont sans doute des héritiers de ces savoirs : ils ont joué un rôle très important dans les sociétés primitives.

Alchimistes et fourniers. Les diverses activités évoquées, fondeur, forgeron, fournier et chaman, renvoient toutes à une fonction similaire, celle de « maîtres du feu », de la transformation, et de guérisseurs. L'alchimiste se situe dans cette lignée : le four alchimique est le symbole de l'utérus maternel, le lieu où l'alchimiste s'essaie à la transformation de la matière. Plus près de nous, le four du boulanger est symboliquement le lieu de la transformation d'une matière, la farine, sorte d'alchimie préalable à la confection du pain. La maîtrise du feu a permis la cuisson des aliments, le contrôle de la transformation de la matière, tout comme l'alchimiste contrôlait la transmutation des métaux ou de la céramique. Et ainsi, de l'état de graine semée en terre à l'état de farine, la pâte manipulée subit sa transformation dans le four pour devenir le pain par un enfantement métaphorique. Les hommes de la Préhistoire utilisaient déjà des modes de cuisson complexes, la viande étant parfois cuite dans un four creusé à même le sol. Quant aux origines du pain et de la boulangerie, elles sont attestées dès la plus haute Antiquité : « On en trouve la trace, par exemple, dans de multiples passages de la Bible, et en particulier dans la Genèse. En Égypte, on connaissait l'art de faire du pain vers 2500 av. J.-C. Les Grecs puis les Romains, au premier siècle avant l'ère chrétienne, connaissaient les boulangeries. En France, les corporations de boulangers étaient appelées fourniers avant le XIIIe siècle, puis talemeliers entre le XIIIe et le XVe siècle » (Encyclopédie Hachette 1982). À des époques différentes, tels des alchimistes attelés à la transformation des métaux, les gens préposés aux fours pratiquèrent la conversion de la matière par la cuisson. Claude Macherel (1994) évoque l'analogie du pain et de sa cuisson au four avec la grossesse et l'accouchement humains : « Ces assimilations sont supportées par la forme du four et celle de l'utérus, par les gestes et les outils de la panification, nombre de mots qui désignent ces objets et ces opérations, l'atmosphère érotisée qui entoure la cuisson du pain, par une foule de récits enfin. » La métaphore du fœtus engendré par les fours et fourneaux reste d'ailleurs une constante récurrente, notamment dans l'alchimie médiévale latine : ainsi, le théologien Albert le Grand établit, en

1250, le principe analogique entre la formation du fœtus et la génération des pierres et métaux.

L'analogie avec la grossesse et l'accouchement. Au centre de la vie domestique, véritable enceinte servant à un feu de cuisson, le four est le point final du processus de panification. Son utilisation a développé un imaginaire important autour de la métamorphose, de la transformation de la matière. Comme nous l'avons vu, cette symbolique dérive en partie des rituels de métallurgie et des arts du feu : « Le fourneau est ce creuset où s'élabore l'union, le sein maternel, où se prépare la renaissance. Le nom de "sein maternel" était expressément donné au four des anciens émailleurs européens » (Chevalier et Gheerbrandt 1982). L'analogie du four ou fourneau avec la matrice n'en est que plus compréhensible et logique ; elle va se développer dans toute la mythologie universelle. Les fourneaux sont en quelque sorte une nouvelle matrice, artificielle, où le minerai achève sa gestation (Eliade). Cette image de la gestation lente va réapparaître dans la symbolique du four : gestation de la pâte à pain, du levain, naissance dans un four qui devient le réceptacle, la matrice d'une future naissance.

Toutes ces mises au four renvoient à l'idée de gestation d'un processus de maturation, par l'acte de cuisson, d'une matière « fœtale » inachevée qui se voit dotée d'une forme. Dans la Rome antique, le *placenta* était le nom donné à une pâtisserie de fête, un genre de galette constituée de blé et de fromage de brebis que l'on passait au four. Dans la tradition grecque, la nourriture, qui définit la condition même de l'homme par opposition aux dieux et bêtes sauvages, est constituée de pain et de vin : « La cuisson culinaire [...] coupe le dernier lien qui unissait encore les céréales au domaine de la nature et de la crudité, et qui faisait de la farine un être hybride et mitigé, ni cru ni cuit, ni sauvage ni civilisé ; sorti du four, le pain est devenu autre chose : il est désormais *sîtos*, nourriture humaine, de la même façon que rôtie ou bouillie, une pièce de viande crue et sanglante se transforme en mets civilisé » (Detienne et Vernant 1990). Dans ce processus sémiotique, le four, tel le ventre de la femme enceinte, devient une réplique de l'utérus des femmes, symbolise le lieu d'une action de transformation qui favorise une croissance et fait apparaître le pain comme un enfant conçu et nourri.

En Corse, les différentes versions du mythe de confection du *brocciu* nous enseignent à quel point cette technique de conservation relève d'une alchimie particulière, proche de la gestation. Les techniques de transformation utilisent l'ébullition ; les marmites et cavernes naturelles sont autant d'espaces creux où les températures constantes seront propices aux transformations de la matière. En ce sens, la cave rejoint la symbolique du four : « Le lait est pour Aristote du sang qui a cuit. La fermentation du fromage achève cette cuisson, puisque la fermentation est elle-même pensée comme un échauffement. La grotte où fermente le fromage-grotte, qui peut être une cave, [...] est comme un four à pain. L'analogie entre le fromage et le lait est d'autant plus forte que la matière dont est fait l'enfant, le sang féminin, est la même que l'on retrouve moins froide dans le lait où le fromage se fait » (Caisson

1999). Si le four est donc métaphoriquement le centre du monde, l'utérus, lieu souterrain de régénération et de naissance, peut être également l'endroit où l'on meurt pour renaître sous une autre forme, ou pour favoriser une guérison.

Fours et rituels. Il existe dans cette optique de nombreux rituels de par le monde où la guérison passe par l'enfournement ou la présence près du four à pain. Chez les Slaves, la femme soigne sa stérilité près du four, la médiation du four permet de guérir les enfants malades, considérés comme des pâtes mal cuites. L'ethnologue Clara Gallini note de « fortes connotations symboliques dans la thérapie du four », qu'on retrouve en Corse, en Sardaigne et dans tout l'espace méditerranéen, thérapie largement utilisée au Moyen Âge. En Sardaigne, on utilisait cette thérapie du four pour les piqûres d'une araignée, et elle est présente dans les tarentismes méditerranéens. Il y avait une panification symbolique du patient piqué par l'*argia* (littéralement, « bariolée » ; être mythique à la piqûre venimeuse, en Sardaigne), le four étant assimilé à la tanière de cette araignée : « Le four peut être préparé rituellement ; dans plusieurs villages on insiste sur le fait que le feu doit être allumé avec des sarments de vigne qui devront à leur tour être mis en forme de croix ou être au nombre de sept, etc. Une fois introduit à travers la large ouverture du four, parfois même à l'aide d'une palette, le patient peut être soumis à des mouvements rituels, telle la rotation. Dans certaines localités l'action dans son ensemble devient très spectaculaire. À Siliqua par exemple – mais le souvenir est très ancien –, le « jeu du four » se passait ainsi : au bout de trois jours de danse, on réchauffait le four en installant la personne à proximité. Trois couples mixtes de célibataires, de mariés et de veufs dansaient autour d'elle et chacun d'eux brandissaient un sarment de vigne enflammé en chantant » (Gallini 1988).

En définitive, la symbolique du four, très riche, nous ramène à la découverte du feu, à l'alchimie primordiale de la transformation de la matière dans un réceptacle concave, un espace creux. Ainsi, de la matière fœtale à la panification, la métaphore d'une naissance fait apparaître le pain comme un enfant conçu et nourri et montre combien est présente l'analogie four-utérus.

Tony Fogacci

• *Voir aussi :* Ban et banalité ; Enfournement (rituel thérapeutique d') ; Enfournement-défournement ; Fermentation (approche anthropologique de la) ; Four ; Four banal ; Gueulard ; Levain (symbolique du) ; Maximes et proverbes ; Mot « pain » dans la langue française ; Mot « pain » dans quelques langues européennes ; Pâte à pain ; Sexuelle (le pain comme métaphore) ; Sole ; Terre-Mère primordiale ; Voûte ou chapelle du four à bois

Bibl. : Jacqueline ACQUAVIVA, « Savoir-faire, savoir dé-faire : de l'instinct de conservation aux règles de consommation des denrées animales », in *Sauvegarde et mise en place des savoir-faire locaux : le centre corso-sarde. Una strategia mediterranea per lo sviluppo e la democrazia locali nel mediterraneo*, Bastia, Dumane, 2007 • Françoise BONARDEL, *Philosopher par le feu*, Paris, Seuil, 1995 • Pierre BONTE et Michel IZARD, *Dictionnaire de l'ethnologie et de l'anthropologie*, Paris, PUF, rééd. 2004 • Max CAISSON, « Une autre perspective sur la culture », *in* J. M. Arrighi et M.-J. Vinciguerra, *Le Mémorial des Corses*, vol. 7, Ajaccio, Albiana, 1999 • Jean CHEVALIER et Alain GHEERBRANDT, *Dictionnaire des symboles*, Paris, Robert Laffont, coll. « Bouquins », 1982 • Marcel

DETIENNE et Jean-Pierre VERNANT, *La Cuisine du sacrifice en pays grec*, Paris, Gallimard, rééd. 1990 • Mircea ELIADE, *Histoire des croyances et des idées religieuses*, Paris, Payot, 3 vol., 1976-1978 • *Encyclopédie Hachette*, Paris, Hachette, 1982 • Clara GALLINI, *La Danse de l'Argia. Fête et guérison en Sardaigne*, Lagrasse, Verdier, 1988 • Claude MACHEREL et Renaud ZEEBROEK (éd.), *Une vie de pain. Faire, penser et dire le pain en Europe*, Bruxelles, Crédit communal, 1994.

FOUR À VAPEUR. – Voir BAGUETTE ; ZANG

FOUR BANAL. – Voir BAN ET BANALITÉS

FOUR D'ENFER. – Premier four banal construit dans l'île de la Cité. Il fut nommé de la sorte en raison de sa taille et des reflets rougeâtres que ses flammes projetaient au loin. Moyennant redevance perçue par le fornillon, un grand nombre de personnes venaient y cuire leur pain. Ce ne fut qu'après l'achèvement de l'enceinte que les Parisiens furent exempts de l'obligation de faire cuire leur pain dans les fours publics, et qu'il fut permis aux boulangers d'en posséder un dans leurs maisons. Le roi accorda cette permission « pour ce que chacun des boulangers valait à M. le Roi neuf sous, trois deniers, une obole ». Près du lieu, en 1207, l'abbé de Sully fit rebâtir Saint-Symphorien, en l'honneur du martyr qui vécut sous Marc Aurèle aux environs de 180. Pour gagner en espace, la comtesse de Vermandois lui fit alors don du four d'Enfer, ce qui lui permit d'établir quatre chapelains de plus. Cependant, les chapelains ne furent pas satisfaits de l'autorisation accordée aux gens de faire cuire leur pain chez le boulanger, qui amputait d'autant les revenus du four d'Enfer dont ils pouvaient tirer bénéfice. Comment compenser cette perte ? Il leur vint une idée. N'avaient-ils pas remarqué que nombre de femmes enceintes, probablement dans le but d'obtenir une heureuse délivrance, venaient tous les vendredis faire le tour d'un puits situé dans les dépendances de leur église, la tradition affirmant qu'il avait autrefois servi à saint Denis ? Ainsi, toutes les femmes enceintes qui s'empressaient d'aller faire le pèlerinage au puits devaient désormais payer tribut et augmenter par là même les revenus des chapelains, non mécontents de leur bon tour.

Olivier Pascault

• *Voir aussi :* Ban et banalités ; Boulangers et boulangeries (histoire de France des) ; Four ; Four (rue du) ; Four (symbolique du) ; Fournier et fornillon ; Tour du chat

FOURGON. – Longue perche ferrée à un bout, dont on se servait pour « fourgonner », c'est-à-dire aussi bien pour déplacer le bois ou les braises dans le four que pour déplacer les pains sur la sole.

Mouette Barboff

• *Voir aussi :* Attisoir ; Four ; Pelle ; Sole

FOURNALISTE. – Les fournalistes étaient les constructeurs de four. Ils étaient réputés à Paris pour refaire adroitement l'aire d'un four en une matinée. Ils commençaient par jeter de l'eau dans le four ; ensuite ils en cassaient l'âtre, et le reconstruisaient aussitôt (Malouin 1779).

Mouette Barboff

• *Voir aussi :* Âtre ; Équipementiers ; Four

Bibl. : Paul Jacques MALOUIN, *Description et détails des arts du meunier, du vermicellier et du boulanger*, Paris, 1779.

FOURNÉE. – Quantité de pains fabriquée par « pétrissée » ou unité de cuisson. En fonction de la place dont il dispose dans son four, le boulanger pourra enfourner et défourner à différents moments et donc disposer, sur des périodes se chevauchant, de différentes fournées. D'une manière générale, il placera les grosses pièces dans le fond du four de manière à sortir les plus petites en premier. Une fournée peut représenter la valeur d'un tapis d'enfournement, ou de plusieurs. Dans le cas où la fournée se répartit sur plusieurs tapis, le boulanger devra tenir compte du temps d'enfournement pour évaluer son temps de cuisson.

Dominique Descamps

• *Voir aussi :* Cuisson directe/indirecte ; Cuisson sur filets ; Cuisson sur pavé ; Enfournement ; Enfournement-défournement ; Four ; Pétrissée

FOURNIER ET FORNILLON. – Le fournier, ou fornillon en ancien français, est d'abord le nom de celui qui, en Grèce antique puis au haut Moyen Âge, avait la responsabilité de l'entretien des fours de la cité : à chaque fois qu'un nouveau village se constituait, on édifiait une chapelle et un four à pain. Le coût de cuisson se situait aux alentours d'une tourte due pour une quinzaine de cuites. Rapidement, le fornillon devint un agent seigneurial. Sa charge consistait, pour le compte de son seigneur, à veiller à la bonne cuisson des pains et à l'administration des impositions banales.

Olivier Pascault

• *Voir aussi :* Ban et banalités ; Boulangers et boulangeries (histoire de France des) ; Équipementier ; Four ; Four d'Enfer ; Fournaliste ; Tour du chat

Bibl. : Marcel ARPIN, *Historique de la meunerie et de la boulangerie*, Paris, Le Chancelier, 1948.

FOURNIL. – De l'ancienne forme du mot four, *forn* ou *fourn*. Lieu où est le four et où l'on pétrit la pâte, lieu de travail du boulanger. Lieu emblématique dont sont sorties toutes les « incarnations » précédentes du boulanger, d'abord le fournier (celui qui assure l'entretien du four pour le compte du seigneur, seul autorisé à posséder le four jusqu'en 1280, gère le combustible nécessaire, organise les cuissons de son client), puis le talemelier (celui qui tamise la farine ou celui qui pétrit). Ayant emprunté à ces différentes figures, il est désormais celui qui assure l'intégralité de la fabrication, depuis le tamisage de la « boulange » jusqu'au pétrissage et à la cuisson, et de ce fait « enferme » le four pour son usage professionnel, ce qui n'était pas totalement le cas jusqu'alors. Mais quelles que soient les époques, l'élément essentiel du fournil, c'est bien évidemment le four, maçonné, comparable au four romain tel qu'on peut encore en voir des exemples à Pompéi. La fabrication de grandes quantités de pain implique désormais, en effet, à la différence de ce que réclame la production domestique assurée essentiellement par des femmes, de disposer d'un four maçonné. Il est de forme ronde, haut de voûte (partie supérieure de la chambre de cuisson) afin de favoriser le tirage. Chauffé au bois, brûlant directement sur la sole (partie inférieure de la chambre de cuisson), les gaz de combustion et les fumées s'échappent par la bouche du four. Les améliorations successives introduisent les carreaux réfractaires, des voûtes plus plates, de nouveaux systèmes de portes de four ou d'évacuation des fumées et des gaz, l'installation d'appareils à buée permettant de donner des pains à croûte de couleurs plus brillantes, mais sans qu'on ait touché encore au mode de cuisson.

L'apport majeur est l'introduction, vers 1900, du foyer à grille situé en dessous de la chambre de cuisson, avec un dispositif orientable, le « gueulard ». Il n'est plus nécessaire de nettoyer la sole du four pour enlever les braises ; l'usure du carrelage du four s'en trouvait ralentie et un gain de temps appréciable était réalisé. Attaché au four et au travail d'enfournement, le « brigadier », ou maître de pelle, est alors un acteur essentiel. Ce poste implique la responsabilité du coup de lame et de la juste cuisson. Il nécessite de savoir disposer les produits dans le four pour pouvoir les retirer dans le bon ordre (les gros pains placés au fond, la viennoiserie à l'avant). Il faut disposer d'une certaine force et d'une certaine habileté pour savoir manipuler les pelles à long manche à l'intérieur du four en évitant, en particulier, que les pains ne soient déposés trop près les uns des autres et ne se collent à la cuisson (baisure). Jusque dans la première moitié du XXe siècle, le bois reste le combustible le plus fréquemment utilisé pour alimenter le four, remplacé partiellement par le fioul avant son interdiction et l'apparition des fours directs ou indirects en métal à étages multiples chauffés électriquement ou au gaz et équipés d'enfourneurs (ou tapis d'enfournement) facilitant la dépose des pâtons et le défournement.

Le pétrin est l'autre pièce maîtresse du fournil. Il s'agit d'un meuble en forme de prisme, étanche, en cœur de chêne de longueur équivalente à celle du four. Il est recouvert d'une planche de hêtre en deux parties appelée « tour ». La grande longueur de la cuve qui peut être divisée grâce à deux cloisons amovibles permet de laisser le levain fermenter dans une partie (gauche le plus souvent) et d'introduire la farine à côté. La séparation du pétrin en plusieurs parties est liée au mode de pétrissage comprenant lui-même plusieurs phases distinctes avec manipulations énergiques et transferts de pâte d'un secteur à un autre. Le pétrissage s'effectue en effet à la main et à la force des bras du pétrisseur surnommé le « fort à bras » ou le « geindre », appellation qui rend compte de l'effort exigé durant une opération qui dure de 40 à 50 minutes. Il nécessite un long apprentissage pour en acquérir tous les gestes et savoir l'adapter au type de pain et à la qualité de la farine. La mécanisation du pétrissage est progressive et relativement tardive, se heurtant principalement au problème de la force motrice à mettre en œuvre. Le changement va se faire en considération des conditions d'hygiène déplorables qu'implique un effort semblable, générateur d'une sueur qui va inévitablement se mélanger à la pâte au cours du pétrissage. Les conditions de travail restent pénibles : exposé toute la journée à la chaleur du four, à l'humidité, le boulanger est aussi un travailleur de la nuit (travail de nuit rendu nécessaire par les méthodes mises en œuvre et la nécessité de fournir du pain frais tôt le matin). Il est ce « mineur blanc », travailleur nécessairement asocial, usé prématurément à quarante ans et souffrant fréquemment de maladies respiratoires. Le développement des boulangeries correspondant à un phénomène initialement urbain et tout particulièrement parisien, les fournils doivent trouver leur place dans des locaux très exigus et sont, le plus souvent, relégués au sous-sol. Ce qui contribue à renforcer le sentiment du boulanger d'être relégué en dehors des cercles des vivants.

La deuxième moitié du XIXe siècle et spécialement l'Exposition universelle de 1855 voient apparaître un grand nombre d'innovations et en particulier, en matière de pétrin, des cuves de forme circulaire se démarquant absolument des modèles proposés jusque-là, inspirés encore des modèles manuels, et conservant des formes rectangulaires ou mi-cylindriques. Dans les années 1900, des modèles de pétrin beaucoup plus efficaces sont mis sur le marché, telle la gamme de pétrins suisses Artofex, caractérisés par leurs deux bras plongeants. Le Syndicat de la boulangerie parisien s'empare du problème en lançant une enquête comparative destinée à évaluer l'efficacité des différents pétrins. L'électrification des villes et la conception de moteurs électriques suffisamment petits autorisent une généralisation des pétrins mécaniques, rendue nécessaire par la mobilisation des jeunes ouvriers boulangers. Les années 1920 voient le développement des pétrins à axe oblique, bien adaptés au pétrissage des pâtes à pain français, accompagné, dans les années 1960, de l'installation de refroidisseurs d'eau nécessités par la technique du pétrissage intensifié qui entraîne la disparition de la fermentation sur bannetons d'osier au profit des toiles de lin. Dans les années 1980, l'offre de pétrins à axe oblique est complétée par la mise au point des pétrins à spirale, permettant notamment de travailler de petites quantités de pâte, ces modèles pouvant fonctionner en-deçà de leur capacité maximum. La mécanisation des fournils est complétée par l'apparition des balancelles, des diviseuses et des chambres de fermentation contrôlée. Ainsi se dessine, petit à petit, la configuration du fournil moderne et de ses équipements.

Plan d'un fournil type de boulangerie (60 quintaux) :

Implantation générale d'un fournil

Cette implantation type ne préjuge pas de la tendance actuelle consistant à ouvrir le fournil sur la boutique ou sur la rue à la vue des consommateurs, à «mettre en scène» les étapes de la panification. Elle ne montre pas non plus les améliorations considérables apportées en matière d'hygiène, au niveau des sols et des murs, en particulier.

Dominique Descamps

• *Voir aussi :* Artofex; Balancelle; Banneton ou panneton; Brigadier; Chambre de fermentation (ou pousse) contrôlée; Couche; Coup de lame; Enfournement-défournement; Four; Fournier; Geindre; Gueulard; Levain, levain-chef, levain de première, de seconde, de tout point; Pain domestique; Pétrin; Peseuse-diviseuse; Pétrissage; Pétrissage avec les pieds; Talemelier; Tour

Bibl. : Jérôme ASSIRE, *Le Livre du pain*, Paris, Flammarion 1996 • Laurianne BARBIER, «L'heureux temps du bon pain», maîtrise d'Histoire, université Paris-IV, 1996 • Raymond CALVEL, *Le Goût du pain*, Les Lilas, Éditions Jérôme Villette, 1990 • Roland GUINET, *Technologie du pain français*, Paris, BPI, 2004 • Philippe ROUSSEL, Hubert CHIRON, *Les Pains français*, Vesoul, Maé-Erti, 2004.

FOURNIL PRESSE-BOUTON. – Voir TECHNOLOGIES BOULANGÈRES

FOURNIQUER. – Voir SEXUELLE (le pain comme métaphore)

FOYER. – Avant l'adoption des fours, ou bien de manière opportuniste chez les populations nomades, la cuisson de différents types de galettes et de pains s'effectue dans le foyer. L'étymologie des *foccacia*, *fougasses*, *fouées* y fait directement allusion. Adam Maurizio, qui a étudié les différentes formes de boulangeries primitives, fait fréquemment référence à la cuisson sous la cendre (toujours pratiquées par les Touaregs par exemple), mais également à une variante consistant à utiliser des pierres plates ou, mieux, des tuiles. Les «pains à la cendre» doivent nécessairement être assez plats. Une fois cuits, ils sont méthodiquement époussetés afin d'enlever toute traces de cendres. Une autre solution utilisée par les randonneurs de tous pays consiste à cuire des morceaux de pâte enroulés sur un bâton ou encore le *camp bread* sur des grils de branchages. L'utilisation de poterie est également une formule très efficace; le fait de retourner l'une de ces poteries dans le foyer puis de la recouvrir de cendres incandescentes pourrait constituer le lien avec le four à cavité humide.

Hubert Chiron

• *Voir aussi :* Âtre; Focaccia → Italie; Fougasse, fouace, fouasse → France (pains actuels, pains régionaux); Four; Four (symbolique du); Pain (définition universelle du); Touaregs → Taguela → Algérie

Bibl. : A. MAURIZIO, *Histoire de l'alimentation végétale depuis la Préhistoire jusqu'à nos jours*, Paris, Payot, 1932.

FRACTIO PANIS **(«fraction et bénédiction du pain»).** – En plein cœur de notre Moyen Âge occidental (XIIe-XIVe s.), voir attestée une liturgie de fraction et bénédiction du pain rappelant fortement des pratiques de l'Église primitive et en rupture avec la théologie de la transsubstantiation eucharistique alors en cours de cristallisation (concile du Latran, 1215) n'est pas sans poser questionnement. C'est pourtant le fait, en Italie et dans les pays d'oc du moins, de la forme de religiosité chrétienne dénoncée et finalement éradiquée comme hérésie par l'Église romaine médiévale, et que l'on désigne aujourd'hui du nom générique de «cathare». Les intéressés eux-mêmes, organisés en contre-Églises, sous l'autorité d'évêques ordonnés, prétendaient à la filiation apostolique et ne se donnaient d'autre nom que chrétiens ou apôtres. Leurs fidèles appelaient ces religieux dissidents des bons hommes et des bonnes femmes. La revendication cathare nous reste paradoxale : évangélique, elle développait contre l'Église militante et théocratique de son temps une critique fondamentale ; rationaliste avant la lettre, elle raillait le caractère «superstitieux» du culte des saints, des reliques et des miracles, dénonçait les illusoires magies eucharistiques ; archaïsante, elle incarnait aussi, contre l'Église réformatrice, une réelle forme de résistance chrétienne, que ce soit en matière de liturgie baptismale, d'organisation ecclésiale ou de tradition d'exégèse néotestamentaire. En témoigne la pratique du «pain de la sainte Oraison».

Le geste liturgique dont il est question est bien connu, tant par les dépositions de témoins devant l'Inquisition que par les rituels cathares proprement dits. Il se présente comme un rite eucharistique caractérisé, mais se pratiquant à table avant chaque repas et non à l'autel au cours d'une cérémonie cultuelle, des mains d'un religieux consacré qui pouvait être une femme aussi bien qu'un homme. Au début de chaque repas, en maison communautaire, dans une auberge, au bord de la route ou au logis de bons croyants, tous les convives se tenant respectueusement debout, le plus âgé des bons hommes ou des bonnes femmes présents prenait le pain dans une serviette blanche, le posait contre son épaule gauche et le bénissait de la main droite en prononçant sur lui, à voix basse, des paroles rituelles, avant de le rompre et de le distribuer aux convives, religieux et fidèles, qui le recevaient en disant : «*Benedicite.*» Quelques témoignages devant l'Inquisition évoquent également le partage d'une coupe de «très bon» vin. En général, l'officiant(e) commentait son geste en quelques mots, précisant à voix haute aux croyants que le pain ainsi bénit ne se changeait pas en corps du Christ, comme le prétendait mensongèrement l'Église romaine, mais restait du pain bénit – appelé aussi pain de la sainte Oraison ou pain de la Parole.

Ce rite cathare de bénédiction du pain à la table, attesté déjà chez certains groupes hérétiques du XIe siècle, plus qu'il n'annonce la Cène protestante, qui sera célébrée au cours d'un culte, reproduit assez fidèlement le rite de la *Fractio panis*, bénédiction et partage du pain rituellement pratiqués au début de l'*Agape* – ou repas fraternel des premières communautés chrétiennes. Faut-il y voir une survivance antique, ancrant la tradition dissidente dans un fond authentiquement paléochrétien, ou une recomposition médiévale, sur la base des textes néotestamentaires (Actes, Première Épître aux Corinthiens) documentant le geste, de la part de groupes chrétiens particulièrement soucieux, comme ce fut le cas des cathares, de suivre fidèlement la «voie apostolique» ? Quoi qu'il en soit de l'exacte origine de ce rite archaïsant, qu'il faut bien sûr situer dans le contexte des autres liturgies cathares, la symbolique du pain de la sainte Oraison est clairement celle de la mission apostolique : ce pain est celui de la parole de Dieu à répandre et partager entre les hommes. On sait que cette tradition d'interprétation est ancienne, car le Nouveau Testament l'a héritée déjà de la « vision du livre » qui figure dans Ézéchiel (III, 1-4) – le rouleau des paroles de Dieu, que le prophète doit manger avant de les rapporter au peuple d'Israël. On peut reconstituer assez précisément les paroles de la bénédiction que prononçait sur le pain, à voix basse, l'officiant(e) cathare, car selon les dires des bons hommes eux-mêmes – rapportés aux inquisiteurs – c'étaient « les mêmes mots que ceux prononcés par le prêtre à l'autel », c'est-à-dire les références néotestamentaires de la Cène du Christ. Les bons hommes cathares bénissaient et partageaient le pain à leur table selon la parole « Faites ceci en mémoire de moi » (I Corinthiens XI, 26) – dont l'Église romaine avait fait le fondement de l'institution de la messe. Et de cette messe catholique, les bons hommes disaient qu'« en elle il n'y a rien qui soit vérité, sauf l'Évangile et le *Pater* ».

Parmi les paroles de la bénédiction du pain, à côté de ces textes scripturaires (« l'Évangile »), figuraient en effet, de manière assurée, une ou plusieurs récitations rituelles du *Pater* – la sainte Oraison. Les bons hommes accordaient une très grande importance à la prière donnée par le Christ à ses apôtres et que, dans leurs églises, seuls les chrétiens ordonnés avaient le pouvoir – et le devoir – de dire. Leurs rituels, qui consignent la liturgie de la « tradition de la sainte Oraison » au novice avant ordination, indiquent ainsi que bons hommes et bonnes femmes devaient dire le *Pater* en diverses occasions de la journée, et tout particulièrement au début de chaque repas. De la prière liturgique par excellence, ces livres cathares ont conservé deux gloses, l'une en latin et l'autre en occitan, qui éclairent la signification du « pain de la sainte Oraison ». Cette formulation précise est en effet à mettre en relation avec la lecture « pain supersubstantiel » (*panem supersubstantialem*), conforme à la leçon retenue dans l'Évangile de Matthieu (VI, 11), qui illustre la version du *Pater* attestée dans les rituels cathares. Les théologiens dissidents comprenaient le mot au sens de « suprasubstantiel », c'est-à-dire « situé plus haut que la matière », conforme à leur exégèse dualiste du Nouveau Testament et à leurs conceptions docétistes de la nature du Christ, pour eux purement spirituelle – ce qui leur interdisaient, entre autres, toute lecture matérialiste de l'eucharistie. Partager le pain immatériel de la parole divine n'équivaut pas à partager un « pain quotidien », fruit du travail et garant de la vie physique des hommes et de leur société terrestre. Aussi bien, la variété du pain que les bons hommes bénissaient et partageaient n'avait-elle en soi aucune importance : c'était le pain « quotidien » qu'ils avaient sous la main pour l'occasion du repas, grosse miche communautaire, aussi bien que fine galette cuite rapidement par les bergers, ou petit *tonhol* des pauvres à la mie serrée. Le pain n'était là que pour remémorer le message du Christ. Voici, pour exemple, un court extrait de la glose du *Pater* figurant dans le rituel cathare latin (Italie, vers 1250) : « L'Apôtre dit dans sa première épître : “Parce que ce pain est unique, à plusieurs nous ne sommes qu'un seul corps, car nous participons tous de ce même pain et de ce même calice” (I Corinthiens X, 17). Cela signifie : nous participons au même sens spirituel de la Loi, des prophètes et du Nouveau Testament… C'est du pain supersubstantiel qu'il s'agit ici. »

L'interprétation spiritualiste que les théologiens cathares donnaient à la pratique quotidienne de leur simple pain bénit se rapprochait en fait de la notion de communion en Dieu – alors même qu'ils repoussaient, comme supercherie, toute idée de transsubstantiation eucharistique. Ce qui n'empêche que leurs fidèles, chrétiens parfaitement ordinaires des bourgades méridionales, accordaient au pain de la sainte Oraison des bons hommes une valeur de sacralité, qui se développa parfois en fonction protectrice, voire thaumaturge bien concrète, quand la répression inquisitoriale, à partir du milieu du XIIIe siècle, eut placé les malheureux, orphelins de leurs pasteurs, face au péril. On vit alors des croyants et croyantes cathares conserver pieusement, durant tout le reste de leur vie, de petits bouts séchés et racornis du « pain bénit des bons hommes », se répétant entre eux que ces pauvres reliques des religieux brûlés ou proscrits avaient « le même pouvoir » de sauver leur âme.

Anne Brenon

• *Voir aussi :* Cène ; Compagnon ; Eucharistie ; Fête-Dieu ; Franc-maçonnerie ; Hostie ; Hostie profanée ; Hosties (moulins à) ; Interdits liés au pain ; Messe ; Miracles christiques ; Miracles eucharistiques ; Moulin mystique de Vézelay ; Pain bénit ; *Panis angelicus* ; Rite orthodoxe ; Si le grain tombé en terre ne meurt ; Théologie du pain ; Transsubstantiation

Bibl. : Anne BRENON, *Les Cathares*, Paris, Albin Michel, 2007 • Jean DANIÉLOU, *L'Église des premiers temps. Des origines à la fin du IIIe siècle*, Paris, Seuil, 1985 • René NELLI, *Écritures cathares. Nouvelle édition actualisée et augmentée par Anne Brenon*, Paris, Le Rocher, 1995 • Étienne TROCMÉ, *L'Enfance du christianisme*, Paris, Hachette, coll. « Pluriel », 1999.

FRACTIONNEMENT. – Voir MOUDRE

FRAGMENTATION. – Voir MOUDRE

FRANCE (pains actuels, pains régionaux). – Pendant des siècles, les pains n'ont pu être différenciés autrement qu'en fonction de considérations sociales, de par la qualité des farines et par conséquent de la couleur du pain, le blanc symbolisant la pureté et donc ce qu'il y avait de meilleur. On a opposé traditionnellement les pains des campagnes aux pains des villes, ces derniers étant généralement plus petits et beaucoup plus variés. Les pains régionaux ont surtout contribué à valoriser le terroir, c'est-à-dire tout ce qui était produit sur place, à commencer par les variétés céréalières locales et leur mode de transformation. Chaque pain constitue un ensemble de gestes, un langage vernaculaire, un savoir-faire local, élaboré et perfectionné de génération en génération. Chaque pain exprime des habitudes culinaires, des goûts particuliers : croûte, mie, ajout ou non d'une matière grasse, texture, fermentation, cuisson, etc. sont autant de marqueurs qui permettent de replacer un pain à sa région d'origine. Les pains régionaux sont aussi étroitement liés à l'histoire du pays, notamment ceux des provinces frontalières (sübrot, pain de Nice, etc.). Certains ont bénéficié de privilèges accordés aux boulangers d'une ville ou d'une région (comme l'usage de la levure de bière pour la faluche ; le pétrissage à l'eau de mer pour le pain de Cherbourg) ; ou ont pu échapper à la taxe, comme la baguette parisienne. Dans bien des cas, les pains régionaux sont toujours associés aux activités locales, comme la pêche en haute mer ou le pastoralisme en montagne, des professions qui réclament des pains de longue conservation. Les pains régionaux transmettent parfois une légende, un mythe (c'est le cas du paillasse de Lodève, du pain cordon, du pain bouilli de Villar-d'Arêne…). Mais, dans bien des cas aussi, les pains régionaux ont fourni aux boulangers l'occasion de donner libre cours à leur imagination, d'exprimer leur sensualité par des formes plus ou moins suggestives, bref, de nous communiquer leur amour du pain.

ALSACE

Bretzel. Spécialité alsacienne salée, saupoudrée de cumin. C'est un cordon de pâte dont les extrémités s'entrecroisent en forme de huit. On le fait tremper dans un bain de soude dilué qui lui confère une coloration orangée. Le bretzel apparaît souvent sur les armoiries des corporations de boulangers alsaciens, particulièrement ceux de Strasbourg. Cependant, sa vente se fait non pas dans les boulangeries, mais sur le comptoir des brasseries, à portée de main des buveurs de bière.

Fer à cheval. Localisé dans le nord-est de la France (Aisne, Ardennes, Haute-Marne, Haute-Saône, Vosges), c'est un pain de blé fendu en forme de fer à cheval.

Flammkuchen. « Gâteau de flamme ou à la flamme » : la pâte de pain est étendue aussi mince que possible et cuite au four à pain ; très croquant, on le sert brûlant, parsemé de petits morceaux de beurre et saupoudré de sel et de cumin. [Jim Chevallier]

Kougelhopf. Spécialité alsacienne par excellence, même s'il semble plutôt originaire des pays de l'Est. Se rapprochant d'un gâteau, c'est un pain brioché aux raisins secs, très enrichi en beurre et en œufs (on en fait aussi avec des lardons). Sa forme typique, un anneau bombé et cannelé, est obtenue à l'aide d'un moule qui est souvent décoré et prisé pour lui-même. Soufflenheim a une tradition séculaire de fabrication de moules à kougelhopf en terre cuite, mais il existe aussi des moules en cuivre et en tôle. Le kougelhopf a suscité diverses légendes : par exemple l'idée que les Rois mages l'auraient introduit en Alsace : « C'est dans cette petite ville de 5 000 habitants que les Rois mages se seraient arrêtés pour une halte et auraient offert à l'aubergiste le fameux kougelhopf. Depuis, Ribeauvillé fête le gâteau alsacien chaque été » (site de Ribeauvillé, 2009). Comme pour le croissant et le bagel, on a prétendu aussi qu'il avait été inventé lors d'un siège de Vienne (Sheraton 1964). Une autre version veut que Stanislas Leszczyński, roi de Pologne avant d'être duc de Lorraine et de Bar, l'ait introduit d'abord en Lorraine et qu'en plus, essayant de le flamber avec du rhum, il ait alors nommé sa création, en hommage au personnage d'Ali Baba qu'il affectionnait, « baba au rhum » (Toussaint-Samat 1994). [Jim Chevallier]

Maennele. Brioches en forme de petits bonshommes, avec des raisins secs pour les yeux, la bouche et le nombril. On dit aussi « maennele de la Saint-Nicolas», puisqu'ils sont offerts aux enfants à Noël. [Jim Chevallier]

Moricette. Pain inventé par Paul Poulaillon. C'est un bretzel de forme ovale, dont on peut se servir aussi pour les sandwichs. [Jim Chevallier]

Sübrot. Ce petit pain alsacien, dont le nom signifie «pain d'un sou», est également connu sous d'autres vocables à consonance germanique : suweckele, sous-weck, wekele, süwekle, etc., en raison du passé historique de cette province âprement disputée par les Français comme par les Allemands. Le sübrot existait déjà en 1870 et sans doute même avant, mais la grande époque de ce petit pain de blé se situe entre les deux guerres, période pendant laquelle les Alsaciens luttaient contre la germanisation. À Strasbourg, on compare un beau sübrot à des fesses de vierge, mais, lorsqu'il est raté, on le qualifie de «prussien» ! Le sübrot est présent dans le Bas et le Haut-Rhin, mais c'est avant tout une spécialité strasbourgeoise. Le boulanger prépare deux abaisses de pâte, dont l'une est enduite de matière grasse et légèrement farinée ; après les avoir superposées, il découpe des losanges assemblés deux à deux, pointe contre pointe, et dressés sur couche. Au cours de la cuisson, la matière grasse favorise l'ouverture et la formation de deux paires de lobes croustillants et dorés. Le sübrot se vend entier «par paires» ou par moitié. C'est un pain qui se savoure surtout au petit déjeuner.

AQUITAINE, PYRÉNÉES

Couronne bordelaise. Constituée de plusieurs boules (la «gasconne» est à six boules, la «bordelaise» ou «couronne de Bordeaux» à huit ou neuf), elle est appelée «couronne Marguerite» ou «pain marguerite» par ceux qui s'abstiennent de les compter. Chacune de ces boules est encapuchonnée dans un voile de pâte, dont l'arête croustillante doit se relever et bien se décoller ; aspect qui fait penser à la tabatière du Jura. Il existe d'ailleurs une autre couronne analogue dénommée «couronne lyonnaise», composée uniquement de petites tabatières. La couronne bordelaise se fractionne de manière que chaque convive reçoive son petit pain.

Flambade. Comme son nom l'indique, il cuit à proximité des flammes. C'est un pain rond, plat, taillé à jour, et saisi à four chaud, dont l'aspect est proche de la fougasse. Les boulangères s'en servaient pour «faire le poids» lors de la vente des gros pains.

Gascon ou grigne des Landes. Ce pain du Lot-et-Garonne, roulé sur lui-même, s'appelle l'«agenais» lorsque la languette finale se trouve en dessous, et le «gascon» lorsqu'elle est au-dessus. Ce type de façonnage dégage une grigne de chaque côté, une forme qui lui vaut aussi le nom de «deux-nœuds» ou «grigne des Landes». La cuisson du pain gascon se fait en deux temps : 15 minutes à four fermé, puis 2 à 3 heures à four ouvert. C'est un pain à croûte épaisse et à mie serrée.

Méture du Béarn. Lorsque le maïs fait son apparition dans le Sud-Ouest au XVIe-XVIIe siècle, il prend la place du millet. Le «petit millet» est ainsi remplacé par ce qu'on nomme le «gros millet» (également «bled de Turquie»). Au XVIIIe siècle, le maïs supplante le millet. On le consomme sous forme de bouillies, broyes ou millasses ; de galettes, taloak, cuites à la poêle ou sur un gril ; de miques, boules de pâte que l'on fait cuire dans le bouillon ou l'eau des boudins le jour du pêle-porc. Le maïs entre aussi dans la composition d'un pain de mélange, d'où le nom de « mesture », « mesturet ». L'ajout de farine de blé est nécessaire pour faire lever la pâte, car le maïs est dépourvu de gluten. En raison de sa fluidité, la pâte doit cuire dans un moule ou une terrine. Parfois, on utilisait des feuilles de chou pour aider au démoulage. Le broa des Portugais est cuit aussi dans les feuilles de chou.

Souflâme. À l'instar de la flambade, c'est une sorte de galette que l'on fait cuire à l'entrée du four pendant la chauffe, et dont la pâte est échancrée sur un seul côté. Dans les Charentes, on la déguste tiède, avec des rillettes ou du pâté.

Tignolet. La forme du tignolet lui donne un aspect avantageux et replet, en témoigne l'expression « *redoun coum û tegnolét* » (« grassouillet comme un tignolet »). Ce pain de blé du Sud-Ouest et du piémont pyrénéen est fermenté au levain et bénéficie d'une cuisson lente pour lui permettre de faire de la croûte. Ce pain de bonne conservation convient aux montagnards et aux bergers. Il est très apprécié dans les soupes et son « fumet » relève à merveille celui du foie gras.

Tordu du Gers. Pour certains, c'est un pain de Lot-et-Garonne, c'est-à-dire de la Gascogne. Poilâne le situe dans le Sud-Ouest (1981). Il doit son nom au fait qu'il est roulé en torsade à deux ou trois tours, ce pourquoi on l'appelle aussi « le tourné ». Pour obtenir la forme torsadée, le boulanger écrase la partie médiane du pâton avec un rouleau de bois ou à l'aide de son bras pour dégager deux bourrelets, lesquels sont séparés l'un de l'autre par un voile de pâte qui facilite et participe à la torsion du pain. On tord le pâton comme un torchon qu'on essore en le tenant par les deux extrémités. La forme du pain tordu privilégie la croûte, une croûte lisse et terne propre aux pains qui cuisent lentement et longtemps dans un four sans buée. La mie est légèrement serrée, crème, très alvéolée et souple. Coupé, il forme des tranches doubles consommées en casse-croûte, au goûter ou pour accompagner les confits, confits de canard, confits d'oie.

AUVERGNE

Auvergnat. Petit pain rond surmonté d'une coiffe. Celle-ci est constituée d'un disque de pâte posé au sommet de la boule.

Bourriol. Nom masculin, du patois auvergnat (Cantal, France), désignant une sorte de crêpe fine au blé noir, appelée aussi *bourior* (voir Bescherelle, *Dictionnaire national*, 1860, 2 tomes ; K.-H. Reichel, « L'Auvergne lexicale » in *Bïza Neira*, n° 109, 2001, de *bourril* : « grumeau de laine », 1860), *galetou*, *pompe*, *pascado* ou *poscachoû* (Aveyron), *tourtou* (basse Corrèze), etc. Composition et préparation du bourriol permettent de le distinguer de sa cousine armoricaine : la pâte comprend ¾ de farine de blé noir, ¼ de froment, du petit-lait, de la levure naturelle et une belle pincée de gros sel. Après 5 heures de repos, elle devient mousseuse et doit être battue, puis étalée en louche sur une grande poêle en fonte plate très chaude et graissée au lard. La cuisson se pratiquait dans le cantou (vaste cheminée du Sud-Ouest), la poêle posée sur un trépied. Le bourriol se déguste chaud ou froid, salé ou sucré, et peut remplacer le pain lors des repas. Se conservant parfaitement, il sert d'en-cas pour la chasse, la moisson, la pâture. [Philippe Di Folco]

Pain de seigle de Thiézac. Thiézac se situe dans le Cantal à trente kilomètres d'Aurillac. Cette bourgade est renommée pour ses tourtes de seigle, « pur seigle » comme aiment à le souligner les boulangers du cru. Autrefois, dans cette région, chaque ferme avait à charge de cultiver son seigle pour produire son pain. Lors des fournées hebdomadaires, les tourtes (de 6 à 8 kilos) étaient distribuées dans de grandes corbeilles enfarinées, les paillats, avant d'être transportées au four. Puis c'est le chef de famille qui, d'un geste large, entamait les pains en découpant les « trempes » indispensables à la préparation de la soupe quotidienne. Les tourtes de seigle étaient aussi associées à la fabrication de la « poudre bleue » ou penicillium vert, nécessaire à l'affinage des fromages bleus. De nombreux fromages à pâte persillée sont ainsi nés du *penicillium glaucum*. Il y a cinquante ans, on comptait trois entreprises de « poudre bleue » à Thiézac. Le pain de seigle entrait aussi dans de nombreuses recettes comme la fromajada (soupe au choux et fromage), le lou charassoun (petit-lait, lait, ail et seigle rassis), le leis brisas (lait, présure et pain de seigle rassis), l'aiga bulhida (eau, oignons, pain de seigle rassis, cantal, sel et poivre en grains).

BRETAGNE

Bara segal. Ce pain breton, dont le nom signifie « pain de seigle », est pétri avec du seigle gris, un grand levain et un pourcentage de blé. La proportion de seigle oblige à attendre le lendemain pour le trancher.

Chapeau du Finistère. Pain des monts d'Arrée. Il s'apparente au pain domestique, mais compte deux boules au lieu d'une seule. Les deux boules sont superposées, celle du dessus étant plus petite que l'autre ; avant la mise au four, le boulanger enfonce l'index au milieu afin de les solidariser et pour mieux les centrer. Le pain chapeau est un pain à croûte épaisse qui offre deux textures de mie, plus légère dans la boule supérieure, plus dense dans celle de dessous. De l'autre côté de la Manche, on trouve un pain équivalent : le *cottage loaf* (« pain de ménage »), mais pour lequel la ménagère anglaise utilise de la levure en guise de levain, et ajoute parfois du sucre et de la margarine dans la pâte.

Craquelin. Biscuit sec friable, craquant sous la dent (définition étymologique). Le craquelin des pays de Rance (région de Saint-Malo) correspond à une fabrication de type échaudé très expansé, de forme ronde légèrement creusée, dont la pâte, composée de farine, eau, œufs, malt et poudres levantes, est pétrie et briée, laminée et découpée à l'emporte-pièce. Les pâtons obtenus sont échaudés dans de l'eau frémissante pendant 1 min environ, refroidis dans l'eau, séchés et recuits dans un four chaud, où ils s'expansent fortement. [Philippe Roussel]

Mirau. Originaire des Côtes-d'Armor, ce pain à pâte ferme, est à base de blé avec un pourcentage de seigle.

Il subit un coup de lame profond au moment de la mise au four. Sa croûte est épaisse, sa mie dense.

Mousic. Pain de froment du pays nantais. Fermenté au levain, il repose dans un paneton avant la cuisson. Sa croûte brillante est dorée à l'eau.

Pain bateau. Pain de blé cuit deux fois pour mieux se conserver. Destiné aux pêcheurs qui partaient en mer plusieurs semaines ou plusieurs mois, on l'appelle aussi « recuit » ou « pain des marins ».

Pain bonimate. Pain de méteil du Morbihan, en forme de boule, dont le contenu est moitié blé, moitié seigle. Il est fariné sur le dessus et lamé en parallèle.

Pain gallois. Fait à base de pommes de terre et de froment, ce pain aurait été inventé par un certain M. Gallois et préconisé par le préfet du Finistère en 1853 pour faire face aux fréquentes disettes.

Pain noir. Pain de seigle complet, très dense, dont le pétrissage se fait à l'eau bouillante et dont la fermentation longue se fait en deux temps. Sa croûte noire est décorée à la fourchette avant l'enfournage.

Pain rennais. Pain rond assez plat avec une croûte de l'épaisseur d'un doigt. Ce pain fermente au levain lentement dans des panetons spéciaux, ronds et bas. Sa mie est très aérée et ferme.

Pain saumon. Pain de froment pétri à la levure et cuit dans un moule en forme de barque ou de boîte, d'ou son surnom « pain boîte ».

Plié de Morlaix. Le plié de Morlaix est connu sous les noms bretons *bara pleget*, et *bara michenn* lorsqu'il est plié en portefeuille, une forme que l'on retrouve de l'autre côté de la Manche sous l'appellation *Cornish brick.* Le plié a un cousin normand à Cherbourg, dont la particularité est d'être pétri à l'eau de mer, privilège pour les boulangers qui échappaient ainsi à la gabelle. Le plié est un pain fermenté au levain qui bénéficie d'une plus longue fermentation que les autres pains, ce qui lui vaut un goût légèrement acidulé. Au dire des boulangers bretons, c'est le façonnage qui donne au pain sa spécificité, et c'est au dernier moment, juste avant la mise au four, qu'ils rabattent la bosse du pain. À la sortie du four, le pain de Morlaix doit avoir une tête bien colorée et la croûte bien sonnante. Dans le pays de Léon, c'était la base de tous les repas : le matin on le mangeait en casse-croûte, avec du lard, du beurre, ou dans le boued café, une soupe de café au lait trempée de morceaux de pain.

Tourton. Dans la Loire-Atlantique, on fait ce pain avec les grattures de pâte que l'on enrichit avec du sucre, des œufs et du beurre. Le tourton est ensuite doré à l'œuf.

BOURGOGNE

Cordon de Bourgogne. Pain de blé de forme oblongue surmonté d'un cordon, le pain est ainsi cordonné. Autrefois, le boulanger se servait d'un cordon textile et, au moment de la cuisson, le pain s'ouvrait en deux. C'est à Vézelay, en 1217, que saint François d'Assise envoya deux de ses disciples fonder la première mission hors d'Italie. Les frères cordeliers établirent leur ermitage près de la chapelle Sainte-Croix, qui s'appela par la suite « La Cordelle » en raison du cordon que les Franciscains portent à la taille en signe de pauvreté. Fidèles à leur doctrine, ils parcouraient les routes pour mettre en pratique les paroles de l'Évangile : recevoir et partager le pain de charité. Or, ce sont ces deux symboles, le cordon et le partage du pain, que l'on retrouve d'une certaine façon dans le pain cordon. Le pain est ainsi interdit de coup de lame (allusion au partage eucharistique du pain) : si le pain s'ouvre en deux, c'est grâce au cordon.

CENTRE

Maniode. Ce pain ardéchois est composé de blé (75 %) et de seigle (25 %). Fermenté au levain, c'est un pain long, fendu, recouvert de farine de seigle.

Seda. Pain du Cantal dont la farine contient une forte proportion de son. On le fait fermenter dans des paillasses confectionnées avec de la paille de seigle et de la ronce refendue. La croûte farinée fait apparaître une croix de la grandeur du pain.

CORSE

Voir CORSE

FRANCHE-COMTÉ

Gaude. Spécialités anciennes du Jura et de la Bresse (Rhônes-Alpes, Bourgogne, Franche-Comté). On désigne ainsi de la farine de maïs grillée, préparée le plus souvent en potage, ou soupe ou bouillie. « Les vraies "gaudes" sont tout simplement une bouillie de "treuqué" [nom patois du maïs, de la vieille appellation « turquis », ou « blé de Truquie »], à l'eau, légèrement salée, de la consistance d'une bouillie pour bébé, assez épaisse. Elle est servie dans l'assiette-calotte, l'écuelle, autrement dit, que l'on n'emplit qu'à moitié. On finit de la remplir avec du lait cru, fraîchement trait. On la mange savamment en prenant, dans sa cuiller, un peu de "gaudes", au fond de l'écuelle, et un peu de lait resté en surface et tiédissant au contact de la bouillie. Le raffinement est obtenu par le contraste entre la bouillie chaude légèrement salée et le lait naturellement sucré et frais, et encore entre la rugosité relative de la farine grillée et la douceur du lait, ou enfin, pour l'œil qui lui aussi doit se régaler, entre la belle couleur ocre doré du maïs et la blancheur et l'onctuosité lactique » (Henri Vincenot, *Cuisine de Bourgogne*, Paris, Denoël, 1987). On prépare également les gaudes en sablé sous le nom de gaudrioles. [J.-P. de T.]

Tabatière du Jura. On la trouve dans l'Yonne, la Côte-d'Or, la Saône-et-Loire, la Haute-Saône, le Doubs et surtout dans le Jura. Ce qui caractérise la tabatière, c'est la languette de pâte qui se rabat sur le dessus du pain à la manière d'une blague à priser ou d'une tabatière, cet objet manufacturé ayant fait par ailleurs la renommée de Saint-Claude. Le boulanger allonge la pâte sur un côté du pâton pour dégager une languette suffisamment longue afin de couvrir le pain. Au four, la languette aura tendance à se relever et à former un bel arrondi. Plus exposée à la chaleur du four, la languette de pâte est plus colorée, plus croustillante ; dessous, le pain est plus souple, plus moelleux.

ÎLE-DE-FRANCE

Baguette. Voir BAGUETTE

Bâtard. Pain de 250 g, qui fait environ la moitié de la taille de la baguette.

Cette appellation n'apparaît pas avant le XXe siècle. Peut-être est-elle en lien avec la pâte bâtarde, ainsi définie par Malouin (1779) : « La pâte bâtarde n'est ni ferme ni molle, elle tient de la molle et de la ferme. » [Jim Chevallier]

Ficelle. Pain allongé et mince de 100 g. « Lorsque les baguettes sont très longues et de la grosseur d'un doigt, elles prennent le nom de ficelle. La ficelle de 100 g fait partie des pains dits de fantaisie, vendus à la pièce » (Arpin 1948). Un siècle plus tôt, l'Encyclopédie Roret (*Le Nouveau Manuel complet du boulanger, du négociant en grains, du meunier et du constructeur de moulin*, 1846) désigne encore sous le nom de baguette un morceau de pâte de 25 g, long environ de 30 cm et très aminci, ne contenant que peu ou pas de mie.

Flûte. Le mot a une longue histoire dans la panification. Parmentier (1778) semble l'utiliser pour indiquer, de façon générale, les pains longs et minces qui commencent juste à remplacer la boule à cette époque : « On a abusé de cette forme en l'allongeant en flûte, de manière que ce n'est plus de la croûte au lieu de pain. » Cet usage général semble avoir persisté, puisqu'on trouve encore des flûtes en 1908 : « Des flûtes jocko » (Huysmans 1908). Pourtant, déjà en 1807, on parle aussi des « flûtes de M. Battu [qui] continuent d'être bonnes » (*Almanach des gourmands*, 1807). Pendant tout le XIXe siècle, on l'a définie comme un « petit pain long ». Il est possible de considérer simplement la flûte comme faisant partie d'une famille de pains longs désignée sous le nom générique de « baguette », à laquelle appartiennent aussi la ficelle et la baguette proprement dite. Si aucun texte réglementaire ne fixe le poids de ces différents pains, l'appellation « baguette » concerne des pains longs (autour de 70 cm) de 250 g et l'appellation « flûte », un pain de 200 g. [Jim Chevallier]

Jocko (joco, joko, etc.). Pain du XIXe siècle disponible encore au XXe siècle, très rare aujourd'hui. On le réalisait de plusieurs poids et longueurs, parfois jusqu'à 2 m ! Avec ses grignes en diagonale, il ressemblait a une baguette géante. Avant la baguette, quand on parlait outre-mer d'un pain français, il s'agissait le plus souvent d'un jocko. Son nom est celui d'un singe célèbre : « Pain long à la mode depuis 1824, année où le singe Jocko était à la mode » (Larchey 1888) ; il peut dériver aussi du pain coco de Languedoc (voir FRANCE, pains historiques). [Jim Chevallier]

Pain fendu dit « à grigne ». – Voir GRIGNE

Pain marchand de vin. Pain long de farine de blé couramment fabriqué par la boulangerie parisienne entre 1840 et 1940. Sa dénomination évoque explicitement sa destination : les bistrots et autres restaurants ouvriers ; tout particulièrement dans le quartier des Halles, « le ventre de Paris ». Plus le pain était long pour un poids donné et plus le débitant pouvait fabriquer de casse-croûtes… Une étonnante course à la longueur intervint dans les fournils parisiens ! Vers 1840, le pain marchand de vin pesait quatre livres et il était façonné fendu. Barral cite en 1863 (*Le Blé et le pain, liberté de la boulangerie*, Paris, Librairie agricole de la Maison rustique) une variante dite de deux livres pesant

800 g et mesurant 1,10 m. Le plus long des pains longs allait encore grandir, divers catalogues de fournisseurs parisiens de matériels de boulangerie proposant des bannetons de stupéfiante longueur : 1,70 m. Le façonnage d'un tel pain devait nécessiter des farines très extensibles et du savoir-faire, en particulier dans sa version fendue. D'ailleurs, à l'époque du « salaire à la pièce », c'est-à-dire au nombre de pains fabriqués par nuit, l'ouvrier boulanger recevait une rémunération supplémentaire pour cette grande perche comestible. Nous trouvons même dans les petites annonces du journal *La Boulangerie française* (avril 1908) une petite annonce proposant dix-neuf bannetons « marchand de vin » d'occasion mesurant deux mètres ! De tels pains nécessitaient un ensemble d'accessoires adaptés : outre les bannetons en osier renforcé, il existait des pelles à enfourner spéciales pains marchand de vin, mesurant 2,25 m par 12 cm. Des claies cintrées furent également conçues de manière à pouvoir stocker et livrer sans dommages ces grands échalas. Dans les années 1930, ce pain n'était plus façonné fendu mais roulé et il rapetissa pour atteindre 1,20 m. Le pain marchand de vin spécial casse-croûte a disparu des zincs parisiens, condamné par les longueurs incompatibles avec les façonneuses mécanique. Ce fut pourtant très vraisemblablement, et sur une longue période, le pain le plus long du monde. [Hubert Chiron]

Parisien. Ce pain de deux livres était encore vendu à Paris couramment dans les années 1950. De nos jours, il a été détrôné par la baguette. [Jim Chevallier]

LANGUEDOC-ROUSSILLON

Pain de Beaucaire. Pain formé de deux lobes longiformes séparés par une fente profonde (forme que l'on n'hésite pas à qualifier de « beau-cul »), ou bel-caire, comme l'appellent les Languedociens, vocable qui signifie littéralement « beau quartier ». À Montpellier, on trouve le « pain à cornes », un pain identique connu dès 1372, dont les extrémités se relèvent. Le beaucaire a toujours été élaboré avec des farines de qualité supérieure, issues notamment du blé de Limagne, un blé tendre à l'amande vitreuse, dont la réputation dépassait nos frontières. Dans son temps, l'agronome Arthur Young considérait déjà la Limagne comme l'un des plus beaux sols du monde. Le beaucaire se caractérise par l'importance du levain, qui représente un quart du poids de la pâte. Celle-ci est pliée avant d'être déposée dans un casier en bois que l'on désigne habituellement par « casier à Beaucaire » ou « table ». Jadis, la ville de Beaucaire était célèbre pour sa foire de juillet : pendant trois semaines, le Rhône devenait une véritable ville flottante et le rendez-vous des marchands d'Europe, d'Afrique et du Levant. On y vendait le pain de Beaucaire, peu salé pour mieux convenir au goût des Génois. Ce pain a toujours été considéré comme l'un des meilleurs de France.

Pain de bois. Dans les Cévennes et en Corse, pain fait à partir de farine de châtaigne.

Paillasse de Lodève. Connu sous le nom de paillasse de Lodève, le pain de Lodève est un pain de blé dont la fermentation se fait à l'intérieur d'un drap, dans un grand panier appelé

« paillasse ». La pâte n'est ni pesée ni façonnée mais découpée en lambeaux déposés directement sur la pelle à enfourner. Au défournage, la boulangère pèse chaque élément de ce « corps en morceaux » ; autrefois, elle inscrivait le prix au crayon sur la croûte. Les étapes de la fabrication paraissent répéter les épisodes de la légende de saint Fulcran, particulièrement vénéré dans cette petite ville de l'Hérault. On raconte que le corps de saint Fulcran était resté intact bien après sa mort, mais que celui-ci fut découpé en morceaux lorsque les protestants envahirent la ville en 1573. Les morceaux ayant été dispersés, les catholiques purent retrouver un bras, lequel a sans doute inspiré la légende de la main coupée et le miracle qui s'en est suivi.

Tordu de la Lozère. Pain au levain, tordu deux fois.

LIMOUSIN

Mique. Nom féminin occitan (*mique* : « miche »), originaire du sud-ouest de la France (anciennes régions du Limousin, de Guyenne et Gascogne, principalement le Quercy), la mique désigne d'abord une pâte à pain (sarrasin, froment ou maïs, eau et levain) qui doit être agrémentée d'œufs, de beurre et de lait et lever pendant plusieurs heures, puis qui, après emmaillotage et cuisson dans un bouillon (1 h 30), devient l'accompagnement principal d'un plat de viande de porc dessalée et de légumes bouillis (poireaux, choux, carottes, céleri) appelé « petit salé ». Servie en hiver, elle se présente comme une grosse boule couleur safran, se découpe en tranches épaisses et remplace le pain classique. Certains la servent aussi avec des « farces dures », boulettes de hachis de pomme de terre, de lard, d'ail et de persil cuites également dans ce même bouillon. [Philippe Di Folco]

MIDI-PYRÉNÉES

Portemanteau de Toulouse. Pain affublé de deux boules aux extrémités, c'est pourquoi on le surnomme également le « téléphone » ou l'« os ». Le boulanger saisit les boules à pleines mains pour déposer le pain sur la pelle. Au cours de la cuisson, les deux boules se redressent comme celles d'un portemanteau. À l'origine, on le confectionnait avec des blés durs d'Afrique du Nord, ce qui lui conférait un agréable goût de noisette. Le commerce des farines et l'activité boulangère ont toujours été deux activités prépondérantes de cette région grâce au blé du Laurageais et de l'Ariège d'une part, grâce, d'autre part, à la présence du moulin de Bazacle construit sur la Garonne au XIIe siècle et considéré comme le plus puissant du monde jusqu'à la fin du XIXe siècle. Au siècle dernier, Toulouse proposait aussi tout un éventail de pains : flambade, ravaille, couronne grise, demi-marque, couronne rousse, pistolet, pain bis, flûte grosse, flûte longue, petite flûte.

Quatre-banes. Pain de l'Hérault façonné avec deux pâtons d'égale grosseur, oblongs, croisés et marqués d'une croix au rouleau avant de replier les bras vers le centre.

Ravaille. Pain de froment de l'Ariège dont le nom signifie « mal foutu » parce que fait avec des restes de pâte et asymétrique.

NORD-PAS-DE-CALAIS

Couque. Brioche, pain d'épice.

Faluche. Ce petit pain du Nord-Pas-de-Calais a la particularité de changer de nom d'une ville à l'autre, et d'un côté à l'autre de la frontière. La faluche devient tour à tour Faluiche, Flamike, Flamique, Flamiche, Falute, Fraluche, etc. Faluche est un mot lillois qui signifie « galette » et, de par sa forme, rappelle le béret des étudiants d'autrefois. Traditionnellement, la faluche est fermentée à la levure de bière, privilège accordé aux boulangers des villes septentrionales grosses productrices de bière, alors que l'usage en était interdit en France jusqu'au début du XVIIe siècle. On l'enferme dans un sac de jute fine après la cuisson, car la concentration de vapeur qui en résulte la ramollit. De cuisson rapide, c'est un pain qui se mange chaud au petit déjeuner, fourré de beurre et de cassonade, dont on remplit la cavité centrale.

Pain boulot. Pain long, de forme ovale, fermenté à la levure et lamé à la façon du pain saucisson. Ce pain qui servait de casse-croûte aux travailleurs du Nord est également présent en Belgique.

Pistolet. Petit pain de 60 à 80 g, fendu avec une baguette de bois huilée. Ce pain a pratiquement disparu en France mais perdure en Belgique.

NORMANDIE

Brié du Calvados. Très en vogue à Paris au XVIe siècle, le brié a disparu de la capitale mais se fabrique toujours en Normandie, région dont il semble être originaire puisqu'il aurait été introduit au chapitre de Notre-Dame en 1567 par un boulanger normand. La singularité de ce pain, c'est que la pâte est très peu hydratée et donc difficile à travailler. Il fut un temps où les boulangers foulaient la pâte avec les pieds, procédé en usage dans l'Antiquité égyptienne, grecque et latine. Malouin le compare d'ailleurs au *vlima* des Grecs et à l'*intritus* des Latins. Ce procédé fut remplacé par un instrument approprié, la brie, constitué d'un levier en bois actionné de haut en bas et permettant de broyer la pâte. On trouve en Italie et en Espagne des instruments identiques dans la mesure où l'on y fabrique le même type de pain. Le *pane con olio* à Venise ; *el pan candeal de miga dura* en Espagne, dans la région de Salamanque ; le *bolla de pan candeal de cuatro cortes* à Cáceres (boule de pain fendue en croix) ; le *pan telera* à Badajoz, pain aux stries longitudinales, ou encore la couronne *pan de rosca*. On prétend d'ailleurs que le pain brié viendrait d'Espagne. Le pain brié normand de forme oblongue présente des stries longitudinales ; rond, il est lamé de manière à dessiner une étoile à six branches. La vente de ce pain dans les boulangeries juives nous autorise à penser qu'il s'agit de l'étoile de David. D'ailleurs, sur une gravure éditée par les juifs de Venise, on voit la *gramola*, levier long de 4 m, utilisée pour la préparation de la *matsa*, consommée au cours du repas de Seder, ou veillée de Pessah.

Fallue. Dans le bocage et le pays d'Auge, la fallue est une galette briochée, longue, plate (épaisseur 2 cm) et côtelée, chaque côte correspondant à une part. Riche en gruau, œufs, crème fraîche et beurre, elle accompagne traditionnellement la *terrinée* ou *teurgoule* (du riz au lait sucré à la cannelle que l'on fait cuire pendant 6 heures dans une terrine).

Gâche. C'est une grande galette de pâte piquée de coups de couteau pour l'empêcher de gonfler. On la fait cuire à l'entrée du four avant l'enfournage des pains et on la mange chaude immédiatement. Déjà mentionnée au XVIe siècle, elle était confectionnée à base d'avoine, de sarrasin, de seigle et d'orge. À présent c'est le blé qui prédomine. Dans le Cotentin, c'est une galette de froment salée qui se mange chaude avec du beurre, des rillettes ou trempée dans du cidre. Dans l'Ille-et-Vilaine, c'est une galette amendée avec du sucre, du beurre ou du saindoux, puis dorée à l'œuf ou au lait.

Garot. Cette spécialité du bocage bas-normand est une sorte de petit pain très blanc confectionné à l'occasion des fêtes, des foires et des pèlerinages. Jadis on utilisait de l'excellente farine de froment franc, variété de blé barbu riche en gluten ; le pétrissage très serré se faisait avec les pieds, procédé remplacé par l'usage d'une braie à plusieurs couteaux. Le garot présente plusieurs particularités : la pâte, sans eau ni sel, est pétrie uniquement avec du levain et des œufs. Chaque pain est ensuite poché dans l'eau frissonnante et gonfle sous l'effet du levain ; après quoi, on le plonge dans l'eau froide, on l'égoutte et on le cuit normalement dans le four. Le garot se mange de plusieurs façons : fendu, couvert de beurre ; trempé dans du cidre ; découpé en tranches et mis à tremper dans du lait avant de le fricasser dans la poêle.

Maigret. Pain à potage, long et étroit. Ce pain de blé fermenté au levain est soumis à une cuisson longue, au cours de laquelle il développe une croûte épaisse. En Mayenne, on le trempe dans la soupe au lait ou le pot-au-feu.

Manchette. Pain à croûte dure fendillée en forme de couronne. Synonyme : teurquette.

Pain à soupe. Pain de froment au levain, plat, piqué en surface pour ne pas gonfler, dont la croûte très épaisse est de couleur brun noir. En Bourgogne comme en Normandie, sa fonction est de teinter et de parfumer la soupe.

Plié de Cherbourg. Analogue au plié de Morlaix. Ce qui le distinguait de son cousin normand, c'est qu'il était pétri à l'eau de mer, un privilège dont bénéficiaient les boulangers de Cherbourg avant la Révolution, qui échappaient ainsi à la gabelle.

Régence. Les Normands appellent le pain régence « la régence ». Les boules sont attachées les unes aux autres à la manière d'un chapelet. Cette forme permet de fractionner le pain et d'acheter un quart ou une demi-régence en fonction du nombre de boules. À l'époque où le pain se vendait au poids, une boule de régence servait parfois de pesée. Une variante de la régence existait dans le pays de Caux, autour d'Étretat. On commençait par ébouillanter les petits pains dans le bouillot, sorte de marmite en fonte encastrée dans le four, munie d'un couvercle et d'un bouchon de vidange, dans laquelle l'eau était portée à ébullition par le moyen d'un foyer indépendant. Une fois ébouillantées, les boules étaient passées au four, en chapelet ou par deux, afin de faire la croûte.

PAYS DE LA LOIRE

Bonébel. Pain issu de productions agricoles de Loire-Atlantique, blé et sel de Guérande ou de Bourgneuf-en-Retz.

Fouée de Touraine et d'Anjou. Galette de pâte que l'on fait cuire à l'entrée d'un four à bois, avant ou après l'enfournage des pains. En vieux français, le mot « fouée » désigne aussi bien le feu que le bois de chauffe. La galette plate de 150 à 200 g cuit en quelques minutes et gonfle comme un coussin d'air à la manière des pains grecs et arabes, genre pita. C'est un pain sans mie, dont l'enveloppe se brise sous la pression des doigts. En Touraine, une fois les pains enfournés, la fouée c'est le casse-croûte du boulanger, avec du gros sel, du beurre et un bon verre de vin rouge.

POITOU-CHARENTES

Couronne. – Voir FRANCE (pains historiques, du Moyen Âge à la Révolution française)

PROVENCE-ALPES-CÔTE D'AZUR

Baneto. Il a la forme du hamac de marin. Rapproché du mot « banneton », petit panier dans lequel on fait lever la pâte, le baneto est à l'origine de l'appellation « Banette ».

Fougasse, fouace, fouasse. Pain cuit rapidement sur l'autel du four ; le mot « fougasse » (du latin *focacius panis*), d'après son étymologie, signifie lui-même « pain cuit sous la cendre du foyer ». En Provence, on chauffait le four avec du thym, du romarin et d'autres plantes aromatiques grâce auxquelles le pain contractait une odeur très agréable. Cuite à feu très vif, la fougasse est saisie et présente des traces de brûlé sur la partie en contact avec la sole, mais le dessus reste souple. La fougasse du Midi possède des analogies avec la *focaccia* du nord de l'Italie ; cependant, les focaces sont bosselées, alors que les fougasses sont entaillées à l'aide d'une racle ou raque (coupe-pâte aux bords arrondis), procédé qui s'appelle « faire la feuille ». Parfois la fougasse est badigeonnée à l'huile d'olive.

Main de Nice. Ce pain d'origine italienne se présente sous la forme d'un croissant à quatre doigts, que les boulangers niçois surnomment « pain italien » ou « pis de vache ». La pain de Nice trouve ses homologues en Italie, à Ferrare sous l'appellation *manina ferrarese* (« la petite main de Ferrare »), à Gênes sous forme de deux croissants accolés dos à dos, mais dont les doigts ne sont pas repliés comme pour la main de Nice ; en Corse, sur les marchés d'Ajaccio, où elles sont vendues sous l'étiquette « main de Casimir », personnage de bande dessinée, ou « main de Picasso », en référence à la célèbre photo du peintre. Autrefois, on qualifiait la main de Nice de « croissant bizarre », car la main n'a que quatre doigts et fait penser aux *massarine* de Venise, ces pains en tortillons aux formes très suggestives, conçues pour amuser le client, exciter l'imagination et faire honneur au Carnaval !

Michette de Provence. La michette est un pain d'ascendance italienne, dont la conception est proche de celle du pain de Beaucaire. C'est un pain de blé fermenté au levain, allongé et fendu, mais de petite dimension, beaucoup plus petit que le beaucaire et un peu plus petit que le coulon. La forme de la michette est assez évocatrice, au reste en argot, « miche » signifie « fesse ».

Navette. L'origine de ce biscuit marseillais est associée aux fêtes de la chandeleur célébrées en l'abbaye de Saint-Victor (saint patron des meuniers et des marins). On raconte que vers la fin du XIIIe siècle la statue d'une vierge échoua sur les bords du Lacydon. Elle était en bois polychrome et portait une couronne d'or. Le peuple vit là une marque du destin et un signe de protection. Elle fut, selon les uns, Notre-Dame du Feu nouveau, selon les autres la Vierge protectrice des gens de la mer. Le 2 février, jour de la chandeleur, les Marseillais, les Aixois et ceux du littoral voisin se régalent de petits gâteaux désignés comme navettes de Saint-Victor, car on les vendait jadis, garantis bénits, sur le parvis de la très vénérable abbaye du même nom. On se perd en conjonctures sur l'origine et la signification de ces petits gâteaux en forme de barque. La Vierge révérée dans l'église de l'abbaye est une des vierges noires de Marseille, cultes venus du fond des temps et certainement des avatars d'Isis-Artémis, la bonne déesse-mère à la barque. Une boulangerie de Marseille confectionne dans le plus grand secret, depuis 1781, ces célèbres navettes, dans un four romain, le Four des Navettes. Le jour de la chandeleur, les clients viennent par milliers acheter ces biscuits blanchâtres, de la grosseur d'un doigt, fendus en leur milieu, qui sentent bon l'eau de fleur d'oranger.

Pain Picasso. Voir ci-dessus, « Main de Nice »

Pompe à huile. Un des treize desserts préparés à Noël en Provence, en l'occurrence une fougasse à l'huile d'olive, huile provenant de la première pression de l'année (millésime de l'année d'après).

Royaume. Couronne de pain brioché en Provence et dans le Sud-Ouest, confectionnée pour l'Épiphanie.

RHÔNES-ALPES

Couronne de Bugey. En Savoie et en Bresse, la pâte est boulée puis trouée en son centre avec le coude. La couronne de Bugey fermente pendant six à huit heures. C'est un pain de blé très cuit, d'aspect très rustique et de couleur sombre.

Crozets. Petits morceaux de pâte alimentaire, aplatie au rouleau et coupée en carrés à l'aide d'un couteau-hachoir spécifique. Le nom viendrait du patois savoyard *croé*, qui signifie « petit » ; d'autres pensent qu'il proviendrait du bas latin *crux*, qui signifie « croix » et qui a donné le savoyard *crwê*, mais on trouve aussi différents termes comme *croêze*, *croêju* (Albertville), *croezu* (Annecy), *croezet* (Thônes), *krozè* (vallée de l'Oisans). Chaque vallée connaissait des formes, des saveurs et des recettes originales accompagnées des produits de saison.

Pain bouilli. Le pain bouilli de Villar-d'Arêne ne se fait qu'en novembre. Dès que la neige apparaît, les villageois rallument le four pour cuire, de douze en douze heures, le pain bouilli de toute l'année. Autrefois, les fournées s'enchaînaient de la Saint-Martin à Noël, aujourd'hui pendant trois ou quatre jours seulement. La fabrication, la cuisson et le ressuage des pains se partagent trois espaces, au rez-de-chaussée, la salle des pétrins (« les arches »), et le fournil (« l'enfer») ; au premier étage, le grenier («le paradis»). Le pain bouilli est pétri collectivement par les hommes, uniquement avec de la farine de seigle et de l'eau bouillante. La veille, ils ébouillantent la farine à l'aide d'un «raclot» et de bâtons, le lendemain ils pétrissent à bras pendant deux heures. Après six heures de repos, la pâte est découpée avec une pelle-bêche et les pavés de pâte sont enfournés pour cuire pendant sept heures. Lors du défournage, une chaîne humaine se constitue de façon à faire passer les pains de l'«enfer» au «paradis». Le pain bouilli peut se conserver un an dans les greniers secs et aérés. On coupe le pain en tranches épaisses de trois doigts, les «clapes», qu'on laisse sécher sur des claies et que l'on fait tremper au moment de les consommer. Le déroulement de cet événement annuel est l'occasion d'une fête villageoise, mais familiale surtout. Le pain bouilli, que l'on appelle aussi «pain anniversaire», est un pain mémoire, par fidélité aux anciens, mais aussi pour d'autres raisons. Une foule de détails semblent indiquer l'origine juive de ce pain azyme et, à travers sa fabrication, la commémoration de la libération du peuple d'Israël, un événement à ne pas oublier, symbolisé par la pensée tracée par le chef de groupe sur la pâte après le pétrissage.

Pognes. Pain de Pâques. Latin *pugna*, poing.

Mouette Barboff

• *Voir aussi :* Boulangers de France ; Boulangers et boulangeries (histoire de France des) ; France (pains historiques, du Moyen Âge à la Révolution française) ; Mot «pain» dans la langue française ; Pain blanc

Bibl. : Gérard ALLE, Gilles POULIQUEN, *Pains de campagne. Gestes et paroles*, Brest, Le Télégramme, 2003 • Mouette BARBOFF, Marc DANTAN (photos), *Pains d'hier et d'aujourd'hui*, Paris, Hoëbeke, 2006 • Anita BOUVEROT-ROTHACKER, *Le Gros Souper en Provence*, Marseille, Jeanne Laffitte, 1998 • Raymond CALVEL, *Le Pain et la panification*, PUF, coll. «Que Sais-je ?», 1964 • Françoise DESPORTES, *Le Pain au Moyen Âge*, Paris, Olivier Orban, Paris, 1987 • Béatrice GOUGEON, *La Pogne*, Die, Éditions A. Die, 1994 • Joris-Karl HUYSMANS, *En ménage*, Paris, Bibliotheque-Charpentier, 1908 • Lorédan LARCHEY, *Dictionnaire historique d'argot*, 10e éd., Paris, E. Dentu, 1888 • Jules LECŒUR, *Bocage normand*, Caudé, 1883 • Paul Jacques MALOUIN, *Description et détails des arts du meunier, du vermicellier et du boulanger*, Paris, 1779 • Frédéric MISTRAL, *Mémoires et récits*, Paris, Plon, 1906-1938 • Henry MOISY, *Dictionnaire du patois normand*, Caen, 1887 • Antoine-Augustin PARMENTIER, *Le Parfait Boulanger, ou Traité complet sur la fabrication & le commerce du pain*, Paris, Imprimerie royale, 1778 • «Petite Revue Gourmande», *Almanach des Gourmands*, 5e année, Paris, Maradan, 1807 • Lionel POILÂNE, *Faire son pain*, Paris, Dessain et Tolra, 1982 • Jean RICARD, *Le Gros Souper à Marseille*, Bibliothèque des traditions locales, 1955 • Philippe ROUSSEL, «Le craquelin, un biscuit échaudé des Pays de Rance», *Revue ARMEN*, no 2-0, Douarnenez, Le Chasse Marée, 1998 • Claude SEIGNOLLE, *Le Folklore de la Provence*, Paris, Maisonneuve et Larose, 1967 • Jean SEGUIN, *Vieux Mangers, vieux parlers bas-normands*, Paris, A. Margraff, 1934 ; Mimi SHERATON, *City Portraits*, New York, Harper & Row, 1964 • Maguelonne TOUSSAINT-SAMAT, *A History of Food*, Hoboken, Wiley-Blackwell, 1994.

FRANCE (pains historiques, du Moyen Âge à la Révolution française). – Au cours du Moyen Âge, période qui s'étend du Ve au XVe siècle, le pain de fabrication domestique deviendra peu à peu, dans les villes, la spécialité d'un corps de métier original, réglementé, et objet de toute l'attention des souverains. En effet, c'est avec la monarchie que la boulangerie fera son apparition. Les statuts du métier octroyés par elle seront remaniés à diverses époques, et la boulangerie bénéficiera de structures qu'elle conservera grosso modo jusqu'à la Révolution. Les *pistores* de la Rome antique devinrent, en Gaule, les *pestores*, puis les fourniers, ceux qui chauffaient le four. Toutefois, le droit de construire un four était réservé au roi et au seigneur jusqu'à la fin du XIIe siècle, et, à la ville comme à la campagne, les utilisateurs, assujettis au droit de banalité, devaient payer des taxes élevées au propriétaire. Philippe Auguste (1180-1223) autorisa les boulangers de Paris à posséder un four. Un peu plus tard, Saint Louis (1226-1270) affranchira les villes de la banalité des fours, ce qui facilitera l'essor de la boulangerie. Les abbayes participèrent à ce développement. Par ailleurs, Philippe le Bel (1285-1314) autorisera les bourgeois à construire un four chez eux. Dès le XIIe siècle, le terme *boulenc* désigne celui qui fabrique la boule ou pain rond, remplacé par *boulengier* aux XIVe et XVe siècles. À partir de la dynastie des Capets jusqu'à la fin des temps modernes, c'est le prévôt de Paris qui réglemente tout ce qui a trait à l'organisation de la profession.

Au XIIIe siècle, sous le règne de Saint Louis, Étienne Boileau rédige le livre des Métiers, véritable charte de l'époque, dans lequel il parle des talemeliers. Pendant tout le Moyen Âge, le talemelier, celui qui compte sur une taille, est aussi le tamisier ou tamiseur, car, les moulins de l'époque n'ayant pas de blutoir, c'étaient les marchands de farine et les tamisiers qui tamisaient la farine. Les gros sons étaient utilisés par les talemeliers et les particuliers pour engraisser des porcs mais, par la suite, en 1650, lorsqu'on apporta sur les marchés et aux portes de Paris de la farine blutée, et par mesure d'hygiène, ceux-ci ne furent plus autorisés à le faire. Jusqu'en 1449, les boulangers confectionnaient des pâtés à fromage, viande ou poisson, date après laquelle les *pasticiers* s'en chargèrent. Très tôt, les communautés de boulangers constituèrent des sociétés à base religieuse ou confréries placées sous la protection d'un saint patron commémoré chaque année.

Les boulangers de Paris. En raison du contexte géopolitique, l'histoire du pain en France s'identifiera à l'histoire de la boulangerie parisienne. À Paris, la profession était placée sous la juridiction du grand panetier du roi. Ce dernier désignait un maître chargé de l'administration de la communauté et des jurés pour la surveillance du pain, car le contrôle de la composition et du poids du pain était très strict. Pour accéder au statut de maître boulanger, il fallait cinq années d'apprentissage suivies de quatre années de stage. Au XVe siècle, la production d'un chef-d'œuvre était obligatoire pour être reçu maître. Il s'agissait de la confection d'un pain de chapitre puis, vers 1560, d'un pain mollet. Dès 1420, un règlement divisait les boulangers de la capitale en quatre classes.

Les boulangers de la ville avaient le monopole exclusif de la fabrication et de la vente des petits pains inférieurs à 3 livres : le pain de chapitre, le plus blanc, de 10 onces ; le pain de chailly, moins blanc, de 12 onces ; le pain bourgeois ou bis-blanc fait avec des farines inférieures, comme le méteil, de 16 onces (= 1 livre); le pain de brode, noir de 1,5 livre. Bien que surnommés « boulangers des petits pains », ils étaient autorisés à vendre des gros pains de plus de 3 livres tous les jours dans leur boutique ; le mercredi et le samedi sur les marchés.

Les boulangers des faubourgs fabriquaient trois sortes de pains supérieurs à 3 livres : le pain le plus blanc, le pain moyennement blanc, et le pain noir. Il leur était interdit de vendre du pain ailleurs que dans leur boutique ou sur les marchés ; de vendre, crier, ni colporter par la ville le pain coupé, long, ni au-dessous de 3 livres (1619).

Les boulangers forains et boulangers de banlieue apportaient chaque semaine des pains de 6 livres au moins sur les marchés. Ces boulangers ambulants, en provenance de Gonesse, Saint-Denis, Poissy, Argenteuil, Charenton, Corbeil, Saint-Germain-en-Laye, etc., avaient le loisir de vendre leurs pains de gré à gré, sans aucune nécessité de poids ni de prix, mais avec l'obligation de les vendre jusqu'au dernier. Il leur était interdit de remporter le pain qu'ils avaient apporté, ni de le vendre les autres jours que ceux du marché et ailleurs que sur ledit marché, ceci à l'encontre de ceux d'entre eux qui, au lieu de se rendre directement aux marchés, arrêtaient leur charrette dans les rues et distribuaient leurs pains de maison en maison.

Les boulangers privilégiés étaient attachés au service du roi. Pendant le règne de Louis XIII, douze boulangers suivaient le roi dans ses déplacements.

Les marchés. Au XVe siècle, il y avait quatre marchés de pains à Paris : aux Halles, au cimetière Saint-Jean, près de Notre-Dame et place Maubert. Au XVIe siècle, les marchés étaient en outre approvisionnés par les forains et les boulangers de banlieue. Au XVIIe siècle, on en comptait quinze ; il y avait cinq cents ou six cents boulangers venant de la ville et des faubourgs ; les autres venaient des environs, surtout de Gonesse ; les plus éloignés, de Corbeil et Saint-Germain-en-Laye. Les marchés publics étaient ouverts le mercredi et le samedi, et accessibles aux boulangers de la ville, des faubourgs et aux forains, pour y vendre des gros pains, selon des horaires précis. En effet, les boulangers forains pouvaient s'y rendre dès 6 heures du matin, mais il était interdit aux boulangers de la ville et des faubourgs d'entrer dans les marchés avant 10 heures, et d'acheter plus d'un muid de blé sous peine d'amende et de confiscation. Interdiction renouvelée en 1619. Sur les marchés, les gros pains étaient vendus de gré à gré, à prix débattu entre le boulanger et le client jusqu'à midi. Passée cette heure, les pains conservaient le prix de la matinée sans pouvoir être augmentés. À partir de 16 heures, ils étaient vendus au rabais et cela, jusqu'au dernier. Comme l'écrira Sébastien Mercier en 1780 : « À 6 heures, les boulangers de Gonesse, nourriciers de Paris, apportent deux fois la semaine, une très grande quantité de pains. Il faut qu'ils se consomment dans la ville, car il ne leur est pas permis de les emporter. » Dès le XVIe siècle, à l'exception du pain de Gonesse qui conserva son nom, les pains apportés par les forains et les boulangers de banlieue furent nommés « pains de chalands », comme venant par le moyen de chalands ou bateaux.

Vente en boulangerie. Les pains de consommation courante, et donc taxés, étaient exposés dans la devanture du boulanger, ce pourquoi ils étaient désignés comme « pains de fenêtre », la fenêtre étant l'ouverture sur la rue d'un ouvroir ou d'une maison par où s'effectue la vente. En revanche, les pains de luxe non taxés ne pouvaient être exposés en vente aux fenêtres ou ouvroirs des boulangers pas plus qu'aux étalages des marchés ; ils devaient être remisés dans l'arrière-boutique pour ne pas être vus et vendus de gré à gré. C'était le cas du pain de pote, du pain de Gonesse, du pain mollet, etc. Aux XIIIe et XIVe siècles, le prix des pains était fixe. Les denrée, demi-denrée et doubleau ne changeaient pas de prix, mais on réduisait ou l'on augmentait leur dimension suivant que le blé était plus cher ou moins cher. En 1372, le pain de Chailli, le pain coquillé ou bourgeois, le pain bis ou de brode ne variaient pas de prix, mais de poids. Prix invariable : 2 sols, 1 sol, 2 liards. Le poids variait ainsi selon le prix du blé.

La farine comme les pains étaient mesurés en volume et non pesés. À dater de 1439, les pains furent vendus au poids (1/2 livre, 1 livre, 2 livres), c'est le prix qui variait avec celui du blé. D'après l'ordonnance de 1439, les boulangers furent tenus d'avoir à leurs fenêtres balances et poids pour peser ledit pain, sous peine d'amende arbitraire. Ils durent s'informer du prix du pain chaque mercredi. Afin de mieux contrôler la qualité des pains et de les identifier, les boulangers furent contraints de marquer leurs pains, dès 1350 pour les boulangers des faubourgs et de la banlieue, à partir de 1546 pour les boulangers de Paris : il s'agissait pour eux en l'occurrence de marquer les pains des initiales de leur nom et le poids de chaque pain par autant de points que le pain pesait de livres, manière pour le client d'avoir recours contre le boulanger soit en raison de la mauvaise qualité de son pain, soit pour la fausseté du poids marqué. Sous Louis XIII, l'ordonnance de 1635 exigea la marque des pains et la présence de balance dans la boutique, sous peine de déchéance de la maîtrise.

Selon les statuts de 1658, les pains durent porter la marque que chaque boulanger était tenu de posséder et de faire graver sur une table puis de déposer celle-ci au greffe de baillage. L'ordonnance de police d'avril 1824 stipula encore, dans son l'article II, que ces marques seraient distinguées par un numéro attribué à chaque boulanger. L'article VI précisait même que la marque devait être appliquée profondément sur la partie supérieure de la pâte, dans le banneton, partie qui faisait le plancher du pain lorsqu'il était renversé sur la pelle d'enfournement. En outre, sous Louis XVI, dans les statuts du 13 décembre 1785, article IX, les maîtres étaient également tenus de faire imprimer leur nom en gros caractères à l'extérieur et à l'endroit le plus apparent de leur boutique. Comme aliment de base, le pain devait répondre à un certain nombre de critères. Lorsque tel n'était pas le cas, il existait tout un vocabulaire riche et précis pour le disqualifier. On parlait de « pain aliz » (trop compact, mal levé, fait avec les restes de pâte) ; de « pain ars » (brûlé, trop cuit, à la croûte charbonneuse et à la mie desséchée : « À ne pas confondre avec le pain hâlé, c'est-à-dire grillé, rôti, qui se mange avec du vin frais ou dans quelque sauce ou bouillon » (Desportes 1987) ; de « pain ferré » (brûlé en dessous par suite d'une trop forte cuisson) ; « pain mestourné » (trop petit) ; « pain meschevé » (vendu à un prix inférieur à celui fixé pour sa dimension) ; « pain raté » (entamé par les rongeurs, rats, mulots ou souris) ; « pain reboutis » (défectueux, interdit à la vente). Le dimanche, les pauvres se rendaient au marché Saint-Christophe, près de Notre-Dame, où l'on mettait en vente tous ces pains, c'est-à-dire aussi bien les défectueux, que les trop cuits, trop levés, trop compacts ou trop petits, qui pendant la semaine avaient été saisis par les jurés chez les boulangers de banlieue. Quant à ceux qui avaient été confisqués pour les mêmes raisons chez les talemeliers de Paris, on les distribuait aux pauvres gratuitement.

Le pain, emblème et reflet de la hiérarchie sociale. Du Moyen Âge à la Révolution, le pain a toujours été conçu en fonction du rang social : le pain blanc pour la noblesse ; le pain blanc-bis pour le clergé ou le bourgeois ; le pain bis pour le peuple ou tiers état. On distinguait le pain par rapport à sa blancheur et, comme l'écrira Malouin au XVIIIe siècle : « Les différentes grosseurs des bluteaux font la différence entre trois sortes de moutures rustiques : la mouture pour le Pauvre, celle pour le Bourgeois, et celle pour le Riche. Pour la mouture du Bourgeois, le blutoir n'est pas si fin que celui de la mouture du Riche, ni si gros que celui de la mouture du Pauvre » (Malouin 1779). C'est pourquoi, dès le XIIIe siècle, les boulangeries des villes proposaient trois ou quatre qualités de pains de froment : très blanc, blanc, bis-blanc, bis. Au XVIIe siècle, les boulangers des villes étaient tenus d'avoir et de tenir en leurs maisons ouvroirs et fenêtres, toujours garnies de quatre sortes de petits pains : le pain de chapitre, le pain de Chailli, le pain bourgeois (coquillé), le pain de brode (pain bis). Le pain de Chailli devint le pain mollet. Au XVIIIe siècle, « les diverses farines dont les boulangers font leur pain sont : la pure fleur de farine pour le pain mollet. La farine blanche tirée au bluteau après la fleur de farine, pour le pain blanc. Les fins gruaux mêlés avec cette dernière pour le pain bis-blanc. Les gros gruaux avec en partie de la farine blanche et des fins gruaux, pour le pain bis » (Diderot, *Encyclopédie*, 1768). Malouin évoque lui le pain blanc, nommé autrefois pain de Chailli ; le pain bis-blanc, qui était le pain coquillé ; le gros pain, autrement dit le pain bourgeois (on confond aujourd'hui ces deux sortes de pains). Enfin le pain bis, qu'on nommait faitis ou pain de brode (1779).

L'usage était aussi de distinguer les pains en fonction de la qualité de ceux qui les consommaient. Ainsi, dès le XIIe siècle, Du Cange cite dans son glossaire : le pain du pape ; le pain de cour ; le pain de chevalier ; le pain des courtisans ; le pain d'*escuyer* ; le pain *choesne* ou de chanoine ; le pain de salle pour les hôtes ; le pain des pairs ; le pain de *maistre*, dont un sixième de la pâte est mise en levain ; le pain *vasalor* ou de servant ; le pain de valets servi à l'office de qualité inférieure, mais supérieur au pain consommé par le peuple ; le pain de brasse réservé aux domestiques.

D'autres pains figurent également sur sa liste : pain primor, pain moyen, pain truset, pain tribolet, pain férez ; pain maillau, pain de mail, pain chonhol, pain salignon, pain simeniau qui était crié et vendu dans les rues par les oublieurs.

Aux XVIe et XVIIe siècles, le pain bigarré, ou pain de deux couleurs, était composé alternativement de froment et de seigle et destiné aux gens de qualité inférieure, aux hôtes de moyenne étoffe.

Certains pains étaient destinés à un usage particulier : les pains matinaux étaient servis à déjeuner ; on distribuait les pains du Saint-Esprit aux pauvres pendant la semaine de la Pentecôte ; les paroissiens offraient des pains d'étrennes à leur curé aux fêtes de Noël ; les vassaux devaient des pains de Noël comme redevance à leur seigneur ; et lorsque ces pains étaient livrés à un autre moment de l'année, on les appelait simplement pains féodaux. À l'époque où la chasse était l'une des principales distractions de la noblesse, on fabriquait les pains à chiens avec les détritus du vannage. Le seigneur bénéficiait du « droit de brenage », c'est-à-dire qu'il se faisait donner le son des moutures, ou « bren », dont il nourrissait ses chiens de chasse. Sous le règne d'Henri II, un boulanger était affecté spécialement à la fabrication du pain nécessaire aux chiens favoris du roi ; on l'appelait le « boulanger des petits chiens blancs ». Le maître, ayant eu un jour la tentation d'y goûter, y revint paraît-il plusieurs fois en compagnie de ses chiens préférés.

Plusieurs pains avaient une connotation négative en termes de croyance ou de moralité. Le « pain du bourreau » était un pain que personne n'enviait et qui se distinguait des autres pains par le fait qu'il était posé à l'envers. Le bourreau avait en effet le privilège de prendre chaque jour un pain à l'étalage du boulanger. Le seul moyen pour ce dernier de respecter ce droit sans dégoûter sa clientèle était de lui réserver un pain posé à l'envers. Dans un contexte normal, poser un pain à l'envers était et reste un geste frappé d'interdit : cela porte malheur. Le pain de pénitence était un pain d'orge auquel étaient astreints les moines qui avaient commis quelque faute grave contre la discipline. Le pain de conjuré fait de farine d'orge et bénit par un prêtre avec des imprécations servait au jugement de Dieu. L'accusé qui en mangeait n'éprouvait aucun mal s'il était innocent mais, s'il était coupable, le prêtre demandait à Dieu que les mâchoires du criminel restassent roides, que son gosier s'étrécît, qu'il ne pût avaler et qu'il rejetât le pain de la bouche. Le pain du roi était celui que l'on distribuait aux prisonniers et aux galériens.

Pain de disette, pain de famine. L'importance du pain « pousse l'autorité à réglementer sa fabrication et la profession qui le produit. Elle veillera à ce qu'il n'y ait pas de fraude sur la qualité de la farine, à ce que le poids et le prix soient respectés et qu'en tout état de cause et surtout en période de disette le pain ne manque pas » (Calvel 1964). Cependant, les disettes et parfois même les famines sont nombreuses et certaines ont marqué l'Histoire, comme celles de 1416 à 1425. En 1437, à Paris, le pain de noix ou d'écorces était un objet de luxe ; dans les campagnes, les paysans pauvres étaient réduits à manger l'herbe des champs. En 1511, certains boulangers profitèrent de la disette pour vendre plus cher et trafiquer les farines et les poids. Aussi, le 16 juillet 1511, le parlement prit l'arrêt suivant : « La Cour ordonne et enjoint à tous les boulangers que dorénavant ils fassent continuellement trois sortes de pain : le pain blanc de Chailli de 12 onces, le pain bourgeois de 2 livres, le pain de brode de 6 livres, sans faire pain d'autres poids. » En 1546, René du Bellay évêque du Mans, informe le roi François Ier que les habitants de son diocèse se nourrissaient de pains de glands. En 1631, le duc d'Orléans écrit au roi Louis XIII, son frère : « Une partie de vos sujets dans les campagnes meurt de faim, l'autre ne subsiste que de glands, d'herbe comme les bêtes, les moins à plaindre ne mangent que du son et du sang ramassés dans les ruisseaux des boucheries. » De 1679 à 1714, la misère est presque continue en Champagne et en Picardie. On se nourrit de racines, d'herbe, de viande corrompue, de son trempé d'eau, de châtaignes à demi pourries, de fougères, de coquilles de noix écrasées, de racines broyées. Sur ordonnance du 19 octobre 1693, Louis XIV fit distribuer au Louvre du pain aux Parisiens affamés.

Le XVIIIe siècle connaîtra une suite quasiment ininterrompue de disettes : le 3 mars 1709, les femmes marchent sur Versailles pour montrer au roi que leurs enfants meurent de faim. En 1738, interdiction est faite de confectionner brioches et gâteaux. En 1740, interdiction de faire des pains mollets ou petits pains. Interdiction de faire des galettes le jour des Rois. En 1741, 1745, 1748-1752, 1757, 1765, le prix du pain est multiplié par trois ; en 1767-1768, 1769, 1771, 1774, 1775, le pain passe de 8 sous à 14 sous : c'est la guerre des Farines. Le 4 juillet 1789, Necker préconise le pain de seigle. Le 5 octobre 1789, c'est la marche des femmes sur Versailles. Le 19 juillet 1791, l'Assemblée constituante impose un prix obligatoire du pain. Dans les périodes de famine, on interdit la fabrication du pain blanc, des échaudés, de la pâtisserie au profit du pain bis ou du pain faitis. Dans le meilleur des cas, le peuple doit se contenter d'un pain de mauvaise qualité, dû au manque de vivres, pain d'orge, avoine, millet ou sarrasin, ou bien improviser du pain avec ce qu'il a sous la main. Citons le pain armé, un pain très noir, lourd, fait d'une boulange non blutée ; le pain d'orge ; d'avoine, de millet ou de panis ; le pain ballé, pain domestique dont parle Rabelais, fait de grains de qualité inférieure, vannés et si grossièrement moulus que la farine contient encore la balle ou glumelle du grain ; le pain d'asphodèle (plante liliacée qui, séchée et pulvérisée, fournit une farine dont on fait un pain appelé aussi poireau de chien) ; le pain de glands de chêne.

Améliorations survenues au XVIIIe siècle. Parmi les nombreuses dispositions prises par le gouvernement révolutionnaire, nous retiendrons ici celles qui ont eu un effet déterminant dans le domaine de la panification et au plan social. Concernant l'usage du sel, jusqu'au règne de Charles V, les boulangers l'employaient pour la fabrication du pain mais, la gabelle ayant frappé ce produit, ils durent s'en passer. En 1343 (sous le règne de Philippe VI de Valois), nul ne peut vendre du sel qu'après l'avoir acheté au grenier du roi. Des greniers à sel ou gabelles furent établis en divers lieux mais, le sel étant trop cher pour être employé communément dans les boulangeries, on ne salait que le pain de luxe. Ainsi, seules les populations maritimes mangeaient du pain salé, comme à Cherbourg où les boulangers avaient la permission de pétrir le pain à l'eau de mer. Avec la suppression de la gabelle en 1790, on mit à nouveau du sel dans le pain. Celui-ci renforça les propriétés plastiques de la pâte, régularisa la fermentation, favorisa la coloration de la croûte, et améliora la saveur du pain. Une autre innovation va révolutionner la mouture des grains. Jusqu'au début du XVIIIe siècle, on pratiquait la mouture à la grosse, c'est-à-dire que les grains n'étaient soumis qu'à un seul passage entre les meules. Il était interdit de remoudre les sons gras (qui contiennent les gruaux), car on obtenait un pain mat, bis et grossier jugé indigne d'entrer dans le corps humain. Ce n'est qu'en 1709 et 1725 qu'on procéda à des tentatives de remouture des sons gras afin d'obtenir la farine de gruau, laquelle fut reconnue comme étant la plus belle et la plus nourrissante. En 1760, la mouture à la grosse céda la place à la mouture économique, procédé qui consiste à passer plusieurs fois la boulange entre les meules, et, pour éviter d'échauffer la farine, les meules de La Ferté-sous-Jouarre furent modifiées en conséquence et les rainures creusées dans le silex furent pratiquées en rayonnement. Bientôt, la mouture économique se généralisa. Elle permit d'obtenir de meilleurs rendements, une farine plus blanche et plus riche en gluten et, par conséquent, plus de pains. Autre initiative importante pour la profession, le 8 juin 1780, Antoine Augustin Parmentier et le chimiste Cadet de Vaux ouvrirent la première école de boulangerie.

Biscuit de navires. Pain complet destiné aux équipages des bateaux de mer ; ces pains cuits deux fois pouvaient se conserver plusieurs semaines. « Le levain y doit estre copieux, la paste etant pestrie, on la tire par pièces et lopins la faisant durcir et sécher quand on la roule avec farine [...] puis estant suffisamment levée, on en fait des fouaces ou gasteaux de l'espoisseur d'un pouce. On y peut mesler de l'anis » (*Le Thrésor de santé*, 1607). Également appelé « biscuit de mer », Malouin (1771) précise à son propos : « Il faut en levain un bon tiers de la quantité de pâte. Il faut que le levain soit bon, naturel, bien fait, fort travaillé. Et finalement un four bien chaud où on le laisse au moins trois heures. »

Couronne. Depuis la nuit des temps, une tradition tenace suggère que le pain, posé à l'envers sur une table, porte malheur. Au Moyen Âge, certains prétendaient qu'il attirait le démon. Pour conjurer le mauvais sort, le père de famille traçait, avec la pointe du couteau, le signe de croix sur la sole du pain avant de le couper. Au XVIe siècle, les guerres de Religion dévastèrent la France. La Rochelle et sa région devinrent une place forte du protestantisme. Cette nouvelle doctrine voulait éradiquer toutes les superstitions catholiques. Une légende raconte que le pain couronne a été élaboré par les boulangers protestants de la région. Le vide laissé au milieu rendait la réalisation du signe de croix plus difficile. Certaines régions du sud de la France revendiquent aussi cette création. [Jean Lapoujade]

Croûte à potage. « On commence par chapeler des petits pains mollets ; ensuite, on les coupe en deux suivant la longueur et l'on en vide la mie ; on arrange ces croûtes sur une planche en bois, la partie creuse vers le haut pour être exposées à la chaleur de la chapelle du four après la cuisson du pain. Les boulangers prennent ordinairement les petits pains mollets restés de la vente des jours précédents » (Malouin 1779).

Denrée, demie, doubleau ou doublet (XIIIe-XIVe siècle). Au début de l'application des ordonnances royales, l'unité type du pain était la denrée. Ce pain d'un denier se vendait par six ou par douze, dans ce cas le talemelier offrait le « treizain », treizième pain au client. Pendant la même période, la demie ou pain d'une demie, équivalait à la moitié d'une denrée et coûtait un demi-denier ou une obole. Le doubleau, deux fois plus gros que la denrée, coûtait deux deniers et se vendait trois par trois. Le prix de la denrée, demi-denrée et doubleau ne variait pas, mais on réduisait ou l'on augmentait leur dimension suivant que le blé était plus cher ou moins cher. À dater de 1439, le pain fut vendu au poids, ce furent alors les prix qui varièrent.

Échaudé. Pain de luxe dont la pâte broyée était cuite à l'eau bouillante et passait au four après égouttage. Il était de coutume de distribuer les échaudés aux pauvres le jour des Morts. Appréciés dans le nord du royaume, les échaudés gagnèrent le Midi où on les trouve encore aujourd'hui dans le Tarn et l'Aveyron.

Fouace ou fouasse. Variété de pain, différente selon les régions. En Picardie, pain blanc de première qualité du XIVe au XVIe siècle, comme en Normandie à la même époque. La fouace est aussi un gâteau aux œufs (Desportes 1987). Dans son *Gargantua*, Rabelais dit à propos de la fouace que « c'est viande céleste manger à déjeuner avec raisins », ici du pain. Les fouaces commandées par Grandgousier sont d'une autre nature car elles sont faites de « beau beurre, beaux moyeux [jaune d'œuf], beau safran et belles épices ». – Voir FOUACIER.

Fromentée. Bouillie obtenue en faisant éclater les grains de blé dans de l'eau ou du lait et parfumée de sucre ou de miel. Très appréciée à la fin du Moyen Âge ; consommée seule ou en accompagnement de plats de viande (*Ménagier de Paris* et *Le Viandier* de Taillevent).

Oublie. La pâte de fine fleur est travaillée sans levain. Le nom est calqué sur le vieil « oublée », qui signifie « hostie ». Les lois de l'Église interdisaient de cuire des hosties dans le four à pain au voisinage de la pâte fermentée, aussi les cuisait-on entre deux fers ou moule à hostie, dont plusieurs rougissaient au feu en même temps. Le fer imprimait trois croix ou l'image d'un agneau aux genoux pliés, et les lettres alpha et oméga, pour montrer que le Christ est le commencement et la fin de tout savoir humain. Les hosties étaient conservées dans un ciboire placé sur le tabernacle. « À Paris, une communauté d'oubloyers a existé très tôt. Ses statuts furent enregistrés en 1270, complétés en 1397 et 1406. Cent cinquante ans après Charles IX devait la réunir à celle des pâtissiers» (Desportes 1987)

Pain à café. Voir ci-dessous, « Pain mollet »

Pain à chanter. Pain d'autel ou encore hostie. Pain azyme, fait de la plus pure farine de froment et cuit entre deux plaques de fer gravées à l'effigie du Christ ; on frottait le moule avec un peu de cire blanche pour empêcher la pâte d'adhérer. Ce sont les maîtres pâtissiers-oublieurs ou bien les religieuses de couvent qui fabriquaient les hosties. Il en existe de deux sortes, des petites pour les fidèles, des grandes pour le prêtre.

Pain à chien ou pain de chasse. Confectionné avec les grains écartés par le vannage et mêlés de fétus de pailles. Ils sortaient davantage des cuisines particulières que des boulangeries.

Pain à la duchesse. Voir ci-dessous, « Pain mollet »

Pain à la Joyeuse. « La veuve Ronay, rue Saint-Victor, fait un pain de table excellent de toutes farines, qu'on nomme Pains à la Joyeuse » (Pradel 1878). Sous Henri IV, le duc de Joyeuse avait épousé la sœur de la reine, d'où une variété d'appellations « à la Joyeuse ». [Jim Chevallier]

Pain à la maréchale. Voir ci-dessous, « Pain mollet »

Pain à la mode. Voir ci-dessous, « Pain mollet »

Pain à la Monthoron. Voir ci-dessous, « Pain mollet »

Pain à la reine. En 1600, Marie de Médicis devint reine de France par son mariage avec Henri IV. Les boulangers italiens qu'elle fit venir lancèrent la mode d'un petit pain mollet de forme ronde, léger et spongieux, « jaune en dehors comme l'or, et blanc en dedans comme la neige », que Marie de Médicis aimait tout particulièrement, et que l'on surnomma le pain à la reine. Ce pain de luxe de fine fleur de farine deviendra le pain mollet en 1665. D'après Diderot, c'est un « pain fendu qui ne diffère du pain de festin que par l'assaisonnement qui y est moindre que dans ce dernier. On fait le pain à la reine avec une pâte qui n'est proprement ni forte, ni douce, et qu'on appelle pour cela pâte moyenne. Quelques-uns l'appellent encore pâte bâtarde » (1768).

Pain à la Ségovie. Voir ci-dessous, « Pain mollet »

Pain à potage. « Pain rond, mollet, fait avec la meilleure farine, du levain ordinaire, un peu de levure, du sel et de l'eau. Ce pain doit être bien cuit partout également, sans être brûlé ; on le fait mitonner dans le bouillon » (Malouin 1779).

Pain à soupe. « Ce n'est qu'une croûte contrairement au pain à potage. Ce pain très plat est une espèce de biscuit qui n'est bon que trempé, pour ceux qui aiment la croûte dans la soupe et qui veulent que le bouillon soit roux. Ce goût a fait imaginer les croûtes à potage » (Malouin 1779).

Pain azyme. Pain sans levain. Sous l'Ancien Régime, ce pain était surtout connu comme le pain des juifs et des musulmans, mais c'était aussi le pain de communion des catholiques, souvent cité par opposition au pain levé des protestants. Malouin (1779) le critiquait pour des raisons pratiques : « Le pain sans levain prend en vieillissant un goût de moisi, qui vient du long séjour de l'eau avec la farine dans la pâte, pendant lequel il se fait une fermentation lente, qui tend à la pourriture ; or la pourriture de la farine avec l'eau dans un pain qui n'est pas levé, donne une odeur et une faveur de moisi ; au lieu que le pain bien fait avec levain, se sèche en vieillissant, sans pourrir. » [Jim Chevallier]

Pain balle. Du temps de Rabelais, le gros pain balle était fait pour les domestiques avec des grains de qualité inférieure, « vannés et moulus si grossièrement, que la farine contenait encore la balle ou enveloppe du grain » (Jacob 1848). [Jim Chevallier]

Pain bis. Pain de qualité inférieure au pain coquillé, appartenant à la catégorie des petits pains. En vertu d'une ordonnance rendue en 1372, le pain bis prit le nom de *faitis* ou *pain de brode.* Diderot : « Le pain bis est le nom de la moindre espèce de pain, on le fait avec une partie de farine blanche, des gruaux fins et gros et parfois aussi des recoupettes, mais ce n'est que dans les chertés » (1768). C'est un pain à la mie foncée qui arrive en troisième position après le pain blanc et le bis-blanc, et qui est destiné au plus grand nombre. « On a toujours et partout été obligé de temps en temps, de forcer les boulangers à faire du pain bis, parce qu'ils y gagnent moins qu'à faire du pain blanc » (Malouin 1779).

Pain bis-blanc. Pain de qualité inférieure au pain blanc, fait de farine blanche et de fins gruaux bis. On sépare en deux parties la farine qui a passé par le bluteau, et qui est tombée dans la huche : il y a la première farine qui est les deux tiers de la totalité, qu'on nomme, dans la mouture rustique, « fleur de farine », ou « première farine ». L'autre tiers est la seconde farine, ou bis-blanc : ordinairement, on mêle ces deux farines.

Pain biscuit. Composé de farine de froment dont on a ôté le son, ce pain pouvait se conserver plus d'une année, enfermé dans des caisses dans un lieu sec. Il fallait étaler la pâte puis la découper à l'aide d'un rouleau de bois pour lui donner la forme du biscuit ; après l'apprêt, il faut le piquer comme le pain à soupe immédiatement avant la mise au four afin qu'il ne boursoufle pas ; il est préférable de sillonner la pâte à l'aide de piquoirs à cinq ou six dents. Chaque biscuit équivaut à une ration.

Pain blême. Voir ci-dessous, « Pain mollet »

Pain bourgeois ou pain à bourgeois. Il remplaça le pain coquillé en 1372. C'était le pain le plus consommé en ville, notamment à Saint-Denis et Paris. Au XVe siècle, les pains bourgeois, exposés en quantité aux devantures des boulangeries, étaient pittoresquement désignés comme « pains de fenêtre » (Desportes 1987).

Pain broyé. Au XIVe siècle, le pain broyé est fait avec de la fleur de farine longtemps battue avec deux bâtons. Il n'était guère en usage que pour le chef-d'œuvre exigé des compagnons boulangers qui voulaient être admis à la maîtrise.

Pain chapelé. « Petit pain fait avec une pâte battue et fort légère, assaisonnée de beurre et de lait. Se dit encore d'un petit pain dont on a gratté la plus grosse partie de la croûte au couteau » (Diderot 1768). Les pauvres et les gens de campagne achetaient cette chapelure pour la mettre dans la soupe.

Pain choîne, choesne ou choaime. Ce pain blanc et délicat est celui que recevaient les chanoines chaque jour ; de là viendrait l'expression : « Il a mangé son choesne en premier. » Quand il existait du pain d'orge ou de seigle, le choîne était de première qualité. Fait de fleur de farine, on l'appelait aussi pain de chapitre ou pain choesne.

Pain coco. Pain du Languedoc dont le pain jocko, au XIXe siècle, a, semble-t-il, pris le nom. – Voir JOCKO → France (pains actuels, pains régionaux). [Jim Chevallier]

Pain coquillé. Pain dont la croûte est boursouflée. Ce pain de qualité inférieure au pain de Chailli appartenait à la catégorie des petits pains. En vertu d'une ordonnance rendue en 1372, le pain coquillé s'appela « pain bourgeois » ; et, dans les statuts de 1659, il apparaîtra sous les intitulés « pain de ménage » ou « pain bourgeois ». Au XVIIIe siècle, Malouin jugea le pain coquillé équivalent du pain bis-blanc.

Pain d'esprit. Voir ci-dessous, « Pain mollet »

Pain de blé de Turquie ou de maïs. La farine de maïs additionnée d'eau bouillante était travaillée avec une spatule de bois pour former une pâte dure. Dès que le degré de chaleur permettait de pétrir avec les mains, on ajoutait le levain puis l'eau froide. On obtenait une pâte molle que l'on déversait dans des terrines garnies de grandes feuilles de châtaignier ou de chou, qu'on faisait faner en les approchant du feu. La pâte gonflait en cuisant, débordait quelquefois, ce qui augmentait la croûte. En retirant les terrines du four, on les renversait sur la table, le pain s'en détachait ainsi que les feuilles. Ce procédé était celui dont on se servait dans le Béarn. Ce pain mitonnait fort bien dans la soupe ; il se conservait longtemps mais était sujet à moisir.

Pain de bouche. Cité dans le glossaire de Du Cange au XIIe siècle, c'est un pain un peu salé, rempli d'yeux, fait d'une pâte bien travaillée, bien levée. L'appellation suggère que le pain se mange pour lui-même, accompagné d'un gobelet de vin, de quelques fruits ou de fromage. « C'est le pain du goûter qui coupe la longue matinée d'activité, celui de l'en-cas que l'on prend en voyage sur la route ou à l'auberge, mais c'est aussi celui qui marque sur les tables raffinées la place de chaque convive, posé à côté du couteau » (Desportes 1987). C'est pourquoi on l'appelait également « pain de table » ou « pain de courtisan ».

Pain de brode ou faitis. Pain bis de seigle et gruau gris et bis. Ce pain remplace le pain bis en 1372. Le pain de brode est un pain bis, mélange de farine non blutée, additionnée de farine de seigle. Le pain de brode vendu à Paris est coupé en « lèches », lamelles minces et longues pour tremper la soupe. En 1700, le pain de brode ou pain de gruau comprenait beaucoup de sons à peine dépouillés et trempés dans l'eau pour amollir les petits morceaux de grains qui y adhéraient.

Pain de Chailli ou Chailly. Pain blanc de première qualité cité dans une ordonnance de 1372, fait avec du froment en provenance de Chailly, aujourd'hui Chilly-Mazarin dans l'Essonne, réputé pour ses blés. En 1523, un arrêt ordonna aux boulangers de faire des pains de trois sortes de blancheur, bonté et poids, à savoir : le pain de Chailly, 12 onces (1 once = 16e de la livre) ; le pain bourgeois de 2 livres ; le pain de brode de 6 livres. Le pain de Chailli faisait partie des petits pains, que seuls les boulangers de Paris étaient autorisés à fabriquer. Il était moins blanc que le pain de chapitre mais un peu plus gros. En 1665, le pain de Chailli fut remplacé par le pain à la reine. Les boulangers lui substituèrent des pains moins nourrissants, auxquels ils donnèrent des noms de fantaisie ; ils leur procuraient un gain extraordinaire, au point qu'ils n'en faisaient plus d'autres.

Pain de chapitre. Il fut ainsi nommé pour avoir été fabriqué pour la première fois, en 1567, par le boulanger du chapitre Notre-Dame. La pâte était de consistance si ferme que les bras ne pouvaient suffire à la broyer ; il fallait y employer les pieds ou la broyoire (brie ou barre de bois). Ce pain jouit d'une telle réputation qu'il fut choisi comme chef-d'œuvre à réaliser par les aspirants à la maîtrise de boulanger. On prétend que c'est dans la rue Taillepain, qui aboutissait au cloître Saint-Merry, que s'établirent des boulangers pour fabriquer le fameux pain de chapitre à l'usage de la collégiale. Diderot en parle comme d'une « espèce de pain supérieur au pain chaland qu'on peut regarder comme le pain mollet de ce dernier » (1768). Et plus tard, on pourra lire dans *Maison rustique du XIXe siècle* : « La pâte, quoique de qualité supérieure, était fort compacte, car elle se pétrissait avec les pieds de la même manière que l'on fait encore aujourd'hui le pain provençal et le biscuit de mer dont la pâte trop ferme se refuse au travail de la main. »

Pain de châtaigne. On ôtait l'écorce des châtaignes après les avoir fait cuire soit dans l'eau, soit dans la cendre, soit dans la poêle. Ensuite on les réduisait en farine ; la farine une fois faite, on y mettait le levain de la veille ; lorsque la pâte était pétrie et levée, on disposait trois feuilles de châtaignier sur la pelle, on posait une poignée de pâte dessus et on l'aplatissait de la main. Le pain de châtaigne n'avait pas la fermeté du pain de grain ; il était doucereux et agréable à manger ; il se digérait facilement, était sain et d'un grand secours pour les gens de la campagne qui n'en mangeaient pas d'autres. Il se conservait quinze jours et plus. Autrefois, le pain de châtaigne se consommait couramment en Corse, dans les Cévennes, le Périgord, le Limousin et une partie de l'Auvergne. De nos jours, le prix de la farine de châtaigne ayant considérablement augmenté, les boulangers l'utilisent encore, mais à petite dose.

Pain de condition. Voir ci-dessous, « Pain mollet »

Pain de couvent. Pain que nombre de maisons religieuses préparaient pour l'abbé ou l'abbesse et leurs principaux officiers, des pains très blancs que certains bourgeois achetaient volontiers à tel monastère.

Pain de festin. Voir ci-dessous, « Pain mollet »

Pain de fournage. Pain fabriqué et vendu par un fournier à l'aide des farines ou des pâtes ouvrées qui lui sont laissées en salaire par les usagers du four.

Pain de Gonesse. Pain blanc de pâte broyée, à base de levain, fabriqué dans cette grosse bourgade céréalière au nord de Paris. Ce pain, très apprécié dès le XIIIe siècle, le restera jusqu'à la Révolution. Deux fois la semaine, les jours de marché, les boulangers de Gonesse, nourriciers de Paris, apportaient, dès 6 heures du matin, une très grande quantité de pains. Le fameux pain de Gonesse, tantôt rond, tantôt plat, faisait la joie des estomacs parisiens ; et ce fut une désolation exprimée par plusieurs mazarinades de bourgeois de se voir privés, lors du blocus de 1648, de leur bon pain de Gonesse que l'armée du roi se réservait pour elle (*Maison rustique*). On ne manquait donc pas d'éloge à son égard : l'historien Sauval rapporte ainsi que le pain de Gonesse était le meilleur de tous les pains venant de banlieue ; et l'écrivain Colletet, dans ses *Tracas de Paris*, le déclare préférable à tous les autres pains, y compris le pain à la Monthoron, et le pain à la reine. Le pain de Gonesse était vendu à prix débattus, ce qui veut dire qu'il ne pouvait être exposé en vente aux fenêtres ou ouvroirs des boulangers, pas plus qu'aux étalages des marchés ; il devait être remisé dans l'arrière-boutique pour ne pas être vu. L'apparition de la mouture économique provoqua vers 1770 le déclin du pain de Gonesse, puis sa disparition.

Pain de Hauton. Pain confectionné en vingt et un exemplaires, que le monastère Saint-Rémi de Reims donnait chaque semaine aux lépreux de la maison locale de Saint-Ladre.

Pain de l'Égalité. Après plusieurs siècles d'inégalité sociale et de discrimination concernant la consommation du pain, la Convention, estimant que tous les citoyens devaient se nourrir du même pain, fit paraître un décret le 26 brumaire An II (15 novembre 1793), précisant que « la richesse et la pauvreté devant également disparaître du régime de l'égalité, il ne sera plus consommé de pain à fleur de farine pour les riches, ni de pain de son pour les pauvres » (Article 8) ; « tous les boulangers sont tenus, sous peine d'amendes, de faire une seule et bonne espèce de pain, le pain de l'Égalité » (Article 9). Ces deux articles furent ajoutés par le Conseil général, le 23 novembre 1793. Le 12 décembre 1793, une carte de pain permit une meilleure distribution du pain (1,5 livre pour les travailleurs et chefs de famille, 1 livre pour les autres).

Pain de maïs. Introduit sous le règne de François Ier, le maïs était le plus souvent destiné aux bestiaux. Cependant, « quelques gens, au défaut de blé, en [faisaient] du pain, et je l'ai vu employer ainsi dans le Beaujolais » (Jacob 1848). Parmentier s'est beaucoup intéressé à cette céréale exotique et sera l'un de ses meilleurs défenseurs.

Pain de méteil. Fait à partir d'un mélange de blé et de seigle, semés et récoltés ensemble. C'est la proportion où se trouvent le blé et le seigle qui changeait les propriétés du méteil. Le pain de méteil était bon, savoureux et très nourrissant, il participait des deux grains les plus propres à se convertir en pain. Il est toujours confectionné de nos jours.

Pain de mie. « On compose ce pain de la pâte la plus ferme, sans levure qui fait la mie trop tendre. On lui donne une forme ronde pour qu'il n'y ait plus de mie et on l'utilise rassis pour qu'il soit ferme et qu'il s'émiette mieux ; on s'en sert pour paner les viandes rôties à la broche ou sur le gril» (Malouin 1779).

Pain de millet. À Paris, on vendait un certain pain de millet au sortir du four, en criant: «Pain millet tout chaud!» Il s'agissait plutôt d'une pâte cuite que d'un pain véritable, qui se mangeait «avec du lait ou dans du bouillon de viande; les Périgourdins le fricassaient dans de l'huile ou dans du beurre, et les habitants des montagnes y joignaient du fromage ou du petit-lait salé» (Jacob 1848). [Jim Chevallier]

Pain de munition. Pain de soldat composé de deux tiers de froment et d'un tiers de seigle, farine et son mélangés. En plus de sa ration de viande et de vin, le soldat recevait une livre et demie de pain par jour.

Pain de pommes de terre. L'arrivée de la pomme de terre en France a permis d'utiliser la fécule du tubercule dans le pain pour faire face aux pénuries de céréales et résoudre le problème de la faim. On ne pouvait composer du pain de pommes de terre si on ne les avait pas fait cuire auparavant, soit dans l'eau, soit dans la cendre, soit dans un chaudron, à sec et bien couvert. Ensuite on les pelait, on les écrasait avec un rouleau de bois de manière qu'il ne reste aucun grumeau et qu'il en résulte une pâte unie, tenace et visqueuse. On ajoutait à cette pâte le levain préparé la veille et une quantité de farine; on pétrissait le tout avec l'eau nécessaire. Différentes farines mêlées à la pomme de terre étaient connues pour acquérir la faculté de nourrir plus agréablement et plus économiquement: l'orge perdait son âcreté; le blé de Turquie sa sécheresse; et le sarrasin son amertume. Par ailleurs, la fécule de pomme de terre utilisée dans la confection du pain permettait de le conserver plus longtemps.

Pain de pote. À Paris, aux XIIIe et XIVe siècles, pain vendu sans prix fixe par convention entre acheteur et vendeur.

Pain de rive. Ce pain, placé sur la rive (bord) du four, était donc bien cuit de tous côtés. «Un pain de rive, à bizeau doré, relevé de crouste par tout, croquant tendrement sous la dent» (Molière, *Le Bourgeois gentilhomme*).

Pain de seigle. La farine de seigle est d'un blanc bleuâtre et douce au toucher; elle exhale une odeur de violette qui caractérise sa bonté. Le pain de seigle tient le premier rang après le pain de froment, sur lequel il a même un avantage: il reste frais longtemps; avantage précieux pour les habitants de la campagne qui n'ont pas le temps de cuire souvent. Il faut de grands levains, à moitié de la quantité de pâte; donner bien de l'apprêt parce que le seigle est toujours trop doux (Parmentier 1778). «Le seigle contient moins de gluten que le blé; c'est à cette différence qu'il faut attribuer l'infériorité de sa panification comparée à celle du blé. Pour panifier convenablement le seigle, il faut employer plus de levain que pour le blé, couler l'eau plus chaude, tenir la pâte plus ferme, y mettre moins de sel et la laisser plus longtemps au four» (*Maison rustique*).

Pain de table. Pour les gens de qualité à Paris, à la cour, dans toutes les grandes villes du royaume, le pain de table était assez gros pour suffire pendant le repas à un homme de bon appétit. On n'en servait qu'un seul par personne, et même on ôtait la croûte que l'on donnait aux dames pour tremper dans le bouillon qui leur était servi. On appelait aussi ce pain « pain de bouche ». Malouin (1779) cite « les pains de table qui sont des petits pains qu'on met avec le couvert sur la table, pour les repas ».

Pain de tranchoir ou pain tailloir. Épaisse tranche de pain bis de deux à quatre doigts, sur laquelle on disposait le morceau de viande, de poisson, de lard ou de volaille prélevé au plat commun. Servis en grandes quantités à la cour et à la table des nobles en guise d'assiettes, les tranchoirs humectés par les sauces et le jus des viandes étaient ensuite distribués aux pauvres à la fin du repas. On prétend que Saint Louis les faisait faire par les boulangers du château royal et en emportait une grande quantité chaque fois qu'il allait rendre justice, les distribuant à la foule en souvenir du Christ et du miracle de la « multiplication des pains ». Au sacre de Louis XII, on en servit 1 294 douzaines. Cette cérémonie s'observait encore au sacre de Charles IX. L'usage des pains tailloirs s'est maintenu jusqu'au XVIIe siècle.

Pain mollet. En 1665, pour rendre leur pain plus léger et plus délicat, les boulangers remirent en usage l'emploi de la mousse ou levure de bière afin d'activer la fermentation de la pâte, comme l'avaient fait autrefois les Gaulois. Le 17 mars 1668, la faculté de médecine déclara que la levure était préjudiciable à la santé du corps humain à cause de l'âcreté née de la pourriture de l'orge et de l'eau. Son emploi fut interdit le 26 juillet 1669, puis autorisé à nouveau le 21 mars 1670, mais uniquement pour les petits pains. L'emploi de la levure de bière permit la fabrication de pains ayant moins de mie et plus de croûte. La forme allongée des pains mollets prévalut sur la forme ronde qui jusqu'alors était en usage. On faisait aux dames la galanterie de leur réserver la croûte. Concurrent redoutable du pain de Gonesse, ce pain marqua le départ de la volupté et du raffinement dans le travail de la boulangerie, et donna naissance à toute une gamme de petits pains de luxe auxquels étaient ajoutés du lait, du sel et parfois du beurre ; ils connurent une très grande vogue tout au long du XVIIe et XVIIIe siècle. Ils se multiplièrent sous différents noms, en fonction de petites modifications apportées dans leur fabrication, ou selon la mode du moment : pain à la reine, à la Monthoron ou pain à la maréchale, pain à la duchesse, pain à la Ségovie, pain de festin, pain blême, pain à café, pain de condition, pain d'esprit, pain à la mode, pain Régence, etc. Ces pains n'étaient pas soumis à la taxe, car ils n'entraient pas dans la catégorie des pains de consommation courante.

Pain-mouton. La croûte de ce pain mollet, créé dans la deuxième moitié du XVIIe siècle, était dorée avec du jaune d'œuf et saupoudrée de quelques grains de blé. Il n'était courant qu'à Paris, où il était fait surtout à la nouvelle année, pour être donné en étrennes par les domestiques aux enfants des maisons où ils servaient. [Jim Chevallier]

Pain Régence. Voir ci-dessus, « Pain mollet »

Pain rousset. Pain de Paris, fait de méteil, et « servi, dit Olivier de Serres, à la table du seigneur, en potage » (Jacob 1848). [Jim Chevallier]

Pain salé, non salé. Le fait de mettre du sel dans le pain peut paraître évident aujourd'hui, mais l'institution de la gabelle (abolie en 1790) avait dissuadé les boulangers d'en faire usage. Et cela ne manquait pas de surprendre les étrangers de passage en France : « C'est encore l'usage de presque toutes les nations d'Europe ; et de là vient que quand des étrangers arrivent à Paris, ils trouvent d'abord notre pain insipide, quoiqu'il soit réellement beaucoup meilleur que celui qu'ils font chez eux. Cependant nos provinces maritimes, où le prix du sel fut nécessairement moins excessif que dans l'intérieur du royaume, celles même de l'intérieur qui, par leurs privilèges, par leurs salines, ou autrement, furent à portée de l'avoir à un prix raisonnable, continuèrent d'en mettre dans leur pain. […] Les petits pains mollets que firent sur la fin du seizième siècle les boulangers de Paris, furent d'abord salés aussi ; et ce fut à cette occasion que leur pâte devenant […] plus difficile à lever à cause du lait et du beurre qu'ils y faisoient entrer, ils employèrent pour ferment la lie de bierre » (Legrand d'Aussy 1782). [Jim Chevallier]

Petit pains de fantaisie ou de mode. Malouin (1779) distingue ces différentes sortes de pains par leurs diverses formes : il y a le pain rond, long, cornu, le pain en bourrelet ou en arc ; mais également par leur contenu et la façon de les préparer : « Pour faire des petits pains de fantaisie, il suffira pour servir de modèle, de rapporter la composition des 4 principaux qui se font presque en même temps, et presque par la même manipulation : le pain à café, le pain de festin ou pain à la reine, le pain à la Ségovie, le pain cornu. On prend de la meilleure farine qui est celle de gruau ; on la répand dans le fond du pétrin à un des bouts duquel, où l'on a fait la fontaine, on met de la levure et du sel, qu'on dissout ensemble en y versant de l'eau chaude et du lait (autant d'eau que de lait). On commence par l'eau sur le sel ; on y met ensuite le lait et tout aussitôt la levure. On fait écouler cette dissolution vers l'autre bout du pétrin et on y fait le pain à café avec ce qu'il y a de plus mou. Par le moyen de la levure et du sel on fait entrer beaucoup d'eau avec peu de farine dans la composition du pain à café, c'est pourquoi ce pain est peu nourrissant. Ensuite on compose le pain de festin auquel on ajoute du beurre. En général on met du beurre lorsque la pâte est faite. Ensuite, on pétrit de même le pain à la Ségovie auquel on donne de la couleur en le mouillant légèrement avec un peu d'eau : il y a des boulangers qui délayent du jaune d'œuf dans cette eau et c'est avec une espèce de pinceau qu'on mouille extérieurement ce pain immédiatement avant de l'enfoncer. Enfin le pain cornu de pâte plus ferme, composé des grattures du pétrin ramassées en préparant les trois autres sortes de pains. On ne doit mettre que deux heures pour faire ces pains y compris le temps de cuisson. Ils lèvent sur couche pendant une demi-heure selon la qualité de la levure et la température de l'atmosphère. » Puis Malouin précise : « On fait présentement beaucoup moins de pains de pâte ferme qu'on en faisait autrefois : on fait presque tout aujourd'hui en pâte molle ou bâtarde. Je dois répéter à cette occasion que plus on fait des pains gros ou grands, plus il faut les faire de pâte ferme ; et qu'au contraire, plus la pâte est molle, plus il faut que les pains soient petits autrement on ne pourrait les manier pour les façonner et les mettre à cuire. »

Tostée. – Voir TOAST

Tourte, tourteau, tourtelet, tourtelle. En certaines provinces, la tourte était un gros pain rond de seigle d'où on n'a point tiré le son. Encore en 1899, « dans le Berry, dans le Bas-Berry surtout, quand une fille [coupait] sans peine l'entamure d'une tourte (pain bis rond de vingt-cinq livres), on [disait] qu'elle [était] bonne à marier » (*Le Ménestral*, 1899). Dans le Lyonnais et le Dauphiné, un tourteau était un grand pain bis ; dans des autres provinces c'était un petit pain bis fait en rond. Une tourtelle était aussi un pain bis, grossier et en rond, fort plat, qui était plus grand que le tourteau, mais plus petit que la tourte. En Champagne, un tourtelet était un morceau de pâte large comme la main, très mince, cuit dans l'eau avec du sel et du beurre (Trévoux 1771).

Mouette Barboff

• *Voir aussi :* Assassinat du boulanger Denis François ; Aubert, saint ; Ban et banalités ; Blatier ; Boisseau ; *Boulangère a des écus* (*La*) ; Boulangers et boulangeries (histoire de France des) ; Boulangers forains ; Bréer ; Cadet de Vaux ; Chef-d'œuvre ; *Conquête du pain* (*La*) ; Crédit ; Disettes, famines et révoltes pour le pain en France ; Duhamel du Monceau ; École de boulangerie (première) ; Égalité (pain) ; Farines (guerre des) ; Feu ou mal de Saint-Antoine ; Fouacier ; Grand panetier ; Honoré, saint ; « Introduction » de Steven L. Kaplan ; Invalides (hôtel royal des) ; Isidore, saint ; Lazare, saint ; Malouin ; Maître ; Mineurs blancs ; Minot ; Moisson, 24 juin 1990 (La Grande) ; Mot « pain » dans la langue française ; Munition (pain de) ; Orve et orvier ; Oublieur ; Pain blanc ; Pain maudit ; Pain rationné ; *Panem et circenses* ; Panasse ; Parmentier ; Physiocrates ; Porcs (droit d'engraisser les) ; Porte-chape ; Porteuse de pain ; Réglementation ; *Sur la législation et le commerce des grains* ; Taille ; Talemelier ; Tranchepain ; Valet soudoyé ; Vilmorin

Bibl. : Étienne BOYLEAU, *Le Ménagier de Paris*, t. II, *Livre des métiers* • Raymond CALVEL, *Le Pain et la panification*, Paris, PUF, coll. « Que sais-je ? », 1964 • Françoise DESPORTES, *Le Pain au Moyen Âge*, Paris, Olivier Orban, 1987 • DIDEROT et D'ALEMBERT, *Encyclopédie*, 1751-1772 • P. L. JACOB, F. SERÉ, *Le Moyen Âge et la Renaissance : histoire et description des mœurs et usages, du commerce et de l'industrie, des sciences, des arts, des littératures et des beaux-arts en Europe*, t. I, Paris, Administration, 1848. • LEGRAND D'AUSSY, *Histoire de la vie privée des François, depuis l'origine de la nation jusqu' à nos jours*, t. 1, Paris, Ph.-D. Pierres, 1782 • Paul Jacques MALOUIN, *Description et détails des arts du meunier, du vermicellier et du boulanger*, Paris, 1779 • Sébastien MERCIER, *Les Tableaux de Paris*, 1781-1788 • Ambroise MOREL, *Histoire illustrée de la boulangerie en France*, Paris, Syndicat patronal de la boulangerie de Paris et de la Seine, 1924 • Antoine-Augustin PARMENTIER, *Le Parfait Boulanger, ou Traité complet sur la fabrication et le commerce du pain*, Paris, 1778 • Abraham du PRADEL (N. de Blégny), *Le Livre commode des adresses de Paris pour 1692. Tome 1er*, précédé d'une introduction et annoté par Édouard Fournier, Paris, Daffis, 1878 • TRÉVOUX, *Dictionnaire universel françois et latin, vulgairement appelé Dictionnaire de*, t. 8, Thabarestan-Zythomiers, Paris, Compagnie des libraires associés, 1771 • *Thrésor de santé*, Lyon, Jean-Ant. Huguetan, 1607 • VOLTAIRE, « Questions sur les Miracles », *Œuvres complètes*, t. 46, Gotha, C.-G. Ettinger, 1787.

FRANCE EXPORT CÉRÉALES.

L'association France Export Céréales fut créée en 1997 par les Céréaliers de France et leur principal syndicat professionnel, l'AGPB (Association générale des producteurs de blé et autres céréales). Depuis 2005, Intercéréales, interprofession de la filière du blé, de la farine et du pain, gère le financement de l'association. Les céréales et particulièrement le blé demeurent aujourd'hui, dans le monde, un des piliers de l'alimentation. Chaque année, un peu plus de 600 millions de tonnes sont produites à l'échelle de la planète, 20 % de cette production étant échangée sur les marchés internationaux. Les grandes zones de production bénéficient de climats tempérés, comme en Europe, Amérique du Nord et Australie, les principaux acheteurs se situant dans des zones arides à forte croissance démographique, telles que le sud de la Méditerranée, le Moyen-Orient mais aussi le Japon et le Brésil. Affranchis de toute contrainte, les marchés génèrent de fortes fluctuations des cours, auxquelles les économies nationales ont parfois bien des difficultés à faire face. La crise de 2007, où la récolte mondiale était en déficit de 5 %, et la flambée des prix qui s'ensuivit, avant l'écroulement des cours l'années suivante, illustrent bien ce phénomène de forte tension et de vive concurrence.

Dans ce contexte, la céréaliculture française produit près du tiers des 120 millions de tonnes européennes, contribuant largement à l'autosuffisance en blé et positionnant la France en tant que quatrième exportateur mondial, échanges intra-européens et externes confondus. Une telle position impose une responsabilité vis-à-vis des importateurs structurels, ceux-ci suppléant, grâce au marché, le manque de productions domestiques. Sur un marché particulièrement concurrentiel, les offres américaine, australienne, canadienne, russe et ukrainienne cherchent à rivaliser avec le blé européen. Tous les moyens sont bons alors pour faire valoir les avantages d'une approche technologique de la meunerie et de la panification particulière.

France Export Céréales a alors pour mission d'être un outil de compréhension des marchés et des besoins des pays importateurs. En développant des compétences en meunerie et en boulangerie, France Export Céréales a su inciter ses partenaires à modifier leur approche du métier, à percevoir selon d'autres critères la qualité d'un blé ou d'une farine. Grâce à l'expertise technique qu'elle leur apporte (citons, pour exemples, les essais sur le pain vapeur en Chine, la baguette au Maghreb et en Afrique de l'Ouest, ou encore le pain fino, dit pain des écoliers, en Égypte), elle a permis à la plupart des meuniers du sud de la Méditerranée, par exemple, de raisonner en termes d'origines et surtout d'usage des blés. Ainsi la course à la protéine imposée par quelques grands exportateurs est devenue quelque peu caduque. En faisant prendre conscience à ses meuniers partenaires de l'importance de disposer de protéines de bonne qualité technologique, France Export Céréales contribue à l'amélioration des productions céréalières et à une rationalisation des usages. France Export Céréales dispose, pour ce faire, de trois bureaux de représentation à Beijing, Casablanca et au Caire. L'activité non commerciale de l'association interprofessionnelle permet une expertise neutre et originale, aux côtés de clients désireux de se procurer des blés ayant de bonnes valeurs technologiques, utiles pour de multiples usages.

Laurent Dornon

• *Voir aussi :* AGPB ; Céréales ; Céréales (cours mondiaux des) ; Céréales (disponibilité mondiale des) ; Céréaliers de France ; Meunerie ; Meuniers et minotiers

FRANC-MAÇONNERIE (symbolique du pain dans la). – Le pain, et le blé dont il est fait, sont présents dans le symbolisme maçonnique à diverses étapes du chemin initiatique. Le pain apparaît dès le passage dans le « cabinet de réflexion », qui constitue le premier contact de l'impétrant avec les symboles, avant la cérémonie d'initiation proprement dite. Dans ce lieu de méditation obscur où doit se dissoudre le vieil homme sont disposés sur une table une bougie, une cruche d'eau, du pain, un sablier, et trois coupelles contenant respectivement du sel, du soufre et du mercure. L'invitation au dépouillement, au retour à l'essentiel, se lit clairement dans la présence de ces deux aliments de base que sont l'eau et le pain. La confection de celui-ci, tout comme la maturation du blé, nécessite l'action combinée des quatre éléments indispensables à la vie : terre, eau, feu et air. Les symboles alchimiques rappellent le cycle de la vie, de la mort et de la renaissance toujours recommencé. Au cœur de la matrice terrestre, *materia prima* figurée par le cabinet entièrement noir où le futur initié va rédiger son testament, a lieu la putréfaction annonçant l'avènement du nouvel être. « Si le grain ne meurt... », dit l'Évangile (Jean XII, 24). Au sortir du cabinet de réflexion, le futur initié est prêt à subir les épreuves qui le feront mourir à sa vie profane pour renaître en « néophyte », étymologiquement « jeune plante », en commençant par l'épreuve de la terre qui résume cette première purification.

Après sa période d'apprentissage, devenu compagnon, le maçon est appelé à méditer sur la germination et sur le symbole de l'épi de blé, à travers le nom même du deuxième grade, ainsi que son mot de passe. Le qualificatif *compagnon* le désigne en effet comme « celui qui partage le pain » : du latin *cum + panis.* Quant au terme hébraïque *schibbolet*, qui se traduit « épis de blé » et lui sert de mot de passe, il provient d'un épisode du livre des Juges XII, pendant la guerre qui oppose les gens de Galaad aux Éphraïmites : au passage du Jourdain, les premiers demandent aux gens d'Éphraïm en fuite de dire le mot *schibbolet*, que ces derniers prononcent *sibbolet.* Trahis par ce défaut d'élocution, ils sont immédiatement égorgés par leurs ennemis. La mise en garde est claire : la voie initiatique saura tôt ou tard démasquer l'imposture. L'épi de blé représente le franc-maçon photophore et pneumatophore, destiné à rayonner, à diffuser la lumière qu'il a reçue, à partager fraternellement son pain, nourriture spirituelle autant que substantielle. *Schibbolet* oriente la réflexion du compagnon vers le mot hébraïque *lekhem*, « pain », qui compose *Bethléem*, « maison du pain », où est né le Christ. Or *lekhem* a pour anagrammes *makhala*, « maladie », et *makhal*, « le pardon » : est-ce à dire que le pain de vie, pour guérir la maladie, doit passer par le pardon ? Ces rapprochements rappellent un enseignement initiatique très répandu, selon lequel, toute chose renfermant son contraire, c'est par cette conciliation des opposés qu'on peut parvenir à l'unité et à la sérénité.

L'initié rencontrera encore le pain en avançant sur le chemin maçonnique. Au 14e grade, une table portant la manne et les douze pains de proposition évoque l'histoire du peuple hébreu : la construction du premier Temple après la sortie de son esclavage en Égypte ; puis sa destruction et la nouvelle errance pour échapper à la captivité de Babylone, afin de retrouver la tradition perdue. Ces références symbolisent toute voie de libération spirituelle, ayant pour support la transmission d'un enseignement traditionnel : elles reflètent à travers un mythe ou une histoire les vicissitudes intérieures de celui qui cherche à atteindre la connaissance. Une représentation de la Cène se déroule au 18e grade, au cours de laquelle sont partagés le pain et le vin. Sa signification symbolique, liée au sacrifice, à la résurrection, à la régénération perpétuelle de la vie, se voit confirmée par de nouvelles remarques sur le mot *lekhem :* si l'on divise en deux sa valeur numérique de 78, on obtient la somme suivante : 39 + 39. Or ce nombre 39 correspond à la valeur du nom de Dieu – Iod Hé Vav Hé – en mouvement, *kouzou*, résultant du changement de chaque lettre en celle qui la suit dans l'alphabet (M. A. Ouaknin 2004). Si donc on coupe *lekhem* en deux, si on partage le pain, comme dans l'Eucharistie, on parvient à une modalité du nom divin. La perception du divin en mouvement, c'est le partage, l'amour oblatif dont seul est capable l'être réalisé.

La voie initiatique se présente comme un long processus de transformation intérieure, à l'issue duquel le levain intime fera gonfler le pain spirituel dans le cœur de l'adepte. Dans les mystères d'Éleusis, le grain de blé était aussi proposé à l'impétrant comme une image de son devenir. Au cours de sa transmutation, le néophyte traverse des états successifs, germer, éclore, grandir, transmettre à son tour ce qu'il a appris à de nouveaux initiés... De même, le grain enfoui en terre donne naissance à l'épi constitué de plusieurs grains, changés en farine puis en pain, et ainsi de suite. L'analogie avec le miracle de la multiplication des pains montre que ce travail est accompli afin que d'autres s'en nourrissent, à l'infini.

Marie-Laure Di Pasquale

• *Voir aussi :* Bethléem ; Cène ; Compagnon ; Déméter et Perséphone ; Éleusis (mystères d') ; Fermentation (approche anthropologique de la) ; Hallah, manne, pains de proposition ; Miracles christiques ; Miracles eucharistiques ; Vierge et cycle des cultures céréalières

Bibl. : Jean-Pierre BAYARD, *La Symbolique du cabinet de réflexion*, Paris, Edimaf, 1984 • Patrick NÉGRIER, *Les Symboles maçonniques d'après leurs sources*, Paris, Télètes, 1991 • Irène MAINGUY, *La Symbolique maçonnique du troisième millénaire*, Paris, Dervy, 2001. – *ID.*, *De la symbolique des chapitres en franc-maçonnerie*, Paris, Dervy, 2005 • Marc-Alain OUAKNIN, *Concerto pour quatre consonnes sans voyelles*, Paris, Payot, 2003.

FRANCHISE. – La boulangerie-viennoiserie est un des secteurs de la franchise en fort développement. Les réseaux d'enseignes qui interviennent sur ce créneau affichent un bilan positif. Être franchisé permet à un néophyte d'exercer une activité en rapport avec la boulangerie et de proposer une gamme courte de pains et de viennoiseries à emporter. Les produits précuits frais et crus surgelés sont cuits en magasin. Toutes les marques progressent de quelques unités par an, même si les bons emplacements en centre-ville sont de plus en plus rares. Le montant de l'investissement en matériel et la surface minimum pour créer un magasin sont des freins à une croissance rapide. Pour ouvrir un point de vente, le franchiseur demande une somme de départ (un ticket d'entrée) pour avoir le droit d'exploiter la marque et des royalties à verser tous les ans. Face aux terminaux de cuisson et aux franchises qui privilégient les pâtons surgelés, d'autres enseignes de boulangerie ont choisi de renouer avec la qualité boulangère. Ainsi, sur le marché de la franchise en boulangerie, l'enseigne vendéenne La Mie Câline, est la plus importante, avec cent quatre-vingt-dix points de vente. Les autres enseignes du secteur sont Paul, Saint-Preux, Le Pétrin Ribeïrou, Histoire de Pains, Point Chaud, Les 1 000 Délices, La Croissanterie, Pomme de Pain, Le Grenier à Pain, Au vieux four Mahou, Aux pains perdus, Tout à croquer, Le Fournil des Traditions, L'Épi gaulois, Les Fromentiers de France, Les Délices du Fournil, Chevallier, Moulin de Païou racheté par la minoterie Forest, etc.

Banette, Ronde des Pains, Copaline, Baguépi, Rétrodor, Festival des Pains, etc. sont des marques souvent assimilées par le grand public à des franchises. Ce n'est pas le cas. Elles appartiennent en réalité à un meunier indépendant ou à un groupe de meuniers. L'artisan boulanger achète directement des farines ou des mixes à un ou plusieurs meuniers. De son côté, le meunier lui propose des recettes de pains spéciaux, de baguettes. Dans certains cas, création ou reprise d'un fonds de boulangerie, le meunier propose de financer une partie de l'achat du fonds et, en contrepartie, le boulanger achète sa farine chez lui. Cette pratique courante continue d'exister, les deux parties y trouvant chacune leur intérêt.

Jean-Pierre Deloron

• *Voir aussi :* Bagatelle ; Baguépi ; Banette ; Bleuette ; Copaline ; GMS ; Marketing du pain ; Paul → Holder ; Précuit ; Reine des Blés ; Rétrodor ; Ronde des Pains ; Terminal de cuisson

FRASAGE. – Première phase du pétrissage réalisé avec un pétrin, pendant laquelle débute le mélange des ingrédients (farine, eau, levure, sel par ordre d'incorporation). Ce stade doit être aussi court que possible et, pour ce faire, les ingrédients sont pesés soigneusement avant le début de l'opération. L'objectif est de faire passer la farine de l'état pulvérulent à l'état pâteux.

Dominique Descamps

• *Voir aussi :* Bassinage ; Contre-frasage ; Eau ; Eau de coulage ; Paroi propre ; Pâte ; Pétrin ; Pétrissage ; Pétrissage (sur-) ; Pétrissage avec les pieds ; Température de base

FRASE. – Une des opérations du pétrissage lorsqu'il était manuel et mettait en œuvre des pâtes fermes préparées au levain. Le pétrissage manuel comprenait cinq phases différentes : le frasage ; la frase ; le découpage et le passage en tête ; le soufflage et l'étirage ; enfin le pâtonnage et la mise en planches. La frase consistait à ajouter à la masse déjà constituée (délayure) une seconde partie de farine jusqu'à obtention de la consistance nécessaire.

Dominique Descamps

• *Voir aussi :* Découpage et passage en tête ; Frasage ; Main ; Pétrin ; Planches (mise en) ; Soufflage et étirage

FRAYON, FUSEAU. – Rochet vertical fixé sur le manchon d'anille de la meule courante et qui, en tournant avec elle, agite l'auget pour faire tomber les grains ou les gruaux dans l'œillard de la même meule (Touaillon 1867)

Jean-Pierre Henri Azéma
et Roland Feuillas

• *Voir aussi :* Anille ; Auget ; Meule ; Moulin ; Œillard

Bibl. : C. TOUAILLON Fils, *La Meunerie*, Paris, Librairie agricole de la Maison rustique, 1867.

FREINTE. – Perte de masse ou de volume non volontaire subie par le produit au cours de sa fabrication (exemples : légère déshydratation des pâtons entre la division et la mise au four, pesées en excès pour s'assurer de la bonne masse des pains après cuisson, perte de masse liée à la consommation des sucres dans le processus de fermentation, perte par déshydratation, en surgélation, pousse contrôlée ou pousse lente). Une perte en eau moyenne à la cuisson pour un type de produit donné est considérée comme un phénomène normal et indispensable dans le processus de cuisson, mais les écarts supérieurs de pertes en eau par rapport à la moyenne peuvent être considérés comme des freintes.

Philippe Roussel

• *Voir aussi :* Division ; Enfournement ; Fermentation panaire ; Hygrométrie ; Panification ; Pâton ; Pesage

FRIGORISTES. – Voir ÉQUIPEMENTIERS

FROID. – Ensemble de techniques appliquées au pain cuit ou aux pâtes crues ou précuites et utilisées dans le domaine artisanal ainsi que dans la boulangerie industrielle. La technique principale utilisée en boulangerie artisanale est la pousse contrôlée. Il s'agit d'une fermentation par le froid qui comprend, après façonnage des pâtons, un blocage de la fermentation à une température entre 0° et +4°, d'une durée pouvant varier de 10 à 72 heures ; puis une remontée de température comprise entre 20° et 25° pour assurer la pousse de la pâte pendant 2 à 4 heures. Sans porter préjudice à la qualité du produit final, cette technique permet de retarder le moment de la cuisson et profite en particulier au consommateur du soir, heureux de trouver du pain chaud dans sa boulangerie. Elle permet d'assurer une meilleure organisation du travail dans le fournil (meilleure planification des ventes, plus grande diversification de la production, diminution des heures de nuit). En boulangerie industrielle, ce sont les techniques de pâtes crues ou précuites surgelées qui sont surtout utilisées, avec pour objectif principal d'assurer la distribution d'un produit aussi frais que possible et doté de l'ensemble de ses qualités gustatives.

Dominique Descamps

• *Voir aussi :* Boulangerie contemporaine ; Chambre de fermentation (ou pousse) contrôlée ; Diagramme en boulangerie ; Fermentation contrôlée ; Précuit ; Prêt à façonner, prêt à pousser ; Terminal de cuisson

FROMAGE ET PAIN. – Voir LEVAIN (symbolique du)

FROMENT. – Voir BLÉ TENDRE OU FROMENT

FRUIT À PAIN. – Voir ARBRE À PAIN

FRUITS EN PÂTE. – Connus sous les appellations « fruits en cage » ou « fruits en chemise », les fruits en pâte désignent des pommes, des poires, plus rarement des coings, enrobés d'une mince couche de pâte à pain. Autrefois, dans les campagnes, les ménagères profitaient de la chaleur du four lors de la fournée hebdomadaire pour confectionner ce dessert, simple et rustique, très apprécié de tous. Celles qui ne disposaient pas de four le portaient chez le boulanger. Selon les cas, les fruits en pâte cuisaient en même temps que les pains ou après que ceux-ci avaient été défournés. Cette coutume était très répandue en Normandie au XIXe siècle (Moisy 1887), mais aussi dans les régions du nord-ouest et du nord-est de la France, riches en variétés de pommes et de poires. Dans le Sud-Est, on utilisait des coings.

Le nom des fruits en pâte varie en fonction de la localité et selon la nature du fruit. Avec des pommes on fait des bourdes, bourdelots, bourdins en Normandie ; des boulots dans la Somme et le Perche ; des bourdons dans la Sarthe ; des casse-musiaux en Brie ; des casse-museaux à Paris. À Reims, c'est la rabote. Dans le nord des Ardennes, la raubote. Au pays de Sainte-Ménehould, le gomichon. En Lorraine et en Alsace, des rouyats, roulots, roulottes, robâtes, michots, boulottes, aeppelmetch, parmi d'autres… Avec des poires, on fait les douillons normands ; les poires en rabotte, les poires en douillon, les poires cartouches. L'appellation « bourde » s'applique parfois aux poires. En Normandie, la roulette et la teuvée se font indifféremment avec des pommes ou des poires. En Ardèche et en Provence, le pan coudoun se fait avec des coings.

Autrefois, les variétés de pommes et de poires se comptaient par centaines. Malheureusement, le choix est aujourd'hui restreint, mais on trouve encore quelques variétés anciennes remises au goût du jour grâce aux efforts des Croqueurs de pommes et de nombreuses autres associations. Pour l'usage qui nous concerne ici, on privilégie les variétés à chair ferme, celles qui ne se délitent pas ; parmi les pommes, la reinette, la boscoop, la golden, et des variétés plus rares comme la feuille morte, la vérité. Les poires à cuire sont tombées en désuétude, mais on peut utiliser les williams, les comices et, éventuellement, les guyots. Pour cuire le fruit à cœur et de façon égale, il est préférable de choisir des fruits de grosseur régulière et de petite dimension. On peut utiliser le fruit entier avec la peau, mais, dans la plupart des cas, les pommes et les poires sont pelées et vidées de leurs pépins à l'aide d'un découpoir rond à colonne. On recommande d'utiliser le fruit mouillé. Parfois, on incise la pomme circulairement à mi-hauteur pour éviter qu'elle n'éclate pendant la cuisson ; on peut cuire le fruit en partie, préalablement, pour réduire le temps de cuisson.

Avant d'envelopper les pommes dans la pâte, on garnit la cavité centrale avec un morceau de sucre, une noisette de beurre, une pincée de cannelle ; de la confiture, de la gelée de groseilles ou de framboises ; du sucre pilé arrosé d'eau-de-vie de prune (Brie) ; de la confiture allongée de calvados, du calva (Normandie). Les poires, garnies de beurre et parfumées à la cannelle, peuvent être fourrées de crème pâtissière, comme celles de

Max Duflot, pâtissier à Yvetot (Normandie). Quant aux coings, ils sont fourrés de sucre en poudre avec parfois une goutte de rhum (Provence). Maguelonne Toussaint-Samat (2004) décrit la façon dont procédaient les grands-mères ardéchoises, mais aussi celles du Var ou du Vaucluse, lorsque à l'automne elles choisissaient de beaux coings bien sains qu'elles essuyaient vigoureusement du revers du tablier, avant de creuser en leur milieu pour enlever les graines. Ensuite, elles les passaient sous l'eau avant de remplir le cœur de sucre et les rouler délicatement dans du sucre. Elles étalaient la pâte à pain pour y découper des carrés destinés à les envelopper bien soigneusement, et les rangeaient dans un panier plat. Puis elles se rendaient chez le boulanger qui cuisait les pan coudoun à four doux.

Claude Thouvenot (1991) évoque, dans l'Est, le jour de la cuisson du pain, jour d'abondance et de régal : selon la saison, les boulangères mettaient à cuire avec le pain quelques pommes entières non pelées, roulées dans un manteau de pâte. Ces ancêtres rustiques des chaussons aux pommes étaient fort estimés des enfants et très répandus. Dans la Creuse, on faisait le châtagna : en introduisant des châtaignes crues, débarrassées de leurs deux écorces, dans de la pâte de pain bis. Une sorte de compromis entre un dessert et un pain. Si, à l'origine, on enveloppait le fruit avec la pâte à pain, celle-ci pouvait être « amendée » avec du beurre, des œufs. C'était le cas en Normandie, où, selon Stephen Chauvet (1981), les fermiers normands ajoutaient des œufs, du beurre et du lait. Avec la pâte mise en plaques peu épaisses, ils enveloppaient des poires, les plaçaient dans un plat « de compagnie », puis les doraient, les recouvrant d'un peu de beurre et de sucre, avant de les placer à l'entrée du four. Défournées, les bourdes étaient tenues au chaud pour être consommées à la fin du déjeuner.

À présent, les pâtissiers utilisent différentes pâtes : pâte à foncer, pâte à chausson, pâte à tarte, pâte brisée, ou pâte feuilletée. Ils obtiennent ainsi une croûte plus fondante, plus dorée, plus croustillante, bref une version plus sophistiquée. La pâte est toujours découpée en grands carrés, suffisamment grands pour envelopper le fruit, mais il y a différentes façons de procéder. Les pommes et les coings sont posés sur un carré de pâte dont on relève les pointes en aumônière, puis on soude les arêtes en pinçant la pâte. Pour les pommes, les pointes de l'aumônière sont cachées par une rondelle de pâte dentelée, découpée au coupe-pâte cannelé ; pour les coings, il suffit de donner un tour et de rabattre le tortillon de pâte. Un autre procédé plus rare consiste à enfermer la pomme dans un chausson de pâte rectangulaire roulé sur les côtés. C'est le cas de la rabote, « qui diffère du chausson en ce que la pomme est cuite entière avec sa peau, et que la pâte forme une demi-sphère avec deux oreilles ». D'après le Littré, ce nom viendrait de l'ancien français : rabote, ballon de paume du XIVe siècle. Avec les poires, on procède différemment : on coiffe le fruit avec la pâte pour l'encapuchonner et on fait passer la queue au travers. Il n'est pas rare d'ajouter une feuille ou deux découpées dans les chutes pour décorer le fruit, ou de ciseler la pâte feuilletée à la pointe du couteau

(Lenôtre 2006). Le terme « douillon », viendrait du mot « douillette », vêtement ouaté confortable et chaud dans lequel la poire est emmitouflée. L'appellation « cartouche » est sans doute inspirée par l'enveloppe conique du fruit d'où émerge la queue comme la mèche d'une charge explosive.

La pâte est ensuite dorée à l'œuf avant de passer au four ; parfois rayée légèrement à la pointe du couteau sur le dessus ou autour, en guise de décor. Un boulanger du Perche saupoudre la pâte de sucre cristallisé qui dessine des coulées et se caramélise en cuisant. Dans certaines contrées, on sculpte la pâte en forme de tête de chat avec un museau, deux oreilles et deux raisins secs pour les yeux. D'après les anciens glossaires, les bourdelots cuisent individuellement, tandis que les bourdes sont rangées en escouade serrée, hanches contre hanches, sous une couche de pâte, dans un plat en terre appelé plat « de compagnie ». Il faut compter 20 min de cuisson dans un four à 240° ou 30 min à four modéré. Il est recommandé de ne pas toucher aux fruits tant qu'ils sont chauds et de les laisser refroidir doucement. Les fruits enrobés sont servis tièdes, pour mieux en apprécier les arômes, le fondant des parties charnues, le croustillant de la pâte. En Brie, la ménagère réservait une petite surprise à ses hôtes : « À l'occasion des fêtes de famille, lorsqu'on dégustait les casse-musiaux, l'un d'entre eux renfermait un gros oignon à la place d'une pomme : celui qui tombait dessus se cassait le museau ! » Une autre interprétation consiste à dire que la pâte à pain avec laquelle on enrobait les pommes ou les poires, et qui durcissait en cuisant, donnait son nom à cette pâtisserie. Cette spécialité campagnarde a tôt fait de se répandre en ville ; parmi les cris de Paris, on pouvait entendre dans les rues : « Beaux casse-museaux tout chauds, bien rissolés, je les donne, je les vends ! » Aujourd'hui, ces desserts d'autrefois réapparaissent ici et là lors de manifestations, comme les Pommades (à Savigny-le-Temple) ; ou à l'occasion des Fêtes du pain. Elles ont le mérite de remettre à l'honneur une friandise oubliée et des variétés de fruits aux saveurs exquises.

Mouette Barboff

• *Voir aussi :* Cataplasme farineux ; Figurines en mie et en pâte de pain ; Santon

Bibl. : Stephen CHAUVET, *La Normandie ancestrale*, Paris, Génégaud, 1981 • Gaston LENÔTRE, *Les Desserts de mon enfance*, Paris, J'ai Lu, 2006 • Henry MOISY, *Dictionnaire du patois normand*, 1887 • Claude THOUVENOT, *Le Pain d'autrefois*, Nancy, Presses universitaires de Nancy, 1991 • Maguelonne TOUSSAINT-SAMAT, *La Très Belle et Très Exquise Histoire des gâteaux et des friandises*, Paris, Flammarion, 2004.

FRUMENTA, FRUMENTUM. – Dans le monde latin, *frumenta* désigne le blé sur pied et *frumentum* le blé en grains, et par suite le blé comme produit de consommation. Le *frumentum* est aussi un impôt sur les récoltes, qui garantit une certaine disponibilité en grains pour nourrir la population en cas de disette ou de famine ; il permet aussi de pourvoir aux besoins des armées romaines. On emploie aujourd'hui indifféremment les termes farine de blé ou farine de froment pour les farines destinées à la panification.

Ludovic Salvo

• *Voir aussi :* Blé tendre ou froment ; Disettes, famines et révoltes pour le pain en France ; Farine ; Frumentaire

FRUMENTAIRE. – Le mot est issu du latin *frumentarius*, lui-même issu de *frumentum*, « froment ». On appelait à Rome « lois frumentaires » celles qui réglaient la distribution gratuite ou à prix réduit du blé aux citoyens. En histoire et en économie, on désigne sous le nom d'« émeutes », de « crises frumentaires » (ou « crises de subsistance ») les troubles, les crises économiques trouvant leur origine dans de mauvaises récoltes. On cite les crises frumentaires de 1315 en Europe, de 1770-1771, 1811-1812, 1816-1817 (France).

Yves Garnier

• *Voir aussi :* Danse des petits pains ; Disettes, famines et révoltes pour le pain en France ; Émeutes de la faim en Égypte ; Farines (guerre des) ; *Frumenta, frumentum* ; « Introduction » de Steven L. Kaplan ; Jean Valjean ; *Notre pain quotidien* → Documentaires et films

G

GAGNE-PAIN. – Ce qui permet de gagner sa vie, ou de la perdre, car « l'homme est trop occupé à "gagner sa vie" pour la vivre » (Malcolm de Chazal). Mot composé construit sur l'expression « gagner son pain » : le « gagne-pain » (1292) est d'abord l'ouvrier gagnant les quelques sous grâce auxquels il achète son pain, puis devient (en 1508) l'activité salariée permettant d'acheter ce pain quotidien, et donc de survivre. Gagne-pain est ainsi l'outil, le lieu où l'on travaille, le métier lui-même, les mains dont on se sert, tout ce qui permet de subsister jusqu'à la saison prochaine, et que le langage populaire, dans des temps où le salaire ou la solde ou le pourboire se convertissaient en kilos de pain, a traduit sans fioriture. Un pain en principe honnêtement gagné peut être malhonnêtement concédé, mais cela est une autre histoire. Celui qui est à lui-même son gagne-pain se retrouve d'ailleurs dans d'autres langues européennes, comme le signale Steven Laurence Kaplan dans l'Introduction à ce dictionnaire : *breadwinner* en anglais, *ganha-pão* en portugais, *broodwinning* en néerlandais, à des époques où le pain était étalon de mesure de la survie sociale (le SMIC). Puis le gagne-pain s'est fait gagne-bifteck, peut-être gagne-macdo, voire déjà gagne-iphone. Mais le langage, lui, moins girouette, plus fidèle, a continué à honorer celui qui paraît parfois presque aussi vieux que lui.

Anne-Élisabeth Halpern
et Jean-Philippe de Tonnac

• *Voir aussi :* Maximes et proverbes ; Mot « pain » (étymologie du) ; Mot « pain » dans la langue française ; Mot « pain » dans quelques langues européennes

GALETTE. – Voir CRÊPE ; PAINS MONDIAUX

GALETTE DES ROIS. – La tradition des gâteaux à fèves précède celle de notre galette des Rois. Lors des Saturnales qui commémoraient, à la fin du mois de décembre, la venue du dieu Saturne parmi les hommes, et tentaient de traduire l'esprit de subversion que cette présence induisait, les Romains confectionnaient de grands gâteaux où se trouvait cachée une fève permettant de désigner le roi de la fête. En Irlande, on préparait au moment de la fête d'Halloween, antique survivance de la fête de Samain, le fameux *barmbrack* dans lequel on dissimulait toutes sortes d'objets qui, une fois trouvés par les convives, étaient à même de leur annoncer la bonne nouvelle : un médaillon prédisait qu'on entrerait dans les ordres dans l'année ; une pièce de monnaie, qu'on ferait probablement fortune ; un anneau, qu'on trouverait compagne ou compagnon à son goût. La tradition s'y est maintenue. La France catholique a donc réadapté cette coutume fort ancienne autour de l'Épiphanie, qui marque la visite des Rois mages à l'enfant Jésus, le 6 janvier, mais qui a, elle aussi, des origines bien plus anciennes.

La tradition de la galette qui lui est associée s'est ainsi lentement imposée, avec son rituel semble-t-il déjà en vigueur à Rome. Un enfant est placé sous la table et désigne le convive auquel la part qu'on vient de couper va être remise. On dispose d'autant de parts qu'il y a de convives, *plus une* qui est réservée à la Vierge et qui reviendra, pour finir, aux plus pauvres. La Révolution voulut supprimer cette galette des « Rois », mais n'y parvint pas. On remplaça les fèves par des figurines en porcelaine à la fin du XIXe siècle (la première aurait été conçue en Allemagne en 1874). Elles ont donné lieu à un véritablement engouement, qu'on désigne sous le terme de fadophilie. Accrocs des ventes aux enchères, des vide-greniers, les fadophiles peuvent détenir jusqu'à dix mille fèves. Elles son aujourd'hui le plus souvent en plastique.

Le commerce des galettes a atteint ces dernières années une intensité tout à fait inattendue. Plusieurs millions de galettes sont ainsi achetées entre mi-décembre et fin janvier. Les formes, les tailles et les garnitures se sont multipliées : les galettes « sèches », à base de pâte feuilletée, sans garniture, les galettes garnies à la frangipane (les plus courantes aujourd'hui), aux pommes, au chocolat… Elles sont vendues principalement dans les boulangeries, les pâtisseries, les points chauds et les grandes surfaces.

Catherine Peigney
et Jean-Philippe de Tonnac

• *Voir aussi :* Barmbrack → Irlande ; Feuilletage ; Pâte feuilletée → Pâtes (définition des) ; Pâtisserie

GAMELLE. – Voir FOUR ; GUEULARD

GANA (flûte). – Voir GANACHAUD

GANACHAUD, Bernard. – Fils d'un boulanger de Nantes, Bernard Ganachaud se voyait embrasser une carrière d'avocat, mais c'est le fournil qu'il a rejoint. Après une première affaire à Tours, il s'installe en 1961 avec son épouse Josette rue de Ménilmontant à Paris. Dès les commencements, sa pugnacité, sa créativité, son ambition lui permettent de se distinguer parmi les boulangers du quartier et, très vite, au-delà. Il maîtrise le travail sur levain et la méthode sur poolish, par lui redécouverte, un mode de fermentation naturelle et longue qui développe des arômes à la cuisson. La clientèle afflue des quatre coins de la capitale vers sa boutique où il inaugure, avant les autres, la mise en scène des étapes de la panification et de la vente. Les Parisiens raffolent de sa « Gana » et de ses pains bio au sel de Guérande. En 1979, il obtient le titre de Meilleur Ouvrier de France et exporte son savoir-faire en ouvrant des points de vente à son nom dans plusieurs magasins au Japon. Ses trois filles, Marianne, Isabelle et Valérie, après avoir exercé différentes professions, ont passé leur CAP boulangerie à l'INBP de Rouen et ont repris l'entreprise familiale. Aujourd'hui, elles dirigent quatre boulangeries, deux à Paris et deux à Vincennes. Depuis 1990, elles développent la marque « La Flûte Gana » sous forme de licence qui compte deux cent quatre-vingts artisans boulangers en France.

Jean-Pierre Deloron

• *Voir aussi :* Artisan et artisanat ; Boulangers de France ; Guinet ; INBP ; Marketing du pain ; MOF ; Poilâne ; Poolish ; « Recettes de pains »

GARNIR. – Remplir, appliquer, ajouter une garniture d'ingrédients complémentaires : mettre des fraises sur une tarte aux fraises, etc. Incorporer des toasts dans une miche surprise ; une crème pâtissière dans des choux à la crème. Décorer, ajouter du sucre glace, des dragées, etc., sur un gâteau.

Guy Boulet

• *Voir aussi :* Miche ; Pâtisserie ; Toast

GASTRONOMIE. – La gastronomie est, selon le dictionnaire, l'art de préparer les aliments. Il s'agit de l'une des activités les plus anciennes que l'homme ait accomplie, commencée avec l'aube de la civilisation, partout et à partir de n'importe quel ingrédient, des plus pauvres aux plus nobles. Tous les peuples ont construit leur philosophie gastronomique principalement en fonction des ingrédients qu'ils trouvaient sur leur lieu de vie. Mais les recettes, elles, ont été conditionnées par différents types de difficultés rencontrées : nécessité de conserver les aliments, coût et pénibilité de la production, élaboration symbolique et rejet, etc. Le besoin et la possibilité de trouver de quoi se nourrir unis au penchant naturel de chaque peuple à apprécier chaque aliment de façon particulière ont ainsi fait toute la différence entre les systèmes alimentaires : si l'ingrédient qui est au point de départ d'une réflexion gastronomique est le même pour deux peuples distincts, la manière dont l'un et l'autre l'approcheront et l'accommoderont sera toujours singulière. La gastronomie est donc à peu près l'expérience collective du visionnage d'un film. Tout le monde a vu le même film et personne n'a vu le même. Dans cet univers, le pain occupe une place à part. Il est le compagnon, celui qu'on emporte avec soi, en voyage, à dos d'animal, qui se conserve longtemps, qui est souvent le seul et unique moyen de subsistance, mais qui permet aussi d'accompagner les autres plats, qui les augmente et les renforce et aide les hommes à manger à leur faim. D'autre part, s'il est presque une religion, il n'est pourtant pas une bénédiction, car il est d'abord le fruit du savoir et du labeur de l'homme qui a patiemment appris à maîtriser les opérations de fermentation dont il a perçu le symbole puissant, comme si la vie avait trouvé là une manière de métaphore définitive et toujours recommencée. À travers toute la diversité des modes de production, d'une région du monde à une autre, à travers l'infinie variété des recettes que les hommes ont élaborées et dont ce dictionnaire rend compte, on sent se manifester la même inspiration et le même esprit. Comme si le pain nous faisait tous semblables, plaidait pour notre humanité commune, partagée. Voilà sans doute une des raisons pour lesquelles il nous est impossible de gaspiller le pain, mais au contraire de le manger jusqu'au dernier morceau, à la dernière miette. Et les oiseaux, au besoin, nous y aideront. Voilà la raison pour laquelle on a appris à l'utiliser en cuisine.

La manière de l'agrémenter varie en fonction d'une certaine imprégnation du religieux, des goûts, des exigences du terroir. Il peut participer de la confection des hors-d'œuvres ou entrées, des plats de résistance et des desserts. Il n'est dans ce cas plus seulement un hôte invisible dans la recette, mais revendique une place de choix, jusqu'à faire entendre qu'on pourrait désormais difficilement se passer de lui, que la recette n'existerait pas sans lui. Dans tous les pays du monde où le pain fait partie intégrante de la tradition alimentaire, ces recettes pour utiliser le pain existent et rendent compte du souci toujours constant de ne jamais le gâcher, de lui faire jouer sur la table tous les rôles. Issues des vieux grimoires ou des traditions orales paysannes, ces recettes se révèlent pourtant extraordinairement modernes. L'Italie en offre plusieurs exemples. Un des plus simples est la *bruschetta :* le pain fait maison est coupé en tranches, grillées et assaisonnées d'huile d'olive, de sel, d'ail, d'épices, parfois de tomate. Traditionnellement réservée aux plus pauvres, la *bruschetta* est aujourd'hui appréciée au moment de l'apéritif. Il existe aussi de nombreuses versions du *pan cotto*, dont la plus connue est la *pappa al pomodoro* toscane : on faire cuire du pain rassis, du bouillon de bœuf, de l'huile d'olive, de la cannelle et du parmesan râpé pendant 40 à 50 min à feux doux et en remuant jusqu'à obtenir une sorte de crème. Le *pane toscano* est le pain idéal pour réussir cette spécialité. C'est du *pane carasau*, fait en Sardaigne, que provient le *pane fratau*. Il est né du désir et de l'obligation des bergers sardes de voyager à dos d'ânon des journées entières. Le pain devient ici une sorte de lasagne : on trempe en effet le *pane carasau* dans de l'eau bouillie ou du bouillon de bœuf ; après avoir égoutté le pain, on le dispose en alternant trois ou quatre couches avec de la sauce tomate et du fromage *pecorino* râpé. On fait cuire par ailleurs des œufs pochés dans de l'eau avec de la vinaigrette mais sans en solidifier les jaunes ; on dispose alors ces œufs sur le pain assaisonné avec de la tomate à laquelle on ajoute du *pecorino* et de l'huile.

Au Portugal, on peut goûter l'*acorda de mariscos*, une soupe aux poissons très populaire. Le pain au maïs est ici la base du plat : il augmente son volume et sa consistance. Encore une fois, ce sont les produits du terroir qui inspirent la gastronomie. Le *broa* (pain au maïs) et de grosses crevettes en sont les ingrédients principaux. Il suffit de préparer une sauce aux tomates enrichie d'ail, d'oignon, de clous de girofle, de piment, de coriandre et d'origan, l'ensemble assaisonné d'huile d'olive, préparation à laquelle, après une longue cuisson, on ajoute le pain humidifié ; on continue la cuisson pendant une vingtaine de minutes avec des grosses crevettes et des anchois salés.

En Espagne, il est possible de citer

le gâteau de pain aux raisins : il s'agit d'un plat assez particulier puisque la base est constituée de pain et de chorizo. Il s'agit d'un aliment très savoureux et très nourrissant. Dans une poêle, on fait revenir de petits morceaux de pain avec du lard, du chorizo, du saindoux, de l'huile d'olive, du piment, du lait et de l'ail. Sur ce gâteau bien cuit et léger, on dispose alors les raisins.

Le *kvass*, originaire des pays de l'est de l'Europe (Russie, Ukraine, Biélorussie) et dont la base est le pain noir ou de seigle, légèrement alcoolisé, est une boisson née en 980, d'abord réservée aux nobles, puis largement adoptée par toutes les classes. Aujourd'hui il, est produit par les moines du monastère Savvino-Storojevisky qui en ont fait un produit sans additifs et de nature périssable. Pain de seigle, levure de bière, sucre, eau tiède, citron, raisins secs et menthe sont ses ingrédients. Le fruit d'un long travail de préparation et de cuisson est ensuite filtré et mis en bouteille avec des feuilles de menthe, des raisins secs et de l'écorce de citron pour être consommé frais (6-8°).

En Suisse, c'est le fromage qui accompagne le pain pour créer un des plats les plus anciens et les plus réputés de ce pays : la fondue. On connaissait ce plat dès le temps d'Homère, mais c'est au XVIIIe siècle, dans le canton de Neuchâtel, que la fondue au fromage s'est véritablement imposée. Composée d'ail, de vin blanc sec, de fromage suisse, de fécule de maïs, de brandy, de noix muscade et de deux baguettes de pain très croûtées. Les ingrédients forment une soupe préparée dans une poêle spéciale où elle est continuellement maintenue fondante pour permettre aux convives d'y tremper les morceaux de pain.

Pour ce qui concerne la gastronomie allemande, on peut citer la *Leberknödelsuppe*, petites croquettes de pain et de foie préparées en bouillon. C'est un plat qui connaît plusieurs déclinaisons, non seulement en Allemagne, mais en Autriche, dans l'Italie du Nord-Est et dans tous les pays de culture germanique.

Les *Knödels* sont des croquettes de pain enrichies de différents ingrédients (fromage, charcuterie, légumes) que l'on consomme en bouillon ou accompagnés de beurre fondu et de fromage ou avec des viandes braisées, comme le goulash.

Enfin, il faut citer l'*injera*, exemple particulier d'utilisation du pain dans la gastronomie. C'est un pain d'Éthiopie né de la nécessité de pouvoir manger avec les mains. Il est ainsi utilisé en guise de cuillère pour servir les viandes ou les légumes braisés. C'est une sorte de *pan cake*. Autrefois, il était préparé avec de la farine de *teff*, céréale autochtone, qui doit fermenter trois jours pour donner de l'acidité au pain. Aujourd'hui, on utilise différents types de farine, car il est très difficile de trouver du *teff* hors d'Éthiopie. On cuit des crêpes et on les farcit d'aliments qui vont tremper le pain avec leurs sauces.

Roberto Carcangiu

• *Voir aussi :* Allemagne ; Éthiopie ; Knödel → République tchèque ; Italie ; Pain et vin ; Pâtes alimentaires ; Portugal ; Sandwich ; Soupe ; Tartine ; Teff

Bibl. : Jean-Pierre AZÉMA, *Meules & gastronomie*, Paris, Ibis Press, 2007 • Jean-Anthelme BRILLAT-SAVARIN, *Physiologie du goût*, voir http://gallica.bnf.fr • Alexandre DUMAS, *Le Grand Dictionnaire de cuisine*, voir www.pitbook.com/textes/pdf/dumas_cuisine.pdf • M. GUARNASCHELLI GOTTO, *Grande enciclopedia illustrata* *della gastronomia*, Milan, Mondadori, 2007 • M. MONTANARI, *Il cibo come cultura*, Rome, Laterza, 2007 • Jean-Robert PITTE, *Gastronomie française*, Paris, Fayard, 1991 • Patrick RAMBOURG, *De la cuisine à la gastronomie : histoire de la table française*, Paris, Audibert, 2005 • Giovanni REBORA, *La civiltà della forchetta. Storie di cibi e di cucina*, Rome, Laterza, 2009 • Kilien STENGEL, *Dictionnaire chronologique de l'histoire de la gastronomie et de l'alimentation*, Paris, Éditions du Temps, 2008.

GAUFRE, GAUFRETTE. – Ces produits sont fabriqués à partir de pâtes liquides et sont cuits dans des moules. Les gaufres sont classiquement vendues à l'occasion de manifestations comme des foires, par exemple, et en boulangerie ; elles peuvent être garnies de confiture, miel, crème fouettée ; ce sont des produits plutôt moelleux. On peut aussi en réaliser à la maison avec des gaufriers ménagers. On produit industriellement des feuilles de gaufre croustillantes donc plus sèches et qui sont soit garnies et empilées pour faire des gaufrettes, soit enroulées pour faire des cornets à glace ou des biscuits particuliers appelés éventails, qui accompagnent aussi la consommation de glaces. Pour toutes ces utilisations, la difficulté est d'obtenir des feuilles de gaufre croustillantes et suffisamment souples pour être garnies (gaufrette) ou enroulées sans être cassées (cornet et éventail) ; il faut alors recourir à des farines et des blés très spécifiques. La cuisson de ces produits est particulièrement importante pour éviter la casse des feuilles de gaufre. Enfin, les gaufrettes peuvent être enrobées de chocolat, ce qui ajoute à la difficulté.

Ludovic Salvo

• *Voir aussi :* Biscotte ; Biscuit ; Crêpe ; Feuilletage ; Moule ; Pain grillé

GAZ CARBONIQUE. – Le gaz carbonique est connu comme l'un des constituants de l'air que nous respirons, aux côtés de l'oxygène et de l'azote. Il est également à l'honneur depuis quelques années car c'est un des gaz qui contribue à l'effet de serre et l'étiquetage « carbone » envahit aujourd'hui les produits de grande consommation. C'est surtout le gaz dégagé lors de deux phénomènes fondamentaux de la vie : la respiration et la fermentation. La respiration a lieu en présence d'oxygène de l'air (aérobiose). Il s'agit de la transformation d'un sucre simple appelé glucose, en eau et gaz carbonique avec une forte production d'énergie. La réaction biochimique se symbolise ainsi :

$C_6H_{12}O_6 + 6\ O_2 \rightarrow 6\ H_2O + 6\ CO_2 +$ énergie (+++)
glucose oxygène eau gaz carbonique

La fermentation s'opère en milieu anaérobie et le glucose est alors transformé en gaz carbonique dans une proportion moindre et en alcool (éthanol), avec une faible production d'énergie. La réaction biochimique se symbolise ainsi :

$C_6H_{12}O_6 \rightarrow 2\ CO_2 + 2\ C_2H_5OH +$ énergie (+)
glucose gaz carbonique éthanol

La fermentation alcoolique est une des phases primordiales de la fabrication du pain, lors de laquelle le glucose est transformé par les levures, de type *Saccharomyces cerevisiae*. C'est le même phénomène qui permet la transformation du raisin en vin, du malt d'orge en bière, du lait en kéfir… Lors de la fermentation panaire, c'est le fort dégagement de gaz carbonique pendant l'apprêt qui permet l'extension des alvéoles primitives formées au moment du pétrissage. On parle alors de « poussée gazeuse ». Les propriétés élastiques du gluten de blé permettent aux parois des alvéoles de résister à la diffusion et à l'expansion du gaz carbonique. Le blé est la seule céréale qui possède cette capacité unique à former un réseau élastique lors du mélange de la farine et de l'eau, à condition de fournir suffisamment d'énergie lors du pétrissage.

Catherine Peigney

• *Voir aussi :* Aérobiose et anaérobiose ; Alcool ; Apprêt ; Chambre de fermentation (ou pousse) contrôlée ; Fermentation contrôlée ; Gluten ; Levure de boulanger ; Pointage ; Réseau ou tissu glutineux ; Sucre fermentescible

Bibl. : Jean BURÉ, *La Chimie du blé*, Paris, SEPAIC, 1980.

GEINDRE. – De tout temps, le pétrin a symbolisé le travail du boulanger. C'est d'abord dans le pétrin que le mélange eau, sel, farine se transforme en une pâte souple et homogène. Ensuite, parce que cette métamorphose est le résultat d'une empoignade de près d'une heure entre l'homme et la matière vivante, la mécanisation l'ayant à peine soulagée, le pétrin est à jamais le lieu d'une épreuve entachée de souffrance – d'où l'expression « être dans le pétrin » et les superstitions que ce labeur surhumain a engendrées. En Bretagne, le boulanger plaçait la main gauche dans le pétrin en faisant le signe de croix, pensant ainsi obtenir une meilleure pâte. En Allemagne, une femme qui voulait « porter la culotte » dans le ménage, devait se placer tout habillée sur le pétrin le jour de ses noces. Jusqu'à la fin du XIXe siècle, le pétrissage est manuel. Cette opération, pénible, s'effectue dans des pétrins en bois de chêne, très dur et bien sec, de dimensions variables. Leurs sections verticales en forme de trapèze leur donnent des allures d'auge.

Le pétrissage à bras exige un effort musculaire intense, souvent exécuté dans des conditions de salubrité et d'hygiène déplorables. Il rend impossible la fabrication du pain par une seule personne, et les boulangers travaillent au moins par deux. Le plus jeune, qui s'occupe exclusivement du pétrissage, est appelé le « geindre ». L'origine de ce nom est incertaine. Il pourrait dériver du verbe « geindre » à cause des gémissements que l'ouvrier exprime tout au long de son travail, voire des sifflements dus au fait qu'il serre les lèvres pour éviter de respirer trop de farine. Il pourrait provenir du latin *junior*, le « jeune », nom donné dès les IVe et Ve siècles au jeune soldat, recrue ou apprenti. Une autre hypothèse ferait dériver « geindre » d'un autre mot latin, *gener*, le « gendre ».

Au début du pétrissage, le geindre procède à un mélange succinct du levain, de la farine, de l'eau et du sel pour obtenir une pâte grossière. Il la découpe ensuite en morceaux qu'il projette violemment d'une extrémité à l'autre du pétrin. Progressivement, elle gagne en homogénéité et en souplesse. Après ce travail, une période de repos permet à la pâte de se détendre et au geindre de reprendre son souffle. Vient ensuite l'étirage et le soufflage. Le geindre prend la pâte à deux mains, et l'étire verticalement pour la rabattre avec force sur elle-même dans un mouvement rapide et violent. De l'air est emprisonné, formant de grosses bulles. Cette aération provoque une légère oxydation augmentant l'extensibilité et accentuant la blancheur de la pâte. Dans certaines régions, il arrivait que l'on complétât le pétrissage à la main par un pétrissage effectué pieds nus. Ce procédé, qui, n'en doutons pas, améliorait les qualités gustatives du pain, était surtout destiné à assouplir des pâtes trop dures. Pour terminer le pétrissage, le geindre découpe de gros pâtons très serrés qu'il bat et plie avant de les disposer les uns sur les autres en un bout du pétrin, calés derrière une planche, appelée « planche à fontaine ». Cette opération, qui achève de constituer le réseau glutineux, porte le nom de « passage en planche ». Le geindre perd durant cette épreuve une quantité considérable de sueur par fournée. Celle-ci, en s'incorporant à la pâte, l'enrichît de matières azotées qui donnent, paraît-il, un meilleur goût au pain. Dans *Le Figaro* du 4 avril 1909, le journaliste et écrivain Louis Marsolleau rendait ainsi hommage aux geindres : « Torses nus, la serviette en pagne autour des reins, / Les geindres, d'un effort alterné qui se hâte, / Malaxent à deux poings, en ahanant la pâte, / Dans la forte chaleur des fournils souterrains. »

Jean Lapoujade

• *Voir aussi :* Découpage et passage en tête ; Étirage et soufflage ; Frasage ; Frase ; Main ; Nuit (travail de) ; Pétrin ; Pénibilité ; Pétrissage ; Pétrissage avec les pieds ; Sueur ; Troglodytes enfarinés

GÉLATINISATION DE L'AMIDON. – Voir EMPOIS

GÉLIFIANT. – Le phénomène de gélification s'obtient par des liaisons ou pontage entre les macromolécules qui conduisent à la formation d'un réseau tridimensionnel. On distingue les gels chimiques des gels physiques. Les gels physiques sont obtenus par la maîtrise de paramètres comme la température, l'agitation… Le gel chimique nécessite une activation chimique avec des sels ou des acides. Les gels ont peu d'aptitude à la déformation. Principaux gélifiants : dérivés de cellulose ; gommes d'arbres (arabique), de graines végétales (guar et caroube), d'algues (carraguénates, agar agar, alginates) ; pectine.

Philippe Roussel

• *Voir aussi :* Additif

GÉNOME DE BLÉ (séquençage du). – Voir BLÉ (séquençage du génome de)

GÉORGIE (traditions du pain en). Pour un grand nombre de peuples, le pain incarne la vie. Pour le désigner, les anciens Géorgiens utilisaient le même signe que pour le soleil et l'or, un cercle avec un point au centre, et ils lui ont dédié des chants et des hymnes. On lui prêtait une âme en le nommant « soutien de la famille et du père ». On conservait et respectait le pain et une attitude dédaigneuse envers lui était stigmatisée. Dès le plus jeune âge, on recommandait aux enfants de traiter le pain avec soin, même un tout petit morceau. Et aujourd'hui, cette attitude perdure. Celui qui, même une seule fois, s'est trouvé à une table géorgienne a certainement entendu cette légende racontée par le *tamada* (le chef de table) au moment du toast : quand Dieu procéda à la distribution des terres, les Géorgiens, en attendant leur tour, s'étaient mis de côté et, pour passer le temps, s'assirent pour festoyer. Mais, quand ils se ressaisirent, il n'était rien resté pour eux ! Néanmoins, ce peuple gai et désintéressé plut à Dieu, qui leur donna alors le morceau de terre qu'il s'était réservé pour lui-même. « C'est comme ça que nous avons reçu le paradis ! » finit le *tamada*, proposant un toast à son pays natal. De fait, la terre occupée par la Géorgie, l'un des premiers centres de la civilisation humaine, est divine et bénie. Le blé y est connu depuis l'Antiquité et la Géorgie est considérée comme un des foyers d'origine du blé : parmi les 27 espèces de blé connues, 14 sont représentées en Géorgie, dont 5 sont endémiques. Ce sont *Tritikum Timofeev*, *Tritikum Georgikum*, *Tritikum Kartlikum*, *Tritikum Joukovski* et *Mach*. Quatre de ces cinq espèces croissent seulement en Géorgie et nulle part ailleurs. La cinquième, *Tritikum Kartlikum* ou *Tritikum Dick*, est connue au Caucase, en Turquie et en Iran. Bien des dénominations ont été conservées, confirmant la diversité des espèces : *Dolisie Puri*, *Dick, Hulugo*, *Zanduri*, *Ipkli*, etc. D'ailleurs, les Grecs ont emprunté au géorgien non seulement le blé, mais aussi son nom, *Ipkli*.

La cuisson du pain géorgien est particulière. On le fait sous vos yeux. Il faut pétrir assez longtemps jusqu'à ce que la pâte ne colle plus aux mains, mais en même temps elle doit être souple, comme une bougie fondante. La pâte achevée produit des sons étranges : elle crépite. À la fin, on prononce des mots rituels comme : « Prospérité pour toi et pour celui qui te mangera. » Ou l'on dessine une croix sur la pâte en disant : « Dieu te garde et celui qui te mangera. » Puis on enveloppe la pâte saupoudrée de farine dans une serviette et on la laisse reposer encore deux heures. Avant de mettre le futur pain dans le *tone* (un four à bois spécial en argile), on le place sur un coussin à enfourner afin de l'étirer. La forme du coussin dépend du type de pain qu'on veut préparer. Si on prépare le *lavache* ou *mrgvali* (rond), la forme du coussin doit être ronde. Si c'est le *shoti*, le *trahtinuli* ou le *saodzhaho*, la forme doit être mince et oblongue, d'environ 50 cm sur 10. Quand on retire du four ce pain chaud avec un croûton doré et un trou au centre, on le donne en mains. Le temps que vous portiez ce *lavache* à la maison, et il ne vous reste souvent que la moitié du pain ou parfois plus rien sinon l'odeur du pain frais dans les cheveux. Il est difficile de résister à la tentation, tant la galette est parfumée, belle et délicieuse !

Avant l'utilisation de la levure, on utilisait comme agent de fermentation un morceau de vieille pâte (*hash*). La recette du *testaza* n'a pas changé. On pétrissait la pâte de la taille d'un *shoti* et on la conservait dans un pot en argile. En hiver, le levain-*Hashi* était conservé pendant deux semaines environ ; en été seulement une semaine. Et, si la couche supérieure commençait à moisir, on la décollait immédiatement. Pour prévenir sa détérioration, on le saupoudrait de sel en grande quantité, étendant ainsi sa durée de conservation jusqu'à un mois (en hiver). Ce levain était suffisant pour trois ou quatre fournées. La méthode contemporaine a facilité le travail des boulangers, la levure permettant de préparer la pâte beaucoup plus vite.

On comptait de multiples rites liés au pain en Géorgie. Beaucoup sont observés jusqu'à aujourd'hui. Un attribut obligé de toute fête était les *tchitchikali*, la barbe de saint Basile, protecteur des animaux. Cette sorte de « sapin » est une petite bûche taillée en très fines et longues baguettes, comme une barbe grise, sur lesquelles on suspend des fruits et des brioches. On brûle ensuite rituellement ce « sapin » pour que saint Basile assure une récolte abondante. La Géorgie est un pays de vieille agriculture et il n'est pas étonnant que de nombreux rituels utilisent les différentes sortes de pains. Dans les rites traditionnels géorgiens, liés au cycle de l'enfance, le pain joue différents rôles selon les circonstances : un rôle protecteur de l'enfant contre les « forces malignes » ; un rôle d'offrande pour chasser les mauvais esprits ; une représentation symbolique du destin (*doli*) de l'enfant, ce qui peut l'attendre dans la vie. Dans certains districts, les parents de la mère offraient au nouveau-né un pain spécial afin qu'il ne soit pas privé de son *doli*. Il convenait de bénir le nouveau-né auprès d'un four à pain allumé spécialement. On préparait des pains de différentes formes (ronds, allongés, triangulaires) et tailles (selon la taille de l'enfant, ou de son bras) accompagnant les étapes cruciales de sa croissance (sa mise en berceau, ses premiers pas, sa première dent, etc.) et, selon la situation, on cuisait différentes quantité de pains (3, 7, 9 et 29).

Dans la population, il ne manque pas de superstitions à propos du pain, comme celle qui interdit de ramasser les miettes sur la table à la main ou avec une serviette en papier, mais seulement avec un torchon ou une brosse spéciale. Il ne faut pas les jeter au sol ; on ne jette pas non plus le pain à la poubelle, cela priverait la maison de prospérité. Un pain retourné porte malheur. Car le pain, c'est l'espoir des Géorgiens, un symbole de vie, de fierté et d'assurance. Il n'est pas seulement l'aliment par excellence des Géorgiens depuis des siècles, son rôle est aussi de réunir les gens. Quand dans un village on cuit le pain, n'importe quel passant peut recevoir une miche. Et une des offenses les plus terribles est la question : « Quoi, tu ne manges pas de pain ? » Car celui qui n'en mange pas, dans la mentalité géorgienne, est un homme mauvais. Donc mangez du pain à satiété et soyez bons ! La partie la plus importante du logement traditionnel géorgien était un foyer ouvert, *rtra*, qui a joué un rôle important dans le culte des ancêtres, symbolisant l'unité de la famille. En outre, on utilisait un four d'argile particulier pour la cuisson du pain, le *tone*. La cuisson du pain était considérée comme une question d'honneur et revêtait une fonction essentielle. Les boulangers conservaient même des recettes dans la plus stricte confidentialité et se les transmettaient de père en fils. Les boulangers les plus célèbres exercent en Racha (à l'ouest) et en Kakheti (à l'est). Les boulangers géorgiens étaient célèbres pour savoir cuire le pain traditionnel des anciens : *shoti – dedas pouri* (« pain de ma mère »), *madaouli*, *trakhtinouli*, *saodzhakho*, *mrgvali*, *kouthiani*. Toutes ces sortes de pain sont cuites dans un four en terre cuite (*tone*). Le nom du pain dépend de la région de la Géorgie et diffère selon sa forme. Dans l'est de la Géorgie (Kakheti, Kartli), la cuisine est plus grasse, le blé tendre et le seigle préparés dans de grandes jarres en argile y sont très populaires. Dans l'ouest de la Géorgie est également populaire un pain particulier de farine de maïs, le *mtchadi*. Il est cuit sur des poêles d'argile (*ketsi*). Ces *mtchadi* vont très bien avec du fromage, des cornichons, du chou ou des poivrons marinés. Dans certaines régions occidentales, Megreli ou Abkhazie, on utilise du *tchoumiza* (une sorte de millet) pour préparer le *gomi*.

En dehors du pain habituel, on fait en Géorgie un pain sucré appelé *nazouki*. Il n'est pas si simple à préparer. On y met du miel, du lait, des noix, du beurre, des œufs, de la levure, du sel, des raisins et un peu de coriandre et de vanille. On confectionnait ce pain pour les fêtes, surtout pour le Nouvel An. On prépare aussi un pain particulier appelé *basila*, dédié à saint Basile. Au milieu de ce pain, on sculptait en pâte une figure humaine. On cuisait aussi dans cette pâte des objets sculptés symbolisant le métier du chef de famille. En Imereti (Géorgie occidentale) existait un rituel particulier lié au pain de Nouvel An : on cuisait une brioche ronde avec un trou au centre (comme le *boublik* russe) ; peu avant minuit, un membre de la famille allait dans la vigne et attachait ce pain à un sarment, pour que la vendange de l'année soit bonne. Juste à minuit, il devait revenir à la maison, frapper trois fois à la porte et dire : « Ouvrez la porte, j'apporte l'abondance ! Que le bonheur entre avec moi dans cette famille ! » Celui qui ouvrait aspergeait l'entrant d'eau bénite.

Basila. Pain dédié à saint Basile, au centre duquel on place une figure humaine sculptée en pâte, voire des objets sculptés symbolisant le métier du chef de famille.

Gomi. Pain préparé à partir du *tchoumiza* (une sorte de millet) dans certaines régions occidentales, Megreli ou Abkhazie.

Mtchadi. Pain de farine de maïs populaire dans l'ouest de la Géorgie. Il est cuit sur des poêles d'argile (*ketsi*). Ces *mtchadi* vont très bien avec du fromage, des cornichons, du chou ou des poivrons marinés.

Nazouki. Pain sucré à la pâte duquel sont ajoutés du miel, du lait, des noix, du beurre, des œufs, de la levure, du sel, des raisins et un peu de coriandre et de vanille. On confectionnait ce pain pour les fêtes, surtout pour le Nouvel An.

Shoti. Large abaisse de pâte de blé au levain, que l'on plie de manière à lui donner la forme d'une sorte d'esquif et qui est cuite contre les parois du *tone*, un four en terre cuite.

Tatiana Ivanidzé
(trad. du russe par Tatiana Ossetrova)

• *Voir aussi :* Arménie ; Azerbaïdjan ; Interdits liés au pain ; Pains mondiaux ; Russie ; Turquie

Bibl. : Merab BERADZE, *La Cuisine géorgienne*, Tbilissi, Éditions Saqartvelos matsne, en français, anglais, allemand, russe, espagnol, turc et géorgien • Irina DJIBLADZE, *La Cuisine géorgienne*, Paris, L'Harmattan, 2007 • Darra GOLDSTEIN, *The Georgian Feast : The Vibrant Culture and Savory of the Republic of Georgia*, New York, Harper Collins, 1992.

***GERBE D'OR* (*La*).** – Publié aux Éditions de France au printemps 1928, *La Gerbe d'or* est le premier volet de la trilogie autobiographique composée par Henri Béraud, écrivain-reporter et virulent pamphlétaire couronné du prix Goncourt en 1922. Derrière ce titre tiré de l'enseigne éponyme, c'est l'enfance, la naissance à la vie d'un *gone* de la presqu'île lyonnaise dans le clair-obscur de son premier univers : la boulangerie paternelle de la rue Ferrandière. Authentique roman d'apprentissage, de la rue, de la ville, de ses quais jusqu'à ses *traboules*, tout cela sous l'œil du père Joseph, artisan d'une rare aristocratie, à la fois autoritaire et indulgent, dérouté sans doute par cet étrange fils unique entré en journalisme au lendemain de ses seize ans.

Cédric Méletta

• *Voir aussi : Effarés (Les)* ; *Femme du boulanger (La)* ; *Hänsel et Gretel* ; *Maîtres du pain (Les)* ; *Secret de Maître Cornille (Le)* → Meunier dans l'Histoire ; *Si le grain ne meurt* ; *Yakitate ! ! Ja-pan*

Bibl. : Henri BÉRAUD, *La Gerbe d'or : roman*, Paris, Éditions de France, 1928 • Jean BUTIN, *Henri Béraud. Sa longue marche : de la Gerbe d'or au pain noir*, Roanne, Horvath, 1979.

GERME. – Le germe ou embryon représente environ 3 % du grain de blé. Il se compose de deux parties principales, en proportions sensiblement égales, à l'origine de la future plante : la radicule-tigelle et le scutelum. Le germe contient une forte proportion de lipides (10-15 %), protides (30-40 %), vitamines (principalement E et B) et éléments minéraux (< 5 %), sans oublier la forte activité enzymatique nécessaire au développement de la future plante. Le germe meunier, extrait au cours de la mouture, est moins riche en protéines (25-30 %) et en lipides (9-10 %), mais plus riche en fibres. Dans le processus de germination, le scutelum, cotylédon (feuille principale) de l'embryon des graines des graminées, est à l'interface entre l'albumen et la radicule ; il absorbe et assure le transfert, vers la radicule, des éléments nutritifs issus de l'hydrolyse des substances de réserve. Lors de la mouture, la partie radicule se trouve assez facilement éliminée du grain ou de ces fragments par les techniques actuelles sur cylindres ; le scutelum reste en grande partie attaché à l'albumen. Potentiellement, le germe meunier pourrait représenter 1-1,5 % du grain de blé ; dans le cas d'une séparation optimale de cette partie détachée par des techniques de classement par densité (sassage par exemple), 0,5 %, semble un maximum.

Dans les diagrammes classiques français de meunerie, sans sassage, la séparation ne peut se faire que par tamisage suivant la grosseur des particules. Les caractéristiques dimensionnelles du germe séparé du blé le classent dans les semoules ; il sera donc dirigé vers les convertisseurs à grosses semoules (claqueurs). Sur le premier passage de réduction, par écrasement, ce germe, compte tenu de sa nature fibreuse et lipidique, n'est pas réduit en fragments plus fins ; après tamisage, il se retrouve avec les fines enveloppes et dirigé vers le troisième claqueur, appelé « claqueur à germe ». Sur cet appareil, on privilégie un effet compression des produits sans cisaillement (le rapport des vitesses entre les deux cylindres étant voisin de 1). Compte tenu de sa nature plastique, le germe s'aplatit ; il augmente donc en grosseur, ce qui permet de le séparer des enveloppes par tamisage. Avec ce procédé d'extraction, on récupère une proportion équivalente à 0,2-0,3 % par rapport aux 3 % que représente le germe total dans le grain de blé.

Philippe Roussel

• *Voir aussi :* Albumen ; Claqueur ; Diagramme en meunerie ; Grain ; Meunerie ; Mouture ; Sassage ; Semoule

Bibl. : Claude WILLM, *La Mouture du blé*, Montgeron, CEMP, 2009.

GERME MEUNIER. – Voir GERME

GEVES (Groupement d'étude et de contrôle des variétés et des semences). – Le GEVES est un groupement d'intérêt public (GIP) français regroupant le ministère français de l'Agriculture, l'Institut national de la recherche agronomique (INRA) et le Groupement national interprofessionnel des semences et plants (GNIS). Le GEVES est expert dans deux cœurs de métier : la connaissance des variétés végétales (sélection, identification, production et utilisation) et la connaissance des semences sous leurs différents aspects (botanique, physiologique, sanitaire).

Julien Couaillier

• *Voir aussi :* GNIS ; INRA ; IRTAC ; Variétés de blé ; Variétés de blé tendre au catalogue officiel

GIGOT, MICHE DE PAIN, RÉCHAUD ET CITRON SUR UN ENTABLEMENT. – Voir PEINTURE OCCIDENTALE

GLANDS (pain de). – Voir ARBRE À PAIN

GLIADINES. – Les gliadines représentent la fraction des protéines de réserve du grain de blé soluble dans une solution alcoolique (éthanol 70 %). Les gliadines sont riches en prolines (acide aminé utile lors du stress hydrique occasionné par le gel à la germination) et glutamines (acide aminé duquel dérive la synthèse de plusieurs autres acides aminés) et pauvres en lysine. Elles se situent spécifiquement dans l'albumen. Elles représentent environ 40 % des protéines de la farine et sont constituées d'une centaine de protéines monomériques (non polymérisées) différentes. Elles contribuent, avec les gluténines, à former le gluten en lui apportant ses propriétés de viscosité. Les gliadines sont excessivement polymorphes et sont sous le contrôle de nombreux gènes.

Gérard Branlard

• *Voir aussi :* Albumen ; Albumines ; Gluten ; Gluténines ; Grain ; Protéine

Bibl. : COLLECTIF, « Gliadin and Glutenin : The Unique Balance of Wheat Quality », *in* C. Wrigley, F. Békés, W. Bushuk (éd.), *American Association of Cereal Chemist*, St. Paul (Minn.), 2006.

GLOBULINES. – Ce sont les protéines du grain qui ont la propriété d'être solubles dans un milieu salin (par exemple une solution de chlorure de sodium). Les globulines sont, comme les albumines, bien équilibrées en acides aminés indispensables mais ne représentent que 8 à 12 % de l'ensemble des protéines du grain. Moins aisément solubles que les albumines, elles ont une taille parfois élevée et sont largement impliquées dans les structures des cellules, les fonctions enzymatiques et l'accumulation des réserves.

Gérard Branlard

• *Voir aussi :* Albumines ; Grain ; Protéine

GLUCIDE. – Désigne les sucres de l'alimentation et ceux contenus dans notre organisme ainsi que l'amidon des produits végétaux. Leur fonction essentielle est d'être les premiers intermédiaires de stockage (sous forme de glycogène dans l'organisme) et de consommation de l'énergie. Ils constituent ainsi un carburant pour les muscles et le cerveau, mais participent aussi au bon fonctionnement de l'intestin, qui a besoin d'énergie pour faire avancer les aliments. Dans l'idéal, ils devraient constituer 45 à 55 % de notre apport énergétique alimentaire, alors que, dans la réalité, ils n'en constituent que 40 à 45 %. Les sucres simples, à savoir les monosaccharides (fructose, glucose et galactose) et les disaccharides (maltose, lactose et saccharose) se retrouvent principalement dans les fruits et certains légumes (betterave), tandis que l'amidon (polymère de glucose) est présent essentiellement dans les tubercules (pomme de terre), les protéagineux (lentilles et haricots), les céréales (blé, riz, maïs…) et la banane. Le pain, qui contient au moins 40 % d'amidon, est donc une source importante de glucides.

Anthony Fardet

• *Voir aussi :* Amidon ; Glucide complexe ; Santé ; Valeur énergétique du pain ; Valeur nutritionnelle du pain

GLUCIDE COMPLEXE. – On distingue les sucres simples (mono- et disaccharides, comme le fructose, le lactose ou le maltose) des sucres complexes, qui sont des polymères de sucres simples, comme par exemple l'amidon, constitué d'un nombre élevé de molécules de glucose reliées entre elles. Tandis que les sucres simples ont un pouvoir sucrant, les sucres complexes sont insipides. La catégorie des sucres complexes est très diversifiée et comprend notamment, outre l'amidon, de nombreuses fibres alimentaires telles que les pentosanes, les β-glucanes ou bien la cellulose (enchaînement de molécules de glucose comme dans l'amidon, mais avec une liaison chimique différente). Le pain complet est donc une importante source de glucides complexes (amidon et fibres peuvent atteindre 50 % en poids du pain). Contrairement à une idée très répandue, les glucides complexes ne sont pas forcément des sucres lents : ainsi, l'amidon du pain peut être digéré très rapidement s'il est très gélatinisé et très accessible aux enzymes digestives.

Anthony Fardet

• *Voir aussi :* Amidon ; Cellulose ; Fibres ; Glucide ; Santé ; Valeur énergétique du pain ; Valeur nutritionnelle du pain

GLUME ET GLUMELLE. – Les glumes et glumelles sont des bractées stériles foliacées insérées à la base de l'épillet et de la fleur. À la base de l'épillet, on distingue la glume inférieure (lemme) et la glume supérieure (paléole). Les glumelles enferment chaque fleur de l'épillet. Chez les variétés de blé barbues, la glumelle inférieure est ornée d'une barbe ou arête. Les glumes et glumelles contiennent de la chlorophylle et ont une activité photosynthétique. À l'anthèse se produit la fécondation qui va donner naissance au grain de blé, lequel se développe dans l'espace clos délimité par les glumelles. À la récolte, lors du battage, le grain mur est séparé des glumes et glumelles, qui sont éliminées sous forme de balles.

Michel Rousset

• *Voir aussi :* Balle ; Barbe ; Battage des céréales et aire de battage ; Blé, genre *Triticum ;* Épillet → Épi ; Épi (symbolique de l') ; Grain ; Grain et graine

GLUTAMINE. – Voir GLUTEN

GLUTATION. – Voir LEVURE DÉSACTIVÉE

GLUTEN. – C'est le produit obtenu par lixiviation de la pâte (malaxage en présence d'une eau salée et tamisage pour retenir les parties non solubles). Le gluten est essentiellement constitué de protéines, mais il peut contenir aussi quelques granules d'amidon et des lipides. La centaine de constituants protéiques différents accumulés dans l'albumen du grain contribue à former le gluten, qui n'existe réellement que par l'action du pétrissage et l'élimination des autres composants de l'amende farineuse. La structure du gluten n'est pas complètement connue et demeure une des protéines les plus complexe du règne végétal. Le gluten est formé des gliadines et gluténines. Les sous-unités des gluténines de haut et faible poids moléculaires sont polymérisées entre elles, formant un réseau tridimensionnel dans lequel s'agrègent les gliadines généralement repliées sous forme de pelote. Ces deux familles de protéines, les gliadines et gluténines, se regroupent dans la superfamille des prolamines ; elles sont naturellement hydrophobes. Mais sous l'action de l'eau, lors du pétrissage, des liaisons hydrogènes s'établissent entres les gliadines et les sous-unités des gluténines. Gliadines et gluténines sont généralement en proportion équivalente d'une variété de blé à l'autre. Mais leur proportion peut varier en fonction de la variété et surtout selon les conditions agronomiques et climatiques lors de la production du blé. Ainsi l'apport azoté à la culture permet d'augmenter la teneur en protéines du grain et la quantité des gluténines et des gliadines. Une température supérieure à 35°C peut provoquer un stress thermique lors de l'accumulation des réserves (amidon et protéines) et ralentir la synthèse des gluténines et corrélativement augmenter la proportion de gliadines.

Les constituants du gluten sont génétiquement déterminés et leur polymorphisme suffit souvent à caractériser une variété. Des techniques analytiques telles que l'électrophorèse bidimensionnelle permettent d'observer de 120 à plus de 200 protéines différentes constitutives du gluten. Ce sont les gliadines de types α- β- γ- et ω- et les sous-unités de haut et faible poids moléculaires des gluténines. Ces protéines résultent de l'expression d'une centaine de gènes répartis en douze locus principaux situés sur les chromosomes du groupe 1 et 6 du blé. Les gliadines et les gluténines sont excessivement polymorphes en raison du fait qu'elles ne possèdent pas de fonction enzymatique. Elles jouent le rôle de réservoir d'acides aminés indispensables aux synthèses protéiques nécessaires au développement de l'embryon lors de la germination. Ces deux familles de protéines constitutives du gluten sont très riches en proline (acide aminé utile lors du stress hydrique occasionné par le gel à la germination) et en glutamine (acide aminé duquel dérive la synthèse de plusieurs autres acides aminés). Ces protéines sont accumulées entre les dixième et le trente-cinquième jour après la fécondation dans le grain, elles entourent les granules d'amidon dans le grain mature.

Les propriétés du gluten ont largement été analysées par l'emploi d'appareil de rhéologie permettant de décrire les caractéristiques d'écoulement et de résistance aux déformations uniaxiale et biaxiales. De manière courante les propriétés du gluten sont « approchées » par l'analyse des caractéristiques données par la déformation biaxiale d'une éprouvette de pâte grâce à l'emploi de l'alvéographe Chopin. Les propriétés de ténacité, d'extensibilité et de force sont classiquement utilisées pour définir les aptitudes rhéologiques de la pâte. Celles-ci sont largement influencées par la quantité de gluten dans la pâte et la nature des protéines qui la constituent. L'augmentation de la quantité de gluténines par rapport à celle des gliadines permet d'accroître la ténacité de la pâte. L'accroissement de la quantité de gliadines (protéines non polymérisées) favorise l'extensibilité et le gonflement de la pâte. Les propriétés rhéologiques et l'aptitude à former un film protéique favorable à la rétention gazeuse, lors de la levée de la pâte, sont aussi influencées par la nature des gliadines et gluténines. Ainsi la présence de sous-unités des gluténines, permettant plusieurs liaisons covalentes de type disulfure entre les sous-unités, favorisera la mise en place d'un réseau de gluten hautement polymérisé ; il en résultera une plus grande aptitude du réseau protéique à résister à la déformation. Mais l'excès de gluténines et ou de liaisons disulfures peut conduire à un réseau protéique trop tenace dépourvu d'extensibilité. Les aptitudes recherchées en panification exigent un équilibre entre la quantité de protéines polymérisées (les gluténines) et les gliadines qui ont un rôle favorable à l'écoulement de la pâte.

Gérard Branlard

• *Voir aussi :* Alvéographe ; Amidon ; Blé (séquençage du génome de) ; Extensibilité ; Force en boulangerie ; Gliadines ; Globulines ; Gluténines ; Grain ; Lipide ; Protéine ; Réseau ou tissu glutineux ; Ténacité

Bibl. : COLLECTIF, « Gliadin and Glutenin : The Unique Balance of Wheat Quality », *in* C. Wrigley, F. Békés, W. Bushuk (éd.), *American Association of Cereal Chemist*, St. Paul (Minn.), 2006.

GLUTEN (intolérance au). – Voir LEVAIN (intérêt nutritionnel du) ; MALADIE CŒLIAQUE ; RÉGIME SEIGNALET SANS PAIN

GLUTEN SOCIAL. – Voir ÉTATS GÉNÉRAUX DE LA BOULANGERIE

GLUTÉNINES. – Les gluténines représentent la fraction des protéines de réserve soluble dans un acide ou une base faible après avoir extrait les albumines, les globulines et les gliadines. Elles forment la fraction polymérisée des protéines du gluten et leur masse peut dépasser 10 millions de daltons (masse de l'atome de carbone/12). Il est donc utile de les couper (avec un agent réducteur rompant les ponts disulfures) pour observer leur diversité qui révèle ainsi les sous-unités de haut et de faible poids moléculaires. Les différences génétiques entre les sous-unités des gluténines contribuent à expliquer les propriétés de viscoélasticité du gluten et dans une moindre mesure celles de la pâte.

Gérard Branlard

• *Voir aussi :* Albumines ; Gliadines ; Globulines ; Gluten ; Protéine

Bibl. : COLLECTIF, « Gliadin and Glutenin : The Unique Balance of Wheat Quality », *in* C. Wrigley, F. Békés, W. Bushuk (éd.), *American Association of Cereal Chemist*, St. Paul (Minn.), 2006.

GLYCÉROL. – Voir FERMENTATION PANAIRE

GMS (grandes et moyennes surfaces). – Les GMS, encore dénommées « grande distribution », regroupent de grandes chaînes de distribution de produits alimentaires et non alimentaires, à côté du deuxième vecteur de commercialisation de ces produits représenté par l'artisanat. Elles appartiennent à des groupes privés, à capitaux souvent majoritairement familiaux, comme Carrefour, Auchan, Cora, Monoprix, Système U, Casino, mais aussi Conforama, Leroy Merlin ou Darty… Les magasins peuvent également être aux mains d'entrepreneurs indépendants, qui mutualisent dans ce cas leur centrale d'achats, comme Leclerc et Intermarché.

Catherine Peigney

• *Voir aussi :* Artisan et artisanat ; Boulangerie contemporaine ; École Carrefour

GNIS (Groupement national interprofessionnel des semences et plants). – Organisme sous tutelle du ministère français de l'Agriculture rassemblant les professions de l'activité semencière française et qui défend les intérêts de la filière semence française. Le GNIS est organisé en huit sections spécialisées, composées de représentants de toutes les professions concernées par la création, la production, la multiplication, la distribution et l'utilisation de semences et de plants d'une espèce ou d'un groupe d'espèces.

Julien Couaillier

• *Voir aussi :* GEVES ; INRA ; IRTAC ; Variétés de blé ; Variétés de blé tendre au catalogue officiel

GOÛT DU PAIN. – Le goût se rapporte à la saveur, sensation perçue par l'organe gustatif lorsqu'il est stimulé par certaines substances solubles. Certaines saveurs de base sont bien identifiées, comme l'acide, l'amer, le salé, le sucré. Si l'on peut aisément différencier un pain au levain qualifié d'acide par rapport à un pain courant dont la saveur salée peut être détectée d'emblée, ces saveurs sont en revanche très limitées pour différencier les pains. Les qualités gustatives apparaissent beaucoup plus diverses si l'on considère qu'elles intègrent aussi les sensations olfactives (odeur) ; le terme « goût », donc, n'est pas approprié pour qualifier ces propriétés. Celui de « flaveur », à l'inverse, permet d'intégrer ces deux notions. Mais qualifier la flaveur du pain n'est pas plus aisé car nous manquons de connaissances et d'aptitude à la reconnaissance de ces sensations. Différents auteurs s'accordent pour dire qu'il existe 200 à 300 composés aromatiques dans le pain, environ 2/3 pour la croûte et 1/3 pour la mie comprenant les alcools, les aldéhydes, les acides, les esters, les phénols…

Si l'on admet que la teneur d'une farine en produits volatils est toujours extrêmement faible, il est donc peu probable que ceux-ci puissent intervenir dans l'arôme du pain, excepté les odeurs de mauvaises conservations des farines, de graines étrangères qui peuvent influencer négativement les arômes et le goût du pain. L'origine des composés aromatiques est surtout liée aux transformations biochimiques (dégradation des sucres et acides aminés par voie enzymatique, oxydation de la farine et de la pâte, pré-fermentation et fermentation), et aux transformations physico-chimiques (dégradation de composés par la chaleur) en cours de panification. Le choix du diagramme de fabrication est donc primordial. Le niveau d'oxydation au cours du pétrissage est, par exemple, un paramètre déterminant ; peu oxydée au cours du pétrissage, la pâte donne une mie ayant un bon goût (certains parlent de « goût de noisette »). En pétrissage intensifié, le goût devient fade, résultat qui a conduit les boulangers à augmenter la dose de sel. Sur la croûte, deux réactions sont principalement à l'origine de la formation de composés colorés et aromatiques en cours de cuisson, ce sont les réactions de Maillard et de caramélisation.

Philippe Roussel

• *Voir aussi :* Acide acétique ; Acide lactique ; Acide linoléique ; Acide phytique ; Alcool ; Caramélisation ; Diagramme en boulangerie ; Maillard (réaction de) ; Oxydation ; Pétrissage

Bibl. : Raymond CALVEL, *Le Goût du pain, comment le préserver, comment le retrouver*, Les Lilas, Jérôme Villette, 1990.

GOÛT ET NUTRITION (Mondial du pain). – Voir BOULANGERIE (salons internationaux de la)

GRAIN. – Les céréales se présentent sous forme de grains et les légumineuses sous forme de graines. Dans le langage courant, s'agissant des céréales, grains et graines ont souvent un sens général identique. Lorsqu'il est fait référence à la transformation, l'usage est d'utiliser le mot « grain ». Lorsqu'il est question d'évoquer la semence, on parle alors préférentiellement de graines. En réalité, grain et graine ont des définitions bien précises. La graine est la structure qui contient et protège l'embryon végétal. Elle est souvent contenue dans un fruit qui permet sa dissémination. Pour les légumineuses, la graine (nue) est un ovule dans une enveloppe contenue dans une gousse qui les protège (fruit). Un grain est un fruit qui contient une graine. On distingue ainsi les grains ou fruits simples nus (enveloppe de l'ovule + péricarpe du fruit) des grains vêtus (enveloppe de l'ovule + péricarpe du fruit + glumelles + glumes). Le grain est nu en perdant ses enveloppes, glumelles, par battage (blé, maïs, seigle...) ; il reste vêtu lorsque ses enveloppes restent attachées ou soudées après battage (orge, avoine, riz, sorgho, épeautre...). Les grains vêtus ont donc un poids spécifique plus faible et, comme ces glumes et glumelles sont constituées de cellulose, leur valeur alimentaire rapportée au poids total du grain est moindre. Les enveloppes qui protègent la graine sont un frein à la germination en l'étanchéifiant à l'eau et à l'oxygène dissout. Les céréales sont des fruits secs, indéhiscents (les enveloppes du fruit ne s'ouvrent pas à maturité comme les gousses), à une seule graine (akènes). On distingue ainsi :

– les caryopses dont la graine proprement dite reste enfermée, ses téguments étant adhérents ou soudés aux téguments du fruit, nommé péricarpe, l'ensemble formant le grain (cas des graminées) ;

– les akènes, dont la graine n'adhère pas aux téguments secs du fruit et reste libre à l'intérieur de ces téguments (cas des polygonacées).

La densité des grains dépend de la densité réelle des constituants et des espaces ouverts entre ceux-ci. Après récolte, on estime la densité réelle de l'amidon à 1,5 ; celle des protéines à 1,3. Pour les autres constituants mineurs, on peut avancer les chiffres suivant : lipides 0,9 ; fibres 1,0-1,2 ; minéraux 1,8. À partir des proportions de ces éléments donnés dans le tableau ci-dessous, la densité du blé se situe entre 1,3 et 1,4, pour une structure assez compacte. Dans le cas des grains vêtus, comme l'orge, le rapport fibres/amidon augmente et la structure externe du grain est de ce fait moins compacte par rapport aux grains nus, ce qui conduit à une densité plus faible. Les grains sont de forme ovale plus ou moins allongée ou ronde, de section variable. Certains, comme le maïs, ont une forme presque triangulaire. La distinction de forme et de grosseur permet leur bonne séparation dans des systèmes de nettoyage fondés sur leurs caractéristiques morphologiques. Ces grains ont des compositions voisines (voir tableau) ; ils se caractérisent par une très grande richesse en amidon, et sont classés dans les produits amylacés se caractérisant par des taux de protéines moyens et des faibles teneurs en lipides.

Philippe Roussel

• *Voir aussi :* Albumen ; Aleurone ; Amande farineuse ; Amidon ; Battage des céréales et aire de battage ; Caryopse ; Cellulose ; Fibres ; Enveloppe ; Germe ; Glume et glumelle ; Grain et graine ; Grain nu, grain vêtu ; Son

Bibl. : Philippe ROUSSEL, Hubert CHIRON, « Du blé au pain et aux pâtes alimentaires », in *Science des aliments*, t. II, Paris, Tec et Doc-Lavoisier, 2006.

Composition chimique des grains de céréales pour 100 de matière telle quelle

Espèces	Eau	Amidon et petits glucides	Protides	Lipides	Fibres	Minéraux (taux de cendres)
Avoine	13-15	50-54	11-13	5,0-6,0	14-15	2,5-3,0
Blé tendre	13-15	64-68	10-14	1,7-2,0	5,0-5,5	1,7-1,9
Blé dur	13-15	62-66	13-14	1,8-2,0	5,0-5,5	1,8-2,0
Maïs	13-15	58-62	9-11	4,0-6,0	10-11	1,0-1,1
Millet	13-15		9-12	3,5-4,5		
Orge	13-15	57-63	10-11	2,0-2,5	10-11	2,5-2,7
Riz (cargo)	13-15	70-75	7-8	1,8-2,4	2,0-3,0	1,0-1,5
Sarrasin	13-15	57-63	10-11	2,0-2,5	11-12	1,9-2,1
Seigle	13-15	62-66	8-12	1,7-2,2	7,0-8,0	1,9-2,1
Triticale	13-15	61-65	12-13	1,7-1,8	6,0-7,0	1,9-2,1
Quinoa	13-15	56-60	12-14	5,0-7,0	8,0-10,0	2,2-2,5

GRAIN ET GRAINE (histoire symbolique et morale). – Le grain désigne le fruit – sec, compact et comestible –, mais aussi la semence de certains végétaux contenus, dans le cas des céréales, au sommet des épis. Dans le sens figuré, le mot désigne un petit corps de forme ronde ou allongée (grain d'or, de poudre, etc.), sans compter qu'on peut aussi mettre son grain de sel et donner son avis sans y être invité ; en pharmacie, le grain caractérise les préparations sous forme de petits globules. Il y a par ailleurs le grain de verre, le gros-grain, etc., c'est-à-dire des petites aspérités sur une surface supposée lisse. Mais on peut aussi avoir un grain ou veiller au grain pour ne citer que quelques expressions, où la notion métaphorique du grain entre en compte. Nous retrouvons le grain dans un sens figuré particulièrement polyvalent dans la Bible, surtout dans les Évangiles. Il désigne tantôt le Christ et sa mort (« En vérité, en vérité, je vous le dis, si le grain de blé qui est tombé en terre ne meurt, il reste seul ; mais, s'il meurt, il porte beaucoup de fruit », Jean XII, 24), tantôt le cœur des hommes, dans la parabole du bon semeur et celle du bon grain et de l'ivraie (Matthieu XIII, 3-30), et encore le message que le Christ apporte aux hommes et l'effet que celui-ci produit en eux ; c'est la parabole du grain qui tombe au bord du chemin, sur le roc au milieux des épines et dans la bonne terre (Luc VIII, 4-15). Par extension, pour le christianisme, le « grain » est l'image du principe divin résidant au centre de l'être et simultanément la transformation de l'être humain grâce au message christique, le conduisant vers la libération spirituelle. Le grain évoque l'image du semeur, mais aussi du moissonneur, lorsque Jésus annonce à ses disciples (Jean IV, 36-43) : « Je vous ai envoyés moissonner ce pourquoi vous n'avez pas peiné, d'autres ont peiné, et c'est vous qui recueillez le fruit de leurs peines », faisant allusion à sa propre mort. Nous ne savons pas toujours si le grain biblique désigne le grain de blé ou le grain d'orge, étant donné que les deux céréales étaient cultivées en Palestine, la Terre promise, « pays d'orge et de blé » selon la tradition. Chez Leibnitz, dans l'expression « la paille des mots et le grain des choses », le grain désigne l'essentiel par opposition aux détails.

On retrouve la racine *gra-* dans un grand nombre de langues occidentales. Ainsi en provençal il se dit *gran*, *gra ;* en espagnol et italien, *grano* ; en portugais, *grão*, dérivant du latin *granum*. Les linguistes rapprochent *granum* du gothique *kaurn*, de l'allemand *Korn*, et anglais *corn*, et les rattachent au radical sanscrit *gar*, qui signifie « disperser », de sorte que *granum* serait la chose qui s'éparpille (voir aussi la racine indo-européenne *se*, d'où semence, commune à plusieurs langues). On retrouve le même sens dans le mot grec *sporos* (cf. sporadique), qui signifie « grain », c'est-à-dire « éparpillé », « disséminé », etc. Quant au terme « graine », qui est parfois synonyme du grain et de la semence, le mot désigne le stade vital dans la « vie d'une plante », celui qui lui permet précisément la dissémination : la graine protège l'embryon végétal, permettant à la plante d'échapper aux conditions néfastes d'un milieu hostile soit par l'éloignement – dû au hasard –, soit par l'attente du retour des circonstances favorables. Produit de la fécondation de l'ovule végétal, la graine est composée de matériaux qui proviennent de la plante mère, qui sont des réserves nutritionnelles, mais aussi des tissus du gamétophyte, qui constituent l'embryon de la future plante. On parle également de la « bonne » et de la « mauvaise » graine pour désigner la bonne ou la mauvaise descendance.

Les découvertes archéologiques à Kébare, en Palestine, ont mis au jour des meules en pierre dans des sites plus anciens que l'avènement de l'agriculture, ce qui nous permet de déduire l'usage de farines, éventuellement grossières, provenant de plantes sauvages, moissonnées au moyen de faucilles faites de lames de pierre fixées sur un support en bois. L'orge et le blé sont cultivés en Syrie à partir du Xe millénaire, tandis que l'orge était la céréale qui s'adaptait le mieux à la salinité des terres inondables de la Basse-Mésopotamie. Les grains des céréales font leur apparition dans les langues de la Mésopotamie comme en Égypte à partir du début du IIIe millénaire. De la même époque date une œuvre didactique, *Les Instructions du fermier*, une sorte de manuel de l'agriculture qui témoigne non seulement d'une bonne connaissance des techniques agricoles dues à une longue expérimentation, mais aussi d'une organisation sociale permettant une rentabilité et un surplus de production. Les grains d'orge servaient pour le versement des fermages aux propriétaires des terres, tandis que des mesures de protection des cultivateurs, en cas de catastrophes naturelles, sont déjà mentionnées dans le code de Hammourabi. Les ouvriers agricoles étaient aussi payés en grains d'orge.

En dehors de Nisaba, déesse archaïque de la graine, qui devient avec le temps une divinité de l'écriture et de la comptabilité, la Mésopotamie connaissait aussi Asnan, une autre divinité personnification du grain, qui l'emporte dans une dispute littéraire contre Lahar, la divinité des brebis. On retrouve la rivalité entre les agriculteurs et les éleveurs dans plusieurs autres récits provenant du Croissant fertile. C'est en Égypte que le grain de blé (ou d'orge) acquiert une symbolique toute particulière : la graine, ce fruit contenant l'embryon en devenir, à la suite des moissons et de sa séparation des épis, passe, avec les semailles, de la lumière du jour aux ténèbres du monde souterrain. Là, pendant son ensevelissement, le germe fécondé dans l'obscurité de sa matrice donne naissance à une nouvelle plante qui « déchire » la glèbe noire et s'élève vers le soleil pour devenir un épi d'or moissonné à son tour… Cette reproduction à deux phases, avant et après les moissons – où l'épi est « mis à mort » par la faucille –, prend en Égypte une perspective mystique et se projette dans le destin de la vie humaine. Tandis que les grandes déesses de la fécondité se sont chargées des graines et de leur destin dans une grande partie des régions où la révolution néolithique s'est mise en marche, en Égypte – certainement sous l'influence d'un pouvoir précocement centralisé –, c'est Osiris qui se charge des céréales et devient le maître de la céréaliculture. Ce dieu des morts est comparé très tôt aux grains de blé (ou d'orge) ensevelis, germant et réapparaissant à la lumière du soleil, pour devenir la nourriture essentielle des hommes mais aussi pour lui offrir une boisson sacrée, la bière qui est un « pain liquide ». De nombreuses représentations figurent sa momie couverte de grains de blé ou de jeunes tiges émanant de son corps. Ainsi, les grains, avec leur force vitale, deviennent le symbole d'un dieu qui doit renaître, dépassant sa mort. Ce sont les grains qui lui assurent la certitude d'une renaissance et l'assurance de la continuité à travers une résurrection éclatante sous le soleil printanier. Dans le texte d'un papyrus, Osiris déclare : « Je suis le Seigneur des hommes qui ressusciteront des morts. »

On retrouve cette symbolique presque intégralement dans le message christique, ce qui a permis d'affirmer dans les courants gnostiques que Jésus avait suivi un parcours initiatique de type osirien, afin de devenir un être de lumière, avant d'entreprendre son œuvre de réformateur socioculturel et religieux. Les liens entre la mort, les rites funéraires et les grains de céréales demeurent ainsi très importants dans toute l'Europe orientale convertie à l'orthodoxie comme dans le contour de la Méditerranée proche-orientale.

Yvonne de Sike

• *Voir aussi :* Bière ; Blé tendre ou froment ; Céréales sauvages aux premières formes domestiques (des) ; Déméter et Perséphone ; Épi ; Épi (symbolique de l') ; Grain ; Isis et Osiris ; Meule ; Orge ; Si le grain tombé en terre ne meurt ; Terre-Mère primordiale ; Vierge et cycle des cultures céréalières

Bibl. : *Bulletin on Sumerian agriculture*, vol. 1, 1984 ; F. BRUSCHWEILER, *Inanna la déesse triomphante et vaincue*, Louvain (Belgique), Peeters, 1989 ; M. ELIADE, *Histoire des croyances et des idées religieuses. De l'âge de pierre à Éleusis*, Paris, Bibliothèque historique Payot, 1976 ; PLUTARQUE, *Isis et Osiris*.

GRAIN NU, GRAIN VÊTU. – Un grain vêtu est un caryopse auquel les enveloppes de la fleur ou glumelles adhèrent à maturité. Un grain nu est un caryopse auquel les glumelles n'adhèrent pas à maturité. Lors de l'opération de battage à la récolte, les variétés à grain vêtu conserveront leurs enveloppes adhérentes au grain, tandis que les enveloppes des variétés à grain nu seront éliminées. Le caractère vêtu est un caractère ancestral des espèces du genre *Triticum.* Chez le blé tendre, le caractère nu a été sélectionné au cours de la domestication. En effet, en conditions naturelles « sauvages », le caractère vêtu confère au grain une protection qui favorise le maintien d'une faculté germinative prolongée de la semence face aux adversités climatiques. En revanche, le caractère nu, qui facilite le battage, la transformation et la consommation du grain, a été favorisé par l'homme. Au sein des blés cultivés hexaploïdes actuels, il subsiste néanmoins l'épeautre (*Triticum aestivum* subsp *spelta* L. *em. Thell.*), qui possède des grains vêtus. Les caractéristiques de l'épi « spelta » forme allongée de l'épi, grain vêtu et rachis désarticulable sont associées au facteur génétique Q identifié sur le chromosome 5A du blé.

Michel Rousset

• *Voir aussi :* Battage des céréales et aire de battage ; Blé, genre *Triticum* ; Blé tendre ou froment ; Caryopse ; Engrain ; Enveloppe ; Épeautre ; Épi ; Épi (symbolique de l') ; Glume et glumelle ; Grain

Bibl. : C. DORÉ, F. VAROQUAUX, « Le blé tendre », in *Histoire et amélioration de cinquante plantes cultivées*, Paris, INRA, 2006 • N. R. LERSTEN, « Morphology and Anatomy of the Wheat Plant », in *Wheat and Wheat Improvement*, Agronomy Monograph, n° 13 (2e éd.), Madison (Wis.), ASA-CSSA-SSSA, 1987.

GRAINE. – Voir GRAIN

GRAINS (marchands de). – Voir BLATIER

GRAMINÉE. – Voir TRITICUM

GRAMINÉES. – Les poacées ou graminées (latin *Poaceae* ou *Gramineae*) représentent une famille de monocotylédones qui comprend environ douze mille espèces, dont les principales céréales cultivées (blé, orge, avoine, seigle, maïs, sorgho, riz, mil) ainsi que leurs ancêtres sauvages, *Aegilops* et autres triticinées, tripsacum, etc. Elle comprend également les principales espèces fourragères prairiales : ray-grass, fétuque, brome, etc., ainsi que des espèces à usages particuliers, comme le bambou, la canne de Provence, etc. Les poacées sont des plantes en général herbacées, annuelles ou vivaces à tige cylindrique creuse portant des nœuds, généralement non ramifiée, sauf au niveau du sol où se produit le tallage qui donne des touffes caractéristiques. L'inflorescence est formée d'épillets ; lorsqu'ils s'attachent directement sur la tige, on obtient un épi (blé, orge, fétuque...) ; lorsqu'ils sont pédicellés, l'inflorescence est une panicule (avoine, agrostis...).

Jean Koenig

• *Voir aussi :* Céréales ; Épillet → Épi

GRAND PANETIER. – Dans le registre des corporations, tel qu'il est spécifié dans le *Livre des métiers* d'Étienne Boileau en 1264, le grand panetier appartenait aux officiers de premier rang de la Couronne dès l'orée de la monarchie et portait le nom de maître panetier sous Saint Louis, puis de grand panetier à partir du règne de Philippe Auguste. Les plus célèbres grandes familles de France occupèrent cette fonction, dont les Montmorency, les La Roche-Guyon, les Mailly, les Crussol puis, depuis le règne d'Henri II, la maison de Cossé-Brissac jusqu'à l'extinction de la charge. Parmi ses pouvoirs, le grand panetier disposait du droit d'exercer « basse justice » sur tous les boulangers de la ville et des faubourgs et, pour ce faire, était secondé par un lieutenant. Il régulait ainsi l'industrie boulangère, contrôlait le recrutement des membres de la communauté. Par octroi, il délivrait la maîtrise au boulanger ou au contraire la lui refusait. Il inspectait la qualité et l'honnêteté de la production et de la vente du pain. Surtout, il tranchait tous les conflits possibles au sein de la corporation. Juridiction très lucrative, il percevait des droits à chaque réception de tout nouveau maître. Il jouissait de toutes les confiscations prononcées contre un boulanger qui outrepassait les règles du métier. Il pouvait ainsi s'approprier ses marchandises, ses animaux de trait, son office.

Face à la prévôté, plus connue ultérieurement sous le nom de Châtelet, qui avait prétention à assurer la police auprès de tous les arts et métiers, le grand panetier dut relever un défi d'ordre juridictionnel. Son champ d'influence diminua ou s'accrut selon les menées des agents de la prévôté, de son lieutenant habile ou pas, mais encore des convictions du parlement et des aléas de sa charge – principalement depuis l'arrêt de 1316 le destituant de sa recevabilité des fautes des boulangers au profit de la prévôté. Les boulangers placèrent d'abord leur confiance dans le grand panetier censé les protéger contre les sentences quelquefois excessives de la prévôté – il est vrai qu'ils bénéficiaient d'un statut et d'une aura enviés des autres corporations. Mais, au fur et à mesure, les boulangers s'en défièrent, le grand panetier leur semblant plus soucieux d'augmenter ses propres prérogatives que de faire croître les leurs. Jusqu'au XVIIe siècle, malgré les ruses des grands panetiers pour contrôler toute la communauté corporatiste, les boulangers s'allièrent secrètement avec le Châtelet pour les contrer dans le but de garantir l'autonomie de leur communauté.

Le conflit s'aggrava dès lors que les boulangers des faubourgs et les forains s'insurgèrent contre l'exclusivité de la corporation, et que le roi tenta de rationaliser la communauté par le biais d'une police du travail chargée de veiller à son organisation économique et fiscale. Mais en vain. Le Châtelet prit le parti des maîtres parisiens. Au lieu de payer une lourde sanction, nombreux furent les artisans des faubourgs à désirer rallier une communauté, s'appuyant sur l'édit de 1581 les obligeant à entrer dans l'une d'elles ou à en former une. Petit à petit, certaines corporations admirent les artisans des faubourgs, mais ceux-ci n'y trouvèrent pas forcément leur compte. Lors du tracé d'une nouvelle enceinte, en 1634, Saint-Denis, Montmartre et Saint-Honoré furent systématiquement incorporés à raison d'un droit d'admission. D'aucuns s'arrogèrent pourtant les « privilèges de Paris » et la cuisson du « petit pain » sans pour autant être admis dans une corporation. Le grand panetier, profitant de ce désordre, encouragea la fusion rapide des corps des boulangers du centre avec ceux des faubourgs.

C'était sans compter la vigilance des maîtres à propos d'une condition technique liée à leur ordre : à la différence d'autres corps de métiers qui avaient créé leurs communautés dans les faubourgs, les boulangers des faubourgs n'avaient jamais été reçus maîtres, contrairement à ceux des centres-villes. La proclamation royale de 1635, ordonnant l'incorporation des artisans des quartiers aux communautés de la ville, ne les concernait pas. À compter de 1674, une nouvelle guerre contre le grand panetier s'ouvrit à la faveur d'un édit visant les juridictions « d'exception », justement comme la sienne, en assignant à la prévôté du Châtelet l'exercice de la justice seigneuriale. La marque influente de Colbert s'affichait là pour la première fois : il s'agissait, désormais, de faire entendre le contrôle de l'État sur toutes les corporations constitutives d'une structure sociale précise à l'origine des arts et métiers. Et pour cause, puisque l'effet économique produit par l'émergence d'entreprises privées laissait deviner le début de la fin des juridictions privilégiées du corporatisme. Ainsi, autour du gouvernement royal, artisans et marchands furent réunis sous la même autorité. Le pouvoir politique avait à cœur d'harmoniser son action en suscitant progressivement une organisation de la société dépendant de sa seule volonté politique et non plus de prérogatives héritées du Moyen Âge (les « banalités »). Autrement dit, le grand panetier était un seigneur désormais considéré comme étant incapable de « bien rendre service à l'État et au corps social », selon Colbert.

Dans une volte-face, le grand panetier s'engagea auprès des faubouriens ; il reçut à la maîtrise nombre de boulangers de son propre chef, sans en référer à quiconque. La corporation attaqua dès lors ses réceptions avec l'appui du procureur du roi. Les raisons de ce dernier encourageaient les boulangers et flattaient la police de l'approvisionnement, favorisant par là l'intérêt général des villes. Aussi, à partir de la création de la lieutenance générale de la police, en 1667, la position du Châtelet fut enfin durablement consolidée aux dépens de la grande paneterie. L'idée de fusion triompha. Le grand panetier perdit de son prestige et plusieurs rixes fiscales confirmèrent son statut d'exception anachronique au regard de l'intérêt public du royaume. Un édit d'août 1711 ordonnant à tous les faubouriens de s'assembler dans une unique communauté des boulangers (hormis ceux de Saint-Antoine) de

Paris finit de rendre caduque la dernière grand paneterie possédée par la famille Cossé-Brissac, qui renonça à son titre contre une indemnité financière conséquente.

Olivier Pascault

• *Voir aussi :* Aubert, saint ; Ban et banalités ; Blatier ; *Boulangère a des écus* (*La*) ; Boulangers et boulangeries (histoire de France des) ; Boulangers forains ; Crédit ; Disettes, famines et révoltes pour le pain en France ; Fouacier ; France (pains historiques, du Moyen Âge à la Révolution française) ; Honoré, saint ; Isidore, saint ; Lazare, saint ; Orve et orvier ; Porcs (droit d'engraisser les) ; Réglementation ; Talemelier ; Tranchepain ; Valet soudoyé

Bibl. : Jean-Louis BOURGEON, *Les Colbert avant Colbert*, Paris, PUF, 2002 • Daniel DESSERT, *Argent, pouvoir et société au Grand Siècle*, Paris, Fayard, 1984 • Steven L. KAPLAN, *Le Meilleur Pain du monde. Les boulangers de Paris au XVIIIe siècle*, Paris, Fayard, 1996 • Olivier PASTRE, *La Méthode Colbert, ou le Patriotisme économique efficace*, Paris, Perrin, 2006.

GRAND SIÈCLE. – Voir RONDE DES PAINS

GRANDE-BRETAGNE (traditions du pain en). – La meilleure manière de comprendre les caractéristiques des pains traditionnels d'un pays ou d'une région en particulier est d'examiner la farine qui a été moulue à partir des céréales locales. Les céréales traditionnellement cultivées à proximité du moulin permettent de définir comme rien d'autre le pain local, selon la mie, la croûte, la saveur, la largeur et le volume du pain bien davantage que ne le pourront jamais les savoir-faire et les techniques. Donc, si vous remplacez ce grain local par de la farine importée, vous modifiez instantanément la mie et la croûte du pain qui en résultera et peu importent les techniques que vous lui appliquiez ; ce pain ne sera plus jamais le même. L'économie céréalière, dans la majeure partie de l'Europe des années 1930, ressemblait à celle de la Grande-Bretagne à la fin du XVIIe et au début du XVIIIe siècles : le blé était encore moulu à proximité de là où il avait poussé et avait été récolté ; le pain de froment était principalement un aliment de riches et de citadins, et la farine complète un aliment réservé aux pauvres et aux foyers ruraux ; enfin, on consommait encore communément le seigle et l'orge. En Grande-Bretagne, cependant, les changements qui s'étaient amorcés deux cents ans plus tôt dans l'agriculture et la technologie poussèrent la panification britannique sur une voie de désaccord avec le reste de l'Europe.

La révolution agraire britannique du XVIIIe siècle provoqua un changement radical dans la manière dont les terres agricoles étaient gérées et dans la façon dont les céréales comme le blé et l'orge étaient cultivées et récoltées. Durant cette période, le système antérieur d'agriculture de subsistance, pratiqué depuis des centaines d'années, fut remplacé par des parcelles clôturées qui retirèrent aux ruraux pauvres leurs bandes de terre pour les unifier en propriétés plus grandes et plus efficaces, placées sous le contrôle direct de propriétaires de plus en plus riches. En retour, ceci rendit possible l'introduction des nouveaux équipements agricoles inventés à la même époque, comme la houe de Jethro Tull, tirée par des chevaux, et son semoir qui plantait les graines à une profondeur suffisante pour empêcher la pluie de les emporter.

Au départ, ces changements assurèrent une période de relative prospérité au cours de la première moitié du XVIIIe siècle. Les récoltes de blé et d'orge augmentèrent en surface et en rendement. Des rendements accrus et davantage de bétail à nourrir signifiaient que l'on pouvait vendre davantage de son pour nourrir le bétail, et qu'une farine plus raffinée, plus blanche pouvait être commercialisée ; et elle devint la farine dominante employée dans la fabrication du pain. En 1700, la farine de seigle représentait 40 % du pain consommé par le peuple ; en 1800, elle ne représentait plus que 5 % de ce même pain.

Mais, avec l'introduction de nouvelles cultures, comme celle de la pomme de terre, ainsi que l'amélioration de la rotation des cultures et de l'élevage des animaux, la production agricole augmenta tout en exigeant moins de travail. Donc, à partir de 1750, des familles commencèrent à émigrer vers les villes, petites et grandes, pour y chercher du travail. Certains se mirent au service de propriétaires terriens, et l'on continua de confectionner le pain dans les grandes maisons ; mais, pour ceux qui travaillaient dans les nouvelles usines dans des conditions particulièrement difficiles et pour une faible rémunération, la nourriture manquait. Ces nouvelles usines, équipées des machines les plus récentes, transformèrent la population de ce qui avait été de petites villes. Manchester, qui n'était pas une ville de première importance au XVIIe siècle (environ cinq mille âmes), vit sa population bondir à quatre-vingt-dix mille habitants en 1804. Les nouvelles villes avaient besoin de nouvelles boulangeries.

Les règlements touchant au prix de vente et à la qualité du pain, connus sous le nom de « loi sur le pain », définirent les pains en fonction de la rusticité de la farine employée, habituellement sous les noms de « blanc » (le plus cher), « de blé » et « de ménage » (le moins cher). Cela eut pour effet de diminuer la qualité du pain complet de ménage et d'augmenter la popularité du pain de froment. Les prix établis par cette loi rendirent très difficile la vente du pain complet autrement qu'à perte, et certains détracteurs soupçonnèrent les boulangers de confectionner un pain de ménage de moindre qualité afin de promouvoir la valeur supérieure du pain blanc de froment.

Le système de panification employé dans les foyers et les boulangeries en ce temps-là était un procédé simple à partir d'un liquide de fermentation, appelé communément *barm* (mousse ou dépôt constitué par la migration de la levure au cours de la fermentation, que l'on peut recueillir dans un tonneau de bière brune vivante) et réalisé habituellement à partir de l'alcool extrait de céréales maltées trempées et de houblon bouilli. Le houblon agissait comme un additif antibactérien et empêchait la levure liquide de tourner à l'aigre trop rapidement. Un pâton simple était réalisé, bien ferme, avec une très petite quantité de ce liquide de fermentation, puis on le laissait lever pendant plusieurs heures, après quoi il était divisé, façonné et mis à cuire. En comparaison, en France, à la même époque, le processus de pétrissage de la pâte était plus complexe, du fait que le houblon et le malt n'étaient pas employés pour accélérer la fermentation et inhiber une acidité excessive : au lieu de cela, le volume de la pâte était augmenté par étapes, ce qui permettait de conserver l'énergie de la fermentation et de contrôler l'acidité. Ce ne fut qu'au début des années 1800, dans les deux pays, qu'un ferment liquide, que les boulangers britanniques appelaient une « éponge », devint d'un usage commun, une méthode introduite dans les deux pays, pense-t-on, par des boulangers viennois.

Tous les boulangers ne cherchaient pas à éviter l'acidité. En Écosse, au pays de Galles, en Cumbria et dans le Lancashire, la pratique de la confection de *sowens* – dans laquelle la balle d'avoine était mise à fermenter dans un bol, le liquide étant ensuite chauffé jusqu'à ce qu'il épaississe en une « soupe » aigre – était habituelle, et un pain plat à base d'avoine, connu sous le nom de *sowen cakes*, puis plus tard simplement *oatcakes*, avait inspiré aux gens du cru une préférence pour le pain à saveur aigre. Si l'orge maltée n'était pas disponible pour accélérer la fermentation, on ajoutait alors des pommes de terre cuites, ce qui devint une spécificité des boulangers des Midlands. L'Anglais du Sud, cependant, réprouvait la moindre trace d'acidité ou de pomme de terre présente dans le pain. Une succession de maigres récoltes de blé après 1770, associée à une population en rapide expansion, conduisit les négociants à importer des céréales d'Europe. Durant la guerre avec la France (1793-1815), l'importation de céréales d'Europe devint impossible, entraînant la flambée du prix des céréales en Grande-Bretagne et assurant un enrichissement supplémentaire aux plus grands propriétaires terriens.

Cette situation se détendit avec la chute de Napoléon ; des céréales importées à bas prix commencèrent à inonder le marché britannique, diminuant les prix de moitié en l'espace de quelques mois, et conduisant lord Liverpool et son gouvernement, le parti des propriétaires terriens, à chercher des moyens de mettre un terme à cela. Les lois sur le maïs de 1815 établissaient des tarifs commerciaux qui protégeaient les céréales nationales des importations étrangères, meilleur marché ; cependant, le marché britannique s'ouvrit de nouveau en 1846 avec leur abrogation, là où le reste de l'Europe (la Belgique mise à part) maintenait les prix sur les céréales importées au moins jusqu'aux années 1930. Au début, l'introduction de blé importé, principalement européen, se comporta en synergie avec l'ancien style de la boulangerie britannique et compléta les caractéristiques du blé local, lorsqu'il était utilisé dans de petites boulangeries où la pâte était pétrie à la main. Mais, plus tard, une nouvelle sorte de broyage du grain et de pétrissage de la pâte se développèrent, qui permirent la fabrication du pain en usine, et du pain le plus blanc, le plus tendre et le moins cher auquel les travailleurs britanniques eurent jamais accès.

À partir des années 1870, l'importation en Grande-Bretagne de farine broyée en moulins à cylindres depuis les États-Unis et la Hongrie changea le style du pain qui pouvait être confectionné, affama lentement et mit fin, de fait, aux moulins à vent et à eau en Grande-Bretagne. La farine obtenue était ultra-blanche et fine, grâce à l'emploi de linges de soie pour le tamisage, et elle était moulue à partir de nouvelles variétés de blé dur, riches en gluten. La farine donnait une pâte plus résistante et plus élastique que celle réalisée avec du grain local et, même si elle n'avait pas la riche et douce saveur du blé britannique, elle montrait de meilleures performances lorsqu'elle était utilisée dans de puissantes machines à malaxer la pâte ; elle devint essentielle dans les premières usines de l'industrie du pain, qui allaient dominer la panification britannique au cours du XXe siècle. Les tarifs élevés protégèrent le reste de l'Europe de l'importation de blé et de farine, ce qui favorisa la protection de la minoterie locale et des traditions boulangères.

À partir de là commencèrent à disparaître les caractéristiques que l'on rencontrait traditionnellement dans la panification régionale britannique : par exemple la curieuse utilisation d'une *ale-barm* – parfois simplement connue sous le nom de *ale* (bière obtenue par fermentation haute) ou de « levure », elle peut être soit de la levure obtenue en écumant la surface d'une cuve de bière brune en bois, soit une levure préparée en boulangerie qui emploie un mélange gélatineux de farine de blé et d'eau, enrichi avec du malt et du houblon, que l'on ensemence ensuite avec une cuillère à soupe d'une bière brune obtenue par fermentation haute ; cette dernière méthode se maintint mieux et se répandit durant la première partie du XIXe siècle –, la fermentation simple prolongée d'une pâte ferme et l'inévitable acidité légère qu'elle provoquait, la farine couleur crème obtenue en broyant le grain à la meule, l'emploi de seigle, d'orge et d'avoine avec de la farine de blé complète pour confectionner du méteil. Bien que les formes des pains subsistassent, les caractéristiques au niveau de la mie et de la croûte étaient à jamais perdues. La fabrication du pain maison se poursuivit dans une faible mesure mais, étant donné le nombre élevé de femmes qui travaillaient à plein temps, comparé au reste de l'Europe, le temps et les moyens de confectionner du pain à la maison étaient limités. Aujourd'hui, les jeunes boulangers exhument et rétablissent peu à peu les techniques plus anciennes utilisées dans les années 1800, reprenant les vieux procédés de fabrication du *barm*, de « dépôt » ou « dépôt obtenu au cours de la fermentation », et travaillant avec les agriculteurs à la culture de variétés de blé oubliées, mais qui jadis était connues dans le pays.

De manière frappante, la quête de prospérité et de modernité ruina les traditions du pain britannique. Quoique le XXe siècle eût apporté des innovations, telles que le procédé Chorleywood, les fours électriques et la réfrigération, les méthodes et techniques traditionnelles utilisées autrefois pour confectionner les pains britanniques n'étaient déjà plus qu'un vague souvenir. Peut-être que l'héritage laissé au monde par la panification en Grande-Bretagne consiste en la conviction, qui donne à réfléchir, que peu importe la manière dont les compétences locales et les anciens savoir-faire apparaissent au regard des promesses séduisantes des découvertes modernes, ce n'est que rétrospectivement qu'ils pourront être appréciés.

Barm cakes ou baps. Les *barm cakes* désignent des pains levés à l'aide de *barm*, cette levure obtenue sous forme de mousse ou de dépôt dans un tonneau de bière brune vivante. On les confectionne habituellement à partir de petites portions de pâte de froment bien fermentée, que l'on façonnait en petits pains ronds ou plats et ovales, farinés sur le dessus et cuits au four.

Crumpets. Pour confectionner les *crumpets*, on employait une pâte battue beaucoup plus légère que pour les *muffins*, que l'on mélangeait primitivement avec une pincée du « truc du boulanger » (alun), ce qui conférait au mélange une aération supplémentaire lorsqu'on le déposait avec l'aide d'une cuillère sur une plaque chauffante. Les premières versions avaient une forme libre et, dans le nord de l'Angleterre et en Écosse, les *crumpets* étaient habituellement de grande taille, fins et d'environ 12 à 15 cm de largeur, tandis que par la suite, au début du XXe siècle, ils cuisaient dans des anneaux en acier et avaient une hauteur de 2 à 3 cm. Ils étaient toujours brun foncé à la base, tandis que le dessus apparaissait comme un nid d'abeille à trous. Généralement, on les faisait griller avant de les manger.

Fleed cakes (« pains au suif »). Les *fleed cakes* sont proches des *barm cakes*, mais ils contenaient une petite quantité de graisse (suif ou saindoux) mélangée à la pâte, qui fondait pendant la cuisson sur une plaque chauffante ou en cocotte. La graisse conférait une très légère friabilité à la croûte.

Muffins. Les *muffins* anglais étaient réalisés à partir d'une pâte bien fermentée, souple, de la consistance d'une pâte à frire épaisse, répartie en cuillerées que l'on versait dans un récipient rempli de farine. On les retournait à la main pour les enrober de farine, puis on les jetait sur une plaque chauffante où on les mettait à cuire quelques minutes de chaque côté. Ils sont généralement fendus et grillés avant d'être dégustés.

Oatcakes (« pains d'avoine »). Bien qu'aujourd'hui nous considérions les *oatcakes* comme de simples biscuits secs écossais, ils font réellement partie d'une longue et complexe tradition boulangère rurale britannique. Les recettes et modes de cuisson différaient selon la région de Grande-Bretagne où l'on vivait, et ils mériteraient un chapitre à eux seuls. La plupart comportaient une certaine forme d'acidité comparable à la confection en usage des *sowens*. On faisait cuire les *oatcakes* du Lancashire en fines galettes, puis on les laissait sécher, pliées sur une perche, devant le feu. Les *oatcakes* de Cumbria étaient plus épais et bosselés avant d'être mis à sécher. Au pays de Galles, on roulait en couches très minces les *oatcakes* en empilant quelques-uns d'entre eux puis on les roulait de nouveau. On les cuisait rapidement sur une plaque en fonte et on leur conservait leur moelleux en les plaçant sous un linge. Les *oatcakes* du Staffordshire, que l'on confectionne encore de nos jours, combinent de la farine de froment avec de la farine d'avoine, de l'eau, du sel et de la levure. La pâte battue est cuite à la manière d'une crêpe fine, que l'on fait sauter une fois et que l'on maintient moelleuse pour la manger.

Pain blanc, de campagne ou moulé. Les premières recettes connues utilisaient de la farine de froment moulue localement, naturellement riche en sucres naturels (maltose) et pauvre en gluten. Une cuillerée d'*ale-barm* était mélangée avec de l'eau et la totalité de la farine pour former une pâte ferme qu'on laissait lever pendant 6 à 8 heures avant de la façonner, puis de la laisser lever une seconde fois et enfin de la mettre à cuire. Le moule à pain de campagne, à bords hauts, un moule oblong d'une contenance allant de 1 à 5 livres, apparut au début des années 1800 et rendit possible la cuisson de plus de pains à la fois, du fait qu'il réduisait la place qu'occupait chaque pain. Comme les fours restaient chauds, la croûte du dessus avait tendance à brûler tandis que les côtés protégés restaient clairs, ce qui en devint une caractéristique.

Pain de ménage ou de méteil. On confectionnait ce pain avec le blutage du blé moulu, après que presque toute (ou parfois toute) la farine de froment avait été retirée, puis mélangée ou concassée de nouveau avec du seigle, de l'orge et de l'avoine. À l'époque médiévale, on aurait donné à manger aux manœuvres un mélange de ces céréales, que l'on pouvait moudre ensemble pour obtenir de la farine. La combinaison donnait aux pains une saveur naturelle puissante.

Également :

Pudding. Qui croirait que le si britannique *pudding* a pour origine étymologique le très français boudin, lui-même hérité du latin *botellus*, qui signifiait tout simplement « saucisse » ? Il se pourrait cependant que le mot *pudding* provienne de la racine germanique *pud-*, « avaler », faisant référence à une rustique mixture d'abats et de flocons d'avoine que l'on cuisait en cocotte et que l'on avalait tout rond. Plus tard, on retrouve dans le bas germain le mot *puddewurst*, qui désigne le boudin noir, dit *black pudding* en anglais… Quoi qu'il en soit, l'idée générale semble être la même dans les deux hypothèses. En 1305, d'après l'Oxford English Dictionary, l'acception britannique du mot *pudding* était un « genre de saucisse » bouillie, cuite dans un sac, d'où l'extension de sens – attestée en 1670 – à des aliments cuits à la vapeur ou bouillis en cocotte, et serrés dans un linge ou un sac pendant la cuisson. Cette définition correspond au *haggis*, considéré comme un *pudding*, fierté des Écossais et risée des Français, lesquels traduisent *haggis* par l'horrible expression « panse de brebis farcie ». Le *haggis* est un hachis d'abats, épicés et mélangés à des flocons d'avoine, contenu dans une panse de mouton, puis cuit longuement dans de l'eau frémissante. Célébré avec une délicieuse ferveur par Robert Burns, le *haggis* est le héros annuel d'une fête qui commémore le poète écossais : la Burns' Night. Mais le mot *pudding* ne définit pas seulement des spécialités charcutières. Nature comme le *Yorkshire pudding* – sorte de clafoutis cuit au four et servi avec des viandes, arrosé de leur jus – ou sucré tel le *plum pudding*, le pudding est généralement à base de farine. Salé et riche en graisse de rognons de bœuf, le pudding bouilli a été servi à des générations d'hommes appartenant à la marine royale britannique. Le dessert de Noël traditionnel, outre-Manche, est le fameux *Christmas pudding* que l'on cuit à la vapeur, plusieurs semaines avant Noël. Le mot *pudding* désigne, aujourd'hui au Royaume-Uni, une spécialité aussi bien salée que sucrée, voire tout simplement un dessert quel qu'il soit, tandis qu'aux États-Unis le terme est plutôt réservé aux desserts onctueux et à divers entremets (riz au lait, crème au chocolat...). En France, dans le sud des États-Unis, au Royaume-Uni et ailleurs sans doute, l'on confectionne également du *pudding* à base de pain rassis, d'œufs, de lait, de sucre ou de mélasse, auxquels sont ajoutés fruits secs ou confits – et pourquoi pas, une bonne rasade d'alcool. On ne peut clore le sujet sans signaler que, par un fâcheux glissement de sens, un être au cerveau quelque peu ramolli ou bien à la silhouette douillettement enrobée peut se voir traiter de *pudding* dans la langue de Shakespeare. [Myriam Daumal]

Dan Lepard
(trad. de l'anglais par Myriam Daumal)

• *Voir aussi :* Chorleywood Baking Process ; États-Unis

Bibl. : Walter BANFIELD, *Manna*, Londres, Maclaren, 1937 • John BLANDY, *The Bakers' Guide*, Londres, Newton & Eskell, 1886 • Elizabeth DAVID, *English Bread and Yeast Cookery*, Londres, Allen Lane, 1977 • John KIRKLAND (éd.), *The Modern Baker*, Oxford, Gresham, 1907 • Robert MACCANCE, *Breads, White and Brown*, Londres, Pitman, 1956 • John MORTON (éd.), *A Cylopedia of Agriculture*, Londres, Blackie and Sons, 1855 • John PERCIVAL, *Wheat in Great Britain*, Londres, Duckworth, 1934 • James Thorold ROGERS, *History of Agriculture and Prices in England*, Oxford, Clarendon, 1882 • Owen SIMMONS, *The Book of Bread*, Londres, Maclaren, 1899 • Frederick VINE, *Practical Bread-Making*, Baker and Confectioner (éd.), 1897 • Robert WELLS, *The Modern Practical Bread Baker*, Manchester, Heywood & Son, 1892.

GRANDS MOULINS. – Une douzaine de minoteries ont recours à ce qualificatif, suivi en général du nom du fondateur ou celui de la ville où ils sont installés (ou étaient installés à l'origine) : Grands Moulins Becker, en Alsace, Grands Moulins de Chartres, Grands Moulins de Rennes ou Grands Moulins de Paris. Les Grands Moulins de Paris, par exemple, n'ont plus d'usine dans Paris intramuros, mais disposent de sites répartis sur tout le territoire français, dont le plus important est situé à Gennevilliers (92). Paradoxalement, ce vocable ne se rapporte pas systématiquement aux grands groupes meuniers et seuls deux des quatre plus gros y ont recours : Grands Moulins de Paris et Grands Moulins de Strasbourg. Le groupe Soufflet n'a retenu ce qualificatif que pour sa plus grosse unité : les Grands Moulins de Corbeil.

Catherine Peigney

• *Voir aussi :* Bagatelle → GFF ; Baguépi ; Banette ; Bleuette ; Copaline ; Festival des Pains ; Meunerie ; Moulin ; Reine des Blés ; Rétrodor ; Ronde des Pains

GRANDS MOULINS DE PARIS (école de boulangerie des). – Voir EBP

GRATTOIR. – Voir COUPE-PÂTE, GRATTOIR ET RATISSOIRE

GRÈCE (tradition du pain en). – Les céréales sont depuis toujours une base alimentaire en Grèce. Dès les débuts de leur histoire, les Grecs se sont eux-mêmes qualifiés de « mangeurs de céréales » dans les deux épopées d'Homère, l'*Iliade* et l'*Odyssée*, fondatrices des valeurs identitaires du monde grec à travers les âges. D'ailleurs, le mot moderne « aliment » (*sitia*) provient du mot « céréale » (*sitos*), signe de l'importance millénaire de ces produits qui fournissaient une bonne moitié des calories quotidiennement assimilées. Les céréales, hautement revendiquées et placées sous la protection de la grande déesse Déméter, faisaient des hommes qui les cultivaient des agriculteurs civilisés, contrairement à ceux qu'ils considéraient comme des barbares, les nomades éleveurs incapables de s'enraciner, de labourer la terre et de panifier. La pauvreté de leur sol, du moins en Grèce continentale, condamnait les agriculteurs à cultiver plutôt l'orge que le blé, même dans la plaine de l'Attique pourtant favorisée. L'orge, moins exigeante, plongeant plus profondément ses racines dans un sol caillouteux et s'adaptant à une moyenne altitude, malheureusement guère panifiable, permettait de fabriquer la *maza*, une sorte de bouillie assez semblable au porridge transformable en galettes et en boulettes, qui resta pendant toute l'Antiquité l'essentiel de leur alimentation. Ils connaissaient le pain (*artos*), et Athénée, qui a vécu au IIe siècle apr. J.-C., mentionne 72 espèces de pains glanées dans la littérature qui l'a précédé (*Banquet des sophistes*, III, 108-115), dont le pain au levain cuit au four (*ipnos*) ou la galette sèche cuite en quelques minutes sur les parois d'une poterie (*kribanos*) et mêlée de fromage ou de miel. Mais Athénée vit à l'époque romaine, et les convives qu'il met en scène dans son *Banquet des sophistes* appartiennent tous à cette élite qui prônait le pain blanc. Hippocrate (*Régime*, XL-XLV) recense aussi différentes sortes de pains, au levain ou non, avec leurs propriétés spécifiques, plus ou moins laxatives, échauffantes, nourrissantes. Il peut suffire de constater qu'hier comme aujourd'hui le désir de varier les plaisirs empêche toute standardisation excessive : chacun pouvait inventer de nouvelles sortes de pains, d'autant qu'on cuisait généralement chez soi, au fur et à mesure des besoins, ce qui empêchait toute uniformisation et toute standardisation à grande échelle. Le gruau devait être néanmoins plus largement partagé que le pain tel que nous le connaissons.

Sous l'occupation ottomane, le pain, toujours aussi important, était très strictement réglementé et les meuniers et boulangers étroitement surveillés, sous le contrôle des agents de l'État, en particulier le *muhtesib* et le *kadi*. Le prix ne variait pas, mais son poids pouvait changer, en fonction des conditions économiques. D'après le code de 1502, « les boulangers dans le pain desquels on trouvera des impuretés et dont [le pain] n'est pas bien cuit recevront la bastonnade sur la plante des pieds. En cas de manque de poids, [le coupable] sera condamné au carcan ou il versera une amende… » Blé et orge se partageaient toujours les cultures. Ils verront cependant l'arrivée d'un nouveau venu, le maïs, qui ne devient la culture hégémonique qu'au XVIIIe ; dans les Balkans, le maïs s'installe sous une dizaine de noms différents qui signent sa popularité. Contrairement au blé à faible rendement (1 pour 5), il permet de produire davantage, même si une surconsommation peut provoquer la pellagre ; de leur côté l'avoine, le millet et le seigle ne semblent jamais occuper une place importante. Le maïs, après son implantation, sert à confectionner le *bobota* et subvient aux besoins de la population rurale comme substitut du blé. Voire des populations urbaines en période de crise. La pomme de terre s'implante à son tour au XIXe siècle.

Sous l'occupation ottomane, on faisait des pains de qualités différentes et les voyageurs occidentaux nous renseignent sur leurs spécificités. « L'un, nommé *pidé*, *fodola* ou pain turc, est plat, mal cuit, assez blanc ; l'autre, *somoun* ou pain des Arméniens, est relevé, arrondi, plus mal cuit, plus noir et plus mauvais que l'autre. Le troisième se nomme *frangeole*, il est petit, oblong et pétri à peu près comme celui que nous mangeons en France » (Olivier 1801). Les régions ne sont pas toutes semblables et certains voyageurs égarés dans les îles brossent parfois un tableau qui trahit la rudesse du quotidien dans ces Cyclades, pourtant devenues paradis pour touristes. Dans les petits villages de Santorin, Jean de Thévenot (1633-1667) n'est guère rassasié : « Leur pain qu'ils appellent *schises* est du biscuit fait de moitié blé et moitié orge, noir comme la poix, et si rude qu'on ne le peut presque avaler : ils ne chauffent le four que deux fois l'an, auquel temps ils font ce biscuit qu'ils portent à la maison avec grande vénération » (*Voyage au Levant*). Dans ces conditions, le pain de froment est souvent appelé *kathario*, pain « pur », ce qui signe sa qualité de pain de luxe.

C'est à cette époque qu'apparaît sans doute le célèbre mais encore mystérieux pain *pita*, omniprésent de nos jours. Vient-il des villes ou des campagnes ? Est-il un produit de l'élite ou des couches les plus modestes ? Son nom vient peut-être des *plakountès* antiques, pains plats cuits au four, mais il change de nature puisqu'il renvoie à une sorte de chausson ou de tourte farcie. L'étymologie même est contestée, on pense aussi à *pettô*, « cuire », d'où *peptos* (« cuit ») qui aurait pu donner *peta* puis *pita*. Le nom peut encore avoir des origines araméennes ou arabes. Au XVe siècle en tout cas, les paysans en apportent à leur percepteur le jour où ils s'acquittent de leur impôt. Cette époque vit se côtoyer plusieurs communautés ethniques, et il dut y avoir des métissages entre les *pitès* grecques, les *böreks* turcs et les *pastèlès* ou *enkioussas* juifs. La langue en garde trace, puisque le *börek* hellénisé est devenu *bouréki*, ou *pourekkin* (à Chypre).

Autrefois un mets à part entière, le pain reste de nos jours indispensable au repas et les corbeilles de pain ne sont jamais vides en Grèce ; si on a aimé son assiette, il est recommandé de bien la nettoyer avec un morceau de pain. Jusqu'au XXe siècle, le pain reste la composition principale de l'alimentation des paysans, des ouvriers et des couches pauvres urbaines. Même si la consommation tend à baisser avec les préoccupations diététiques qui favorisent la consommation du pain de seigle et même du pain noir, les Grecs restent parmi les plus gros consommateurs de pain d'Europe, et le pain blanc reste dominant (*psômi*). Les *koulouria* trouvent toujours acheteurs dans les rues et les *paximadia* se vendent par sacs entiers. Les dictons portent témoignage d'une importance séculaire et, depuis l'Antiquité, une grande amitié se traduit par l'expression : « Ils ont partagé le pain et le sel », tandis que « priver quelqu'un de son pain » est lui nuire de façon très grave. De celui qui a trahi, on dit qu'« il a foulé le pain offert » ; c'est dire que le pain signe la commensalité et, plus largement, qu'il est vecteur de paix sociale. La Grèce est néanmoins plurielle : entre le Nord, plus oriental, et le Sud méditerranéen, les variations sont multiples. Les régions aiment aussi à cultiver leurs spécificités et certaines traditions y sont jalousement gardées, en particulier dans les îles ou dans le Péloponnèse. Si l'on ajoute le poids de la religion orthodoxe qui scande encore la vie des Grecs et impose la confection de pains spécifiques en fonction du calendrier (pains de noces, pain de Noël ou pain du Christ, *Basilèpota*, etc.) ; l'héritage de l'occupation ottomane pendant plusieurs siècles ; l'influence de la culture américaine qui s'est répandue un peu partout dans le pays et en particulier dans les villes où vivent plus de 60 % des Grecs, on ne s'étonnera pas de trouver en Grèce une variété étonnante de pains. Les deux repas quotidiens traditionnels tendent à céder le terrain devant le grignotage du midi et un vrai repas le soir, ce qui favorise, en milieu de journée, la consommation des galettes, des feuilletés et de multiples petits pains sucrés ou salés.

Il reste que le sol grec n'est pas le plus fertile : du calcaire que recouvre une mince couche d'humus, ce qui ne facilite pas la culture du froment. L'orge, comme on l'a vu, s'y est toujours sentie plus à l'aise et les Grecs ont longtemps dépendu des importations de grains. Ils ont connu aussi de très cruelles famines, récemment encore lors des deux dernières guerres mondiales, en particulier en 1941-1943 où 300 000 décès peuvent être liés au manque de pain, à Athènes en particulier qui rassemblait alors 20 % de la population. Les petites propriétés saupoudrant le territoire ne favorisaient pas les réquisitions générales. Comme tous les pays essentiellement ruraux au sol peu généreux, la Grèce a mis le pain au centre de son alimentation, denrée d'autant plus précieuse qu'elle pouvait se faire rare. Pendant des siècles, chaque famille a fait cuire ses pains de blé et d'orge dans le four communal. Et depuis l'Antiquité le pain reste cet aliment qu'on ne gaspille pas et qui accompagne toutes les grandes fêtes publiques et privées. Même pendant les chaudes journées d'été, quand les repas doivent être légers et rapides à préparer, le pain a de multiples usages : saisir les morceaux de fromage et les olives, accompagner le plat principal ou donner de la consistance à une salade de saison.

Basilèpota ou Vasilopita. Pains du Nouvel An, de la Saint-Basile, ils ressemblent davantage à une brioche qu'à un simple pain, cuits avec des œufs, de la farine, du sucre et du lait. Ils portent une symbolique à la fois religieuse et païenne. Ils sont cuits avec une pièce de monnaie et portent chance à celui qui la trouve. Dans les zones rurales, ils peuvent être cuits avec, en plus de la pièce de monnaie, un petit rond en buis et un morceau de paille. Le buis assure un bétail en bonne santé, la paille une bonne moisson et de bons foins. À minuit, le père de famille le découpe. Une part revient à saint Basile (Vasili), le saint du 1er janvier, une autre au plus âgé de la famille et les autres parts reviennent aux autres membres selon une rigoureuse hiérarchie.

Bobota. Pain de maïs, de fromage et d'œufs, spécifique du nord de la Grèce (Thrace), plus irrigué, où le maïs peut être cultivé. Il connaît lui aussi de multiples variantes, certaines parfumées à l'aneth, au miel ou farcies aux épinards ou aux légumes sauvages (*horta*). Il est cuit dans un moule carré. On l'arrose de sirop ou on le saupoudre de sucre une fois cuit.

Chilopites. Ces nouilles faites maison constituaient jadis l'accompagnement des viandes et surtout des poulets en sauce tomate, plat habituel du dimanche dans une grande partie de la Méditerranée orientale. De nos jours, les restaurants grecs, de New York à Melbourne, offrent comme spécialité « traditionnelle » du coq au vin garni de *chilopites*. Elles pouvaient avoir une forme oblongue de 0,5 cm de largeur et 3 ou 4 cm de longueur, ou se présenter sous forme de carré de 0,5 ou 1 cm de côté ; cuites facilement, les *chilopites* remplaçaient le riz, la purée ou les pommes de terre et elles constituaient un excellent moyen de conservation de protéines, disponibles toute l'année, comme le *trahanas* et d'autres produits céréaliers tel le *critharaki*, l'orgelet, etc. faits maison.

Pour confectionner les *chilopites*, il suffisait de mélanger du lait de brebis, des œufs et de la bonne farine ou de la semoule, en quantité suffisante pour obtenir une pâte maniable mais ferme. Ensuite, on la partageait en plusieurs boulettes de la taille d'une pomme moyenne et les couvrait d'un drap pour les laisser reposer au chaud. Avec une fine baguette cylindrique, on étalait ces petites masses de pâte jusqu'à obtenir une « feuille » d'un mètre de diamètre, que l'on posait sur une table ou une autre surface plate, afin qu'elle perde son humidité excessive. On découpait alors des bandes de quelque 4 cm de largeur dans le sens de la longueur, puis on découpait ces bandes elles-mêmes en petits rectangles que l'on laissait sécher au soleil. On conservait les *chilopites* au sec et on s'en servait pendant tout l'hiver. Les maîtresses de maison se sentaient flattées lorsqu'on vantait la qualité, la finesse et le goût équilibré de leurs *chilopites*, qui devraient sentir, une fois cuites, le bon lait et le blé doré. La seule difficulté pour réussir les *chilopites* tenait à la cuisson dans l'eau bien bouillonnante, cuisson rapide pour ne pas risquer que les morceaux de pâte s'agglutinent. « Manger des *chilopites* » signifie avoir échoué de façon évidente à une entreprise quelconque. Pour une équipe de football ayant perdu lourdement, on dit : « elle a mangé des *chilopites* », ou bien « les joueurs on mangé des *chilopites* » (cf., en français, « prendre une gamelle »). Jadis, les familles élargies de bergers revenant de la transhumance vendaient aux marchés des villes provinciales des *chilopites* de leur confection, très recherchées pour leur qualité. Fabriquées de nos jours industriellement ou de façon artisanale, elles constituent un produit proposé aux touristes dans toutes les localités provinciales et elles sont largement exportées à l'étranger. [Yvonne de Sike]

Christopsomo, pain du Christ. Ce pain est épicé, l'eau de la pâte ayant été parfumée avec des feuilles de citronnier, de laurier, d'anis, avec du mastic de Chios ou du zeste de citron. Il est décoré d'une croix en pâte et farci de noix, réservées spécialement à cette fin. La noix est symbolique, elle représente les fruits de la terre, mais aussi la virginité de Marie et, bien sûr, elle porte chance. Ce sont parfois des œufs blancs, symboles de fertilité, qui dessinent la croix. Dans certaines régions, les décorations sont variées : dessin d'une église, ou d'une ferme avec ses animaux et ses outils dans les zones rurales. On le mange après la messe de Noël.

Eptazymo ou eftazumo (« pétri sept fois »). Spécialité crétoise à l'origine, à base de farine de froment et de pois chiche, ou seulement de pois chiche, ce pain, consommé parfois frais mais plus souvent grillé et vendu en sachets, y est encore le roi des petits déjeuners. On le trouve hors de Crète, réservé parfois aux fêtes religieuses, ou bien, dans une version plus commune, largement adopté et diversement parfumé (cannelle, sésame). Sa préparation très longue et difficile en fait originellement un pain d'exception, fabriqué la nuit et à l'abri des regards, pour que le « diable » n'en compromette pas la réussite.

Gruau. Pour le fabriquer, les céréales sont concassées, bouillies, séchées au soleil, salées et tamisées (on préfère actuellement parler de semoule quand les fragments sont bien réguliers). On le consomme sous forme de bouillies, ou bien on le fait cuire en galettes. La farine de gruau, qui nécessite un second passage dans la meule du gruau déjà grillé, porte le nom d'*alphita*. Ce produit est peut-être le plus répandu. Il consiste à griller les grains concassés, pour ensuite les moudre finement. Cette farine est donc précuite, elle se conserve plusieurs mois et ne demande au moment de la consommation qu'un ajout d'eau ou de lait parfumé au miel.

Koulourès de Pâques. Pains offerts pour Pâques. Les parrains et marraines, en particulier, en offrent à leurs filleuls. Le rituel exige d'ailleurs que le *kouloura* soit d'abord d'une très grande taille, un an après le baptême, au point de demander des aménagements spéciaux au four familial ; il peut atteindre un mètre de diamètre et est décoré de roses ; puis il rétrécit année après année, jusqu'à n'avoir plus qu'une trentaine de centimètres de diamètre lors des quatorze ans du filleul. Le *kouloura* destiné aux garçons est en forme d'étrier, en particulier dans le Magne. Celui que reçoivent les filles est tout rond. Ils sont décorés de feuilles, fruits en pâte et saupoudrés de graines de sésame. Il est fréquent que chaque membre de la famille ait aussi le sien. Ils sont pendus au mur jusqu'à la fête pascale où ils seront consommés. Un petit *kouloura* reste pendu au mur toute l'année, porte-bonheur pour la maison ; il sera brûlé et remplacé par un nouveau l'année d'après.

Koulouri, koulouria. Ils sont vendus à la criée par le *koulouras* un peu partout en ville, et dès le matin les passants de toutes les couches sociales se ruent sur ces anneaux recouverts de grains de sésame. On a pu dire que le *koulouri* effaçait les barrières sociales et assurait la cohésion de la population grecque, tant il est vrai que tous se rejoignent devant la voiturette du marchand ambulant. Il est à base de farine, à laquelle on ajoute levure, sel, sucre, huile de tournesol et grains de sésame. Il peut connaître des versions « enrichies », comme les *koulourakia me kanela*, agrémentés de cannelle et de raisins secs, les *koulourakia* de Pâques ou les *koulourakia almira*, petites tresses salées.

Laganès. Pains azymes (sans levain) ovales au sésame, confectionnés pour le *katheri deftera*, « lundi pur ». Quarante jours avant Pâques, ce lundi avant le Mardi gras marque le début du carême. Pains secs de farine d'orge en forme d'anneaux, ou à base de farine et d'eau dans laquelle ont bouilli des pois chiches. En voir travailler la pâte étant réputé porter malheur, on la travaillait la nuit, ou bien en lui tournant le dos, avec les mains en arrière.

Lalangia. Longs rubans torsadés et frits du 14 novembre, fête de saint Philippe, jusqu'à l'Épiphanie, le 6 janvier. On essaie ainsi de se venger, grâce à la délicieuse odeur de ces petits pains croustillants, des *tsilikrota* (ou, dans certaines régions, les *kalikantzari*), petits lutins ou petites créatures malicieuses qui taquinent les femmes, les enfants et les vieillards.

Lazarakia. Le samedi avant le dimanche des Rameaux, on fête la résurrection de Lazare. Les enfants vont chanter de maison en maison et reçoivent ces petits pains fourrés de figue ou de raisins, décorés de noisettes ou d'amandes, qui ont la forme de bébés emmaillotés ou de morts dans leur linceul.

Litourgia (« messe ») ou prosphoro (« offrande »). Ce pain, cuit à la maison, est bénit à l'église pendant l'office. On le décore avec un grand sceau rond portant une croix byzantine et les lettres signifiant *Iisus Christos Nika*, « que Jésus-Christ soit vainqueur ». Le rectangle central, muni du sceau, est rompu et offert lors de la communion, qui se fait encore avec le pain et le vin. Le reste du pain est partagé par la communauté, qu'on ait communié ou non.

Maza. Il s'agit de galettes d'orge, au cœur de l'alimentation grecque dans l'Antiquité, à base de bouillie non cuite (ce qui serait impossible avec le blé). La *maza* se présente comme une sorte de porridge si l'on se contente d'ajouter de l'eau. Mais, malaxée avec de l'eau et pétrie, elle forme des galettes solides qui peuvent se manger immédiatement ou se conserver quelque temps. Il suffit, au moment de les consommer, de les humidifier avec de l'huile ou du vin pour leur rendre leur moelleux. On peut consommer la *maza* salée, vinaigrée ou sucrée au miel.

Pain de noce. Ils sont préparés le samedi par la mariée et ses amies. La farine est travaillée avec de l'eau parfumée aux feuilles de citronnier et à l'anis. Le marié vient et jette des pièces d'argent dans la pâte. Un pain spécial revient à la mariée, un autre à la belle-mère et un troisième au témoin du mariage, le *koumbaros*. Ils sont tous trois richement décorés avec des bandes de pâte.

Paximadia. Ce pain grillé ou biscotte (cuit deux fois) à base de farine d'orge est une spécialité très ancienne, déjà connue à Byzance. La pâte est d'abord cuite en longues bandelettes jusqu'à ce qu'elle soit dorée, puis sortie du four, découpée et à nouveau cuite jusqu'à être croustillante. Cette antique biscotte a de nombreux héritiers, les *bashmat* et *baqsimat* arabes, le *beksemad* turc, le *peksimet* serbo-croate, le *pesmet* roumain et le *pasimata* vénitien. Ces petits pains grillés peuvent être parfumés au cumin ou à l'anis, ils sont au cœur du casse-croûte (*kolatsio*) qu'on emporte avec soi aux champs, avec le fromage, l'ail et l'oignon. Ils sont aussi servis traditionnellement lors des repas funéraires.

Pita, pitès. Il s'agit d'un pain rond, aplati, qui peut accompagner le *tzatziki* ou le *taramosalata*, ou bien recevoir mille et une farces différentes, sucrées ou salées. La différence ne tient qu'au nombre de feuilles de pâte empilées qui gonflent pour donner le croustillant. Cette pâte exige un lourd travail, auquel se consacraient naguère les grands-mères expertes dans l'art de manier le long bâton très mince qui sert à l'étaler. Il fallait des heures pour laisser lever la pâte, l'étaler, la tourner et l'étaler encore jusqu'à obtenir une feuille fine comme de la soie. Aujourd'hui les machines ont pris le relais. L'Épire est considérée comme la région où le pain *pita* est roi, et on pourrait multiplier les noms des différents *pitès*, selon leur fourrage à la viande, aux fromages, aux légumes sauvages (*horta*) ou aux fruits. On alterne deux feuilles de pâte, puis la garniture, puis deux autres feuilles de pâte et on replie vers le haut. La pâte *fillo* (ou *phyllo*, « feuille ») est donc à la base de la préparation des pains *pita*. Faite de farine imbibée de vinaigre de vin blanc, d'huile d'olive et d'eau, légèrement salée, travaillée jusqu'à ce qu'elle soit souple et élastique, elle est mise au repos une heure, puis étalée en fines abaisses à l'aide du grand et fin bâton de 50 cm, le *plasti*. Chaque feuille de pâte *fillo* doit être séparée de la suivante par un peu d'huile.

Psômi. Étymologiquement, *psômi* veut dire « bouchée », « morceau ». C'est le pain de base, pain blanc de farine de froment, à laquelle on ajoute levure, sucre, sel et un peu d'huile d'olive. On peut signaler le *choriatiko psômi*, le « pain de campagne », d'un jaune appétissant, souvent saupoudré de grains de sésame. Il connaît de nombreuses variations, comme le *stafidopsomo* (« pain aux raisins »), l'*eliopsomo* (« pain aux olives »), ainsi que les nombreux pains réservés aux fêtes rituelles : le *Christopsomo* décoré d'une croix pour Noël, le *lazaropsomo* du samedi saint, aux raisins et au sésame…

Semoule (l'homme-gâteau de). Dans l'aire culturelle qui va de la Sicile à l'archipel de la mer Égée et le Dodécanèse, un conte populaire – en lointain écho à des modèles hérités des déesses méditerranéennes – met en valeur le pouvoir créateur des femmes : une princesse, fille unique, au caractère bien trempé, accepte de se marier uniquement avec l'homme qu'elle aura créé. Elle utilise, dans ce but, de la semoule (*simigdali*), de l'huile et du miel ou du sucre, selon les versions, qu'elle malaxe afin d'obtenir une pâte suffisamment solide avec laquelle elle fabrique le simulacre d'un homme étalé sur une table, au milieu d'une chapelle. Après quarante jours de prières et de larmes, le simulacre s'anime et elle présente fièrement à son peuple, Simigdalénios, son futur époux. Suivent de péripéties « initiatiques » pour la jeune femme, en quête de son mari égaré, dont la maturité reste inachevée jusqu'à sa prise en charge par la volonté inébranlable de sa femme… [Yvonne de Sike]

Trahanas. *Trahanas* en grec, *tarhana* en turc, *tarkhina*, *tarkhana*, *tarkhwana* en perse, *kishk* en égyptien, *kushuk* en iraquien, est une nourriture de base de toute la zone du Proche- et Moyen-Orient, là où la culture des céréales a connu son épanouissement le plus précoce. Il s'agit d'un mélange de farine, plus ou moins fine, de semoule ou de blé concassé avec du yogourt ou du lait fermenté, d'œufs et de sel séché et réduit en grumeaux, préparé sous forme de soupe, dans laquelle on ajoute encore différents autres ingrédients pour relever le goût. Ainsi préparé, le *trahanas* est une nourriture riche en acides et ferments et un moyen de conservation des protéines (protéines de lait surtout produites en grande quantité pendant l'été aux alpages, lorsque les jeunes agneaux ne sont plus nourris au lait) pendant de longues périodes ; ces qualités exceptionnelles faisaient de ces soupes de *trahanas* administrées depuis la toute première enfance jusqu'à un âge très avancé (« bonne pour ceux qui n'ont pas de dents », selon la tradition populaire) une nourriture saine et digeste, un accompagnement indispensable pendant les veillées et les jours de grand froid d'hiver. Les variantes locales ne modifient pas essentiellement leurs vertus de base. En Turquie, on ajoute des légumes cuisinés ou non et des plantes odoriférantes qui fermentent dans la masse ; à Chypre, on utilise du thym et des graines de fenouil, tandis qu'en Grèce on prépare aussi du *trahanas xinos* « acide », pour les soupes consommées pendant la période du carême, le *trahanas* ne contenant alors ni lait, ni autres protéines animales ou gras, mais des piments et des plantes aromatiques. Cette variété est souvent préparée avec du sarrasin. Presque partout on ajoute dans la soupe chaude du lait et du fromage, qui fond dans l'assiette pour le plus grand plaisir des enfants, ou du beurre, qui parfume la nourriture et ajoute des « larmes » brillantes sur sa surface.

Jadis, la préparation du *trahanas* était une activité importante des mois secs et chauds de l'année. Les femmes se regroupaient par affinité ou par alliance pour la préparation initiale en chantant et en commentant les derniers commérages du village, dans l'attente de sa fermentation. On partageait ensuite cette masse en petits morceaux aplatis qu'on étalait sur des draps blancs en attendant environ une semaine qu'ils sèchent complètement, les retournant de temps à autre. Puis on s'installait à la ronde, sous la pergola ou dans une pièce fraîche ouverte aux jardins, et on frottait énergiquement les morceaux desséchés sur une planche en bois (d'habitude la planche utilisée pour les lessives) appuyée contre le pétrin. Les chants rythmaient les mouvements des femmes (parfois les hommes participaient aussi, tant le travail était dur) et en fin de journée s'accumulait dans le pétrin une quantité de grumeaux, plus ou moins fins, selon la « tradition » familiale ou régionale. On exposait de nouveau le *trahanas* au soleil pour assurer sa déshydratation complète ; il était ensuite conservé au sec dans l'attente des réunions hivernales.

Rares sont encore les familles qui s'aventurent à la préparation du *trahanas* qui est toujours consommé dans cette aire géographique ; il est dorénavant préparé industriellement, comme un reliquat « précieux » de la nourriture traditionnelle. Des chercheurs anglo-saxons associent le *trahanas* au *tracton* d'Apicius, que l'on considère comme une forme de *crumble* ; tandis que d'autres l'associent au *traganos*, décrit et commenté dans l'ouvrage *Geoponica* (« De l'agriculture ») de Galien de Pergame, médecin et philosophe grec de l'époque romaine, dont les théories sur la préservation de la santé ont dominé pendant des siècles dans le monde occidental. D'autres chercheurs encore associent le *trahanas* au mot perse *tarkhane*, qui signifie « dur et irrégulier » (*coarse*, en anglais). [Yvonne de Sike]

Tsoureki ou lambropsomo (« pain brillant »). Pain-brioche spécifique de la fête pascale. Symbole de fécondité et de bonheur, on le décore parfois richement de feuilles et de fleurs en pâte, et on le garnit d'amandes et de fruits secs, preuve que le carême est fini. Il peut être aromatisé au *malaheb* (épice tirée de l'amande de la cerise noire de l'arbre de sainte Lucie) ou au mastic de Chios. On lui donne des formes variées, forme de lapin à Lagoudaki, de couronne ou de tresse en Crète, où il enserre un œuf rouge (*kokkina avga*). Les œufs sont teintés le matin du vendredi saint, pendant l'office, ce qui leur donne une vertu particulière. Des œufs teintés seront aussi placés près des icônes et offerts en cadeaux.

Janick Auberger

• *Voir aussi :* Athénée de Naucratis ; Calendrier grec ancien ; Crysippe de Tyane ; Déméter et Perséphone ; Éleusis (mystères d') ; Grain et graine ; Hestia, Vesta et le feu sacré ; Kollyva, collyves ; Kykéon et initiation aux mystères ; Terre-Mère primordiale ; Turquie ; Vierge et cycle des cultures céréalières

Bibl. : G. P. ALIVISATOS, A. JOUSTINIANOS, « L'alimentation de la population rurale en Grèce », *Bulletin de l'organisation d'hygiène de la société des nations*, Genève, 1945-1946 • Marie-Claire AMOURETTI, « Le pain et l'huile dans la Grèce ancienne. De l'araire au moulin », *Annales littéraires de Besançon*, nº 328, Centre de recherche d'histoire ancienne, LXVII, Paris, Les Belles Lettres, 1986 • Lin FOXHALL, Hamish A. FORBES, « *Sitometreia :* The Role of Grain as a Staple Food in Classical Antiquity », *Chiron*, nº 12, 1982 • Auguste JARDÉ, *Les Céréales dans l'Antiquité classique : la production* (1925), Paris, De Boccard, 1979 • Anna MATTHAIOU, *Aspects de l'alimentation en Grèce sous la domination ottomane*, Francfort-Berlin-Berne-New York-Paris-Vienne, Peter Lang, 1997 (chap. II, « Le pain ») • Alfonso MORENO, *Feeding the Democracy. The Athenian Grain Supply in the Fifth and Fourth Centuries BC*, Oxford, Oxford University Press, 2007 • Georgette TARSOULI, « Pains traditionnels en Grèce », *VIe Congrès international des sciences anthropologiques et ethnologiques*, t. II, Paris, 1964.

GRÉGOIRE-FERRANDI (école). Voir ÉCOLE GRÉGOIRE-FERRANDI

GRENIER À BLÉ. – Voir COLUMELLE

GRIGNE. – En boulangerie, la grigne désigne aujourd'hui les rainures ou sillons présents sur la croûte supérieure du pain qui résultent de différents types d'incisions pratiquées sur un pâton juste avant son enfournement. Une jolie grigne générée par une succession de « coups de lame », de part en part du grand axe du pain, produit après quelques minutes de cuisson une succession de « jets » de croûte idéalement bien bombés, lisses et non déchirés. La justification de la grigne tient au fait qu'un pain de farine de blé raffinée dispose d'un potentiel d'expansion au four (en moyenne 20 % du volume final). Ne pas grigner expose à un défaut d'arrachement anarchique de croûte dénommé, au XVIIIe siècle, « pain qui croutelève ». Les pratiques moins sophistiquées consistaient à réaliser des enfoncements avec les doigts sur le dessus du pâton ou à le piquer (comme c'est parfois encore le cas avec les pains de seigle). Dans la terminologie boulangère, la grigne s'accompagne d'un vocabulaire fleuri : elle doit « cracher », ne pas être « grincheuse » (insuffisamment franche et nette), ne pas « grimacer » : elle peut être qualifiée d'oreille, voire d'« oreille de lièvre ». Rémanence des temps où il était fréquent que les pains s'affaissent à la mise au four, la coupe ou le « tail » doit délicatement effleurer de façon oblique la peau du pâton. Le boulanger en charge du four (le brigadier) affûtait jalousement une lame spéciale ; il disposait à cet effet d'un étui en cuir incluant une petite pierre à polir. La grigne est l'attribut majeur de l'esthétique des pains français allongés et souvent l'objet de compétitions entre brigadiers.

Il est fait mention du verbe « grigner » au XIIe siècle pour plisser les lèvres en montrant les dents, faire des plis, froncer. Peut-être faut-il y voir une analogie avec la couleur blanche du sillon de la grigne, qui tranche avec le blond doré du faîte ou de sa cime. Au XVe siècle, les grignettes désignaient les morceaux croustillants détachés sur le pain ; quoi de plus tentant que de déguster ces « oreilles » au sommet de leur croustillance au sortir du magasin ? Il convient de rappeler que le mot « grigne » était associé, jusqu'au XIXe siècle, au pain fendu dit « à grigne », célèbre spécialité de la boulangerie parisienne. Boland indique en 1860 que le consommateur se laisse séduire par l'apparence de la grigne et que l'ouvrier boulanger a lui-même une certaine prédilection pour celle-ci. En 1904, Favrais mentionne la baisse de la vente des pains fendus et la progression des ventes de pains « boulots » et « jockos » coupés sur la pelle à enfourner. La grigne des baguettes et petits pains viennois, effectuée lame verticale, diffère sensiblement de la technique française parfois qualifiée de « coupe en couvercle de marmite » : une coupe droite sur les baguettes induit une grigne qui s'écarte et qui déchire, alors même que des jets « relevés » sont recherchés. Avec l'essor des pains longs « à clair », c'est-à-dire non farinés, la pratique de couper le dessus des pains va nécessiter une multiplication des coups de lame (de pointe à pointe), lesquels vont optimiser non seulement l'aspect, mais le gain de volume au four et le pourcentage de croûte. Les grignes en losanges ou en damiers sont très usitées pour les boules et les pains polka. Il faut admettre en revanche que les pains longs grignés perpendiculairement en « saucisson » manquent un peu d'allure, Même si cette coupe à l'avantage d'éviter la retombée de pâtons trop fermentés.

L'arrête dentelée de la grigne peut se révéler coupante, et Cerfberr mentionne à ce sujet que certains boulangers utilisaient une râpe à pain afin d'« abattre les grignes trop accentuées au goût du client ». Concernant les baguettes, les coups de lame en biais qui provoquent des étranglements de la section sont moins appréciés que les coups de lames allongés qui se chevauchent. La réussite de l'ouverture des grignes (leur régularité, l'absence de déchirures) peut être considérée comme un signe objectif de maîtrise de la panification. Une farine pauvre en gluten ou à teneur élevée en fibres, un sous-pétrissage ou un enfournement tardif limitent les chances de succès du boulanger néophyte. Les grignes des pains de tradition française sont, de ce point de vue, moins élégantes que celles des pains courants. En boulangerie, le mot « grigne » s'apparente à un sésame, le mentionner dans une discussion avec un professionnel atteste de votre connaissance du domaine. Félicitez votre boulanger pour l'élégance de ses grignes et vous verrez son visage s'illuminer. La vision de l'expansion du pain et de l'ouverture des jets de grignes dans le four, moins de cinq minutes après l'enfournement, dans un four à sole réfractaire, demeure un spectacle dont le boulanger ne se lasse pas. Longtemps d'ailleurs, les boulangers ont mis bien en évidence dans leur vitrine, comme au garde à vous, un assortiment de leurs pains les mieux grignés. Attention, pourtant ! En matière de coups de lame, « déchiré n'est pas grigné. ». Autrement dit, mieux vaut inciser en oblique plutôt que « sabrer ». Il fut un temps ou les boulangers parisiens les plus réputés étaient affublés par leurs pairs du titre de « fines lames ».

Hubert Chiron

• *Voir aussi :* Brigadier ; Coupe « polka » et coupe « saucisson » ; Empreinte ; Fendu ; Four ; Four (symbolique du) ; Lame et coup de lame ; Scarification ; Technologies boulangères ; Tourne à clair/tourne à gris

Bibl. : A. BOLAND, *Traité pratique de boulangerie*, Paris, E. Lacroix, 1860 • G. CERFBERR, *Dictionnaire encyclopédique de la boulangerie et de la pâtisserie*, Paris, Jouvet, vers 1897 • E. FAVRAIS, *Manuel du boulanger et du boulanger-pâtissier*, Paris, B. Tignol, 1904.

GRIGNETTE. – Voir GRIGNE

GRIGNON. – Voir BAGUETTE

GRILLAGE. – Voir BOUILLIE

GRILLE-PAIN. – La technique de grillage la plus sommaire consiste à utiliser un couteau ou une fourchette afin de maintenir verticalement une tartine de pain à proximité de braises rougeoyantes. Les forgerons fabriquèrent longtemps de solides grille-pains ouvragés ; certains modèles permettant même la rotation de la tartine. Des plaques métalliques rondes perforées installées sur des becs à pétrole furent aussi commercialisées. Les premiers brevets de grille-pains à résistance électriques datent des années 1910. Désormais, ces appareils émettent un rayonnement infrarouge modulable. Dès les premiers salons des arts ménagers, les grille-pains électriques connurent un grand succès populaire. 73 % des foyers français en sont désormais équipés, avec un prix qui oscille entre 10 et 250 euros (1 674 000 exemplaires ont été vendus en France en 2008, source Groupement interprofessionnel des fabricants d'appareils d'équipement ménager). Le grille-pain rend d'appréciables services : il valorise le pain rassis en lui redonnant à la fois de la croustillance en surface et du moelleux à cœur. Ce traitement thermique ou toastage provoque une coloration dite réaction de Maillard et des arômes irrésistibles.

Hubert Chiron

• *Voir aussi :* Biscotte ; Croustillance ; Maillard (réaction de) ; Mie (pain de) ; Pain grillé ; Pain rassis

GRINCHE. – Voir DÉFAUTS DU PAIN

GRUAU. – À l'origine, le gruau désigne le grain de blé mondé (c'est-à-dire duquel toutes les couches externes – le son – ont été ôtées), moulu grossièrement. Même chose pour l'avoine mondée. Ensuite, la fine fleur de froment (ne comprenant donc pas d'issues) donnera le « pain de gruau », c'est-à-dire fait uniquement avec les parties dites nobles (claires) du grain. On parlera aussi de gruau en termes de soupe faite avec seulement ces parties du blé concassées.

Roland Feuillas

• *Voir aussi :* Enveloppe ; Fleur de farine ; Grain ; Meunerie ; Moulin ; Mouture ; Son

GUERRE (pain de). – Voir MUNITION (pain de)

GUERRE DES FARINES. – Voir FARINES (guerre des)

GUEULARD. – Pièce de fonte placée entre le foyer (situé en dessous et en avant de la chambre de cuisson) et la chambre de cuisson du four à bois, par lequel passe la flamme, et qui permet de la diriger. La chauffe du four à bois nécessite une orientation successive du gueulard de gauche à droite et au centre, pour assurer une bonne répartition de la chaleur. Les noms de « capuchon mobile » ou de « buse » qui lui ont aussi été donnés sont plus explicites. Souvent, le chauffage terminé, il est retiré et remplacé par un récipient de fonte rempli d'eau qui alimente en buée la chambre de cuisson.

Guy Boulet

• *Voir aussi :* Bouche, gueule du four ; Bouchoir ou fermoir du four ; Buée ; Cuisson directe/indirecte ; Cuisson sur filets ; Cuisson sur pavé ; Enfournement ; Enfournement (rituel thérapeutique d') ; Enfournement-défournement ; Four ; Foyer ; Oura ; Sole

GUINET, Roland. – Fils de boulanger, Roland Guinet fait partie de ces acteurs invisibles qui, avec discrétion et ampleur, contribuent à réinventer l'image qu'on se fait d'une profession. Il apprend très jeune le métier dans le fournil familial avant de rencontrer, alors étudiant, le professeur Émile Terroine, directeur du CNERNA, lequel va avoir une très grande influence sur la suite de sa carrière : c'est lui qui l'oriente vers la technologie du pain et l'incite ainsi à compléter son approche pratique. Il intègre, à vingt-trois ans, le laboratoire de biochimie et physico-chimie des céréales de l'INRA puis, quelques années plus tard, l'École de meunerie, où il poursuit des recherches sous la direction du professeur Jean Buré. Il acquiert la réputation d'être, en France, l'un des meilleurs experts du pain. C'est à ce titre que lui est confiée, en 1956, la direction de l'EBP (École de boulangerie-pâtisserie), principal centre de formation au métier, créé par les Grands Moulins de Paris. Il assume cette charge en même temps que diverses responsabilités au sein du secteur de la recherche et du développement de cette entreprise, en France et à l'étranger. Figure majeure de la filière blé-farine-pain, il est, durant ces années, de tous les débats qui visent à redorer le blason d'une profession qui n'a pas su se réinventer et que les consommateurs commencent par bouder. Il est ainsi un expert-intervenant très écouté au cours des rencontres sur la qualité (1954-1960) organisées à l'initiative du CNERNA, à l'occasion des états généraux de la boulangerie artisanale en 1983, etc. Aujourd'hui en réserve de la « République du pain », dégagé de ses responsabilités, il continue à servir un secteur qui, sans le savoir toujours, lui doit beaucoup.

Dominique Descamps

• *Voir aussi :* Boulangerie, 5 et 6 octobre 1983 (états généraux de la) ; Boulangerie contemporaine, artisanale et industrielle ; CNERNA ; Décret pain ; EBP ; Filière blé-farine-pain ; Grands Moulins ; INRA

H

HACCP (Hasard Analysis Critical Control Point). – Le système HACCP est une méthode destinée à garantir et contrôler la sécurité sanitaire des denrées alimentaires. Elle a été inventée par la NASA, à l'occasion des premiers voyages de l'homme dans l'espace. Elle repose sur deux piliers importants : l'analyse des risques (HA = Hasard Analysis) et la détermination des points du procédé de production où ces risques peuvent effectivement être contrôlés (CCP = Critical Control Points). Il s'agit donc d'identifier des « points critiques » où des risques liés à la sécurité alimentaire pourraient apparaître et de prendre des mesures pour les empêcher de s'aggraver.

Catherine Peigney

• *Voir aussi :* AFSSA ; CHSCT ; DGAL ; DLC ; DLUO ; Traçabilité

HAGBERG (appareil). – Il arrive parfois que la récolte soit retardée à cause de pluies alors que les blés sont déjà à maturité. Il s'ensuit que les grains de blé non encore récoltés commencent à germer, ce qui se traduit à la fois par une transformation de l'amidon en sucres et une dégradation des protéines qui peut conduire au démarrage de la plantule. Cependant, ces dégradations peuvent avoir eu lieu avant que la plantule soit facilement visible, alors que de fait la farine extraite de ces blés ne permet pas de fabriquer de pain. Un chercheur suédois, Hagberg, a mis au point une mesure de la viscosité de la pâte (« indice de chute Hagberg ») permettant de déterminer le niveau de germination des grains.

Ludovic Salvo

• *Voir aussi :* Amidon ; Battage des céréales et aire de battage ; Conservation ; Dessication ; Grain ; Meunerie ; Protéine ; Silo à grains

HALLAH, MANNE, PAINS DE PROPOSITION. – Dans le judaïsme, il n'y a pas de repas sans pain, et toute nourriture qui fait partie du repas (ce qui exclut les friandises), aussi bien viande que légumes, vient en accompagnement de celui-ci. Le pain est le support de tous les autres aliments. C'est pourquoi la seule bénédiction qui soit d'ordre biblique (Deutéronome VIII, 10) et non simplement rabbinique est celle que l'on prononce après la consommation de pain. La racine *l-h-m* désigne, dans les langues sémitiques, la nourriture par excellence : en arabe, elle signifie la viande, en hébreu, le pain. La guerre, *milhamah*, lui est liée étymologiquement : Rabbi Shimshon Raphaël Hirsch (1808-1888) avance que la racine *l-h-m* comporte en fait l'idée de lutte pour la survie. L'autre élément essentiel de l'alimentation est le sel, qui est d'ailleurs un anagramme du pain : *melah*. C'est la dialectique de la substance et du goût. Le pain est également un support privilégié des rapports entre le ciel et la terre. Le pain est le produit par excellence de la terre, comme l'indique la bénédiction rituellement prononcée avant sa consommation : « Béni sois-Tu, Éternel, roi de l'univers, qui fais sortir le pain de la terre » – bénédiction qui, présentant le pain comme sortant tout fait de la terre, anticipe les temps eschatologiques.

En revanche, il existe un autre pain qui, lui, descend des cieux : la manne. « Avant, le pain montait de la terre et la rosée descendait des cieux ; maintenant, le pain descend des cieux et la rosée monte de la terre » (Midrash Mekhlita, *Beshalah* 16). C'est un pain qui n'a pas l'aspect extérieur du pain mais qui en possède sa caractéristique essentielle, sa versatilité : on dit que la manne prenait le goût que l'on souhaitait. Il existe un avis selon lequel l'Arbre de la connaissance du bien et du mal était une sorte d'arbre à pain (Talmud, traité Berakhot, 40a) : « Quel était l'arbre dont mangea Adam ? Rabbi Meïr dit : c'était une vigne, car rien n'amène l'homme au malheur comme le vin, ainsi qu'il est dit : "[Noé] but du vin et s'enivra." Rabbi Nehemia dit : c'était un figuier, car par là où ils avaient détérioré, par là ils réparèrent, ainsi qu'il est dit : "Et ils cousurent des feuilles de figuier". Rabbi Yehouda dit : "C'était un pied de blé, car on voit qu'un bébé ne sait dire Papa et Maman qu'à partir du moment où il goûte les céréales." » D'après les commentateurs classiques, ce n'était donc pas du blé en épis mais bien un arbre d'où le pain poussait tout fait, ce qui sera de nouveau le cas aux temps derniers.

Ce qui se joue ici, comme on le voit à travers l'exemple du bébé, c'est l'apprentissage du manque, de l'absence, de la perte de l'immédiateté et donc de la médiation du temps. Le temps étant l'occasion de la construction graduelle d'un état de perfection qui est également l'état originel. Et le pain, par les temps d'attente qu'il implique, tant au plan quotidien de la cuisson qu'au plan annuel des semailles et des récoltes, est le symbole ultime de cette médiation du temps. Par ailleurs, lié au langage, le pain est également lié à la civilisation. Les conditions de sa production supposent en effet la mise en commun de ressources (moulins, fours…), que l'on retrouve dans la narration biblique. Après la Chute, Dieu dit à Adam : « Tu mangeras du pain à la sueur de ton front. » Le pain n'est pas donné, il est le produit du travail humain, le résultat d'une transformation. En ce sens, il est le symbole de notre condition spirituelle : les bienfaits divins ne sont pas donnés immédiatement, mais se méritent par l'effort humain. Plus profondément, il est le symbole caché d'une plus grande grâce divine que le simple don : en permettant à l'homme d'œuvrer à son propre perfectionnement spirituel et donc de ne pas être dans la pure dépendance de la grâce, l'économie du salut (le système du mérite et de la faute) fait accéder l'homme à la dignité, et lui épargne de se nourrir d'un « pain de la honte » immérité. « Lorsque Dieu dit : La terre fera pousser pour toi épines et ronces, Adam s'est mis à pleurer ; lorsqu'Il lui dit : Tu mangeras du pain à la sueur de ton front, il fut rasséréné » (Talmud Pessahim 118a).

Dans la Bible, les sacrifices quotidiens sont appelés *lehem :* « Mon sacrifice, Mon pain, pour Ma flambée, parfum de Mon apaisement » (Nombres XXVIII, 2). Par ailleurs, tous les sacrifices sont accompagnés de sel et de diverses formes de pain, toutes sans levain. On trouve ainsi des poignées de farine pétries d'huile et d'encens, des azymes, des galettes d'azymes frites, etc. Certains sacrifices s'accompagnent également de libations de vin. Autre élément essentiel de la liturgie du Temple : la table d'or sur laquelle sont posés les douze pains de proposition. Cette table se trouve dans l'espace du saint, du côté nord, face à la *menorah* (candélabre à sept branches), qui se trouve du côté sud, l'autel d'or où l'on offre l'encens se trouvant au milieu. Les pains de proposition ne sont pas là pour nourrir Dieu, mais au contraire pour servir de support à Sa bénédiction : c'est par le canal de ces pains qu'Il rassasie le monde, de même que la *menorah* est le canal par lequel il éclaire spirituellement le monde (puisqu'Il n'a pas besoin, quant à Lui, de lumière). Ces pains étaient retirés chaque shabbat et immédiatement remplacés (deux groupes de prêtres – *kohanim* – se tenaient de part et d'autre de la table, et les uns glissaient les nouveaux pains à mesure que les autres retiraient les anciens). Ces pains étaient permis à la consommation de tout un chacun, n'ayant pas le statut de sacrifices. On dit que, par miracle, quand on les retirait au bout d'une semaine, ils étaient aussi chauds que lorsqu'on les avait placés. Enfin, la subsistance des prêtres et des lévites, qui ne peuvent posséder de terres, est assurée par divers prélèvements (*teroumot*) et dîmes (*ma'asserot*) qui s'opèrent essentiellement sur le grain, ainsi que sur la pâte avant cuisson. Ceux destinés aux prêtres (*teroumot*) ont un statut sacré. Ils ne peuvent être consommés que par les prêtres et leur famille, et uniquement en état de pureté rituelle. La *teroumah* est en retour plus susceptible de contracter l'impureté qu'une nourriture profane. C'est ce statut sacré qui amenait certains ignorants à conserver la *teroumah* avec les rouleaux de la Torah, ce qui attirait les souris qui endommageaient ceux-ci : c'est pourquoi il fut décrété que les écrits sacrés transmettaient un certain degré d'impureté (dans le judaïsme, la pureté est un système entièrement formel, qui ne suppose aucune réalité concrète), afin que les gens ne stockent plus la *teroumah* avec.

Le judaïsme tel qu'il se définit dans la Bible est donc centré sur le culte sacrificiel du Temple. La destruction de ce dernier a obligé les juifs à concevoir des substituts à ce culte : ainsi l'étude, en particulier des lois des sacrifices, remplace les sacrifices et a (presque) la même efficacité (Osée XIV, 3 : « Et nos lèvres remplaceront les taureaux »), les prières quotidiennes sont en correspondance avec le sacrifice perpétuel (« qu'est-ce que le culte dans le cœur, si ce n'est la prière ? », dit le Talmud – *Ta'anit* 2a), et la table familiale remplace l'autel des sacrifices. En effet, le repas de fête, qui réjouit le corps et le cœur, fait partie intégrante de la fête en tant qu'action cultuelle. Inversement, « prendre part à un repas où l'on n'échange pas des paroles de Torah revient à consommer des sacrifices offerts aux morts ». De même que l'autel des sacrifices opérait la transmutation du corps animal, lui-même substitut de l'animalité en l'homme, en l'occurrence la personne du sacrifiant, en quelque chose d'entièrement spirituel, de même l'insertion de l'acte de manger dans une pratique rituelle opère une transmutation des appétits corporels en une action spirituelle. La table, en particulier la table de fête (ce temps arraché au profane et où tout relève plus immédiatement du sacré), remplace donc l'autel. Pour cette raison, le sel y est obligatoirement présent. Le pain aussi, qui remplace la viande des sacrifices – en effet, la viande destinée à la consommation profane ne peut pas se substituer à celle des sacrifices. Seul le pain offre l'écart nécessaire à la validité du symbolique.

Le pain, support des autres éléments du repas, le subsume tout entier. Objet de la bénédiction qui ouvre le repas et le clôt, canal de la bénédiction divine, il exige tout d'abord une ablution des mains avant sa consommation. Cette ablution trouve son origine dans l'obligation faite aux prêtres de se laver rituellement les mains avant de consommer la *terumah*. Aujourd'hui, cette obligation de se laver rituellement les mains avant de manger du pain s'étend à tous. Un repas de fête s'ouvre ainsi par le *kiddouch* (sanctification de jour sur un verre de vin, le vin, comme la viande, caractérisant les repas de fête), puis chacun des convives va se laver rituellement les mains (*nétilat yadayim*), avant d'aller se rasseoir en silence : il ne faut pas s'interrompre, donc parler, entre *nétilat yadayim* et la consommation effective. Le maître de maison, qui officie, prend les deux pains qui étaient jusqu'alors recouverts d'un napperon, prononce la bénédiction « *ha-motsi lehem min ha-arets* » (« Béni sois-Tu… qui fais sortir le pain de la terre ») en élevant les pains, coupe le pain, trempe les morceaux dans le sel et les distribue aux convives. Il fait ainsi descendre (mouvement vertical) et se diffuser (mouvement horizontal) la bénédiction divine. Véhicule de cette bénédiction, le pain est traité avec un grand respect qui interdit en particulier de le gâcher ou de le jeter dans un endroit malpropre.

Le prototype du repas de fête est le repas de shabbat. Or le shabbat, en tant que souvenir non seulement de la Création mais tout autant de la Sortie d'Égypte, se caractérise par la présence d'un double pain. En effet, au désert, la manne descendait chaque jour, sauf le shabbat où il aurait été interdit de la récolter : en conséquence, elle descendait en double portion la veille de shabbat. En souvenir de cette surabondance, et dans la ligne de la symbolique générale du shabbat en tant que source cachée de la bénédiction des jours de la semaine dont il constitue la raison d'être, on place deux pains sur la table de shabbat, à chacun des trois repas (il y a un troisième repas, dans l'après-midi, à shabbat), et par extension chaque jour de fête. Ces deux pains sont aussi, traditionnellement, des pains tressés, autre symbole de cette surabondance. Le napperon qui les recouvre en début de repas symbolise la couche de rosée qui protégeait la manne dans le désert. Certains ont coutume de placer douze pains à table, qui symbolisent les pains de proposition.

Ces pains tressés sont appelés *ẖallot* (sg. *ẖallah*). Il s'agit d'un pain brioché pétri avec des œufs et du sucre. Ils sont préparés par la maîtresse de maison le vendredi (même si on en trouve dans le commerce), c'est même une des *mitsvot* (commandements) réservées à la femme dans le cadre du couple, avec l'allumage des bougies de shabbat. Plus spécifiquement, la *mitsvah* de la *ẖallah* consiste à prélever un morceau de la pâte (*ẖallah*) une fois pétrie. Ce prélèvement, analogue à la *teroumah*, devait être remise à un Cohen ; ces derniers n'étant plus aptes à la consommer dans un état de pureté rituelle, il est maintenant immédiatement brûlé. Signalons enfin, bien que cela relève plus du folklore que du rituel, qu'on a l'habitude, à Rosh ha-Shanah (nouvel an), de servir des pains ronds, symbolisant le cycle annuel ainsi que l'espoir de perfection (*shalom*) dont on investit la nouvelle année. Par ailleurs, de Rosh ha-Shanah à Soukkot, on trempe également le pain dans le miel, « pour que l'année qui commence soit douce », bien que le miel soit explicitement exclu des sacrifices.

Julien Darmon

• *Voir aussi :* Arbre à pain ; Bethléem ; Égypte (Sortie d') ; *Fractio panis* ; Interdits liés au pain ; Matsah et hamets ; Moulin mystique ; Théologie du pain

Bibl. : *Midrash Mekhilta* sur l'Exode ; *Talmud de Babylone*.

HAMBURGER. – Un steak haché servi entre deux morceaux de pain, voilà un sandwich immédiatement identifiable aux quatre coins du monde. Curieusement, il doit davantage sa célébrité à son petit pain rond – le fameux *bun* – qu'à la pièce de viande de bœuf qu'il contient. Le hamburger se décline en différentes versions, avec ou sans fromage, condiments, légumes et sauces diverses, et figure parmi les produits alimentaires les plus prisés par les jeunes. Avec le non moins célèbre mais désuet *hot-dog* et surtout son redoutable concurrent actuel, le *chiche-kebab* en formule sandwich, le hamburger est emblématique d'un mode de restauration rapide dite « sur le pouce » caractéristique de notre société de consommation.

L'anglo-américain *hamburger* est l'abréviation de *hamburger steak*, proprement « steak à la façon de Hambourg. » Le mot est aujourd'hui répandu sous la forme abrégée *burger*, qui fournit notamment le composé *cheeseburger*. L'histoire du hamburger débute avec celle des immigrants allemands ayant quitté leur pays pour l'Amérique à la fin du XIXe siècle depuis le port de Hambourg. Sur le pont des bateaux de la compagnie Hapag – la ligne maritime reliant Hambourg aux États-Unis –, ces voyageurs désargentés pouvaient se sustenter à l'aide de ce modeste sandwich au bœuf haché. Celui-ci serait peut-être tombé dans l'oubli si en Californie, à l'orée des années 1950, les frères McDonald n'avaient pas eu l'idée d'en faire le produit phare d'une innovation conceptuelle : la création d'une chaîne de restauration rapide (*fast-food*). Confectionné au fur et à mesure des besoins et proposé en self-service, leur hamburger standardisé connaît alors un succès foudroyant. Cette réussite attire l'attention d'un certain Ray Kroc, fournisseur en hachoirs électriques, qui visite l'établissement des deux frères et repart enthousiaste. Il obtient d'eux un contrat de franchise l'autorisant à mettre sur pied une chaîne de restaurants qu'il baptise McDonald's. Depuis, le géant américain présent dans le monde entier et ses principaux rivaux (Burger King aux États-Unis, Quick en Europe) ont réussi à faire entrer le hamburger dans le « menu rêvé » des enfants des pays riches, en concurrence avec une autre préparation à base de pain : la pizza. L'un et l'autre sont typiquement accompagnés de frites surgelées et d'une boisson gazeuse dont deux marques se disputent le cola. Prétexte aux premières « sorties restaurant » chez les 11-15 ans, la consommation du hamburger intéresse aussi les plus âgés qui en font l'en-cas des soirées théâtre ou cinéma, le déjeuner de travail des « work addicts », et plus tristement en milieu urbain le repas de substitution des chômeurs et des démunis. De la sélection des ingrédients à la réalisation du sandwich « à emporter », l'élaboration séquentielle du hamburger se prête particulièrement bien à l'idéal tayloriste nord-américain de l'organisation du travail. À l'heure où les consommateurs sont en quête de produits respectant des règles draconiennes d'hygiène et de fraîcheur, ce processus standardisé permet également d'établir et de suivre des normes rigoureuses de contrôle qualité. Celles-ci ne font pas que satisfaire les attentes de la clientèle ; elles constituent de surcroît des contraintes difficiles à surmonter par la concurrence artisanale, ce qui assure la suprématie du modèle de la restauration à la chaîne.

Les amateurs disposant d'une machine à pain et d'une recette de hamburger qui cherchent à réaliser leurs propres *buns* à la maison sont généralement déçus du résultat qui n'égale pas celui de la boulangerie industrielle. Les fournisseurs de chaque enseigne ont leurs secrets de fabrication pour que le look, la forme, le moelleux et le goût du petit pain spécial soient « inimitables. » Le calibrage du *bun* est précis, défini au gramme près par chaque enseigne. À titre d'illustration, celui du fameux Big Mac pèse 74 g et mesure 6 cm de hauteur et 9,6 cm de diamètre (Hennequin *et al.* 2002). Chaque petit pain est divisé en deux, se composant de la couronne (partie supérieure), décorée ou non de graines de sésame, et du talon (partie inférieure). Le pain est sucré, à la fois pour répondre à une exigence de goût (mélange « salé-sucré ») et pour permettre de caraméliser au toasteur les faces intérieures de la couronne et du talon lors de la préparation du hamburger, afin que le petit pain n'absorbe pas le contenu du sandwich. Il faut en effet rappeler qu'entre le steak et le *bun* il peut y avoir, outre du fromage, une garniture faite d'ajouts (condiments, salade, tomate, oignon, etc.) pris dans une sauce abondante et onctueuse. L'ensemble donne au hamburger un aspect débordant qui contribue à donner envie à ceux qui le dévorent des yeux mais qui complique leur tâche au moment où ils le consomment. Souvent jugé trop gras, trop salé et trop sucré, le hamburger classique (dont l'apport calorique pour 100 g est en moyenne de 250 kcal) n'a pas bonne presse auprès des diététiciens. Et, tandis que ses détracteurs vont jusqu'à suspecter les sauces « spéciales » de comporter des additifs aiguisant l'appétit, ses promoteurs créent des versions *light* ou *bio* pour tenter de calmer les ardeurs des combattants de la « mal-bouffe. » Bon marché, rapide à obtenir et à consommer, le hamburger plaît d'autant plus aux jeunes que les adultes tiennent sur lui des propos critiques. Il leur plaît aussi parce qu'il permet la satisfaction immédiate d'un besoin à l'âge où l'on a souvent faim et qu'il donne le sentiment d'être autonome à différents niveaux : se nourrir par soi-même et de façon subversive hors de la table parentale, partager entre pairs des produits déconseillés par les adultes, manger en pratiquant une autre activité (sport, ordinateur, etc.).

Xavier Pommereau

• *Voir aussi :* Diabète ; États-Unis ; Pizza ; Sandwich ; Santé

Bibl. : Paul ARIÈS, *Les Fils de McDo. La McDonalisation du monde*, Paris, L'Harmattan, 1997 • Denis HENNEQUIN, Jean-Pierre PETIT, Philippe LABBÉ, *McDo se met à table*, Paris, Plon, 2002.

HAMETZ. – Voir MATSAH ET HAMETS

HÄNSEL ET GRETEL. – Issu de la tradition orale européenne et déjà repris avant eux par Giambattista Basile, le conte de Jacob et Wilhelm Grimm semble questionner l'étrange pouvoir de fascination, de convoitise qu'exerce sur des êtres sous l'emprise du manque et de la faim l'objet (au sens psychanalytique) qu'est, à la fin du XVIIe siècle en Europe, période de famines répétées, le pain. La tentation est alors de rapprocher le conte allemand (publié au début du XIXe s.) et *Le Petit Poucet* de Charles Perrault, qui lui est de quelques dizaines d'années antérieur, pour y déchiffrer une sorte de formulation à l'adresse des enfants d'un dépassement du « stade oral ». On peut être tenté, plus prudemment, d'y lire, à la manière de Paul Auster analysant *Le Champion du jeûne* de Kafka, un « art de la faim ». Un pauvre bûcheron sentant sa faim venir, celle de sa maisonnée, décide, sur le conseil de son épouse, de perdre leurs deux enfants dans la forêt. Le stratagème échoue dans la mesure où Hänsel et Gretel ont eu vent du projet et se sont munis de petits cailloux blancs qui leur ont permis de revenir dans la maison sans pain.

La seconde tentative réussit, du point de vue des parents, s'entend, parents sans beaucoup de scrupules, les deux enfants n'ayant eu qu'un morceau de pain à égrener tout au long du chemin qui les mène maintenant jusqu'au plus sombre de la forêt. Et, dans ces âges où tout manque, les oiseaux aussi ont faim. Hänsel et Gretel errent quelque temps avant de découvrir une chaumière en pain, voire en pain d'épices, avec, ce qui ne gâche rien, des fenêtres en sucre. La faim est telle qu'ils ne songent pas à sauvegarder cette demeure alors qu'ils n'ont plus rien, plus de toit, et se mettent à la grignoter par tous les côtés, la bouche plus grande que le ventre. La propriétaire de cette étrange masure en pâte et en sucre, une vieille femme aveugle, est en réalité tout heureuse de recevoir chez elle ces hôtes si tendres. La maison était tout simplement une manière d'appeau pour leurs narines et papilles, qui devait en toute logique les conduire jusqu'à elle. Plus possible de se cacher les intentions de la sorcière. Hänsel est mis en lieu sûr tandis que Gretel est chargée de cuisiner et de l'engraisser jusqu'à ce qu'il puisse satisfaire les appétits de la vieille. Pour évaluer la manière dont l'enfant engraisse, elle charge Gretel de lui faire goûter, de temps à autre, un doigt de son frère. Profitant de ce que la sorcière est aveugle, Gretel lui propose un os récupéré de ses explorations culinaires. Hänsel ne semble ainsi pas prendre de poids et la vieille reporte le temps de sa mise à mort. À bout de patience, rongée à son tour par la faim, l'objet n'étant désormais plus le pain, présent à profusion, mais le corps de l'enfant, elle fait préparer par Gretel le four et celle-ci s'exécute. Mais, prétextant qu'elle n'est pas en mesure de dire si celui-ci est prêt à accueillir son frère, elle demande à la sorcière de faire cette dernière vérification ; et la pousse dans la bouche du four. Les deux enfants fêtent leurs retrouvailles et leur liberté en faisant un véritable larcin dans la maison du pain avant de s'en retourner dans la maison sans pain.

Jean-Philippe de Tonnac

• *Voir aussi :* Disettes, famines et révoltes pour le pain en France ; Four (symbolique du) ; Interdits liés au pain ; Œuvre d'art en pain ; Sexuelle (le pain comme métaphore)

Bibl. : Les contes des frères Grimm sont en ligne, en version originale et en traduction, www.grimmstories.com

HARVEST INDEX (HI). – Le Harvest Index d'une plante de blé se mesure par le rapport en pourcentage de la masse de grain récolté à la masse de la plante entière (sans les racines) correspondante. Cet indice, qui peut se mesurer à l'échelle d'une talle (tige), d'une plante ou d'un peuplement (parcelle), renseigne sur la proportion de matière sèche « utile » récoltée par rapport à la quantité totale de matière sèche produite (synthétisée) à maturité par l'ensemble de la plante constituée d'organes végétatifs et d'organes reproducteurs. C'est une façon de mesurer l'efficience des processus d'élaboration de la matière sèche utile. Les valeurs observées de Harvest Index vont, suivant les conditions de culture et le génotype, de 25 à 60 %. La sélection a eu pour effet d'augmenter ce HI par raccourcissement de la paille, en particulier avec l'introduction de gènes de deminanisme et par accroissement du rendement en grain.

Michel Rousset

• *Voir aussi :* Grain ; Grain et graine ; Mille grains ; Variétes de blé ; Variétés de blé tendre au catalogue officiel

Bibl. : C. DORÉ, F. VAROQUAUX, « Le blé tendre », in *Histoire et amélioration de cinquante plantes cultivées*, Paris, INRA, 2006 • N. R. LERSTEN, « Morphology and Anatomy of the Wheat Plant », in *Wheat and Wheat Improvement*, Agronomy Monograph, n° 13, 2e éd., Madison (Wis.), ASA-CSSA-SSSA, 1987.

HAUTBAN. – Voir TALEMELIER

HÉMICELLULASE FONGIQUE. Les hémicellulases commercialisées sont principalement d'origine fongique, extraites de champignons de type *Aspergillus niger* et *oryzae*. Les premières autorisations datent de 1994. Avant cette période, elles étaient néanmoins présentes dans les activités secondaires des amylases fongiques. Leur rôle est l'hydrolyse des fibres de types pentosanes ou hémicelluloses. Celles-ci ont ainsi une efficacité sur la diminution de la longueur des chaînes, et donc sur la diminution de la viscosité, même si on démontre expérimentalement que, dans certaines conditions, une hydrolyse ménagée peut, dans un premier temps, augmenter légèrement cette viscosité en transformant ces fibres insolubles en solubles. Les hémicellulases sont presque incontournables dans les démarches de formulation des farines, les effets recherchés étant l'augmentation de la souplesse au pétrissage et au façonnage, de la tolérance à la mise au four, du développement des coups de lame et du volume des pains. En excès, des défauts sont à signaler : le collant, l'élasticité au façonnage et le rougissement de la croûte sont plus marqués.

Philippe Roussel

• *Voir aussi :* Amylase fongique ; Croûte ; Façonnage ; Farine ; Hydrolyse ; Lame et coup de lame ; Tolérance

Bibl. : Pierre FEILLET, *Le Grain de blé, composition et utilisation*, Paris, INRA, 2000 • Philippe ROUSSEL, Hubert CHIRON, *Les Pains français. Évolution, qualité, production*, Vesoul, Maé-Erti, 2002.

HESTIA, VESTA ET LE FEU SACRÉ. – Dans l'univers gréco-romain, chaque maison renfermait un autel sur lequel brûlait toujours le feu sacré. La première obligation du maître de la maison était d'entretenir ce feu, couvrant le soir les braises avec la cendre pour les empêcher de se consumer entièrement, et de les raviver le matin avec des branchages secs et inflammables. Un foyer éteint était mauvais présage pour la famille. Ce feu renouvelé une fois par an pouvait être éteint seulement en cas de deuil, pour être aussitôt rallumé sous peine d'extinction de toute la maison. Famille et foyer sacré étaient synonymes et c'est sur cet autel que l'on préparait la nourriture rituelle, d'abord la bouillie de céréales, les galettes et le pain levé par la suite, aliment par excellence des hommes civilisés. C'est au foyer que l'on rendait un culte comme à un dieu, lui offrant des fleurs, des fruits, des aromates, du vin ; mais c'est aussi sur lui que l'on faisait crépiter les graines des premières céréales moissonnées, ou en avril lorsque les jeunes épis souffrant de l'humidité, étaient atteints par la rouille. C'est enfin sur cet autel familial que l'on offrait des sacrifices destinés aux ancêtres et aux divinités chtoniennes, pour s'assurer de la santé et du bonheur des membres de la mesnie et de l'abondance des produits agricoles. Un hymne orphique exprime cette interdépendance entre le foyer, la famille et le sacré dans les termes suivants : « Rends-nous toujours florissants, toujours heureux ô foyer ; ô toi qui es éternel, beau, toujours jeune, toi qui nourris, toi qui es riche, reçois de bon cœur nos offrandes, et donne-nous en retour le bonheur et la santé qui est si douce… »

Notons encore que toute personne en danger se trouvait protégée si elle se réfugiait auprès de l'autel familial. L'exemple d'Hécube traînant le vieux Priam vers l'autel du palais lors de la chute de Troie est certainement le plus ancien exemple de la littérature gréco-romaine ayant largement inspiré les artistes des périodes classiques. Le feu du foyer était la Providence de la famille et, comme tout repas était sacré – du fait de la sacralité des produits de la terre, de la faune et de la flore –, c'est sur l'autel familial que l'on déposait une petite quantité d'aliments avant de les goûter, d'abord du pain, de l'huile et du vin, aliments sacrés qui nourrissait le feu et la divinité qui s'y trouvait incorporée. Même à l'époque ou l'on était déjà affranchi de ces « vieux rites et usages », on continuait d'offrir des libations et d'adresser des prières au foyer familial, si l'on en croit les témoignages d'auteurs tardifs tels Horace ou Pétrone. Par ailleurs, les mêmes principes régissaient les coutumes iraniennes et indiennes, comme le manifestent les prescriptions de l'*Avesta* ou les lois de *Manou*, résumant les croyances brahmaniques.

Lorsque les esprits sacrés et les « divinités » ont pris des formes humaines en Grèce, c'est Hestia qui s'est approprié le foyer (*hestia*, en grec, signifie « foyer »). Elle fut, dans la mythologie grecque, la fille aînée de Cronos et Rhéa, elle était donc la sœur des principales divinités de l'Olympe, mais de loin la plus sage de toutes. Très peu médiatique, elle n'est connue que par son refus de céder aux avances de Poséidon et d'Apollon puisqu'elle avait juré aux eaux du Styx de rester vierge, conformément à la chasteté et au pouvoir purificateur du feu dont elle était la personnification. Vesta a connu un culte public très élargi, tout en demeurant investie des mêmes prérogatives du foyer familial et de la fidélité. À Rome, Vesta et les vestales avaient le privilège de veiller sur le feu sacré de la cité, intimement lié aux origines de celle-ci, tandis que dans son rôle de protectrice de la famille la déesse entretenait des relations étroites avec les lares et les pénates, esprits de la maison et des ancêtres, particularité attribuée, selon les traditions, à un culte asiatique apporté en Italie par Énée. Le culte de Vesta et des vestales était indispensable à toutes les autres activités religieuses à Rome, parce que ces chastes prêtresses confectionnaient toujours les gâteaux à la farine salée que l'on plaçait sur la tête des victimes (en Grèce, on dispersait de la farine) destinées aux sacrifices de toutes les divinités. Par ailleurs, lors de la grande fête des Vestalia, introduite tardivement à Rome et célébrée du 9 au 15 juin, on associait au culte secret de la déesse ces prêtresses, mais aussi les meuniers, les boulangers. On retrouve peut-être dans cette étrange association entre Vesta, ses chastes vierges et les métiers de la transformation de la graine céréalière – de la farine au pain –, et au-delà de la coutume de la préparation des sacrifices, toute la sacralité inhérente au feu.

Yvonne de Sike

• *Voir aussi :* Âtre ; Bouillie ; Calendrier grec ancien ; Déméter et Perséphone ; Four ; Foyer ; Sexuelle (le pain comme métaphore) ; Terre-Mère primordiale

Bibl. : J. BAYET, *La Religion romaine*, Paris, Payot-Rivages, coll. « Petite Bibliothèque Payot », nº 360, 1999 • G. DUMÉZIL, *La Religion romaine archaïque*, Payot, coll. « Bibliothèque historique », 2e éd., Paris, 1974 ; éd. rev. et corr. Hartmann, 2000 • M. LE GLAY, *La Religion romaine*, Paris, Armand Colin, coll. « U2 », 1971 ; rééd. 1999 • J. SCHMIDT, *Dieux, déesses, héros de la Rome antique*, Paris, Éditions Molière, 2003 • R. TURCAN, *Rome et ses dieux*, Paris, Hachette, coll. « Vie quotidienne », 1998.

HIÉROGAMIE. – Voir CALENDRIER GREC ANCIEN

HOLDER, Francis. – Issu d'une famille de boulangers depuis quatre générations, Francis Holder est le premier boulanger de France. Son histoire démarre en 1935 lorsque ses parents, Suzanne Mayot et son mari Julien Holder s'installent dans une boulangerie, rue des Sarrazins, puis place de Strasbourg à Lille. À la mort de son père, en 1958, il reprend avec sa mère la boulangerie familiale. Au début des années 1960 marquées par l'essor de la grande distribution, Francis Holder cherche aussitôt à y inscrire sa production et son nom. Dans un atelier à Lambersat, il démarre son activité industrielle sous la marque « Moulin Bleu ». Sa réussite est en marche. Il s'installe à La Madeleine, dans la banlieue de Lille, et fabrique des produits de boulangerie et de pâtisserie précuits frais et surgelés. En parallèle à son activité industrielle, il transforme le magasin familial en 1972 en y installant un four à bois. Le client assiste à toutes les étapes de la fabrication du pain. Ce concept avant-gardiste rencontre tout de suite un franc succès. Le réseau des boulangeries Paul est né.

Bénéficiant d'un bon emplacement en centre-ville, les boulangeries Paul se développent dans toute la France. En 1993, elles adoptent des devantures noires et misent sur la sandwicherie et la restauration rapide. À cette époque, il instaure un partenariat avec les agriculteurs et les meuniers pour fabriquer son pain à partir d'une farine issue d'une variété rustique de blé tendre, le blé Camp Rémy. Aujourd'hui, plus de 300 agriculteurs français ensemencent plus de 3 500 hectares selon un cahier des charges très précis. Toujours en 1993, Francis Holder et son fils David rachètent la maison Ladurée, spécialisée dans la pâtisserie de luxe. Cinq ans plus tard, il crée les boulangeries Saint-Preux sous forme de franchises. À l'inverse des boulangeries Paul, le pain est cuit à partir de pâtons crus surgelés. En 2000, ses deux fils et sa fille l'on rejoint pour perpétuer cette fantastique histoire. En 2007, Maxime Holder devient P-DG de Paul et continue l'internationalisation de la marque (330 boutiques) présente dans 25 pays. En 2008, pour la première fois de son histoire, Paul a ouvert plus de points de vente à l'étranger qu'en France.

Jean-Pierre Deloron

• *Voir aussi :* Banette ; Bleuette ; Boulangers de France ; Camp Rémy ; Copaline ; Festival des Pains ; Ganachaud ; Guinet ; Marketing du pain ; Poilâne ; « Recettes de pain » ; Reine des Blés ; Rétrodor ; Ronde des Pains ; Sandwich

Bibl. : Sébastien MOREAU, *Francis Holder : comment il est devenu le 1er boulanger de France*, Paris, Dunod, 2004.

HOMME QUI TUA LIBERTY VALANCE, L' (*The Man Who Shot Liberty Valance*). – Voir DOCUMENTAIRES ET FILMS

HONDURAS. – Voir AMÉRIQUE LATINE

HONGRIE (traditions du pain en). Les céréales sont ici comme ailleurs les fondamentaux de l'alimentation humaine et la consommation du pain y est aussi ancienne que les civilisations moyen-orientales et méditerranéennes. Il n'est pas surprenant alors que le pain occupe une si grande place dans la vie quotidienne et la mémoire des Européens, et des Hongrois en particulier, qu'il ait constitué en quelque sorte un sujet de prédilection pour tout un vieux fonds commun de mythes et de légendes. On en trouve la trace par exemple dans les traditions orales des tribus nomades, qui accordaient une origine quasiment surnaturelle au fait que la bouillie laissée longtemps au repos, puis mise au four, puisse ainsi se transformer en un aliment de consistance solide. Selon toute hypothèse, les premiers Hongrois, originaires de la région de l'Oural, auraient migré vers leur territoire actuel au VIIe siècle, territoire qualifié de « pays des Magyars ». Une fois attachés à leur nouvel habitat, ils commencèrent à cultiver du blé, à réduire les grains en une farine grossière et à produire des pains fermentés au levain. Le mot « pain » (*kenyér*) dans la nouvelle langue hongroise a donc d'abord signifié le pain levé, c'est-à-dire fermenté. Pourtant le mot *kenyér*, attesté dans un fragment de texte religieux, datant de 1315, vient d'une époque lointaine où les Hongrois se nourrissaient encore de bouillie : il désignait alors une sorte de « tarte » venue du fond des âges. Lorsque le pain est apparu, le mot *kenyér* a servi alors à le désigner.

Au début du XXe siècle, le pain est encore préparé par les femmes. Elles devaient se lever aux aurores afin que le pain soit prêt pour midi. Le travail commençait aux alentours de 6 heures du matin, d'abord en détrempant le son mélangé à la farine. Vers 9 heures, le levain était ajouté et l'ensemble était laissé à gonfler pendant deux heures. La pâte était alors pétrie énergiquement, jusqu'à ce que « la poutre commence à goutter » (c'est-à-dire jusqu'à ce que la personne qui pétrit soit en nage), puis façonnée en différents gros pains ronds. Une fois levés, les pains étaient cuits, à faible chaleur, durant presque trois heures. Sortis du four, ils étaient suspendus dans des paniers. Une fois arrivés sur la table, les chrétiens y faisaient le signe de la croix. On disait alors que le pain permettait de qualifier la maîtresse de maison. Le pain idéal devait se présenter le côté fendu et de couleur brun et or. Si on le frappait doucement, il rendait un son de tambour. Mais, dans le monde paysan, la confection du pain est encore et toujours l'affaire des femmes. Dès l'âge de six-sept ans, les jeunes filles prennent part au pétrissage. Le pain est confectionné une fois par semaine, parfois tous les quinze jours, et mobilise de 5 à 8 kilos de farine. Les farines de blé, d'orge, de seigle sont principalement utilisées, une préférence étant donnée en fonction de chaque spécificité géographique. La farine est alors passée au travers d'un tamis (*szita*) et mélangée à l'eau dans un pétrin (*dagasztóteknö*) traditionnellement posé sur une chaise. La pâte pétrie, les pains façonnés sont mis à reposer et pousser dans un panier (*szakajtókosár*) recouvert d'une couverture. Les pains sont ensuite apportés chez le boulanger qui les enfourne avec sa pelle (*sütölapát*).

La Hongrie a connu, sur le plan technologique, les grands bouleversements qui ont affecté l'ensemble des pays européens. L'invention du moulin à cylindres par le Suisse Müller, en 1833, a révolutionné le monde de la boulangerie hongrois et permis de produire une farine plus raffinée servant à confectionner un pain blanc qui eut aussitôt la faveur de la population et fit la renommée en Europe du pain hongrois. La farine hongroise contribua également au succès des viennoiseries produites en Autriche et bientôt exportées à Paris par Auguste Zang. Les mêmes progrès entraînant comme partout ailleurs les mêmes dommages, la profession dut veiller à renouer avec la qualité. En

1989, la République populaire de Hongrie (communiste) devient la République de Hongrie. Le pays s'ouvre à un certain libéralisme et les prix flambent. La confection du pain à domicile, tâche réservée traditionnellement aux femmes, ici comme ailleurs, devient moins rentable et les Hongrois se tournent vers le monde de la boulangerie. À la différence de la France, qui compte encore un réseau de boulangeries artisanales, la population s'approvisionne dans des chaînes de magasins (Fornetti ou Príma Pék) ou des boutiques de pain qui vendent un pain produit dans des usines.

Dans la langue hongroise, on compte quelque cent cinquante proverbes en rapport avec le pain. La plupart était en circulation avant le XVIe siècle : « Où il n'y pas de gâteau, on est bien content de trouver du pain » ; « Deux pains blancs valent mieux qu'un » ; « Plus on laisse choir le levain, plus on mangera de pain » ; « Si on te jette la pierre, réponds avec du pain ». Le 20 août a lieu la fête nationale en Hongrie. On y fête le couronnement de saint Étienne, la fondation de l'État et le pain nouveau. La Fête du pain nouveau a été instituée en 1949. Le symbole en est un ruban tricolore (rouge, blanc, vert). De son côté, la Ligue des boulangers fête sa journée depuis l'année 2004, le 16 octobre.

Fehér kenyér (« pain blanc »). Il est confectionné au levain à partir de 100 % de farine de blé, du sel et de l'eau.

Félbarna kenyér (« pain mi-brun »). Ensemencé au levain à partir d'une composition de 85 % de blé et de 15 % de seigle.

Magos kenyér (« pain de grains »). On ajoute à la préparation différents types de graines (sésame, lin, tournesol, etc.).

Püspökkenyér (« pain d'épices »). Des morceaux de fruits confits sont ajoutés au moment du pétrissage. Il est confectionné pendant la semaine de Noël.

Rozskenyér (« pain de seigle »). Il contient une moyenne de 60 % de seigle.

Zsemle (« petit pain »). De forme ronde ou parfois en forme de croissant (*kifli*), le *zsemle* est confectionné à partir d'une pâte à pain.

István Sárközy

• *Voir aussi :* Allemagne ; Autriche ; Baguette ; Croissant ; Italie ; République tchèque ; Suisse ; Viennois (pain et baguette) ; Viennoiserie ; Zang

Bibl. : Le dictionnaire hongrois d'ethnographie (http://mek.oszk.hu/02100/02115/html/3-290.html) • Ethnographie hongroise (http://mek.oszk.hu/02100/02152/html/index.html) • Le grand dictionnaire de Pallas (http://mek.oszk.hu/adatbazis/pallas.htm) • Le site de la Ligue des boulangers (www.pekszovetseg.hu) • L'histoire du pain (http://erdokertes.telehaz.hu/modules.php ?name=News&file=article&sid=102) • Wikipedia, l'article « kenyér » (http://hu.wikipedia.org/wiki/Keny%C3%A9r) • Le pain à la maison (www.biopiac.net/showcikk.php ?idx=65) • Voir aussi www.gourmandnet.hu/konyha/site.php ?tpl=theme&id=249 et www.sulinet.hu/tart/fcikk/Kjfc/0/13292/1

HONORÉ, saint. – La vie de saint Honoré fut très simple. Il n'endura aucune rigueur ni aucun supplice. Huitième évêque d'Amiens, Honoré n'est pas connu pour avoir exercé des miracles, mais plutôt pour les avoir révélés et pour qu'il en surgisse autour de ses reliques. Saint très respecté dans toute la France, par son attachement au symbole même de la nourriture de base que le Christ consacra, il est lié au culte du pain. Son dévouement à saint Lazare fut pieux. Patron des meuniers, des marchands de farine et des boulangers, mais aussi de tous les métiers dont le travail assure une grande part de notre subsistance, il est invoqué pour assurer une protection à chaque homme ayant l'inquiétude de manquer. On lui attribue l'adage « Jamais ne vienne demain – S'il ne rapporte du pain ».

Honoré est né dans un village du Ponthieu, Port-le-Grand, à l'orée du VIe siècle. Des témoignages assurent que sa famille appartenait aux premières familles du pays. Très pieux déjà dans son enfance, les prières et le jeûne régulier le mettaient en grande joie. On rapporte qu'il avait pour maître saint Béat, l'évêque d'Amiens. À la mort de ce père spirituel, survenue vers 554, peuple et clergé désignèrent son disciple fidèle pour lui succéder. Son aptitude à l'écoute zélée de tous et ses vertus nombreuses le servirent. Dans un premier temps, Honoré refusa l'honneur d'être consacré évêque. Mais un rayon céleste et une huile mystérieuse s'apposèrent sur sa tête comme un signe de la volonté divine et il fut consacré. Malgré ce refus initial, la légende rapporte aussi qu'il était un jeune homme dissipé et qu'il fit une surprise à sa nourrice en lui révélant vouloir devenir prêtre. Elle cuisait son pain à l'instant où il se confia. Elle lui aurait répondu : « Et quand ma pelle aura des feuilles, tu seras évêque ! ». Puis, sous ses yeux ébahis, la pelle se mit à reverdir. C'est pour le souvenir de ce miracle, en 1202, qu'un boulanger parisien offrit neuf arpents de terre pour construire une chapelle à saint Honoré, qui fut consacré ainsi saint patron des boulangers. Il est désormais fêté le 16 mai par la plupart des boulangers à travers toute la France. Ce jour est d'ailleurs la « fête du pain ». C'est donc l'occasion de célébrer une fois l'an sur le lieu des moissons, au moulin et au fournil, le travail des céréaliers, des meuniers et des boulangers.

Quelques anecdotes nous sont connues sur l'exercice du grand saint. Ainsi, un jour, Lupicin, prêtre du diocèse d'Amiens, reçut la révélation du lieu où étaient ensevelis les martyrs Firmin, Victoric et Gentien, morts en 303. Il creusa le sol et découvrit leurs dépouilles. Dans sa jubilation, il chanta un hymne d'allégresse, dont les accents arrivèrent jusqu'aux oreilles d'Honoré, qui se trouvait à plus de deux lieues de là. L'évêque, accompagné du clergé et de nombreux fidèles, arriva bientôt et procéda à l'Invention des reliques. Une autre anecdote révèle le caractère d'Honoré, qui justifie bien son patronage des boulangers. Un dimanche de Pâques, Honoré célébrait la messe à Saint-Acheul quand il vit apparaître, dans une nuée lumineuse, la main du Christ. Il prit l'hostie et la communia, renouvelant de la sorte la grâce accordée lors de la Cène aux apôtres. Les armoiries de l'abbaye de Saint-Acheul portent une main en souvenir de ce miracle. Saint Honoré était aussi un évangéliste convaincu. Il livra aux populations la foi chrétienne dans des contrées où elle était encore mal connue. Il permit à l'Église de faire nombre de convertis. Au cours de l'une de ses visites épiscopales, il mourut à Port-le-Grand. C'était le 16 mai 600. Enterré dans son village natal, son corps fut enseveli sous le maître-autel d'une église bâtie à sa dévotion. Ses reliques restèrent sur le lieu de sa mort jusqu'à l'invasion des Danois et des Normands. Mais, afin de les préserver de toute profanation barbare, elles furent placées à Amiens. Cette translation fut marquée par un nouveau miracle : le corps avait été déposé dans l'église Saint-Pierre-et-Saint-Paul. Lorsqu'on l'enleva pour le mener à la cathédrale, le crucifix qui dominait le jubé se pencha pour saluer la dépouille du saint évêque et l'accompagna longuement du regard. Ce Christ à la tête inclinée est connu depuis lors sous le nom de Saint-Sauve. Aujourd'hui encore, il est possible de l'admirer dans la cathédrale d'Amiens, dont le portail méridional, dit « de la Vierge dorée » est, pour partie, consacré à saint Honoré.

Olivier Pascault

• *Voir aussi :* Antoine, saint; Aubert, saint; Boulangers et boulangeries (histoire de France des); Boulangers forains; Fête-Dieu; Fête du pain; *Fractio panis*; France (pains historiques, du Moyen Âge à la Révolution française); Grand panetier; Isidore, saint; Lazare, saint; Meunier dans l'Histoire; Miracles christiques; Miracles eucharistiques; Musées du pain; Museum der Brotkultur; Talemelier; Saint-Nicolas

Bibl. : Gaston DUCHET-SUCHAUX, Michel PASTOUREAU, *La Bible et les saints, Guide iconographique*, Paris, Flammarion, 1990 • Régine PERNOUD, *Les Saints au Moyen Âge*, Paris, Plon, 1984 • Renée MOUTARD-ULDRY, *Saint Honoré, patron des boulangers*, Paris, Librairie Henri Lefèbvre, 1942.

HOSTIE. – Mot habituel pour désigner, dans l'Église catholique romaine, le pain eucharistique non consacré destiné à la communion. L'hostie se présente sous la forme d'une fine rondelle de pain azyme (sans levain). Le mot « hostie » vient du latin *hostia*, qui signifie « victime » et s'appliquait, dans l'Antiquité, à ce qui était sacrifié. *Hostia* dériverait d'*hostis*, « ennemi », parce que, dans les temps reculés, les ennemis vaincus étaient souvent sacrifiés aux dieux.

Bien que la Cène soit considérée, dans les évangiles synoptiques (Matthieu, Marc et Luc), comme un repas pascal juif, lors duquel du pain azyme était utilisé, il semble que pendant plusieurs siècles la plupart des chrétiens apportaient leur pain ordinaire, généralement fermenté, pour célébrer l'eucharistie. Il apparaît que la nature du pain a rarement constitué un sujet de débat, contrairement au contenu de la coupe, certains chrétiens utilisant de l'eau à la place du vin. D'après les représentations dans les catacombes, les pains eucharistiques étaient ronds et de taille moyenne. Ils étaient coupés par des barres transversales représentant un *X*, initiale du mot grec signifiant Christ (χριστός). Cette initiale fut souvent remplacée par une croix, à laquelle d'autres signes pouvaient être ajoutés. Certains pains avaient la forme de couronne ou de disque. Les pains étaient partagés entre les fidèles.

Bien que le premier témoignage indiscutable de l'utilisation de pain azyme dans l'Église catholique romaine date de 798, il semble que cette pratique se soit en réalité développée à partir du VIe ou VIIe siècle. Plusieurs ordonnances demandant l'usage exclusif du pain azyme sont connues dès le IXe siècle ; pourtant, cet usage ne se généralise véritablement, en particulier à Rome, qu'à partir du milieu du XIe siècle. À l'exception des Arméniens et des Maronites, peu de chrétiens orthodoxes adoptèrent l'utilisation du pain sans levain pour la célébration eucharistique. Jusqu'à la fin du XIe siècle, les hosties faites de pain azyme, de forme arrondie, étaient relativement épaisses et larges comme la paume de la main. Elles étaient partagées entre les communiants. Les petites hosties fines, rondes et individuelles, telles que nous les connaissons, leur succédèrent. Ces hosties étaient confectionnées à partir de la plus pure farine de froment. Une croix, les lettres IHS et parfois une scène de crucifixion y étaient imprimées.

Des raisons d'ordre pratique et théologique ont été avancées pour expliquer l'introduction et le succès des hosties en pain azyme. Le pain azyme aurait surtout été choisi parce qu'il génère moins de miettes, surtout dans le cas de petites hosties, qui sont une source potentielle de profanation, et qu'il se conserve mieux que le pain fermenté. Cela est utile lorsque l'hostie est conservée, par exemple afin de la donner à des malades. Il est parfois avancé que l'adoption du pain sans levain manifeste le désir d'utiliser le même pain que Jésus lors de la Cène. Il semble cependant que le choix du pain azyme soit surtout lié à l'accroissement du caractère solennel de la célébration eucharistique. Dans ce contexte de ritualisation croissante, les autorités cherchèrent à différencier le pain eucharistique du pain de tous les jours. À ce changement fut associée une attention particulière donnée à la fabrication des hosties, souvent réservée à des religieux et accompagnée d'un rituel complexe.

L'Église byzantine refusa d'utiliser du pain sans levain, ce qui fut la raison principale du schisme de 1054 avec l'Église romaine. Le patriarche Michel Cérulaire fut excommunié par le cardinal Humbert comme « hérétique prozymite ». Les Byzantins, se fondant sur l'Évangile de Jean, estimaient que la Cène n'était pas un repas pascal. Donc, Jésus avait certainement utilisé du pain normal. Cette opinion était confirmée par l'utilisation, dans les Évangiles, du mot *artos*, qui s'applique généralement au pain fermenté, plutôt que du mot *azumos*. De plus, les Byzantins jugeaient que l'usage du pain azyme était une pratique judaïsante, donc inacceptable. Le pain sans levain était pour eux un pain sans vie, un pain mort, incapable de transmettre l'immortalité. Peut-être aussi décisif fut le fait que les Arméniens, considérés comme hérétiques, utilisaient du pain azyme. Aujourd'hui, la plupart des chrétiens orthodoxes continuent de célébrer l'eucharistie avec des pains fermentés de taille et forme variée suivant les Églises.

Au XVIe siècle, la Réforme entraîna d'importants changements dans les conceptions et pratiques eucharistiques. Bien que certains des pères de la Réforme tels que Zwingli et l'anglican Cranmer eussent recommandé l'usage du pain sans levain, la question ne généra qu'un intérêt limité. De nos jours, les Églises luthériennes, après avoir d'abord préféré le pain sans levain, acceptent indifféremment le pain azyme et le pain fermenté sous forme de larges hosties ou miches de pain. Les Églises réformées font surtout usage de miches de pain fermenté. Les Anglicans, après avoir longtemps utilisé du pain avec levain, adoptèrent, au XIXe siècle, les hosties azymes. Aujourd'hui, les Anglicans utilisent du pain fermenté ou non. L'Église catholique romaine continue la célébration eucharistique avec du pain sans levain comme le précise l'instruction *Redemptionis Sacramentum* (2004) : « Le Saint Sacrifice eucharistique doit être célébré avec du pain azyme, de pur froment et confectionné récemment en sorte qu'il n'y ait aucun risque de corruption. [...] Le fait d'introduire d'autres substances dans la fabrication du pain destiné à l'eucharistie, telles que des fruits, du sucre ou du miel, constitue un grave abus. » L'Église catholique romaine n'accepte pas l'usage d'hosties sans gluten, parce qu'elles ne pourraient être de pur froment. Les fidèles allergiques au gluten sont néanmoins autorisés à communier uniquement sous l'espèce du vin. Les hosties utilisées aujourd'hui sont blanches ou dorées. Leur épaisseur est généralement comprise entre 1,5 et 2 mm. Les petites hosties individuelles ont environ 3 cm de diamètre ; celles des prêtres célébrant l'eucharistie de 7 à 8 cm. Dans le cas de grandes concélébrations, le diamètre peut atteindre 20 cm ou plus. L'Église catholique encourage l'utilisation de grandes hosties divisées entre plusieurs communiants pour respecter la tradition de la fraction du pain.

À partir du VIIIe ou IXe siècle, la préparation des pains eucharistiques fut de plus en plus souvent confiée à des religieux. Selon le cardinal Humbert, « on n'emploie à la Table du Seigneur que le pain que les diacres et les sous-diacres, revêtus de leurs ornements sacrés et chantant des psaumes, ont préparé à la sacristie et fait cuire dans un moule en fer ». Au début du XIVe siècle, la fabrication des hosties était devenue, en partie, une activité commerciale. Les oblayers étaient habilités par les autorités ecclésiastiques à fabriquer des hosties. Les statuts de la confrérie des oblayers de 1397 interdisent la fabrication d'hosties par les femmes ainsi que la vente d'hosties dont la qualité n'a pas été approuvée par les maîtres de la confrérie. La fabrication par des laïcs et celle par des religieux allèrent de pair jusqu'au XXe siècle. Aujourd'hui, la fabrication des hosties, en France, est assurée par des sœurs, principalement des cisterciennes, des carmélites et des clarisses, dans des monastères. On peut citer, parmi les principaux producteurs, le monastère Notre-Dame-de-Saint-Joseph d'Ubexy dans les Vosges, l'abbaye Notre-Dame-de-Bon-Secours à Blauvac près de Carpentras, l'abbaye Notre-Dame-de-Miséricorde à Rosans dans les Hautes-Alpes, l'abbaye Sainte-Croix près de Poitiers.

Pendant des siècles, les hosties furent confectionnées avec des fers ou moules à hosties, dont l'existence est documentée à partir du IXe siècle. Les fers à hosties sont composés de deux palettes de fer s'appliquant l'une sur l'autre à l'aide de deux manches coudés et faisant levier. Des figures d'hosties sont gravées sur la plaque inférieure. Elles représentent des monogrammes du Christ, le Christ en croix, l'agneau immolé, etc. La pâte, composée d'eau et de farine de froment, est coulée entre les deux palettes puis cuite au feu. Les plaques de pain sont ensuite humidifiées, puis séchées. Elles sont enfin découpées pour obtenir les hosties. Les fers à hosties permettaient, en général, de confectionner de quatre à six hosties, des petites pour la communion des fidèles et des plus grandes pour les prêtres. De nos jours, les sœurs utilisent un équipement plus sophistiqué permettant de produire quelques milliers d'hosties par jour. Les machines les plus simples se présentent sous la forme de grands gaufriers pouvant réaliser une centaine d'hosties. Les machines plus perfectionnées comprennent plusieurs plaques de cuisson, trois pour les plus petites, douze ou quinze pour les plus grandes. Chacune des plaques de cuisson peut être régulée par une commande de température ultramoderne. Les machines les plus performantes permettent de fabriquer plus de vingt mille hosties par heure. Là où il n'y a pas de bonnes caves pour humidifier les planches d'hosties, on peut utiliser des humidificateurs. Les planches sont découpées avec d'imposantes découpeuses multiples. L'abbaye d'Ubexy, premier fabricant français, utilise chaque année 40 tonnes de pâte pour produire près de 40 millions d'hosties. Environ 2 700 000 hosties sont utilisées chaque année à Lourdes. Une boîte de mille petites hosties individuelles se vend de douze à quinze euros. Les grandes hosties pour concélébration peuvent coûter plus de un euro pièce.

Pierre-Antoine Bernheim

• *Voir aussi :* Arbre à pain ; Cène ; Ciboire ; Égypte (Sortie d') ; Eucharistie ; *Évangile selon saint Matthieu (L')* → Documentaires et films ; Fête-Dieu ; *Fractio panis* ; Hallah, manne, pains de proposition ; Hostie profanée ; Interdits liés au pain ; Matsah et hamets ; Messe ; Miracles eucharistiques ; Oublieur ; Rite orthodoxe ; Théologie du pain ; Transsubstantiation

Bibl. : T. BERNARD, *Cours de liturgie romaine*, Paris, Berche et Tralin, 1884, t. 2 • Henry CHADWICK, *East and West : the Making of a Rift in the Church*, Oxford, Oxford University Press, 2003 • Jules CORBLET, *Histoire du sacrement de l'Eucharistie*, Paris, Société Générale de Librairie Catholique, 1885 , 2 vol. • John H. ERICKSON, *The Challenge of our Past*, Crestwood, St. Vladimir's Seminary Press, 1991 • Josef A. JUNGMANN, *The Mass of the Roman Rite : Its Origins and Development*, trad. F. A. Brunner, New York, Benziger, 1951 et 1955, 2 vol. • Archdale A. KING, *The Rites of Eastern Christiandom*, Rome, Catholic Book Agency, 1947, 2 vol. • James F. WHITE, *The Sacraments in Protestant Practice and Faith*, Nashville, Abingdon, 1999.

HOSTIE PROFANÉE. – Le pain consacré, véritable nourriture d'immortalité, fut très vite considéré par la plupart des chrétiens comme porteur d'autres pouvoirs surnaturels. Il pouvait être utilisé pour se protéger et améliorer son sort ou bien pour nuire à autrui. Ces croyances et pratiques furent particulièrement répandues au Moyen Âge, surtout après le développement de la doctrine de la transsubstantiation. Ainsi, les hosties consacrées protégeaient contre les dangers de l'existence et aidaient à obtenir richesse, pouvoir et succès. Elles amélioraient la fertilité des humains, des animaux et des végétaux. Elles protégeaient des forces démoniaques. Réduites en poudre, elles constituaient l'ingrédient principal des filtres d'amour, et beaucoup étaient convaincus que si une femme, avec une hostie dans la bouche, embrassait un homme celui-ci lui serait éternellement fidèle. Les autorités ecclésiastiques pouvaient tolérer certains usages non conventionnels des hosties. Ainsi permettaient-elles à des prêtres de chercher, en maniant des hosties consacrées, à protéger des champs des mauvais esprits. En revanche, en 1509, en Angleterre, des prêtres et des laïcs furent jugés comme hérétiques pour y avoir eu recours afin de se protéger des puissances maléfiques. Ceux qui en faisaient usage pour se protéger ou améliorer leur sort étaient le plus souvent condamnés comme profanateurs d'hostie, si jamais ils étaient pris sur le fait ou dénoncés.

L'usage d'hosties consacrées aux fins d'attenter à la vie d'autrui, de provoquer des avortements ou de concocter des potions magiques était considéré comme une profanation beaucoup plus grave. Les hérétiques et sorcières en furent bien souvent accusés. Les juifs furent les victimes toutes désignées des crimes de profanation d'hostie à partir de la fin du XIIIe siècle. Pour leurs accusateurs chrétiens, ils poignardaient, trituraient, découpaient, brisaient et brûlaient des hosties consacrées afin de se venger de leurs misères en humiliant, torturant et crucifiant à nouveau le Christ. L'apparition de ces fantasmes est liée à deux facteurs importants. D'abord une hostilité grandissante vis-à-vis des juifs, attisée par les croisades. Démonisés, les juifs furent accusés des méfaits les plus horribles, tels que le meurtre rituel d'enfants chrétiens, souvent en les crucifiant, afin de se procurer leur sang pour le boire ou l'utiliser pour différents usages maléfiques. Le deuxième facteur est la conception de plus en plus matérialiste de la présence réelle du Christ dans l'eucharistie, culminant dans l'officialisation de la doctrine de la transsubstantiation au concile du Latran, en 1215. Après la consécration de l'hostie, le pain, qui n'était plus qu'une apparence, devenait véritablement le corps du Christ. Selon cette doctrine, c'était donc bien le corps du Christ dont les juifs renouvelaient la passion. Ces accusations supposaient que les juifs croyaient, comme de bons chrétiens, à la présence réelle et à la transsubstantiation. Le pape Innocent III en était convaincu, écrivant en 1205, que « chaque fois que des femmes chrétiennes employées comme nourrices d'enfants juifs prenaient le corps et le sang du Christ, les juifs les forçaient à verser leur lait dans des latrines pendant trois jours avant de reprendre leur activité ». Les juifs ne voulaient donc pas que leurs enfants absorbent le corps du Christ en buvant le lait de leur nourrice. L'attitude prêtée aux juifs fut l'une des raisons qui provoquèrent l'interdiction, pour les juifs, d'employer chez eux des domestiques chrétiennes. En 1581, le pape Grégoire XII renouvela l'interdiction pour les mêmes motifs.

Beaucoup plus dramatiques furent les conséquences des accusations de profanation d'hostie. Bien qu'un cas d'hostie profanée à Belitz, près de Berlin, en 1243 soit souvent mentionné, la première affaire certaine et bien documentée se produisit à Paris en 1290 : pendant la semaine sainte, un juif convainquit une chrétienne, sa servante ou sa débitrice, de lui procurer une hostie consacrée. Ce qu'elle réussit à faire lors de la communion dans l'église Saint-Jean-en-Grève. Le juif tenta de briser l'hostie avec un marteau et de la percer avec un couteau. L'hostie se mit à saigner tout en demeurant intacte. Puis il essaya, vainement, de la brûler et de la faire bouillir dans une marmite. L'hostie indestructible manifestait son caractère surnaturel. Le juif s'obstina. Une bonne chrétienne, mise au courant de l'acte sacrilège, dénonça le coupable, qui fut condamné à mort.

De telles affaires furent, par la suite,

relativement fréquentes, particulièrement en Allemagne et en Europe centrale, rares régions d'où les juifs n'avaient pas été bannis. On rencontre encore de telles accusations au XVIIIe siècle, voire même au XIXe. À Nancy, en 1761, des juifs furent exécutés pour ce crime. Un cas est mentionné en 1836 en Roumanie. Ces affaires avaient le plus souvent des conséquences tragiques. Les accusés, généralement reconnus coupables, étaient exécutés dans des conditions atroces. Ces condamnations pouvaient entraîner l'expulsion de communautés juives locales ou régionales, voire même leur extermination. Des massacres de très grande ampleur se produisaient parfois, comme ce fut le cas en Allemagne en 1298. Les habitants de Röttingen, en Franconie, menés par un certain Rintfleisch, massacrèrent les juifs de la ville sous prétexte qu'ils avaient profané des hosties. Les massacres se poursuivirent dans d'autres villes de Franconie et en Bavière, causant la destruction d'environ cent cinquante communautés juives. Trois à cinq mille personnes périrent. L'intervention de l'empereur Albert de Habsbourg empêcha les massacres de s'étendre dans d'autres régions de l'Empire. Les cas de profanation d'hostie se conforment le plus souvent au déroulement de la première affaire, celle de Paris en 1290. On retrouve ce type de récit, avec des variantes innombrables, dans la plupart des affaires de profanation. Les hosties volées sont parfois distribuées dans plusieurs communautés juives, multipliant ainsi les profanations et le nombre de condamnés. De même, les hosties, quand elles sont brûlées, se transforment souvent en petit enfant ou en colombe.

Pierre-Antoine Bernheim

• *Voir aussi :* Cène ; Ciboire ; Égypte (Sortie d') ; Eucharistie ; *Évangile selon saint Matthieu* (*L'*) → Documentaires et films ; Fête-Dieu ; *Fractio panis* ; Hallah, manne, pains de proposition ; Hostie ; Interdits liés au pain ; Matsah et hamets ; Messe ; Miracles eucharistiques ; Rite orthodoxe ; Théologie du pain ; Transsubstantiation

Bibl. : R. Po-Chia HSIA, *The Myth of Ritual Murder : Jews and Magic in Reformation Germany*, New Heaven, Yale University Press, 1988 • Miri RUBIN, *Corpus Christi : The Eucharist in Late Medieval Culture*, Cambridge, Cambridge University Press, 1991. – ID., *Gentile Tales : The Narrative Assault on Late Medieval Jews*, New Haven, Yale University Press, 1999 • Jean-Louis SCHEFER, *L'Hostie profanée : histoire d'une fiction théologique*, Paris, POL, 2007 • Joshua TRACHTENBERG, *The Devil the Jews*, New Haven, Yale University Press, 1945.

HOSTIES (moulins à). – Voir MOULIN MYSTIQUE

HUCHE. – Voire MAIE

HUMIDIMÈTRE. – Voir HYGROMÉTRIE

HUMIDITÉ RELATIVE (HR). – Quantité d'eau contenue dans un volume d'air par rapport à la quantité maximum d'eau que peut contenir ce même volume d'air pour une température et une pression données. La vapeur d'eau exerce une pression ; à chaque température correspond une pression maximale (ou tension de vapeur) à laquelle l'air est saturé de vapeur d'eau. La tension est plus forte si la vapeur d'eau augmente quand la température reste constante, ou si la température s'abaisse quand la quantité de vapeur ne varie pas. Dans ce dernier cas, on appelle « point de rosée » la température à laquelle la pression devient maximale. La rosée du matin est due à la condensation sur les objets, au sol ou près du sol, de la vapeur contenue dans l'air, du fait de son refroidissement au contact du sol. L'appréciation ou la mesure de l'humidité relative sont importantes à évaluer car, en fonction de leur niveau, elles conduisent soit à des phénomènes de dessiccation (dessèchement ou croûtage), soit à des aspects collants de la pâte. Ces caractéristiques qualifiées souvent de « défauts de la pâte », sont perçues par le boulanger, dans son fournil, dans les chambres de fermentation et en cours de cuisson.

Philippe Roussel

• *Voir aussi :* Croûtage ; Défauts de la pâte ; Dessication ; Pâte

HYALINE (bande). – Voir ALEURONE

HYBRIDE. – Un hybride est le résultat du croisement, le plus souvent par voie sexuée, de deux plantes de la même espèce – hybride intraspécifique – ou de deux plantes d'espèces différentes – hybride interspécifique ou intergénérique. L'hybride entre deux plantes de la même espèce mais de constitutions génétiques différentes peut bénéficier de la vigueur hybride ou hétérosis. Cette vigueur hybride est exploitée par la fabrication de variétés hybrides chez de nombreuses espèces cultivées. L'hybridation naturelle est intervenue dans les processus de spéciation, elle a constitué un facteur essentiel de l'évolution des espèces. Au cours de l'évolution, l'hybridation a permis la recombinaison génétique et la polyploïdisation sur lesquelles la sélection naturelle ou dirigée par l'homme a pu opérer. Les espèces allopolyploïdes comme le blé dur ou le blé tendre proviennent d'une hybridation interspécifique qui a donné naissance à un hybride amphiploïde qui a pu survivre et se reproduire par voie sexuée grâce à un doublement chromosomique. Ces mécanismes de croisements interspécifiques et de polyploïdisation ont été maîtrisés par l'homme pour la création de nouvelles espèces comme le triticale.

Michel Rousset

• *Voir aussi :* Blé, genre *Triticum* ; Blé dur ; Blé hybride ; Céréales ; Céréales sauvages aux premières formes domestiques (des) ; Triticale ; Variétés de blé

Bibl. : C. DORÉ, F. VAROQUAUX, « Le blé tendre », in *Histoire et amélioration de cinquante plantes cultivées*, Paris, INRA, 2006 • G. KIMBER, E. R. SEARS, « Evolution in the Genus *Triticum* and the Origin of Cultivated Wheat », in *Wheat and Wheat Improvement*, Agronomy Monograph n° 13, 2e éd., ASA-CSSA-SSSA, 1987.

HYDRATATION. – Pour faire une pâte, on mélange l'eau et la farine (frasage), puis on pétrit. Le mélange a pour but de permettre aux différents constituants de la farine de s'hydrater, c'est-à-dire d'absorber l'eau. Selon la quantité et la qualité des protéines, l'état de l'amidon et la quantité d'enveloppes du grain qui caractérisent une farine, et selon le procédé de panification, on pourra ajouter 60 à 80 % d'eau par rapport au poids de farine pour faire une pâte à pain. Les composants de la farine (protéines, amidons et fibres) ayant des vitesses d'hydratation différentes, c'est le pétrissage qui va permettre la constitution du réseau glutineux. L'autolyse est une technique permettant d'améliorer l'hydratation des différents composants, donc de la pâte. Pour le pain français, on ajoute environ 60 % d'eau par rapport au poids de la farine, pour le pain de tradition française environ 80 %. Pour une pâte liquide telle que les pâtes à gaufrette, jusqu'à 120 % d'eau. Dans tous les cas, il est essentiel que la phase d'hydratation soit bien réalisée pour obtenir une pâte homogène.

Ludovic Salvo

• *Voir aussi :* Amidon ; Autolyse ; Bassin ; Eau ; Eau de coulage ; Fibres ; Frasage ; Protéine ; Réseau ou tissu glutineux

HYDROLYSE. – Mécanisme de dégradation (lyse) des macromolécules par des enzymes (hydrolases) qui catalysent les réactions en faisant entrer des molécules d'eau (hydro). Les hydrolases (amylases, protéases, hémicellulases…) conduisent généralement à la baisse de viscosité, donc, pour le boulanger, à des pâtes plus molles qui s'affaissent ou relâchent. Car les longues chaînes moléculaires d'amidon, plus ou moins enchevêtrées, donnent des pâtes plus visqueuses que les molécules plus petites, plus aptes à s'écouler et obtenues par hydrolyse de ces chaînes, à la suite de l'action des amylases.

Philippe Roussel

• *Voir aussi :* Amidon ; Amylase et activité amylasique ; Enzyme ; Hémicellulase fongique ; Pâte ; Pâte bâtarde, molle, douce, ferme, raide ; Protéase fongique

HYGROMÈTRE. – Voir HYGROMÉTRIE

HYGROMÉTRIE. – Lors de la fabrication du pain, on travaille des pâtes hydratées à 60-80 % d'eau par rapport au poids de farine, pâtes qu'on fait ensuite fermenter parfois plusieurs heures. Si ces pâtes fermentent dans une ambiance sèche, elles auront tendance à perdre de l'eau et à « croûter » en surface ; le développement de la pâte dû à la fermentation sera donc limité. La conséquence en est que le volume des pains sera faible, et la croûte du pain sèche, cassante et terne. Il convient donc de réguler l'hygrométrie (ou l'humidité) de l'air ambiant ou de la chambre de fermentation contrôlée, de façon à éviter le dessèchement des pains. Plus la température est élevée et plus la quantité d'eau retenue (sous forme gazeuse) dans l'air est élevée. L'hygrométrie de l'air est mesurée avec un hygromètre, parfois appelé humidimètre. Sa fonction est de rendre compte de la quantité d'eau présente dans l'air à une température donnée.

Ludovic Salvo

• *Voir aussi :* Air ; Défauts du pain ; Fournil ; Humidité relative ; Pâte

I

IBA. – Voir BOULANGERIE (salons internationaux de la)

IGC (International Grains Council). – Voir CIC

IGP (Indication géographique protégée). – Signe de qualité européen, officiellement reconnu par les pouvoirs publics, concernant les produits dont le lien au terroir a pu être démontré. Exemple : la brioche vendéenne. Cette démarche est longue et nécessite une implication de tous les acteurs concernés (producteurs et transformateurs). Il faut compter une dizaine d'années avant d'obtenir la reconnaissance officielle.

Catherine Peigney

• *Voir aussi :* Espagne ; France (pains actuels, pains régionaux) ; Italie ; Pains mondiaux

IMPANATION. – Voir EUCHARISTIE

IMPURETÉ. – Le blé réceptionné dans les moulins est une matière agricole brute qui contient de nombreuses impuretés : graines étrangères (orge, maïs, etc.), poussières, pierres, pailles, etc. Il conviendra d'éliminer ces impuretés grâce aux opérations de nettoyage avant de pouvoir passer le blé en mouture.

Philippe Duret

• *Voir aussi :* Épierreur ; Meunerie ; Moulin ; Mouture ; Nettoyage ; Nettoyeur-séparateur ; Paille

INBP (Institut national de la boulangerie pâtisserie). – Créé à Rouen en 1974, cet organisme de formation pour adultes est ouvert aux artisans boulangers-pâtissiers, aux non-professionnels qui veulent apprendre le métier et à tous les acteurs du secteur de la boulangerie. L'INBP propose des formations longues préparant à un diplôme, des formations courtes pour se perfectionner et des plans de formation personnalisés. Huit mille personnes chaque année suivent une formation INBP à Rouen. Organisme reconnu par l'Éducation nationale, l'INBP contribue à la création ou à la rénovation des référentiels d'examen en boulangerie-pâtisserie. Son équipe d'ingénieurs participe aux commissions chargées d'établir les normes du secteur de la boulangerie-pâtisserie. Les actions de l'INBP sont multiples et variées : formation décentralisée et participation à l'élaboration des textes réglementaires et techniques, comme le guide de bonnes pratiques en pâtisserie ou la définition du pain de tradition française en 1993. Avec la CNAM (Caisse nationale d'assurance maladie), l'INBP étudie les risques et maladies professionnelles en boulangerie, comme l'allergie respiratoire aux poussières de farine. L'INBP collabore avec l'IRTAC (Institut de recherches technologiques agroalimentaires des céréales) au plan de surveillance des contaminants dans les céréales. L'INBP est consulté régulièrement dans le cadre de sujets sur la santé publique et la nutrition, comme le sel et l'index glycémique dans le pain. Le personnel de l'INBP travaille également avec le CETIM (Centre technique des industries mécaniques).

Labellisé pôle d'innovation, une distinction décernée par le ministère des PME, du Commerce et de l'Artisanat, l'INBP contribue à la recherche et au développement dans le secteur de la boulangerie-pâtisserie artisanale et aux avancées matérielles, commerciales et techniques. Il publie régulièrement ouvrages de technologie, livres de recettes, revues et brochures d'information variées à l'intention des boulangers-pâtissiers et de tous les acteurs de ce secteur. C'est aussi un centre de documentation réputé, le premier centre ressource en France spécialisé en boulangerie-pâtisserie. L'institut bénéficie d'équipement et de moyens matériels qui permettent aux stagiaires de travailler dans d'excellentes conditions dans les fournils et laboratoires pédagogiques. Dirigé par Gérard Brochoire, l'INBP emploie soixante-neuf personnes, personnel administratif, techniciens, ingénieurs et formateurs, dont des MOF.

Jean-Pierre Deloron

• *Voir aussi :* Apprentissage ; BEP ; CAP de boulangerie ; CFA ; CNBPF ; EBP ; École Carrefour ; École de boulangerie (première) ; École Grégoire-Ferrandi ; IRTAC ; Formations à la boulangerie et à la pâtisserie

Bibl. : Voir le site de l'INBP, www.inbp.com

INDE (traditions du pain en). – La présence d'orge et de blé dans le sous-continent indien remonte à une très haute antiquité puisque ces grains, ainsi que des greniers et des pierres à moudre, ont été exhumés dans les sites archéologiques de la civilisation de l'Indus (IIe millénaire av. J.-C.). De nos jours, l'Inde se partage entre les régions à blé et celles où le riz domine, les zones arides étant occupées par le sorgho et divers millets. Cette répartition agricole se traduit dans la base des repas, constituée soit de galettes, soit de riz en grains. Parmi les céréales panifiables, blé, orge, sorgho, petit mil, auxquelles le maïs s'ajoute depuis le XVIIe siècle, le blé bénéficie d'une haute teneur en gluten qui permet de confectionner des galettes fines, souples et diversifiées. À ces qualités physico-chimiques s'ajoute le prestige d'une céréale préférée par les citadins et les couches supérieures de la population, dont la consommation devient signe de statut élevé et de richesse.

Comme le suggère le terme hindi *rotî*, qui désigne aussi le repas, le pain est la véritable nourriture (comme le riz en grains l'est dans les régions rizicoles), celle qui remplit le ventre, le reste étant l'accompagnement qui lui donne du goût. La préparation domestique des galettes est si importante qu'elle a induit une évolution particulière de la minoterie. Les meules à bras sont devenues rares, mais, dans de nombreuses familles, on achète toujours le grain que l'on porte au moulin du quartier. Le souci de contrôler la qualité des grains a même suscité la production de moulins électriques domestiques. La farine de blé communément employée est une farine complète, homogène et de belle couleur ambre doré : rien de commun avec la farine grise et hétérogène que l'on trouve en France sous ce nom. De manière générale, les pains indiens sont des galettes, c'est-à-dire des pains plats et non levés.

Parmi les tâches culinaires quotidiennes, la cuisson des galettes (*rotî* ou *chapâtî* selon les régions) est l'opération la plus valorisée, prérogative de la mère et de l'épouse. Ces galettes s'affinent avec la richesse et sont appréciées selon leur texture, leur aspect et leur saveur : elles doivent être souples, soyeuses, gonflées, sans marque de brûlé, et garder ces qualités le plus longtemps possible. Elles servent en effet à saisir les autres aliments et l'on cuisine souvent tôt le matin un repas à emporter à l'école, au bureau ou aux champs. Ces galettes quotidiennes révèlent plus qu'aucune autre les qualités des blés et des farines. C'est pourquoi les blés américains et australiens, dont les galettes deviennent rapidement sèches et cassantes, ne sont guère prisés. Il en existe de nombreuses variantes sociales et régionales. La *rûmâlî rotî*, large et fine comme une crêpe, cuite sur une grande plaque convexe puis pliée comme un « foulard », est une spécialité des musulmans. Les galettes de maïs (*makkâ kî rotî*), accompagnées de feuilles de moutarde en légume, sont l'emblème de la nourriture paysanne au Panjab, comme le sont les épaisses *sogrâ* de mil au Rajasthan ou les *bhâkrî* de sorgho au Maharashtra. Abaissées entre les mains, ces galettes ne gonflent pas. La *bâtî* des zones désertiques du Rajasthan est le pain des guerriers, qui enterraient une boule de pâte dans le sable chaud et la mangeaient plus tard, trempée de beurre clarifié. Les cuisiniers de restaurants régionaux l'adaptent en ajoutant de la levure chimique et en la cuisant au four. On trouve un pain voisin sous le nom de *barfla* au Madhya Pradesh, où la boule de pâte est d'abord cuite sur un plat en céramique troué, ou bouillie, puis rôtie sous des braises durant plus d'une heure avant d'être plongée dans le beurre. Aux galettes cuites à sec s'opposent les galettes frites, *pûrî*, nommées *bermî* lorsqu'elles sont farcies d'une pâte de haricots noirs, *urad*. Plus dispendieuses, elles sont réservées aux jours de fête et aux festins servis à de nombreux convives. Les *pûrî* ont même conquis les mangeurs de riz méridionaux, qui s'en régalent volontiers lorsqu'ils prennent un petit déjeuner au restaurant. Ces galettes frites ouvrent la catégorie des innombrables pâtisseries salées et croustillantes à base de farine blanche et de beurre, qui constituent de roboratives collations : fourrés de pâte de haricots (*kacaurî*), *bhaturâ* de pâte fermentée accompagnés de pois chiches, *luchî* bengalis, *mathrî* et *svâlî* parfumés de graines d'ammi, beignets (*pakorâ*) et rissoles (*samosâ*).

La palette des pains s'est enrichie au cours de l'Histoire des apports de toutes les populations venues d'ailleurs. Des marins et marchands arabes du Moyen-Orient s'établissent sur les côtes du Sindh et du Coromandel dès le VIIIe siècle. À partir du XIIIe siècle, le sultanat de Delhi installe au pouvoir des Turcs de Perse et d'Asie centrale. Des lettrés et artisans iraniens, turcs et afghans continuent d'être appelés par les dynasties mogholes qui règnent du XVIe au XVIIIe siècle et conservent des liens avec leurs régions d'origine. Tous ces immigrants, habitués au pain levé, transformèrent leurs habitudes ainsi que l'éventail des pains indiens. Hyderabad, fondée par le sultan de Golconde au tournant du XVIIe siècle et capitale du plus grand état princier jusqu'en 1956, vit durant quatre siècles s'élaborer une gastronomie entrecroisant les influences d'Asie centrale et du Deccan. Sur le drapeau de la dynastie des Asaf Jahi, qui montent sur le trône en 1724, figurait le *kulchâ*, pain rond de pâte fermentée enrichie de beurre, cuit au four. Selon la légende, le premier *kulchâ* aurait été donné à Asaf Jah Ier par le saint Inayat Shah. Conservé dans le trésor, il en sortait pour les grandes occasions comme l'audience impériale. Ces souverains ont stimulé la consommation populaire de *kulchâ* par la réglementation des prix du blé, l'imposition d'un poids du pain et la construction de fours concédés à des boulangers. La désintégration de l'Empire moghol à la fin du XVIIIe siècle conduisit de nombreux aristocrates à quitter Delhi et se replier à la cour d'Avadh (actuelle Lucknow), où ils firent briller les derniers feux de la splendeur moghole, reposant sur le luxe, les plaisirs et les arts, parmi lesquels la gastronomie tenait une place éminente. Les cuisiniers des maisons nobles étaient des personnages estimés, qui rivalisaient pour présenter des mets somptuaires et étonnants. Ils firent connaître les pains de blé jusque dans les régions rizicoles comme le Bengale et les États du Sud, et contribuèrent à la diffusion de la pâte levée et du four.

Le triptyque farine blanche-levain-cuisson au four demeure un héritage et une spécialité des musulmans. Le modèle de ces pains plats est le *nân*, doré à l'extérieur, blanc à l'intérieur, croustillant au centre, moelleux sur les bords. S'inspirant de la friture des *pûrî*, ces cuisiniers ajoutèrent du beurre sur la plaque de cuisson et inventèrent les *parânthâ*, qui, garnis de viande hachée épicée (*parânthâ-qîma*), constituent toujours le petit déjeuner des musulmans aisés. Dans le labyrinthe de la vieille ville de Delhi, une « ruelle des *parânthâ* » regroupe encore quelques échoppes qui en ont fait leur spécialité, mais les servent aujourd'hui avec des légumes afin de satisfaire les nombreux végétariens qui les ont adoptés. Plusieurs régions se disputent l'invention de l'extravagant *baqarkhânî*. Ce pain de pâte pétrie avec beurre et lait, fermentée, enrichie d'amandes et de raisins secs, puis cuit au four, tiendrait son nom d'un gouverneur du Bengale qui voulait du pain de garde pouvant le nourrir durant ses longues campagnes d'hiver. Mais il est aussi populaire chez les riches musulmans du Deccan. On raconte aussi qu'au temps de Nasir ud Din Haidar un cuisinier de Lucknow tenait un restaurant très réputé dont les princes faisaient l'éloge. Ce Mahamdu inventa le *shîr mâl*, pain au lait, non levé, fin, souple et moelleux, meilleur que le *baqarkhânî* en goût, odeur, légèreté et délicatesse. Il gagna une telle estime qu'il reçut commande de milliers de *shîr mâl* pour de grandes célébrations royales, et ce pain demeure l'orgueil de Lucknow.

Tous ces pains plats, levés ou non, sont cuits dans le *tandûr*, four cylindrique en argile, enterré ou non, commun du Maroc au Bangladesh, qui se caractérise par l'absence de séparation entre le combustible et les aliments à cuire. Ce four s'est diffusé en Inde par le Nord-Ouest, longtemps comme outil d'un petit artisanat urbain et plus récemment dans le sillage des Panjabis réfugiés lors de la partition. En ville, il reste l'apanage de cuisiniers professionnels. Dans les villages du Nord-Ouest, son usage est domestique et souvent collectif, une maison allumant son four et les voisines venant y cuire leurs galettes, ce qui en fait un lieu de sociabilité féminine important. Il permet de cuire plusieurs galettes (*tandûrî rotî*) en même temps, ce qui le rend économe en temps et en combustible, et justifie son utilisation en été.

Les Portugais, qui débarquent en 1498 près de Calicut et conquièrent Goa en 1510, ont laissé le *pâo*, pain blanc levé, façonné en quatre sections, que les musulmans trempent dans un ragoût de viande et que les adolescents apprécient avec le *pâo bhâjî*, plat épicé de légumes mélangés. Les Français sont crédités d'avoir apporté la miche de pain (*loaf*). L'influence anglaise a laissé son empreinte dans la production et la consommation des biscuits, complètement intégrés dans le système alimentaire de l'Inde moderne. Salés ou sucrés, ils accompagnent le thé dans les salons bourgeois, les bidonvilles ou les villages reculés. D'abord proches de la biscuiterie, les premières boulangeries artisanales avec four à sole fabriquaient *buns* et *rolls*, dont la pâte, fermentée au moyen de yogourt, était enrichie de beurre et de poudre de lait. L'usage de levure se répandit lentement. L'armée avait ses propres boulangeries dont la production fit un bond durant la Seconde Guerre mondiale, mais la boulangerie industrielle ne se développa véritablement qu'après l'indépendance en 1947. De nos jours, le pain levé a pénétré les villages par l'intermédiaire du *double-rotî*, pain moulé de type pain de mie, prétranché et empaqueté. À l'exception des fades sandwichs pour étrangers et bourgeois chics, les tranches blanches, molles et insipides sont traitées comme un produit cru et soumises aux modes de cuisson des galettes : grillées sur plaque, au grille-pain électrique, enduites de beurre et rissolées, ou encore fourrées d'une purée épicée de légumes cuits et frites. C'est ainsi que ce pain constitue un petit déjeuner rapide ou festif, mais il n'entre jamais dans un repas digne de ce nom. Les pains d'inspiration européenne et américaine (*french bread*, *ciabatta*, *garlic bread*) sont récents, recherchés par la clientèle aisée et curieuse des métropoles.

La pluralité des modes de cuisson, des formes et des textures est mise à profit par chaque caste ou communauté pour construire les repas à sa manière, en distinguant repas et collations, matin et soir, quotidien et fête. Les marchands citadins mangent des galettes grillées sur plaque le matin, des galettes cuites au beurre le soir. Chez les paysans panjabis, c'est l'inverse : les galettes au beurre, accompagnées de yogourt ou de crème fraîche, figurent au petit déjeuner, elles sont rôties au four à la mi-journée, et grillées pour le repas du soir. D'autres paysans mangent les mêmes galettes matin et soir, ou bien les font alterner le soir avec des bouillies de mil ou de blé, le blé étant préféré durant la saison chaude, le mil et le maïs en hiver.

Nân. La farine blutée est pétrie avec du lait, du yogourt, de l'œuf, ensemencée de levain ou de bicarbonate de soude, puis laissée au repos de quelques heures à toute la nuit. La pâte blanche, très élastique, est façonnée à la main en forme ovale, plus épaisse sur les bords qu'au centre. Chaque pain est plaqué contre la paroi du four et retiré après quelques minutes au moyen de longues broches. On peut l'agrémenter en le parsemant avant cuisson de graines de pavot ou de nigelle, et en le badigeonnant de lait ou d'eau safranée. Longtemps associés aux viandes rôties, les *nân* pénètrent dans tous les banquets comme signe de gastronomie moderne.

Parânthâ. Lorsque le pâton de farine complète est abaissé, la galette de pâte est refermée sur une cuillerée de beurre, puis à nouveau abaissée en forme ronde, carrée ou triangulaire, et cuite sur la plaque beurrée. La galette est plus ou moins moelleuse ou croquante selon la finesse, la quantité de beurre et le temps de cuisson. Elle peut être fourrée de légumes crus ou cuits, pomme de terre bouillie, radis râpé, chou-fleur, feuilles de fenugrec. Le *parânthâ*-feuille (*varqi parânthâ*), connu aussi comme le *parânthâ* de Dacca ou du *nawab* d'Avadh, en est une version gastronomique, plus riche en beurre. La pâte abaissée est pliée en trois, et cette opération est répétée trois fois en laissant la pâte reposer entre chaque tour, ce qui crée une véritable pâte feuilletée.

Pûrî. À la pâte de farine complète, du beurre est incorporé au moment du pétrissage de toute la masse ou de chaque pâton. Les galettes sont abaissées en disques plus petits que pour les galettes ordinaires, et cuites dans une bassine à friture. Là, à l'aide d'une écumoire, on les presse contre le fond de la bassine, ce qui les fait gonfler et remonter à la surface. Lorsqu'elles sont également dorées, « rondes et brillantes comme des astres » ou « comme les seins des femmes » disent les poètes, on les égoutte et on sert aussitôt, toujours en présentant l'endroit au regard.

Rotî ou **chapâtî**. La farine est tamisée et pétrie manuellement avec de l'eau, dans un plat à hauts bords, jusqu'à former une pâte souple et lisse. Une pincée de sel ajoutée à la fin sur le bord du plat et entraînée avec un peu d'eau permet de rassembler les morceaux de pâte épars et de les réunir à la boule, humide et brillante, au milieu d'un plat parfaitement propre. À cela se reconnaît une femme bien élevée et soignée. Juste avant le repas, des boules de pâte sont prélevées de la masse, farinées et abaissées au rouleau ou entre les paumes des mains. La cuisson se fait en deux temps : d'abord quelques minutes à sec sur une plaque concave en fonte, un plat céramique ou une grande plaque convexe comme au Panjab. Souvent, on presse la galette avec un chiffon ou le dos d'une cuillère pour amorcer le gonflement. La galette finit ensuite de cuire devant ou sur les braises. L'échauffement de l'air contenu la fait gonfler sur toute sa surface, d'où le terme *phulkâ*, « fleuri ». On la pose sur une assiette en prenant soin que soit visible l'endroit, la face mince, sur laquelle on applique du beurre clarifié, et on sert aussitôt.

Tandûrî rotî. Le terme désigne parfois tous les pains cuits dans le four *tandûr*. Mais il s'applique plus précisément aux galettes de farine complète cuites au four. La pâte, non levée et assez ferme, est mise en boules, et les galettes sont façonnées à la main avant d'être plaquées contre les parois du four. Après quelques minutes, elles sont retirées à la main protégée d'un chiffon ou au moyen de tiges de fer, et enduites de beurre.

Marie-Claude Mahias

• *Voir aussi :* Bangladesh ; Pain (définition universelle du) ; Pains mondiaux ; Pakistan ; Région himalayenne

Bibl. : K. T. ACHAYA, *Indian Food. A Historical Companion*, Delhi, Oxford University Press, 1994. – ID., *The Food Industries of British India*, Delhi, Oxford University Press, 1994 • Minakshie Das GUPTA, Bunny GUPTA, Jaya CHALIHA, *The Calcutta Cookbook. A Treasury of Recipes from Pavement to Palace*, New Delhi, Penguin Books, 1995 • Marie-Claude MAHIAS, *Délivrance et convivialité. Le système culinaire des Jaina*, Paris, Éditions de la Maison des sciences de l'homme, 1985. – ID., *Le Barattage du monde. Essais d'anthropologie des techniques en Inde*, Paris, Éditions de la Maison des sciences de l'homme, 2002 • Abdul Halim SHARAR, *Lucknow : The Last Phase of an Oriental Culture*, Oxford, Oxford University Press, 1975.

INDEX GLYCÉMIQUE (IG). – Se définit comme le rapport entre l'élévation de la glycémie (niveau de glucose sanguin) sur 2 ou 3 heures à la suite de la consommation de l'aliment test et de celle d'un aliment de référence (solution de glucose ou pain blanc dont l'IG est fixé à 100) chez le même sujet. Le rapport est ensuite multiplié par 100. Ainsi, si l'aliment testé entraîne une arrivée de glucose dans le sang moins rapide que la solution de glucose ou le pain blanc, son IG sera inférieur à 100. On classe les aliments comme sources de sucres rapides (IG > 70), modérément lents (55 < IG < 70) et lents (IG < 55). Les légumineuses sont de très bonnes sources de sucres lents. Les pains présentent des IG variables, comme par exemples 90 pour le pain au lait, 82 pour la baguette traditionnelle, 75 pour les pains complets et bis et inférieur à 60 pour les pains fabriqués à base de grains entiers ou concassés d'orge ou de seigle, surtout consommés dans les pays nordiques. En outre, des pains avec une mie plus dense présenteront un IG plus bas que des pains avec une mie très aérée.

Anthony Fardet

• *Voir aussi :* CNERNA ; Diabète ; Santé ; Valeur énergétique du pain ; Valeur nutritionnelle du pain

INRA (Institut national de la recherche agronomique). – L'INRA est le premier institut de recherche agronomique en Europe, deuxième dans le monde. L'INRA mène des recherches finalisées sur l'alimentation, l'agriculture et l'environnement, au cœur des enjeux de développement, de l'échelle locale à celle de la planète. « Changement climatique, nutrition humaine, compétition entre cultures alimentaires et non alimentaires, épuisement des ressources fossiles, équilibre dans la gestion des territoires sont autant d'enjeux qui positionnent l'agronomie comme fondatrice d'un développement harmonieux sur les plans économique, social et environnemental » (www.inra.fr/l_institut). D'une façon générale, l'INRA produit des connaissances qui participent des choix que font nos sociétés confrontées à des enjeux désormais globaux.

Julien Couaillier

• *Voir aussi :* ARVALIS ; GEVES ; GNIS ; IRTAC

INSCRIPTION DES VARIÉTÉS DE BLÉ TENDRE AU CATALOGUE OFFICIEL. – Voir VARIÉTÉS DE BLÉ TENDRE AU CATALOGUE OFFICIEL

INTERCÉRALES. – Voir FRANCE EXPORT CÉRÉALES

INTERDITS LIÉS AU PAIN. – La question des interdits renvoie à la relation au pouvoir. Elle a bien souvent été un sujet abordé dans la littérature anthropologique, certainement parce qu'elle renvoie à un invariant culturel universel, ainsi défini par Durkheim : « Les choses sacrées sont celles que les interdits protègent et isolent ; les choses profanes, celles auxquelles les interdits s'appliquent. » L'interdit est bien au cœur même de la définition du sacré. Quelles appréhensions, quels enjeux, quel désir profond peuvent entraîner les moyens mis en œuvre puis la conduite tenue face à l'interdit ? Voilà une interrogation essentielle maintes fois abordée dans l'histoire des idées.

Les interdits liés à la consommation du pain méritent, dans ce sens, d'être analysés. Le pain est un aliment primordial, gage de vie, intrinsèquement lié à la représentation de la fertilité. C'est justement depuis sa fabrication jusqu'à sa consommation que le pain apparaît comme un élément déterminant dans une relation et un dialogue avec la mort. L'interdit tend, avant tout, à formuler un appel propitiatoire destiné à conjurer la peur de la mort. C'est dans cette idée que le rôle de la femme est particulièrement intéressant. Parce que, traditionnellement, la femme est celle qui transmet son savoir aux autres femmes pubères : parce qu'elle fabrique et nourrit, en d'autres termes parce qu'elle est celle qui incite à la consommation du pain, et peut-être à la fois à celle de la chair, la femme se trouve sous surveillance. Elle est au cœur des deux extrêmes du cycle, de la naissance à la mort. Rappelons notamment que l'ingestion du lait maternel permettait d'accélérer la fin d'un moribond, selon une légende corse. Les interdits en rapport avec la consommation du pain renvoient naturellement aux interdits relatifs au corps de la femme. Ainsi, encore en Corse, il est interdit, selon l'usage, de frire un quelconque morceau de pâte le jour des enterrements, comme il est interdit aux femmes par l'Église de se livrer à certaines pratiques archaïques : sous peine d'amende, voire d'excommunication, il leur est interdit de faire du bruit, de hurler ou de se griffer le visage… De même, il est interdit, d'après la tradition orale, de rendre visite à quiconque après un enterrement. Or, rendre une visite suppose de boire ou de manger le pain qu'une femme pourrait offrir, aussi, l'accepter sans réserve c'est encore prendre le risque du débordement… Pourtant, dans certaines régions, on conserve aujourd'hui encore la tradition du *Cunfortu* ou de la *Manghjeria*, c'est-à-dire d'un repas offert aux personnes présentes le jour d'un enterrement, des beignets et un pain non levé au fromage étant exclusivement servis pour l'occasion. Faut-il y voir une résurgence d'un ancien culte consacré à l'accompagnement des morts, où les pâtes non levées, les fritures ainsi que les laitages gras tenaient une place privilégiée, et ne sont pas sans rappeler le temps du carnaval ?

Assurer la fertilité, c'est ne jamais couper le cycle vie et mort. C'est ainsi que l'interdit concernant la conservation du pain est à interpréter : on peut l'assécher par la cuisson, puis le faire tremper pour le faire « revenir » dans un liquide, une sauce, une soupe, un café au lait… Mais on ne doit jamais jeter du pain, et donc toujours privilégier sa réutilisation : chapelure, pain perdu, puddings, farces… Ou bien, en dernier lieu, on peut en faire profiter les animaux et, certainement de manière symbolique, on privilégie bien souvent les oiseaux, les poules, les chevaux ou les ânes : des animaux psychopompes, en relation avec le voyage… Parmi les plus répandus encore, l'interdit concernant la manière de déposer le pain sur les tables : on ne retourne jamais le pain sur la table. Cette pratique renvoie à la résurgence d'un usage très concret, celui du pain du bourreau : sous l'Ancien Régime, le bourreau avait le droit de prélever sa part de pain chez le boulanger. Une forme d'impôts très reconnaissable puisque, dans toutes les boulangeries, une partie de la fournée était retournée puisque réservée au bourreau. Ce personnage est celui qui exécute l'ultime sentence, retire la vie, dans l'optique de faire respecter l'équilibre sociétal. Il inspire tout naturellement la peur, voire le dégoût, et était bien souvent sollicité pour certaines pratiques rituelles occultes. On lui achetait, dit-on, de la corde de pendu, de la graisse de cadavre… Nous noterons une dernière recommandation très répandue encore : on n'entame jamais un pain sans y avoir fait un signe de croix au couteau. L'ensemble de ces pratiques déclinées dans bien des cultures renvoie certainement à des rituels sacrificiels ancestraux. Des rites orgiaques, aux sabbats, jusqu'aux messes les plus diverses, ces rituels ont été constamment remodelés par l'ordre en place. Ainsi ce sont bien des considérations religieuses qui, selon les époques et les impératifs économiques, conduisent la société vers une structuration établie. Une structuration qui impose et interdit à la fois est essentielle au groupe. Respecter ou transgresser un interdit est une manière de se positionner face à la peur du chaos, face au bien et au mal, et le pain trouve dans ce positionnement une place privilégiée.

Jacqueline Acquaviva-Bosseur

• *Voir aussi :* Boulangers et boulangeries (histoire de France des) ; Chapelure ; Mot « pain » (étymologie du) ; Mot « pain » dans la langue française ; Mot « pain » dans quelques langues européennes ; Pain du bourreau → France (pains historiques, du Moyen Âge à la Révolution française) ; Pain perdu ; Théologie du pain

Bibl. : Jacques DELARUE, *Le Métier de bourreau*, Paris, Fayard, 1979 • Marcel DETIENNE, *Les Jardins d'Adonis. La mythologie des aromates en Grèce*, Paris, Gallimard, 1972 • James George FRAZER, *Le Rameau d'or*, Paris, Robert Laffont, coll. « Bouquins », 1983, 4 vol. • André LEROI-GOURHAN, *Le Geste et la parole*, t. 2, *La Mémoire et les rythmes*, Paris, Albin Michel, 1965.

INTERSUC. – Voir BOULANGERIE (salons internationaux de la)

INVALIDES (hôtel royal des). – L'hôtel royal des Invalides à Paris a été fondé en 1674 par Louis XIV pour loger les officiers et les soldats, vieux, malades, blessés et invalides. Véritable ville dans la ville avec son clergé, son corps médical, ses manufactures et ses trois mille pensionnaires, cette institution est placée sous l'autorité d'un gouverneur. En 1766, Parmentier apprend que la place d'apothicaire des Invalides est accessible au concours, alors que jusqu'à présent le corps médical se recrutait uniquement par protection royale, voire par cooptation. Brillamment reçu, il prend ses fonctions le 16 octobre 1766. S'accommodant de la tutelle des « sœurs grises » qui règnent sur les infirmeries, Parmentier concilie son rôle de pharmacien avec ses recherches personnelles, profitant d'un magnifique laboratoire érigé dans la cour d'Alger. Mais un différend avec les sœurs pousse Louis XVI à le nommer, en 1774, « pensionnaire du Roi aux Invalides ».

S'il a planté des pommes de terre dans les recoins des Invalides, Parmentier a aussi essayé de fabriquer du pain avec des farines de substitution dans le four de la boulangerie de l'hôtel. Avec Cadet de Vaux, son ami et assistant, ils concoctent une recette de pain à base de farine de pommes de terre. Lorsqu'elle est au point, ils convient aux Invalides, le 29 octobre 1778, toute la communauté scientifique, administrative et militaire devant les fours de la boulangerie. On y aperçoit Lavoisier, Benjamin Franklin, le préfet Lenoir… Parmentier fabrique son pain en public et l'enfourne. Le résultat sera testé le 1er novembre, par tous les invités rassemblés autour de la table du gouverneur des Invalides. Le pain de pommes de terre n'emballe pas les convives, mais il sera utile en périodes de disette. Cette démonstration est aussi l'occasion pour Parmentier de présenter son dernier livre, *Le Parfait Boulanger*. Dans ce traité sur l'art de faire le pain, le savant agronome détaille toutes les phases d'élaboration, du grain de froment au comptoir du boulanger en passant par les différentes techniques de mouture ou la meilleure manière de stocker les céréales. En réalité, cet ouvrage est le fer de lance d'un projet de création d'une « École de Boulangerie » à Paris.

Anne Muratori-Philip

• *Voir aussi :* Boulangers et boulangeries (histoire de France des) ; Boulangers forains ; Cadet de Vaux ; Disettes, famines et révoltes pour le pain en France ; École de boulangerie (première) ; Égalité (pain) ; Fouacier ; France (pains historiques, du Moyen Âge à la Révolution française) ; Malouin ; Parmentier ; Physiocrates ; *Sur la législation et le commerce des grains*

Bibl. : Antoine BALLAND, *La Chimie alimentaire dans l'œuvre de Parmentier*, Paris, Librairie Baillière et Fils, 1902 • Steven L. KAPLAN, *Les Ventres de Paris. Pouvoir et approvisionnement dans la France de l'Ancien Régime*, trad. S. Boulongne, Paris, Fayard, 1988. – *ID.*, « Le complot de famine : histoire d'une rumeur au XVIIIe siècle », trad. M. et J. Revel, *Cahier des Annales*, no 39, Paris, Armand Colin, 1982 • Anne MURATORI-PHILIP, *Parmentier*, Paris, Plon, 1994 et 2006.

INVERTASE. – Voir ENZYME

IRAK (traditions du pain en). – La culture contemporaine irakienne partage avec celles du Moyen-Orient et du bassin méditerranéen le sentiment de l'importance première du pain. Signe de passage à la civilisation (d'après les archéologues), déclencheur de révoltes dans les périodes de pénuries (d'après les historiens et politologues), symbole nécessaire pour marquer le respect envers autrui, le pain reste surtout le trait distinctif sacré le plus puissant en Irak. En principe, presque partout en terre d'islam, on ne jure qu'au nom de Dieu ou sur Dieu et les grands imams infaillibles (pour les chiites) ; en Irak, les gens jurent également sur le pain : « Je jure sur le pain ! » ou encore « Je jure sur Celui qui a germé de la terre ! », raccourci renvoyant au blé récolté par l'homme, moulu, tamisé ou bluté, pétri et consommé.

Les Irakiens, dans leur diversité ethnique religieuse ou confessionnelle, conservent et cultivent leur mémoire collective autour du pain. Au travers de données archéologiques et historiques incertaines, ils savent que la vieille terre mésopotamienne a été le théâtre du passage d'une culture villageoise à la civilisation urbaine, moment où le sud actuel de l'Irak a connu l'essor de grandes villes complexes. C'est dans ce contexte, et alors que les relations sociétales n'étaient plus régies uniquement par la parenté, où l'on produit des biens pour soi ou son groupe, qu'il s'est agi dès lors de rentrer dans un rapport marchand et que sont apparus de nouveaux métiers dont celui de boulanger. Il est généralement exercé par un homme, alors que le pain fait maison est toujours pétri par la femme. La prospérité accroissant les moyens des familles et des individus, les époques fleurissantes ont vu se multiplier le nombre de boulangers dans les villes. Et, quand les citadins diminuèrent leur production domestique, les campagnes en conservèrent et en conservent encore la pratique.

En Irak, comme ailleurs, le pain acquiert une valeur exceptionnelle lors des guerres et crises majeures. Les périodes de l'embargo (1990-2003) et, plus tôt, de la guerre irano-irakienne (1980-1989) et de celle du Koweït (1990-1991) ont ainsi introduit un double changement. Jusqu'aux années 1970, la plupart des grands boulangers irakiens étaient d'origine iranienne ou afghane, mais les tensions perpétuelles avec l'Iran ont entraîné le départ ou plutôt la déportation de la majorité d'entre eux, remplacés alors par des Irakiens, qui n'avaient pas encore acquis leur agilité ni leur savoir-faire. De plus, la guerre avec l'Iran a appelé à la mobilisation des hommes sur le front, obligeant les femmes à réendosser, à leur domicile, la production ancestrale du pain et la charge de nourrir la population. En dépit des différentes guerres, crises et contraintes imposées par l'extérieur, il est rare qu'un procédé technique ait aussi bien résisté aux aléas de l'Histoire que celui du four à pain irakien, le *tannur* (four à bois, dit *tandoori* ailleurs au Moyen-Orient et en Inde). Il s'agit d'un four ayant la forme d'un cylindre creux (pareil à un immense pot de jardin renversé avec une large ouverture au sommet qui permet d'y introduire le bois, et dont le diamètre peut aller de 40 à 80 cm, voire davantage), composé principalement d'argile rouge séchée ou cuite. S'il a existé des *tannur* en fer dès le Moyen Âge dans certaines contrées sur le pourtour du bassin méditerranéen, ce n'est qu'à partir des années 1980 que les premiers *tannur* en fer ont été conçus et utilisés à grande échelle en Irak. Pour des raisons pratiques, le *tannur* en fer est posé sur une base mobile et est généralement chauffé au gaz ou à l'électricité. Bien qu'il arrive que le four soit en partie enterré, notamment dans certaines parties du Kurdistan irakien, le cas le plus fréquent est celui du *tannur* posé à même le sol. Sa taille est proportionnelle à son usage : il en existe des petits, moyens et grands, ces derniers étant principalement utilisés par les boulangers professionnels. De l'extérieur, le *tannur* est consolidé de part et d'autre par des briques superposées. Les boulangers et les maîtresses de maison se servent de ces consolidations comme plans de travail : d'un côté, ils déposent les galettes de pain à peine sorties du four et de l'autre est placé un récipient d'eau qui permet à la personne qui fait le pain de s'humidifier les mains. Sous le *tannur* se trouve un orifice (*al rewaj*) qui a une triple fonction : il sert à mettre le feu au bois placé dans le *tannur*, cet orifice créant également un appel d'air ; et lorsque le *tannur* est froid, il en facilite le nettoyage. Par ailleurs, la croyance populaire et religieuse conduit souvent à fixer sur les parois extérieures du *tannur* un morceau de miroir et des objets à connotation sacrée afin d'éloigner le « mauvais œil ». Les Arabes chiites irakiens bénissent quant à eux le four à pain en lui donnant le nom de *tannur al zahra* (surnom de Fatima, fille du Prophète, femme du premier imam chiite Ali et mère des deuxième et troisième imams, Hassan et Hussein).

Après le choix de la farine, préférée blanche, la femme ou le boulanger de la ville pétrit la pâte dans un récipient adapté selon les besoins. Ils y intègrent de la levure (aujourd'hui de fabrication industrielle venant la plupart du temps d'Europe ; la levure française est ici particulièrement appréciée), de l'eau et du sel. Après que la pâte a reposé entre deux à trois heures, elle est de nouveau travaillée, puis divisée manuellement en plusieurs morceaux (*shuga*, pluriel *shuneg*), lesquels sont déposés sur un plateau fariné et mis en attente le temps que le *tannur* préchauffe et que le bois devienne braises. Les parois intérieures et brûlantes du *tannur* sont alors nettoyées à l'aide d'un chiffon pour les débarrasser de la suie déposée par les cuissons précédentes. Chacune des boules de pâte est aplatie finement et vigoureusement entre les mains, prenant ainsi la forme d'une galette déposée et étirée sur une sorte de coussin (*moukhadeh*). Dans un dernier geste rapide, le boulanger ou la femme plaque le coussin surmonté de cette galette sur la paroi intérieure et préchauffée du *tannur*. Le pain cuit, ils le détachent rapidement des parois du four à l'aide de longues pinces appelées *masheh* (50 à 60 cm de longueur pour un *tannur* moyen), et évitent ainsi de se brûler. De plus et par mesure de précaution, ils couvrent généralement leurs bras de couches de tissu.

Les Irakiens, et surtout les Bagdadi, désignent la galette de pain (*khobz*) par diverses appellations, en fonction de sa taille et du degré de cuisson. L'on connaît par exemple le *taftouni* (mot d'origine persane) qui désigne une galette d'environ 15 cm de diamètre et de 3 à 4 mm d'épaisseur, ou bien le *mohamas*, qui signifie « le bien cuit », ou encore le *leyen*, qui pourrait se traduire par « pain tendre », façon polie de qualifier le pain qui n'aurait pas été suffisamment cuit. À côté de ce pain quotidien, les Irakiens produisent d'autres variétés selon les occasions, telles que *khobz 'oroug* (pain fourré avec de la viande hachée épicée mélangée à des oignons, de l'ail et du persil) ; *khobz al jeben* (pain au fromage auquel les Irakiens ajoutent parfois aussi du persil) et *khobz shaker* (pain sucré). Ces pains sont souvent consommés au « goûter ». Il y a également le *khobz al semsem* (pain au sésame) ; il s'agit du pain ordinaire auquel sont ajoutées des graines de sésame avant la cuisson au *tannur*. Les Irakiens, particulièrement les Kurdes, consomment une sorte de pain sec (sans mie) appelé *khobz regag* ou *khobz sadj*. Il s'agit de grandes galettes très fines cuites sur une plaque en fer chauffée par un feu placé dessous. Cette sorte de pain est surtout dégustée le matin.

Il existe d'autres types de pains, aujourd'hui plus répandus, de fabrication artisanale ou industrielle, ayant la forme d'un losange, appelé localement *samoun* (ce pain est conçu dans les villes, dans des fours à l'horizontale). Ce sont surtout les populations des grandes villes qui consomment les *samoun* chauds, particulièrement au petit déjeuner, qu'ils tartinent avec de la crème, le *guemer* (lait de buffle), et l'incontournable tasse de thé irakien, *jay*. Mais le *samoun* est aussi utilisé comme base à la réalisation des fameux chiche-kebab et autres sandwichs de la restauration rapide ou à emporter. Par ailleurs, le *samoun* irakien est aussi le reflet de la modernisation de l'industrie du pain, sans pour autant supplanter le *khobz* artisanal. Mais l'ouverture du pays vers le monde extérieur a permis d'introduire d'autres types de pains, comme le pain dit libanais (sorte de mini-galette connue au Liban et en Syrie et surtout consommée par les familles aisées). Depuis l'invasion américaine en 2003, le « toast » occidental a fait son apparition, mais, là encore, il est surtout réservé au petit déjeuner dans les quartiers aisés de la capitale. À l'inverse, des femmes irakiennes entourées de leurs enfants, peut-être curieuses de voir des patrouilles américaines sillonner les rues, offraient, de leur propre initiative ou à la demande de certains GI, de leur faire goûter du *khobz* chaud, tout juste sorti du *tannur*. Ce rapport aussi humain que surprenant n'a duré que deux à trois mois, jusqu'à ce qu'un fossé se creuse entre les Américains et la population irakienne. Celle-ci a fait preuve d'un attachement plus fort à son *tannur*, les Américains se sont rabattus sur leurs produits importés.

Il existe aussi en Irak un pain destiné à remercier des vœux qui se sont vus exaucés. Le plus répandu, particulièrement chez les chiites, est le *khobz al 'Abbas*. Au-delà de sa dimension sacrée et de son importance quotidienne, le pain en Irak, comme dans beaucoup d'autres sociétés, est aussi lié à la politique. Depuis des siècles, de nombreuses révoltes ont éclaté au nom du pain et de la justice sociale. Bien que le riz, les fruits ou les légumes soient des denrées importantes, il n'y a jamais eu en Irak de révoltes populaires revendiquant leur pénurie. Au contraire, tout au long de l'Histoire, les autorités successives ont toujours été amenées à contrôler la qualité du pain et surtout l'évolution de son prix, au point qu'il est arrivé qu'une « police du pain » ait été mise en place. Lorsque les Anglais ont envahi pour la première fois le sud de l'Irak en 1914, ils y introduisirent, entre autres, le gâteau. Ignorant la manière dont il convenait de le manger, les Irakiens l'enroulèrent dans des galettes de pain. En Mésopotamie, rien n'entre dans l'estomac sans pain.

Khobz al'Abbas. Selon le chiisme duodécimain, les deuxième et troisième imams avaient un demi-frère qui s'appelait Abbas. Les croyances populaires attribuent à celui-ci la capacité de satisfaire les vœux des croyants qui font appel à lui. Pour le remercier, les fidèles distribuent à leurs proches des dizaines de *khobz al'Abbas* qui contiennent souvent du persil, de la menthe et d'autres herbes.

Khobz al jeben. Pain au fromage auquel les Irakiens ajoutent parfois aussi du persil et souvent consommé, comme le *khobz 'oroug*, « au goûter ».

Khobz al semsem (« pain au sésame »). Galette ordinaire (voir *taftouni*) à laquelle sont ajoutées des graines de sésame avant la cuisson au *tannur*.

Khobz 'oroug. Pain fourré avec de la viande hachée épicée mélangée à des oignons, de l'ail et du persil.

Khobz regag. Les Irakiens, particulièrement les Kurdes, consomment une sorte de pain sec (sans mie) appelé *khobz regag* ou *khobz sadj*. Il s'agit de grandes galettes très fines cuites sur une plaque en fer et dégustées surtout le matin.

Khobz shaker. Variété de pain sucré, également consommé au « goûter ».

Leyen (« pain tendre »). Galette de pain (*khobz*), ainsi désignée lorsqu'elle n'a pas été suffisamment cuite.

Mohamas (« le bien cuit »). Variété de galette de pain (*khobz*) cuite dans le *tannur*.

Pain dit « libanais ». Mini-galette connue au Liban et en Syrie et surtout consommée en Irak par les familles aisées.

Samoun. Pain industriel, ayant la forme d'un losange, appelé localement *samoun* (conçu dans les villes avec des fours à l'horizontale).

Taftouni. La galette de pain (*khobz*) porte différentes appellations, en fonction de sa taille et du degré de cuisson. Le *taftouni* (mot d'origine persane) désigne une galette d'environ 15 cm de diamètre et de 3 à 4 mm d'épaisseur.

Hosham Dawod

• *Voir aussi :* Arabie saoudite ; Céréales sauvages aux premières formes domestiques (des) ; Iran ; Liban ; Mésopotamie ; Pain (définition universelle du) ; Péninsule Arabique ; Syrie ; Tannur ; Turquie

Bibl. : Eliyzhu ASHTOR, « Essai sur l'alimentation des diverses classes sociales dans l'Orient médiéval », *Annales ESC*, vol. 23, nº 5, 1968, p. 1017-1053 • Lucie BOLENS, « Pain quotidien et pain de disette dans l'Espagne musulmane », *Annales ESC*, vol. 355, nº 35, 1980, p. 452-476 • Toufic FAHED, « Matériaux pour l'histoire de l'agriculture en Irak : al-Filaha N-Nabatiyya », *Handbuch der Orientalistik*, vol. 6, Leyde, E. Brill, 1977 • *L'Épopée de Gilgamesh*, traduit de l'arabe et annoté par Abed Azrie, 2e édition Paris, Berg International, 1979 • Bernard ROSENBERGER, « Les pâtes dans le monde musulman », *Médiévale*, 1989, vol. 8, nos 16-17, p. 77-98 • Yves SCHEMEIL, « Déjeuner en paix : banquets et citoyenneté en Méditerranée orientale », *Revue française des sciences politiques*, vol. 48, nº 3, 1998, p. 349-375 • *Love at first bite*, *Timesonline Inside_Iraq_weblog*, 16 février 2008. (http://timesonline.typepad.com/inside_iraq_weblog/2008/02/love-at-first-b.html)

IRAN (traditions du pain en). – Le mot qui signifie « pain », *nân*, est issu de la langue pehlvi (iranien ancien) ; il devient *nkan* en arménien, *nikân* en pârsi, ou *nigân* ; il prend de nombreuses graphies dans les divers dialectes iraniens et se prononce *nun* à Téhéran. Le pain (*nân*) est comme dans beaucoup pays du monde, la base de la cuisine iranienne et cela depuis l'Antiquité ; il se définit dans les dictionnaires les plus anciens comme « un morceau de pâte fait de farine et cuit au feu ». Malgré le développement intensif de la culture du riz en Iran à la période moderne, et de sa consommation nationale, le pain reste la nourriture fondamentale, celle de tout le monde, et à cause de cela elle est largement subventionnée par l'État. Il n'y a guère que dans la plaine caspienne, au climat chaud et humide, que le riz supplante le pain comme aliment de tous les jours. À lire le dictionnaire persan du professeur Moïn (qui est un peu l'équivalent de notre Larousse), on constate qu'il est synonyme de nourriture, repas, subsistance, ressource, aussi bien que de richesse. On ne compte pas moins d'une cinquantaine de pains divers, ainsi que des centaines d'expressions utilisant le mot « pain ».

Dans les traditions de la table, le pain remplace les couverts, car, du fait de sa forme particulière (galette pouvant être d'une extrême finesse), on peut s'en servir, entre pouce, index et majeur, pour saisir les aliments (pour former une bouchée : *loqmeh*). Les nombreux pains varient selon les régions, les types de plats qu'ils accompagnent, et même les différents moments de la journée. Ils peuvent être cuits dans les villes à trois moments de la journée, car ils sont bien meilleurs frais. Ces pains peuvent être cuits dans divers types de fours (*tannur*). À la campagne, ceux-ci sont en terre cuite, enfouis dans des trous creusés à même le sol ; parfois de simples trous dans le sol. De nombreuses maisons possèdent et utilisent encore leur propre four, où les femmes cuisent leur propre pain. Les plus aisés utilisent les services de femmes qui viennent cuire le pain (*nân-e lavâsh*) à domicile, puis le font sécher pour l'entasser par dizaines de galettes dans de grands barils. Le combustible est le bois. Ces pains séchés sont aspergés d'eau avant d'être consommés, pour leur restituer leur tendreté. Dans les villes et les villages, chaque boulangerie (*nânvâ'i* ; *nânvâ = shâter = boulanger*) est spécialisée dans une seule sorte de pain et le combustible est ordinairement le naphte. Certains pains sont cuits à la maison sur le dos d'une forme de poêle en fer (*nân-e sâji*) placée au-dessus d'un feu.

Les pains les plus couramment consommés en Iran sont : le *nân-e lavâsh* (la plus fine galette, de simplement quelques millimètres d'épaisseur) ; le *nân-e tâftun* (galette légèrement plus épaisse, de 5 mm environ) qui accompagne parfaitement la plupart des ragoûts iraniens et en particulier l'*âb-e gusht*, le plat le plus populaire, qui correspond à notre pot-au-feu (de nombreux restaurants possèdent leur propre four et servent le *tâftun* tout chaud) ; le *nân-e barbari* (le plus épais, d'environ 1 cm) ; le *nân-e sangak* (« pain de petite pierre », d'une épaisseur moindre que le précédent et qui a la particularité d'être cuit sur un lit de graviers chauffés à blanc).

Parmi tous les pains cuits à la maison, on peut citer : le *nân-e âbi* ou *nân-e rowghani* (« pain de graisse »), fait de farine, d'huile, de purée d'oignons, parfumé à la cardamome, à l'eau de rose et au safran ; le *nân-e berenj* (« pain de riz »), fait de farine de riz, de sucre, d'huile et d'œuf ; le *nân-e behechti*, fait de fleur de froment, d'huile, de sucre et d'œuf ; le *nân-e jow* (« pain d'orge »), fait de farine d'orge ; le *nân-e khashkhâsh*, pain sur lequel on saupoudre avant cuisson des graines de pavot ; le *nân-e zorrat*, fait de farine de maïs ; le *nân-e siâh* (« pain noir »), pain complet ; le *nân-e silo*, fait de vieille farine ; le *nân-e shir-mâl*, pain au lait ; le *nân-e adas*, fait de farine de lentilles ; le *nân-e kamâj kamâj* (ou *kumâj kumâj*), pain fait de pois chiche pilé et de farine, badiane, huile et sucre, cuit dans une petite marmite en terre (appelée *kamâj*), au feu de bois ou de paille (on peut aussi utiliser de la farine de riz) ; le *nân-e kalâj*, sorte de halva ; le *nân-e gorji* (pain de Géorgie), galette de pain ronde et creuse en son centre ; le *nân-e lâku* (pain de Lâhijân, Guilân), pain de riz ; le *nân-e nokhodtchi*, petits-fours à base de farine de pois chiche.

Citons pour terminer cette présentation rapide quelques expressions proverbiales :

Nân-e xod-râ xordan va harf-e mardom-râ zadan : « manger son propre pain et médire d'autrui » (= médire gratuitement).

Nân dar âb zadan : « mouiller son pain » (= vivre péniblement).

Nân dar âstin xordan : « manger son pain dans sa manche » (= comble de l'avarice).

Nân dar tanur-e sard bastan : « cuire son pain dans un four éteint » (= agir vainement).

Nân-râ be nerx-e ruz xordan : « manger son pain au prix du jour » (= se montrer opportuniste).

Abî ou rowghani. Pain cuit à la maison, fait de farine, d'huile, de purée d'oignons, parfumé à la cardamome, à l'eau de rose ou au safran.

Barbari. Galette ovale, levée, striée sur le dessus, épaisse de 1 cm ou 2 selon les régions (750 g de farine de froment, 7 g de levure, une cuillerée de yaourt, 2 cuillerées de sel, 2 cuillerées à soupe d'huile, parsemé de graines de sésame ou d'oignon noir).

Kamâj kamâj (ou kumâj kumâj). Pain fait de pois chiche pilé et de farine, badiane, huile et sucre, cuit dans une petite marmite en terre (*kamâj*), au feu de bois ou de paille (on peut aussi utiliser de la farine de riz).

Lavâsh. Galette fine, faite de farine et d'eau, très peu levée naturellement, sans levure, cuite dans un four creux, plaquée sur les parois intérieures du four (*nân bastan*), le feu étant au centre.

Sangak. Galette oblongue faite de 120 g de farine de blé complet et de 350 g de farine blanche, de levure, d'eau et de sel. Après avoir levé, la pâte est étirée en l'air par le boulanger dans un geste rapide des deux mains, puis étendue sur un lit de graviers (*sang*) chauffés à blanc. Après cuisson, le pain garde dans sa surface la trace des graviers, sous la forme de petites alvéoles.

Tâftun. Galette légèrement plus épaisse que le *nân-e lavâsh* (5 mm environ) qui accompagne parfaitement la plupart des ragoûts iraniens et en particulier l'*âb-e gusht*, le plat le plus populaire, qui correspond à notre pot-au-feu (de nombreux restaurants possèdent leur propre four et servent le *tâftun* tout chaud).

Également :

Samosâ (les tribulations du). Samosâ nous vient de Perse, et plus exactement de la province d'Abadan, au sud de la Perse, mais ce petit friand a connu au fil des siècles d'extraordinaires tribulations : il s'agit sans doute de l'un des aliments qui a le plus voyagé dans le monde. Le *sanbusaj* (ou « samosâ ») était à l'origine une variété de *bûrak*, de forme triangulaire et frit. Le terme *bûrak* désignait en Perse diverses spécialités confectionnées avec une pâte à base de farine de blé et finement étalée, appelée *yufka* en Turquie, et farcies d'ingrédients divers avant d'être cuites – le plus souvent à grande friture. On pense que le samosâ a été exporté de la Perse vers l'Inde par les routes commerciales d'alors, qui passaient par l'Asie centrale. Le *sanbusaj*, plus tard prononcé *sambousak*, apparaît dans la littérature dès le IXe siècle, sous la plume lyrique du poète Ishaq ibn Ibrahim-al-Mausili. Des témoignages d'écrivains du XIVe siècle, comme le grand voyageur Ibn Battûta, ou des poètes de cour tels qu'Amir Khusrao, nous donnent des descriptions précises du samosâ d'alors : « Préparé avec de la viande, du ghee, des oignons », nous dit celui-ci, « viande émincée cuisinée avec des amandes, des pistaches, des oignons et des épices, placée dans une fine enveloppe à base de blé et cuite à grande friture dans le ghee », nous fait rêver le premier. Le samosâ gagna définitivement ses lettres de noblesse lorsqu'il fut répertorié dans un document majeur du XVIe siècle, le *Ain-i-Akbari*, rédigé sous le règne de l'empereur moghol Akbar, qui cite parmi les mets préparés avec une pâte à base de blé le *qutab*, « que les habitants de l'Inde appellent *sanbusa* ».

Lors de sa migration en Asie centrale, le samosâ prit deux formes différentes : le *sambosa* afghan, cuit à l'eau bouillante comme un ravioli, et le *samsa* ou le *sambusek* des républiques turcophones – cuit à grande friture ou, comme au Turkménistan, préparé à la vapeur. Ces *samsas* peuvent être garnis de viande d'agneau hachée, épicée et d'oignons, mais également de pois chiches, d'herbes, de tomates séchées… En Inde du Nord, le samosâ est petit et souvent garni de pomme de terre, tandis que dans l'Inde du Sud il est fabriqué à partir de farine de lentilles, et qu'au Bengale fleurit un samosâ sucré, parfumé à l'eau de rose. Les samosâs indiens sont de forme triangulaire ou conique et sont servis accompagnés de chutneys variés. À Singapour, si anglaise, les samosâs deviennent des *curry puffs*, des beignets de viande ou de légumes au curry. Les travailleurs indiens qui émigrèrent vers l'Afrique y apportèrent le samosâ, qui est devenu le roi des repas pris sur le pouce, et ce aussi bien en Afrique du Sud que dans des pays comme le Kenya, l'Ouganda ou Zanzibar. Mais, à partir de l'Inde, le samossa embarqua également pour les colonies et pays lusophones et devint le *chamuça* de Goa, du Mozambique ou du Portugal.

Revenons au point central d'où partit le samosâ : le sud de la Perse. Nous avons vu que ce modeste triangle frit parcourut une longue route vers l'Inde. Cependant, le samosâ rayonna de la même manière vers le Moyen-Orient, prenant de nom de *sambousak*, populaire jusque de nos jours dans tout le monde arabe. Le *sambousak*, parsemé de graines de sésame, est généralement farci de viande d'agneau épicée et d'oignons, mais il existe aussi sous forme d'un dessert exquis, le *sambousak bil loz* ou «*sambousak* aux amandes». Le premier est généralement façonné en demi-lune, tandis que le second est tourné en forme de rose, aux pétales croustillants et au cœur noyé d'amandes et d'eau de rose. En Irak et en Arabie saoudite, il n'est pas rare de garnir de dattes le *sambousak*. Curieusement, le samosâ sous toutes ses formes est extrêmement répandu dans le monde, et c'est dans le pays dont il est issu qu'il a progressivement disparu à partir de la fin du XVIe siècle, excepté dans la province du Larestan où a subsisté un *sambousak* aux noix.

Aujourd'hui, le samosâ se trouve partout et est revendiqué par tant de cultures que l'on ne sait généralement pas d'où il est issu. En Europe comme aux États-Unis, en Afrique comme en Asie, sans oublier l'Australie, le samossa (et son cousin le *börek*) nous offre un kaléidoscope de saveurs, de mémoires, de formes et de traditions. Ce mets millénaire et protéiforme est devenu l'un des aliments les plus répandus de la restauration rapide mondiale contemporaine ! Seuls les chasseurs d'ours de l'Arctique ne le connaissent pas encore, mais pour combien de temps ? [Myriam Daumal]

Christophe Balaÿ

• *Voir aussi :* Afghanistan ; Arabie saoudite ; Arménie ; Azerbaïdjan ; Émirats arabes unis ; Iraq ; Pains mondiaux ; Pakistan ; Tannur ; Turkménistan ; Turquie

Bibl. : Hélène BALFET, «Bread in some regions of the Mediterranean Area : a contribution to the studies on eating habits», *in* M. L. Arnott (éd.), *Gastronomy. The Anthrolology of Food and Food Habits*, Paris-La Haye, Mouton, 1975 • Hélène DESMET-GRÉGOIRE, «Les objets concernant le pain dans les collections du musée de l'Homme», Paris, *Objets et Mondes*, nº 20, fasc. 1, printemps 1980 • Hans E. WULFF, *The Traditional Crafts of Persia. Their Development, Technology and Influence on Eastern and Western Civilisations*, Cambridge (Mass.), The MIT Press, 1966.

IRLANDE (traditions du pain en). Le pain sans levure a été, depuis des temps très anciens, le pain commun en Irlande. Dans chaque ferme autrefois, et encore aujourd'hui, la maîtresse de maison confectionne ses miches de *soda bread* (*brown bread*) avec de la farine complète rustique. « Pain de seigle te fera du bien ; / Pain d'orge ne te fera pas de mal. / Pain de blé t'adoucira le sang ; / Pain d'avoine donnera de la force à ton bras. »

Si les pains d'avoine et d'orge minces et plats cuits sur une pierre plate chauffée dans le foyer étaient courants au début du Moyen Âge, les pains de farine de blé (plus rares) restaient réservés à l'alimentation des plus riches ou aux jours de fête. Façonnées comme un cercle à quatre quartiers ou *farls*, ces galettes d'avoine étaient ainsi faciles à couper. Le cercle divisé en quatre quartiers symbolise l'année et les quatre saisons, mais aussi le monde et les quatre points cardinaux. Ces pains figurent sur les grandes croix du haut Moyen Âge. Avec l'amélioration des techniques de mouture, aux XVIIe et XVIIIe siècles, la production de farine plus fine a permis la confection de pains et de gâteaux blancs, gâteaux et galettes d'avoine ou d'orge restant populaires dans toutes les régions pauvres du pays (sud, ouest et nord).

L'extraordinaire développement de la pomme de terre, introduite en Irlande en 1585, supplanta bientôt ces premiers aliments et fait depuis office de pain lors des repas.

De tout temps, la levure de bière fut utilisée comme agent de fermentation, mais aussi le jus fermenté des balles d'avoine, *sowan*, puis le jus de pomme de terre aigri. L'introduction de levures chimiques fiables au XIXe siècle, notamment le bicarbonate de soude, dit « soude du pain » (*bread soda*), qui réagit au babeurre (*buttermilk*) en aérant la pâte, ainsi que l'usage des « pots-fours » rendirent possible la production des pains levés à ceux qui opéraient à foyer ouvert. L'absence de four mural bâti est notoire et, même s'il existe, le pain est traditionnellement cuit dans le foyer ouvert : la méthode la plus archaïque consistant à poser la pâte directement ou enveloppée dans de grandes feuilles de chou sur les braises ou en chauffant les pierres plates avec les braises de tourbe avant d'y placer la pâte. La méthode la plus commune demeure l'utilisation d'une plaque de fonte circulaire, puis, à partir du XIXe siècle, d'un « pot-four » suspendu sur le feu ou posé sur un trépied, dont le couvercle s'ajuste en creux, de sorte que les braises de tourbe peuvent être placées dessus. Le *soda bread* devient alors le pain quotidien de l'Irlande tant rurale qu'urbaine. En toutes occasions festives, il est enrichi de fruits secs, œufs, beurre et épices ; accommodement qui, depuis des siècles, transforme le pain en gâteau. Raison pour laquelle les termes « pain » et « gâteau » sont utilisés indifféremment. L'évolution de la vie urbaine, au XXe siècle, voit le développement d'usines de pains blancs et bruns prétranchés industriel dits « pain à toasts ». Mais la recherche d'une alimentation dite naturelle ou authentique remet de nos jours au premier plan le pain brun fait de farine complète.

Meilleur talisman contre la famine, le pain était objet d'une extrême considération : le gaspiller ou le traiter irrespectueusement portait malheur – le reste de pâte gardée d'une fournée pour la suivante était appelé dans certaines régions « pain bénit ». Deux croûtes de pain au lieu de pièces étaient placées sur les paupières closes d'un *tinker*, ou itinérant, décédé. Le voyageur ne partait jamais sans une croûte dans sa poche de peur de tomber sur « l'herbe de la faim » (*hungry grass*), censée pousser sur l'emplacement d'une tombe « non marquée ». À Beltene/May Day, au début de l'été, période culminante des rituels funéraires magiques, on cuisait des gâteaux que l'on offrait aux morts ou donnait aux mendiants au nom des morts. À Samain/Halloween, nouvel an celtique et début de l'hiver, célébré la nuit du 31 octobre au 1er novembre, on laissait toujours du pain et de l'eau au bord du foyer ou sur la table de la cuisine pour encourager les morts à retourner chez eux. Enfin c'était la coutume de cuire des pains spéciaux ou « gâteaux de farine blanche » lors des veillées funèbres, pour accompagner viande, boissons et pipes de tabac offertes à ceux qui se rassemblaient dans la maison du défunt pour y passer la nuit et divertir le mort.

Le pain était de tous les rituels festifs. La fête de Samain était la plus importante de l'année pour les Gaëls d'Irlande et Halloween en a recueilli l'héritage. Un repas rituel rassemblait famille et voisins, non plus autour des galettes remplacées par les pommes de terre, mais du *colcannon* traditionnel (purée de pommes de terre, chou et/ou oignons, crème fraîche, beurre), ou de galettes de pommes de terre appelées *bacstai* (irl.) ou *boxty bread* (*boxty* ou *sowan*, nom des anciennes galettes d'avoine, preuve de la substitution, en Ulster ; *rasp* en Leinster ; *stampy* en Munster et crêpe, *pan cake*, en Connaught). Autre mets traditionnel d'Halloween : le *barmbrack*, pain aux fruits confits. Pour célébrer l'été, les moissons, la fin du travail le dimanche, avait lieu la « danse du gâteau » qui remonte à des temps très anciens. Une galette d'orge ou d'avoine, plate et ronde sans levain ou encore une miche avec des raisins étaient confectionnées. Aux meilleurs danseurs revenait l'honneur de « prendre le gâteau » posé en évidence et recouvert d'un linge, et de le partager ensuite entre amis.

Barmbrack. Pain de fêtes, notamment Halloween, et d'occasions. C'est légitimement un pain d'épices. Sorte de pudding aux raisins secs, mais où l'on peut mettre tous les fruits secs ou frais et épices dont on dispose. On cache dedans un ou plusieurs symboles pour le rituel de divination qui a lieu pendant la soirée ; s'il n'y en a qu'un, c'est l'alliance, considérée comme présage de mariage pour celui qui la trouve.

Boxty bread. Galettes d'avoine devenues galettes de pommes de terre.

Gingerbread (« pain au gingembre »). Connu depuis le XVIe siècle, c'est un pain enrichi de fruits secs, œufs, beurre et épices.

Scones et pains au babeurre. Élément indispensable, le *butter milk* (anglais), « lait ribot » ou « lait caillé », était préparé chez soi lorsque chaque ferme avait ses vaches à traire. On peut en faire avec du lait cru à 35°, de la levure fraîche réduite en poudre et du sucre (même quantité, 25 g pour 1 l de lait), et laissé deux jours couvert à température ambiante.

Soda bread, dit brown bread. Décliné de toutes les manières, le *soda bread* est aujourd'hui le pain irlandais par excellence. C'est un pain complet sans levure, avec du bicarbonate de soude et du babeurre. Fait à la maison dans tout le pays, c'est le pain quotidien qui se mange frais, car il est toujours meilleur le premier jour.

Véronique Guibert de La Vaissière

• *Voir aussi :* Calendrier celte et rites céréaliers ; Grande-Bretagne ; États-Unis ; Levure de boulanger ; Pains mondiaux

Bibl. : Kevin DANAHER, *The Year in Ireland*, Cork, Mercier Press, 1972. – ID., *In Ireland Long Ago*, Cork, Mercier Press, 1977 • E. Estyn EVANS, *Irish Folk Ways*, Londres, Routledge & Kegan Paul, 1957. – ID., *Irish Heritage*, Dundalk, Dundalgan Press, 1967 • Theodora FITZGIBBON, *A Taste of Ireland*, Londres, Pan Books Ltd, 1968 • Véronique GUIBERT DE LA VAISSIÈRE, *Les Quatre Fêtes d'ouverture de saison de l'Irlande ancienne*, Crozon, Armelines, 2003 • Bríd MAHON, *Land of Milk and Honey*, Boulder (Col.), Mercier Press, 1998.

IRTAC (Institut de recherches technologiques agroalimentaires des céréales). – Association loi 1901 regroupant tous les acteurs des filières céréalières françaises (producteurs, organismes de stockage, industries de première et deuxième transformation, semenciers, firmes phytosanitaires, laboratoires d'analyses). Ses deux missions principales sont la réalisation tous les ans d'un plan de surveillance des principaux contaminants de ces filières et la coordination de projets de recherche.

Catherine Peigney

• *Voir aussi :* AGPB ; ARVALIS ; BPMF ; Céréaliers de France ; CIC ; CRC ; France Export Céréales ; GEVES ; GNIS ; ONIGC ; ORAMA ; Passion Céréales

ISIDORE DE SÉVILLE, saint (entre 560 et 570-636). – Religieux espagnol du VIIe siècle, il fut évêque métropolitain d'Hispalis (l'actuelle Séville), une des principales villes du royaume wisigothique, entre 601 et 636. Son œuvre majeure est *Étymologies*. Elle propose une analyse étymologique des mots. Isidore rendit compte de l'ensemble du savoir antique et d'une culture classique en voie de disparition. Son livre eut une immense renommée et connut plus de dix éditions entre 1470 et 1530, illustration d'une popularité continue jusqu'à la Renaissance. Enfin, elle joua un rôle considérable dans la constitution du bestiaire médiéval, notamment par le livre XI des *Étymologies*, « *De homine et portentis* » (« L'homme et les monstres ») et par l'examen qu'il fit des métiers de bouche, dont celui des boulangers. Canonisé en 1598, saint Isidore fut déclaré docteur de l'Église en 1722. Il est fêté le 4 avril.

Olivier Pascault

• *Voir aussi :* Antoine, saint ; Aubert, saint ; Fête-Dieu ; *Fractio panis* ; Honoré, saint ; Lazare, saint ; Miracles christiques ; Miracles eucharistiques ; Saint-Nicolas

Bibl. : Régine PERNOUD, *Les Saints au Moyen Âge*, Paris, Plon, 1984 • Gaston DUCHET-SUCHAUX, Michel PASTOUREAU, *La Bible et les saints, Guide iconographique*, Paris, Flammarion, Paris, 1990.

ISIS ET OSIRIS. – Considéré comme le « Maître du Tout », Osiris est, aux origines de l'Égypte, le dieu de la végétation et de l'agriculture avant de devenir celui des morts, assumant la double fonction de protecteur et de juge du défunt. Avec son épouse et sœur Isis, ils incarnent l'archétype du couple divin de l'époque pharaonique : à eux deux, ils transmettent aux hommes le culte, les lois mais aussi l'art de cultiver. C'est justement ce pouvoir et cette aura qui leur attirent les foudres de leur frère Seth. Leur rival choisit d'éliminer Osiris en l'enfermant, par ruse, dans un cercueil et de le jeter dans le Nil, qui l'emporte jusqu'à la Méditerranée. Isis finit par retrouver son époux en Phénicie et le ramène en Égypte. Mais Seth s'obstine et démembre le corps de son frère honni en quatorze morceaux, les disséminant dans toute l'Égypte. Isis et sa sœur Nephtys vont alors s'unir pour reconstituer le corps du dieu martyr. C'est encore la déesse, en épouse fidèle, qui parvient à redonner vie à Osiris et à donner naissance à leur fils Horus. Enfant de la lumière renaissante mais aussi « Vengeur de son père », celui-ci finira par gagner la bataille sur son oncle félon. Ce mythe d'une vitalité exceptionnelle – il rayonnera dans tout le monde antique et fera l'objet d'un culte à mystères – renferme une puissante symbolique de mort et de renaissance liée aux cycles des saisons, à la crue du Nil et à la dimension profondément agraire de l'Égypte. L'opposition entre les « frères ennemis » traduit l'affrontement séculier pour conserver le sol fertile face à l'envahissement du désert. Quant au démembrement du corps d'Osiris et à sa dissémination dans tout le pays, ils sont l'expression d'un rite de fertilisation du sol : « Je vis, je meurs : je suis Osiris. / Je pénètre en toi et je réapparais à travers toi ; / J'ai grandi en toi ; les dieux vivent de moi parce que je vis et je croîs dans le blé qui les soutient. Je couvre la terre ; / Je vis, je meurs, je suis orge, je ne péris point » (*Textes des sarcophages égyptiens du Moyen Empire*, trad. Paul Barguet, Paris, Le Cerf, 1986).

C'est ainsi que chaque année, lorsque les eaux de l'inondation se retiraient après avoir déposé leur limon sur les berges du Nil, un rite singulier se déroulait dans la ville d'Abydos, épicentre du culte d'Osiris. Plutarque rapporte qu'on plaçait dans un coffre de bois de la terre et du limon provenant de l'inondation et que l'on y plantait des graines, l'ensemble symbolisant le corps du dieu assassiné. Puis on pleurait sa mort trois jours et trois nuits. De leur côté, les fidèles façonnaient trois figures d'argile à l'effigie du dieu – une pour le corps mort, la deuxième pour le corps reconstitué et la dernière pour le corps ressuscité – et y plantaient des grains de blé et de la pâte de légumes puis les déposaient sur un lit. Quelques jours plus tard, les statuettes de terre s'étaient métamorphosées en petits « espaces verts » où l'on devinait encore les contours du « Premier des Occidentaux » (les morts). La mort sacrificielle d'Osiris, dieu-racine pour les Égyptiens, et sa renaissance, la chair aussi verte que la végétation nouvelle, célébrait le mystère de la création originelle sans cesse renouvelée. Le « Souverain de l'éternité » ressurgira dans l'histoire du monde par des voies singulières : alchimie médiévale, hermétisme florentin et jusqu'aux rites maçonniques de *Memphis-Misraïm*, obédience créée au XVIIIe siècle par Cagliostro.

Florence Quentin

• *Voir aussi :* Calendriers et mesure du temps ; Déméter et Perséphone ; Égypte ; Épi (symbolique de l') ; Fermentation (approche anthropologique de la) ; Franc-maçonnerie ; Grain et graine ; Levain (symbolique du) ; Terre-Mère primordiale ; Théologie du pain

ISRAËL (traditions du pain en). – Depuis les temps bibliques et jusqu'à nos jours, le pain est omniprésent en Israël. Tout se mange avec du pain, l'aliment primordial. L'action même de manger est synonyme de « se nourrir de pain ». On utilise du pain pour « éponger » une soupe de *houmous* (pois chiche), de *tehinah* (sésame), de *foul* (fèves) et même une soupe de… blé (*hitah*) ! Ainsi, le dicton talmudique adressé jadis aux Babyloniens : « Y a-t-il au monde plus stupide qu'un Babylonien ? Non ! Pourquoi ? Parce qu'il mange du pain avec du pain ! » se retourne aujourd'hui contre les Israéliens. Ces derniers d'ailleurs ne s'en offusquent point. Bien au contraire ! Ils en sont fiers. Ils se targuent même d'être des « adorateurs de pain », au sens sacral du terme ! Et quelle torture pour eux que la fête de Pâque, où sept jours durant ils sont privés de leur mets national et doivent se contenter de *matsot*, galettes « azymes » (sans levain) fades et sans sel. Aussi, dès la tombée de la nuit marquant la fin de la Pâque, ils se précipitent tous pour investir les boulangeries et vider les paniers remplis de nouveau pain croustillant et gonflé de *hamets* (levain).

Un repas sans pain, si copieux et festif soit-il, n'est d'ailleurs pas considéré comme un véritable repas. Il est donc dispensé de toute bénédiction ou encore de l'ablution rituelle des mains. En revanche, cette ablution est considérée comme obligatoire avant toute consommation de pain. Du reste, c'est ce manquement au rituel que déjà les pharisiens reprochaient à l'époque aux disciples de Jésus : « Pourquoi tes disciples transgressent-ils la tradition des Anciens ? Ils ne se lavent pas les mains avant de manger du pain ! » Et Jésus de leur rétorquer : « Ce n'est pas ce qui entre dans la bouche qui souille l'homme, mais ce qui en sort !... mauvaises pensées, crimes, adultères, prostitution, vols, faux témoignages, blasphèmes, voilà ce qui souille ! Mais manger avec des mains non lavées ne souille pas ! » (Matthieu XV, 1-20).

En dépit de cet enseignement de Jésus, cette obsession rituelle s'est perpétuée deux mille années plus tard, dans l'état hébreu moderne. Ainsi peut-on voir à Jérusalem les clients de restaurants, des plus chics, faire la queue devant l'évier des toilettes ! Ou encore un soldat de Tsahal, au beau milieu des combats, sort sa gourde non pour se désaltérer, mais pour se rincer les mains avant d'ingurgiter sa ration de pain ! Le pain a donc conservé, même chez les laïcs, son caractère sacré. Même lors d'un repas d'affaires, il est assez courant de voir un des messieurs « rompre » symboliquement un gros pain rond puis le distribuer aux autres convives, non sans l'avoir préalablement trempé dans la salière. Ou encore des P-DG, en smoking et attaché-case, ramasser une miette de pain tombée à terre, la porter aux lèvres en un simulacre de baiser, avant de la déposer dans la pochette à lunette de la veste. Ces scènes cocasses de sacralité désuète vis-à-vis du pain ont déjà étonné plus d'un touriste fraîchement débarqué en Terre sainte.

Mais le pain n'est pas uniquement associé au rituel sacré du repas ou au cérémonial solennel du sanctuaire de Jérusalem où deux pains étaient déposés devant l'Arche d'Alliance de Yahweh. Il s'est ainsi effectué dans l'Israël moderne une systématique récupération profane des versets bibliques du temps de l'antique royaume du roi David, tels que « À la sueur de ton nez [traduction littérale du verset biblique : *nez* et non *front*], tu mangeras du pain » ; « L'être humain ne vit pas que de pain » ; « Pain de misère » ; « Pain de larme ». Toutes ces expressions sont en usage dans l'hébreu moderne, quoique pas toujours à bon escient. Aussi n'est-il pas rare d'entendre un ouvrier du bâtiment se plaindre de ce que son employeur l'ait rétribué d'un salaire de « pain de pauvreté », alors que l'expression à l'origine désignait un gros pain fait de farine d'orge, considéré (à tort ?) moins riche et moins noble que le froment. Pour assaisonner ce gros pain d'orge, les indigents le trempaient dans du vinaigre (cf. le livre de Ruth II, 14), alors que les plus nantis l'imbibaient d'huile d'olive. Le langage hébreu semble d'ailleurs s'articuler autour de cette substance magique qu'est le pain. Ainsi le mot « pain » est forgé à partir de la racine LHM, une des originalités de la langue hébraïque étant la formation de mots à partir de racines triconsonantiques, tandis que les voyelles étaient inexistantes à l'origine. Or cette même racine LHM veut aussi dire « chair » ou « corps » ! Ce qui explique la sentence prononcée par Jésus (né selon la tradition, comme son aïeul le roi David, à Bethlehem en Judée – à distinguer de Bethlehem en Galilée ; or il est remarquable que Bethlehem signifie en hébreu « maison du pain ») lors de la Cène après avoir rompu le pain : « Ceci est mon corps ». Ses disciples étaient à l'époque loin de se douter que des exégètes malintentionnés (et ignorants des subtilités de la langue hébraïque) y verraient ici un ersatz d'anthropophagie ou, pis, de nécrophagie. En réalité, pour Jésus et ses disciples, ce n'était là qu'un jeu de mots, un calembour si l'on veut, entre les deux significations du mot LHM : « pain » et « chair ». Nous devrions donc dire au sujet de l'hostie non pas *Corpus Christi* mais *Panis Christi*.

Sur cette racine LHM s'est aussi formé le substantif « guerrier ». On fait la guerre pour un morceau de pain, pour un lopin de terre semé… de graines de céréales évidemment. Pour un Hébreu, la dispute vitale pour du pain peut donc dégénérer en violents combats, en lieux de carnage (pain = chair = carne) par excellence. Mais ce n'est pas tout. L'obnubilation autour du pain a provoqué la permutation (désignée sous le mot savant de « métathèse » en linguistique) des consonnes de la racine LHM :

MLH = sel ; n'est-il pas impensable de manger du pain sans sel ?

HLM = fantasme ; lorsqu'il a faim, un Hébreu ne fantasme-t-il pas sur du pain ?

HML = miséricorde ; ne faut-il pas être miséricordieux à l'égard de ceux qui manquent de pain ?

MHL = pardon ; ne devions-nous point implorer le pardon du quidam avec qui nous n'avons point partagé notre pain quotidien ?

Depuis la période néolithique, les céréales ont été l'alimentation de base dans toute la région de *Qedem* (littéralement « le Levant »), c'est-à-dire au pays de Canaan, de l'antique Israël et de la Phénicie (l'actuel Liban). Des graines d'orge et de blé ont été retrouvées lors de fouilles archéologiques, et le célèbre botaniste Aharon Aharonson a cru découvrir en 1906, dans la contrée de Haute-Galilée, ce qu'il nomma « la mère du blé », c'est-à-dire la graine rustique à partir de laquelle s'est développé l'épis de blé à double graine, cultivé sur toutes les étendues limitrophes au bassin méditerranéen. La culture des céréales (non seulement blé et orge, mais aussi avoine, seigle et une variété rustique du sarrasin) dépendait uniquement des précipitations. D'ailleurs des incantations au Baal, le dieu de la pluie et de la tempête dans le panthéon hébreu prémonothéiste, étaient prononcées au début de l'automne, saison des semis. Moins de 200 mm de pluie durant la période s'étalant sur six mois (du semis à la récolte) compromettait dangereusement le rendement. Par contre, une prière particulière était destinée à la déesse Anat, l'épouse du dieu Baal, pour qu'elle intervînt auprès de son époux afin de faire cesser toute pluie, cause de la verse qui empêchait les récoltes et l'engrangement.

Certains exégètes de la haute critique biblique, tels que Julius Wallhausen, y ont même vu là l'origine de la fête de Pâque au printemps (*aviv*, fauchage des premières gerbes d'orge) et de celle, cinquante jours plus tard, de la Pentecôte (*penta costa*, « décompte des 50 »), appelée encore en hébreu *shevouot* (« fête des sept semaines »), réservée au fauchage des premières gerbes de blé, moins précoce que l'orge. Ces fêtes bibliques, dédiées à Yahweh, le dieu exclusif et jaloux du monothéisme judaïque, supplantèrent peu à peu les anciens rites de végétation du polythéisme hébraïque originel. Jusque de nos jours, nous en retrouvons des réminiscences dans les kibboutz (collectivités agricoles). Lors des fêtes de la Pâque et de la Pentecôte, de jeunes éphèbes couronnés d'épis et juchés sur des bottes de paille ou sur des remorques de tracteurs ornés de gerbes, chantent et dansent, en tenant dans leurs mains des offrandes de la terre. Évidemment, si les autorités religieuses rabbiniques savaient l'origine de ces « innocentes » cérémonies et processions agricoles, elles les auraient fait interdire. Mais elles sont si ancrées dans les coutumes israéliennes que le judaïsme officiel ne veut voir ce qu'il devrait y voir : un pur atavisme païen !

En dépit de leur prestigieux passé agricole (« pays où coule le lait et le miel » ; il est à noter que ce verset biblique ne parle pas du tout de lait et de miel du règne animal, vache ou abeille, mais de ceux du règne végétal, froment et datte), les céréales sont considérées dans l'État d'Israël moderne comme le parent pauvre de l'agriculture locale. Les 80 000 hectares cultivés avec un rendement total de 200 000 tonnes (lors des années « grasses », alors qu'il se réduit telle une peau de chagrin à environ 40 000 tonnes lors des années « maigres ») ne suffisent plus à l'autosubsistance, bien que l'arrosage artificiel y ait été partiellement introduit pour la culture du blé (l'orge étant restée une culture uniquement dépendante des précipitations). La majeure partie de la farine et de la semoule consommées vient de blé importé, surtout des États-Unis et de l'Égypte, « pays de servitude où tu n'iras plus quémander ta pitance ». La prophétie biblique ne s'est donc pas réalisée : Israël n'est plus le grenier de la région. Dans les silos des ports de Ashdod et Haïfa sont engrangées de substantielles réserves de graines pour prévenir tout besoin en cas de pénurie ou même de guerre (toujours éventuelle) avec l'Égypte, et qui impliquerait un embargo céréalier.

Néanmoins, la consommation de pain ne fait qu'augmenter en Israël d'année en année, et des boulangeries, pâtisseries et autres viennoiseries à la mode française font leur apparition, remplaçant les anciens fournils de quartier où les habitants apportaient leurs boules (*kikaroth*) de pâte à pain et leurs *haloth* juste avant l'entrée du jour de repos du shabbat. Chaque boule était marquée d'initiales pour éviter les confusions, mais il n'était pas rare de voir des femmes se disputer « le pain de discorde ». Cette coutume de pétrir soi-même la pâte pour le pain du shabbat demeure néanmoins, surtout parmi les familles religieuses pratiquantes, quoique le four moderne domestique y ait remplacé le *tannur* du « faiseur de pain de quartier ».

Halah. Grand pain allongé en forme de natte tressée ; la pâte est souvent recouverte de jaune d'œuf afin d'octroyer à la croûte un aspect luisant en l'honneur du shabbat. Cette coutume, ashkénaze à l'origine, est devenue l'apanage de tous, quoique les puristes séfarades la considèrent comme une hérésie et une atteinte à la sainteté du pain sabbatique. Son goût est plus doux que la *pitah* du fait d'une quantité plus conséquente de levain dans la pâte.

Kikar. Grosse boule de pain à la croûte épaisse et avec des arêtes bien brûlées au four. La mie est aérée et ressemble à un gruyère. C'était à l'époque un pain campagnard à rompre et à partager entre les ouvriers agricoles. Aujourd'hui, c'est le pain préféré des adeptes « écolos ».

Lahmaniah. Littéralement *petit pain* en hébreu. C'est le pain préféré des jeunes, écoliers et écolières, de par sa consistance croustillante, sa petite taille adaptée aux cartables, sa mie blanche et son aptitude à devenir le « sandwich à tout fourrer » : fromage, tomate, *houmous*, etc. Il est aussi utilisé comme croque-monsieur pour un *naknik* (saucisse de mouton ou de veau, mais non de porc).

Pitah. Petit pain rond et assez plat ; pratiquement dénué de croûte. Sa fabrication encore artisanale, rapide et facile en a fait le pain domestique par excellence. La pâte était à l'époque cuite dans un four de terre ou de brique, en la plaquant sur les parois brûlantes ; ou encore, aplatie sur un demi-disque en fer rougi par des charbons ardents lui octroyant son arôme de brûlé et sa couleur blanchâtre cendrée. Cette méthode rudimentaire est encore utilisée, quoique peu à peu évincée par la cuisson dans les fours électriques modernes et la grande fabrication industrielle. Il est déconseillé de manger ce pain lorsqu'il est trop chaud car alors la mie colle au palais ; à l'opposé, une *pitah* tiède puis réchauffée a une consistance peu élastique trahissant son peu de fraîcheur. Il faut donc la manger à point et c'est là tout un art pour les connaisseurs.

Reqiq. Littéralement, « crachat », « glaire », etc. Cette étymologie bizarre et peu ragoûtante trahit en vérité l'aspect particulier et la consistance « glaireuse » de ce petit pain imbibé d'huile comme un beignet (non sucré). Dans la Bible (Lévitique II, 4-7), on peut trouver l'expression « reqiq oint d'huile ». Or le terme hébreu pour « oint », est *mashiah*, c'est-à-dire *messie* (voir David ou Jésus en tant que « oint du Seigneur »).

David André Belhassen

• *Voir aussi :* Bethléem ; *Corpus Christi* → Fête-Dieu ; Égypte ; Égypte (Sortie d') ; Eucharistie ; Hallah, manne, pains de proposition ; Hostie ; Matsah et hamets ; Miracles christiques ; Miracles eucharistiques ; Moulin mystique ; Museum der Brotkultur ; Palestine ; Si le grain tombé en terre ne meurt ; Théologie du pain

Bibl. : David A. BELHASSEN, « En quelle langue Jésus enseignait-il à ses disciples ? », *Cadmos*, n° 3, Charleville-Mézières, 2003 • *Encyclopédie judaïque*, article « Pain », éd. 1970, Israël • *Encyclopédie biblique*, article « Pain », éd. 1970, Israël • La Bible, traduction du Grand Rabbin Zadoc Kahn, édition du Consistoire rabbinique de France, 1899 • Sœur Jeanne d'Arc, *Les Évangiles Les Quatre*, Paris, Desclée de Brouwer, 2005.

ISSUES. – Produits autres que la farine obtenus au cours de la mouture des céréales : sons, remoulages, farines basses, recoupes, recoupettes, rebulets, repasses, fleurages, etc., et représentant environ 25 % de celle-ci (Rivals 2000).

Jean-Pierre Henri Azéma
et Roland Feuillas

• *Voir aussi :* Farine basse ; Fleurage ; Meule ; Mouture ; Remoulages ; Son

Bibl. : Claude RIVALS, *Le Moulin et le meunier. Une symbolique sociale*, Portet-sur-Garonne, Empreinte, 2000.

ITALIE (traditions du pain en). – La tradition du pain en Italie trouve son origine d'abord dans l'histoire romaine. Pour les Romains, l'aliment de base est le *puls*, une sorte de bouillie de froment. Mais ils aiment aussi le pain : le matin, ils le trempent dans le vin ; à l'heure du déjeuner, ils le mangent avec des légumes et des olives ; leur dîner se résume à des pommes accompagnées de pain. Dans la tradition romaine, la cérémonie du mariage s'achève par le rituel de la *confaerratio*, lequel consistait à porter un pain ou une fougasse d'épeautre devant la fiancée une fois les noces célébrées. C'est à Rome qu'apparaissent les premiers fours publics, à l'époque de l'empereur Auguste, en 168 de notre ère. Ils sont environ quatre cents. Les Romains utilisent deux types de levure : une levure préparée à partir d'un mélange de millet et de vin doux fermenté pendant une année, et une levure issue du froment macéré trois jours dans du vin doux et séchée au soleil. Celui qui prépare les farines à partir des grains est le *pistor*. Son nom évoque l'action de pilonner le blé dans un mortier, ce à quoi les boulangers s'emploient. *Pistor* sert alors à désigner meuniers et boulangers. Ce nom est encore vivant dans plusieurs dialectes italiens. Ce sont les Romains qui introduisent la production des aliments à la chaîne : ils confectionnent de cette manière, par exemple, le *panis nauticus*, un pain pour les marins qui doit être nourrissant et pouvoir se conserver ; le *panis militaris* pour les soldats ; le *panis rusticus*, c'est-à-dire le pain de campagne, etc. Plusieurs lois en faveur de l'alimentation du peuple sont promulguées : la *lex Sempronia frumentaria*, par Caio Gracco en 123, et la *lex Clodia*, soixante-cinq années après, lesquelles garantissent un prix du blé taxé. L'État romain contribue ainsi, sous la forme de *frumentationes*, à maintenir la paix publique. On distribue à Rome, à l'époque d'Auguste, quelque deux cents tonnes de blé par an. Pendant les invasions barbares, l'art boulanger semble disparaître et les seuls lieux où on continue à faire du pain sont les monastères, et ce jusqu'au Moyen Âge. Au XIIIe siècle, les feudataires imposent à leurs vassaux de lourds impôts et des corvées, parmi lesquelles l'obligation de cuire le pain dans des fours qui leur appartiennent. Ce sont des siècles de carence de toutes sortes, d'épidémies et de famine, en Italie comme dans le reste de l'Europe. Une crise alimentaire lancinante qui conduira, vers la fin du XVIIIe siècle, aux soulèvements populaires.

Évolution des mœurs et innovations culturelles favorisent l'introduction, dans le monde de la boulangerie italienne, des premières ruptures. Dès 1630, afin d'accélérer la fermentation de la pâte, on fait usage de levure de bière. Un siècle plus tard, l'agriculture commence à utiliser des fertilisants chimiques qui favorisent de meilleurs rendements. Mais ces progrès ne suffisent pas à satisfaire une exigence de pain toujours plus grande. En juillet 1868, l'État décide d'imposer la farine et le sel, imposition qui touche d'abord les paysans et les ouvriers, le sel étant alors le seul moyen de conserver la viande. C'est le prélude aux révoltes de la fin du XIXe siècle, enclenchées par une suite de récoltes maigres, d'inondations, de guerres et les augmentations des prix qui s'ensuivent. C'est l'époque ou certains Italiens, éreintés par la pauvreté, commencent à émigrer aux États-Unis, au Brésil et en Argentine. Mais ces difficultés économiques qu'affrontent les plus démunis sont aussi à la source des mouvements ou révoltes politiques : au cours d'une insurrection pour le prix du pain à Milan en 1898, les canons tuent quatre-vingts personnes. Pour venger ces morts, un anarchiste tire sur le roi Umberto Ier et le tue.

Pendant la Première Guerre mondiale, le pain est rare sur la table des Italiens et le fascisme aura beau jeu d'exalter le thème de la fécondité de la terre : c'est la prétendue « bataille du blé ». La reprise de l'économie italienne passe par une relance de l'agriculture. Mais il faut attendre 1956 pour que soit votée la première véritable loi encadrant le monde de la boulangerie : c'est la « loi 1002 », qui lui confère un statut semi-corporatif, dispositif législatif complété en 1967 et 1998 par une réglementation sur les farines et les produits de la boulangerie. En 2006, par le *Decreto Bersani* (nom du ministre Pierluigi Bersani qui en est l'auteur), l'État libère définitivement le commerce de la boulangerie.

Long cheminement pendant lequel différentes traditions se sont développées, en fonction des terroirs, de l'évolution des mœurs et des usages, des événements et les besoins des populations. Il y a en Italie environ trois cents types différents de pain. C'est une caractéristique unique au monde. Chaque région, chaque ville, même chaque village a son pain. Cette formidable créativité tient en partie à la diversité du territoire italien et des traditions qu'il a engendrées. Les différences entre le Nord et le Sud sont également remarquables : petites pièces au nord, grandes pièces au sud ; blé tendre, seigle ou maïs au nord ; blé dur et autres céréales au sud. Sans parler des présences et dominations étrangères qui ont laissé leur empreinte. On peut plus précisément distinguer trois grandes aires géographiques – le Nord, le Centre et le Sud – qui ont contribué, chacune pour sa part, une part toujours originale et irremplaçable, à une histoire du pain en Italie.

L'influence des pays limitrophes, au nord, est évidente (France, Autriche), même si ces emprunts dans leur variété et diversité sont, en fin de compte, soumis aux caractéristiques de production locale : pains pauvres, pains noirs dans les campagnes où l'alimentation est souvent réduite à la pommes de terre et à la *polenta* de maïs ; pains blancs réservés, les jours de fête, à une classe de la population plus fortunée. C'est là l'origine des pains gâteaux, le *panettone* et le *pandoro*, enrichis de beurre et de fruits. Et, tout au long de ce long pays d'Italie, c'est la surreprésentation du froment ici, de l'épeautre là, du maïs encore, qui va contribuer à donner à ces pains leurs particularités propres. De toutes les régions de l'Italie, c'est certainement le Centre, où les traditions paysannes imprègnent le plus profondément la gastronomie et, plus généralement, l'alimentation. Pour ce qui concerne le pain, on l'enrichit avec tout ce que l'agriculture a à offrir, lorsqu'elle a quelque chose à offrir : pains fourrés aux noix, au moût, aux marrons, aux rillons d'un côté, et, de l'autre, des pains tout simples, bruts, sans sel dans d'autres cas. La religion catholique influence d'une autre manière ces traditions régionales dans le Centre ainsi que dans le Sud, en inspirant la création de pains votifs dans des formes symboliques liées à la vie des saints : ils reproduisent parfois leurs traits ou sont confectionnés à l'occasion de leurs anniversaires. Un pain pour les malades, un pain pour les pêcheurs... C'est l'héritage des nombreux monastères qui se trouvent dans ces régions.

Mais c'est dans le Sud que les effluves méditerranéens, venant s'ajouter aux senteurs des monts Apennin, produisent une richesse de saveurs incomparable. La fertilité des plaines y est idéale à la culture du blé qui, soit dur soit tendre, en est le roi. La prodigalité de cette région a enfanté ainsi des centaines de recettes de pains et de fouaces, différentes, jalousement conservées, d'un village à l'autre, d'une fête à l'autre, d'une saison à l'autre. Le pain sombre et dur est ici l'authentique aliment du peuple. Il doit accompagner le berger dans les montagnes et contenter le paysan au cœur de l'hiver. Il est au fondement de l'alimentation et du régime méditerranéen. Il est par conséquent l'aliment qui a inspiré la plupart des recettes traditionnelles de la gastronomie italienne. Ainsi les soupes, les fouaces, les biscuits, les gâteaux, les pains fourrés, la *pizza* montent tous de la boulangerie. Au sud, où les traditions religieuses sont très fortes et encore bien vivantes, il y a un pain pour chaque fête : du pain blanc, symbole de pureté, pour les mariages ; des pains bénits pour le voyage des émigrants ; des pains pour les morts ; des pains pour les saints ; un pain doux pour la fête de saint Nicolas ; les *mustazzuoli* modelés sous forme de corps pour commémorer le miracle de la guérison par saint Rocco ; le pain de la Sainte-Lucie en forme de *S*, contre le mauvais sort, etc. Aujourd'hui, les différences parmi les régions d'Italie ont tendance à s'estomper, même si un grand nombre de traditions survivent encore.

Ces particularismes régionaux se traduisent aussi à travers le commerce du pain. Les boulangeries artisanales italiennes sont environ vingt-six mille, disséminées sur tout le territoire national, mais plus concentrées dans le Sud lorsqu'elles sont soumises dans le Nord à la concurrence toujours plus musclée de la boulangerie industrielle et des supermarchés. Les habitudes de vie sont aussi en train de changer. La restauration rapide condamne les boulangers à s'adapter à une demande qui, dans les grands centres urbains, les pousse même à devenir des boulangers-traiteurs. Mais la concurrence de la boulangerie industrielle les condamne aussi à jouer la qualité irréprochable des produits et celle du service. Le tri se fait ainsi à partir de ces deux critères : aptitude à faire évoluer une offre en fonction d'une demande qui s'infléchit vers la sandwicherie ; capacité à se remettre en question pour remporter le défi de la qualité face à la montée en puissance de la grande distribution. Les artisans ont d'ailleurs des partisans inconditionnels au niveau institutionnel, prêts à tout faire pour les aider à s'adapter aux exigences d'un marché en plein bouleversement. Le sentiment est partagé qu'en défendant ces boulangers on protège la diversité de ces traditions qui ont fait du pain italien un patrimoine inégalé.

ABRUZZES

Patate (pane di). L'utilisation des pommes de terre dans le pain résulte de l'exigence de pouvoir, malgré tout, panifier en temps de pénurie de blé et de céréales. C'est le traditionnel pain dit de mélange (pommes de terre bouillies ajoutées à la farine de blé ou d'épeautre) dans les régions de l'Apennin italien. De celui-ci résulte un pain pourtant très aromatique et moelleux.

Senatore Cappelli (pane di). Pain de la région de Chieti, tout à fait unique et précieux dans son genre, produit à partir d'une farine issue du blé autochtone *cappelli*. La semoule de blé remoulue est pétrie deux fois avec un levain naturel, auquel on ajoute un petit peu de levure de bière dissoute dans de l'eau salée. Les pièces produites, de 500 g environ, ont la forme de baguettes ou de pains ronds. Le goût est assez particulier, la couleur sombre et la durée de conservation prolongée.

BASILICATE

Matera Igp (pane di). Pain de tradition originaire de la ville de Matera, qui répond à l'exigence des paysans revenant des campagnes seulement tous les quinze jours pour s'approvisionner, de se maintenir consommable le plus longtemps possible. Ainsi conservé, il peut être encore consommé en l'imbibant d'eau, d'huile, de sauce tomate épicée en été. En hiver, il est conservé tranché dans des récipients d'argile et, au moment d'être dégusté, assaisonné d'un peu d'huile, d'eau chaude et de tomates, d'ail, d'oignon, de sel, etc. Il était à la base d'une soupe, la *cialledda*, confectionnée par les pauvres gens pour lutter contre le froid et la faim. La longue cuisson (environ 3 heures pour des pains de 3 à 5 kg) se faisait dans un four souvent creusé dans la pierre, où l'on brûlait exclusivement le bois de maquis méditerranéen, chêne et lentisque. Son secret réside dans l'emploi de farine de semoule de blé autochtone, riche en gluten, et dans un levain réalisé à partir de la fermentation d'abricots rafraîchie toutes les 34 heures. Le pain de Matera a obtenu l'*Indicazione Geografica Protetta* (« indication géographique protégée »).

CALABRE

Pitta. Pain votif typique du sud de l'Italie, rattaché à la tradition grecque et latine (latin *picta*, « peinte »). C'est une couronne de farine de blé mélangé avec de l'orge, de l'avoine ou d'autres céréales, décorée avec des œufs ou des légumes et colorée, initialement confectionnée afin de gagner la faveur des dieux censés pourvoir aux exigences alimentaires. Cuite dans le four avec le pain, ou frite dans l'huile d'olive, la *pitta* peut être fourrée avec des entrailles de porc, des légumes sautés, des sardines salées ou du piment.

CAMPANIE

Cafone (pane). Adjectif italien (du piémontais *caffone*, « rustre ») désignant le parler et les coutumes propres à certains quartier de Naples (Sanità, Toledo, la Stella, etc.), par extension, le populaire, le « pauvre » par opposition au mode de vie « riche » hérité des Bourbons et des Italiens du Nord. D'apparence oblongue, peu strié et fariné, fait de blé tendre, le *pane cafone*, redécouvert depuis une vingtaine d'années dans le cadre des campagnes de préservation des héritages culturels locaux, est sans doute l'une des plus anciennes méthodes de panification de la Péninsule (avec, comme sur certaines mosaïques pompéiennes, le *pane di Padula* de Salerne, rond à croûte striée et comprenant du blé dur). Propre à la Campanie heureuse et à l'ancienne *Terra di Labore*, région d'avant l'unification de 1860, s'étendant sur la côte tyrrhénienne, depuis le sud du Latium jusqu'au-delà du golfe de Salerne, le *pane cafone* ressemble parfois à certains de nos « pains de campagne » dans leurs versions boulangères rustiques et dûment labellisées. Étant donné que l'apparence brune de sa croûte, ainsi que sa consistance ne peuvent être difficilement obtenues sans l'aide d'un four à bois, qui, seul, nous permet encore de goûter au pain des anciens Romains, de nombreuses associations campanaises tentent de maintenir la production de *pane cafone* sans passer par les fours électriques, ce qui ne va pas sans poser des problèmes avec les organisations écologiques locales, voire la Commission européenne, laquelle n'a toujours pas apposé son label AOP (appellation d'origine protégée) sur ce « produit du terroir ». [Philippe Di Folco]

Calzone. C'est la version la plus ancienne de la pizza, sans tomate. À l'origine, en Campanie, le *calzone* était la réponse adaptée au problème récurrent des famines. Il a évolué et s'est enrichi jusqu'à devenir une nourriture pour le roi. La pâte à pain est aplatie avec les mains et farcie de ricotta, mozzarella, saucisse, jambon et œufs. On plie le disque et on le cuit au four très chaud. Le mot *calzone* signifie, en dialecte napolitain, « pantalon ».

ÉMILIE-ROMAGNE

Coppia ferrarese Igp. Le produit a obtenu en 2004 l'*Indicazione Geografica Protetta* (« indication géographique protégée »), de l'Union européenne. Croquante et friable, la *coppia ferrarese*, autrement dit la *ciupéta*, est formée par deux petites cornes croisées au centre qui font d'elle un curieux symbole sexuel. Son histoire date au XIIe siècle, lorsque la noble famille Estensi, qui dominait la ville de Ferrare, donna aux boulangers des règles sévères en matière de production, de conservation et les obligea à « signer » les pains qu'ils réalisaient (peut-être une première ébauche de « traçabilité »).

Piadina. La *piadina* ou la *piada* est un pain typique de l'Émilie-Romagne. Son nom dérive de celui de la planche utilisée pour étendre la pâte, la *pladena.* Elle tire son origine du pain eucharistique romain ou du pain azyme hébraïque. C'est un disque plat de pâte à laquelle on a ajouté du lait et du saindoux, cuit sur une plaque ardente. Peu homogène, la cuisson lui donne un goût doux et brûlé. Idéale accompagnée avec des fromages et des charcuteries. En Émilie-Romagne, on trouve dans les rues des petits kiosques où on cuit et vend la *piadina* sur place.

FRIOUL

Biga servolana. Deux pièces de pâte (50-70 g chacune) rondes, réunies pour former un seul pain. Originaire de Trieste, ce pain est fait à partir d'un mélange de farine, de pâte acide, d'eau, de sel, de dextrose, de levure de bière et de saindoux. Selon la tradition, son nom évoquerait les femmes du quartier Servola, appelées *pancogole*, du latin *panis coculae*, qui produisaient et vendaient le pain librement grâce à un règlement de la municipalité daté 1150. Cet usage dura jusqu'en 1954.

HAUT-ADIGE - TRENTIN

Segalino. Pain de seigle du nord de l'Italie, assez différent de ceux qui sont produits en Allemagne. On utilise ici de la farine obtenue après la première mouture d'une céréale nommée *vorschlag* ou *fioretto*. Le *segalino* est un pain moelleux et craquant, d'une couleur claire. Son goût est frais, doux, légèrement épicé. Chaque pièce pèse environ 200 g et se présente sous la forme de deux petits pains plats unis pour former une sorte de huit.

LATIUM

Genzano (pane di). Pain de ménage typique du Latium, bénéficiant de l'*Indicazione Geografica Protetta* (« indication géographique protégée ») depuis 1997. Les *pane di Genzano* se présentent sous la forme de grandes pièces de 500 g à 2 kg. La cuisson au four à bois à haute température permet d'obtenir une croûte brune et épaisse, couleur assombrie encore en saupoudrant la surface du pain de son, qui la rendra plus craquante et en accentuera la saveur légèrement amère. Avec sa croûte protectrice et sa mie blanche bien alvéolée, le *pane di Genzano* est idéal pour préparer la *bruschetta*.

LIGURIE

Farinata. Mets de rue par excellence, simple et pauvre, fait à partir de farine de pois chiche, d'eau et de sel. Une fois cuite au four à bois après un repos prolongé, la *farinata* est abondamment imbibée d'huile d'olive. La recette traditionnelle peut connaître de très nombreuses variations en ajoutant oignon, romarin, poisson ou courge. On trouve la *farlnata* dans les régions du nord-est de l'Italie, de la Ligurie à la Toscane.

Focaccia genovese Igp. La *focaccia* (ou la *fugassa*) est faite à partir d'une recette classique originaire de Gênes et d'une longue préparation d'au moins huit heures. Farine, eau, sel, levure de bière, orge (malt) et huile d'olive extra-vierge en sont les ingrédients. Aliment de base des pêcheurs, elle se révèle ainsi idéale pour des régions de bord de mer, pouvant rester, en dépit d'une atmosphère humide, croustillante toute la journée. Épaisse de 1 cm, parfumée avec une croûte ambrée, brillante d'huile et poreuse dans sa partie inférieure, la *focaccia genovese* est sapide et onctueuse au palais. Elle était tellement populaire qu'on disait que les fidèles en mangeaient même pendant la messe, ce qui amena un évêque à user de la menace d'excommunication aux seules fins d'en limiter l'habitude.

LOMBARDIE

Michetta. C'est le pain de Milan. Originellement réservé aux ouvriers au début du XVIIIe siècle, ce pain « vide », idéal pour être fourré avec tout ce qui peut être consommé avec du pain, n'a pas tardé à conquérir le pays entier. Héritier du *Kaisersemmel*, introduit à Milan par les Autrichiens, mais très vite transformé par les boulangers milanais à la réalité du climat humide pour parvenir à ce pain soufflé, sans mie et parfaitement léger. On trouve ce type de pain à Venise sous le nom de *rosetta*.

Panettone. C'est le gâteau de Noël des Milanais. Pour connaître son histoire, il faut s'introduire à la cour de Ludovico Sforza, dit Ludovic le Maure. Un somptueux dîner va être servi pour la nuit de Noël. Le chef a préparé un gâteau spécial pour l'événement mais, dans la précipitation, le gâteau a été oublié dans le four et est complètement brûlé. Le chef est désespéré car il est désormais trop tard pour le remplacer. C'est le moment où le marmiton de cuisine Toni fait son entrée dans l'Histoire. Il a conservé par devers lui, pour son petit Noël, un peu de pâte du gâteau, à laquelle il a ajouté des fruits confits, des œufs, du sucre et des raisins secs. Le chef n'hésite pas. En un instant, le gâteau est dans le four et Ludovico Sforza et ses hôtes ont tout loisir de s'en régaler. À partir de ce moment-là, ce gâteau improvisé se nommera *pan del Toni*, d'où le nom *Panettone*. Le mot est aujourd'hui entré dans le langage commun. On appelle par exemple les *panettoni* les « chasse-roues », à cause de leur forme qui fait penser à une borne placée sur la chaussée pour dissuader les conducteurs de parquer leur véhicule. D'une femme callipyge, on dira qu'elle a un très beau *panettone*.

Riso (pane di). La création de ce pain répondait à la nécessité de nourrir les repiqueuses des rizières de l'Italie du Nord. Elles recevaient en effet partie de leur salaire sous forme de sacs de riz, dont la mouture formait de la farine qu'on ajoutait au blé pour faire le pain. La recette moderne consiste quant à elle en un pétrissage de farine de riz et de blé en parties égales, auxquelles on ajoute du riz cuit et du sucre. Le *pane di riso* a une mie très blanche et moelleuse et un goût assez délicat.

MARCHES

Farro (pane al). La tradition du *farro* témoigne de l'importance de l'épeautre dans les périodes de disette, et particulièrement dans les régions de montagne. L'épeautre de Garfagnana (Toscane) a obtenu l'*Indicazione Geografica Protetta* (« indication géographique protégée ») en 1996. Le *farro* est fait à base d'un mélange de farine de blé et de farine d'épeautre en quantités égales, d'huile d'olive, de sel, d'eau et de levure. On y joute parfois de la farine de millet et des noix.

Mosto (pane col). Pain originaire de Ascoli Piceno et Macerata (Italie du Centre), le *pane col mosto* est confectionné après les vendanges à partir des grains de raisin qui viennent d'être écrasés, du sucre, d'huile d'olive et de graines d'anis. On prépare alors des petits pains de 100 g environ. Il est possible aussi de couper le pain frais en tranches, qui seront séchées en biscuit, idéal pour la conservation.

Pan nociato. Pain rituel des Marches, traditionnellement produit pour le jour des Morts. On ajoute à la pâte du lait, des cerneaux de noix, du *pecorino*, des figues sèches, du saindoux et de l'huile d'olive. Après la deuxième poussée de fermentation, on fait une croix sur la surface, avant de laisser encore lever puis de passer au four.

OMBRIE

Terni (pane di). Le pain de Terni, qu'on trouve également à Rome, rappelle la différence qui a autrefois existé entre le pain des nobles et le pain du peuple. Le premier était rond et produit à partir d'une farine immaculée tandis que le second était issu de la rue et se présentait sous la forme de trois pains longs réunis au moment de la cuisson et confectionnés à partir d'une farine de remoulage. Le *pane di Terni*, avec sa croûte consistante et dorée, sa mie finement et régulièrement alvéolée, extraordinairement léger et se consommant plutôt frais, est le produit de l'évolution de ces deux types de pain, aujourd'hui réalisé avec de la farine blanche.

PIÉMONT

Biova. Doux au toucher et blanc, c'est le pain traditionnel du Piémont. De forme arrondie et ventrue, avec une surface pâle, la *biova*, fruit d'un long pétrissage, est proposée avec différents poids selon l'usage. La fermentation se fait à couvert sous une toile, ce qui permet à la pâte d'éviter de croûter, et le pain est cuit sans vapeur. Selon la tradition, son nom dérive de *briciola*, qui signifie « miette ».

Grissino. Long et mince bâton de pain craquant, dont l'origine, piémontaise, vient d'une impérieuse nécessité de transformer le manque en plaisir. On attribue parfois son invention à un médecin de la famille de Savoie, don Baldo Pecchio, à la recherche d'un médicament susceptible de traiter la gastro-entérite du jeune Victor-Emmanuel II. Le médecin, s'étant souvenu de ce que sa mère lui préparait des *grissiette* (de *ghessa* ou *grissia*) bien cuites lorsqu'il souffrait, enfant, de problèmes intestinaux, manda au boulanger de la cour de confectionner pour l'enfant royal ces pains « hygiéniques ». Né au XIVe siècle, ce *ghessa* ou *grissia* était proposé sous différentes formes correspondant chaque fois à une monnaie (*grissia*). L'inflation dans la seconde partie du siècle fit que la *grissia* devint de plus en plus mince et se transforma en *ghërssin* (petite *grissia*). Les *grissini* sont faits à partir d'une pâte assez souple étirée à la main.

POUILLES

Altamura Dop. C'est le premier pain qui, en Europe, a gagné l'appellation d'origine protégée (DOP) dans sa catégorie. Pain typique de la région des Pouilles (hautes Murge). Il est le produit du pétrissage d'une semoule de blé dur moulue par deux fois, très riche en gluten (jusqu'à 14 %), d'une fermentation naturelle et d'une cuisson au four à bois. Le blé utilisé comprend les variétés *appulo*, *arcangelo*, *duilio* et *simeto* dans une proportion de 80 % au moins, d'après un cahier des charges qui en réglemente très précisément la production, l'authenticité étant garantie par une instance de protection. Altamura est un pain très parfumé, d'un poids d'au moins 500 g, d'une couleur jaune en raison de la présence de caroténoïdes, avec une croûte croquante et épaisse de plus de 3 mm, et une mie souple, poreuse et bien alvéolée. La semoule est remoulue pour permettre la rupture cellulaire de la couche à aleurone du grain, qui s'imprègne de l'huile de germe de blé, donnant au pain sa saveur caractéristique. Il peut être conservé longtemps. Selon la tradition, ses formes les plus typiques (*u sckuanéte*, ou « pain superposé », et *a cappidde de prevete* ou « chapeau de prêtre ») étaient pétries en famille et cuites dans les fours à bois publics :

exemple du lien social entre privé et collectif. Aujourd'hui, l'instance de protection (www.panedialtamura.net) est partie prenante de la diffusion du pain Altamura Dop dans plusieurs pays.

Friselle. Produit traditionnel des Pouilles et de Calabre, les *friselle* sont des couronnes de pain de blé dur complet ou d'orge. Le nom *friselle* vient du latin *fresus*, participe passé du verbe *frendere*, qui signifie « hacher », « écraser ». En effet, après la première cuisson, on coupe le pain en deux dans le sens de sa longueur et on le cuit à nouveau de manière à obtenir un biscuit sec qui peut être conservé longtemps. Selon la légende, les *friselle* sont nées d'une sorte de biscuit que les Phéniciens avaient coutume de consommer à bord de leurs navires. Pour consommer les *friselle*, il faut les faire ramollir au préalable dans de l'eau et les assaisonner avec tomate, huile, sel et origan.

Taralli. Pâte à pain assaisonnée d'huile ou de saindoux, modelée sous forme de petites couronnes entrelacées et cuites en deux phases afin d'obtenir un biscuit croquant, les *taralli*, présents au sud de l'Italie, étaient autrefois consommés à la place du pain. Ils sont aujourd'hui des coupe-faim idéaux. On les trouve dans de nombreuses versions : dans la version épicée, on les fait bouillir dans de l'eau avant de les passer au four ; dans la version douce, on ajoute à la pâte du miel, du moût ou des amandes.

SARDAIGNE

Carasau (pane). Autrement dit *carta da musica*, « papier à musique », pour le fait qu'il évoque un parchemin. C'est le pain traditionnel le plus connu de Sardaigne. Né de l'exigence des bergers de disposer d'un aliment qui pouvait leur garantir une autonomie alimentaire pendant les semaines passées loin de la maison, le *carasau* était produit par les femmes en différentes versions (jusqu'aux années 1960, il était considéré comme indispensable pour les femmes de savoir faire le pain chez elles). Il peut donc durer plusieurs mois et peut être utilisé dans un grand nombre de recettes de cuisine. La production est aujourd'hui confiée aux boulangeries artisanales, qui assurent le respect de la qualité et de la tradition d'un pain toujours considéré, en Sardaigne, comme le seul véritable. Après un long pétrissage, on forme des disques de 2 mm d'épaisseur et de 15 à 40 cm de diamètre. On cuit au four à haute température (500°), puis on coupe les disques en deux parties et on procède alors à une seconde cuisson afin d'obtenir un biscuit croquant.

SICILE

Buccellato. Pain votif traditionnel en Sicile, le *buccellato* est aussi typique dans tout le sud de l'Italie, sous forme de couronne, prenant parfois le nom de *cuccidatu*. Pendant la Fête-Dieu, les fidèles le portent en procession : il peut aussi décorer charrettes et bannières dans les rues. Réalisé à partir de blé tendre, il se présente en deux grandes pièces, de 2 kg chacune. Il est traditionnellement cuit dans des fours à bois dotés d'une voûte en argile. On utilise pour le four du bois de hêtre, qui lui donne un arôme tout particulier.

Castelvetrano (pane di). Sombre, grillé, doux et savoureusement aromatisé d'orge et d'amande, croûte croquante et épaisse, mie alvéolée de façon homogène due à l'emploi de levain : ce sont les caractéristiques de ce pain sicilien, unique en son genre. Sa saveur particulière provient de l'emploi associé de deux types de farine, la farine de blé dure *russulidda* et la farine de *tumminìa*, de l'usage de levain et de sel en provenance des salines de Trapani. Les pains, façonnés de manière à être contenus dans des moules circulaires, se présentent sous la forme de grandes pièces de 1 kg. La cuisson au four à bois, où l'on brûle des ramilles de bois d'olivier, achève d'exalter l'arôme des céréales. Longtemps oubliée, la production du *castelvetrano* est aujourd'hui encouragée par Slow Food, qui a regroupé les producteurs au sein d'une petite coopérative aux fins de donner plus d'essor à la culture du blé et à sa mouture sur meule de pierre.

Muffoletta. Pain mou et spongieux obtenu en hydratant de manière plus abondante la pâte, dite *muddiata*. Il est appelé aussi *guastedda* dans les ruelles de Palerme où on le mange fourré avec de la rate de bœuf (*pani ca' meusa*). Il apparaît ainsi comme le véritable aïeul du *street food* moderne. Dans toute la Sicile, on introduit des variations à partir de la recette initiale en ajoutant du poivre noir, de l'huile d'olive, des graines d'anis, des graines de fenouil, du fromage, des graines de sésame.

TOSCANE

Toscano (pane). Pain sans sel, dont l'origine supposée remonte au XIIe siècle, où, pendant les guerres entre Florence et Pise, les Pisans avaient bloqué le commerce du sel et condamné les boulangers florentins à faire du pain sans sel. L'habitude s'est maintenue. Le goût nécessairement fade de ce pain est alors un avantage pour accompagner la charcuterie et des fromages italiens savoureux. Sa forme traditionnelle est ronde ou ovoïde et son poids varie de 500 g à 1,5 kg. Il est également apprécié dans la gastronomie toscane pour la préparation de nombreuses soupes.

VAL D'AOSTE

Micoula. Pain très ancien du Val d'Aoste, confectionné pour la période des fêtes. Il est fait à partir d'un mélange de farine de blé et de seigle, auquel on ajoute des œufs, des raisins secs, du beurre, des marrons et un peu de sucre. Il se conserve moelleux environ quinze jours.

VÉNÉTIE

Ciabatta. L'histoire de la *ciabatta* est récente. En 1982, le pilote automobile Arnaldo Cavallari abandonne les courses et se dédie au moulin de famille, à Adria, près de Rovigo. Il étudie un nouveau type de farine riche en gluten et particulièrement apte aux longues fermentations : la *farina tipo 1 Italia*. Les propriétés de cette farine lui donnent l'opportunité de tester de nombreuses recettes et de déposer vingt-cinq brevets. C'est de ces expérimentations qu'est née la *ciabatta*, pain croquant avec une mie bien alvéolée. Cuite avec un pourcentage d'humidité supérieur aux autres pains et aux baguettes, la *ciabatta* est actuellement diffusée dans tout le pays et bien connue aussi à l'étranger. Arnoldo Cavallari a proposé, en 2007, la *cia-*

batta natura, un pain sans aucun additif chimique.

ET ENCORE…

Bruschetta. Tranche de pain grillé savoureuse, imprégnée d'ail et d'huile d'olive extra-vierge à laquelle on ajoute, suivant les goûts, différentes préparations. Voir GASTRONOMIE.

Crostino. Il peut s'agir de petits morceaux de pains croustillants, dorés au four ou dans l'huile, accompagnant potages et soupes ; on peut également entendre *crostini* comme des tranches de pain grillé recouvertes de différentes préparations, comme dans le cas des *crostini toscani*. D'une manière générale, les *crostini* sont donc des tranches de pain grillé accompagnant différents mets.

Panino. Manger un *panino* à midi, signifie, en Italie, manger un sandwich. On appelle aussi *panino*, en général, un tout petit pain de 30 à 40 g.

Pizza. – Voir PIZZA.

Marina Caccialanza
et Andrea Duò

• *Voir aussi :* Calendrier romain ; Columelle ; Déméter et Perséphone ; France (pains actuels, pains régionaux) ; Grèce ; Pains mondiaux ; *Panem et circences* ; Peinture occidentale ; *Petit boulanger de Venise* (*Le*) → Documentaires et films ; Pizza

Bibl : U. BERNARDI, *Il buon governo delle cose che si mangiano. Gastronomia e pluralità delle culture*, Milan, Accademia Italiana della cucina, 2006 • V. BORDO, A. SURRUSCA, *L'Italia del Pane, Guida alla scoperta e alla conoscenza* (2002), Slow Food Editore, 2003 • COLLECTIF, *Storia d'Italia*, Turin, Einaudi, 1973 • INSOR (Istituto nazionale di sociologia rurale), *Atlante dei prodotti tipici, Il Pane*, Rome, AGRA, 2000 • M. MONTANARI, *L'Europa a tavola. Storia dell'alimentazione dal medioevo a oggi*, Rome-Bari, Laterza, 1997 • TOURING CLUB ITALIANO, *Guida Enogastronomia, Pane e Pizza*, Milan, Touring Editore, 2004.

ITINÉRAIRES TECHNIQUES. – Michel Sébillotte (1978) définit les itinéraires techniques comme « des combinaisons logiques et ordonnées de techniques qui permettent de contrôler le milieu et d'en tirer une production donnée ». Cela signifie que toutes les opérations sont interdépendantes. L'itinéraire technique d'une culture dépend des objectifs de l'agriculteur. Il décrit l'ensemble des opérations mises en œuvre : le matériel et ses réglages, les intrants (semences, engrais, produits phytosanitaires, etc.) et les raisons qui justifient les choix réalisés.

Philippe Viaux

• *Voir aussi :* Agriculture biologique ; Assolement ; Calendrier celte et rites céréaliers ; Engrais ; Rotation ; Semailles

Bibl. : Michel SÉBILLOTTE, « Itinéraires techniques et évolution de la pensée agronomique », *Comptes rendus de l'Académie d'agriculture de France*, vol. 64, n° 11, 1978.

IVRAIE (*Lolium* L.). – Graminée sauvage qui pousse au milieu des moissons et qui se confond le plus souvent avec les autres céréales au moment de la récolte. On distingue l'ivraie vivace (*Lotium perenne* L.), considérée comme une excellente plante fourragère, et l'ivraie enivrante (*Lotium temelentum* L.), plante toxique en raison de ses grains infestés par un champignon (*Neotyphodium coenophialum*). Sa mauvaise réputation vient de ce que, associée à la farine de blé ou de seigle, elle provoque des troubles qui s'apparentent à l'ivresse (ivraie provenant du latin vulgaire *ebriaca herba*). C'est probablement l'ivraie enivrante auquel il est fait référence dans la parabole du bon grain et de l'ivraie (Matthieu XIII) : « Il en va du Royaume des Cieux comme d'un homme qui a semé du bon grain dans son champ. Or, pendant que les gens dormaient, son ennemi est venu, il a semé à son tour de l'ivraie, au beau milieu du blé, et il s'en est allé. Quand le blé est monté en herbe, puis en épis, alors l'ivraie est apparue aussi. S'approchant, les serviteurs du propriétaire lui dirent : "Maître, n'est-ce pas du bon grain que tu as semé dans ton champ ? D'où vient donc qu'il s'y trouve de l'ivraie ?" Il leur dit : "C'est quelque ennemi qui a fait cela." Les serviteurs lui disent : "Veux-tu donc que nous allions la ramasser ?" "Non, dit-il, vous risqueriez, en ramassant l'ivraie, d'arracher en même temps le blé. Laissez l'un et l'autre croître ensemble jusqu'à la moisson ; et au moment de la moisson je dirai aux moissonneurs : Ramassez d'abord l'ivraie et liez-la en bottes que l'on fera brûler ; quant au blé, recueillez-le dans mon grenier." » De même que l'agriculteur qui a semé le « bon grain » doit écarter, au moment de la récolte, la plante qui risquerait d'altérer sa moisson et de la rendre impropre à tout usage, le Christ prévient les pécheurs qu'ils pourront être écartés au jour de la moisson dernière. Or, ce jour-là, « le Fils de l'homme enverra ses anges, qui ramasseront de son Royaume tous les scandales et tous les fauteurs d'iniquité, et les jetteront dans la fournaise ardente : là seront les pleurs et les grincements de dents ».

Jean-Philippe de Tonnac

• *Voir aussi :* Épi (symbolique de l') ; Ergotisme ; Feu ou mal de saint Antoine ; Moisson ; Moissons (symbolique des) ; Si le grain tombé en terre ne meurt ; Terre-Mère primordiale

IWGSC (International Wheat Genome Sequencing Consortium). – Voir BLÉ (séquençage du génome de)

J-K

JAPON (traditions du pain au). – Le Japon ancien ne connaît pas le pain à proprement parler, notamment parce que la farine de riz – la base de l'alimentation nipponne – se panifie mal. Les Portugais, débarquant à Kyûshu (au sud de l'archipel nippon) au milieu du XVIe siècle à des fins d'évangélisation et de commerce, ont apporté (outre les armes à feu) les *tempura* (beignets très légers à la farine de riz) et le pain lui-même ainsi que le mot qui le désigne (*pão*) bientôt transcrit en *pan* ; seule cette région du Japon a consommé du pain jusqu'au XIXe siècle, moment de l'arrivée des Américains, qui s'est accompagnée d'une nouvelle importation du pain : le pain de mie, dont la confection s'est adaptée aux coutumes locales. L'occidentalisation du Japon moderne est donc passée, entre autres, par la consommation de pains européens, tels le pain de mie pour les sandwichs (plus doux que l'original anglais) ou la baguette française (moins croustillante et moins salée qu'en France). Ces pains sont aujourd'hui généralement fabriqués en mélangeant de 10 à 30 % de farine de riz à de la farine de blé et à du gluten. On trouve deux types de pain : les pains sucrés (*kashi-pan*) et les pains salés (*okazu-pan*), qui ont tous une mie très douce, comme briochée, à très petites alvéoles. Parmi les pains sucrés, les plus fréquents sont le *meron-pan* de forme et d'arôme d'un melon, le *kurime-pan* fourré à la crème anglaise, le *mushi-pan* cuit à la vapeur et fourré au chocolat, à la fraise, etc. Dans les pains salés, le *karé-pan* est un beignet farci de curry et entouré de chapelure, le *koroké-pan* est farci de purée de pomme de terre, le *shoku-pan*, pain de mie moulé au goût de pain au lait se mange toasté avec de la crème de fromage ou une compote. Les sandwichs font désormais partie des pratiques alimentaires des Japonais, principalement dans les villes, comme manière de se nourrir rapidement et à peu de frais. Comme toute la cuisine au Japon, les pains proposés s'adaptent aux saisons, proposant des variantes qui suivent la maturation des fruits tout au long de l'année. Ainsi, à l'automne, par exemple, on fourre les pains aux pommes, marrons, potirons ou patates douces.

Kashi-pan. On appelle ainsi les différents pains sucrés japonais et souvent fourrés, plus proches de gâteaux que de pains, tels le *meron-pan* (qui a la forme d'un melon et aux arômes variés), le *kurime-pan* (fourré à la crème anglaise), le *mushi-pan* (cuit à la vapeur et fourré au chocolat, à la fraise, etc.).

Okazu-pan. On appelle ainsi les pains salés japonais et fourrés tels le *karé-pan* (pain frit en beignet farci de curry et roulé dans la chapelure), le *koroké-pan* (fourré d'une croquette de pomme de terre), le *yakisoba-pan* (deux tranches de sandwich autour de nouilles en sauce et gingembre), le *tamago-sando* (sandwich à l'œuf dur haché et à la mayonnaise bien peu japonaise).

Anne-Élisabeth Halpern

• *Voir aussi :* Chine, Hong Kong et Macao ; Calvel ; Ganachaud ; Pains mondiaux ; *Un pain, c'est tout*

Bibl. : Emi KAZUKO, Yasuko FUKUOKA, *Japanese Food and Cooking*, Londres, Lorenz Books, 2001 • Philipp M. PARKER, *The 2007-2012 Outlook for Whole Wheat, Cracked Wheat, Multigrain, and Other Dark Wheat Breads Excluding Frozen Bread in Japan*, San Diego (Cal.), ICON Group International, 2006. – ID., *The 2007-2012 Outlook for Vienna and French Bread in Japan*, San Diego (Cal.), ICON Group International, 2006 • Setsuko WATANABE, www.shejapan.com/jtyeholder/jtye/living/anpan/anpan0.html, 1997.

JAVELAGE, JAVELLE. – Jadis on coupait les céréales avant complète maturité et on laissait sécher les javelles (poignées de céréales obtenues par coupes successives de la faucille) sur le champ, trois à quatre jours pour le froment et le seigle, six à huit jours pour l'avoine, ce qui rendait le battage plus facile. Cette opération avait lieu quel que soit le mode de coupe, à la faux, à la sape, ou à la moissonneuse-javeleuse.

Mouette Barboff

• *Voir aussi :* Balle ; Battage des céréales et aire de battage ; Céréales ; Chaubage ; Dépiquage ; Dessication ; Faucille ; Faux

JE VAIS CHERCHER LE PAIN. – Voir DOCUMENTAIRES ET FILMS

JEAN VALJEAN. – Un soir, un boulanger arrête un voleur qui lui a dérobé un pain en brisant sa vitrine, « car on met le pain comme l'or derrière des grillages de fer » (*Les Misérables*, t. 4, l. 6, chap. 2). Le malheureux, trahi par son bras ensanglanté, Jean Valjean, sera condamné à dix-neuf ans de bagne pour ce larcin destiné à nourrir sa famille affamée. Devenu, sous un nom d'emprunt, un notable, Valjean œuvrera toute sa vie pour que les pauvres ne meurent pas de faim. Il est une figure mystique qui, par le pain qu'il assure à son entourage, tout en se contentant, lui, de pain bis (que Cosette appelle le « vilain pain »), incarne un possible rédempteur de cette société qui fabrique des miséreux. Au moment de son agonie « le forçat se transfigur[a] en Christ » (t. 2, l. 9, chap. 4). Il a un double : le fils des avares Thénardier, Gavroche, qui, lui aussi, passe l'essentiel de sa vie de gamin des rues à chercher du pain, quitte à le voler. Comme Valjean, lorsqu'il trouve plus misérable que lui, il fait preuve de générosité. Ainsi les deux « momichards » abandonnés qu'il recueille un temps, sans savoir qu'ils sont en réalité ses frères, se voient-ils offrir, avec ses maigres économies, du vrai pain blanc qu'ils mangent comme gâteau inouï apporté par une « petite providence en guenilles ».

Le boulanger, devant les haillons du trio, sort d'abord du pain bis ; « Kekcekça ? » demande Gavroche : « – Eh mais ! c'est du pain, du très bon pain de deuxième qualité. – Vous voulez dire du larton brutal, reprit Gavroche, calme et froidement dédaigneux. Du pain blanc, garçon ! du larton savonné ! je régale » (t. 4, l. 6, chap. 2). Les émeutes de 1832 (pendant lesquelles mourra Gavroche) ont pour origine « la détresse du peuple, les travailleurs sans pain » (t. 4, l. 1, chap. 4) et pour mot d'ordre « la fin des oppressions, [...] le pain pour tous, l'idée pour tous, l'édénisation du monde, le progrès ». Les barricades ne tomberont que lorsque les insurgés, affamés, auront fini jusqu'aux croûtes de pain moisies. Par l'entremise de Valjean et Gavroche, le pain circule dans ce roman comme aliment, comme emblème et comme incarnation de la charité.

Anne-Élisabeth Halpern

• *Voir aussi* : Bread & Roses ; Bread for the Journey ; Compagnon ; Disettes, famines et révoltes pour le pain en France ; Égalité (pain) ; FAO ; *Frumenta, frumentum ;* Frumentaire ; Lazare, saint ; Mie de Pain (association La) ; Pain rationné ; *Raisins de la colère* (*Les*) → Documentaires et films

Bibl. : Victor HUGO, *Les Misérables*, t. 1, *Fantine* ; t. 2, *Cosette* ; t. 3, *Marius* ; t. 4, *L'Idylle rue Plumet et l'épopée rue Saint-Denis* ; t. 5, *Jean Valjean*, 1862. En ligne sur http://gallica.bnf.fr

JÉSUS DE NAZARETH. – Voir DOCUMENTAIRES ET FILMS

JET, JETÉ. – Voir GRIGNE

JEUNE. – Voir DÉFAUTS DU PAIN

JEÛNE DE SAINT CHARLES BORROMÉE (Le). – Voir PEINTURE OCCIDENTALE

JEUX (du pain et des). – Voir *PANEM ET CIRCENSES*

JORDANIE (traditions du pain en). Comme dans l'ensemble des pays du Proche-Orient, le pain, *khobz*, est en Jordanie posé au centre de la table à chaque repas. « Pas de bouchée sans pain ! » disent les Arabes, s'en servant avec la nourriture comme d'une cuillère, pour attraper, envelopper ou tremper. Pour cela, bien sûr, le pain est plat et à peine levé, très souple. Les galettes quotidiennes s'achètent chez les boulangers, de préférence tôt le matin. L'attente peut durer, mais ce n'est pas cher payé pour de grands *khobz* (jusqu'à 50 cm de diamètre) frais et chauds, boursouflés de cloques brunes. Avec cette même pâte, piquée car elle ne doit pas monter pendant la cuisson, les artisans réalisent des *manakich*, petites pizzas recouvertes de thym et arrosées d'huile d'olive, de fromage ; ou de viande hachée, ce sont alors des *sfiha*.

Selon une vieille tradition, il n'est pas rare qu'une fois l'heure d'affluence passée, les voisins du boulanger lui confient la cuisson de leur dîner. Dans le grand four encore chaud mijoteront des poulets farcis ou des marmites d'aubergines. Le pain dit libanais (et même syrien, en Jordanie), ou *kmaj*, qui a la particularité de gonfler comme un ballon en cuisant, formant ainsi une poche, est également très répandu dans les boulangeries, et encore plus dans les restaurants et les snacks à sandwichs, où il enveloppe les brochettes de viande et les falafels (boulettes frites de pois chiches). Dans les épiceries ou les supermarchés, vendu par dizaine dans un sac en plastique, il peut être de farine blanche ou complète. D'autres pains encore, variations du *khobz*, sont plus grands ou plus petits, plus épais, en forme d'anneau, étoilés de graines de sésame ou décorés de fines entailles ; mais toujours de blé (l'orge est le grain des bêtes, et des périodes de disette). La céréale est précieuse, sa production subventionnée par le gouvernement, qui fixe également le prix du pain au kilo (en 1989 et en 1996, de très fortes hausses ont déclenché dans le pays des émeutes d'une extrême violence).

Longtemps, le pain s'est fait dans chaque maison : certaines habitations anciennes gardent ainsi un four aménagé dans le mur de leur cuisine. Ce dernier, appelé *tannur* ou *taboun*, était cependant le plus souvent situé dans le fond de la cour. Une construction millénaire, simple creux dans le sol surmonté d'un large cône d'argile et de paille mélangés, ou hors du sol et de la forme d'un gros tonneau. Le feu, de brindilles ou de bouse (de chameau, de vache, de mouton, de chèvre), est allumé en sa base et le pain cuit très vite, plaqué sur les parois internes d'argile brûlante. C'est encore aujourd'hui la panification des petits villages, et surtout l'œuvre des femmes. Sur le *saj*, plaque de métal ronde et convexe posée au-dessus d'un feu, elles confectionnent le *khobz shrak*, ou *markouk*, dont la pâte a été pétrie et étirée jusqu'à laisser voir la main au travers. Ce pain fin comme du papier, large parfois de 50 cm, se conserve plusieurs semaines.

Le *saj*, peu encombrant, est l'outil des Bédouins (et le *shrak*, leur pain). S'ils n'ont pas de *saj*, ils cuisent le pain enfoui dans les cendres encore chaudes, restes d'un feu allumé directement sur le sable. Un pain croustillant qui ressemble au *khobz tannur*, dont l'épaisseur peut varier, portant le nom de *masli* ou de *fatir*, selon qu'il est légèrement levé ou non. C'est toutefois le *shrak* qui entre dans la préparation de l'opulent *mansaf*, plat de célébration, plat national même, digne de la réputation d'hospitalité des Jordaniens. Du riz et de la viande d'agneau (longuement cuite dans une sauce au yaourt), couverts de pignons de pin et d'amandes, sont posés en dôme sur plusieurs couches de *shrak*. Exceptionnellement, hommes et femmes se réunissent pour cuisiner le *mansaf*. Les premiers accommodent la viande, partie la plus « noble », et les secondes élaborent la partie la plus délicate, le « cœur » du plat, sans lequel il ne serait pas un festin : le riz, le yaourt et le pain. Au moment du repas, ce dernier se déchire et sert à saisir chaque bouchée directement dans la pyramide de nourriture partagée, rappelant alors qu'il est bien plus qu'un peu de farine, de sel et d'eau mélangés.

Fatir. Pain croustillant des Bédouins qui ressemble au *khobz tannur*, dont l'épaisseur peut varier, portant le nom de *masli* ou de *fatir*, selon qu'il est légèrement levé ou non.

Kmaj. Appelé aussi « pain libanais » ou « syrien » en Jordanie, le *kmaj* a la particularité de gonfler comme un ballon en cuisant, formant ainsi une poche. On le retrouve sous un nom ou sous un autre dans tout le Proche-Orient. Il est très répandu dans les boulangeries, les restaurants et les snacks à sandwichs, où il enveloppe les brochettes de viande et les falafels (boulettes frites de pois chiches).

Khobz shrak, ou markouk. – Voir PALESTINE

Noémie Videau

• *Voir aussi :* Disettes, famines et révoltes pour le pain en France ; Émeutes de la faim en Égypte ; Frumentaire ; Liban ; Pains mondiaux ; Palestine ; Péninsule Arabique ; Syrie ; Tannur

Bibl. : Jeffrey ALFORD, Naomi DUGUID, « On the Flatbread Trail », *Saudi Aramco World*, vol. 46, n° 5, septembre-octobre 1995, p. 16-25 • William et Fidelity LANCASTER, *People, Land and Water in the Arab Middle East : Environments and Landscapes in the Bilâd al-Sham*, Harwood Academic Publishers, 1999 • Sami ZUBAIDA, Richard TAPPER, *Culinary Cultures of the Middle East*, Londres-New York, B. Tauris, 1994.

KAMUT (*Triticum turgidum* subsp *turanicum Jakubz*). – Marque déposée qui s'applique à une variété de blé de Khorasan (province située au nord-est de l'Iran). Le blé de Khorasan proviendrait d'un hybride naturel entre le blé dur (*Triticum turgidum* subsp *durum* L.) et le blé de Pologne (*Triticum turgidum* subsp*;* *polonicum* L.). Le mot Kamut viendrait d'un mot égyptien signifiant « blé ». La particularité du Kamut est que ce blé dur cultivé uniquement en agriculture biologique possède un très gros grain et des teneurs plus élevées en protéines, vitamines et micronutriments minéraux. La farine de Kamut est utilisable en panification en mélange avec du blé tendre. Le Kamut sert également à la fabrication de boulgour et semoule pour couscous.

Jean Koenig

• *Voir aussi :* Amidonnier ; Blé, genre *Triticum* ; Blé dur ; Boulgour ; Égypte ; Hybride

Bibl. : Voir le site de la société Kamut Khorasan, www.kamut.com

KAPLAN, Steven Laurence. – Étudiant à Princeton, issu d'une famille juive new-yorkaise aux origines polonaises, Steven Laurence Kaplan découvre la France et le pain par hasard et par passion. À la mort de son père, et pour le tirer de la torpeur où celle-ci l'a plongé, l'université lui offre un séjour à Paris au cours duquel ses pas le portent rue du Cherche-Midi où officie le premier des trois Poilâne dont l'histoire de la boulangerie ait retenu les noms. Il y achète un bâtard et sa savoureuse et sensuelle dégustation au jardin du Luxembourg, près de la fontaine de Médicis, constitue, comme il aime à l'évoquer, une expérience proustienne déterminante. Jeune étudiant en histoire, à la recherche d'un objet susceptible de se prêter à une approche totalisante héritée de l'école des Annales, sa rencontre avec le pain dans sa relation avec le peuple et ses gouvernants, thème majeur en France et curieusement à peu près vierge de toute glose ou étude quelque peu ambitieuse, détermine chez lui une vocation : il sera historien, historien de la France, historien de la Révolution française et historien des subsistances et proposera une approche sociologique, sémiologique et métaphorique totale du pain à partir des débats que celui-ci a suscités au sein de la famille des Lumières, en réalité, et contre toute attente, profondément divisée à son sujet. Il existe ainsi au XVIIIe siècle, au sein des intellectuels parisiens, un groupe d'esprits libres appelés les physiocrates, qui se permettent de questionner la nature d'un régime économique et politique qui engendre disettes et famines de manière cyclique et ne sait y faire face. N'existerait-il pas une possibilité de lâcher du lest, de laisser l'initiative non plus à l'État, visiblement incapable de pallier les défaillances du système, mais aux acteurs du marché eux-mêmes qui, mus par leurs propres intérêts, seraient alors mieux à même de le réguler ? Et comment passer alors d'un régime de contrôle généralisé à une liberté, même sous surveillance ? La réponse des physiocrates est de dire que le commerce des grains pourrait constituer le tout premier secteur pour tester les effets d'une progressive déréglementation, réforme à laquelle Turgot, ministre de Louis XV, va s'atteler.

En s'attribuant le pain que ses collègues français semblaient avoir soigneusement délaissé, Steven L. Kaplan s'est ainsi porté aux avant-postes d'un débat autour de la question du grain et du pain, nécessairement central à une époque où le roi était perçu comme le « boulanger de dernière instance », et a profondément modifié notre compréhension de la période prérévolutionnaire. Exploration méthodique et donc totalisante, commencée par sa thèse soutenue à l'université Yale (« Bread, Politics and Political Economy in the Reign of Louis XV », 1976) et poursuivie par la publication régulière et méthodique d'ouvrages-sommes sur un territoire que l'historien s'était promis de n'abandonner qu'une fois systématiquement défriché. Mission accomplie. La saisie d'une culture par le centre, à cette place que le pain a toujours occupée, jamais éloignée de l'autel, exigeait une immersion complète dans l'histoire et la vie françaises, un peu à la manière de l'ancien marine Jake Sully infiltrant la communauté des Na'vi de Pandora. Ainsi, Steven L. Kaplan est devenu plus français que français, plus parisien que parisien, plus panivore que panivore, allant même jusqu'à passer son CAP de boulanger, dialoguant avec les acteurs de la filière blé-farine-pain, leur racontant leur histoire, les mettant en garde contre la tentation de faire table rase de ce qui précisément fonde leur identité et légitimité culturelles et politiques, et contribuant au final à réveiller tout un secteur que la modernité menaçait de laisser sur le carreau. Historien des subsistances, il est devenu l'expert du pain français.

Jean-Philippe de Tonnac

• *Voir aussi :* Baguettocentrisme ; Boulangerie, 5 et 6 octobre 1983 (états généraux de la) ; Boulangerie contemporaine ; Panivore ; Pain-théonisation ; Pensée unique ; Poilâne

Bibl. : Steven L. KAPLAN, *Bread, Politics and Political Economy in the Reign of Louis XV*, Leyde, Martinus Nijhoff, 1976, 2 vol. – ID., « Le complot de famine : histoire d'une rumeur au XVIIIe siècle », trad. M. et J. Revel, *Cahier des Annales*, n° 39, Paris, Armand Colin, 1982. – ID., *Le Pain, le peuple et le roi. La bataille du libéralisme sous Louis XV*, Paris, Perrin, 1986. – ID., *Les Ventres de Paris. Pouvoir et approvisionnement dans la France de l'Ancien Régime*, trad. S. Boulongne, Paris, Fayard, 1988. – ID., *Adieu 89*, Paris, Fayard, 1993. – ID., *Le Meilleur Pain du monde. Les boulangers de Paris au XVIIIe siècle*, Paris, Fayard, 1996. – ID., *Le Retour du bon pain*, Paris, Perrin, 2002. – ID., *Chercher le pain. Le Guide des meilleures boulangeries de Paris*, Paris, Plon, 2004. – ID., *La Fin des corporations*, Paris, Fayard, 2006. – ID., *Le Pain maudit. Retour sur la France des années oubliées 1945-1958*, Paris, Fayard, 2007.

KHLEB – IMYA SUSHCHESTVITELNOE. – Voir DOCUMENTAIRES ET FILMS

KID, LE (*The Kid*). – Voir DOCUMENTAIRES ET FILMS

KOLLYVA, COLLYVES. – Nom neutre au singulier, *kollyvos* signifie, en grec ancien, « grain de blé » utilisé comme poids, mesure spécifique de l'or, et au pluriel *kollyva*, offrande funéraire. Le *kollyva* est l'offrande rituelle préparée dans l'ensemble du monde orthodoxe en l'honneur des morts à des dates fixes dans l'année liturgique (fêtes des morts), ou pour des commémorations anniversaires d'un défunt en particulier. Il consiste en une « masse » compacte de blé bouilli, décorée de fruits secs divers, mais impérativement des amandes, des noix, des grains de grenade, des raisins secs et du persil, plante à connotation funéraire. Arrangé dans un plat en forme de monticule, couvert de sucre et de farine, décoré avec une croix et les initiales du nom du défunt, ce gâteau funéraire – jadis préparé dans les maisons et actuellement faits par des pâtissiers – est présenté à l'église, avec un *prosphore* (pain consacré selon le rite orthodoxe), tôt le matin. Une fois bénits, ils sont distribués, à la fin de l'office, aux fidèles devant l'église ou aux visiteurs du cimetière, en mémoire d'un défunt en particulier. Il est impératif de consommer immédiatement une partie de cette préparation en souhaitant « que Dieu lui pardonne ». Même si la coutume est solidement ancrée dans toutes les églises orthodoxes, il s'agit en réalité de la survivance d'une pratique grecque ancienne appelée *panspermie* ou *policarpia* (dans la science moderne, la panspermie est une théorie selon laquelle la vie sur terre serait d'origine extraterrestre). C'est un mélange de tous les grains céréaliers disponibles, que l'on préparait en l'honneur des morts, le jour des *Chytres* – le troisième jour des Anthestéries, consacrées à Dionysos –, correspondant à la fête des morts, toujours célébré dans le monde orthodoxe au milieu du printemps, à la Saint-Théodore (le dernier samedi avant l'ouverture du Carnaval). Plus particulièrement en Attique, à l'automne, le mois de *Pyanepsion*, on faisait bouillir un ensemble de grains variés prélevés sur les semailles pour honorer la mémoire de Thésée. De nos jours, c'est à la Vierge que l'on offre des panspermies, le 21 novembre – jour de célébration de la Présentation de Marie au temple –, que l'on appelle *Polisporitissa* (plusieurs graines), ou Notre-Dame des semailles, afin qu'elle soit bienveillante avec les grains de céréales déjà enfouis sous terre.

Yvonne de Sike

• *Voir aussi :* Calendrier grec ancien ; Déméter et Perséphone ; Éleusis (mystères d') ; Grain et graine ; Grèce ; Kykéon et initiation aux mystères ; Morts (pains des) ; Rite orthodoxe ; Si le grain tombé en terre ne meurt ; Terre-Mère primordiale ; Vierge et cycle des cultures céréalières

Bibl. : Yvonne de SIKE, *Fêtes et croyances populaires en Europe, au fil des saisons*, Paris, Bordas, 1994. – ID., *Les Poupées, une histoire millénaire*, Paris, La Martinière, 1998.

KOWEÏT. – Voir PÉNINSULE ARABIQUE

KYKÉON ET INITIATION AUX MYSTÈRES. – Une longue argumentation scientifique, soutenue par des éminents physiciens et chimistes, mais aussi par des historiens et des archéologues, plaide en faveur d'une mise en évidence de l'action psychoactive du kykéon, ce breuvage rituel qui accompagnait les dernières étapes de l'initiation aux mystères d'Éleusis, qui avaient lieu en septembre et promettaient aux initiés le bonheur sur terre et une « vie » au-delà de la mort. Depuis la découverte par le chimiste suisse Albert Hoffman du LSD, puissant psychotrope obtenu à partir de l'ergot de seigle (*Claviceps purpurea Tul.*), mais aussi à travers d'autres espèces de ce champignon, l'usage de kykéon est devenu une hypothèse plausible pour soutenir les théories enthéogéniques concernant certaines plantes susceptibles d'induire chez les mystes, ou initiés, un réel sentiment de transcendance. Par ailleurs, au-delà des mystères d'Éleusis, l'utilisation avérée de substances psychoactives dans d'autres contextes rituel et religieux à travers le monde de la Méditerranée enrichit notre compréhension d'un « chamanisme grec », et par extension indo-européen, phénomène étudié y compris chez les peuples sémitiques du Proche-Orient.

En fait, le kykéon est déjà connu de l'*Iliade* (XI, 638-641), où est décrite sa composition : de l'eau, de l'orge, des herbes (sauvages) et du fromage de chèvre. Dans l'*Odyssée* (X, 234), c'est Circée qui fait usage du kykéon comme un filtre magique qu'elle mélange avec du miel. Vient ensuite le témoignage de l'hymne homérique en l'honneur de Déméter, qui constitue la « prière » narrative la plus connue de toute l'Antiquité hellénique. La déesse, affligée de la perte de sa fille, refuse la nourriture et le vin rouge que lui proposent ses hôtes, la famille royale d'Éleusis ; mais elle accepte de rompre son jeûne avec le kykéon, qui est lui aussi composé d'eau, d'orge et de pouliot *(menta pulegium*, dont la toxicité est avérée). Par la suite, le kykéon est adopté pendant le déroulement de l'initiation aux mystères, fondée sur une sorte de scénographie inspirée de l'hymne. Mais le breuvage était utilisé aussi par les paysans grecs, si l'on en croit Aristophane (*La Paix*, 712) et Théophraste (*Caractères*, IV, 2-3). On suppose que le sacrilège de la mutilation des Hermès, (en 415 av. J.-C.), dans lequel Alcibiade semble avoir été impliqué, et son comportement scandaleux ainsi que celui de ses amis, parodiant les mystères, étaient dus à l'usage de kykéon, dérobé à Éleusis. D'autre part, l'hilarité qui caractérisait la procession du retour des mystes à Athènes pourrait, dans ce sens, être également attribuée à l'effet énergisant de l'ergot contenu dans le breuvage rituel.

Yvonne de Sike

• *Voir aussi :* Déméter et Perséphone ; Éleusis (mystères d') ; Ergotisme ; Feu ou mal de saint Antoine ; Orge

Bibl. : A. DELATTE, *Le Cycéon, breuvage rituel des mystères d'Éleusis*, Paris, Les Belles Lettres, 1955 • R. G. A. WASSON, A. HOFFMAN, C. A. P. RUCK, *The Road to Eleusis, Unveilling the Secret of the Mysteries*, New York/Londres, Harcourt, Brace, Jvanovich, 1978.

L

LA MECQUE (traditions du pain à). – La particularité de cette ville sainte est que de longue date, et principalement depuis les années 1950, elle a attiré une multitude de pèlerins musulmans de toutes les régions du monde. Pour toutes sortes de raisons, certains ont décidé de s'y établir une fois le pèlerinage terminé. Leur présence a inévitablement influencé les cultures locales, y compris dans le domaine culinaire. Les influences sont d'une telle complexité qu'il semble difficile de tracer l'origine de toute recette. C'est pourquoi Mai Yamani (1994) a créé l'appellation « cuisine mecquoise ». Grâce à sa richesse, La Mecque a toujours été bien approvisionnée en céréales.

Deux sortes de pains traditionnels existent encore et symbolisent le passé : le *shurayk* et le *ka'ak*. Le premier peut être décrit comme un craquelin, cuit dans un four à sole. Mais les témoignages semblent manquer sur le mode de préparation ancien. Le *ka'ak* pouvait être fabriqué sur une plaque en tôle, comme l'indique Richard Burton (1924). Pour lui, c'est un pain au levain de farine de froment, pétri avec du lait, léger, très agréable. Ce qu'il indique comme du pain rassis non levé très apprécié par la population est peut-être le *shurayk*. Les gens disent qu'en le conservant il devient sucré et, pour l'empêcher de se ramollir, ils le coupent en morceaux et le font sécher à l'air. Une autre description (orale) du *ka'ak* le fait ressembler au *mhala* du Qatar, mais à pâte non levée, et plus léger cependant, car il comporte moins de farine. Il contient aussi des œufs, du sucre, de la cardamome, éventuellement du safran et il est cuit dans un récipient couvert sur la cendre. Le riz est la nourriture de base et, comme dans le reste de l'Arabie, depuis une trentaine d'années, le pain est un accompagnement pour la consommation, le soir, de légumes en conserve. Dans ce cas, les Mecquois ont le choix entre le pain libanais industriel (*khubz lubnanî*), le pain iranien (*khubz iranî*), large galette non levée consommée sitôt sa sortie du four du boulanger, ou encore le *tamîs*, pain levé de froment dont l'origine proviendrait de l'ancien Turkestan. Il est fait de farine de froment au levain, de forme oblongue, assez grand (30 cm sur 20 cm environ) et permet d'accompagner les ragoûts de viande et de légumes. Les deux pains considérés comme typiquement mecquois, bien qu'ils soient connus dans d'autres régions du Proche-Orient, sont servis en collation avec du fromage de chèvre et des olives lors de la venue d'hôtes, ou consommés avec du thé. Le *fatta*, qui est l'équivalent du *thrîd*, ragoût de viande, de *lebn* et de fines « crêpes » de blé (*rqâq*), est également préparé au mois de ramadan afin de satisfaire à la tradition.

Ka'ak. Pain de farine de froment au levain, pétri avec du lait. Autre version (orale, récente) : pain non levé, composé de farine de froment, d'œufs, de cardamome, voire de safran, cuit dans une récipient à couvert sur la cendre.

Shurayk. Sorte de craquelin de blé, non levé, sucré, cuit dans un four à sole.

Tamîs. Pain au levain de froment de forme oblongue et de grande taille (environ 30 cm sur 20 cm).

Anie Montigny

• *Voir aussi :* Arabie saoudite ; Émirats arabes unis ; Mésopotamie ; Pain (définition universelle du) ; Péninsule Arabique

Bibl. : Capt sir Richard F. BURTON (édité par lady Burton), *Personal Narrative of a Pilgrimage to Al Madinah and Meccah* (1855), Londres, G. Bell & Sons Ltd, 1924, 2 vol. • Mai YAMANI, « You Are What You Cook : Cuisine and Class in Mecca », *in S.* Zubaida, R. Tapper, *Culinary Cultures of the Middle East*, Londres-New York, I. B. Tauris, 1994.

LABEL ROUGE. – Voir BAGUETTE

LADAKH. – Voir RÉGION HIMALAYENNE

LAIT (pain au). – Historiquement, le pain au lait est un pain de luxe élaboré à partir de fleur de farine, dans lequel tout ou partie de l'eau de pétrissage est remplacée par du lait. Il semble que, vers le XVIe siècle, l'ajout de levure de bière en remplacement du levain naturel, puis l'incorporation plus systématique de sel aient permis aux boulangers parisiens de produire des petits pains au lait plus développés et plus moelleux. Ces petits pains raffinés (dits « pains mollets »), très appréciés à la cour, furent appelés « petits pains à la reine », puis dotés de multiples appellations fantaisistes. Au XVIIIe siècle, les « petits pains à café » réalisés avec des farines de gruau comportaient également du lait dans leur recette ; ils étaient cuits dès l'aube, puis livrés à la hotte au domicile des Parisiens aisés. Au XIXe siècle, les pains viennois, réalisés en partie avec du lait et de l'eau, occupèrent le devant de la scène. Puis, l'élévation du niveau de vie aidant, le succès des brioches et des croissants ternirent un peu son image. La recette traditionnelle du pain au lait comporte de faibles pourcentages de matières grasses et de sucre, ce qui en fait une production plus allégée et logiquement meilleur marché que les brioches individuelles. Le format navette est très fréquent et une coupe au ciseau qui s'épanouit au four ainsi que quelques grains de gros sucre lui donnent fière allure. L'absence de définition précise du pain au lait se traduit aujourd'hui par une frontière assez floue entre les briochettes et les pains au lait industriels.

Hubert Chiron

• *Voir aussi :* Brioche ; Croissant ; Fleur de farine ; Gruau ; Levure de boulanger ; Pain à la reine → France (pains historiques, du Moyen Âge à la Révolution française) ; Pain mollet → France (pains historiques, du Moyen Âge à la Révolution française) ; Viennois (baguette et pain)

***LAITIÈRE* (*La*).** – Voir PEINTURE OCCIDENTALE

LAME ET COUP DE LAME. – Voir GRIGNE ; SCARIFICATION

LAMINAGE. – Voir FAÇONNAGE ; FAÇONNEUSE

LAMINOIR. – Appareil permettant d'amincir un pâton. La pratique manuelle au rouleau est remplacée ici par le passage mécanique de la pâte entre plusieurs rouleaux entraînés soit à la main avec une manivelle, soit par un moteur. De chaque côté des rouleaux, on a une tablette sur laquelle repose la pâte à amincir et qui sera entraînée d'un côté à l'autre par la rotation des rouleaux. L'épaisseur sera définie par l'écartement des rouleaux, écartement réduit progressivement de manière à ménager l'écrasement du pâton. Son usage est très utile pour abaisser les pâtes feuilletées, les pâtes à croissants, etc.

Guy Boulet

• *Voir aussi :* Abaisse ; Croissant ; Fournil ; Pâton ; Pâte feuilletée → Pâtes (définition des)

LANTERNE. – Engrenage composé de deux plateaux circulaires et de barreaux en bois dur qui, placé sur l'axe des meules, remplissait les fonctions du pignon actuel dans les anciens moulins ; les alluchons du hérisson, embrayant dans la lanterne, lui donnaient son mouvement de rotation, ainsi qu'au fer de meule, et conséquemment à la meule courante. Il existe encore des lanternes dans quelques moulins à petits sacs et à gruaux (Touaillon 1867).

Jean-Pierre Henri Azéma
et Roland Feuillas

• *Voir aussi :* Alluchon ; Gruau ; Meule ; Meunerie ; Moulin

Bibl. : C. TOUAILLON Fils, *La Meunerie*, Paris, Librairie agricole de la Maison rustique, 1867.

LASAGNARI. – Voir PÂTES ALIMENTAIRES

LAURIOT. – Petit baquet dans lequel on lavait l'écouvillon après s'en être servi pour nettoyer le four. On se servait aussi du lauriot pour y faire tremper les drapeaux avec lesquels on bouchait les jointures de la bouche du four et du fermoir (Malouin 1779).

Mouette Barboff

• *Voir aussi :* Bouche, gueule du four ; Bouchoir ou fermoir du four ; Écouvillon ; Four ; Four (symbolique du) ; Sole ; Voûte ou chapelle du four à bois

Bibl. : Paul Jacques MALOUIN, *Description et détails des arts du meunier, du vermicellier et du boulanger*, Paris, 1779.

LAVEUSE. – Machine qui permettait l'épierrage du blé en le faisant passer dans un flux d'eau, avant d'être essoré. Cette opération servait également à mouiller le blé. Ce procédé a été abandonné car il nécessitait de trop grandes quantités d'eau et une station d'épuration pour décanter cette eau de lavage.

Philippe Duret

• *Voir aussi :* Blés (préparation des) ; Épierreur ; Meunerie ; Mouilleur à blé ; Nettoyage

LAZARE, saint. – Avant de se placer sous la protection de saint Honoré, il semble que les talemeliers, rassemblés en confréries, aient attendu de saint Lazare qu'il les protège de la lèpre, la croyance étant que la cuisson par le feu les exposait plus que tout autre communauté à ce fléau. Mais qui était Lazare ? Un personnage de l'origine du christianisme, apparaissant dans le Nouveau Testament et les légendes orientales et occidentales du début de l'histoire chrétienne. Selon l'Évangile de Jean, Lazare était un ami de Jésus, frère de Marthe et de Marie. Ils vivaient à Béthanie, un village sur le versant est du mont des Oliviers. C'est lui que le Christ aurait ressuscité, le faisant sortir de son tombeau. On peut lire ce passage dans l'Évangile de Jean, au chapitre XI. Selon la tradition occidentale, la légende veut qu'après la mort du Christ, Lazare se serait embarqué vers la Provence en compagnie de ses sœurs Marthe et Marie de Béthanie ainsi que de plusieurs autres personnes, et qu'il ait été le premier évêque de Marseille. Plus tard, au Moyen Âge, on en fit le patron des lépreux, des mendiants et des boulangers, le confondant avec le personnage de la parabole du mauvais riche, rapportée par Luc. La tradition orientale rapporte, quant à elle, qu'après la Pentecôte, Lazare, ressuscité, s'est joint aux apôtres et est venu à Chypre pour faire œuvre d'évangélisation. Saint Pierre l'aurait investi premier évêque de Kition et il aurait vécu encore dix-huit années après sa résurrection, avant de mourir. Si Lazare est le premier ressuscité, selon la tradition évangélique, il occupe finalement très peu de place. En revanche, à partir du Nouveau Testament, sa postérité littéraire est remarquable, du Moyen Âge jusqu'à nos jours. Sujet d'édification des fidèles, dans *Le Mystère de la Passion*, d'Arnoul Gréban, et bien plus tard chez Bossuet, il devient chez Victor Hugo une figure du peuple en marche et qui cherche à se libérer de l'oppression et de l'injustice, comme dans *Les Misérables*, à travers la figure de Jean Valjean.

Olivier Pascault

• *Voir aussi :* Antoine, saint ; Aubert, saint ; Boulangers et boulangeries (histoire de France des) ; Boulangers forains ; France (pains historiques, du Moyen Âge à la Révolution française) ; Honoré, saint ; Isidore, saint ; Jean Valjean ; Talemelier

Bibl. : Régine PERNOUD, *Les Saints au Moyen Âge*, Paris, Plon, 1984 • Gaston DUCHET-SUCHAUX, Michel PASTOUREAU, *La Bible et les saints. Guide iconographique*, Paris, Flammarion, Paris, 1990.

LÉCITHINE DE SOJA. – Voir SOJA (lécithine de)

LÉGUMINEUSES. – Plantes de la famille des fabacées (latin *fabaceae* ou *leguminosae*). Le nom de famille vient de *faba,* ancien nom latin du genre des fèves (maintenant *Vicia faba* L.). Cette famille de dicotylédones comprend environ dix-huit mille espèces, dont des espèces cultivées pour leur graine (pois sec, haricot sec, lentille, féverole, lupin, etc.), ou comme légume (pois, haricot, etc.), ou comme fourrage (luzerne, vesce, trèfle, sainfoin, etc.), ou encore pour leur huile (soja, arachide, etc.). Un grand nombre d'espèces de fabacées peuvent fixer l'azote grâce à la présence dans leurs racines de champignons symbiotiques du genre rhizobium. Dans le domaine de la panification, le « pain de tradition française » peut contenir jusqu'à 2 % de farine de fève et 0,5 % de farine de soja (décret du 13 septembre 1993).

Jean Koenig

• *Voir aussi :* Fève ; Pain de tradition française → Décret pain ; Soja (farine de)

LEHEM. – Voir BETHLÉEM

LEMBERTINE. – Voir PÉTRIN

LESAFFRE (Coupe Louis). – Voir BOULANGERIE (salons internationaux de la) ; LESAFFRE

LESAFFRE (groupe). – Fondé par Louis Lesaffre-Roussel et Louis Bonduelle-Dalle à Marcq-en-Barœul, dans le nord de la France, en 1853, le groupe Lesaffre est aujourd'hui le leader mondial sur le marché des levures et bénéficie, notamment, d'une forte notoriété sur le marché de la panification artisanale. Son savoir-faire s'est développé autour de gammes telles que les levures de boulangerie, les améliorants, les blends (produits qui associent les pouvoirs fermentaire, aromatique et améliorant ; additionné d'eau, l'ensemble permet d'obtenir une pâte standardisée), les mixs prêts à l'emploi (combinaison d'un premix avec de la farine standard). Les applications en panification sont multiples et complexes. Grâce à sa présence dans 190 pays, Lesaffre connaît parfaitement les contraintes culturelles de ses implantations. Il apporte des solutions adaptées aux spécificités de chacun : spécialités et interdits alimentaires, matières premières, etc. Outre ses activités dans la boulangerie et l'industrie agroalimentaire, le groupe est présent dans les domaines de la nutrition et de la santé grâce à son expertise des biotechnologies (levures, arômes, enzymes, bactéries) et des procédés de fermentation. Reconnu pour sa capacité d'innovation, Lesaffre a développé une gamme de produits et de services à destination des industriels, des artisans et du grand public. En 2010, le groupe est toujours détenu par la famille Lesaffre. Il emploie plus de 6 500 collaborateurs et a réalisé un chiffre d'affaires de un milliard d'euros en 2008. Le groupe possède 24 Bakings Centers (centres de formation et de recherche), 47 sites de production implantés dans 26 pays et une centaine de sociétés réparties dans 37 pays. La Coupe Louis Lesaffre est une épreuve qui sert à sélectionner les participants à la Coupe du monde de la Boulangerie. Elle se déroule dans les principales régions du monde : Afrique-Méditerranée, Amérique du Nord et centrale, Asie, Amérique du Sud, Europe centrale, Europe orientale et pays nordiques, Europe de l'Ouest. Chaque équipe nationale est composée de 3 candidats, chacun étant spécialisé dans une catégorie : baguettes et pains, viennoiseries et pièce artistique. La troisième édition de la Coupe Louis Lesaffre permettra à 24 candidats de participer à la Coupe du monde de la boulangerie à Europain 2012.

Jean-Pierre Deloron

• *Voir aussi :* Améliorant ; Boulangerie (Coupe du monde de la) ; Europain → Boulangerie (salons internationaux de la) ; Fermentation panaire ; Levure de boulanger ; Levure désactivée ; Levure pressée ; Méthode directe/indirecte

LEVAIN (intérêt nutritionnel du). À la différence des fermentations induites par une addition de levure, la fermentation au levain est réalisée à partir d'une flore naturelle qui se développe dans une pâte hydratée au bout de plusieurs jours. Il existe une très grande diversité de procédés de fabrication des levains. Les plus simples sont élaborés seulement avec de la farine et de l'eau. La farine, de préférence de type 80, est fortement hydratée (poids/volume). La technique de préparation consiste à rajouter quotidiennement un nouvel apport de farine et d'eau dans les même proportions pendant trois à quatre jours jusqu'à ce que la densité des micro-organismes soit suffisante pour induire une fermentation active et servir de levain panaire (levain chef). Dans cette phase, le nombre de bactéries aérobies et de moisissures s'effondre, de même que les bactéries pathogènes ; en parallèle, il y a une augmentation des levures sauvages et des bactéries lactiques anaérobies. L'acidification démarre quand les bactéries lactiques prennent le dessus sur les autres organismes. De nouvelles substances sont produites (de l'acide lactique, bien sûr, mais aussi des vitamines et d'autres composés). Lorsque la fermentation se prolonge, la multiplication des bactéries lactiques s'arrête à un pH inférieur à 4.

Il n'existe pas un levain mais des levains, selon leur origine, caractérisés par des profils microbiens et fermentaires qui peuvent être très contrastés. Des études microbiologiques ont permis de caractériser 43 espèces de bactéries lactiques issues principalement du genre *Lactobacillus* et 23 espèces de levures plus particulièrement du genre *Saccharomyces* ou *Candida*. Une fois stabilisé, le levain est composé d'une association stable entre lactobacilles et levures. En vieillissant, la microflore du levain a tendance à s'appauvrir en termes de diversité microbienne, mais les espèces de levures et de levain deviennent plus complémentaires.

La conduite de la panification au levain a beaucoup évolué au cours du temps. Lorsque la valeur boulangère des blés anciens n'était pas très bonne, il était important de procéder à une préparation du levain en plusieurs étapes de façon à lui donner le maximum de force et de faire lever la pâte même dans des conditions très difficiles. Il existe par exemple un diagramme d'une pâte sur trois levains pour aboutir à un levain final « tout-point » représentant une forte proportion (environ 1/3) de la pâte finale.

En France, avant la généralisation de la panification à la levure à partir de farines type 55 issues des moulins à cylindres, on employait des farines bises de meules de pierre (de type 80) et on panifiait au levain en plusieurs étapes ou seulement avec le levain précédent lorsque le rythme des fournées était suffisamment rapide. Dans un esprit de facilité d'utilisation, des levains liquides possédant une flore sélectionnée sont utilisés pour faire une panification en direct beaucoup plus rapide, voire pour préparer un levain « tout-point » plus rapidement que par une méthode naturelle. Une autre formule fréquemment utilisée consiste à faire une panification à la levure tout en incorporant un peu de levain liquide pour aciduler légèrement la pâte, apporter des arômes et aboutir à un pain de meilleure qualité gustative. Le levain provoque une acidification de la pâte par l'accumulation des acides lactique et acétique produits par la flore bactérienne. Dans la législation française, il est indiqué que la panification au levain doit atteindre un pH très bas, proche de 4,4. Cela donne souvent un goût très acide, qui n'est guère un facteur favorable à la consommation du pain au levain. Même s'il n'est pas nécessaire que la baisse du pH soit très forte, une nette acidification de la pâte autour de pH 5 est indispensable pour que la fermentation au levain soit pleinement bénéfique.

Les farines complètes sont trois fois plus riches en minéraux que les farines blanches, mais longtemps il était affirmé que cette teneur plus élevée ne présentait pas un avantage nutritionnel. En effet, la majeure partie de ces minéraux est liée dans la farine à l'acide phytique, une forme de réserve de phosphore de la graine. Or, la baisse du pH a la propriété d'activer les phytases de la farine et donc de rendre entièrement assimilables les minéraux, en particulier les oligoéléments tels que le fer, le zinc et le cuivre. En plus de la baisse du pH, une bonne hydratation de la pâte favorise la destruction de l'acide phytique. Avec une pâte très hydratée (0,75 l d'eau par kilo de farine, au lieu de 0,6 l), on peut même obtenir une dégradation de l'acide phytique avec de la levure, pourvu que le temps de fermentation soit suffisamment long. La fermentation au levain pourrait diminuer l'index glycémique du pain dans la mesure où elle aboutit à une production de mie moins aérée. De plus, les acides organiques pourraient ralentir la vidange gastrique. Ainsi, les pains au levain auraient un meilleur index glycémique que des pains à la levure beaucoup plus levés et dépourvus d'acides organiques.

Le pain souffre aussi d'un certain discrédit à cause de sa richesse naturelle en gluten. S'il s'agit de maladie cœliaque, toute source de gluten doit être exclue. Pour les autres personnes susceptibles de présenter des intolérances digestives au gluten moins sévères, la meilleure recommandation est de modérer la consommation de pain et de ne consommer que du pain au levain, puisque cette fermentation transforme partiellement le gluten. En effet, comme pour la phytase, la baisse du pH de la pâte active les protéases végétales et microbiennes capables de dégrader partiellement le gluten. Beaucoup d'autres activités enzymatiques sont mises en jeu dans la fermentation au levain, qui bonifient la valeur nutritionnelle du pain et améliorent sa tolérance digestive. Autant de bonnes raisons qui auraient dû inciter la filière blé-farine-pain à utiliser des farines moins raffinées et à privilégier la panification au levain.

Christian Rémésy

• *Voir aussi :* Acide acétique ; Acide lactique ; Acide phytique ; Aérobiose et anaérobiose ; Bactérie lactique ; Fermentation panaire ; Gluten ; Index glycémique ; Levain, levain-chef, levain de première, de seconde, de tout point ; Levain panifiable (approche microbiologique) ; Minéraux ; Moisissure ; PH ; Types de farine → Farine

Bibl. : Christian RÉMÉSY, *Alimentation et santé*, Paris, Flammarion, coll. « Dominos », 1994. – *ID.*, *Les Bonnes Calories*, Paris, Flammarion, coll. « Dominos », 1996. – *ID.*, *Que mangerons-nous demain ?*, Paris, Odile Jacob, 2005.

LEVAIN (symbolique du). – Le levain est doublement lié à la transformation de la matière : à la fois agent actif de fermentation et déjà résultat d'une action bactérienne. À ce titre, il constitue un maillon dans la chaîne ininterrompue des transformations qui s'opèrent dans le cycle de la vie et de la mort, symbole du temps très long et de l'éternel recommencement des choses, la mort étant toujours indispensable à la manifestation de la vie. Obtenu par un mystérieux travail de micro-organismes invisibles, il rappelle que la connaissance d'un procédé chimique (la fermentation) relève bien d'une ancienneté d'ordre ésotérique et que les grandes découvertes scientifiques sont l'œuvre des alchimistes, les inventions techniques ultérieures (comme, dans ce cas présent, le microscope au XVIIe s.) venant affiner les connaissances. Dès lors, si l'approche symbolique du levain ne peut aujourd'hui écarter la formule chimique de la fermentation, elle doit aussi rappeler le fondement alchimique de la transformation rendue possible par le contact, la combinaison, voire le mélange de certains éléments. Aujourd'hui, le levain est bien souvent remplacé par la levure de boulangerie.

Les sources concernant l'origine du levain sont imprécises (découverte par les Babyloniens, les Hébreux ou les Égyptiens) ; il suffit de rappeler ici que le procédé chimique de la fermentation est connu depuis fort longtemps. Il est en tout cas probable que l'histoire du levain coïncide avec celle du pain, elle-même liée aux débuts de l'agriculture et de la culture des céréales. Cultiver est déjà le premier geste symbolique, puisqu'il s'agit d'exploiter les richesses de la terre nourricière et en particulier les céréales, sans doute à haute valeur nutritive. Le développement de l'agriculture va de pair avec celui d'une certaine forme de sédentarisation. Les grains, moulus et transformés en farine, constituent le point de départ d'un lent processus culturel qui présuppose un ensemble de découvertes techniques au fil du temps. La cuvette de broyage, élément d'étude de l'archéologie, suffisante à la confection de galettes et de bouillies, ne permet que la première étape de la transformation, continuée grâce au moulin activé par l'eau ou le vent. Si faire du pain nécessite avant tout de la farine, de l'eau et du sel, le levain est de première importance pour faire lever la pâte, autrement dit pour lui donner vie. Son usage prend alors tout son sens avec la cuisson au four, en d'autres termes la maîtrise du feu. Même si les sources manquent de précision, il faut souligner l'importance de la céréale dans l'imaginaire populaire, mais aussi dans les pratiques religieuses. Selon les sociétés et leurs propres usages culturels, blé, froment, sarrasin, seigle, orge, maïs, riz, avoine, millet, sorgho, toutes ces productions de la terre peuvent être transformées en farine pour nourrir et éviter ainsi la mort, tant pour l'homme que pour l'animal domestique.

Cela dit, sans doute parce que choisi de manière emblématique par la spiritualité chrétienne, le blé est considéré comme la céréale la plus noble et la farine de blé est bien souvent réservée aux repas de fêtes des sociétés pauvres. Blé et pain sont, au dire de Fernand Braudel, « les tourments sempiternels de la Méditerranée ». Il est probable également que son importance dans l'imaginaire méditerranéen tienne à son origine énigmatique, à la fois au mythique (mariage sacré de Zeus avec Déméter, déesse de la fécondité, mais aussi Cérès, la déesse des moissons) et au technique (débuts de l'agriculture, geste de l'homme pour travailler la terre et en tirer les ressources vitales).

La farine contient naturellement des micro-organismes, des levures (ou champignons, les *Saccharomyces cerevisiae*), des bactéries lactiques mais aussi des sucres. Mélangée à de l'eau, la farine donne une pâte. En l'absence d'oxygène commence le processus de fermentation, autrement dit la transformation des sucres en alcool. Le levain est obtenu par fermentation alcoolique, procédé qui fait intervenir plusieurs transformations à partir d'un micro-organisme et la transformation du glucose en éthanol et dioxyde de carbone (CO_2). Il perpétue lui-même le processus de fermentation lorsqu'il est mélangé à la farine, à l'eau et au sel. De ce fait, le levain ne peut être détaché d'un ensemble de gestes et de pratiques qui activent les transformations en chaîne, telle la cuisson puisque c'est la chaleur qui achève la fermentation avec l'évaporation du gaz carbonique (l'alcool ne s'évapore presque pas, car il est beaucoup plus soluble dans l'eau que ne l'est le dioxyde de carbone).

L'opération de fermentation et la saveur aigre sont toujours associées et c'est sans doute la raison pour laquelle pain, vin et fromage constituent une triade remarquable sur le plan des valeurs nutritionnelles. Dans la tradition populaire corse, cette association mentale se traduit, par exemple, dans l'évaluation des marchandises lors d'un troc : un kilo de pain correspond à un litre de vin ou à une livre de fromage. L'association symbolique, déjà évoquée par Aristote, entre le lait, dont la fermentation permet le fromage, et le sang féminin, indispensable à la gestation, n'est peut-être pas étrangère au fait que la fabrication des pâtes ait été réservée à l'origine essentiellement aux femmes. Alors que la culture des céréales jusqu'aux moissons et à la mouture revient à l'homme, la femme pétrit et gère la cuisson, deux étapes particulièrement importantes dans la transformation. La principale propriété du levain est de faire lever la pâte, mais l'opération ne peut réussir que sous l'effet de la chaleur. Le lien entre le gonflement du pain et celui du ventre de la femme fécondée est assez clair. Aussi le levain est-il symbole de la fécondité, associé, à l'instar de la montée de sève, à l'idée de renouveau, voire de résurrection, comme s'il servait à conjurer la mort et la putréfaction, destin naturel de toute chose. Aussi toute réflexion à son sujet conduit naturellement au symbolique et au religieux.

Au cours de la longue histoire des idées, les sociétés se sont organisées pour gérer ce temps parenthèse qu'est la vie, entre l'interdit et le permis, en particulier en ce qui concerne la répartition sexuée des tâches liées aux pratiques alimentaires et culinaires. Les propriétés naturelles du levain, principe actif dans la fabrication de la pâte à pain, domaine réservé des femmes, en tout cas dans la sphère domestique, ne sont sans doute pas étrangères à sa symbolique propitiatoire. En tant qu'ingrédient, avec le sel, indispensable à la fabrication d'un tout, il contribue lui aussi, de manière sans doute plus obscure, à conjurer l'imaginaire de la faim et la crainte de la disette.

Dans l'imaginaire occidental, le levain est directement associé au pain quotidien, ce pain marqué par la pensée judéo-chrétienne de la charité et du partage, mais aussi par la pauvreté et la peur du manque. Le pain quotidien est un aliment de subsistance, du « juste assez » pour ne pas mourir de faim. D'où toute une sémiologie autour du pain : différents signes ponctuant la fabrication du pain jusqu'à sa consommation, entre prières et gestes évocateurs. Lié à l'énigme de la transformation de la matière, le levain s'inscrit lui aussi dans le cycle ininterrompu de la vie et de la mort et relance la question anthropologique de la dichotomie nature/culture. La fabrication du pain n'est qu'une étape dans une longue histoire de transformations qui commence à la semence et à la pousse de la céréale pour s'achever à la cuisson et à la consommation. Chacune de ces étapes s'inscrit également dans des calendriers saisonniers, agricoles, religieux ; chacun des gestes réalisé à tel ou tel moment, en tel ou tel lieu, renvoie à un des fils de la toile symbolique. La double caractéristique du levain fait qu'il concentre en lui une symbolique aussi riche que celle de l'eau et du sel. Aussi, ajouter ou non du levain à la pâte n'est pas un geste neutre.

La propriété du levain de faire lever la pâte permet de distinguer le pain de la galette ou de l'hostie, à base, l'un et l'autre, de pâte non levée. Cette remarque permet de situer le levain dans la sphère du symbolique tout en l'écartant, presque toujours, du liturgique. Le pain levé et la galette, témoins des savoirs à propos des valeurs nutritives des céréales, participent de la nourriture terrestre indispensable à la survie. Et, bien que le pain soit symbole de charité et de partage dans la pensée chrétienne, c'est le pain sans levain qui est la nourriture spirituelle au centre des rites liturgiques romains. Il est intéressant de remarquer que le pain sans levain, le pain azyme, est consommé lors de la Pâque juive et que, dans la liturgie chrétienne de l'Occident latin, l'hostie est consacrée lors de l'eucharistie puis consommée lors de la communion. Les pâtes non levées pour rappeler le sacrifice divin trouvent leur pendant dans les pâtes levées des fêtes. Le levain n'est pas seulement utilisé dans la fabrication du pain quotidien. Il entre également dans la confection d'autres pâtes et s'accorde avec d'autres farines céréalières. Si de nombreuses sociétés ont progressivement perdu leurs désirs de pain, certaines en revanche, comme la Sardaigne, conservent leur tradition du pain levé, symbole de fertilité manifesté jusque dans la grande diversité de formes de pain. Qu'il s'agisse de l'ordinaire ou du festif, du quotidien ou des rituels religieux, l'ajout ou non du levain est significatif. Le levain renvoie bien à la temporalité, certes finie chez les humains, mais rendue infinie par la transformation.

Dominique Salini

• *Voir aussi :* Bière ; Éleusis (mystères d') ; Ensemencer ; Fermentation (approche anthropologique de la) ; Fermentation panaire ; Gaz carbonique ; Levain (intérêt nutritionnel du) ; Levain, levain-chef, levain de première, de seconde, de tout point ; Levain de panification ; Levain-levure ; Méthode directe/indirecte ; Morts (pain des) ; Rafraîchir, rafraîchi ; Si le grain tombé en terre ne meurt

Bibl. : Fernand BRAUDEL, *La Méditerranée. L'espace et l'histoire*, Paris, Flammarion, 1985.

LEVAIN, LEVAIN-CHEF, LEVAIN DE PREMIÈRE, DE SECONDE, DE TOUT POINT. – Dans son *Histoire abrégée de l'origine, des progrès, et de l'état actuel de la meunerie, de la vermissellerie et de la boulangerie*, publié en 1767,

Malouin, éminent médecin du siècle des Lumières, nous explique que la confection du levain est la quintessence de l'art de faire le pain. Pour lui, toutes les civilisations sont passées par les mêmes commencements et les mêmes progrès, partant de la consommation du grain cru à sa transformation en farine, préparée en bouillie, puis en pâte et en galette de pain azyme, pour finir enfin avec la maîtrise du levain qui porte la panification à sa plus grande perfection. À l'origine du pain fermenté, on a imaginé une pâte trop longtemps oubliée et ayant donc tardé à être cuite ; l'introduction d'un morceau de pâte restante dans un nouveau pétrissage ; l'ajout volontaire ou accidentel de vin, de bière, de miel ou autres substances propres à en favoriser la fermentation. Car, jusqu'au XVIe siècle, le terme de fermentation n'est utilisé que pour rendre compte de la transformation de la farine pétrie avec de l'eau, et qui, maîtrisée et bien conduite, va donner au pain arômes, saveurs et goûts d'une infinie variété. Ainsi les poètes ont-ils magnifié le « miracle » du levain. Dans *La Vie des aliments*, de Giuseppe Talarigo (Paris, Denoël, 1947), on peut lire cette très belle allégorie : « Ne croyez pas qu'entre le pain et le vin, il n'y ait que des rapports liés aux mythes ou aux dogmes du christianisme. Il y a bel et bien une affinité de sang. L'art de faire du vin précéda celui de faire du pain levé, et ce fut au moût de raisin qui, depuis les temps lointains de la préhistoire, bouillait de sa vigoureuse jeunesse, que l'homme emprunta un peu de son essence vitale pour la donner à la farine qui candide, inerte et virginale dans sa huche, attendait l'époux. Alors la farine, émue par la vie fécondée par la puissance de son jeune époux, s'agita, grossit et s'enfla jusqu'à ce que de leur union naisse le pain levé. Et voilà comment notre pain a pour mère la farine de blé et pour père le moût de raisin. »

Le levain vu par Malouin et Parmentier. Si le levain a changé le goût du pain, il en a aussi changé la forme et, par voie de conséquence, le nom. Constitué à l'origine de pâte dure, le pain est ferme et compact ; sa faible épaisseur permet de le rompre facilement. Avec l'usage du levain, les galettes prennent du volume et se transforment insensiblement en boules. Le levain a fait sa révolution et l'attribut de *boulens* ou *boulanger* succède au nom de *panetier*. Jusqu'au XVIIIe siècle, la fermentation n'est pas scientifiquement expliquée et maîtrisée. Si le microscope permet déjà de repérer différentes variétés de ferments, on n'apprécie leurs actions que de façon empirique. Parmentier, autre éminent scientifique du XVIIIe siècle, consacrera plusieurs ouvrages à l'amélioration de la panification. Malouin et Parmentier sont unanimes pour reconnaître que la fabrication du levain est la partie qui mérite le plus d'attention, d'intelligence et d'expérience. Selon Malouin, la fermentation sera d'autant plus forte que la farine sera complète. Le gros son est reconnu pour aider à la fermentation de la farine à laquelle il est mêlé ; Malouin préconise même de le laisser tremper et d'utiliser son eau pour la fabrication du levain. Il y a, en revanche, débat sur la qualité de l'eau recommandée : eau du puits, de fontaine, de citerne, de rivière, de pluie sont comparées. Les boulangers de Paris revendiquant le meilleur pain d'Europe, et utilisant généralement l'eau du puits, celle-ci sera alors préférée à toute autre. Pourtant, Parmentier minore l'importance de la qualité de l'eau et préfère dire que « c'est de sa température que dépendra la meilleure fermentation ». L'usage du thermomètre manque cependant cruellement à leur démonstration. Alors l'eau fraîche est recommandée en été et l'eau tiède en hiver. Pour le levain liquide, il est question d'eau chaude, voire très chaude ; la température du fournil devant se situer entre 18° et 20°. Le levain, réalisé directement dans le pétrin de bois ou mis en corbeille, doit être couvert pour le préserver des courants d'air ; la qualité de l'air ambiant qui le nourrit a elle aussi son importance. Malouin va jusqu'à prétendre « qu'une haleine infecte gâte les levains, et que de même, les levains risquent de se gâter quand les vidangeurs travaillent dans le voisinage des boulangers ». Quant à sa consistance, Malouin précise que le levain sera d'autant plus fort que la pâte sera dure, mais que sa fermeté devra aller en décroissant.

À partir de ces recommandations essentielles, la pratique générale de l'époque est d'ensemencer le levain de vieille pâte : « Vieilles remouillures et jeunes levains donnent de bon pain. » L'apport de ferments étrangers tels que ceux du moût de raisin, du cidre, du miel, du citron, etc. est connu mais peu pratiqué, ayant été observé « que les ferments se reproduisent d'autant mieux avec leurs semblables, ce qui fait que le levain de pâte est plus convenable dans le pétrissage du pain que les ferments qui ne lui sont pas semblables ». L'usage général est donc d'utiliser une pâte ayant déjà aigri (pâte de la veille, par exemple), nommé « levain vieux » ou « levain chef », et de la rajeunir (la rafraîchir) trois fois, « deux fois serait insuffisant et quatre fois inutile » (Malouin), tout en précisant que plus les rafraîchis s'écartent du chef plus le temps de l'apprêt est court. Ce « levain chef » sera quintuplé au premier rafraîchi et laissé à lever quatre à six heures, puis doublé pour obtenir un « levain de seconde » qui lèvera trois à quatre heures, et enfin doublé encore une fois pour faire le « levain de tout point » qui lèvera deux heures et ensemencera une fournée du triple de son poids. Qualité du levain chef, qualité de la farine, qualité de l'eau, qualité de l'air, températures de ces quatre éléments, tout cela influence directement la conduite de la fermentation et fait toute la complexité du travail sur levain.

La tradition et ses aménagements. À partir de 1900, c'est dans les traditions familiales que les secrets du levain sont préservés. Vers 2, 3 heures du matin, le boulanger prélève environ 3 kg de pâte de sa première fournée pour en faire son « chef ». Il le met dans une petite corbeille d'osier habillée en dedans d'une toile qu'il replie par-dessus. Il le laisse doubler de volume et contracter une odeur vineuse agréable. Vers 7 ou 8 heures du matin, il procède à son premier rafraîchi. Dans son pétrin de bois, il fait une fontaine avec le double de son poids (environ 6 kg) de farine nouvelle, y verse l'eau (un bon tiers du poids de la farine), y dépose son chef, le regarde flotter pour en apprécier la maturité, puis pétrit. Le « levain de première » terminé est placé à nouveau dans la corbeille, laissée au chaud ou au frais suivant la saison. En début d'après-midi, le boulanger s'assure que son « levain de première » a bien mûri en observant son gonflement ; si sa rondeur marque un léger creux à son sommet, il le rajeunit une seconde fois (l'apport de farine et d'eau ne dépasse pas, cette fois, le tiers de son « levain de première »). Le « levain de seconde » est laissé à même le pétrin, saupoudré de farine et recouvert de sa toile. En fin d'après-midi, le temps est venu du dernier rafraîchi : c'est le « levain de troisième » ou « levain de tout point ». Celui-ci représente entre le tiers et la moitié de la fournée à pétrir le lendemain. Le boulanger le laisse dans le pétrin, recouvert d'une partie de la farine de la première fournée. Cette réserve de ferments très actifs sert au premier pétrissage de la nuit, et les fournées se succèdent ainsi.

Rien n'a vraiment changé depuis un siècle : même attention au levain chef, même principe des rafraîchis, même complexité dans l'appréhension des quantités et des temps de fermentation, même contraintes..., qui conduisent à de nombreux essais de mécanisation. L'appareil Wick est une sorte de laminoir qui permet d'homogénéiser une pâte très dure à partir du « levain de première », mais censée remplacer le « levain de tout point ». L'appareil Belloir et Berry a lui aussi pour vocation d'éviter les rafraîchis. L'appareil Christofleau récupère l'eau dans laquelle on met à fermenter le levain pour l'arroser ensuite de cette eau et augmenter ainsi l'apport des ferments. Plus fort encore, l'appareil à levain Arnal se nomme le « Sans-levain »... Ces tentatives de rationalisation n'empêchent pas la généralisation de l'emploi de levure de bière dans la panification au levain. L'époque est venue pour la boulangerie parisienne d'abandonner la production des pâtes dures pour des pâtes molles du type pain bourgeois, baguettes ; l'usage du levain pur est remplacé par un compromis levain-levure de bière ; alors que la pratique du seul levain de pâte restera la plus usitée dans la plus grande partie du pays jusqu'au début du XXe siècle. Le recours à la levure de bière n'est pas seulement une volonté de rationalisation ou de simplification, mais correspond à une évolution du goût des consommateurs, qui réclament désormais une mie du pain plus douce et une croûte plus fine, et donc plus croustillante. Pour compenser cette perte de goût, la dose de sel est généreusement augmentée, au point de passer de 250 g par quintal de farine à la fin du XVIIIe siècle à 3 kg deux cents ans plus tard. C'est une des graves conséquences de l'abandon du levain. Malouin écrivait ainsi que « le levain était une espèce d'assaisonnement et que le sel était moins nécessaire que le levain ». À l'inverse du levain dur, le levain liquide est plus facile à mettre en œuvre, raison qui explique qu'il soit aujourd'hui adopté par des boulangers soucieux de redonner à leurs pains goût et saveur. Peu pratiqué par les anciens, il est cependant cité par Parmentier, qui en donne la recette : « On prend la quantité de farine que l'on veut, on la mêle avec de l'eau bien chaude, on travaille peu le mélange que l'on tient très mou ; on l'expose après cela dans un endroit fort chaud, afin qu'il s'y aigrisse promptement, c'est à l'ordinaire l'affaire de douze heures. Dès que cette pâte a contracté une odeur assez aigre, on la délaye dans la même quantité d'eau chaude et de farine pour en faire une pâte plus ferme, qu'on place sur le four, et qui ne met plus autant de temps à fermenter, on répète encore une fois cette opération, et on obtient un levain propre à être employé. »

Mise en œuvre. Il faut démarrer son « levain de première » avec une égale quantité de B1 (blé entier produit par la première mouture) et d'eau tiède. On aura pris soin de se faire un repère qui permette d'observer sa prise de volume. En fonction de tous les paramètres vus précédemment (qualité du blé, de l'eau, de l'air, de la température), on attendra cette petite prise de volume (1/10) et une odeur légèrement acide, premiers signes du démarrage de la fermentation. À partir de là, on peut le rafraîchir en doublant son volume dans la même proportion de B1 et d'eau pour faire son « levain de seconde ». C'est encore la prise de volume, désormais plus rapide, qui révélera de façon incontestable l'activité du levain (1/5). En recommençant l'opération, on augmentera encore et plus rapidement cette prise de volume, l'odeur aigre-douce sera ténue, l'activité des ferments apparente, le goût acide, comme salé. Le « levain de tout point » sera prêt à ensemencer une pâte nouvelle du triple de son poids, sans ajout de levure si souhaité. On pourra jouer ensuite des proportions « levain/levure » pour varier à l'infini les couleurs et le goût de la mie, l'épaisseur et le croustillant de la croûte. Il suffira de réserver au froid (au moment de sa réalisation) une partie du « levain de tout point » pour ensemencer d'autres pétrissages sur une semaine si nécessaire, et le rafraîchir ensuite sur le même principe de 50 % de B1 et 50 % d'eau. Les avantages de cette pratique sont nombreux : la manipulation est réduite (un simple brassage) ; au-delà de l'odeur aigre-douce caractéristique, la prise de volume (à l'identique du levain dur) est une preuve infaillible de son activité et de sa maturité ; la quantité désirée peut être prélevée sans altérer l'ensemble ; les proportions de 50 (B1) et 50 (eau) permettent de calculer sans erreur le taux d'hydratation souhaité de la fournée qui sera ensemencée ; le levain se conservera des semaines à 4 ou 6° ; il suffira de le rafraîchir à 50/50 pour lui redonner de la force ; les parties les plus lourdes descendant au fond et la partie liquide restant au-dessus, un simple brassage conservera l'homogénéité de l'ensemble ; le blé grossièrement moulu ayant servi au levain viendra persiller agréablement la mie, rappeler les origines du pain et lui redonner ce que nos anciens appelaient « le goût du fruit » (du bled). Ainsi, le levain apparaît-il bien comme une sorte de pierre d'angle dans l'art du « parfait boulanger » et certainement son authentique « signature ».

Guy Boulet

• *Voir aussi :* Bactérie lactique ; Bière ; Chambre de fermentation (ou pousse) contrôlée ; Décret pain ; Ensemencer ; Fermentation (approche anthropologique de la) ; Fermentation (pré-) ; Fermentation contrôlée ; Fermentation panaire ; Fermento-levain ; Gaz carbonique ; Levain (intérêt nutritionnel du) ; Levain de panification ; Levain-levure ; Méthode directe/indirecte ; Malouin ; Parmentier ; Rafraîchir, rafraîchi

Bibl. : L. AMMANN, *Meunerie et boulangerie*, Paris, Librairie J.-B. Baillière et Fils, 1925 • Ambroise MOREL, *Histoire illustrée de la boulangerie en France*, Paris, Imprimerie E. Desfossés, 1924 •

Antoine Augustin PARMENTIER, *Le Parfait Boulanger, ou Traité complet sur la fabrication & le commerce du* pain, 1778 ; *Avis aux bonnes ménagères des villes et des campagnes sur la meilleure manière de faire leur pain*, 1777.

LEVAIN DE PANIFICATION (approche microbiologique). – Écosystème microbien céréalier. Le terme générique « levain » utilisé dans différents secteurs d'activité (boissons fermentées, produits laitiers) correspond en panification à un procédé spécifique, défini, en France, par le décret n° 93-1073 du 13/9/1993 / Art. 4 : « Le levain est une pâte composée de farine de blé et de seigle ou de l'un seulement de ces deux ingrédients, d'eau potable éventuellement additionnée de sel et soumise à une fermentation naturelle acidifiante, dont la fonction est d'assurer la levée de la pâte. Le levain renferme une micro-flore acidifiante constituée essentiellement de bactéries lactiques et de levures. Toutefois, l'addition de levure de panification (*Saccharomyces cerevisiae*) est admise dans la pâte destinée à la dernière phase du pétrissage, à la dose maximale de 0,2 % par rapport au poids de farine mise en œuvre à ce stade. Le levain peut faire l'objet d'une déshydratation sous réserve que le levain déshydraté contienne une flore vivante de bactéries de l'ordre d'un milliard de bactéries alimentaires et d'un à dix millions de levures par gramme. Après réhydratation et, éventuellement, addition de levure de panification (*Saccharomyces cerevisiae*) dans les conditions prévues à l'alinéa précédent, il doit être capable d'assurer une levée correcte du pâton. Le levain peut faire l'objet d'un ensemencement de micro-organismes autorisés par arrêté du ministre de l'agriculture et du ministre chargé de la consommation, pris après avis de la commission de technologie alimentaire créée par le décret n° 89-530 du 28 juillet 1989 portant création de la commission de technologie alimentaire. » Il s'agit d'un mélange de farine de blé ou de seigle, de sel et d'eau potable, soumis à une fermentation lente (24 à 48 heures) initiée par des levures et des bactéries lactiques contenues notamment dans la farine. Le développement et le maintien de l'activité du levain sont ensuite assurés par une incorporation périodique et répétée (fréquence entre 8 et 24 heures) de farine et d'eau, à température ambiante entre 20° et 35°. Cette opération s'appelle « le rafraîchi ». Ce processus s'apparente à un procédé de fermentation en continu. Le levain, suffisamment actif, est dénommé « levain chef ». Il sert d'*inoculum* pour préparer le « levain de tout point » qui sera incorporé dans la pétrissée.

Il existe différents types de préparations commerciales sèches ou liquides reprenant la dénomination levain. Les levains secs sont des levains déshydratés, en général sans activité fermentaire ; ce sont des produits aromatiques. Les starters (ferments sélectionnés stabilisés), ensuite, permettent de préparer un levain en quelques heures (10 à 15 heures). Enfin, les levains liquides sont des préparations actives prêtes à l'emploi. Fruit d'une fermentation mixte levures/bactéries lactiques, le levain est une pâte acide (*sourdough* en anglais, *Sauerteig* en allemand, *masa madre* en espagnol, *lieviti naturale* en italien, etc.). Il a fait l'objet de nombreuses études dans différentes régions du globe, ayant trait à la biodiversité microbienne des levains, à la caractérisation des produits obtenus, et à la maîtrise de la conduite de la fermentation. Historiquement, il est intéressant de considérer les travaux de G. Spicher (Spicher and Stephan 1982) et les nombreux apports dans le domaine technologique de la panification française depuis 1945 de Raymond Calvel (Calvel 1996, Roussel et Chiron 2002).

Composition de la microflore levurienne d'un levain. Au début de la préparation d'un levain traditionnel, par simple mélange de farine et d'eau, la population microbienne est diverse et constituée de la flore des farines (entérobactéries, moisissures, levures, bactéries lactiques, etc.). Progressivement, après 24 à 48 heures, les bactéries lactiques deviennent la flore dominante et inhibent les autres bactéries. Les levures, favorisées par l'acidification du milieu, voient leur nombre augmenter également, mais plus lentement. Pour un levain actif et stabilisé, le nombre de bactéries lactiques est de 500 millions (5×10^8) à 3 milliards (3×10^9) UFC (unités formant colonie) /g levain, et pour les levures de 1 million (1×10^6) à 50 millions (5×10^7) UFC/g. Ces populations varient selon les matières premières et le protocole de préparation. Un levain naturel de panification est constitué d'un équilibre entre les bactéries lactiques et les levures avec un ratio moyen de 1 milliard (10^9) pour 10 millions (10^7) UCF/g, respectivement. Les micro-organismes d'un levain proviennent de la farine ou de l'air ambiant et du milieu du travail. Ils sont sélectionnés au cours des rafraîchis (renouvellement du milieu par apport de farine) par leur aptitude à utiliser les différentes sources de carbone disponibles dans la pâte, siège par ailleurs de réactions enzymatiques diverses tout au long du processus.

Dans le cas des levains, le rôle des levures est identique à celui de la levure de boulangerie (production de gaz principalement), mais la composition de la microflore levurienne d'un levain est variée et variable. Selon les cas, on y retrouve des souches « sauvages » de *Saccharomyces cerevisiae*, mais aussi d'autres genres et espèces comme *Saccharomyces exiguus* ou *Candida milleri*, *Candida krusei*, *Torulaspora delbrueckii*, etc. Les levures contribuent également à la production de composés aromatiques, notamment à partir de composés précurseurs d'arômes libérés par l'activité des bactéries du levain. Les bactéries lactiques les plus souvent identifiées dans les levains appartiennent aux genres *Lactobacillus*, *Leuconostoc*, *Pediococcus* et *Lactococcus*. Le genre *Lactobacillus* et les espèces *L. sanfranciscensis*, *L. brevis*, *L. plantarum* sont parmi les plus représentées. Toutefois, différentes études ont montré la grande diversité des bactéries lactiques isolées des levains et, aussi, la relative « universalité » de certains genres et espèces. L'association d'espèces homofermentaires (acide lactique) et hétérofermentaires (acides lactique et acétique) est en général la règle avec cependant des exceptions. Des relations entre paramètres technologiques (farine, température, hydratation), zones géographiques et microflores constitutives des levains ne semblent pas clairement mises en évidence.

Lactobacillus sanfranciscensis semble être l'espèce représentative de la microflore lactique des levains et est souvent prédominante. Kline et Sughihara (1971) ont fait apparaître, dans leur étude du levain dit de San Francisco, qu'il était composé d'une association d'une espèce de levure *Saccharomyces exiguus* et d'une espèce de bactérie lactique *L. sanfranciscensis*. La levure *Saccharomyces exiguus* présente la particularité de ne pas assimiler le maltose (substrat carboné majoritaire dans une pâte) quand la bactérie lactique *L. sanfranciscensis* assimile principalement ce substrat. La non-compétition pour les substrats serait une des explications de la stabilité de cette association et de ce levain dans le temps, depuis l'installation en 1849 de la famille de boulangers Isidore et Louise Boudin originaires de France, qui ont initié et maintenu cette tradition du pain au levain de San Francisco et son goût *piquant typique*.

Effets particuliers des levains de panification sur les caractéristiques du pain. Celles-ci recouvrent différents aspects : la texture des pâtes et du pain modifiée, les caractéristiques organoleptiques des produits plus typées, la conservation prolongée, le rassissement retardé, les caractéristiques nutritionnelles améliorées, etc. Ces effets sont dus aux activités métaboliques des micro-organismes présents : acidification, dégradation des protéines et à la conduite du processus (type de farine, temps, hydratation, etc.) qu'il convient de maîtriser pour ne pas pénaliser la qualité du pain (risque de pourrissement du levain). La qualité aromatique du pain au levain et son appréciation dépendent du pH de la pâte et du quotient fermentaire. On appelle le quotient fermentaire (QF) le rapport de la concentration en acide lactique (PM 90) sur celle de l'acide acétique (PM 60). La fermen-

Figure nº 1 : Facteurs affectant la croissance et le métabolisme microbien dans les levains

(d'après Hammes *et al.* 1996)

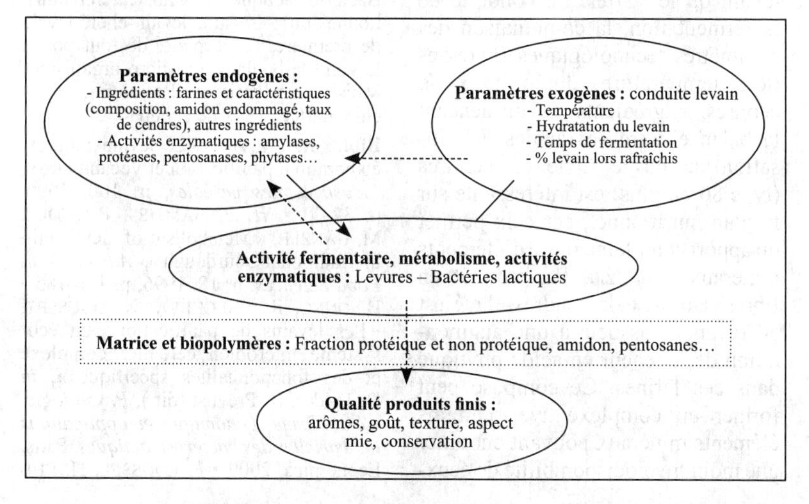

Figure n° 2 : Procédé traditionnel de fermentation au levain et autres méthodes
(* Valeurs chiffrées indicatives)

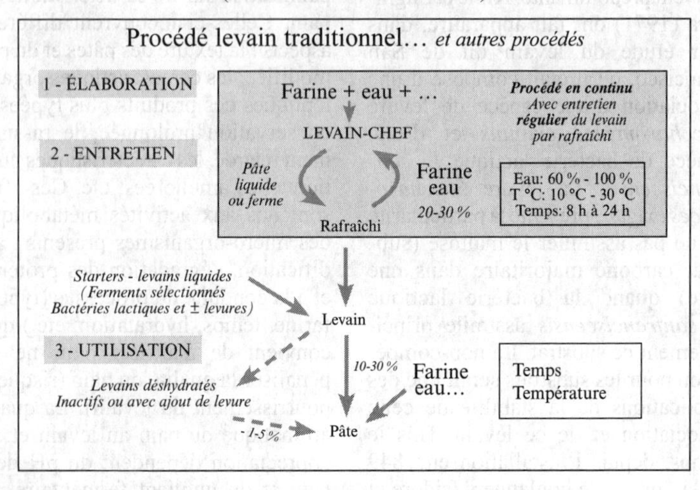

tation lactique confère aux produits finis un goût typique du pain au levain, aigrelet par l'acide lactique et plus piquant par l'acide acétique. La quantité de chaque acide produite est variable d'un levain à l'autre. Le QF dépend des conditions de fermentation et des espèces présentes dans le levain ou le starter. La conduite de la fermentation, la combinaison des paramètres technologiques (hydratation, température, durée, taux de cendres, ingrédients…) influencent la balance entre ces acides. L'utilisation de farine riche en cendres (type 80 ou plus) est intéressante sur le plan nutritionnel, car cela permet un apport complémentaire d'éléments minéraux (Mg, Zn, Fe, etc.) et en fibres. Un taux de cendres élevé est en revanche associé à une augmentation de la teneur en acide phytique dans ces farines. Ce composé peut former un complexe avec certains éléments minéraux pouvant entraîner une moindre biodisponibilité de ceux-ci lors de la digestion. La dégradation de l'acide phytique par les phytases présentes dans la farine est donc recherchée et est favorisée par la fermentation au levain – les phytases étant plus actives en milieu acide.

Bernard Onno

• *Voir aussi :* Acide phytique ; Bactérie ; Bactérie lactique ; Levain (intérêt nutritionnel du) ; Levain, levain-chef, levain de première, de seconde, de tout point ; Levure de boulanger ; Micro-organisme ; Moisissure ; Pétrissée ; Rafraîchir, rafraîchi ; Starter ; Taux de cendres

Bibl. : R. CALVEL, « Le levain naturel : élaboration, panification et vocabulaire », *Industries des céréales*, n° 100, 1996, p. 37-40 • W. P. HAMMES, P. STOLZ, M. GÄNZLE, « Metabolism of lactobacilli in traditional sourdough », *Advances in Food Sciences*, n° 18, 1996, p. 176-185 • B. ONNO, R. VALCHEVA, X. DOUSSET, « Les levains de panification : un écosystème microbien céréalier complexe et des fonctionnalités spécifiques », *in* D. Drider, H. Prévost (dir.), *Physiologie, métabolisme, génomique et applications industrielles des bactéries lactiques*, Paris, Economica, 2009 • P. ROUSSEL, H. CHI-

Ordre de grandeur des caractéristiques physico-chimiques comparées de pains au levain et à la levure

	Pain au levain	Pain à la levure
pH	< 4,3 (3,9 à 4,5)	5,5-5,8
Acide lactique (g/kg)	5 à 10	~ 0,1
Acide acétique (g/kg)	0,5 à 2	~ 0,1
Volume spécifique (L/kg)	~ 3	~ 5
Masse volumique – densité	0,3-0,4	0,2

RON, *Les Pains français. Évolution, qualité, production*, Vesoul, Maé-Erti, 2002 • G. SPICHER, H. STEPHAN, *Handbuch sauerteig Biologie, Biochemie, Technologie*, Hambourg, BBV Wirtschaftsinformationen GmbH, 1982 • T. F. SUGIHARA, L. KLINE, M. W. MILLER, « Microorganisms of the San Francisco Sour Dough Bread Process », *Applied Microbiology*, nº 21, mars 1971, p. 456-458.

LEVAIN-LEVURE. – À l'origine, c'est à partir d'un levain naturel « de tout point » que l'on ensemençait et réalisait le pain levé. Mais sa fabrication exigeait un grand professionnalisme, un temps de fermentation incompressible, pour un résultat aléatoire. Dès le XVIIIe siècle, la levure de bière (*Saccharomyces cerevisiae*) fut utilisée pour enrichir et activer la fermentation naturelle provoquée par le levain. En ajoutant de la levure au levain au moment du pétrissage, on stimule la fermentation proportionnellement à la quantité de levure introduite. Il s'ensuit alors une plus grande facilité à conduire la fermentation, à l'accélérer si nécessaire, avec une meilleure probabilité de réussite. De plus, la méthode modifie aussi le résultat : le goût propre au levain est adouci (pour faire simple), les alvéoles de la mie sont plus uniformes (œilletées), la croûte plus craquante et plus fine, mais avec une conservation réduite. La méthode levain-levure se prêtant bien à la fabrication de petites pièces telles que le parisien et la baguette à consommer frais, celle-ci se généralisa insensiblement au point de devenir la référence, et le pain au levain l'exception. Enfin, le processus de simplification se poursuivant, le levain fut remplacé par un apport de pâte (et ses ferments) de la fournée précédente, et d'un complément de levure ; cet équilibre définit la qualité du résultat choisi par le boulanger.

Guy Boulet

• *Voir aussi :* Alvéolage ; Baguette ; Croûte ; Fermentation panaire ; Levain (symbolique du) ; Levain, levain-chef, levain de première, de seconde, de tout point ; Levain panifiable ; Levure de boulanger ; Parisien → France (pains actuels, pains régionaux) ; Pétrissage

LEVURE (pain de). – Voir LEVURE PRESSÉE

LEVURE CHIMIQUE. – Voir POUDRE LEVANTE CHIMIQUE

LEVURE CRÈME. – Voir LEVURE PRESSÉE

LEVURE DE BOULANGER (*Saccharomyces cerevisiae*). – En chimie, *Saccharomyces cerevisiae* (numéro de classement chimique : 4932) désigne une famille d'organismes unicellulaires du vaste règne des champignons. C'est une levure, et de celles, nombreuses, qui ne produisent pas de mycélium. Les cellules des levures, parce qu'elles se détachent aisément les unes des autres, se propagent facilement dans les liquides, notamment sucrés. Son nom – *Saccharomyces* – pourrait se traduire par « champignon à sucre » et la taille de ses cellules ovoïdes est d'une dizaine de micromètres de long et 6 à 8 micromètres de large. À l'état naturel, elle vit dans l'atmosphère, se dépose sur des fruits (raisins, par exemple) et se rencontre aussi dans les farines.

Utilisée empiriquement depuis l'Antiquité pour la fermentation alcoolique, *Saccharomyces cerevisiae* fait l'objet de travaux scientifiques en biologie, à partir de son observation au microscope par le Hollandais Antonie van Leeuwenhoek (1677). C'est en 1837 que le botaniste allemand Franz Julius Ferdinand Meyen baptise la levure de bière *: Saccharomyces cerevisiae*. En 1860, Louis Pasteur met en évidence la responsabilité de la levure dans la fermentation alcoolique et montre son double mode opératoire : par multiplication avec oxygène ou par fermentation sans oxygène. En boulangerie, les souches spécifiques sont isolées et classifiées par Emil Christian Hansen (1883), un mycologue danois travaillant avec des boulangers qui voulaient un levain fiable et de composition constante. Le processus actif de *Saccharomyces cerevisiae* tient à sa reproduction extrêmement rapide, sexuée ou non, lui permettant de vivre dans des environnements très divers. En milieu riche, elle se reproduit par bourgeonnement : une cellule-mère, nourrie de glucose, grossit et développe une hernie qui s'étrangle et, grâce à une protéine (la cycline), se détache, donnant naissance à une cellule-fille, qui bourgeonne à son tour. *Saccharomyces cerevisiae* est capable de dégrader les grosses molécules de l'amidon (contenu dans l'orge dans le cas de la bière, dans le riz pour le saké, dans les farines de céréales en général) en acide lactique. Celui-ci se transforme en glucose (constituant son aliment essentiel), lequel se décompose à son tour en gaz carbonique et en eau à une température optimale de 28° à 30°. Deux voies métaboliques sont ensuite possibles, en aérobiose ou en anaérobiose, car *Saccharomyces cerevisiae* se multiplie aussi bien avec (aérobiose) que sans oxygène (anaérobiose) :

1) La respiration – comme pour tous les animaux et plantes – est la transformation du glucose en gaz carbonique (CO_2) à l'aide de l'oxygène ; cette oxydation est donc un processus aérobie. La quantité de sucre consommé ici par les levures est moindre qu'en anaérobiose ; c'est l'« effet Pasteur » – du nom de celui qui l'a mis en évidence.

2) La fermentation du glucose produit, elle, du gaz carbonique et de l'alcool (éthanol C_2H_5OH) en l'absence d'oxygène ; c'est un processus anaérobie. Ce principe sert pour la brasserie (bière ou vin), ce pourquoi cette levure a été qualifiée de *cerevisiae*, « cervoise ». Dans le cas du vinaigre, la transformation de l'éthanol en acide acétique nécessite à nouveau une oxygénation pour la survie

et l'activité du micro-organisme qui produit l'acide acétique.

Dans l'air ambiant en général, et dans la farine en particulier, vivent naturellement quantité de levures, notamment les *Saccharomyces* (un million de micro-organismes pour 100 g de farine). En vertu du principe de respiration, *Saccharomyces cerevisiae* transforme le glucose en gaz carbonique ; celui-ci, enfermé dans la pâte à pain, y produit des bulles d'air qui la font gonfler, avant de s'évaporer à la cuisson. Diverses souches de levure présentes dans l'atmosphère entrent dans la composition du levain. La levure dite « de boulangerie » est sélectionnée pour les qualités de stabilité et de constance de ses aptitudes fermentaires. Afin de répondre à des applications très variées, la levure de boulangerie est aujourd'hui proposée sous différentes formes et conditionnements. Les artisans boulangers utilisent majoritairement de la levure dite « pressée », présentée en blocs compacts de 0,5 à 1 kg. Elle doit être stockée au réfrigérateur et utilisée sous quatre semaines. Les industriels qui disposent de station de dosage automatisée utilisent de la levure émiettée, appréciée pour sa facilité de remise en solution dans l'eau, ou bien ils se font livrer de la levure liquide par camion-citerne. Pour certaines applications de pâtons surgelés crus, ils utilisent de la levure sèche à humidité intermédiaire surgelée. Il existe deux types de levure sèche de boulangerie, celle qui doit être réactivée dans de l'eau tiède sucrée avant utilisation et celle dite « instantanée », qui peut être utilisée directement lors du pétrissage. Elles peuvent être conservées un an dans leur emballage d'origine. Les levuriers ont également développé des levures répondant à des besoins particuliers, telles les levures dites « osmotolérantes », qui assurent une fermentation plus rapide des recettes sucrées, comme celles des brioches régionales. Vecteur de la fermentation au sein de la pâte, la levure contribue directement à la production de composés aromatiques.

Saccharomyces cerevisiae est un organisme modèle pour les chercheurs en biologie cellulaire et en génétique. En effet, comme eucaryote (tout son patrimoine génétique est concentré dans un noyau), elle ressemble, de manière simplifiée, aux cellules de l'être humain, et son génome (6 275 gènes) a été séquencé dès 1996. La facilité de manipulation de son génome la rend apte à servir de substrat de culture pour des clonages. La « construction des YAC [*yeast artificial chromosomes*] permet d'insérer dans le génome des levures des séquences exogènes qui sont ensuite transmises aux levures filles (clonage) ; cela rend possible la constitution de *banques* d'ADN » (Boidin, Poncet et Fiol 2005). Abondante dans la nature, *Saccharomyces cerevisiae* est présente sur la peau humaine ou dans la flore vaginale par exemple. Sauf chez des patients immunodéprimés, elle n'a pratiquement aucun effet pathogène. Toutefois, comme nombre d'autres ingrédients entrant dans la fabrication du pain (tels les farines ou les acariens de stockage), elle est susceptible de provoquer des allergies respiratoires chez les boulangers. L'asthme des boulangers et des meuniers a été diagnostiqué et étudié dès le début du XVIIIe siècle par Ramazzini. L'usage de *Saccharomyces cerevisiae* ne se limite pas à la panification et la vinification (levures spécifiques œnologiques). Elle a été préconisée comme diurétique dès l'Antiquité par Hippocrate (370 av. J.-C.), puis utilisée notamment en dermatologie, pour traiter rougeoles, scarlatines ou furonculoses, du Moyen Âge au XIXe siècle. Elle est aujourd'hui employée par exemple en diététique, en raison de sa richesse en vitamines (en majorité des vitamines B bénéfiques pour la peau), acides aminés, sels minéraux et protéines, utiles pour combler certaines carences alimentaires.

Sa reproduction rapide fait d'elle, en outre, un agent idéal pour l'industrie, surtout pharmaceutique. Comme organisme génétiquement modifié, elle est utilisée pour produire des substances diverses. On intègre en effet à son génome modifié des fragments de génomes microbiens (ADN) sous forme de plasmides, qui détournent son fonctionnement, grâce à quoi elle fabrique facilement d'autres sous-produits : antibiotiques, protéines de surface pour les vaccins contre l'hépatite B, anti-infectieux et anticancéreux, etc.

Anne-Élisabeth Halpern

• *Voir aussi :* Acide acétique ; Acide lactique ; Aérobiose et anaérobiose ; Alcool ; Amidon ; Bière ; Chimistes et microbiologistes du pain ; Éthanol → Alcool ; Fermentation (approche anthropologique de la) ; Fermentation panaire ; Gaz carbonique ; Levain (intérêt nutritionnel du) ; Levain (symbolique du) ; Levain, levain-chef, levain de première, de seconde, de tout point ; Levain panifiable ; Oxygénation

Bibl. : J. BOIDIN, S. PONCET, J.-B. FIOL, *Encyclopedia universalis*, version électronique, article « Levures », 2005 • B. DUJON, *Mitochondrial Genetics and Function in the Molecular Biology of the Yeast Saccharomyces. Life Cycle and Inheritance*, Cold Spring Harbor Laboratory, 1981 • M. T. MADIGAN, J. M. MARTINKO, *Biology of Micro-organisms*, 11e éd., Upple Saddle River, New Jersey, Pearson Education, 2006, vol. 1 • N. MASSIN *et al.*, « Salariés exposés aux poussières de farine dans les secteurs de la meunerie et de la boulangerie », *Documents pour le médecin du travail*, no 66, 1996, p. 109-114 • Voir aussi le site de l'INRA, www.inra.fr/la_science_et_vous/apprendre_experimenter/aliments_fermentes/le_pain/la_fabrication_du_pain_les_connaissances (dernière mise à jour : 31 juillet 2007)

LEVURE DÉSACTIVÉE. – La levure désactivée est issue d'un traitement thermique conduisant à l'éclatement de la cellule de levure de boulangerie (*Saccharomyces cerevisiae*). Il permet la libération facile dans la pâte d'une molécule appelée « glutathion » et contenant de la cystéine, élément actif sur les pâtes. La levure désactivée favorise la texturation au cours des opérations de pétrissage, le lissage devient alors plus rapide et les capacités de développement s'en trouvent améliorées. L'assouplissement provoqué par son action favorise aussi la mise en forme de la pâte, à condition que les effets ne soient pas excessifs. Ceux-ci ont pour conséquences le relâchement et le collant de la pâte.

Philippe Roussel

• *Voir aussi :* Cystéine ; Levure de boulanger ; Pâte ; Pétrissage

LEVURE PRESSÉE. – La levure utilisée en boulangerie, brasserie et vinification est un ingrédient naturel qui ne doit pas être confondu avec les poudres levantes appelées improprement « levure chimique ». La levure correspond à une concentration de cellules vivantes d'une espèce sélectionnée, le *Saccharomyces cerevisiae.* Si le brasseur sélectionne et multiplie sa levure, celle du boulanger est, elle, développée en levurerie. Pour cette dernière, la multiplication est produite dans des cuves contenant de la mélasse de betterave, en milieu fortement oxygéné (milieu aérobie) et en présence d'éléments azotés et minéraux. La levure apparaît alors sous forme d'écume qu'il est nécessaire de concentrer pour sa commercialisation. L'oxydation de la matière carbonée, le glucose (mécanisme de la respiration), apporte l'énergie nécessaire au développement des cellules. Après centrifugations et lavages, la première présentation commercialisable proposée aux boulangers est un liquide épais appelé « levure crème » ou « crème de levure ». Le stade suivant permet, après concentration et pressage, un façonnage en boudin parallélépipédique, découpé en morceaux, dénommés « pain de levure ».

Cette présentation est la plus couramment utilisée en boulangerie ; sa texture est friable et sa couleur, de teinte claire, est légèrement ocre. Un stade de déshydratation plus avancé conduit à l'obtention des levures dites « sèches », en grains ou en paillettes, aptes à se conserver plusieurs mois. Ces levures déshydratées sont commercialisées pour des applications ménagères, mais aussi professionnelles dans les pays où l'approvisionnement en levure pressée et sa conservation sont difficiles. L'action de la levure pressée, lorsqu'elle est utilisée dans les industries de fermentation (les produits de dégradation en sont le gaz carbonique et l'éthanol), se réalise en milieu non oxygéné (milieu anaérobie). La multiplication devient alors très difficile, compte tenu de la faible énergie produite lors de la transformation du glucose.

Philippe Roussel

• *Voir aussi :* Bière ; Gaz carbonique ; Levure de boulanger ; Poudre levante chimique

Bibl. : Philippe ROUSSEL, Hubert CHIRON, *Les Pains français. Évolution, qualité, production*, Vesoul, Maé-Erti, 2002.

LEVURE SÈCHE. – Voir LEVURE PRESSÉE

LEVURERIE. – Voir LEVURIERS

LEVURIERS. – En France, l'industrie de la levurerie a pris naissance dans les années 1870 (Springer), profitant des progrès de la microbiologie et des méthodes de cultures pures. Ce secteur très concentré (Groupe Lesaffre, AB Mauri, Lallemand) constitue probablement l'une des plus importantes industries de fermentation à travers le monde. La Chambre syndicale française de la levure (CSFL) estime la production mondiale de levure fraîche à 2 000 000 tonnes et celle de levure sèche à 800 000 tonnes. La production de l'Union européenne représente 980 000 tonnes. Produire de la levure de panification nécessite des investissements très lourds et la juxtaposition de savoir-faire très variés. Chaque levurier dispose de sa propre « souchotèque » de levures *Saccharomyces cerevisiae*, qui sont aptes à enclencher les mécanismes de fermentation dans des pâtes boulangères dépourvues d'oxygène. Après inoculation du micro-organisme dans un premier ballon de culture, la souche pure est propagée dans une succession de cuves aérées de tailles croissantes contenant des nutriments glucidiques (mélasse) et des minéraux pour obtenir des milliards de cellules identiques. Par la variation des modes de culture d'une même souche, le levurier parvient à fournir des levures caractérisées par des teneurs en eau, en protéines, en glucides de réserve adaptées à des marchés de boulangerie soit artisanale, soit industrielle. Les levuriers ont, ces dernières décennies, augmenté leur gamme en proposant des produits ciblés : levures sèches instantanées, levures dites « osmotolérantes », c'est-à-dire adaptées à des formules de fabrication sucrées, et les levures cryorésistantes utilisées en cas de surgélation de pâte crue. Qu'elle soit proposée en sachet de cinq grammes ou par camion-citerne de plusieurs dizaines de milliers de litres, l'utilisateur attache une très grande importance à la régularité et à la puissance du pouvoir fermentaire de la levure de panification.

Hubert Chiron

• *Voir aussi :* Fermentation panaire ; Levure de boulanger ; Levure désactivée ; Levure pressée

Bibl. : Voir le site de la Chambre syndicale française de la levure, www.chambresyndicalelevure.com

LIBAN (traditions du pain au). – Comme d'autres pays de la Méditerranée, le Liban s'inscrit dans une civilisation du blé. Le blé sert principalement à faire le pain (*khobz*), l'aliment de base. Le Liban importe la plus grande partie de sa farine. Dans les villages, cependant, le blé est cultivé sur les flancs terrassés de la montagne ou dans les champs de la plaine de la Beqâ'. Après avoir été moissonné, battu et vanné selon des techniques plus ou moins traditionnelles, le blé est lavé, séché, nettoyé et moulu. Tamisée pour en retirer les grumeaux, la farine est mélangée à l'eau, au levain ou à la levure et au sel. Le pétrissage permet de transformer cet ensemble en une pâte panifiable. Fractionnée en pâtons qui seront amincis puis cuits, la pâte est laissée « se reposer » pour permettre au processus de fermentation de se développer. Au Liban, on distingue deux sortes de pains, le pain rond de ville dit *khobz arabë* (« pain arabe »), produit industriellement, et le pain de village, rond, très fin et d'un grand diamètre, confectionné à l'origine par les femmes pour leur famille et qui, depuis de nombreuses années, est disponible dans les boulangeries, mais il n'est généralement pas confectionné sur place. Constitué de deux couches distinctes de 1 mm d'épaisseur et d'un diamètre d'environ 40 cm, le pain de ville ressemble au pain dit « pita ». Très gonflé à la sortie du four, le « visage » empourpré, le pain s'affaisse au contact de l'air frais. Emballé dans des sacs en plastique, le pain est distribué aux épiceries et aux supermarchés. Il peut également être acheté sur place dans la boulangerie. Le pain de village (en montagne ou dans la plaine de la Beqâ') se présente sous forme de grandes galettes très fines (40 à 75 cm de diamètre et de 0,5 à 2 mm d'épaisseur). Il est appelé *khobz tannûr*, *khobz tâbûnë* ou *khobz sâj*, en référence à la technique de cuisson utilisée : four de terre (*tannûr*), four avec sole et voûte (*tâbûnë*), ou plaque de tôle (*sâj*). Il est parfois appelé *khobz kâra*, en référence au coussin employé pour ajuster la pâte et lui donner sa forme sphérique finale ainsi que pour la coller sur les parois du *sâj* ou du *tannûr*. Les citadins l'appellent *marqûq*, « aminci ». Dans certaines régions du Sud, il est simplement appelé *'aysh*, « la vie ». À la différence du pain de ville fabriqué pour le commerce par les hommes dans les boulangeries, le pain de village est donc fabriqué par les femmes une fois par semaine ou toutes les deux semaines, en application d'un savoir-faire transmis de mère en fille.

« La nourriture que nous mangeons et notre façon de la préparer montrent clairement, tant à nous-mêmes qu'au monde entier, quelle est notre position vis-à-vis de la nature et du reste de la société », écrit Edmund Leach (1980). La préparation de la bouchée quotidienne et « banale » du pain met en évidence cette « position vis-à-vis de la nature et du reste de la société ». Elle engage les valeurs et les représentations de la société et renvoie, notamment dans les villages, à des données religieuses et symboliques. Présent à toutes les tables festives ou frugales, joyeuses ou endeuillées, le pain est considéré comme le symbole de la grâce de Dieu (*ni'mit allah*) et comme bénédiction (*barakë*). Investi de ces deux qualités, on comprend que l'on doive au pain une déférence particulière. Il est « interdit » (*harâm*, terme utilisé par les chrétiens comme les musulmans) de le fouler et de le jeter. Une « cuisine de récupération » existe pour utiliser la moindre miette de pain rassis. Frits ou grillés, les morceaux de pain enrichissent soupes, salades, yaourt ou légumineuses.

Sont également associées au pain des valeurs de tempérance et de sobriété. Par désir d'ascétisme, on dira qu'on peut vivre d'eau et de pain. C'est ce que des villageois pieux font durant la semaine sainte. Au travers des étapes de sa fabrication, le pain de village est l'objet de soins qui lui restituent son caractère exceptionnel. Grand moment d'effort, le pétrissage est aussi une opération à forte charge symbolique. Il permet à la femme d'insuffler son énergie et de s'imprégner de la *barakë* dont il est l'emblème. Elle accomplit le pétrissage dans une attitude d'humilité, le nom de Dieu et une formule rituelle aux lèvres (« Allah » ou « *rabb* » chez les chrétiennes et les musulmanes). Avant de prélever la farine, elle se lave les bras jusqu'aux coudes puis, une fois agenouillée devant le pétrin et juste avant de commencer le pétrissage, la chrétienne dit « Au nom de la Croix » et la musulmane « Au nom d'Allah ». À la fin du pétrissage, la musulmane imprime la paume de la main sur la pâte et dit : « Au nom d'Allah, Ô Seigneur, mets dans la pâte la vie et la bénédiction. » La chrétienne y trace une croix en murmurant : « Au nom de la Croix. » Le pétrin, recouvert d'une toile blanche, est alors placé soigneusement à l'abri, loin de la souillure et du mouvement.

Les farines de contenu variable en gluten et d'extractions diverses permettent, lors du pétrissage, de produire une pâte qui peut facilement s'étendre, parfois au-delà de 75 cm, sans casser ni rétrécir, et un pain dont le goût est savoureux. En général, on utilise une farine *baladë* complète artisanale piquée de petites enveloppes de son, à laquelle on mélange une petite quantité de farine blanche. On apprécie le pain souple sans être mou, de texture fine et une consistance agréable à la mâche. La chaîne opératoire – pétrissage (*'ajin*), façonnage (*ti'ris*) et aplatissement (*ra'*) des pâtons, agrandissement sur les bras de la pâte obtenue (*hall*), cuisson (*khabz*) – est une mise en œuvre d'un savoir-faire et d'une adresse dont la maîtrise revient aux compétences les plus éprouvées. Les pâtons sont sommairement aplatis du bout des doigts, puis agrandis et amincis par le *hall*, un mouvement gracieux et agile qui fait passer la pâte d'un bras à un autre. Le disque obtenu est alors étalé sur la *kâra* pour compléter son élargissement puis, d'un coup sec, il est collé sur la paroi du *tannûr* ou du *sâj*. Ces opérations post-pétrissage engagent la coopération des femmes, parentes, voisines, amies, dans une ambiance de convivialité. À noter que le levain domestique (*khamîrë al-bayt*) est utilisé pour les deux sortes de pain de ville et de village. Dans les villages, des coutumes de « purification du levain » peuvent être observées chez les chrétiens durant la nuit de l'Épiphanie et au premier jour du Ramadan, mois du jeûne, chez les musulmans.

Manger du pain est une expérience intégrale des sens, son goût bien entendu, mais aussi sa forme, son odeur, sa couleur et sa consistance. Sa forme est une question esthétique, comme le dit une femme : « Nous aimons le pain grand et fin comme le papier de cigarette. On le considère beau alors. Quand les gens nous voient panifier, ils disent "Que le nom d'Allah soit sur lui !". » S'il est vrai que l'on prise le pain chaud qui vient tout juste d'être cuit, dont on aime se brûler les doigts et la bouche, le *khobz* vieux de quelques jours est considéré comme tout aussi bon, s'il est bien protégé.

Au Liban, les doigts entrent très rarement en contact direct avec la nourriture : les plats de céréales, de légumes, de viande, ainsi que les fromages, les confitures, les œufs sont consommés en bouchées faites avec des morceaux de pain rompus à la main. Entre cette dernière et le pain existe une connivence parfaite. Du grain d'olive à la viande grillée, toute nourriture est consommée avec un morceau de pain.

La fonction du pain est de nourrir le corps, d'apporter des protéines et des glucides nécessaires à son bon fonctionnement. À haut taux d'extraction, il est riche en minéraux et en vitamines. Au Liban, on le considère comme l'aliment de l'homme fort : « Mange du pain et de l'huile d'olive et frappe-toi la tête contre le mur », dit-on.

Dans un Liban où le village est confronté à la ville, monde du travail, de la consommation et des images, la pratique de faire son pain se perd. Mais, qu'il soit fabriqué à la maison par les femmes, acheté dans les épiceries ou à un vendeur ambulant qui parcourt les villages avec sa camionnette, le pain, au cœur de la culture alimentaire de toutes les classes de la société, demeure l'objet d'égards et de déférence soutenus. Pour reprendre une expression célèbre de Claude Lévi-Strauss à propos des espèces naturelles choisies comme totems (1962), le pain n'est pas seulement bon à manger, mais également bon à penser : le corps, la nature, la culture et le changement social.

Khobz 'arabë. Pain de ville « blanc » (*abyad*) ou « brun » (*asmar*, farine complète), appelé *khobz il-sû'* (« pain du marché ») uniquement par les villageois pour le distinguer du pain domestique, *sâj*, *tannûr* ou *tabûnë*. Sa pâte contient du sucre.

Khobz baladë. Le pain *baladë* est préparé avec de la farine intégrale. Le plus commun a un diamètre de 40 cm. Les pains plus petits sont utilisés pour les sandwichs vendus dans le commerce (*falâfel*, *shawarma* – rôtisserie verticale). Un pain dit « cocktail » ou « bouchée » (7 cm de diamètre) est utilisé pour les occasions festives.

Khobz dora. Pain de maïs, il est préparé en y adjoignant un peu de farine de soja et d'orge. Sur commande, il peut être préparé uniquement avec de la farine de maïs.

Khobz frangë. Le pain dit *frangë* (*ifranj*, « franc », dans le sens d'occidental), consiste en une petite baguette molle utilisée surtout pour les sandwichs. Elle est confectionnée avec de la farine blanche ou complète. À noter aussi l'existence très répandue du pain « hamburger ».

Khobz sâj, khobz tannûr, khobz tâbûnë. Le *khobz sâj* est le plus fin et le plus grand (moins de 1 mm d'épaisseur et de 50 à 75 cm de diamètre). Le *khobz tannûr* est plus épais (2-3 mm) et plus petit (40-45 cm de diamètre). Quant au *khobz tâbûnë*, son diamètre est comparable à celui du *tannûr*. *Khobz sâj* et *tannûr* sont vendus en ville dans les boulangeries, les supermarchés et chez les épiciers. Ils sont en général d'un plus petit diamètre que ceux fabriqués par les femmes dans les villages.

Manqûshë (prononcée aussi *man' ûshë*). Galette emblème de l'alimentation libanaise sur laquelle on étale du *za'tar* (mélange sec d'origan, de grains de sésame et de sumac), du fromage, ou du *kishk* (mélange sec fermenté de *borghol* et de lait), qui n'est pas à proprement parler un pain, même si sa pâte est exactement celle du pain et est cuite de la même façon.

Mishtâh. Pain de village non commercialisé. De forme ovale, épais, il est façonné directement sur le *sâj* ou le *tannûr*. Fabriqué avec des céréales (blé, orge), il est appelé *jrîche* (du verbe *jarasha*, « broyer ») dans la région du sud du Liban.

Tolmiyë. Pain épais rond de village, non commercialisé. Une fois cuit, on étale sur sa surface l'aliment désiré : confit de mouton *qawarma*, fromage, beurre clarifié, *kishk*. On peut également le saupoudrer de *za'tar* ou de sucre.

Aïda Kanafani-Zahar

• *Voir aussi :* Israël ; Jordanie ; Pain (définition universelle du) ; Pains mondiaux ; Palestine ; Syrie

Bibl. : Aida KANAFANI-ZAHAR, « Mur de terre, voûte de fer. Le pain domestique au Liban », *in* C. Macherel, M. Zeebroek (éd.), *Une vie de pain. Faire, penser et dire le pain en Europe*, Bruxelles, Crédit Communal, 1994. – *ID.*, « "Whoever eats you is no longer hungry, whoever sees you becomes humble" : bread and identity in Lebanon », *Food and Foodways*, nº 7(1), 1997. – *ID.*, « Éloge du pain », *Autrement* nº 154, *Mille et une bouches : Cuisines et identités culturelles*, mars 1995. – *ID.*, « Un moulin hydraulique horizontal au Liban : l'exemple de Yunin (La Beqa') », *Techniques et Culture*, nº 15, 1990 • Edmund LEACH, *L'Unité de l'homme et autres essais*, Paris, Gallimard, 1980 • Claude LÉVI-STRAUSS, *Le Totémisme aujourd'hui*, Paris, PUF, 1962.

LIBYE (traditions du pain en). – La Libye est un pays largement désertique. Les vestiges antiques de Leptis-Magna, de Sarafra ou encore de nombreuses traces dans les déserts actuels attestent d'époques où le sud de la Méditerranée était bien mieux servi par les pluies. Depuis, faute d'irrigation suffisante, la Libye doit importer des blés ou des farines afin de permettre à 6,5 millions de personnes vivant sur la côte littorale de se procurer du pain. Les productions locales suffiraient peut-être à nourrir la moitié de la population actuelle. La tradition du pain est aujourd'hui moins vivace qu'elle ne l'était naguère. S'il est toujours possible de trouver des pains plats issus de farines d'orge (*'daqiq men' el cha'ir*), de blé (*'daqiq men' el q'mahr*), cuits sur la pierre ou dans des fours plus modernes, la volonté de la Grande Jamahiriya arabe libyenne populaire et socialiste (nom officiel de la Libye) est de proposer du pain blanc fortement subventionné, donc à prix très abordable, pour la totalité de la population. Ainsi, le *khoubz* (pain), dont le prix est moindre que la valeur de la farine utilisée, ressemble à un petit pain allongé comme on en trouve en Italie.

La production du pain est très caractéristique. En effet, le boulanger est à la recherche d'une pâte fermentée très lisse et très peu hydratée (45 % environ) afin d'augmenter sa fermeté. Pour que la pâte soit homogène, le pétrin est équipé de rouleaux entre lesquels passe la pétrissée. La préparation avant cuisson est généralement très rapide, moins de 1 h 30, alors qu'une baguette française se réalise selon les choix du boulanger entre 1 h 30 et 3 h 30. L'objectif du boulanger libyen est, comme ses homologues, de présenter un pain de bel aspect. La notion de goût, devenue par exemple un objectif réaffirmé de la boulangerie française actuelle, est en revanche assez peu présente. Le pain doit avoir une mie très serrée et bien fine, de couleur dorée, légèrement brune. La discussion avec les boulangers montre alors un vrai attachement à cette méthode de panification. Peut-être à tort, mais le rapprochement avec le *bazzeen*, un plat traditionnel fait à base de farine d'orge, présente des similitudes étonnantes. La pâte du *bazzeen* est obtenue avec de la farine d'orge parfois complétée d'une petite fraction de farine de blé afin de faciliter la cohésion. La pâte est travaillée ferme, avec peu d'eau, et malaxée jusqu'à ce qu'elle soit bien lisse. Cependant, le « pain » du *bazzeen* sert de réceptacle à la cuisson de viande d'agneau et de légumes, alors que le pain subventionné sert à saucer ou à confectionner des sandwichs.

Si le pain subventionné est partout présent dans le pays, il subsiste quelques pains traditionnels dont la confection est réservée à des occasions spécifiques, et réalisés peut-être plus fréquemment dans les zones rurales, qui abritent de 10 à 15 % de la population libyenne.

Aysh (littéralement « vie »). C'est le même pain que le *khoubz baladi* d'Égypte.

Bazeen. La pâte du *bazzeen* est obtenue avec de la farine d'orge, parfois complétée d'une petite fraction de farine de blé afin de faciliter la cohésion. La pâte est travaillée ferme, avec peu d'eau, et malaxée jusqu'à ce qu'elle soit bien lisse.

Bseesa. Pain fait de grains broyés grossièrement, dont la boulange est mélangée à de l'huile. Il est consommé le matin, parfois avec du thé. Il est originaire de l'ouest du pays.

Matruda. Pain plat à pâte fine rompu chaud et plongé dans du lait avec des dattes, du beurre, du miel. Originaire du Djebel Akhdar (« Montagne verte »), dans l'Est libyen.

Taajelah. Le « pain des Touaregs », réputé être cuit dans le sable du désert, parfois sous la braise, serait d'un goût étonnant.

Laurent Dornon

• *Voir aussi :* Égypte ; Hydratation ; Pains mondiaux ; Pétrissée ; Sandwich ; Tunisie

Bibl. : Ferial J. GHAZOUL, « Desert Passion », *Al Ahram Weekly*, 15-21 décembre 2005 • entretien avec M. Gérard Brochoire, directeur de l'INBP ; témoignages de boulangers libyens, dont M. Abou Kriss à Tripoli ; observations dans le pays.

LIGNAGE. – Voir ANTIOXYDANT

LIMAGNE (blé de). – Dès le XVIIe siècle, la Limagne produit régulièrement du blé. Il s'agit d'un blé tendre à l'amande vitreuse, un blé de force dont la réputation dépasse les frontières. En 1789, l'agronome anglais Arthur Young, en voyage en France, décrit cette terre féconde : « Une région plus célèbre, c'est la Limagne d'Auvergne, vallée plate et surtout calcaire, entourée de grandes chaînes de montagnes volcaniques. C'est certainement un des plus beaux sols du monde. Il commence à Riom ; la plaine y est d'une belle surface, parfaitement unie, composée de limons calcaires. La superficie en est une véritable marne mais si mélangée avec l'humus qu'elle est d'une fertilité de premier ordre. » C'est avec la farine de ces blés de qualité supérieure que l'on élaborait, notamment, le célèbre pain de Beaucaire, dans toute la basse vallée du Rhône.

Mouette Barboff

• *Voir aussi :* Blés anciens ; Pain de Beaucaire → France (pains historiques, du Moyen Âge à la Révolution française)

Bibl. : Mouette BARBOFF, Marc DANTAN (photos), *Pains d'hier et d'aujourd'hui*, Paris, Hoëbeke, 2006.

LIN (graines de ; *Linum usitatissimum*). – Voir CONDIMENTS DU PAIN

LIPIDE. – Les lipides alimentaires ont un rôle énergétique important, mais également un rôle fondamental dans la composition des membranes des cellules, des noyaux, et du tissu nerveux. Selon une recommandation courante, les lipides devraient fournir environ un tiers de nos besoins énergétiques, mais ce pourcentage est souvent plus élevé, compte tenu des matières grasses cachées dans des aliments naturels (viande, produits laitiers, quelques produits végétaux), mais aussi dans beaucoup de produits industriels (chips, poisson pané, sauces). Les lipides apportent des acides gras, avec des longueurs de chaîne et des degrés de saturation variables. Pour mémoire, il faut retenir que notre consommation de graisses saturées doit être très limitée, que les acides gras mono-insaturés tels que l'acide oléique présent dans l'huile d'olive sont bien tolérés par l'organisme et que nous avons besoin de deux acides gras essentiels, l'acide linoléique (oméga 6) et linolénique (oméga 3). L'alimentation courante est trop riche en oméga 6 par rapport à l'oméga 3. Le germe de blé dans le pain complet ou l'huile de germe de blé ont l'intérêt d'être très riches en oméga 3.

Christian Rémésy

• *Voir aussi :* Acide linoléique ; Acide linolénique → Acides gras essentiels ; Germe ; Santé ; Valeur énergétique du pain

LIPOXYGÉNASE. – Enzymes naturellement présentes dans le blé, activées avec l'hydratation des farines.

Lors du pétrissage, elles catalysent l'oxydation par l'oxygène moléculaire des acides gras insaturés tels que les acides linoléique et linolénique et détruisent les pigments caroténoïdes par un processus d'oxydation couplée (Nicolas 1978). Or, les lipoxygénases du blé sont fortement concentrées dans le germe, si bien que l'incorporation de cette fraction de mouture pose un problème pour la maîtrise de l'oxydation des farines. Les pertes en pigments caroténoïdes occasionnées lors du pétrissage sont fortement corrélées à l'activité lipoxygénasique des farines (Leenhardt 2005). Ainsi, une activité lipoxygénasique trop importante, à la fois intrinsèque à la farine ou d'origine exogène (farines de soja ou autres légumineuses utilisées comme auxiliaires de panification) est susceptible de diminuer significativement la teneur en caroténoïdes dc la farine au cours de la panification.

Fanny Leenhardt

• *Voir aussi :* Acide linoléique ; Acide linolénique → Acides gras essentiels ; Auxiliaire technologique ; Caroténoïde ; Germe ; Mouture ; Oxydation ; Pétrissage

Bibl. : J. NICOLAS, « Effets de différents paramètres sur la destruction des pigments caroténoïdes de la farine de blé tendre au cours du pétrissage », *Annales de technologie agricole*, nº 27, 1978, p. 695-713 • F. LEENHARDT, B. LYAN, E. ROCK, A. BOUSSARD, J. POTUS, É. CHANLIAUD, C. RÉMÉSY, « Wheat lipoxygenase activity induces greater losses of carotenoids than vitamin E during breadmaking », *Journal of Agricultural and Food Chemistry*, vol. 54, nº 5, 2006, p. 1710-1715.

LISSAGE. – À la sortie du pétrissage, le lissage consiste à obtenir une pâte uniforme et d'apparence lisse.

Ludovic Salvo

• *Voir aussi :* Pâte ; Pétrissage

LITUANIE (traditions du pain en). « Pleure le pain mangé par le cancre », dit un vieux proverbe lituanien. La coutume voulait que le moindre petit morceau de pain tombé par terre soit ramassé aussitôt, embrassé et mangé. Si, selon les scientifiques, les premières formes de pain apparaissent il y a environ dix mille ans, si l'usage de la levure en Égypte ancienne remonte à cinq à six mille ans, en Lituanie, les traditions de la cuisson du pain remontent aux premières années de notre ère. Base de l'alimentation lituanienne, le pain a toujours été l'objet d'un très grand respect. Si les Occidentaux préfèrent le pain à base de froment, plus facilement panifiable, les habitants d'Europe centrale et orientale préfèrent, eux, le pain de seigle, qui constitua, jusqu'au XIXe siècle, l'essentiel du repas, avec les plats à base de pomme de terre à partir du milieu du XIXe siècle. À l'époque du servage, à cause du manque de blé, les Lituaniens fabriquaient le *beraline duona* (pain de seigle additionné de son), réservant le pain de seigle pour des fêtes. En Haute-Lituanie (la Lituanie est composée de cinq régions ethnoculturelles : Haute-Lituanie, Basse-Lituanie, Samogitie, Dzūkija et Suvalkija), on mélangeait la farine dans un pétrin (en Samogitie dans un baquet) avec de l'eau tiède, puis on laissait lever pendant la nuit ; le lendemain matin, après avoir rajouté de la farine, on pétrissait et cuisait le pain. Pour le pain ébouillanté, on mélangeait la farine à l'eau chaude et laissait lever la pâte pendant trois jours. On faisait des trous et des traits tout autour des miches de pain pour qu'elles ne se fendillent pas. Pour la cuisson, on utilisait du bois de bouleau. Ce pain se conservait plus longtemps. Le pain était cuit dans des fours, sur palette, en y étendant des feuilles d'érable, de raifort, de calamus, de chou ou simplement en parsemant un peu de farine. Le pain bis était cuit dans des villages lituaniens, encore au XXe siècle, mais uniquement pour de grandes fêtes.

Le pétrissage et la cuisson du pain était un travail délicat ; aussi, dans les villages, une jeune fille préparait sa première miche sous la surveillance de sa mère et l'offrait à toutes ses voisines – coutume qu'on appelait « élection au rang de belle-fille » (*martuké*). À partir de ce jour, la jeune fille préparait le pain tous les jours jusqu'à son mariage. Ensuite, sa plus jeune sœur prenait le relais. Le pain prédominait dans toutes les traditions lituaniennes : par exemple, en rentrant à la maison après la cérémonie du mariage, les parents des mariés les accueillaient avec l'eau, le pain, le sel et le feu, symbolisant l'amour éternel, la protection contre le mal, la prospérité matérielle et spirituelle. L'eau et le pain furent aussi considérés comme des symboles de liaisons éternelles. Après avoir bu l'eau et mangé le pain, la belle-fille faisait partie « de la famille ». Une des plus importantes cérémonies, fort anciennes, est le « couchage des mariés ». Quand les mariés allaient se coucher, la mère de la mariée déposait à côté du lit plusieurs miches de pain pour assurer aux mariés un lendemain serein et beau. Après son lever, la mariée devait offrir aux beaux-parents les cadeaux faits à la main et déposer sur une table ses propres miches de pain. Enfin, le pain de la cérémonie du mariage (*karvojus*) était le plus important plat qu'on goûtait. On l'appelait aussi « le pain de la marieuse » et sa dégustation signifiait l'union entre deux familles.

En Lituanie, le pain est également de toutes les fêtes religieuses (catholiques ou païennes) : *Réveillon* : avant de s'asseoir à table, le maître de la maison endimanché prenait la miche de pain et la portait trois fois autour de la maison avant de taper à sa porte. Quand sa femme lui demandait qui c'était, il répondait que c'était « petit Dieu » avec le pain du Réveillon qui demandait à entrer. Après avoir béni les mets, le maître de la maison donnait à chaque personne un petit morceau de ce pain avec une pincée de sel. *Mercredi des Cendres* : pour ce premier jour après le Mardi gras, on cuisait le pain en l'honneur de Gabija, dieu du feu de la maison, pour protéger celle-ci contre les incendies. *Saint George, protecteur des bestiaux* : lors de cette fête qui réactualise les coutumes autour du retour du printemps, on cuisait le pain et le portait à travers les champs pour l'enterrer dans le sol. Dans d'autres régions lituaniennes, on cuisait le pain « pour les bestiaux ». Les miches de petite taille étaient apportées à l'église pour être distribuées aux mendiants en leur demandant de prier pour les animaux, et la plus jolie miche était déposée sur l'autel de saint George. *Saint-Jean* : après la fête de Saint-Jean, les travaux des champs occupaient tout le quotidien des paysans. Quand ils étaient finis, les maîtresses de maison nettoyaient scrupuleusement leur demeure et l'ornaient de verdure. Les faucheurs qui avaient travaillé aux champs s'endimanchaient. On cuisait du pain blanc qui symbolisait la propreté de la maison. On déposait du pain par terre dans les champs en l'honneur de Žemyna, déesse de la terre et de tout ce qui est vivant. Toutes ces traditions lituaniennes liées à l'usage du pain ne sont pas qu'ancestrales ; elles perdurent indubitablement aujourd'hui : chaque Lituanien est profondément attaché à la consommation quotidienne de pain, à tel point que le repas n'est pas imaginable sans la miche de son pain préféré parmi toutes les variétés existantes.

Ajerų duona (« pain de calamus »). Pain au goût un peu sucré, parfumé de calamus, avec sa forme ancienne oblongue rectangulaire ; il est cuit sur des feuilles de calamus.

Bočių duona (« pain des ancêtres »). C'est un pain noir, cuit en utilisant un mélange de farine de seigle et de froment tamisé ; son goût est relevé avec un peu de sucre et il est parsemé de cumin.

Močiutės duona (« pain de mamie »). Ce pain est fabriqué selon la recette traditionnelle des grands-mères qui, à l'époque, cuisaient leurs pains dans les villages lituaniens. Ce pain est cuit en grandes miches de 5 kg pour garder le vrai goût et les arômes des « pains maison ».

Palangos duona (« pain de Palanga »). Pain de seigle et froment ; c'est le pain blanc traditionnel lituanien. La levure naturelle et le cumin lui donnent un goût et un parfum particuliers.

Giedré Cibulskaité

• *Voir aussi* : Estonie ; Mariage (pains de) ; Nouvel An (pains du) ; Pain blanc ; Pains mondiaux ; Russie

Bibl. : Pranė DUNDULIENĖ, *Duona lietuvių buityje ir papročiuose*, Mokslo ir enciklopedijų leidybos institutas, Šviesa, 1989 • Rita BAGDONAITĖ, *Duonos pasakojimas. Apie duonos kelią*, Šviesa, 2008 • Birutė IMBRASIENĖ, *Lietuvių kulinarijos paveldas*, UAB, baltų lankų leidykla, Vilnius, 2008.

LIXIVIATION. – Lorsqu'on pétrit de la pâte et qu'on la triture avec les doigts sous un filet d'eau, l'eau entraîne l'amidon et il reste alors un réseau élastique plus ou moins extensible : c'est le gluten. Cette opération est appelée « lixiviation » ; c'est ce procédé qui est utilisé en amidonnerie de blé pour séparer l'amidon et le gluten, gluten qui sera utilisé en meunerie et en boulangerie pour augmenter le taux de protéines des farines pour les fabrications qui le nécessitent. Avant la mise en place d'analyses, les meuniers contrôlaient ainsi la qualité de leurs blés et de leurs farines en appréciant les propriétés viscoélastiques du gluten ainsi lixivé.

Ludovic Salvo

• *Voir aussi :* Amidon ; Farine ; Gluten ; Meunerie ; Pâte ; Protéine

LYOPHILISATION. – Procédé physique par lequel on élimine presque totalement l'eau contenue dans une substance organique, par exemple un aliment. Préalablement surgelé, l'aliment mis sous vide est réchauffé de manière que l'eau se sublime, passant de l'état solide à l'état gazeux. On lyophilise par exemple les levains employés en boulangerie pour en prolonger la conservation, même à température ambiante.

Monica Francioso

• *Voir aussi :* Conservation ; Levain de panification ; Surgélation

LYSINE. – Voir PROTÉINE

M

MACHINE À PAIN. – Petit appareil électroménager de la taille d'une friteuse qui mélange, pétrit, fait lever la pâte et cuit le pain à domicile. Il connaît depuis quelques années un fulgurant succès qui ne se dément pas. Les chiffres l'attestent aisément. Une étude menée en 2008 par Francine les 1er et 2 février 2008 (étude Omnibus MMZ Louis Harris) démontre que les machines à faire du pain sont connues désormais de 85 % de la population française (73 % en 2006 et 53 % en 2004 ; les machines sont apparues de manière massive en France en 2003-2004 ; on en trouvait au préalable, de manière confidentielle, dans les circuits spécialisés, et ce dès les années 1990). 23 % des femmes interrogées dans cette étude déclarent posséder une machine à faire du pain (soit presque 1 foyer sur 4, et quasiment tous les foyers faisant du pain à domicile). En 2006, elles n'étaient que 9 %, et 4 % en 2004. En 2008, 25 % des foyers français réalisent leur pain maison. Il n'a donc jamais été aussi facile de faire son pain soi-même à domicile grâce aux farines spéciales et aux machines à pain : 86 % des femmes qui font du pain le font au moins une fois par mois en 2008 (61 % en 2006). Elles sont 50 % à faire leur pain une fois par semaine en 2008 (20 % en 2004). Ce phénomène de développement fort du marché en France fait suite à des dynamiques déjà inscrites depuis une quinzaine d'années dans les pays d'Europe du Nord, notamment la Grande-Bretagne, l'Allemagne, la Belgique et les Pays-Bas.

La machine à pain permet de programmer la fabrication de son pain maison et même d'en différer la cuisson. Il est donc possible de préparer une brioche le soir, la machine se déclenche à l'heure demandée et la brioche est prête pour le petit déjeuner. La durée moyenne pour la fabrication d'un pain est d'environ trois heures. Cette durée varie en fonction du dorage de la croûte demandé, du poids et de la variété de pain (pain de campagne, pain paysan, complet ou brioche). De nombreuses marques d'électroménager proposent ainsi des modèles et des programmes différents et variés (avec une cuve carrée ou rectangulaire, avec une ou deux pales permettant de faire des pains pesant entre 750 g et 1,5 kg. Les pains peuvent être par ailleurs agrémentés de différents ingrédients et ainsi être personnalisés. Chacun peut, selon ses goûts, ajouter des noix, des noisettes, des lardons cuits ou des oignons dans la cuve. Certaines machines permettent l'apport des ingrédients de son choix en cours de réalisation (au signal sonore de la machine), ce qui a l'avantage de différer l'introduction de produits fragiles qui risqueraient de s'écraser en cours de pétrissage, tels que pépites de chocolat ou olives. La machine à pain offre ainsi de multiples choix de recettes et une créativité sans limite : pain nature, au chorizo, aux fromages, aux épices, aux fruits confits, tout comme pour les pains sucrés : brioche au chocolat, aux fruits, aux oranges confites… L'utilisation de la machine à pain peut aussi être réduite aux seules fonctions de pétrissage ou de fermentation de la pâte. En choisissant un programme court (ou spécial), l'utilisateur peut alors retirer le pâton au moment opportun, le façonner selon son envie (baguette, petits pains, pain tressé ou couronne) et finir par le cuire au four. Toutes les formes et les décors de pain sont alors possibles : pain marguerite, en cœur, chevrons, oursins, casquette, portefeuille… C'est également le cas pour les brioches ou pains au lait. Certains modèles de machines permettent maintenant de réaliser des mini-baguettes. Certaines machines comportent également des programmes destinés à réaliser gâteaux et confitures.

Pour réussir son pain, le choix des ingrédients est essentiel : farine spéciale pain, levure boulangère, tout a son importance, car, quand la farine est bonne, le pain est bon ! Primordiale dans la réussite du pain, la nature de la farine assure le goût et le gonflement du pain. Toutes les farines en effet ne sont pas panifiables, d'où l'importance de l'origine, de la variété des blés et de leur mélange. Ainsi, choisir une farine spécialement étudiée pour le pain, sélectionner une bonne levure boulangère spéciale pain et respecter les dosages avec précision (sel, eau…) sont la garantie d'un pain toujours bien levé. Il convient alors de verser dans un premier temps, dans la cuve, l'eau froide, puis le sel, la farine et enfin la levure (la levure ne doit jamais être en contact avec le sel).

L'engouement pour le pain maison obéit essentiellement à des logiques affectives et sensorielles, et même si la logique économique n'est pas neutre dans ce choix et légitime même assez fortement la demande, la réalisation du pain maison fait en machine revenant de deux à trois fois moins cher que le pain acheté chez son boulanger ou en grande surface. Sans compter l'amortissement de la machine dont les prix, pour les modèles les plus courants, varient de 40 à 150 €. Enfin, les aspects « bien-être et bien-manger » ne sont pas non plus négligeables, la maîtrise des ingrédients utilisés ainsi que la bonne conservation du pain maison étant également mentionnée en tant qu'élément déclencheur pour se lancer dans la panification à domicile.

Guillaume de Blignières

• *Voir aussi* : Brioche ; Femmes ; Maximes et proverbes ; Mot « pain » dans la langue française ; Pain au lait ; Pain domestique ; Technologies boulangères

Bibl. : Jérôme ASSIRE, *Le Livre du pain*, préface de B. Clavel, Paris, Flammarion,

1996 • Cécile LE HINGRAT, *100 Recettes à la machine à pain*, Paris, Romain Pages, 2008 • Elvira MASSON, Gwenaëlle LEPRAT, *Le Pain*, Paris, Aubanel, 2006 • Rebecca PUGNALE, *Machine à Pain. 100 recettes plaisir*, Paris, Romain Pages, 2005 • Didier RUBIO, *La Mie du diététicien. Recettes en machine à pain*, Paris, Romain Pages, 2008.

MADAGASCAR (traditions du pain à). – À la fois métissés et claniques, les habitants de Madagascar trouvent dans le riz la base principale de leur alimentation. Les anthropologues se perdent en conjectures pour savoir si les premiers habitants de cette « île continent » venaient du sud-est de l'Afrique ou de Mélanésie : toujours est-il qu'on ne trouve pas sur ce territoire trace de consommation ancestrale de galette faite à partir de farine de blé, ce que les comptoirs arabes au nord dès le XVIe siècle et les Français au milieu du XIXe siècle ne manqueront pas de relever. L'immigration indienne, qui importe le *chapâtî*, et aujourd'hui l'immigration chinoise, affirmeront la prédominance du riz, cultivé dans les terres humides situées à l'est, mais aussi importé en grandes quantités. Le *mofo gazy*, boule de la taille de la paume (sa taille a tendance à réduire, par mesure d'économie) qui se déguste le matin, est composée de farine de riz, d'eau, de levain, cuit sur les braises dans un *moukati* (plat convexe à six trous) et signifie littéralement « pain malgache ». Par opposition, le pain à l'européenne, baguette de type bâtard, de qualité très moyenne, produit dans un seul complexe agro-indutriel, se trouve facilement dans tous les centres touristiques et, à Tananarive même, dans des commerces appelés boulangerie, glacier, pâtisserie, restes de la colonisation, qui ne sont que des revendeurs. La « baguette de pain », est ainsi nommée « pain étranger » (*mofo vazaha*), en opposition au « pain malgache » (*mofo gazy*). Comme le souligne Aurélie Cottin (*Socio-anthropologie*, n° 20, 2007) « la baguette est faite à base de farine de blé, céréale cultivée à Madagascar et transformée par les entreprises agro-alimentaires appartenant pour la plupart à l'entreprise Tiko, créée par [l'ex-]président de la République malgache, M. Ravalomanana.

Le blé est appelé *varim-bazaha* ("riz étranger"). On apercevait déjà comment, par ce qualificatif, les Malgaches étaient dans un rapport "d'extériorité", sinon "d'étrangéification" face aux nouvelles denrées. » Toutefois, depuis quelques années, la culture du blé et du riz s'accordent durant l'intersaison : la paille du premier (saison sèche) servant d'engrais au deuxième (saison humide), permet d'augmenter les rendements. De jeunes vendeurs ambulants armés de grands paniers en raphia remplis de ces baguettes circulent autour du marché d'Analakely, où l'on trouve également des « pâtes à nem », fines crêpes de maïs destinées à la confection des samossas, ainsi que toutes sortes de farines et de graines en gros. Parmi les innombrables vendeurs de rue, l'on croise un chariot à roulettes, exposant sous une cage de verre le *kouba*, enroulé dans une feuille de bananier, proposé en tranches et dégusté froid. Le prix d'un morceau de *kouba* et du *mafo gazy* est de l'ordre de quelques centimes d'euro, contre dix fois plus pour une baguette bâtard, pour un revenu moyen mensuel de 25 euros.

Kouba. Sorte de rôti de farine de riz, d'arachides, de bananes et de sucre enroulé dans une feuille de bananier, cuit à la vapeur à domicile et proposé en tranches, que l'on déguste froid. Une tranche de *kouba* est particulièrement énergétique.

Mofo gazy. Boule de la taille de la paume composée de farine de riz, d'eau, de levain, cuite sur les braises dans un *moukati* (plat convexe à six trous). Ce mot signifie littéralement « pain malgache ». La pâte, confectionnée le soir, repose à température ambiante et est cuite par les enfants à l'aurore : dans la région d'Antsirabé, les *mofo gazy*, vendues encore tièdes en bord de route aux travailleurs filant vers Tananarive, sont parfois aromatisées à la poudre de coco et à la vanille.

Philippe Di Folco

• *Voir aussi :* Baguette ; Bâtard → France (pains actuels, pains régionaux) ; Inde ; Pains mondiaux ; Riz (*Oryza sativa*)

Bibl. : Aurélie COTTIN, « L'orientation des goûts », *Socio-anthropologie*, n° 20, 2007.

MAGNÉSIUM (Mg). – Second minéral intracellulaire de par sa teneur, le magnésium est indispensable à la santé humaine, la plupart des voies métaboliques étant magnésio-dépendantes. Dans la plupart des pays industrialisés, l'insuffisance de l'apport en Mg est liée à la fois aux modes de vie et aux habitudes alimentaires, qui se traduisent par une consommation d'aliments dont la densité en Mg (c'est-à-dire la quantité de Mg par unité d'énergie) est réduite. En France, 72 % des hommes et 77 % des femmes ont des apports inférieurs aux apports nutritionnels conseillés (l'apport nutritionnel conseillé – ANC –, défini comme la quantité moyenne de Mg à fournir par personne et par jour, doit pouvoir satisfaire les besoins de la quasi-totalité des individus et prévenir les conséquences fâcheuses pour notre santé d'un déficit en cet élément ; il est fixé à 6 mg/kg), ce qui confirme la fréquence du déficit magnésique par un apport nutritionnel insuffisant (Galan 1997). En dehors de circonstances pathologiques précises pouvant nécessiter le recours à une administration parentérale, la prévention et le traitement du déficit magnésique par insuffisance d'apport reposent sur des mesures diététiques telles que la consommation de produits céréaliers complets.

Les céréales sont en effet une source majeure de magnésium, au même titre que les produits laitiers pour le calcium. La question de la densité en magnésium du pain concerne en premier lieu la variabilité génétique de l'espèce blé tendre. L'existence de variétés particulièrement riches en Mg a été mise en évidence, notamment celle d'un blé d'origine chinoise (Lopez 2003). D'autre part, le magnésium est principalement concentré dans la couche d'aleurone (enveloppe externe du grain) et le germe. Les modes de fractionnement du grain de blé ont ainsi une influence majeure sur les teneurs en magnésium des farines. Les pains consommés en France sont principalement fabriqués avec des farines de blé type 55 ou type 65. Ces farines purifiées par l'opération de mouture ne possèdent plus qu'une fraction des minéraux naturellement présents dans les enveloppes du grain. Ainsi, le « type » indique la teneur en minéraux par 100 g (par exemple, 100 g d'une farine de type 55 contient 0,55 g de minéraux totaux). Si on utilise des farines bises (de type 80 ou 110) ou complètes (type 150), le pain peut être une excellente source de magnésium.

Il peut subsister cependant un problème de biodisponibilité du Mg dans les pains complets, en relation avec la présence d'acide phytique, composé que l'on retrouve en abondance dans le son et qui piège le magnésium, empêchant son absorption intestinale. Néanmoins, il a été montré qu'une fermentation suffisamment longue permet l'acidification nécessaire à la dégradation de la quasi-totalité de l'acide phytique et donc à l'assimilation du Mg (Leenhardt 2005). Finalement, l'efficacité du pain pour la couverture des besoins en magnésium dépend de la nature du pain consommé. Ainsi, 250 g d'un pain blanc confectionné avec des farines de type 55 ne couvrira qu'environ 15 % des besoins, contre 50 % avec la consommation d'une même quantité de pain complet de type 150. Si, de plus, les conditions de panification permettent une baisse suffisante du pH (poolish ou fermentation au levain), la biodisponibilité du magnésium devient optimale.

Fanny Leenhardt

• *Voir aussi :* Acide phytique ; Aleurone ; Levain de panification ; Poolish ; Santé ; Types de farine → Farine ; Valeur nutritionnelle du pain

Bibl. : P. GALAN *et al.*, « Dietary magnesium intake in a french adult population », *Magnes Res*, n° 10, 1997, p. 321-328 • F. LEENHARDT *et al.*, « Moderate decrease of pH by sourdough fermentation is sufficient to reduce phytate content of whole wheat flour through endogenous phytase activity », *Journal of Agricultural and Food Chemistry*, vol. 12, n° 53(1), 2005, p. 98-102 • H. W. LOPEZ *et al.*, « Wheat variety has a major influence on mineral bioavailability ; Studies in rats », *Journal of Cereal Science*, n° 37, 2003, p. 257-266.

MAIE. – Appelée également huche, arche, mastre (Malouin 1779), la maie est un coffre ou bahut horizontal, refermé par un couvercle, qui servait à pétrir le pain ou à entreposer la farine. Construite en chêne et à la différence des coffres primitifs posés au sol, elle se dressait, juchée (« huchée ») sur quatre pieds, ce qui permettait aux femmes qui pétrissaient de ne pas se courber jusqu'à terre. Il n'était pas de maison campagnarde sans sa maie. Massive de structure, elle était parfois ornée sur la face et sur les côtés de lignes dessinées en creux ou en relief. Les pieds étaient ouvragés, plus rarement. Le meuble mesurait ordinairement 1,25 m de longueur, 0,60 m de largeur et 0,70 m de hauteur (0,40 m pour la hauteur du coffre proprement dit). La huche à pain peut être aussi entendue comme un meuble permettant de conserver le pain.

Mouette Barboff

• *Voir aussi :* Femmes ; Pain domestique ; Paysan boulanger ; Pétrin

Bibl. : Charles ESTIENNE, Jean LIEBAULT, *L'Agriculture et maison rustique*, 1564 • Paul Jacques MALOUIN, *Description et détails des arts du meunier, du vermicellier et du boulanger*, Paris, 1779.

MAILLARD (réaction de). – Cette réaction intervient dès qu'on chauffe un aliment contenant des protéines et des sucres, ce qui est le cas de la pâte à pain, qui contient du gluten (protéines) et de l'amidon (sucres). Cette réaction modifie la couleur (brunissement), l'odeur et la saveur (dégagement de composés aromatiques complexes), de façon plus ou moins intense selon le degré de cuisson et la composition de l'aliment. Typiquement, les arômes et la couleur sont différents pour la croûte et la mie du pain frais, du pain grillé, des biscottes et des biscuits, ces derniers contenant en plus de la farine des matières grasses et du sucre. Ces réactions complexes sont à l'origine de la palette d'odeurs et de goûts de tous les aliments cuits. Dans le cas du pain, l'utilisation de mélanges de céréales ou de graines ajoutées à la farine de blé permet de proposer des pains très différents sur le plan gustatif, conséquence de la réaction de Maillard.

Ludovic Salvo

• *Voir aussi :* Amidon ; Biscotte ; Biscuit ; Caramélisation ; Chimistes et microbiologistes du pain ; Croûte ; Cuisson directe/indirecte ; Four ; Gluten ; Mie de pain ; Pain grillé ; Protéine

MAIN. – Bienvenue au monde de la boulangerie. La main, et les deux mains plus sûrement, le résument absolument. Peut-être les doigts de la main sont-ils au nombre de cinq pour rappeler que cette puissante alchimie dont procède, depuis des millénaires, notre pain quotidien se résume à cette très simple et primitive équation : farine + eau + air + main + feu = pain, le sixième élément, si on voulait en allonger la liste, étant laissé à l'appréciation de chacun : part cachée, part invisible, part céleste ou, plus prosaïquement, sueur tombée du front de la boulangère ou du boulanger et qui « assaisonne » en quelque sorte la pâte et fait le pain. Cinq acteurs capitaux. Pas davantage. Voilà qui crée entre la sophistication et la rigueur du monde de la pâtisserie et celui de la boulange une ligne de partage proprement infranchissable. Nul n'entre ici s'il n'est manuel et, mieux que cela, doué de deux mains lestes et fermes, aptes à fraser, pétrir, détailler, façonner, tourner, plier, dégazer, redonner de la force, scarifier, mettre au four.

L'apparition des pétrins mécaniques à la fin du XVIIIe siècle met fin à cette millénaire intimité. Tout ne se fait pas en un jour, bien sûr, car ce commencement de mécanisation des fournils rencontre mille embûches générées par la résistance naturelle mais opiniâtre de ceux qui ont de tout temps, et les femmes avant eux, « mis la main à la pâte », dès le moment où l'eau rencontra la farine et où commença l'aventure longtemps indéchiffrable de la fermentation. Il faut comprendre ces tergiversations à l'entrée des fournils comme l'expression d'une peur des boulangers de perdre, en perdant le contact avec la pâte, la maîtrise de leur art, lequel se résume alors à ce dialogue ininterrompu, jusqu'à la cuisson, entre le pain qui se fait et la main qui le fait.

Mais la mécanisation des pétrins n'empêche cependant pas encore que la main ne récupère la pâte au sortir du pétrissage et ne recommence à jouer avec elle ; et peut-être cette énergie sauvegardée permet-elle alors au boulanger de mieux s'investir dans les opérations qui encadrent pointage et apprêt. Pourtant, l'offensive ne s'arrête pas là : les machines continuent à disputer aux hommes leurs prérogatives, et ceux-ci, de guerre lasse, finissent, en quelque sorte, par « passer la main ». On ne se doute certainement pas des conséquences de cette révolution au sein des fournils : lorsque les boulangers délaissent la pâte et les pâtons pour se préoccuper de programmer pétrin, peseuse-diviseuse, chambre de repos, bouleuse, chambre de fermentation, scarificateur automatique, four, le pain entame un nouveau chapitre de son histoire et certains prédisent alors que ce sera le dernier. Il y a toujours des oiseaux de mauvais augure. Mais là, le danger est manifeste. Le sursaut de quelques artisans irréductibles, convaincus que la main ne peut impunément se retirer de l'affaire, contribue au sein de certains fournils à un salutaire rééquilibrage. Si les hommes, les hommes de mains en l'occurrence, veulent rester partie prenante dans les aventures de la panification, ils ne doivent pas seulement interroger leur avenir en consultant les sites des équipementiers. Les extrêmes se répondant, comme en écho, on a donc vu réapparaître ces dernières années des boulangers avec des mains.

Ce que la main peut faire pour simplement accompagner la fermentation est prodigieux. Il se communique à la pâte non seulement quelque chose de la sueur de celui qui pétrit ou façonne, mais également ses états d'âme, ses humeurs, ses pensées, ses rêves secrets, ce « sixième élément » que nous cherchions à identifier et sans doute que la qualité de la personne du boulanger, sa disposition intérieure le jour où il a préparé en particulier cette fournée, n'est pas étrangère à la qualité des pains qui la composent et que nous allons manger. Car la main est une empreinte par laquelle le boulanger marque d'un sceau unique, inimitable, chaque pâton.

L'écrivain Jean-Marie Gustave Le Clézio, dans *L'Inconnu sur la terre*, cherche à cerner cette extraordinaire « mécanique » de chair et de précision qui préside à la naissance des pains. Tout ici est impliqué dans la transformation. La peau qui communique avec la peau de la pâte, corps à corps intime, suave, la paume qui claque, qui fesse, le tranchant qui soude, qui coupe, le poing qui sculpte, le pouce et l'index qui étranglent, mais tous les doigts aussi bien, jusqu'aux phalanges, jusqu'aux ongles pour détacher des morceaux de pâte bientôt séchée – tout est ici réquisitionné. La mobilisation est générale. On ne dispose que d'un seul outil, alors il faut le faire fructifier, en tirer le plus avantageux parti. Puis, à peine rassasiées de celle qu'elles ont mille fois malaxée, remise sur le métier, « les mains la reprennent, la referment et chaque molécule de la pâte est ainsi mise au jour, puis renvoyée vers l'intérieur, pénétrée par l'air et par l'eau ». C'est une danse qui ne s'arrête qu'au moment où commence l'apprêt, qui préfigure déjà la cuisson et le retrait définitif de la main (revenue une dernière fois pour, éventuellement, « couper » les pains et les enfourner).

Mais le message est clair. Depuis des millénaires, la main et la pâte communiquent, se parlent, et ces échanges, si nous pouvions les traduire en quelques signes intelligibles, nous renseigneraient sur ce que nous sommes, nous ramèneraient à notre commune et indéfectible identité. Nous sommes peut-être nés d'un limon ancien, premier, et qui en douterait ? Mais, plus sûrement, nos civilisations sont nées de ce dialogue entre la main et le pain que seule les machines ont réussi à perturber et même, en certains cas, interrompre. En parlant de main, on désigne ici une paume et des doigts ouverts, un outil généreux, ainsi que le formule, à sa manière, le philosophe grec Diogène : « Il faut tendre la main à nos amis sans fermer les doigts. »

Jean-Philippe de Tonnac

• *Voir aussi :* Boulangers et boulangeries (histoire de France des) ; Compagnon ; Découpage et passage en tête ; Étirage et soufflage ; Façonnage ; Femmes ; Levain (symbolique du) ; Mangeurs de pain ; Pain domestique ; Pain levé du monde (le plus ancien) ; Pâte à pain (symbolique de fertilité et de fécondité de la) ; Pâtonnage et mise en planches ; Pétrin ; Pétrin (symbolique du) ; Pétrissage ; Rompre ou donner un tour ; Technologies boulangères ; Tourne ; Torsadé et tressé

Bibl. : Heinrich Eduard JACOB, *Histoire du pain depuis six mille ans*, trad. M. Gabelle, Paris, Seuil, 1958 • Jean-Marie Gustave LE CLÉZIO, *L'Inconnu sur la terre*, Paris, Gallimard, 2001.

MAINS (à deux). – Désigne l'ouvrier capable de gérer le four *et* le pétrin, c'est-à-dire qui peut faire le travail du brigadier et de l'aide. Un ouvrier « à deux mains » ou « deux mains » est aussi celui qui peut faire le pain et la pâtisserie. On trouve les deux définitions. On l'appelle aussi « viennois » puisque à l'origine cette qualification était plutôt réservée à un ouvrier spécialisé dans la panification à la levure (contrairement au travail au levain, « français ») importée de Vienne (Autriche) puis, plus généralement, de pâtes à pain de farine « riche », la viennoiserie.

Roland Guinet

• *Voir aussi :* Brigadier ; Four ; Main ; Pétrin ; Viennoiserie

MAÏS (*Zea mays*). – Le maïs est certainement la plante qui a fait l'objet de plus de controverses quant à son origine. Des arguments renaissent périodiquement sur sa présence supposée dans l'Ancien Monde avant 1492, alors que cette hypothèse avait déjà été réfutée en 1883 par Alphonse de Candolle.

Origines du maïs. Les tenants d'une origine américaine ont longtemps hésité entre le Pérou et le Mexique. Restait le mystère de son ancêtre sauvage, le téosinte, qui est tellement différent que les botanistes le classaient dans un genre séparé, *Euchlaena*. Ce n'est que dans les années 1970 que tous les téosintes connus ont été rassemblés dans le genre *Zea*, deux d'entre eux se révélant appartenir à la même espèce biologique que le maïs, *Zea mays*. Il faut dire que ces téosintes ont des épis femelles à fleurs disposées sur deux rangs, et dont les glumes se transforment en coques dures qui enferment le caryopse. À maturité, l'épi se désarticule et les coques tombent au sol.

Après avoir pensé à *Zea mays* subsp *mexicana*, les généticiens estiment maintenant, grâce aux marqueurs moléculaires, que c'est la subsp *parviglumis*, localisée aujourd'hui dans la vallée de la rivière Balsas au Mexique, qui serait l'ancêtre direct du maïs. Comme les coques sont trop dures pour permettre l'extraction du caryopse, il est possible que l'on ait d'abord consommé les très jeunes épis des téosintes, ou mâché leurs tiges sucrées. Les premiers restes archéologiques de maïs montrent de très petits épis à quatre ou huit rangées de grains. On les trouve dans les grottes de Tehuacán (Puebla, Mexique) et ils datent de 5000 av. J.-C. Ce n'est que vers 3000 av. J.-C. que le maïs apparaît au Pérou et en Équateur. S'ensuit alors une lente diffusion dans les deux Amériques. À l'arrivée des Européens, le maïs avait pratiquement conquis tout le continent américain, depuis le centre du Chili jusqu'au fleuve Saint-Laurent, où Jacques Cartier a vu les

Iroquois le cultiver en 1535. La diversité des milieux, des pratiques agricoles et des usages explique que le maïs soit devenu l'une des plantes les plus diversifiées. Dès 1492, Christophe Colomb a trouvé le maïs sur l'île d'Hispaniola, où les Taïnos l'appelaient *mahiz*, et ce sont bien des maïs caraïbes qui ont été introduits en Espagne, puis dans tout le bassin méditerranéen, y compris le sud-ouest de la France. Au XVIe siècle, les Portugais ont rapidement introduit le maïs dans les îles d'Afrique de l'Ouest, puis en Afrique de l'Est et en Asie. Une analyse récente de la diversité des maïs européens a montré qu'une seconde vague d'introduction s'est opérée du nord-est de l'Amérique du Nord vers l'Europe du Nord, ce que les historiens n'avaient pas mis en évidence.

L'histoire moderne du maïs. Elle est liée à l'histoire des États-Unis. Les colons venant de Nouvelle-Angleterre connaissaient un maïs corné (*Northern Flint*), et ceux de Virginie avaient un denté (*Southern Dent*). L'un étant précoce et l'autre tardif, ils ont été cultivés côte à côte dans la Corn Belt (« ceinture de maïs » du Middle West américain) et ont pu s'hybrider. Ces hybrides cornés-dentés plus productifs ont été adoptés à la fin du XVIIIe siècle et se sont généralisés au cours du XIXe siècle. Au début du XXe siècle, une nouvelle page de l'histoire du maïs s'ouvre. Des chercheurs découvrent le phénomène d'hétérosis, ou vigueur hybride. En isolant des lignées pures et en les croisant entre elles, on obtient des hybrides bien plus vigoureux et homogènes que les populations d'origine. Les premiers maïs hybrides sont commercialisés en 1933 ; en 1950, ils forment les deux tiers de la production étatsunienne, et la quasi-totalité maintenant. En Europe, l'intérêt de la plante a bien été perçu par les agronomes, et deux ouvrages importants sur le maïs ont été publiés en France par Parmentier en 1785 et Bonafous en 1836. Mais le maïs restait une plante peu adaptée au climat du nord de l'Europe. Il faudra attendre les travaux de l'INRA à partir de 1946 pour que des hybrides entre des lignées nord-américaines et des lignées précoces issues de la population Lacaune du Tarn permettent à la culture du maïs de s'étendre partout en France et dans le nord de l'Europe.

Approche botanique et agronomique. Le maïs est une plante annuelle de hauteur variable (le plus souvent de 1,5 m à 2 m). Les feuilles sont larges, et longues de 40 à 100 cm. Le maïs est une plante allogame, dont le pollen est transporté par le vent, ce qui impose des mesures d'isolement quand on veut produire des semences, des maïs spéciaux ou transgéniques. L'inflorescence mâle est une panicule terminale qui atteint 20 cm de longueur. Les inflorescences femelles sont des épis (habituellement un ou deux) situés le long de la tige. Les fleurs sont disposées en rangées paires (8 à plus de 14) autour d'un axe épais (la rafle). L'épi est complètement entouré de 8 à 12 bractées molles, laissant apparaître à l'extrémité un faisceau de styles très longs. La séparation totale des fleurs mâles et femelles facilite la castration manuelle des plantes, et donc la fabrication d'hybrides F1. Sur l'épi, les grains de maïs sont serrés les uns contre les autres, et habituellement nus. Leur forme et leur couleur dépendent en partie du parent mâle, car la paroi du caryopse est souvent translucide, et la nature de l'amidon influe sur la forme du grain. Ce phénomène appelé xénie explique la diversité des grains que l'on trouve sur certains épis, surtout les maïs ornementaux. Les Amérindiens ont pu sélectionner une gamme extraordinaire de formes, de couleurs et de composition du grain.

Les différents maïs. En l'absence d'une synthèse sur les innombrables races de maïs présentes dans les Amériques, on classe traditionnellement les maïs sur la base des caractères du grain, qui en déterminent l'utilisation. Le groupe Microsperma comprend les maïs à popcorn ou maïs perlé, dont les petits grains vitreux, contenant peu d'amidon dans l'albumen, éclatent quand ils sont chauffés, et donnent une masse blanche spongieuse qui atteint dix à vingt fois le volume du grain. Il était déjà connu des anciens Mexicains. Le groupe Indurata est le maïs corné (*flint corn*, en anglais) et comprend les premières formes de maïs introduites dans l'Ancien Monde. Le centre du grain est amylacé, mais la couche extérieure de l'albumen est dure et vitreuse. Ce groupe résiste mieux au froid que le maïs denté et est très cultivé en Europe, tant comme maïs-grain que pour l'ensilage. Le groupe Dentiformis groupe les maïs dentés (*dent corn*, en anglais). Il est probablement d'origine mexicaine et constitue l'essentiel de la production de la Corn Belt états-unienne. Le sommet du grain est rectangulaire avec une dépression centrale, ce qui l'a fait comparer à une dent de cheval. Le grain est entièrement amylacé. Ces maïs plus tardifs sont aussi ceux qui donnent les plus gros rendements. Ce sont les plus utilisés pour l'alimentation animale et les usages industriels. Le groupe Aorista, ou maïs corné-denté, résulte de l'hybridation entre les maïs vitreux et dentés (groupes Indurata et Dentiformis), qui a donné des formes intermédiaires à albumen entièrement amylacé, mais à grain non denté. Ces types sont apparus en Europe, d'abord dans des variétés locales des Balkans et du Caucase, puis comme produits de l'amélioration des plantes modernes. Le groupe Amylacea est constitué des maïs tendres (*soft corn*, en anglais). Ces maïs très anciens ont leur centre de diversité au Pérou, dans les vallées de montagnes. L'albumen est entièrement amylacé, très mou, et son utilisation alimentaire est facile. Dans les pays industriels, il est surtout utilisé comme source d'amidon et d'alcool. Le groupe Saccharata est le maïs doux, ou maïs sucré (*sweet corn*, en anglais). Il est utilisé comme légume, quand les grains sont immatures. À maturité, ils deviennent ridés et translucides et ont une haute teneur en dextrines. Ce type de maïs a commencé à être produit commercialement à la fin du XVIIIe siècle dans le nord-est des États-Unis, mais ne s'est développé qu'après la guerre civile, vers 1860. En France, la production n'a vraiment débuté que dans les années 1970. Le groupe Tunicata est le maïs tuniqué (*pod corn*, en anglais). Chez ce type de maïs curieux, chaque grain est muni de glumes membraneuses qui le cachent complètement. Le groupe Ceratina est le maïs cireux (*waxy corn*, en anglais). Le caractère « cireux », dû à un seul gène, procure un amidon constitué essentiellement d'amylopectine. Ce n'est qu'en Chine et en Asie du Sud-Est qu'il est apprécié pour la consommation humaine. Son apparition a dû survenir peu après l'introduction du maïs en Asie par les Portugais, et les botanistes en ont longtemps tiré argument en faveur d'une présence précolombienne du maïs dans ces régions. Il a surtout des usages industriels.

Les utilisations du maïs. Elles sont extraordinairement nombreuses et diversifiées. Outre le pop-corn, on peut le consommer comme légume, quand l'épi est très jeune, ou plus tard au stade laiteux-pâteux, simplement bouilli ou grillé. Le maïs doux est le type préféré pour cet usage. Dans les usages traditionnels, les grains secs se cuisent entiers avec de la chaux. Ce procédé, appelé « nixtamalisation », améliore les caractères nutritionnels du maïs. Après élimination de l'épiderme et de l'embryon, on obtient le *pozole*, qui se mange avec de la viande et des condiments. La plupart des aliments traditionnels sont cependant fait avec la *masa*, sorte de farine grossière. La *tortilla* est une galette cuite sur une plaque. Elle est souvent utilisée comme support d'autres aliments, comme un sandwich, ou tient lieu de cuillère. Fourrée de légumes ou de viande et enroulée, elle devient un *taco* ou une *enchilada*. Les tortillas sèches sont coupées en morceaux et mangées en sauce ou en soupe. Avec la farine, on prépare aussi les *tamales*, composés de farine fourrée ou non avec de la viande ou des fruits, enveloppés dans des bractées de maïs ou un morceau de feuille de bananier et cuits à la vapeur.

Les boissons de maïs sont anciennes et nombreuses, puisque au Mexique il en existerait plus de soixante types différents. L'*atole* se prépare en faisant bouillir de la farine dans l'eau. On l'aromatise avec des épices, des fruits ou du cacao, et on le boit chaud. Le *pozol* se prépare avec du maïs bouilli et moulu et du cacao grillé, qu'il suffit de mélanger à l'eau pour le boire froid. Il en est de même du *pinole* ou *pinolillo*, qui utilise du maïs grillé. La *chicha* est une boisson fermentée (le ferment provenant naguère de la salive).

Quant aux utilisations modernes du maïs, elles dérivent essentiellement de la mouture et de la séparation industrielle des divers constituants du grain. La mouture grossière des grains du maïs donne divers produits suivant la taille des fragments. Le *hominy* (3 à 6 mm de diamètre) est surtout utilisé pour fabriquer les pétales de maïs ou *corn flakes*. Le *gritz* (0,4 à 1 mm) est utilisé en brasserie. Les semoules servent à préparer la polenta et les tortillas. Enfin, la « farine » est en fait une semoule fine, plus grossière que la farine de blé. On l'utilise entre autres pour faire les chips de maïs. Les types de maïs qui se prêtent le mieux à la semoulerie sont les cornés, les dentés et leurs hybrides.

La farine de maïs est utilisée, seule ou en mélange, dans la fabrication de pain, comme la *broa* portugaise. En Égypte, le pain des pauvres est constitué d'un mélange de blé dur et de maïs. La zéine, l'une des protéines importantes du maïs, ne contient pratiquement pas de lysine et de tryptophane, ce qui contribue à la pellagre et limite l'utilisation du maïs dans l'alimentation. Des procédés modernes permettent une gélatinisation de la farine, ce qui a favorisé son utilisation en biscuiterie. Le germe de maïs, riche en lipides, affecte la qualité des semoules et des amidons et doit être éliminé. Comme ce sous-produit est disponible en quantités importantes, il fait l'objet d'extraction de l'huile. L'huile de maïs est stable à la chaleur et appréciée comme huile de régime, surtout aux États-Unis. Elle entre également dans la composition de margarines. L'amidon de maïs est utilisé depuis le XIXe siècle. Il est extrait à partir de variétés dentées (qui donnent un mélange d'amylose à chaîne droite et d'amylopectine à chaîne ramifiée) et de variétés cireuses (qui donnent uniquement de l'amylopectine). Cet amidon est utilisé tel quel, ou bien sous forme d'amidon modifié et de dextrines, ou encore hydrolysé en glucose. Le sirop de glucose est obtenu par hydrolyse de l'amidon. Le produit obtenu est un sirop qui contient un mélange de polysaccharides, de maltose et de dextrose. Il ne cristallise pas, mais peut être séché. La glucoserie est devenue une activité industrielle importante, qui fait du maïs la principale plante à sucre des États-Unis. L'amidon de maïs a également de nombreuses utilisations industrielles, dont la fabrication de bioplastiques. L'extraction de l'amidon donne un sous-produit, le gluten, qui est riche en protéines. Ce produit est surtout utilisé en alimentation animale, mais aussi humaine comme additif de farines.

Le whisky nord-américain, ou bourbon, est fabriqué par fermentation de sucres résultant de la conversion de l'amidon de maïs. La production de ce whisky reste concentrée dans l'État du Kentucky, où elle a débuté au XVIIe siècle. Au total, les dérivés du maïs se retrouvent dans la plupart des aliments industriels, ce dont chacun a pu se rendre compte lors du débat sur les organismes génétiquement modifiés. Le maïs est aussi une plante fourragère importante. Le maïs-grain entre dans la fabrication d'aliments du bétail et de la volaille, mais la plante entière encore verte est ensilée pour l'alimentation des bovins. Enfin, la rafle a plusieurs usages industriels. Les bractées sèches servaient naguère à remplir des matelas, et ont des usages artisanaux.

Michel Chauvet

• *Voir aussi :* Amérindiens ; Amérique latine ; Amidon ; Amylopectine ; Caryopse ; Céréales ; Céréales sauvages aux premières formes domestiques (des) ; Épi ; États-Unis ; Mexique ; Pains mondiaux ; Pérou

Bibl. : Maryse CARRARETTO, *Histoires de maïs. D'une divinité amérindienne à ses avatars transgéniques*, Paris, Éditions du Comité des travaux historiques et scientifiques, 2005 • André CAUDERON, « Génétique, sélection et expansion du maïs en France depuis trente ans », *Cultivar*, spécial maïs, n°s 13-19, novembre 1980 • J. P. GAY, *Fabuleux maïs. Histoire et avenir d'une plante*, Pau, Association générale des producteurs de maïs, 1984 • FAO, *Le Maïs dans la nutrition humaine*, Rome, Organisation des Nations unies pour l'alimentation et l'agriculture, coll. « FAO Alimentation et nutrition », n° 25, 1993 • Paul C. MANGELSDORF, *Corn; its Origin, Evolution and Improvement*, Cambridge, Harvard University Press, 1974.

MAÏS CHEZ LES AMÉRINDIENS (mythologie du). – Tout comme le blé chez les peuples d'Europe, et le riz chez ceux d'Asie, le « blé d'Espagne », ou *maïz*, demeure, chez les peuples des Amériques, la nourriture de base et l'objet de tous les développements mythologiques. Le maïs est en effet la seule nourriture végétale qui se compose entièrement de graines, ce qui lui confère une aura mythique et spirituelle très remarquable. Au sein de toutes les plus anciennes cultures des Amériques, le maïs joue ainsi un rôle de premier plan, des cérémonies et mythologies élaborées par les Aztèques ou les Mayas à la cueillette du maïs chez les Indiens Pueblos au sud-ouest des États-Unis et jusqu'au cœur des mythes tribaux des origines, à l'est du Canada. En fait, le maïs rayonne d'une manière significative dans tous les mythes d'origine chez les peuples américains.

On le cultiva tout d'abord dans les Andes de l'Amérique du Sud, il y a sans doute cinq ou huit mille ans. À partir de là, sa culture se répandit dans toute la « Méso-Amérique » (ce qui, de nos jours, désigne le Mexique du Sud et le nord de l'Amérique centrale) il y a trois mille cinq cents ans – ou à peine plus tard –, et c'est peut-être seulement il y a deux mille ans que le maïs commença à être cultivé en Amérique du Nord. Le maïs est ainsi apparu sous bien des formes comme puissance mythique et spirituelle. Chez les Aztèques, il symbolisait avec force les cycles de la vie et de la fertilité. On dessina souvent sa plante sous les traits d'une royauté grandiose, d'une énergie harmonisant les cycles et les hommes et se métamorphosant pour finir par donner la vie. À Palenque, au cœur de la Méso-Amérique, on a trouvé une sculpture de pierre en forme de croix foliée, référence à l'Arbre cosmique. Or on représenta maintes fois cet arbre sous la forme d'un plant de maïs, chaque épi figurant un visage humain, les yeux tournés vers le ciel et le soleil, la barbe soyeuse du maïs en lieu et place de la chevelure. C'est cette représentation, et l'ensemble des sculptures en pierre qui l'entourent, qu'on interprète comme l'entière cosmologie des Mayas, des mondes souterrains aux cieux paradisiaques. On utilisait les cérémonies élaborées autour du maïs pour rythmer le calendrier annuel, à partir des diverses périodes de son développement, qui désignaient les époques de l'année. Ces cérémonies perdurent, particulièrement durant l'époque de germination. On les accompagne de prières, censées favoriser la pluie et les intempéries propices à une moisson prospère.

Les phénomènes les plus fondamentaux relativement à la Création et aux origines furent illustrés par ce type de représentations et de cérémonies. Dans la culture maya, le dieu-serpent Quetzacoatl échoue d'abord à créer des humains à partir de certains matériaux, puis, finalement, les façonne en mêlant le maïs à des os de vieillards et à son propre sang. Dans ces mythes masculins sur le maïs, le sang, et son poids symbolique comme générateur de vie, reste prédominant, surtout chez les Aztèques : le maïs et le sacrifice humain ont ainsi toujours entretenu des liens étroits. Il y a par exemple des peintures aztèques montrant le maïs planté au-dessus de cadavres enterrés. On y voit un rituel d'offrande au dieu Centeotl, où le sang abreuve la plante. Plus souvent, et partout dans les Amériques, le maïs apparaît comme une entité divine. En majorité, les divinités du maïs sont de sexe féminin et on les associe à la fertilité et à la procréation. Les histoires abondent chez les premiers Américains, sur les mères et autres personnages présentant le maïs aux peuples et leur apprenant comment le cultiver et comment l'utiliser. De manière encore plus primordiale, ces mères issues du maïs, tout en procurant de la nourriture aux peuples, leur enseignent aussi l'art de mener une vie honnête, fondée sur le respect réciproque, l'observation et la connaissance de la vie et de ses lois complexes.

Une histoire caractéristique, provenant des Indiens Penobscot (Nouvelle-Angleterre), raconte les premiers jours de la Création où Kloskurbeh, créateur de toutes choses, et son neveu forgent l'univers, avec les plantes, les montagnes et les animaux, mais pas encore les humains. Un beau jour leur apparaît une belle jeune fille, née d'une goutte de rosée sur une feuille que le soleil réchauffe. Elle leur déclare alors qu'elle est « Amour, offrant vigueur et nourriture à tous les peuples ». Le jeune neveu l'épouse et ils ont des enfants. Kloskurbeh se retire pour aller vivre au nord, d'où, le jour venu, il reviendra. Tandis que leur descendance croît et se multiplie, on se met à chasser, mais le gibier se fait rare et la faim survient. On se rend alors chez la femme, nommée « Mère première », pour lui demander de subvenir aux besoins du clan. Mais elle ne possède rien et leur demande de patienter, leur assurant qu'elle finira par se procurer de quoi les rassasier. Alors elle se met à pleurer toutes les larmes de son corps. De retour à la maison, le compagnon de la « Mère première » lui demande ce qu'il doit faire pour arrêter ses pleurs. Elle l'enjoint alors de la mettre à mort, ce que, bien entendu, il refuse. Comme la « Mère première » reste inconsolable, il finit par consulter et, sur les conseils de son oncle, se décide à passer à l'acte. Il faut non seulement qu'il la tue, mais que ses enfants traînent sa dépouille jusqu'au centre d'une clairière afin d'y enterrer ses os, après les avoir brûlés. Ses enfants doivent alors partir pendant sept mois. À leur retour, d'après la prédiction, ils trouveront de quoi se nourrir. En revenant à la date fixée, ils découvrent de grandes plantes vertes toutes recouvertes de glands et, à l'endroit où les os ont été brûlés, une plante inconnue d'eux, aux feuilles larges. C'est comme le souffle de la Mère. Elle leur dit de brûler la plante pour la fumer, ce qui éclaire leur esprit et exauce leurs prières. C'est ainsi que naissent le maïs et le tabac.

Parmi les Zuni au sud-ouest des États-Unis, on raconte une histoire sur huit cueilleuses de maïs qui dansent merveilleusement, mais sans que les yeux d'aucun humain ne puissent les voir. Seuls leurs gestes peuvent être devinés, à travers l'ondulation du maïs, lorsque le vent vient à souffler. Dans la plupart de ces contes, il y a un jeune guerrier amoureux d'une de ces cueilleuses-danseuses, mais elle le fuit. Privé des cueilleuses, le peuple meurt de faim et on les persuade de revenir pour nourrir ces gens affamés. Les Zuni présentent également un conte plein de poésie sur la lutte menée pour chasser les prédateurs du maïs. Une jeune fille, très riche et très belle, possède d'immenses champs de maïs et, au village, tous les jeunes gens désirent l'épouser. Sera pris pour époux celui qui viendra à bout de tous ceux qui infestent sa vaste propriété. C'est finalement le plus pauvre des villageois qui l'emporte. Ayant été à la hauteur de la besogne, il peut devenir son époux. Une fois marié, il confectionne toutes sortes de pièges et réussit à éloigner les ours, les blaireaux et autres prédateurs... à l'exception des coyotes ! Et d'ailleurs, même de nos jours, les coyotes continuent à piller les champs de maïs. Le coyote a la réputation, largement répandue, d'incarner l'Esprit fourbe et, par conséquent, de semer la discorde avant de prendre la fuite. Dans d'autres contes, on le trouve s'emparant du maïs pour le cuire, avant de le planter, dans le vain espoir de ne plus avoir à le faire une fois parvenu à maturité. Le maïs, bien sûr, ne pousse pas et le coyote, dépité, retourne commettre ses larcins.

Parmi les histoires de maïs qui concernent la gent divine masculine, on admire la symbolique des graines comme puissances créatrices. De fait, l'énergie fondamentale qui offre à l'âme humaine la force de décision et d'action, selon les croyances méso-américaines, est l'énergie provenant du soleil : or elle est transmise aux hommes grâce au maïs qu'ils consomment. Cette énergie, on l'appelle *tonatl* ou *tonali*, en nahuatl. Sans maïs, elle décline, et l'âme humaine en souffre, physiquement et spirituellement. Un mets sans maïs est considéré comme incapable de rassasier la faim ou de procurer la puissance vitale. On découvre les histoires plus riches sur le maïs dans le *Popul Vuh*, sorte de Bible du Nouveau Monde, composée de contes et de textes relatant les mythes sur les origines et les croyances raffinées du peuple maya. On y trouve, à profusion, tout ce qui a trait à la création, en relation avec le maïs, à travers l'histoire longue et complexe d'un couple de dieux jumeaux. Le maïs y symbolise les puissances masculine et féminine et demeure le marqueur de l'identité, à la fois sur le plan individuel et collectif.

En Amérique du Nord (sud-est), le maïs remplit encore une autre fonction. Depuis la nuit des temps jusqu'à nos jours, dans toutes les tribus de cette région, il n'y a pas de rituel plus important et plus élaboré que celui de la Cérémonie du maïs vert. Cet événement de grande envergure n'a pas son pareil dans notre vie moderne, puisqu'il intègre à lui tout seul certains aspects du Nouvel An, du Carême, et de *Thanksgiving*. La Cérémonie du maïs vert se tient généralement à la fin de l'été, avant la récolte du maïs tardif, et comprend un éventail de rituels, parmi lesquels une longue période de jeûne pour les hommes, qu'accompagnent des pratiques de socialisation, s'étendant sur plusieurs jours, ainsi que des sortes de manifestations interactives entre les deux sexes et entre les tribus voisines. La Cérémonie du maïs vert marque la fin et le commencement du cycle annuel dans le calendrier. C'est également une période de grâce, où l'on se répand en remerciements, personnels et collectifs. Enfin, c'est une période d'initiative et de renouveau.

Peut-être n'existe-t-il pas, chez les natifs américains, de culture plus étroitement unie au maïs et imprégnée par lui que celle du peuple Hopi. Les Hopi vivent actuellement au nord de l'Arizona. D'après leurs légendes, à la création de notre monde, le quatrième monde, il fut décidé que les différents peuples cueilleraient chacun un épi de maïs, en tant que nourriture de base, pour aller peupler l'univers. Les Hopi ayant été les derniers à choisir, ils durent se contenter de ce qui restait : un petit épi rabougri. Mais ils s'en réjouirent, car il leur rappelait le maïs le plus précoce. De ce maïs rabougri, ils pressentirent qu'ils tireraient une variété constante, robuste qui ne les décevrait jamais. Effectivement, le maïs bleu du peuple Hopi, cultivé avec soin jusqu'à nos jours, survit dans leurs déserts arides. Il devient objet de dévotion. Les Hopi l'utilisent de nombreuses façons, et pas seulement comme nourriture. Le mets à base de maïs sert d'offrande au soleil, chaque matin. Étant considéré comme un don des dieux, le maïs devient, au cours des cérémonies, un présent à ces dieux. Néanmoins, le maïs reste, d'une autre manière, en lien avec le corps humain, une incarnation, si on voulait, de ses pôles masculin et féminin. À maturité, les feuilles vertes et la tige de la plante produisent un épi femelle, qui est alors fertilisé par le gland mâle. L'épi de maïs bleu résume et symbolise la condition et le destin du peuple Hopi.

Peter Weiss
(trad. de l'américain par Marianne Jarras)

• *Voir aussi :* Amérindiens ; Amérique latine ; Calendriers et mesure du temps ; États-Unis ; Grain et graine ; Maïs ; Mexique

Bibl. : Richard ERDOES et Alfonso ORTIZ, *American Indian Myths and Legends*, New York, Pantheon Books, 1984 • Betty FUSSELL, *The Story of Corn*, New York, Knopf, 1992 • Ramón GUTIÉRREZ, *When Jesus Came, the Corn Mothers Went Away*, Stanford University Press, 1991 • Charles HUDSON, *The Southeastern Indians*, Knoxville, University of Tennessee Press, 1976 • Frank WATERS, *The Book of the Hopi*, New York, Viking Press, 1963.

MAISON (pain). – Voir PAIN DE MÉNAGE

MAÎTRE. – L'abolition des corporations en 1776 n'a pas attenté de manière significative en France à l'aura du maître boulanger. Même si, économiquement, ils n'assurent à Paris, au début du XVIIIe siècle, qu'un peu plus de la moitié de la demande en pain au profit des forains qui viennent vendre leur production sur les douze marchés parisiens, deux fois par semaine (Kaplan 1996), ils continuent à incarner l'autorité par le biais de laquelle le pouvoir et ses représentants cherchent à réguler un secteur particulièrement sensible.

Le garçon boulanger qui aspire à la maîtrise doit s'armer d'un peu de patience. Les modalités du parcours du néophyte ont varié avec les époques, mais il est possible tout de même de dégager une sorte de philosophie de la formation des élites de la boulangerie avant et après 1776. L'apprentissage est long puisqu'il se compose de quatre années, au terme desquelles l'aspirant talemelier ou boulanger est invité à se présenter devant le maître de la confrérie, muni d'un bâton sur lequel figurent autant de coches qu'il a effectué d'années, et à lui déclarer, d'après le *Livre des métiers* d'Étienne Boileau (1268) : « Mestre, je ai fait et accompli mes quatre années. » Puis, accompagné des anciens maîtres et jurés de sa communauté, il doit venir présenter au maître de la confrérie, ou à son représentant, un pot de terre neuf, rempli de noix et de nieulles (galettes de pain azyme). Le maître remet à l'assemblée ce pot, qu'elle va aussitôt s'empresser d'aller casser contre quelque muraille. « Cette bizarre cérémonie, écrit Alexandre Dumas dans son *Grand Dictionnaire de cuisine*, était un hommage public de dépendance envers les autorités préposées, signifiant qu'elles pouvaient vous punir aussi aisément que l'on cassait ce pot, si votre gestion était répréhensible et si vous ne vous conformiez pas aux statuts. » Lorsque le garçon n'est pas fils de maître, il doit compléter son apprentissage par trois ou cinq années de compagnonnage, qui l'amènent à séjourner chez différents boulangers en France et à l'étranger, lesquels consignent sa présence en leurs murs sur un livret que le compagnon doit présenter lors de son admission. Il semble que les maîtres aient cherché par là même à éloigner le plus longtemps possible ceux qui finiraient par leur disputer leur place au soleil. À partir de 1781, les ouvriers boulangers seront tenus, même au-delà de leur formation, de posséder ce même livret et de le remettre à jour à chaque changement d'employeur, et dans les vingt-quatre heures, auprès des instances de la communauté, dispositif qui permettra à la police du pain d'affiner ses contrôles.

Si le candidat a répondu aux attentes de ses juges, « s'il ne paroît aucun défaut dans la personne, ni dans les titres de l'aspirant », il est apte à préparer son chef-d'œuvre. L'épreuve consiste à transformer trois setiers de farine en des miches d'une livre de « pain broyé », ainsi dénommé car il s'agit de venir à bout d'une pâte particulièrement peu malléable qu'il faut « broyer » et que les aspirants finissent le plus souvent par pétrir avec les pieds. Les jurés vont exiger bientôt, en lieu et place de ces miches, diverses sortes de pâtes et de pains mais, *a priori*, rien à voir avec ce qu'on attend aujourd'hui des candidats au titre de Meilleur Ouvrier de France. Si le chef-d'œuvre est accepté, l'aspirant et presque déjà maître doit alors s'acquitter des droits nécessaires à l'obtention de son titre et prêter serment de fidélité à la communauté qu'il intègre devant le procureur du roi au Châtelet, s'engager notamment à cuire toujours une quantité suffisante de pain. En dépit des impôts dont ils sont redevables (hauban, tonlieu et coutume), les boulangers sont assurés de ne jamais manquer de travail dans un temps où la boulangerie est un rendez-vous quotidien pour une écrasante majorité de Français. Revers de la médaille : c'est un métier qui use jusqu'à la corde : « Ceux qui résistent à cette vie seront avant longtemps poussés hors de la profession par leur santé qui se délabre et devront chercher ailleurs quelque emploi mois fatigant : il n'y a guère de vieux chez les boulangers » (Bouteloup 1909).

Jean-Philippe de Tonnac

• *Voir aussi :* Boulangers et boulangeries (histoire de France des) ; Boulangers forains ; Chef-d'œuvre ; Geindre ; Grand panetier ; Mitron ; MOF ; Talemelier

Bibl. : Maurice BOUTELOUP, *Le Travail de nuit dans la boulangerie*, Paris, Librairie de la Société du recueil J.-B. Sirey et du Journal du Palais, 1909 • Alexandre DUMAS, *Le Grand Dictionnaire de cuisine*, en ligne www.pitbook.com/textes/htm/dumas_cuisine.htm • Steven L. KAPLAN, *Le Meilleur Pain du monde. Les boulangers de Paris au XVIIIe siècle*, Paris, Fayard, 1996 • Jean-Michel LECAT, *La Grande Histoire du pain et des boulangers*, Paris, Éditions de Lodi, 2006.

***MAÎTRES DU PAIN* (*Les*).** – Doublé d'une télésuite à succès, *Les Maîtres du pain* est un roman social et rustique de Bernard Lentéric, publié aux éditions Plon en 1993. Le levain de cette réussite repose sur le rendu réaliste d'une saga familiale, celle des Corbières, au gré d'un entre-deux-guerres immuable passé au pied du clocher de Perpezac, petit bourg corrézien. On retrouve là les canons traditionnels du roman-feuilleton, tel que le concevaient Féval ou Malot, puisque au rythme de la vie au long cours de Jérôme Corbières, un orphelin à la marge devenu l'incontournable boulanger de communauté, malheurs, passions, rires et trahisons s'entremêlent tambour battant entre le blutoir farineux et le four brûlant de cet artisan pour le moins solaire.

Cédric Méletta

• *Voir aussi : Boulanger de Valorgue* (*Le*) → Documentaires et films ; Boulangers de France ; *Femme du boulanger* (*La*) ; *Petit Boulanger de Venise* (*Le*) → Documentaires et films

Bibl. : Bernard LENTÉRIC, *Les Maîtres du pain*, Paris, Plon, 1993.

MAL DES ARDENTS. – Voir ERGOTISME ; FEU OU MAL DE SAINT ANTOINE

MALADIE CŒLIAQUE. – Elle correspond à une intolérance alimentaire qui se traduit par une atrophie des villosités de l'intestin grêle et une malabsorption causées par des protéines du gluten chez des personnes génétiquement prédisposées. La fréquence de cette maladie est d'environ 1 pour 1 000 sous ses formes symptomatiques et serait de 1 pour 300 sous ses aspects asymptomatiques. Certaines séquences de gliadines et de gluténines (prolamines constituant le gluten des céréales) sont reconnues par le complexe leucocytaire (globules blancs) de sujets porteurs des gènes HLA DQ2/ ou DQ8. Chez ces sujets, l'enzyme transglutaminase se lirait avec ces séquences du gluten formant un complexe antigénique stimulant la production d'auto-anticorps. Cette intolérance, qui n'est pas une hypersensibilité, est traitée par l'évitement complet d'une alimentation contenant du gluten. Les variétés des espèces suivantes : les blés tendre (*Triticum aestivum*) et dur (*T. durum*), l'engrain (*T. monococcum*), l'épeautre (*T. spelta* L.), la variété commerciale Kamut (blé khorasan), l'orge (*Hordeum vulgare*), le seigle (*Secale cereale*), le triticale (*Triticosecale*) et dans une moindre mesure l'avoine contiennent des prolamines.

Gérard Branlard

• *Voir aussi :* Gliadines ; Gluténines ; Régime Seignalet sans pain ; Santé

Bibl. : Voir le site du GERMC (Groupe d'étude et de recherche sur la maladie cœliaque), www.maladiecoeliaque.com

MALI (traditions du pain au). – Il peut sembler paradoxal de parler de « tradition du pain » au Mali tant la consommation y est récente ; et tant le développement de l'industrie de la boulangerie doit à l'influence occidentale (de la colonisation). Pourtant, aujourd'hui, le pain (*buru*) fait partie intégrante du modèle alimentaire urbain malien contemporain. C'est de ce phénomène exclusivement urbain dont il sera question ici : 60 % des 200 boulangeries identifiées au Mali sont situées dans le district de Bamako. La boulangerie est au Mali le premier secteur agroalimentaire industriel.

Le pain n'était pourtant pas totalement étranger au Mali. Fabriqué à partir de céréales locales, et notamment de mil, le *takula* est aujourd'hui consommé lors des cérémonies et en particulier le vendredi où il sert d'aumône aux *talibés* (élèves d'une école coranique) et aux mendiants. Dans certaines régions du Mali, comme au nord et au centre (Tombouctou, Gao, Kidal), il existe de nombreuses spécialités traditionnelles songhoï de pains cuits à la vapeur (*widjila*) et, chez les Touaregs, de pains cuits dans le sable (*tagella*). Mais par « pain », on entend surtout une catégorie de pain blanc à base de farine de blé raffinée, formé sur le modèle des pains français (en miche longue) et fabriqué à partir de 150 et 300 g de farine. Ce pain ordinaire est apprécié peu cuit et de consistance molle. Un pain plus cuit et plus doré est fabriqué sur demande, mais il existe sinon peu de diversité. Même s'il reste cher, le pain n'est plus réservé à une population privilégiée. Le pain est ainsi rarement vendu entier en raison de son coût, mais par tronçons de 10 cm environ, emballés dans un papier de récupération et alors accessible à un plus grand nombre. Les crises alimentaires de ces dernières années ont fait monter le prix du blé, en grande partie importé. Ces crises ont obligé les boulangers à s'adapter en baissant le poids du pain ou en introduisant des mélanges de farine de céréales locales sous l'appellation de « pain mixte ». Certaines boulangeries proposent ainsi du *burunafama* qui contient un mélange de farine de blé et de céréales sèches (maïs, mil, sorgho) ; la couleur inhabituelle, le goût nouveau et le coût plus élevé sont un frein à son développement.

Sur le modèle occidental, les classes supérieures ont fait du pain blanc l'aliment indispensable du petit déjeuner, en remplacement ou en complément des bouillies de petit mil (*moni*), des beignets à base de mil frits dans le beurre de karité (*frou-frou*) ou des crêpes (*n'gomi*) de farine de mil ou de sorgho (ou de fonio, de haricot ou même de riz). Sa garniture est constituée d'autres denrées importées (souvent manufacturées) et riches en produits animaux, signes de luxe : mayonnaise, beurre, sardine, omelettes, etc. Le pain est accompagné de café au lait (à partir de poudre lyophilisée) qui se substitue alors au thé traditionnel (*kinkéliba*). Le pain blanc-café au lait est maintenant servi lors de la cérémonie masculine très matinale du baptême musulman. En fonction de leur standing, les restaurants préparent des sandwichs matinaux servant d'en-cas à partir de viande hachée en sauce, qui entrent en concurrence avec la *moni* ou les *frou-frou* préparés par des femmes et qui font l'objet de vente ambulante. Le pain accompagne aussi les brochettes dans les *dibiteries*, commerces alimentaires de viande de mouton et d'abats grillés, souvent annexés ou tenus par des bouchers et destinés en premier lieu à des consommateurs masculins. Mais le pain peut également accompagner les « petits plats » du soir dans les familles qui en ont les moyens, par exemple avec le plat « frites-salade verte », ou ceux qui sont à base de viande de bœuf tendre (filet) que s'offrent les plus favorisés lors des fêtes de fin d'année. Le pain s'est donc introduit dans les habitudes alimentaires de nombre de Maliens urbains lors de tous les repas les plus informels, parce qu'objets d'une préparation culinaire moindre et, de ce fait, ouverts davantage à l'acculturation (midi, soir) ; le repas principal de la mi-journée restant fondé sur le partage d'un plat commun chaud (le plus souvent du riz accompagné d'une sauce contenant viande ou poisson, légumes et condiments).

Le blé n'est cultivé que dans le nord

du Mali (Tombouctou) et sur des surfaces encore insuffisantes. Cette région est considérée comme une zone historique de la culture du blé ; avec la région de Kayes et la zone de l'Office du Niger, le Mali est susceptible de devenir le futur grenier à blé de l'Afrique de l'Ouest. Il existe plusieurs sortes de blé, mais deux ont une importance économique réelle : le blé dur, cultivé dans les zones chaudes et sèches et utilisé dans la confection des semoules, couscous et pâtes alimentaires, et le blé tendre ou froment, cultivé pour faire la farine utilisée dans la fabrication du pain. Depuis la libéralisation du marché en 2001, la farine d'importation est moins chère que la farine locale et près de 80 % de la farine produite par les GMM (Grands Moulins du Mali), la minoterie la plus importante installée près de Bamako (il en existe deux en sus des petits moulins traditionnels), provient de blé importé. Les GMM sont la possession d'une famille d'origine libanaise – comme c'est le cas de beaucoup d'autres commerces alimentaires et des nombreuses pâtisseries faisant office de snacks et de restaurants. De nouvelles boulangeries ouvrent régulièrement dans la plupart des quartiers de la capitale. Des concours de boulangers, comme le concours « Pain d'or », sont organisés depuis 2003 pour promouvoir l'amélioration de la qualité du pain. Le pain est une des premières denrées, livré dès 5 heures du matin aux divers épiciers de quartier et de rue, transporté à vélo, à mobylette ou en voiture-fourgon. Il est de cette sorte vraiment accessible à tous, en passe de devenir un aliment de base, et désormais objet de toutes les attentions de la part du Forum national sur les produits de première nécessité.

Complet. Sous ce nom, les noctambules achètent, pour combler un petit creux, une portion de pain et de lait en sachet.

Pain mixte. Appelé également *farines composées* (65 % de blé, 12,5 % de maïs, 12,5 % de mil et 10 % de sorgho), le pain mixte correspond à la tentative d'incorporer des céréales locales face à la hausse du prix du blé à la fin des années 2000. Des précédents existent, comme le *mali-buru* dans les années 1980 et 1990, mais ils ont échoué. Il est distribué dans quelques boulangeries seulement.

Tadjilla, taguella. Il s'agit, chez les Touaregs, d'une pâte à pain faite d'eau et d'une semoule de blé très fine, sans levain. On recouvre le pain plat de sable et des braises que l'on cuit pendant environ trente minutes de chaque côté. Ensuite, on nettoie le pain et on l'émiette. Il sera alors trempé dans une sauce à la tomate, viande et oignons.

Takula. Après avoir bien mélangé les farines de mil et de blé avec de la levure, du sucre et de l'eau, on forme des petites boulettes que l'on cuit à la vapeur à l'étouffée sur les parois de la marmite préalablement enduites d'huile.

Tougassou. On confectionne des boules à base de farine de blé et de levure, comme pour le *widjila*, mais elles sont cuites à la vapeur dans la sauce faite de viande de mouton, oignon, ail et tomate.

Widjila. Ce pain a été introduit dans le nord du Mali par les Marocains à travers le commerce transaharien et la conquête de Tombouctou et Djenné par les Almoravides, ce qui le ferait remonter au Moyen Âge. La levure est dissoute dans de l'eau tiède contenant de l'huile d'arachide et la farine de blé introduite progressivement. Les boules de pâte sont cuites ensuite à la vapeur dans un couscoussier. Ce pain est consommé comme un plat à part entière avec une sauce tomate (*nadji*).

Anne-Élène Delavigne

• *Voir aussi :* Afrique de l'Ouest – Civilisation du mil ; Blé dur ; Blé tendre ou froment ; Maroc ; Pain (définition universelle du) ; Sénégal

Bibl. : Bulletins trimestriels « Paysan du Sahel, Amassa, Afrique Verte Mali » (association malienne pour la sécurité et la souveraineté alimentaire) • G. DUMESTRE, « De l'alimentation au Mali », *Cahiers d'études africaines*, vol. 36 nº 144, 1996, p. 689-702 • J. GOODY, *Cuisines, cuisine et classes* (1982), Paris, Centre G. Pompidou, Centre de création industrielle, coll. « Alors », 1984 • E. MAINBOURG, « Manger et boire à Bamako (Mali). Étude d'anthropologie sociologique », thèse de doctorat de troisième cycle en sociologie, université F. Rabelais, Tours, 1986.

MALOUIN, Paul Jacques (1701-1778). – Il fut professeur de médecine au Collège de France, médecin ordinaire de la reine et membre de la Société royale ; il acquit de son temps une grande renommée. Fils d'un conseiller au présidial de Caen qui lui destinait sa charge, Malouin préféra étudier la médecine et se fit recevoir docteur à Reims en 1724 et à Paris en 1730. Homme travailleur et instruit, dévoué aux malades, Malouin fut nommé membre de l'Académie des sciences en 1744 et professeur de chimie au Jardin du roi en 1745. Ses travaux portèrent sur le zinc, la chaux, l'oxyde d'étain, les amalgames de mercure et d'antimoine, d'étain et de plomb. Son attention se concentra sur les questions d'hygiène, l'hygiène des matières premières de l'alimentation, principalement autour du pain. C'est ainsi qu'il consigna neuf années d'observation des épidémies sévissant à Paris dans une publication à l'Académie des sciences entre 1746 et 1754. Parmentier lut à la même Académie des sciences un nouveau traité de l'art du boulanger, dans lequel il contredisait sur plusieurs points son collègue Malouin. À peine sa lecture fut-elle terminée que Malouin vint lui dire, bon joueur : « Recevez mon compliment. Vous avez vu mieux que moi. » Son principal ouvrage est un *Traité de chimie* paru en 1734. Il contient la manière de préparer les remèdes le plus en usage dans la pratique de la médecine. Outre ses *Mémoires* sur la médecine et la pharmacopée, il contribue par ailleurs à la rédaction de soixante-quinze articles sur la chimie pour l'*Encyclopédie ou Dictionnaire raisonné des sciences, des arts et des métiers*. Il contribue également à l'*Encyclopédie méthodique* de Charles-Joseph Panckoucke et à la *Description des arts et métiers de l'Académie des sciences*, pour laquelle il écrit en 1767 une « Description et détails des arts du meunier, du vermicellier et du boulenger, avec une histoire abrégée de la boulengerie et un dictionnaire de ces arts ».

Olivier Pascault

• *Voir aussi :* Boulangers et boulangeries (histoire de France des) ; Boulangers forains ; Cadet de Vaux ; École de boulangerie (première) ; Égalité (pain) ; Farines (guerre des) ; France (pains historiques, du Moyen Âge à la Révolution française) ; Invalides (hôtel royal des) ; Parmentier ; Physiocrates ; *Sur la législation et le commerce des grains* ; Vilmorin

Bibl. : Paul Jacques MALOUIN, *Descriptions des arts et métiers*, Paris, Desaint et Saillant 1767 ; rééd. Genève, Slatkine 1984 ; partiellement réédité sous le titre : *L'Art de la boulengerie ou description de toutes les méthodes de pétrir, pour fabriquer les différentes sortes de pastes et de pains. Avec l'explication de leur nature et la police, pour la qualité, pour le poids, et pour le prix de cet aliment, le plus commun ou le plus vil, quoique le plus précieux de tous les mets*, Paris, Saillant et Noyon, 1779.

MALT (farine de). – Voir MALT ET PRODUITS MALTÉS

MALT (sirop de). – Voir MALT ET PRODUITS MALTÉS

MALT ET PRODUITS MALTÉS. D'une façon générale, le malt désigne le produit résultant de la germination d'une graine céréalière. Le malt peut provenir de la germination de l'orge, du blé et éventuellement d'autres céréales. Dans le langage courant, lorsqu'on parle de malt sans autre qualificatif, on désigne le malt d'orge, dont la production est dirigée principalement vers la brasserie. Le maltage effectué en malterie comprend les étapes de trempage, de germination, et de séchage (touraillage) de la graine. Cette phase de séchage modéré permet d'obtenir des malts blonds dont l'activité enzymatique est conservée. Dans certains cas, elle peut être prolongée par un traitement de torréfaction donnant au malt des variations de couleur allant du brun léger au noir carbonisé, recherchées pour des applications diverses en brasserie et dans la fabrication des dérivés maltés. En fonction de l'intensité du traitement thermique, cette étape complémentaire inhibe partiellement ou complètement les activités enzymatiques. Le processus de germination d'une graine est le résultat de deux mécanismes de transformation différents. À l'intérieur de la graine, on assiste à un développement de l'activité enzymatique dont l'α-amylase, et à l'hydrolyse enzymatique des substances complexes (amidon, protéines, lipides…). Cette réduction des matières de réserve du grain conduit à une dissociation de leurs molécules de base (glucose, maltose, acides aminés, acides gras, éléments minéraux…). Dans le germe, suivant un processus bien précis, d'autres enzymes ont pour mission d'utiliser ces molécules simples pour former de nouveaux tissus qui vont donner naissance à la nouvelle plantule. À un certain stade, le système radiculaire de cette nouvelle plantule sera suffisamment développé pour pouvoir puiser ses éléments de croissance à l'extérieur de la graine.

À partir du malt, il est possible d'obtenir des farines diverses, variables suivant leurs caractéristiques qualitatives (degrés de torréfaction, activités enzymatiques) ou des dérivés maltés plus ou moins concentrés en sucres simples, avec ou sans activité enzymatique. Pour la fabrication spécifique du sirop de malt et du malt cristallisé, le malt enzymatique est concassé et mis en solution dans l'eau. On provoque à nouveau l'hydrolyse de l'amidon commencée en malterie et stoppée par la phase de touraillage ; celle-ci va conduire à la formation de maltose et de glucose, dont la caractéristique est de pouvoir se dissoudre dans l'eau. À un stade avancé dans l'hydrolyse, le pourcentage de sucres simples dissous, mais aussi d'autres constituants dérivés des protéines, de fibres, devient important ; on peut donc par filtration séparer les éléments insolubles. Ensuite, par évaporation de la solution sucrée, on augmente progressivement la concentration en sucres jusqu'à obtenir un sirop. En continuant l'évaporation, on atteint le stade d'apparition des cristaux. Les produits maltés contribuent à améliorer le goût et la couleur des produits cuits céréaliers. Suivant les activités enzymatiques, l'action sur l'activité fermentative est variable. L'utilisation de farine de blé à faible activité amylasique suppose un ajout de farine de malt, dont les activités enzymatiques ont été conservées, pour activer la fermentation et favoriser l'augmentation de volume des pains. L'activité amylasique conduit aussi à réduire la viscosité de la pâte en cours de cuisson, ce qui a un effet positif sur le moelleux du pain.

Philippe Roussel

• *Voir aussi :* Amylase et activité amylasique ; Farine ; Hydrolyse ; Maltage ; Pâte

Bibl. : Philippe ROUSSEL, Hubert CHIRON, *Les Pains français. Évolution, qualité, production*, Vesoul, Maé-Erti, 2002.

MALTAGE. – Processus de germination contrôlée du grain de certaines céréales, principalement l'orge, destiné à produire le malt, matière première de la fabrication de la bière. Il peut se décomposer en cinq phases : 1) le nettoyage et le calibrage des grains ; 2) le trempage (2-3 jours), pendant lequel des phases sous eau et sous air vont être alternées ; 3) la germination (5-7 jours) ; 4) le touraillage (1-2 jours), qui consiste à sécher et fumer le grain pour stopper sa germination et l'aromatiser ; 5) le dégermage, pendant lesquelles les radicules vont être éliminées. Le touraillage est déterminant pour la qualité du malt qui va acquérir pendant cette phase sa couleur et son arôme.

Jacques Le Gouis

• *Voir aussi :* Bière ; Orge ; Malt et produits maltés

MALTASE. – Voir ENZYME

MALTE (traditions du pain à). – Depuis des siècles, la miche de pain (*il-ħobża Maltija*) est l'aliment de base des Maltais. En 1902, Zammit écrivait : « Il n'y a pas un autre produit alimentaire qui est aussi consommé que le pain [...]. C'est le besoin alimentaire de base de l'homme sans lequel je ne sais pas ce qu'on aurait pu faire. » Bien avant l'implantation de l'ordre de Saint-Jean à Malte (1530), l'île importait le blé de la voisine Sicile, d'où peut-être sont arrivés les premiers habitants. L'*il-ħobża Maltija* est probablement arrivé à Malte avec l'ordre de Saint-Jean, si l'on en juge par l'extraordinaire ressemblance entre le pain maltais et le pain de Rhodes, où l'Ordre siégeait précédemment. Les îles de Malte ayant été occupées par les Français (1798-1800) avant de devenir partie intégrante de l'Empire britannique (1800-1964), d'autres types de pain y ont vu ainsi le jour. Les premières boulangeries de luxe furent établies en 1584 par le Grand Maître de la Verdala. En 1645, les boulangeries bâties à Victoriosa étaient équipées avec la meilleure technologie de l'époque. Il existait aussi de nombreuses boulangeries privées, la plupart à Ħal Qormi, qui, autrefois, portait le nom de *Casa Al fornaro* (« la maison des boulangers »). On trouve à Malte deux types de fours traditionnels : le four façon maltaise et le four façon anglaise. Ils sont construits en pierre et en brique en forme de dôme. Dans le premier, le bois et le pain sont enfournés par la même ouverture ; dans le second, le bois brûle en dessous de la chambre de cuisson proprement dire, et les cendres sont recueillies par une sentine.

Autrefois, on faisait le pain une fois par semaine et durant la nuit. Aussitôt que le meunier avait distribué le son et la farine, les femmes commençaient à préparer la pâte à pain. Elles utilisaient aussi bien les mains que les pieds, même si cette tradition à été interdite par la loi afin de garantir l'hygiène et la salubrité alimentaires des pains maltais. Les ingrédients étaient toujours les mêmes : farine, levure, eau et de l'*it-tinsila*, c'est-à-dire une portion de la pâte à pain des jours précédents. La pâte reposait trois heures ; aussitôt après, les boulangers faisaient le tour des maisons pour rapporter les différentes préparations à la boulangerie afin de les y faire cuire. Chaque famille marquait la pâte d'une manière particulière pour pouvoir reconnaître ses pains. Au matin, les boulangers les distribuaient dans une charrette à pains, sorte de grande caisse terminée, à l'arrière, par deux portes et comprenant des étagères où les pains étaient entreposés. Chaque boulanger disposait d'une balance. La charrette était tirée par un mulet jusqu'à il y a encore une cinquantaine d'années.

Il-ħobża Maltija est très appréciée avec du concentré de tomate ou, mieux, des tomates fraîches avec de l'huile d'olive, du sel, du poivre, des olives, des oignons au vinaigre et des *Ġbejniet* (fromages), tous ces produits étant maltais. La tentation est toujours de manger le pain avant ou même après le repas avec du fromage. Quand il s'agit de servir la soupe et le potage, on utilise de préférence du pain grillé. Jouer avec le pain à table ou le jeter était considéré, très récemment encore, comme un péché. Ce respect pour le pain est dû à l'association qui est faite, ici comme ailleurs, entre l'aliment et le pain de l'Eucharistie. Afin de s'assurer qu'on ne gaspille pas le pain, les femmes font avec les restes des gâteaux du pain qu'on appelle *pudina* (boudin de pain) auxquels on ajoute de la farine, du chocolat en poudre, des fruits secs, des œufs, du sucre, des noix, etc. Si l'on était obligé malgré tout de jeter du pain, on faisait un signe de croix avec les doits sur le pain dont on voulait se délester et on le baisait. Au fil des siècles, on a vu l'introduction d'autres types de pains ; pourtant l'*il-ħobża Maltija*, dans ses formes diverses, est resté la base du régime quotidien des Maltais.

Il-ftira. Pain plat en forme de couronne.

Il-ħobża tal-Franċiż (« pain français »). Il s'agit d'un sandwich.

Il-ħobża tal-kexxun (« pain du tiroir »). Pain de forme rectangulaire.

Il-ħobża tas-salib (« pain de la croix »). Le nom vient de la forme du pain, qui ressemble à une croix.

Il-ħobża tas-sikkina (« pain du couteau »). Le nom vient de la forme que le boulanger donne à la miche avant de la mettre au four en donnant un coup de couteau par-dessous.

Lindsay Gauci

• *Voir aussi :* Femmes ; Pains mondiaux

Bibl. : K. GAMBIN, N. BUTTIGIEG, « Storja tal-Kultura tal-Ikel f'Malta » [Histoire de la culture gastronomique maltaise], *Nru 51 Kullana Kulturali*, Malte, Pubblikazzjonijiet Pin, 2003 • G. LANFRANCO, *Folklor*, Malte, Pubblikazzjonijiet Klabb Kotba Maltin, 2004.

MALTOSE ET MALTODEXTRINE. – Produits de la dégradation enzymatique de l'amidon par les amylases digestives ou celles présentes dans les aliments. Le maltose est composé de deux unités glucose. Les maltodextrines sont constituées de glucose, maltose, maltotriose, oligosides et polyosides dans des proportions dépendantes du degré d'hydrolyse de l'amidon. Ainsi, plus le degré d'hydrolyse est élevé, plus la maltodextrine contient des sucres à chaîne courte. Lors de la panification, la fermentation active les amylases bactériennes qui produisent du maltose ; mais ce dernier est rapidement utilisé par les bactéries comme carburant. Le pain ne contient donc pratiquement pas de maltose ou de maltodextrines.

Anthony Fardet

• *Voir aussi :* Amidon ; Amylase et activité amylasique ; Fermentation panaire ; Hydrolyse

MANCHE À FARINE. – Manches (le plus souvent en tissu) que l'on trouve en partie finale des filtres, à différentes étapes du diagramme meunier. Elles ont pour fonction de retenir les particules solides diverses et de laisser passer l'air. Il convient de les nettoyer régulièrement, par brossage, aspiration, voire lavage, car elles se colmatent.

Catherine Peigney

• *Voir aussi :* Diagramme en meunerie ; Meunerie ; Mouture

***MANGEUR DE HARICOTS* (*Le*).** Voir PEINTURE OCCIDENTALE

MANGEURS DE PAIN CHEZ HOMÈRE. – Quand Ulysse retrouve Ithaque, après avoir erré sur les mers pendant près de dix ans, après avoir traversé des mondes fabuleux et dangereux, son premier geste est d'embrasser sa terre. Athéna dissipe le nuage qui brouille le paysage : « [...] et la terre apparut. Ulysse l'endurant se sentit plein de joie à la vue de son île et baisa la terre du blé » (*Odyssée*, XIII, 353-354). En posant le pied sur le sol d'Ithaque, Ulysse retrouve son identité d'homme mortel, c'est-à-dire de « mangeur de pain ». L'épopée homérique, en effet, établit un lien inséparable entre la terre sur laquelle pousse le blé et le genre humain. Durant tous ses voyages, Ulysse n'a cessé de se demander chez quels « mangeurs de pain » ses différents naufrages l'avaient conduit, et bien souvent le régime alimentaire des personnages rencontrés l'a vite renseigné, pour son plus grand malheur. Lestrygons anthropophages, mangeurs de fleurs apportant l'oubli du retour chez les Lotophages, nymphes dînant de nectar et d'ambroisie, telles Circé et Calypso, cyclope cannibale dévorant tout crus ses compagnons... Pas trace de charrue ni de champs cultivés chez ces hôtes. « Ah ! le monstre étonnant ! il n'avait rien d'un bon mangeur de pain, d'un homme », dit-il du cyclope Polyphème (*Odyssée*, IX, 190-191).

Ainsi se dessine, radicalement, par le travail qui implique un certain type de régime alimentaire, la frontière entre les différents mondes : celui des dieux, où tout est abondance et où les nourritures divines sont le nectar et l'ambroisie, celui des êtres sauvages, qui ne cultivent pas la terre et se nourrissent, à l'occasion, de chair humaine dévorée crue, celui des hommes, enfin, où, grâce au travail de l'agriculteur « la terre noire produit les orges et les blés », la terre d'Ithaque précisément (*Odyssée*, XIX, 111-112).

Au-delà de la définition implicite de l'humain qui se dégage de la fiction épique, le monde que nous décrivent les poèmes homériques évoque probablement (la question est complexe) la civilisation du VIIIe siècle avant notre ère, du moins dans ce qui touche aux réalités concrètes de la vie quotidienne. La vie agricole est fondée sur la culture des céréales, qui constituent la partie principale des repas. Le terme générique est *sitos*, qui désigne le grain et, par extension, le pain. *Krithè* est le nom de l'orge et *puros* celui du blé ; *artos* est le pain de froment, cuit, et *maza* le nom de la galette d'orge, non cuite. La farine de gruau, *alphita*, n'est pas rattachée à une espèce particulière. Si l'orge était sans doute couramment utilisée, c'est le blé qui était prisé avant tout, et c'est d'ailleurs à sa croissance que le texte homérique réserve la plus grande place.

À côté des combats et des voyages en pays fabuleux, l'*Iliade* et l'*Odyssée* évoquent en permanence la vie des champs, comme pour rappeler la norme de toute vie humaine. Dans ces évocations, qui servent souvent de référence à l'action en train de se dérouler, le rappel des semailles et des moissons de blé sert de modèle. Pour la coordination et la puissance au combat, on évoque le labour : « Pour Ajax, le rapide fils d'Oïlée, jamais il ne s'éloigne, si peu que ce soit, d'Ajax, fils de Télamon. On dirait deux bœufs, à la couleur de vin, qui, dans la jachère, tirent d'un même cœur la charrue en bois d'assemblage. À la racine de leurs cornes perle une sueur abondante. Sauf le joug poli, rien ne les sépare quand ils foncent sur la ligne du sillon et qu'ainsi la charrue atteint le bout du champ. Les Ajax sont là, de même, rangés strictement de front » (*Iliade*, XIII, 701-709). Pour l'adresse et la précision des attaques, le poète se réfère à la moisson : « Ainsi que des moissonneurs, qui, face les uns aux autres, vont, en suivant leur ligne, à travers le champ, soit de froment ou d'orge, d'un heureux de ce monde, et font tomber dru les javelles, ainsi Troyens et Achéens, se ruant les uns sur les autres, cherchent à se massacrer, sans qu'aucun des deux partis songe à la hideuse déroute. La mêlée tient les deux fronts en équilibre » (*Iliade*, XI, 67-72). Pour la force et l'insistance qui animent Achille surgit l'image du dépiquage : « De même qu'on attelle les bœufs au large front pour fouler l'orge blanche dans l'aire bien construite, et que le grain bien vite se dépouille sous les pas des bœufs mugissants, de même, sous le magnanime Achille, les chevaux aux sabots massifs écrasent à la fois morts et boucliers » (*Iliade*, XX, 495-499). Les femmes, elles, apparaissent lorsqu'on passe du grain au pain : elles entreposent les céréales dans de grandes jarres et broient les grains avant de les faire cuire sous forme de galettes. Ainsi, près du palais d'Ulysse : « Le pasteur du peuple avait en son moulin douze femmes peinant à moudre orges et blés qui font la moelle de l'homme » (*Odyssée*, XX, 107-109).

On méditera cette affirmation : le pain, c'est la « moelle de l'homme », le « fruit de la terre ». Depuis la transgression de Prométhée, le Titan qui a voulu tromper Zeus en offrant aux hommes les portions d'un sacrifice qui revenaient aux dieux, et qui a dérobé le feu céleste pour l'apporter aux humains, c'en est fini de l'Âge d'or, ce temps lointain où les hommes vivaient dans l'abondance de la nourriture, sans travail, sans vieillesse et sans femme… Dorénavant, pour vivre, l'homme doit se procurer son pain quotidien, le fruit de Déméter, déesse des céréales, en cultivant la terre. L'épi de blé est dès lors cette « moelle de l'homme ». Les mondes sont séparés : d'un côté, les Immortels « qui ne mangent pas le pain » et, de l'autre, les mortels qui, ne disposant plus naturellement de ressources vitales, travaillent la terre pour vivre de son fruit. Comme le feu, l'orge et le blé sont les acquis de la civilisation humaine. Dans les pratiques du culte rendu aux dieux par des sacrifices, où orge et froment, cuits ou crus, tiennent une place importante dans le rituel, comme dans les banquets, au cours desquels viande, vin et galettes de pain sont partagés et assurent la communication entre les hommes, les céréales occupent une place prépondérante.

Après les péripéties endurées sur la mer « stérile », la mer « qui ne porte pas de moisson », le retour à Ithaque correspond bien pour Ulysse au retour au pays du blé. Mais l'*Odyssée*, comme pour renforcer la leçon essentielle qu'elle entend donner de la nécessité pour l'homme de travailler la terre pour se nourrir, réserve à son héros une dernière épreuve : selon une prophétie de Tirésias, dans un dernier voyage, il devra, muni d'une rame, s'enfoncer davantage à l'intérieur des terres, chez des gens qui ignorent la mer, jusqu'au jour où : « un autre voyageur me demandera pourquoi j'ai cette pelle à grains sur ma brillante épaule » (*Odyssée*, XXIII, 274-275). Sublime renversement qui, de la rame à la pelle à grains, dit une dernière fois que la condition de l'homme grec qui va d'une terre à une autre en passant par la mer est celle d'être, d'abord et toujours, un « mangeur de pain ».

Hélène Monsacré

• *Voir aussi :* Calendrier grec ancien ; Déméter et Perséphone ; Épi (symbolique de l') ; Grain et graine ; Grèce ; Mésopotamie ; Moissons (symbolique des) ; Pelle ; Si le grain tombé en terre ne meurt ; Terre-Mère primordiale

Bibl. : A. DALBY, *Food in the Ancient World. From A to Z*, Londres et New York, Routledge, 2003 • HÉSIODE, *Théogonie*, *Les Travaux et les Jours*, trad. P. Mazon, Paris, Les Belles Lettres, 1928 ; rééd. 2008 • HOMÈRE, *Iliade*, trad. P. Mazon, Paris, Les Belles Lettres, 1937-1947, 4 vol. ; rééd. 2007. – *ID.*, *Odyssée*, trad. V. Bérard, Paris, Les Belles Lettres, 1924, 3 vol. ; rééd. 2007 • L. A. MORITZ, *Grain-Mills and Flour in Classical Antiquity*, Oxford Clarendon Press, 1958 • J.-P. VERNANT, *Mythe et pensée chez les Grecs*, Paris, Maspero, 1974 ; M. DETIENNE et J.-P. VERNANT, *La Cuisine du sacrifice en pays grec*, Paris, Gallimard, 1979 ; P. VIDAL-NAQUET, *Le Chasseur noir*, Paris, La Découverte, 1981.

MANIOC. – Le manioc est un arbuste poussant dans les régions tropicales et subtropicales, dont on consomme les racines qui forment des tubercules (comme les pommes de terre). Ces racines doivent être impérativement cuites ou soigneusement lavées (c'est ce qu'on appelle le « rouissage »), car elles contiennent des sucres cyanurés qui peuvent produire de l'acide cyanhydrique mortel. Le manioc constitue la base de l'alimentation de nombreux pays africains. Il est composé essentiellement d'amidon et il est très pauvre en protéines. Après lavage et séchage du manioc, on obtient le tapioca, qui peut être utilisé comme épaississant dans des soupes et des desserts lactés.

Ludovic Salvo

• *Voir aussi :* Amidon ; Arbre à pain ; Pain (définition universelle du) ; Protéine

MANNE. – Voir HALLAH, MANNE, PAINS DE PROPOSITION

MARCHAND DE GRAINS. – Voir BLATIER

MARCHE EN AVANT. – Tout fabriquant de denrées alimentaires se doit de respecter la marche en avant de ses produits. Pour ce faire, ses matières premières « entrantes » (y compris les emballages) ne doivent pas croiser les produits manufacturés « sortants ». De même, certaines denrées doivent être stockées à part des autres (la viande, notamment). Ces notions sont maintenant rendues obligatoires par les règlements européens regroupés sous le vocable « paquet hygiène », qui amènent tous les opérateurs de la chaîne alimentaire à respecter les principes fondamentaux de l'HACCP.

Catherine Peigney

• *Voir aussi :* AFSSA ; CHSCT ; DGAL ; DLC ; DLUO ; HACCP ; Traçabilité

MARCHÉ FORAIN. – On aurait tendance à croire que la vente de pains effectuée par les forains a toujours été une niche insignifiante sur le marché de la boulangerie française. L'étude de l'histoire des subsistances en France et, particulièrement, celle de l'approvisionnement des marchés parisiens de la Renaissance au XVIIIe siècle suffirait à nous prouver le contraire. En effet, avant la révolution industrielle, un nombre important de boulangers résidant en campagne transportaient et vendaient déjà leurs productions sur les marchés des grandes villes les plus proches de leur lieu d'habitation et de production. Ces forains avaient d'ailleurs, souvent, bien d'autres activités que celle de boulanger. Cultivateurs, fermiers ou vignerons, ils diversifiaient leurs sources de revenu en se tournant également vers la confection de gros pains, dont le seul débouché était alors les marchés environnants. Dans *Le Meilleur Pain du monde*, l'historien Steven L. Kaplan raconte même que l'un des fiefs les plus renommés de ces artisans ruraux itinérants approvisionnant Paris était Gonesse, située à une vingtaine de kilomètres au nord de la capitale. Occupant principalement le marché des Halles, ces boulangers sans boutiques gagnaient la capitale le mercredi et le samedi. On estime ainsi qu'à la fin du XVIIe siècle ce que ces forains convoyaient vers la capitale, à l'aide de lourdes charrettes tirées par des chevaux, représentait plus de la moitié des besoins des Parisiens !

Si le commerce forain déclina à la fin du XVIIIe siècle, si l'activité se fit tout d'un coup moins visible, ils ne disparurent pas pour autant. Trois catégories de forains se partagent de nos jours ces marchés : les boulangers situés en milieu rural qui cherchent à se développer en tentant de séduire occasionnellement la clientèle urbaine ; les paysans-boulangers qui assurent leur production, du champ de blé jusqu'à la fabrication du pain et sa commercialisation ; enfin les marchands de pains qui achètent simplement leurs produits à des artisans ou des industriels afin de les revendre ensuite sur leurs étalages. Équipés d'un simple break ou d'un véritable magasin ambulant, ces boulangers offrent principalement sur les marchés des pains d'aspect rustique censés correspondre à l'idée que le consommateur se fait d'un pain vendu en dehors des circuits standardisés. L'essentiel de l'étalage est composé de grosses pièces, souvent vendues à la coupe. La baguette est rarement le produit d'appel. Le levain issu de l'agriculture biologique et bénéficiant d'une très bonne conservation est ici roi. Cette vente ambulante a des conséquences sur le commerce local. À l'image des siècles antérieurs, il existe toujours une certaine rivalité entre les boulangers sédentaires et les boulangers itinérants soumis au bon vouloir des placiers. Si l'objectif du boulanger de boutique est de mettre tout en œuvre pour que sa clientèle vienne chercher son pain quotidiennement, le forain cherche, lui, à vendre un pain qui se maintienne en état de relative fraîcheur, peut-être jusqu'au prochain marché.

Laurent Gaudré

• *Voir aussi :* Agriculture biologique ; Boulangers forains ; Filière bio ; Paysan boulanger

MARIAGE (pains de). – Les cœurs accordés et les affaires arrangées entre les parents, il faut marier les amoureux. C'est en Europe centrale, dans les pays slaves, le sud de la Russie, en Biélorussie, en Ukraine et en Bulgarie, que les traditions relatives aux pains de mariage, offerts aux invités de la noce, sont les plus riches : il faut protéger les jeunes épousés des maléfices, attirer la prospérité sur le nouveau foyer. À leur retour de l'église, les parents viennent à la rencontre des jeunes mariés avec du pain et du sel, pour leur transmettre les traditions de l'hospitalité. Ils répandent sur eux des grains de blé, leur souhaitant ainsi bonheur et richesse. Dans la Bulgarie du XIXe siècle, le pain était aussi indispensable aux fêtes de mariage qu'aux cérémonies religieuses (Pâques, baptêmes, enterrements, célébration d'un saint), et à celles liées au calendrier agricole (nouvelle année, fête des bergers à la Saint-Georges). À la sortie de l'église, un pain tenu par le parrain et la marraine dans un linge blanc au côté des nouveaux mariés est censé leur apporter la prospérité. En Pologne, la jeune mariée distribue aux invités des pains en forme de poupée, dans lesquels a été placée une pièce de monnaie.

En Pologne, en République tchèque, en Ukraine, les pains présentés aux repas de noces sont particulièrement beaux. Le pain, circulaire, est garni de longues tiges décorées d'une colombe ou d'une fleur, associant ainsi la végétation et les oiseaux à la fertilité. Les tiges florales sont les arbres qui relient le ciel à la terre, permettant aux bienfaits du ciel de descendre jusqu'à nous. La colombe est le signe du Saint-Esprit, apportant aux hommes les bénédictions. À Cracovie, comme en Moravie, des figurines de pâte dure sont posées sur les pains de mariage : des colombes entourées de fleurs et de leurs œufs, ou bien deux colombes qui s'embrassent. La fabrication de ces figurines de pâte durcie au four après immersion dans l'eau chaude se poursuit pour les foires de Noël et de Pâques. Une des plus belles représente le thème d'Adam et Ève, de part et d'autre de l'arbre du Paradis, ou arbre de la tentation; descendant le long de l'arbre se coule le serpent tentateur. D'autres sujets évoquent le fiancé en cavalier, ou la fiancée à cheval ; un bébé emmailloté, une sirène, des oiseaux, des colombes, des canards, un poisson, un lézard; ou encore d'autres mariés et mariées, debout, les mains sur les hanches. L'atelier des Lutonsky, à Vizovice, est réputé, produisant des variations autour de thèmes traditionnels, comme ce crucifix portant le Christ, juché sur un monticule couvert de fougères et de fleurs. Cette tradition a gagné l'Autriche voisine ; mais c'est surtout au moment de Noël que l'on trouve autour de la cathédrale de Vienne de petites colombes en pâte cuite, ou des sujets à suspendre dans l'arbre de Noël.

Le deuxième type de pains de mariage est une miche ronde, sur la surface de laquelle ont été sculptés différents motifs avant cuisson. En Slovaquie, le couple des mariés : l'homme avec son chapeau, la femme avec son bonnet et l'enfant tout nu qu'ils auront bientôt. Des volutes aussi, et des doubles volutes entrecroisées, symboles solaires. En Grèce, un énorme pain de mariage, carré ou rectangulaire, selon la forme du plat où on l'a fait cuire, est apporté pour le repas de fête. Il est fait d'une pâte pétrie sept fois, levée avec une levure à base de pois chiches écrasés, mélangés à de l'eau chaude et laissés fermenter. En Crète, ce sont des couronnes, dont le dessus est littéralement sculpté avant la cuisson d'un amoncellement de motifs végétaux et floraux, comportant aussi des oiseaux et des animaux, comme le serpent. Il y a aussi des pains de mariage en Sardaigne et en Romagne, en Italie. On a même retrouvé des pains de mariage de la Rome ancienne, faits de deux cercles entrelacés.

Dans l'Islam, les pains de mariage ont la même signification que dans l'Europe centrale : apporter la fertilité, la prospérité, le bonheur et l'abondance. Le pain partagé en commun scelle l'accord entre les jeunes gens et entre les familles, et signifie l'acceptation de la jeune épousée dans sa nouvelle famille. Au moment du mariage proprement dit, de l'échange des consentements réciproques devant témoins, les deux fiancés sont assis côte à côte, recouverts par un voile. L'époux tend à l'épouse un morceau de pain garni de graines de sésame ; elle lui présente une tasse d'eau, qu'il boit. S'ils rient à ce moment, ils seront heureux en mariage, et les blés seront bon marché durant l'année. Le contrat de mariage est suivi d'un repas, auquel on convie tous les parents et voisins. Il est le signe de la bonne entente entre les membres des deux familles.

En Asie centrale, chacun apporte des pains spécialement cuits, des carrés de pâte frits à l'huile, des galettes recouvertes de sucre, des friandises, des fruits. La famille offre aux parents proches un manteau de soie; et le bénéficiaire d'un tel don devra, en échange, offrir à la jeune mariée des cadeaux d'une valeur supérieure. Comme la jeune femme doit venir habiter chez son nouvel époux, elle emporte avec elle un pain, souvenir des temps heureux de sa tendresse, lien avec le monde de son enfance. Quand il faudra partir chez ce mari lointain, une vieille femme viendra surveiller le démontage de la yourte du mariage ; elle détachera ce « pain de bénédiction ». Et une fois que la yourte sera démontée, prête à partir, emportant l'épousée avec elle, une jeune fille partagera ce pain entre tous les enfants, qui le mangeront en faisant une prière, pour appeler les bénédictions du ciel sur celle qui les quitte.

En Iran, quand, le jour de ses noces, la jeune fille quitte la maison de son père pour être conduite chez son mari, « un garçon impubère lui attache à la ceinture, enveloppés dans un grand mouchoir, du pain et du fromage » (Massé 1938). Au début de la nuit nuptiale, les époux se partagent ce pain et ce fromage, pour sceller leur future harmonie. Les Turkmènes yomoud d'Iran ont conservé l'ancienne coutume de placer en avant du cacolet, *ketchebé*, qui porte la jeune mariée sur le dromadaire, une boîte de paille de blé, avec un couvercle à quatre côtés, en forme de pyramide. On ne peut s'empêcher de rapprocher cette boîte de paille rituelle, à toit en forme de tente (qui contient pour la jeune épousée arrachée à sa famille le souvenir de son foyer), du tabernacle des Hébreux, sortis d'Égypte, la tente sous laquelle reposait l'arche d'alliance. Cette fragile boîte de paille est le lien entre la jeune femme en exil et sa famille, le signe qu'elle n'a pas été abandonnée.

En France, alors qu'il existait au Moyen Âge un pain de la demande en mariage, il n'y a plus qu'en Alsace que l'on distribue un pain spécial pour les mariages : un pain d'anis, *springerle*, moulé au moule à pain d'épices en forme de cœur, décoré d'une grenade, symbole de fécondité et de prospérité (1700, Musée alsacien). Après la messe a lieu le grand repas qui réunit les deux familles et qui, rapidement, dégénère en allusions grivoises : « Marie trempe ton pain / Marie trempe ton pain dans la soupe / Marie trempe ton pain dans le vin. / La soupe aux choux / Se fait dans la marmite » (Canada français).

Bernard Dupaigne

• *Voir aussi* : Accouchement (pains d') ; Amoureux (pains d') ; Interdits liés au pain ; *Pain, amour et fantaisie* → Documentaires et films ; *Pain, amour et jalousie* → Documentaires et films ; Pâte à pain ; Sexuelle (le pain comme métaphore)

Bibl. : Bernard DUPAIGNE, *Le Pain*, Paris, La Courtille, 1979. – ID., *Le Pain de l'homme*, Paris, La Martinière, 1999 • Henri MASSÉ, *Croyances et coutumes persanes*, Paris, Maisonneuve, 1938 • Irène MÉLIKOFF, « Notes sur les coutumes des Alévis. À propos de quelques fêtes d'Anatolie centrale », in *Quand le crible était dans la paille. Hommage à P. N. Boratav*, Paris, Maisonneuve, 1978 • Monette RIBEYROL, « Une collecte de pains rituels en Bulgarie », *Objets et mondes*, X, n° 1, printemps 1970 • Paul SÉBILLOT, *Le Folklore de France*, 1904-1906 ; rééd. Paris, Omnibus, 2002 • Arnold VAN GENNEP, *Manuel de folklore français contemporain*, Paris, Picard, 1937-1958 ; rééd. sous le titre *Le Folklore français*, Paris, Robert Laffont, coll. « Bouquins », 1998, 4 vol. • Nicole VIEL-FAURE, Anne-Christine BEAUVIALA, *Fêtes, coutumes et gâteaux*, Le Puy, Christine Bonneton, 1978.

MARKETING DU PAIN. – « Marketing » et « pain » ! L'association des deux mots paraît à première vue incongrue, et beaucoup de consommateurs ou de professionnels sont prêts à s'offusquer de l'intrusion de cette science lessivielle dans l'univers d'un produit chargé de tradition et des valeurs de l'artisanat. Ces préventions ont une explication naturelle : on se plaît à croire que la meilleure marque du boulanger c'est lui-même ! Avec son savoir-faire, la qualité de ses produits, et en prime (parfois) le sourire de la vendeuse, nul besoin de marketing puisque le voilà assuré de la reconnaissance éternelle de ses clients de proximité. Le marché de la boulange est en réalité plus complexe et c'est d'ailleurs ce qui le rend si passionnant. Complexe, parce que cette réalité est diversifiée, composée de milliers d'artisans aux parcours très différents, d'une grande distribution active et de l'émergence d'enseignes fortes. Passionnant, parce qu'il y a peu de marchés où le marketing a joué à ce point un rôle de premier plan pour restaurer et stimuler la qualité des produits.

Tout est parti du produit : marquée par l'imaginaire du pain noir lié à la guerre et aux années de disette, et s'appuyant trop sur la mécanisation des tâches au détriment de la qualité, la production artisanale s'était laissée entraîner dans une spirale de médiocrité (pain de plus en plus blanc au goût insipide et à la cuisson bâclée). Il y avait là un vrai risque de perdre son différentiel de qualité vis-à-vis d'une grande distribution et de terminaux de cuisson en plein essor. La réaction est venue d'un groupe de meuniers, inquiets de voir diminuer le nombre de leurs clients artisans. Au début des années 1980, plusieurs d'entre eux ne se sont pas contentés de plancher sur la qualité des farines. Ils ont élaboré la recette d'une baguette de meilleure qualité et lui ont donné une forme identifiable, pointue aux deux bouts. À cette baguette revivifiée, il fallait un nom, et pour tout dire une marque : la Banette était née ! Première d'une longue série de marques meunières dont l'énumération serait longue, la Banette est d'abord le fruit d'un travail remarquable sur le produit.

Par la suite, plusieurs des principaux acteurs de la meunerie ont fait évoluer ces « marques produits » en « marques ombrelles » (ou concepts globaux), finissant par habiller la boulangerie du sol au plafond, le tout soutenu par d'importantes actions de communication. Le risque pour l'artisan était d'y perdre son identité, ou pis, de se reposer sur une marque supposée forte au détriment de son savoir-faire. Ajoutons que ces concepts de marques finissaient par perdre l'un de leurs premiers objectifs : au lieu de permettre aux consommateurs de différencier des produits, ils contribuaient à les uniformiser. Aujourd'hui, plusieurs de ces marques font partie de notre univers de consommation, mais les temps changent et l'évolution du marché vers une amélioration qualitative a permis d'affiner la réflexion. Beaucoup d'acteurs de la filière blé-farine-pain considèrent aujourd'hui qu'une marque n'est efficace que si elle se tient en retrait par rapport à l'artisan. C'est avec lui que se noue la relation véritable à la marque, non avec le consommateur enclin à faire confiance à son boulanger si la qualité est là.

Cette approche marketing plus subtile est nécessitée par un marché rendu complexe avec l'émergence de plusieurs nouvelles catégories de boulangers. Il y d'abord les très bons artisans qui, sur un marché porteur, sont devenus des entrepreneurs avertis, propriétaires, de deux, puis trois boulangeries, voire beaucoup plus. Ils se sont affranchis des marques meunières, étant devenus leur propre marque, avec parfois de vrais concepts de boulangerie et d'enseignes. À l'exemple de Poilâne dès les années 1970, faisant cavalier seul, ils ont acquis une valeur de marque. À titre d'exemple, on trouve aux deux extrêmes de cette fibre entrepreneuriale où la qualité des produits va de pair avec des concepts bien pensés, Éric Kayser, qui réinvente l'artisanat en l'inscrivant dans la modernité ; et « Paul », cas d'école à lui tout seul d'une réussite « industrielle » qui bouscule très largement les pratiques et habitudes d'une activité boulangère classique. Viennent ensuite les bons, et même parfois les très bons boulangers, dont l'activité pourra se développer, mais sans dépasser le cadre de leur boutique, étant plus artisans qu'entrepreneurs ou « marketeurs ». Il y a également le très grand nombre de boulangers pour qui la marque est un support indispensable de leur production. Dans ces deux derniers cas, la « marque » n'est pas seulement affaire de notoriété et de communication. C'est avant tout une marque de services, où les meuniers, par l'intermédiaire de boulangers experts et de commerciaux avertis, dispensent conseils, formations, puis outils de communication sur le lieu de vente.

En définitive, pas de marketing possible et « rentable » sans un produit de qualité incontestable. Le marketing ne s'est ici montré efficace que précédé d'un travail en profondeur sur le produit, qui reste l'arbitre suprême. Pourquoi ? Parce que, plus que sur tout autre marché, le consommateur, sans avoir besoin d'être un expert averti, sait faire la différence entre une bonne et une mauvaise baguette. C'est grâce à cette vérité première que les quelque 30 000 boulangeries françaises ont résisté mieux que tous les autres métiers de bouche à la concurrence effrénée. Plus que pour un rôti de bœuf ou une volaille, le consommateur sait faire la différence entre la baguette d'un discounter à 45 centimes et celle de son boulanger à 1 euro (et plus). Même si le prix du pain conserve sa valeur symbolique, le luxe consistant à payer le double pour avoir accès à un produit de plus grande qualité reste accessible au plus grand nombre. C'est d'ailleurs parce que le palais du consommateur reste le maître du jeu que la hausse de la qualité (et du prix de vente), *via* la baguette confectionnée avec une farine dite de « tradition française », a été possible. Que des amateurs de pain se chicanent aujourd'hui pour estimer qu'il est trop ou insuffisamment cuit, croustille trop ou au contraire plus assez est finalement signe de vitalité d'un marché où le marketing est devenu un ingrédient naturel, nécessaire à son succès. Le retour aux fondamentaux du métier et la dynamisation de l'offre ont donc contribué à stimuler la créativité. L'infinie variété des pains qu'on trouve en boulangerie, aux graines, aux fruits, en farine bio, sur meule de pierre, etc. donne parfois un peu le tournis, mais génère du plaisir, à commencer par celui des yeux, indispensable stimulant de l'envie de consommer.

François Dumoulin

• *Voir aussi :* Artisan et artisanat ; Banette ; Boulangerie contemporaine ; Boulangerie (salons internationaux de la) ; Boulangers de France ; Filière blé-farine-pain ; Holder ; Kayser → Boulangers de France ; Poilâne ; Vendeuses

Bibl. : Steven L. KAPLAN, *Cherchez le pain*, Paris, Plon 2004 (lire l'excellente introduction de l'auteur à ce guide des meilleures boulangeries de Paris) • Philippe ROUSSEL et Hubert CHIRON, *Les Pains français : évolution, qualité, production*, Vesoul, Maé-Erti, 2002 (une synthèse sur l'évolution de la technologie française en matière de panification) • Par ailleurs des revues professionnelles traitent du marketing du pain avec sérieux sous forme de grands interviews et de dossiers de fond : *Valeurs boulangères* (www.valeursboulangeres.fr) ; *Questions boulange'* (www.questions-boulange.com) ; etc.

MAROC (traditions du pain au). – Pendant des siècles et jusqu'à nos jours, les céréales ont constitué la base de l'alimentation au Maroc. En vue de l'autosubsistance, on y a cultivé le blé (ar. *zra'*, *gamh ;* berb. *irden*), l'orge (ar. *sha'îr ;* berb. *tumzin*), le millet et le sorgho difficiles à distinguer (ar. *bishna, durra ;* berb. *amezgur*, *anli*, *illan*, *afsu*, *tafsut*), le maïs, dont les noms vernaculaires varient d'une région à l'autre, ce qui traduit le cheminement compliqué de son adoption depuis la fin du XVIe siècle. Longtemps peu considéré, il s'est substitué au sorgho, qui n'occupe plus qu'une place résiduelle. Il garde parfois le nom de la plante disparue et oubliée (*amezgur*, *mezgur*). L'engrain ou épeautre (ar. *shkiliya* ; berb. *adkuin*) et le seigle n'étaient pas inconnus, ce dernier dans la montagne berbérophone (*ishenti*, *shenti*). Des légumineuses (ar. sing. *qatniya*, pl. *qattâni*), comme les lentilles (berb. *tlintit*), les fèves (ar. *fûl* ; berb. *ibaûn*), les pois chiches (ar. *hammus*, berb. *ikiker*), susceptibles aussi de donner de la farine, étaient vendues avec les céréales dans les marchés aux grains (*rahba*) des villes. On constituait des provisions en vue de la période de soudure et, lors des bonnes années, pour faire face à de fréquentes récoltes déficitaires en raison de l'irrégularité du climat. La préoccupation majeure était d'écarter des réserves les prédateurs, insectes, animaux et voisins avides et malintentionnés. En plaine, on les dissimulait en enfouissant les grains dans des silos souterrains (ar. *matmûra*, pl. *matâmir*) parfois regroupés en ensembles (*mars*) de plus ou moins grande importance et placés sous surveillance. En montagne, le froid permettait qu'on les serre dans des greniers fortifiés (berb. *agadir*, pl. *igudar*), qui ont retenu l'attention en raison de leur architecture défensive, de leur organisation sociale et juridique remarquables et de leur place essentielle dans le groupe humain. Au blé dur s'est ajouté, depuis le XXe siècle, le blé tendre (*farina*) et, en faible quantité, le riz produit dans le Gharb.

La mouture se faisait dans trois sortes de moulins (ar. *rha* ; berb. *azerg*). Le moulin domestique de deux meules de pierre était actionné à la main par les femmes ou les servantes. Lorsque la présence de cours d'eau le rendait possible, les meules étaient mues par des turbines de bois à axe vertical. Le plus souvent, il fallait recourir au moulin à manège. Les animaux ont été remplacés par des machines, les premières, à vapeur, apparues dès la fin du XIXe siècle, puis par des moteurs à explosion qu'on trouve aujourd'hui jusque dans le fond des campagnes. L'opération donnait des produits plus ou moins appréciés : le son, à partir de l'enveloppe, la semoule (*samîd*), dans le cas du blé dur et de l'orge, enfin la farine (*dqiq*), grossière (berb. *ibrin*) ou fine (berb. *aggurn*). La profession de meunier était vitale et les fraudes réputées générer de gros bénéfices faisaient l'objet d'une surveillance du *muhtasib* qui inspectait aussi le marché aux grains. Celui-ci fonctionnait selon la loi de l'offre et de la demande. Le sultan et les pouvoirs publics n'intervenaient qu'en cas de disette et de hausse excessive des prix (*ghala*) en mettant sur le marché des grains tirés d'importantes réserves constituées du produit des domaines et de l'impôt en nature. Lors de ces épisodes, assez fréquents, le cours de l'orge, du millet et du sorgho, des légumineuses atteignait et pouvait dépasser celui du blé, qui avait presque disparu. Les produits obtenus servaient à confectionner des nourritures variées. On consomme encore des céréales crues, légèrement torréfiées (*zummita*). Avec la farine ou la semoule, on faisait des soupes et des bouillies plus ou moins épaisses (ar. *hasû*, *hswa*, *'asida* ; berb. *tagulla*, *askif*, *tarouaït*). Cette habitude demeure dans la plupart des familles. Les crêpes (ar. *ghrâif ;* berb. *bghir*) et les beignets de différentes sortes (ar *sfenj ;* berb. *idernan*) représentent un type de cuisson sèche, dont le pain (ar. *khobz* ; berb. *aghrum*) serait la réalisation la plus achevée. Mais il faut souligner l'importance, qui reste très grande, d'une cuisson à la vapeur caractéristique du Maghreb : le couscous (*kesksu*), pour lequel la matière première est la semoule, de blé dur de préférence, mais aussi d'orge ou de maïs. C'est lui qu'on désigne comme étant « la nourriture » (ar. *t'am*).

Les habitants des campagnes et une bonne partie des citadins restent fidèles au pain traditionnel fait de farine de blé dur pétri à la maison. Il en existe plusieurs formes. La *kesra*, ou *khobza*, est une miche ronde aplatie. Elle est confectionnée par les femmes qui pétrissent la pâte dans le même grand plat (*zlafa*) qui sert à rouler le couscous. Elles la laissent lever grâce au levain (ar. *khamir* ; berb. *takhmirt*), qui provient de la pâte de jours précédents additionnée d'un peu de fruits secs, avant de l'envoyer cuire en ville au four de boulanger (*farran*). C'est la tâche d'enfants, qu'on voit dans les rues avec sur la tête une planchette couverte d'un linge, d'aller porter et chercher le pain. Pour éviter les confusions, chacun marque le sien, parfois à l'aide d'un sceau en buis. Le paiement du fournier se fait en nature. Autrefois, personne, sauf des voyageurs, des soldats, n'achetait de pain. D'assez pauvres femmes (*khabbazat*) vendaient leur production dans la rue. On en voit encore accroupies devant une sorte de plat rond en bois où sont rangés des pains couverts d'un linge. Dans les campagnes, on utilise couramment hors de l'habitation un four d'argile, en forme de dôme (ar. *tannur* ; berb. *afârno*), ouvert en bas et au sommet. Les femmes pétrissent la pâte et en font des sortes de galettes, non levées (berb. *arekhsis*) ou levées (*lmetloâ'*). Avant le repas, elles chauffent le four avec des broussailles qu'elles sont allées ramasser – travail pénible qui leur incombe entièrement. Le feu vif permet d'atteindre en peu de temps la température désirée. Après avoir balayé la cendre et les restes de braises, elles collent d'un geste rapide la galette sur la paroi interne du four ou bien sur des tessons de poterie placés préalablement sur l'ouverture supérieure. Ainsi cuite rapidement (berb. *lkrun*), la galette est récupérée et mangée encore tiède. Parfois la cuisson se fait sous la cendre (berb. *ufdir*).

Le pain garde un caractère sacré. Il

ne doit pas être jeté, ni malmené. On peut voir un passant ramasser par terre un morceau de pain, le porter avec respect à ses lèvres et le poser sur un muret pour éviter qu'il soit foulé aux pieds. Le pain ne saurait être tranché avec le fer. La miche ou la galette est rompue en autant de parts que de convives autour du plat commun (*tajin*). Le morceau de pain sert à y prendre des légumes, de la viande et surtout à s'imbiber de sauce. On aime une consistance souple, avec une croûte pas trop épaisse. On mange aussi des petits pains d'orge de forme ronde, de couleur foncée. Lors des disettes, ou dans des régions de montagne très pauvres, les gens sont allés jusqu'à mêler à l'orge ou au millet des pépins de raisin ou des glands broyés. Avec la colonisation, de nouvelles habitudes alimentaires sont apparues et se sont développées. Le pain de blé tendre s'est répandu dans les villes où vit désormais plus de la moitié de la population. Il est appelé *kûmîr* (de l'espagnol *comer*, « manger »). Des boulangers (*khabbaz*) au sens où on l'entend en Europe, font maintenant ce type de pain de forme allongée et le vendent. On le trouve dans des boutiques aussi bien que la miche (*kesra*) traditionnelle.

Kesra, khobza. Le pain par excellence. C'est une miche ronde de fabrication domestique. Pétrie à la maison par les femmes dans un grand plat de terre ou sur une table. Elle est marquée et portée à cuire en ville, surtout par des enfants, à un fournier, rétribué le plus souvent en nature. Aujourd'hui, la cuisson dans un four électrique à la maison se répand. On aime la manger tiède, que sa croûte soit croustillante. La mie sert à éponger la sauce des ragoûts (*twajen* pl. de *tajin*). On la rompt, on ne doit pas la couper avec un couteau.

Kûmîr. De l'espagnol *comer* (« manger »). Pain de forme allongée, de farine de blé tendre qui est de plus en plus importé et cultivé. Ce pain se répand dans les villes, fabriqué artisanalement et de plus en plus à échelle industrielle. Il concurrence victorieusement la traditionnelle *kesra*.

Lkrun. En berbère, galette cuite dans le four de campagne.

Tangult. Le nom de cette galette ronde désignait aussi, dans le sud-ouest du Maroc, la loupe de cuivre produite dans des fours rudimentaires, achetée par les Européens aux XVIIe et XVIIIe siècles.

Ufdir. En berbère, pain cuit sous la cendre.

Bernard Rosenberger

• *Voir aussi :* Algérie ; Blé dur ; Céréales ; Tunisie ; Libye ; Pain (définition universelle du) ; Pains mondiaux

Bibl. : Émile LAOUST, *Mots et choses berbères*, Paris, A. Challamel, 1920 ; réimpr. Société marocaine d'édition, Rabat, 1983 • Nicolas MICHEL, *Une économie de subsistances, le Maroc précolonial*, Le Caire, IFAO, 1997, 2 vol. • Bernard ROSENBERGER, *Société, pouvoir et alimentation. Nourriture et précarité au Maroc précolonial*, Rabat, Alizés, 2001.

MAROR. – Voir SÉDER

MARQUE À PAIN. – Voir EMPREINTE

MARRONS. – Le langage imagé du boulanger donne ce nom aux grumeaux de farine que l'on trouve dans une pâte et plus rarement dans le pain. Ces grumeaux se forment comme dans les sauces, à la suite d'une mauvaise dispersion de la farine dans l'eau. En panification, la formation de marrons peut venir d'une farine « mottée » ou, plus grave, « pelotée » (quand un sac a subi une « avarie de mouille » au cours du transport, etc.). Si la farine est seulement « mottée », après un tassement à un moment quelconque de son conditionnement en sac, les mottes doivent être détruites au pétrissage. Les pelots de farine sont, eux, plus difficiles à réduire (car enrobés d'une croûte) et, dans ce cas, le boulanger doit les éliminer par tamisage. Le plus souvent, les marrons se forment quand on laisse farine et eau en contact trop longtemps avant la mise en route du pétrin.

Roland Guinet

• *Voir aussi :* Barboter ; Eau ; Eau de coulage ; Farine ; Frasage ; Hydratation ; Pétrin

MATIÈRE SÈCHE. – Voir HARVEST INDEX

MATSAH et HAMETS. – Lors de la fête de Pessah, on ne mange pas de *hamets* (pâte levée), mais uniquement de la *matsah* (azymes), c'est-à-dire un pain préparé sans levain et qui n'a pas eu le temps de lever, ce qui suppose qu'il se soit écoulé moins de 18 min entre le début du pétrissage et la fin de la cuisson. Pour les *matsot* du premier soir de la fête, le seul où leur consommation soit obligatoire (le reste de la fête, on doit juste s'abstenir de *hamets*), on exige en plus que les grains de blé aient été préservés de l'humidité dès le moment de la récolte : en conséquence, les grains ne sont pas lavés, et la *matsah chmoura* (*matsah* surveillée) est ainsi moins blanche et au goût plus « fumé » que la *matsah* classique. Idéalement, cette *matsah chmoura* est faite à la main. On trouve généralement aujourd'hui de la *matsah* fine craquante, mais il est tout à fait possible de fabriquer de la *matsah* épaisse et souple, comme le font aujourd'hui les Yéménites et comme on faisait apparemment à l'époque talmudique.

On connaît l'une des raisons données par la Bible (Deutéronome XVI, 3) : « Un pain de pauvreté [*'oni*] car tu es sorti en hâte d'Égypte », qu'on interprète généralement comme « la pâte n'a pas eu le temps de lever » ; mais cette interprétation pose problème puisque dès le premier Pessah, la veille de la sortie d'Égypte, il est commandé aux Hébreux de manger le sacrifice pascal avec des *matsot* et des herbes amères (*maror*). Cette pauvreté et cette hâte sont à comprendre autrement. La *matsah* est présentée au début du *séder* (rituel) de Pessah comme « *lahma de-'anya* », traduction araméenne de « *lehem 'oni* ». Dans le Talmud (*Pessahim* 36a), une discussion oppose r. Yossi ha-Galili et r. 'Aqiva. Le premier, se fondant sur la lecture du verset, dit que *'oni*, « pauvre », vient exclure une pâte pétrie avec autre chose que de l'eau (jus de fruits, blanc d'œuf, vin, miel, huile), qu'on appelle *matsah 'ashirah*, « *matsah* enrichie », tandis que r. 'Aqiva, se fondant sur l'orthographe défective du mot dans le verset (*'ani*), y voit une allusion au verbe *'ana*, « répondre » : « *lehem 'oni*, un *lehem* sur lequel on répond [*'onim*] beaucoup de choses ». En effet, la *matsah* est le support matériel du *séder* de Pessah, qui consiste essentiellement en un récit de la sortie d'Égypte en réponse aux questions des enfants : dialectique du questionnement et de la réponse.

« Voici la signification de l'abstention du *hamets* à Pessah (Horowitz 1993) : elle nous enseigne le caractère créé du monde. La faute d'Adam a été causée par l'impureté du Serpent, qui est le levain qui se trouve dans la pâte et la fait fermenter. Le Serpent a nié le caractère créé du monde et a affirmé que le monde avait toujours existé, et qu'en fait Dieu avait mangé de l'Arbre et avait par cela acquis Son pouvoir créateur. En effet, le *hamets* (la pâte levée) relève de ce qui est sans commencement radical, puisqu'il lève grâce au levain qui se trouve en lui, levain qui vient lui-même d'une autre pâte. La *matsah*, quant à elle, se compose uniquement d'eau et de farine, et n'a été précédée de rien d'autre : cela symbolise la création du ciel et de la terre, le ciel [*shamayim*] étant représenté par l'eau [*mayim*] et la terre par la farine. De même Adam est appelé la *hallah* du monde, la meilleure partie qui est consacrée ; et lui non plus, n'étant pas né de père et mère, n'a pas de précédent. La *matsah* est ainsi un symbole de la création *ex nihilo*. De plus, de même qu'en réalité seule la *hylê*, la matière première, a été créée *ex nihilo*, tout étant ensuite formé à partir d'elle, de même l'obligation de manger la *matsah* est limitée au premier soir de Pessah, tandis que les six jours suivants il faut seulement s'abstenir de *hamets*, en référence aux sept jours de la Création. La finalité de toute la Création, c'est l'homme, c'est pourquoi Adam était la *hallah* du monde. Lorsqu'il a fauté, est entrée en lui l'impureté du Serpent, c'est-à-dire le Satan, c'est-à-dire le penchant au mal : et c'est ça, le levain qui se trouve dans la pâte, qui la fait lever et la transforme en corps grossier, la revêt d'une tunique de peau [contrairement à la *matsah* qui n'a pas de croûte, qui ne présente pas une extériorité différente de son intériorité parce qu'elle n'a rien à cacher et n'a pas besoin non plus de se protéger, étant parfaite] et la rend mortelle [une *matsah* ne peut pas moisir]. »

R. Isaïe Horowitz explique ensuite en quoi l'exil en Égypte et la sortie d'Égypte constituent la réparation de la faute d'Adam. « Quant à la destruction du *hamets* qu'il faut effectuer la veille de Pessah, c'est une allusion aux temps eschatologiques, lorsque Dieu détruira le penchant au mal, comme il est dit : "Je retirerai le cœur de pierre de votre chair…" . » Enfin, le kabbaliste r. Jospeh Gikatilia, dans son commentaire sur la Haggadah de Pessah (texte utilisé durant Pessah), explique que la *matsah* représente la saisie intellectuelle pure, tandis que le levain renvoie à l'imaginaire qui permet de « donner corps » à cette saisie, mais en l'altérant. Il explique qu'il n'est pas plus possible de manger toute l'année de la *matsah* que d'être constamment dans la pure saisie intellectuelle, mais que cela est possible à Pessah, moment de libération spirituelle. C'est pour toutes ces raisons que le Zohar appelle la *matsah* « *lahma dé-méhemnuta* », « pain de foi (ou de confiance) », parce qu'il symbolise la foi dans un Dieu créateur au-delà de toute saisie imaginale.

Lors du repas du premier soir de Pessah, appelé *séder* (ordre), le récit de la sortie d'Égypte est ponctué de consommations rituelles de *matsah*. Trois *matsot* sont présentes sur le plateau du *séder*, couronnant les autres aliments symboliques de cette soirée. La première *matsah* est brisée en deux, symbole du « pain de pauvreté que mangèrent nos pères en Égypte ». La plus petite moitié est mangée après le récit principal, en compagnie d'une *matsah* entière. Une deuxième moitié est mangée avec une feuille de *maror* (herbes amères, de la romaine ou du raifort selon les coutumes), en souvenir de l'époque du Temple où le sacrifice pascal était consommé accompagné de *matsah* et de *maror*. La plus grande moitié de la première *matsah*, qu'on appelle *afikomen* (du grec *epikomion*, « dessert »), est consommée en fin de repas, en substitut du sacrifice pascal.

Julien Darmon

• *Voir aussi :* Arbre à pain ; Bethléem ; Cène ; Égypte (Sortie d') ; *Fractio panis* ; Hallah, manne, pains de proposition ; Hostie ; Moulin mystique ; Théologie du pain

Bibl. : Isaïe HOROWITZ, *Shné Luhot ha-Brit* (Les deux tables de l'Alliance), encyclopédie kabbalistique du XVIIe siècle, Oz ve-Hadar, 1993 • *Talmud de Babylone* • *Haggadah de Pessah.*

MAXIMES ET PROVERBES. – Le pain est invoqué dans toutes les situations de la vie, que ce soit sous la forme d'un proverbe ou d'une expression, populaire ou inventée par un écrivain. La devise du Front populaire, en 1936, était « le pain, la paix, la liberté ». La puissance des formules dit bien la manière dont le pain sert ici dans la vie morale des sociétés d'étalon de mesure : « On récolte ce qu'on a semé » ; « Qui sème le vent récolte la tempête » ; « Qui sème la faim récolte les révolutions » ; « Le sang des martyrs est une semence » (Tertullien). « Jésus est un grain de blé qui doit mourir avant de porter des fruits » (cardinal Luciani, *Humblement vôtre* [*Illustrissimi*, 1971-1976], 1978). Puis, le registre se fait plus humble, qui cherche à rendre compte de la condition faite à l'homme de dépendre de son pain quotidien. « Ni roi ni reine, ni prince ni seigneur, ni dame, ne pourraient vivre sans la peine du laboureur » (chanson du Sancerrois). « La moisson sera grande » ; « Grâce à l'effort de chacun, la récolte deviendra moisson opulente » ; « D'autres formeront une gerbe abondante » ; « Il faut séparer le bon grain de l'ivraie ». Le blé est alors déjà la métaphore de l'effort que chacun déploie pour mériter sa place au soleil. « Manger son blé en herbe » ; « Il faut travailler pour gagner du blé » ; « Certains veulent garder leur blé pour eux seuls » ; « Mon père, je ne te pardonne pas, toi qui m'as mangée comme le blé tendre » (chanson d'une jeune Algérienne).

Les proverbes et formules suivantes évoquent de toutes les manières possibles l'extraordinaire fascination qu'exercent les différentes mues par lesquelles le blé devient du pain, par une suite de manipulations et transformations. Après les labours, on ne marche pas sur les sillons tracés, « pour ne pas souiller la terre qui donnera le pain ». « Apporter de l'eau à son moulin » ; « On ne peut être à la fois au four et au moulin » ; « Nos actions peuvent transformer le monde, comme le levain dans la pâte » (Matthieu XIII, 33). « La pâte n'a pas levé » ; « Être dans le pétrin (ou « dans la panade ») » ; « Pétrir comme de la pâte à pain » ; « Chacun doit mettre la main à la pâte » ; « J'ai travaillé mon métier, comme on pétrit le pain » ; « C'est de la bonne pâte », « une très bonne pâte » ou, au contraire, « une pâte molle » ; « Être d'une pâte à vivre cent ans » ; « Être comme un coq en pâte ». Et l'on peut « rouler ses semblables dans la farine ».

L'étape de la cuisson est, elle, génératrice d'un foisonnement d'images explicites. « La femme enfante un enfant comme le four le pain » ; « La femme est un four chaud prêt à cuire le pain ». L'homme, pour demander à sa femme d'avoir des relations sexuelles, lui dit : « C'est-y ce soir qu'on chauffe le four ? », ou bien : « As-tu frotté la porte du four ? ». Si c'est oui, elle répond : « la porte du four est luisante », sinon : « il n'y a plus de bois fendu », « le bois est mouillé ». Si c'est la femme qui propose : « On enfourne le pain ? ». Si tout s'est bien passé : « On a réussi une bonne cuite » (Canada). La pâte frémit en entrant dans le four. Le four enfante du pain qui crie en voyant le jour, comme l'enfant qui naît. Il est étouffé quand la boulangère ne l'a pas réussi. Un homme furieux est « rouge comme la gueule du four ». Un gros mangeur « a la gueule d'un four » (Canada français). « Depuis des siècles, votre patrie a été le four où se cuit le pain intellectuel de la chrétienté », dit le futur Paul VI, le 18 novembre 1963, en parlant de la France. Le four est mystérieux : « Il fait noir comme dans un four ». D'une pièce de théâtre sans succès, on dira « c'est un four », comme d'une campagne politique, « cela a été un four sensationnel ». Le diable sur la terre s'attaque au four à pain pour insulter les humains et les priver de nourriture : la plus grande offense est de souiller le four à pain de son ennemi en y plaçant un poil de cochon (Canada français). Un four à pain déshonoré par des excréments doit être démoli.

Et le pain, si difficile à obtenir, doit être respecté. « Le pain, c'est la vie. C'est la grâce de Dieu accordée aux hommes » ; « Jésus, tu nous donnes le pain de vie » (image pieuse) ; « C'est pain bénit ». Le pain, le bon pain, le pain blanc, c'est déjà le bonheur. Une « maison craquante comme un pain chaud » (Colette) ; « Désirable comme un pain frais » ; « Bon comme du bon pain ». En Brie, d'une femme, on dit qu'elle est « belle comme un pain », d'un homme qu'il est « bon comme le pain ». « C'est notre pain blanc » ; « Un livre qui se lit comme un bon pain » (E. Le Roy Ladurie). Attention à ne pas « manger son pain blanc en premier », ou à ne pas « vendre son pain avant qu'il ne soit cuit », « C'est manger la mie et laisser la croûte ». La tristesse et la pauvreté, c'est de « manger son pain noir » ; « Manger un pain trempé de larmes » ; « Être à l'eau et au pain sec ».

Les expressions foisonnent. « Nul pain sans peine » ; « Pas de pain sans sueur ». Il faut aller « gagner le pain de sa famille », « gagner le pain du ménage ». Un métier n'est souvent qu'un « gagne-pain ». « C'est mon pain, mon beurre et la vie de mes enfants » (Jack London) ; « Mon père a menti pour nous mettre du pain dans la bouche » (Jack London). Parfois, il faut « se vendre pour du pain » (J.-J. Rousseau). Ou bien : « Je ne dois à personne mon morceau de pain, je sais que je l'ai gagné » ; « Cela nous fait manger du pain, c'est notre salaire » (Sancerrois) ; « Avoir du pain sur la planche » ; « Mettre du beurre sur le pain » ; « Avoir son pain cuit », c'est sa subsistance assurée. « Qui manque de pain, ne rêve plus d'autre chose » (L. Guilloux, *La Confrontation*, 1967). « Les uns manquent même de pain sec. D'autres ne savent que faire de leurs biens » (Makhtoum Qouli).

Le manque de pain est redouté.

« Long [ou triste] comme un jour sans pain » ; « Manger le pain des autres » : dépendre d'eux ; « S'ôter le pain de la bouche pour quelqu'un » ; « Mendier son pain » ; « Se voir retirer le pain de la bouche », par « ceux qui viennent manger notre pain ». C'est souvent pour le pain qu'on a déclenché en France des révolutions. « Dans quelque temps, nous n'aurons plus de pain. Mais il faudra combattre pour la liberté » (ayatollah Taleghani). « Ôter [faire passer] le goût du pain à quelqu'un » : lui enlever l'envie de vivre, le tuer ; « Les ennuis sont son pain quotidien » ; « Qu'il est dur de manger ici un autre pain que celui fait par les femmes de son pays » (D. Karlin et T. ben Jelloun, *La Mal Vie*, 1978).

Un produit de bonne qualité « se vend [s'enlève, part, disparaît] comme des petits pains », ou même « comme les croissants au beurre dans les pâtisseries, le dimanche matin ». Mais, « l'homme ne vit [ne se nourrit] pas que de pain » ; « C'est vrai que l'indispensable, c'est d'abord le gagne-pain, mais enfin, ne vit-on que pour cela ? » (V. Jankélévitch). « Quelle est la première des choses ? Le pain ou le rêve ? » (L. Guilloux, *La Confrontation*). Si bien que le pain est quelquefois dévalorisé dans les expressions populaires : « Se vendre pour une bouchée de pain » ; « Acheter quelque chose pour un morceau de pain » ; « Cher Monsieur, vous êtes un mec à la mie de pain » (Apollinaire) ; « Je ne mange pas de ce pain-là ». Les « enfants du pain » en Lombardie, ce sont les enfants naturels, impliquant que la mère s'est donnée par nécessité, pour pouvoir manger. Un opportuniste « sait de quel côté son pain est beurré ». Un démagogue « promet plus de beurre que de pain ». « Manger le pain des assassins », c'est profiter de leurs crimes. De quelque chose qui ne présente pas d'inconvénient, on dit facilement « cela ne mange pas de pain ». On peut aussi « s'en payer une belle tranche » ; « Ne laisser que des miettes » ; « Ne pas perdre une miette d'un spectacle » ; « Accorder une miette de pain » ; « Ramasser les miettes sous la table » ; « Abandonner les miettes de la brioche » ; « Ne garder que les miettes de sa fortune » ; « Ne pas en faire une miette » ; « Faire une boulette », une bêtise ; « Se partager le gâteau » ; « S'engager [ou s'embarquer] sans biscuits ».

Aujourd'hui, on a oublié les temps où l'on ne pouvait se nourrir que de pain, où la viande, les fruits et les légumes étaient un luxe rare. Ces maximes et vieux dictons nous le rappellent. Pourtant en France, aujourd'hui encore, même s'il n'est plus l'aliment nutritionnel de première nécessité, on ne peut concevoir un repas qui ne serait accompagné de pain. Ailleurs, il demeure bien souvent le seul recours.

Bernard Dupaigne

• *Voir aussi :* Compagnon ; Interdits liés au pain ; Mot « pain » (étymologie du) ; Mot « pain » dans la langue française ; Mot « pain » dans quelques langues européennes ; Sexuelle (le pain comme métaphore) ; Si le grain tombé en terre ne meurt

Bibl. : Bernard DUPAIGNE, *Le Pain*, Paris, La Courtille, 1979. – ID., *Le Pain de l'homme*, Paris, La Martinière, 1999 • Henri MASSÉ, *Croyances et coutumes persanes*, Paris, Maisonneuve, 1938 • Irène MÉLIKOFF, « Notes sur les coutumes des Alévis. À propos de quelques fêtes d'Anatolie centrale », in *Quand le crible était dans la paille. Hommage à P. N. Boratav*, Paris, Maisonneuve, 1978 • Monette RIBEYROL, « Une collecte de pains rituels en Bulgarie », *Objets et* *mondes*, X, nº 1, printemps 1970 • Paul SÉBILLOT, *Le Folklore de France*, 1904-1906 ; rééd. Paris, Omnibus, 2002 • Arnold VAN GENNEP, *Manuel de folklore français contemporain*, Paris, Picard, 1937-1958 ; rééd. sous le titre *Le Folklore français*, Paris, Robert Laffont, coll. « Bouquins », 1998, 4 vol. • Nicole VIEL-FAURE, Anne-Christine BEAUVIALA, *Fêtes, coutumes et gâteaux*, Le Puy, Christine Bonneton, 1978.

MÉLANGE. – Le mélange est l'opération qui va consister à répartir de manière homogène (les uns par rapport aux autres) les éléments des produits à mélanger. Dans l'opération de frasage pour la fabrication du pain, on peut considérer que le mélange des ingrédients, farine, eau, sel, levure, est assuré ; l'opération de pétrissage proprement dite peut alors commencer. On pourra parler de mélange homogène lorsque la probabilité de trouver un élément d'un produit sera la même en tout point de la masse du mélange. L'homogénéité d'un mélange ne doit pas seulement être appréhendée au cours de l'opération de mélange, mais également au niveau de son maintien dans le temps et dans l'espace. Si, en général, les composants d'une pâte ne se « démélangent » pas après le pétrissage, il faut considérer les inclusions d'air comme des constituants à part entière du mélange. Elles sont assez instables dans le milieu pâteux, notamment si la viscosité est faible et si la pâte est peu texturée. De ce fait, les pâtes pâtissières sont plus instables que les pâtes boulangères ou biscuitières. Mais, par exemple, pour la fabrication du pain de tradition française, l'élaboration de pâtes molles ou très molles conduit à donner une instabilité aux bulles de gaz qui à la fois se déforment irrégulièrement mais aussi se joignent (coalescence) pour former une structure à alvéoles grosses et peu nombreuses. L'obtention de pâtes fermes plus visqueuses stabilise davantage ces alvéoles et donne, par voie de conséquence, une mie à alvéoles plus petites et plus nombreuses.

Philippe Roussel

• *Voir aussi :* Air ; Alvéolage ; Biscuit ; Défauts de la pâte ; Frasage ; Gaz carbonique ; Pâte bâtarde, molle, douce, ferme, raide ; Pâtes (définition des) ; Pétrissage

MÉNAGE (pain de). – On associe ce pain à celui fabriqué autrefois à la maison. En France, ce pain, de forme ronde principalement, était cuit au four banal, à sole épaisse. À la fois assez dense, à mie plutôt régulière par rapport à des pains de boulangers, essentiellement fait à partir d'une souche de levain, il avait aussi la croûte épaisse et pouvait se conserver jusqu'à la fournée suivante. Ce pain de ménage, au-delà de nos frontières, désigne un pain qui, avant d'être confié aux boulangers et donc aux hommes, a été partout l'affaire exclusive des femmes et le reste encore dans certaines régions du monde. La fabrication actuelle du pain à la maison, relancée par l'introduction dans les foyers des machine à pain, est plutôt qualifiée de « domestique ».

Philippe Roussel

• *Voir aussi :* Femmes ; Levain (symbolique du) ; Levain de première, de seconde, de tout point ; Machine à pain ; Maie ; Pain (définition universelle du)

MER (pain de). – Le mot « biscuit », composé des mots latins *bis* et *cocta*, désigne à l'origine un pain « deux fois cuit », ou cuit deux fois plus longtemps qu'un pain normal : c'est le cas du biscuit de mer ou « pain de mer », aliment de base des marins du XVe au XIXe siècle – qui furent nombreux à s'y casser les dents. Ce biscuit était tout simplement un pain sans levain, à la pâte très dense, que l'on divisait en galettes, avant de la cuire jusqu'à disparition de toute humidité. Ces biscuits de longue conservation, ancêtres de la biscotte, étaient préparés un à six mois avant l'embarquement, et pouvaient se garder pendant plus d'un an. Conditionnés en barils à bord des navires, il fallait cependant les aérer régulièrement pour éviter le développement de moisissures, voire les repasser au feu lorsqu'ils devenaient la proie des asticots. On peut en voir quelques échantillons, vieux de deux cents ans, au musée maritime de Vancouver, au Canada.

Myriam Daumal

• *Voir aussi :* Biscotte ; Biscuit ; Bouillie ; Chapelure ; Croûte à potage ; Croûton, croûtons ; Miette ; Pain grillé ; Pain rassis ; Pain sec (au) ; Panure ; Soupe ; Soupe de pain ; Tartine

MÉSOPOTAMIE (traditions du pain en). – Dans un style d'une extrême concision, un scribe anonyme transmet à la postérité ce portrait saisissant de l'homme sauvage : « Le cœur ignore le pain cuit au four et l'estomac la bière. » Un mythe rapporte, pour sa part, qu'à l'origine des temps les dieux eux-mêmes vivaient nus, broutant l'herbe et lapant l'eau à la manière des bêtes ; on ne les voit se civiliser, c'est-à-dire se vêtir, écouter de la musique, adopter des manières de table, manger de la nourriture panifiée et boire de la boisson fermentée, essentiellement de la bière, qu'après la création de l'homme, cette création n'étant pas autre chose, en ultime analyse, que leur acte de naissance ! À l'instar de l'animal, l'homme sauvage est un être fruste qui ne mange pas, qui ne fait que se nourrir. Seul l'homme social cuisine et consomme des mets qu'il a préalablement élaborés, en se pliant aux règles de conduite que lui dicte sa culture. L'acte de prendre un repas s'assimile, pour lui, à un rituel qui sacralise le temps et l'espace en les ponctuant et les ordonnant.

Les mots *ninda* en langue sumérienne, *akalu* en langue akkadienne disent premièrement toute céréale panifiée. Par extension, ils signalent toute nourriture solide. Car le pain, il en existe de multiples espèces, constitue l'aliment de base, notamment sous l'espèce du pain bis ou « gros pain », qui est distribué quotidiennement aux équipes d'ouvriers et de travailleurs, qui est consommé lors des cérémonies ou mangé lors des voyages, bref en toutes occasions pour rompre la faim. Le pain et la bière sont synonymes de culture céréalière, la principale ressource agricole de la Mésopotamie antique. Les mots qui les désignent, qui évoquent aussi l'action de manger et de boire, soulignent le fait que l'aliment premier est une denrée naturelle, mais transformée par l'homme par la cuisson ou la fermentation. De ce fait, ils sont par excellence les symboles de la culture. Les céréales employées sont, principalement, l'orge, le millet, l'épeautre et le blé amidonnier. On écrase le grain avec une meule. La farine issue de ce processus est ensuite tamisée. Additionnée d'eau, on en fait une boulette de pâte. On l'aplatit pour lui donner la forme d'une galette. Cette galette est cuite en la plaquant soit sur une pierre plate brûlante, soit sur une plaque de métal chauffé, mais le plus souvent elle l'est dans un four, appelé *tinourou* en akkadien, un objet et une appellation qui se sont conservés jusque dans le monde arabe contemporain (arabe : *tannur*). Ce four est un foyer fixe, de plan rectangulaire, à demi ou complètement enterré, dont les côtés sont revêtus de briques cuites. Le combustible est constitué de broussailles et de fumier ; on peut obtenir dans ces installations des températures de 350° à 400°. Dans les palais, les fours sont plus grands qu'ailleurs, proportionnellement au nombre de personnes à nourrir. Lorsque le four est brûlant, on applique successivement les deux faces de la galette sur ses parois, afin d'assurer une bonne cuisson.

Si la galette est épaisse, on procède de la même manière, sur la sole d'un four, mais en ramenant sans cesse des cendres chaudes sur la pâte afin d'en assurer la cuisson intérieure. L'épopée de Gilgamesh évoque la figure du boulanger qui pétrit pour la déesse Ishtar « le pain cuit sous la cendre ». Le pain au levain ne fait son apparition qu'au cours du Ier millénaire avant notre ère. Sa préparation plus longue – il faut disposer de levain et du temps nécessaire à sa fermentation –, la mauvaise qualité de l'orge, qui donne une pâte collante avec des grumeaux, sa cuisson plus délicate font qu'il est une denrée plus rare et réservée pour certaines occasions. On sait, par exemple, qu'il est interdit aux soldats. Avec le froment, on fabrique un pain plus digeste ; il est appelé « pain aigre ». À la table royale de Mari, au XVIIIe siècle avant notre ère, ce ne sont pas moins d'une dizaine de sortes de pains au froment qui sont servis, le pain d'orge n'y faisant que rarement son apparition. Tels sont les produits de base. Mais il est possible d'améliorer cet ordinaire. On peut ajouter, par exemple, de l'huile ou du beurre cuit à la pâte. On peut aussi combiner différents condiments ou aromates, comme le sel, le fenouil, la coriandre, le sésame, le safran ou le cumin. Il existe aussi des spécialités régionales dont les sources ne font, malheureusement, qu'évoquer les noms. Il existe donc une variété relativement grande de produits panifiés aux saveurs différentes. Il convient d'ajouter à cette liste les douceurs et pâtisseries faites d'un mélange de farine, de beurre et de miel, auxquels on peut ajouter des dattes ou du raisin. Mais, alors que la fabrication du pain relève très habituellement, à l'exception des temples et des palais, des activités domestiques, dans les maisons particulières, la pâtisserie est affaire de spécialistes.

Avec la bière, le pain est aussi symbole de cohésion sociale. On se souvient du début de l'épopée de Gilgamesh, lorsque les dieux créent un *alter ego* du roi d'Ourouk, un être aussi fort que le monarque et capable de rivaliser avec lui, mais une créature sauvage qu'il faudra acculturer pour favoriser la rencontre. Une courtisane, nommée Lajoyeuse, est chargée de l'appâter, de lui faire découvrir les plaisirs de l'amour, à distance de l'accouplement bestial, et de le conduire, par étapes, jusqu'au cœur de la cité où il pourra rencontrer le roi. En arrivant dans la hutte de bergers, elle lui apprend à manger et à boire comme font les humains, lui qui, en compagnie des gazelles, broutait l'herbe dans les steppes, étanchait sa soif aux points d'eau ou tétait le lait des bêtes sauvages à la mamelle. Elle lui présente donc du pain et de la bière, deux denrées qui lui sont totalement inconnues, et qu'il examine avec méfiance. Elle l'encourage de la voix : « Mange du pain, Enkidou : c'est ce qu'il faut pour vivre ! Bois de la bière : c'est l'usage du pays ! » Obéissant à l'injonction de la courtisane, Enkidou mange donc du pain, « signe de vie », jusqu'à satiété et boit sept chopes de bière, « coutume du pays ». « Son âme, alors, poursuit le poète, fut à l'aise et contente, et son corps, dans un tel ravissement que son visage s'éclaira ! » Il accepte ensuite de faire sa toilette et de se vêtir, achevant ainsi son parcours initiatique qui le conduit à quitter définitivement la vie sauvage et la compagnie des bêtes pour basculer du côté des hommes et de la civilisation.

Pour ces mêmes raisons, les pains figurent en bonne place dans tous les repas. Faute de sources, on ne connaît pas le repas quotidien des personnes ordinaires, si ce n'est le pain, qui leur est distribué sous forme de rations alimentaires. Au cours du IXe siècle avant notre ère, lors de l'inauguration d'une nouvelle ville royale, un roi d'Assyrie offre pendant dix jours un banquet à 69 574 convives ! Dans la liste des denrées, la nourriture panifiée est mentionnée en bonne place, même si la quantité en paraît faible : elle figure immédiatement après les viandes, mets rares, et avant les légumes, les garnitures, les accompagnements et les condiments. Une inscription royale nous offre le décompte suivant : 1 200 bœufs ; 1 000 veaux et moutons ; 2 000 moutons ; 14 000 chevreaux ; 500 cerfs ; 500 antilopes ; 1 000 canards ; 100 oies ; 1 000 bécasses ; 1 000 cailles ; 20 000 pigeons et tourterelles ; 10 000 petits oiseaux ; 10 000 poissons ; 10 000 rongeurs ; 10 000 œufs ; enfin 10 000 pains. Sont ensuite comptabilisées les boissons : 10 000 jarres de bière et 10 000 outres de vin. Le nombre 10 000, plusieurs fois répété, n'est sans doute pas à prendre au sens littéral, il doit faire allusion à des quantités innombrables. Les pains figurent aussi en bonne place parmi les offrandes aux dieux. Un texte particulièrement bien informé dresse les menus qui composent, au Ier millénaire, les quatre repas quotidiens qui sont offerts aux grands dieux de la ville d'Ourouk. Dans ce cas, les pains sont mentionnés après les boissons et leur mention précède celle des viandes. Disposant de 486 litres de farine d'orge et de 162 litres de farine d'épeautre, les boulangers préparent quotidiennement 243 galettes pour le service des seuls grands dieux de la ville. Ainsi le dieu souverain, Anou, mange-t-il 8 galettes à chaque repas principal et 7 à chaque repas secondaire. Il faut garder à l'esprit, cependant, que la nourriture offerte aux dieux finit, en réalité, à la table royale ou sert à nourrir le personnel, fort nombreux, des temples, les dieux se contentant des fumets et des graisses.

Jean-Jacques Glassner

• *Voir aussi :* Bière ; Calendriers et mesure du temps ; Céréales sauvages aux premières formes domestiques (des) ; Égypte : Femmes ; Mangeurs de pain ; Pain (définition universelle du) ; Pain levé du monde (le plus ancien) ; Pains mondiaux ; Sumer ; Tannur ; Terre-Mère primordiale ; Théologie du pain

Bibl. : Jean BOTTÉRO, *La Plus Vieille Cuisine du monde*, Paris, Audibert, 2002 • Elena CASSIN, *Le Semblable et le Différent*, Paris, La Découverte, 1987 • Jean-Jacques GLASSNER, *La Mésopotamie*, Paris, Les Belles Lettres, 2002.

MESSE. – Le mot « messe » viendrait du latin *missa*, forme du verbe *mittere* signifiant « laisser aller, renvoyer ». Ce qui symboliserait parfaitement la mission confiée par Jésus à ses apôtres. En effet, tout commence avec la Cène, dernier repas du Christ. Selon saint Luc et saint Paul, il aurait dit : « Vous ferez cela en mémoire de moi. » Le rite de la messe se constitue au IIe siècle, assemblée où se rassemblent les fidèles sous la houlette d'un « président ». Une liturgie de la Parole avec les lectures, l'homélie et des prières précède la présentation du pain, du vin et de l'eau. Ces matières sont « eucharistiées » avant d'être distribuées aux présents, des morceaux étant réservés pour les absents. Au IIIe siècle, l'idée d'une prière eucharistique unique s'impose, le texte le plus ancien qui soit connu, attribué à Hippolyte de Rome, datant des environs de 225. On y rappelle la demande de Jésus, on s'adresse à Dieu le Père pour que les espèces puissent véhiculer l'Esprit Saint. Les grandes lignes de la messe sont établies. À partir du IVe siècle, l'évolution s'accélère. L'édit de tolérance de 313 permettant les manifestations dans les basiliques, les célébrations dans les maisons particulières disparaissent. Désormais, la messe sera liée à un édifice spécifique, bien vite consacré. Les évêques prennent aussi l'habitude de rassembler les formulaires circulant sous forme de petits fascicules et de rédiger des livres liturgiques. L'*Ordo romanus I*, sans doute composé au VIIe siècle, fixe, dans le moindre détail, les cérémonies de la messe solennelle. Même si cette liturgie a tendance à s'imposer, les rituels spécifiques subsistent. Pour donner toute sa force et son unité à l'Église, pendant son pontificat (590-604), Grégoire Ier affirme la primauté de Rome, ce qui l'amène à une réforme liturgique profonde, en particulier de la messe : l'ordre des prières est modifié, la récitation du *Kyrie* est fixée, la nature des lectures est changée… Pour affirmer la nouvelle conception, on se plaît à conter l'histoire de la « messe de saint Grégoire », cérémonie merveilleuse pendant laquelle le pontife est assisté par les anges qui lui montrent le Christ présent dans l'hostie. Une imagerie se met donc en place, insistant sur l'intervention divine pendant l'office. La cérémonie est le ferment de la chrétienté. Conscient de l'intérêt politique d'une liturgie unique dans son Empire, Charlemagne tente d'imposer un missel, tout en intégrant des usages locaux.

Pendant les trois siècles suivants, l'évolution du rite provoque le déclin de la place qu'occupaient les fidèles. Au IXe siècle se perd l'usage de la célébration dite totalement à voix haute, qui permettait aux laïcs d'entendre même les paroles de la consécration. Le refus de la communion dans la main a lieu au Xe siècle ; désormais le prêtre introduira l'hostie dans la bouche du fidèle. La nature des espèces change aussi, le pain sans levain se généralisant au XIe siècle. Toutes ces transformations finissent par donner au prêtre une importance considérable. Il est celui par lequel s'opère la transsubstantiation, transformation du pain et du vin effectuées par les paroles du Canon. Bérenger tente de nier cette présence réelle mais, condamné, il est contraint de se soumettre à la loi commune (1079). Le pain consacré tient définitivement la place centrale de la messe. La population veut « voir et adorer » cette hostie, véritable corps du Christ. Des jubés et des meubles spéciaux sont construits pour qu'elle soit exposée, mais ils séparent encore plus le célébrant du peuple, qui est réduit à l'état de spectateur. Il entend la messe, ne la voit plus obligatoirement et ne la comprend pas. Son attention se concentre sur le moment de l'élévation, qui devient un des gestes les plus importants. On accorde au pain consacré des vertus exceptionnelles ; au XIVe siècle, une instruction aux curés anglais ne précise-t-elle pas qu'il garde de la mort subite et facilite le pardon de toutes les fautes ? Convaincus de la valeur de l'hostie, nombre de croyants de la fin du XVe siècle reprochent aux prêtres leur relâchement moral et la manière bâclée dont ils officient. Avec la naissance de la Réforme, le débat devient plus théologique. La messe est un des principaux points d'affrontement entre catholiques et protestants. Luther affirme : « Je crains que par la messe, il y ait davantage d'idolâtrie dans la chrétienté qu'il n'y en a jamais eu chez les juifs » (1520). En 1535, Calvin assure qu'elle est « comme un sacrilège extrême », un « spectacle frivole de l'ancienneté », une occasion de « badinage et jeu de farce ». Elle « fait très grand déshonneur à Jesus Christ, opprime et ensevelist sa croix, met en oubly sa mort », elle « efface et oste de la mémoire des hommes la vraye et unique mort de Jesus Christ ». Les églises protestantes refusent cette célébration, inventant d'autres formes de culte et donnant une valeur totalement différente au pain et au vin utilisés.

Face à ces attaques, le concile de Trente, lors de sa session de 1562, réaffirme des principes qui sont mis en œuvre avec la publication d'un nouveau catéchisme (1566) et d'un rituel rénové (1570). La célébration, s'effectuant en latin, permet la transsubstantiation. À ce titre, elle est le renouvellement du sacrifice du Christ sur la Croix. Le véritable maître d'œuvre est le prêtre, qui officie dos au peuple et prononce à voix basse le Canon. Ce rite, dit romain, doit s'imposer à tous car, selon le pape, il ne doit y avoir « qu'une seule manière de dire l'office et un seul rite pour célébrer la messe » (1570). Cette messe de Pie V semble avoir résolu tous les problèmes : purifiée et ordonnée, elle est un rite universel qui manifeste l'unité du monde catholique. Sauf modifications minimes en 1634, 1884 et 1914, un cadre est donc fixé. S'il évolue peu, d'intenses débats naissent dès le XVIe siècle sous l'effet conjugué des questions posées par l'expérience missionnaire, des querelles théologiques et des transformations de la société. Trois sujets sont âprement discutés. Le premier est celui de l'uniformité de la célébration, car nombre d'églises souhaitent maintenir leurs liturgies, élément d'une identité religieuse héritée. Le rite romain finit cependant par s'imposer, parfois tardivement puisqu'en France sa victoire date du milieu du XIXe siècle. Le deuxième défi est celui du latin. De nombreuses tentatives pour imposer les langues vulgaires sont faites : *Deutsche Singmesse* dans le nord du Saint Empire ou propositions du synode de Pistoie (1786). La papauté refuse toute évolution, condamnant l'initiative italienne (1794) et interdisant la *Deutsche Singmesse* (1894). L'ignorance n'est pas pour autant recherchée, car depuis le concile de Trente, il est demandé aux prêtres d'expliquer la célébration aux fidèles. D'innombrables exercices de la messe ou traduction des paroles dites à l'autel sont disponibles ; venir à la messe avec un livre pour prier ou suivre le prêtre est une pratique qui s'impose. La troisième interrogation touche la communion des laïcs. Si certains théologiens envisagent une communion fréquente, d'autres, en particulier les jansénistes, suggèrent une position rigoriste réservant ce sacrement pour des occasions rares.

Alors que l'Église assiste, relativement impuissante, au rapide déclin de la pratique religieuse, à partir du milieu du XIXe siècle, des théologiens mettent en cause la forme de la messe qui éloigne les laïcs du prêtre. La nécessité d'un renouveau liturgique s'affirme, conception défendue par dom Guéranger (1805-1875), dom Lambert Beauduin (1873-1960) ou Pius Parsch (1884-1954). Ce dernier proclame que la messe est « le point culminant, le soleil du jour [...] le culte religieux suprême ». Il faut, selon lui, restituer à l'office « sa véritable place et son véritable sens », car elle est un acte de communauté qui nécessite la participation active et directe de tous. Partout, des expériences sont tentées, les abbayes de Mont-César (Belgique) et de Klosterneuburg (Autriche) étant parmi les centres les plus innovants. Les langues vulgaires sont introduites, les laïcs sont invités à assister le prêtre et des célébrations face au peuple sont réalisées. Dans les années 1930, c'est la messe dialoguée qui s'installe. Assez tôt, Rome mesure l'importance des enjeux, prenant des mesures pour favoriser le chant (1903) ou la communion plus fréquente (1905). En 1956, le pape appelle de ses vœux une transformation « pour rapprocher les hommes des sources de la grâce ».

C'est donc un des premiers points discutés à Vatican II. En décembre 1962, à une quasi-unanimité, les pères du concile adoptent la constitution *Sacrosanctum Concilium*, dont le texte est affiné par une série de décisions jusqu'en 1969, puis avec la publication du missel en 1970. Dans un esprit de « tradition ininterrompue », il est rappelé la nature sacrificielle de la messe et la transsubstantiation. Le peuple des fidèles est désormais considéré comme « concélébrant », ce qui amène : à pouvoir utiliser des langues vulgaires ; à ce que toutes les paroles, y compris les plus saintes, soient dites à haute voix pour être entendues de tous ; à une célébration face aux fidèles.

Immédiatement, des voix, en particulier celle de Mgr Marcel Lefebvre, s'élèvent contre ce qui est jugé comme une trahison de la tradition, origine d'un débat qui n'est toujours pas clos. D'autres estiment qu'au nom de l'inculturation il est indispensable d'adapter le rite aux formes de vie locales, ce qui donne naissance au rite zaïrois ou aux débats sur la possibilité d'utiliser d'autres céréales que le froment pour réaliser les hosties. Ces controverses traduisent la variété de positions de croyants qui souhaitent donner une place essentielle à la religion dans la société. Plus que jamais, la messe demeure un moment d'identité pour le monde catholique.

Philippe Martin

• *Voir aussi :* Bethléem ; Cène ; Ciboire ; Eucharistie ; *Évangile selon saint Matthieu (L')* → Documentaires et films ; Fête-Dieu ; *Fractio panis* ; Hallah, manne, pains de proposition ; Hostie ; Hostie profanée ;

Interdits liés au pain ; La Mecque ; Matsah et hamets ; Miracles christiques ; Miracles eucharistiques ; Moulin mystique ; Ostensoir ; Pain bénit ; Pain posé à l'envers ; *Panis angelicus* ; Patène ; Rite orthodoxe ; Santon ; Si le grain tombé en terre ne meurt ; Théologie du pain ; Transsubstantiation

Bibl. : Robert CABIÉ, *Histoire de la messe des origines à nos jours*, Paris, Desclée, 1990 • Philippe MARTIN, *Mondains et dévots. Les catholiques français face à la messe, du concile de Trente à Vatican II*, Paris, CNRS Éditions, 2009 • Lionel de THOREY, *Histoire de la messe de Grégoire le Grand à nos jours*, Paris, Perrin, 1994.

METATE. – Voir MEXIQUE

MÉTEIL. – Mélange de diverses céréales ou de céréales et légumineuses, que l'on sème, cultive et récolte ensemble selon une méthode qui remonte à la Préhistoire. Le mélange a plusieurs avantages : diminution du risque climatique, limitation des mauvaises herbes qui ont plus de mal à se développer, les espèces aux tiges solides protégeant les autres. On distingue un méteil d'hiver et d'été, le premier servant à faire le pain et s'entendant traditionnellement comme un mélange de seigle et de blé dans des régions au climat rigoureux comme le Massif central. Cette technique permet d'assurer un bon compromis entre la rusticité du seigle et la productivité du blé. On obtient alors des farines moins typées qu'avec du seigle pur et, partant, des pains plus légers et digestes. Le méteil d'été de son côté résulte d'un mélange d'orge et de légumineuses, mieux adapté à l'alimentation animale ou à la préparation de bouillie. Le méteil est très répandu jusqu'à la Deuxième Guerre mondiale. Au lendemain de la guerre, le monde agricole connaît de profonds bouleversements qui se feront au détriment de cette pratique, et le mélange blé-seigle cesse d'intéresser la filière pain. Il est aujourd'hui très difficile de trouver un vrai méteil. Le « méteil » que l'on peut encore trouver en boulangerie provient d'un mélange de céréales très rarement cultivées de concert, dans le même champ. Il s'agit simplement de farines mélangées par le meunier, voire le boulanger. Seule la culture du méteil destinée à l'alimentation animale s'est maintenue.

Olivier Roche

• *Voir aussi :* Blé, genre *Triticum* ; Blé tendre ou froment ; Céréales ; Filière blé-farine-pain ; Seigle (*Secale cereale*)

MÉTHODE DIRECTE/INDIRECTE. – La fermentation naturelle d'une pâte n'est pas spontanée, elle est le résultat d'une mise en présence de différents éléments (farine + eau + ferments) à des conditions de température, d'humidité et de temporalité particulières. Dans un cas, c'est une culture de ferments, soigneusement régénérée pour conserver tous ses principes actifs, qui sera introduite au pétrissage de l'eau et de la farine et provoquera *indirectement* la fermentation de la pâte. Dans l'autre cas, on nomme méthode *directe* celle qui n'aura pas recours à une pré-fermentation panaire, mais sera ensemencée directement de levure. Celle-ci est la méthode la plus simple et la plus sûre à mettre en œuvre, dans la mesure où le principe actif de la levure ne demande aucune préparation, est toujours aussi efficace, stable, et donc programmable. Dans la méthode *indirecte*, il faut en revanche gérer le problème d'hérédité des ferments, comme ceux de leur bonne maturité, ce qui peut donner lieu à des compensations de température et de temps de fermentation dans la conduite du travail. Ce sont ces corrections qui rendent la *méthode indirecte* plus complexe et demande un grand professionnalisme. À l'inverse, il suffira d'un poids bien défini de levure, introduite *directement* au pétrissage, pour s'assurer, toutes choses égales par ailleurs, la fermentation désirée.

Guy Boulet

• *Voir aussi :* Levain, levain-chef, levain de première, de seconde, de tout point ; Levure de boulanger ; Pétrissage

MEULAGE. – Voir BEFFROI

MEULE. – L'ancêtre de la meule fut le mortier, dont on retrouve des traces dès la Préhistoire, puis dans l'Égypte et la Grèce antiques. Les premières meules étaient plates ou légèrement concaves et l'action de broyage se faisait grâce à un pilon ou broyeur actionné avec un mouvement de va-et-vient. Les moulins romains, constitués de deux pierres complémentaires, apportèrent un perfectionnement au système. La meule gisante, encore appelée « méta » en forme de cloche, est surmontée d'une meule courante, encore appelée *catillus*, taillée de manière à présenter deux entonnoirs opposés par leur base, qui tourne autour d'un axe vertical. L'entonnoir supérieur constituait la trémie, dans laquelle on déversait les grains. Les meules plates apparurent avec la généralisation des moulins à eau, mais le principe d'une meule dormante surmonté d'une meule tournante est resté. Les meules sont aujourd'hui constituées de pierre naturelle, mais de plus en plus rarement, car les carrières de meulière s'épuisent. Elles sont plus généralement reconstituées en pierre artificielle. La mouture à la meule a la réputation d'être plus grossière que la mouture sur cylindres. Cependant, à taux d'extraction équivalent, il est difficile de faire la différence entre les deux. De nos jours, le recours à la meule est marginal en France. Il n'existe pas de statistiques nationales, mais on peut estimer la quantité produite à moins de 1 % de la farine totale, du même ordre que la farine biologique.

Philippe Duret

• *Voir aussi :* Broyage ; Céréales sauvages aux premières formes domestiques (des) ; Mortier-pilon ; Moulin ; Mouture ; Pierre à moudre ; Trémie

Bibl. : Marcel ARPIN, *Historique de la meunerie et de la boulangerie depuis les temps préhistoriques jusqu'à l'année 1914*, Paris, Le Chancelier, 1948.

MEULE DORMANTE OU GISANTE. – Voir MEULE

MEULE TOURNANTE. – Voir MEULE ; MOULIN

MEUNERIE. – La meunerie d'aujourd'hui peut être définie comme une activité industrielle dont le but est de transformer une matière première brute agricole, le blé tendre, en une matière première, la farine, utilisable par les boulangers, les biscuitiers, les biscottiers et bien d'autres encore. Le procédé meunier consiste à nettoyer ce blé, le moudre en séparant l'amande des enveloppes, à réduire l'amande en granules suffisamment fins, et à mettre à disposition de ses clients les différents produits obtenus dans un emballage convenable (sacs papier dans la plupart des cas, allant de 1 kg pour la ménagère, à 10, 25 ou 50 kg pour les professionnels, ou en citerne vrac pour les plus grosses quantités). Le nettoyage du blé se fait à sec, grâce à une succession d'opérations de triage, de dépoussiérage, de brossage. Le blé va ensuite être « mouillé », c'est-à-dire aspergé de fines gouttelettes d'eau de façon à augmenter son humidité de quelques pourcents. Après le mouillage, le blé va se « reposer » dans des silos, dits de repos, pendant 24 à 48 heures, de façon à attendrir les enveloppes et faciliter par la suite le broyage et la séparation de l'amande. Le broyage se fait aujourd'hui par passage entre deux cylindres métalliques, cannelés, à axe horizontal, tournant en sens inverse et à des vitesses légèrement différentes. Le grain est ainsi cisaillé, plus qu'il n'est écrasé. C'est la grande différence qui existe avec la méthode ancestrale de broyage à la meule, marginale de nos jours, où le grain est écrasé entre deux meules, dont une seule tourne autour d'un axe vertical.

Une fois ce premier broyage effectué, les fractions obtenues vont être tamisées en fonction de leur taille et de leur densité : cette opération s'appelle le « blutage », en langage meunier, et les tamis sont regroupés dans des appareils que l'on appelle des « plansichters » (toujours en langage meunier !). Certaines fractions sont déjà exemptes d'enveloppes, mais encore trop grossières, d'autres sont quasiment constituées d'enveloppes, et la plupart présentent un état intermédiaire. Il est donc nécessaire de repasser plusieurs fois ces fractions dans d'autres appareils de broyage, dont le réglage ou la constitution sont légèrement différents du premier broyage : on les appelle plus spécifiquement des « claqueurs » et des « convertisseurs », qui vont réduire la taille des granules. De même, les opérations de tamisage vont se succéder jusqu'à ce que le but du meunier soit enfin atteint : réussir à « gratter » les enveloppes le mieux possible pour en retirer un maximum de farine dite « blanche ». C'est dans ces opérations successives que s'exprime tout l'art du meunier, dont la maîtrise s'évalue de façon comptable par le rendement : un bon meunier se doit d'obtenir un bon rendement, c'est-à-dire le rapport entre la quantité de blé entrant et la quantité de farine produite, objet de toutes les attentions et des plus fins réglages de mouture !

Tous ces appareils (appareils à cylindres, tamis…) sont superposés sur plusieurs étages, et l'ensemble constitue le « diagramme meunier ». On distingue l'étage des broyeurs de celui des claqueurs et des convertisseurs et celui des plansichters. Ainsi, un moulin s'élèvera sur 4, 5 ou 6 étages, voire plus. Le blé, puis les différentes fractions, sont convoyés dans des tuyaux pneumatiques, pour les plus modernes d'entre eux. Beaucoup de ces transports de matières sont encore assurés par des manutentions mécaniques, de type élévateurs à godets, ou vis d'Archimède, et autres transporteurs à chaînes, à câbles, à bandes… La proportion de farine extraite se situe autour de 75 % de la quantité de blé initiale mise en mouture. Les autres fractions isolées sont des coproduits et représentées essentiellement par les enveloppes du grain, qui recouvrent plusieurs formes : le son, les remoulages, le germe, la farine basse. Ces coproduits sont commercialisés par le meunier, le débouché principal étant l'alimentation animale.

La force motrice utilisée pour faire tourner les moulins est l'électricité : il y a belle lurette qu'elle a remplacé l'eau et le vent, qui ne subsistent plus que dans l'imaginaire populaire et dans quelques monuments « historiques ».

Difficile de ne pas évoquer ici le cas de la mouture du blé dur. Le blé dur est destiné à la semoulerie, qui elle-même alimente les fabricants de pâtes alimentaires et de couscous. Le diagramme d'un moulin à blé dur est quelque peu différent de celui d'un moulin à blé tendre, car la finalité de la mouture n'est pas la même : dans le cas du blé tendre, qui est un blé farineux, il s'agit de récupérer l'amande sous forme de particules très fines, dont le diamètre avoisine les 100 microns. Dans le cas du blé dur, qui, rappelons-le est un blé vitreux, l'essentiel est de récupérer les semoules, dont le diamètre est calibré, de 150 microns à plus de 1 000 microns en fonction des types de semoules. Un appareil de mouture supplémentaire apparaît dans le diagramme : il s'agit du « sasseur », très peu utilisé aujourd'hui pour le blé tendre. La semoule devient le produit noble et la farine un coproduit, aux côtés des sons et des remoulages.

Quelles différences faire maintenant entre moulin, meunerie et minoterie ? Meunerie et minoterie sont quasiment synonymes et se rapportent à l'activité industrielle, même si la profession aujourd'hui recourt très peu au terme « minoterie ». Moulin et minoterie peuvent aussi être considérés comme synonymes et désignent les infrastructures où le grain est moulu, autrement dit l'ensemble des bâtiments et du matériel. Le moulin reste cependant plus générique (moulin à eau, moulin à vent, moulin à meules) que la minoterie, qui, pour les professionnels, désigne les installations plus modernes, plus « industrielles ». De façon assez surprenante, puisque illogique au regard des définitions précédentes, moulin n'est pas synonyme de meunerie dans le langage des professionnels.

Michel Daubé
et Hubert François

• *Voir aussi :* Amande farineuse ; Biscottiers ; Biscuitiers ; Blé dur ; Blé tendre ou froment ; Blutage ; Broyage ; Cannelure ; Claqueur ; Convertisseur ; Cylindre ; Cylindres (appareil à) ; Diagramme en meunerie ; Élévateur à godets ; Enveloppe ; Farine basse ; Germe ; Grain ; Meule ; Minotier et minoterie ; Mouilleur à blé ; Moulin ; Mouture ; Nettoyage ; Pâte alimentaire ; Plansichter ; Remoulages ; Repos ; Sasseur ; Semoulerie et semoulier ; Son ; Tamis ; Transport pneumatique ; Vis à blé, à farine

Bibl. : Marcel ARPIN, *Historique de la meunerie et de la boulangerie depuis les temps préhistoriques jusqu'à l'année 1914*, t. 1, *Meunerie*, Paris, Le Chancelier, 1948 • René PILON, *La Meunerie*, Ottawa (Canada), Éditions David, 1986, 2 vol. • Claude RIVALS, *Le Moulin à vent et le meunier dans la société traditionnelle française*, Paris, Serg/Berger-Levrault, 1976. – ID., *Le Moulin et le meunier. Mille ans de meunerie en France et en Europe* (préface de J. Le Goff), vol. 1, *Une technique et un métier* ; vol. 2, *Une symbolique sociale*, Portet-sur-Garonne, Empreinte Éditions, 2000 • Claude WILLM, *La Mouture du blé*, Montgeron, CEMP, 2009.

MEUNIER (âne du). – Voir BÂT

MEUNIER DANS L'HISTOIRE (personnage du). – Avant même que nous sachions lire, c'est une comptine qui nous conduit au meunier, à qui les enfants chantent « Meunier, tu dors, ton moulin, ton moulin va trop vite, meunier, tu dors, ton moulin, ton moulin va trop fort », en moulinant des mains. À Noël, les enfants participent à la mise en place de la crèche et de ses santons ; lorsque les parents ont planté le décor, moulin à vent compris et quelquefois moulin à eau, alimenté par le papier argenté des tablettes de chocolat pour figurer l'eau, ils disposent les personnages. C'est le temps d'un récit qui se transmet, dans lequel le meunier tient sa place : il est devant son moulin dominant le village et l'on raconte aux enfants ce meunier toujours un peu voleur, menteur quelquefois, mais toujours indispensable. Le conte d'Alphonse Daudet, *Le Secret de Maître Cornille* (1866), appartient au répertoire scolaire et, dès l'école primaire, les enfants étudient l'histoire de cet homme à qui, « depuis longtemps les minotiers [...] avaient enlevé [sa] dernière pratique » et dont l'amour de son moulin à vent triomphe, pour un temps, de l'adversité. C'est une histoire de dernier meunier de moulin à vent. Le meunier est ainsi un homme qui sait transformer le blé en farine et qui, dès notre enfance, hantait notre imaginaire. Prestataire de service pour une communauté ou un village, il travaille dans un moulin à blé pour le monde agricole, qui est aussi un moulin à farine pour le monde industriel et commercial. Ouvrier, artisan, industriel, il est toujours meunier, mais les voies qui l'ont mené vers ce métier sont nombreuses, comme le sont les pratiques, les manières de procéder. Son travail est encadré, surveillé, réglementé depuis le Moyen Âge et, pourtant, il n'existe pas deux approches du métier semblables. Écouter un meunier permet de comprendre son travail, mais ne donne pas les clés pour comprendre comment travaille le meunier voisin : chacun a sa pratique, ses certitudes, sa manière de conduire son moulin.

Les premiers meuniers. Avant que cette activité ne soit essentiellement celle d'hommes dans un atelier ou une usine, elle a été celle, bien plus modeste, silencieuse et non payée, de femmes dans leur maison. Aux origines de l'agriculture, qui est aussi celle de la meunerie et de la civilisation, ce sont les femmes qui ont eu la charge de l'écrasement des céréales, pour la famille ou une communauté restreinte. Elles font alors un travail quasiment quotidien, dans le cadre de la préparation de la nourriture, dans l'espace consacré à l'élaboration des repas, avec des moulins rudimentaires, actionnés à bras. Au IVe siècle av. J.-C., les broyeurs sont perfectionnés et installés dans un espace plus vaste, manœuvrés par des hommes (Amouretti 1986). Lorsque les installations sortent des maisons, l'écrasement des céréales prend le caractère d'un métier, nous pouvons donc considérer que le premier meunier de l'Histoire est un Grec libre ou servile, ouvrier ou déjà spécialiste, exécutant ou propriétaire de son outillage, peu importe, la figure du meunier est présente, en creux, déduite des instruments qu'il actionnait faute de documents. Dans le monde grec comme dans le monde romain et au-delà même, le travail des hommes est important dans son résultat. Les manières de procéder, le statut et la vie des personnes qui travaillent à la production de farine n'intéressent pas les auteurs. Les entretiens avec des meuniers du début du XXe siècle (Rivals 1983, Dagincourt 1995) permettent de comprendre le métier, l'Histoire, le contexte, et l'archéologie les possibilités. Nantis de ces indices, nous pouvons tenter de nous faire une idée des meuniers de l'Antiquité, du Moyen Âge et d'Ancien Régime. Des meuniers qui ont fait tourner les ateliers de la meunerie hydraulique de Barbegal, à Fontvieille, dans les Bouches-du-Rhône, nous ne savons rien, sinon qu'ils étaient importants pour le ravitaillement de la ville et de la garnison d'Arles pour qui l'usine avait été construite. Nous connaissons mieux le statut des meuniers du Moyen Âge, essentiellement des domaines ecclésiastiques (Champion 1996).

La figure du meunier. Elle apparaît fondamentalement la même, jusqu'au XIXe siècle et même au XXe siècle pour certains : il est en marge du monde paysan, en bordure d'un monde artisanal, industriel et commercial. Le meunier n'est pas un paysan et pourtant il connaît la terre et le blé. Pour le seigneur, le meunier est un prestataire de service à qui il demande de moudre les céréales de la seigneurie. Il lui fournit l'énergie et dans les statuts municipaux de villes comme Salon-de-Provence, dont le seigneur est l'archevêque d'Arles, au moins un article prévoit la distribution de l'énergie hydraulique, instituant la priorité de la fourniture aux meuniers en dehors du samedi et du dimanche (Dagincourt, 1983). Les meuniers de moulins à vent apparus au XIIe siècle échappent à la taxation du seigneur, le vent ne pouvant être distribué, interdit ou accordé. Le meunier est à l'écart du village, physiquement et socialement, respecté et jalousé. On lui dit « Maître », mais on le traite de voleur, on loue sa pertinence en termes de gestion, mais on se méfie de lui. Il est perçu comme un agent du seigneur, mais il est aussi étroitement surveillé et contrôlé par celui-ci, puis par l'administration royale qui multiplie règlements et surveillance, encadrant, interdisant ou autorisant ses pratiques. Les techniques évoluent et le meunier doit batailler, lorsqu'il n'est pas propriétaire, pour obtenir les modifications indispensables pour son travail, l'entretien du moulin qui fait l'objet d'un contrat devant notaire – d'âpres discussions et des procès (Amouric 1984). On a parfois expliqué que les famines d'Ancien Régime étaient dues au fait que les meuniers n'avaient pas le droit de remouture (Arpin 1948). En effet, après un premier passage sous les meules, il reste encore de la farine contre l'enveloppe des grains. Ce reste est nommé « gruau » et peut rendre une farine de moins bonne qualité, mais encore utilisable pour la nourriture humaine, produit précieux lorsque la disette et la famine menacent. Les expériences pour améliorer la mouture, pour perfectionner les meules, pour augmenter la production de farine se multiplient au XVIIIe siècle, avant qu'au siècle suivant une autre manière d'écraser ne concurrence, puis ne remplace ou ne complète, le travail des meules.

L'âge industriel. Il est marqué, entre autres évolutions, par un âge d'or des meuniers. Il faut dire que ces derniers abordent cette époque nantis d'une solide réputation, une reconnaissance unanime : les farines françaises sont réputées les meilleures et le volume des exportations témoigne de cette suprématie incontestée en Europe. Les meuniers sont fiers de leurs meules françaises de La Ferté-sous-Jouarre, qu'ils se doivent de posséder, convenablement rayonnées et entretenues, tout au long de leur vie – la « perfection », disait encore un meunier au XXe siècle. La profession s'est endormie sur ses certitudes. Mais, depuis la fin du XVIIIe siècle et le début du XIXe, des exigences nouvelles se sont exprimées dans le monde de la meunerie. Deux questions occupaient les industriels qui cherchaient à améliorer le travail dans les moulins. Il s'agissait de parvenir à nettoyer le mieux possible le grain de blé avant de le broyer, le sillon en particulier qui retenait des poussières à éliminer et, par ailleurs, de pouvoir extraire, d'un grain de blé, tout ce qu'il pouvait donner, n'abandonner qu'un minimum de déchet. La multiplication des noms sous lesquels on désignait les produits que l'on extrayait après la farine témoigne de ce souci.

La meunerie française découvre, au détour des statistiques commerciales, que la farine française a perdu sa place et que la France ne parvient plus à exporter un produit qu'elle croyait inégalable. Les meuniers sont organisés, certains d'entre eux sont des hommes d'affaires tout autant que des techniciens, ils forment un réseau européen, puis international. Au-delà des affrontements politiques entre nations, les meuniers et les techniciens en meunerie se connaissent et savent ce qui est expérimenté, les changements dans chaque pays. Un remède s'impose alors : il faut réduire le nombre des moulins, les moderniser et leur permettre ainsi de retrouver le prestige perdu. Une publication, le *Journal de la meunerie*, premier journal de la profession publié, pour la première fois, le 15 juillet 1883, engagé dans la rénovation de la meunerie française, se veut un organe d'information, de dialogue et de conseil pour les membres de la profession. Les grands meuniers, les maîtres qui possèdent de grands moulins, s'intéressent aux progrès techniques de leur activité. En quelques décennies, le métier change complètement. La meule est remplacée par des cylindres qui tiennent plus de l'approche mécanique que de la pratique meunière traditionnelle. Le *Journal de la meunerie* publie les résultats d'expérimentation avec des meules et des cylindres pour convaincre les acteurs de la profession. La concentration est imposée. La crise aiguë passée, le secteur reste fragile.

Les grandes restructurations. S'amorce alors, avec le XXe siècle, une lente transformation qui atteint et fragilise les petits meuniers. En 1936, alors que les ouvriers français expérimentent, pour la première fois, les congés payés, la grande affaire pour les meuniers est le contingentement. Un décret de 1935 demande aux meuniers de déclarer la capacité d'écrasement de leur installation concernant le blé. Les meuniers se réunissent au sein des unions meunières locales pour décider de la stratégie à mettre en œuvre. Déclarer moins que sa capacité de production pour éviter d'être éventuellement victime d'une nouvelle taxation risque de minorer la valeur du moulin, donc le capital qu'il représente. C'est aussi risquer une éventuelle pénalité, en cas de dépassement. Déclarer plus que ce que l'on peut produire est tout aussi risqué s'il est sommé, un jour, par réquisition, de produire la capacité déclarée. L'écart possible entre la capacité réelle et la capacité déclarée est toutefois limité par des calculs faits à partir de l'outillage du moulin. Ce nouveau contrôle génère des réflexions et des discussions, et chacun se détermine en fonction de ce qu'il imagine être le futur de sa profession. Les grands meuniers qui ont suggéré et accompagné cette mesure pour fixer la capacité d'écrasement de la France ont loué la mesure ; les petits meuniers qui la subissaient avec méfiance et inquiétude ont dénoncé un mauvais coup. Les meuniers ont joué un rôle non négligeable pendant la Seconde Guerre mondiale. Certes, ils ont été de tous les côtés, collaborateurs mais aussi résistants passifs ou actifs. Ils ont cru que le temps des meuniers était revenu, qu'un âge de reconnaissance suivrait, à cause de leur rôle de soutien à la population, aussi bien par leurs actions que parce qu'ils assuraient le ravitaillement de la nation, parfois au-delà de leurs obligations, sans tenir compte du risque qu'ils couraient. Mais les années des Trente Glorieuses sont marquées par une concentration de plus en plus poussée dans des usines de plus en plus grandes. Elle se fait par l'achat de contingents aux meuniers décidés à ou obligés de cesser leur activité.

Parler uniformément des meuniers est encore possible dans la France et l'Europe d'Ancien Régime ; cela devient inconcevable à partir du XIXe siècle : l'évolution des techniques a radicalisé les situations et le mot « meunier » recouvre dès lors des réalités très différentes. L'évolution des techniques, les expérimentations, les expositions universelles dans lesquelles sont présentées du matériel nouveau intéressent les meuniers puissants, ceux qui jouent un rôle politique, ceux qui sont les acteurs publics de la meunerie française, les professeurs des écoles de meunerie. Bien qu'ils n'exercent pas directement leur métier, les propriétaires de grands moulins semblent être issus de la profession et la connaître. Ils sont attentifs aux nouveautés, prudents mais avisés. Les minotiers, patrons de petites et moyennes entreprises, sont aussi des meuniers, ils ont sous leurs ordres une ou quelques dizaines de salariés. Leur souci est de garder leur clientèle, de produire une farine de qualité qui réponde aux goûts de cette clientèle, de développer leur entreprise. Leur position n'est pas toujours facile à tenir : ils doivent envisager constamment des perfectionnements, tout en gérant prudemment leurs finances afin de parer à tout accident qui nuirait au bon fonctionnement du moulin. Ils doivent prévoir l'entretien, le remplacement régulier des appareils, les bonnes et les mauvaises années. Nous sommes, avec ces structures et ces hommes, dans l'industrie agroalimentaire. Les propriétaires et/ou exploitants de petits moulins, et *a fortiori* les ouvriers des moulins, s'inscrivent dans une autre logique.

Le personnage du meunier. Le petit meunier de la tradition, le meunier des comptines, peut être un ouvrier de moulin : ils sont nombreux, tous ne touchent pas à la farine et pourtant, parmi eux, certains apprennent le métier. Ils vont ensuite travailler dans les moulins plus grands pour parfaire leur formation avant de prendre en gérance puis, éventuellement, d'acheter le moulin qu'ils ont choisi. Il peut être aussi devenu meunier par hasard, avoir acheté un moulin avec un pécule, lors d'une mise aux enchères, et s'être formé ensuite sur le tas. Plus nombreux sont les petits meuniers qui tiennent leur installation de leurs parents et qui ont appris le métier au sein de la famille ; d'abord en regardant ou en écoutant les hommes parler du métier ; ensuite en se risquant à travailler dans le moulin pour enfin succéder au meunier titulaire. Les hommes passés par une formation en école ont essentiellement fait carrière dans des minoteries ou dans des grands moulins comme responsables, sinon comme propriétaires. Le travail des petits meuniers rend compte de la complexité de la tâche dans une installation destinée à réduire les céréales. Ils doivent connaître les rudiments de l'hydraulique et de la mécanique pour pouvoir assurer la gestion de leur circuit d'eau et de leur roue. Les intempéries comme les pannes relèvent de leur seule intervention, celle du spécialiste étant réservée aux pannes les plus graves : on ne peut gaspiller l'argent ! Ils doivent donc être mécaniciens pour entretenir et dépanner les machines qu'ils utilisent. Il faut être astucieux et habile, fort et réfléchi. Il faut connaître le blé pour ne pas se laisser berner par un paysan trop habile, être capable d'apprécier sa qualité, en laissant couler le blé entre les doigts, en le sentant et le faisant craquer sous la dent ; mais il faut aussi connaître la terre d'où il provient pour reconnaître les mauvaises graines qui risquent d'échapper au trieur, d'être écrasées et de gâcher la farine. De même, ils doivent être au fait des risques potentiels qui viennent d'une farine qui peut exploser en présence d'une flamme lorsqu'elle n'est pas encore retombée dans la pièce où elle est stockée.

L'habit du meunier est souvent à petits carreaux noirs et blancs : c'est dans cette tenue qu'il visite, tous les matins, la partie souterraine de son moulin, en sous-sol, à partir de quoi le mouvement va se communiquer à l'ensemble du dispositif d'écrasement jusqu'à ensacher, dernière étape, la blanche farine et ses produits annexes. Il connaît alors tous les défauts de ses machines, a mis au point des petites astuces destinées à prévenir les incidents et à faciliter le travail. Il a dans la tête la musique de son moulin et toute fausse note l'alerte, nécessitant une intervention prompte et avertie. On imagine que la venue de contrôleurs mettant hors d'usage leur installation est un moment douloureux. Plus de quarante ans plus tard, ils en parlent encore avec colère et indignation.

Mères, filles, femmes, veuves de meuniers, les femmes sont toujours présentes. Elles aident en réparant les sacs, en accueillant les clients, en servant boissons et repas. Elles assurent, lorsqu'il le faut, la gestion du moulin, aidées en cela par un homme fort, quel que soit son statut. Le meunier ne choisit pas sa femme au hasard, la meunerie étant l'affaire de toute la famille. Longtemps acteurs essentiels de la vie économique, étroitement surveillés, victimes d'une législation tatillonne, les meuniers sont restés méfiants. Leurs clients leur demandent pourtant volontiers conseil, rassurés par leur réputation de personnes avisées et informées – les nouvelles arrivant au moulin avec les clients, les meuniers étaient en effet souvent bien renseignés. Pour ce qu'on suppose qu'ils savent, pour la place qu'ils occupent dans l'économie des subsistances, ils sont respectés et en même temps craints. Transformant le blé en farine, ils semblent toucher au secret de la vie. Ce ne sont pas des notables, mais ils sont respectés. On disait que forgerons et meuniers étaient interdits de Paradis. Les défauts qu'on attribue au meunier peuvent l'expliquer : on le dit menteur ; on l'accuse de voler le paysan et le client. Le meunier rétorque, lui, en disant que le paysan met des pierres au fond du sac pour tricher sur la quantité de blé fournie au moulin ; pour confesser aussitôt un certain nombre de pratiques compensatrices. Le fait que son salaire soit en nature facilite quelques petites tricheries. De même, il se reconnaît volontiers séducteur. La légende raconte que de belles clientes apportaient parfois le blé au moulin. Séduites par le physique robuste du meunier, peu farouches, elles se laissaient conter fleurette et succombaient parfois. Les chansons ne manquent pas (Rivals 2000), complaisantes pour le meunier, critiques pour la jeune femme et féroce pour le mari trompé. Et savez-vous que le meunier de la comptine « Meunier, tu dors » en réalité n'est évidemment pas endormi, mais plutôt tout occupé à honorer une jeune femme, oubliant son moulin ?

Hilda Dagincourt

• *Voir aussi :* ANMF ; Ban et banalités ; Céréales sauvages aux premières formes domestiques (des) ; ENSMIC ; Échangisme ; Meule ; Meunerie ; Meuniers et minotiers ; Minoterie ; Mortier-pilon ; Moudre ; Moulin ; Mouture ; Pierre à moudre ; Remoulages ; Santon

Bibl. : Natalia ALONSO MARTINEZ, « Les premières meules rotatives manuelles dans le Nord-Est de la Péninsule », *Cahier d'histoire des techniques*, n° 3, Presses universitaires de Provence, Aix-en-Provence, 1995 • Marie-Claire AMOURETTI, *Le Pain et l'huile dans la Grèce antique, de l'araire au moulin*, Paris, Les Belles Lettres, 1986. – ID., « La mouture des céréales : du mouvement alternatif au mouvement rotatif », *Cahier d'histoire des techniques*, 3, *La Transmission des connaissances techniques*, Tables rondes d'Aix-en-Provence, avril 1993-mai 1994, Publications de l'Université de Provence, p. 33-47 • Marie-Claire AMOURETTI, Georges COMET, « La meunerie antique et médiévale », *Archives internationales d'histoire des sciences*, n° 144, vol. 50, 2000, p. 18-29 • Henri AMOURIC, « Moulins et meunerie en Basse-Provence occidentale du Moyen Âge à l'âge industriel », thèse de 3e cycle, Université de Provence, Aix-en-Provence, multigraphié, 1984 • Marcel ARPIN, *Historique de la meunerie et de la boulangerie*, t. 1, *Meunerie*, Paris, Le Chancelier, 1948 • Étienne CHAMPION, *Moulins et meuniers carolingiens dans les polyptyques entre Loire et Rhin*, Paris, Vulcain/AEDEH, « Histoire et patrimoine », 1996 • Georges COMET, *Le Paysan et son outil, essai d'histoire technique, des céréales (France, VIIIe-XVe siècle*, Rome, École française de Rome, n° 165, 1992 • Hilda DAGINCOURT, « Les moulins de la vallée de Touloubre », *Provence historique*, vol. XXXIII, n° 132, avril, mai, juin 1983, p. 145-155. – ID., « Auguste Chauvet, meunier à Compssur-Artuby », *120e Congrès national des sociétés historiques et scientifiques, Aix-en-Provence, Traditions agronomiques et européennes*, 1995, p. 117-125. – ID., « La mémoire du meunier, qu'en fait l'historien ? », *in* G. Comet, A. Lejeune et C. Maury-Rouan (dir.), *Mémoire individuelle, mémoire collective et histoire*, Marseille, Solal, 2008, p. 85-98 • Philip DITCHFIELD, *La Culture matérielle médiévale. L'Italie méridionale byzantine et normande* (1967), Rome, École française de Rome, n° 373, 2007 • Ph. LEVEAU, « Les moulins de Barbegal, les ponts-aqueducs du vallon de l'Arc et l'histoire naturelle des Baux (bilan de six ans de fouilles programmées) », *Compte-rendus de l'Académie des Inscriptions et Belles-Lettres*, janvier-mars 1995, p. 115-144 • Cyrille MEGDICHE, « Claude Rivals, Le moulin et le meunier » (compte-rendu),

Études rurales, nos 161-162, 2002 • Claude RIVALS, *Le Moulin à vent et le meunier dans la société traditionnelle*, Paris, Berger-Levrault, 1987. – ID., *Pierre Roullet, la vie d'un meunier*, Marseille, Jeanne Laffitte, 1983. – ID., *Le Moulin et le meunier. Mille ans de meunerie en France et en Europe* (préface de J. Le Goff), vol. 1, *Une technique et un métier ;* vol. 2, *Une symbolique sociale*, Portet-sur-Garonne, Empreinte Éditions, 2000 • Monique TENEUR VAN-DAELE, « Au temps des artisans, métiers oubliés du Nord-Pas-de-Calais », *SELD*, no 198, 1989, p. 115-125 • *Le Journal de la meunerie*, revue mensuelle, organe de la meunerie et de la boulangerie, Paris, 1re année juillet 1883-juin 1884 ; 2e année juillet 1884-juin 1885 • Revue *Les Moulins de Provence*, no 3 (1987), no 7 (1991), no 10 (1994), no 11 (1995), questionnaire Claude Rivals commenté par lui et témoignage d'un petit meunier.

MEUNIÈRE (valeur). – Voir VALEUR MEUNIÈRE

MEUNIERS ET MINOTIERS. – Les premiers meuniers (latin *molinarius*) apparaissent avec les civilisations grecque et latine. En France, d'abord essentiellement aux mains des ecclésiastiques, puis progressivement, à partir du XVe siècle, aux mains de personnes privées, des moulins existaient dans chaque village ou presque. À partir du XIXe siècle, l'apparition de l'électricité et des cylindres bouleversa ces équilibres, rendant très technique la conduite d'un moulin. Le nombre de meuniers commença alors à diminuer, mouvement accentué par les destructions occasionnées par trois guerres successives, qui virent de très nombreux moulins rayés de la carte car ils étaient situés à des endroits stratégiques (ponts ou sommets de collines). Les dernières statistiques de la meunerie française de 2008 sont fournies par l'ANMF (Association nationale de la meunerie française) et font état d'environ 350 entreprises en France et 10 000 en Europe. En 2007 et 2008, la restructuration de la meunerie s'est poursuivie, soit par la fermeture d'unités de production (31 en 2008), soit par le regroupement ou le rachat d'entreprises.

Les moulins français sont répartis sur l'ensemble du territoire et regroupent 450 unités de production. La quantité de blé tendre écrasé avoisine les 6 millions de tonnes (soit environ 20 % de la production de blé en France) et les quantités de farine atteignent près de 4,5 millions de tonnes. La meunerie française utilise très majoritairement du blé français, à 98,6 %. Le principal débouché de la meunerie française est la panification avec environ 60 % des tonnages. Plus de 1,5 million de tonnes sont affectées à la boulangerie artisanale (soit 60 %), suivie par les ateliers des GMS avec 30 % des volumes et la boulangerie industrielle avec près de 10 % des volumes. Les autres débouchés concernent les industries utilisatrices de farine comme les biscuitiers, les biscottiers, les fabricants de pain de mie… pour 1 million de tonnes. Viennent ensuite les sachets de farine vendus aux consommateurs dans les GMS pour 250 000 tonnes. Enfin, les meuniers français ont exporté en 2008 plus de 650 000 tonnes de farine vers 90 pays, dont les principaux sont ceux de l'Union européenne pour un tiers, puis l'Angola, la Libye, la Guinée, Cuba, le Tchad, le Bénin, la République démocratique du Congo…

Les entreprises françaises sont de tailles très variées :

- 4 entreprises à dimension nationale, voire européenne ou internationale : Nutrixo (qui regroupe entre autres Grands Moulins de Paris, Euromill Nord, Grands Moulins Storione, Inter-Farine), Soufflet Meunerie, Ariane Meunerie et Grands Moulins de Strasbourg. À elles quatre, ces structures écrasent plus de 50 % du blé tendre et possèdent 49 moulins.

• 9 entreprises de taille moyenne, avec 31 moulins et 17 % de l'écrasement, couvrent plusieurs régions. Citons le Groupe Nicot, le Groupe Maurey, les moulins Dumée…

• 69 entreprises régionales assurent un peu plus de 20 % des blés écrasés. On peut citer les Minoteries Viron, Deligne, Rioux, les Moulins de Brasseuil, …

• Près de 300 moulins, à l'échelle du département, soit les deux tiers, et qui ne représentent pas plus de 6 % de l'écrasement

Certaines de ces entreprises se sont regroupées sous des marques, pour se doter d'une dimension nationale et acquérir de la visibilité aux yeux du consommateur. Ainsi, le groupement Banette se compose d'une trentaine de moulins. De même, le groupement Générale des farines France, avec une dizaine de moulins, et Festival des Pains (33 moulins).

La meunerie française se place au troisième rang européen, derrière l'Allemagne et le Royaume-Uni, et au onzième rang mondial. Les meuniers européens sont représentés au niveau des instances bruxelloises par l'association European Flour Millers. La structure de la meunerie européenne est très différente selon les pays. À titre d'exemple, il est intéressant de retenir la Pologne, avec près de 600 moulins et 3 millions de tonnes de farine produite ; le Royaume-Uni, très concentré avec seulement 60 moulins pour plus de 4,5 millions de tonnes produites ; l'Autriche produit environ 500 000 tonnes avec 185 moulins, pendant que le Danemark en produit 400 000 tonnes avec 7 moulins ! Les principaux meuniers européens sont anglais (Rank Hovis, Allied Mills), suédois (Cerealia), hollandais (Meneba).

Par extension, le terme « meunier » ne s'applique plus seulement au propriétaire du moulin, mais à tout technicien capable de « conduire » un moulin. Cette technicité requiert une formation de deux à quatre ans à l'ENSMIC (École nationale de la meunerie et des industries céréalières).

Michel Daubé
et Hubert François

• *Voir aussi :* ANMF ; Banette ; Biscottiers ; Biscuitiers ; Boulangerie contemporaine, artisanale et industrielle ; ENSMIC ; GMS ; Meunerie ; Mie (pain de) ; Minoterie ; Moulin

Bibl. : Marcel ARPIN, *Historique de la meunerie et de la boulangerie depuis les temps préhistoriques jusqu'à l'année 1914*, t. 1, *Meunerie*, Paris, Le Chancelier, 1948 • René PILON, *La Meunerie*, Ottawa (Canada), Éditions David, 1986, 2 vol. • Claude RIVALS, *Le Moulin à vent et le meunier dans la société traditionnelle française*, Paris, Serg/Berger-Levrault, 1976. – ID., *Le Moulin et le meunier. Mille ans de meunerie en France et en Europe* (préface de J. Le Goff), vol. 1, *Une technique et un métier* ; vol. 2, *Une symbolique sociale*, Portet-sur-Garonne, Empreinte Éditions, 2000 • Claude WILLM, *La Mouture du blé*, Montgeron, CEMP, 2009.

MEXIQUE (traditions du pain au). Les chroniqueurs qui ont accompagné l'arrivée des Espagnols sur le continent américain n'ont pas manqué de rappeler les significations du mot « pain », aliment essentiel du système alimentaire d'un groupe ou d'un pays. S'il est vrai que les Espagnols et les Portugais considéraient que le pain véritable était fait de froment ou de céréales cultivées en Europe, ils ne pouvaient s'empêcher de découvrir avec curiosité le « pain de la terre », celui des autres, l'élément de base de la culture des « indigènes ». Au Mexique, ce pain est élaboré essentiellement avec du maïs transformé, puis façonné sous forme de galette plate, l'ancienne *tlaxcal*, appelée désormais *tortilla*. Depuis le XVIe siècle, deux types de pain coexistent donc au Mexique, symboles évidents d'une volonté de rapprocher les cultures : la *tortilla* de maïs et le pain de froment, pain de sel autant que « pain doux », *bizcocho*. S'ils ont semblé opposés pendant un certain temps, ils peuvent désormais être considérés comme complémentaires tant le pain européen a su se faire une place dans le système alimentaire local. En fait, plus que la dimension alimentaire, ce sont les plantes et les techniques de préparation qui situent les pains dans des contextes « alternes », et situent les mangeurs dans des rapports à la terre distincts. N'oublions pas en effet que le semis de blé est pratiqué à la volée sur une terre labourée, alors que chaque grain de la céréale américaine se sème de façon individualisée dans un trou pratiqué à l'aide du bâton à fouir (la *coa*) ; il y est le plus souvent associé avec une graine de haricot et une de cucurbitacée, marquant déjà le système alimentaire mexicain d'une dimension ternaire que l'on retrouvera ensuite au stade de la consommation.

Les céréales de l'Ancien Monde réclament une méthode de culture dans laquelle la domestication animale a fini par jouer un grand rôle et où l'araire ou la charrue permettent, voire imposent, d'augmenter l'extension des surfaces cultivées. Le *Zea mays* suppose, lui, un rapport étroit de l'homme et de la plante, sans intermédiaire. Cela se retrouvera lors de la récolte des épis, pratiquée à la main ici, à l'aide d'un instrument tranchant dans l'autre cas. De la même façon, alors que depuis le XVIe siècle le produit de la moisson du blé et sa transformation ont fait l'objet d'un commerce important, le maïs est resté lié au contexte domestique. Que ce soit à la ville ou en zone rurale, la fabrication du pain reste l'affaire de boulangers, et sa vente se pratique dans des échoppes spécialisées ; à la campagne, au contraire, l'ensemble du processus d'élaboration de la *tortilla* s'effectue à la maison, ce qui, par comparaison, explique sans doute en partie la place relativement limitée du pain européen dans l'alimentation quotidienne des paysans. Tout, depuis l'égrenage des épis de la réserve familiale, la cuisson puis le broyage des grains jusqu'à la confection et la cuisson des galettes relève du travail féminin. Jusqu'à une époque récente, le maïs n'était généralement jamais transformé en farine sèche. Les femmes de la campagne le font cuire le soir dans une eau chaulée pour obtenir le *nixtamal*, qui va ensuite refroidir toute la nuit. Avant le lever du jour, elles broient manuellement les grains humides sur la pierre à moudre en pierre basaltique, le *metate*, ou, depuis le XXe siècle, dans un petit moulin de type artisanal. Elles en obtiennent une pâte, la *masa*, qu'elles laissent reposer avant d'en prendre une poignée qu'elles façonneront entre la paume de leurs mains. La *tortilla* est de forme arrondie, de la taille d'une assiette environ, variable selon les régions. En ville, avant que n'apparaissent les farines toutes prêtes, la maîtresse de maison ou la cuisinière se rendaient au moulin le plus proche où elles achetaient au poids la provision quotidienne de *masa* ou de *tortillas* semi-prêtes. Comme à la campagne, les *tortillas* sont mises à cuire au moment même du repas sur une plaque chaude, le *comal*, jadis en céramique, désormais le plus souvent en métal. L'obligation de disposer à table d'une *tortilla* chaude, homogène, souple, non brûlée contraint la maîtresse de maison à ne pas quitter le feu, tandis que la maisonnée prend son repas. Si la valeur gustative du « pain de la terre » importe alors, il ne faut pas négliger la fonction d'ustensile de table d'une galette pliée adroitement entre les doigts pour saisir dans l'assiette ou le bol les aliments coupés en petits morceaux et les porter à la bouche. Aliment parfaitement diététique grâce au processus de nixtamalisation, nutriment majeur au sein d'un système parfois à la limite du déficit, cuillère comestible, élément identitaire, la *tortilla* est devenue si indispensable à la survie des peuples indigènes que certains d'entre eux, tels les Otomi de la région centrale, désignent le repas par l'expression : « manger des *tortillas* ». Et qu'on dit que quelques groupes trouvent légitime de répudier une épouse qui serait incapable de fournir à son mari le genre de *tortilla* qu'il désire. La galette est cependant parvenue à trouver sa place sur la table des Européens et des créoles après qu'elle eut été considérée aux premiers temps de la colonie comme une référence ethnique, et donc sociale, dégradante. Au milieu du XXe siècle, on estime que les *tortillas* de maïs représentaient entre 70 et 75 % de l'apport calorique du peuple mexicain, plus sans doute que dans les siècles antérieurs.

Le pain de blé ne participe pas de l'ensemble du système alimentaire mexicain dans les mêmes proportions. Plutôt réservé aux populations urbaines aisées, il trouve néanmoins sa place dans un grand nombre de prises alimentaires sous des aspects divers. Lorsque les familles peuvent s'en procurer – et pendant longtemps il existait en ville autant de catégories de magasins de vente que de qualités reconnues de pains –, il offre une certaine complémentarité en dehors du repas principal, celui de la mi-journée. On tend donc à distinguer les « pains de sel », et le groupe des *bizcochos*, qui, au Mexique, ont perdu leur caractère de « biscuits », voire de biscuits de marine originels, pour se rapprocher d'une sorte de viennoiserie individuelle fabriquée à partir d'une pâte feuilletée ou une pâte légère comportant du sucre, du saindoux ou de la graisse végétale, des œufs. La pâte est pétrie avec de la levure sèche, façonnée en boule le plus souvent, puis mise au four après un léger repos d'une quinzaine de minutes. Les *bizcochos* interviennent surtout dans des contextes à caractère festif et lors d'un repas du soir pris assez tôt et volontiers succinct. Alors que certains mangeurs terminent à cette occasion le plat principal du déjeuner, beaucoup préfèrent désormais une collation légère à base de *pan dulce* associé à un verre de lait, un chocolat ou un « café » au lait, ou encore un *atole*, mélange de *masa* battue dans de l'eau et sucré. Pain et lait, inconnus avant l'arrivée des Espagnols, se présentent ainsi comme des recours aimables venant rompre la monotonie relative des repas traditionnels qui tournent autour des trois éléments : le maïs, le haricot et le piment.

Si le pain de froment en tant qu'accompagnement est plutôt réservé aux tables d'origine européenne, on le consomme dans l'ensemble de la population sous la forme de *torta*, qui emprunte à un mode de préparation indigène : le *taco*, une *tortilla* garnie de divers ingrédients puis roulée, que l'on peut déguster debout dans la rue, en dehors du cadre d'un repas formel. Depuis le XVIIIe siècle et l'installation de boulangers français dans la ville de Puebla, la *torta* reprend le même principe, et il existe dans les marchés ou sur la voie publique de nombreux postes fixes ou volants où l'on prépare des *tortas*. Pour ce faire, on tranche par le milieu une petite boule de pain, on retire de chaque moitié une partie de la mie, puis on fourre l'ensemble avec, par exemple, de la crème, de l'avocat, un piment et de la viande cuite au four. Le pain utilisé pour cette préparation était traditionnellement le *pambazo* ou le *cemita* plutôt que le pain de qualité supérieure, à la fleur de farine. Le *pambazo* (de *pan baxo*, « pain bas » permet le mélange de diverses farines ; il appartient à la catégorie des produits de seconde classe, de même que la *semita* élaborée avec une farine intégrale, de la graisse et d'autres ingrédients, comme des graines de céréales. De nos jours, et depuis le temps de l'occupation française (1864-1867) lorsque la ville de Mexico comptait quelque cinquante boulangeries et cent vingt-huit pâtisseries, on n'emploie plus guère que le *telera*, une sorte de *pambazo* aplati, et surtout le *bolillo*, petit pain français, pour la vente au public ou la préparation de victuailles pour le pique-nique. En ville, lorsqu'il s'agit de collations pour les enfants ou de repas familiaux vespéraux pris à la hâte, la maîtresse de maison utilise des tranches fines de pain de mie industriel connu génériquement sous le nom de la marque commerciale la plus répandue. Uniquement proposé dans le commerce, le pain a évidemment fait l'objet de concessions dans le système économique imposé pendant le période coloniale, dès l'année 1527. À condition que le produit fût bien cuit et bien sec, le prix du pain était resté fixe pendant longtemps (à l'origine, « la livre de pain à un *tomin* d'or »), les variations n'affectant en fait que le poids de produit obtenu sur cette base intangible, en particulier lorsque des pains de qualité inférieure furent introduits au prix d'une réglementation moins rigoureuse.

Consommateurs très occasionnels, les indigènes étaient pareillement exclus de la propriété ou de la gestion des maisons de production ou de vente de pains dans lesquelles ils trouvaient pourtant à s'employer. C'étaient eux par exemple qui, jusqu'à une époque fort récente, répartissaient à travers les villes et les villages les différentes sortes de pain en les transportant sur leur tête dans de grands paniers d'osier de forme arrondie, à la manière de chapeaux à larges bords. Au-delà des logiques socioculturelles, on retiendra une dimension technologique pour expliquer cette distance et reconnaître que, de même que la friture, l'usage du four à sole était inconnu des anciens Mexicains. Il revenait donc aux étrangers de mettre en place et contrôler une production commerciale spécialisée qui resterait largement inaccessible aux populations indigènes campagnardes. C'est pourquoi, dans le domaine privé rural, on ne trouvait des fours individuels que dans les établissements conventuels et dans quelques grandes propriétés agricoles. Ces dernières, en revanche, avaient coutume d'employer une femme comme *tortillera* uniquement chargée de la fabrication des *tortillas* pour l'ensemble des personnes attachées au bâtiment principal. Dans les États du nord du Mexique, où se trouve désormais la majorité des terres à blé, comme dans le Guanajuato, le Sinaloa, le Sonora ou la Basse-Californie, la consommation du pain de froment ou de *tortillas* blanches fabriquées avec la farine de blé est sensiblement plus fréquente que dans le reste de la République, et il n'était pas rare que, récemment encore, les maîtresses de maison de certains villages « nordiques » transportent au matin leur pâte pour la faire cuire dans l'un des fours communaux.

D'une certaine manière, la consommation du « pain de maïs » relève davantage de la sphère domestique, alors que le pain s'identifie plutôt à la « rue », c'est-à-dire au domaine extérieur à la maison, au contact avec la société globale. C'est en partie la raison pour laquelle le pain de froment, sous sa forme sucrée, trouve une large place dans l'univers festif. Au début de l'année, par exemple, entre le 5 et le 6 janvier, on sert la *rosca de reyes* en forme de couronne, agrémentée de fruits, dans laquelle on a placé une petite figurine représentant un Jésus. Celui que le hasard désigne pour recevoir la part avec cette fève est censé inviter pour la Chandeleur, le 2 février, les personnes de son entourage à manger des *tamales*. Ceux-ci consistent en des petits paquets de *masa* de maïs mélangée avec du saindoux, garnis de divers ingrédients, de la viande aussi bien qu'un élément sucré ou des légumes, puis enveloppés dans une feuille de bananier ou une spathe de maïs, et cuits à l'étuvée. Pour la semaine sainte, on consomme des *torrejas* (*torrijas* en Espagne), des tranches de pain mouillées dans le lait et des œufs avec de la cannelle et du sucre, puis frites. Un autre pain mérite une attention particulière car il intègre à l'occasion des fêtes des éléments des cultures traditionnelles en présence au Mexique : le pain de pulque. Le pulque est la boisson fermentée à partir du jus de l'agave, qui est un des marqueurs essentiels de la culture indigène ; il apporte sa saveur et sa puissance fermentescible à un mélange de farine de blé, de graisse végétale, d'œufs, de sucre. On en fait des triangles (les *cartuchos*), des ronds, d'autres recouverts de chocolat (*bonetes*).

Mais, s'il fallait illustrer au mieux le rôle joué par cette mise en complémentarité des pains dans la formation du syncrétisme si typique du Mexique moderne, on se tournerait vers la célébration de la fameuse fête des Morts du début novembre, et on observerait dans de nombreuses maisons la disposition des offrandes sur l'autel destiné à recevoir les plats préférés des défunts de la famille, dont les âmes apprécieront l'esthétique et se régaleront de l'odeur. Répartis de chaque côté de la table de ce repas aussi réel qu'immatériel, au milieu des symboles des quatre éléments représentés par l'eau, des produits de l'environnement immédiat (la terre), les papiers découpés (le vent) et les bougies (le feu), trônent deux paniers emplis, l'un de *tamales de muertos* souvent garnis avec de la purée de haricots, l'autre de *panes de muertos* à l'image des os ou des larmes. En général, ils sont élaborés avec de la farine, de l'eau, des œufs, du sel, de l'anis en poudre, de la graisse animale et saupoudrés de sucre. Plusieurs régions les façonnent et les nomment de manière distincte, comme à Tlaxcala avec le petit pain rond *totepo*, à Oaxaca les *regañadas* qui utilisent de la pâte feuilletée, à Puebla les *tlacotonales* en forme de baigneurs... Réunis sur le même autel, le pain de maïs moelleux, friable, bouilli à la maison pour être consommé dans l'instant, et le pain de l'Ancien Monde, enfourné et acheté au dehors, dur, d'une conservation facile, ouvert sur le monde extérieur. Voici que les âmes des morts devenus esprits divins disposent de la chair de la vie quotidienne, du temps éphémère d'une part, de l'ossature pérenne de la vie sociale, du temps long d'autre part. Le pain du proche et celui de l'autre se retrouvent en ce jour si précieux pour raconter l'Histoire et dire la force vive de la vie culturelle des Mexicains.

Bizcocho. Il a perdu au Mexique son caractère de « biscuit », voire de biscuit de marine originel, pour se rapprocher d'une sorte de viennoiserie individuelle fabriquée à partir d'une pâte feuilletée ou une pâte légère à base de levure sèche et comportant du sucre, du saindoux ou de la graisse végétale, des œufs. Les *bizcochos* sont consommés surtout dans des contextes à caractère festif et lors d'un repas du soir léger et pris assez tôt.

Bolillo. Petit pain français destiné à la vente au public ou à accompagner un pique-nique.

Fajita. Tortilla pliée et garnie d'un mélange de bœuf, poulet, porc ou crevettes et de crudités (salade, tomates, oignons, etc.) et accompagné de sauce (salsa, guacamole, etc.) et de condiments.

Pain de pulque. Le pulque est la boisson fermentée à partir du jus de l'agave ; il apporte sa saveur et sa puissance fermentescible à un mélange de farine de blé, de graisse végétale, d'œufs, de sucre. On en fait des triangles (les *cartuchos*), des ronds, d'autres recouverts de chocolat (*bonetes*).

Pambazo (de *pan baxo*, « pain bas »). Fait à partir du mélange de diverses farines.

Rosca de reyes. Servie entre le 5 et le 6 janvier, la *rosca de reyes* est en forme de couronne agrémentée de fruits dans laquelle on a placé une petite figurine représentant un Jésus. Celui que le hasard désigne pour recevoir la part avec cette fève est censé inviter pour la chandeleur, le 2 février, les personnes de son entourage à manger des *tamales*.

Taco. *Tortilla* garnie de divers ingrédients, puis roulée, que l'on déguste debout dans la rue, en dehors du cadre d'un repas formel.

Tamale. Fait à partir de *masa* de maïs (pâte à *tortilla*) mélangée avec du saindoux, garnie de divers ingrédients, de la viande aussi bien qu'un élément sucré ou des légumes, puis enveloppée dans une feuille de bananier ou une spathe de maïs, et cuit à l'étuvée.

Tamales, panes de muertos. Préparés à l'occasion de la fête des Morts, de même que les *panes de muertos*, les *tamales de muertos* sont souvent garnis avec de la purée de haricots. Ils sont élaborés avec de la farine, de l'eau, des œufs, du sel, de l'anis en poudre, de la graisse animale et saupoudrés de sucre. Ils se nomment *totepos* à Tlaxcala ; *regañadas* à Oaxaca et *tlacotonales* à Puebla.

Telera. Sorte de *pambazo* aplati.

Torreja (*torrija* en Espagne). Consommée pendant la semaine sainte. Il s'agit d'une tranche de pain mouillée dans le lait et des œufs avec de la cannelle et du sucre, puis frite.

Torta. Depuis le XVIIIe siècle et l'installation de boulangers français dans la ville de Puebla, la *torta* imite le principe du *taco*, c'est-à-dire d'une *tortilla* garnie et roulée et qui se déguste dans la rue ; il existe ainsi dans les marchés ou sur la voie publique de nombreux postes fixes ou volants où l'on prépare des *tortas*. Pour ce faire, on tranche par le milieu une petite boule de pain, on retire de chaque moitié une partie de la mie, puis on fourre l'ensemble avec de la crème, de l'avocat, un piment et de la viande cuite au four. Le pain utilisé était traditionnellement le *pambazo* ou le *cemita*.

Tortilla. Les femmes font cuire le maïs le soir dans une eau chaulée pour obtenir le *nixtamal*, qui refroidit ensuite toute la nuit. Au matin, elles broient manuellement les grains humides sur le *metate*, pierre à moudre en pierre basaltique, ou, depuis le XXe siècle, dans un petit moulin de type artisanal. La pâte obtenue, la *masa*, repose avant d'être façonnée. La *tortilla* est de forme arrondie, de la taille d'une assiette environ, variable selon les régions. En ville, avant que n'apparaissent les farines toutes prêtes, les femmes se rendaient au moulin le plus proche où elles achetaient au poids la provision quotidienne de *masa* ou de *tortillas* semi-prêtes. Comme à la campagne, les *tortillas* sont cuites au moment du repas sur une plaque chaude, le *comal*, jadis en céramique, aujourd'hui en métal. Aliment parfaitement diététique grâce au processus de nixtamalisation, la *tortilla* est ainsi non seulement un nutriment majeur au sein d'un système parfois à la limite du déficit, mais aussi une sorte de cuillère comestible et encore un élément identitaire. Les Otomi de la région centrale désignent ainsi le repas : « manger des *tortillas* ».

Dominique Fournier

• *Voir aussi :* Amérindiens ; Amérique latine ; Caraïbes ; États-Unis ; Maïs ; Nixtamalisation ; Pains mondiaux

Bibl. : Jesús FLORES Y ESCALANTE, *Breve historia de la comida mexicana* (1994), Mexico, Debolsillo, 2004 • Susanna PALAZUELOS, Marilyn TAUSEND, *El libro de la cocina mexicana*, Mexico, Editorial Patria, 1992 • Salvador NOVO, *Cocina mexicana o Historia gastronómica de la ciudad de México*, Mexico, Porrua, 1979.

MICHE. – Désigne une grosse boule de pain, de poids variable, lamée ou pas, farinée ou pas, sans composition particulièrement définie. Elle peut être complétée d'un qualificatif descriptif : miche de pain de campagne, miche de pain au levain, miche de pain complet…

Catherine Peigney

• *Voir aussi :* Campagne (pain de) ; Lame et coup de lame ; Pain (définition universelle du); Pain complet; Pain domestique; Pain noir; Pains mondiaux

MICRO-ORGANISME. – Invisibles à l'œil nu, les micro-organismes sont constitués d'une ou plusieurs cellules. Parmi les micro-organismes, on distingue notamment les bactéries et les champignons microscopiques (mycètes). Chez ces derniers, on différencie les levures et les moisissures. Les micro-organismes diffèrent entre eux par leur taille, leur forme et surtout par leur structure et leur fonctionnement cellulaire. Les bactéries sont des cellules procaryotes (du latin *pro*, « avant », et du grec *caryon*, « noyau » : elles ne possèdent donc pas de noyau et se divisent par simple division), les levures et moisissures sont des cellules eucaryotes (noyau, organites cellulaires spécifiques, reproduction complexe). Chaque groupe ou domaine de micro-organismes comporte différents genres (pour les levures : environ soixante genres différents, ex. : le genre *Saccharomyces*), eux-mêmes regroupant différentes espèces (ex. : *Saccharomyces cerevisiae* pour la levure de boulangerie). Au sein d'un genre, une espèce est constituée d'individus nommés « souches » (ex. : *Saccharomyces cerevisiae S99*), présentant des caractéristiques physiologiques et métaboliques différentes entre elles. La descendance d'une souche, issue de sa multiplication, constitue un clone rassemblant des cellules génétiquement identiques entre elles. Les producteurs de ferments sélectionnent les souches les mieux adaptées au procès correspondant (capacité de production de gaz par exemple pour la levure). Dans le milieu naturel, les facteurs du milieu favorisent le développement et la sélection de tels ou tels groupes, genres, espèces ou souches de micro-organismes (cas de la microflore d'un levain).

On distingue les micro-organismes pathogènes (responsables de maladies), les micro-organismes sans danger pour l'homme ou l'animal (flore banale), enfin les micro-organismes utiles (flore technologique, dont la levure de boulangerie). D'autres termes peuvent être considérés comme synonymes de micro-organismes : germes, microbes, microflore… et peuvent être employés selon les contextes. Chaque micro-organisme est caractérisé par son comportement vis-à-vis du milieu, on parle ainsi des « facteurs de croissance microbienne ». L'étude de la croissance microbienne permet de définir les conditions favorables ou non au développement et les caractéristiques de ce développement (vitesse de croissance, températures minimale, optimale, maximale, etc.). La croissance microbienne est caractérisée par le taux de croissance et le temps de doublement, celui-ci peut être de 20 min pour certains germes dans des conditions optimales, mais beaucoup plus long si les paramètres environnementaux deviennent moins favorables. La farine n'est pas stérile et on y retrouve des moisissures, des levures et des bactéries en quantité variable.

Bernard Onno

• *Voir aussi :* Bactérie; Levure de boulanger; Moisissure

Bibl. : C. M. BOURGEOIS, J. F. MESCLE, J. ZUCCA, *Microbiologie alimentaire*, t. 1, Paris, Tec et Doc-Lavoisier, coll. « Sciences et techniques », 1996.

MIE (couleur de la). – La couleur de la mie du pain de blé est généralement crème ; c'est le cas en pétrissage amélioré et en pétrissage lent. Cependant, il existe de nombreuses nuances, dues aux variétés de blé utilisées. La tendance s'oriente vers la recherche des variétés qui s'oxydent peu lors du pétrissage, riches en pigments caroténoïdes qui permettent d'obtenir une mie de couleur crème et de saveur douce lorsque la pâte n'est pas surpétrie, comme c'est le cas en pétrissage intensifié, qui blanchit la couleur de la mie et détruit l'odeur et la saveur du pain.

Ludovic Salvo

• *Voir aussi :* Caroténoïdes ; Fève ; Gluten ; Oxydation ; Oxygénation ; Pain (aspect du) ; Pain blanc ; Pâte ; Pétrissage

MIE (pain de). – Il est difficile de dater avec précision l'apparition du pain de mie, probablement né de savoir-faire croisés et d'innovations successives qui ont effectué un va-et-vient continu entre la France et les pays anglo-saxons. Qui sont les prétendants au titre d'ancêtres de ce que nous nommons de nos jours « pain de mie » ? Au XVIe siècle, le « pain mollet », enrichi de lait et levure de bière, à la mie moelleuse, créé pour Catherine de Médicis, connut un succès fulgurant à Paris ; même s'il s'apparente davantage au pain au lait qu'au pain de mie, peut-être pouvons-nous le compter parmi les grands-oncles. À la même époque, en Allemagne, le *Pumpernickel*, un pain de seigle moulé, à la mie foncée, dense et acidulée, se vend dans une boulangerie de Soest, en Westphalie. Il a l'apparence de nos pains de mie, mais sa mie sombre, précisément, n'enthousiasme pas les Français, qui ne prisent guère le pain de seigle. Au cours du XVIIIe siècle, la mouture se fait plus fine, les quantités de levain employées augmentent et les pâtes en conséquence se font plus souples, plus hydratées. Au début du XIXe siècle, les Anglais confectionnent un pain moulé, contenant levure de bière et pommes de terre cuites écrasées et mélangées à la farine de blé. Ce pain connaît rapidement un certain succès en France (mais aussi dans d'autres pays d'Europe, où on le trouve encore aujourd'hui, comme en Hongrie). Les pains dits « de luxe » ou de « fantaisie », en raison des ajouts de lait, de sucre, de matières grasses, n'ont pas cessé d'ailleurs de séduire, en France, une clientèle de plus en plus vaste. Le pain blanc est en passe de s'imposer.

Il ne s'agit pas encore de pain de mie, mais l'engouement pour les sandwichs, apparu en Angleterre au milieu du XVIIIe siècle, va de pair avec un changement progressif des habitudes alimentaires et des horaires des repas, concomitant à la transformation de la société anglaise à l'ère de la révolution industrielle. Réservé d'abord à l'*upper class*, le sandwich a quitté les cercles fermés des clubs londoniens où il était consommé au souper, pour s'encanailler, et ce dès la seconde moitié du XIXe siècle puis au cours du XXe siècle, que ce soit à l'heure du thé ou à celle du lunch : aussi pratique que nourrissant, le sandwich, qui en France est plutôt réalisé à partir de baguette, a été le cheval de Troie du pain de mie dans les pays anglo-saxons. Parallèlement aux recherches menées sur la pâte à pain, la mécanisation et l'industrialisation de la panification vont rendre possible la production de pain moulé industriel. Aux États-Unis, le pain de mie est appelée *white bread*, *sandwich loaf* ou *(american) sandwich bread*. L'un des premiers ouvrages américains qui mentionnent les sandwichs, *Directions for Cookery*, est écrit par Eliza Leslie en 1837. Les sandwichs y deviennent très populaires vers 1900, le pain pré-tranché étant alors déjà commercialisé par les boulangeries, et 1958 marquant l'apparition du pain de mie tranché industriel aussi bien en Europe qu'aux États-Unis ou en Australie. Depuis le début du XXe siècle, le pain de mie constitue donc un standard aux États-Unis et au Royaume-Uni, reléguant les autres familles de pains, pourtant fort nombreuses, à la périphérie du royaume.

Le pain de mie est habituellement confectionné à partir d'une pâte à pain au levain, enrichie en matières grasses, parfois en sucre, comportant souvent des améliorants (data-esters, émulsifiants divers), qui permettent à la mie d'être régulière et dense. Le pain de mie cuit dans un moule, à une température douce, qui permet d'éviter la formation d'une croûte. Si le pain de mie est largement utilisé pour confectionner toasts et sandwichs au Royaume-Uni et aux États-Unis, en revanche les Français préfèrent le transformer en croûtons pour les soupes et les salades, ou le couper puis le garnir d'ingrédients variés à l'heure de l'apéritif, lui donnant alors le nom de « canapé ». Rassis et trempé dans de l'eau ou du lait, le pain de mie entre dans la composition de farces variées. Cuit deux fois jusqu'à disparition de son humidité, il devient biscotte. Il n'existe pas une recette de pain de mie, mais des dizaines, voire des centaines : chaque culture, chaque région, chaque boulanger amateur ou professionnel bichonne la sienne, donne sa touche à une recette traditionnelle. Le pain de mie, réalisé à partir de farine de froment aux États-Unis, est souvent plus gras et plus sucré qu'ailleurs dans le monde. Les Néo-Zélandais se targuent de confectionner un pain de mie plus diététique que celui qui prévaut aux États-Unis, préférant souvent un pain de mie à base de farine complète aux petits arrangements avec le naturel que constituent les recours à des additifs divers : sucre, vitamines synthétiques, émulsifiants… Le *welsh tin* est un pain de froment moulé du pays de Galles, à la mie dense. Au son, complet, aux céréales ou brioché, telles sont, en France, les variantes du pain de mie ordinaire. En Allemagne, les pains cuits à la vapeur dans des moules fermés constituent une classe de pains à part entière, les *Kastenbroten*, dépourvus de croûte, à laquelle appartiennent le *Pumpernickel* (composé traditionnellement de farine de seigle grossièrement concassé et d'eau) et le *Muëslibrot* (contenant des noix et des céréales variées). Les pains de seigle moulés se retrouvent dans toute l'Europe du Nord. Ils comportent souvent des matières grasses, de la mélasse, du malt, des épices (fenouil, cumin, coriandre, anis…) qui en adoucissent le goût. En Russie, le *borodinsky* est un pain moulé de seigle et d'orge auquel on ajoute du yaourt, de la mélasse, du petit-lait, de la coriandre… De froment ou de seigle, nature ou enrichi, le pain de mie a traversé les frontières et s'est imposé face aux pains à croûte sans les détrôner. Inséparable de la vie quotidienne des Anglais et des Américains, le pain de mie a conquis ses lettres de noblesse avec les transformations radicales qui ont accompagné la révolution industrielle en Occident.

Myriam Daumal

• *Voir aussi :* Australie ; États-Unis ; Fantaisie (pain de) ; Grande-Bretagne ; Lait (pain au) ; Pain mollet → France (pains historiques, du Moyen Âge à la Révolution française) ; Nouvelle-Zélande ; Pumpernikel → Allemagne ; Sandwich

Bibl. : Solomon H. KATZ, William W. WEAVER (dir.), *Encyclopedia of Food and Culture*, vol. 3, New York, Charles Scribner's Sons, 2003 • Eliza LESLIE, *Directions For Cookery*, International Law & Taxation, 2001 • John F. MARIANI, *Encyclopedia of American Food and Drink*, New York, Lebhar-Friedman, 1999 • Philippe ROUSSEL, Hubert CHIRON, *Les Pains français. Évolution, qualité, production*, Vesoul, Maé-Erti, 2002.

MIE DE PAIN. – Qui dit mie de pain, dit pain levé. Et qui dit pain levé, dit levain, levure… Il est difficile de dater avec précision la confection des premiers pains levés. Quelques éléments autorisent à avancer l'hypothèse de leur apparition vers 4000 ou 3000 av. J.-C. en Mésopotamie, les Sumériens cultivant alors le blé et l'orge, et la production de bière y étant attestée dès cette époque. Or, les archéologues ont mis en évidence l'emploi très ancien de la mousse engendrée lors de la fabrication de la bière et permettant de faire lever la pâte à pain. D'autre part, il semblerait que la fermentation spontanée sous l'effet de la chaleur ait aussi été – peut-être plus tardivement – observée et mise à profit. Ces premiers pains levés, dont la présence semble confirmée vers 2700 av. J.-C. en Égypte, étaient vraisemblablement considérés comme un produit rare et précieux (en raison de la difficulté, sans doute, à effectuer une bonne mouture du grain), réservé de ce fait à des personnages de haut rang ou aux offrandes rituelles. Ils se répandirent en Grèce, grâce aux échanges commerciaux entre ces deux rives de la Méditerranée, vers 800 av. J.-C. Les pains levés connurent un grand succès dans un pays où l'on ne consommait jusque-là que bouillies et galettes. De la Grèce, l'art de la panification passa à Rome, avant de poursuivre son expansion : la Gaule était déjà réputée pour la légèreté et le volume de son pain fermenté à l'écume de la cervoise en 70 apr. J.-C. !

Le pain, et donc la mie, n'ont pas cessé d'évoluer depuis : aliment essentiel, le pain a été l'objet de recherches empiriques puis scientifiques constantes au fil des siècles. Peu à peu, les facteurs divers et variés jouant sur les caractéristiques de la mie ont pu être cernés. Plus loin que cette opération « magique » qui consiste à voir se transformer, presque sous nos yeux, une pâte ensemencée de levain ou de levure, il a été mis en lumière l'existence d'agents microscopiques responsables de la fermentation panaire, les bactéries lactiques dans le cas du levain, ou les cellules de levure dite levure de boulanger (*Saccharomyces cerevisiae)*. En l'absence d'oxygène (milieu anaérobie), ces agents transforment les sucres fermentescibles en éthanol et en gaz carbonique responsable de l'expansion du réseau glutineux et de la levée de la pâte. Pour que le réseau glutineux se constitue, il faut nécessairement pouvoir compter sur des farines riches en gluten, autrement dit essentiellement des farines de blé : l'élasticité, la densité et la couleur de la mie y sont directement corrélées. Plus le type de farine utilisée sera élevé (⩾ T 65), plus la mie sera intéressante sur le plan nutritif et de teinte foncée. Ce sont donc les protéines présentes principalement dans le blé qui vont s'associer au cours du pétrissage pour former un réseau élastique et imperméable, susceptible de retenir à l'intérieur de la pâte les gaz dégagés par la fermentation et constituer ainsi l'alvéolage, qui est l'architecture interne et chaque fois unique du pain. L'alvéolage peut être régulier ou irrégulier, fin ou pas ; il n'est pas le même selon la variété de pain confectionné et dépend également du mode de cuisson. En plus de ces facteurs, les matières grasses et les divers émulsifiants ajoutés permettent d'influer sur la densité de la mie : l'ajout de matières grasses participe ainsi de l'obtention de la mie régulière et finement alvéolée du pain de mie.

Au cours de son histoire, le pain a connu des « modes », s'agissant de son volume, de sa croûte, de la couleur de sa mie, de son goût… L'abondance et la blancheur de la mie ont été particulièrement recherchées et prisées à diverses périodes, et particulièrement au XXe siècle, où le recours à des farines au taux d'extraction faible, l'emploi d'adjuvants et la pratique du pétrissage intensifié ont achevé de dénaturer la valeur du pain et suscité une salve de critiques, puis une réaction courageuse de la part d'une profession qui s'était mise par ses propres inconséquences en danger de se saborder. La mie qui se laisse découvrir une fois le pain rompu ou découpé présente certaines caractéristiques qui renseigneront l'œil et les papilles d'un bon connaisseur. La couleur de la mie dépend ainsi du type de farine utilisée, mais encore du type de pétrissage et des éventuels améliorants ajoutés à la pâte. La structure sera tributaire du mode de pétrissage employé, de l'agent fermentaire impliqué, des additifs éventuels auxquels le boulanger aura eu recours (acide ascorbique, amylase fongique, hémicellulase fongique, etc.).

Quant à la saveur de la mie, il est curieux que le pain n'ait pas généré comme le vin des « tasteurs » capables de se livrer à ces expertises savantes, et le vocabulaire auquel ils auraient eu alors recours pour qualifier et résumer les propriétés organoleptiques de telle fournée sortie de tel four, tel jour, et signée par tel boulanger. Ainsi, le verbe est ici pauvre pour tenter de décrire cette eucharistie que chaque mangeur et amoureux du pain peut vivre au quotidien en sortant de sa boulangerie. Une fois bien distingué le pain au levain acidulé, il reste donc difficile de mettre un contenu précis pour ce que nous entendons par « flaveur », permettant de relier qualités gustatives et sensations olfactives. Les experts avancent le chiffre de 200 à 300 composés aromatiques, dont un tiers pour la mie comprenant les alcools, les aldéhydes, les acides, les esters, les phénols, et provenant de « transformations biochimiques (dégradation des sucres et acides aminés par voie enzymatique, oxydation de la farine et de la pâte, pré-fermentation et fermentation), et de transformations physicochimiques (dégradation de composés par la chaleur) en cours de panification » (Roussel, ci-dessus, art. « Goût du pain »). Ainsi, la mâche qui permet d'apprécier ce que sera le comportement d'une bouchée de pain une fois en bouche, même si elle tend à obéir à certains critères objectifs, reste à l'appréciation de chacun.

Ces qualités organoleptiques si difficiles à définir ont été diversement appréciées dans le temps et selon les cultures, les phénomènes de mode et l'évolution des goûts ayant mis les boulangers en devoir de se remettre périodiquement en question, car, dans ces domaines, artisans et consommateurs s'influencent mutuellement. L'inclination des Anglo-Saxons pour le pain de mie et les pains moelleux en général s'oppose au goût avéré des Français et d'une partie des Européens pour le croustillant, le pain souple ou mou prédominant dans les pays maghrébins ou proche-orientaux… Ce qui n'empêche pas la baguette, avec ses déclinaisons culturelles et régionales, d'avoir conquis le monde, ni le pain de mie d'être présent sur nos tables, au petit déjeuner ou à l'heure des cocktails… En cuisine, la mie de pain, de préférence un peu rassie, est utilisée pour donner du moelleux aux farces. Les enfants aiment jouer avec, réalisant des petites boulettes à l'usage parfois répréhensible, tandis que les figurines en mie de pain sont depuis des temps très anciens l'expression d'un art ancestral avec ses déclinaisons populaires et régionales.

Myriam Daumal
et Jean-Philippe de Tonnac

• *Voir aussi :* Acide ascorbique ; Alcool ; Alvéolage ; Amylase fongique ; Bactérie lactique ; Consistance ; Défauts du pain ; Fermentation panaire ; Gastronomie ; Gaz carbonique ; Goût du pain ; Hémicellulase fongique ; Levain de panification ; Levure de boulanger ; Mie (couleur de la) ; Pain (aspect du) ; Pain levé du monde (le plus ancien) ; Propriétés organoleptiques ; Réseau ou tissu glutineux ; Sucres fermentescibles

Bibl. : Philippe ROUSSEL, Hubert CHIRON, *Les Pains français : évolution, qualité, production*, Vesoul, Maé-Erti, 2002.

MIE DE PAIN (association La). – Créée en 1891 à l'instigation de Paulin Enfert pour venir au secours des enfants démunis de son quartier (La Bièvre, à Paris), l'association La Mie de pain cherche aujourd'hui à moduler ses offres d'assistance aux besoins des exclus. Le principe d'une association et d'une action reconnues d'utilité publique en 1984 est contenu dans cette réflexion émanant des premiers bénévoles engagés dans la défense des droits des plus pauvres : « On donne bien du pain aux oiseaux, pourquoi ne pas en demander pour nourrir les gens ? » Et c'est ainsi que sur la page du site définissant les missions de l'association (assistance aux personnes en danger ; accompagnement social aux personnes en situation de précarité ; regard de la société sur les exclus) figure la photo d'une miche de pain que deux mains viennent de rompre et s'apprêtent à partager.

Jean-Philippe de Tonnac

• *Voir aussi :* Bread & Roses ; Bread for the Journey ; Compagnon ; Danse des petits pains ; Disettes, famines et révoltes pour le pain en France ; Émeutes de la faim en Égypte ; FAO ; Frumentaire ; Jean Valjean

Bibl. : Voir le site de La Mie de pain, www.miedepain.asso.fr

MIE DE PAIN ŒILLETÉE. – Mie aux alvéoles nombreuses et régulières. À l'inverse, les alvéoles de la mie du pain au levain sont plus remarquables par leur taille irrégulière que par leur nombre. Une mie œilletée révèle l'homogénéité des ferments de la levure, par contraste avec l'hétérogénéité de la flore sauvage du levain.

Guy Boulet

• *Voir aussi :* Alvéolage ; Levure de boulanger ; Mie de pain

MIETTE. – Dans tous les contes issus d'un vieux fonds de traditions orales, partagé par les peuples européens, adapté, pétri, réinventé par eux, les miettes constituent toujours un trait d'union entre ce qu'on a quitté et qu'on connaissait, fût-ce pour le rejeter, le fuir, et l'inconnu et les dangers auxquels, inexorablement, on va devoir s'exposer. De même que les miettes tombées du pain, d'une certaine manière, y ramènent et le résument, les miettes laissées après eux par Hänsel et Gretel ou par le Petit Poucet, sont la garantie et la promesse, fragiles, d'un retour vers la maison. Mais le statut des miettes fait ici problème. Appartiennent-elles encore au pain dont elles sont tombées ou dont on les a extraites, et dans ce cas elles devraient, en toute logique, y reconduire ; ou bien, s'étant affranchies de lui, participent-elles de cette perdition à laquelle les parents des enfants ont, sans grand scrupule, œuvré ? Impossible de méconnaître que la maison que Hänsel, Gretel et Poucet ont quittée est une maison sans pain. Ils en sont chassés précisément parce que les adultes ont échoué à les nourrir et comptent sur la providence pour subvenir maintenant à leurs besoins. Ils les perdent. La naïveté des enfants est alors de penser que les miettes laissées après eux (il est vrai qu'ils égrainent d'abord des pierres) vont leur permettre de regagner la demeure où ils mourraient de faim. Mais non, bien sûr, et, sitôt semées, ces miettes attirent les oiseaux qui effacent le lien et participent à leur manière de leur égarement. En ce sens, les miettes relient moins les enfants à la maison familiale où les parents n'ont pas voulu les garder, qu'à cet espace improbable au fond de la forêt d'où viendra leur salut. Si le pain est à une extrémité du chemin que les miettes dessinent, il n'est plus du côté que l'on croyait. Ainsi, les miettes assument-elles ici comme ailleurs leur statut ambigu, détachées et autonomes qu'elles sont, prêtes à servir un dessein ou un autre, mais rétives à rendre possible un projet que les événements ont invalidé. Les miettes du conte contribuent à rassurer les protagonistes et, partant, à les emmener plus avant dans l'inconnu, d'où surgira la vraie réponse à leur question existentielle.

À la différence du morceau de pain, qui est encore du pain, et qu'on doit traiter comme tel, on ne sait que faire des miettes. Dans tous les cas elles assurent un lien manifeste, encombrant, avec un événement dont elles constituent les reliefs (miettes laissées sur la nappe rappelant le repas qu'elle avait accueilli) et dont, pour cette raison, on ne sait si on doit se défaire ou au contraire les conserver – à moins que les oiseaux ne tranchent. Pour cette raison, sans doute, existe-t-il des ramasse-miettes, y compris en informatique, qui permettent de recueillir ces bribes du repas lorsqu'il n'est pas possible de secouer la nappe par la fenêtre, ou bien parce qu'on ne veut pas que vous soit reproché le fait de les répandre, et qu'on trouve alors préférable de les glisser en douce dans la poubelle. Car si les miettes sont des traces qu'il convient d'effacer pour permettre que se prolonge le cours de l'existence, les sacrifier sans scrupules, comme les parents des enfants des contes avaient tenté de le faire avec leur progéniture, revient à rompre la chaîne ininterrompue du temps, laquelle est magnifiquement symbolisée par un levain qu'on rafraîchit, qu'on maintient par des moyens astucieux égal à lui-même, prêt à ensemencer les nouveaux événements de la vie. Les miettes font plus que perturber la maîtresse de maison qui demande à ce que quelqu'un secoue la nappe, ou bien passe le ramasse-miettes : elles induisent une incertitude dans l'organisation du monde, ne permettant pas d'aller dans un sens et pas non plus dans l'autre. Ainsi, les miettes ne se rattachent pas davantage au repas qui a pris fin qu'à celui qui vient, comme elles éloignent davantage Hänsel et Gretel de la maison de leurs parents qu'elles ne les y ramènent. Et pourquoi se rapprocher de ceux qui ont travaillé à vous perdre ? C'est peut-être ce qui explique qu'après le dîner de Noël, en Provence, on se rende à l'église pour la messe en laissant les miettes sur la nappe à l'attention des âmes des disparus. Dans ce cas, elles marquent, comme les oiseaux du conte, l'irruption d'un arrière-pays dans le déroulement ordonné des jours. C'est d'ailleurs probablement cet inextricable entremêlement de l'ici et de l'au-delà qui nourrit l'imaginaire fantastique de Charles Nodier écrivant les noces du charpentier Michel et de *La Fée aux miettes*.

Jean-Philippe de Tonnac

• *Voir aussi :* Chapelure ; *Hänsel et Gretel* ; Figurines en mie et en pâte de pain ; Œuvres d'art en pain ; Panure

Bibl. : Jacob et Wilhelm GRIMM, *Hänsel et Gretel*, voir www.grimmstories.com/fr • Charles NODIER, *La Fée aux miettes*, Charles PERRAULT, *Le Petit Poucet :* voir http://books.google.com/books • Lionel et Apollonia POILÂNE, *Le Pain par Poilâne*, Paris, Le Cherche Midi, 2005.

MIL (civilisation du). – Voir AFRIQUE DE L'OUEST – Civilisation du mil

MIL ET MILLET (*Panicum miliaceum*). – On groupe sous le nom de millet un grand nombre d'espèces cultivées à petits grains ronds. Il convient d'ajouter qu'en français on distingue mil et millet. Mil désigne surtout le mil à chandelles (petit mil pour la grosseur de ses grains) et parfois en Afrique le sorgho (gros mil). Dans d'autres langues, comme l'anglais *millet*, l'espagnol *mijo* ou le portugais *milho*, le nom porte sur l'ensemble des espèces. Cette situation ne facilite pas le travail de l'historien quand il cherche à identifier les espèces, d'autant que, quand le sorgho puis le maïs sont arrivés en Europe, ils ont souvent été perçus comme des sortes de millet, dont ils partageaient les usages, et ont pu prendre le nom de millet dans certaines régions. En portugais moderne, par exemple, *milho* est le nom du maïs, et l'on doit recourir à des qualificatifs pour distinguer les autres dans la mesure où ils sont connus. Les plantes sont bien différentes, mais la plupart des gens ne les voient que sous la forme des grains ou de la semoule, que seul l'œil attentif du botaniste sait distinguer. En Europe, on cultive essentiellement deux millets, et la confusion a commencé dès l'Antiquité. Elle a été aggravée par les botanistes, car Linné les a placés dans le même genre botanique. *Panicum miliaceum* désignait le millet commun, *milium* des Romains et *kenkhros* des Grecs. *Panicum italicum* désignait le panis, *panicum* des Romains et *elymos* ou *melinos* des Grecs. Les hasards de la nomenclature ont fait que ce dernier est appelé maintenant *Setaria italica*, alors que c'est lui le vrai *panicum* des Romains.

Le panis (*Setaria italica*) est bien injustement connu sous le nom de millet des oiseaux, car son usage actuel en France se limite aux panicules compactes et cylindriques que l'on place dans les cages à oiseaux. Il a pourtant joué un rôle important dans l'Histoire. Il pourrait avoir été domestiqué en Chine centrale, mais on le trouve en Europe dès le Néolithique. Il affectionne surtout le sud de l'Europe, et Pline le signale déjà en Aquitaine, où il est resté cultivé pour l'alimentation humaine presque jusqu'à nos jours. On l'a aussi cultivé comme plante fourragère sous le nom de moha. De nos jours, il fait l'objet de cultures spéciales en Alsace et dans le Val-de-Loire, pour l'oisellerie. Le panis s'utilise surtout en bouillie ou en galettes. On peut aussi l'ajouter à la farine de blé pour faire du pain. En Russie, en Asie centrale, en Chine et en Inde, on en fabrique de la bière, et en Chine, de l'alcool et du vinaigre. En Inde, le panis a également des usages rituels. En Chine, des préparations industrielles (chips, rouleaux grillés) ont été mises au point dans les années 1990.

Le millet commun (*Panicum miliaceum*) est également une céréale ancienne en Eurasie, et on ignore s'il a été domestiqué en Chine ou en Europe. Il a une panicule plus ou moins lâche, et tend à verser, ce qui fait qu'il a souvent été cultivé dans les jardins où on le buttait. Connu surtout en Asie et en Europe centrale, plus au nord que le panis, il est devenu en France une spécialité de la Vendée. De nos jours, il est importé du Canada, mais les bébés vendéens sont encore parfois nourris à la bouillie de *meuille*. Des variétés à albumen glutineux sont cultivées en Chine pour la fabrication d'un pain. En Mongolie, ce sont des variétés non glutineuses qui sont cuites comme du riz. Le millet est principalement utilisé en bouillie ou en galette. Il a un goût très recherché par les amateurs. En Europe centrale, le millet était utilisé comme ingrédient dans les saucisses, à l'instar du sarrasin. Les Romains le mélangeaient souvent à l'orge pour faire la polenta. Dans le centre et le sud de l'Europe, en Turquie, dans le Caucase et en Asie centrale, on prépare avec ce millet une boisson domestique épaisse, légèrement fermentée et effervescente. Cette sorte de bière s'appelle *braga* en roumain, *brajka* en russe et *boza* en turc.

Le mil, aussi appelé « mil à chandelles » ou « petit mil », *Pennisetum glaucum*, est originaire d'Afrique tropicale au sud du Sahara. C'est la céréale qui résiste le mieux à la sécheresse dans le Sahel. Sa diffusion en Inde, où on l'appelle *bajra*, daterait du IIe millénaire av. J.-C. Il a également atteint la Birmanie. Enfin, les Arabes l'ont introduit au Maghreb et en Arabie, et il arrive aux États-Unis vers 1850. C'est une plante annuelle robuste, qui atteint 1 à 4 m de hauteur. Il forme une panicule compacte et cylindrique qui peut atteindre la taille spectaculaire de 2 m de longueur. En Afrique, le mil est consommé en bouillie non fermentée (le *toh* du nord du Sahel) ou fermentée (*koko*). Il est cuit à la vapeur comme un couscous. Il sert aussi à faire de la bière. En Inde, il est consommé bouilli comme le riz, ou sous forme de galettes (*rotî*) ou de boisson fermentée. On le fait aussi éclater. En Inde et au Ghana, le mil est également récolté au stade laiteux, rôti et consommé en légume comme le maïs doux. Il est enfin utilisé comme fourrage et sa paille résistante sert à de nombreux usages (palissades, couverture des toits). Aux États-Unis, il est cultivé pour l'alimentation de la volaille.

Le tableau ci-dessous donne une liste des principaux millets du monde. Beaucoup ont une répartition limitée, mais ils peuvent jouer un grand rôle dans l'alimentation locale. Ils ont tous des usages similaires. Le **fonio**, *Digitaria exilis*, a des graines minuscules ; c'est un aliment de prestige en Afrique de l'Ouest, et il donne un couscous d'une grande finesse. Il est maintenant exporté en Europe. L'**éleusine**, *Eleusine coracan*, présente trois

Les millets du monde

Nom scientifique	Nom français	Répartition
Brachiaria deflexa	Millet de Guinée	Guinée
Brachiaria ramosa	Browntop millet	Inde
Bromus mango	Mango	Chili
Coix lacryma-jobi	Larmes-de-Job, adlay	Asie du Sud, Philippines
Digitaria cruciata	Raishan	Inde (monts Khasi, Assam)
Digitaria exilis	Fonio	Afrique de l'Ouest
Digitaria iburua	Fonio noir, iburu	Nigeria, Togo, Bénin
Digitaria sanguinalis	Manne terrestre, millet sanguin	Europe
Echinochloa frumentacea	Millet japonais, millet sawa	Japon, Corée, Chine du Nord-Ouest
Eleusine coracan	Éleusine, millet éleusine, coracan	Afrique de l'Est, Asie
Eragrostis tef	Tef	Éthiopie
Panicum miliaceum	Millet, millet commun	Eurasie
Paspalum scrobiculatum	Millet kodo, varagu	Inde, Chine, Japon
Pennisetum glaucum	Mil, mil à chandelles, petit mil	Afrique sahélienne, Inde
Phalaris canariensis	Alpiste	Maroc, Europe du Sud
Setaria italica	Panis, millet des oiseaux, moha	Eurasie

à dix-neuf épis, d'où son nom anglais *finger millet*. Il est originaire d'Afrique et s'est répandu largement en Asie du Sud. On le mange surtout en bouillie, mais aussi en galettes, et on en fait de la bière. La présence de la **larme-de-Job**, *Coix lacryma-jobi*, peut surprendre ceux qui ne la connaissent que pour ses utricules très dures utilisées pour faire des chapelets. Mais dans l'est de l'Asie, une forme à utricules fines, var. *ma-yuen*, se consomme comme céréale. On la trouve mondée dans les épiceries chinoises sous le nom d'« orge ».

Michel Chauvet

• *Voir aussi :* Afrique de l'Ouest – Civilisation du mil ; Céréales ; Pain (définition universelle du) ; Sorgho

Bibl. : Gilles BEZANÇON, « Le mil », *in* P. Hamon *et al.* (éd.), *Diversité génétique des plantes tropicales cultivées*, Montpellier, CIRAD, 1999 • M. BRINK, G. BELAY *et al.* (éd.), *Prota*, vol. 1, *Céréales et légumes secs*, « Ressources végétales de l'Afrique tropicale », Wageningen, Fondation Prota-Backhuys-CTA, 2006 • Édith HÖRANDNER (éd.), *Millet - Hirse – Millet*, Actes du Congrès d'Aizenay, 18-19 août 1990, Francfort, Peter Lang, *Grazer Beiträge zur Europäischen Ethnologie*, Bd 4, 1995 • Yamama NACIRI, Jacques BELLIARD, « Le millet *Setaria italica*, une plante à découvrir (étude bibliographique) », *Journal d'agriculture traditionnelle et de botanique appliquée*, nº 34, 1987, p. 65-87 • Roland PORTÈRES, « Les céréales mineures du genre *Digitaria* en Afrique et en Europe », *Journal d'agriculture traditionnelle et de botanique appliquée*, nº 2, 1955, p. 386, 477-510, 620-675 • E. SEETHARAMA, K.W. RILEY, G. HARINARAYANA (éd.), *Small Millets in Global Agriculture*, New Delhi, Oxford & IBH Publishing, 1989.

MILITAIRE (pain). – Voir MUNITION (pain de)

MILLE GRAINS (masse de). – On utilise en agronomie l'expression « masse de mille grains » pour rendre compte de la bonne formation et de l'alimentation des grains. Son évaluation sert à déterminer le rendement possible d'une céréale avant récolte. Un poids de mille grains élevé, par exemple, signifie à la fois que les grains sont gros et denses.

Philippe Roussel

• *Voir aussi :* Céréales ; Grain ; Grain et graine

Bibl. : Claude WILLM, *La Mouture du blé*, Montgeron, CEMP, 2009.

MINE. – Voir BOISSEAU

MINÉRAUX. – Les aliments contiennent de l'eau, des matières organiques (glucides, lipides, protéines, vitamines et autres phyto-micronutriments), mais aussi des matières minérales en quantité importante (minéraux : potassium, phosphore, sodium, magnésium, etc.) ou faible (oligo-éléments : le sélénium, le fer, le zinc, etc.). La quantité de minéraux dans un aliment s'évalue après combustion à très haute température (environ 800°) pour éliminer les matières organiques et s'exprime par le taux de cendres. Ainsi, une farine de type 55 contient environ 0,55 g de matière minérale pour 100 g. Dans le blé, les minéraux sont majoritairement contenus dans le son. Le pain complet contient donc plus de minéraux que le pain blanc. Toutefois, certains facteurs antinutritionnels contenus dans le son peuvent limiter la biodisponibilité minérale en piégeant les minéraux, comme c'est le cas pour l'acide phytique avec le fer, le zinc et le magnésium. Cependant, la quantité de minéraux apportés par un pain complet et biodisponibles excède la quantité susceptible d'être piégée et reste supérieure à celle du pain blanc. De plus, les phytases, lors de la fermentation panaire, sont activées et dégradent partiellement l'acide phytique.

Anthony Fardet

• *Voir aussi :* Acide phytique ; Biodisponibilité ; Magnésium ; Santé ; Son ; Taux de cendres ; Types de farine → Farine ; Zinc

MINEURS BLANCS. – Le temps social de la boulangerie n'est pas le temps social ordinaire. On a l'impression que les batailles syndicales ne l'affectent pas, comme si d'avoir si longtemps travaillé dans l'antre sombre des fournils, alors que le reste de l'humanité dormait, avait déclassé pour jamais ces ouvriers du pain. Mille bonnes raisons leur interdisent de connaître à jamais ce que leurs semblables nomment une « grasse matinée ». Ils sont, en quelque sorte, un autre samu social toujours sur la brèche. Le pain ne saurait manquer, ni un jour, ni une heure. Dès que le premier quidam entame sa marche dans les rues de la ville encore assoupie, il faut qu'il puisse passer devant un étalage de boulangerie déjà en partie constitué. Comment ces baguettes, ces brioches, ces croissants sont-ils déjà en panier à 7 heures du matin ? La question est saugrenue, puisqu'ils doivent y être. La condition de ces martyrs invisibles a ému, de loin en loin, mais sans qu'on ait daigné véritablement leur venir en aide. Justin Godart, un député lyonnais, va décider de se faire, lui, au début du siècle dernier, leur avocat. Dans un ouvrage publié en 1909, *Travailleurs et métiers lyonnais*, il détaille la condition de ceux qu'il appelle les « mineurs blancs », expression alors en usage pour désigner ces êtres au cœur et à la marge de nos sociétés. Il a préalablement déposé, le 24 février, une proposition de loi pour la suppression du travail de nuit dans les boulangeries. Son offensive a ému ses collègues de l'Assemblée qui votent la loi du 28 mars 1919. L'interdiction s'applique à la tranche 22 heures-4 heures du matin et ne concerne, malheureusement, que les seuls ouvriers boulangers : « Art. 1 – Il est interdit d'employer des ouvriers à la fabrication du pain et de la pâtisserie entre dix heures du soir et quatre heures du matin. Cette interdiction s'applique à tous les travaux qui, directement ou indirectement, concourent à la fabrication du pain et de la pâtisserie. » Or les ouvriers ne représentent qu'une partie de ces « mineurs blancs », et priver les artisans boulangers de leurs aides n'a aucun sens. La mesure est donc inapplicable. Et d'ailleurs, même si le travail de nuit a été interdit dans certains autres pays européens à la même époque, les Français rechignent encore à envisager la question du bon pain en dehors de cette alchimie nocturne, et continuent à regarder les boulangers comme une communauté de nyctalopes dont la condamnation au jour et à sa lumière constituerait une manière d'intime trahison.

Jean-Philippe de Tonnac

• *Voir aussi :* Fournil ; Geindre ; Misère des garçons boulangers ; Nuit (symbolique de la) ; Nuit (travail de) ; Pénibilité ; Sueur ; Troglodytes enfarinés

Bibl. : Steven L. KAPLAN, *Le Retour du bon pain. Une histoire contemporaine du pain, de ses techniques et de ses hommes*, Paris, Perrin, 2002.

MINOT. – Ancienne mesure de capacité pour les matières sèches, les grains en particulier, valant à Paris le quart du setier, la moitié de la mine ou trois boisseaux, soit 39,03 l environ. Mais le minot est aussi un produit issu de la mouture.

Mouette Barboff

• *Voir aussi :* Blatier ; Boisseau ; Grain ; Minoterie

MINOTERIE. – Le minotier exploite la minoterie. Dans l'esprit, on peut estimer qu'une minoterie est plus moderne ou industrielle qu'un moulin. Mais dans l'Histoire, le minotier était celui qui repassait le minot issu de mouture (produit intermédiaire entre le son et la farine) dans la meule (deuxième passage) pour en extraire encore de la farine.

Michel Daubé

• *Voir aussi :* Meule ; Meunerie ; Meuniers et minotiers ; Minot ; Moulin ; Mouture

MIRACLES CHRISTIQUES. – La vie de Jésus, telle qu'elle est rapportée par les Évangiles, est marquée par de multiples miracles. Ce sont d'abord les multiples guérisons : celle d'un lépreux, de l'enfant d'un centurion, de la belle-mère de Pierre, d'aveugles, de multiples possédés… Il commande également aux éléments, apaisant, par exemple, une tempête. Dans ces textes, un élément revient inlassablement : le pain. Lors de sa retraite au désert, pendant quarante jours, le diable le tente en lui proposant de transformer des pierres en pains. Affamés, ses disciples coupent des épis un jour de sabbat malgré les interdits sur le travail ce jour. Les allusions sont innombrables. Cependant, deux faits merveilleux retiennent particulièrement l'attention : les multiplications des pains. Un jour, cinq mille hommes, accompagnés de femmes et d'enfants, suivent Jésus en un lieu écarté. Il guérit les malades et prêche toute la journée. Le soir venu, les apôtres, s'inquiétant du manque de nourriture, proposent qu'on renvoie cette foule, mais Jésus refuse qu'on disperse ainsi une assemblée si pieuse. Il se fait porter le peu que le groupe possède : cinq pains et deux poissons. Levant les yeux au ciel, il les bénit avant de les rompre et de mettre dans des couffins les morceaux qui sont immédiatement distribués. À la fin, chacun est rassasié et plusieurs paniers remplis demeurent disponibles. La générosité divine pourvoit donc au nécessaire, et même au superflu. Un peu plus tard, un miracle similaire a lieu pour une multitude, estimée à quatre mille hommes, qui demeure trois jours avec le Fils. Pour les nourrir, il ne dispose pourtant, cette fois, que de sept pains, qui sont à nouveau multipliés.

Ces deux événements sont si fondamentaux qu'ils sont mentionnés par Matthieu, Luc, Marc et Jean, alors que toutes les anecdotes liées à Jésus ne sont pas obligatoirement présentes dans les quatre Évangiles. Ils résonnent comme un écho très fort de passages de l'Ancien Testament qui font du pain un objet concret de la vie quotidienne et un don de Dieu, par là même un curseur essentiel des rapports entre le Ciel et les hommes. L'abondance est signe de bénédiction (Psaume 132, 15). Elle marque l'époque eschatologique : « Le pain produit du sol sera riche et nourrissant » (Isaïe XXX, 23). En revanche, la disette est le châtiment du péché. L'annonce de la future destruction de Jérusalem s'accompagne d'une funeste promesse : « Fils d'homme, voici que je vais détruire la réserve de pain de

Jérusalem : on mangera dans l'angoisse du pain pesé, on boira avec effroi de l'eau mesurée parce que le pain et l'eau manqueront » (Ézechiel IV, 16). Les miracles christiques assimilent ce pain à la parole divine, ce qui a été annoncé par le prophète Amos pour qui la véritable disette n'est pas « une faim de pain, non pas une soif d'eau mais d'entendre la parole de Yahvé » (Amos VIII, 11). Isaïe fait le même parallèle quand il s'adresse aux juifs : « Écoutez, écoutez-moi, et mangez ce qui est bon » (Isaïe LV, 2). Jésus reprend cette thématique pour assurer : « Ce n'est pas de pain seul que vivra l'homme, mais de toute parole qui sort de la bouche de Dieu » (Matthieu IV, 4). Les miracles de la multiplication des pains sont donc des représentations de la prédication qui va apaiser la soif de sacré. Les apôtres ne semblant pas avoir immédiatement assimilé cette dimension symbolique, Jésus se doit d'être plus explicite. Un jour qu'ils s'inquiètent du manque de nourriture, il les apostrophe : « Comment ne comprenez-vous pas que ma parole ne visait pas les pains ? » Le message est clair. Ailleurs, quand il leur demande de se méfier du « levain des Pharisiens et des Sadducéens » (Matthieu XVI, 6), ils comprennent qu'il s'agit de leur enseignement, pas de vraie nourriture. Ayant saisi le sens des images, ils finissent par réclamer « le pain qui vient du ciel » ; Jésus leur répond : « Je suis le pain de vie, qui vient à moi n'aura jamais faim » (Jean VI, 32-40). Le texte, partant du plus concret pour aller vers le plus abstrait, assimile le pain au Christ et celui-ci à la parole divine. Ces trois niveaux convergent parfaitement lors du repas pascal, la Cène. Là, « Jésus prit du pain, le bénit, le rompit, et le donna aux disciples en disant "Prenez, mangez, ceci est mon corps" » (Matthieu XXVI, 26).

La symbolique du pain n'est pas propre au monde judéo-chrétien. Un des exploits du plus ancien héros de l'humanité, Gilgamesh, roi de la cité d'Uruk, est de civiliser l'homme sauvage, son frère, Enkidou. Pour ce faire, il lui fait renoncer aux baies et autres produits naturels, pour qu'il consomme des aliments transformés, de la bière et du pain. La fabrication est le signe de l'humanité. Dans des peuples d'agriculteurs où les céréales tiennent une place primordiale, le rôle symbolique du pain est essentiel. Le Nouveau Testament se doit donc de le reprendre. Plus qu'ailleurs, il en fait une occasion de partage, de repas en commun. Jésus assiste à de somptueux banquets, ou prend place à la table des plus humbles. Sa présence dit que le pain est le lien entre les hommes. Dans le récit des miracles christiques, il est utilisé non plus dans son sens concret, mais comme une allégorie de la parole divine et, à ce titre, est placé au centre du culte organisé par les chrétiens.

Philippe Martin

• *Voir aussi :* Cène ; *Corpus Christi* → Fête-Dieu ; Eucharistie ; *Évangile selon saint Matthieu* (*L'*) → Documentaires et films ; *Fractio panis* ; Hallah, manne, pains de proposition ; Hostie ; Hostie profanée ; Matsah et hamets ; Mésopotamie ; Miracles eucharistiques ; Moulin mystique ; *Panis angelicus* ; Si le grain tombé en terre ne meurt ; Théologie du pain ; Transsubstantiation

Bibl. : Eugène COUET, *Les Miracles historiques du saint sacrement*, Bruxelles, DFT, 1998 • Jean-Marie MATHIOT, *Miracles, signes et prodiges eucharistiques*, Hauteville (Suisse), Éditions du Parvis, 2006.

MIRACLES EUCHARISTIQUES. Le dogme de la transsubstantiation, qui est au cœur du christianisme, a pourtant très souvent été remis en cause. Certains discutèrent la nature des matières utilisées : au VIe siècle, les encratites, ou tatianites, ou aquariens, ou hydroparastates, les sévériens, refusant la consommation de viande et de vin, ne communiaient qu'avec de l'eau ; les artotyrites, ou cataphrygiens, ne voulurent utiliser que du pain et du fromage, nourritures des bergers, ces frères de Jésus ; les barsaniens, ou semidalites, se servaient de fleur de farine dans laquelle ils trempaient leurs doigts… D'autres débattirent de la nature du sacrement : les ébonites ne voulaient pas envisager le caractère sacrificiel de la mission du Christ ; au XIIIe siècle, les stadingues et les albigeois niaient la présence réelle ; les protestants contestèrent la transformation totale de la substance lors de la messe, se partageant sur les interprétations à donner. Face à ces attaques, les théologiens se mobilisèrent, souvent appuyés par les autorités civiles prêtes à pourchasser les minorités. Cependant, il fallut aussi recourir à un autre niveau de « preuves », sans doute plus compréhensible par la population : le merveilleux. S'il est attesté à toutes les époques, on observe cependant une recrudescence très nette en période de crise.

Le XIIIe siècle, moment où s'épanouissaient les idées de Bérenger de Tours niant la présence réelle dans l'eucharistie, fut particulièrement riche de ce point de vue. À Douai, en 1254, des témoins virent dans une hostie la tête du Christ couronnée d'épines, d'autres y contemplèrent Jésus enfant, d'autres encore un sage vieillard, à moins que ce ne fût un homme en croix… Le XVIe siècle fut un autre foyer de merveilleux, avec l'essor du protestantisme. En 1575, un calviniste d'Orléans niant la valeur de l'eucharistie vit des chênes se pencher devant lui afin de lui suggérer de se convertir. Le Ciel pouvait cependant être plus sévère. En 1595, un calviniste critiquant le saint sacrement qui passait devant lui dans une rue de Nimègue s'étrangla en avalant un œuf. Au siècle suivant, les miracles encouragèrent l'implantation de dévotions qui s'appuyaient aussi sur un réseau très dense de confréries. Les apparitions, dont profita en 1673-1675 sœur Marguerite-Marie Alacoque, permirent au père de La Colombière de favoriser le culte au Sacré-Cœur.

Si on résume ces manifestations à un certain utilitarisme, il faut les considérer en fonction d'une typologie. Les premières correspondent à une transformation des apparences sacramentelles : l'hostie se décora d'une image de Jésus à Santarem (1247), Amsterdam (1345), Bordeaux (1822), Hartmanswiller (1828) ou Dubno (1866) ; du sang en coula à Paris (1290), Blanot (1331), Seefeld (1384) ou Bois-Seigneur (1405). Un deuxième ensemble regroupe les récits relatant la transformation des matières : le pain devint chair à Augsbourg (1191) ou Lanciano (1273). Troisième type de cas, des hosties consacrées miraculeusement protégées : lors de l'inondation qui ravagea Avignon en 1433, la niche où reposait le saint sacrement fut épargnée de toute souillure ; à Faverney, pendant plusieurs heures, en 1608, un ciboire resta suspendu au-dessus du sol pour protéger l'hostie d'un incendie. Enfin, quatrième genre, des blasphémateurs punis par le Ciel : une famille calviniste à Cambrai (1616) ou un étudiant profanateur à Saumur (1631).

L'Église voulut garder vivant le souvenir de ces faits, car la transsubstantiation était « mise en évidence dans plusieurs miracles », selon la formule du père Eugène Couet en 1906. Très tôt, on composa des recueils comme celui de Guillaume de Gand édité à Cologne en 1584. Plus encore, nombre de dévotions naquirent autour de ces reliques. Pendant très longtemps, les pèlerinages de Douai ou de Faverney attirèrent les foules. Ces hosties miraculeuses et non corrompues étaient considérées comme de précieux dépôts qu'il fallait absolument préserver de toute souillure. L'une d'entre elles parcourut l'Europe. En 1592, la main d'un hérétique de Gorkum qui voulait profaner le saint sacrement avait été arrêtée par une intervention divine. Le protestantisme se développant dans la région, l'hostie fut mise à l'abri dans un couvent de Malines. La crainte de voir cette cité abandonner le catholicisme provoqua un nouveau déplacement vers Vienne. Puis elle passa à Prague, avant de gagner le monastère Saint-Laurent de l'Escurial en Espagne. À ce moment, le pain consacré était autant un support dévotionnel que le symbole politique de la lutte contre l'ennemi protestant. Il avait parcouru tous les États des Habsbourg avant de parvenir au cœur de l'Empire espagnol, dans un palais qui était aussi un monastère. Peu de miracles furent aussi ouvertement instrumentalisés par le pouvoir ecclésiastique ou les autorités politiques. Ils sont la manifestation d'une foi qui voulait prouver que l'hostie ne se résumait pas à un morceau de pain.

Philippe Martin

• *Voir aussi :* Cène ; Eucharistie ; *Évangile selon saint Matthieu* (*L'*) → Documentaires et films ; Fête-Dieu ; *Fractio panis* ; Hostie ; Matsah et hamets ; Messe ; Miracles christiques ; *Panis angelicus* ; Rite orthodoxe ; Théologie du pain ; Transsubstantiation

Bibl. : Eugène COUET, *Les Miracles historiques du saint sacrement*, Bruxelles, DFT, 1998 • Jean-Marie MATHIOT, *Miracles, signes et prodiges eucharistiques*, Hauteville (Suisse), Éditions du Parvis, 2006.

MISÈRE DES GARÇONS BOULANGERS. – Lorsqu'elle passe le soupirail, la lamentation des boulangers ou « blancs lutteurs », embastillés en leur fournil, sans doute en récompense de leurs bons et loyaux services à la nation, brise le cœur des passants. Pourquoi cette injustice ? Huysmans la questionne dans ses *Croquis parisiens*, avec l'acuité qui est la sienne. Deux hommes dans les sous-sols, entraperçus au travers des grillages, deux forçats exilés, demi-nus, loin de la surface du monde, « se ruant sur un monceau de pâte qui claquait sourdement, alors qu'elle retombait sur le bois de l'auge ». Et dans la nuit sans fond où ils sont comme deux naufragés, ils poussent d'étranges cris qui ne réveillent personne : « Ils grondaient, geignaient, criaient des mots inarticulés, poussaient des gémissements à fendre l'âme, battaient à grands coups la purée flasque. Han ! han ! han ! han ! clac ! paf ! h… an ! et comme une couleuvre dans les anneaux roulent, le mastic se tordait sous leurs poings ! »

Plus suggestive encore cette plainte, cent cinquante ans plus tôt, toujours la même, mais cette fois portée haut et fort par le verbe d'un poète boulanger. La complainte est née dans un fournil parisien, au début du XVIIIe siècle, son auteur, un boulanger anonyme qui parle au nom de tous les boulangers de la capitale et de ses faubourgs. L'homme a conscience déjà de l'invisibilité de sa fonction, de l'inaudibilité de sa douleur, citoyen des bas étages, ombre nourricière dont personne ne peut appréhender seulement la présence ou l'existence et qui, pourtant, appelle doucement, à travers les barreaux, cherche à prendre encore le quidam à témoin, le lecteur [extraits] :

Lecteur, écoute un peu, rumine et considère
Les plaintes que je fais de ma propre misère ;
Je vais, par ce discours, te faire envisager
Les maux qu'il faut souffrir quand on est boulanger.
Campé dessus mon four avec ma ratissoire,
J'endure autant du mal que dans un purgatoire,
Où parmi les douleurs souventes fois j'ai vu
Sous les poids de travaux succomber ma vertu,
Après que ma jeunesse en des maux s'est passée,
Dont le seul souvenir affligea ma pensé [...].

On n'a point fait pour nous l'ordre de la nature.
La nuit, temps de repos, est pour nous de torture
La lune et le soleil pour nous tournent sans fruit,
Car ce n'est pas pour nous qu'ils courent et font les nuits [...].

Après, des grésillons à qui je suis en proie
Viennent à grand galop interrompre ma joie,
Lorsque pour divertir l'ennui de ma prison
Sur mon four je commence à chanter la chanson
Me faisant ressentir leurs dents et leurs morsures,
Soit aux bras, soit aux pieds m'accablent des blessures,
Ô Dieu vit-on jamais dans la captivité,
Un forçat plus pâtir dans son adversité [...]
Lors, parmi les ardeurs du feu et de la flamme,
Je me sens consumer jusqu'au centre de l'âme
Vêtu comme un faquin, sans chemise et tout nud
Je n'ai qu'un guenillon qui me couvre le cul [...].

Ô déplorable état ! Ô déplorable office !
Hélas vit-on jamais un semblable supplice ;
Quoi ? toujours travailler, toujours dans les douleurs,
Sans goutte n'y jouir d'un moment de bonheur,
Entre tous les métiers j'ai bien choisi le pire,
Puisque dans cet emploi le plus confiant soupire,
Qui se voit obligé avec nécessité,
De vivre et de mourir dans la captivité [...].

Jean-Philippe de Tonnac

• *Voir aussi :* Boulangers et boulangeries (histoire de France des) ; Geindre ; Nuit (symbolique de la) ; Nuit (travail de) ; Pénibilité ; Sueur ; Troglodytes enfarinés

Bibl. : Anonyme, *La Misère des garçons boulangers de la ville et faubourgs de Paris*, Troyes, Veuve Garnier, 1715 • Joris-Karl HUYSMANS, *Croquis parisiens*, Paris, La Bibliothèque des Arts, 2001 • Jean-Michel LECAT, *La Grande Histoire du pain et des boulangers*, Paris, De Lodi, 2006.

MITADINAGE. – Voir AMANDE FARINEUSE

MITRON. – Terme populaire ou sobriquet désignant le garçon ou l'apprenti boulanger en raison de la ressemblance entre la mitre de l'évêque et la coiffe portée par le boulanger au fournil pour protéger sa chevelure des poussières de farine. Le mot viendrait de *mitra*, « coiffe », largement en usage au XIVe siècle. Le maître boulanger qui prenait un garçon à son service s'engageait à lui fournir chaque année, outre ses gages, trois devantiers (tabliers) et deux mitres ou bonnets en drap, originellement en forme de cône. Aujourd'hui, le modeste calot blanc et aplati du boulanger en coton cède la place à différentes versions, type casquette ou bandana. Les calots en papier sont de plus en plus utilisés, tout comme les charlottes jetables en coton, tous deux évitant que des cheveux ne viennent souiller les fabrications.

Hubert Chiron

• *Voir aussi :* Apprenti → Apprentissage ; Boulanger (tenue du) ; Maître ; Misère des garçons boulangers ; Pétrin

Bibl. : *Dictionnaire technologique ou dictionnaire universel des arts et métiers de l'économie industrielle et commerciale par une société de savants et d'artistes*, 1822-1835.

MIXE ET PRÉMIXE. – Voir LESAFFRE (groupe)

MOF (Meilleurs Ouvriers de France). – Le concours « Un des meilleurs ouvriers de France » est organisé tous les trois ans. Pour tous les métiers, ce titre représente l'excellence et le sommet d'un art. L'âge minimum des candidats est fixé à vingt-trois ans. Les jurys sont composés de professionnels, d'enseignants et de formateurs reconnus. Dans les cinq disciplines que sont la boulangerie, la pâtisserie-confiserie, la chocolaterie-confiserie et la glacerie, l'examen comporte une ou plusieurs épreuves pratiques, consistant en la réalisation d'une ou plusieurs pièces, à partir d'un sujet imposé et/ou d'une ou plusieurs œuvres libres. La promotion des MOF 2007 a récompensé en boulangerie : Éric Chevallereau, Didier Chouet, Thomas Marie, Yann Tabourel. Citons encore les noms de quelques-uns des MOF réunis à partir de 1989 au sein de l'équipe de France de boulangerie à l'initiative de Christian Vabret, MOF lui-même, ambassadeur actif de la profession en France et à l'étranger et fondateur de l'École française de boulangerie d'Aurillac : Roger Auzet, Gérald Biremont, Anis Bouabsa, Bernard Burban, Jean-Claude Choquet, Christian Danias, Joseph Dorffer, Patrick Ferrand, Éric Ferraton, Bernard Ganachaud, Frédéric Lalos, Marcel Larché, Jacques Mahou, Claude Mesnier, Pierre Nury, Jacques Peybale, Amadio Pimenta, Dominique Planchot, François Pozzoli, Jacques Souilhat, etc.

Jean-Pierre Deloron

• *Voir aussi :* Apprentissage ; Baguette de la Ville de Paris (Grand Prix de la) ; BEP ; Boulangerie (Coupe du monde de la) ; Boulangers de France ; CAP de boulangerie ; CFA ; Chef-d'œuvre ; EBP ; École Carrefour ; École de boulangerie (première) ; Fête du pain ; Formations à la boulangerie et à la pâtisserie ; INBP

MOISISSURE. – Le pain, comme de nombreux autres aliments, a une humidité suffisamment importante pour que des moisissures (champignons microscopiques filamenteux) puissent se développer. De fait, la baguette française est un produit très frais qui n'est consommé que sur une à deux journées au maximum : on achète la baguette tous les jours, et donc les moisissures n'ont pas le temps de se développer. En revanche, elles peuvent affecter le pain de mie conservé plusieurs semaines, et pour lequel aussi bien au niveau de la recette que de la mise en sacs scellés hermétiquement des agents antimoisissures sont utilisés.

Ludovic Salvo

• *Voir aussi :* Baguette ; Défauts du pain ; Mie (pain de) ; Pain filant ; Pain raté

MOISSON. – Terme employé pour la récolte des céréales à paille : blé, orge, escourgeons, avoine, seigle, triticale. Pour les autres productions agricoles, on emploie plus souvent le terme de récolte. Longtemps, la moisson s'est faite à la main : on coupait le blé, on le liait en gerbes, qu'on entassait pour constituer des meules afin de finir le séchage. Le blé était ensuite battu avec des fléaux sur les aires à blé pour séparer les grains de blé des épis et des pailles. La moisson nécessitait une main-d'œuvre saisonnière abondante ; elle mobilisait tous les individus de la communauté villageoise dans le but d'effectuer la moisson suffisamment rapidement pour qu'elle ne soit pas détruite par les intempéries. La fin de la moisson donnait alors lieu à des fêtes de tout le village. Après la Deuxième Guerre mondiale sont apparues, dans les pays industrialisés, les moissonneuses-batteuses qui effectuent toutes ces tâches en une seule opération, ce qui a eu pour conséquence de réduire considérablement à la fois le nombre de personnes et le temps nécessaires à la moisson. Les fêtes des moissons semblent s'être néanmoins maintenues dans certains villages. Enfin, on peut signaler l'initiative des Jeunes Agriculteurs qui ont organisé La Grande Moisson sur les Champs-Élysées à Paris lors de la fête de la Saint-Jean, le 24 juin 1990, ce qui a permis à de nombreux citadins de découvrir ce qu'était une moisson. Dans les pays peu industrialisés, la moisson reste manuelle et mobilise toutes les forces disponibles. La réussite de la moisson est indispensable pour assurer la nourriture des villageois.

Ludovic Salvo

• *Voir aussi :* Battage des céréales et aire de battage ; Céréales ; Épi ; Fléau ; Moisson, 24 juin 1990 (La Grande) ; Moissonneuse-batteuse ; Moissons (symbolique des) ; Paille

MOISSON (bouquet de). – Voir MOISSONS (symbolique des)

MOISSON (pains de). – Jusqu'il y a très peu d'années, le curé bénissait toujours les champs prêts à être récoltés, comme, dans les villages de montagne, il bénissait les troupeaux. En Allemagne ou en France (surtout en Alsace et en Bourgogne), un pain était spécialement décoré et cuit pour être placé sur l'autel lors des fêtes de la moisson. En Angleterre, c'était une immense gerbe, façonnée en pain, qui était offerte à l'église. Un boulanger de Londres en a repris la tradition, comme pain de décoration : un grand bouquet d'une centaine d'épis déployés en un cercle. Des gerbes en pain analogues continuent d'être vendues en boulangerie en France, à Strasbourg, à Saint-Étienne et à Paris.

Les autres pains de moisson sont circulaires, presque hémisphériques, ornés de la représentation de gerbes d'épis en relief. Le plus beau est fait à Beaune, en Bourgogne, décoré de grands épis et de bretzels. Ces pains seront partagés par les invités à la fête. En Lorraine, ces mêmes bretzels apparaissent sur un pain de moisson où la décoration de gerbes d'épis est rajoutée en pâte dure sur la surface du pain (Lunéville). Ces motifs décoratifs servent de nos jours de modèle à des boulangers inventifs, comme pains de fantaisie, ou pains de fête, qui ornent merveilleusement la table des invités.

Les pains de moisson allemands sont également grands (une trentaine de centimètres de diamètre), et circulaires. Leur origine religieuse est attestée par l'inscription apposée en relief : *Ernte Danke*, « Merci pour la moisson ». Ces pains d'origine rituelle se rencontrent dans l'ouest de l'Allemagne, à Tübingen, à Heidelberg. Ce ne sont pas des épis qui sont figurés en relief, mais bien une ou deux grappes de raisin, surmontées de feuilles de vigne, qui se trouveraient plus logiquement sur des pains de remerciements à l'occasion des vendanges. Ces pains de moisson existent ailleurs en Europe : en République tchèque, en Bulgarie.

Dans le Pas-de-Calais, à Aire-sur-la-Lys, avait lieu, le 15 août, jour de l'Assomption, la grande fête de Notre-Dame dite *Panetière*. Cette fête existe toujours le deuxième dimanche de septembre. À la procession, les pèlerins portent une bannière de paille tressée, ou un ex-voto, en paille et en blé, représentant l'église de leur village d'origine, ou des instruments aratoires. De minuscules pains bénits, parvenant de la farine moulue des offrandes de blé de l'année passée, sont distribués.

Selon Arnold Van Gennep, c'est à partir de 1940 que des curés ont « fait revivre les anciennes fêtes des moissons » aux environs du 15 août. Les jeunes agriculteurs rivalisent de vitesse pour moissonner une portion de champ : l'on ressort pour l'occasion les vieilles machines agricoles et l'on reconstitue des « battages à l'ancienne », où les épis sont dépiqués par des machines à vapeur, comme jusqu'à la guerre de 1914-1918. De telles fêtes existent dans plusieurs villages : à Changy, près de Saint-Amand-Montrond, dans le Berry, à La Salvetat, dans l'Aveyron. À Freissinières, près de Briançon, dans les Hautes-Alpes, a lieu début août une fête des moissons, tandis qu'une fête de la fouace, galette du Rouergue cuite sous la cendre, a lieu le dimanche après le 15 août à Najac, dans l'Aveyron. La plus complète de ces célébrations a lieu à Tours-sur-Meymont, près d'Ollerges, dans le Puy-de-Dôme, où tous les 15 août se tient une grande « Fête du pain » : non seulement les moissonneurs sont là en action, mais l'on propose différentes variétés de pains « à l'ancienne » au levain, cuits dans des fours traditionnels chauffés au bois. En été, on célèbre à Échallens, dans le canton de Vaud, en Suisse, une grande « Fête du blé et du pain ».

Dans beaucoup d'autres pays, des fêtes des moissons sont célébrées. Au Turkménistan, par exemple, elles donnent lieu à de grandes réjouissances, avec danses, luttes traditionnelles, et courses des fameux chevaux turkmènes.

Bernard Dupaigne

• *Voir aussi :* Épi (symbolique de l'); Moisson; Moisson, 24 juin 1990 (La Grande); Moissons (symbolique des); Terre-Mère primordiale; Vierge et cycle des cultures céréalières

Bibl. : Bernard DUPAIGNE, *Le Pain*, Paris, La Courtille, 1979. – *ID., Le Pain de l'homme*, Paris, La Martinière, 1999 • Henri MASSÉ, *Croyances et coutumes per-*

sanes, Paris, Maisonneuve, 1938 • Irène MÉLIKOFF, « Notes sur les coutumes des Alévis. À propos de quelques fêtes d'Anatolie centrale », *Quand le crible était dans la paille. Hommage à P. N. Boratav*, Paris, Maisonneuve, 1978 • Monette RIBEYROL, « Une collecte de pains rituels en Bulgarie », *Objets et Mondes*, X, nº 1, printemps 1970 • Paul SÉBILLOT, *Le Folklore de France*, 1904-1906 ; rééd. Paris, Omnibus, 2002 • Arnold VAN GENNEP, *Manuel de folklore français contemporain*, Paris, Picard, 1937-1958 ; rééd. sous le titre *Le Folklore français*, Paris, Robert Laffont, coll. « Bouquins », 4 vol., 1998 • Nicole VIELFAURE, Anne-Christine BEAUVIALA, *Fêtes, coutumes et gâteaux*, Le Puy, Christine Bonneton, 1978.

MOISSON, 24 juin 1990 (La Grande). – Grâce à l'initiative du CNJA, le Centre national des jeunes agriculteurs (associé au ministère de l'Agriculture, à la Ville de Paris, au Crédit agricole et à la Filière céréalière), les Champs-Élysées, en ce dimanche 24 juin 1990, devinrent ou redevinrent les « Champs » : 560 camions avaient convoyé la veille vers la capitale l'équivalent de 1 hectare d'une terre couverte d'épis de blé (densité de 500/m²). Fort impact émotionnel voulu par les organisateurs de cette Grande Moisson, à laquelle furent conviés les Parisiens et les nombreux touristes présents dans la capitale à cette période de l'année, happening sans frontière relayé par les télévisions du monde entier. Le propos des organisateurs du CNJA était de « replacer l'homme dans ses racines et rendre hommage à la chaîne des générations innombrables qui se sont succédé, rendant, jour après jour, par leur effort, leur générosité et leur savoir-faire, un sens au travail de la terre ». Des hommes et des femmes chaussés de racines et foulant la plus belle avenue du monde couverte de blé. L'image est restée et restera. Les Champs-Élysées se sont métamorphosés une seconde fois les 23 et 24 mai 2010 (www.naturecapitale.com).

Jean-Philippe de Tonnac

• *Voir aussi :* Battage des céréales et aire de battage ; Céréales ; Épi ; Fléau ; Moissonneuse-batteuse ; Moissons (symbolique des) ; Paille ; voir aussi le site du Centre national des jeunes agriculteurs, www.cnja.com

MOISSONNEUSE-BATTEUSE. – Avant l'existence des moissonneuses, on moissonnait avec des faux, on faisait des gerbes de blé que l'on battait ensuite à la main avec des fléaux sur une aire à blé en pierres afin de séparer les grains de blé des épis et des pailles. La mécanisation du travail des agriculteurs commence véritablement au lendemain de la Deuxième Guerre mondiale, par le recours progressif aux tracteurs et aux moissonneuses-batteuses. Ces machines automotrices permettent, en une seule et même opération, de couper le blé et de le battre de telle sorte qu'il ne reste après le passage qu'un champ moissonné, éventuellement de la paille mise par ces mêmes machines aussitôt en bottes, et des grains stockés dans des bennes et emportés par les tracteurs pour être entreposés dans des silos, soit par l'agriculteur, soit par un organisme stockeur. Ces machines sont adaptées au blé, aussi bien qu'à l'orge et au maïs. En réduisant le temps de la moisson, elles ont permis de diminuer le risque de récoltes réalisées partiellement germées en raison des orages d'été.

Ludovic Salvo

• *Voir aussi :* AGPB ; Battage des céréales et aire de battage ; Céréales ; Épi ; Faux ; Fléau ; Moisson, 24 juin 1990 (La Grande) ;

Moissons (symbolique des) ; Paille ; Rotation ; Silo à grains ; Variétés de blé ; Variétés de blé tendre au catalogue officiel

MOISSONS (symbolique des). – Conçues jadis comme un « meurtre rituel » (cf. aussi les passages de la Bible), les moissons étaient une forme de sacrifice, mais aussi un drame « sacré » indispensable à la régénération végétale et la pérennité des hommes. Elles constituaient « une fin du monde », dont aurait surgi « le renouvellement du temps », et la revitalisation de la « fertilité cosmique », grâce à la capacité des laboureurs à prélever la récolte à partir de ce qu'ils avaient semé, sans épuiser la force de la végétation et la puissance de la glèbe. Cette double exigence motivait tous les rites et les multiples précautions qui entouraient cette étape essentielle des travaux agricoles. Toute moisson est la fin d'un cycle agraire et le point de départ d'un nouveau processus, qui se réalisera nécessairement selon le même scénario, suivant la ronde des saisons, tous les ans, depuis l'invention de l'agriculture, il y a des millénaires (cf. aussi les cultes mystiques). De nos jours, la moisson demeure l'étape essentielle d'un processus agricole qui s'est mécanisé, qui a progressivement éloigné l'homme des épis, lui qui ne fauche plus de ses mains ; il entre de moins en moins en contact avec les « génies » de la végétation et il décide de lui-même de « fertiliser » la terre avec des produits de son invention. La richesse des récoltes ne dépend plus de la volonté des cieux ou de la terre mère. Des saints printaniers et estivaux ou la Vierge brune sont encore invoqués lors des moissons, mais de façon anecdotique et pour donner un peu de « substance spirituelle » aux manifestations touristiques.

Par ailleurs, tous les rites saisonniers liés à la culture des céréales, créateurs de divinités et de cultes mystiques, deviennent un « corpus mythologique » correspondant vaguement à une technique profane, dont le calendrier dépend des latitudes géographiques beaucoup plus étendues que les régions de la culture initiale des céréales. Un syncrétisme moderne, mélange de traditions anciennes provenant d'horizons divers, parfois fort éloignées, se développe, qui est mis au service d'un néotraditionalisme romantique dépourvu d'une vraie dimension religieuse. En effet, on moissonne désormais tout au long de l'année : en janvier, les blés dorés sont prêts pour la moisson en Australie, en Argentine, au Chili et en Nouvelle-Zélande, pays d'une intense migration d'Européens importateurs des cultures céréalières. En février, les épis mûrs tombent sous les faucilles des moissonneurs hindous. En mars, on moissonne – comme toujours – en Égypte et au Soudan. En avril vient le tour de la Syrie, de l'Iran, du sud-est de l'Asie Mineure, suivant le rythme millénaire (cf. la signification première de la Pentecôte). En mai, la moisson commence en Afrique du Nord, en Crète et en Sicile, mais aussi en Chine et au Japon. En juin, c'est en Italie, en Grèce, au Portugal et en Espagne que les blés sont encore coupés « rituellement » dans quelques localités isolées, là ou le sol est ingrat et les parcelles en pente inaptes à toute forme de mécanisation. En juillet, la Russie méridionale et l'Autriche sont en pleine moisson. En août, c'est le tour des pays d'une latitude moyenne des deux côtés de l'Atlantique : c'est le cas de la France et de la Belgique, de l'Allemagne mais aussi du Canada méridional et des plaines centrales des États-Unis. En septembre, la Colombie-Britannique et les territoires de la baie d'Hudson voient leurs récoltes venir à maturité. En octobre, Suède, Norvège et Russie du Nord fauchent à leur tour les céréales adaptées à ces latitudes. En novembre, on moissonne au Pérou et sur les hauts plateaux de l'Afrique du Sud, depuis que des céréales panifiables originaires de la Méditerranée ont été importées. En décembre enfin, les moissonneurs du Sud-Est asiatique se livrent aux gestes millénaires, en chantant la gloire du soleil bienfaisant. D'autre part, le maïs, céréale d'origine américaine, s'est parfaitement adapté aux traditions européennes, où l'on fabrique des poupées de moissons qui, à l'instar des « bouquets de moissons » du blé, sont offertes en prémices à l'église tandis que les graines sont intégrées aux rites funéraires.

C'est dans ces localités isolées, qu'elles soient les îles de la Méditerranée ou aux marges des plaines de l'Europe centrale, qu'on attache encore de l'importance à la « force » manifestée lors des moissons, laquelle se concentre dans la première, mais aussi et surtout dans la dernière gerbe à faucher. Cette « force » peut nuire à la santé des faucheurs et de la communauté tout entière, périodiquement menacée de famines, et c'est peut-être la raison pour laquelle les prémices, proposées jadis aux dieux, sont toujours portées aux églises et sont constituées de ces gerbes à connotation « mystique ». C'est aussi avec les épis de la première et de la dernière gerbe qu'on fabrique des bouquets de moisson, des couronnes qu'on offre aux propriétaires des champs et qu'on accroche par la suite sur la porte centrale de la ferme. Ailleurs, les graines cueillies de ces premiers ou derniers épis sont mélangées aux semailles pour que la « force sacrée » revienne à la terre et que la future récolte soit bonne – à moins que ces graines ne soient tout de suite répandues sur le champs fauché, destinées à « ceux qui habitent sous la terre ». Jadis, selon les traditions nordiques, ces graines étaient destinées aux « chevaux d'Odhin » ou à la « Gute Frau », à l'« épouse du blé » ou l'« esprit du blé », qui se manifeste dans toutes les étapes des cultures céréalières et qui peut avoir recours à la vengeance à la suite du non-respect du rituel lors du « meurtre des épis ». D'habitude, les premières ou dernières gerbes, porteuses de la « force sacrée », étaient assimilées à une « jeune fille », à une « mariée » – personnages prometteurs d'une fertilité future ; elles étaient aussi représentatives de la « Mère du blé » ou de la « Grande Mère », etc., c'est-à-dire de la fécondité assumée. Sous l'influence des monothéismes bibliques, ces gerbes devinrent la barbe du Sauveur ou de Dieu en pays musulmans, et parfois chez les Slaves elles représentaient saint Élie (fêté en pleine canicule), ou saint Nicolas dont la fête domine l'ouverture de la saison hivernale.

Gravité, ambiguïté, symbolisme funéraire, actes « magiques » pour la préservation des forces vitales et la bonne santé des paysans ont caractérisé ainsi les rituels des moissons partout dans le monde : celles du riz, du maïs ou des différents blés. Survivent encore de nos jours les réjouissances et les festins qui précèdent une bonne récolte et surtout les fêtes qui accompagnent la fin des travaux lorsque les grains prennent le chemin des granges ou des silos communaux.

Yvonne de Sike

• *Voir aussi :* Battage des céréales et aire de battage ; Brigitte, Brigit ; Calendrier celte et rites céréaliers ; Calendrier grec ancien ; Calendrier romain ; Calendriers et mesure du temps ; Déméter et Perséphone ; Épi (symbolique de l') ; Grain et graine ; Moisson ; Moisson (pains de) ; Moisson, 24 juin 1990 (La Grande) ; Paille ; Saturne ; Terre-Mère primordiale ; Vierge et cycle des cultures céréalières

Bibl. : Bernard BAUDOUIN, *La Religion orthodoxe gardienne de la tradition*, Paris, De Vecchi, 2000.

MONDIAL DU PAIN. – Voir AMBASSADEURS DU PAIN

MONGOLIE (traditions du pain en). – En Mongolie, société d'éleveurs nomades, le pain ne fait traditionnellement pas partie de l'alimentation, et l'aliment de base n'est pas un farineux, comme c'est le cas dans les cultures agricoles. Les Mongols consomment des produits issus de l'élevage, la viande et les produits laitiers, à la fois parce qu'ils les considèrent comme les plus nourrissants, que le climat n'est pas favorable à l'agriculture et que ce sont d'anciens chasseurs. L'aliment de base du repas reste la viande, consommée en petite quantité dans son bouillon de cuisson.

L'introduction des farineux en Mongolie remonte probablement à la fin du XVIe siècle, époque de la conversion des princes mongols au bouddhisme. On en consommait tout autour des monastères et des premières agglomérations. La consommation des farineux (pâtes de blé, raviolis bouillis, beignets frits, gâteaux, pains) fut renouvelée, cette fois sous l'influence russe, à partir des années 1920. Dans les années 1960, les Mongols consommaient des pâtes de riz (*püntüüz*) ou de blé (*gojmon*) et, plus rarement, des petits pains vapeur (*mantuu*) dans les quelques cantines chinoises (*guanz*) de la capitale ; les *mantuu* étaient considérés comme du pain. Aujourd'hui, les farineux agrémentent la soupe quotidienne, sous la forme de pâtes de farine de blé (*guril*) ou, plus rarement, de galettes frites (*gambir*). Ces farineux ont la propriété, non pas de « nourrir » au sens où les Mongols l'entendent, mais de donner de la consistance au repas, constitué d'un plat unique, la soupe, et d'une boisson, le thé. Sous le régime communiste, les marchés de la capitale étaient pourvus de toutes sortes de pains industriels dits « noirs » (*har talh*), faits de farine de seigle, de sarrasin, importés d'autres pays du bloc soviétique ou de l'Est ; ce sont essentiellement les expatriés européens qui les achetaient. En revanche, dès avant le changement de régime, des entreprises nationales, spécialisées dans l'industrie meunière, ont développé la commercialisation de la farine par type (45, 55, 65, 80), conditionnée en sachet de 1 kg, des gâteaux secs et du pain. Le pain industriel mongol est donc fait à base de farine de blé produite localement – du blé dur et du blé tendre sont cultivés, à petite échelle, dans différentes régions. Aujourd'hui, ce pain (*talh*), un pain d'aspect typiquement russe, blanc, ovale et aéré, tend à remplacer les produits laitiers séchés qui ornent traditionnellement le fond de l'assiette d'hospitalité.

Certaines familles d'éleveurs consomment du pain qu'elles fabriquent elles-mêmes. Sa préparation, comme celle des repas, incombe aux femmes. Pour réaliser un « beau pain », ces dernières utilisent de la farine panifiable de « blé tendre » (*zöölön buudaj*) mongol, et de préférence de qualité supérieure, littéralement « farine supérieure » (*deed guril*), communément dite « blanche » (*cagaan*). Il faut concrètement une farine qui s'hydrate aisément, pour faciliter le pétrissage, qui lève et cuise bien. Compte tenu de leurs moyens de locomotion et d'approvisionnement, les éleveurs achètent la farine par grands sacs de 25 ou 50 kg, tandis que les familles sédentaires vivant dans une ville provinciale se fournissent quotidiennement par sachets de centaines de grammes.

Comme pour toute préparation culinaire, celle du pain s'effectue dans la partie féminine de la yourte, le sud-est, où se situe l'ouverture du fourneau central fermé sur lequel les aliments sont mis à cuire. Dans un saladier, la levure et le sel sont incorporés à la farine. La levure de boulanger déshydratée (*höröngö*) est achetée par petits sachets individuels. L'eau est versée dans le puits de farine. Le mélange se fait à la main, précisément de la main droite « avec de la grâce » (*hišigtej*). Le dosage des ingrédients est estimé à l'œil nu. La pâte obtenue est enfarinée et placée sur une planche à découper également enfarinée, appelée pour l'occasion « bois à pétrissage » (*zuuruul mod*). La boule (*böön*) de pâte est pétrie (du verbe « pétrir », *zuurah*), des deux mains, poings serrés, légèrement étirée, puis à nouveau pétrie. La pâte doit présenter une ductilité particulière : elle ne doit pas coller aux doigts et être suffisamment souple pour ne pas rompre. Une fois pétrie, elle repose une demi-journée en boule dans le saladier enfariné, couvert d'un torchon, près du fourneau entretenu pour bénéficier de sa chaleur ; la pâte lèvera plus facilement, dit-on. Le pâton est ensuite modelé pour former un pain ovale. Trois incisions sont faites au couteau.

Le pain est mis à cuire à couvert dans une casserole émaillée, placée sur les cercles concentriques de cuisson du fourneau. Les yourtes ne sont pas équipées en four ; le fourneau central fermé mongol, tel qu'il est conçu, ne permet pas de cuire des pains ou galettes. Les maîtresses de maison qui souhaitent confectionner du pain doivent donc s'adapter et, techniquement, reproduire le type de cuisson du four pour le faire cuire : une casserole émaillée et un feu ardent alimenté, non pas avec des bouses de vache séchées, le combustible ordinaire, mais avec du petit bois. Ce procédé est similaire à l'instrument utilisé en France jusqu'au début des années 1950 pour cuire le pain à l'étouffée dans les foyers qui n'étaient pas munis de four, et qu'on pouvait appeler « four de campagne » ; le pain, couvert d'une cloche, était installé sur une plaque posée sur le poêle. Après une demi-heure de cuisson, la maîtresse de maison entrouvre la petite plaque ronde au centre des cercles concentriques, pour faire dorer la croûte qui s'est formée. Le pain est alors ôté du feu et déposé sur la planche à découper dans le récipient de cuisson à découvert, afin de permettre l'évaporation de l'humidité et le refroidissement du pain, tout en préservant sa belle forme ovale. La chaîne opératoire de la fabrication artisanale du pain est simple, mais présente une originalité, si l'on se réfère aux canons mongols de cuisson des aliments, puisqu'on ne fait pas cuire le pain dans la marmite, l'ustensile de cuisson par excellence réservé au mode de cuisson traditionnel, le bouilli, ainsi qu'aux modes de cuisson vapeur et frit empruntés aux mondes culinaires chinois et russe. La manière de manger le pain est en outre révélatrice de l'évolution de la société mongole, qui souhaite préserver des fondamentaux de sa culture comme l'hospitalité et le partage alimentaire.

Les journées des éleveurs sont rythmées par des visites spontanées : les hommes rendent des visites, les femmes reçoivent les visiteurs, qui s'installent au nord-ouest, partie masculine et socialement valorisée de la yourte. Pour les honorer, la maîtresse de maison leur présente solennellement des deux mains, au niveau du front, une assiette couverte de nourritures, l'assiette d'hospitalité, qu'elle dépose sur la table basse. Le fond de l'assiette ou « dessous » (*doož*) est garni de fromages séchés (*aaruul*), surmontés de morceaux frais de peau crémeuse du lait (*öröm*) constituant le « dessus », le « meilleur » (*deež*) de l'assiette. Les visiteurs sont tenus de ne prélever un morceau que du « dessus », en marque de respect pour leurs hôtes. Tout visiteur se voit servir un bol de thé de la main droite soutenue sous le coude par la main gauche, qu'il reçoit du même geste. Il doit goûter au thé et ensuite prélever un petit morceau du « dessus » : c'est l'offrande minimale d'hospitalité. À chaque visite, quelques morceaux du « meilleur » sont rajoutés sur le dessus de l'assiette. Le pain n'est pas un produit laitier mais, comme d'autres gâteaux secs et friables (*gööhij*), il est parfois ajouté dans le fond de l'assiette, présenté en tranches épaisses. Il est alors consommé sur l'insistance de la maîtresse de maison, sous la forme d'une tartine appelée « pain avec de l'*öröm*, avec du sucre » (*örömtej čihertej talh*) : la tranche consommée est couverte de peau crémeuse et saupoudrée de sucre en poudre. Dans les centres urbains, les familles ne fabriquent pas elles-mêmes leurs produits laitiers et préfèrent remplacer l'*öröm* par du beurre (*maslo*, terme russe) acheté en motte (à distinguer du beurre rance, *šar tos*), qui est tout aussi gras, frais, se conserve mieux et coûte moins cher. Dans le contexte précis de l'hospitalité, la consommation du pain est significative, car, s'il ne saurait être l'équivalent d'un produit laitier séché, il tend à le remplacer ; en milieu urbain, c'est davantage la valeur marchande du pain qui prévaut et confère une valeur symbolique à l'assiette d'hospitalité. Le pain ne fait en aucun cas disparaître le « meilleur » ou « dessus », l'*öröm*, et il ne fait pas encore partie du repas.

La fabrication artisanale du pain est très peu développée et le savoir-faire qu'elle requiert ne fait pas encore l'objet d'une transmission intergénérationnelle. Le pain n'est pas un aliment qui « nourrit » au sens mongol du terme ; il n'est pas un produit socialement valorisé. Cependant, il doit être « beau » – c'est-à-dire avoir une forme bien arrondie, une croûte bien dorée – et « blanc », ce qui signifie que la mie doit être blanche comme le lait. Il détient ainsi les propriétés des produits laitiers qui sont signe d'abondance et de prospérité. Le souci esthétique prime sur le goût, apporté davantage par le sucre en poudre et la peau crémeuse du lait. Une tradition de consommation du pain se forme en Mongolie et la manière de le manger a un sens. Comme pour la plupart des farineux, la consommation du pain est associée à la pratique de l'hospitalité, forte en contenu symbolique et sociologiquement essentielle dans une société de tradition nomade.

Boorcog. Petits beignets frits en forme de boudin, faits d'une pâte de farine de blé, d'eau et de beurre rance. Ils sont cuits dans la marmite, immergés dans l'huile bouillante. Ils sont notamment préparés à l'occasion de la confection des « gâteaux-semelle » (*ul boov*) du nouvel an lunaire, et leur consommation, collective, a un caractère de fête.

Gambir. Galettes rondes, faites d'une pâte dense et élastique de farine de blé, d'eau, de sel et de beurre rance. Frites dans une petite quantité d'huile de graisse animale ou d'huile végétale industrielle, dans le fond de la marmite. La pâte est généralement salée, parfois sucrée. Coupées en quatre, les galettes sont consommées collectivement dans un grand plat – les hôtes avec leurs visiteurs et non après leur départ.

Gööhij. Gâteaux industriels friables en forme de nuage, faits d'un mélange d'eau, d'huile, de beurre rance et de farine de blé, figurant parfois au fond de l'assiette d'hospitalité.

Har talh. Pain « noir », de seigle ou de sarrasin, importés des pays de l'Est, consommé par les expatriés.

Mantuu. Petits pains carrés faits des restes de la pâte de farine de blé levée préparée pour la confection des *mantuu buuz*, raviolis garnis de viande de mouton et cuits à la vapeur, dans un cuit-vapeur étagé (*žignüür*) posé sur le bord de la marmite, ou sur une grille posée à mi-hauteur de la marmite, dont le fond est rempli d'eau. Leur préparation est rare et leur consommation à caractère festif. Plat d'origine chinoise consommé dans les cantines des centres urbains avec une soupe ou une salade de crudités.

Talh. Pain fait d'un mélange de farine de blé, d'eau, de levure et de sel. Production industrielle ou production artisanale, dans un récipient émaillé sur un feu très vif. Offert au fond de l'assiette d'hospitalité, en remplacement des traditionnels fromages séchés ; consommé sous forme d'une tartine avec soit de la peau crémeuse du lait placée au sommet de l'assiette d'hospitalité, soit du beurre russe, et du sucre en poudre.

Ul boov. Gâteaux en forme de semelle confectionnés par centaines à l'occasion du nouvel an lunaire. Faits d'une pâte de farine de blé, d'eau et de beurre rance, moulée sur des moules en bois à motifs. Exceptionnellement, ce sont les hommes qui sont chargés de leur préparation (pétrissage, moulage) et qui les font frire dans de l'huile animale. Pour attirer à soi le bonheur, ils sont offerts aux nombreux visiteurs, dont les traces de pas dans la neige évoquent la forme des gâteaux reçus et rapportés à la maison.

Sandrine Ruhlmann

• *Voir aussi :* Chine ; Pain (définition universelle du) ; Pains mondiaux ; Russie ; Sarrasin ; Seigle

Bibl. : Sandrine RUHLMANN, « Une curieuse pâtisserie en forme de semelle : le nouveau support de bonheur des Mongols halh bouddhisés, *Anthropology of Food*, SO [en ligne], 2008. – ID., « Les “nourritures enveloppées” du Mois blanc : nourritures de fête du nouvel an lunaire en Mongolie », Lemangeur-ocha.com [en ligne], 2007. – ID., « La beauté des farineux. Une approche anthropologique de la notion mongole d'esthétique », Communication du 3e Congrès du réseau Asie-IMASIE, *Perceptions esthétiques en contexte mongol et sibérien*, Thématique 6, *Espaces, rituels, sociétés* [en ligne reseau-asie.com], 2008.

MORCEAU DE PAIN. – Voir CHANTEAU

MORTIER-PILON. – La confection des bouillies implique une cuisson dans l'eau, c'est-à-dire dans un récipient étanche et résistant à la chaleur. Il est certes possible de faire bouillir de l'eau dans un récipient en cuir ou en bois, en se servant de pierres chauffées. Mais cela implique des manipulations continuelles pour retirer les pierres refroidies et les faire chauffer à nouveau. Le moyen le plus courant est d'utiliser un récipient qui va eu feu, une marmite. C'est pourquoi il est permis de penser que l'histoire des bouillies n'a pas dû commencer bien avant celle de la poterie, il y a plus ou moins douze mille ans suivant les régions.

De plus, on utilise de préférence des gruaux plutôt que de la farine pour confectionner les bouillies. Or, pour produire des gruaux, le mortier et le pilon sont des appareils mieux adaptés que les pierres à moudre. Malheureusement pour nous, les mortiers sont le plus souvent en bois et les pilons le sont toujours, ce qui, sauf exception (villages lacustres et autres sites saturés d'eau), exclut de les retrouver dans les sites archéologiques. Il y a donc peu d'espoir de pouvoir établir si, comme il est logique de le supposer, l'apparition du système mortier-pilon est concomitante de celle de la poterie. Il semble toutefois que le mortier-pilon soit absent d'un assez vaste ensemble de régions où seule la pierre à moudre est connue : l'Australie, le sud de l'Argentine et du Chili, les Andes, une grande partie du plateau central méso-américain et de l'ouest des États-Unis ; et, dans des régions comme la Californie ou l'Afrique de l'Ouest, on a des indices permettant de supposer que le mortier n'a été introduit qu'à une époque récente, alors que la pierre à moudre y était présente de toute antiquité. Malgré l'insuffisance de toutes ces informations, l'hypothèse que le mortier est plus récent que la pierre à moudre n'est pas tout à fait déraisonnable.

François Sigaut

• *Voir aussi :* Bouillie ; Calendriers et mesure du temps ; Céréales sauvages aux premières formes domestiques (des) ; Femmes ; Mangeurs de pain ; Meunerie ; Mésopotamie ; Moulin ; Pain (définition universelle du) ; Pain levé du monde (le plus ancien) ; Pierre à moudre ; Tannur ; Terre-Mère primordiale

Bibl. : M.-C. AMOURETTI, *Le Pain et l'huile dans la Grèce antique*, Paris, Les Belles Lettres, 1986 • T. ANKEI, *Cookbook of the Songola : An Anthropological Study on the Technology of Food Preparation among a Bantu-Speaking People of the Zaire Forest*, Kyoto University, The Center for African Area Studies, African Study Monographs, supplément au nº 13, 1990 • P. ATZENI, *Il corpo, i gesti, lo stile, lavori delle donne in Sardegna*, Cagliari, CUEC, 1988 • S. AVITSUR, « The Way to Bread, The Exemple of the Land of Israel », *Tools and Tillage*, vol. 2, nº 4, 1975, p. 228-241• F. BINDER, *Die Brotnahrung, Auswahl-Bibliographie zu ihrer Geschichte und Bedeutung*, Ulm/Donau, Deutsches Brotmuseum, 1973 • J.-P. DE-

VROEY, J.-J. VAN MOL (dir.), *L'Épeautre (Triticum spelta), Histoire et ethnologie*, Treignes (Belgique), Éditions Dire, 1989 • A. GAMERITH, *Speise und Trank im südoststeirischen Bauernland*, Graz, Akademische Druck-und Verlagsanstalt, 1988 • F. GARIBOLDI, *L'Étuvage du riz*, Rome, FAO, 1974 • M. GAST, *Alimentation des populations de l'Ahaggar*, Paris, Arts et métiers graphiques, 1968 • S. H. KATZ, M. L. HEDIGER, L. A. VALLEROY, « Traditions Maize Processing Techniques in the New World », *Science*, vol. 184, n° 4138, 1974, p. 765-773 • J. G. LEWTHWAITE, « Acorns for the Ancestors : the Prehistoric Exploitation of Woodland in the West Mediterranean », *in* S. Limbrey, M. Bell (dir.), *Archaeological Aspects of Woodland Ecology*, Oxford, BAR, 1982, p. 218-230 • M.-C. MAHIAS, *Délivrance et convivialité, le système culinaire des Jaina*, Paris, Éditions de la Maison des sciences de l'homme, 1985 • A. MAURIZIO, *Die Nahrungsmittel aus Getreide*, Berlin, Paul Parey, 1924-1926, 2 vol. • L. A. MORITZ, *Grain-Mills and Flour in Classical Antiquity*, Oxford, Clarendon Press, 1958 • J. MUCHNIK, D. VINCK, *La Transformation du manioc, technologies autochtones*, Paris, Presses universitaires de France, 1984 • S. REHM, G. ESPIG, *Die Kulturpflanzen der Tropen und Subtropen*, Stuttgart, Eugen Ulmer, 1976 • F. SABBAN-SERVENTI *et al.*, « Contre Marco Polo : une histoire comparée des pâtes alimentaires », *Médiévales*, nos 16-17, 1989 • N.-C. SERINGE, *Monographie des céréales de la Suisse*, Berne, chez l'auteur, 1818 • K. SHAWCROSS, « Fern Root and 18th Century Maori Food Production in Agricultural Areas », *The Journal of the Polynesian Society*, vol. 76, n° 3, 1967, p. 330-352 • F. SIGAUT, « Moulins, industrie et société », *Culture technique*, n° 16, 1986, p. 215-223 • A. TESTART, *Les Chasseurs-cueilleurs, ou l'Origine des inégalités*, Paris, Société d'ethnographie, 1982.

MORTS (pain des). – Symbole de la vie, élément nutritif incontournable de tous les rites de passage, le pain est logiquement associé à la nourriture des morts dans l'au-delà dans de nombreuses sociétés ; c'est une offrande aux morts. Au Mexique, on honore les morts avec le *pan de los muertos* à la Toussaint ; ce pain de sucre a parfois la forme d'une tête de mort ou d'un cercueil. Ce symbole de passage permet d'établir le lien symbolique entre morts et vivants. En Roumanie, les pains rituels confectionnés pour la fête des morts sont appelés *colaci* ; ils sont souvent désignés par des homonymes des diverses parties du corps humain. On notera que, le 1er novembre, jour de la Toussaint précédant le jour des Morts (le 2 novembre), qui était aussi le début de l'année celtique, on va de maison en maison distribuer le pain des morts. Tous ces rites alimentaires représentent à la fois une réincorporation symbolique du mort, mise en œuvre par la famille proche et éloignée, et une alimentation de celui qui franchit le passage entre les deux mondes. Il est sûr qu'il existait et qu'il existe encore une dialectique de l'offrande ; celle-ci a peut-être évolué dans le temps mais, au-delà de toute interprétation, tout festin sacré et nourriture rituelle révèlent des émotions fondamentales. Dans l'analyse symbolique que l'on peut faire, la nourriture rituelle du mort établit un lien avec la bouche. Il y a un lien incontestable avec le voyage du défunt dans l'au-delà, mais en même temps les vivants se protègent contre son retour. Préparé pour ce voyage, le défunt a les mêmes besoins qu'un être vivant et doit donc s'alimenter, par substitution ; d'où l'importance de tout rite alimentaire effectué par les vivants qui établissent une communion avec le défunt.

L'exemple de la Corse peut nous permettre de mieux comprendre la fonction symbolique du pain des morts. Il existe en effet, sur cette île, entre le monde des morts et le monde des vivants, une circulation, une communication régulée par un code de pratiques et de rites. Les morts, ayant acquis un nouveau statut, ont le pouvoir de se manifester. Ils semblent effectuer un voyage et rappeler aux vivants qu'ils doivent assurer les rites, comme celui de préparer un repas et de laisser la table prête, pour le retour des morts pendant la nuit de la Toussaint. Dans le village de Lopigna, on dépose *a cuffinetta* sur la tombe des personnes récemment disparues, pendant la fête des Morts. Cette offrande est composée de pain frais, de *brocciu*, de saucisson, de vin et d'huile. Pendant la nuit des morts, entre le 1er et le 2 novembre, les familles ne finissent pas leur repas et laissent un plat réservé pour les morts, car ceux-ci réinvestissent l'espace des vivants. D'après la tradition populaire, ce retour des morts est préparé : les portes sont laissées ouvertes, le feu est allumé, des ustensiles d'eau destinée à apaiser la soif des défunts sont déposés sur le rebord des fenêtres. C'est *a cena di i morti*, le « repas des morts ». Dans la région du Celavu, la table est mise avec de l'eau, du vin, l'*ingranellati* (des gâteaux faits avec des grains de raisin), des noix et des figues sèches, mais pas de plats cuisinés.

Il y a souvent eu confusion entre les deux fêtes ; la tradition alimentaire de la Toussaint et du jour des Morts désormais confondus s'est maintenue et donne lieu à la réalisation de gâteaux et pains spécifiques à chaque microrégion. Ce sont des chaussons farcis avec du *brocciu*, du raisin, de la courge, de l'huile d'olive, des légumes ou du pain. On les appelle souvent *vasteddi*, *bastelli*, (« chaussons ») *torte*, *curcone*, *ciacci*, *coccioli*, *biscotti di i morti* (« pain des morts »). On trouve le plus fréquemment les *inzuccati* (chaussons farcis à la courge et aux raisins secs), les *arbittati*, ou certains gâteaux des morts plus spécifiques telle l'*inugliata* à Veru, une pâte composée d'huile d'olive et de pain. Les raisins secs et les noix font partie des traditions du jour des Morts. À Bastia, une recette permet de réaliser *a salviata*, un gâteau qui a acquis sa spécificité grâce à sa forme en *S*, composé de vin et de sauge. Son nom lui vient sans doute de ce dernier ingrédient, la sauge étant employée anciennement pour confectionner ce gâteau des morts qui se conserve très longtemps. À Veru, on l'appelle *u biscottu di i morti* ou l'*inugliata* ; on confectionne également l'*inzuccata*. À Bonifacio, le pain des morts, *pan di i morti* porte aussi le nom d'*ughi siccati*, gâteaux aux raisins secs et aux noix vendus pendant cette période. Dans le temps, « la coutume voulait que les familles bonifaciennes laissent la veille du jour des Morts, ces délicieux gâteaux sur la table avec une bonne bouteille » (Canonici, *Nice-Matin*, 1978). Il était d'usage le même jour d'offrir symboliquement aux parents proches ou aux pauvres du village *u biscottu di i morti* en disant *pà i nostri morti* ou *pà i vostri morti* (« en l'honneur de vos morts » ou « de nos morts »). Ce rituel des *carità* (« charités ») consiste donc à partager, échanger et distribuer des gâteaux et fruits avec les voisins. Par ailleurs, les quêtes ayant lieu à cette date peuvent se faire au nom des âmes du purgatoire : des gens frappent aux portes des maisons et on leur distribue du pain et des fruits secs.

Tony Fogacci

• *Voir aussi :* Corse ; Déméter et Perséphone ; Kollyva, collyves ; Fermentation (approche anthropologique de la) ; Figurines en mie et en pâte de pain ; Grain et graine ; Mexique ; Pérou ; Si le grain tombé en terre ne meurt ; Terre-Mère primordiale ; Théologie du pain ; Vendange

Bibl. : COLLECTIF, *Corse. Produits du terroir et recettes traditionnelles*, Paris, Albin Michel, Région Corse, 1996 • COLLECTIF, *Savoirs culinaires et pratiques alimentaires en Corse*, Corte, Publications universitaires de linguistique et d'anthropologie (PULA) n° 2, Université de Corse, 1990 • Tony FOGACCI, « La mort », *Encyclopaedia Corsicae*, Bastia, Dumane, 2005, 7 vol., vol. III • Félicienne RICCIARDI-BARTOLI, « Cuisine et alimentation », *Cahiers d'ethnologie corse*, Ajaccio, 1993 • Maguelonne TOUSSAINT-SAMAT, *Histoire naturelle et morale de la nourriture*, Paris, Larousse-Bordas, coll. « In Extenso », 1997.

MORVEUX. – Voir DÉFAUTS DU PAIN

MOT « PAIN » (étymologie du). – Le mot apparaît d'abord sous la forme *pan* (980), puis, en 1050, *pain* ; du latin *pānis*, d'une racine indo-européenne **pa-* « nourrir » [l'astérisque * signifie que le mot devant lequel il est apposé n'est pas attesté ; toutes les racines indo-européennes sont précédées d'un astérisque, car elles sont hypothétiques, contrairement aux racines sémitiques, quant à elles parfaitement identifiables]. L'étymologie du mot « pain » paraît plutôt simple à première vue. Attesté en français dès l'origine de cette langue, il vient du latin *pānis* (*pane*) « pain ». Usité de tout temps et jusqu'aux confins de l'empire romain, *pānis* serait emprunté par d'autres peuples comme les Celtes insulaires (irlandais : *páin*) et même les Grecs (messapien πάνος [*pános*]). L'existence d'un diminutif *pāstillus*, « petit pain », à côté de *panis* a permis de supposer que ces deux mots dérivaient d'une forme plus ancienne : **päsn-* > *pānis* et **päsn-* > *pāst*(*illus*) (Ernout et Meillet 1932, révision 1985). On serait tenté d'ajouter à cette liste un autre terme latin de signification voisine, *pasta*, « pâte », puisque le pain est le résultat de la cuisson d'une pâte. Mais la ressemblance entre *pāstillus* et *pasta* serait trompeuse. Le second viendrait en réalité du grec πάστη [*pástē*] ou παστaί [*pastai*], « sauce mêlée de farine d'orge », du verbe πάσσω [*pássō*], « saupoudrer, broder ». Emprunté à l'époque de Marc Aurèle (121-180), *pasta* n'aurait donc aucun rapport avec le pain. Il est néanmoins possible qu'il ait eu une influence, notamment sur un dérivé ultérieur de *pāstillus*, **pastellus* > l'italien *pastello* (français *pastel*), une « pâte colorée ».

Les lexicographes ont recherché parmi les autres langues indo-européennes (abrégé i.-e.) les termes apparentés à **päsn-* pour en identifier la racine. Or, il ne se trouve aucun correspondant en dehors du latin. Le grec emploie les mots ἄρτος [*ártos*], « pain de blé », ou μᾶζα [*māza*], « galette d'orge », le proto-germanique **khlaibuz* ou **brautham* (> *Brot*, *bread*) et le celtique commun *bara*, « pain ». Cette variété lexicale s'explique sans doute par le fait qu'à l'époque lointaine de la dispersion des peuples dont la langue s'apparentait à l'indo-européen le pain était un aliment encore inconnu. Il allait prendre un nom différent dans chacune des régions où ces peuples s'établiraient, soit en tant qu'invention locale, à partir d'un concept déjà présent dans la langue comme « manger », « cuire », etc., soit en étant emprunté à une autre langue dont les locuteurs connaissaient déjà le pain. C'est la première option que les étymologistes ont choisie pour le mot latin. Ils ont ainsi constaté que **päsn* possédait le même radical (la même première syllabe) *pa-* (ou *po-*) que le substantif latin *pabulum*, « nourriture, fourrage », le verbe grec πατέομαι [*patéomai*], « manger », ainsi que de nombreux vocables d'autres langues i.-e. comme le gothique *fodjan* ou l'anglais *food*, « nourriture ».

Le mot **päsn* serait une évolution propre au latin à partir d'une racine i.-e. **pa-*, dont le sens primitif était « manger, nourrir ». Cette hypothèse se heurte pourtant à un écueil : l'élargissement avec un /s/ de cette racine (**pa-* > **pas-*), indispensable pour lui rattacher *pāstillus*, ne se retrouve nulle part en dehors du latin. Quant aux mots associés à *pabulum* (généralement rangés sous l'entrée *pāsco*, « je nourris », dans les dictionnaires latins) comme *pāstor*, « pasteur », ou *pāscus*, « pacage » – mots assurément issus d'une racine **pas-* –, ils pourraient n'avoir aucun rapport avec la racine **pa-*, « manger », et provenir d'une autre racine i.-e. : **peə*$_3$, « garder (un troupeau) ». Celle-ci est bien attestée en dehors du latin, aussi bien en grec qu'en sanskrit. Autrement dit, tous les termes i.-e. ayant un lien direct avec l'alimentation dérivent de **pa-* ou **pə-* ; mais jamais de **pas-*, à l'exception de *pāstillus*. Dans ces conditions et à moins de supposer que les deux racines, **pa-* et **peə*$_3$ dérivent toutes deux d'un très antique **peH*$_2$- proto-indo-européen, l'existence d'un **päsn* étymologique n'est garantie que par la concordance de sens entre *pānis* et *pāstillus*. Et rien n'interdit de considérer l'un ou l'autre des ces mots, sinon les deux, comme des emprunts à une langue du bassin méditerranéen, ici et pour l'exemple : le phénicien.

Dialecte cananéen très proche de l'hébreu, le phénicien était, à l'époque de la fondation de Rome (VIIIe s. av. J.-C.) comme l'anglais aujourd'hui, un idiome international bien plus répandu que le grec. Les Phéniciens occupaient la Sardaigne, une partie de la Corse et disposaient d'un important comptoir à Caere/Pyrgi, en Étrurie, au nord de Rome. Les deux principaux mots désignant le pain y était *lêḥêm* et *pat* ou *pətōt*, « pain, miettes » (comme en hébreu). Le premier dérivait d'une racine sémitique signifiant « nourriture solide », les seconds du verbe « émietter » (*ptt*), qui a donné le mot *pita*. Un terme comme *pat* serait un étymon recevable de *pāstillus* si la forme empruntée avait été une variante comparable à l'arabe *fatīt*, « miette » : **patit* > *pasti-* (dissimilation du /t/). Concernant le mot *pānis*, l'emprunt serait plus difficile à démontrer. Il pourrait cependant s'expliquer, en faisant preuve d'imagination, à partir de la locution religieuse *lêḥêm pānîm* « pain d'oblation » (*pānîm*, « les faces divines »), où ce serait le second terme qui aurait été adopté par les Latins : *pānîm* > *pānum* compris comme le génitif pluriel d'un *pānis* au singulier.

En conclusion, l'origine du mot « pain » demeure obscure. Si l'on exclut l'hypothèse, somme toute peu convaincante, de l'emprunt à une langue méditerranéenne, l'étymon *pānis* peut parfaitement dériver de la racine i.-e. **pa-*, « manger » ; mais il perdrait en retour sa relation génétique avec son quasi-synonyme *pāstillus*, « petit pain ». Pour ce dernier, une innovation propre au latin n'est cependant pas impossible ; elle est même l'hypothèse la plus vraisemblable.

Dérivés. 1. Apanage et apanager (XIIIe s.) « donner du pain (à son héritier) ». **2.** Calque latinisé du gothique *gahlaiba* (*ga*, « avec » + *hlaiba*, « pain ») : compagnon « qui partage la même ration de pain » ; compagnie (XIe s.) ; compagne, accompagner (XIIe s.) ; accompagnement (XIIIe s.) ; accompagnateur (XIVe s.) ; compagnonnage, copain (XVIIIe s.) ; copine (XIXe s.). **3.** Du rad. lat. *pan-* : panade (XVIe s.), « soupe de pain trempée », puis, au XVIIIe siècle, « misère » ; panaire (XVIIIe s.), « relatif au pain » ; pané (XVIe s.), « recouvert de miettes de pain » ; paner (XVIIIe s.) ; panure (XIXe s.). **4.** Du lat. *panificare* : panifier (XVIIe s.) ; panification (XVIIIe s.) ; panifiable (XIXe s.). **5.** Du lat. *panarium*, « corbeille à pain » : panier (1170) ; panérée (XIVe s.), « contenu d'un panier plein » ; panetier, panetière (XIIe s.). **6.** Du lat. *pastillus* : pastille, « brûle-parfum » (XVIe s.) ; « bonbon » (XVIIe s.) ; pastel (XVIIe s.), « pâte colorée » de l'italien *pastello*, pastelliste (XIXe s.). **7.** De l'italien *pagnotta*, « petite miche de pain » : se pagnotter (XIXe s.) ; « se débander » d'un ancien *pagnote* (XVIe s.), « soldat misérable se débandant pour une miche de pain » ; pagnoterie (XVIIe s.), « lâcheté ».

Patrick Jean-Baptiste

• *Voir aussi :* Compagnon ; Maximes et proverbes ; Mot « pain » dans la langue française ; Mot « pain » dans quelques langues européennes

Bibl. : A. ERNOUT, A. MEILLET, *Dictionnaire étymologique de la langue latine* (1932, révision 1985), Paris, Klincksiek, 2001 • C. WATKINS, *The American Heritage Dictionary of Indo-European Roots* (2e éd.) Houghton, Mifflin Harcourt, 2000 • P. CHANTRAINE, *Dictionnaire étymologique de la langue grecque* (1968, révision 1999), Paris, Klincksiek 1999 • J. DUBOIS, H. MITTERAND, A. DAUZAT, *Dictionnaire étymologique et historique du français*, Paris, Larousse, 1964 • J. PICOCHE, *Dictionnaire étymologique du français*, Paris, Le Robert, 1994 • L. KOEHLER, W. BAUMGARTNER, *The Hebrew and Aramaic Lexicon of the Old Testament* (éd. révisée), Leyde, Brill 2001.

MOT « PAIN » DANS LA LANGUE FRANÇAISE. – Depuis l'aube des temps, le pain est un aliment de base dans toutes les civilisations. Le mot « pain », qui désigne en français cette nourriture essentielle, a servi à la formation de nombreux autres mots de la langue, en même temps qu'il se chargeait de sens nombreux, par métaphore ou analogie, et entrait dans de nombreuses – et souvent savoureuses – expressions et « façons de dire ». (Pour les abréviations des ouvrages lexicographiques cités, voir la Bibliographie en fin d'article.)

Les sens du mot « pain ». Les dictionnaires enregistrent, en même temps que les divers sens du mot, les expressions et « façons de dire » construites à partir de ces sens. Nous nous restreindrons volontairement ici au sens principal et à ses dérivés.

1) À partir du sens principal. C'est le sens premier des dictionnaires : « aliment fait d'une certaine quantité de farine mêlée d'eau et de levain et cuit au four » (TLF).

• *Les parties du pain.* Par exemple : la « bouchée de pain » ; la « croûte de pain » ; le « croûton de pain » ; la « mie de pain » ; la « miette de pain » ; la « pâte à pain » ; le « quignon de pain » ; la « tranche de pain ».

• *Les types de pain* (selon forme, état, présentation, préparation). Par exemple : la « miche de pain » ; le « pain au levain » ; le « pain bâtard » ; le « pain bis » ; le « pain blanc » ; le « pain brioché » ; le « pain complet » ; le « pain de campagne » ; le « pain de fantaisie » ; le « pain de froment » ; le « pain de gluten » ; le « pain de ménage » ; le « pain de méteil » ; le « pain de mie » ; le « pain de seigle » ; le « pain de son » ; le « pain de table » ; le « pain d'orge » ; le « pain filant » (maladie du pain) ; le « pain ferré » ; le « pain frais » ; le « pain grillé » ; le « pain noir » ; le « pain rassis » ; le « pain sans sel » ; le « pain viennois ».

• *Les outils du pain.* Par exemple : la « corbeille à pain » ; le « couteau à pain » ; la « huche à (au) pain » ; le « panier à pain » ; la « planche à pain » ; le « sac à pain ».

• *Les expressions, le plus souvent métaphoriques, avec le mot « pain », aliment.* « Avoir le petit pain » (être en érection, Arg.) ; « avoir du pain sur la planche » ; « cela (ça) ne mange pas de pain » ; « couleur pain brûlé » ou « pain brûlé » ; « demander, mendier son pain » ; « être au pain sec » (et à l'eau) ; « (être) bon comme le (du) (bon) pain » ; « faire des petits pains » (caresser avec sensualité ou forniquer, Arg.) ; « long comme un jour sans pain » ; « manger son pain blanc, noir » ; « ôter, retirer, arracher à quelqu'un le pain de la bouche » ; « ôter, faire passer, faire perdre le goût du pain à quelqu'un » ; « pain dur » (affaire sans intérêt ou source de désagréments ; personne avare, Arg.) ; « perdre le goût du pain » (mourir, Arg.) ; « pour un morceau, une bouchée de pain » ; « s'acheter, s'enlever, se vendre comme des petits pains ».

• *Les proverbes et dictons.* Par exemple : « à mal enfourner on fait les pains cornus » : un mauvais début dérange toute la marche d'une affaire ; « lorsque le pain se ramollit, la pluie va venir » : l'humidité ramollit le pain ; « pain coupé n'a point de maître » : se dit pour s'autoriser à table à prendre le pain d'un voisin ; « pain dérobé réveille l'appétit » : ce qu'on obtient par des moyens détournés possède un attrait particulier.

• *Les allusions historiques.* « Du pain et des jeux » (ou les jeux du cirque, ou des spectacles), en lat. *panem et circenses* : expression tirée de Juvénal, désignant à Rome les distributions de blé et les jeux du cirque que les empereurs romains offraient au peuple ; « S'ils n'ont pas (plus) de pain, qu'ils mangent de la brioche » : paroles de Marie-Antoinette parlant du peuple affamé.

• *Les allusions évangéliques ou bibliques.* « Donnez-nous aujourd'hui notre pain quotidien », ou « donne-nous aujourd'hui notre pain de ce jour » : formule du Notre Père ; « l'homme ne vit pas seulement de pain, mais de toute parole qui sort de la bouche de dieu » : proverbe tiré de l'Évangile. On évoque souvent le miracle de la multiplication des pains (Marc VI, 8).

2) Avec le sens de « pâte à pain cuite… ». Les lexicographes distinguent un deuxième sens, celui de « pâte à pain cuite, employée dans des circonstances spéciales ou pour un usage autre que la simple nourriture de l'homme ». C'est par exemple : le « pain azyme » ou « pain sans

levain » ; le « pain consacré » ou « pain sacramentel » ; le « pain de proposition » ; le « pain bénit » ; le « pain indien » (pain amérindien sans levure). À ce sens se rattache une expression comme « c'est (du) pain bénit » (c'est bien fait, c'est bien mérité ou c'est une aubaine).

3) Le mot « pain » entrant dans le nom de préparations culinaires ou pâtissières diverses. Ainsi consomme-t-on le « pain au chocolat » ; le « pain au lait » ; le « pain aux raisins » ; le « pain d'épice(s) » ; le « pain perdu » ; mais aussi les « pain de champignons, de légumes, de perdreaux, de poisson, de poulet, de viande, de volaille ».

4) Avec le sens de « pain » comme « moyen de subsistance » ou comme « activité ». Le sens de « subsistance » se retrouve dans des expressions comme « gagner son pain à la sueur de son front » ; « le pain quotidien », « le pain de chaque jour » (subsistance journalière) ou comme l'argotique « pain des Jules » (revenus tirés par un souteneur de la prostitution d'une ou de plusieurs femmes) équivalent de « pain blanc » ou de « pain de fesses » ou de « pain frais ». Le deuxième sens est présent dans « avoir du pain sur la planche » ; « ne pas manger de ce pain-là » (refuser de s'associer à une entreprise, de participer à une affaire) ; « le pain quotidien », comme désignant ce que l'on fait habituellement.

5) Avec le sens de « pain » comme « aliment spirituel et moral ». C'est le sens de la métaphore du pain de vie, par laquelle Jésus se désigne dans les Évangiles (« Je suis le pain de vie », Jean VI, 48). On le retrouve dans la série d'expressions : « le pain d'amertume », « de douleur », « de tribulation » (en termes de religion chrétienne, toute cause de tristesse pour l'âme) ; les plus rares « pain de l'espérance », « de l'exil », « de l'illusion », « de l'indifférence », « de l'intelligence », « de misère », « des larmes ».

6) Avec le sens de « pain » comme « masse de matière ». Par analogie de forme, « pain » entre dans la désignation de nombre de substances diverses. Par exemple le « pain d'abeille » (sécrétion mélangée de pollen et de miel qui sert à nourrir les larves d'abeilles ouvrières) ; le « pain d'aubier » (écorce intérieure des pins et des sapins) ; le « pain d'olives, de noix, de roses » (masse formée du résidu des noix, des olives, des roses, etc., après qu'on en a extrait l'huile ou l'arôme) ; le « pain de cire » ; les « pain de savon », « pain de sel » ; le fameux « pain de sucre » (masse de sucre blanc en forme de cône, ou, en géomorphologie, piton granitique au sommet arrondi, caractéristique des régions de climat tropical humide), qui a donné l'expression « en pain de sucre » (en forme de cône).

7) « Pain » dans les noms de végétaux. Sans doute à cause des éléments comestibles qu'ils fournissent aux humains ou aux animaux, le mot « pain » figure dans nombre d'expressions désignant des végétaux, par exemple : « arbre à pain » ; « pain d'oiseau » (orpin âcre) ; « pain de crapaud » (alisme, plantain d'eau) ; « pain de hanneton » (fruit de l'orme) ; « pain de poulet » (lamier pourpre) ; « pain de singe » (fruit du baobab).

8) Un sens « à part ». La plupart des lexicographes isolent le sens de « pain » comme « coup violent », présenté comme argotique, populaire ou familier. Des expressions comme « lâcher un pain », « coller un pain » sont relevées. Le GLLF indique : « par

comparaison de l'enflure causée par le coup avec la forme d'un petit pain ».

Les mots composés avec « pain ». « Pain » rentre dans la composition des mots : gagne-pain, grille-pain, paindépicier (pâtissier spécialisé dans la fabrication du pain d'épice) ; riz-pain-sel (militaire du service de l'intendance) ; taille-pain (couteau servant à couper le pain). On peut aussi mentionner le mot massepain (calque de l'italien *marzapane*), ainsi que les rares ou spécialisés parepain, tranche-pain (qui ne figurent que dans le DMF).

On le voit, à travers tous ces sens et les quelques exemples que nous avons fournis, le mot « pain » est ce que l'on pourrait appeler un « mot de civilisation ». Son importance primordiale dans l'alimentation humaine lui a conféré des valeurs religieuses et sociales que peu d'autres mots possèdent. Ajoutons qu'il conviendrait aussi, pour être complet, de recenser les innombrables titres d'œuvres (littéraires, cinématographiques, théâtrales) comportant le mot « pain » et qui attestent aussi de sa valeur métaphorique.

Yves Garnier

● *Voir aussi :* Compagnon ; Interdits liés au pain ; Maximes et proverbes ; Mot « pain » (étymologie du) ; Mot « pain » dans quelques langues européennes ; Pain (définition universelle du)

Bibl. : cet article a pour base le rassemblement et le classement des sens et des expressions de « pain » repérés dans les dictionnaires suivants (l'astérisque indique que l'ouvrage est consultable sur le Web ; le nom entre crochets est l'abréviation utilisée dans le cours du texte) : **Dictionnaire de la langue française* d'Émile Littré, 1872 • **Grand Dictionnaire universel du XIX*e *siècle* de Pierre Larousse, 1865-1876 • **Dictionnaire de l'Académie française*, depuis 1986 • *Grand Larousse de la langue française*, L. Guibert, R. Lagane, G. Niobey (dir.), 1978 [GLLF] • *Grand Robert de la langue française*, A. Rey, Le Robert, 1985 • **Trésor de la langue française*, P. Imbs, B. Quemada (dir.), 1971-1994 [TLF] • *Lexis Larousse de la langue française*, J. Dubois (dir.), 1975 • *Grand Dictionnaire encyclopédique Larousse*, 1982-1985 • *Dictionnaire de l'argot*, J.-P. Colin, J.-P. Mével, C. Leclère, Larousse, 1990 [Arg.] • *Dictionnaire historique de la langue française* en 3 volumes, A. Rey, Le Robert, 2006 • *Base de données lexicographiques panfrancophone*, mise en ligne le 18 mars 2004, dans le cadre de la Semaine de la francophonie (www.tlfq.ulaval.ca/bdlp) • *Dictionnaire du moyen français* de l'ATILF (www.atilf.fr/dmf/) [DMF].

MOT « PAIN » DANS QUELQUES LANGUES EUROPÉENNES. – En grec ancien, le pain de blé se disait *ártos*, par opposition à la bouillie ou la galette d'orge, *mâza*. En grec moderne, c'est *psômí*, diminutif de *psômós*, « bouchée », qui a fini par s'imposer pour désigner le pain. *Ártos* ne subsiste que dans des dérivés comme le nom du boulanger, *artopoíos*. Le latin *pānis* se retrouve dans toutes les langues romanes : français *pain*, espagnol *pan*, catalan *pa*, portugais *pão*, italien *pane*, roumain *pîine*.

Aujourd'hui, les langues germaniques partagent le même nom : *bread* en anglais, *Brot* en allemand, *brood* en néerlandais, *bröd* en suédois, *brød* en danois. Ce mot désignait au départ le « pain au levain », d'une racine signifiant « fermenter », qu'on retrouve dans l'allemand *brauen*, « brasser de la bière ». Il a détrôné l'ancien nom du pain, **hlaiba* en germanique commun, qui devait désigner un pain non levé, et issu du gothique *hlaifs* [l'astérisque signifie que le mot devant lequel il est apposé n'est pas attesté]. En anglais, cet ancien nom subsiste sous la forme *loaf*, au sens de « miche », et a surtout donné deux dérivés méconnaissables, *lord* (**hlāf-weard*, « gardien du pain ») et *lady* (*hlæfdige*, « qui pétrit le pain »), qui montrent l'importance du pain dans la vie domestique. Curieusement, le germanique **hlaiba* a été emprunté par le polonais *chleb* au XIVe siècle, puis par toutes les langues slaves (russe *khleb*), pour désigner une innovation, le pain au levain formé en miche, par opposition à *pieczywo*, qui était un pain non levé. *Pieczywo* est un dérivé du verbe *piec*, « cuire », « rôtir », et subsiste dans le nom du boulanger, *piekarz* en polonais, *pekarj* en russe. En arabe, le nom le plus répandu est *khobz*, mais l'Égypte utilise *'aish*, qui est lié au verbe *'āsh*, « vivre », ce qui manifeste bien que c'est le pain qui « fait vivre ».

Michel Chauvet

• *Voir aussi :* Mot « pain » (étymologie du) ; Mot « pain » dans la langue française

Bibl. : Dictionnaires étymologiques de toutes les langues citées, dont : A. ERNOULT, A. MEILLET, *Dictionnaire étymologique de la langue latine. Histoire des mots*, 4e éd., 3e tirage augmenté de corrections nouvelles par J. André, Paris, Klincksieck, 1979 • Alain REY (dir.), *Le Robert historique de la langue française*, Paris, Le Robert, 1998, 3 vol. • Pierre CHANTRAINE, *Dictionnaire étymologique de la langue grecque. Histoire des mots*, Paris, Klincksieck, 1968-1980, 2 vol. • Friedrich KLUGE, *Etymologisches Wörterbuch der deutschen Sprache*, 20e éd., Berlin, de Gruyter, 1967 • *Oxford English Dictionary*, Oxford, Clarendon Press, 1961, 13 vol. • Aleksander BRÜCKNER, *Słownik etymologiczny języka polskiego* [Dictionnaire étymologique de la langue polonaise] Varsovie, Wiedza Powszechna, 1996 [1re éd. Cracovie, 1927].

MOUDRE. – Ce terme peut être associé à une action de réduction de la grosseur des grains. Dans nos industries céréalières, les procédés de réduction peuvent se classer en deux catégories : la fragmentation (concassage, broyage en compression, par choc, par percussion) ; le fractionnement (broyage en cisaillement, attrition, abrasion, décorticage, friction). La fragmentation correspond à la réduction granulométrique d'un produit qui ne prend pas en compte la séparation des éléments constitutifs de la matière d'œuvre ; les fragments sont sensiblement de même composition que le produit d'origine. En alimentation animale, la réduction se fait en une seule opération dans un broyeur à marteaux dans la mesure où l'objectif est la réalisation de fragments caractérisés par une grosseur maximale. La fragmentation des grains s'obtient majoritairement par des sollicitations mécaniques de type compression (exemple, le pilon) ou percussion.

Le fractionnement a comme objectif principal de séparer les éléments constitutifs en fragments distincts d'un produit, il conduit aussi à sa réduction dimensionnelle. Par voie sèche, le fractionnement s'attache principalement à une séparation histologique des fractions ou couches du grain (enveloppes, germes…). Par voie humide, le fractionnement permet une séparation des constituants biochimiques (amidon, protéines, fibres). Le fractionnement nécessite généralement des effets de cisaillement (abrasion, attrition…) auxquels s'ajoutent éventuellement, suivant les procédés, des effets de compression (broyage sur cylindres cannelés, sur meules).

Philippe Roussel

• *Voir aussi :* Amidon ; Cylindre ; Cylindres (appareil à) ; Enveloppe ; Fibres ; Germe ; Grain ; Meule ; Meunerie ; Moulin ; Protéine

Bibl. : Philippe ROUSSEL, Hubert CHIRON, *Les Pains français. Évolution, qualité, production*, Vesoul, Maé-Erti, 2002.

MOUDRE (pierre à). – Voir PIERRE À MOUDRE

MOUILLETTE. – Langues de pain fines qu'on trempe dans les œufs cuits à la coque ou dans un liquide. Elles sont préparées à partir de bandes de pain coupées dans la longueur d'une baguette ou d'une ficelle, puis éventuellement coupées en deux ; elles peuvent être dorées au four ou non, éventuellement beurrées.

Jean-Philippe de Tonnac

• *Voir aussi :* Cataplasme farineux ; Chanteau ; Chapelure ; Chiffon de pain ; Croûte à potage ; Croûton, croûtons ; Entame ; Miette ; Pain perdu ; Panure ; Quignon ; Soupe ; Talon ; Tartine

MOUILLEUR À BLÉ. – Moissonné, stocké dans des silos, transporté jusqu'au moulin, nettoyé, le blé passe enfin dans un mouilleur pour être humidifié, puis reposé pendant 24 à 48 heures dans des silos spécifiques. Cette opération est destinée à favoriser une meilleure séparation du son et de l'amande. C'est la dernière étape avant la mouture.

Philippe Duret

• *Voir aussi :* Amande ; Moulin ; Mouture ; Nettoyage ; Silo à grains ; Son

MOULE. – Récipient de forme et de taille variées, constitué de matériaux divers (verre, aluminium, Teflon, Inox…), destiné à recevoir une pâte, plus ou moins liquide ou solide, qui en épousera la forme et sera soumise ensuite à une cuisson. L'emploi des moules, préalablement graissés, est réservé d'abord aux pièces auxquelles on entend donner une forme ou une contenance particulières (viennoise et baguette moulée, pain de mie, brioche, cake, etc.). Ils sont un autre trait d'union entre le monde de la boulangerie et celui de la pâtisserie.

Catherine Peigney

• *Voir aussi :* Baguette ; Brioche ; Pâtisserie ; Viennois (baguette et pain) ; Viennoiserie

MOULIN. – « Machine composée de diverses pièces, pour faire tourner des meules, et qui est employée pour réduire les grains en farine » (Littré). Il est mû par l'une des trois énergies naturelles suivantes : l'eau, le vent, la force musculaire. Son nom vient du latin *molinum*, issu lui-même de *mola*, « meule ». Derrière le pain se cache le moulin et l'âme de celui-ci, la « meule ». Le moulin à grain à meule rotative, d'abord moulin à main, est issu du bassin méditerranéen. Les plus anciens connus datent du IVe siècle av. J.-C. Ils ont été découverts à Lattes, dans l'Hérault (Reille 2000). Dès les origines, les femmes se voient attribuer la responsabilité de moudre les céréales. Les premiers meuniers sont des meunières. En 2010, ces premiers moulins sont toujours actifs en Afrique du Nord, au Moyen-Orient et même jusqu'en Inde. Dans ce pays, chaque jour, plusieurs millions de femmes travaillent au moulin à main. Deux femmes assises en vis-à-vis, tout en chantant, moulent le grain avec des meules en corindon de 54 cm de diamètre (Poitevin 1997). Au Ier siècle av. J.-C., Antipatros de Salonique écrit un poème dans lequel il mentionne une roue hydraulique à augets actionnant des meules à grain. Les plus anciennes représentations de moulins à eau sont byzantines. Elles sont figurées sur les mosaïques d'Apamée (IIe siècle) et du grand palais de Byzance (Ve siècle) (Gille 1980). La plus importante meunerie antique connue se trouve en France. Il s'agit des moulins de Barbegal (Fontvieille). Ce groupe de seize moulins à grain date du IIe-IIIe siècle apr. J.-C. (Leveau 1996). Il se compose de deux ensembles parallèles de huit ateliers de meunerie mus chacun par une roue hydraulique verticale. Sous l'Empire romain, une loi du Code théodosien défend aux particuliers de détourner le cours des eaux qui servent aux moulins publics (Merlin 1813). Ces derniers sont intégrés dans les boulangeries dont ils constituent un accessoire. Les meules sont taillées en lave dure. La *meta*, meule dormante (ou gisante), est de forme conique avec un socle de maçonnerie à la base. « Au-dessus de la *meta* s'encastrait le *catillus*, pièce mobile creuse en double tronc de cône, la partie supérieure servant d'entonnoir pour l'introduction du grain, la partie inférieure assurant la mouture par rotation contre les flancs de la *meta* » (Adam 2008). Le mouvement est donné par la traction d'un cheval ou d'un âne. En 537, lors du siège de Rome par les Goths, les moulins à farine sont très présents dans la ville. L'approvisionnement en eau des moulins du Janicule étant coupé, le général Bélisaire transfère les meules sur des barques installées sur le Tibre. C'est la première mention des moulins-bateaux, qui colonisent ensuite par centaines les principaux cours d'eau d'Europe, jusqu'à la fin du XIXe siècle.

Durant l'époque carolingienne, les moulins à grain occupent une place significative, comme l'attestent les travaux de Champion. « Au IXe siècle, l'utilisation de la force animale ou humaine pour moudre le grain est déjà très minoritaire dans le grand domaine. On peut affirmer que le moulin à eau s'est imposé au plus tard au VIIIe siècle, et que le IXe ne fait que renforcer une évolution multiséculaire » (Champion 1999). Le moulin d'Audun-le-Tiche possède une roue verticale à aubes entraînant des meules en basalte de 66 à 80 cm de diamètre (Rohmer 1996). L'adoption de la religion chrétienne sur l'ensemble du continent européen favorise la diffusion et l'expansion du moulin à grain. Le pain quotidien se trouvant au cœur du rituel religieux, la mouture des grains à la meule de pierre gagne toutes les communautés, en ville comme au plus profond des campagnes. Il devient l'aliment de base des paysans. Au XIXe siècle, la ration alimentaire des paysans est constituée à 80 % de pain. La production de farine reste une activité centrale dans l'espace économique et social. Aussi les moulins à grain représentent-ils près de 80 % de l'ensemble des moulins répartis sur le territoire français. Si les premières meules manuelles ne mesurent que quelques dizaines de centimètres de diamètre, ce dernier croît régulièrement du haut Moyen Âge à l'époque moderne, pour atteindre plus de 2 m avec les meules de moulins à vent. Les meules les plus courantes utilisées pour la mouture des céréales ont, en France, entre 1,40 et 1,60 m de diamètre (Azéma 2007). En Europe et ensuite dans tout le monde occidental, le mécanisme devient de plus en plus complexe. La meunière cède le pas sur le meunier.

Ce dernier ne peut plus travailler seul. Il est tributaire de nouveaux techniciens : les mécaniciens ou charpentiers de moulins, les fabricants de meules. Ces acteurs sont les propagateurs des techniques existantes, qu'ils acclimatent aux pratiques culturelles et sociales des groupes qu'ils servent.

Les moulins à grain sont équipés de roues hydrauliques horizontales ou de roues hydrauliques verticales. Les premiers au sud de la France et les seconds au nord (Azéma 2001). La roue verticale nécessite l'usage d'engrenages pour multiplier la vitesse de rotation de la meule tournante. La roue hydraulique horizontale amène le meunier à travailler différemment. Chaque meule tournante est mise en jeu par une roue indépendante. Un tour de roue donne un tour de meule. En jouant sur la vanne motrice, le meunier règle le débit de l'eau frappant les cuillères de la roue. Il serre ou desserre les meules. Tâtant la finesse de la mouture s'échappant de l'anche, il procède aux ajustements nécessaires à la bonne rotation de la meule (autour de 90 à 100 t/min pour des meules de 1,45 m de diamètre). Progressivement, les moulins à grain intéressent les seigneurs. En les rendant banaux, ils obtiennent une source de revenus intéressante et sûre. Dans certaines montagnes (Aubrac, Cévennes, etc.), le moulin à grain est parfois un bien sectionnal. Il appartient collectivement aux habitants d'un hameau. De ce fait, il n'y a pas de meunier attitré. Chaque paysan, le jour dit, devient meunier occasionnel pour produire, l'espace de quelques heures, sa propre mouture. L'entretien du moulin (bâtiment, système hydraulique, meules) est collectif.

À partir du XIIe siècle, les moulins à grain mus par le vent font leur apparition dans le paysage rural et urbain. Ils sont mentionnés dans les textes en 1180, à la fois sur les deux rives de la Manche et en Provence (Rivals 1976). Cette nouvelle machine à la silhouette anthropomorphe s'impose rapidement et de déploie dans toutes les régions ventées, le long des façades maritimes, dans les grandes plaines du Nord et dans les couloirs à vent de la vallée de la Loire, de la vallée de la Garonne, du Lauragais, de la basse vallée du Rhône. L'historien Steven L. Kaplan (1988) s'interroge sur les avantages d'un tel moulin : « Mis à part son imposante stature et la beauté de son mouvement, en quoi pouvait-on faire l'éloge d'un moulin à vent ? Il présentait l'avantage certain d'être moins coûteux à construire et plus facile à édifier qu'un moulin à eau. L'énergie éolienne, se renouvelant d'elle-même, ne posait aucun problème de canalisation. De plus, le meunier n'avait pas à se soucier des questions de souveraineté qui, dans le cas des moulins à eau, en revanche provoquaient souvent de violentes controverses. » Moulins à vent et moulins à eau sont complémentaires. La tradition rapporte que « quand il n'y a pas d'eau, il y a du vent ; quand il n'y a pas de vent, il y a de l'eau ». Dans de nombreuses régions, le même meunier exploite les deux machines en fonction des contraintes énergétiques, météorologiques et saisonnières (sécheresse, crue, panne mécanique, etc.). L'architecture des bâtiments varie d'une région à l'autre, en fonction du type de roue hydraulique, du nombre de paire de meules, lui-même dépendant de la hauteur de chute, de la puissance de la rivière et du débit dérivé, de l'accessibilité (présence d'un pont ou d'un gué), et de la proximité d'un village ou d'une ville.

La première estimation historique du nombre de moulins hydrauliques existant en France est datée de 1086. Les historiens évaluent leur nombre à environ 20 000. Six cents ans plus tard, en 1694, Vauban estime qu'il existe, en France, 80 000 moulins à farine, 15 000 moulins industriels et 5 000 usines métallurgiques (Debeir 1986). Le terme « moulin » est un terme ambigu qui amène à confondre le mécanisme et le bâtiment qui l'abrite. Un bâtiment peut abriter plusieurs mécanismes, il faut bien identifier la valeur et le sens du mot « moulin » dans les documents anciens. L'erreur la plus couramment reproduite concerne l'enquête napoléonienne de 1809. Lancée par l'administration impériale pour connaître l'état numérique de notre meunerie, cette enquête vise à recenser le nombre de meules actives dans toutes les communes de l'Empire et non le nombre de bâtiments-moulins. Un moulin peut alors être équipé de plusieurs meules actives. L'administration se moque de savoir dans combien de bâtiments elles se répartissent. Steven L. Kaplan (1988) avance le nombre de 91 134 moulins à grain ! Toutes les extrapolations sur le nombre de moulins à grain qui ont pu être réalisées à partir de ce document sont majoritairement sujettes à caution. Lorsqu'un moulin possède plusieurs paires de meules, celles-ci ne fonctionnent que très rarement ensemble. Il y a toujours des meules en cours de rhabillage. Il y a donc moulin et… moulin. L'abolition des privilèges, la nuit du 4 août 1789, fait disparaître la banalité. Pour les moulins, cela entraîne trois conséquences. Premièrement, le meunier en place devient propriétaire de son moulin. Deuxièmement, le paysan peut choisir son moulin et aller faire moudre ses céréales où il veut. Troisièmement, quiconque souhaitant établir un nouveau moulin peut le faire dans la mesure où celui-ci ne porte pas préjudice aux moulins déjà établis.

Au milieu du XVIIIe siècle, la population croissant, certains meuniers réfléchissent à la meilleure manière d'augmenter la productivité de leurs moulins. Jusqu'alors la mouture ne passe qu'une seule fois entre les meules, ne subissant qu'un seul tamisage. Vers 1760, le meunier Malisset et ses associés entreprennent de remoudre les gruaux et obtiennent ainsi une quantité supérieure de farine. La « mouture dite à l'économique » est née (Kaplan 1988). En 1795, l'États-unien Oliver Evans invente la meunerie moderne. Le moulin moderne se verticalise définitivement. La construction est éclairée par des baies alignées formant plusieurs travées. Le rez-de-chaussée est consacré à la réception des grains, à la trémie de déchargement, au beffroi (mécanisme de transmission de l'énergie dans les moulins à roues verticales), au pesage et à l'ensachage. Le blé est nettoyé au tarare et moulu par les meules au premier étage, lequel accueille aussi un blutoir (tamis) et un tire-sac. Le grain sale et le grain propre sont stockés au deuxième étage. L'ensemble des mouvements des produits est automatisé. La chaîne à godets permet de les faire circuler verticalement. La vis d'Archimède assure les déplacements horizontaux. La potence (grue en bois) permet de soulever en toute sécurité les meules tournantes lors des opérations de rhabillage (ravivage périodique des surfaces travaillantes). L'utilisation de la gravité permet à l'ensemble de consommer peu d'énergie. Ce procédé de construction est importé par les Anglais, qui, à partir de 1815, ne tardent pas à le proposer aux Français, lesquels le baptisent « moulin à l'anglaise ». En 1818, le constructeur anglais Maudsley édifie le premier moulin « monté à l'américaine » en France, à Gouy, dans l'Aisne (Arpin 1948). Ce modèle, qui donne naissance à la première minoterie moderne, est progressivement repris dans tout le nord de la France et avec retard dans le sud du pays.

En 1827, l'ingénieur stéphanois Benoît Fourneyron (Honnoré 1927) invente la première turbine hydraulique du monde. Ce nouveau moteur hydraulique va révolutionner l'industrie et en premier lieu la meunerie. Les minoteries gagnent en puissance et en productivité. Les meules sont ensuite remplacées par les appareils à cylindres inventés par le Suisse Müller en 1833. En 1888, un autre Suisse, Hagenmacher, invente le plansichter, appareil qui supplante au fil des ans la bluterie pour le tamisage de la farine (Moog 1997). Le moulin s'équipe d'autres machines annexes permettant d'accroître l'efficacité du nettoyage ou d'améliorer le taux d'extraction de la farine. Au même moment, les meules de pierre en silex atteignent la perfection. Les bases de la minoterie contemporaine sont posées. Le meunier voit apparaître à ses côtés le minotier. Le nombre de grands moulins augmente sur l'ensemble du territoire national. Au début des années 1930, le suréquipement des grands moulins provoque une surcapacité de production de farine. La profession, représentée par les gros meuniers, demande à l'État de réglementer le marché de la farine de froment et de plafonner les capacités de production. Cette stratégie habile aboutit au lancement d'une enquête auprès de tous les meuniers (beaucoup de petits et peu de gros). Les petits, craignant une enquête fiscale, ne répondent pas. En 1935 est votée la loi sur le contingentement des moulins à grain (Carret 1939). Ainsi les grands moulins réussissent-ils à libérer d'importantes marges de manœuvre. Des milliers de petits moulins à grain sont alors purement et simplement rayés de la carte. L'expansion des grandes minoteries s'annonce presque infinie. Avec l'urbanisation galopante qui suit la Deuxième Guerre mondiale, la consommation de pain chute très fortement pour atteindre 180 g par jour en 2009, au lieu des 900-1 000 g d'il y a un siècle. La concentration meunière s'accélère. En 2008, il reste moins de 500 moulins actifs. Fort heureusement, la mémoire de ce métier est assurée par un vigoureux mouvement associatif.

La sauvegarde des moulins à grain commence par la réhabilitation et la préservation des moulins à vent. En 1937, le peintre-graveur étasunien H. A. Webster crée à Rouen, avec Paul Helot, l'association des Amis des vieux moulins. En 1966, Georges-Henri Rivière reprend le flambeau et donne naissance au mouvement national de sauvegarde des moulins. L'Association française des amis des moulins est née. C'est la mère des fédérations nationales qui couvrent ce domaine (FDMF et FFAM). Les moulins à vent sont les premiers à être restaurés et valorisés dans leur fonction de producteur de farine à la meule de pierre. Depuis, des centaines de moulins à grain ont été sauvés. Les moulins à grain professionnels œuvrent dans le créneau des farines de céréales biologiques, surtout grâce aux « moulins Astrié » et aux « moulins Tyroliens » (Azéma 2007). Depuis le 20 mars 2009, les petits moulins écrasant moins de 3 000 quintaux par an ont une reconnaissance légale et sont dispensés de contingent.

Jean-Pierre Henri Azéma

• *Voir aussi :* Auget ; Ban et banalités ; Bluteau, blutoir ; Grain et graine ; Gruau ; Meule ; Meunerie ; Meunier dans l'Histoire ; Meuniers et minotiers ; Minoterie ; Mortier-pilon ; Moudre ; Moulin mystique ; Mouture ; Plansichter ; Rhabillage ; Tarare ; Taux d'extraction ; Trémie

Bibl. : Jean-Pierre ADAM, *La Construction romaine. Matériaux et techniques*, Paris, Grands manuels Picard, 2008 • Marcel ARPIN, *Historique de la meunerie et de la boulangerie depuis les temps préhistoriques jusqu'à l'année 1914*, t. 1, *Meunerie*, Paris, 1948 • Jean-Pierre Henri AZEMA, « Les moulins à eau de France : géographie et typologie », *Le Roudet* (revue de l'Association rouergate des amis des moulins), n° 2, janvier 2001. – ID., *Meules et gastronomie. Produits agricoles transformés à la meule de pierre. Farine de froment, farine de châtaigne, huile de noix, huile d'olive, moutarde, chocolat, jus de pomme*, Paris, Ibis Press, 2007 • J. CARRET, *Le Contingentement des moulins et la caisse professionnelle de l'industrie meunière*, Besançon, Jacques et Demontrond, 1939 • Étienne CHAMPION, *Moulins et meuniers carolingiens dans les polyptyques entre Loire et Rhin*, Paris, AEDEH-Vulcain, 1996 • Jean-Claude DEBEIR, Jean-Paul DÉLEAGE, Daniel HÉMERY, *Les Servitudes de la puissance. Une histoire de l'énergie*, Paris, Flammarion, 1986 • *Enquête de 1809*, Archives nationales dossiers F[20] 290 à 296 • Bertrand GILLE, *Les Mécaniciens grecs. La naissance de la technologie*, Paris, Seuil, 1980 • F. HONNORÉ, « Le centenaire de la turbine. Une grande invention française », *L'illustration*, n° 4397 • Steven L. KAPLAN, *Les Ventres de Paris. Pouvoir et approvisionnement dans la France d'Ancien Régime*, Paris, Fayard, 1988 • Philippe LEVEAU, « Les moulins de Berbegal dans leur environnement. Archéologie et histoire économique de l'Antiquité », *Histoire et société rurales*, n° 6, 1996 • Philippe-Antoine MERLIN, *Répertoire universel et raisonné de jurisprudence*, t. 8, 4e éd., Paris, 1813 • Berthold MOOG, « A Review of Swiss-Hugarian Innovations in Grain Milling in the Nineteenth-Century », *TIMS Transactions*, n° 9, 1997 • Guy POITEVIN, *Le Chant des meules*, Pondichéry, Kailash, coll. « Civilisations et sociétés », 1997 • Jean-Louis REILLE, « L'apparition des meules rotatives en Languedoc oriental (IVe s. av. J.-C.) d'après l'étude du site de Lattes », *Gallia*, n° 57, 2000 • Claude RIVALS, *Le Moulin à vent et le meunier dans la société traditionnelle française*, Paris, Berger-Levrault, 1987. – ID., « Divisions géographique de la France indiquée par une analyse de l'état des moulins en 1809 », *Revue de géographie des Pyrénées et du Sud-Ouest*, t. 5, fasc. 3, Toulouse, 1984 • Pascal ROHMER, « Le moulin carolingien d'Audun-le-Tiche », *L'Archéologue*, n° 22, juin 1996.

MOULIN (charpentier ou mécanicien de). – Voir BOIS ; MOULIN

MOULIN À EAU. – Voir MOULIN

MOULIN À VENT. – Voir MOULIN

MOULIN-BATEAU. – Voir MOULIN

MOULIN MYSTIQUE. – L'iconographie médiévale dédiée au moulin mystique propose une allégorie de la parole faite chair et don à partir d'une symbolique de la mouture et de la transsubstantiation destinée à frapper l'imaginaire des fidèles. Le dispositif utilisé par les artistes s'adapte chaque fois en fonction des acteurs mis en scène, mais s'emploie toujours à bien montrer comment, après l'étape de la transformation du grain en farine, et la médiation du Rédempteur qui est ici à la fois meunier et moulin, s'accomplit la Parole. Comment elle se fait « efficace » (Rosier-Catach 2004). Dans le retable dit du « Moulin à hosties » (vers 1470, Ulmer Museum), la Vierge et les quatre évangélistes « versent le grain de la Parole dans la trémie. Les apôtres actionnent le moulin. Les hosties coulent du déversoir ; à son pied papes et évêques tiennent un calice d'où émerge le corps de l'enfant Jésus » (Macherel et Zeebroek 1994). La symbolique se fait encore plus précise lorsque les artistes identifient le grain qui est à moudre avec le personnage de Moïse, comme sur le chapiteau dit du « moulin mystique », dans la basilique de la Madeleine à Vézelay (quatrième pilier, côté sud), courbé au-dessus de la trémie d'un moulin miniature, au débouché duquel saint Paul, muni d'un sac, s'est posté pour recueillir la mouture de la Loi ancienne. « À la lumière du Nouveau Testament et, en général, de toute l'exégèse, l'Ancien Testament veut dire autre chose que lui-même, il prend un sens allégorique, comme la simple farine devient nourriture divine » (Rouchon Mouilleron et Faure 1997). Cette passation de l'Ancien au Nouveau est encore plus sobrement rendue lorsque les artistes médiévaux suggèrent que, dans le jeu des meules entre lesquels passent le Verbe et le grain, Moïse occupe la position de la meule gisante et fixe, tandis que les représentants de la bonne Parole sont acteurs et donc, dans leur action, déliés par l'Esprit du moulin.

Jean-Philippe de Tonnac

• *Voir aussi :* Eucharistie ; Fête-Dieu ; *Fractio panis* ; Franc-maçonnerie ; Grain et graine ; Hostie ; Hostie profanée ; Messe ; Meule ; Miracles christiques ; Miracles eucharistiques ; Moulin ; Mouture ; *Panis angelicus* ; Si le grain tombé en terre ne meurt ; Théologie du pain ; Transsubstantiation ; Trémie

Bibl. : Marie-Madeleine DAVY, *Initiation à la symbolique romane*, Paris, Flammarion, coll. « Champs », 1977 • Claude MACHEREL, Renaud ZEEBROEK (éd.), *Une vie de pain. Faire, penser et dire le pain en Europe*, Bruxelles, Crédit communal, 1994 • Irène ROSIER-CATACH, *La Parole efficace*, Paris, Seuil, 2004 • Véronique ROUCHON MOUILLERON, Daniel FAURE, *Vézelay*, Paris, Flammarion, 1997.

MOULINS (don Quichotte contre les). – Dans *L'Ingénieux Hidalgo don Quichotte de la Mancha* (1605 pour le tome 1, 1615 pour le 2), l'écrivain espagnol Miguel de Cervantès met en scène pour la première fois dans la littérature européenne les moulins, moulin à grain et moulin foulon (Azéma 2009). Cette intégration romanesque rend parfaitement compte de l'une des mutations les plus importantes accomplies par notre civilisation, à savoir la mécanisation systématique des activités économiques ; autrement dit, l'acclimatation des moulins, sous toutes leurs formes, à tous les métiers. Cervantès cherche alors à traduire les inquiétudes nées de cette révolution mécanicienne et sociale d'envergure. L'imaginaire collectif européen n'a retenu de l'œuvre de Cervantès que la lutte de don Quichotte contre les moulins à vent et à grain (à la silhouette très anthropomorphique). Fin observateur d'un monde en mutation, l'écrivain engage aussi son personnage dans une joute tout aussi grotesque contre, cette fois, le moulin-bateau et ses meuniers.

La présence de grands ensembles de moulins à vent si caractéristiques de la Mancha et destinés à la mouture du froment a certainement constitué la source d'inspiration de l'écrivain lorsqu'il aborde le chapitre VIII du premier livre de son œuvre, intitulé de manière très évocatrice : « De la grande victoire que le vaillant don Quichotte remporta dans l'épouvantable et incroyable aventure des moulins à vent, avec d'autres événements dignes de mémoire ». L'épisode débute par la célèbre confrontation de l'ingénieux hidalgo avec ceux qu'il prend pour des adversaires à la mesure de sa bravoure. « C'est alors qu'ils découvrirent dans la plaine trente ou quarante moulins à vent ; dès que don Quichotte les aperçut, il dit à son écuyer : "La chance conduit nos affaires mieux que nous ne pourrions le souhaiter. Vois-tu là-bas, Sancho, cette bonne trentaine de géants démesurés ? Eh bien, je m'en vais les défier l'un après l'autre et leur ôter à tous la vie. Nous commencerons à nous enrichir avec leurs dépouilles, ce qui est de bonne guerre ; d'ailleurs, c'est servir Dieu que de débarrasser la surface de la terre de cette ivraie." » Les démentis de Sancho ne servent de rien, sinon à bander davantage la détermination de don Quichotte : « "On voit bien que tu n'y connais rien en matière d'aventures. Ce sont des géants ; et si tu as peur, ôte-toi de là et dis une prière, le temps que j'engage avec eux un combat inégal et sans pitié." Et aussitôt, il donna des éperons à Rossinante, sans se soucier des avertissements de Sancho, qui lui criait que ceux qu'il allait attaquer étaient bien des moulins et non des géants. Mais don Quichotte était tellement sûr de son fait qu'il n'entendait pas Sancho et que, même arrivé devant les moulins, il ne voyait pas qu'il se trompait. » La confusion est à son comble lorsque, sous l'effet d'un vent léger, les ailes des moulins au pied desquels don Quichotte s'est maintenant rendu, se mettent à tourner : « Vous aurez beau agiter plus de bras que n'en avait le géant Briaré, je saurai vous le faire payer ! »

Mais, encore une fois, l'intérêt de Cervantès pour les moulins dépasse cette joute née de l'imaginaire de son personnage vindicatif et toujours prompt a exiger réparation des puissances fantasmatiques du monde. Les moulins-bateaux auquel il fait également allusion étaient alors tout à fait bien intégrés à l'espace économique européen et constituaient une réalité très singulière. Ancrés au milieu des fleuves, ils n'étaient, pour la plupart, accessibles que par barque. Celui que dépeint Cervantès, doté de plusieurs roues, est situé sur l'Èbre, dans le nord de l'Espagne. L'épisode qui se situe au chapitre XXIX (« De la fameuse aventure de la barque enchantée », t. 2), relate ainsi une deuxième hallucination de don Quichotte, persuadé cette fois d'être appelé à délivrer de ce qu'il prend pour une citadelle, et qui n'est autre qu'un moulin-bateau ancré au milieu du fleuve, un chevalier qu'il croit être dans la plus grande détresse. Et là encore Sancho cherche à servir d'antidote aux poisons qui troublent l'esprit de son maître, mais sans succès. « Vois, Sancho, s'écria aussitôt don Quichotte, la ville, le château ou la citadelle qui apparaît à nos yeux ! C'est là que se trouve le chevalier en détresse, ou bien la reine, l'infante, la princesse offensée à qui je suis venu rendre la liberté ! » Réponse de Sancho : « De quels diables de ville, de château ou de citadelle parlez-vous, monsieur ? Vous ne voyez donc pas que ce qu'il y a au milieu de l'eau, ce sont des moulins, où les gens viennent moudre leur blé ? » Quand les meuniers voient avancer la barque sur laquelle se tiennent don Quichotte et Sancho, ils cherchent à lui éviter de se laisser engouffrer dans « le tourbillon des roues », ce que l'ingénieux hidalgo prend bien évidemment comme une manœuvre d'intimidation : « "Ne t'avais-je pas dit, Sancho, s'exclama alors don Quichotte, que l'heure était venue de prouver la force de mon bras ? Vois tous ces félons et malandrins qui se dressent contre moi ; tous ces monstres qui me barrent la route ; ces faces hideuses qui nous font des grimaces… attendez un peu, coquins, vous allez comprendre !" Et debout dans la barque, il se mit à menacer les meuniers, en criant : "Canaille vile et perfide ! Rendez immédiatement la liberté à la personne que vous retenez prisonnière dans votre forteresse, quels que soient sa qualité et son rang. Car je suis don Quichotte de la Manche, surnommé le chevalier aux Lions, et c'est moi qui, par ordre des cieux souverains, ai mission de mener à bien cette aventure." » L'histoire se termine dans la confusion générale. Meuniers et pêcheurs, alertés par ses énigmatiques échauffourées, finissent par abandonner à leur sort don Quichotte et son valet, persuadés qu'ils ont eu affaire à des fous. « Quant à don Quichotte et à Sancho, ils allèrent tout tristement retrouver leurs bêtes. Ainsi s'acheva l'aventure de la barque enchantée. »

Jean-Pierre Henri Azéma

Bibl. : Jean-Pierre Henri AZÉMA, « Don Quichotte et les moulins », *Le Monde des moulins*, nº 29, juillet 2009 • Miguel de CERVANTÈS, *L'Ingénieux Hidalgo Don Quichotte de la Manche*, trad. A. Shulman, Paris, Seuil, 1997.

MOULINS (Grands). – Voir GRANDS MOULINS

MOULINS DE PARIS (École de boulangerie des Grands). – Voir EBP

MOULURE. – Voir FENDU

MOÛT. – D'une façon générale, le moût désigne le jus sucré de fruits ou d'autres produits, destiné à la fermentation, par exemple le jus de raisin pour le vin ou l'extrait de malt pour la bière. Il se caractérise par sa teneur en sucres, sa teneur en protéines ainsi que d'autres molécules pouvant donner sa couleur ou son arôme à la boisson qui sera obtenue par fermentation alcoolique des glucides par les levures.

Jacques Le Gouis

• *Voir aussi :* Bière ; Malt et produits maltés ; Maltage ; Protéine

MOUTURE. – Compte tenu de la caractéristique histologique des grains, la mouture a comme objectif final l'obtention de fractions distinctes (farine, sons, remoulages, germe), et de dimension particulière ; broyage fin pour la farine dont les particules sont inférieures à 200 µm. Elle fait appel, en général, à une succession de procédés unitaires de fractionnement (broyage sur cylindres cannelés) et de fragmentation (convertissage sur cylindres lisses). La qualité de ce travail est obtenue en réduisant des produits ayant des caractéristiques granulométriques assez homogènes, ce qui suppose un tamisage des produits de mouture après chaque passage entre des cylindres.

Un diagramme de mouture de blé est généralement construit avec cinq appareils de broyage (cylindres cannelés) et dix appareils de convertissage (cylindres lisses). Entre le premier broyeur et le dernier, les produits qui sont moulus ont des caractéristiques dimensionnelles qui vont du blé entier aux grosses enveloppes sur lesquelles la proportion d'amande diminue au fur et à mesure de l'avancement de la mouture. Ce travail de « curage des enveloppes » est possible avec une diminution progressive de l'écartement des cylindres et une augmentation du nombre de cannelures qui deviennent plus fines et plus petites. Sur les convertisseurs ou cylindres lisses, le travail de réduction se fait aussi de manière progressive : des grosses semoules sur les premiers appareils aux fines semoules et finots sur les derniers passages.

Dans le travail sur meules, les opérations de fractionnement et de fragmentation se font simultanément et de manière progressive du centre de la meule vers la périphérie. De ce fait, les enveloppes externes sont aussi fragmentées, ce qui tend à leur donner des caractéristiques dimensionnelles proches de la farine ; leur séparation par tamisage devient difficile pour une forte proportion d'entre elles. L'obtention de farines blanches de type 45, 55 et même 65 est impossible.

Philippe Roussel

• *Voir aussi :* Convertisseur ; Cylindre ; Cylindres (appareil à) ; Diagramme en meunerie ; Enveloppe ; Farine ; Finot ; Germe ; Meule ; Meunerie ; Remoulages ; Semoule ; Son ; Tamis

Bibl. : Philippe ROUSSEL, Hubert CHIRON, *Les Pains français. Évolution, qualité, production*, Vesoul, Maé-Erti, 2002.

MOUTURE (table de). – Table sur laquelle on dispose tous les produits intermédiaires de la mouture, alimentant les différents broyeurs, claqueurs et convertisseurs. Elle permet d'analyser visuellement la bonne progressivité de la mouture ainsi que le bon classement des produits. C'est un outil indispensable au bon réglage d'un diagramme de mouture.

Philippe Duret

• *Voir aussi :* Broyeur ; Claqueur ; Convertisseur ; Diagramme en meunerie ; Mouture

MOUTURE SUR CYLINDRES. – Voir CYLINDRES (appareil à) ; MEUNERIE

MOYETTE. – Petit faisceau de gerbes ou de javelles, de foin ou de céréales, qu'on dresse dans les champs pour attendre leur dessiccation complète. La disposition des moyettes évite à la pluie de pénétrer à l'intérieur, d'autant qu'elles sont le plus souvent coiffées par une gerbe ou une botte.

Mouette Barboff

• *Voir aussi :* Dessiccation ; Épi ; Épi (symbolique de l') ; Javelage et javelle ; Paille

Bibl. : Mouette BARBOFF, « Le pain des femmes », thèse de doctorat, EHESS, 2004, publication en cours • Marcel LACHIVER, *Dictionnaire du monde rural. Les mots du passé*, Paris, Fayard, 1997.

MUID. – Voir BOISSEAU

***MULTIPLICATION DES PAINS ET DES POISSONS* (*La*).** – Voir PEINTURE OCCIDENTALE

MUNITION (pain de). – Le pain militaire, dit de munition, est le pain que l'on distribue aux soldats selon les règlements précis de leur armée. Longtemps base de l'alimentation des populations, la qualité et la quantité du pain disponible étaient, surtout en cas de guerre, un élément déterminant pour la réussite des missions et batailles. Cette distribution organisée aux troupes est connue depuis l'Antiquité égyptienne. Pour les armées romaines, le *panis castrensis* est un temps accordé au soldat pour qu'il fabrique lui-même son pain à partir des céréales qu'on lui fournit. C'est sous Jules César, dans un souci d'efficacité militaire, qu'une intendance cuit le pain, ensuite distribué aux soldats en petites quantités. Dans pratiquement toutes les armées du monde, l'intendance jouait le même rôle. C'est seulement en France, à partir de 1574, que la distribution du pain de munition dépendait des « munitionnaires généraux », encore appelés les « généraux des vivres ». La première ordonnance sur le pain de munition date de 1588 et prescrit que chaque fantassin a droit à deux pains de 12 onces par jour, les cavaliers n'ayant droit à ce pain qu'en temps de guerre. À partir de 1633, les militaires de toutes les armes en reçoivent, moyennant une retenue sur leur solde. Il ne devient un dû exigible par tout militaire qu'en 1700. Jusqu'à cette gratuité, il est fréquent que le paiement du pain provoque des révoltes dans les garnisons, le pain de munition coûtant curieusement plus cher que celui qui est vendu au marché. D'autres abus existent, selon l'organisation en vigueur dans les armées : privation de pain le 31 du mois, défaut de qualité et insuffisance de la ration, etc., autant de raisons qui encouragent les désertions.

Quant à la composition générale du pain, elle varie selon les époques. En 1790, il est fait de trois quarts de froment et un quart de seigle, sans extraction de son. Le seigle peut être remplacé par l'orge. La ration par soldat est de 750 g. Napoléon, pour parer la difficulté de distribuer le pain préparé aux soldats, tente d'en revenir au système romain de distribution de blé en nature, mais sans succès. L'utilisation de moulins portatifs pose le problème insoluble de la suppression du blutage ; de plus, la farine dont on n'aurait pas extrait le son est alors considérée comme imangable. En 1852, de nombreux soldats des garnisons sont quotidiennement hospitalisés pour affections intestinales. Une commission d'enquête est diligentée par le ministre de la Guerre, qui conclut que le pain de munition dégoûte les hommes dans toutes les casernes, une poussière rougeâtre et fétide en émanant. Le développement de cette moisissure est fonction de l'humidité et de la chaleur : or la température atteint parfois 40° dans les baraquements. Un décret est ainsi pris en 1853 qui exige que la composition exclue désormais le mélange avec du seigle ou de l'orge au profit du seul blé tendre bluté selon un taux d'extraction qui en limite la part de son à 20 % du poids total. Le pain de munition comprend alors deux rations de 750 g, mais on vérifie ce poids de manière aléatoire. Le pain doit être de forme ronde, bien cuit mais non brûlé, de saveur agréable et sans odeur de levain ou de poussière. Il doit être proche par l'aspect et le goût de celui qu'on achète dans le civil ; cependant, on le distribue le plus généralement rassis (sorti du four depuis 16 à 24 heures). En plus du pain de munition, les militaires français fabriquent du « pain biscuité » (mi-pain de munition, mi-biscuit de mer), du « pain de soupe », c'est-à-dire le pain qui doit être payé par le soldat, et du « pain d'hôpital », de pur froment et bien cuit, dont la ration de 750 g est appelée « portion ». Ces mesures sont toujours présentes dans la réglementation militaire des armées contemporaines de pratiquement toutes les nations.

Olivier Pascault

• *Voir aussi :* Biscuit ; Blutage ; Disettes, famines et révoltes pour le pain en France ; Kommissbrot → Allemagne ; Pain rationné

Bibl. : André CORVISIER (dir.), *Dictionnaire d'art et d'histoire militaires*, Paris, PUF, 1988 • Jean FAVIER, *Dictionnaire de la France médiévale*, Paris, Fayard, 1993 • Yann LE BOHEC, *César, chef de guerre*, Paris-Monaco, Le Rocher, 2001. – ID., *Histoire romaine*, Paris, PUF, 1991.

MUSÉE DU PAIN D'ÉPICES. – Voir ÉPICES (pain d')

MUSÉES DU PAIN. – Parler de musée à propos du pain relève aujourd'hui d'un acte de foi. Dans un pays où la baguette rivalise avec le béret basque, le TGV et le drapeau tricolore comme symbole national, on ne compte pas de grand musée du pain. Mais pourquoi un musée du pain, d'ailleurs ? Une bien drôle d'idée pour ceux qui affectent d'oublier la dimension symbolique du produit, son inscription dans notre civilisation et son ancrage dans notre histoire, à la fois comme subsistance de dernier recours et comme corps du Dieu fait homme. Un musée du pain, certes, mais avec des objectifs clairs : le risque, vis-à-vis d'un produit parfois surchargé de traditions et d'un « autrefois » idéalisé, serait de verser dans la nostalgie et les images sépia surannées. L'opportunité, c'est que le pain reste une matière vivante, fabriquée chaque jour par des milliers d'artisans et quelques enseignes parfois talentueuses, que chaque consommateur y demeure attaché, même s'il méconnaît son histoire et la place qu'il a occupée dans la genèse de nos civilisations méditerranéennes et européennes. Alors, imaginons un musée vivant, un lieu interactif où l'on pourrait à la fois comprendre à quel point notre civilisation est celle du pain, mais aussi observer, sentir, goûter, en un mot faire du pain. Un lieu où professionnels, historiens, anthropologues, agronomes, généticiens, écrivains auraient leur place pour transmettre au plus grand nombre goût, plaisir, et culture. Tout cela reste en France un rêve et une affaire de volonté. Des collections d'objets, des bibliothèques spécialisées ont été réunies par de grands professionnels (la famille Poilâne, Francis Holder, etc.), de nombreux talents sont disponibles pour venir ensemencer ce lieu dédié à la panifiaction et à la mémoire (boulangers, entrepreneurs, chercheurs) : manque seulement l'autorité de tutelle ou l'initiative privée qui pourrait donner l'impulsion nécessaire à une telle entreprise.

En attendant, nous ne sommes pas totalement démunis. Il existe en France quelques sympathiques réalisations. L'une des plus réussies est sans doute la Maison du pain située à Sélestat (Bas-Rhin). On y a réuni dans une maison Renaissance, qui fut, jusqu'au XIXe siècle, le siège de la Corporation des boulangers, une jolie collection d'objets anciens et un fournil fonctionnel permettant la fabrication et la participation à des ateliers. À Verdun-sur-le-Doubs (Saône-et-Loire) existe également un Musée du blé et du pain, installé depuis 1946 dans un ancien palais des ducs de Bourgogne. Au cœur du Lubéron, Bonnieux abrite un petit musée de la boulangerie. Enfin, le parc régional du Vexin français abrite une Maison du pain et une autre de la meunerie. Des initiatives locales éparses, soutenues par des passionnés, célèbrent également le pain et toute la filière qui y conduit. Pour trouver des musées plus richement dotés et des initiatives plus originales, il faut franchir nos frontières.

C'est en Allemagne que se trouve l'une des réalisations les plus anciennes et les plus remarquables : Ulm abrite dans une belle bâtisse de la fin du XVIe siècle le Museum der Brotkultur, créé en 1955 par Willy Eiselen et développé par son fils Hermann, l'un et l'autre collectionneurs passionnés par tout ce qui avait trait au pain. Conçu tout d'abord comme un musée allemand du pain, la richesse de ses collections et les thématiques abordées lui ont permis de devenir légitimement, depuis 1982, le musée de la « civilisation du pain ». Au-delà de ses collections permanentes, le musée accueille régulièrement des expositions thématiques d'une grande richesse.

Au cœur du Portugal, à la lisière du Parc naturel de la Serra da Estrella, se trouve le Museu do Pão de la ville de Seia. C'est un lieu vivant et populaire qui s'étend sur plus de 3 500 m², doté d'un restaurant, d'ateliers, et de salles d'exposition restituant la place du pain dans une culture de pays pauvre. Les amateurs de la *broa de milho*, le fameux pain de maïs, seront comblés.

La Pologne possède un musée du pain, à Radzionkowo, qui rassemble une riche collection de documents, divers objets, outils et machines, et même de mini-champs de culture des blés les plus répandus dans le pays.

Indépendamment du chocolat dont on peut l'accompagner, la Suisse accorde également une grande place au pain sous l'angle de la tradition. Dans le canton de Vaud, Echallens abrite un sympathique musée du pain où une bonne place est faite à la dégustation et même certains jours au « grand petit déjeuner » que les Français nomment « brunch ». Par ailleurs, un site Internet dédié au pain suisse indique le moindre moulin ou fournil du pays transformé en musée. Surtout, on ne pourra quitter la Suisse sans visiter le Musée suisse de l'habitat rural de Ballenberg. Au cœur d'une région alpestre, son projet dépasse naturellement le cadre exclusif du pain ; pour autant, parmi la centaine de maisons anciennes ici reconstituées, il s'en trouve une (la maison Uesslinger) consacrée exclusivement au pain et à sa fabrication, qui rassemble une grande partie des archives suisses sur la question.

Loin des verts alpages, l'Égypte possède en matière de pain une véritable pépite muséographique. Hors des circuits touristiques traditionnels, Le Caire abrite un instructif Musée d'agriculture, qui comprend une salle entière dédiée au pain. Présentés sous forme de moulages, tous les pains consommés depuis l'Antiquité en Haute- et Basse-Égypte, ou bien dans le désert, sont présentés de manière exhaustive avec des explications très claires sur les modes de fabrication, de conservation et de consommation.

Plus loin encore se trouve, au sud du Brésil, la ville d'Ilopolis. Un moulin bâti au début du XXe siècle par des émigrants italiens tombait en déshérence. Mandaté par la ville, un projet architectural audacieux a vu le jour en 2007, préservant l'ancien et ajoutant du moderne pour créer un Musée du pain et de la meunerie à l'esthétique extrêmement séduisante.

En Asie, on sait les Japonais friands de pain français, et Tokyo compte plusieurs boulangeries faisant du pain à la française, voire des boulangers français. C'est pourtant loin de la capitale, à Sapporo, qu'existe dans un beau bâtiment de style scandinave un musée du pain. La visite est assortie d'une consommation de pain frais.

Avant d'achever ce rapide tour du monde du pain, on pourra, pour l'anecdote, faire étape au Musée du pain de Saint-Pétersbourg et découvrir le pain du siège de Leningrad comprenant une part de cellulose et de poussière de son ! Le retour au pays n'en sera que meilleur, mais faut-il le répéter, sans grand musée glorifiant la baguette et des boulangers pourtant réputés bien au-delà de nos frontières. Qui relèvera alors le défi ?

François Dumoulin

• *Voir aussi* : Boulangers et boulangeries (histoire de France des) ; Épices (pain d') ; Holder ; Museum der Brotkultur ; Pain (définition universelle du) ; Pains mondiaux ; Poilâne ; Technologies boulangères

Bibl. : Voici les sites des différents musées cités dans cet article : Maison du pain d'Alsace, à Sélestat (Bas-Rhin) : www.maisondupain.org • Musée du blé et du pain de Verdun-sur-le-Doubs (Saône-et-Loire) : www.musees-bourgogne.org • Musée de la boulangerie de Bonnieux (Vaucluse), 12, rue de la République, 84480 Bonnieux • Museum Der Brotkultur à Ulm (Allemagne) : www.museum-brotkultur.de • Museu do Pão à Seia (Portugal) : www.museudopao.pt • Musée du blé et du pain à Echallens (Suisse) : www.maison-ble-pain.com • Musée de l'habitat rural à Ballenberg (Suisse) : www.ballenberg.ch/fr/bienvenu • www.painsuisse.ch/fr : ce site précieux donne accès à tous les lieux en Suisse qui évoquent l'activité de meunerie ou de boulangerie (cliquer sur la rubrique « jeux et plaisirs », puis cliquer sur « excursions ») • Ancient Egyptian Agriculture Museum au Caire (Égypte) : accès Internet par le site portail www.museum.agropolis.fr • Museu do Pão à Ilopolis (Brésil) : superbe visite virtuelle de ce musée *via* un site d'architecture : www.archdaily.com/3664/ilopolis-bread-museum-brasil-arquitetura • Musée du pain à Saint-Pétersbourg (Russie) : www.museum.ru/museum/bread • Musée du pain à Sapporo (Japon), Yamanote 6-jo 1-3-30, Nishi-Ku (les curieux prendront le bus JR Hokkaido situé à la sortie du métro Katoni, puis descendront à l'arrêt Hassamu Bashi)

MUSEUM DER BROTKULTUR (Musée de la civilisation du pain, Ulm). – Pour illustrer l'importance du pain pour l'homme, un entrepreneur d'Ulm, Willy Eiselen (1896-1981) et son fils Hermann (1926-2009) entreprirent de collectionner, à partir de 1952, tout ce qui se rapportait au pain. En 1955, ils fondèrent le premier musée du pain au monde, le « Musée du pain allemand », devenu en 2002 le Museum der Brotkultur, « musée de la civilisation du pain », à Ulm, certainement à ce jour l'espace muséographique le plus important dédié à notre sujet. Il s'emploie à retracer l'histoire du pain sur une période de six millénaires, en tant que fondement de l'existence humaine, de la culture et de la civilisation. La collection compte environ 18000 objets et œuvres d'art appartenant à des cultures et des régions du monde très nombreuses. Quelque 700 pièces sont exposées en permanence sur 1 500 m², qui abordent les thèmes de la culture des céréales, de l'histoire des techniques de mouture et de panification, mais encore de la représentation à travers les âges du métier de boulanger et de meunier au sein des corporations. Un intérêt particulier est accordé à la signification culturelle du pain au sein des sociétés méditerranéennes antiques, du riz en Asie et du maïs en Amérique latine ; mais également au rôle central que le pain occupe dans les croyances juive et chrétienne. La présence du pain dans les tombeaux, sa forte représentation dans la peinture occidentale et sa survivance sous différents aspects et symboles dans les cultures traduisent cette constante peur de manquer, cette mémoire des disettes et famines dans l'histoire des hommes. Une particularité de la très riche collection du Museum der Brotkultur est ainsi la présence de très nombreuses œuvres d'art à l'intérieur du cycle muséographique.

L'exposition permanente est structurée autour de deux thèmes principaux. La première partie est consacrée à l'histoire des techniques de panification et des métiers qui y sont impliqués. La seconde attache une grande importance à illustrer la question du manque du pain et donc de la faim à travers l'Histoire et à questionner la situation alimentaire actuelle dans le monde. La représentation du pain dans l'art est traitée à travers des œuvres de Georg Flegel, Franz Francken, Ernst Barlach, Max Beckmann, Käthe Kollwitz, Pablo Picasso, Salvador Dalí, Man Ray, Joseph Beuys, Markus Lüpertz et beaucoup d'autres. Depuis 1991, le musée a pris place dans un bâtiment historique de la Renaissance, appelé *Salzstadel* (« grenier à sel »). Construit en 1592, ce bâtiment a été utilisé comme dépôt jusqu'au XIXe siècle.

Annette Hillringhaus

• *Voir aussi :* Musées du pain ; Pain (définition universelle du) ; Pains mondiaux ; Technologies boulangères

• Museum der Brotkultur. Salzstadelgasse 10, 89073 Ulm – Tel. 0731 – 69955. – Fax 0731 – 6021161. – info@museum-brotkultur.de – www.museum-brotkultur.de

MUTATION. – Le temps où l'artisan boulanger passait sa vie dans son fournil, le même et unique fournil de l'apprentissage à la retraite, est révolu. Ce que les professionnels nomment « mutation » s'opère en moyenne tous les sept ans (même s'il existe de notables exceptions à cette moyenne), et correspond au moment clé où se conclut la cession du fonds de commerce. Pour au moins trois principales raisons, les mutations sont le biais par lequel les professionnels apprécient la vigueur de l'activité économique au sein du marché de la boulangerie.

Les mutations soulignent en premier lieu le dynamisme d'une profession qui, depuis une vingtaine d'année, n'a plus peur de se remettre en question. Le retour du bon pain et le maintien d'une boulangerie artisanale de qualité permet le plus souvent que le repreneur du fonds lui conserve sa spécificité. Beaucoup d'autres commerces de bouche aimeraient en dire autant ! Comme le nouveau boulanger cherche à faire aussi bien, voire mieux que son prédécesseur, il s'ensuit souvent une spirale vertueuse qui fait que tout le monde est gagnant : l'artisan, la profession et son image et, naturellement, le consommateur. Autre signe de vitalité : le marché est suffisamment porteur pour qu'il existe des agences immobilières et des avocats spécialisés dans la boulangerie ; ils ont tous leur importance au moment de la transaction.

Ensuite, les mutations sont la récompense du travail d'un boulanger et l'occasion pour lui de se constituer un capital au sens le plus noble du terme. Une boulangerie n'est prospère que parce que l'artisan qui en est l'animateur infatigable n'a en effet compté ni son temps ni sa peine. C'est l'ingrédient indispensable qui va permettre qu'une boulangerie voie son chiffre d'affaires régulièrement augmenter au fil des années. Au moment de la cession, ce chiffre d'affaires va constituer l'élément de référence majeur pour évaluer la valeur d'un fonds. Cette opportunité d'enrichissement fondée sur l'économie réelle et la valeur travail est alors un tremplin pour que l'artisan affirme sa vocation d'entrepreneur en recherchant une affaire un peu plus grosse – occasion inespérée alors de souffler un peu. Saine émulation : l'ambition affichée prend alors valeur d'exemple. Elle va susciter l'envie chez bien des ouvriers de devenir un jour leur propre patron.

Les mutations soulignent l'importance de la relation de partenariat qui existe entre les boulangers et les meuniers, et ce dernier point n'est pas le moindre. Par sa vue plus large du marché en raison du grand nombre de clients qu'il approvisionne, et qui sont autant d'expériences différentes, le meunier apporte une véritable expertise au boulanger désireux de reprendre un fonds. Elle se double généralement d'une profonde connaissance du terrain, car un meunier ne cesse de parcourir sa zone de livraison. Au-delà de cette expertise, la mutation, autrement dit l'installation, est un des moments privilégiés pour le meunier de montrer l'éventail et la valeur de ses services. Cette offre de services passe par un réseau de commerciaux qui vont permettre au boulanger d'évaluer au plus juste sa demande, ainsi que de boulangers démonstrateurs expérimentés, salariés des moulins, qui vont fournir une assistance concrète au moment crucial que constitue l'ouverture. Enfin, le meunier peut être amené à tenir un grand rôle au moment où se conclut une opération importante. Signe de la confiance et de la valeur professionnelle qu'il accorde à son client boulanger, il peut compléter un financement, et même parfois prêter l'essentiel, par exemple dans le cas où un ouvrier talentueux, mais sans mise de fonds initiale, cherche à s'installer. De tels coups de pouce ne relèvent pas de la pure philanthropie. De fait, ils interviennent à des moments cruciaux dans la vie du boulanger et scellent une relation solide et durable entre le meunier et son client. Dans ces conditions, on comprend bien que les meuniers restent toujours aux aguets sur le marché des mutations, attentifs aussi à la valeur des hommes afin d'être toujours prêts à soutenir ouvrier ou patron porteur d'un projet innovant.

Ce qui est vrai pour les boulangers l'est aussi pour les meuniers, exposés à une vive concurrence. Pour la majorité d'ente eux, le métier ne se limite pas alors à la livraison de la farine. Le moment de la mutation, sorte de point d'orgue dans la relation du meunier avec son boulanger, demeure cette occasion capitale de se témoigner assistance et confiance et de l'emporter ensemble.

Thomas Maurey

• *Voir aussi :* ANMF ; ENSMIC ; Filière blé-farine-pain ; Meunerie ; Meunier dans l'Histoire ; Meuniers et minotiers ; Minoterie ; Moulin

MYCOTOXINES. – Substances toxiques (c'est la raison pour laquelle on parle de toxines) naturellement produites à doses infinitésimales, par des champignons (des moisissures) présents sur la plupart des végétaux : les céréales (blé tendre, blé dur, maïs, orge, avoine…), les fruits (figues, pommes…), les fruits secs (pistaches, cacahuètes, amandes…), les graines (café, cacao…). Elles apparaissent en fonction des conditions climatiques favorables à leur développement pendant la culture des plantes (par exemple durant une période pluvieuse à la floraison des blés), ou quand les conditions de stockage ne sont pas optimales (par exemple en atmosphère chaude et humide, non ventilée). Des limites maximales sont imposées par un règlement européen en fonction de l'espèce, des toxines habituellement retrouvées sur chaque espèce et des consommateurs (la réglementation pour les aliments infantiles est plus restrictive). Les filières céréalières françaises se sont beaucoup investies dans la recherche des causes d'apparition des mycotoxines, leur maîtrise et leur surveillance. Un plan de grande ampleur, coordonné par l'IRTAC, réunit environ 10 000 résultats chaque année.

Catherine Peigney

• *Voir aussi :* Avoine ; Blé (maladies du) ; Blé dur ; Blé tendre ou froment ; Céréales ; IRTAC ; Maïs ; Orge

MYSTÈRES. – Voir ÉLEUSIS ; KYKÉON ET INITIATION AUX MYSTÈRES

N

NATURE MORTE AUX POISSONS ET AU CERF-VOLANT. – Voir PEINTURE OCCIDENTALE

NÉPAL. – Voir RÉGION HIMALAYENNE

NETTOYAGE. – Ensemble des opérations réalisées à l'aide de différents appareils pour éliminer les éléments indésirables du blé : pailles (avec le nettoyeur-séparateur), graines longues et rondes (avec les trieurs), pierres (avec les épierreurs), poussières (avec les brosses).

Philippe Duret

• *Voir aussi :* Brosse à blé et à son ; Épierreur ; Meunerie ; Moulin ; Nettoyeur-séparateur ; Trieur

NETTOYEUR-SÉPARATEUR. – Machine permettant d'éliminer d'un lot de blé les fractions fines (sables, grains cassés..) et grosses (paille) en faisant passer le flux entre deux grilles.

Philippe Duret

• *Voir aussi :* Brosse à blé et à son ; Épierreur ; Meunerie ; Moulin ; Nettoyage ; Paille ; Trieur

NID D'ABEILLE. – Voir FILETS ; TECHNOLOGIES BOULANGÈRES

NIGELLE (*Nigella sativa*). – Voir CONDIMENTS DU PAIN

NIXTAMALISATION. – Voir MEXIQUE

NOËL (pains de). – La fête de Noël est une fête de joie religieuse ; on se recueille, à partir du dimanche de l'Avent, dans l'attente de la venue de l'enfant Jésus. En famille, on prépare des pains et des gâteaux spéciaux. Au Danemark, on confectionne des pains au cumin, en Gascogne des pains à l'anis. Les enfants suédois fabriquent une grande maison en pain et en biscuits, décorée de fruits confits, en souvenir du conte des frères Grimm, *Hänsel et Gretel* : Hänsel est enfermé par une ogresse dans une maison de pain, mais Gretel parvient à délivrer son frère, et tous deux, pour s'échapper, dévorent la maison.

Pains et brioches seront mangés au retour de la messe de minuit. En Bretagne, on prépare des crêpes avant la messe ; et, au retour, le repas se termine par la *fouace*, qui est une brioche. En Ardèche, ce sont des beignets que l'on mange ; en Lorraine, une brioche tressée, le *tordé*. En Provence, un grand pain à l'huile, dont on offrait, « religieusement, un quart au premier pauvre qui passait » (Beauviala et Vielfaure 1978). Avant de partir à la messe, les fidèles consomment une soupe de poissons, et la brioche *fougasse*, parmi treize (chiffre propitiatoire) autres desserts de gâteaux et de graines. En Alsace, le pain de repas en famille est un pain aux poires, *bierewecke*. Dans l'est de la France, les enfants achètent chez les boulangers des figures de pain d'épices sur lesquelles est collée l'image du père Noël imprimée en couleurs (qui a remplacé le Saint-Nicolas). Au début du XVIIe siècle, on confectionnait à Strasbourg de beaux pains d'épices de Noël représentant la Vierge assise avec l'enfant Jésus, moulés dans un moule en terre cuite.

En Allemagne, un des pains spéciaux pour Noël est en forme de fer à cheval, décoré d'un serpent et de la représentation des mois solaires, pour symboliser le solstice d'hiver. À Londres sont apparus des pains d'épices importés d'Allemagne, en forme de cœur, comme les pains d'épices d'amoureux, avec l'inscription « Joyeux Noël », tracée au sucre blanc et entourée d'un bouquet de fleurs. En Italie, Noël est célébré par les *panettone*, brioches de Noël en forme de blé, et garnies de raisins secs. Ces *panettone* sont maintenant fabriqués industriellement.

Le pain de Noël, comme celui d'autres fêtes religieuses, peut avoir un caractère sacré. En Provence, on plaçait sur la table familiale un pain de Noël rond, piqué de quatre noix disposées en croix, au centre duquel était fiché un rameau d'olivier portant des fruits. Il y demeurait jusqu'à l'Épiphanie (premier dimanche après le Nouvel An), afin d'attirer l'abondance sur la maison. « En Haute-Provence, la tradition voulait que l'on ramasse soigneusement les miettes des pains et des gâteaux de Noël pour les répandre à travers champs. On espérait ainsi s'assurer d'abondantes récoltes » (Beauviala et Vielfaure 1978). En Pologne, la veille de Noël, on se partage des hosties en famille, afin d'attirer sur soi le bonheur.

Dans toute l'Europe de l'Est, on accroche des pains et des pains d'épices sur l'arbre de Noël, dont la tradition existe depuis un siècle. En Russie, des petits pains à la menthe, des cavaliers et des oiseaux ; des sablés en forme de lune, d'étoile et de tresse à Aix-la-Chapelle. À Vienne, le mois avant Noël, les boutiques de souvenirs situées derrière la cathédrale Saint-Stéphane vendent des écureuils, des colombes et d'autres oiseaux à accrocher dans l'arbre de Noël. Ces figurines sont faites de pâte à pain très dure et correspondent à la tradition tchèque des oiseaux de pâte dure fichés au sommet des gâteaux de mariage pour apporter les bénédictions du ciel au nouveau foyer.

Autrefois, les santons des crèches de Noël du midi de la France étaient faits de mie de pain, placés dans les églises jusqu'à la nuit de Noël. Le musée du Vieux-Marseille conserve encore de ces santons faits de mie de pain colorée. De telles crèches à personnages en mie de pain polychrome existent en Italie et en Slovaquie, avec l'enfant Jésus dans la mangeoire, la sainte Vierge et saint Joseph, des musiciens et des oiseaux. La coutume de modeler en mie de pain les divers personnages de la crèche s'est répandue dans le nord de l'Amérique du Sud. C'est en Équateur que les santons en mie de pain sont les plus courants. Ils peuvent avoir trouvé leur origine dans les figurines en pâte que l'on dispose sur les tombes des parents le jour des Morts. De même que les santons provençaux figurent les personnages locaux, portant les costumes de leur époque, ceux de l'Équateur, peints de couleurs très vives et vernis, ont pris comme modèle des Indiens de la région.

Bernard Dupaigne

• *Voir aussi :* Bethléem ; Calendriers et mesure du temps ; *Hänsel et Gretel* ; Miracles christiques ; Moulin mystique ; Morts (pains des) ; Musées du pain ; Museum der Brotkultur ; Santon ; Théologie du pain

Bibl. : Bernard DUPAIGNE, *Le Pain*, Paris, La Courtille, 1979. – *ID.*, *Le Pain de l'homme*, Paris, La Martinière, 1999 • Henri MASSÉ, *Croyances et coutumes persanes*, Paris, Maisonneuve, 1938 • Irène MÉLIKOFF, « Notes sur les coutumes des Alévis. À propos de quelques fêtes d'Anatolie centrale », *Quand le crible était dans la paille. Hommage à P. N. Boratav*, Paris, Maisonneuve, 1978 • Monette RIBEYROL, « Une collecte de pains rituels en Bulgarie », *Objets et mondes*, X, n° 1, printemps 1970 • Paul SÉBILLOT, *Le Folklore de France*, 1904-1906 ; rééd. Paris, Omnibus, 2002 • Arnold VAN GENNEP, *Manuel de folklore français contemporain*, Paris, Picard, 1937-1958 ; rééd. sous le titre *Le Folklore français*, Paris, Robert Laffont, coll. « Bouquins », 1998, 4 vol. • Nicole VIELFAURE, Anne-Christine BEAUVIALA, *Fêtes, coutumes et gâteaux*, Le Puy, Christine Bonneton, 1978.

NORVÈGE (traditions du pain en). – Le pain constitue une part importante du régime alimentaire norvégien depuis le Moyen Âge. Le pain le plus répandu jusqu'au début du XXe siècle s'appelait tout simplement *brød* (« pain »), mais on le désigne à présent du nom de *flatbrød* (« pain plat »), pour le distinguer d'autres types de pain plus communs de nos jours. Le *flatbrød* était un pain sans levain, dont la pâte était étendue en grandes et fines galettes – les plus fines possibles –, que l'on cuisait ensuite sur d'imposantes plaques chauffantes. Ce pain était réalisé à partir de seigle, d'avoine ou d'orge, bien que cela pût varier d'une région à l'autre en fonction des céréales disponibles. Certaines femmes se déplaçaient de ferme en ferme pour gagner un peu d'argent en confectionnant du *flatbrød*. Elles fabriquaient souvent une grande quantité de ce pain qui, entreposé en piles, et grâce au climat sec de la Norvège, pouvait se conserver pendant des années s'il était convenablement stocké. Durant les temps de famine, on introduisait de l'écorce dans la pâte pour économiser la farine. Plus tard, on se procurait de la farine de froment en magasin. Cette farine était considérée comme plus agréable, de qualité supérieure, rendant la pâte plus commode à travailler, et par conséquent il était plus facile d'obtenir du pain (*flatbrød*) de faible épaisseur. Dans beaucoup de foyers, le *flatbrød* réalisé à partir de farine de froment était utilisé en des occasions particulières, par exemple lors de fêtes ou pour être servi à des invités. La pâte du *flatbrød* que l'on consommait au quotidien avait souvent été étalée moins finement, et le pain s'en trouvait donc être plus épais. Ce pain était fréquemment surnommé *soppebrød* (« pain de soupe »), car on le mangeait avec de la *supane* *soppa*, une soupe composée de tout ingrédient à disposition. Le *flatbrød* faisait partie de tous les repas de la journée, et particulièrement du petit déjeuner et du dîner, accompagnant généralement un autre plat. On pouvait le manger tel quel, ou avec du beurre, du fromage, des saucisses ou de la mélasse. Comme le beurre était à l'origine employé uniquement lors de grandes occasions, on le remplaçait, dans certaines régions, par des rutabagas bouillis.

D'autres variétés de pain ont été mises au point depuis, avec l'accès à différents types de farine et le développement des technologies. Entre 1930 et 1940, le pain cuit au four commença à se répandre. Les pâtes à tartiner et les assiettes anglaises comportaient des ingrédients variés tels que viande, poisson, confiture et fromage. Le fromage utilisé était souvent de couleur foncée, le fromage plus clair étant considéré comme plus raffiné. Des assiettes anglaises spéciales étaient servies au moment de Noël, un élément qui compte encore au nombre des traditions de Noël en Norvège. Mais confiture et œufs furent, jusqu'à une date récente, regardés comme des ingrédients économiquement peu accessibles. Les habitudes ont changé au fil des ans. Le terme *pålegg* (ingrédient à tartiner ou tranches de viande) est apparu avec l'utilisation de pain cuit au four. Jusqu'en 1947, il était plus commun d'acheter le pain cuit au four que de le réaliser soi-même. Les pains les plus vendus en boulangerie à Bergen, à l'époque, étaient le *kneippbrød*, le *langebrød*, et le *wittenberg*. Le porridge, souvent accompagné de *flatbrød*, a longtemps formé le repas le plus courant au petit déjeuner ainsi qu'au déjeuner, mais il a été remplacé par le pain à partir des années 1930 et jusqu'à présent. Depuis lors, le pain n'est pas seulement un ingrédient ordinaire du repas en Norvège, il est considéré comme constituant un repas à part entière. La plupart des Norvégiens consomment chaque jour deux ou trois repas à base de pain : au petit déjeuner, au déjeuner et au dîner. On peut mettre presque tout sur du pain, depuis différentes sortes de viande, de poisson, fromage ou de confiture jusqu'à de la pâte chocolatée à tartiner, des fruits comme la pomme ou la banane, ou des salades comportant par exemple concombres et tomates. C'est une tradition répandue que d'apporter au travail ou à l'école sa propre boîte-repas, à base de pain – et particulièrement pour les enfants à l'école primaire. Pratiquement la moitié de la population déjeune chaque jour d'un repas emballé, à base de pain, de même que trois adolescents sur quatre. Dans les écoles, il est courant de prendre son déjeuner ensemble dans la classe avant la pause de midi. Cette tradition peut contribuer de bien des façons à maintenir l'importance du pain dans les repas des Norvégiens. Il existe de nombreuses variétés de pain, qui vont du pain de froment au pain complet, composé de farine complète ou de seigle. Le pain peut être façonné en baguette ou avoir une forme ronde. Les petits pains et les pains de taille modeste en forme de corne sont également fort communs. Ces dernières années, les boulangeries nationales ont développé leurs assortiments de pains complets diététiques. Les nutritionnistes norvégiens ont travaillé à ce qu'au minimum 78 % du grain soit écrasé ou moulu, ce qui ajoute également le son. Au final, la farine de froment raffinée que l'on emploie en Norvège contient davantage de fibres et de vitamines que celle que l'on trouve communément en Europe continentale (Spilde 2004). Les variétés internationales de pain, telles que *focaccia*, *panini*, baguette et *pita* se répandent également. Les Norvégiens mangent habituellement du pain complet, même si beaucoup d'entre eux consomment du pain blanc régulièrement. Traditionnellement, le pain blanc est réservé aux dimanches et aux jours de fête, comme le *fletteloff* à Noël et à Pâques.

Flatbrød. Pain sans levain, dont la pâte était étendue en grandes et fines galettes – les plus fines possibles – que l'on cuisait ensuite sur des plaques chauffantes. Ce pain était réalisé à partir de seigle, d'avoine ou d'orge, bien que cela pût varier d'une région à l'autre en fonction des céréales disponibles. Le porridge, souvent accompagné de *flatbrød*, a longtemps formé le repas le plus courant au petit déjeuner ainsi qu'au déjeuner,

Fletteloff. Traditionnellement, le pain blanc est réservé aux dimanches et aux jours de fête, comme le *fletteloff* à Noël et à Pâques. La pâte du *fletteloff*, qui contient de la margarine et du lait, est façonnée sous forme de tresses.

Grovbrød. Pain noir de farine de seigle mélangée à de la farine de blé. On confectionne parfois avec cette pâte de petits pains que l'on enduit d'œuf battu afin de les recouvrir ensuite de flocons d'avoine ou de graines de pavot ou de sésame.

Kneippbrød. Pain de farine grossière. Son nom fait référence au prêtre catholique allemand et docteur Sébastien Kneipp (1821-1897), promoteur de cures naturelles à l'eau froide et aux plantes.

Langebrød. Pain long préparé à base de farine de seigle et de blé.

Soppebrød (« pain de soupe »). Nom donné au *flatbrød* lorsqu'on le mangeait avec de la *supane soppa*, une soupe composée de n'importe quel ingrédient que l'on avait sous la main.

Angun Sønnesyn Olsen
(trad. de l'anglais par Myriam Daumal)

• *Voir aussi :* Danemark ; Pains mondiaux ; Seigle (*Secale cereale*) ; Suède ; Russie

Bibl. : E. FOSSEGARD, H. NOTAKER, *Vossamat*, Oslo, Det Norske Samlaget, 2007 • S. I. KIRKEBØEN, « Daglig brød holder stand », *Aftenposten*, 16 octobre 2008, voir www.aftenposten.no/fakta/innsikt/article2715383.ece • I. SPILDE, « Norsk brød utrydningstruet ? », 2004, voir www.forskning.no

NOTRE PAIN HONNÊTE (*Nash tchestniy khleb*). – Voir DOCUMENTAIRES ET FILMS

NOTRE PAIN QUOTIDIEN (*Our Daily Bread*). – Voir DOCUMENTAIRES ET FILMS

NOUVEL AN (pains du). – Le Nouvel An a longtemps été placé au 1er avril, marquant une fête saisonnière, la fête du renouveau de la végétation, le début du printemps. En Europe centrale, l'hiver doit être tué pour laisser la place à la vie, à l'abondance. La mort, qui représente l'hiver et l'arrêt du cycle agricole, est figurée comme un mannequin en forme de femme. Le dimanche de la Passion (deux semaines avant Pâques), les jeunes filles emportaient ces figurines hors du village, les brûlaient ou les jetaient à l'eau. Au moment du 1er janvier, date récente du début de l'année, les paysannes confectionnaient des pains rituels qui assuraient la fertilité et permettaient la croissance de la végétation. En Bulgarie, sur un grand pain circulaire est figurée en relief la future aire à battre le blé : au milieu de celle-ci sont les gerbes de blé et les meules de paille dépiquée, la bergerie et la charrue, véritable microcosme de l'univers domestique. Ces pains sont faits d'une farine de blé, tamisée trois fois par une jeune vierge. La pâte est pétrie par la maîtresse de maison, en utilisant une eau « silencieuse » (la jeune mariée qui va la chercher à la fontaine ne doit parler à quiconque sur son chemin), « intouchée » (personne n'oserait en boire), « fleurie » (dans le seau, on a jeté des herbes magiques) (Ribeyrol 1970). Le levain, préparé par de jeunes mariées, du 19 décembre à la veille du Nouvel An, est conservé précieusement pendant l'année entière. Le pain, de forme circulaire, est décoré de dessins traditionnels, exécutés à la main ou à l'aide d'objets féminins, fuseau ou dé à coudre. En Pologne, c'est « pour que le bétail prospère » que le pain rituel du 1er janvier est confectionné. Il représente la fermière qui garde ses oies. D'autres pains de Nouvel An polonais sont des sculptures en forme de cerf, qui, dans les traditions anciennes, symbolise le soleil, qu'il tient enfermé dans ses bois en demi-cercle.

En Suède, au Danemark et en Autriche, la nouvelle année était marquée par des pains de l'antique forme de la svastika, croix aux extrémités en spirale, qui était le symbole du renouveau de la nature et du changement d'année. Il y avait aussi en Allemagne de ces pains en croix crochue, représentant l'arbre de vie, le symbole de l'année nouvelle, de la végétation à venir qui apporte les bienfaits du ciel. En Alsace, comme en Allemagne, les enfants rendaient visite à leur famille pour leur présenter leurs vœux de bonne année. En échange de leurs souhaits et d'une petite chanson, les enfants recevaient un bretzel. Un boulanger de Strasbourg travaille un grand bretzel de Nouvel An avec des ornements en relief, des tresses, des demi-svastikas. En Grèce et en Crète, des pains spéciaux pour le Nouvel An existent aussi.

Les Chinois achètent des sablés qui doivent leur apporter richesse, chance et bonheur. Dans le quartier chinois de New York sont vendus des cookies représentant les uns le Bouddha, les autres un poisson de longévité. Les *fortune cookies* contiennent un message de bonheur rédigé à l'encre sur une bandelette de papier. En Chine du Nord, on prépare des pains à la vapeur, *mantou*, petits pâtés sphériques blancs, faits de farine de blé, où l'on inscrit d'un caractère d'écriture tracé à l'encre comestible rouge ou noire « bonheur », « double bonheur », ou « prospérité ».

Les nomades tibétains avaient un pain destiné à procurer la longévité, tressé comme les couronnes de Pâques en Europe centrale. Il est fait de quatre boudins de pâte, frits à l'huile, ce qui est de bon augure pour l'année à venir, car l'huile symbolise la richesse. La même tradition existe au début du Nouvel An mongol, le « mois blanc », *tsagaan sar* (littéralement « blanche lune »). Les familles se réunissent dans leur yourte (habitation circulaire transportable des pasteurs d'Asie centrale) pour partager un long pain de blé au décor tracé en relief par un cachet de bois gravé, frit dans la graisse de mouton (qui symbolise là aussi richesse et prospérité). Aux lamas du monastère de Gandan sont offerts le 9 mai, jour de la « Fête blanche », des plateaux garnis de cinq couches superposées de ces pains décorés, en l'honneur du « Vieillard blanc, le maître de la Terre, le supérieur des divinités tutélaires ».

En Iran, le Nouvel An se célèbre le premier jour de printemps, au passage de l'équinoxe. Là, la fête garde son vrai sens de célébration du renouveau de la nature et de la végétation. Chaque famille se réunit dans la maison, autour d'une galette de pain, garnie de graines de pavot, de sésame, de cardamome ou de nard (*Nigella sativa*). En Algérie, pour accueillir le printemps, les femmes préparent une pâte circulaire à base de semoule de blé dur, frite à l'huile, et, l'après-midi, elles dégustent ces préparations arrosées de miel sur l'herbe, avec toute la famille. Chez les Alévis d'Anatolie, en Turquie, est célébrée une fête qui se rapporte au Nouvel An des anciens Turcs, la fête de Hizir, du nom d'une divinité liée à l'eau et à la verdure, qui a lieu aux calendes de février, six semaines avant le Nouvel An iranien. « Après un jeûne de trois jours, les gens se purifient, ils vont aux bains et revêtent des vêtements propres, blancs de préférence. Dans la nuit du jeudi au vendredi, ils étendent une nappe blanche et versent dessus de la farine : si le lendemain matin, on voit sur la farine une trace rappelant un fer à cheval, c'est le signe que le *Hizir Nebi* est venu dans la maison. On fait aussitôt, avec cette farine, un pain rituel, et on le distribue » (Mélikoff 1978). Par cette coutume, il s'agit de recommencer l'année à neuf, blancs et purifiés par le jeûne et le rite, pour être prêts à accueillir les bienfaits de la divinité de la nature.

Bernard Dupaigne

• *Voir aussi :* Calendrier celte et rites céréaliers ; Calendrier grec ; Calendrier romain ; Calendriers et mesure du temps ; Morts (pains des) ; Musées du pain ; Museum der Brotkultur ; Noël (pains de)

Bibl. : Bernard DUPAIGNE, *Le Pain*, Paris, La Courtille, 1979. – ID., *Le Pain de l'homme*, Paris, La Martinière, 1999 • Henri MASSÉ, *Croyances et coutumes persanes*, Paris, Maisonneuve, 1938 • Irène MÉLIKOFF, « Notes sur les coutumes des Alévis. À propos de quelques fêtes d'Anatolie centrale », *Quand le crible était dans la paille. Hommage à P. N. Boratav*, Paris, Maisonneuve, 1978 • Monette RIBEYROL, « Une collecte de pains rituels en Bulgarie », *Objets et Mondes*, X, nº 1, printemps 1970 • Paul SÉBILLOT, *Le Folklore de France*, 1904-1906 ; rééd. Paris, Omnibus, 2002 • Arnold VAN GENNEP, *Manuel de folklore français contemporain*, Paris, Picard, 1937-1958 ; rééd. sous le titre *Le Folklore français*, Paris, Robert Laffont, coll. « Bouquins », 4 vol., 1998 • Nicole VIELFAURE, Anne-Christine BEAUVIALA, *Fêtes, coutumes et gâteaux*, Le Puy, Christine Bonneton, 1978.

NOUVELLE-ZÉLANDE (traditions du pain en). – Les Polynésiens ont découvert la Nouvelle-Zélande et s'y sont installés il y a plus de mille ans. En ce temps-là, le pays ne comptait ni blé ni graminées sauvages pouvant être cultivées pour leur grain, et les habitants peinaient à maintenir une source constante de nourriture tout au long de l'hiver. Il est communément admis que ce fut Ruatara, le chef du peuple Ngapuhi, qui planta le premier du blé en Nouvelle-Zélande au début des années 1800, et, autour de 1840, tant les Maoris que les Européens cultivaient cette céréale. Les premières archives concernant la production de blé, rassemblées en 1855, montraient que le nord de l'île comptait 1 000 ha plantés de blé, et le sud de l'île plus de 3 000. Depuis cette époque, le blé a été l'élément de base des cultures industrielles sur terres arables. La production de blé est à présent concentrée dans la région de Canterbury, bien que cela ne suffise pas pour répondre aux besoins en blé du pays. Le blé destiné à combler la différence provient principalement d'Australie, une pratique qui remonte aux années 1930. Les Maoris se sont établis en Nouvelle-Zélande bien avant les Européens mais, lorsque ceux-ci s'y installèrent, les Maoris remplacèrent progressivement les racines de fougères, qui constituaient leur aliment de base, par des pommes de terre et du pain, mais cuisinés à la manière maori. Leurs pains principaux sont appelés *rewena paraoa* et *paraoa parai*, et sont très longs à préparer, leur confection prenant deux jours entiers. Aujourd'hui, ils réalisent une version simplifiée de ces pains savoureux. On les cuit habituellement dans de grands moules ronds de 25 à 30 cm de diamètre et d'environ 15 cm de profondeur. Dans les potagers de leurs tribus, les Maoris cultivaient également des tubercules, dont des pommes de terre et des *kumara* (patates douces), celles-ci entrant dans la composition de leurs pains. Ils cuisinaient dans des fours enfouis sous terre, appelés *hangi*. Dans les zones d'eaux thermales, et particulièrement autour de Rotorua, ils utilisaient également les bassins chauds et la vapeur. Ces méthodes requéraient des boulangers un exceptionnel savoir-faire en ce qui concerne le temps nécessaire à la cuisson. L'influence européenne modifia le processus de mouture et pratiquement tout le blé néo-zélandais est aujourd'hui tributaire du moulin à cylindres. Le grain est nettoyé puis introduit entre une série de cylindres qui cisaillent, éraflent, puis broient les particules. La fabrication du pain requiert des blés durs et la majeure partie des blés cultivés en Nouvelle-Zélande appartiennent à cette catégorie. La Nouvelle-Zélande s'était précocement dotée de nombreuses réglementations, telles que la loi sur la vente du pain et l'ordonnance sur le pain de 1863. Au début du siècle suivant, plus de soixante-dix fournils furent créés dans la colonie de Canterbury. La plupart des entreprises familiales fabriquaient le pain tout au long de la nuit. En ce temps-là, la pâte était malaxée à la main dans un pétrin de bois. Cette tâche réclamait beaucoup de force physique.

Il existe de nos jours en Nouvelle-Zélande deux processus de fabrication du pain. Le premier est appelé méthode de fermentation en bloc (*Bulk Fermentation* : BF), et le second méthode de développement mécanique de la pâte (*Mechanical Dough Development* : MDD). Dans la première méthode, une fois les ingrédients mélangés, on met la pâte à lever pendant deux heures environ, jusqu'à ce qu'elle soit prête à être divisée en pâtons de la taille d'une miche. On laisse la pâte lever encore une fois, puis on la met à cuire. Dans la méthode MDD, la pâte est mixée à grande vitesse à partir d'un mélange contenant une quantité importante de levure. Cela réduit de deux heures à dix minutes le temps nécessaire à la pâte pour lever ! La pâte est ensuite divisée, façonnée en pâtons de la forme et de la taille d'un pain, puis mise à lever une dernière fois et enfin enfournée pour la cuisson. Environ 80 % du pain fabriqué en Nouvelle-Zélande l'est selon la méthode MDD. Il faut ajouter ici que les biscuits sont devenus très populaires durant la Première Guerre mondiale en raison de leur capacité à se conserver sur de longues périodes. En Nouvelle-Zélande, on introduisit les biscuits ANZAC (biscuits de flocons d'avoine, mélasse claire et noix de coco ainsi nommés en l'honneur des troupes néo-zélandaises et australiennes) et les biscuits afghans en tant que ravitaillement envoyé aux soldats.

Afghan biscuit. Biscuit néo-zélandais traditionnel composé de cacao en poudre, de beurre, de farine et de flocons de maïs. L'origine de la recette et celle du nom sont inconnues, mais la recette est apparue dans de nombreuses éditions de l'*Edmonds Cookery Book*, guide de référence de la cuisine traditionnelle de la Nouvelle-Zélande (édité pour la première fois en 1907).

Paraoa parai. Ce pain est fabriqué à partir de jus de pomme de terre fermenté et sa confection prend deux jours. Il s'agit d'un pain frit (*fry bread*) qui n'est pas très différent de ceux que fabriquaient les Amérindiens d'Amérique du Nord.

Rewena parapoa. Le « pain de pommes de terre » est sucré et présente une saveur légèrement aigre et piquante, qui résulte d'une longue période de fermentation. Un levain est réalisé quelques jours avant la confection du pain, composé de farine, d'eau, de sucre et de pomme de terre, qui sert d'agent levant. On le laisse fermenter, ce qui, lorsqu'il est finalement ajouté au reste des ingrédients pour faire la pâte, produit un pain savoureux et à la texture extraordinaire.

Diane Castiglioni
(trad. de l'américain
par Myriam Daumal)

• *Voir aussi :* Australie ; Museum der Brotkultur ; Outre-mer ; Pain (définition universelle du)

Bibl. : Te Ao HOU, *The Maori Magazine*, Maori Affairs Department, Pegasus Press • R. WHYTE, J. A. HUDSON, S. HASELL *et al.*, « Maori food preparation methods and food safety », *International Journal of Food Microbiology*, vol. 69, nº 3, 28 septembre 2001, p. 183-190 • James BELICH, *Making Peoples : A History of the New Zealanders, from Polynesian Settlement to the End of the Nineteenth Century*, University of Hawaii Press, 2002 • Voir aussi *The Encyclopedia of New Zealand*, www.teara.govt.nz

NUIT (symbolique de la). – Le pain est le fruit d'une gestation qui, par définition, échappe au regard et à l'entendement. Car tout ici participe de cette impression que les opérations de panification se font en secret, à l'insu des curiosités, bien cachées, planquées, à l'ombre et à la nuit des fournils. Seule vérité à partir de laquelle nous puissions véritablement penser le pain, notre pain qui êtes aux cieux et sur la table : le pain monte de la nuit. Une nuit si profonde que même ses acteurs, boulangers, mitrons, geindres, apprentis, enfourneurs, pétrisseurs, brigadiers, ont fini par y être corps et âme engloutis. Longtemps, les boulangers ont été ceux que les contraintes du levain régulièrement rafraîchi, de loin en loin, tout au long du jour et de la nuit – comme des marins faisant leur quart –, ont empêché de s'abandonner à la seule joie des autres travailleurs et corvéables à merci : le sommeil. Le sommeil réparateur, ou supposé tel. L'opium, le seul. Même les malades, les mourants, attendaient que les médecins sortent de leur lit, et pourvu qu'ils y aient trouvé un peu de réconfort. Même le roi, ses ministres, sa cour, ses maîtresses, ses chiens dormaient. Mais le pain et la faim avaient noué des liens si intimes, tellement inextricables, que la seule profession que nos sociétés avaient acceptée de sacrifier sur l'autel de l'impossible paix sociale était celle de nos faiseurs de pain. Et comme le levain, avant la réapparition et l'adoption massive de la levure, d'abord de bière puis de mélasse de betterave, exigeait cette attention capricieuse, que les chambres de fermentation ou de pousse contrôlée n'avaient pas encore fait leur apparition dans les fournils, permettant de différer un peu la dernière étape, la cuisson, et de rallonger la petite nuit du boulanger, celui-ci dormait à l'étage, ou carrément sur place, non loin du four, comme un urgentiste de la faim. N'étaient-ce pas ces boulangers qui, à Vienne (1683), avaient alerté la ville les premiers de ce que les Turcs manœuvraient d'une manière périlleuse pour les Autrichiens, tout simplement parce qu'ils avaient été les seuls sur le *qui-vive* du pain et donc de la guerre ? C'est en mémoire de cette geste patriote que la boulangerie autrichienne inventa le « croissant », qui était alors moins l'emblème de nos boulangeries et bistrots parisiens que celui de l'Empire ottoman défait à Vienne. L'histoire, plus légendaire que réelle, semble-t-il, dit pourtant assez bien cet état de vigilance permanente.

D'ailleurs, par charité chrétienne, probablement, par élan compassionnel, une fois que les boulangers eurent repris le flambeau des mains des femmes et se furent installés dans nos villes, on supprima les frontières du jour et de la nuit en les plongeant dans de sombres cachots appelés, par égard pour eux, des fournils, lieu exigu, pensé à partir de sa pièce maîtresse, le four. Dans cet antre obscur, insalubre, où toute vie, fût-elle de geindre, fût-elle de souris et de rat, tendait au plus implacable confinement, la nuit se fit constante pour ceux qu'on avait ainsi sacrifiés afin que le peuple pût se nourrir et le roi dormir tout son soûl. Il faut avoir écouté les boulangers de la génération d'avant la fermentation contrôlée, et donc différée, rapporter leur curieuse investigations des confins. Peut-être le récit que fit le spéléologue Michel Siffre, après avoir passé deux mois dans le gouffre de Scarasson, en 1962, sans aucune balise temporelle, pourrait-il nous permettre d'appréhender la simple et quotidienne expérience du fournil, lorsque celui-ci était encore coupé de la rue, de la lumière du jour et du temps commun des hommes (et même si ces fournils, malheureusement, existent encore). Sortir de chez soi au moment où les autres quittent les tables des restaurants, les théâtres, leurs rendez-vous galants, leurs différentes « boîtes de nuit ». Amusante expression et sans doute mieux adaptée à ceux qui habitèrent et habitent, précisément, une partie de leur vie, des manières de boîte ou fournil de nuit, avec la nuit alentour et la nuit dedans – la nuit effaceuse du temps. L'époque n'était pas alors au transistor, aux émissions hachées de spots publicitaires et le silence régnait en maître. Sans doute entendait-on le voisin, au deuxième étage, ronfler. Deux chats se disputer une gouttière. Une canalisation. Le feu sous la sole et déjà les ahanements du geindre qui avait commencé à pétrir à la main, le dos cassé, au-dessus d'un grand coffre de bois, et qui, abondamment, de tout son être, transpirait. Vers 3 heures, c'était le passage à vide, comme si la nuit avait ouvert soudain à l'intérieur d'elle-même une nouvelle trappe. Le boulanger marquait alors une pause, soufflait, souffrait. À 3 heures, la « journée » ne faisait après tout que commencer et cette panne sèche, hydratée de sueur, était un classique que la médecine sait maintenant parfaitement appréhender. Ce qui offrit naturellement quelques arguments supplémentaires à ceux qui rêvaient d'interdire le travail de nuit, mais avec des succès mitigés. En réalité, ce furent l'abandon du levain, la mécanisation du processus, les chambres de pousse différée installées dans les fournils qui autorisèrent certains boulangers à démarrer leur journée à 5 ou 6 heures, et pas le parlement, pas la populace qui exigeait encore et toujours de trouver son pain, son croissant chaud à la sortie du lit. Il y a des descentes de lit plus ou moins matinales. Mais une partie de la profession n'a pas tenu compte de ces aménagements techniques, de ces clémences que le progrès semblait apporter, pour préférer associer de manière indéfectible le pain à la nuit, et se lever tôt, ou tard. Tout dépend de quel côté de minuit on se réveille.

Une manière de leur donner raison est de rappeler que la fermentation est, essentiellement, une réaction qui s'opère en l'absence d'oxygène, autrement dit anaérobie, laquelle consiste en une lente dégradation des sucres dits « fermentescibles » en gaz carbonique et en éthanol (mais aussi en glycérol, en acides organiques et en quelques autres alcools en plus de l'éthanol). Opération qui se fait une fois que le pétrissage est engagé, que les éléments rassemblés dans la cuve du pétrin sont brassés, mélangés, qu'une pâte se forme et que, dès ce moment, les détails de l'opération fermentaire vous échappe, échappe à la vue, la pâte se refermant comme sur elle-même. La pâte avec sa peau qui, comme tout autre corps, sépare le monde intérieur, caché, secret, du monde extérieur et induit entre l'un et l'autre une communication subtile et complexe (la preuve en est que, au temps de l'apprêt, second temps de la fermentation panaire, les pâtons sont davantage au contact avec l'air que ne l'était la pâte en masse dans la cuve du pétrin). Et c'est ainsi que démarre, à l'insu du boulanger lui-même, aérobiose ou anaérobiose, cette métamorphose qui reste l'énigme autour de laquelle s'est élaborée une mythologie puissante, que la profession a su faire de bien des manières fructifier, dont elle tire aujourd'hui à nouveau, alors que la boulangerie a réussi sa mue pour participer du XXIe siècle, quelque chose de son prestige. Le forgeron était celui qui, au village, détenait les secrets de la transformation des métaux et jouissait de ce fait d'une réputation inentamée. Le boulanger est celui qui sait triompher de cette opération en tout point fondatrice et sacrée qu'est la fermentation et que la collectivité, alors qu'elle n'a plus besoin de lui sur le plan nutritionnel, continue à célébrer. Issu d'une opération close sur elle-même au sein du milieu pâteux, mis à pousser dans des chambres de fermentation dont les portes sont fermées, enfourné dans la bouche grande ouverte du four, préparé et célébré sur l'autel de la nuit, le pain accède au magasin où il sera enfin visible à travers les étapes d'une gestation plus ou moins lente mais toujours voilée, comme s'il s'agissait à la fois, en servant ce mystère, de le protéger.

Diane Castiglioni
et Jean-Philippe de Tonnac

• *Voir aussi :* Apprenti → Apprentissage ; Autriche ; Brigadier ; Chambre de fermentation (ou pousse) contrôlée ; Chambre de repos ; Croissant ; Fermentation (approche anthropologique de la) ; Fermentation panaire ; Four (symbolique du) ; Geindre ; Levain (symbolique du) ; Levain, levain-chef, levain de première, de seconde, de tout point ; Levure de boulanger ; Mitron ; Parisien ; Pâte à pain ; Pâton ; Pétrin ; Pétrin (symbolique du) ; Pétrissage ; Pétrisseur ; Sexuelle (le pain comme métaphore)

Bibl. : ANONYME, *La Misère des garçons boulangers de la ville et faubourgs de Paris*, Troyes, éditions Veuve Garnier, 1715, réimpr. Phénix, 1999 • Guy BOULET, *Boulangers, artisans de demain. L'hypothétique mariage de la tradition et du progrès*, Rouen-Paris, INBP-L'Harmattan, 1991 • Maurice BOUTELOUP, *Le Travail de nuit dans la boulangerie*, thèse de doctorat, Paris, Librairie de la Société du recueil J.-B. Sirey et du *Journal du Palais*, 1909 • Benigno CACÉRÈS, *Si le pain m'était conté...*, Paris, La Découverte, 1987 • Piero CAMPORESI, *Le Pain sauvage. L'imaginaire de la faim de la Renaissance au XVIIIe siècle*, trad. M. Aymard, Paris, Le Chemin Vert, 1981 • Bernard DUPAIGNE, *Le Pain*, Messidor, 1986 • Dominique FOURNIER et Salvatore D'ONOFRIO (dir.), *Le Ferment divin*, Paris, Maison des sciences de l'homme, 1991 • Heinrich Eduard JACOB, *Histoire du pain depuis six mille ans*, trad. M. Gabelle, Paris, Seuil, 1958 • JEAN DE LA CROIX, « La Nuit obscure », in *Œuvres complètes*, trad. A. Bord, Paris, Pierre Téqui, 2003 • Steven L. KAPLAN, *Le Pain, le peuple et le roi*, Paris, Perrin, 1987. – ID., *Le Retour du bon pain*, Paris, Perrin, 2002 • Claude MACHEREL et Renaud ZEEBROEK (éd.), *Une vie de pain. Faire, penser et dire le pain en Europe*, Bruxelles, Crédit communal, 1994.

NUIT (travail de). – « L'avenir n'appartient plus à ceux qui se lèvent tôt... », peut-on lire dans des revues médicales contemporaines. Le nombre de travailleurs de nuit est en effet en constante augmentation depuis l'avènement de la société industrielle et de l'électricité. À une époque lointaine, le vieil adage était vrai puisque la totalité des activités humaines s'arrêtait avec la nuit et qu'il était important de se mettre au travail dès le lever du soleil. Les « couche-tard » et « lève-tard » avaient probablement beaucoup de difficultés à travailler aux champs et on comprend l'opprobre général envers ceux qui cherchaient à récupérer du sommeil qu'ils n'avaient pas pris durant la nuit. Ceux qui avaient le loisir de dormir tard étaient par définition des paresseux, des oisifs, des profiteurs, des voleurs... ou des boulangers. Un député de Lyon, au début des années 1910, Julien Godart, dénonce les conditions de travail d'un autre temps des boulangers : « Qui, dans notre pays, n'a entendu, dans le silence des villes endormies, la plainte sifflante du boulanger au pétrin, et n'en a pas été ému ? Qui ne s'est arrêté, quelque nuit, au soupirail ardent d'un fournil et n'a vu, dans la cave étroite et embuée, des hommes demi-nus, suants, blafards sous la farine qui les poudrait, lutter avec la pâte molle ? Et qui donc, dans la quiétude du repas familial, en rompant son pain, a eu, pour ceux qui l'ont fait, une pensée fraternelle ? ». La question sociale est ainsi portée sur le terrain législatif après l'interdiction du travail de nuit des boulangers en avril 1871 au cours de la Commune. Un peu comme si la sentence de 1624 de Francis Bacon, « les nuit passées sans sommeil abrègent les jours », était désormais intégrée aux mentalités exigeantes. Ainsi, les parlementaires deviennent sensibles aux conditions de travail dans les fournils. Cependant, le projet de loi est maintes fois présenté, mais n'est jamais adopté. Le syndicat patronal de la boulangerie est résolument contre en raison de la crainte de la chute des ventes dès les premières heures matinales. Le boulanger est la plupart du temps un artisan, un travailleur indépendant qui jouit d'un statut d'homme libre. Il entend bien conserver son droit de disposer de ses heures. Un autre argument emporte la décision. Le pain est un aliment spécial et il est nécessaire de le consommer frais. Aussi, les syndicats patronaux évitent que ne leur soit imposée la loi les obligeant à fermer une journée par semaine. En conséquence, les grandes boulangeries industrielles voient leur développement freiné et n'apparaissent qu'après la Seconde Guerre mondiale, au début des années 1950 quand se fait insistant le besoin de pallier les restrictions récentes. Leur organisation du travail et de la production repose sur le progrès technique : grâce notamment aux chambres réfrigérées, qui ralentissent la fermentation et à la mécanisation croissante du processus. Le pain est ainsi fourni à froid et livré tôt avec la totalité de la vente journalière. La cuisson est achevée dans des points de vente sous le regard du consommateur qui peut croire alors qu'on lui offre accès aux secrets du fournil. Les pains achetés en soirée ont alors au minimum douze heures de rassissement. Après les années 1980, les grandes surfaces s'équipent de puissants fournils qui cuisent toute la journée des fournées de pain vendu au fur et à mesure.

Au plan législatif, le travail de nuit est strictement réglementé en France. L'intervention du législateur s'est révélée nécessaire à plusieurs titres. Trois millions de salariés ont travaillé de nuit en 1998, et parmi eux 800 000 femmes. Jusqu'en 2001, les dispositions de notre code du travail ne visaient que les femmes et les jeunes travailleurs pour lesquels une interdiction de principe était posée, moyennant certaines dérogations, mais n'assuraient aucune protection légale du travailleur de nuit. De plus, en maintenant l'interdiction de travail de nuit des femmes, notre code du travail n'était pas conforme à la directive européenne du 9 février 1976 mettant en œuvre le principe de l'égalité de traitement entre les hommes et les femmes. En outre, le nouveau dispositif réglementaire consacre le caractère dérogatoire du travail de nuit. Pour l'ensemble des salariés, le recours au travail de nuit doit être exceptionnel et justifié par des impératifs économiques ou sociaux figurant dans un accord (convention, accord collectif de branche étendu ou accord d'entreprise ou d'établissement), conclu avant sa mise en place ou son extension à de nouvelles catégories de salariés. L'interdiction du travail de nuit est maintenue pour les jeunes travailleurs ou stagiaires âgés de moins de dix-huit ans. À titre exceptionnel, des dérogations peuvent être accordées par l'inspecteur du travail pour les établissements commerciaux et ceux du spectacle, ainsi que dans des situations d'urgence. Une dérogation à l'interdiction du travail de nuit des jeunes travailleurs et apprentis de moins de dix-huit ans peut être accordée dans les secteurs où les caractéristiques particulières de l'activité le justifient.

La boulangerie reste cependant un cas tout à fait à part, justifié par le poids de son histoire et son caractère hautement symbolique auprès du consommateur. Un avenant du 21 décembre 2005 organise le travail de nuit dans le secteur de la boulangerie-pâtisserie artisanale. La définition du travail de nuit repose sur toute période de travail effectif effectuée entre 21 heures et 6 heures. Les heures de nuit bénéficient d'une majoration de 25 % du salaire de base (entre 20 heures et 6 heures). Les travailleurs de nuit bénéficient en plus d'un temps de repos. L'avenant prévoit enfin des limites au travail de nuit : 8 heures par nuit, exceptionnellement 10 heures et 40 heures sur une période de 12 semaines, 44 heures en cas de modulation. Des textes récents ont modifié le code du travail en matière de travail de nuit. Il synthétise la réglementation française désormais en vigueur : il définit le travail de nuit en amplitude horaire (tout travail entre 21 heures et 6 heures), préconise les droits du travailleur de nuit, organise la surveillance médicale et le reclassement des travailleurs désireux de changer d'horaire et, enfin, articule des dispositions particulières et protectrices pour les femmes enceintes. Sinon, les apprentis boulangers relèvent de la loi commune. Pour les jeunes de seize à dix-huit ans, le travail de nuit couvre ainsi la période comprise entre 22 heures et 6 heures, et, pour les jeunes de moins de seize ans, entre 20 heures et 6 heures. Une circulaire du 22 août 2002 rappelle que les apprentis boulangers peuvent être autorisés à travailler avant 6 heures et au plus tôt à partir de 4 heures.

Olivier Pascault

• *Voir aussi :* Boulangers et boulangeries (histoire de France des) ; Geindre ; Misère des garçons boulangers ; Mineurs blancs ; Nuit (symbolique de la) ; Pénibilité ; Sueur ; Troglodytes enfarinés

Bibl. : Julien GODART, *Les Mineurs blancs*, Paris, la Publication sociale, 1910 • Code du travail (références principales) : loi n° 2001-397 du 9 mai 2001 relative à l'égalité professionnelle entre les femmes et les hommes encadre le travail de nuit pour l'ensemble des salariés et lève l'interdiction du travail de nuit des femmes ; – ordonnance n° 2001-174 du 22 février 2001 concerne le travail de nuit des jeunes travailleurs ; texte complété par le décret n° 2002-792 du 3 mai 2002 et explicités par les circulaires DRT n° 2002-09 du 5 mai 2002 relative au travail de nuit et DRT n° 2002-15 du 22 août 2002 relative à la durée du travail des jeunes de moins de 18 ans ; – définition et cadre des accords du travail de nuit : article L. 213-1 ; – dérogation à l'interdiction du travail de nuit par l'inspection du travail : article L. 213-7 et L. 213-10 • caractère dérogatoire à l'interdiction du travail de nuit des jeunes selon les secteurs d'activité : article L. 231-7 modifié par la loi n° 2005-841 du 26 juillet 2005, article R. 213-19 et R. 213-20 issus du décret n° 2006-42 du 13 janvier 2006 ; – surveillance médicale et renforcement du rôle du médecin du travail : article L. 213-5 ; – amplitude des horaires des jeunes : article L. 213-1-1 modifié par la loi n° 2005-32 du 18 janvier 2005, art. 68 et article L. 213-8 ; – les apprentis boulangers dépendent de la circulaire DRT n° 2002-15 du 22 août 2002.

O

OBLATION. – Voir EUCHARISTIE

OBSERVATOIRE DU PAIN. – Institution cofondée par l'Association nationale de la meunerie française (ANMF) et par la Confédération nationale de la boulangerie-pâtisserie française (CNBPF). C'est un centre d'informations scientifiques sur le pain, qui s'appuie sur un comité scientifique composé d'éminents représentants du corps médical français et présidé par le professeur Cabrol, célèbre cardiologue et fervent défenseur du pain. L'Observatoire du pain a été créé pour améliorer les connaissances sur le pain. Des études ont été publiées sur l'index glycémique du pain et sur la composition nutritionnelle des pains. Des études comportementales sont également à l'ordre du jour, comme celle de 2006 sur la consommation de pain des Français, menée par TNS SOFRES sur un panel de 779 personnes.

Catherine Peigney

• *Voir aussi :* ANMF ; CNBPF ; Index glycémique ; Valeur nutritionnelle du pain

Bibl. : Voir le site de l'Observatoire du pain, www.observatoiredupain.com

ŒILLARD. – Ouverture circulaire et centrale d'une meule ; dans la meule courante, l'anille traverse l'œillard ; dans la meule gisante, l'œillard renferme le boîtard qui y est scellé (Touaillon 1867).

Jean-Pierre Henri Azéma
et Roland Feuillas

• *Voir aussi :* Anille ; Boîtard ; Meule ; Moulin ; Rouet

Bibl. : C. TOUAILLON Fils, *La Meunerie*, Paris, Librairie agricole de la Maison rustique, 1867.

ŒUVRE D'ART EN PAIN. – L'usage des figurines en mie de pain est aussi ancien que le pain, la galette ou peut-être la bouillie. Les cultures amérindiennes ont conçu de déposer aux côtés du défunt ces compagnons d'éternité, tandis que les traditions chrétiennes européennes, catholiques ou orthodoxes ont peuplé ces jours intercalaires qui séparent la fin de l'année de l'année nouvelle, de petits « père Noël » en brioche ou meringue, de figurines de pain levé ou de pain d'épices pour la Saint-Nicolas, de petits personnages emmaillotés ou *lazaroudia* représentant Lazare mort et ressuscité, de santons animant la crèche en Provence, etc. C'est sans doute moins parce qu'elle constituait un matériau docile et commode pour sculpter ces formes miniatures que la mie a été choisie, que parce qu'elle formait dans l'inconscient collectif un lien avec les valeurs et le symbole que le pain et le grain ont véhiculés à partir de la sédentarisation des cultures : une régénération et un cycle ininterrompu passant par le nécessaire sacrifice et la mort. Ainsi les artistes contemporains ont-ils emboîté ce pas et continué à donner formes et vies au pain, bien au-delà de ses fonctions nourricières. Quelques exemples : Dalí demande en 1968 à Lionel Poilâne de constituer une « chambre en pain » et, bien que rien ne puisse véritablement surprendre de la part de cet artiste génial (donc excentrique), le boulanger questionne : « Pourquoi des meubles en pain ? » Et Dalí de répondre : « C'est le seul et unique moyen de savoir si j'ai des souris chez moi ! » (« Chambre en pain » recréée à l'occasion du centenaire de la naissance du peintre, en 2004). Dix ans plus tôt, Man Ray explore, à travers une baguette peinte en bleue sous le titre *Blue Bread Favorite Food for the Blue Birds* (« Pain bleu nourriture favorite des oiseaux bleus »), ces affinités électives et nutritives atemporelles entre le pain, les miettes et ceux qui aiment à les picorer. Cette thématique inspire le même Poilâne, qui tente alors une « Cage à oiseau en pain », laquelle reste à la merci de l'appétit de son détenu : « L'oiseau pouvait y demeurer un certain temps. Un certain temps seulement, car sa prison était sa nourriture » (Poilâne 2005). Dans l'ouvrage posthume que sa fille Apollonia lui a consacré, son père rapporte encore combien il fut étonné et touché par le travail mené par l'artiste canadienne Pat Badani œuvrant, deux années durant, dans le fournil de la rue du Cherche-Midi, à réaliser une tour de Babel constituée de bols troués en pain et enfilés comme des anneaux sur une très longue corde. Baptisée *Tower-Tour Art Conceptuel*, l'œuvre fut présentée au Centre culturel canadien en 1977. Il faut aussi mentionner l'exposition « Pain couture » proposée en 2004 par Jean Paul Gaultier à la Fondation Cartier pour l'art contemporain, ainsi que les scènes boschiennes miniatures en mie de pain de Pétra Werlé.

Jean-Philippe de Tonnac

• *Voir aussi : Hotté de pain* (*La*) → Peinture occidentale ; Figurines en mie et en pâte de pain ; Pain couture ; *Pain est de sexe féminin* (*Le*) → Documentaires et films ; Santon

Bibl. : Lionel et Apollonia POILÂNE, *Le Pain par Poilâne*, Paris, Le Cherche-midi, 2005 • Voir le site de Pétra Werlé, http://petra.werle.free.fr

OFFERTOIRE. – Voir EUCHARISTIE ; MESSE

OFFICES AGRICOLES. – Ensemble d'établissements publics spécialisés qui concourent à l'organisation économique des filières de production agricole. Ils exercent plusieurs missions, parmi lesquelles les fonctions de gestion des marchés agricoles et, depuis quelques années, l'instruction, le paiement et le contrôle des aides agricoles. Ils font partie des interlocuteurs de Bruxelles dans le cadre des organisations communes de marché. Les offices ont une expertise sur les filières par produit et concourent ainsi à la connaissance des marchés et de leur évolution. Ce sont des organismes paritaires dirigés par un conseil de direction, au sein duquel siègent les représentants professionnels des filières. Après un regroupement réalisé au cours des années 2005 et 2006, il y a maintenant dix offices : l'Office national interprofessionnel des grandes cultures (ONIGC) ; l'Office national interprofessionnel de l'élevage et de ses productions (ONIEP), qui regroupe l'Office national interprofessionnel des viandes, de l'élevage et de l'aviculture (OFIVAL) et l'Office national interprofessionnel du lait et des produits laitiers (ONILAIT) ; l'Office national interprofessionnel des fruits, des légumes, des vins et de l'horticulture (VINIFLHOR), qui regroupe l'Office national interprofessionnel des fruits, des légumes et de l'horticulture (ONIFLHOR) et l'Office national interprofessionnel des vins (ONIVINS) ; l'Office national interprofessionnel des plantes à parfum, aromatiques et médicinales (ONIPPAM) ; l'Office de développement de l'économie agricole des départements d'outre-mer (ODEADOM) ; l'Office national interprofessionnel des produits de la mer et de l'aquaculture (OFIMER). La loi d'orientation agricole de 2006 a également créé l'Agence unique paiement (AUP), sous la forme d'un établissement public à caractère industriel et commercial ayant pour mission la gestion et le paiement d'aides communautaires. Tous ces organismes sont regroupés depuis le 1er avril 2009 au sein de FranceAgriMer.

Philippe Viaux

• *Voir aussi :* AGPB ; Céréaliers de France ; ONIGC

OGM (organisme génétiquement modifié). – Un OGM est un organisme qui a été génétiquement modifié de façon artificielle. Pour qu'une plante de blé soit définie comme OGM dans le cadre de la réglementation européenne, deux conditions doivent être réunies. La première est que la plante de blé comporte une modification génétique. Les organismes supérieurs (plantes, animaux) sont déterminés à leur naissance par l'information contenue dans une molécule nommée ADN, qui porte l'ensemble des caractères transmis par les parents. Cette molécule peut être imaginée comme une très longue phrase constituée avec uniquement quatre caractères (*A*, *T*, *G* et *C*). Pour représenter l'ensemble de la molécule d'ADN de blé avec un caractère tous les millimètres, il faudrait écrire une succession de *A*, *T*, *G* et *C* sur une distance de 16 000 km, soit la distance Paris-Sydney. Lorsqu'un chercheur réalise un OGM de blé, il ajoute un nouveau mot de quelques mètres quelque part sur la phrase de 16 000 km. La seconde condition est que cette modification génétique soit de nature artificielle. Les modifications génétiques sont des événements aléatoires qui se produisent fréquemment chez les êtres vivants. Elles constituent même un des moteurs de l'évolution des espèces. Si on devait déclarer « OGM » tout organisme présentant une modification génétique, tous les organismes vivants seraient des OGM. Dans la définition d'« OGM », seules les modifications génétiques présentant des différences avec celles retrouvées dans la nature ont donc été prises en compte.

Le fragment d'ADN qui est ajouté porte une information qui va conférer à l'OGM un nouveau caractère, par exemple pour le blé une résistance à une maladie. Ce caractère peut provenir d'une espèce voisine, par exemple du riz dans le blé, ou d'une espèce très éloignée, par exemple d'une bactérie dans le blé. Il en résulte une multitude de caractères, provenant d'une multitude d'espèces, qui peuvent être transférés individuellement ou en groupe dans le blé, d'où une infinité de combinaisons possibles qui constituent chacune un OGM différent.

Les caractères agronomiques transférés sont dans leur grande majorité les caractères déjà travaillés par l'amélioration des plantes traditionnelle (résistance aux maladies, résistance aux aléas climatiques, amélioration de qualité du grain de blé pour la panification, amélioration du rendement). Les laboratoires créent avant tout des OGM de blé pour aider les chercheurs à comprendre le fonctionnement des gènes. Ces connaissances sont ensuite utilisées dans les programmes de sélection traditionnelle le blé. Dans un second temps, la technologie OGM peut être utilisée en amélioration des plantes pour transférer des gènes intéressants pour l'agriculture provenant d'espèces voisines du blé, mais incompatibles sexuellement, comme par exemple des espèces sauvages de chiendent. Dans un troisième cas, la transgénèse peut permettre d'obtenir des caractères complètement nouveaux pour le blé, comme par exemple la résistance à un herbicide total apportée par un gène de bactérie.

La possibilité que nous avons de générer des OGM est une avancée technologique majeure. En cela, elle n'est ni bonne ni mauvaise. Seules les conséquences des applications qui seront réalisées grâce à cette technologie pourront être estimées. Par le passé, d'autres avancées technologiques comme la conservation des aliments en boîte, le chemin de fer, la mécanisation du tissage ou la vaccination sont initialement apparues comme présentant des risques avant que, bien des années plus tard, les bénéfices finissent par l'emporter. Au-delà des aspects purement techniques et des risques liés à la réalisation de la modification génétique, ce sont deux conceptions opposées de ce que devrait être l'agriculture du XXIe siècle qui s'affrontent et qui alimentent les débats. D'un côté, une agriculture qui exploite les ressources naturelles pour les besoins de l'homme. Ce type d'agriculture utilise tous les moyens techniques existants pour obtenir des produits de qualité avec des rendements élevés et avec un impact minimum sur l'environnement. Pour les partisans de cette agriculture, les OGM sont un progrès. À l'opposé, une agriculture qui privilégie les moyens de production permettant avant tout de respecter l'environnement. Les produits de synthèse et les OGM sont ici considérés comme polluants, car ils sont issus de la main de l'homme. Les partisans de ce type d'agriculture souhaitent interdire durablement l'utilisation des OGM en agriculture.

La technologie OGM s'est développée dans de nombreux pays dans le monde depuis une vingtaine d'années. Pour chaque nouvel OGM, un grand nombre d'études sont réalisées visant à déterminer les risques associés à sa culture, sa commercialisation et sa consommation humaine ou animale. Deux approches sont alors possibles. Certains pays, comme les États-Unis, le Canada et l'Argentine, considèrent que, lorsque les études n'ont pas mis en évidence de risque lié à la modification génétique ni de différence entre les produits OGM et non-OGM, l'OGM peut être librement cultivé et commercialisé. Ces pays considèrent qu'il n'y a pas lieu de différentier les produits OGM des produits non-OGM. D'autres pays, comme la France, l'Autriche, la Grèce, considèrent que les études scientifiques conduites ne peuvent avoir estimé l'ensemble des risques, et qu'il faut donc continuer à réaliser des études pour identifier de nouveaux risques, et cela avant de cultiver et de commercialiser les OGM. Les résultats scientifiques n'ont plus ici le dernier mot, mais c'est le « principe de précaution » qui prévaut. Les pays européens considèrent de plus que les produits contenant des OGM doivent être étiquetés, car le consommateur a le droit d'être informé.

Le pain n'étant pas un organisme vivant, il ne peut pas, par définition, être qualifié d'OGM. Il pourrait être étiqueté « issu d'OGM » si un des deux organismes vivants qui entrent dans sa composition, le blé ou la levure, était génétiquement modifié. Aucun OGM issu de ces organismes n'a été homologué à ce jour en France pour l'alimentation humaine. Il n'est donc pas possible de trouver du pain issu d'OGM en France aujourd'hui.

Pierre Barret

• *Voir aussi :* Blé (séquençage du génome de blé) ; INRA ; IRTAC ; ONIGC ; Variétés de blé ; Variétés de blé tendre au catalogue officiel

Bibl. : Y. CHUPEAU, P.-H. GOUYON, « Les OGM, graines de réflexion », *La Recherche* n° 371, janvier 2004 • A. GALLAIS, A. RICROCH, *Plantes transgéniques : faits et enjeux*, Versailles, Éditions Quæ, coll. « Synthèse », 2006 • J-P. OURY, *La Querelle des OGM*, Paris, PUF, coll. « Science, histoire et société », 2006.

OMAN. – Voir PÉNINSULE ARABIQUE

ONIGC (Office national interprofessionnel des grandes cultures). – L'ONIGC regroupe l'Office national interprofessionnel des céréales (ONIC), l'Office national interprofessionnel des oléagineux, protéagineux et cultures textiles (ONIOL) et le Fonds d'intervention et de régularisation du marché du sucre (FIRS). L'ONIGC joue un rôle pivot dans la gestion des marchés. Il est notamment chargé, pour la France, de la mise en œuvre des mesures communautaires en ce domaine. L'ONIGC gère le mécanisme de l'intervention et du stockage public pour les céréales et le sucre. L'office a la possibilité d'acheter et stocker ou vendre sur le marché mondial des céréales ou du sucre pour assurer l'équilibre des marchés. Ce filet de sécurité permet de garantir aux producteurs un prix minimum dit « prix d'intervention ». L'ONIGC contribue à renforcer la compétitivité de la filière française, *via* notamment une politique de qualité et de traçabilité. L'office est aussi un observatoire économique qui réalise des enquêtes et élabore des statistiques uniques sur les productions, les débouchés et les prix. Ces données informatisées lui permettent de suivre en temps réel l'évolution des marchés et d'établir des prévisions.

Philippe Viaux

• *Voir aussi :* AGPB ; Céréales (cours mondiaux des) ; Céréales (disponibilité mondiale des) ; Offices agricoles

Bibl. : Voir le site de l'ONIGC, www.onigc.fr

ORAISON (pain de la sainte). – Voir *FRACTIO PANIS*

ORAMA. – En grec ancien, « ce que l'on voit ». ORAMA est l'union syndicale des grandes cultures, constituée fin 2006 entre l'Association générale des producteurs de blé (AGPB), l'Association générale des producteurs de maïs (AGPM) et la Fédération française des producteurs d'oléagineux et de protéagineux (FOP). Cette union vise à faire parler d'une même voix les trois syndicats sur des thématiques communes : les dossiers internationaux et les marchés, l'économie de l'exploitation, l'environnement et les facteurs de production, et enfin la communication syndicale.

Julien Couaillier

- *Voir aussi :* AGPB ; AGPM ; FOP

OREILLE. – Voir LAME ET COUP DE LAME

ORGE (*Hordeum*). – Les orges constituent le genre botanique *Hordeum*, qui se caractérise par des épis portant des épillets uniflores groupés par trois alternativement à chaque étage de l'axe de l'épi. Lorsque les trois fleurs de chaque étage sont fertiles, cela donne la morphologie « orges à six rangs » ou « escourgeon ». Lorsque seule la fleur centrale est fertile, les deux épillets latéraux étant réduits aux enveloppes, on obtient la morphologie « orge à deux rangs » ou « paumelle ». Le genre *Hordeum* comporte une trentaine d'espèces annuelles ou pérennes présentes dans les régions tempérées des deux hémisphères, depuis le niveau de la mer jusqu'à 4 500 m d'altitude dans les Andes et l'Himalaya. Il est généralement considéré que la domestication de l'orge dans la région du croissant fertile du Moyen-Orient remonte au Néolithique, il y a environ dix mille ans, à partir d'une orge à deux rangs dont la forme actuelle est *H. vulgare* subsp *spontaneum*. L'orge cultivée (*Hordeum vulgare* subsp *vulgare*) comporte des variétés à deux rangs ou à six rangs, semées à l'automne ou au printemps. Un des principaux critères de domestication est la perte de la possibilité de dispersion des semences, les grains restant fixés à l'épi mature. La culture d'orge est attestée en Europe centrale et du Nord depuis cinq mille ans environ. L'aire de culture actuelle très large s'étend de l'Amérique du Nord et l'Amérique du Sud à l'Afrique du Nord, l'Éthiopie, l'Asie jusqu'à la Corée du Nord, le Japon et le sud de l'Australie. Jusqu'au début du XXe siècle, les agriculteurs cultivaient en Europe des populations ou variétés de pays. La variété « Hâtif de Grignon » a été, en 1937, la première variété lignée pure inscrite en France. La création variétale est très active et conduit à une amélioration constante de la productivité, de la qualité et de la résistance aux contraintes environnementales ou parasitaires. Dans certaines exploitations d'élevage, principalement dans les pays du Maghreb ou du Proche-Orient, l'orge d'hiver peut être pâturée à la sortie de l'hiver puis ensuite récoltée, donnant ainsi les orges à double fin. Elles peuvent aussi être coupées en vert à l'épiaison pour servir de fourrage. Mais, dans la majorité des cas, l'orge est une céréale cultivée uniquement pour son grain. Celui-ci est un caryopse ou fruit sec indéhiscent, très généralement vêtu, c'est-à-dire que les enveloppes externes de la fleur appelées glumelles sont adhérentes au caryopse. Des orges nues pour lesquelles les glumelles non adhérentes sont éliminées durant le battage, comme pour le blé tendre, sont cultivées dans l'Himalaya et les Andes, mais très rares en Europe. On peut noter ici que la glumelle inférieure porte le plus souvent une arête ou barbe, qui donne aux champs d'orge une allure toute particulière quand ils sont balayés par les vents après l'épiaison. Les deux utilisations majeures du grain d'orge sont l'alimentation animale et la production de malt pour la brasserie.

Le grain d'orge est utilisé pour nourrir les bovins, les porcs et les volailles. Il se caractérise par une forte valeur énergétique due à sa richesse en amidon. Suivant l'exemple des Scandinaves, le grain d'orge a servi de base pour définir l'« unité fourragère » dans les années 1920 en France. L'unité fourragère est définie comme la quantité d'énergie nette présente dans 1 kg de grain. Le grain d'orge est la matière première du malt, qui sert à produire la bière ou le whisky. L'invention d'une boisson fermentée à partir de grain d'orge est attribuée aux Sumériens, il y a environ sept mille ans. Les Gaulois, les Celtes et les Saxons produisaient de la cervoise, qui pouvait être aromatisée avec différentes épices. La bière aromatisée avec du houblon (*Humulus lupulus*) a commencé à être produite par les moines bavarois au XIIIe siècle. La première étape de la fabrication de la bière est le maltage. Le malt est issu de la germination contrôlée de l'orge, qui permet de produire des enzymes dégradant l'amidon, puis de son séchage permettant d'obtenir un produit de transport et de stockage faciles. La deuxième étape est le brassage, où la mouture d'orge est d'abord hydratée, chauffée et filtrée, puis ensuite aromatisée avec des fleurs de houblon. Les levures (*Saccharomyces cerevisiae*) sont enfin ajoutées pour produire de l'alcool par fermentation des sucres apportés par le malt. De l'ensemble des céréales cultivées (le maïs en Amérique du Sud, le blé en Europe, le sorgho en Afrique, le riz et le millet en Asie), l'orge est celle qui se prête le mieux à la fabrication de la bière. En effet, les glumelles protègent l'embryon pendant le battage ou le maltage et permettent la filtration du moût, sa germination est facile et homogène, sa composition est équilibrée entre les glucides et les matières azotées, et elle produit beaucoup d'enzymes lors du maltage. De la farine peut être produite à partir d'orge complet, d'orge nu, d'orge mondé, c'est-à-dire un orge décortiqué (dont les glumelles ont été retirées) ; ou d'orge perlé, c'est-à-dire un orge décortiqué puis blanchi par abrasion. Il est possible de fabriquer du pain d'orge, pur ou en mélange, mais la pâte manque de force et d'élasticité du fait de la structure des protéines de réserve de l'orge. Son utilisation se fait alors plutôt sous forme de flocons, soupes ou bouillies. Au Maghreb, on produit aussi du couscous d'orge. Enfin, l'orge est parfois consommée à l'état de grain immature.

Jacques Le Gouis

• *Voir aussi* : Barbe ; Battage des céréales et aire de battage ; Bière ; Caryopse ; Céréales ; Glumelle ; Maltage ; Moût

Bibl. : C. DORÉ, F. VAROQUAUX, « L'orge », in *Histoire et amélioration de cinquante plantes cultivées*, INRA, Paris, 2006 • L. JESTIN, « L'orge », *in* A. Gallais, H. Bannerot (éd.), *Amélioration des espèces* *végétales cultivées*, Paris, INRA, 1992 • R. VON BOTHMER, N. JACOBSEN, C. BADEN, R. B. JORGENSEN, I. LINDE-LAURSEN, *An Ecogeographical Study of the Genus Hordeum*, Rome, International Plant Genetic Resources Institute, 1995.

ORVE, ORVIER. – En ancien français, l'orvier désigne le marchand d'orve, la « fleur » de farine, c'est-à-dire la plus fine et la plus belle partie de la farine. Elle provient, pour l'essentiel, de l'amande du grain. « Orve » est un mot d'origine gauloise passé dans le bas latin puis le latin et conservé aujourd'hui dans la toponymie. En Champagne exclusivement, « orve » désigne, sans distinction de qualité, toute poussière de farine. De nos jours, on préfère la nommer en tant que farine « fleur », ou « farine de première qualité » (on parle aussi de « fine fleur » ou de « fleur à fin »). C'est une farine d'un blanc brillant, qui tire légèrement sur le crème. Elle ne possède aucune piqûre (débris de son) visible à l'œil. C'est la farine « fleur » qui est le plus souvent employée en pâtisserie en raison de son extrême pureté.

Olivier Pascault

• *Voir aussi :* Blatier ; Boulangers et boulangeries (histoire de France des) ; Boulangers forains ; Fleur de farine ; Piqûres ; Taux d'extraction

Bibl. : *Dictionnaire de l'Académie française*, 8e éd., 1932-1935 • Marianne MAGNIER-MORENO, *Les Farines*, Paris, Éditions de l'Épure, 2006.

OSIRIS. – Voir ISIS ET OSIRIS

OSTENSOIR. – Pour être adoré, le pain consacré est exposé dans un ostensoir, dont l'usage se répand au XIIe siècle, alors que l'Église réaffirme avec force le principe de la transsubstantiation. Longtemps, l'hostie a été insérée dans un cylindre de verre ; elle est visible sans que quiconque puisse la toucher. Au XVe siècle, la forme en soleil commence à s'imposer, souvenir, sans doute, d'un passage des Évangiles : « Il a placé son tabernacle au milieu du soleil. » Pour honorer le corps du Christ, les orfèvres et les fidèles rivalisent de générosité et d'ingéniosité. L'ostensoir de Barcelone, réalisé au XVe siècle, est orné de 1 206 diamants, 2 000 perles fines, 115 opales, des camées, un rubis gros comme un œuf de pigeon… À la procession du Saint-Sacrement, il est déposé sur un fauteuil de vermeil porté par huit prêtres. Outre le luxe, on fait assaut de gigantisme : 1,65 m à Notre-Dame de Paris ; 2 m à Valladolid ; 4,5 m à Tolède, soit près de 500 kg. L'objet est devenu un meuble.

Philippe Martin

• *Voir aussi :* Cène ; Ciboire ; Eucharistie ; Hostie ; Messe ; Patène ; Rite orthodoxe ; Théologie du pain

Bibl. : Robert CABIÉ, *Histoire de la messe des origines à nos jours*, Paris, Desclée, 1990 • Lionel de THOREY, *Histoire de la messe de Grégoire le Grand à nos jours*, Paris, Perrin, 1994 • Philippe MARTIN, *Mondains et dévots. Les catholiques français face à la messe, du concile de Trente à Vatican II*, Paris, CNRS Éditions, 2009.

OUBLIEUR, OUBLOYER. – À Paris, une communauté d'oublieurs ou oubloyers a existé très tôt. Ses statuts furent enregistrés en 1270, complétés en 1397 et 1406. Les oublieurs « crient » dans Paris, à la nuit tombée (on a coutume de les représenter avec une lanterne à la main et leur corbillon sur le dos), sont faites de fine fleur, mais leur pâte très aérée est travaillée sans levain, originalité qui explique leur nom calqué sur le vieil *oublée*, qui signifie « hostie ». Ces gâteaux légers comme le pain azyme de l'autel étaient cuits entre deux fers, dont plusieurs paires rougissaient au feu en même temps. Les oublies ont la particularité de ne pas être vendues mais d'être gagnées à travers ce que l'on appelait « une petite loterie ». Les oublieurs installaient un tourniquet sur le couvercle de leur corbeille dont le pointeur indiquait au joueur le nombre d'oublies gagnées. On pouvait entendre dans les rues : « Oublie, oublie, où est-il ? » « Petite loterie pour un liard, tournez messieurs à tout coup l'on gagne ». Les oublieurs étaient aussi appréciés pour leur aptitude à improviser des chansons durant leur course nocturne. Charles IX finit par réunir leur communauté à celle des pâtissiers. Ils subsistèrent jusqu'au XVIIIe siècle.

Mouette Barboff

• *Voir aussi :* Boulangers et boulangeries (histoire de France des) ; Boulangers forains ; Chef-d'œuvre ; France (pains historiques, du Moyen Âge à la Révolution française) ; Hostie ; Pain azyme → Pains mondiaux ; Pâtissier

Bibl. : Françoise DESPORTES, *Le Pain au Moyen Âge*, Paris, Olivier Orban, 1987.

OURA. – Conduit destiné à faire un appel d'air dirigeant le tirage de la flamme sur un point précis du fond du four. Dans les premiers fours, dépourvus d'oura (ou éventouse), les fumées ressortaient par la bouche, ce qui rendait les grandes chambres de cuisson, dans la partie la plus profonde, difficiles à chauffer. Selon la taille des fours à bois partiront de droite à gauche deux ou trois ouras, qui seront ouverts en fonction du côté à chauffer. La chaleur passera par le conduit désiré, lequel revient à l'horizontale de la chapelle pour rejoindre la cheminée.

Guy Boulet

• *Voir aussi :* Bouche du four ; Chapelle du four ; Four ; Gueulard

OUTRE-MER (traditions du pain en) : Nouvelle-Calédonie, Wallis-et-Futuna, Polynésie française, Saint-Pierre-et-Miquelon, Martinique, Guadeloupe, Saint-Martin, Saint-Barthélemy, Guyane, Mayotte, Réunion, terres Australes et Antarctiques françaises. – L'outre-mer s'étend sur cinq continents, et s'inscrit non seulement dans une réalité géographique contrastée, mais également dans une diversité culturelle, sociale, économique et environnementale. L'isolement géographique des territoires d'outre-mer et la distance qui les sépare de la métropole ont facilité la coopération avec des pays ou des espaces voisins et eu une influence certaine sur la consommation et la variété du pain. Et, dans ce domaine, ces collectivités d'outre-mer insulaires si disparates ont d'abord en commun d'avoir adopté la baguette française. En effet, si les populations autochtones de chacune de ces îles et territoires, depuis les Marquises en Polynésie française jusqu'à la Martinique, ont eu leur propre tradition avant la colonisation, elles ont toutes, sans exception, adopté le pain « français ». C'est ainsi que l'on trouve des Kanaks de Lifou (îles Loyautés en Nouvelle-Calédonie) boulangers et distribuant la baguette aux quatre coins de l'île et des îles avoisinantes. D'une manière générale, le travail du pain connaît une large palette de réalisation et bien d'autres formes de confection à travers les collectivités d'outre-mer. Techniques de fabrication locales ou importées auxquelles s'associent des ingrédients aux saveurs endémiques ou exotiques (noix, épices, cumin…)

En Nouvelle-Calédonie, l'aliment de base de la société kanak avant la colonisation (1853, prise de possession par la France) était l'igname. Une grande partie de la tradition kanak est construite autour du cycle végétatif de l'igname, à partir duquel s'effectuent de nombreux rites coutumiers (mariages, naissances, inaugurations de toutes sortes – nouvelles constructions, cases, écoles…). Base de la nourriture, la plante a une valeur nourricière certaine : elle est l'équivalent du pain pour les colons et on lui attribue une valeur sacrée. Aujourd'hui multiethnique, à la suite de nombreux flux migratoires, la Nouvelle-Calédonie a su incorporer de nombreuses variantes de pain. Les déportés kabyles emmenés sur le territoire au XIXe siècle mangeaient du *l'ben* (lait caillé de chèvres) avec des dattes et leur pain traditionnel. Petit à petit, la boulangerie traditionnelle a pris place dans de nombreuses tribus en Nouvelle-Calédonie. Une famille de l'île de Maré (îles Loyautés), les Wahmara, fait du pain frais depuis plus de trente ans. C'est lorsque la panification a débuté, que la pâte a levé, qu'un feu de bois se met à chauffer les pierres du four kanak. Lorsque les pierres sont suffisamment chaudes, les femmes déposent les marmites sur le feu et les recouvrent de ces pierres. Le pain sera cuit en une heure environ et, une fois sorti des marmites, il est exposé et mis en vente sous le petit faré au bord de la route. Cette petite entreprise familiale et quelques autres qui existent à Maré étaient, il n'y a pas si longtemps, la seule source de pain des habitants. Devenu aujourd'hui aliment de base pour les Calédoniens, certains élus s'engagent auprès de leur population pour que ce produit de première nécessité soit encore accessible à tous et donc subventionné. Baptisé Écopain, ce gros pain long de 500 g a été formaté pour les familles, afin d'améliorer la vie quotidienne des Calédoniens suite à l'augmentation des cours mondiaux du blé (prix doublé à l'importation).

Également collectivité du Pacifique, Wallis-et-Futuna est le territoire le plus isolé de la métropole (19 500 km) et reste très éloigné de la Nouvelle-Calédonie et de la Polynésie française. L'éloignement et l'isolement ainsi qu'une faible population (15 000 habitants) font que les coutumes traditionnelles y sont solidement ancrées, alors même que le territoire a été placé sous protectorat français en 1886 et 1887. Les taros et ignames constituent le fond de l'alimentation quotidienne actuelle. Wallis-et-Futuna est le seul territoire français où les trois rois (l'un à Wallis, les deux autres à Futuna) sont légalement reconnus : ils pratiquent le droit coutumier et l'économie y est fondée sur le troc, ce qui explique la faible présence d'entreprises privées et donc de boulangeries. La cuisine traditionnelle reste l'*umu*. Faire un *umu* consiste à cuire à l'étouffée les aliments enveloppés dans des feuilles, posées sur des pierres préalablement chauffées à blanc. Le tout est recouvert de feuilles puis de terre.

En Polynésie française, le *ahima'a*, de *ahi* (« feu ») et *ma'a* (« nourriture »), illustre la manière dont les aliments sont grillés, ou cuits à l'étouffée dans un four creusé dans la terre. Le four est généralement préchauffé par un feu de bois d'*aito*, placé à différents niveaux, croisés perpendiculairement. Une fois ces niveaux enflammés, on dispose des pierres volcaniques poreuses qui les recouvrent entièrement. La surface des pierres chaudes ajustée, on y dispose les aliments à cuire, tel que le *po'e* de banane, de papaye, de pain rassis et plusieurs légumes tels que taro, igname, uru. Le *popoi,* aliment de base autrefois chez les Marquisiens, à base de *koéhi* (fruit de l'arbre à pain) écrasé dans du lait de coco, est également mis dans des *oini*, paniers traditionnels tressés en feuilles de cocotier. Ce « pain » traditionnel se perd malheureusement aujourd'hui. Le pain français a su s'introduire dans la société polynésienne, autrement dit un territoire qui compte cent dix-huit îles éparpillées sur un espace maritime aussi grand que l'Europe. De nombreux boulangers sont d'origine chinoise, tout comme Roger Shan, boulanger aux îles Marquises. C'est un métier qui se transmet de père en fils, puisque c'est le grand-père qui a démarré l'affaire. Roger Shan produit 1 500 baguettes en période creuse, mais c'est grâce aux viennoiseries qu'il fait des bénéfices. Les Polynésiens aiment leur baguette, comme le riz, base du régime alimentaire. L'isolement et le climat font que c'est décidément une entreprise à risque que d'être boulanger. En raison des divers cyclones et de la difficulté du métier, deux boulangers ont renoncé.

Les îles Saint-Pierre-et-Miquelon ont été peuplées pour la première fois par des Français (essentiellement Normands, Bretons et Basques) au début du XVIIe siècle, emmenant avec eux leurs usages du pain. Les îles sont aujourd'hui le seul vestige des vastes possessions françaises en Amérique du Nord, composées d'un archipel de huit îlots avec une population d'environ 6 500 habitants. La proximité du Canada a eu une influence sur la production de bonhommes de pain d'épices. La tradition vient du Canada, mais se pratique beaucoup à Saint-Pierre-et-Miquelon. La petite histoire du pain d'épices raconte qu'une vieille femme était en train de faire du pain d'épices et, comme il lui restait un peu de pâte, elle façonna un petit bonhomme. Avec du raisin, elle dessina les yeux, le nez, un grand sourire et les boutons de ses habits. Puis elle le mit à cuire. Au bout d'un moment, elle entendit tambouriner à la porte du four. Elle l'ouvrit et, à sa grande surprise, le bonhomme de pain d'épices en sortit d'un bond. Elle voulut l'attraper, mais il lui échappa en criant : « Cours, cours, aussi vite que tu peux ! Tu ne m'attraperas pas. Je suis le bonhomme en pain d'épices. » Depuis, les îles de Saint-Pierre-et-Miquelon se sont approprié les bonhommes de pain d'épices que l'on retrouve aux côtés de la baguette traditionnelle.

La cuisine antillaise (Martinique, Guadeloupe, Saint-Barthélemy et Saint-Martin), riche en couleurs et en épices, est le reflet de son histoire faite d'un vaste métissage des cultures : européennes, africaines et hindoues, venues compléter les traditions ancestrales des Amérindiens. Le fruit à pain, originaire de l'arbre à pain, est l'aliment de base de la cuisine antillaise. La légende dit que le premier arbre à pain fut planté en 1790 à Vieux-Bourg, Guadeloupe. Son fruit peut être cuit à la vapeur, mais aussi frit, ou accommodé en gratin ou en purée. On fait même une friandise avec ses fleurs mâles cuites dans du sucre, c'est la « papote ». Le fruit à pain est un légume originaire de Polynésie et d'Indonésie. Il fut introduit aux Antilles à la fin du XVIIIe siècle pour nourrir les esclaves. Il est aujourd'hui répandu dans toutes les régions tropicales humides pour son intérêt alimentaire et esthétique. Malgré plus de trois siècles de civilisation française et après avoir subi toutes sortes d'influences, la spécificité antillaise respecte toujours ces anciennes traditions caribéennes. Le pain massif est un grand pain au façonnage original : une forme ovale dont chaque extrémité est pourvue d'une boule. Sa croûte est épaisse, sa mie claire et dense. Il pesait traditionnellement une livre, mais les boulangers qui le fabriquent aujourd'hui en produisent de plus petits. C'est un pain à la farine de blé, enrichi en matière grasse, qui se consomme quotidiennement. Selon les dépositaires de la tradition orale, ce pain massif existe en Martinique depuis le milieu du XIXe siècle. Les ingrédients (farine de blé, beurre, saindoux, levure sèche, sel, sucre et eau) sont pétris environ un quart d'heure pour donner une pâte souple. Après une détente de 15 min, la pâte est divisée et façonnée, puis cuite à four très chaud durant 20 min.

En 1841, le sultan Andriantsouli a donné l'île de Mayotte à la France afin d'empêcher les attaques de l'extérieur, provenant notamment des Comores. Plusieurs cultures s'y côtoient, une première d'origine comorienne concernant 60 % de la population, une deuxième malgache, fortement marquée par la première, et enfin française et occidentale qui imprègne de plus en plus les deux premières. Au-delà du pain, quelques produits composent les bases de l'alimentation mahoraise : banane, manioc, fruit à pain, fruits locaux. Le fruit à pain est considéré comme un légume. Après l'avoir épluché et lui avoir enlevé la partie fibreuse et les graines, il est mangé en *bata bata* (bananes vertes, manioc ou fruit à pain bouillis) ou frit dans de l'huile chaude, ou cuit entier sous la cendre. Le riz est un aliment de base également très consommé à Mayotte.

À la Réunion il y a trente ou quarante ans, il n'existait pas de chambre de fermentation contrôlée et, en raison du climat chaud et humide, les restes de pâte dans le pétrin finissaient à la poubelle. L'idée vint alors de récupérer la pâte, de la retravailler pour obtenir un produit accessible à tous et surtout aux enfants. Il fallait donc casser l'acidité en y apportant une saveur sucrée. Le *macatia* est un petit pain rond, une petite boule compacte, avec une texture très fine et un goût entre la brioche et le pain, légèrement sucré. Il est idéal pour le petit déjeuner ou pour le brunch. De nos jours, on en trouve de toutes sortes : aux lardons, au jambon-fromage, ou coco-chocolat.

Les terres Australes et Antarctiques françaises (TAAF) constituent, depuis la loi du 6 août 1955, un territoire d'outre-mer. La France y assure une présence humaine continue (logistique, scientifique ou militaire) grâce à des personnels relevés régulièrement avec un effectif moyen d'hivernage de 140 habitants. Les contraintes fortes en matière de maintenance et de logistique (quatre ravitaillements maritimes par an seulement) imposent une production locale du pain. Des agents des TAAF sont des contractuels et des volontaires à l'aide technique (VCAT, cadre du volontariat civil) qui assurent les fonctions de boulangers. Les candidats sont retenus après une série de tests physiques et psychologiques. Lorsqu'il est parti en 1988 et en 1990 à Dumont-d'Urville, Gilles Brébant était engagé en tant que pâtissier-boulanger, son métier d'origine étant la pâtisserie. Il faut faire ici preuve d'imagination pour pallier les conditions de production. La réserve de farine, par exemple, est maintenue à un taux d'humidité inférieur à celui que l'on pratique en France, pour éviter qu'elle ne fasse bloc à – 20°. Et, lorsque les réserves de levure sèche sont épuisées, il faut recourir à une préparation « à l'ancienne », avec un levain naturel à base de bière et de fermentation de pomme.

Les collectivités d'outre-mer présentent donc d'importantes disparités en ce qui concerne leurs caractéristiques géographiques, climat, niveau de développement économique et social, statut juridique, ainsi que leur historicité. Pourtant, au travers des siècles, le pain de tradition française a su y faire sa place, sans pour autant avoir provoqué la disparition des nourritures originelles de base. Les variétés historiques du pain, emblématiques du patrimoine gastronomique, représentent les spécificités locales uniques de chacune des îles d'outre-mer.

Bata bata. Bananes vertes, manioc ou fruit à pain bouillis, à Mayotte.

Bonhomme de pains d'épices. Sa présence à Saint-Pierre-et-Miquelon est due à l'influence de la proximité du Canada.

Igname. Plante originaire des tropiques, dont les tubercules sont farineux.

Koéhi. Fruit de l'arbre à pain aux îles Marquises.

Macatia. Petit pain rond de la Réunion, boule compacte avec une texture très fine et un goût entre la brioche et le pain, légèrement sucré.

Papote. Friandise antillaise à base de fleurs mâles du fruit à pain cuites.

Po'e. Plat typiquement polynésien à base de fruits cuits mélangés à de l'amidon et un peu de sucre. Il est accompagné de lait de coco.

Taro. Tubercule de la famille des aracées, il présente une large racine d'une couleur allant du rouge à l'orange et de longues tiges et feuilles. Il s'apparente à la pomme de terre, aliment incontournable en Polynésie.

Umu. À Wallis-et-Futuna, ce sont des aliments enveloppés dans des feuilles, posés sur des pierres préalablement chauffées à blanc, le tout est recouvert de feuilles puis de terre, ainsi cuits à l'étouffée.

Uru. Arbre à pain en Polynésie française.

Emmanuelle Crane

• *Voir aussi :* Australie ; Nouvelle-Zélande ; Pain (définition universelle du) ; Pains mondiaux

Bibl. : Alban BENSA, *Nouvelle-Calédonie, vers l'émancipation*, Paris, Gallimard, coll. « Découvertes », 1992 • « Nourritures et identité : une socio-anthropologie de l'alimentation à Tahiti », *Bulletin de la Société des études océaniennes*, Papeete, 2009 • « L'avenir des relations entre l'UE et les pays et territoires d'outre-mer », Document de travail des services de la Commission des communautés européennes, Bruxelles, Union européenne, 2008 • Balthazar NTAB, Pascal GRANDIN, Katia CASTEBON, Daouda SISSOKO, Michel VERNAY, « État nutritionnel et activité physique à Mayotte, France : premiers résultats de l'étude Nutri », *Bull Epidemiol Hebd*, 2007.

OXYDATION. – Réaction chimique correspondant à une fixation d'oxygène ou à un déplacement d'hydrogène. Les réactions d'oxydation importantes en boulangerie sont l'oxydation des pigments caroténoïdes, ayant pour conséquences le blanchiment des pâtes ; l'oxydation des protéines, responsable de la prise de force des pâtes ; l'oxydation des matières grasses, qui conduit au rancissement.

Philippe Roussel

• *Voir aussi :* Blanchiment de la pâte ; Caroténoïde ; Pain blanc ; Pâte ; Protéine

OXYGÉNATION. – Lorsqu'on pétrit la pâte, on l'oxygène en la soufflant. Cela est indispensable pour former le réseau glutineux et introduire de l'air qui formera l'alvéolage de la mie. Plus on la pétrit longtemps, comme dans le cas du pétrissage intensifié, plus on oxygène la pâte, plus on forme le réseau glutineux et plus on dissout de l'air dans la pâte : c'est ainsi qu'on obtient des pains plus volumineux avec une croûte fine et une mie très alvéolée, de type pain de mie (de nombreuses alvéoles petites, dont les parois sont très fines), mais aussi une oxydation des pigments naturels de la faine, qui conduit à une mie très blanche, et une oxydation des arômes naturels, qui conduit à un pain insipide. Il est nécessaire de maîtriser l'oxygénation avec un pétrissage approprié.

Ludovic Salvo

• *Voir aussi :* Alvéolage ; Oxydation ; Pâte ; Pétrissage ; Réseau ou tissu glutineux ; Soufflage

P

PAC. – Voir PRÊT-À-CUIRE

PAILLE. – Définit aussi bien la tige de la céréale qui porte l'épi que le revêtement de la graine, éloigné lors du vannage, ayant comme synonymes le chaume, le fétu et l'éteule (paille restée sur la terre après la moisson). Aussi bien le terme de « paille » que celui de « chaume » désignent les tiges sèches qui s'éclaircissent sous l'effet du soleil (couleur paille = doré), dont elles sont d'une certaine façon la matérialisation. Le chaume, dans la langue française, au moins, nous oriente vers un usage particulier de la paille : les chaumières et l'architecture rurale en général. Tandis que des expressions telles que « être sur la paille », « mettre sur la paille », « feu de paille », « homme de paille », « la paille et la poutre », « la crèche, l'enfant divin et de paille », empruntent au registre des métaphores et paraboles tirées de l'histoire et du contexte social. Ce produit apparemment secondaire de l'agriculture (par rapport à la graine) – considéré même comme jetable – est, en effet, particulièrement riche au niveau des idées, mais aussi au plan simplement utilitaire. « Les ânes choisiraient la paille plutôt que l'or », selon Héraclite, qui relativise pourtant, avec sa rigueur implacable, toute notion d'utilité.

S'ajoute ensuite toute la symbolique de la paille en tant que tige de céréales, lui conférant des vertus prophylactiques (par association au soleil à qui elle doit sa couleur source de pouvoirs magiques), mais aussi un rôle rituel important dans le déroulement des fêtes saisonnières. Ainsi, tantôt la paille représente la lumière et l'été, temps des richesses terrestres, tantôt elle devient l'évocation matérielle des forces de la nature en pleine hibernation, qu'elle aiderait à faire renaître en tant que « sup-porteur » des épis céréaliers, don estival des dieux. Parfois, les significations et les usages se superposent. L'« homme de paille », par exemple, remplit toute une gamme de fonctions et évoque plusieurs choses à la fois. C'est l'épouvantail que l'on installe dans les champs pour effrayer les oiseaux. Il peut devenir un prête-nom, une « marionnette », une personne qui n'a aucun pouvoir réel, mais remplit une fonction officielle volontairement ou à son insu, tandis que quelqu'un d'autre, derrière lui, tire les ficelles tout en restant dans l'ombre et en évitant de se faire reconnaître. Viennent ensuite les multiples mannequins de paille que l'on fabrique à l'occasion des mascarades d'hiver. Ce sont les hommes-ours de paille, qui surgissent dans toute l'Europe centrale au cœur de l'hiver, ou les paillassons d'Autriche et de Suisse qui s'agitent à la Saint-Nicolas. On retrouve des figures semblables pendant le carnaval et les rites propitiatoires du printemps – par exemple la Morena de Slovaquie, mannequin de paille à taille humaine précipité dans une rivière au début du printemps pour « noyer » avec lui les maux de l'hiver et les maladies. Toutes ces créatures de paille nous conduisent immanquablement sur le terrain de l'imaginaire, du symbolique et parfois du religieux. Ainsi, en Chine, la paille avait une valeur apotropaïque et démonofuge, attestée par la fréquence avec laquelle on recourait rituellement à des personnages de « paille », chiens de paille, dragons de paille, etc. Tandis qu'au Japon les shintoïstes entourent encore de nos jours leurs maisons, au jour de l'An, de cordes de paille tressée, pour définir ainsi un espace sacré et le séparer du monde extérieur. La paille constitue dans ce sens une enceinte subtile, qui délimite le « centre du monde » où réside l'esprit du lieu, par rapport à la périphérie exposée aux forces du néant. Chez les Slaves, selon une coutume ancienne, on jetait des cailloux, des branches et de la paille sur les tombeaux de défunts péris de mort violente, dans le but de détourner leurs colère et vengeance : il s'agissait de se protéger des brucolaques (cadavres des excommuniés revenus hanter les vivants). En effet, la paille, les céréales et leurs divinités tutélaires entretenaient des liens étroits avec la justice, la morale et le respect des institutions. Nous trouvons cette connotation dans la Grèce antique à la fête des Thesmophories en l'honneur de Déméter *Thesmophoros* (« celle qui apporte les lois »), célébrée en automne, comme dans le culte d'Osiris et Isis en Égypte. Avec un écart dans le temps et dans l'espace, les Francs utilisaient la paille, *festuca* (ou une branche d'arbre, *ramus*), d'une façon symbolique pour instituer, suivant les règles de la loi salique, un héritier. Celui qui voulait délivrer une partie de son patrimoine ou de son pouvoir à quelqu'un d'autre (*jactat festucam in laisu*) lui donnait un morceau de paille correspondant à une passation d'héritage dans son ensemble ou en partie, devant des témoins, confirmant ce don d'une annonce orale. Toujours chez les Francs, l'usage solennel de la *festuca* était employé aussi soit lorsqu'une personne prenait un engagement de prêter serment ou de se produire en tant que témoin en justice ; on remettait aussi une paille dans la main de celui avec qui l'on faisait une convention, une dation ou on concluait une autre formalité d'importance symbolique. On peut légitimement se poser la question de savoir si l'expression « tirer à courte paille » n'est pas une coutume inscrite dans le même ordre d'idées. Par ailleurs, « la paille et la poutre », parabole qui vient de Matthieu (VII, 3-5), nous enseigne à ne point être hypocrites et à ne pas juger afin de n'être pas jugés en retour.

Même de nos jours, dans tous les pays céréaliers, on construit en pisé ou en briques crues en mélangeant la terre avec de la paille, ce qui assure plus de solidité et une meilleure aération des murs. La technique, attestée par les fouilles archéologiques, est déjà mentionnée dans la Bible dans le contexte suivant. Lorsque les Israélites, sous l'impulsion de Moïse et d'Aaron, décidèrent de respecter le shabbat, ils refusèrent obstinément de travailler les sept jours de la semaine. Or, le pharaon en colère cherchait un moyen pour les maintenir comme des esclaves sous son autorité ; il décida alors de les submerger de travail afin qu'ils oublient de penser à leur Dieu et de le louer. Il dit à ses fonctionnaires : « Vous ne donnerez plus comme auparavant de la paille au peuple pour faire des briques ; qu'ils aillent eux-mêmes ramasser de la paille. Vous leur imposerez néanmoins la quantité de briques qu'ils faisaient auparavant, vous n'en retrancherez rien » (Exode V, 7-8). Cette technique de mélange de la terre et de la paille pour construire des abris, des locaux pour les bêtes mais aussi des maisons ou encore des fortifications, est typique des régions qui ne disposent pas de pierres dans la proximité des agglomération et des villes (civilisations mésopotamiennes, égyptienne, etc.). Elle perdure encore de nos jours, réhabilitée récemment par les mouvements écologiques qui font la promotion des maisons faites entièrement de paille compactée. Cette architecture, qui combine rapidité de construction, isolation thermique, protection contre les incendies et bonne aération des murs, fut inventée dans le Nebraska. Dans cette région à terre sablonneuse et manquant d'arbres, les paysans ont disposé, au XIXe siècle, des premières botteleuses mécaniques qui rangeaient la paille en blocs réguliers et légers ; ils ont réalisé qu'ils étaient capables de remplacer les briques par ce matériau pour les constructions temporaires au départ, et les maisons principales par la suite.

Quant à l'usage de la paille au fil du temps de l'année cyclique, rappelons que selon le témoignage de Luc (II, 7), la Vierge Marie coucha l'enfant Jésus, aussitôt né, dans une crèche. Image immortalisée dans tout l'art chrétien avec une connotation directe : paille = céréales = pain (cf. aussi l'étymologie de Bethléem, « demeure du pain »). D'où la présence de la paille dans les crèches historiques et contemporaines et toutes les décorations en paille pour la période de Noël. Ces dernières, comme les boucs en paille typiques des pays scandinaves et les décors des arbres de Noël, combinent la double tradition : les rites solaires du solstice d'hiver et les coutumes christiques inspirées de la couche du divin enfant dans la mangeoire des bestiaux, entre l'âne et le bœuf, et figurant l'humilité.

Yvonne de Sike

• *Voir aussi :* Balle ; Battage des céréales et aire de battage ; Bethléem ; Calendriers et mesure du temps ; Épi ; Épi (symbolique de l') ; Grain et graine ; Saint-Nicolas ; Terre-Mère primordiale ; Vierge et cycle des cultures céréalières

Bibl. : Yvonne de SIKE, *Les Poupées, une histoire millénaire*, Paris, La Martinière, 1998. – ID., *Fêtes et croyances populaires en Europe au fil des saisons*, Paris, Bordas, 1994 • Jacqueline VALLON, *Les Crèches*, Paris, Gallimard, 1997 • Claude VANDERSLEYEN, *L'Égypte et la vallée du Nil*, Paris, PUF, 1995, t. 2 • Andrei VOLGIN, *Histoire des Francs*, Paris, Elibron classics, 2001.

PAIN (aspect du). – L'aspect prend en compte à la fois l'aspect extérieur du pain et sa mie ; il est caractérisé par différents descripteurs liés principalement à l'observation visuelle. Extérieurement, le volume, la forme, la couleur, la section (rapport hauteur sur largeur mesuré au milieu du pain et désignant son caractère rond ou plat), l'épaisseur de la croûte, la brillance (intensité lumineuse émise ou renvoyée par la croûte pour une luminosité environnante donnée) et, pour le pain français, le développement, la régularité et l'aspect déchiré des coups de lame. Pour ce qui concerne la mie, on s'intéresse à la régularité, la densité et l'épaisseur des parois alvéolaires, qui renseignent à la fois sur la structure et la texture de la mie et sa couleur. À titre d'exemple, on peut qualifier le pain de tradition française en disant que c'est un pain à volume modéré, que les coups de lame y sont assez bien développés, légèrement irréguliers, légèrement déchirés à franchement déchirés. La section est un peu plate ; la croûte un peu épaisse, croustillante à craquante, de couleur ambrée à légèrement rouge (assez colorée), résultat obtenu principalement dans les fours à sole. L'observation de la mie fait apparaître des alvéoles irrégulières, assez nombreuses, aux parois un peu épaisses ; la couleur de fond varie dans les tons, de crème à jaune. Sa texture un peu ferme, sans être trop résistante, donne une certaine tenue à la mastication et en fait un aliment de caractère. Si l'on considère à présent le pain courant français, il est en général bien développé ; les coups de lame sont bien grignés (développés ou détachés), réguliers et lisses (sans déchirures anarchiques ou aspérités) ; sa section est ronde et sa couleur ambrée est moins soutenue que le pain de tradition, et le caractère brillant apparaît plus marqué. La structure de la mie présente de nombreuses alvéoles aux parois fines, ce qui en fait un pain à mie moelleuse, fondante en bouche et à croûte fine et croustillante. La régularité alvéolaire est malgré tout moins marquée que dans les pains de mie ; une certaine hétérogénéité peut être recherchée. La couleur de la mie, conséquence d'un pétrissage majoritairement plus intensifié que pour le pain de tradition, varie du blanc au crème.

Philippe Roussel

• *Voir aussi :* Alvéolage ; Consistance ; Croustillant ; Croûtage ; Croûte ; Défauts du pain ; Lame et coup de lame ; Mie (couleur de la) ; Mie de pain ; Mie de pain œilletée ; Propriété organoleptique ; Surface du pain

Bibl. : Raymond CALVEL, *Le Goût du pain, comment le préserver, comment le retrouver*, Les Lilas, Jérôme Villette, 1990 • Philippe ROUSSEL, Hubert CHIRON, *Les Pains français. Évolution, qualité, production*, Vesoul, Maé-Erti, 2002.

PAIN (définition universelle du). – Il existe tant de façons différentes de faire du pain sans en être, qu'il n'est pas sûr qu'il soit jamais possible d'arriver à une définition universellement valable du pain. Mais quiconque fabrique du pain sait fort bien ce qu'il peut et doit faire, et ce qu'il ne peut ni ne doit faire, pour arriver au résultat qu'il vise. Là est la réalité de la technique. Cela dit, nous nous trouvons devant un embarras bien plus grand que si nous essayions de définir le pain comme nourriture. Car inventorier les nourritures de l'humanité, c'est faire référence à un traité de botanique qui existe, au moins virtuellement. Mais, s'agissant de déterminer avec quelque rigueur ce qui, techniquement, est du pain, ce qui en est presque, ce qui en est peut-être et ce qui n'en est certainement pas, nous devons bien reconnaître que le traité de technologie dont nous aurions besoin n'existe pas. Nous ne manquons certes pas d'ouvrages sur la meunerie et la boulangerie, ni même de descriptions ethnographiques de la fabrication du pain dans tel ou tel village de Suède, d'Autriche ou de Grèce. Mais nous ne savons rien de bien précis sur la préparation des rhizomes de fougères ou sur celle des glands, et il existe de par le monde quantité de préparations alimentaires, couramment pratiquées par des millions de personnes, dont nous savons à peine qu'elles existent. Étant donné ces immenses lacunes, il est pour l'instant impossible d'avoir une vision un peu cohérente de la question.

Il y a peut-être un moyen de nous tirer d'affaire. Nous connaissons tous, depuis l'école primaire, les principales étapes de la fabrication du pain : la mouture, le pétrissage, la fermentation, la cuisson. Supposons maintenant qu'à chaque étape nous faisions tout autre chose que ce qui est prévu, à quoi allons-nous aboutir ? Cette méthode ne nous permettra certes pas d'explorer l'univers des techniques. Elle nous permettra peut-être de mieux comprendre comment distinguer ce qui est pain de ce qui n'en est pas. Au lieu, par exemple, de tenir les grains au sec pour les conserver et de les moudre dans cet état, ce qui donnerait de la farine, on peut les traiter par voie humide, c'est-à-dire les faire tremper un certain temps dans l'eau chaude avant de les moudre. On obtient alors une sorte de pâte, de purée faudrait-il dire plutôt, si l'on veut réserver l'emploi du mot « pâte » à ce qui est le produit d'un pétrissage. Il ne s'agit pas d'une pratique rare ou anecdotique. C'est ainsi, en effet, qu'on prépare le maïs dans une grande partie de l'Amérique latine, et il existe aussi un mode semblable de préparation du riz en Inde du Sud. Sans entrer dans le détail de techniques qui n'ont pas toujours été décrites de façon satisfaisante, voici l'idée générale du procédé que les nutritionnistes ont appelé « nixtamalisation », au Mexique : les grains de maïs sont jetés, le soir, dans un grand récipient d'eau bouillante additionnée de cendres ou de chaux. On les y laisse toute la nuit. Au matin, les grains gonflés d'eau sont débarrassés de leurs enveloppes à la main, puis on les passe à la pierre à moudre (*metate*) à plusieurs reprises, jusqu'à obtention d'une pâte à la finesse désirée. Cette pâte est ensuite façonnée en galettes qui sont cuites sur une plaque chaude, les *tortillas*. On s'est aperçu que ce mode de préparation corrigeait en grande partie les carences en acides aminés qui, dans les autres modes, sont responsables de la pellagre.

Une autre manière de faire consiste à traiter les grains par l'eau chaude, mais sans addition de chaux ou de cendres, et à les faire sécher ensuite ; cette technique porte le nom d'« étuvage » (angl. *parboiling*). Une grande partie du riz consommé en Inde est étuvé, notamment en Inde du Sud. Le blé est également étuvé en Turquie et dans une grande partie du Proche-Orient (Syrie, Liban, etc.). En Europe centrale et orientale, l'étuvage était appliqué à l'avoine. L'étuvage facilite la séparation du grain entier de ses enveloppes. Il constitue aussi une sorte de précuisson qui gélatinise partiellement l'amidon et change le comportement du grain à la cuisson : le riz étuvé ne « colle » pas, les marques américaines en ont fait un argument de vente. Enfin, l'étuvage détermine une migration des vitamines, localisées dans les enveloppes, vers l'amande du grain, si bien qu'elles ne sont pas totalement éliminées à l'usinage : le riz étuvé n'entraîne pas un risque de carence (béri-béri) aussi grand que le riz blanchi non étuvé. Il va sans dire que les grains étuvés doivent être préparés sous forme de gruau. Le blé étuvé n'est plus panifiable, on en fait un gruau appelé *burgul* au Liban, *bulgur* en Turquie, terme qui tend à s'internationaliser. L'avoine étuvée portait le nom de *Haberken* en Suisse, de *Talggn*, *Munggn*, etc. en Autriche. Ici encore se vérifie le fait que la consommation du blé et du riz étuvés est plutôt en augmentation, celle de l'avoine étuvée a si complètement disparu qu'il n'est même pas certain que son souvenir existe encore.

En ce qui concerne la mouture ordinaire, c'est-à-dire de grains secs, on sait qu'il existe deux grandes familles de procédés. Dans la première, on cherche à écraser le grain le plus complètement possible, pour le réduire en farine, et en farine fine de préférence. Dans l'autre, au contraire, le but est de ne broyer le grain que modérément, pour le réduire en gruau, en semoule ou en farine grossière, voire seulement pour le débarrasser de ses enveloppes en laissant l'amande intacte. Ce dernier cas est, par excellence, celui de l'usinage du riz. Mais l'orge, le sarrasin, le millet, le panis et, on vient de le voir, l'avoine étuvée ont fait l'objet de préparations semblables dans de nombreuses régions d'Europe. À l'exception de l'orge perlé, toutes ont pratiquement disparu devant la concurrence du riz.

La farine est à la base de toutes les préparations comportant la confection d'une pâte par pétrissage (à l'exception des pâtes alimentaires, faites de semoule de blé dur). Pâte qui peut être épaisse, comme dans la fabrication des galettes, du pain et de la plupart des pâtisseries, ou liquide, comme dans la fabrication des crêpes, des flans, etc. Il n'est peut-être pas sans intérêt de signaler que, là où la langue française n'a qu'un seul mot pour désigner ces pâtes bien différentes, la langue anglaise en a trois : *dough*, qui désigne la pâte à pain ; *paste*, qui s'applique plus particulièrement à une pâte additionnée de beurre ou d'huile, telle qu'on en utilise en pâtisserie ; et *batter*, qui désigne la pâte liquide à crêpes.

Quoi qu'il en soit, toutes ces filières farine-pâte forment un ensemble bien caractérisé, auquel s'oppose un autre ensemble gruau-bouillie également bien distinct. Dans ce deuxième ensemble de filières, il n'y a pas de pétrissage. Les grains entiers ou réduits en gruau sont cuits directement dans l'eau, parfois au lait pour les aliments de fête. On obtient soit des grains cuits détachés (riz), soit une bouillie proprement dite, c'est-à-dire un produit semi-liquide qui peut être consommé tel quel, mais qu'on peut aussi laisser durcir par refroidissement pour l'incorporer à d'autres préparations. La *polenta* en Italie, le *porridge* en Grande-Bretagne, la *kacha* en Russie sont les noms des bouillies les plus connues ; en France, il existe une multitude de noms dialectaux, dont seul celui de « gaudes » de Bourgogne a acquis quelque notoriété. On associe habituellement la *polenta* au maïs, le *porridge* à l'avoine, la *kacha* au sarrasin et les gaudes au millet. Mais ce sont des associations qui n'ont rien d'obligatoire. Pline l'Ancien décrit la *polenta* de farine d'orge comme un plat grec, et on a fait aussi de la *polenta* de farine de châtaignes au XXe siècle encore. Et le *porridge*, la *kacha*, etc. peuvent être faits avec d'autres céréales que l'avoine et le sarrasin.

On a parlé de farine fine à propos des filières comprenant un stade « pâte », et de farine grossière à propos des filières « bouillie ». La distinction n'est pas évidente, mais là encore, la langue anglaise nous aide à la faire, puisqu'elle emploie deux mots différents, *flour* et *meal*, pour désigner l'une et l'autre. Au reste, la terminologie dans ce domaine est désespérément embrouillée. La distinction entre farine fine, farine grossière, semoule et gruau est une question de granulométrie qui ne semble pas devoir être spécialement compliquée. Il est pourtant à peu près impossible de savoir s'il y a dans ce domaine des critères précis et universellement acceptés. À cela s'ajoute le fait que des termes comme « gruau » et « semoule » peuvent désigner non seulement un produit d'une certaine granulométrie, mais encore l'aliment préparé avec ce produit. Cette polysémie peut même aller plus loin. En français, on appelle couramment « semoule » le produit avec lequel on prépare le couscous, plat originaire d'Afrique du Nord et désormais courant en France. Or le « vrai » couscous n'est pas fait de semoule, au sens « fragments de grain d'une certaine granulométrie », mais de ce qu'on appelle en français du Maghreb de la « graine », c'est-à-dire de farine roulée à la main sur une surface plane jusqu'à obtention de petits grains de farine agglomérée.

Faut-il poursuivre ? Nous avons vu le traitement du grain avant la mouture et la mouture elle-même, ce qui veut dire que nous ne sommes qu'au milieu du chemin. Il y a le pétrissage et la fermentation, dont il faudrait parler longuement. À cet égard, rappelons seulement une banalité, à savoir que seuls le seigle et les blés (froment, blé dur, etc.) sont panifiables, c'est-à-dire donnent une pâte susceptible de lever sous l'effet de la fermentation. Ce qui n'a jamais empêché qu'on ne fasse du pain d'orge, d'avoine, de millet, etc., soit en cas de disette, soit pour la consommation des pauvres. On s'est même efforcé, vers la fin du XVIIIe siècle, de faire du pain de farine de pommes de terre : c'est une tentative à laquelle le nom de Parmentier reste attaché en France.

Terminons par quelques mots sur la cuisson. Notre pain européen est classiquement cuit au four. Il y a plusieurs types de fours, et au four clos à coupole de l'Occident s'oppose le four en cloche ouvert au sommet de l'Orient, appelé *tannur* de la Tunisie à l'Iran (*tandur* en Inde). Mais la cuisson peut aussi se faire sur une plaque chaude, une tourtière : le pain cuit de cette façon est souvent qualifié de « galette », sans que les deux termes soient exclusifs l'un de l'autre. Enfin, la pâte peut être cuite à l'eau ou à la vapeur. À l'eau, ce sont les *knödel* d'Europe centrale. À la vapeur, ce sont les petits « pains » appelés *mantou* en Chine du Nord. Nous n'avons pas de mot pour désigner ces pains à la vapeur dans nos langues européennes : faut-il ou non parler de « pain » à leur sujet ?

Tant que nos institutions de normalisation industrielle ou des congrès de spécialistes ne se seront pas penchés sur la question, il sera impossible de donner une réponse. On n'a fait que baliser, ici, une petite partie de l'immense labyrinthe des procédés et des produits dans lequel le pain se définit par la place qu'il y occupe. Tant que ce labyrinthe restera inexploré pour l'essentiel, chacun continuera à voir midi à sa porte, c'est-à-dire à appeler « pain » ce qui correspond aux habitudes singulières de son pays et de son époque. Il ne faut certes pas ignorer cette réalité dialectologique. Mais, pour communiquer plus largement, on ne peut pas s'en tenir aux dialectes. Il n'y a pas encore de notion de pain en général qui ait un contenu précis. Il faudra bien en créer une un jour.

François Sigaut

• *Voir aussi :* Boulghour ; Campagne (pain de) ; Céréales ; Céréales sauvages aux premières formes domestiques (des) ; Gastronomie ; Mangeurs de pain ; Musées du pain ; Museum der Brotkultur ; Pain complet ; Pain domestique ; Pain levé du monde (le plus ancien) ; Pain noir ; Pains mondiaux ; Pains spéciaux ; Seigle (pain de) ; Son (pain de) ; Tannur ; Technologies boulangères ; Terre-Mère primordiale

Bibl. : M.-C. AMOURETTI, *Le Pain et l'huile dans la Grèce antique*, Paris, Les Belles Lettres, 1986 • T. ANKEI, *Cookbook of the Songola : An Anthropological Study on the Technology of Food Preparation among a Bantu-Speaking People of the Zaire Forest*, Kyoto University, The Center for African Area Studies, African Study Monographs, supplément au nº 13, 1990 • P. ATZENI, *Il corpo, i gesti, lo stile, lavori delle donne in Sardegna*, Cagliari, CUEC, 1988 • S. AVITSUR, « The Way to Bread, The Exemple of the Land of Israel », *Tools and Tillage*, vol. 2, nº 4, 1975, p. 228-241• F. BINDER, *Die Brotnahrung, Auswahl-Bibliographie zu ihrer Geschichte und Bedeutung*, Ulm/Donau, Deutsches Brotmuseum, 1973 • J.-P. DEVROEY, J.-J. VAN MOL (dir.), *L'Épeautre (*Triticum spelta*), Histoire et ethnologie*, Treignes (Belgique), Éditions Dire, 1989 • A. GAMERITH, *Speise und Trank im südoststeirischen Bauernland*, Graz, Akademische Druck-und Verlagsanstalt, 1988 • F. GARIBOLDI, *L'Étuvage du riz*, Rome, FAO, 1974 • M. GAST, *Alimentation des populations de l'Ahaggar*, Paris, Arts et métiers graphiques, 1968 • S. H. KATZ, M. L. HEDIGER, L. A. VALLEROY, « Traditions Maize Processing Techniques in the New World », *Science*, vol. 184, nº 4138, 1974, p. 765-773 • J. G. LEWTHWAITE, « Acorns for the Ancestors : the Prehistoric Exploitation of Woodland in the West Mediterranean », *in* S. Limbrey, M. Bell (dir.), *Archaeological Aspects of Woodland Ecology*, Oxford, BAR, 1982, p. 218-230 • M.-C. MAHIAS, *Délivrance et convivialité, le système culinaire des Jaina*, Paris, Éditions de la Maison des sciences de l'homme, 1985 • A. MAURIZIO, *Die Nahrungsmittel aus Getreide,* Berlin, Paul Parey, 1924-1926, 2 vol. • L. A. MORITZ, *Grain-Mills and Flour in Classical Antiquity*, Oxford, Clarendon Press, 1958 • J. MUCHNIK, D. VINCK, *La Transformation du manioc, technologies autochtones*, Paris, Presses universitaires de France, 1984 • S. REHM, G. ESPIG, *Die Kulturpflanzen der Tropen und Subtropen*, Stuttgart, Eugen Ulmer, 1976 • F. SABBAN-SERVENTI *et al.*, « Contre Marco Polo : une histoire comparée des pâtes alimentaires », *Médiévales*, nºs 16-17, 1989 • N.-C. SERINGE, *Monographie des céréales de la Suisse*, Berne, chez l'auteur, 1818 • K. SHAWCROSS, « Fern Root and 18th Century Maori Food Production in Agricultural Areas », *The Journal of the Polynesian Society*, vol. 76, nº 3, 1967, p. 330-352 • F. SIGAUT, « Moulins, industrie et société », *Culture technique*, nº 16, 1986, p. 215-223• A. TESTART, *Les Chasseurs-cueilleurs, ou l'Origine des inégalités*, Paris, Société d'ethnographie, 1982.

PAIN (*Khleb*). – Voir DOCUMENTAIRES ET FILMS

PAIN, AMOUR ET… (*Pane, amore e…*). – Voir DOCUMENTAIRES ET FILMS

PAIN, AMOUR ET FANTAISIE (*Pane, amore e fantasia*). – Voir DOCUMENTAIRES ET FILMS

PAIN, AMOUR ET JALOUSIE (*Pane, amore e gelosia*). – Voir DOCUMENTAIRES ET FILMS

PAIN, Le (*O Pão*). – Voir DOCUMENTAIRES ET FILMS

PAIN AZYME. – Voir PAINS MONDIAUX

PAIN BÉNIT. – Suivant certaines traditions, les pains bénits par le prêtre au cours de l'office ne sont pas toujours consommés. Ils peuvent être conservés afin d'assurer la protection du foyer et, plus largement, du groupe puisque, fabriqués comme les pains de consommation courante, ils ne sont pas seulement destinés à nourrir le corps. Nous sommes bien dans le domaine symbolique de la nourriture spirituelle, qui permet de conjurer l'imaginaire de la faim et les menaces sur le collectif : disette, maladie et mort. Le pain, quotidien, bénit ou consacré, levé ou non, est d'abord le symbole chrétien du partage et de la charité. Le pain bénit, lui, renvoie également au syncrétisme religieux, calendriers liturgique, saisonnier et agricole se superposant. Ainsi, les fêtes populaires expriment de nombreuses ramifications symboliques du pain bénit et assurent, souvent grâce aux confréries, la permanence de la tradition (office, bénédiction, procession). De même, l'expression « pain bénit », au sens figuré, est entrée dans la pratique langagière du quotidien. Bénédiction et distribution sont deux gestes associés. Lors d'une cérémonie, l'officiant bénit le pain par la récitation d'une prière de bénédiction et l'aspersion d'eau bénite. À l'issue de l'office, le pain est distribué par le prêtre aux fidèles, sans discrimination aucune. À ce moment-là, le pain n'est plus un aliment ordinaire. Il est transformé en objet aux vertus propitiatoires, sans coût marchand, et destiné de manière équitable à tous les membres de la communauté, comme un incessant rappel du pain eucharistique. Parce qu'il est objet de dévotion à un saint patron, le pain bénit entre dans la sphère des religions populaires et sa distribution est qualifiée de coutume dès lors que ces pains sont conservés pour protéger, à l'instar de l'œuf ou de l'herbe de l'Ascension. Si la pratique de la distribution tend à se perdre dans un grand nombre de sociétés contemporaines, en Méditerranée chrétienne, en revanche, elle est très vivace.

L'exemple de la Corse permet d'en souligner la permanence aujourd'hui lors de fêtes patronales, en l'occurrence Saint-Antoine et Saint-Roch. Le choix de ces deux saints est significatif. Dans une société agraire et pastorale, l'homme et l'animal sont interdépendants et leur futur, nécessairement commun, fait que les mêmes gestes prophylactiques ou protecteurs servent aux deux : la bénédiction des moissons ou des troupeaux relève du même geste, héritier d'antiques cultes agraires. Un mauvais sort peut entraîner la maladie, voire la mort, de l'homme, mais aussi de l'animal, et il faut sans cesse conjurer l'avenir et se protéger de la menace toujours présente. C'est la raison pour laquelle, ainsi que le signalait déjà James George Frazer, bestiaire et pain sont très souvent associés : l'animal est tué et mangé lors de la moisson ou figuré par un pain qui lui ressemble, la plupart des divinités de la végétation étant représentées par des animaux. Il n'est donc pas neutre que les pains bénits soient dédiés à san Antò et à san Roccu, patrons des bergers. Saint Antoine de Padoue, célébré le 13 juin, donne lieu à la bénédiction des pains et des troupeaux, mais aussi à des processions. La journée entière est placée sous le signe de la dévotion, du partage et de la convivialité. À cette occasion sont préparés les pains de saint Antoine (*paniotti di san' Antò*). Bénits lors de la messe, ils sont ensuite distribués à tous. Conservés dans les armoires, ils protégeront toute la famille durant l'année. Cette pratique, encore très respectée, montre bien l'ancrage du religieux dans les usages populaires, et l'exemple de saint Antoine de Padoue est sans doute parmi les plus significatifs, lui dont la fête estivale a été préférée à celle, hivernale, de saint Antoine l'Abbé, protecteur des porcs. Car, avec l'été débute la transhumance. Dans toute la chrétienté, saint Roch (san Roccu), protecteur de la peste et des épizooties en général, est célébré le 16 août. En Corse, la fête comprend une bénédiction des troupeaux et la distribution des pains bénits (*i sarruchini*). Les pains de san Roccu sont conservés pour protéger des diverses épidémies mortelles.

Dominique Salini

• *Voir aussi :* Eucharistie ; *Fractio panis* ; Franc-maçonnerie ; Hallah, manne, pains de proposition ; Hostie ; Museum der Brotkultur ; Pain et vin ; *Panis angelicus* ; Rite orthodoxe

Bibl. : James George FRAZER, *Le Rameau d'or* (1890), Paris, Robert Laffont, coll. « Bouquins », 1981, 2 vol.

PAIN-BIÈRE DANS L'ANCIENNE ÉGYPTE. – Le pain et la bière, ou *henqet* (la boisson favorite des hommes et des dieux), constituent la base de l'alimentation quotidienne de l'Égyptien de l'Antiquité. De la table à l'offrande, il n'y a qu'un pas : dans les formules funéraires, l'expression « pain-bière » résume à elle seule toutes les nourritures dont le défunt espère jouir dans l'au-delà : « Que le roi accorde une offrande à Anubis qui préside au Pavillon divin, celui qui est sur sa montagne, celui qui est dans les bandelettes, maître de la terre sacrée [= la nécropole] : une offrande invocatoire consistant en pain et bière pour l'ami unique et chancelier divin Djefi » (Stèle au nom de « l'ami unique et chancelier divin Djefi », Musée d'art et d'histoire, Genève).

Florence Quentin

• *Voir aussi :* Bière ; Égypte ; Fermentation (approche anthropologique de la) ; Mésopotamie ; Pain (définition universelle du)

PAIN BIO. – Le pain bio est un raccourci admis par tous (y compris par les autorités de contrôle) pour désigner le pain obtenu à partir d'une farine de blé lui-même issu de l'agriculture biologique. Sa fabrication et sa vente répondent à une double exigence pour le boulanger : celle d'utiliser les seuls ingrédients autorisés dans le pain bio et celle de se soumettre à des contrôles officiels par des organismes certificateurs indépendants et certifiés COFRAC (Comité français d'accréditation) selon la norme ISO 45011. Lors de ces contrôles, le professionnel devra apporter la preuve de son respect des règles de mise en œuvre (par exemple, pas d'utilisation sans nettoyage préalable du matériel ayant servi à la fabrication de pain non bio, dit « conventionnel »). Il doit aussi montrer qu'il maîtrise parfaitement la traçabilité de ses matières premières et assure pour cela une comptabilité précise. Ces contrôles s'effectuent une fois par an et sont à la charge du boulanger. Toutes ces contraintes expliquent que les pains bio se trouvent plutôt dans les magasins spécialisés et les chaînes de distribution que dans les boulangeries artisanales, les structures des premiers étant plus adaptées que celles des secondes.

Catherine Peigney

• *Voir aussi :* Agriculture biologique ; Boule bio ; Filière bio ; Traçabilité

PAIN BIS. – Voir PAIN COMPLET

PAIN BLANC. – Le blanc, dans l'histoire de la boulangerie, est un Everest conquis puis abandonné, ou en passe de l'être. La profession s'est tout entière mobilisée pour l'atteindre, au prix de tous les sacrifices et tous les compromis, convaincue qu'elle tenait là l'emblème par excellence d'une sorte de communion laïque à laquelle aspirait tout un peuple, y compris les classes traditionnellement réduites au pain bis ou noir, et au silence. On ne sait pas assez la manière dont fut accueillie en France l'invention accidentelle du pétrissage intensifié, qui garantissait un pain plus blanc que blanc – ainsi que les publicitaires allaient le dire aussi à propos de lessive. La communion républicaine était à ce prix, le prix d'un pain qui avait perdu son goût et, plus sûrement, son âme. Pas moins sans doute que le pain eucharistique ne l'avait perdu au XIe siècle en affectant la forme de l'hostie : « hostie » vient du mot *hostia*, qui signifie « victime ». Mais si le pain blanc « social » avait conquis d'abord les élites avant de séduire le peuple, il avait aussi mobilisé, mais cette fois contre lui, les médecins, qui tâchèrent de faire comprendre comment, de manipulations en manipulations, on l'avait délesté de ses qualités nutritionnelles qui en faisaient autrefois un aliment de référence et par suite un symbole. Mais qu'il n'était plus.

Il existe ainsi une approche sociale du pain. Le pain qui nourrit, le pain subsistance, qui a l'air de subsumer le champ de blé, balle comprise, est un pain qui conserve les couleurs de la matrice dont il est sorti. Bien au contraire. La couleur bise rend compte de ce lien de continuité entre l'intégralité du grain, avec son germe et ses enveloppes, et l'aliment qui le prolonge et lui conserve ses richesses nutritives. Mais ce pain est celui des bons et des mauvais jours. On l'aime et on le déteste en même temps, dans la mesure où il est le pain auquel on n'échappe pas. Il est le plus grand dénominateur commun alimentaire pour une classe sociale qui n'a pas économiquement les moyens, ne serait-ce parfois de l'acquérir, ou de l'accompagner de quelque chose. Le blanc est alors le signe le plus manifeste, le plus visible de ce qu'on peut enfin négocier avec le pain de première nécessité. Il est le signe d'un dépassement de la survie. Il est déjà un luxe qui en fait espérer d'autres. Il est comme le ticket d'entrée dans ce monde dont, baguette décolorée, bâtard pâlichon, il est le symbole. Et, tout naturellement, ceux qui l'ont acquis à la sueur de leur front, ou simplement du fait de certains privilèges de naissance, ne souhaitent pas partager. « Marqueur de rang et rempart contre la confusion des états », il est ainsi, écrit Steven L. Kaplan (2007), « une sorte de ligne Maginot à défendre contre les masses, le petit peuple, notamment celui des villes qui prennent facilement le goût dangereux et déstabilisant du luxe. Pour les autres, c'est une forme d'anathème social permanent, la clé du système d'exclusion et de contrôles sociaux, une bastille à prendre. Associé à toutes les vertus, à toutes les compétences et à toutes les prérogatives, le blanc structure relations et échanges au jour le jour. La modernisation et la démocratisation de la France passent par la conquête du froment et du blanc. »

Pour atteindre à cette blancheur, le pain et la farine avant lui ont dû subir toutes sortes de traitements plus ou moins douteux, qui semblent être l'ultime soubresaut d'une profession inquiète de son sort, mais qui croit désormais tenir là son salut. Les meuniers affinent leur technique de préparation et de nettoyage des grains, puis de mouture. Ils ont parfois recours à des appareils électriques (Dolinger, Brabender, etc.) destinés à la stérilisation, la maturation et le blanchiment des farines panifiables, procédés s'accompagnant d'adjonction de produits chimiques pour la désinsectisation des moulins (Kaplan 2007). Mais les meuniers et boulangers, lorsqu'on les prend sur le fait à mêler à la farine de la craie, de la chaux, de l'alun et des os en cendres, sont dénoncés et il est préférable de tenir ses méthodes secrètes. À cela s'ajoute la découverte accidentelle par un boulanger vendéen, au lendemain de la guerre, du « pétrissage intensifié ». Parce que son pétrin tombe en panne, il a recours à une machine plus puissante qui brasse sa pétrissée avec davantage d'énergie. Le pain qui en résulte est plus développé qu'à l'ordinaire, sa mie écarlate. Le pain séduit aussitôt les consommateurs qui ont collaboré contre leur gré et durant quatre ans au pain de l'Occupation, puis au pain de la Libération. C'est un succès vendéen et maintenant national. Les équipementiers cherchent le pétrin idéal qui intensifiera le pétrissage, puisque tout est là, avec l'aide de quelques adjuvants il est vrai, et lâchent bientôt sur les routes leurs représentants qui vont semer la bonne parole. Les boulangers s'équipent. Le pain immaculé plaît et stimule la consommation. Mais la médaille, ou l'hostie, a son revers : le battage énergique de la pâte et son oxygénation importante provoquent la formation d'une mie finement et uniformément alvéolée, mais exagérément développée, ainsi que la destruction complète des pigments de la farine. La mie est d'un blanc terne et insipide (Drapron, Potus *et al.* 1999). Les boulangers commencent à saler à outrance, d'abord pour faire oublier leur mauvais tour (80 t/min durant 18-22 min). Mais le pli est pris et les consommateurs croient participer de bonne foi d'un progrès civilisationnel.

Par chance, les médecins nutritionnistes sonnent l'alarme. Le pain n'est pas seulement mauvais ; il est dangereux pour la santé. Pour celui-là, l'extraction trop tirée à blanc favorise tant la maladie que la détresse sociale. Cet autre se plaint que les farines industrielles sont responsables de l'amidonisme, de l'alcoolisme. Celui-là encore affirme que la consommation généralisée du pain blanc est en relation avec « l'affaiblissement de la race ». Georges Barbarin le confirme dans *Le Scandale du pain :* « Si la France perd, de jour en jour, la primauté intellectuelle que nul ne lui contestait, c'est uniquement parce que France et Français ont abandonné l'usage massif du pain tel que le fabriquaient leurs ancêtres. » Et puis à quoi bon se battre pour un produit dont la science nous dit maintenant qu'il est cancérigène. Tout y passe. De l'idolâtrerie à cette mise au ban d'une société qui lui préfère désormais le steak frites, « signe alimentaire de la francité ». Le débat s'ouvre donc sur la nécessité de retrouver un « produit ayant les qualités organoleptiques du pain blanc sans en présenter la médiocrité alimentaire » (Kaplan 2007). Le péril était grand pour la boulangerie française et européenne. Avait-on tourné la page du pain ?

Le CNERNA (Centre national d'études et de recommandations sur la nutrition et l'alimentation), créé après la Libération pour, notamment, essayer d'enrayer la chute vertigineuse, insultante de la consommation de pain et la défiance grandissante du public à son égard, mène l'enquête pendant dix ans et va chercher à réconcilier les parties. Les accusations les plus graves (valeur nutritive nulle, troubles digestifs, cancer) sont évacuées au profit d'une incitation adressée à la filière blé-farine-pain de mieux prendre en compte les qualités nutritives et hygiéniques du pain. Pour revenir au pain-santé, le nutritionniste Christian Rémésy propose aujourd'hui simplement de corriger les dérives qu'il a subies au siècle dernier : farines appauvries en fibres et micronutriments ; pains trop aérés avec mauvais index glycémique ; fermentation trop rapide ; excès de sel. Et comment ne pas terminer par ces lignes de bon sens laissées par un des représentants les plus illustres de la rétro-innovation, très en vogue chez les nouveaux prophètes de la boulange : « J'utilise, en réalité, le matériel le plus sophistiqué, la machine la plus extraordinairement complexe, et la plus au point – l'homme. »

Jean-Philippe de Tonnac

• *Voir aussi :* Adjuvant ; Boulangerie, 5 et 6 octobre 1983 (états généraux de la) ; Équipementiers ; Eucharistie ; Filière blé-farine-pain ; Hostie ; Index glycémique ; « Introduction » de S. L. Kaplan ; Perte nutritionnelle de la graine au grain ; Pétrissage ; Poilâne ; Santé

Bibl. : Georges BARBARIN, *Le Scandale du pain*, Paris, Nizet, 1956 • Jean BURÉ, *Le Pain*, Actes du colloque du CNERNA, Paris, novembre 1977, Éditions du CNRS, 1979 • Roger DRAPRON, Jacques POTUS, France LAPLUME, Pierre POTUS, *Notre pain quotidien,* Paris, AGP, 1999 • Stephen L. KAPLAN, *Le Pain maudit. Retour sur la France des années oubliées 1945-1958*, Paris, Fayard, 2007 • Albert MONTEUUIS, *Le Pain blanc, ses dangers et son remède : le pain naturel*, Préface du Pr Maurice Letulle, Paris, Librairie Maloine, 1914.

PAIN CHAUD. – Voir TECHNOLOGIES BOULANGÈRES

PAIN COMPLET. – Le pain complet est obtenu à partir d'une farine complète. Une farine complète comprend en toute logique l'ensemble des constituants du grain de blé et dans les mêmes proportions. Ainsi elle contiendra environ 75 % de l'amande, 3 % de germes et entre 15 % et 20 % d'enveloppes. La farine complète est une farine de type 150. Les enveloppes sont contenues en majorité dans les sons et les remoulages. La plupart des farines complètes sont en fait reconstituées par le meunier dans les proportions initiales du grain. N'oublions pas que le processus meunier en France consiste avant tout à séparer les différents constituants du grain. Une fois réalisées ces opérations de ségrégation, le meunier devra mélanger les différentes fractions pour obtenir la farine complète. Il peut se trouver sur le marché des farines issues d'un premier broyage grossier et sans être passées par toutes les étapes du processus meunier. C'est souvent le cas de farines complètes de meule. Les différences au niveau du pain lui-même ne sont pas vraiment perceptibles, sauf peut-être par des spécialistes. Même si les termes « farine intégrale » et « pain intégral » sont parfois différenciés de la farine complète et du pain complet, il n'existe aucun usage, ni aucune réglementation qui justifie cette différenciation. On retiendra donc que pain complet est un pain intégral. À côté des pains complets se trouvent les pains bis, intermédiaires entre pains blancs et pains complets et obtenus à partir de farine de type 80 ou 110. Longtemps, ces pains n'ont pas eu une bonne réputation en France, car ils rappelaient de mauvais souvenirs laissés par la Deuxième Guerre mondiale, quand le pain était fabriqué avec une farine grise, issues de céréales diverses, majoritairement du blé, mais pas toujours, et de moindre qualité. Ils retrouvent aujourd'hui leurs titres de noblesse avec les recommandations des nutritionnistes du PNNS (Plan national nutrition santé).

Le consommateur peut s'étonner de trouver des pains complets et des pains spéciaux complets. Les premiers sont fabriqués avec la farine complète et les seuls ingrédients et additifs autorisés dans le pain courant français. Les seconds peuvent contenir par exemple un peu de matières grasses pour les rendre plus moelleux ainsi que des additifs qui permettent de mieux maîtriser la mise en œuvre de ces pains. En effet, la présence de fragments d'enveloppe engendre des cassures dans le réseau de gluten et les pains complets seront plus denses et moins développés qu'une baguette, par exemple. L'utilisation d'additifs autorisés dans les pains spéciaux compense les défauts de la pâte. Du point de vue nutritionnel, ces pains sont recommandés, car ils contiennent les éléments minéraux, les vitamines et les fibres contenues principalement dans les enveloppes du grain de blé. Plus la farine utilisée se rapproche d'une farine complète, plus ces éléments nutritifs seront présents dans le pain. Ainsi, un pain complet sera riche en fibres (8,8 % pour 100 g de pain), source de protéines, de magnésium, fer, vitamines B3 et B6. Un pain bis fabriqué avec une farine T80 sera source de fibres (4,2 % pour 100 g de pain contre 3,3 % pour la baguette de tradition française) et de protéines. Ces chiffres sont issus de la dernière étude conduite sous l'égide de l'Observatoire du pain et montrent bien les différences entre les pains.

Catherine Peigney

• *Voir aussi :* Campagne (pain de) ; Enveloppe ; Fibres ; Minéraux ; Pain domestique ; Pain noir ; Pains mondiaux ; Pains spéciaux ; Remoulages ; Seigle (pain de) ; Son ; Son (pain de) ; Types de farine → Farine ; Technologies boulangères ; Vitamines

Bibl. : Observatoire du pain, *La Composition nutritionnelle des pains français*, 2008 : www.observatoiredupain.fr

PAIN D'ÉPICES. – Voir ÉPICES (pain d')

PAIN DE TRADITION FRANÇAISE. – Voir DÉCRET PAIN

PAIN DOMESTIQUE. – Voir MÉNAGE (pain de)

***PAIN EST DE SEXE FÉMININ* (*Le*).** – Voir DOCUMENTAIRES ET FILMS

PAIN ET DES JEUX (du). – Voir *PANEM ET CIRCENSES*

***PAIN ET LA RUE* (*Le*).** – Voir DOCUMENTAIRES ET FILMS

PAIN ET VIN. – Plusieurs cultures, voire civilisations, ont choisi de fonder une partie de leur idéologie sur le rapprochement entre deux éléments de fermentation, l'un solide, l'autre liquide. L'un et l'autre étant considérés comme premiers, ils forment un couple associant des nourritures essentielles de la vie quotidienne, élevées bientôt au rang de symboles majeurs. Le pain et le vin ne pouvaient dès lors qu'être indissociables, quelles que soient les réalités linguistiques et techniques qu'ils recouvrent. Il n'importe pas en effet que l'on traite spécifiquement du pain de froment ou du vin de la vigne, seules comptent la dimension reconnue aux produits de la fermentation et la complémentarité qui leur est reconnue, fondée sur une fonction nutritive passant par la distinction entre le solide et le liquide. Pour les Grecs de l'époque homérique, cette nourriture duelle définissait déjà la condition même de l'homme ayant su s'extraire de l'emprise du sauvage : produits cultivés, ils ont fait tous deux l'objet d'une cuisson à divers titres, puisqu'ils ont d'abord bénéficié de la chaleur du soleil, puis de celle, contrôlée techniquement, du four pour les céréales, et de la fermentation pour le vin. Symboles sans doute, ils sont néanmoins témoins d'un processus technique avéré, particulièrement adapté dans un environnement spécifique où la communauté a choisi de se fixer. Ils apportent dans le système alimentaire qui se met en place un équilibre énergétique que les savants définiront et quantifieront bien plus tard avec exactitude, et c'est par là même que les hommes les perçoivent comme agents majeurs de leur reproduction.

Si l'on s'appuie commodément sur les cultures inspirées par le judéo-christianisme, force est de reconnaître que l'ensemble a été fortement inséré dans le sacré, le pain symbolisant la chair du Seigneur, et le vin son sang. Mais c'est pourtant un peu partout dans le monde que, au repas des dieux présentés sur les autels domestiques ou dans les temples, le pain de la terre et le vin ne peuvent pas manquer. Voici que des produits de la terre se confondent avec le corps divin vénéré par le groupe tout entier. La terre, l'environnement immédiat, s'est retrouvée sous le contrôle d'un groupe de gouvernants avec lequel chacun admet avoir établi une manière de contrat ; et ce groupe s'est efforcé, à un moment donné de son processus de formation, d'affirmer une relation avec la divinité, validée par un autre contrat, plus ou moins moral, dont il tire alors toute sa légitimité. Pour que ce dernier apparaisse avec plus de matérialité, pain et vin symbolisent alors le rappel d'un sacrifice authentique, fondateur, tenant en fait de l'autosacrifice. Les dieux aztèques ne s'étaient-ils pas jetés au feu pour créer le Soleil et la Lune ? Depuis, ils réclament le sang des sacrifiés pour continuer à communiquer vie au cosmos. Le Christ ne s'est-il pas sacrifié pour le salut de l'humanité ? Depuis lors, les hommes s'estiment tenus de se remémorer ces instants essentiels en pratiquant au quotidien un sacrifice dans lequel la réunion du pain et du vin occupe toute sa place. Pas question par exemple pour l'homme aztèque de ne pas ramasser un grain de maïs tombé à terre au moment du repas, « ce serait offenser la divinité », ni de boire le pulque sans en verser une goutte au sol ou avoir soufflé dessus en signe d'offrande dédicatoire au dieu de la culture et du savoir Quetzalcoatl. En vouant dans son quotidien ses nourritures précieuses à la divinité, la famille participe de la reproduction de l'ensemble de la société et ne se contente pas de satisfaire ses désirs immédiats.

Conscient des risques qu'il encourt face à certains besoins qui, comme le dit Jean Chrysostome, « sont particuliers à la vie de la chair (manger, boire, dormir, grandir, sans parler des autres nécessités du même genre) et dont nul ne saurait se dispenser, ni pécheur, ni juste », le groupe choisit le plus souvent d'apporter une dimension spirituelle aux deux représentants élus de la matérialité primaire. C'est pourquoi, entre les IIe et IIIe siècles, Tertullien rappelait dans sa diatribe contre les psychiques que l'homme ne vit pas seulement de pain, mais de toute parole qui vient de Dieu, et il insistait pour que le jeûne fût considéré comme une obligation, car dans l'ordre des vices apparaît d'abord « le ventre, puis la débauche qui vient à la suite de l'intempérance ». Un siècle plus tard, loin d'une telle radicalité, Jean Chrysostome continuait néanmoins de se référer à la divinité. Dans ses commentaires à l'épître de saint Paul aux Corinthiens, il avançait à propos du pain et du vin que « quiconque en mange et en boit indignement mange et boit le jugement du Seigneur. Cette table, cause de tant de biens, et qui verse la vie, devient elle-même notre jugement. » Parce que le pain et le vin représentent le corps de Dieu, il faut se préparer à respecter « la grandeur des biens qui nous sont proposés, et l'excellence du don ». En suggérant le rapprochement avec le corps dans sa dimension physique, le docteur de l'Église souligne lui aussi que la satisfaction des besoins primaires de l'homme confine à la sensualité débridée sous ses aspects les plus divers, et que c'est en cela aussi qu'il convient de les contenir.

Les nourritures de base ne sont pas un droit acquis, elles proviennent du travail des hommes, ce qui leur confère une valeur éthique, et elles résultent d'un don divin, ce qui confirme la nécessité du passage de la matière à l'esprit. L'association du pain et du vin permet en tout cas de figurer aisément une conception de la vie civilisée qui pose comme principe la complémentarité du temps bref – la vie individuelle, la préoccupation du quotidien – et du temps long – l'inscription de la société dans une architecture cosmologique, et une dimension eschatologique de l'existence. Dans ce contexte, le pain symbolise plus précisément une conception horizontale de l'Histoire, alors que le vin se voit associé à la notion d'alliance, la « coupe du salut » permettant d'établir un rapport d'échange vertical avec la divinité et de concevoir dans certains cas l'idée même d'immortalité. On dépasse là les préoccupations des « simples mortels » et c'est une des raisons pour lesquelles il importe que le vin fasse l'objet d'un encadrement strict de la part du groupe dirigeant. Si le liquide assure la fluidité dans toutes les relations, s'il occupe une place non négligeable dans le système nutritionnel, il présente également le risque de se muer en modificateur de conscience excessif, qui entraîne un désordre dans la société. C'est pourquoi le pouvoir cherche à montrer qu'il reste maître du vin : non seulement parce qu'il légitime ainsi sa domination sur des terres dans laquelle la plante – par exemple la vigne, ou l'agave au Mexique – accroche ses racines sur le long terme, mais aussi parce qu'il attend de ses sujets qu'ils respectent les normes édictées pour assurer la tranquillité publique tout en profitant des vertus alimentaires et hédoniques de la boisson. Cela crée parfois des obligations, puisque l'on sait par exemple que l'Inka ne pouvait prétendre diriger son peuple que dans la mesure où il restait capable de l'approvisionner en *chicha*.

On ne saurait oublier non plus la préoccupation générale des princes d'assurer une fourniture correcte du « pain de la terre » : s'il était un marché qu'ils s'efforçaient de réguler en Europe, c'était bien celui de la céréale de base ; s'il était une construction indispensable que le *tlatoani*, l'« empereur » aztèque, se devait d'entretenir, c'était bien l'entrepôt « national » capable de prévenir les conséquences de mauvaises récoltes de maïs. Nous nous situons alors en dehors de la maison, dans la sphère publique. C'est dans le temple et dans un contexte rituel que chaque fidèle est supposé pratiquer le sacrifice de vénération du pain et du vin. Libre à lui de respecter ou non les obligations domestiques, pourvu que sa façon d'être ne soit pas connue du voisinage. Le couple pain-vin soutient en effet le principe de complémentarité indispensable. L'alliance avec la divinité, qui est peut-être la fin de toute chose, passe par le contrat social. C'est donc par le pain et le vin que se forme le corps du dieu, qui se reflète au bout du compte dans l'image du corps de la société, relevant à la fois de l'humain et de la transcendance. Saint Paul le disait d'ailleurs dans sa lettre aux Corinthiens, affirmant que les fidèles qui incorporaient le pain et le vin consacrés devenaient eux-mêmes le corps du Christ (ce qui était une manière d'insister sur le principe de transsubstantiation) et, par là, le corps de l'Église. Car, loin de se réduire à une forme d'exaltation telle que la revendique par exemple sainte Thérèse d'Avila – « c'est assez pour tempérer un bonheur si grand, qu'il reste si voilé sous les apparences du pain et du vin » –, de devenir « un soutien pour le corps et une source même contre les maux physiques », la communion avec la divinité sous les deux espèces pose avec insistance le principe d'union avec le tout, conduisant l'homme à s'extraire un instant de sa condition primaire, trop individualisée.

Les grandes civilisations savent qu'elles ont une obligation de se situer au-delà des contraintes de la vie brève : quelques-unes d'entre elles ont conscience que leur maîtrise des techniques de fermentation donnera sens à cette prétention. Pain et vin sont en relation symbolique avec la mort, parce que, si la fermentation « naturelle » est perçue comme proche de la putréfaction, elle résulte également d'une activité matérielle qui, loin de détruire les produits qu'elle triture et broie, leur redonne en même temps vie à un autre niveau culturel, et leur permet de se pérenniser au-delà du terme naturel de leur existence. La vie ne peut se défaire du passage par la mort. Il est vrai alors que le jus du raisin, symbole du sang de la divinité, occupe une place de choix dans cette maîtrise du temps et de l'esprit. Si plusieurs pères ou docteurs de l'Église étaient prêts à recommander le jeûne en matière d'aliments solides, ils précisaient bien, comme Jean Chrysostome, que cela ne concernait pas le vin, pourvu qu'il fût consommé avec modération : « je ne dis pas abstenons-nous du vin, mais abstenons-nous de l'ivresse ; ce n'est pas le vin qui produit l'ivresse car le vin est œuvre de Dieu, et un ouvrage de Dieu n'a rien en soi de mauvais ; c'est une volonté mauvaise qui produit l'ivresse » (homélie pour la résurrection des morts). Les anciens Mexicains ne disaient pas autre chose, puisqu'ils avaient fait du pulque un dieu, à l'instar du Dionysos grec, et demandaient surtout au buveur de se méfier de la cinquième coupe, celle du dépassement de la norme. Les anciens Égyptiens eux-mêmes, qui disposaient à la fois de la bière et du vin, situaient ce dernier sur un tout autre plan. Issue surtout de l'orge, la bière occupait une place proche du pain dans le circuit de fabrication et de la vie quotidienne. Le vin de la vigne, lui, se situait à un autre niveau, dans un sacré plus élevé qui n'était pas accessible à tous. Nombreuses furent les sociétés qui reprirent, ou pratiquèrent, ce principe d'une complémentarité subtilement inégale des aliments solide et liquide, seule manière d'éviter l'immobilisme. Elles y voyaient une exigence de survie qu'elles transmirent volontiers à travers les légendes et les mythes.

Dominique Fournier

• *Voir aussi :* Bière ; Calendrier grec ancien ; Cène ; Compagnon ; Déméter et Perséphone ; Égypte (traditions du pain en) ; Éleusis (mystères d') ; Eucharistie ; Fête-Dieu ; *Fractio panis* ; Franc-maçonnerie ; Grain et graine ; Hostie ; Interdits liés au pain ; Isis et Osiris ; Levain (symbolique du) ; Messe ; Mexique ; Miracles christiques ; Miracles eucharistiques ; Moulin mystique ; Morts (pains des) ; Pain bénit ; *Panis angelicus* ; Rite orthodoxe ; Si le grain tombé en terre ne meurt ; Terre-Mère primordiale ; Théologie du pain ; Transsubstantiation ; Vendange

Bibl. : Marcel DETIENNE, Jean-Pierre VERNANT, *La Cuisine du sacrifice en pays grec*, Paris, Gallimard, 1979 • Dominique FOURNIER, Salvatore D'ONOFRIO (éd.), *Le Ferment divin*, Paris, Éditions de la Maison des sciences de l'homme, 1991 • Madeleine PETERS-DESTÉRACT, *Pain, bière et toutes bonnes choses... L'alimentation dans l'Égypte ancienne*, Paris, Le Rocher, 2005 • Jacques SOUSTELLE, *La Vie quotidienne des Aztèques à la veille de la conquête espagnole*, Paris, Hachette, 1955 • THÉRÈSE D'AVILA, *Le Chemin de la perfection* (1571), Paris, Seuil, 1961.

PAIN EUCHARISTIQUE. – Voir *PANIS ANGELICUS*

PAIN FERRÉ. – Se dit d'un pain dont le dessous en contact avec la sole du four est brûlé. Ce défaut se rencontre lorsque la sole est trop chaude ou lorsque la cuisson est conduite sur un matériau non adapté (non réfractaire).

Dominique Descamps

• *Voir aussi :* Défauts du pain ; Four ; Pain (aspect du) ; Sole

PAIN FILANT. – Le pain filant est dû à une contamination par une bactérie (*Bacillus mesentericus*) présente dans le sol et capable de produire des spores qui ne sont pas détruites par la chaleur lors de la cuisson du pain. La mie du pain ne semble pas cuite, elle est humide, collante, filamenteuse et dégage une odeur peu agréable. Pour éliminer les spores, il faut alors nettoyer entièrement le fournil et le matériel avec de l'eau dans laquelle on aura ajouté du vinaigre ou un désinfectant. À noter qu'en ajoutant un levain qui acidifie la pâte on élimine l'apparition de ce phénomène.

Ludovic Salvo

• *Voir aussi :* Défauts du pain ; Mie de pain ; Pain (aspect du) ; Pain raté ; Sporulation

PAIN GÉANT. – Pain long de 12 m réalisé en 1958 à l'école de boulangerie des Grands Moulins de Paris, dans le cadre d'une manifestation artistique « happening » à l'instigation de Salvador Dalí. Celui-ci a souvent associé dans ses œuvres la baguette (comme dans le célèbre *Buste de femme rétrospectif*, 1933).

Dominique Descamps

• *Voir aussi :* Baguette ; EBP ; Œuvre d'art en pain

PAIN GRILLÉ. – La pratique de griller le pain est vraisemblablement aussi ancienne que le pain. Elle optimise l'appétence du pain rassis, voire dur, et lui assure provisoirement une seconde vie. Le traitement thermique résultant de l'exposition momentanée d'une tranche de pain à une source de chaleur élevée ou un rayonnement intense a un double effet : il induit une réversibilité temporaire des mécanismes biochimiques responsables du durcissement et de la perte d'arômes du pain ; il provoque, de plus, une élévation de température de la surface de la tranche de l'ordre de 150 °. Cela conduit à des phénomènes de coloration appelés « réaction de Maillard », qui libèrent de multiples molécules aromatiques qui embaument la cuisine. L'ancien nom du pain grillé était « rôtie » ; le cuisinier Maître Chiquart mentionne vers 1420 « le pain rousti » dans son livre *Du fait de cuisine*. Puis Rabelais évoque à son tour en 1532 dans *Pantagruel* une variante gourmande, les « rousties sucrées ».

En 1885, Philibert Jacquet brevette un « pain grillé digestif », mais à cette époque la dénomination de « biscotte » l'emporte. Ces produits dits de « panification sèche » sont ainsi, au départ, consommés sur recommandations médicales (problèmes digestifs, cure d'amaigrissement, etc.). C'est à nouveau la société Jacquet qui, en 1960, met sur le marché les larges tranches de pain grillé industriel telles que nous les connaissons, conditionnées dans des boîtes dites « géantes » par rapport aux emballages des biscottes. Le pain grillé industriel se distingue de la biscotte essentiellement par sa recette et parfois par son procédé de fabrication. La formule de fabrication du pain grillé ne contient pas de matières grasses ou très peu, ni de matières sucrantes. Le goût du pain grillé est donc plus neutre que celui de la biscotte. Le procédé de fabrication diffère aussi par le recours possible à une pré-fermentation et une cuisson systématique en moule ouvert. Sa texture de mie est plus hétérogène que celle de la biscotte et l'attaque en bouche plus dure. Les ventes annuelles de pain grillé sont de 15 596 tonnes et celles de pain grillé dit suédois de 7 037 tonnes en 2008.

Hubert Chiron

• *Voir aussi :* Biscotte ; Croustillance ; Grille-pain ; Maillard (réaction de) ; Mie (pain de) ; Pain rassis ; Rassissement ; Rôties

PAIN LEVÉ D'EUROPE (le plus ancien). – L'histoire commence au Proche-Orient, probablement dans une région qui mord à la fois sur l'actuel nord-ouest de l'Irak, le sud-est de la Turquie, l'est de la Syrie. De grandes plantes herbacées sauvages (amidonnier, orge, engrain) attirent l'attention de populations alors sédentarisées. Puis, la révolution néolithique gagne lentement l'Europe à partir du Ve millénaire av. J.-C. et, avec elle, les premières formes d'agriculture ainsi que, timides, les premiers essais de panification encore embryonnaire (bouillie, galette grillée ct cuite) ou déjà plus audacieuse, témoins ces pains levés dont l'archéologie retrouve la trace dans une région qui s'étend de l'embouchure du Rhône au Bas-Rhin. C'est à Douane (lac de Bienne) que Max Währen, responsable des Archives suisses pour l'étude du pain, aurait identifié le « plus vieux pain européen » : « Ce pain date de 3560 à 3530 av. J.-C. [Néolithique moyen], il a été fabriqué à partir de froment finement moulu et de levain, et présente une jolie courbure. Sa forme et sa fabrication ne permettraient pas de le distinguer du pain levé qui existe encore dans les Alpes, notamment dans le Valais. »

Jean-Philippe de Tonnac

• *Voir aussi :* Bouillie ; Calendriers et mesure du temps ; Céréales sauvages aux premières formes domestiques (des) ; Irak ; Mangeurs de pain ; Mésopotamie ; Pain (définition universelle du) ; Sumer ; Syrie ; Turquie

Bibl. : Max WÄHREN, « Pain, pâtisserie et religion en Europe pré- et protohistorique », *Civilisations*, nº 49, 2002 ; http://civilisations.revues.org/index1822.html

PAIN LIQUIDE. – Voir BIÈRE

PAIN LONG. – Voir BAGUETTE

PAIN MAISON. – Voir DÉCRET PAIN

PAIN MAUDIT. – Été 1951. Les habitants de la ville de Pont-Saint-Esprit, dans le Gard, sont victimes d'une intoxication alimentaire et, plus alarmant, presque choquant, liée au pain. Le bilan est à peine avouable : quelque trois cents personnes affligées de symptômes plus ou moins graves ou persistants, une trentaine internées dans des hôpitaux psychiatriques ; cinq morts. Les autorités médicales et hospitalières pointent alors du doigt ce « pain maudit » qui semble ressurgir des plus mauvaises pages de notre histoire, un pain pétri avec une farine contenant le fameux ergot de seigle. Elles n'en portent cependant pas la preuve. Mais preuve ou pas, le pain fabriqué par la boulangerie de la Grand'rue, celle du boulanger Roch Briand, provoque « nausées, vomissements, diarrhée, mais sans fièvre (plutôt de l'hypothermie), signes accompagnés souvent d'une chute de tension artérielle, d'une bradycardie (ralentissement du pouls), d'un refroidissement des extrémités et de frissons malgré la chaleur torride de l'été, de sensations de brûlure de la muqueuse buccale et digestive, et d'une mydriase (dilatation excessive de la pupille) » (Kaplan 2008). Mais le pire est à venir. Au cours de la nuit baptisée « nuit de l'apocalypse », le 24 août, des personnes ayant ingurgité ce « pain maudit », bien que situées à bonne distance les unes des autres, sont attaquées par des créatures monstrueuses, mi-végétales mi-animales, ou bien prises en tenaille entre deux murs ou entre le sol et le plafond, ou encore dévorées par les flammes, bombardées de toutes parts par des boules de feu qui tombent du ciel. Voilà donc que le pain rend fou. Ces troubles bien connus depuis le Moyen Âge semblent pour l'heure permettre de suspecter l'ergotisme. Toute la ville, la région, et maintenant le pays, alertés par la presse française et internationale, vivent désormais dans l'effroi, ainsi que le rapporte l'historien Steven Laurence Kaplan, qui a mené l'enquête. C'est en réalité un vent de panique qui s'empare d'une petite ville du Gard, et bientôt de tous les mangeurs de pains de France, de Navarre et des alentours. L'affaire spiripontaine passionne l'opinion dans la mesure où elle touche à l'aliment le plus intouchable, le moins suspect de pouvoir apporter le mal et la mort : le pain. Le complot semble patent. Il faut maintenant livrer les coupables à la justice universelle.

Mais les coupables (ergot de seigle, mercure contenu dans un fongicide utilisé alors par la meunerie pour la conservation des grains, *Bacillus mesentericus* responsable du pain filant ; mycotoxyne ; pulvérisation aérienne sur la population par la CIA pour tester une arme de guerre, selon une thèse soutenue par Hank P. Albarelli Jr. dans *A Terrible Mistake : The Murder of Frank Olson and the CIA's Secret Cold War Experiments*, Trine Day Publishers, 2009) sont, par des assemblées d'experts, tour à tour suspectés, relaxés, voire reconvoqués d'urgence. Reste la thèse d'un blanchiment artificiel du pain, trop vite abandonnée selon l'historien : « La décision d'abandonner péremptoirement l'enquête sur le blanchiment, piste intéressante et logique, est proprement scandaleuse. Elle relève sans doute de la raison d'État : l'investigation risquait d'embarrasser très sérieusement la meunerie et son lobby puissant, l'ANMF, et de compromettre le projet de l'État, déjà menacé par l'intoxication de Pont-Saint-Esprit, de revaloriser le pain et la filière qui le produit, enjeu économique, social et psychologique d'importance capitale. » En tous les cas, l'onde de choc de cet événement, entre tous traumatisant pour la mémoire collective, aura engendré, quelque soixante ans plus tard, cette enquête monstre qui permet à Kaplan de compléter la fresque qu'il compose inlassablement à propos de l'histoire passionnelle qui s'est nouée entre le peuple de France et son pain

Jean-Philippe de Tonnac

• *Voir aussi :* ANMF ; Ergotisme ; Feu ou mal de saint Antoine ; Kaplan ; Mycotoxines ; Silo à grains

Bibl. : Steven L. KAPLAN, *Le Pain maudit. Retour sur la France des années oubliées, 1945-1958*, Paris, Fayard, 2008.

PAIN NOIR. – Le pain noir, qui fait partie des grands standards de pains internationaux, est souvent injustement caricaturé, voire dénigré, par les peuples mangeurs de pain blanc. Il résulte d'une panification spécifique d'une farine pur seigle à taux d'extraction élevé, additionnée ou non de grains de seigle concassés. Il est extrêmement populaire en Scandinavie, dans les États baltes, en Russie, en Biélorussie, en Pologne, en Ukraine, en République tchèque, en Autriche, en Slovaquie et au nord de l'Allemagne (impossible de ne pas citer ici le *Pumpernickel* de Wespthalie). Adam Maurizio estime que le Rhin constitue une frontière naturelle entre le pain noir et le pain blanc. La culture du seigle, et par conséquent la consommation de pains à mie sombre, fut historiquement importante en France. Jusqu'au XVIIIe siècle, des provinces entières ne connaissaient pas le froment, et le grain de seigle valait environ un tiers de moins que celui de froment. La consommation de volumineux pains pur seigle, souvent dénommés « tourtes », s'est maintenue sur une grande échelle jusque dans les années 1850, sur les terres agricoles impropres à la culture du blé et en moyenne montagne : Sologne, Auvergne, Bretagne, Champagne, Creuse, Haute-Loire, Cantal, Lozère : « Dans le midi de la France, les paysans qui descendent des Cévennes, de la Montagne noire etc., pour couper les blés dans les pays de plaine, trouvent le pain de blé sans aucune saveur, et retournent avec plaisir à leur pain de seigle » (Benoît, Julia de Fontenelle 1836).

Les pains noirs du nord de l'Europe se caractérisent par une mie marron foncé, voire presque noire lorsqu'un des colorants alimentaires de type caramel sombre ou mélasse sont utilisés. La mie très dense (masse volumique de l'ordre de 0,55 à 0,75), plus humide que celle du pain de blé, présente un alvéolage uniforme et très serré. Elle est peu élastique et se prête mal au « sauçage » dans l'assiette. Le goût caractéristique du seigle est très typé, relevé par une note acide, voire par des graines de cumin. Ce pain ne sèche quasiment pas ; il rassit très lentement. Associée aux périodes de pénurie, disqualifiée par le culte du pain exagérément blanc, la tradition de fabrication de pain noir pur seigle s'est pourtant fort heureusement maintenue en Auvergne, en Bretagne (sud de Quimper) et en Alsace. Elle est aujourd'hui accessible à tous les boulangers désireux de s'aventurer dans une panification aux règles radicalement différentes de celle du blé. Il convient pourtant de se méfier des caricatures de pain noir résultant d'une pâte de pain de mie classique simplement colorée. L'authentique pain noir doit être consommé rassis, et tranché finement, sa mâche est courte, il constitue une base remarquable pour différents canapés nordiques. Plus simplement, une tartine de pain noir beurré est un pur régal.

Hubert Chiron

• *Voir aussi :* Allemagne ; Alvéolage ; Campagne (pain de) ; Museum des Brotkultur ; Pain complet ; Pain domestique ; Pains mondiaux ; Seigle (pain de) ; Seigle (*Secale cereale*) ; Son (pain de) ; Taux d'extraction ; Tourte ; Viennois (baguette et pain)

Bibl. : M. BENOÎT, M. JULIA DE FONTENELLE, *Manuel complet du boulanger du négociant en grain du meunier et du constructeur de moulins*, Paris, Roret, 1836 • A. MAURIZIO, *Histoire de l'alimentation végétale depuis la préhistoire jusqu'à nos jours*, Paris, Payot, 1932.

***PAIN NU* (*Le*).** – Voir DOCUMENTAIRES ET FILMS

PAIN PERDU. – Le pain perdu, c'est d'abord une odeur. Comme la madeleine de Proust, il éveille en nous le souvenir d'un temps ancien. Un temps où jeter la nourriture était un sacrilège. L'origine de ce plat est mal connue. Il s'agit probablement d'une recette de la campagne brabançonne qui s'est ensuite répandue à travers le monde. Considéré pendant longtemps comme un mets pour pauvres, le pain perdu se retrouve aujourd'hui sur la carte des restaurants gastronomiques les plus réputés. Les grands chefs redécouvrent ce dessert d'autrefois, de la même façon qu'ils réintroduisent des légumes qu'on croyait disparus. Peut-être faut-il y voir le signe d'une profonde remise en question de notre mode de vie. Après avoir consommé et gaspillé à tout-va, l'Occident, en ce début du XXIe siècle, tente peut-être de retrouver le goût des choses simples. « Rien ne se perd », écrivait le chimiste français Lavoisier. Les grands-mères d'antan, qui s'y connaissaient dans l'art d'accommoder les restes, l'avaient compris bien avant lui. Pour ne pas perdre le pain dur, le pain sec, le pain rassis et donc immangeable (et donc perdu), elles le ramollissaient dans un mélange de lait, d'œufs et de sucre (de cassonade dans le Nord) avant de les poêler. Cette recette a fait le bonheur de bien des générations d'enfants et continue encore aujourd'hui à servir de goûter ou même parfois de plat principal. Au Canada, on l'appelle « pain doré », en anglais, on dit *french toast*. En Espagne, la *torrija* est une sorte de pain perdu. En Suisse, on appelle aussi ce mets « croûte dorée ». En Allemagne, on dit *arme Ritter*, ce qui signifie « pauvre chevalier ». Chacun l'accommode à sa façon. Le pain perdu à la normande est flambé avec du pommeau et servi avec de la confiture de pommes. Certains y ajoutent de la cannelle pendant la cuisson, d'autres le servent tartiné avec du chocolat ou de la confiture de framboises. D'autres encore, comme pour les crêpes, y ajoutent des ingrédients salés (fromage, jambon...). Mais rendons à César... puisque l'origine de ce plat vient du Brabant, voici donc une recette toute simple venue du Nord, le *pain perdu à la cassonade* : pour six tranches de pain (rassis), on a besoin de 4 jaunes d'œufs, 20 cl de lait, 100 g de beurre doux et 200 g de cassonade (brune ou blonde). On mélange le lait avec les jaunes d'œufs et une partie de la cassonade (100 g). On trempe les tranches de pain dans le mélange jusqu'à ce qu'elles soient bien imbibées. Certains ne mélangent pas le lait et les œufs. Ils préparent deux assiettes. L'une contient le lait, l'autre les œufs et la cassonade. On trempe le pain d'abord dans le lait puis dans les œufs. Dans une poêle, on fait fondre le beurre et on poêle les tranches de pain des deux côtés. Le pain doit être bien doré et la cassonade caramélisée. On sert chaud, après avoir saupoudré du reste de la cassonade. On peut remplacer la cassonade par du sucre et servir avec une crème anglaise, une boule de glace ou de la compote de pommes selon les goûts.

Le pain perdu n'est pas l'unique façon de sauver le pain dur de la poubelles. En miettes, il peut servir de chapelure ou de nourriture pour les oiseaux. Mélangé à de la viande de veau hachée, il permettra de préparer un délicieux « pain de viande » appelé aussi « pain de veau » dans le Nord. En croûtons, il viendra égayer nos potages. Il est déconseillé, en revanche, de le semer sur son chemin pour traverser les forêts sombres et profondes. Comme chacun sait, le Petit Poucet en fit la cruelle expérience et, pour lui, le pain fut perdu bel et bien !

Thierry Debroux

• *Voir aussi :* Cataplasme farineux ; Chanteau ; Chapelure ; Chiffon de pain ; Croûte à potage ; Croûton, croûtons ; Entame ; Figurines en mie et en pâte de pain ; Fruits en pâte ; Miette ; Mouillette ; Pain bénit ; Pain rassis ; Pain sec (au) ; Panure ; Quignon ; Santon ; Soupe ; Talon ; Tartine ; Toast

PAIN PLAT. – Voir PAINS MONDIAUX

PAIN POSÉ À L'ENVERS. – Le pain ne se pose pas n'importe comment sur la table. Il convient de l'y placer à l'endroit, c'est-à-dire sur son ventre. Poser le pain sur le dos c'est faire injure à celui qui l'a gagné : c'est laisser entendre qu'il gagne son pain en dormant. S'il s'agit d'une jeune fille qui l'a présenté ainsi, on lui demandera si c'est de ce côté-là qu'elle le gagne. En revanche, un autre pain est nécessairement retourné, c'est le pain du bourreau. Dans les boulangeries de l'Ancien Régime, une partie de la fournée lui est réservée par décision administrative. Pour marquer son désaveu, le boulanger retourne alors les pains qui lui reviennent. Le pain posé à l'envers est depuis lors un mauvais augure (Casérès 1987). Mais, si le roi de France prend les mesures qui s'imposent pour encadrer le prix des grains, alors nul doute qu'il offre à son peuple un pain « à l'endroit » (Lecat 2006).

Jean-Philippe de Tonnac

• *Voir aussi :* Clé ; Interdits liés au pain ; Museum der Brotkultur ; Sexuelle (le pain comme métaphore) ; Tourne à clair/tourne à gris

Bibl. : Benigno CACÉRÈS, *Si le pain m'était conté...*, Paris, La Découverte, 1987 • Jean-Michel LECAT, *La Grande Histoire du pain et des boulangers*, Paris, Éditions de Lodi, 2006.

PAIN QUOTIDIEN, Le (*Uski Roṭī*). Voir DOCUMENTAIRES ET FILMS

PAIN RASSIS. – Le pain constitue l'une des denrées alimentaires les plus périssables, non seulement du fait de ses propriétés physicochimiques, mais aussi, sur le plan commercial, en raison de la préférence des clients pour le pain frais. Celui-ci se dégrade rapidement selon un processus complexe appelé rassissement, qui en modifie la structure chimique et les qualités organoleptiques – odeur, texture et saveur. Le rassissement débute environ une heure après la sortie du four, à la suite du ressuage. Le pain devient peu à peu moins agréable à mastiquer (la croûte se ramollit et devient élastique, la mie durcit et s'émiette), et son appétissante odeur disparaît. S'il contient quelque matière grasse (lait, lard, beurre...), il sera également sujet au rancissement, qui en dénaturera le goût. Le consommateur se montre généralement très exigeant quant à la fraîcheur du pain, se fiant à ses sens pour le pain frais, et aux dates de fabrication et de péremption pour le pain mis à la vente sous emballage. Au début du XXe siècle, le développement de grandes métropoles américaines et européennes entraîna la diminution du nombre des artisans boulangers au profit d'une fabrication industrielle. Aux États-Unis, les conséquences de cette exigence de fraîcheur, associée à une production anarchique, prirent des proportions dramatiques : les détaillants pouvaient retourner aux fabricants les pains invendus, provoquant un gâchis effroyable, qui dura plusieurs décennies. En 1917, l'United States Food and Drug Administration estima les pertes à plusieurs millions de dollars par an. Il fallut cependant attendre la Seconde Guerre mondiale pour qu'un terme fût mis à cette gabegie, comme le note avec humour Heinrich E. Jacob : « Durant la Seconde Guerre mondiale, l'une des premières mesures instaurées par le gouvernement fut l'interdiction de retourner le pain rassis au fabricant. Le pain doit être consommé, frais ou pas. Toute autre pratique est un péché aussi bien économique qu'éthique » (Jacob 1958). Depuis ces temps héroïques, fabricants industriels et boulangers artisanaux ont appris à ajuster leur production à la demande. Le rassissement rapide du pain a également conduit les fabricants et les consommateurs à développer astuces, savoir-faire et techniques pour retarder ce processus.

Au cours de la fabrication du pain, divers moyens peuvent être mis en œuvre pour en éviter le rassissement prématuré, comme l'ajout de lécithine de soja au pétrissage, ou d'enzymes (simples ou en association), celles-ci étant détruites au cours de la cuisson et n'apparaissant pas dans le produit fini. D'autres adjuvants sont utilisés, qui concourent tous à améliorer la conservation du pain, comme le malt, l'acide citrique, ou les mono- et diglycérides. Parmi les moyens techniques et astuces que l'on peut employer au cours des différentes étapes de la fabrication du pain pour en freiner le rassissement figurent au nombre des plus courants : travailler la pâte au levain naturel (sans excès) ; concevoir une préparation sur poolish ; éviter que l'eau de coulée soit trop chaude ; veiller à ce que la pâte ne soit pas trop ferme ; assurer à celle-ci une fermentation lente ; sécher le pain par temps humide avant de le sortir du four (en laissant le pain dans le four, la porte ouverte) ; et enfin l'entreposer dans de bonnes conditions de température et d'hygrométrie (à l'abri des courants d'air, à une température avoisinant les 20°). Le consommateur, quant à lui, doit se souvenir que c'est aux alentours de 0° que le pain rassit le plus vite, et donc en exclure le stockage au réfrigérateur, au profit du congélateur : la surgélation stoppe le rassissement. En termes d'emballage, il ne faut pas envelopper le pain dans du plastique, qui accélère le rassissement, mais dans un linge propre et sec.

Une fois rassis, le pain entame cependant sa seconde vie. Dès les temps les plus anciens, il fut ainsi réutilisé de fort diverses façons. Très tôt, les religions judéo-chrétiennes ont fait du pain un aliment sacré, qu'il était impensable de gaspiller et de jeter. Dans certains pays arabes comme l'Arabie saoudite ou l'Égypte, le pain n'est pas désigné du nom de *khobz*, mais de celui de *'aysh*, qui signifie tout simplement « vie ». Cela souligne à la fois l'aspect spirituel du pain et son caractère d'aliment de base, vital. Au Moyen Âge, en France, le pain était cuit dans des fours communaux, payants, rendus obligatoires afin d'éviter les incendies, car la plupart des maisons étaient construites en bois. Les familles apportaient le pain à cuire toutes les semaines ou toutes les deux semaines. Le pain était donc la plupart du temps consommé rassis. On le mangeait tel quel ou on le trempait dans la soupe, quand la soupe elle-même n'était pas une panade ! Il pouvait aussi servir d'assiette, ou de tranchoir sur lequel on découpait les viandes. Dans les familles riches, les jours de fête, on distribuait aux pauvres le pain rassis utilisé de cette manière et imbibé de jus de viande. De nos jours, le pain est confectionné, et généralement acheté, quotidiennement. La plupart des boulangers travaillent à flux tendu, de façon à limiter au maximum les invendus. On ne laisse donc pas au pain le temps de rassir, et le congélateur, présent dans beaucoup de foyers, permet d'en préserver la fraîcheur efficacement. Mais si malgré tout l'on se retrouve avec du pain rassis, et si de surcroît on entend l'utiliser, plutôt que de le jeter ou de le donner à manger à des animaux, les recettes traditionnelles ou contemporaines ne manquent pas pour l'accommoder.

Tout d'abord, s'il n'a pas encore perdu trop d'eau, le pain rassis peut être passé au four à 60° : les effets du rassissement sont partiellement et temporairement réversibles. Mais un pain réchauffé rassit deux fois plus vite après qu'il a refroidi, et son rafraîchissement est très éphémère. Par ailleurs, on peut tout simplement le passer au gril. La tradition paysanne en Europe voulait que l'on mît des tranches de pain rassis au fond de l'assiette avant de verser la soupe dessus, ou que l'on trempât du pain rassis dans la soupe, une habitude qui perdure encore… quand le pain rassis n'est pas lui-même l'ingrédient principal de la soupe elle-même : tel est le cas de la panade. Les *bruschettas* italiennes se sont répandues en Europe et connaissent actuellement un grand succès dans le domaine de la restauration rapide, concurrençant pizzas et sandwichs. Elles sont traditionnellement confectionnées à partir de tranches de pain rassis, garnies de toutes sortes d'ingrédients et passées au four. Transformer du pain rassis en croûtons permet d'agrémenter une soupe ou une salade. Les croûtons accompagnent de manière classique la soupe de poissons et la soupe à l'oignon, par exemple. Le pain rassis est aussi un ingrédient banal de la plupart des farces : trempé dans de l'eau ou du lait, il leur apporte liant et moelleux. Enfin, de nombreux et délicieux desserts sont confectionnés à partir de pain rassis : puddings, pain perdu, diplomates, *french toasts*…

Myriam Daumal

• *Voir aussi :* Bruschetta → Italie ; Chapelure ; Croûte à potage ; Croûton, croûtons ; Pain grillé ; Pain perdu ; Panade ; Poolish ; Propriétés organoleptiques ; Rassissement ; Ressuage ; Soja (lécithine) ; Soupe ; Soupe de pain ; Surgélation ; Tranchoir ou tailloir

Bibl. : Heinrich Eduard JACOB, *Histoire du pain depuis six mille ans*, trad. M. Gabelle, Paris, Seuil, 1958.

PAIN RATÉ. – Au Moyen Âge, la plupart des boulangeries n'étaient ouvertes que le matin. Tous les après-midi, il y avait un grand marché à Paris destiné aux pauvres, où les boulangers vendaient, à moindre prix, les pains invendus. Généralement, ceux-ci présentaient certaines anomalies de fabrication : mal cuits, brûlés, plats, etc. Les plus nombreux présentaient l'inconvénient d'avoir été rongés par les rats. On parlait ainsi de pains « ratés ». Par extension, ce mot qualifia l'ensemble des pains abîmés ou déformés. Puis le mot « raté » est rentré dans le langage populaire pour désigner une erreur, voire un échec, dans la confection d'un objet ou la réalisation d'un projet ; avant devenir le verbe qui nous est familier aujourd'hui.

Jean Lapoujade

• *Voir aussi :* Boulangers et boulangeries (histoire de France des) ; Boulangers forains ; Défauts du pain ; Disettes, famines et révoltes pour le pain

PAIN RATIONNÉ. – Le terme « rationnement » apparaît sous la plume de Proudhon, en 1846, dans son *Système des contradictions économiques*. Victor Hugo l'utilise en 1870 dans ses *Carnets intimes* en parlant précisément de la viande, mais tout en évoquant l'effroyable période qu'endureraient les Français si le pain venait à être également rationné. Économiquement, le rationnement prescrit des portions de vivres pour l'homme ou de fourrage pour l'animal. La pénurie, due aux circonstances climatiques ou économiques, aux guerres ou aux catastrophes, a imposé de tout temps la nécessité de rationner les vivres. Le rationnement indique généralement l'intervention des pouvoirs publics pour bloquer les prix des denrées les plus indispensables (pain, combustibles, etc.) et organiser des circuits de distributions. La ration est alors une quantité d'aliments ou de boisson distribuée par intervalles et qu'il n'est pas permis de dépasser. Ce rationnement est une mesure prise par les autorités pour répartir au sein de la population des biens ou des denrées qui ne sont disponibles qu'en quantité limitée.

Le rationnement en France pendant la Première Guerre mondiale : de 1914 à 1920. La pénurie alimentaire se développe assez rapidement après le déclenchement des hostilités. Dès 1915, on prévoit de rationner le pain. En 1916, la pénurie est telle que le marché noir se développe. Les récoltes sont mauvaises et la pêche interdite. En 1917, la population française est répartie en six catégories pour la mise en place de tickets de rationnements : E, les enfants ; A, les adultes ; J, les jeunes ; T, les travailleurs ; C, les cultivateurs ; V, les vieillards. Les bêtes de boucherie sont envoyées vers le front de l'Est dès 1917, aggravant encore la pénurie. Au mois d'avril 1917, le gouvernement oblige la boulangerie à se servir de farines « plus extraites » et à utiliser une « recette standard » de pain dans tout le pays. Au mois d'août de cette même année, la farine et le pain sont rationnés et il est interdit de faire de la pâtisserie. Les cartes de rationnement pour le pain sont alors mises en place pour un usage qui perdurera jusqu'en 1919. Les travailleurs ont droit à 700 g de pain par jour, les enfants jusqu'à six ans à 300 g et les adultes à 600 g. Le pain est alors la base de l'alimentation populaire. Après un arrêté du 10 octobre 1918, la ration passe à 100 g pour les enfants jusqu'à trois ans et à 300 g jusqu'à treize ans. Les cultivateurs de plus de onze ans et les travailleurs de force n'ont droit qu'à 500 g de pain. Pour les groupes A, J et V, la ration quotidienne passe à 400 g. À partir d'avril 1919, les restrictions quantitatives sur le pain sont levées. La qualité, quant à elle, ne reviendra que très progressivement. En ce qui concerne la viande, il n'est possible d'en avoir que deux fois par semaine en 1917 et trois fois en 1918. Un arrêté du 11 mai 1918 instaure un rationnement par tickets semestriels qui restera en application jusqu'au début de 1919. Le sucre est également rationné : 750 g par mois de 1917 à 1921. Des rations de saccharine sont également disponibles contre des tickets. Le rationnement du lait dépend des régions. Avec les tickets semestriels, il est également possible, quand il en existe, d'acheter des pâtes, du riz, des pommes de terre, du chocolat ou de la confiture. En fait, le seul article non rationné est le tabac.

Le rationnement en France pendant la Deuxième Guerre mondiale : de 1940 à 1950. Ayant déjà expérimenté un système de rationnement une vingtaine d'années plus tôt, il a été relativement facile aux autorités de mettre en place une contrainte équivalente. Un ministère du ravitaillement est créé. Le dimanche 10 mars 1940, un décret et un arrêté interministériel paraissent au *Journal officiel*, fixant la date du recensement et les conditions d'établissement des cartes de rationnement ; chaque Français doit remplir une déclaration le 3 avril au plus tard afin d'être classé dans une des catégories prévues pour l'alimentation et le charbon. Le 5 mars, un nouveau décret fixe les restrictions sur la viande. Bœuf, veau et mouton sont interdits à la vente en boucherie trois jours consécutifs par semaine, la viande de charcuterie pendant deux jours et la viande de cheval, mulet et âne pendant une journée. Toujours en mars, des décrets imposent la fermeture des pâtisseries et l'interdiction de la vente d'alcool. Les premières cartes de rationnements sont distribuées dès octobre 1940 pour les produits de base : pain, viande, pâtes, sucre. Le rationnement se met donc en place par le biais de cartes d'alimentation et de tickets. La population française (à l'exception des militaires) est partagée en sept catégories. À chacune correspond une carte spécifique, par arrêté du 20 octobre 1940 (*JO* du 23 octobre) : catégorie E, enfants des deux sexes âgés de moins de trois ans ; J1, enfants des deux sexes âgés de trois à six ans révolus ; J2, enfants des deux sexes âgés de six à douze ans révolus ; A, consommateurs de douze à soixante-dix ans ne se livrant pas à des travaux de force ; T, consommateurs de quatorze à soixante-dix ans se livrant à des travaux pénibles nécessitant une grande dépense de force musculaire. Un arrêté du 11 décembre 1940 (*JO* du 12 décembre), fixe les travaux, professions, emplois et situations spéciales donnant droit à être classé en catégorie T. La catégorie C est celle des consommateurs à partir de douze ans et sans limite d'âge se livrant personnellement aux travaux agricoles et la catégorie V, consommateurs de plus de soixante-dix ans dont les occupations ne peuvent autoriser un classement en catégorie C. Selon les catégories, les rations journalières oscillent entre 100 et 350 g pour le pain ; elle est de 180 g par semaine pour la viande ; de 500 g de sucre par mois. Le lait est réservé aux catégories E, J et V. Le vin à la catégorie T. Exprimé en rations journalières individuelles, on a en moyenne 250 g de pain, 25 g de viande, 17 g de sucre, 8 g de matière grasse et 6 g de fromage. En janvier 1941, la vente du café pur et succédanés purs est interdite. Seuls les mélanges agréés peuvent être vendus. C'est également le mois de la mise en place de tickets de rationnement pour le charbon. En février 1941, il est institué un rationnement pour les vêtements et autres articles textiles avec mise en place de bons d'achat et autorisations spéciales. En mars 1941 sont créés les bons d'achat spécifiques pour les femmes enceintes. Pour éviter une certaine confusion ou tricherie, des règles d'équivalence sont progressivement mises en place. En ce qui concerne le pain, la ration journalière descendra à 275 g en 1942. Ce pain (de régime) était constitué de farines de maïs, fève, seigle ou orge auquel on ajoutait des brisures de riz. Durant la période 1943-1944, la pénurie est telle que de nombreux coupons ne sont plus utilisés. Il faut se débrouiller pour survivre par le marché noir ou la culture à domicile. Les carnets de tickets ont une validité de six mois ; ils doivent obligatoirement porter le tampon de la ville du domicile. Tous les achats particuliers sont notés au dos des carnets où figure le cachet de l'épicier attitré. S'agissant du pain, le système des tickets perdura jusqu'en 1949.

Olivier Pascault

• *Voir aussi :* Disettes, famines et révoltes pour le pain ; Émeutes de la faim en Égypte ; Farines (guerre des) ; *Frumenta, frumentum* ; Frumentaire ; Jean Valjean ; Munition (pain de)

Bibl. : Henri AMOUROUX, *La Vie des Français sous l'Occupation*, Paris, Fayard, 1981 • Pierre MIQUEL, *La Grande Guerre*, Paris, Fayard, 1983 • Fernand GAMBIEZ, Marcel SUIRE, *Histoire de la Première Guerre mondiale*, Paris, Fayard, 1968-1971, 2 vol. • Henry ROUSSO, *Les Années noires. Vivre sous l'Occupation*, Paris, Gallimard, 2006.

PAIN SEC (au). – « Être au pain sec » (et à l'eau), équivaut à être condamné à ne manger, pour une durée donnée, que du pain, en général rassis (mais pas nécessairement). L'expression (attestée dès 1671) décrit une ancienne punition contre les enfants, dans les familles (comme la petite-fille de Victor Hugo, ci-dessous) et dans les institutions d'éducation – internats et autres pensions –, qu'on peut qualifier de rétrogrades car le pain y est considéré comme une nourriture dégradée, un châtiment et non plus une récompense : « Jeanne était au pain sec dans le cabinet noir, / Pour un crime quelconque, et, manquant au devoir, / J'allai voir la proscrite en pleine forfaiture, –/ Et lui glissai dans l'ombre un pot de confiture » (Victor Hugo, *L'Art d'être grand-père*).

Anne-Élisabeth Halpern

• *Voir aussi :* Bread & Roses ; Croûte à potage ; Croûton, croûtons ; *Effarés* (*Les*) ; *Hänsel et Gretel* ; Jean Valjean ; Pain grillé ; Pain perdu ; Pain rassis ; Pain rationné ; Panure ; Soupe ; Soupe de pain

PAIN SUPER-/SUPRASUBSTANTIEL. – Voir *FRACTIO PANIS*

PAINS MONDIAUX (essai de classification des). – Les pains mondiaux constituent un groupe très hétérogène du point de vue des recettes autant que des méthodes. Les caractéristiques des pains varient considérablement d'un continent à l'autre et les palais les plus curieux sont comblés par une surprenante diversité de textures et de saveurs. L'approche la plus familière des produits panifiés englobe des pains résultant de pâte de farines de céréales fermentées et cuites présentant une texture plus ou moins alvéolée. La cuisson au four permet de rendre le pain plus appétant et surtout d'améliorer sa valeur nutritionnelle. Classiquement, la très grande majorité des pains européens résulte de l'emploi de farines dites panifiables, de blé (froment) et de seigle seul ou en mélange. En y regardant de plus près, il faut ajouter l'épeautre et le blé dur, ce dernier étant utilisé par exemple en Italie du Sud pour la fabrication de pains régionaux. Une approche plus fine oblige à intégrer dans la famille des pains des produits réalisés avec des farines d'orge (Europe du Nord), et de maïs. Pourtant le critère « panifiable », appliqué à des pains à texture aérée résultant d'une fermentation, demeure trop restrictif pour une définition internationale. C'est pourquoi nous optons pour une définition plus large en excluant toutefois les bouillies, les flans et les pâtes alimentaires. Reste que la fermentation est déterminante puisqu'elle génère des arômes et du goût. La teneur en eau du produit ne permet pas non plus de distinguer le pain des autres produits céréaliers. Une esquisse de classification permet de dégager douze familles de produits pouvant être considérés comme des pains.

Feuilles de pain non fermentées. La feuille de pain (*paper thin bread*) et autre feuille de brick constituent un ancêtre de pain commun à de multiples civilisations. Leur extrême finesse (0,3 mm) permet de rendre l'amidon plus aisément assimilable. Les feuilles de riz du continent asiatique, les feuilles de brick, les très fines galettes de sarrasin constituent, elles aussi, des aliments céréaliers cousins du pain. Les indiens Piki d'Amérique du Nord se transmettent une pierre parfaitement plane pour la réalisation de ces pains, de génération en génération. Plus près de nous, la bilig bretonne permet la confection de galettes de sarrasin qui peuvent avoir la finesse de la dentelle. Les fines tranches de pains azymes entrent également dans cette catégorie.

Pains plats monocouche. Très grande famille de pains du bassin méditerranéen et d'Asie centrale, les pains plats non fermentés résultent d'une longue tradition de savoir-faire ménager. Ils sont cuits sur plaque comme les *tortillas* et *arepas* d'Amérique centrale et du Sud, tout comme la grande famille des *chapâtî* et *parâthâ* indiens. Parfois, des techniques de pliage après application d'une mince couche d'huile permettent d'aérer la texture. Il existe de grandes plaques communes de cuisson autour desquelles sept à huit femmes se réunissent pour une cuisson conviviale. La cuisson des pains plats fermentés monocouche très populaires au Moyen-Orient peut être effectuée sur plaque chaude (*lavash* arménienne) ou bien dans un four vertical, le *tannur* ou *tandoor* ou *tabun* (*barbari* iranien, *nân* afghan ou indien).

Pains plats bicouches. Les pains plats bicouches (*baladi* en Égypte, *kebab bread*, *pita* en Grèce et en Turquie) ont la grande particularité de subir une violente expansion dans un four porté à très haute température. Cela provoque le décollement du disque de pâte en deux couches. À l'issue d'une cuisson de quelques dizaines de secondes, le pain s'affaisse au refroidissement, mais le consommateur peut rouvrir la poche et fourrer le pain de la garniture de son choix. Ces pains, traditionnellement préparés juste avant le repas, doivent être souples et flexibles. Ils servent également à saisir des portions d'aliments dans un plat commun.

Pains de blé croustillants. Les pains croustillants sont cuits directement sur la sole réfractaire d'un four avec ou sans buée. Les pains français appartiennent à cette catégorie tout comme les pains italiens et espagnols. Ils sont généralement réalisés à partir de farine de blé ou de seigle ou d'un mélange des deux. On les retrouve essentiellement en Europe du Sud et dans les pays à forte représentation de boulangerie artisanale. Le format baguette à la française connaît depuis une cinquantaine d'année un indéniable succès international.

Pain de mie. Ces pains sont très populaires en Grande-Bretagne, dans les pays de l'ex-Commonwealth et en Amérique du Nord. Ils résultent de la cuisson d'une pâte contenant une farine fortifiée, enrichie en matière grasse et en sucre, dans des moules ouverts ou fermés de différents formats. Fabriqués la plupart du temps industriellement, ils sont généralement à mie blanche, bien que rien ne s'oppose à fabriquer des pains moulés complets ou de seigle. Joueur de cartes invétéré qui ne supportait pas de s'interrompre pour déjeuner, lord Sandwich (1718-1792) aurait donné son nom au célèbre en-cas. La famille s'est considérablement agrandie et les petits pains, dits *buns*, accompagnent le développement des restaurants fast food sur toute la planète.

Pains noirs. Les pains à mie sombre sont généralement pur seigle, leur mie très dense se coupe en tranches minces. Ils sont très en faveur dans les pays froids et en Europe centrale, car la céréale seigle supporte parfaitement les rigueurs de l'hiver. Leur fabrication diffère sensiblement des pains de blé : ils sont peu pétris, fermentés au levain et souvent cuits en moule. Cette classe englobe les fameux *Pumpernickel*, dont la cuisson peut dépasser 24 heures.

Pains frits. Très consommés en Afrique, au Tibet et en Mongolie, les pains frits constituent le quotidien de populations ne disposant pas de combustible abondant. Des galettes d'orge, de sorgho, de millet sont préparées de la sorte et consommées chaudes (par exemple les *Navajo fried breads*).

Les pains pochés à l'eau ou à la soude puis cuits. Les *bagels* (États-Unis), les bretzels (Alsace) et les échaudés bretons (craquelins) ont ceci en commun d'avoir été pochés en eau très chaude avant la cuisson. La couleur et le goût si particuliers des véritables bretzels tient à la présence d'une solution très diluée de soude. Caractérisés par une mie très dense et caoutchouteuse, les *bagels*, nés en Europe centrale, connaissent depuis une quinzaine d'années une diffusion très large en Amérique du Nord. Le bretzel est, lui, très populaire en Bavière (*Laugenbretzel*) et en Alsace.

Les pains vapeur. Peu connus en Europe, les petits pains ronds cuits à la vapeur sont extrêmement populaires en Chine du Nord et au Vietnam, entre autres. Fabriqués avec une farine très pure, ils sont fermentés au levain ou à la levure et cuits dans de grands « cuit-vapeur » (steamer) à étages. Leur couleur blanche n'est par conséquent pas altérée au cours de la cuisson et ils présentent une peau très souple et molle. Il existe de multiples formats de ces petits pains individuels, dont le petit pain fleur. Accompagnés avec des sauces piquantes, certains *mantou* et autres *baozi* sont garnis de viande ou d'œufs de caille.

Les pains secs. Les plus anciens des pains secs pourraient bien être les pains craquant *knäckebrot* nordiques, qui constituaient des réserves de nourriture. Le format original est une galette d'environ 30 cm de diamètre agrémenté d'un trou central qui permettait, dit-on, de les suspendre à un fil dans le grenier. Les *knäckebrot* étaient originellement confectionnés à base de farine de seigle ou de mélange seigle-orge. La transition avec les pains secs croustillants est assurée par les petits pains grillés suédois, qui constituaient une réserve de nourriture pour les marins. Une autre famille de pains secs qui nous est plus familière comprend les pains grillés, les biscottes, et les toasts d'origine hollandaise (*zwieback*). La texture plus aérée de cette famille de produits leur assure une attaque en bouche plus tendre et en fait des pains croustillants par excellence. Le *grissino* italien et le *fattah* égyptien entrent également dans cette catégorie.

Les pains garnis et fourrés. Il serait injuste d'oublier que la pizza napolitaine, les pissaladières provençales, les coques catalanes sont des pains garnis, des pains assiettes, et que leur base est une authentique pâte à pain (parfois additionnée d'un soupçon d'huile d'olive). Les variantes ne manquent pas : citons les pains fourrés russes (*bierrock*), le *an-pan* japonais fermenté à la levure de saké et fourré de haricots rouges sucrés.

Les pains sucrés et les pains rituels et ouvragés. Bien avant que les pâtisseries ne soient à la portée de toutes les bourses, le pain constituait une base qui pouvait être enrichie d'œufs, de beurre, de miel ou de sucre, d'épices, voire de fruits. À l'occasion de fêtes civiles ou religieuses, les pains sucrés donnèrent naissance à des pains briochés type kougelhopf, aux *panettoni* italiens, aux *mouna* d'Afrique du Nord, mais aussi aux pains de poires suisses.

De nos jours, l'abondance et la grande diversité des aliments plaisir ont fait oublier l'originalité des « pains de circonstance », pains d'exception liés aux grands travaux agricoles comme la moisson ou les vendanges. Les pains rituels sont parfois anthropomorphes, comme les cougnous flamands et les bonhommes suisses. Les boulangers péruviens fabriquent encore en pâte à pain des figurines votives à la Toussaint, comme le font aussi les Mexicains avec le *pan de muerto*. Les boulangers crétois fabriquent quant à eux de superbes pains-couronnes de mariage agrémentés de multiples sculptures en pâte à pain. Il serait injuste d'oublier les pains tressés, si populaires en Europe centrale, lesquels ont, paraît-il, remplacé les offrandes païennes de chevelures féminines, et les pains ouvragés bulgares. L'élévation du niveau de vie des pays actuellement gros consommateurs de pain conduit logiquement à un recul des fabrications ménagères et des méthodes de fermentation au levain ; souhaitons qu'elle ne se traduise pas par l'abandon de pains traditionnels rustiques au profit de pains internationaux standardisés. Les consommateurs européens bénéficient depuis une quinzaine d'année de l'élargissement de la gamme de pains qui leur est offerte. L'attrait de la nouveauté et la recherche de nouveaux produits conduiront très certainement à identifier de nouveaux pains étrangers. Les carnets de recettes des boulangers vont par conséquent se métisser et il y à fort à parier que l'offre en pains ethniques va durablement s'imposer.

Hubert Chiron

• *Voir aussi :* Accouchement (pains d') ; Amoureux (pains d') ; Anniversaire (pains d') ; Blé dur ; Blé tendre ou froment ; Bouillie ; Défauts de la pâte ; Épeautre ; Femmes ; Fermentation panaire ; Maïs ; Mariage (pains de) ; Morts (pain des) ; Noël (pains de) ; Nouvel An (pains du) ; Orge ; Pain (définition universelle du) ; Pâques (pain de) ; Pâte ; Pâte bâtarde, molle, douce, ferme, raide ; Pâtes (définition des) ; Pâtes alimentaires ; Pizza ; Saint-Nicolas ; Sandwich ; Seigle (*Secale cereale*) ; Tannur ; Vendange ; Voir aussi les traditions des pains dans chaque pays

Bibl. : R. CALVEL, *Le Goût du pain*, Les Lilas, Jérôme Villette, 1990. – ID., *Une vie du pain et des miettes*, Mende, publié à compte d'auteur par l'Amicale Calvel, 2002 • Voir aussi le site de l'Amicale Calvel : http://prof.calvel.free.fr

PAINS SPÉCIAUX. – Pour le consommateur mais aussi dans les usages français, la dénomination « pains spéciaux » rassemble tous les pains qui ne sont pas des pains courants à base de blé ou de seigle et les viennoiseries, et qui donc peuvent renfermer différents ingrédients alimentaires autorisés. Cette catégorie se définit par rapport à la nouvelle base réglementaire européenne sur les additifs, qui fait apparaître plusieurs

Additifs autorisés pour les produits de boulangerie courante ou ordinaire
(annexe II de la directive 95/2)

Pain de tradition française	Pain courant français	Pain de « froment » (pain préparé exclusivement à partir de farine de froment, eau, levure ou levain, sel)	Pains de « l'Union européenne » et produits de boulangerie fine
Sans additifs Catégorie des produits traditionnels de l'Union européenne	E 260 (acide acétique) E 261 (acétate de potassium) E 262 (acétate ou diacétate de sodium) E 263 (acétate de calcium) E 270 (acide lactique) E 300 (acide ascorbique) E 301 (ascorbate de sodium) E 302 (ascorbate de calcium) E 304 (esters d'acides gras de l'acide ascorbique : palmitate ou stéarate d'ascorbyle) E 322 (lécithine) E 325 (lactate de sodium) E 326 (lactate de potassium) E 327 (lactate de calcium) E 471 (mono et diglycérides d'acides gras)	E 260 E 261 E 262 E 263 E 270 E 300 E 301 E 302 E 304 E 322 E 325 E 326 E 327 E 471 E 472a (esters acétiques des mono et diglycérides d'acides gras) E 472d (esters tartriques des mono et diglycérides d'acides gras) E 472e (esters mono et diacétyltartriques des mono et diglycérides d'acides gras) E 472f (esters mixtes acétiques et tartriques des mono et diglycérides d'acides gras)	additifs autorisés dans les denrées alimentaires (annexe I de la directive 95/2)

catégories de pains, à laquelle s'ajoutent les produits de tradition (sans additifs), dont le pain de tradition française. Les produits de boulangerie fine et les pains dits « de l'Union européenne » sont, depuis, associés aux pains spéciaux ; ils répondent à une utilisation plus large d'additifs autorisés dans les produits alimentaires. La possibilité de commercialisation sous forme de pré-emballage, pour des pains spéciaux, a aussi été envisagée avec l'ajout, dans certaines conditions, de conservateurs.

Philippe Roussel

• *Voir aussi :* Additif ; Campagne (pain de) ; Conservateur ; Miche ; Pain complet ; Pain de tradition française → Décret pain ; Pain domestique ; Pain noir ; Pains mondiaux ; Seigle (pain de) ; Son (pain de) ; Viennoiserie

Bibl. : Philippe ROUSSEL, Hubert CHIRON, *Les Pains français. Évolution, qualité, production*, Vesoul, Maé-Erti, 2002.

PAIN-THÉONISATION. – Dans « La guerre des Monge et autres franc-tireurs », un chapitre de son étude sur l'univers contemporain de la boulangerie et du pain en France, Steven Laurence Kaplan (2002) rend compte avec curiosité et amusement de l'affrontement que se livrèrent deux artisans, qu'il tient pour les chefs de file de toute une génération, Éric Kayser et Dominique Saibron, installés tous les deux, par une sorte d'erreur de casting de la destinée, dans la même rue du Ve arrondissement de Paris – à moins que la destinée, amatrice de bon pain, ait estimé que cette « loyale » compétition stimulerait la profession tout entière. Ce qu'elle fit. L'historien choisissant cette « guerre des Monge » pour illustrer le retour en sainteté d'une profession qui avait eu tendance à considérer que faire du pain très blanc et très mauvais lui garantissait l'amitié sans faille du peuple français et qui était en réalité promis à un avenir qui n'en avait pas. Mais les choses, au moment où Kaplan publie son étude, semblaient donc en bien meilleure situation : « Même s'il est sûr d'y trouver son compte, écrit-il, l'amateur de bon pain n'est pas obligé de passer par la rue Monge. Il y a un peu partout, à Paris et en province, de bons boulangers qui prennent leur métier très au sérieux, qui refusent la banalisation du pain, et qui se distinguent nettement de la concurrence, tous genres confondus. » Il cite alors Lionel Poilâne, qui, à l'époque où Kaplan écrivait, était encore en vie (il est mort avec son épouse Iréna dans un accident d'hélicoptère, le 31 octobre 2002) ; Jean-Luc Poujauran, Bernard Ganachaud, Basil Kamir et quelques autres qui avaient déjà, ou bien étaient sur le point de préparer leur « pain-théonisation ».

Jean-Philippe de Tonnac

• *Voir aussi :* Ambassadeurs du pain ; Baguette de la Ville de Paris (Grand Prix de la) ; Boulangers de France ; Ganachaud ; Guinet ; Holder ; Kaplan ; Marketing du pain ; Pain blanc ; Pensée unique ; Poilâne

Bibl. : Steven L. KAPLAN, *Le Retour du bon pain. Une histoire contemporaine du pain, de ses techniques et de ses hommes*, Paris, Perrin, 2002.

PAKISTAN (traditions du pain au). – Le pain est un aliment de base au Pakistan. Il résulte de la cuisson d'une pâte de farine et d'eau mélangées à d'autres ingrédients (essentiellement des matières grasses et du sel). Certains pains peuvent contenir parfois du lait, des œufs, du sucre, des épices, des fruits (raisins secs), des légumes (comme l'oignon), des noix ou des graines. Les différences de climat du nord au sud et de l'est à l'ouest ont contribué à élargir ainsi considérablement l'offre d'ingrédients disponibles entrant dans la confection des pains des différentes régions du pays. Ces pains peuvent être levés ou plats. Les agents levants sont le levain, la levure, voire le bicarbonate de soude. Les nombreuses techniques de cuisson ressemblent à celles des régions environnantes. Les centres urbains du pays ont contribué ainsi à accélérer une fusion de recettes issues de toutes les régions du pays, et au-delà, tandis que dans les zones rurales et les villages, on continue à consommer des aliments produits avec des ingrédients locaux spécifiques apportant des saveurs plus authentiques. Au Pakistan, le pain est l'un des aliments les plus anciens ; préparé et servi avec le petit déjeuner, le déjeuner et le dîner, il rythme la vie des Pakistanais en tous lieux et en toutes saisons. L'évolution des méthodes de fabrication résulte d'influences moyen-orientales, indiennes, iraniennes, afghanes et turques. Cette terre ayant connu durant plusieurs millénaires des vagues d'immigration successives (venues d'Asie centrale, d'Arabie, de Perse, etc.), les pains pakistanais en gardent nécessairement la mémoire. Ainsi, chaque pain porte le sceau du peuple venu s'implanter sur ces terres ou simplement qui les a traversées sans s'y attarder.

Les Moghols, qui régnèrent du XVIe au XVIIIe siècle, ont contribué, peut-être plus que d'autres, au développent de la consommation de pains dans cette région. Les *kulchâ* sont introduites par Asaf Jah Ier en 1724. Il s'agit d'un pain rond de pâte fermentée enrichie de beurre et cuit au four. Selon la légende, le premier *kulchâ* aurait été donné à Asaf Jah Ier par le saint Inayat Shah. La désintégration de l'empire moghol à la fin du XVIIIe siècle conduisit de nombreux aristocrates à quitter Delhi et à se replier à la cour d'Avadh (Lucknow). Les pains d'inspiration musulmane sont préparés en général à partir de farine blanche et de levain et cuits au four. Le modèle type de ces pains plats est le *nân*, doré à l'extérieur, blanc à l'intérieur, croustillant sur les bords, moelleux au centre. Mais les négociants arabes n'ont pas été en reste pour introduire de nouvelles manières culinaires (notamment des plats à base de viande) et, partant, de nouvelles recettes de pain. Les Portugais et les Britanniques ont introduit à leur tour des aliments provenant du Nouveau Monde. Les Portugais ont laissé le *pâo*, pain blanc levé, que les musulmans trempent dans un ragoût de viande, et que les adolescents apprécient avec le *pâo bhâjî*, plat épicé de légumes mélangés. Les Anglais ont, quant à eux, apporté le concept des boulangeries durant la Seconde Guerre mondiale ; la boulangerie industrielle ne se développa cependant véritablement qu'après l'indépendance, en 1947. Désormais, le consommateur trouve à la fois du pain levé (*double-rotî*), du pain de mie et des pains plats.

D'une manière générale, les pains qu'on peut trouver au Pakistan sont aussi ceux qui sont confectionnés en Inde. Ainsi, les pains de type *rotî* ou *chapâtî* y sont couramment consommés. Une variante utilise de la farine de moutarde plutôt que de la farine blanche. Une autre variante est le *pûrî*, un pain plat mince qui se gonfle dans la friture. Le *parâthâ* est une autre variante du *rotî*. À la différence des précédents, le *nân* est cuit dans un four d'argile, le *tandoor* (ou *tannur*). La cuisson au *tandoor* (ourdou, persan, hindi) est très courante au Pakistan. Il s'agit d'un four cylindrique en argile utilisé pour la cuisine et la pâtisserie. La chaleur d'un *tandoor* est générée par un feu de bois ; la cuisson expose ainsi les pains au plus près des flammes et des braises. La température peut alors approcher 480°. Généralement, les *tandoor* restent allumés pendant de longues périodes afin de maintenir cette température élevée. La conception du *tandoor* résulte d'une transition entre un four de terre de fortune et le four horizontal maçonné. Au Pakistan et en Inde, le *tandoor* est également connu sous le nom de *bhattî* (*tonir* en Arménie, et *tone* en Géorgie). La tribu Bhattî du désert du Thar, à l'est du Pakistan et au nord-ouest de l'Inde, a conçu le *bhattî*, qui s'adapte parfaitement à son habitat. Le *tandoor* est aujourd'hui à l'honneur dans les cuisines de nombreux restaurants pakistanais du monde entier, mais il fonctionne à l'électricité ou au gaz. Les exemples les plus anciens de *tandûrî rotî* cuit au *tandoor* ont été trouvés dans les colonies de Harappa et Mohenjo Daro de la civilisation antique de la vallée de l'Indus – et bien que des fours de ce type aient été retrouvés dans des contextes plus précoces, tel celui de la civilisation harappéenne, sur la côte de Makran. En sanskrit, le *tandoor* est mentionné sous le nom de *kandu*. Différents types de *rotî* préparés au *tandoor* semblent ainsi remonter à la période d'avant la migration des Aryens et des Sémites du plateau iranien jusqu'à la Mésopotamie.

Hoyha. Pain fait de farine, d'eau, d'œufs et agrémenté d'épices. Le *hoyha* est habituellement cuit dans un four à feu de bois. Il est généralement servi en dessert et consommé au petit déjeuner arrosé de miel et d'un filet de citron.

Kaak. Également connu comme *pathhar ki rotî*, le *kaak* est un plat originaire de la province du Baloutchistan. La pâte à pain est aplatie et roulée sur une pierre. La pierre est ensuite déposée dans un *tandoor*. Le *kaak* est souvent servi avec du *sajji* (viande cuite au sel). Le *kaak* est opulaire parmi les Baloutches nomades. Dans les pays arabes, le même mot désigne des bracelets à pâte fine savoureuse, souvent parfumés à l'anis ou recouverts de graines de sésame.

Kulchâ. Originaire du Penjab, le *kulchâ* est généralement fait de *maida* (farine blanche plus raffinée). Il est possible de rajouter à la pâte des pommes de terre en purée, de l'oignon (facultatif) et de nombreuses épices, l'ensemble étant roulé et aplati, puis cuit au four en terre glaise jusqu'à l'obtention d'une coloration jaune doré. Après cuisson, on le frotte avec du beurre. Il existe deux principales variantes : le *plaine kulchâ*, sans beurre ou *ghee*, et le *roghani kulchâ*, fait à partir d'une pâte à laquelle on a ajouté de la margarine ou du beurre clarifié. Tous ces *kulchâ* ne sont pas fabriqués à partir de farine ordinaire, mais avec la farine riche en gluten (*maida*) pétrie et fermentée. Le ferment ajouté à la pâte *kulchâ* est un secret gardé par les fabricants. Au Cachemire, les boulangers de *kulchâ* étaient connus comme *kaandaros* et formèrent un groupe professionnel distinct.

Nân. Pain plat au levain ou à la levure et cuit au four. Il s'agit de l'une des variétés les plus populaires de pains en Asie du Sud, plus particulièrement au Pakistan, au nord de l'Inde, en Iran et en Afghanistan. À l'origine, *nân* (*naan* en ourdou) est un terme générique désignant divers pains plats de différentes régions du monde. Dans les langues turques, tels que l'ouzbek, le kazakh et le ouïghour, les pains plats sont en effet appelés *nân*. Les Chinois le nomme *nang*. Dans tous les pays où il a été adopté, sa dénomination générique *nân* se réfère à une sorte de pain plat, cuit au four selon des recettes adaptées localement. Il s'agira en Asie du Sud d'une galette épaisse (la *chapâtî* en est une autre). En règle générale, il ressemble au pain *pita* et, comme lui, il est dans certains cas fait avec de la levure. Le *nân* est cuit dans un four appelé *tandoor*, d'où la cuisine *tandoori* tire son nom. Il se distingue ainsi du *rotî* cuit sur un plat ou une plaque en fer légèrement concave appelés *tawa*. Dans les recettes modernes, on remplace parfois la levure par de la poudre levante. Du lait ou du yaourt peuvent également être utilisés. Typiquement, le *nân* est servi chaud et badigeonné avec du *ghee* ou du beurre.

Parâthâ. Pain le plus populaire de la cuisine pakistanaise. Il est plat (sans levain), fabriqué à partir de farine de blé entier et cuit à la poêle sur une *tawa*. La pâte du *parâthâ* contient généralement de l'huile de beurre ou *ghee :* elle est déposée en couches sur le *parâthâ* fraîchement préparé. Les *parâthâ* sont généralement farcis de légumes, comme les pommes de terre, les radis ou le chou-fleur et/ou le *paneer* (fromage d'Asie du Sud). Le *parâthâ* a d'abord été conçu dans l'ancienne région du Pendjab, mais est rapidement devenu populaire dans tout le Pakistan. Différentes provinces du Pakistan ont leurs propres versions du *parâthâ ;* la plus populaire étant l'*aloo wala parâthâ* (avec des pommes de terre). Des immigrants pakistanais auraient rapporté ce plat de Malaisie, des îles Maurice (où il est connu sous le nom *farata*) et de Singapour, entraînant des variations telles que le *rotî canai* et le *rotî prata*. Au Myanmar (Birmanie), où il est connu comme *palata*, il est mangé avec des currys ou cuit avec des œufs ou du mouton, ou comme dessert avec du sucre blanc. Le *parâthâ* à Trinité-et-Tobago est différent du *parâthâ* d'Asie du Sud en ce qu'il est généralement plus mince et plus grand. À Trinité-et-Tobago, il est communément appelé *buss up shut* (« éclatement de chemise »).

Il existe ainsi tout un assortiment de *parâthâ* : le *parâthâ* ordinaire (*chapâtî* avec du *ghee* ajouté) ; le *boondi parâthâ* (farci de *laddoo* et de *boondi* cuits avec du *ghee*) ; le *gobhi parâthâ* (farci de chou-fleur parfumé et de légumes) ; l'*aloo wala parâthâ* (farci de pommes de terre aromatisées et d'oignons) ; le *parâthâ* à la tomate ; le *channa dal parâthâ* (farci de *channa dal*) ; le *paneer parâthâ* (farci avec du *cottage cheese*) ; le *dal parâthâ* (farci de *dal* cuit et écrasé) ; le *sattu parâthâ* (farci de *sattu* épicé, une farine de pois chiches grillés) ; le *rotî parâthâ* (originaire de Singapour et de Malaisie) ; le *parâthâ* sucré ; le *tandoori parâthâ* (originaire du Penjab) ; le *qeema parâthâ* (farci à la viande hachée aromatisée) ; l'*anda parâthâ* (farci aux œufs). Ces différentes variétés de *parâthâ* sont consommées avec une noix de beurre à tartiner sur le dessus. Ils sont servis également avec du yaourt, du curry épicé ou une fine garniture de viande et de légumes. Certaines personnes préfèrent enrouler le *parâthâ* sur lui-même et le plonger dans le thé ; d'autres aiment à en tremper des morceaux dans le yaourt. Le *parâthâ* se marie parfaitement avec le *lassi*, une boisson au beurre et au lait, également originaire du Penjab. Le *parâthâ* (avec yaourt ou cornichons) est également le petit déjeuner de base pour un grand nombre de Pakistanais.

Pûrî. Un *pûrî* ou *poori* ou *boori* (ourdou) est un pain sans levain, préparé dans de nombreux pays d'Asie du Sud dont le Pakistan, l'Inde et le Bangladesh. Il est consommé au petit déjeuner, comme collation (snack), ou comme repas léger. Le *pûrî* est préparé à partir de la pâte et le sel d'Atta. On l'étale dans un cercle de la taille de la paume de la main et on le place dans la friture de beurre fondu (*ghee*) ou d'huile végétale. Au Pakistan, il est presque toujours fait avec de la *maida*. Durant la cuisson en friture, le pain gonfle et se colore. Il est servi chaud avec quelques accompagnements, au petit déjeuner ou lors d'événements spéciaux, de cérémonies, éventuellement avec de la nourriture végétarienne. Il est apprécié avec le *halwa*, les pommes de terre, le *korma* (plat à base de viande, agneau ou poulet, très épicé, à la sauce tomate, yaourt, lait ou crème), le *chana masala* (pois chiches cuits dans l'huile et la sauce tomate) ou le *dal* (soupe aux lentilles), ainsi qu'avec des légumes variés. Une variante du *pûrî* est le *bhatoora*, trois fois grand comme lui, servi avec du *chholey* (pois chiches épicés) : il constitue alors un repas complet. Une autre variante dans les États de l'est du Bengale occidental et de l'Orissa est le *luchi*. Le *sev pûrî*, quant à lui, est servi par des marchands ambulants en accompagnement du *chaat* (pois chiches cuits mélangés avec du yaourt, des pommes de terre, des tomates, des oignons, le tout bien épicé).

Rotî. Pain traditionnel originaire du Pakistan et de l'Inde. Il est réalisé le plus souvent à partir de farine de blé et cuit sur une plaque de fer plate ou légèrement concave appelée *tawa*. Il ressemble à une *tortilla*. Comme de nombreux autres pains, le *rotî* est un accompagnement de base pour d'autres aliments. Il peut également être préparé en ajoutant le *ghee* (beurre clarifié). En outre, le *rotî* est servi avec les plats principaux de curry avec ou sans viande cuite, avec des légumes ou des lentilles. Il fait office de support pour différentes préparations culinaires.

Aamir Shehzad

• *Voir aussi :* Afghanistan ; Chine ; Inde ; Iran ; Pain (définition universelle du) ; Pains mondiaux ; Tannur

Bibl. : Susan Jane CHENEY, *Breadtime*, Berkeley (Cal.), Ten Speed Press, 1998 • Madhur JAFFREY, *Climbing the Mango Trees*, New York, Alfred A. Knopf, 2006 • Peter REINHART, *Crust and Crumb : Master Formulas for Serious Bread Bakers*, Berkeley (Cal.), Ten Speed Press, 1998 • Neera VERMA, *Mughlai Cook Book*, New Delhi, Fusion Books, 2005.

PALESTINE (traditions du pain en). – S'il voit un morceau de pain à terre, un Palestinien le ramasse promptement (de sa main droite) et le pose en hauteur, sur un muret par exemple, afin que personne ne piétine ce don de Dieu. L'usage est observé par tous, dans l'ensemble du monde arabe; certains touchant même leur bouche, puis leur front avec le pain, avant de le mettre à l'abri des passants. Ici, les hommes confient leur survie au *khobz* (« pain », en arabe) depuis des millénaires. Et ils ont toujours veillé à n'en jamais manquer. Au Moyen Âge à Jérusalem, des règles officielles contrôlaient strictement la production et la vente de la farine et du pain, les meuniers et les boulangers, réunis en corporations, étant sous haute surveillance. Chaque quartier de la ville devait disposer d'un moulin et d'un four collectifs, et les indigents recevaient gratuitement des rations de galettes. La disette de blé était redoutée comme une épidémie et, quand la céréale se faisait rare, on empruntait aux mules leur orge, pourtant considéré comme le grain du pauvre. Aujourd'hui, dans les zones du pays où la vie la plus précaire est rythmée par les couvre-feux ou les embargos, les familles s'assureront de toujours avoir de grandes quantités de farine, conservées avec les réserves de pois chiches, de lentilles, de riz et de haricots. Et, sur l'ensemble du territoire, les autorités imposent un prix fixe au kilo du pain le plus courant.

Ce pain élémentaire, mangé à chaque repas (« Pas une bouchée sans pain », disent les Arabes), prend des formes multiples en Palestine, terre de confluence et d'échanges culturels. Dans les campagnes, la panification revient aux femmes, qui accomplissent leur tâche dès l'aube, seules devant le four domestique, ou rejointes autour du four communal par les voisines, les amies, les sœurs et les filles. Le poète palestinien Mahmoud Darwich leur rend hommage, en ouverture de son poème écrit en détention, « À ma mère » : « J'ai la nostalgie du pain de ma mère… », clame-t-il, au nom de tous les hommes qui ont observé ces patientes ouvrières du pain quotidien. Ce sont elles aussi qui fabriquent et entretiennent le *taboun*, le four ancestral, le plus souvent une simple fosse peu profonde creusée dans le sol et surmontée d'un large cône d'argile mêlée à de la paille, ouvert et resserré au sommet. Dans le fond du *taboun* brûlent des brindilles, de la bouse d'animal ou même des noyaux d'olives écrasés, recouverts de petites pierres lisses. La pâte, préparée la veille, est pétrie, roulée pour former des boules larges comme une paume de main, puis aplatie avant d'être déposée dans le four. Cuit, le pain est une galette légèrement levée mais peu épaisse, à la croûte dorée et boursouflée, marquée par l'empreinte irrégulière des pierres. C'est le *khobz taboun*, ou simplement *taboun*. Ce pain pouvait autrefois être parfumé aux herbes fraîches, au cumin et à l'huile d'olive, mais la tradition semble se perdre.

La cuisson au *saj* est une autre technique, héritée des Bédouins, et très utilisée dans le nord de la Palestine. Le *saj* est une plaque de métal ronde et convexe, posée sur un feu. La pâte du pain est étirée sur un grand coussin rond, le *kara*, avant d'être appliquée habilement sur la plaque. Le *khobz saj*, ou *shrak*, est fin comme du papier et mesure en moyenne 50 cm de diamètre. C'est un pain de blé complet le plus souvent, qui se conserve plusieurs semaines, plié et placé dans un panier fermé. Les Bédouins, qui l'utilisent aisément dans le désert, se contentent parfois d'allumer un feu de bois très vif dans le sable, sur un petit foyer formé de cailloux ronds et polis. Le pain est cuit posé sur les pierres et recouvert de la braise.

Dans les villes, le pain des boulangers est appelé *khobz kmaj*, ou *kmaj*. C'est un pain rond et plat, également surnommé « pain libanais », qui gonfle comme un ballon dans le four sous l'effet du choc thermique, avant de retomber rapidement, en gardant ses deux couches détachées. On peut ainsi l'ouvrir et le garnir de nourriture comme une poche. C'est le pain des snacks à sandwichs, mais aussi des restaurants, idéal pour manger à l'orientale : un bout déchiré puis plié entre le bout des doigts permet d'attraper la nourriture comme avec une cuillère. Généralement moins large et plus épais que son modèle libanais, il entre notamment dans la préparation du *musakhkhan*, spécialité très populaire de Ramallah : un plat paysan de poulet aux oignons et aux pignons de pin, parfumé au safran, au sumac (une épice au goût acidulé) et cuit enveloppé dans des galettes de *khobz kmaj* (parfois de *khobz shrak*).

Enfin, aborder cette terre d'origine des trois grands monothéismes ne peut se faire sans mentionner la ville sainte de Bethléem, dont le nom signifie « maison du pain » en araméen ; ni sans évoquer l'eucharistie chrétienne, au centre de laquelle se trouve le pain. Si les catholiques de Palestine communient avec l'hostie, les orthodoxes partagent un pain levé appelé *qourbane* (« offrande », en arabe). Rond, il est épais et sa croûte dorée porte l'empreinte d'un tampon représentant la Vierge ou des lettres grecques disposées autour d'une croix signifiant le nom du Christ. Les familles en deuil cuisent également le *qourbane* et le distribuent à l'assistance, lors d'une cérémonie confraternelle de miséricorde. Hors des chapelles, une maxime répétée d'un bout à l'autre du monde arabe loue à sa manière la fraternité des hommes réunis par le pain : une fois qu'ils l'ont partagé (avec le sel, dit le proverbe), un lien se tend entre eux, et ne saurait être rompu.

Kmaj. Pain de blé rond et plat de Palestine, équivalent du *kmeij* libanais. Dans le four très chaud, sous l'effet du choc thermique, il gonfle comme un ballon avant de retomber rapidement, en gardant ses deux couches détachées. On peut ainsi l'ouvrir et le garnir de nourriture comme une poche.

Qourbane. Pain rond que les orthodoxes partagent lors de la communion. Il est épais et sa croûte dorée porte l'empreinte d'un tampon représentant la Vierge ou des lettres grecques disposées autour d'une croix signifiant le nom du Christ. Les familles en deuil cuisent également le *qourbane* et le distribuent à l'assistance, lors d'une cérémonie confraternelle de miséricorde.

Shrak. Pain très fin, de farine complète le plus souvent, cuit sur le *saj*, une coupole métallique posée sur un feu de bois. Large d'une cinquantaine de centimètres, il peut se conserver plusieurs semaines, plié et placé dans un panier. Il est très proche du pain *markouk* libano-syrien.

Noémie Videau

• *Voir aussi :* Bethléem ; Eucharistie ; Hostie ; Israël ; Jordanie ; Liban ; Rite orthodoxe ; Syrie

Bibl. : Amnon COHEN, *Economic Life in Ottoman Jerusalem*, Cambridge, Cambridge University Press, 2002 • Peter HEINE, *Food Culture in the Near East, Middle East, and North Africa*, Westport (Conn.), Greenwood Press, 2004 • Mary-Elisa ROGERS, *La Vie domestique en Palestine*, Paris, Agence de la société des écoles du dimanche, 1865.

PANADE. – Le mot « panade » vient du provençal *panado*, qui signifie tout bonnement « pain ». La panade est une soupe au pain : les recettes de panade varient, mais demeurent à base de pain rassis ou de croûtes de pain. On fait tremper le pain dans de l'eau ou du lait et, selon la région, on y ajoute durant la cuisson ou à la fin de celle-ci du beurre, un jaune d'œuf, de l'huile d'olive, des herbes, de l'ail, de la crème... La panade, autrefois très courante dans les foyers ruraux, permettait d'utiliser le pain rassis et de donner de la consistance à la soupe. Le terme « panade » désigne également, en pâtisserie, la base de la pâte à choux. Enfin, l'expression « être dans la panade » veut dire « se trouver en difficulté », et particulièrement sur le plan financier.

Myriam Daumal

• *Voir aussi :* Bouillie ; Chapelure ; Chiffon de pain ; Croûte à potage ; Croûton, croûtons ; Miette ; Mouillette ; Pain grillé ; Pain rassis ; Pain sec (au) ; Panure ; Pudding ; Soupe ; Tartine

PANAGHIA, mère du Christ. – Voir TERRE-MÈRE PRIMORDIALE

PANAMÁ. – Voir AMÉRIQUE LATINE ; CARAÏBES

PANASSE. – D'après Paul Jacques Malouin (1779), les boulangers nommaient « panasses » toutes sortes de petits pains en général. Pour les troisième et quatrième fournées, ils utilisaient moins d'eau et de farine pour composer des pains encore plus petits et plus mollets : « Et l'on prend d'autant moins de levain pour les faire, qu'on fait ces fournées avec levure. »

Mouette Barboff

• *Voir aussi :* Levure de boulanger ; Pain de fantaisie ; Pain mollet → France (pains historiques, du Moyen Âge à la Révolution française)

Bibl. : Paul Jacques MALOUIN, *Description et détails des arts du meunier, du vermicellier et du boulanger*, Paris, 1779.

PANÉ. – Voir PANURE

***PANEM ET CIRCENSES* (« Du pain et des jeux »).** – Le poète latin satyrique Juvénal (*Satire*, 10 81) évoque par cette formule une des mœurs les plus en vogue de son temps, l'habitude des gouvernants de s'assurer la faveur du peuple en pourvoyant à ce qu'ils considèrent comme ses plus essentiels besoins : le pain (subsistance) et le cirque (divertissement). Le peuple ainsi repu ne doit pas songer à se mêler de politique : la formule a pris aussitôt le sens d'une satire politique.

Marina Caccialanza

• *Voir aussi :* Danse des petits pains ; *Hänsel et Gretel* ; Italie ; Moulins (don Quichotte contre les) ; *Prix du pain* (*Le*) → Documentaires et films

***PANEM SUPERSUBSTANTIALEM* (« pain supersubstantiel »).** – Voir *FRACTIO PANIS*

PANETIER (grand). – Voir GRAND PANETIER

PANGE LINGUA. – Voir FÊTE-DIEU ; *PANIS ANGELICUS*

PANIER. – À mesure qu'on tire les pains du four, on les place dans des paniers avec ménagement les uns contre les autres ; si on ne prenait pas cette précaution, les pains tendres et chauds se déformeraient, les longs comme la baguette se casseraient.

Mouette Barboff

• *Voir aussi :* Enfournement-défournement ; Four ; Tirer le pain du four

PANIFIABLE. – Voir PANIFICATION

PANIFICATION. – Ensemble des étapes qui conduisent *in fine* à la réalisation du pain. La première étape est le pétrissage, au cours duquel les ingrédients (farine, eau, sel, levure…) sont d'abord mélangés entre eux (c'est le frasage), puis malaxés de façon à former un réseau glutineux cohérent. Le pétrissage est dit amélioré ou intensifié, selon son intensité. La pâte ainsi obtenue subit une première phase de repos, au cours de laquelle débute la fermentation sous l'action de la levure ou du levain : c'est le pointage. Viennent ensuite des opérations de division, pesée et façonnage (ou mise en forme) des pâtons. Ces opérations peuvent être manuelles ou mécanisées. La deuxième fermentation, appelée apprêt, peut alors commencer. C'est à ce moment que les pâtons gonflent sous l'action des gaz dégagés. Il est fréquent de nos jours que cette deuxième fermentation, qui est normalement réalisée à des températures comprises entre 25 et 30° selon les recettes, soit ralentie, voire même arrêtée complètement, par des températures proches de zéro, ou négatives. On parlera de « pousse contrôlée » dans un cas, de « congélation » ou de « surgélation » dans l'autre cas. Une phase de réchauffement sera alors nécessaire à la reprise de la fermentation. Quand les pâtons ont bien poussé, ils sont enfournés après avoir été lamés (scarifiés d'un ou plusieurs coups de lame, véritable signature du boulanger). Les premières minutes de cuisson se font en présence de buée. Après une vingtaine de minutes (temps moyen pour une baguette), les pains sont sortis du four et mis à ressuer à l'air ambiant pendant quelques minutes, avant leur mise à disposition en boutique.

Catherine Peigney

• *Voir aussi :* Apprêt ; Buée ; Congélation ; Coup de lame ; Division ; Enfournement ; Façonnage ; Fermentation contrôlée ; Fermentation panaire ; Four ; Frasage ; Grigne ; Pesage ; Pétrissage ; Pointage ; Réseau ou tissu glutineux ; Ressuage ; Surgélation

PANIFICATION (essais de). – Fabrication de pain à petite échelle (2 kg de farine) effectuée dans un fournil d'essais ou dans un laboratoire, appliquant un protocole détaillant l'ensemble des conditions opératoires, des ingrédients nécessaires et les critères à évaluer lors de chaque opération unitaire. L'objectif consiste à apprécier la valeur boulangère d'une variété de blé pure, d'un assemblage variétal type BPMF ou VRM, ou d'une farine commerciale avant livraison en clientèle. Ce test effectué par un boulanger d'essai entraîné est conduit dans des conditions rigoureuses de manière à être répétable et reproductible. Depuis 2002, la méthode de panification sur direct BIPEA (Bureau interprofessionnel des études analytiques) est normalisée sous la norme AFNOR V03-716. Sa grille de notation avec une valeur de 10 sur 10 et trois intensités de défaut (7/10, 4/10, 1/10), soit en insuffisance, soit en excès, est d'une interprétation très simple. La notation se divise en 100 points pour la pâte, 100 pour le pain, 100 pour la mie. Le volume du pain ainsi que les critères de coloration de la croûte et de la mie peuvent désormais être mesurés instrumentalement. L'appareil C-CELL récemment développé met en œuvre un logiciel d'analyse d'images qui permet de mesurer objectivement à la fois les caractéristiques dimensionnelles des tranches de pain, mais aussi d'extraire de nombreux paramètres de la structure alvéolaire de la mie du pain.

Hubert Chiron

• *Voir aussi :* Alvéolage ; Alvéographe ; BPMF ; Chimistes et microbiologistes du pain ; Mie de pain ; Valeur boulangère ; Variétés de blé ; VRM

PANIS (*Setaria italica*), millet des oiseaux. – Voir MIL ET MILLET

***PANIS ANGELICUS* (« pain angélique » ou « pain céleste »).** – Chant sacré dérivé de l'hymne *Sacris solemnis* de Thomas d'Aquin, chantée à l'aube de la Fête-Dieu, dont l'on ne retient que les deux dernières strophes. Voici la première : « *Panis angelicus fit panis hominum Dat Panis caelicus figuris terminus – O Res Mirabilis ! Manducat Dominum – Pauper, servus et humilis* », « Le pain des anges devient le pain des hommes, le Pain du Ciel met un terme aux symboles – ô chose admirable, il mange son Seigneur, le pauvre, le serviteur, le petit. » Suivie enfin par l'invocation : « Ô Seigneur, Trine et Un, daigne survenir en nous, tandis que nous te louons – Par tes sentiers, fais-nous remonter jusqu'à Toi, dans la lumière où tu demeures – Amen. »

Thomas parsème sa poésie d'indices pour nous introduire au mystère eucharistique dans sa relation avec les anges : « *Ecce Panis Angelorum factus cibus viatorum…* », « Voici le Pain des Anges fait aliment des voyageurs […] Bon pasteur, vrai pain, Jésus […] rends-nous Là-Haut les commensaux, cohéritiers et compagnons de la cité des saints » (Lauda Sion). Ce mystère du Pain de Vie (*Panis vivus et vitalis*, « pain vivant et vivifiant »), il le révèle dans toute sa profondeur, inséparable de celui de la Trinité au sein de laquelle sont plongés les anges. À la différence d'un être incarné, homme ou animal, les anges incorporels, purs esprits, ont un accès immédiat et parfait à la transcendance absolue. Ils vivent (comme devraient ou devront toutes les créatures) en communion de fait avec le mystère de la Trinité consubstantielle, dont le cœur est la procession constante, ininterrompue du Saint-Esprit, Lui qui inspire au Père la seule, éternelle Parole qu'il va prononcer dans le souffle, la nuit et le silence : l'unique Engendré, le Fils, Sa ressemblance. « Cela fait si longtemps que je suis avec vous, Philippe, et tu ne m'as pas reconnu ? Qui me voit, voit le Père. Comment peux-tu dire : Montre-nous le Père ? » (Jean XIV, 9). Les anges vivent dans la plénitude de l'Esprit saint, dès leur création – ils le respirent !, recevant, même après l'épreuve selon la tradition, une grâce suréminente d'union qui vient s'ajouter à la grâce contemplative.

Le pain des anges est le Verbe de Dieu, nourriture éternelle. Ils n'ont pas besoin, comme les hommes qui ont failli, que cette nourriture éternelle soit transformée en pain eucharistique. Avant, comme après l'Incarnation, les anges vivent de l'amour de la deuxième hypostase (personne divine), mais après, quand le Verbe s'est fait chair, cette communion au Fils, cette vie prend un aspect définitivement charnel. Ils communient désormais éternellement à la chair désormais glorieuse de Dieu. Le font-ils sacramentellement ? C'est une possibilité. Notons au passage qu'il n'existe aucune anthropophagie cachée dans ce sacrement, puisque les offrandes, les dons, les substances, fruits de la terre (blé, vigne) et du travail des hommes (pain, vin) – d'origine purement agricole –, une fois saints (consacrés dans l'Esprit), deviennent « chair glorieuse », transfigurée. « *Verbum caro, panem verum verbo carnem efficit* », « le Verbe fait chair, par son verbe, fait de sa chair le vrai pain » (Pange Lingua, 4). Or le Christ, pain des anges et leur force, s'affirme « Pain Vivant descendu du Ciel » (Jean VI, 51) : devenu faiblesse extrême, il s'est effacé, laissé anéantir, pour nous donner à manger de ce pain. Celui qui le reçoit, le reçoit des mains du Ressuscité.

« Tu es mon Fils, moi aujourd'hui je t'ai engendré » (Psaume II, 7). « Tu es prêtre à jamais selon l'ordre de Melchisédek » (Psaume CIX, 4). « Ce que nos mains ont touché du Verbe de Vie » (I Jean I, 1), « nous vous l'annonçons [...] pour que notre joie soit complète » (I Jean I, 4). Il était le Verbe dès le commencement, et ce Verbe était vie. Pain spirituel des anges, ce Verbe s'est fait chair pour que nos mains le touchent. Il n'a pas commencé d'être vie en devenant chair, bien au contraire, il a communiqué à toute chair sa vie : la vie biologique elle-même est créée inondée comme par une surabondance de vie surnaturelle. « Ils ont mangé le pain des anges » (Psaume LXXVII, 24) L'homme entre véritablement dans la compagnie des anges s'il progresse dans la contemplation spirituelle : il mange le pain des anges. Ou s'il adore et mange le pain eucharistique, il progresse de même : il est purifié et transformé à la ressemblance des anges. Ce n'est pas une vérité, c'est une réalité déconcertante, insoupçonnée, qui s'impose à la conscience bouleversée par son évidence lorsqu'elle la découvre de façon expérimentale. « La vie éternelle qui était tournée vers le Père [...] s'est manifestée à nous » (I Jean I, 3). Et nous l'avons touchée.

Le Christ, comme seul le roi et prêtre Melchisédek le fit devant Abraham, choisit une offrande simple et pure : du pain et du vin – et il les transforme en Lui-même devant nous : chair, âme et divinité tout ensemble. Chair divine transfigurée, éclatante de la lumière du Thabor : chair glorieuse d'une résurrection qui va bien au-delà de la seule vie biologique. Il le peut, parce qu'Il le veut, et qu'Il est le Verbe de vie. Les diverses Églises, selon leur spiritualité, vont éclairer cette transformation avec un vocabulaire différent. La voie intuitive est certes préférable à la voie discursive. C'est celle des premiers Pères. Leur acte de foi, constamment tourné vers l'humanité du Verbe fait chair et Christ crucifié, procède d'un ultraréalisme pour ainsi dire mathématique. L'Eucharistie est miracle immédiat et complet qui transforme le pain et le vin en corps et sang glorieux du Christ. Il est parlé de « changement » (en grec *metabole*) ou bien – ce qui est plus fort – de

« changement mystique d'essence » : *metousiosis*. Pas de discours philosophique dont les subtilités pourraient éloigner de la perception contemplative du mystère à force de vouloir trop le sonder ou le deviner : celui-ci pourtant révèle à l'âme attentive sa pure clarté intelligible. « Le surnaturel est lumière. Si l'on en fait un objet, on l'abaisse » (Weil, *La Pesanteur et la Grâce*). Ici, Dieu Lui-même s'est abaissé, le divin s'est caché sous l'apparence d'un remède, d'un aliment. « L'homme n'échappe aux lois de ce monde que la durée d'un éclair. Instants d'arrêt, de contemplation, d'intuition pure, de vide mental, d'acceptation du vide moral. C'est par ces instants qu'il est capable de surnaturel » (Weil, *id.*). Ce creux, ce vide consenti, lui donne faim du pain des anges, qu'il recevra en proportion même de son désir, en plénitude sous la forme du pain eucharistique : « Pain Vivant qui descend du Ciel » selon le « mouvement descendant de la Grâce à la deuxième puissance » (Weil, *id.*). Le Verbe de vie se fait pain, remède surnaturel et comblant.

Quel est ce pain ? *Mân hou ?* « Qu'est-ce que c'est ? » (Exode XVI, 15) : « C'est le pain que le Seigneur vous donne à manger [...] ; Que personne n'en garde jusqu'au lendemain ! » (Exode XVI, 15-19). Cette manne accordée au peuple hébreu dans le désert est « neige et glace qui ne fond pas » (Sagesse XVI, 22), « quelque chose de fin, de crissant, quelque chose de fin comme du givre » (Exode XVI, 14), que l'on découvre sous la rosée du matin et qui s'évapore avec elle quand elle n'est pas ramassée. La manne est la plus ancienne et la plus touchante figure du pain à venir, de ce pain céleste, pain de vie, pain des Anges, pain des voyageurs : c'est un pain qui arrive d'une région supérieure, le ciel – donné juste pour l'aujourd'hui –, dans une région de la rigueur, le désert. « Du haut du ciel, je vais faire pleuvoir du pain pour vous » (Exode XVI, 4) : « ... tu as distribué à ton peuple une nourriture d'anges. La substance que tu donnais manifestait ta douceur pour tes enfants » (Sagesse XVI, 20-21), « ... on en faisait des galettes. Elle avait le goût du gâteau à l'huile » (Nombres XI, 8). Cette nourriture légère, infiniment délicate, semblable au givre, tombée du Ciel : qu'est-elle, si ce n'est une nourriture angélique, qui promet davantage à l'âme qu'elle ne promet au corps, puisque les anges incorporels n'ont besoin que de fortifier leur esprit, en le confirmant dans la Grâce ? « Il t'a mis dans la pauvreté [...], il t'a donné à manger la manne [...] pour te faire reconnaître que l'homme ne vit pas de pain seulement, mais de toute parole qui sort de la bouche de Dieu » (Deutéronome VIII, 3). Neige et glace qui ne fond pas !

Un autre voyageur, épuisé lui aussi, découragé pour ne pas dire désespéré – car qu'est-ce qu'un homme qui réclame de mourir ? – semble, lui aussi, avoir goûté au pain des Anges (I Rois XIX, 3-15). Élie le Tishbite, seul prophète resté vivant, s'en va lui aussi dans le désert en direction de l'Horeb. « Je n'en peux plus ! Maintenant Seigneur, prends ma vie, car je ne vaux pas mieux que mes pères (XIX, 4). Il s'endort. « Mais voici qu'un ange le touche et dit : Lève-toi et mange ! ». Il regarde, et trouve une galette « cuite sur des pierres chauffées » et de l'eau. Il mange, boit, mais, écrasé de fatigue, s'endort à nouveau. « L'ange du Seigneur revint, le toucha et dit : Lève-toi et mange, autrement le chemin serait trop long pour toi. » Cette fois-ci, il se lève, mange, boit, et trouve la force de marcher jusqu'au mont Horeb. Et c'est là, dans une grotte au sommet, que nous assistons à la scène inouïe au cours de laquelle Dieu révèle sa présence et passe « dans le bruissement d'un souffle ténu », c'est-à-dire dans l'ineffable. « Alors, en l'entendant, Élie se voila le visage avec son manteau ; il sortit et se tint à l'entrée de la caverne » (XIX, 13). S'ensuit un dialogue entre l'Éternel et cet homme courageux entre tous, qui n'ouvrait la bouche que pour déclarer d'abord : « Mon Seigneur est Vivant. »

Nous devons aux cathares d'avoir rendu à l'Occident le Notre Père dans cette traduction merveilleuse du texte grec, dont l'Église latine avait gommé puis oublié l'insigne beauté : *Peire sant dieu dreiturier dels bons esperits*... « Père saint, Dieu juste des bons esprits » – *Pater noster qui es in celis* [...] *Panem nostrum supersubstancialem da nobis hodie* (Rituel cathare de Dublin). La première à lui avoir fait justice est Simone Weil, qui, en tant qu'helléniste, découvre cet adjectif étonnant, extrêmement rare, puisqu'il ne se rencontre que deux fois, dans les Évangiles de Luc et Matthieu, et nulle part ailleurs : *epioussion*. En fait, après Origène, tous les premiers pères occidentaux, Jean Cassien ou Ambroise de Milan par exemple (pour lesquels le sens spirituel ne fait aucun doute), mais surtout saint Jérôme, qui reprend la traduction de tous les livres saints en latin à partir de l'hébreu et du grec, se sont interrogés sur cet adjectif inconnu et – malgré les efforts de quelques exégètes à le découper en lamelles sémantiques dans le vain espoir de le rapprocher de l'improbable « quotidien » – ont accepté de le recevoir tel quel, dans sa nouveauté radicale. En effet, cet adjectif n'existe pas en grec, il n'est attesté que dans le Notre Père : *epioussion*, « supérieur à toute substance créée, sur-essentiel ». Jérôme laisse une marge de liberté et choisit de le traduire par *quotidianum* chez Luc (XI, 2-4) et *supersubstantialem* chez Matthieu (VI, 9-13). Simone Weil apprécie la verticale simplicité cathare et transforme ce pain suprasubstantiel en « pain surnaturel ». L'Église orthodoxe en France le nomme « essentiel » ou « sur-essentiel ». Quoi qu'il en soit, « notre pain d'aujourd'hui » est bien ce pain céleste, cette manne, ce Pain des Anges.

Ce remède céleste, qui doit être consommé chaque jour – dont on ne fait point de réserve – et qui nous appelle donc à une confiance sans réserve, ce pain *epioussione* paraît présenter des caractéristiques contradictoires, dont le sens s'est perdu avec la ferveur première. Mais elles se complètent sans s'opposer. « Cherchez d'abord le Royaume de Dieu et sa justice, et tout le reste vous sera donné par surcroît » (Matthieu VI, 33) : donc, aussi bien, le pain de la terre. « Notre pain quotidien » est le pain des noces du Royaume, « notre pain de Demain », l'Aujourd'hui de Dieu, notre Devenir – et seul l'instant présent, ici et maintenant, l'aujourd'hui nous crée le passage. Ce « pain quotidien » avait valeur plus haute dans les temps apostoliques : personne ne doutait alors de sa surnaturalité. Il est *epioussione*, surnaturel, suprasubstantiel – pourquoi pas transsubstantiel – au sens spirituel. Excellent et suffisant – substantiel –, il comble toute faim au sens qualitatif. Enfin sans s'épuiser, au temporel, il déborde par promesse sur nos besoins biologiques et terrestres. Il est clair que nous demandons un pain de Vie au seul Vivant : « Donne-nous aujourd'hui notre pain de ce jour, ton Fils bien-aimé, notre Seigneur Jésus-Christ, pour que nous puissions nous rappeler, mieux comprendre et vénérer l'amour qu'il a eu pour nous, et tout ce que pour nous il a dit, fait et souffert » (saint François, *Pater* paraphrasé). Le Poverello, saisi par l'attendrissement (*katanyxis*), identifiait pleinement le pain des Anges au pain eucharistique, manne surnaturelle, source de vie et de pureté, où venir tremper (comme on trempe une épée) et rafraîchir son âme, « neige et glace qui ne fond pas », donnée au monde une fois pour toutes par la médiation d'une « Épouse Inépousée », Mère de Dieu, « plus blanche que neige pure » selon les mots de Paschase Radbert (*De Assumptione sanctae Mariae Virginis*) : la Théotokos.

Marianne Jarras

• *Voir aussi :* Cène ; Fête-Dieu ; Égypte (Sortie d') ; Eucharistie ; *Fractio panis* ; Hallah, manne, pains de proposition ; Hostie ; Hostie profanée ; Interdits liés au pain ; Matsah et hamets ; Messe ; Miracles christiques ; Miracles eucharistiques ; Moulin mystique ; Musées du pain ; Museum der Brotkultur ; Pain bénit ; Pain et vin ; Rite orthodoxe ; Si le grain tombé en terre ne meurt ; Théologie du pain ; Transsubstantiation

Bibl. : *Acathiste Paraclisis à la Théotokos*, Spiritualité orthodoxe, Marseille, Imprimerie Don Bosco, 1976 • ANONYME, *Rituel cathare*, Paris, Cerf, coll. « Sources chrétiennes », n° 236, 2006 • COLLECTIF, *La Prière du Seigneur*, Supplément aux *Cahiers Évangile* n° 132, Paris, Cerf, 2005 • FRANÇOIS D'ASSISE, *Écrits*, Paris, Cerf, Éditions franciscaines, 1981 • IGNACE D'ANTIOCHE, *Lettres*, Paris, Cerf, coll. « Sources chrétiennes », n° 10, 2007 • JÉRÔME, *Commentaire sur saint Matthieu 1*, Paris, Cerf, coll. « Sources chrétiennes », n° 242, 1978 • ORIGÈNE, *Homélies sur la Genèse*, Paris, Cerf, coll. « Sources chrétiennes », n° 7 *bis*, 2003. – ID., *La Prière*, Paris, Migne, 2003 • Lucile VILLEY, *Origène lecteur de l'Écriture*, Supplément aux *Cahiers Évangile* n° 96, Paris, Cerf, 1996 • Simone WEIL, *Attente de Dieu*, La Colombe, 1950. – ID., *En quoi consiste l'inspiration occitanienne ? Écrits historiques et politiques*, Gallimard, coll. « Espoir », 1960. – ID., *L'Agonie d'une civilisation vue à travers un poème épique. Écrits historiques et politiques*, Gallimard, coll. « Espoir », 1960.

PANIS CASTRENSIS. – Voir PAIN DE MUNITION

PANIVORE. – Existe-t-il encore des panivores sous nos climats, c'est-à-dire des personnes qui auraient fait du pain, sous une forme ou sous une autre, leur quatre-heures, voire même toutes les heures précédant et faisant suite à celle-ci ? On en doute un peu dans un environnement qui paraît leur être tout d'un coup tellement hostile. D'abord la consommation de pain s'est effondrée lentement et inexorablement après la guerre (160 g par personne et par jour en moyenne lorsque, un siècle plus tôt, on évoquait pour les personnes physiquement actives plus de cinq ou six fois ce chiffre), sans doute en raison d'une profonde mutation de nos sociétés qui s'affranchissaient de cette dépendance économique, politique, symbolique et nutritionnelle au blé et à son premier représentant, le pain. Une première famille de panivores, qu'on pourrait qualifier de « panivores par obligation », lâcha l'affaire et peut-être pas mécontente de pouvoir échapper au « donnez-nous notre pain quotidien ». Restaient les « panivores par vocation », si on peut dire, ceux qui, par n'importe quel temps, seraient de toutes les manières venus au pain, et qui, l'ayant découvert, l'auraient plébiscité entre tous. Ceux-là existaient très certainement, même à cette époque où les « panivores par obligation » sévissaient, la faim au ventre. Sans doute se fondaient-ils alors dans la masse, discrets, anonymes, mais au lieu de pester contre ce pain obligatoire ils rendaient grâce à la providence.

Puis, lorsque le pain ne fit plus recette pour le plus grand nombre, que l'ivraie et le bon grain, là encore, furent comme séparés, que les boulangeries commencèrent à se vider, que celles-ci en vinrent même à se raréfier, dans nos campagnes d'abord, puis jusque dans nos villes, ces « panivores par vocation », peu sensibles à ces effets de modes, fussent-elles des modes longues de plusieurs siècles, continuèrent à aller chercher leur drogue dans les officines de la boulange. Et tout paraissait aller pour le mieux dans le meilleur des mondes possibles. Tout au moins jusqu'à ce qu'on en vienne à considérer que cette ultime phalange d'irréductibles panivores, sagement alignés devant la porte de leur boulangerie de quartier, dès l'aube, était maintenant menacée par un nouveau fléau qui n'était ni le bifteck, ni le hamburger, non plus l'infâme surgelé. Mais plus méchamment, sournoisement, ce qu'on commença à désigner comme « intolérances au gluten », avec, à l'extrême du spectre, la maladie cœliaque et l'interdiction pure et simple de revenir jamais au pain. Une punition céleste. Sans doute le mal n'est-il pas stigmatisé ici comme il l'est de l'autre côté de l'Atlantique, où la seule manière de rassurer quelque peu un consommateur qui n'a plus peur de mourir de faim mais de mourir de manger est de lui garantir que tous les produits proposés dans son supermarché sont *gluten free* – ce qui a le mérite de lui redonner un peu foi en l'existence. Au pays des Gaulois mangeurs de pain, une telle mise à l'index n'avait que peu de chances de trouver des supporters, sauf, évidemment, ceux chez qui on avait détecté une forme ou une autre de ces intolérances. Un mal engendrant un bien, ces contraintes pesant sur l'activité condamnèrent les boulangers à se surpasser. De quelle manière ? En renouant avec la fermentation au levain *a priori* moins susceptible de générer ces intolérances ; en travaillant avec des farines plus équilibrées, moins blanches. En redonnant au pain le temps de devenir du bon pain, autrement dit en laissant la fermentation offrir toutes les promesses qu'autrefois elle avait si bien tenues. Et, naturellement, ce sont les « panivores par vocation », déterminés, fidèles, qui tirent maintenant avantage de ce retour en grâce du bon pain.

Jean-Philippe de Tonnac

• *Voir aussi :* Consommation du pain ; Index glycémique ; Fibres ; Levain (intérêt nutritionnel du) ; Maladie cœliaque ; Pain blanc ; Protéines (valeur biologique des) ; Régime alimentaire méditerranéen ; Régime Seignalet sans pain ; Santé ; Valeur énergétique du pain ; Valeur nutritionnelle du pain

PANNETON. – Voir BANNETON, PANNETON

PANURE. – Pain rassis qu'on émiette pour former de la panure ou chapelure : elle sert alors à enrober poissons ou viandes (bâtons de poisson panés, escalope milanaise, etc.). Cela permet d'uniformiser la présentation de la pièce de poisson ou de viande, de lui donner de la croustillance en surface ; tout comme pour le pain croustillant à l'extérieur et fondant à l'intérieur.

Ludovic Salvo

• *Voir aussi :* Chapelure ; Croûte à potage ; Croûton, croûtons ; Miette ; Mouillette ; Pain rassis ; Pain sec (au) ; Soupe

PÂQUES (pains de). – Si à Noël le pain accompagne la viande, à Pâques, il est lié au végétal. Il n'est sans doute pas étonnant que, comme le signale Frazer, blé et bestiaire soient associés au point de faire de la forme du pain l'incarnation des divinités de la végétation. La réflexion sur la symbolique des pains de Pâques ne peut pas s'exclure du cadre religieux ainsi que d'un questionnement plus général sur la symbolique du pain. Parce qu'il permet de maintenir la vie, le pain conjure la mort et devient, par là même, un instrument de la mesure du temps. Cette particularité, due en grande partie à la valeur symbolique de ses ingrédients, fait du pain l'aliment quotidien et celui qui ne doit surtout pas manquer durant les moments festifs. Au-delà du symbole premier relatif au partage, le pain représente les dualités sans cesse renouvelées entre stérilité et fertilité. C'est pourquoi une réflexion sur le pain, et plus précisément sur les pains de Pâques, ne peut être détachée des calendriers liturgique et agricole, tous deux étant bien souvent confondus. Si la symbolique du pain est particulièrement riche dans les religions monothéistes, pour ce qui est de l'Occident, elle l'est surtout et d'abord dans les traditions populaires. Celles qui s'organisent autour de grands rythmes temporels : c'est bien à partir des solstices, des équinoxes que s'articulent les fêtes de l'hiver, du printemps, de l'été ou des fêtes patronales, et justement autour de la conjuration de la stérilité. Si l'hiver a maintenu la nature en sommeil, stérile d'une certaine manière, l'arrivée du printemps doit permettre que la fertilité reprenne ses droits avant l'été, nouvelle période de stérilité occasionnée par la chaleur.

La fabrication du pain de Pâques pourrait être comparée à un rite propitiatoire orchestré par un calendrier religieux spécifique : Pâques n'est pas, par exemple, célébrée au même moment dans la religion catholique ou dans la religion juive. Et pourtant, quels que soient les courants religieux et les aires géographiques, la fabrication du pain est une constante lors des grandes étapes festives de Noël et de Pâques, pour le moins en ce qui concerne les religions judéo-chrétiennes. Comme si cet aliment ordinaire prenait une signification extraordinaire. Sans doute, l'intérêt des anthropologues a plutôt porté sur les gâteaux qui se caractérisent par la variation de leur mode de cuisson : four, friture… Mais il semble que la symbolique la plus significative du pain de Pâques concerne le fait que la pâte soit levée ou non, dans une sorte de conjuration de la stérilité. C'est d'ailleurs à partir de cette position que divergent les Pâques catholique, orthodoxe et juive, de par l'utilisation ou non du pain azyme. On peut y voir un lien avec la représentation de la femme, qui n'a le droit de pétrir qu'à partir de la puberté, au moment où elle est potentiellement gestatrice. L'utilisation du levain, fruit de la fermentation, habituellement obtenu à partir de la dernière fabrication, renvoie au symbole de la continuité du cycle, de la transformation de la matière, de la maturation, ou de la fécondité accomplie (Bonnet 1988).

Si la période de Noël est placée sous le signe du sang coulé et de la transformation de la viande en général – elle correspond effectivement aux périodes d'abattage ou de préparations des charcuteries –, Pâques renvoie au végétal et à la nature en éveil, observée après une mort symbolique. La fabrication de pains à Pâques et leur rôle à cette occasion exige qu'on replace l'événement dans le calendrier liturgique de la mort et de la résurrection du Christ et dans un calendrier saisonnier qui marque l'arrivée du printemps. Moment important du renouvellement cyclique, du réveil de la nature, cette période correspond bien à une étape dans la chaîne qui inclut, outre le passage obligé de la mort vers la renaissance, celui de la croissance. Dans cette perspective, le pain est associé à la célébration de Pâques en ce qu'il est le résultat d'une série d'actes de transformation. La farine, les céréales moulues, mélangées à de l'eau produisent une pâte que l'adjonction de sel puis de levain, ou pas, va transformer, essentiellement après cuisson au four. L'importance du pain de Pâques est à replacer dans la symbolique de la céréale, et plus précisément dans celle du blé.

Jacqueline Acquaviva-Bosseur

• *Voir aussi :* Calendriers et mesure du temps ; Égypte (Sortie d') ; Épi (symbolique de l') ; Grain et graine ; Matsah et hamets ; Noël (pains de) ; Nouvel An (pains du) ; Vierge et cycles des cultures céréalières

Bibl. : Jacqueline ACQUAVIVA, Dominique SALINI, « Le blé », *Encyclopaedia Corsicae*, Bastia, Dumane, 2005, 7 vol., vol. II, 2004 • Jocelyne BONNET, *La Terre des femmes et ses secrets*, Paris, Robert Laffont, 1988 • James George FRAZER, *Le Rameau d'or*, Paris, Robert Laffont, coll. « Bouquins », rééd. 1983, 4 vol. • Yvonne VERDIER, *Façons de dire, façons de faire*, Paris, Gallimard, coll. « Bibliothèque des sciences humaines », 1982.

PAREPAIN. – Ustensile de la famille des couteaux d'office destinés aux usages de la cuisine et de la table. À une époque où la viande est servie sur le tranchoir, grosse tranche de pain, avancée en âge, qui sert d'assiette ou de socle et qui en recueillera le jus et les sauces l'accompagnant, le parepain est le couteau dont on se sert pour « parer » le pain-assiette. Bien que sa lame soit arrondie, le parepain est requis aussi pour trancher la viande. Les tables du Moyen Âge disposent aussi du chaplepain, pour chapeler (ôter la croûte), et du taillepain, plus court que le parepain et mieux adapté à la découpe de la viande. Le présentoir ressemble à une sorte de pelle à tarte qui permet de déposer sur les tranchoirs des morceaux de viande ou de poisson. À la fin du repas, les tranchoirs, ce qui en reste, sont distribués aux chiens ou aux nécessiteux. Les couteaux à pain proposés aujourd'hui dans le commerce, à usage des professionnels ou des particuliers (comme les couteaux Matfer), possèdent des dentelures adaptées aux croûtes-carapaces de pains les plus résistantes (pain au levain), comme aux plus délicates (brioche, viennoise).

Jean-Philippe de Tonnac

• *Voir aussi :* France (pains historiques, du Moyen Âge à la Révolution française) ; Tranchepain ; Tranchoir et tailloir

PARISIEN. – Matériel de boulangerie qui peut être considéré comme l'ancêtre des chambres de fermentation, bien qu'encore très présent dans les fournils, au moins pour certains pains. Il se présente comme un meuble de rangement en bois ou en métal, équipé de portes (facultatif) et d'étagères sur lesquelles le boulanger dépose les pâtons qu'il vient de façonner. L'apprêt se déroule donc à l'air et à la température ambiante du fournil, dans des conditions éminemment variables. Le boulanger est amené à surveiller attentivement la pousse de la pâte afin de repérer le meilleur moment pour cuire ses pains. Ce terme désigne également un pain long, pesé à 500 g de pâte et d'un poids d'environ 400 g après cuisson.

Catherine Peigney

• *Voir aussi :* Apprêt; Fournil; Maie; Parisien → France (pains actuels, pains régionaux); Pâte

PARMENTIER, Antoine Augustin (1737-1813). – Pharmacien et agronome, ce Picard au grand cœur a passé cinquante ans de sa vie à se battre pour améliorer les conditions de vie des Français. Né à Montdidier, en Picardie, dans une famille de cinq enfants qui a connu des revers de fortune, Antoine Augustin doit travailler dès l'âge de treize ans. Placé chez un parent apothicaire à Montdidier, puis à Paris, le jeune homme possède toutes les qualités pour faire un grand pharmacien, mais il ne pourra jamais ouvrir une officine, faute d'argent. En 1757, il s'enrôle dans les services de santé des armées de Louis XV, engagées dans la guerre de Sept Ans. Il a presque vingt ans. Sa bravoure et son efficacité lui attirent la sympathie et la protection de l'apothicaire en chef, Pierre Bayen. Prisonnier pendant près de trois semaines dans une geôle prussienne, il reçoit pour tout repas une bouillie tirée d'un tubercule appelé pomme de terre, habituellement réservée aux cochons dans le royaume de France. Constatant que sa santé ne subit aucune altération malgré ce régime, Antoine Augustin en conclut que les pommes de terre possèdent des qualités nutritives. Sitôt la paix signée, il rentre en France avec la ferme intention de mener à bien une mission humanitaire : juguler les disettes décennales qui anémient le royaume et provoquent des émeutes. Ainsi, dans l'ombre du jeune apothicaire promu à l'hôtel royal des Invalides, se profile déjà la silhouette du savant agronome qui écrira plus tard : « Mes recherches n'ont d'autre but que le progrès de l'art et le bien général. La nourriture du peuple est ma sollicitude, mon vœu, c'est d'en améliorer la qualité et d'en diminuer le prix » (Muratori-Philip 2006). La pomme de terre avait le mauvais œil ; de la famille de la mandragore et de la belladone, elle est encore accusée par la rumeur populaire de véhiculer la lèpre. Le parlement de Besançon avait interdit sa culture, Louis XIII y avait goûté sans plaisir, et Turgot avait tenté en vain de la faire manger à ses fermiers du Limousin. Parmentier va s'employer à la réhabiliter. Après une succession de disettes, l'académie de Besançon crée un prix, en 1771, pour récompenser le meilleur mémoire répondant à la question : *Quels sont les végétaux qui pourraient suppléer, en cas de disette, à ceux que l'on emploie communément à la nourriture des hommes, et quelle en devrait être la préparation ?* L'année suivante, l'académie de Besançon reçoit le mémoire de Parmentier, qu'elle couronne dans sa séance du 24 août. Dans la foulée, le savant apothicaire publie son *Examen chimique des pommes de terre, dans lequel on traite des parties constituantes du bled*, première étape de ses recherches. Parmentier complète ses travaux scientifiques par une campagne de vulgarisation destinée à convaincre la masse de la population en multipliant les articles dans la presse et par l'expérience des Sablons, une opération publicitaire avant la lettre. En 1786, il démontre aux Parisiens que la pomme de terre peut pousser dans les sols les plus pauvres. Louis XVI, qui a prêté le terrain militaire, remercie Parmentier en ces termes flatteurs : « La France vous remerciera un jour d'avoir trouvé le pain des pauvres ! » (Muratori-Philip 2006). Parmentier a étudié avec le même enthousiasme les qualités nutritives de la châtaigne et du maïs. Il s'est penché sur la carie du blé. Il a analysé la nature et la salubrité des eaux de la Seine. Il a travaillé sur le sirop de raisin. Il a réalisé des expériences comparatives sur les différentes sortes de laits et il s'est penché sur la conservation des aliments comme sur la composition des soupes destinées aux pauvres. Parmi ses nombreux travaux, le pain occupe une place importante. Sachant qu'il est l'aliment de base des Français, il a cherché à en fabriquer avec des farines de substitution, toujours dans l'optique de lutter contre les disettes.

La grande période d'activités créatrices de Parmentier se situe dans les dernières années du XVIIIe siècle. Membre de la Société d'agriculture, professeur au Collège de pharmacie et à l'École de boulangerie, il poursuit parallèlement une carrière militaire comme pharmacien en chef de l'armée de Normandie et de Bretagne. En 1800, Bonaparte le nomme premier pharmacien des armées. Aux côtés de Percy, Coste, Larrey et Heurteloup, il figure parmi les fondateurs du service de santé des armées. Il milite aussi en faveur de la vaccination jennérienne. Pendant la Révolution, Parmentier poursuit toujours ses multiples activités civiles et militaires. Son *Traité sur la culture et les usages des pommes de terre*, publié en 1789, devient la bible que tout agriculteur de renom doit avoir chez lui. Saluée par les sociétés savantes, cette somme des connaissances sur la pomme de terre donnera lieu à la publication d'extraits destinés à un plus grand public. Sollicité par le Comité de salut public, par les nombreux comités de l'Assemblée nationale qui traitent d'agriculture, d'hygiène ou de secours aux pauvres, il siège aussi à la commission chargée de créer le calendrier républicain. Déclaré suspect en 1793, il part dans le Midi à la demande de Bayen, afin de rassembler et expédier les drogues et les médicaments qu'il trouvera pour les hôpitaux des armées en campagne. Grâce à cette mission, il échappe à la guillotine. Sous le Directoire et le Consulat, Parmentier devient un savant écouté, respecté, qui participe à toutes les entreprises humanitaires de l'époque et qui siège dans toutes les commissions traitant d'agriculture, d'hygiène, de salubrité et de lutte contre les épidémies. Membre de l'Institut depuis 1795, officier de la Légion d'honneur, auteur de plus de cent quatre-vingt-neuf publications, il meurt à l'âge de soixante-seize ans. Ce savant discret, dévoué à sa patrie et aux hommes figure aujourd'hui parmi les « bienfaiteurs de l'humanité ».

Anne Muratori-Philip

• *Voir aussi :* Boulangers et boulangeries (histoire de France des) ; Boulangers forains ; Cadet de Vaux ; École de boulangerie (première) ; Égalité (pain) ; Farines (guerre des) ; France (pains historiques, du Moyen Âge à la Révolution française) ; Invalides (hôtel royal des) ; Malouin ; Munition (pain de) ; Orve et orvier ; Pain rationné ; Physiocrates ; *Sur la législation et le commerce des grains*

Bibl. : Antoine BALLAND, *La Chimie alimentaire dans l'œuvre de Parmentier*, Paris, Librairie Baillière et Fils, 1902 • Steven L. KAPLAN, *Les Ventres de Paris. Pouvoir et approvisionnement dans la France de l'Ancien Régime*, trad. S. Boulongne, Paris, Fayard, 1988. – *ID.*, « Le complot de famine : histoire d'une rumeur au XVIIIe siècle », trad. M. et J. Revel, Paris, Armand Colin, 1982 • Anne MURATORI-PHILIP, *Parmentier*, Paris, Plon, 1994 et 2006.

PAROI PROPRE. – Inspirée de l'expression anglo-saxone *clean up*, indiquant le moment du pétrissage où la pâte se décolle parfaitement de la paroi de la cuve du pétrin, montrant ainsi que l'on est au terme d'un bon « lissage », que l'on est parvenu à la consistance désirée. Dans un pétrin artisanal traditionnel, les agglomérats de pâte en formation qui adhèrent aux parois, au cours du frasage, sont détachés à l'aide d'un grattoir (coupe-pâte métallique souple ou corne en plastique) afin de faciliter le lissage et éviter d'éventuels marrons.

Roland Guinet

• *Voir aussi :* Coupe-pâte, grattoir et ratissoire ; Frasage ; Marrons ; Pétrin

PAROLE (pain de la). – Voir *FRACTIO PANIS*

PARTAGE DU PAIN. – Voir *FRACTIO PANIS*

PASSAGE EN TÊTE. – Voir DÉCOUPAGE

PASSION CÉRÉALES. – Association créée en 2006 à l'initiative de la filière céréalière. Elle ne dépend d'aucune marque. Cette association rassemble les producteurs de céréales, les coopératives, négociants, meuniers, malteurs, amidonniers, semouliers et les acteurs de la nutrition animale. Sa mission est de mieux faire connaître les céréales, les produits qui en sont issus et le métier de producteur. Passion Céréales, dont la devise est « une culture à partager », travaille sur trois grands axes : faire connaître les céréales comme aliments indispensables à l'équilibre alimentaire, informer sur les nouvelles utilisations des céréales (biocarburants, bioénergie, chimie végétale…) et témoigner de la passion des producteurs de céréales pour leur métier. Passion Céréales fédère les différentes activités et débouchés de la filière céréalière française : toutes céréales (alimentation animale), orge (malt, bière), blé dur (semoule, pâtes), blé tendre (farine, pain, biscuits), maïs (maïserie), amidon de blé et de maïs (chimie végétale), toutes céréales (biocarburants et biocombustibles). Pour réaliser sa mission, Passion Céréales s'adresse aux différents relais que constituent les journalistes, les enseignants, les professionnels de la santé, les pouvoirs publics, les collectivités, etc. Son action passe par la création, la réalisation et la mise à disposition auprès de ces différents publics d'outils d'édition, d'études, de documentation, etc., mais également par une présence sur des salons, des conférences, des animations, etc.

Julien Couaillier

• *Voir aussi :* AGPB ; Arvalis ; BPMF ; Céréaliers de France ; CIC ; CRC ; France Export Céréales ; Offices agricoles ; ONIGC ; ORAMA

Bibl. : Voir le site de Passion Céréales, www.passioncereales.fr.

PASTEURISATION. – Traitement thermique qui a pour but d'éliminer un grand nombre de micro-organismes pathogènes présents dans les aliments. On soumet l'aliment à une température donnée pour une période de temps établie. La pasteurisation permet d'augmenter sensiblement la durée de vie des aliments (les micro-organismes responsables de leur détérioration y ayant été annihilés) sans, par ailleurs, en minorer trop les qualités nutritives.

Monica Francioso

• *Voir aussi :* Atmosphère contrôlée ; Congélation ; Conservateur ; Conservation ; DLC ; DLUO ; Froid ; HACCP ; Lyophilisation ; Micro-organisme ; Stérilisation ; Surgélation ; Traçabilité ; UHT

PÂTE. – Douce, molle, détrempée, la substance pâteuse évoque instantanément l'enfance, le jeu, les doigts, la nourriture. Ce très sérieux divertissement envahit, nourrit la globalité de l'être, et réciproquement. Ludique, initiatique, la création de la pâte est un dépassement des limites habituelles, une pratique à caractère sacré. En charge de réaliser le pain des siens, le boulanger, selon l'ordonnancement et un savoir-faire des origines, avec soin, adresse et précision, intervient. Accordé au secret des choses, c'est séparément qu'il prépare l'eau et la farine. Ces deux « grandes entités » prêtes, leur union s'impose. Lorsque l'eau et la farine sont, dans le pétrin, mises en présence l'une de l'autre, il est surprenant de constater qu'elles ne se combinent pas naturellement. Elles coexistent, se côtoient, uniquement. Il faut toute la résolution et la sage intervention humaine pour articuler une rencontre réussie entre ce liquide et ce solide, aux caractères fondamentaux si contrastés, si différents. C'est donc au boulanger qu'il revient d'engager la procédure. Simultanément, en douceur, enfouissant ses mains dans les deux éléments ; sous la tranquille impulsion de ses doigts, l'eau et la farine se baignent, trempent, se retrouvent. L'aspect onctueux et crémeux du mélange qui en résulte donne le signal du pétrissage. Si le premier pétrin mécanique date de 1751, c'est la guerre de 1914-1918 en Europe qui fait s'intensifier et se propager son utilisation, conséquences d'une mobilisation générale qui engendre la quasi totale disparition des maîtres boulangers et de leur précieuse expérience. Répondant à la demande de quelques amateurs et consommateurs avertis ainsi qu'à la volonté de véritables passionnés, désireux de retrouver cet héritage primitif, on voit, dans les années 1970-1980, ressurgir le pétrissage manuel. C'est donc idéalement à la main, avec le plus bel instrument, le plus noble et perfectionné des outils de travail que possède le boulanger, que s'exécute la technique du pétrir. C'est elle qui fait le mieux sentir à quelle transformation on s'emploie et c'est elle qui mérite d'être racontée.

Douées, habiles, vigoureuses, subtiles, sensibles, les mains étreignent, précipitent, expriment, malaxent ; jusqu'à susciter l'apparition d'une bouillie pâteuse. Collante et glutineuse, cette nouvelle consistance s'enchevêtre autour des phalanges du boulanger, le freine, lui résiste. Les mains englouties, empêtrées, il ressent qu'elle enregistre, lui répond. Elle participe avec ardeur à son propre enfantement. Suivant un rythme universel, il structure, donne un sens, une forme, à ce magma pâteux qui se lisse et se muscle. Il pétrit, chair de pâte elle devient. La maîtrise de l'art du pétrissage ne s'arrête pas aux apparences d'une manipulation strictement matérielle. La plus belle transmission que le boulanger fait à la pâte est l'esprit qu'il laisse glisser, et au travers, par ses mains, de son être. La constance et le respect des cadences sont ses seuls efforts. Il n'impose aucune démesure, aucune contrainte. Inspirations, expirations… étirements, contractions ; la réciprocité de cet accomplissement est évident. La majestueuse et non moins sportive étape du pétrissage terminée, de conquêtes en victoires, la pâte prend possession d'elle-même. Partenaire assidu et compétent, le boulanger successivement la tourne, retourne, l'aère (soufflage), la boule (pâtonnage), la rabat, la coupe, la pèse (pesée), lui donne une forme (façonnage). Désormais, en tant que telle, elle profite, coopère, se construit, renforce sa souplesse, son aspect, sa beauté. Selon la loi de l'alternance, travail-repos, pendant les indispensables temps de pause : non-interventions boulangères qui laissent la nature agir ; la pâte se détend, récupère, se consolide. Aux fermentations du pointage et de l'apprêt, elle se mobilise, développe, et confirme ses vertus, ses saveurs futures. Elle s'enrichit. La pâte se rapproche de son rôle, de son dessein. Le rêve de la pâte comme du boulanger est à l'identique. Tendant vers un même but, ensemble ils conjuguent leurs talents. Dans une tacite et commune recréation, ils s'impliquent mutuellement. Ils œuvrent.

Pourtant la meilleure, la plus performante des pâtes ne peut espérer donner naissance à un pain digne de ce nom sans acquérir l'identité et la nature d'une pâte à pain. En effet, si aucune conscience ne survient pour valider ses caractères déterminants, la définition de la pâte disparaît. Elle meurt. Une pâte morte ne peut engendrer, dès lors, qu'une nourriture morte à son tour. Le boulanger sait cela. Aucune transmutation ne peut réussir sans un aval participatif du vivant lui-même. De sa chaude omniprésence, c'est l'élément aérien qui exerce cet honorifique mandat. L'air est essentiel pour la pâte. Il l'ensemence d'une résolution sans laquelle elle ne peut atteindre son objectif. De la même manière que le levain transmet physiquement et visiblement son héritage à la pâte, le souffle, invisible et impalpable, atteste clairement et nettement la persistance de son devenir au sein de la pâte à pain. Le boulanger est au service de cette priorité dont il a l'intuition, le sentiment et la connaissance. Entre la pâte et lui, l'air emplit l'intervalle. Du foisonnement à l'enfournement, la plus haute responsabilité du boulanger est de réussir à s'impliquer sans jamais chercher à s'approprier ni la pâte ni l'action. Cette difficulté dépassée, selon le vivant principe des « naître et mourir » successifs, la pâte accède à son niveau supérieur : un autre plan, une autre dimension, celui de la pâte à pain vivante. C'est aux prémices de l'enfournement que celle-ci, sans défauts, aussi accomplie qu'il est possible, révèle sa présence, son essence. D'une main sûre, le boulanger en esquisse la coupe, sa signature. Plus la pâte à pain est irréprochable, plus le tracé est « magique ». L'une s'élève, l'autre s'incarne. Au contact de la sole, dans l'antre du four, c'est là, irrémédiablement et irréversiblement, que la pâte cède la place au futur pain. Sauce d'eau et de farine, la pâte se crée, le pain se fait.

Henri Granier et Cathy Giraud

• *Voir aussi :* Apprêt ; Découpage et passage en tête ; Eau ; Eau de coulage ; Étirage et soufflage ; Façonnage ; Fleurage ; Fruits en pâte ; Grigne ; Levain ; Main ; Pâte à pain (symbolique de fertilité et de fécondité de la) ; Pâtes (définition) ; Pâtonnage et mise en planches ; Pétrin ; Pétrissage ; Pétrissage avec les pieds ; Pointage ; Sol ; Soufflage

Bibl. : Henri GRANIER, *Apprendre à faire son pain au levain naturel*, Rennes, Ouest-France, 2003 • Julien TURGAN, *Les Grandes Usines : études industrielles en France et à l'étranger*, Paris, Michel Lévy, 1863.

PÂTE À PAIN (symbolique de fertilité et de fécondité de la). – Peut-être parce qu'elle fut fabriquée et pétrie d'abord par les femmes, la pâte à pain est fortement associée à la féminité et à la fécondité. On remarquera aussi que tous les ingrédients qui entrent dans la fabrication de la pâte, l'eau en particulier, ont un lien symbolique avec la fertilité et son sens propitiatoire pour la survie de la communauté. L'assimilation analogique, qui ne prétend certes pas affirmer une quelconque essentialité féminine, sorte de don naturel, a malgré tout dû jouer dans la détermination culturelle des tâches sociétales : partout, la femme est chargée de la nourriture du groupe et la fabrication de la pâte à pain, levée ou non, est un savoir-faire pragmatique, une *légende muette* (De Certeau, Giard et Mayol 1994) que se transmettent les femmes de la famille et même, selon certaines sources orales, à partir de la puberté seulement. L'apprentissage se fait par imprégnation, en regardant faire, comme un maillon dans une chaîne de transmission mémorielle de la survie de la famille, et plus largement du groupe. Réduite aujourd'hui à un « savoir-faire traditionnel », domaine de l'ethnologie, voire à une tâche ménagère, la fabrication du pain est une technique rituelle qui fait intervenir une mémoire du faire ainsi que tout le refoulé symbolique à l'origine du nourrir. Parce qu'elle permet de conjurer la mort, l'ingestion d'aliments se charge d'une symbolique de vie et c'est la raison pour laquelle tout ce qui concerne la nourriture, de l'ingrédient à la cuisson, relève d'une conception et d'une organisation spécifiques du temps. Déjà, le pain ne se fait pas tous les jours ; à l'instar d'autres activités, la fabrication de la pâte est inscrite dans une sorte de semainier. Il faut prévoir une quantité de pain suffisante pour nourrir la famille pendant plusieurs jours, ne serait-ce que parce que l'allumage et le partage du four, souvent communautaire, sont à organiser dans le temps. Parce qu'il faut le conserver, le sel est indispensable. De même, le pétrin dans lequel est pétrie la pâte sert aussi à protéger le pain de l'air, retardant son dessèchement.

La pâte à pain est déjà en soi une composition, un agrégat d'agents de transformation de la matière : farine, sel, eau et (ou non) levain. Attendre que la pâte lève, qu'elle soit prête pour la cuisson, puis le temps même de la cuisson sont autant de temps intermédiaires qui ressemblent étrangement au temps de la gestation. L'attente est nécessaire jusqu'à l'issue de la transformation, à l'instar de l'accouchement. Comme le ventre de la femme enceinte qui gonfle au fur et à mesure de la grossesse, la pâte à pain est riche de promesses de nourriture et donc de vie. La farine, ingrédient de première importance, est l'aboutissement d'une chaîne de gestes anthropiques, de la culture de la céréale à sa transformation après broyage des grains et mouture. L'origine énigmatique du blé, son importance dans les sociétés méditerranéennes (avec l'olivier et la vigne, il sert à nourrir là où la viande est rare et chère) marquées par la chrétienté latine (en particulier lors de la semaine sainte), sa forte valeur boulangère en font la céréale privilégiée pour la fabrication de la pâte à pain. Néanmoins, si la farine de blé est plus immédiatement associée à la panification, il faut souligner que d'autres graminées (sarrasin, seigle, orge, maïs, riz, avoine, millet, sorgho), légumineuses (fève et haricot), voire fruits (châtaigne) peuvent être utilisés. Le meilleur exemple est sans doute le châtaignier, l'arbre à pain, dont le fruit, la châtaigne, constitue l'aliment de base pour l'homme et l'animal et, moulu, permet la fabrication du pain.

La pâte à pain trouve l'aboutissement de sa symbolique dans le four. Cavité dans laquelle se développe et prend forme le fœtus grâce à la coagulation sanguine, le ventre de la femme résume à lui seul le destin de la communauté. Stérile, la femme empêche un futur pour le groupe, tout comme son aptitude naturelle à donner la vie fait d'elle un relais dans la transmission. Cette capacité physiologique devient le creuset symbolique du passage et de l'ambivalence de la vie et de la mort. Cet aspect de la fécondité féminine indispensable à la perpétuation de l'espèce est sans doute plus explicitement exprimé dans le cas d'autres sociétés, par exemple celle des Trobriandais, pour lesquels le fœtus est la rencontre du sang féminin et d'un enfant-esprit : « Les enfants-esprits sont les esprits de défunts qui désirent renaître dans le corps d'un de leurs descendants » (Godelier 2007). Concevoir la naissance comme une renaissance indéfinie n'est possible que parce que la vie est nourriture. Que la femme puisse elle-même nourrir rappelle, si besoin était, le lien remarquable entre le lait et le sang. Si le sang menstruel est impur, le lait maternel, lui, est valorisé, en particulier dans la sphère religieuse occidentale.

Dominique Salini

• *Voir aussi :* Baiser de boulanger ou baisure ; Enfournement ; Enfournement (rituel thérapeutique d') ; Four (symbolique du) ; Four d'Enfer ; Sexuelle (le pain comme métaphore) ; Tannur

Bibl. : Michel de CERTEAU, Luce GIARD, Pierre MAYOL, *L'Invention du quotidien*, t. 2, Paris, Gallimard, 1994 • Maurice GODELIER, *Au fondement des sociétés humaines*, Paris, Albin Michel, 2007.

PÂTE BÂTARDE, MOLLE, DOUCE, FERME, RAIDE. – Le terme « bâtard » s'applique à une pâte dont la consistance n'est ni ferme ni molle. La pâte dite « bâtarde » est obtenue, pour une farine courante de blé français donnée, et selon sa force boulangère, avec une hydratation de l'ordre de 60 %. C'est la consistance recherchée pour les pâtes à pain français, type baguette, mais, selon les boulangers, leur méthode et leur équipement, elle peut être plus molle, ce qui la rend plus délicate à manipuler, ou plus ferme pour corriger une anomalie due à la farine, au temps, au matériel. Dans l'échelle des consistances, on trouve donc, entourant la pâte bâtarde, les pâtes fermes et molles, mais aussi les pâtes très fermes ou « raides », nécessaires à certains pains à texture très serrée (pain de mie, de seigle, etc.), et dont l'hydratation peut être inférieure à 50 %, ainsi que les pâtes très molles ou « douces » qui, à l'opposé, conviennent à des spécialités comme la chapata, dont la mie est très aérée et dont l'hydratation peut-être supérieure à 70 %.

Roland Guinet

• *Voir aussi :* Baguette ; Défauts de la pâte ; Force boulangère ; Hydratation ; Pâte

PÂTE FEUILLETÉE. – Voir PÂTES (définition des)

PATÈNE. – Une fois consacrée, l'hostie n'est plus un simple morceau de pain. Par la transsubstantiation, elle est véritablement le corps du Christ et, à ce titre, ne peut être utilisée qu'avec une complexe vaisselle liturgique. Calice et patène sont consacrés, l'évêque oignant leur intérieur de saint chrême et les aspergeant d'eau bénite en récitant diverses prières. Cet usage, inexistant à l'époque de saint Augustin, semble être assez général en Occident au Xe siècle. Le mot « patène », qui vient de *patere*, « être ouvert », désigne un plat ayant plus de surface que de profondeur. Il est utilisé lors de la messe, pour offrir le pain et, éventuellement, recueillir les miettes tombées sur le corporal. Lorsque l'évêque donne la communion, un diacre tient la patène sous le menton du communiant, pour éviter toute chute du pain consacré. Il y eut des patènes dans toutes les matières, en verre, marbre, cuivre, étain, corne, onyx, terre cuite… Au IIIe siècle, Urbain II ordonne qu'elles soient en argent, mais la diversité se maintint longtemps. La patène de saint Colomban est en corne, et saint Hilaire d'Arles se sert uniquement d'objets de verre. D'autres sont de superbes pièces d'orfèvrerie. Anastase, dans sa Vie de Léon III, en décrit une en or ornée de perles ; une autre est embellie de représentations de Jésus, des apôtres et de la Vierge. Le luxe ou la valeur du métal sont le signe que le pain consacré ne peut être au contact de matière vile. Ayant touché le « corps du Christ », ce plat prend, aux yeux de certains, une dimension sacrée. Il est si saint que des coutumes mineures sont introduites dans certaines liturgies locales. Ainsi, dans le rite parisien, la patène est donnée à baiser aux fidèles, ce qui est interdit par les conciles d'Aix (1585) et de Toulouse (1590). Patène, ciboire et ostensoir marquent l'importance accordée au pain consacré. Élément du corps du Christ, il ne peut être exposé ou conservé dans un simple objet. L'orfèvrerie religieuse est aujourd'hui une pièce de choix des musées mais, trop souvent, le visiteur oublie que derrière le luxe se cache la subtile théologie de la présence réelle.

Philippe Martin

• *Voir aussi :* Cène ; Ciboire ; Eucharistie ; Hostie ; Messe ; Ostensoir ; Rite orthodoxe ; Théologie du pain

Bibl. : Robert CABIÉ, *Histoire de la messe des origines à nos jours*, Paris, Desclée, 1990 • Philippe MARTIN, *Mondains et dévots. Les catholiques français face à la messe, du concile de Trente à Vatican II*, Paris, CNRS Éditions, 2009 • Lionel de THOREY, *Histoire de la messe* *de Grégoire le Grand à nos jours*, Paris, Perrin, 1994.

PÂTES (définition des). – On distingue deux grandes familles de structure de pâte, les pâtes à structure gluténique continue (pâtes boulangères ou pâtes levées) et les pâtes à structure gluténique discontinue (pâtes sablées, brisées et aussi feuilletées).

Pâtes levées. Sont désignées par ce qualificatif les pâtes à pain et à brioche. Ce sont les pâtes qui se développent sous l'action du gaz carbonique produit par la levure au cours de la fermentation et retenu par sa structure « étanche ». La fermentation crée une expansion progressive consécutive à l'augmentation de la production des gaz, mais aussi à cause de l'extension des alvéoles gazeuses, une diminution de leur résistance, facilitant leur expansion finale au four. Les pâtes boulangères sont hydratées et pétries. Pour une pâte à pain, l'action de pétrissage correspond principalement au développement, au déroulement et à l'orientation des protéines du gluten. Elle est en relation avec les types de sollicitations mécaniques (compression, cisaillement, extension). En contact avec la farine, l'eau diffuse entre les particules et les associe, l'air s'échappe progressivement, mais des inclusions restent piégées dans la pâte qui se forme. La diffusion de l'eau dans les particules dissocie les granules d'amidon et fait gonfler les agrégats protéiques pour former le gluten. Le gluten, doué de propriétés élastiques et visqueuses, va progressivement se développer par les effets mécaniques du pétrissage. L'eau libre (non liée directement aux constituants) va dissoudre les éléments solubles (sucres, fibres et protéines solubles, enzymes, sel...), disperser les constituants insolubles et former un milieu plus ou moins visqueux qui interviendra sur la machinabilité de la pâte. Au cours du pétrissage, l'action de battage ou de malaxage contribue aussi à une incorporation complémentaire et à la stabilisation de l'air (sous forme d'inclusions ou petites alvéoles) dans le film protéique et dans la phase visqueuse ou fluide formée principalement de fibres, d'amidon et d'eau. Cette structure s'apparente à une mousse, à l'image d'une mousse de blanc d'œuf, plus le pétrissage est intense, plus le gluten est développé et plus l'aptitude de cette structure à retenir les gaz de fermentation augmente. Parallèlement, le nombre d'inclusions d'air et leur régularité augmentent, tandis que leur grosseur ainsi que l'espace entre chaque alvéole diminuent. Ce type de travail préfigure la structure de la mie. Pour des techniques de façonnage données, un pétrissage intensifié donne une mie à petites alvéoles, régulières, nombreuses, dont les parois sont fines, ce qui produit des textures moelleuses ; un pétrissage peu intense donne un gluten mal formé et mal développé, une structure alvéolaire plus irrégulière, un nombre d'alvéoles plus faibles, une rétention gazeuse moins bonne. Le pain est donc moins développé et la mie plus ferme.

Pâtes feuilletées. Pour des pâtes de blé simple (farine et eau) à structure continue et élastique, non fermentée, l'expansion au four n'est pas possible. La cohésion de la structure peut être interrompue par la matière grasse ; dans ce cas, l'alternance de couches régulières de pâtes et de matières grasses, appelée feuilletage, apporte une diminution de résistance de la pâte suffisante pour créer une expansion. La séparation de ces couches est possible car la vapeur produite en cours de cuisson est maintenue entre les couches qui font écran, la pression de vapeur qui en découle permet une séparation progressive des feuilles ainsi formées les unes par rapport aux autres. Trois différences importantes caractérisent ces pâtes par rapport aux pâtes levées feuilletées. La pâte a une structure dont la formation du gluten est assurée, mais son développement reste limité. On ne cherche ni la rétention gazeuse puisqu'il ne s'agit pas de pâte levées ou fermentées, ni le caractère élastique pour éviter les phénomènes de rétraction au cours du laminage. Autre différence : la structure est davantage feuilletée (entre 5 et 7 tours simples) ce qui donne, en théorie, 250 à 2 000 couches. L'augmentation du nombre de couches amène à diminuer l'épaisseur de chacune d'elles, le degré de résistance de chacune des couches diminue donc la pression nécessaire pour leur décollement et la séparation de l'une par rapport à l'autre en conséquence. L'expansion devient alors possible avec un minimum d'eau incorporée dans la pâte et un minimum d'air piégé pendant les opérations de pliage au cours du tourage. Après cuisson, la finesse des feuilles renforce le caractère croustillant si l'humidité est faible et si la matière grasse recristallise rapidement, et, inversement, l'alternance de croustillance et de moelleux si l'humidité est plus élevée et si le point de fusion de la matière grasse est plus faible. Dernière différence : cette alternance de couches suppose aussi, pour être bien séparées, une incorporation plus importante de matières grasses au tourage. Les couches homogènes continues permettent d'assurer la rétention gazeuse, ce qui n'est pas le cas pour les pâtes brisées ou sablées.

Pâtes levées-feuilletées. Elles englobent principalement les dénominations croissants, pains au chocolat et aux raisins. Ces pâtes boulangères se développent sous l'action du gaz carbonique produit par voie de fermentation et par la dissociation des couches de pâtes séparées par des films uniformes de matières grasses formés pendant le feuilletage ou tourage. Le feuilletage après cuisson, même s'il reste réduit (12-24 couches), conduit à une texture friable qui tend à donner le caractère croustillant. À l'inverse, la formation d'une structure continue de gluten élaborée au cours d'un pétrissage et qui s'expanse par voie de fermentation oriente la structure du produit cuit vers le caractère souple, spongieux, moelleux. Il est donc possible, en considérant ces deux techniques de développement de la pâte, d'orienter la texture du produit final. Une pâte à croissant qui a été assez bien pétrie avec un feuilletage à un nombre de couches limité ressemble plus à une structure de pain, ou structure « briochée », par rapport à un croissant dont la pâte a été peu pétrie et dont le feuilletage est important et qui, lui, aura une structure plus friable et croustillante.

Pâtes brisées. Ce sont généralement des pâtes « à foncer » destinées aux fonds de tarte, pâtés en croûte, quiches… Elles sont abaissées au rouleau ou au laminoir avant d'être découpées. Si elles ont une structure discontinue, il leur faut néanmoins un minimum de cohésion et de résistance pour résister aux opérations de laminage et de fonçage. La friabilité de cette pâte est optimisée au cours du pétrissage par l'opération préalable de sablage, qui consiste à mélanger ou « fraiser » (malaxage et compression de la pâte à la main) la farine et la matière grasse légèrement ramollie ou pâteuse. L'enrobage des particules de farine par la matière grasse va les imperméabiliser, limiter leur association et la formation du gluten lors de l'ajout des liquides et des autres ingrédients. Le mélange obtenu, un repos de 30 min minimum au réfrigérateur est nécessaire pour raffermir la pâte et notamment la matière grasse. L'augmentation de consistance facilite le travail, ensuite, du laminage.

Pâtes sablées. Ces pâtes se caractérisent aussi par leur friabilité, mais elles sont sucrées. Leurs caractéristiques de composition et de texture varient légèrement en fonction des applications, dont les principales sont le fonçage pour les fonds de tartes sucrées ou le moulage pour les biscuits. Leur saveur sucrée limite par conséquent leur utilisation avec des produits de goût salé. Par rapport à la pâte brisée, qui possède une stratification légèrement feuilletée assurant sa finesse et sa friabilité, le sucre dans la pâte sablée se comporte comme un agent de charge et va entraîner une pénalisation de l'expansion et de la légèreté, même si le caractère friable peut être obtenu. L'opération de malaxage qui caractérise les pâtes brisées n'est pas privilégiée avec les pâtes sablées, car la levée au four est alors moins bonne, même si cette technique est meilleure pour garder des pâtes plus jaunes et de flaveur plus agréable. Les opérations de mélange qui assurent un complément d'aération de la pâte sont bénéfiques, elles sont facilitées soit par l'émulsion (qui consiste à mélanger de manière énergique la matière grasse avec le sucre, les œufs et éventuellement le lait avant d'introduire la farine et la poudre levante), soit par le crémage (qui correspond au mélange de la matière grasse, du sucre et de l'eau avant l'ajout de farine et des poudres levantes).

Philippe Roussel

• *Voir aussi :* Défauts de la pâte ; Pâte ; Pâte à pain ; Tourage

Bibl. : Philippe ROUSSEL, « Les pâtes de farine et matières premières », in *L'Encyclopédie de la charcuterie : charcuteries, salaisons, produits traiteur*, Vesoul, Maé-Erti et Soussana, 2003.

PÂTES ALIMENTAIRES. – Le terme générique de « pâte » pour désigner une même famille de produits à base de blé n'apparaît que vers la fin du XVe siècle en Italie avec la distinction entre pâtes fraîches et pâtes sèches.

De nombreux écrits font état de l'existence des pâtes sèches dans le bassin méditerranéen et au Moyen-Orient. Véhiculées par les Arabes, on les retrouve en Italie et en Espagne. Elles sont qualifiées de différents noms et ce n'est qu'à la fin du Moyen Âge que l'on commence à trouver le nom de *vermicelli* ou de « vermicelle » en français ; il deviendra le nom couramment utilisé jusqu'au XVIIIe siècle et le nom de « vermicellier » désignera les fabricants de pâtes sèches. Ces pâtes, de petits formats (épaisseur, surface), souvent allongées, pouvaient être assez facilement séchées, ce qui permettait leur conservation avant leur cuisson finale.

On les consommait principalement dans des bouillons ou potages. Elles seront composées majoritairement de semoules de blé dur, même si l'utilisation de farine de blé tendre en est attestée.

Les pâtes fraîches, quant à elles, sont fabriquées dans le bassin méditerranéen et en Europe occidentale. Elles s'apparentent à des pains azymes, dont les formes peuvent être à rechercher dans les traditions juive et chrétienne. Elles sont consommées assez rapidement après leur fabrication, un léger séchage de surface leur permettant d'avoir un minimum de tenue. Cuites à l'eau, elles servent de base ou de support à des préparations culinaires et sont notamment consommées farcies. En Italie, les pâtes fraîches étaient fabriquées par les *lasagnari* (fabricants de pâtes fraîches ou de lasagnes) et étaient vendues sur le marché par un commerce de proximité pour des durées de conservation limitées. Les pâtes fraîches étaient composées de farine de blé tendre, même si, progressivement à notre époque moderne, le blé dur s'est imposé.

La fabrication des pâtes était artisanale et les opérations essentiellement manuelles ; seul appareil utilisé, la brie ou broye est mentionnée dans l'Encyclopédie de Diderot et d'Alembert. Les opérations de divisage et de façonnage qui suivaient étaient entièrement manuelles. La mécanisation, avec les presses automatiques, n'est apparue que vers la fin du XIXe siècle. Si les pâtes de blé ne sont pas d'origine italienne, ce pays a su en faire sa spécialité. Il a progressivement diversifié les formats, amélioré la qualité avec le choix des blés et les techniques de séchage et introduit les pâtes dans la cuisine pour en faire une spécialité culinaire.

Les pâtes alimentaires sont fabriquées en France exclusivement à partir de semoule de blé dur et d'eau, et, pour cela, l'appellation « pâte de qualité supérieure » ou « pâte de qualité courante » sont autorisées, sans mention de la nature de la céréale. Si la réglementation européenne, soucieuse d'harmonisation, reconnaît l'utilisation du blé tendre, les dénominations deviennent « pâtes à la farine de blé tendre » ou « pâtes à la semoule de blé dur et à la farine de blé tendre ». Les pâtes alimentaires devront satisfaire aux caractéristiques d'une teneur en eau maximale de 12,5 % ; toutefois, ce maximum ne s'appliquera pas aux pâtes fraîches vendues sous cette dénomination. Si les pâtes alimentaires à base de blé ne contiennent pas d'additifs, il est possible d'y adjoindre certains ingrédients, comme les œufs (appellations « pâtes aux œufs frais »), des concentrés ou extraits de fruits ou légumes, du gluten, du lait, en mentionnant ces produits dans l'appellation. Les pâtes alimentaires de qualité supérieure ou de qualité courante doivent contenir deux types de semoules :

« semoule supérieure de blé dur » ou « semoule de blé dur de qualité supérieure »	SSS E (ancienne dénomination)	taux de cendres maximum 0,80 % (tolérance 10 %, pourcentage ramené à la matière sèche)
« semoule de blé dur » ou « semoule courante de blé dur »	SSS F (ancienne dénomination)	taux de cendres maximum 1,30 %, tolérance 20 % (pourcentage ramené à la matière sèche)

Philippe Roussel

• *Voir aussi :* Additif ; Blé dur ; Blé tendre ou froment ; Brie ou barre pour battre les pâtes ; Italie ; Pain azyme → Pains mondiaux ; Semoule ; Taux de cendres

PÂTIÈRE. – Voir PLANCHES

PÂTISSERIE. – Désigne à la fois le laboratoire et la boutique où exerce un pâtissier et où il vend ses produits, mais également l'aliment lui-même. Une pâtisserie peut être artisanale ou industrielle. La plupart des boulangeries proposent un assortiment de pâtisseries ; il s'agit alors de boulangeries-pâtisseries. Dans certains cas, les produits relèvent de ce qu'on qualifie de « pâtisseries boulangères », et le pain reste le produit d'appel. Dans d'autres cas, le rayon pâtisserie est prédominant, souvent accompagné d'un rayon confiserie-chocolaterie. Plus rares sont les artisans qui ont su établir leur renommée en œuvrant et en innovant sur ces deux secteurs. Du côté des grandes surfaces, il est à noter que les rayons des desserts laitiers frais, lesquels proposent un étonnant mélange des genres, tendent de plus en plus à être des rayons pâtissiers (crumbles, tartes au citron, bavarois, fraisiers…). Ces mêmes grandes surfaces proposent également une gamme sans cesse renouvelée et élargie de pâtisseries surgelées. Mondes complémentaires, la boulangerie et la pâtisserie entretiennent depuis des siècles des liens complexes et naturellement insondables. Le pâtissier a longtemps vendu des produits généralement salés, ce qui explique qu'il ait conservé aujourd'hui une activité de traiteur. D'une manière générale, le rayon pâtisserie de très nombreuses boulangeries n'a plus grand-chose à envier à celui des meilleures pâtisseries, dont le nombre s'est d'ailleurs effondré. Il n'en demeure pas moins que la pâtisserie française est unanimement saluée dans le monde pour la qualité des matières premières utilisées, l'emploi réfléchi des colorants, sa créativité exceptionnelle et la renommée internationale de ses représentants les plus imminents, au rang desquels il faut citer : les rénovateurs comme Gaston Lenôtre, Pierre Hermé ou Gérard Mulot ; les encyclopédistes comme Yves Thuriès, auteur d'une somme en douze volumes sur le sujet ; les « people » comme Roland Mesnier, pâtissier pendant vingt-cinq ans à la Maison-Blanche, ou Christophe Michalak, chef pâtissier au Plaza Athénée ; les ambassadeurs comme Frédéric Madelaine, ancien chef pâtissier chez Dalloyeau et actuellement responsable de la société Le Pommier ; les lauréats de la 11e Coupe du monde de la pâtisserie (SIRHA, Lyon, 2009), Jérôme de Oliveira, Jérôme Langillier et Marc Rivière. Enfin, les grands noms de la pâtisserie en France et à l'étranger se retrouvent au sein de l'association Relais Desserts, créée en 1981 (http://relais-desserts.net).

La pâtisserie a investi également les établissements haut de gamme de la restauration et du luxe, secteur qui s'affirme désormais comme un genre à part entière et fort estimé. Et, comme les boulangers, les pâtissiers ont entamé leur révolution nutritionnelle et diététique en réduisant l'apport en sucre et en utilisant des ingrédients attentivement sélectionnés, ce qui s'est naturellement répercuté sur les prix.

Hubert Chiron
et Jean-Philippe de Tonnac

• *Voir aussi :* Boulangers de France ; Croissant ; Feuilletage ; MOF ; Pâtissier ;

SIRHA → Boulangerie (salons internationaux de la) ; Viennoiserie

Bibl. : Yves THURIÈS, *Le Livre de recettes d'un compagnon du Tour de France*, Mérignac, Éditions du Capitole, 1977-2007, 12 vol.

PÂTISSERIE (Coupe du monde de la). – Voir BOULANGERIE (salons internationaux de la) ; PÂTISSERIE

PÂTISSIER. – Artisan, ayant suivi une formation diplômante, reconnue par l'État. La formation est sanctionnée par un CAP, un bac pro, voire la distinction suprême de Meilleur Ouvrier de France. Son métier consiste à fabriquer des pâtisseries, (gâteaux, biscuits, entremets, viennoiseries), selon des recettes précises, issues de la tradition. Il peut compléter sa gamme en devenant pâtissier-chocolatier ou pâtissier-confiseur, mais la plupart du temps, il est boulanger-pâtissier.

Catherine Peigney

• *Voir aussi :* Apprentissage ; BEP ; CAP de boulangerie ; CFA ; EBP ; École Grégoire-Ferrandi ; INBP ; Formations à la boulangerie et à la pâtisserie ; MOF ; Pâtisserie ; Viennoiserie

PÂTON. – Se dit d'un morceau de pâte, sans préjugé de taille ni de forme, pesé et mis en boule en attente d'être façonné. Souvent utilisé pour nommer les fractionnements d'un pétrissage : par exemple, diviser un pétrissage de 50 kg en 5 pâtons de 10 kg. De même pour la subdivision d'un pâton de 10 kg en 10 pâtons de 1 kg. Il s'agit toujours d'une phase transitoire dans la genèse d'une pâte détaillée dans un processus de fabrication. Se dit aussi de pain façonné prêt à cuire : on parle alors de « mettre les pâtons au four ».

Guy Boulet

• *Voir aussi :* Boulage ; Division ; Enfournement ; Façonnage ; Fournée ; Pâte ; Pétrissage ; Technologies boulangères

PÂTONNAGE ET MISE EN PLANCHES. – Après division de la pâte en boulangerie, les pâtons, souvent de forme un peu irrégulière, sont préformés avant leur mise en forme finale, appelée « façonnage ». Le pâtonnage est un des modes de préformage sous forme cylindrique ; il se distingue du « boulage », qui est un préformage sous forme de boule. Le pâtonnage en opération manuelle se fait par pliage du pâton en deux ou trois ; en système automatisé, il s'agit d'un enroulement du pâton sur lui-même sans laminage préalable. La mise en détente des pâtons préformés suppose une surface de dépose conséquente : les pâtons « pâtonnés » sont mis sur des planches ou plateaux mobiles pouvant être positionnés dans un meuble de fermentation de type « parisien ».

Philippe Roussel

• *Voir aussi :* Boulage ; Division ; Façonnage ; Laminage → Façonneuse ; Parisien ; Pâton

Bibl. : Philippe ROUSSEL, Hubert CHIRON, *Les Pains français. Évolution, qualité, production*, Vesoul, Maé-Erti, 2002.

PATOUILLARD FAIT SON PAIN. Voir DOCUMENTAIRES ET FILMS

PAUVRES MAIS BEAUX (*Poveri ma belli*). – Voir DOCUMENTAIRES ET FILMS

PAVÉ. – Voir FOUR ; SOLE

PAVOT (*Papaver somniferum*). – Voir CONDIMENTS DU PAIN

PAYSAN BOULANGER. – Appellation récente (1980) qui désigne une activité en expansion de transformation de blé en farine puis de farine en pain à la ferme, suivie de sa vente soit sur place, soit sur un marché rural ou urbain. Sur le plan historique, on ne peut s'empêcher, malgré tout, d'y voir une analogie avec l'activité des boulangers forains médiévaux. Les blés utilisés sont des variétés récentes et plus fréquemment des populations de blés anciens issus, par exemple, du réseau « semences paysannes ». Ces blés sont parfois, mais pas nécessairement, cultivés en agriculture biologique.

Le stockage et le nettoyage des grains à la ferme nécessitent une grande attention. Les moulins utilisés sont à meules de pierre, il s'agit fréquemment de moulins de type Astrié à meule de granite, qui fonctionnent en un seul passage. Leur débit est modeste, environ 30 kg de blé écrasé à l'heure. Les farines obtenues sont très souvent de type 80 ou 110 et utilisées très rapidement. Le qualificatif de boulanger est sans doute excessif, puisque ces pains fermiers résultent de savoir-faire traditionnels non formalisés par un diplôme de boulanger et que les obligations réglementaires sont différentes. Pour exercer le métier d'artisan boulanger, il faut avoir le CAP ou trois années d'exercice professionnel. Cela nécessite, de plus, l'enregistrement à la chambre des métiers au Registre des métiers. Depuis la loi du 5 juillet 1996 (n° 96 603) parue au *JO* du 6 juillet 1996, qui précise les règles d'exercice du métier, c'est la DGCCRF (Direction générale de la concurrence, de la consommation et de la répression des fraudes) qui a le pouvoir de contrôle. Toutefois, les possibilités d'obtenir le CAP par la voie de la VAE (validation des acquis de l'expérience) est possible. D'un autre côté, l'agriculteur n'a pas le statut juridique ou fiscal de commerçant ; les activités de transformation et de vente des produits issus de la ferme sont considérées comme agricoles et non commerciales. Concernant la réglementation relative à l'hygiène, cette vente directe au consommateur final implique une garantie sur la sécurité alimentaire en vertu de l'article L. 221-1 du code de la consommation, qui précise que « les produits doivent, dans des conditions normales d'utilisation ou dans d'autres conditions raisonnablement prévisibles par le professionnel, présenter la sécurité à laquelle on peut légitimement s'attendre et ne pas porter atteinte à la santé des personnes ».

Dans leur grande majorité, les paysans boulangers fabriquent des quantités modestes, de l'ordre de 300 kg de pain, et cela deux à trois jours par semaine. Leur gamme de pain, qui s'est élargie ces dernières années, n'est toutefois pas aussi variée que celle d'un artisan boulanger. Ces fabrications sont assurées avec un miminum de matériels et avec des fours chauffés au bois (il s'agit parfois d'anciens fours de ferme ou de fours construits par le paysan). Dans un contexte de sophistication minimale, les pratiques boulangères s'articulent autour d'un pétrissage très économe en énergie (il est parfois même effectué à bras). L'emploi fréquent de farines à faible valeur boulangère impose la pesée et le façonnage manuel avec beaucoup de douceur. Les pains de paysans boulangers sont pratiquement toujours fermentés au levain naturel (sans ajout de levure de panification). La cuisson au four à bois et l'absence de vaporisation d'eau génère des croûtes ternes, épaisses, peu sujettes à un ramollissement excessif. Ces pains, qui se conservent très bien, présentent des mies souvent denses, parfois trop denses. Ils seront d'autant plus réguliers que le paysan boulanger ou son épouse auront acquis d'expérience.

Hubert Chiron

• *Voir aussi :* Agriculture biologique ; Boulangers forains ; CAP de boulangerie ; DGCCRF ; Filière bio ; Levain de première, de seconde, de tout point ; Marché forain ; Meule ; Pétrissage ; Valeur boulangère ; Variétes de blé

Bibl. : RÉSEAU SEMENCES PAYSANNES, *Voyage autour des blés paysans*, Cazalens, Brens, 2008 • H. CHIRON, J. FISCHER, « État des lieux des pratiques meunières et boulangères biologiques en France », deuxième partie : « Présentation générale de la boulangerie bio », *Industries des céréales*, n° 155, 2007, p. 7-14. – *ID.*, troisième partie : « Différenciation de la boulangerie bio et spécificités des pains bio », *Industries des céréales*, n° 157, 2008, p. 10-21.

PAYS-BAS (traditions du pain aux). Du petit déjeuner classique à base de tartines de pain complet et de fromage au déjeuner froid et léger souvent composé d'un sandwich, les Pays-Bas accordent au pain une place essentielle dans l'alimentation et la diététique. Viande, fromage, poisson, salade sont souvent dégustés sur une tranche de pain et le sandwich y est à l'honneur.

Traditionnellement, les pains hollandais se présentent sous forme de pains moulés souvent vendus prétranchés dans les boulangeries et supermarchés, dont il existe une multitude de variétés : à base de farine de blé blanche (*witbrood*), comme l'insolite *tijgerbrood* ; complète (*bruinbrood*) ; intégrale (*wolkoren*) ; de seigle (*roggebrood*) ou encore multicéréale (*meergranenbrood*). Plus ou moins décorés ou enrichis de graines de toutes sortes : lin, tournesol, sésame, pavot, flocons d'avoine ou de soja. Les mêmes pains moulés existent également sous forme non moulée, cuits sur plaque ou sur la sole du four et, « pays du sandwich » oblige, sous forme de petits pains individuels aux aspects, goûts et textures particulièrement variés. Les fêtes religieuses comme certaines circonstances particulières sont également l'occasion de confectionner un pain spécial : *kerststol* (un pain épicé aux fruits et aux amandes, semblable au *Stollen* allemand) à Noël, *paasbrood* à Pâques, *huupkes* (petits pains moelleux du Brabant) pour l'ouverture de la saison de la chasse, *suikerbrood* ou *krentenwegge* à l'occasion d'une naissance.

En plus des pains traditionnels, les Pays-Bas – grâce à leur passé colonial, commercial ainsi qu'au récent afflux d'immigrants – ont enrichi leur gamme boulangère de nombreux pains d'origine étrangère : baguette, pain de campagne et croissants français, *focaccia* et *ciabatta* italiennes, *pita* et *pide* orientaux, *bagels* et pains au maïs américains, pains Kaiser et seigle allemands sont désormais devenus des classiques néerlandais. Cette grande diversité, si elle s'explique d'abord par le goût de la population pour le pain, reflète surtout l'intérêt fondamental qu'accordent les Néerlandais à une alimentation saine et biologique. Même les pains industriels contiennent peu d'additifs, et c'est seulement depuis juin 2004 que la loi autorise l'ajout de farine de blé malté dans les pains. Grâce notamment au Voorlichtingsbureau Brood, l'agence nationale d'information sur le pain, les Néerlandais sont sensibilisés aux bienfaits nutritionnels du pain par différentes campagnes. Le musée du pain de la ville de Hattem propose également des ateliers pratiques éducatifs pour les enfants ainsi que des démonstrations pour les adultes.

Depuis quelques années, une nouvelle vague de boulangers est apparue, proposant des pains artisanaux fabriqués à l'ancienne : utilisation de farines de qualité issues de l'agriculture raisonnée, voire bio, respect des temps de panification et cuisson sur sole. Bien que marginal, ce courant répond à une demande croissante d'une partie de la population hollandaise prête à payer plus cher la qualité gustative et nutritionnelle de son pain.

Fries suikerbrood. Spécialité de la province du Friesland, dans le nord des Pays-Bas, le *suikerbrood* est un pain brioché truffé de sucre en grains et parfumé à la cannelle. À l'origine, ce pain était offert aux mères qui mettaient au monde une petite fille. Autrefois façonné en boule, le *suikerbrood* est aujourd'hui cuit en moule rectangulaire et souvent présenté à la vente en barquette. En plus du *suikerbrood* frison authentique, populaire dans tout le pays, les boulangers proposent le *klontjesmik*, spécialité du Brabant, moins sucré et sans cannelle. Dans sa texture et sa composition, le *suikerbrood* est très proche du craquelin belge.

Gronings roggebrood. Indissociable de l'*erwtensoep* – soupe aux pois cassés traditionnelle – et du fromage, servi en amuse-bouche avec du hareng, le pain de seigle néerlandais se présente essentiellement sous deux types, selon l'origine géographique. Contrairement au pain de seigle produit au sud des Pays-Bas, proche de ses équivalents européens, celui qu'on trouve dans la province de Gronings est une spécialité régionale remarquable par son goût et son mode de fabrication. Un mélange préliminaire de grains de seigle concassés (*gebroken rogge*) et d'eau froide est d'abord versé dans un récipient couvert (*zoetpannen*), puis placé dans un four à chaleur tombante pendant une nuit. Farine de seigle entier, eau et sel sont ajoutés le lendemain lors du façonnage et les pains moulés en cubes ou pavés rectangulaires, enduits d'un mélange à base de farine fine de seigle, eau et extrait de malt, puis cuits pendant douze à quinze heures. Cette méthode produit un pain compact sans croûte, de couleur sombre avec une mie humide et légèrement sucrée. Comme souligné par le nom du récipient (grossièrement, « casserole à sucre »), c'est le sucre produit par la dégradation lente d'une partie de l'amidon contenu dans le grain de seigle qui donne au pain sa couleur noire et son goût sucré. Cette réaction chimique (réaction de Maillard) est également mise en œuvre dans la fabrication du *Pumpernickel* allemand. Jusqu'au XIXe siècle, le pain de seigle était le pain des provinces du nord du pays productrices de cette céréale, les pains blancs étant réservés pour des occasions spéciales et pour les jeunes mariés.

Knipbruin. Également connu sous le nom de *tarweknip*, le *knipbruin* est un pain complet cuit en moule, dont la surface entaillée (*knip*) au centre confère aux tranches une forme caractéristique de cœur. Plus que son équivalent à base de farine blanche (*knipwit*), le *knipbruin* est le pain de base de la population néerlandaise, qui le consomme traditionnellement sous forme de tartines (*boterhammer*) et en sandwichs. Fabriqué avec du blé entier contenant germe et son, il est un pain plus riche en fibres, vitamines et minéraux et plus foncé que le *knipwit*, contenant seulement l'amande du blé. Outre leur couleur, ces deux versions se distinguent également par l'entaille centrale, simple pour le *knipwit*, agrémentée de petits coups de ciseaux pour le *tarweknip*. Comme tous les pains moulés souvent prétranchés, le *knipbruin* est généralement acheté emballé en supermarchés.

Tijgerbrood. Littéralement « pain tigré », le *tijgerbrood* doit son nom à la couleur et à la texture de sa croûte caractéristique, qui rappelle la robe tachetée d'un félin. Avant la cuisson, la pâte est recouverte d'un mélange de farine de riz, eau, huile, levure biologique, sucre et sel, auquel est parfois ajoutée de la chapelure. Au cours de la fermentation, le mélange dépourvu de gluten sèche et craquelle au fur et à mesure de la poussée de la pâte, dessinant ainsi le motif tacheté qui est la marque de ce pain. La farine de riz et le sucre donnent à la croûte une note caramélisée et un croustillant prononcé, qui contraste avec la mie blanche briochée et subtilement sucrée de la pâte pétrie au lait. Le *tijgerbrood* est un pain long non moulé également disponible en version ronde individuelle. Il connaît un certain succès en Angleterre et dans la baie de San Francisco, où il est vendu sous les noms respectifs de *tigerbread* et *dutch crunch*.

Waldkorn®. Apparu en 1990, le *waldkorn*® est aujourd'hui un incontournable parmi la grande variété de pains hollandais et probablement le plus populaire des pains multicéréales. Fabriqué à partir d'un mélange de blé, blé malté, seigle, orge, avoine, enrichi de graines de tournesol, lin et soja, ce pain moulé au goût très riche et à la croûte croquante se distingue des autres pains complets par une mie bien aérée. Fort de son succès porté notamment par la vague du retour à l'alimentation saine, le *waldkorn*® classique, riche en fibres et minéraux, se décline en trois variantes : « vital » (enrichi en calcium et vitamine E), « brun complet » et « de luxe » (avec addition de graines de tournesol et de courge), tous avec la même texture aérée. Une version « blanche » aussi nutritive est également disponible pour répondre au goût des enfants. Également très utilisé comme base de sandwichs, il se présente souvent sous forme individuelle : ronde, carrée, triangulaire ou longue et se déguste à tout moment de la journée.

Sandra Delahaye

• *Voir aussi :* Allemagne ; Musées du pain ; Museum der Brotkultur ; Pains mondiaux

Bibl. : Glenn ANFREWS, *Making European Breads*, North Adams (Mass.), Storey Publishing, 1997 • Charel SCHEELE, *Old World Breads*, Australie, Crossing Press, 1997.

PAYS BASQUE (traditions du pain au). – Les manifestations de l'appartenance à la civilisation du pain des populations installées sur le territoire formé par les sept provinces basques sont sensiblement les mêmes que celles qui peuvent s'observer dans le reste de l'Europe méridionale. Croyances et rituels entourant la manipulation de cet aliment devenu très chrétien ne manquaient pas dans cette région. Dans de très nombreux villages, par exemple, il était d'usage de tracer une croix sur la face supérieure des miches avant de les entamer. En revanche, il ne fallait jamais piquer le pain avec une fourchette ou la pointe d'un couteau ni le poser à l'envers, car de tels gestes auraient fait souffrir le Christ, la Vierge ou les âmes du purgatoire. Dans la croyance populaire, en effet, le pain pouvait constituer beaucoup plus qu'un aliment liturgique et devenir le représentant symbolique du Divin. Aliment prestigieux dont il fallait mériter la consommation par son travail (divers proverbes dialectaux rappellent qu'il n'y a pas de pain sans peine ou que la sueur d'aujourd'hui fait le pain de demain), le pain était aussi une nourriture sacrée qu'il fallait être capable de partager de bon cœur avec les déshérités. Aussi les habitants de certaines localités se sentaient-ils obligés de baiser le pain qu'ils offraient aux mendiants pour signifier un don sincère. Des contes se chargeaient par ailleurs de rappeler que celui qui refusait de partager ainsi son pain avec quelque pauvre honteux verrait sa pingrerie châtiée.

Dans les villes basques, le pain de froment s'imposa fort précocement. À la fin du XVIIIe siècle, par exemple, tous les pains vendus par les boulangers bayonnais étaient réalisés avec de la farine issue de ce grain. Le meilleur d'entre eux était le pain blanc ; venaient ensuite le pain bis obtenu à partir d'une farine plus grossière, puis le pain raizé, fabriqué avec une mouture riche en petit son. En revanche, une grande partie de la population paysanne ne put durablement se permettre qu'une consommation limitée de pain de froment. Des farines de méteil, voire de seigle, purent être utilisées dans certains secteurs, néanmoins les véritables concurrents du pain de froment en terre basque furent des préparations à base de farine de maïs, une céréale dont l'introduction débuta dans cette région à la charnière des XVIe et XVIIe siècles.

Arto, mestura, borona. Pain, levé ou non, fabriqué avec de la farine de maïs. D'une forme ronde et généralement moins soigneusement façonnée que celle des pains de blé, il pesait fréquemment autour de 2 kg. Il se consommait généralement grillé ou trempé dans du lait. Si sa fabrication domestique périclita dans le courant du XXe siècle, elle intéresse encore aujourd'hui quelques artisans spécialisés dans les productions de terroir.

Mokotz. Petit pain de froment portant en son centre un œuf qu'il était d'usage d'offrir à ses filleuls à l'occasion des fêtes de Pâques dans certains villages de la Biscaye.

Pamitx, ophil nabarra (Soule). Petit pain de froment réalisé en faible quantité en même temps que les grosses pièces. Rapidement cuit avec la même chaleur que celles-ci, il était consommé dans les premiers jours qui suivaient la fabrication de la provision de pain. Généralement apprécié pour sa fraîcheur, il pouvait être offert aux voisins ou aux personnalités locales.

Talo, maizopil (Navarre), **arto opil** (Labourd), **pastetx** (Soule). Le *talo* est une galette normalement confectionnée avec de la farine de maïs ou un mélange en proportions variables de moutures de maïs et de froment. Au début du XXe siècle, par exemple, les ménagères du village souletin de Sunharette avaient pour habitude de mêler quatre parts de farine de maïs pour une de froment, afin d'obtenir un produit plus fin que celui qui aurait découlé d'un usage exclusif de la mouture de maïs. De façon beaucoup plus exceptionnelle, il se confectionna aussi des *talos* de pure farine de froment. Par sa composition et sa forme, le *talo* peut évoquer la *tortilla* mexicaine, cependant, il s'agit de deux produits totalement différents. Résultat de l'intégration du maïs dans le système céréalier d'une civilisation qui maîtrisait parfaitement les techniques de la meunerie, la galette basque est réalisée à partir de farine, quand la base de la *tortilla* est une pâte obtenue en écrasant des grains de maïs bouillis dans de l'eau chaulée (*nixtamal*). Cette différence est d'autant plus notable qu'elle dote chacune de ces galettes d'un profil nutritionnel distinct, la mexicaine présentant notamment une meilleure qualité protéique et des teneurs en calcium ou en phosphore plus élevées. Le *talo* permettait d'économiser le pain durant une partie de l'année et le remplaçait dans des contextes particuliers ; il figurait ainsi en bonne place dans la diète des bergers transhumants. Puisqu'il était un aliment de substitution au goût de nécessité, le *talo* vit sa fabrication décliner très fortement au cours de la seconde moitié du XXe siècle, dès lors que les habitants des campagnes purent manger autant de pain qu'ils le souhaitaient. À la toute fin du XXe siècle, néanmoins, le *talo* commença une nouvelle carrière, celle d'un mets de terroir à forte connotation identitaire mis à l'honneur en diverses occasions festives.

Torta de anís, panecico de anís. Petit pain de froment à la pâte très travaillée et parfumée par l'adjonction de grains d'anis qui se fabriquait dans certains villages navarrais à l'occasion des fêtes patronales. Cette tradition s'est très largement perdue dans le courant de la seconde moitié du XXe siècle.

Frédéric Duhart

• *Voir aussi :* Espagne ; Interdits liés au pain ; Maximes et proverbes ; Tortilla → Mexique

Bibl. : Jean-François CERQUAND, *Légendes et récits populaires du Pays basque (1875-1882)*, Bordeaux, Aubéron, 1992 • Frédéric DUHART, *Du monde à l'assiette. Mythologies alimentaires*, Paris, Dilecta, 2007 • Michel DUVERT, Bernard DECHA et Claude LABAT, *Jean Baratçabal raconte la vie dans un village de Soule*, Bayonne, Lauburu, 1998 • ETNIKER (groupe de recherches), *Atlas etnográfico de Vasconia : la alimentación domestica en Vasconia*, Bilbao, Eusko Jaurlaritza, 1990 • Consolación GONZÁLEZ CASARRUBIOS, « El pan ritual en España », in *¡A comer! Alimentación y cultura*, Madrid, Ministerio de Educación y Cultura, 1998 • Pierre LHANDE, *Autour d'un foyer basque*, Paris, Nouvelle librairie nationale, 1908.

PEINTURE OCCIDENTALE (le pain dans la). – À première vue, la représentation picturale du pain se répartit bien distinctement entre le religieux et le profane. Avec, d'un côté, toujours de prime abord, principalement le pain (et le vin) de l'Eucharistie et, de l'autre, ce que nous résumerons sous le terme de représentation « réaliste » de l'aliment européo-méditerranéen de base : d'un côté un sacrement envahissant, de l'autre une pratique alimentaire civilisationnelle. De fait, à y regarder de plus près, les deux s'entremêlent : le pain se trouve représenté dans la peinture religieuse à d'autres occasions ou pour d'autres motifs, et il arrive au « réalisme » de la peinture profane de prendre des accents sacrés.

Le geste de Jésus rompant le pain et servant le vin à ses disciples lors de la dernière Cène institue l'Eucharistie (« Prenez, mangez, ceci est mon corps [...] Buvez-en tous car ceci est mon sang », Matthieu XXVI, 26-28). Cette scène fondatrice fut traitée à d'innombrables reprises, la plus célèbre étant sans doute celle de Léonard de Vinci (1495-1497, Milan, réfectoire du couvent Santa Maria delle Grazie). Sa représentation obéit le plus souvent à un schéma conventionnel où figurent le Christ et les douze apôtres, Judas se distinguant de ses collègues par une attitude particulière ou par le sac contenant les trente deniers qu'il tente – fort mal afin que l'observateur du tableau puisse aisément le reconnaître – de dissimuler. Il faut signaler l'audace de certaines représentations qui, brûlant les étapes, voient le Christ bénir une hostie et non pas le pain posé sur la table (Albrecht Bouts, 1490-1495, *La Dernière Cène*, Bruxelles, Musées royaux des beaux-arts de Belgique). On trouve, comme bien souvent, une préfiguration du geste du Christ dans l'Ancien Testament : l'offrande du pain et du vin faite par Melchisédech, roi et grand prêtre de Salem, à Abraham après sa victoire sur les envahisseurs de la vallée du Jourdain (Genèse XIV, 18-20). La scène se trouve dans les mosaïques du Ve siècle de Sainte-Marie-Majeure de Rome (avec une corbeille de pain et une grande amphore) comme sur les fresques de Saint-Savin (XIIe siècle), où le pain rond consacré par Melchisédech est marqué du signe de la croix, ou encore sur un bas-relief de la cathédrale de Reims (XIIIe siècle) intitulé *La Communion du chevalier*, qui montre Abraham en costume d'époque recevant des mains du grand prêtre une surprenante hostie consacrée. Pour la peinture de chevalet, citons Dirck Bouts (1464-1468, panneau du retable de Saint-Laurent, Louvain, église Saint-Pierre), Rubens (1625, Washington, National Gallery of Art) ou encore Giovanni Battista Tiepolo (1740, église paroissiale de Verolanuova).

Le thème de l'Eucharistie eut aussi une application iconographique suivant de près son institution : *Le Repas d'Emmaüs*, appelé aussi *Le Souper d'Emmaüs*, *Les Pèlerins d'Emmaüs* ou *La Cène d'Emmaüs*. Les deux voyageurs venant de Jérusalem ne découvrent l'identité de l'inconnu rencontré sur la route qu'une fois à table avec lui : « Il prit le pain, prononça la bénédiction, le rompit et le leur donna [...]. Alors leurs yeux furent ouverts et ils le reconnurent » (Luc XXIV, 30). Déjà abondamment représenté au Moyen Âge, l'épisode connut une extraordinaire diffusion au XVIIe siècle. On trouve là un premier exemple de l'entrelacement du profane et du sacré dans le traitement pictural du pain. Car cette fortune iconographique est moins due à des raisons théologiques qu'artistiques : l'avènement de la scène de genre et de la nature morte autonome. Les conditions du repas d'Emmaüs plus que les autres épisodes – la rencontre des deux pèlerins et du Christ et la disparition de celui-ci une fois son identité révélée – permettent au peintre, grâce au cadre d'un repas avec seulement trois convives, de faire preuve de tous ses talents dans les deux nouveaux genres à la mode. Parmi les représentations les plus remarquables, celles de Fra Angelico au couvent San Marco (1438-1450, Florence), où les deux pèlerins que rencontre le Christ sont des dominicains, du Titien (vers 1535, Paris, musée du Louvre), de Véronèse (1559-1573, Paris, musée du Louvre) et surtout les deux chef-d'œuvres du Caravage (1601, Londres, National Gallery ; 1606, Milan, Pinacoteca di Brera). Quant aux frères Le Nain, si *Les Pèlerins d'Emmaüs* de Matthieu correspondent bien au titre malgré l'assemblée particulièrement fournie (onze personnes et un chien !), *Le Repas des paysans* (1642, Paris, musée du Louvre), dit aussi *Le Fermier bienfaisant* ou *Les Buveurs*, est plus équivoque et illustre bien l'entrelacement des registres déjà évoqué : le maître de maison à l'allure christique, le regard perdu dans le lointain, tient son verre, juste à l'aplomb de la miche posée sur la table devant lui, comme un calice et, si le pèlerin de gauche est en train de boire, celui de droite a les mains jointes comme en prière, le tout dans un cadre paysan, avec des personnages, sauf le principal, pauvrement habillés et les pieds nus ou mal chaussés. Il s'agit donc plutôt d'une version à peine camouflée de l'épisode biblique. Mais la représentation religieuse du pain ne se résume pas à l'Eucharistie et à ses succédanés. Le Christ peut prendre un repas chez Marthe et Marie dont le pain est un élément naturel (Vermeer, 1654-1656, Édimbourg, National Gallery), être nourri par des anges dans ce qui ressemble fort à une « avant-cène » (Francesco Pacheco, *Le Christ servi par les anges dans le désert*, 1616, Castres, musée Goya), ou s'en servir pour accomplir un miracle (Giovanni Lanfranco, *La Multiplication des pains et des poissons*, 1624-1625, Dublin, The National Gallery of Ireland).

En partie débarrassé de sa connotation divine, le pain peut avoir d'autres significations : associé à l'eau, il peut exprimer la frugalité (par exemple *Le Jeûne de saint Charles Borromée* de Daniele Crespi, vers 1627, Milan, église Santa Maria della Passione), ou la Charité s'il est apporté par des corbeaux à de saints ermites (Élie le Prophète ou saint Paul ermite, par exemple). Il constitue enfin l'attribut iconographique de saint Roch, dont le chien censé l'avoir nourri durant sa maladie tient souvent une miche dans sa gueule ; de saint Benoît, auquel le moine Romain apporte du pain dans sa retraite ; alors que les quarante dominicains réunis au couvent Saint-Sixte de Rome sous la direction de saint Dominique et qui n'ont plus qu'un quignon à se partager reçoivent des mains de deux anges deux grandes corbeilles de pain ; et lorsque Marie l'Égyptienne se convertit après une vie de débauche pour se retirer dans le désert de Transjordanie, un individu lui glisse trois deniers qui lui permettent d'acheter les trois pains dont elle se nourrira durant soixante ans.

Quant à la représentation profane du pain, elle relève de la réalité que le peintre veut représenter. Il peut s'agir de l'activité même de la boulangerie, que l'on trouve en nombre au Moyen Âge (*Pétrissage et enfournement dans un atelier berruyer*, Missel, B. M. de Lyon) comme plus tard (Job Berckhey, *Le Boulanger*, vers 1681, Worcester, Art Museum), de son transport (*Une hottée de pain*, XIIIe siècle, vitrail de la cathédrale de Chartres), ou de son commerce (*La Charrette de pain* de Jean Michelin, 1656, New York, Metropolitan Museum of Art) avec ses personnages posant face aux spectateurs au côté de grosses miches destinées à durer la semaine. Le respect de la réalité réclame la présence du pain sur les innombrables tables dressées ou improvisées depuis le Moyen Âge (*Un repas au cours d'une partie de chasse*, Livre de Gaston de Phébus, BNF) jusqu'à notre époque. Le pain occupe une place d'autant plus importante qu'il s'agit d'un repas paysan dont il a longtemps constitué l'aliment de base (*La Famille heureuse* des frères Le Nain, 1642, Paris, musée du Louvre). Enfin, le pain participe aux scènes de genre que les XVIIe et XVIIIe siècles ont vu se multiplier : *Le Mangeur de haricots* d'Annibale Carrache (1580-1590, Rome, Galleria Colonna), *La Laitière* de Vermeer (vers 1658, Amsterdam, Rijksmuseum), *Femme préparant du pain beurré pour un enfant* de Pieter de Hooch (1660, Los Angeles, The J. Paul Getty Museum), ou *La Pourvoyeuse* de Chardin (1738, Ottawa, Galerie nationale du Canada).

La nature morte qui s'autonomise au XVIIe siècle renvoie aux « Peintres de la réalité » selon l'appellation de la célèbre exposition organisée par Paul Jamot et Charles Sterling (musée de l'Orangerie, 1934). Mais le pain en relève d'une manière très particulière, car la nature morte est avant tout un morceau de bravoure, une manifestation éclatante de la virtuosité de l'artiste, et le pain n'est pas le plus spectaculaire des sujets. La discrétion de ses couleurs et de sa texture n'offre pas les possibilités flamboyantes des fleurs et des fruits, du gibier et des poissons, de la vaisselle et de la verrerie. Chez Sébastien Stoskopff (1597-1657), ce sont ses paniers de verres intacts, ou très symboliquement brisés, ou bien les carpes mortes ou nageant encore dans un baquet qui restent dans l'esprit du spectateur, et il faut aller chercher dans les ouvrages pour y trouver trace de pain (par exemple *Gigot, miche de pain, réchaud et citron sur un entablement*, vers 1630-1635, coll. particulière). Quant au grand spécialiste du genre, l'Espagnol Luis Meléndez (1715-1780), le pain est fréquemment présent dans ses compositions, mais comme pour fournir un contrepoint discret au rendu virtuose des différents aliments et ustensiles posés sur un coin de table. Sans oublier la dimension symbolique toujours sous-jacente. Car la nature morte n'est pas que représentation de la réalité et peut relever de la *vanitas* comme image de la matière corruptible, de la chair coupable s'opposant à l'esprit qui, lui, est éternel. La nourriture rassemblée en abondance sur la table est tromperie. Apparemment signe de vie – et de richesse –, elle porte sa fin en elle-même, ce que signifient les allusions plus ou moins dissimulées de sa corruption : insectes inquiétants, souris maléfiques, pâtés entamés et commençant à se décomposer, fruits véreux, etc. Le « pain de vie » n'y a pas toujours sa place.

Enfin et pour en revenir au point de départ, une autre symbolique peut se trouver associée au pain dans les natures mortes : l'Eucharistie. La chose n'est pas toujours perceptible étant donné ce qu'il y a de naturel à voir associés, dans la culture européenne, le pain et le vin, et il faut résister à la tentation de donner une dimension systématiquement sacrée à leur présence sur une table. Il n'en reste pas moins que s'y ajoutent parfois d'autres indices. Si l'on prend l'exemple de la *Nature morte aux poissons et au cerf-volant* de Georg Flegel (1635, Cologne, Walraff-Richartz Museum), la présence, à la signification évidente, du verre de vin blanc et du pain est renforcée par celles d'un poisson (un hareng), le plus ancien symbole du Christ, et d'un coléoptère (un cerf-volant), incarnation du mal contre lequel le christianisme se doit de lutter. Derrière la composition apparemment banale et profane est donc ici évoqué un épisode théologiquement et iconographiquement capital : la dernière Cène.

Jacques Bonnet

• *Voir aussi :* Bread (groupe musical) ; Cène ; Couture (pain) ; Documentaires et films ; Eucharistie ; *Femme du boulanger* (*La*) ; Fermentation (approche anthropologique de la) ; *Gerbe d'or* (*La*) ; Hostie ; Mangeurs de pain ; Miracles christiques ; Œuvre d'art en pain ; Si le grain tombé en terre ne meurt ; Théologie du pain

Bibl. : Luis MELÉNDEZ, *Master of the Spanish Still Life*, catalogue d'exposition, New Haven et Londres, Yale University Press, 2009 • *Stoskopff Sébastien, 1597-1657. Un maître de la nature morte*, catalogue d'exposition, Paris, RMN, 1997 • *Les Frères Le Nain,* catalogue d'exposition, Paris, RMN, 1978.

PEKAR (essai). – Test (du nom de son inventeur) destiné à caractériser la pureté d'une farine. La méthode consiste à aplatir la farine posée sur une planchette avec une plaque de verre de façon à obtenir une surface d'observation bien plane, une fois la plaque de verre retirée. On peut ainsi comparer la couleur du fond et évaluer la densité et la grosseur des piqûres de plusieurs farines disposées les unes à côté des autres sur la planchette. Les différences sont accentuées lorsque l'on immerge la planchette dans l'eau.

Philippe Duret

• *Voir aussi :* Farine ; Hagberg ; Piqûre

Bibl. : Jean BURÉ, *La Chimie du blé*, Paris, Sepaic, 1980.

PÈLERINS D'EMMAÜS **(*Les*).** – Voir PEINTURE OCCIDENTALE

PELLAGRE. – Maladie causée par une carence alimentaire en vitamine B3 et en tryptophane, en particulier dans le cas des régimes à base de maïs et pauvres en protéines animales. La maladie se décrit selon la règle dite des « trois D » : dermatite, diarrhée et démence. Sans traitement, la pellagre pouvait entraîner la mort dans les quatre ou cinq ans.

Janick Auberger

• *Voir aussi :* Diabète ; Grèce ; Maïs ; Régime Seignalet sans pain ; Santé

PELLE. – Elle a été longtemps l'emblème d'une profession qui devait sa renommée à sa maîtrise du feu et de la cuisson d'un aliment de première nécessité. Un blason des boulangers de Paris montre deux pelles de four croisées, chargées chacune de trois pains. Les pelles sont en bois ou en fer ; leur largeur et leur longueur varient suivant le volume et la forme des pains et suivant les endroits du four où il s'agit de les placer. Il faut que les pelles soient solides, légères et flexibles.

Mouette Barboff

• *Voir aussi :* Boulangers et boulangeries (histoire de France des) ; Boulangers forains ; Enfournement ; Four ; Quartier

PELLE (maître de). – Voir FOURNIL

PELOT. – Voir MARRONS

PÉNIBILITÉ. – Le métier a été et reste en partie entaché d'une mauvaise réputation qui lui colle à la peau. Elle s'est constituée au fil des ans, à des époques où les talemeliers puis les boulangers, bien qu'assujettis au devoir de nourrir la population, et le moins mal possible, étaient pourtant relégués aux marges de la société. Différentes raisons ont pu expliquer cette mise à l'écart. La question des subsistances, que le pain a longtemps résumée, a placé les acteurs de ce qu'on nomme la filière blé-farine-pain au rang des éternels suspects, suspects de comploter derrière le dos des plus pauvres, des indigents, autrement dit la majorité, de ceux qui en somme dépendaient essentiellement de leur bon vouloir ou de ce qui paraissait y ressembler. Lorsque la famine revenait, le boulanger était nécessairement l'affameur, même si lui aussi se trouvait pris en otage par les circonstances climatiques et politiques. Ajouter à cela les conditions souvent désastreuses dans lesquelles ces « mineurs blancs » exerçaient leur sacerdoce, confinés dans des réduits obscurs, sans aération, sans ouverture sur le monde extérieur, travaillant presque nus lorsque le reste de la population dormait, exclus par nécessité du temps social et donc assez naturellement mis au ban de la collectivité.

Le métier s'est réinventé sous l'impulsion des hygiénistes du XVIIIe siècle et surtout avec la mécanisation progressive du processus, les fournils sortis des sous-sols et désormais exposés à la vue des passants et des clients, qui assistent aux différentes étapes de la panification, et davantage encore avec la consécration de certains maîtres boulangers, fiers de leurs succès et renommée, partant à la conquête de nouveaux quartiers, villes ou pays. Le boulanger, échec scolaire, socialement blâmé, condamné à faire un pain dont on ne se préoccupe que lorsqu'il augmente, n'est plus. Les Ganachaud, Croquet, Saibron, Lalos, Debieu, Galloyer, Kayser, Gosselin, Holder, Pimenta, Poilâne, etc., pour ne citer que quelques-uns des artistes français, ont contribué à réinventer la fonction et la physionomie du boulanger au XXIe siècle et montrer que le métier était en réalité plein de ressources et porteur de vraies reconnaissance et consécration sociales. Mais ainsi que l'indique ici Gérard Brochoire, responsable de l'INBP (Institut national de la boulangerie pâtisserie), la profession reste perçue à travers des prismes déformants qui contrarient encore les possibles vocations : ainsi, si un nombre important de jeunes sont actuellement en formation, il reste un nombre non moins important de postes à pourvoir et la question du recrutement demeure un vrai serpent de mer. « Si, en effet, 9 000 jeunes passent chaque année un CAP de boulanger ou de pâtissier, après une formation effectuée principalement par la voie de l'apprentissage, 50 % d'entre eux abandonnent après l'examen. Cela peut s'expliquer par le fait qu'un jeune souhaitant quitter l'école choisit trop souvent ce métier en raison de l'opportunité d'une place d'apprenti disponible, plutôt qu'en raison d'un choix personnel. Par ailleurs, il est certain que les conditions d'exercice du métier avec le travail le week-end et les jours fériés rend la fidélisation des jeunes difficile.» En revanche, de plus en plus d'adultes, parvenus à une sorte d'aiguillage dans leur parcours professionnel, décident de se laisser tenter : reprendre la boulangerie du village de Provence de leurs vacances, partir à l'étranger ou simplement renouer avec la «vérité» qui se dégage d'une activité rattachée aux fondamentaux de la vie naturelle à nouveau célébrée par nos sociétés, après l'avoir sciemment et superbement piétinée. Ainsi, le choix de devenir boulanger pourrait participer de cette vaste tendance dite «écolo», qui secoue le vieux monde confronté à des choix de civilisation impérieux. Et à nouveau, comme à chaque fois que nos sociétés ont été confrontées à des échéances essentielles, la question du pain n'est jamais très loin.

Jean-Philippe de Tonnac

• *Voir aussi :* Apprentissage ; Boulangerie contemporaine ; Boulangers de France ; CAP ; CFA ; EBP ; École Carrefour ; École de boulangerie (première) ; École française de boulangerie d'Aurillac → MOF ; École Grégoire-Ferrandi ; Formations à la boulangerie et à la pâtisserie ; INBP ; MOF ; Talemelier

PÉNINSULE ARABIQUE (traditions du pain dans la) : Arabie saoudite, Bahreïn, Émirats arabes unis, Koweït, Oman, Qatar, Yémen. Si l'on devait établir une grande division entre les catégories de mangeurs de pain dans la péninsule Arabique, cela serait entre nomades et sédentaires. Ce n'est peut-être pas tant la contrainte du nomadisme qui a imposé une limitation à la consommation du pain. Certes, l'accès aux céréales était complexe puisqu'il dépendait des relations instaurées entre les grands nomades (c'est-à-dire les éleveurs de dromadaires, de chevaux) et les agriculteurs. Jusqu'à la «pacification» de la région, ces nomades bédouins imposaient, en échange de leur protection, un impôt dit «de fraternité» (*al-khûwa*) aux agriculteurs ou éleveurs de petit bétail (chèvres, moutons), qui se composait de produits agricoles (céréales, dattes, animaux entiers, produits laitiers…). Qu'ils aient été nomades ou sédentaires, vivant dans des zones très arides ou qu'ils aient été amenés à traverser le Rub' al-Khâli, le «quart vide», que nous connaissons comme le «Désert des déserts», grâce à l'ouvrage de Wilfred Thesiger (1978), ou encore, éleveurs de petit bétail dans les montagnes arides omanaises…, tous connaissaient le pain et savaient le fabriquer.

Contrairement à ce que l'on pourrait penser, la péninsule Arabique n'a probablement jamais manqué de céréales ; sauf en cas de conflits étendus et de grandes sécheresses, comme cela semble avoir été le cas vers la fin du XVIIIe siècle. Bien que la Péninsule ne soit guère privilégiée par son climat, ses ressources en eau et ses terres arables, certaines régions permettaient les cultures céréalières. On les trouve dans les hautes terres yéménites et omanaises, et dans les plaines de l'Arabie centrale (Qassim, Nejd) et orientale (Hassa). Les rapports et récits d'officiers britanniques en témoignent ; surtout ceux des XIXe et XXe siècles, lorsqu'ils cherchaient à connaître les potentialités locales. On apprend ainsi que certaines zones fournissaient des produits agricoles à la population locale (Qassim, Nejd), tandis que d'autres (Yémen, Hassa) permettaient de nourrir leurs habitants et d'envoyer leurs surplus par caravanes vers les régions qui en avaient besoin (Burckhardt 1967 ; Hunter 1968 ; Musil 1978 ; Pelly s.d. ; Sadleir 1977 ; Vidal 1955 ; Wellsted 1978). L'essentiel des denrées alimentaires parvenait par d'autres voies, cependant. De tout temps, des caravanes ont permis l'approvisionnement des souks des cités et bourgades ; la plus importante étant celle du pèlerinage annuel à La Mecque. Ses centaines de dromadaires n'accompagnaient pas seulement les pèlerins. Ils convoyaient toutes sortes de marchandises d'origine plus ou moins lointaines, en particulier les céréales d'Égypte, de Syrie, d'Irak et de Perse. Le développement du commerce maritime à partir du XVe siècle a fortement contribué à l'augmentation des échanges, notamment des chevaux contre des céréales. La consommation du riz, déjà connue en Irak et dans l'Arabie orientale (Hassa), s'est peu à peu répandue des zones maritimes vers l'intérieur des terres. Des résistances ont subsisté, en particulier chez les Bédouins, soit par choix culturel ou identitaire (Montigny 1996) ; soit par contraintes financières, le riz ayant été traditionnellement d'un coût plus élevé que les autres céréales. C'est la pauvreté qui empêchait les populations de se fournir en céréales.

Il existe bien un terme arabe générique pour désigner le mot pain : *khubz*. Mais, contrairement au terme *'aysh*, il était peu employé dans la péninsule Arabique, si ce n'est dans les cités. Et, depuis une trentaine d'années, il s'applique surtout aux pains de boulanger ou industriels. Définir le pain dans certaines régions du monde ou certaines cultures n'est pas toujours aisé. Tout d'abord, il peut être fabriqué avec diverses céréales. Ainsi, en cas de disette, les Bédouins de la côte nord-ouest de l'Arabie connaissaient une graminée nommée *samh* (*Mesembryanhemum forsskalei*), qu'ils récoltaient et dont ils faisaient du pain ou une bouillie (Dickson 1971 ; Lancaster 1999 ; Wallin 1979). Traditionnellement, chez les Bédouins, le pain constituait un des aliments de base. Les céréales utilisées pour la pâte variaient par choix, et surtout selon les possibilités : froment, sorgho, orge, ou millet, parfois l'un ou l'autre mélangés. Le plus estimé pour sa consistance, avec l'idée de réplétion, était le sorgho, qui lui-même offrait plusieurs variétés. Réduite en farine au moyen de la meule tournante ou dormante, la céréale était pétrie un moment avec de l'eau ou du lait et du sel. Tout ce travail, comme toutes les activités liées à la cuisine, était dévolu aux femmes. La pâte ainsi formée pouvait être enrichie de dattes ou de plantes sauvages afin de l'aromatiser. Le plus souvent, chez les populations nomades, la pâte n'était pas laissée à fermenter. Autrement dit, il s'agissait de pain non levé (*fatîr*). Ensuite, la pâte était mise en forme de disque par étirement entre les paumes de la main ou par aplatissement si l'on cherchait à faire un pain plus épais.

Généralement, deux modes de cuisson existaient. L'un, sur une plaque en tôle (*sâj*) posée sur trois pierres placées au-dessus du feu, était plutôt destiné au pain de faible épaisseur. Pour l'autre, une cavité était creusée dans le sol et un feu de broussailles ou de crottes de dromadaires séchées était allumé à l'intérieur ; lorsque le sable (ou des cailloux mis au fond de la cavité) était brûlant, la femme y déposait l'épaisse galette et la recouvrait de braises ; après un moment, elle retournait la galette afin de la faire cuire sur l'autre face, selon le même procédé. De la sorte, plusieurs pains pouvaient être cuits l'un sur l'autre par alternance des braises entre chaque galette. Une fois cuit, le pain était gratté des cendres et du sable et le plus souvent consommé chaud. C'était préférable d'ailleurs, car, sitôt froid, il devenait très dur. Pour faire le pain au levain (*khamîr*, littéralement « levain »), la pâte était laissée au repos de deux heures à une nuit environ, selon les saisons. Même dans les familles où l'on consommait habituellement ce type de pain, l'arrivée d'un hôte obligeait la femme à en fabriquer au plus vite – mais cette fois non levé – afin de l'honorer et de respecter les règles de l'hospitalité. Seule la grande pauvreté forçait la famille à n'offrir que des restes de pain cassés en morceaux et trempés dans du lait. C'était là une des manières de consommer le pain : en le mouillant (ou mis à bouillir) avec du lait de chamelle, ou du beurre clarifié (*samn*) de petit bétail. Cela devenait une panade. Autre recette : du *leben*, sorte de yoghourt arrosé de beurre fondu (*dehn*) et absorbé avec du pain (levé ou non) ou des dattes séchées. Ces composantes (pain, laitages, dattes) se retrouvent dans tous les témoignages, à tout le moins du XIVe siècle à nos jours.

Le pain, comme toute autre nourriture, est un fort symbole d'hospitalité issu de la culture bédouine. Il est associé au sel. Jadis, un hôte venant à partager un aliment avec un membre d'une tribu était, de fait, placé sous la protection de cette dernière durant trois jours et deux nuits, au nom du pacte tacite du partage du sel. Chez les sédentaires, surtout citadins, une plus grande variété de pains (surtout levés) étaient fabriqués (farines de céréales diverses, parfois mélangées, addition de fruits dans la pâte ou après sa cuisson, incorporation de légumes, aromates…) ou achetés chez les boulangers. Contrairement à la pratique des nomades, la cuisson se faisait dans un four, *tannûr*, dont le principe est identique, qu'il soit à usage familial ou artisanal. Il se présente comme une coupole en terre cuite, avec une ouverture à la base pour la circulation de l'air et une large gueule au-dessus par laquelle sont déposés les éléments de combustion et enfournée la pâte. Chaque disque de pâte est étalé sur un support en forme de coussin que la personne tient par une poignée et qui lui permet d'apposer la pâte sur la paroi du four. Sitôt que la pâte semble se décoller sur les bords, on considère que le pain est cuit. Chez les sédentaires, le pain accompagnait une variété de ragoûts de viande et/ou de légumes, ou constituait le plat de base lorsqu'il était associé à des produits laitiers. D'après les témoignages anciens, on constate que la consommation de pain a changé selon les groupes sociaux. Alors que les sédentaires en consommaient le matin avec du lait ou du thé, chez la plupart des Bédouins le petit déjeuner était souvent absent faute de nourriture, ou il consistait en restes de la veille : quelques bouchées de pain, ou quelques dattes et/ou une gorgée de lait de chamelle. Et, selon ces groupes, le repas principal était soit le déjeuner (*al-ghada'*), soit le dîner (*al-'asha*). Avec le temps, dans la plupart des familles, le déjeuner est devenu plus important que le dîner. Il comprend essentiellement un plat à base de riz. Le soir, un repas plus léger se compose souvent de denrées en conserve prises avec du pain acheté chez le boulanger. Les femmes considèrent qu'elles n'ont plus le temps de faire leur pain.

Autre plat de base à partir de céréales : la bouillie. C'est sous des formes variées qu'elle était, et est encore, consommée parmi les populations de culture bédouine. Les mêmes céréales que pour le pain étaient utilisées. De nos jours, compte tenu de l'enrichissement général des familles, le blé est privilégié ; parfois mélangé avec de la farine de riz. La différence avec la pâte à pain est que pour les bouillies la farine (parfois les grains sont écrasés et non moulus) est mêlée à une plus grande quantité de liquide, lait ou eau, puis bouillie. Elles sont apprêtées de diverses manières selon les choix et chaque recette porte un nom différent. Certaines sont recouvertes de beurre clarifié ou d'une sorte de yoghourt fait à partir de lait de petit bétail, d'autres mêlées à du lait aigre de chamelles ou à de la viande pilée… Quelques-unes sont des recettes classiques depuis notre Moyen Âge : *'asîda*, ou *harîssa*, et sont tout autant consommées chez les sédentaires. Un autre mets traditionnel et particulièrement apprécié pendant le mois de ramadan est le *thrîd*, réalisé en alternant une sorte de crêpe salée très fine (*rgâg*, considéré comme du pain) avec une couche de viande, l'ensemble étant plongé dans un bouillon de viande et de légumes (Burckhardt 1967 ; Musil 1978). L'absorption de ces bouillies conduit à se poser la question de la signification du pain. Car, s'il existe plusieurs méthodes, elles reposent toutes sur l'usage de la main droite, comme le veut la coutume ; la main gauche étant considérée impure dans la tradition arabo-musulmane. La nourriture est alors recueillie du bout des doigts et mise directement dans la bouche ; ou bien, la bouillie est ramassée à l'aide d'une ou deux dattes écrasées dans les doigts. Jamais le pain n'était/n'est associé à ce type de plat ou à un autre mets de céréales. Il n'est pas considéré comme un accompagnement à la nourriture. Les seuls ajouts qui servent, en quelque sorte, à transmettre la nourriture jusqu'à la bouche sont les dattes. D'après mes enquêtes au Qatar, c'est cet aspect qui est privilégié et non leur seul pouvoir nutritif ; outre le fait que les dattes ont été un des aliments préférés du Prophète, elles sont hautement valorisées dans la culture arabo-musulmane. Le pain, comme aliment de base, est l'équivalent du riz, nourriture principale depuis une quarantaine d'années dans l'ensemble des pays de cette région. Le mot *'aysh*, qui désigne à la fois le pain et le riz (en arabe classique, nommé *al-aruzz*) dans toute la péninsule Arabique, en est l'illustration. Littéralement, il signifie « vie », « vivre ».

'Aysh. Terme général employé pour désigner à la fois le pain et le riz.

Fatîr. Désigne le pain à pâte non levée.

Khamîr. Désigne le pain au levain naturel.

Khubz. Pain de boulanger ou de fabrication industrielle.

Rgâg (mais écrit *rqâq*). Pain à pâte non levée très fine entrant dans la confection d'un plat traditionnel nommé *thrîd*. À base de farine de froment ou de blé, il est cuit sur une plaque de cuisson de forme convexe (*sâj*).

Anie Montigny

• *Voir aussi :* Arabie saoudite ; La Mecque ; Mésopotamie ; Pain (définition universelle du) ; Qatar ; Sorgho ; Tannur ; Yémen

Bibl. : John Lewis BURCKHARDT, *Notes on the Bedouins and Wahabys Collected During His Travels in the East* (1831), Londres, Johnson réimpr. Co, 1967 • Violet DICKSON, *Forty Years in Kuwait*, Londres, G. Allen & Unwin Ltd, 1971 • Captain F. M. HUNTER, *An Account of the British Settlement of Aden in Arabia* (1877), Londres, Frank Cass & Co Ltd, 1968 • William & Fidelity LANCASTER, *People, Land and Water in the Arab Middle East. Environments and Landscapes in the Bilâd ash-Shâm*, Harwood Academic Publishers, 1999 • Anie MONTIGNY, « L'ailleurs culinaire et ses *limes* : les limites de l'emprunt au Qatar » *in* M.-C. Bataille-Benguigui, F. Cousin (éd.), *Cuisines reflets des sociétés*, Paris, Sépia-Musée de l'Homme, 1996 • Alois MUSIL, *The Manners and Customs of the Rwala Beduin* (1928), New York, AMS Edition, 1978 • Lewis PELLY, *Report on A Journey to Riyadh in Central Arabia (1965)*, Oleander Press-FalconPress, s.d. • George F. SADLEIR, *Diary of a Journey across Arabia (1819)*, Oleander Press & Falcon Press, 1977 • Wilfred THESIGER, *Le Désert des déserts* (1959), Paris, Plon, coll. « Terre humaine », 1978 • F. S. VIDAL, *The Oasis of Al-Hasa*, ARAMCO/Local Government, 1955 • Georg A. WALLIN, *Travels in Arabia (1845 and 1848)*, Oleander Press-FalconPress, 1979 (réimpr.) • J. R. WELLSTED, *Travels in Arabia* (1838), Akademische Druck-u. Verlagsanstalt, 1978, 2 vol.

PENSÉE UNIQUE. – Dans l'ouvrage que sa fille Apollonia a édité après sa disparition, Lionel Poilâne s'étonne de ce qu'un certain panurgisme soit devenu, chez ses confrères, un mode d'être si unanimement partagé. Il oppose ici l'inventivité dont les femmes, premières boulangères, font et ont toujours fait preuve pour inventer mille recettes de pain qui ont satisfait des générations d'individus partout où le pain s'est fait eucharistie quotidienne, à cette standardisation à laquelle toute une profession semblait vouloir tendre – comme s'il s'agissait de précipiter l'arrivée du Grand Soir, autrement dit sa disparition. « Les pains "maison" invitent à la découverte et à la curiosité : je n'en ai jamais mangé deux semblables. Alors que le pain des professionnels est "attendu", souvent identique à celui de la veille, de l'avant-veille – et comparable à ceux des confrères, comme s'il existait une pense unique en boulangerie. » À cette injonction, une partie de la profession, il est vrai, a répondu avec force et accepté de se remettre en question, cela avec une telle abnégation qu'il y a tout lieu de croire que la boulangerie demeurera en France et nulle part ailleurs, plus que la baguette, peut-être, un signe identitaire national fort au XXIe siècle.

Jean-Philippe de Tonnac

• *Voir aussi :* Baguettocentrisme ; États généraux de la boulangerie ; Femmes ; Pain domestique ; Poilâne

Bibl. : *Le Pain par Poilâne*, Paris, Le Cherche Midi, 2005.

PENTOSANE. – Polymère constitué de deux pentoses (oses à cinq atomes de carbone), arabinose et xylose. Les pentosanes sont des constituants des parois cellulaires et représentent de 4 à 7 % de la masse du grain. Dans l'amande, ces constituants interagissent fortement avec l'eau et sont en partie hydrosolubles. Ils influencent les propriétés rhéologiques de la pâte. En tant que composants des fibres alimentaires, ils peuvent avoir des effets bénéfiques sur la flore intestinale et le métabolisme des lipides.

Gérard Branlard

• *Voir aussi :* Amande farineuse ; Arabinoxylane ; Fibres ; Grain ; Lipide ; Rhéologie

Bibl. : L. SAULNIER, P.-E. SADO, G. BRANLARD, G. CHARMET, F. GUILLON, « Wheat Arabinoxylans : Exploiting Variation in Amount and Composition to Develop Enhanced Varieties », *Journal of Cereal Science*, « The Contribution of Cereals to a Healthy Diet », nº 46, 2007, p. 261-281.

PÉRICARPE. – Voir GRAIN

PÉROU (traditions du pain au). – La boulangerie traditionnelle au Pérou résulte de la rencontre de la culture andine et du monde occidental. La production avec ses variantes régionales s'accorde avec les goûts et coutumes des populations locales. À l'époque préhispanique, selon les *Commentaires royaux* (1609) du chroniqueur Garcilaso de la Vega dit l'Inca, on préparait du pain de maïs pour différentes occasions : *zancu* était le pain du sacrifice, *huminta* celui des fêtes et offrandes, et *tanta* le pain ordinaire. Pendant l'*incanato*, au moment de la fête du Soleil ou *Intip Raymi*, célébrée au mois de juin, les vierges du Soleil confectionnaient une grande quantité de pain de maïs. Le pain destiné au peuple était préparé par un autre groupe de femmes. Il était interdit de manger du *zancu* pendant l'année, à l'exception de cette fête et de la *Citua* (rituel de purification). Les femmes chargées de la panification faisaient cuire la pâte de maïs enveloppée avec ses feuilles, ou directement sur des pierres brûlantes et sur des braises. Dans les premiers temps de la colonie hispanique, le maïs était devenu un équivalent du blé. Les femmes espagnoles adoptèrent la farine de maïs pour élaborer des *bizcochillos* et des *frutas de sartén*, destinées à leur propre usage et en tant qu'offrandes. Vers 1535, c'est une Espagnole (María Escobar, Inés Muñoz ou Doña Beatriz), habitant à Lima, qui cultiva avec soin la précieuse céréale (Olivas Weston 1996, p. 88-89 ; Cabieses 1996, p. 151-152). Les premières récoltes, encore très pauvres, ne permirent pas de confectionner du pain, jusqu'en 1539, date à laquelle on put disposer d'une quantité suffisante de farine produite par les premiers moulins de Lima (Cabieses 1996, p. 152 ; Olivas Weston 1996, p. 88).

Il existait à Cusco une boulangerie de transition organisée comme une unité de production d'alimentation spécialisée, qui comptait parmi sa main-d'œuvre des indigènes, alors que les femmes façonnaient les pains, dirigeaient, enseignaient, et contrôlaient tout le processus d'élaboration, avec les officiers espagnols et les propriétaires de la boulangerie. Les femmes indigènes ont été les premières à apprendre de leur patronnes européennes le métier de boulanger tel que pratiqué en Occident (*ibid.*). Au XVIᵉ siècle, à Lima, le travail des femmes boulangères avait une grande importance ; elles étaient chargées de la fournée de pains et de biscottes pour la consommation journalière ainsi que pour l'approvisionnement des navires et de l'armée. Ces femmes appartenaient généralement aux classes inférieures. Les femmes esclaves noires et les indigènes assuraient tout le processus de production, supervisé par des femmes espagnoles, des mulâtres et des femmes noires affranchies (Silva Santisteban 1999, p. 15). À la fin du XVIe siècle, on récoltait le blé dans toute la vice-royauté, et dans beaucoup de vallées de la côte ; le blé avait donc remplacé le maïs. Néanmoins, à Cusco, même si on récoltait le blé depuis 1539 et que l'on comptait un « moulin à pain » depuis 1547-1548, on ne préparait pas encore de pain de blé, mais toujours du pain de maïs. Il existait même des « centres de moutures » à Lima, Arequipa et Cajamarca (Cabieses 1996, p. 152 ; Olivas Weston 1996, p. 89 ; Silva Santisteban 1999, p. 15). Durant le XVIe siècle, il était impossible de réunir en corporation les boulangers de Lima, en raisons de conflits d'intérêts, et ils continuèrent à être sous la surveillance du « Cabildo » qui exigeait que les pains soient marqués d'un sceau. Ce n'est qu'au XVIIIe siècle, après de nombreuses tentatives, que les boulangers formèrent une corporation. Les boulangeries furent considérées comme des centres d'industrie et en même temps des centres de détention où travaillaient d'une manière forcée non seulement des détenus pour des délits mineurs, mais aussi des esclaves rebelles et des personnes libres dont on essayait de corriger la conduite (Mejía Carrillo 1993).

Au XIXe siècle à Lima, il était de coutume, pour célébrer l'Épiphanie, de faire la *rosca de Reyes*, et pendant la semaine sainte on offrait un pain sucré de grande taille (Olivas Weston 1999). La boulangerie traditionnelle des XXe et XXIe siècles présente des variantes régionales. Il subsiste ainsi encore des pains introduits dans la colonie hispanique, d'autres qui ont été apportés ultérieurement par les immigrants, et enfin des pains qui ont été créés à partir de ce qu'on trouvait sur place, des farines d'autres graines et tubercules. Le four de pierre ou de pisé, hérité de l'époque coloniale, emploie comme combustible le bois d'eucalyptus et d'autres bois du pays. Les ingrédients traditionnels demeurent la farine de blé locale ou importée, le sucre, le sel, la matière grasse végétale ou la graisse de porc et la levure. Le *concho* de la *chica de jora* (boisson de maïs fermenté) et le *masato* (liqueur de manioc fermenté) remplacent la levure traditionnelle. La farine de maïs, de manioc, de pomme de terre et l'emploi d'eau bouillie avec des herbes aromatiques confèrent au pain une consistance et une saveur très spéciales.

Il existe ainsi d'importantes zones de production au Pérou : les régions de Piura, Cajamarca et Ancash au nord ; Lima, Junín et Pasco dans la région montagneuse centrale ; Ayacucho, Huancavelica, Apurímac, Cusco et Arequipa au sud ; San Martín et Amazonas en Amazonie. Différentes variétés de pain se retrouvent dans ces régions et certaines possèdent la même dénomination, tout en présentant certaines caractéristiques particulières. Les *cachangas* et les pains miniatures sont produits dans la région de Piura. La région de Cajamarca propose la *torta*, le pain d'eau, le *semita*, le *mollete dulce* et le pain au lait. Dans la région d'Ancash, dans la ville de Sihuas, on vous propose le *semita*, le pain d'eau, la *torta*, le *francés*, le pain doux, les *basitas* ou *vasitas*, la *cachanga*, le *bollito*, les *wawas y guanacos*. On trouve, dans la ville de Corongo, le *jatutanta* ou « pain du marché », les *bambasas* et les petits pains de maïs. Dans la ville de Caraz, le *mishti* et le *mollete*. Dans celle de Callejón de Conchucos, on consomme le pain de haricot *canario* ou *cushcutanta*. À Lima, les pains de traditions sont le *carioca*, le pain au jaune d'œuf et à l'anis, le *tolete*, le *chancay*, le *cachito* et le *francés*. Dans la région de Junín, les pains sont le *mishti*, le pain de *Chongos*, le pain de maïs ou *jala tanta*, la *huahui tanta*, l'*ulpay*, le pain d'anis, le pain d'orge, le pain d'eau, le *lulo tanta*, le *tanta Huanca* ou pain d'Orcotuna, le pain de graisse, les pains au lait, les *molletes* et *tantachos*. Dans la région de Pasco, les *mishti* ou *mistibollo*, le pain *charqui* et le pain de Chacayán sont réputés.

La région d'Ayacucho est connue pour son pain *chapla*, pour le *chimango* ou *misti*, le pain commun, le pain de manioc, le *francés*, la *wawa*, la *lata canca y semitas*. La région de Huancavelica propose des pains au lait à la courge, des pains de blé et de *kiwicha*, les *wawas y caballos*, le pain au lait de Huaytará et les pains de table comme le *cachito*, les *cariocas*, les *hogazas*, les *manos*, les *trenzas*, les *corbatas*, le *torito*, la *mariposa*, la *tortuga* et les *roscas*. Dans la ville d'Abancay, dans la région d'Apurímac, on consomme de grandes quantités de *taparaco*. À Cusco, le pain *chuta* d'Oropesa est très demandé, mais encore le pain de Huaro et le pain de *rejilla*. Dans la région d'Arequipa, on confectionne le pain de *tres cachetes* ou de *tres puntas*, le pain de labourage, les pains de graisse et d'eau, les pains au lait, les *t'anta wawas*, les *marraquetas*, le pain Carpio et le pain de Ripacha. La boulangerie en Amazonie est singulière en ce sens qu'elle utilise des ingrédients locaux comme la farine de manioc, de banane ; ainsi, dans la région des Amazonas, on trouve les pains au lait de Rodríguez de Mendoza et dans les Chachapoyas le *puchco tortilla*.

Aujourd'hui, les fameuses *cachangas* du Nord, préparées sans l'aide du four et sans levure et qu'on nomme à Junín *tantachos*, le pain doux *lata canca* d'Ayacucho ou les *humitas* élaborées dans tout le Pérou sont un témoignage de continuité de toutes ces variétés préhispaniques qui se cuisinaient sur les pierres brûlantes ou les braises. Le pain est important parce que non seulement il occupe une fonction nutritive essentielle, mais parce qu'il est utilisé comme offrande sacrée faite aux morts, à l'occasion des rites qui scandent encore les grands cycles agraires et la vie du bétail, et comme garant des relations d'amitié et de compérage, ainsi que dans d'autres contextes festifs ou cérémonials. Les *t'anta wawas* ou les pains en forme de bébé, d'enfant ou d'adulte, comme les pains qui représentent des animaux et diverses figures élaborées pour l'occasion, sont caractéristiques des célébrations des saints et des défunts, les 1er et 2 novembre. En de nombreuses régions, ces *t'anta wawas* peuvent même être baptisés au cours d'une fête satirique qui est le prétexte à réaffirmer l'engagement des parrains et des marraines. Pendant l'épreuve de marquage du bétail, les communautés paysannes de Junín préparent des *walljas* ou des colliers constitués de *t'anta wawas* et de pains de différentes formes. Le Pérou présente ainsi une multitude de variétés d'un pain régional qui s'est développé tout au long de différentes périodes de l'Histoire et qui se maintiendra tant qu'existera une demande de la part de la clientèle locale et étrangère.

Angelitos. Pains miniatures qui se préparent dans le Bajo Piura à l'occasion du jour des Morts, le 1er novembre. Les pères qui ont perdu un enfant offrent ces pains à d'autres enfants afin que l'âme du disparu se sente sereine. On les vend à l'entrée des cimetières, présentés avec divers sandwichs et gâteaux.

Basitas ou vasitas. Petits pains, généralement sucrés, faits de farine de maïs, d'œufs de poules de basse-cour, d'une grande quantité de graisse de porc et de levure. Ils ne comportent pas d'eau. Tout depend alors de la quantité d'œufs incorporée pour que la pâte soit lisse. Certains la font salée, mais de taille plus grande. La dénomination de *basitas* ou *vasitas* vient de ce que, autrefois, pour donner cette forme arrondie, la pâte était taillée avec le bord d'un vase. Aujourd'hui, on utilise différents objets coupants comme ceux qu'on emploie pour les tartes. Ces pains se font dans la province de Sihuas, dans la région d'Ancash.

Cachanga. Pain domestique sans levure, contenant seulement de la farine et du sel. Il est frit dans l'huile d'olive comme la *tortilla*. Il a la forme d'un grand disque. Il peut être sucré ou salé. Au Pérou, on le prépare avec des lamelles de viande de porc frites ou de *chicharrón*. Il se prépare généralement pour le petit déjeuner et le déjeuner. La recette varie selon les régions.

Chapla. Il s'agit de l'un des pains les plus traditionnels du Pérou, produit et consommé en différentes régions sous le nom de « pain de montagne ». Huamanga est la principale région de production. Il contient de la farine de blé, du sel, du sucre, de la levure et de l'eau. Il possède peu de mie et est de forme ronde et applatie, semblable au pain arabe. L'arôme caractéristique provient de l'emploi d'une eau bouillie contenant du fenouil, de la camomille, de l'herbe *luisa* et de l'anis.

Paciencias. Petits pains miniatures façonnés avec un dé à coudre. Ils sont préparés à partir de farine de blé, d'anis, de cannelle, de clous de girofle (*Syzygium aromaticum*) et de citron. Ils sont typiques de la région d'Ica.

Pain de Chacayán. Il est de forme ronde et applatie. C'est un pain de farine de blé, mélangé avec de la graisse de saindoux, un soupçon de *chicha de jora* (boisson de maïs fermenté) et d'eau-de-vie. On utilise un blé *barbe vicuña*. La difficulté de cultiver ce blé tient au fait qu'il ne peut être récolté avant sept mois, alors que les autres espèces ne nécessitent que quatre mois d'attente. La *chica de jora* doit macérer au moins trois nuits durant. Les gens du peuple élaborent ces pains seulement à l'occasion de fêtes spéciales et des fêtes patronales. C'est un pain typique de Chacayán, de la region de Pasco.

Pain mishti. Il est petit et de forme allongée. Il contient de la farine de blé, du sel, du sucre, de la levure et de l'eau mélangée avec un peu de son. Quand on achève le façonnage des pains, on répand du son sur la partie supérieure avant de les mettre au four. Ces pains se préparent dans le district de Chongos, dans la province de Chupaca, région de Junín.

Pain taparaco. Pain typique d'Abancay, dans la région d'Apurímac. Il est de grande taille et de forme ronde et applatie. Il est croustillant comme une galette. Il contient de la farine de blé et une grande quantité de graisse de porc. Son non quechua fait référence à un grand papillon noir de mauvais augure, qui annonce la mort. C'est aussi le nom d'une déesse préhispanique, Taparaco ou Taguapaca, associée au mal selon un point de vue chrétien.

T'anta wawas. Pains sucrés et salés ou gâteaux en forme de bébé, enfant ou adulte, qui se préparent et se consomment généralement le jour de la Toussaint et le jour des Morts ; dans quelques régions, ils sont également confectionnés pour le carnaval, la semaine sainte, la fête des croix et les fêtes patronales. L'habitude a été prise de baptiser les *t'anta wawas* à l'effigie de bébés ou d'enfants au cours d'une cérémonie satirique et rituelle. Il s'établit ainsi des relations de parenté informelles qui, par la suite, se formalisent. On regroupe également sous cette dénomination des formes animales comme le lama, le cheval, le mouton, le taureau ou la colombe.

Tortilla de yuca. C'est un pain typique de la région de San Martín. Il a une forme allongée. Il se prépare avec du manioc qu'on a fait revenir et pilé, de la farine de maïs, de la graisse et des œufs. Après avoir pétri la pâte et donné forme aux pains, on les introduit dans le four. On consomme ces pains durant les fêtes patronales. Dans le district d'El Eslabón, de la province de Saposoa, on prépare ces *tortillas* pour la fête de San Felipe, célébrée entre les 16 et 18 août.

Sirley Ríos Acuña
(trad. de l'espagnol
par Jean-Philippe de Tonnac)

• *Voir aussi :* Amérique latine ; Chili ; Colombie ; Femmes ; Maïs ; Manioc ; Morts (pain des)

Bibl. : Fernando CABIESES, *Cien siglos de pan*, Lima, Universidad San Martín de Porres, 2e éd., 1996 • GARCILASO DE LA VEGA, dit l'Inca, *Commentaires royaux sur le Pérou des Incas* (*Comentarios reales de los Incas*), trad. R. L. F. Durand Paris, Maspero, 1982 • Yolanda MEJÍA CARRILLO, « Panaderías coloniales del siglo XVIII », *Sequilao*, nos 4-5, Lima, 1993, p. 66-72 • Rosario OLIVAS WESTON, *La cocina en el virreinato del Perú*. Lima, Fondo Editorial de la Universidad de San Martín de Porres, 1996. – ID., *La cocina cotidiana y festiva de los limeños en el siglo XIX*, Lima, Fondo Editorial de la Universidad de San Martín de Porres, 1999 • Sergio QUIJADA JARA, « Del foklore de la sierra central. Sus panes típicos » (1945), *in* E. Quijada Macha, *Homenaje a Sergio Quijada*, Lima, Ediciones del Centro Cultural Sergio Quijada Jara, 1991, p. 6-8 • Sirley RÍOS ACUÑA, « Las expresiones sitoplásticas de Todos los Santos y Día de los Difuntos », *Ñawinpuquio*, no 2, Lima, 1999, p. 11-13. – ID., *Implementos de una panadería tradicional*, Lima, Museo Nacional de la Cultura Peruana – Seminario de Historia Rural Andina, catálogo de exposición, juillet 2000 • Rocío SILVA SANTISTEBAN, « Corteza y miga. Los panes del Perú », *Perú El Dorado*, no 15, Lima, 1999, p. 14-21.

PERSÉPHONE. – Voir DÉMÉTER ET PERSÉPHONE

PERTE NUTRITIONNELLE DE LA GRAINE AU PAIN. – Les procédés de mouture et de panification peuvent avoir un impact majeur sur la qualité du pain. La conservation du potentiel nutritionnel et organoleptique des céréales panifiables est rendue difficile par l'hétérogénéité du grain, qui a la particularité d'accumuler les micronutriments (fibres, vitamines et minéraux) dans les parois externes et le germe. Ces compartiments étant éliminés sous forme de remoulages et de sons à l'issue de la mouture, la composition des farines destinées à la panification est souvent bien éloignée de celle du grain. L'essor technologique des moulins à cylindres a contribué à marginaliser la mouture sur meules de pierre, qui permet pourtant de conserver le germe, d'un intérêt nutritionnel majeur. Le fait de disposer de farines blanches sans germe et donc très peu sensibles au rancissement a été perçu comme un avantage technologique pour conserver et commercialiser les farines, et les préoccupations nutritionnelles concernant l'intérêt du germe sont passées au second plan. En effet, les grains sont riches d'une grande diversité de micronutriments antioxydants, mais leurs germes contiennent aussi des acides gras insaturés facilement oxydables ainsi que diverses enzymes catalysant ces oxydations (lipoxygénases, polyphénol oxydases, péroxydases).

Une récente étude a mis en évidence l'influence des diverses étapes de la panification sur la conservation des caroténoïdes, des tocophérols et tocotriénols de diverses espèces de blé (Leenhardt *et al.* 2006). Les pigments caroténoïdes sont majoritairement détruits lors du pétrissage, qui incorpore l'oxygène à la pâte, induisant des réactions d'oxydation. En particulier, l'oxydation des acides linoléique et linolénique de la farine par la lipoxygénase, activée avec l'hydratation de la farine, génère des produits intermédiaires instables, qui vont à leur tour oxyder les pigments caroténoïdes de la farine, notamment (Drapron *et al.* 1974). Ainsi, le blanchiment de la pâte qui en résulte est fortement corrélé à l'activité lipoxygénasique des farines ainsi qu'à l'intensité du pétrissage (en relation directe avec l'incorporation d'oxygène). Les caroténoïdes semblent être la cible première de ces cascades d'oxydations, ce qui leur permet de préserver la vitamine E et les autres micronutriments oxydables. Finalement, le critère d'une panification bien conduite est d'aboutir à une préservation maximale des caroténoïdes, ce qui garantit également l'amélioration des teneurs en autres antioxydants. On peut ainsi imaginer que la maîtrise de la couleur de la mie du pain pourrait devenir un outil facile d'évaluation de la qualité du procédé de panification. Cependant, il est remarquable que dans le pain, comme finalement au sein de l'organisme, il soit nécessaire de s'appuyer sur une bonne maîtrise des oxydations lipidiques. Dans la pâte, ces dernières aident en effet à la formation du réseau de gluten. Il n'est donc pas étonnant que la farine blanche, appauvrie en lipides, ait besoin de l'ajout de lipoxygénases (issues de farine de fève, à la dose maximale de 2 % du poids de la farine, ou de soja, au taux maximum de 0,5 %) pour consolider son gluten. Alors que les farines de meule de pierre, après quelques jours de stockage, possèdent un degré de péroxydation suffisant pour l'établissement du réseau de gluten. L'idéal serait de pouvoir isoler le germe avec un très bon rendement et de le stabiliser avant son incorporation dans la farine finale.

Fanny Leenhardt

• *Voir aussi :* Acides gras essentiels ; Acide linoléique ; Caroténoïdes ; Lipoxygénase ; Pain blanc ; Régime alimentaire méditerranéen ; Remoulages ; Santé ; Son ; Valeur énergétique du pain ; Valeur nutritionnelle du pain

Bibl. : Fanny LEENHARDT, Bertrand LYAN, Edmond ROCK, Aline BOUSSARD, Jacques

POTUS, Élisabeth CHANLIAUD, Christian RÉMÉSY, « Wheat lipoxygenase activity induces greater losses of carotenoids than vitamin E during breadmaking », *Journal of Agricultural and Food Chemistry*, vol. 54, nº 5, 2006, p. 1710-1715 • Roger DRAPRON, Y. BEAUX, M. CORMIER, J. GEFFROY, Jean ADRIAN, « Répercussions de l'action de la lipoxygénase en panification. Destruction des acides gras essentiels à l'état libre, des caroténoïdes et des tocophérols, altération du gout du pain », *Annales de technologie agricole*, nº 23, 1974, p. 353-365.

PESAGE. – Une fois la pâte d'un pétrissage divisée en fonction du poids des pains à réaliser, les pâtons obtenus et destinés au façonnage seront pesés. C'est l'étape qui suit le pointage en masse. Le pesage de chaque pièce est alors fait soit manuellement à l'aide d'une balance, soit mécaniquement avec l'aide une diviseuse ou une peseuse-diviseuse.

Guy Boulet

• *Voir aussi :* Division ; Façonnage ; Pâton ; Peseuse-diviseuse ; Pétrissage ; Pointage

PESEUSE-DIVISEUSE. – Une fois la pâte pétrie et après une première fermentation dont la durée est généralement faible (pointage), il faut détailler la pâte en pâtons de poids bien définis et réguliers. On peut peser les pâtons à la main, mais aussi avec une peseuse. Deux types de peseuse-diviseuse sont utilisés. Avec la peseuse-diviseuse à couteaux, on pèse à la main une quantité de pâte que l'on étale sur un plateau au travers duquel un système de division composé par une grille de couteaux peut se déplacer grâce à un vérin hydraulique qui va à la fois compresser et découper la pâte. Compte tenu du nombre de divisions et de la quantité de pâte mise sur le plateau, on peut produire des pâtons pesant chacun de 100 g à 1 kg. Les pâtons sont de forme régulière et de poids identique ; la pâte n'a pas subi de contraintes importantes. Avec la peseuse-diviseuse volumétrique, la totalité de la pâte du pétrin est déversée dans une trémie en dessous de laquelle un piston va aspirer et refouler un volume de pâte défini par la course du piston. La pâte, dans ce cas, subit des contraintes très importantes préjudiciables au développement des pains.

Ludovic Salvo

• *Voir aussi :* Fermentation panaire ; Pâte ; Pâton ; Pétrin ; Pétrissage ; Pointage

***PETIT BOULANGER DE VENISE* (*Le*).** – Voir DOCUMENTAIRES ET FILMS

PÉTRIN. – À toutes les époques, mécanique ou pas, le pétrin a toujours servi à mélanger différentes matières premières en vue de réaliser une pâte, constituée de farine, d'eau, d'un agent de fermentation, et de sel, bien que le pain n'ait pas été toujours salé. Cela afin d'assurer l'hydratation des constituants de la farine, le mélange intime des ingrédients, le développement mécanique du gluten, la continuité de la pâte, l'incorporation de l'air, autant d'opérations comprises dans l'étape dite du pétrissage. Il n'est pas faux de dire que le pétrin est le principal outil du boulanger, le cœur du fournil. Après avoir été en pierre, ressemblant à une amphore ou à un grand vase, et avant de devenir le pétrin mécanique que nous connaissons aujourd'hui, il a été une espèce d'auge en bois plus ou moins profonde, devenue un coffre long, plus étroit dans sa partie inférieure qu'à son ouverture.

Les pétrins en bois et le pétrissage manuel. Les pétrins sont de différentes grandeurs, en général en adéquation avec la taille du four. « On proportionne dans chaque fournil la grandeur du pétrin à celle du four, et à la place qu'on a pour le mettre : on prend ordinairement un pétrin de huit pieds pour un four de huit pieds aussi de diamètre ; et si les fours sont encore plus grands, c'est-à-dire, si l'on est dans le cas de faire de grandes fournées de pain, il faut avoir aussi le pétrin plus grand. Si au contraire les fours sont plus petits, il ne faut pas prendre les pétrins plus petits dans les mêmes proportions, parce qu'en général plus les pétrins sont grands, meilleurs ils sont : on a d'autant plus d'aisance pour faire travailler la pâte et pour la faire bonne, que le pétrin est plus spacieux » (Bertrand 1776). Le pétrin en bois est « organisé » : il y a un endroit pour la farine, l'autre pour l'eau servant à faire la « fontaine », un troisième pour mélanger le levain. Il y a aussi un sens de pétrissage, de la droite vers la gauche, sûrement parce qu'on verse en général la farine à droite. Cela permet de bien conduire le pétrissage, d'étendre suffisamment la pâte… Pour des raisons d'usure, il faut choisir un bois très résistant, comme le noyer ou le poirier, voire le chêne, le hêtre, l'érable et le peuplier (particulièrement prisés des Allemands). Le bois choisi ne doit évidemment pas être poreux, de manière à ne pas s'imbiber, ce qui contribuerait à en accélérer la dégradation et le pourrissement. Il ne doit pas non plus être filandreux, ce qui aurait pour conséquence que des copeaux de bois, détachés des parois du pétrin, se retrouvent dans la pâte. Sans parler du risque encouru pour le pétrisseur de se blesser. La manière dont les pétrins s'usent sous les coups de boutoirs du pétrisseur est décrite par Bertrand dans son *Art du meunier, du boulanger et du vermicellier* (1776) : « Il faut observer par rapport à la structure et aux choix qu'on fait des pétrins, que l'on les use toujours plus dans le bout que dans le milieu, surtout dans le bout qui est à la gauche du pétrisseur, parce qu'il est ni à jamais dans le milieu, que de la farine ou de la pâte ; au lieu que dans le bout, surtout dans celui qui est à gauche, il y séjourne souvent de l'eau, pour faire ce que l'on nomme La Fontaine, et pour y préparer le levain, cela mais aussi dans le cas de ratisser plus souvent le bout des pétrin, que le milieu ; ce qui les use encore plus. »

Les premiers pétrins mécaniques. Ils apparaissent à la fin du XVIIIe siècle, et plus précisément en 1760, année où un certain monsieur Salignac invente le premier pétrin mécanique. Cependant, par manque de force motrice, il ne connaît que très peu de succès. De nombreux brevets sont déposés, mais les inventions sont encore peu nombreuses. Les inventeurs tentent de faire avancer leurs réflexions à propos de deux questions très précises : l'air introduit dans la pâte durant le pétrissage ; l'influence des métaux dont ces pétrins mécaniques seraient faits sur la température de la pâte. Une spécificité de ces machines est encore de pouvoir délaisser la force mécanique au profit de la force humaine en cas de panne. Dans la plupart des pétrins mécaniques, qu'ils soient ouverts ou fermés, un axe horizontal est mis en mouvement par le moyen d'une roue dentée, d'un pignon et d'une manivelle. Sur cet axe, il est ajouté diverses pièces destinées à étirer la pâte. Ce sont soit des dents droites ; soit des cadres droits ou courbes ; soit des plans perpendiculaires à l'axe ; il peut s'agir aussi d'une hélice. Ces axes sont placés dans une caisse courbe dans la partie inférieure, ou dans un cylindre. La partie supérieure se ferme de telle sorte que le pétrin entier soit en rotation. Une bonne évolution technique est apportée par un certain Selligue, qui fait encore usage d'un axe horizontal muni de pièces en fer formant une lanterne, mais qui le dote d'un engrenage permettant de donner à la fois, grâce à une manivelle, un mouvement de rotation à la lanterne et un mouvement alternatif à la cuve du pétrin, appelée le « berceau ». Le pétrin de M. Selligue offre ainsi un bon pétrissage grâce à la rotation de la lanterne et à l'oscillation du berceau. Il est en revanche difficile de pétrir des petites quantités, en général demandées pour les levains de première, la lanterne n'agissant pas sur une petite masse.

L'étape suivante est de doter un pétrin demi-circulaire, au fond duquel se trouve un cylindre mis en mouvement par un engrenage et une manivelle, d'une pièce de bois formant un racloir. Dans cette série d'innovations, il convient de faire une place particulière à trois pétrins remarquables pour leur temps. Hyacinthe Lembert, boulanger à Paris, propose en 1796 une machine à pétrir, baptisée la « Lembertine », mais considérée davantage comme une mélangeuse que comme un pétrin ; son invention est pourtant récompensée lors d'un concours organisé par la Société d'encouragement pour l'industrie nationale en 1811. Il s'agit d'une caisse quadrangulaire qui bouge sur un axe par le moyen d'un engrenage et d'une manivelle, actionnés par une roue à engrenage. Le mouvement de rotation impulsé va alors permettre de mélanger les ingrédients. Une évolution a été de monter des roues sur la caisse de manière à approcher le pétrin d'une source de chaleur si la fermentation devait être menée plus rapidement. Un monsieur Fontaine va apporter quelques améliorations décisives à l'invention de Hyacinthe Lembert. À la place d'une caisse quadrangulaire, il choisit un cylindre à l'intérieur duquel sont placées deux barres en bois qui se croisent et qui étirent régulièrement la pâte. Tirant parti de ce nouveau procédé, un boulanger, un certain M. Mouchot, dispose une roue de 3 m, sur la circonférence de laquelle est disposée une courroie qui agit sur le pignon du pétrin, la roue étant tractée par deux chiens. Il semble que ce pétrin ait fournit de très bons résultats, bien qu'il ait été nécessaire d'utiliser plus de levain que dans une pétrissée faite à bras. Le pétrisseur avec vis d'Archimède de M. Maugeret, premier à être breveté en France (1829), se compose d'un arbre moteur autour duquel se trouvent disposées 34 branches, ayant chacune la forme d'une palette, destinées à ramasser la pâte, le pétrin étant actionné par un volant à manivelle. Les 34 palettes sont disposées sur l'arbre de manière à former une vis d'Archimède ; elles se croisent dans les divisions de manière que la pâte, qui est relevée par la rotation, soit continuellement pétrie. Le défaut de ces mécanismes constitués d'un axe horizontal munis de bras, de plans ou d'hélices soulevant la pâte est de trop exposer celle-ci à l'air et de la sécher. Une crainte s'est exprimée aussi relative à l'usage de pièces de fer, susceptible d'apporter une certaine quantité d'oxyde à la pâte et de contribuer à son refroidissement. La première ayant été écartée, les boulangers redoutent d'avoir à utiliser, pour compenser un abaissement de la température de la pâte, une eau trop chaude et d'altérer ainsi la fermentation. Il est heureusement prouvé que la différence de température occasionnée par l'usage des pétrins mécaniques ne justifie pas les craintes exprimées.

Les pétrins mécaniques actuels. Ils sont constitués d'un moteur qui entraîne, par engrenages ou par courroies, la mise en mouvement d'un bras à l'intérieur d'une cuve, mouvement souvent rotatif. On trouve des pétrins avec différentes cuves, fermées ou non, fixes ou qui tournent librement, grâce au frottement de la pâte. Les commandes permettent au boulanger de déterminer le temps de frasage et de pétrissage. Il existe ensuite différentes systèmes de sécurité, comme la grille qui, à l'ouverture de la cuve, arrête le pétrin et/ou simplement un bouton d'arrêt d'urgence. De nos jours, le pétrissage est effectué dans des pétrins continus ou discontinus. Ils se distinguent par la vitesse et le type de bras, la vitesse de rotation et la forme des cuves.

Dans un pétrin discontinu, on verse les ingrédients dans les proportions de la recette dans la cuve et on procède au pétrissage. Ensuite on vide la cuve, soit à la main pour une mise en bac, soit dans une trémie, grâce à un bras élévateur, qui détaillera la pâte en pâtons. Il existe plusieurs types de pétrins discontinus. Le pétrin à cuve amovible, sur roulettes : une fois la cuve fixée sur un bras élévateur, il est possible de vider la pâte dans la trémie. Ce type de pétrin a l'avantage de libérer directement la machine pour un autre pétrissage. Ensuite, la cuve peut se trouver solidaire du pétrin, mais pouvoir basculer dans la trémie. Enfin, ces pétrins peuvent être soit à axe oblique, soit à spirale. Le premier est celui que l'on trouve le plus souvent chez les artisans boulangers (75 % des boulangers de l'Hexagone). Il réalise le frasage pendant un temps variable, à la vitesse de 45-50 t/min, suivi du pétrissage à 75-80 t/min. Il est proposé en différentes capacités de coulage : 10 à 12 l pour les petites pétrissées (pains spéciaux), 25 l, 40 l ou 60 l. L'entraînement de la cuve peut être libre : la cuve tourne grâce aux frottements de la masse de pâte sur la paroi interne de celle-ci. Son ralentissement est obtenu par un système de freinage manuel. La cuve peut aussi être entraînée mécaniquement selon une vitesse variable. L'avantage d'une cuve entraînée est la réduction de frottement et donc de la température donnée à la pâte lors du pétrissage. On considère que l'utilisation d'un pétrin à axe oblique favorise l'incorporation de l'air dans la pâte, ce qui aura de façon évidente une influence bénéfique sur le volume du pain. Le pétrin à spirale est bien moins utilisé en France du fait de son prix et probablement aussi parce qu'il est moins connu. Il est proposé dans la même gamme de capacité de pétrissage que le pétrin à axe oblique. Pourtant, ses qualités ne sont pas moindres. Sa cuve est motorisée dans les deux sens, ce qui facilite le frasage. Il est moins encombrant que le pétrin à axe oblique, le pétrissage est rapide et l'amplitude d'utilisation est très large puisque l'on peut aussi bien couler 4 l que 40 l dans la même cuve. La vitesse du bras est de 60 à 120 t/min en première vitesse et de 120 à 360 t/min en deuxième, la cuve, elle, tourne entre 12 et 30 t/min. Moins utilisés encore, les pétrins à bras plongeants (Artofex). Le principe est ici de reproduire le geste du pétrissage manuel du boulanger, ce qui est également très attractif lorsque le fournil est ouvert à la vue des clients. Ils existent avec cuve amovible, ce qui permet de ne pas perdre de temps entre la fin d'un pétrissage et le lancement d'une autre pétrissée. Ce pétrin a une capacité de pétrissage très intéressante : pour une cuve dont le volume est de 300 l, on a un minimum de 6 l de coulage. Enfin, les pétrins à hélice, dont l'axe de rotation peut être horizontal ou vertical, la cuve pouvant être ouverte ou fermée. L'hélice tourne de 200 à 400 t/min, ce qui donne un temps de pétrissage très court, de 3 à 4 min. La cuve peut être munie d'une double enveloppe dans laquelle circule un liquide refroidissant Ce pétrin est généralement utilisé pour les pâtes de biscuiterie et pâtisserie. Il existe aussi un pétrin à double hélice. Dans ce cas, les deux bras sont verticaux et la pâte est travaillée lorsqu'elle passe entre les bras tournant en sens inverse. La rotation de la cuve permet de donner à la pâte un repos entre deux passages. Le temps de pétrissage est ici de 9 min environ.

Dans les pétrins continus, les ingrédients de la recette sont introduits par dosage automatique, le mélange s'effectuant directement et le temps de pétrissage étant très court. La cuve du pétrin est fixe, généralement refroidie par un liquide qui circule dans une double cuve. Le pétrissage est donc effectué en continu et il n'y a pas de manutention de matériel. La quantité de pâte pétrie est faible, ce qui permet d'éviter les pertes en cas d'arrêt de fabrication pour cause de panne. On distingue les pétrins à simple ou double vis (employé en biscotterie et biscuiterie) ; les pétrins à vis et malaxeur ; les pétrins développés au début des années 1950 aux États-Unis, du genre Amflow® et Do-Maker® (employés pour la fabrication de pain tel que le pain de mie).

Gontran Cherrier

• *Voir aussi :* Artofex ; Barboter ; Bassin ; Bassinage ; Brie ou barre pour battre les pâtes ; Contre-frasage ; Découpage et passage en tête ; Délayage ; Eau ; Eau de coulage ; Étirage et soufflage ; Fontaine ; Frasage ; Frase ; Lissage ; Main ; Marrons ; Mélange ; Oxygénation ; Paroi propre ; Pétrin (symbolique du) ; Pétrissage ; Pétrissage (sur-) ; Pétrissage avec les pieds ; Pétrisseur ; Remouillure ; Température de base

Bibl. : M. BENOÎT, M. JULIA DE FONTENELLE, *Manuel complet du boulanger, du négociant en grains, du meunier et du constructeur de moulins*, 1846 • J. E. BERTRAND, *Description des arts et métiers, concernant l'art du meunier, du boulanger et du vermicellier*, 1776 • COLLECTIF, *Dictionnaire de l'industrie, manufacturière, commerciale et agricole*, Meline, Cans et compagnie, 1838 • Pierre FEILLET, *Le Grain de blé. Composition et utilisation*, Paris, INRA Éditions, coll. « Mieux comprendre », 2000 • Roland GUINET, *Technologie du pain français*, Paris, Éditions BPI, 2004 • Déroulement de la liturgie divine de Jean Chrysostome : LENORMAND et FRANCŒUR, *Dictionnaire technologique*, 1822 • Voir aussi les fiches techniques du Lempa : www.lempa.org

PÉTRIN (symbolique du). – Dans la langue française, « être dans le pétrin » signifie se trouver dans une situation délicate et embarrassante d'où il semble difficile, sinon impossible, de se sortir. L'expression renvoie d'abord aux pétrins traditionnels faits en bois, en forme de coffre assez profond – lorsqu'il s'agissait d'un outil professionnel appartenant à un boulanger, les pétrins familiaux ayant une profondeur plus modeste –, dont le contenu était une masse pâteuse et collante. S'il vous arrivait de basculer dans ce coffre de bois, vous aviez alors toutes les peines du monde à en sortir, en tous les cas couvert de la tête aux pieds de pâte et de farine qui auraient renseigné n'importe qui sur votre mésaventure. Si le pétrin ne contenait pas de pâte, la farine aurait constitué une autre forme d'indiscrétion. Il est difficile de se prononcer sur l'origine réelle de l'expression, à moins de se référer à certains contes populaires qui font du pétrin la cachette favorite de l'amant de l'épouse infidèle dans le cas d'un retour inopiné du mari, qui se trouve être le plus souvent un boulanger.

Cela n'empêche naturellement pas que le pétrin, en raison de l'importance de son rôle dans la fabrication du pain, ait toujours joui d'une réelle considération, voire « vénération ». La pâte y est pétrie, et c'est à force d'être malaxés que farine, levain, eau et sel s'unissent pour devenir une pâte bénie prête à donner du bon pain levé. Le pétrin devient ainsi le lieu « sacré » d'une « transmutation » quasiment mystique pendant les longs siècles où l'on ignorait à peu près tout des réalités chimiques agissantes au cœur de la pâte. Saint Augustin donne une vision théologique de la pâte pétrie : « Être baptisé est comme être pétri, dans le travail de la pâte, l'exorcisme qui a lieu lors du baptême, c'est comme les graines qui sont moulues, tout obstacle à l'unité est enlevé ; enfin on est cuit au feu de l'Esprit » (*Sermon* 272). Le pétrin devient ainsi un objet à part dans la maison, et il est interdit de s'asseoir dessus, si l'on a des bonnes intentions envers ceux à qu'il appartient. La protection de Dieu ou des saints locaux est mise à contribution pour que l'opération du pétrissage et de la « maturation » de la pâte soit assurée – dont saint Yves se charge dans une large partie du littoral de la Manche. On fait souvent le signe de la croix sur le contenu du pétrin, sur les matières premières qui y sont versées pour la fabrication du pain ou encore sur le meuble même, qui trônait jadis à une place d'honneur à proximité du foyer. La mode actuelle, qui veut que l'on se procure un pétrin ancien pour la décoration de la maison de campagne, n'est pas tout à fait exempte de cette idée de sacralité de l'objet, en dehors de toute considération esthétique ou pratique.

Dans une large zone de l'Europe orientale et du Proche-Orient, les pétrins sont creusés dans un demi-tronc d'arbre et leur longueur varie de 1 m à 1,50 m. On préférait alors les arbres à bois tendre, facile à travailler, tels l'acacia ou le peuplier, tandis que, plus au nord, c'est le bouleau ou le frêne qui étaient préférés. Dans une large partie de l'Europe centrale, les Tsiganes étaient traditionnellement ceux qui se chargeaient de creuser les troncs des peupliers. Ils liquidaient par la suite leur production de pétrins de différentes tailles, lors de leurs pérégrinations, en suivant les foires et les fêtes patronales, jusqu'il y a encore quelques décennies. Là où des arbres à tronc suffisamment épais n'étaient pas disponibles, les menuisiers fabriquaient des pétrins avec des planches de bois en forme de cuvettes allongées et peu profondes, avec des bords en biais, ce qui facilitait la geste du pétrisseur. Dans cet espace culturel, le pétrin était investi d'une symbolique qui lui assurait une place particulière dans le mobilier de la famille. Parmi les populations orthodoxes et plus particulièrement chez les Saracatsans, ces bergers d'ovins qui pratiquaient la transhumance à travers tous les Balkans, c'est dans les pétrins qu'on déposait les nouveau-nés. Cela assurait longue vie aux nourrissons, qui grandissaient rapidement comme la pâte se lève promptement pour donner du bon pain. On pratiquait plus largement cette coutume dans tout le Sud-Est européen dans le cas d'enfants maladifs ou gravement atteints de la coqueluche. C'est dans le pétrin que les Saracatsans baptisaient ensuite les enfants, si la cérémonie avait lieu dans le campement où le baptistère n'était pas accessible. Cette habitude fut aussi reprise par les paysans de toutes nationalités confondues, en cas de maladie d'un enfant, afin de lui éviter une mort sans baptême. Une personne respectable dans le groupe remplaçait dans ce cas le prêtre en lisant les prières d'usage. Si un jeune enfant mourait dans un endroit isolé où il était difficile de se procurer un cercueil, c'est le pétrin qui en tenait lieu. En règle générale, pétrir le pain était la première tâche d'une jeune mariée, et l'on jugeait de sa capacité de ménagère et de l'éducation qu'elle avait reçue par sa mère et les autres femmes de sa mesnie en fonction de la qualité du pain produit. Par ailleurs, on couvrait les pétrins pleins d'une pâte qui tardait à se lever avec les vêtements d'un jeune, afin de lui donner de la vigueur.

Mais les coutumes les plus extraordinaires concernant le pétrin proviennent de certaines régions de la Russie, où il est utilisé pour mettre en scène une épreuve ordalique permettant de juger de la virginité de la jeune mariée. Avant d'entrer dans la maison de son époux, elle est conviée à passer par-dessus le pétrin placé sur le seuil de la maison : si elle est vierge, elle peut marcher sans crainte sur le couvercle du coffre ; si elle ne l'est pas, elle doit passer de côté pour éviter les maladies, la mort et d'autres misères à sa nouvelle famille qu'elle vient d'intégrer, à supposer qu'elle se fasse accepter d'elle à la suite d'un aveu si explicite de sa « non-intégrité » morale et physique. Dans toute l'Europe de l'Est aussi, le pétrin est mis en parallèle avec le système génital de la femme où se produit le miracle de la vie, exactement comme de l'inertie des matières premières surgit, grâce au pétrissage, une pâte levée propre à donner du bon pain – et même si c'est le four qui a été toujours comparé à l'utérus, siège de la « cuisson » de l'enfant.

Yvonne de Sike

• *Voir aussi :* Four ; Four (symbolique du) ; Pâte à pain ; Pétrin ; Pétrissage ; Sexuelle (le pain comme métaphore)

PÉTRISSAGE. – Lorsqu'on mélange de l'eau et de la farine, on forme une pâte ; cette première opération qui consiste à hydrater les constituants de la farine est appelée « frasage ». La pâte a alors une structure assez grossière. Ensuite, on la pétrit en l'étirant, en la comprimant, en la cisaillant et en la soufflant. La pâte bien pétrie est lisse, oxygénée et a une structure homogène et continue : le réseau glutineux est formé. On peut ajuster la consistance de la pâte en ajoutant de l'eau (bassinage) ou de la farine pendant le frasage et le pétrissage (contre-frasage). Le pétrissage peut être réalisé soit avec les bras, ce qui était le cas avant l'électricité, soit avec un pétrin mécanique. En boulangerie artisanale, plusieurs types de pétrins mécaniques existent : à bras (Artofex), à axe oblique, à spirale. De fait, on peut distinguer quatre modes de pétrissage.

Plus ancien de tous, le pétrissage manuel est celui qu'il convient de citer en premier lieu. Avant l'arrivée des moteurs électriques, le boulanger pétrissait avec les bras, ce qui exigeait une performance physique importante, et ce mode de pétrissage a été abandonné sans trop de regret, d'autant que le pétrissage manuel ne permet pas d'obtenir des pains très volumineux car il ne génère pas une oxydation suffisante de la pâte et une formation très structurée du réseau glutineux. Cependant, le pétrissage à la main revient à la mode pour des fabrications de pain à la maison, où le choix est laissé à l'utilisateur. Il peut pétrir à la main ou avec une cuiller en bois ; il peut se servir d'un robot ménager ou d'une « machine à pain ». Ensuite vient le pétrissage mécanique. Quel que soit le type de pétrin utilisé, celui-ci est de trois ordres : lent, intensifié ou amélioré. Les différences données ici à titre d'exemples sont celles correspondant à un pétrin à axe oblique.

Le pétrissage lent ou conventionnel ou à l'ancienne dure de 10 à 15 min (vitesse de 40 t/min, soit un nombre de brassages total de 400 à 600). Ce mode de pétrissage pratiqué avant 1955 a été repris récemment pour le pain de tradition française au milieu des années 1990 et permet d'obtenir une pâte peu oxygénée et donc un pain assez peu volumineux, ayant gardé une mie crème, tous ses arômes, toute sa saveur et une bonne conservation. La mie est grossière et très irrégulière, avec des grosses et des petites alvéoles. La croûte des pains est assez épaisse.

Le pétrissage intensifié qui s'est développé en France à partir des années 1960 est d'une durée de 18 à 22 min (vitesse de 80 t/min, soit un nombre de brassages moyen de 1 600). Très oxygénée, la pâte donne un pain blanc très volumineux, insipide et se conservant très mal : c'est ce qu'on appelle le « pain blanc », que les consommateurs ont ensuite de plus en plus abandonné. La mie est très fine, les alvéoles très petites, très nombreuses et très régulières, assez semblable à celle des pains de mie. La croûte des pains est très fine.

Le pétrissage amélioré apparu dans les années 1980 est un pétrissage intermédiaire entre le pétrissage lent et le pétrissage intensifié. Il permet de limiter l'oxydation de la pâte, préserve la couleur naturellement crème de la mie, assure sa conservation et révèle son arôme et son goût agréables. La durée du pétrissage est de 10 à 12 min à une vitesse de 80 t/min, soit un nombre maximum de 1 000 brassages. L'alvéolage de la mie est légèrement irrégulier et la croûte fine.

On peut noter que l'évolution du pétrissage a été rendue possible par l'évolution des farines, elle-même liée à l'évolution des blés ; c'est ainsi que le travail de déformation des pâtes (alvéographe) est passé d'environ 100 pour les blés disponibles au début du XXe siècle à un niveau de 200 à 250 aujourd'hui. Il est important de noter que les évolutions des blés et du pétrissage sont tout à fait liées et ont permis l'évolution des pains vers des produits de plus en plus aérés, c'est-à-dire de moins en moins denses. En résumé, le mode de pétrissage détermine le volume du pain, sa conservation, son arôme et sa saveur. Plus on pétrit, plus on forme un réseau glutineux homogène, qui permet d'obtenir des pains volumineux, mais aussi plus on oxygène la pâte, c'est-à-dire qu'on l'oxyde davantage et qu'on détruit les arômes. La densité d'un pain varie d'environ 0,20 en pétrissage amélioré à environ 0,12 en pétrissage intensifié ; c'est ainsi que le « gros pain » de « 2 livres » en pétrissage lent est passé à 700 g puis à 500 g pour être actuellement à 400 g en pétrissage intensifié, tout en gardant pratiquement le même volume. En boulangerie industrielle, on se sert de pétrins à axe oblique ou à spirale, soit des pétrins en continu, tous ces pétrins étant utilisés en pétrissage de type intensifié. En boulangerie artisanale, après la mode du pain blanc (pétrissage intensifié), on est passé au pain crème (pétrissage amélioré) puis au pain de tradition française (pétrissage lent) ; ces deux derniers types de pain sont aujourd'hui disponibles en boulangerie et ont permis de stabiliser la consommation du pain en France, alors que le pain blanc produit par le pétrissage intensifié avait été l'une des causes de la diminution de la consommation du pain ; l'autre cause étant bien sûr la diversification de l'alimentation.

Ludovic Salvo

• *Voir aussi :* Alvéographe ; Alvéolage ; Amidon ; Artofex ; Bassinage ; Contre-frasage ; Décret pain ; Frasage ; Pain blanc ; Pâte ; Pétrin ; Pétrin (symbolique du) ; Pétrissage (sur-) ; Pétrissage avec les pieds ; Réseau ou tissu glutineux ; Soufflage

PÉTRISSAGE (sur-). – Stade avancé de pétrissage où la pâte n'offre plus suffisamment de résistance (apparition des phénomènes de relâchement et de collant) et dont la structure devient plus cassante.

Philippe Roussel

• *Voir aussi :* Défauts de la pâte ; Pétrissage ; Pétrissage avec les pieds ; Soufflage

PÉTRISSAGE AVEC LES PIEDS. Mode de pétrissage très ancien : une peinture funéraire datant du règne de Ramsès II (1305-1235 av. J.-C.) représente une boulangerie royale où l'on distingue deux hommes armés chacun d'un bâton et pétrissant la pâte avec leurs pieds. Le foulage de la pâte était également pratiqué dans l'Antiquité romaine et latine. Il existait encore en France pour la confection d'un pain introduit au chapitre de Notre-Dame en 1567 par un boulanger normand : « Les bras ne pouvant suffire à le broyer, il y employa les pieds après se les être lavés en eau chaude. On l'appela pain de chapitre » (Morel 1924). Pour pétrir ce pain, connu également sous le nom de « pain de Gonesse », « le pétrisseur montait sur la pâte et pour avoir plus de force à la travailler ainsi, il se tenait avec les mains sur une corde pendue et attachée au-dessus de lui. Il y avait un aide pour ramasser pendant ce temps la pâte qui s'éloignait des pieds de celui qui la foulait » (Malouin 1779). Au XVIIIe siècle, cette manière de pétrir très éprouvante fut abandonnée peu à peu, de sorte que les garçons boulangers, pour pouvoir trouver une place, stipulaient dans leur contrat qu'ils « ne monterai[ent] point sur la pâte ». Cette technique s'est néanmoins maintenue jusqu'au début du XXe siècle pour la fabrication du pain brié en Normandie. À Dozulé, où le pain est d'un grain plus serré qu'à Caen, les hommes chaussaient des sabots bien plus grands que des sabots ordinaires et qui ne servaient qu'à fouler le pain. Dans certaines circonstances, on utilisait les coudes, autre procédé permettant de piler ou brier la pâte. Georges Celos, qui s'est beaucoup intéressé au pain brié de Normandie, écrit : « Jadis, il fallait que le boulanger pétrisse la pâte avec le coude, ce qui était plutôt pénible et malsain. »

Mouette Barboff

• *Voir aussi :* Artofex ; Contre-frasage ; Frasage ; France (pains historiques, du Moyen Âge à la Révolution française) ; Maie ; Pâte ; Pétrin ; Pétrin (symbolique du) ; Pétrissage (sur-) ; Réseau ou tissu glutineux

Bibl. : Mouette BARBOFF, Marc DANTAN (photos), *Pains d'hier et d'aujourd'hui*, Paris, Hoëbeke, 2006 • Georges CELOS, *Le Pain brié*, Paris, Jouve, 1910 • Paul Jacques MALOUIN, *Description et détails des arts du meunier, du vermicellier et du boulanger*, Paris, 1779 • Ambroise MOREL, *Histoire illustrée de la boulangerie en France*, Paris, 1924.

PÉTRISSAGE ET ENFOURNEMENT DANS UN ATELIER BERRUYER. – Voir PEINTURE OCCIDENTALE

PÉTRISSÉE. – C'est la somme des matières premières d'un pétrissage. La farine, l'eau, le levain, la levure et le sel pétris ensemble donneront une pétrissée. Chacune des composantes sera alors calculée en fonction du poids de la pétrissée à obtenir. « Pétrissée » n'est pas synonyme de « fournée », la cuisson d'une fournée ne pouvant comprendre qu'une partie d'une pétrissée et celle-ci pouvant donc représenter plusieurs fournées.

Guy Boulet

• *Voir aussi :* Eau ; Eau de coulage ; Farine ; Fournée ; Levain, levain-chef, levain de première, de seconde, de tout point ; Pétrissage

PÉTRISSEUR. – Ouvrier boulanger responsable du pétrissage. Sa spécialisation doit lui permettre de calculer les matières premières à mettre en œuvre en fonction des pâtes et des pains à réaliser. Il doit posséder la connaissance des différents modes de pétrissage : le pétrissage lent ou conventionnel, ou à l'ancienne (40 t/min durant 10-15 min) est la méthode la plus ancienne ; le pétrissage intensifié (80 t/min durant 18-22 min) a été introduit dans les années 1960 ; le pétrissage amélioré (80 t/min durant 10-12 min), apparu dans les années 1980, est un pétrissage intermédiaire entre le lent et l'intensifié. Mais le pétrisseur doit maîtriser aussi les différentes méthodes d'ensemencement (directe ou indirecte). Ces compétences en font un ouvrier hautement qualifié.

Guy Boulet

• *Voir aussi :* Levain, levain-chef, levain de première, de seconde, de tout point ; Levure de boulanger ; Méthode directe/indirecte ; Pétrissage

PH. – Le potentiel hydrogène (pH) mesure la concentration des ions hydrogènes (H^+), appelés aussi protons. Plus concrètement, le pH mesure l'acidité ou la basicité d'une solution. Ainsi, dans un milieu aqueux à 25°, une solution avec un pH égal à 7 est neutre, inférieure à 7 est acide et supérieure à 7 est basique. À la fin du pétrissage, le pH de la pâte est proche de la neutralité. La fermentation va provoquer une acidification de la pâte très lente avec la levure de boulangerie et bien plus rapide et prononcée avec un levain naturel riche en bactéries lactiques. La valeur légale du pH d'un pain au levain doit être proche de 4,5. La baisse du pH vers des valeurs proches de 5,5 est très favorable aux activités enzymatiques fermentaires, en particulier pour la dégradation de l'acide phytique et la biodisponibilité des minéraux.

Christian Rémésy

• *Voir aussi :* Acide phytique ; Bactérie lactique ; Fermentation panaire ; Levain de panification ; Levure de boulanger ; Pâte

PHOSPHATE. – Voir PHOSPHORE

PHOSPHORE. – Minéral le plus abondant dans l'organisme (80 % dans le squelette, 10 % dans les muscles et 10 % dans le système nerveux et le sang). Une de ses fonctions principales est de soutenir temporairement la croissance tissulaire par le stockage et le transfert d'énergie sous forme d'ATP (adénosine triphosphate) ou d'ADP (adénosine diphosphate). Il active également de nombreuses enzymes par phosphorylation (addition d'un groupement phosphate PO_4). C'est aussi un constituant de l'ADN (acide désoxyribonucléique), de l'ARN (acide ribonucléique), de l'hydroxyapatite (constituant des os) et des phospholipides, composés majeurs des membranes biologiques. Plus de 85 % du phosphore contenu dans le blé est sous forme de phytate (ou hexakysphosphate), forme naturelle de stockage du minéral. Le grain de blé peut contenir entre 200 et 800 mg de phosphore/100 g, et le son entre 900 et 1 500 mg/100 g. Dans le pain, la teneur en phosphore est de 150-230 mg/100 g pour les pains complets et de son, et de 90-100 mg/100 g pour le pain blanc. Chez l'homme, environ 50 % du phosphore serait absorbé sous forme de phytates.

Anthony Fardet

• *Voir aussi :* Enzyme ; Grain ; Minéraux ; Pain complet ; Son ; Son (pain de)

PHYSIOCRATES. – École de pensée économique et politique née aux alentours de 1750, la physiocratie est à l'origine des conceptions libre-échangistes modernes de l'économie. Au milieu du XVIIIe siècle, les disputes sur le commerce des grains agitent la conduite des gouvernants du royaume. Les physiocrates plaident contre les restrictions gouvernementales mises en place sur le blé, céréale de base pour toute l'alimentation. Pour eux, la meilleure manière de maximiser la richesse de tous est de laisser agir chacun librement selon ses moyens. Ils placent ainsi la liberté du commerce au cœur du principe de l'économie politique. Vincent de Gournay (1712-1759) a popularisé la fameuse phrase : « Laissez faire les hommes, laissez passer les marchandises », phrase qui passera à la postérité. Elle résume toute la controverse de ce marché important des grains que Louis XIV et ses ministres entendaient bâtir sous l'étendard de la centralisation contrôlée par l'État. Cette antienne connaîtra un renouveau avec la mise en avant des idées libérales dans le dernier quart du XXe siècle, les partisans du libre-échangisme reconnaissant les physiocrates comme leurs précurseurs. Car, pour les physiocrates, il existe un ordre naturel gouverné par des lois qui lui sont propres et qui repose sur le droit naturel. Les grains illustrent bien la préoccupation de la population. Chaque laboureur a droit à ce qu'il acquiert librement par son travail de la terre ; il a droit à l'échanger librement au meunier qui, lui-même, l'échange librement au boulanger. La liberté du travail, de l'échange et la propriété sont trois droits naturels interdépendants. Le souverain doit les respecter et les protéger en les incluant dans le droit positif. Le rôle du pouvoir, selon eux, est de garantir l'application du droit naturel. Pour autant, les auteurs de la physiocratie ne remettent pas en question la monarchie, mais veulent que le souverain, loin de se comporter en monarque absolu, se soumette au droit naturel et le fasse respecter. En revanche, pour faire respecter ce droit naturel qui s'impose à tous, il doit user de toute son autorité.

C'est le sens de l'expression « despotisme légal » qu'utilise quant à lui Pierre-Paul Lemercier de La Rivière de Saint-Médard (1719-1792), qui vante un État minimum plutôt qu'un despotisme au sens littéral. Ami personnel de Denis Diderot (1713-1784), il impose son principal ouvrage, *Ordre naturel et essentiel des sociétés politiques* (1767), qui donna lieu à une controverse célèbre entre Voltaire (1664-1778) et Gabriel Bonnot de Mably (1709-1785), le précurseur du socialisme utopique, qui dénonce l'aptitude du « despotisme légal » à se muer en despotisme tout court. Ainsi, en plein siècle des Lumières, ces vifs débats opposèrent penseurs et « économistes », comme les physiocrates se dénommaient eux-mêmes, sur la réalité du déclin démographique et du commerce souvent présenté comme un fait acquis. Des esprits audacieux, comme Voltaire ou le géographe et abbé Jean-Joseph Expilly (1719-1793), ont cependant mis en doute cette vulgate et cherché, pour leur part, le cadre du « despotisme éclairé », c'est-à-dire les moyens d'assurer une croissance régulière et maîtrisée de la population par l'organisation des cultures et le commerce des denrées alimentaires. Le XVIIIe siècle a vu la naissance de la pensée libérale en économie ; mais, pour mesurer le poids des physiocrates, il est nécessaire d'observer les structures traditionnelles de l'Ancien Régime encore bien présentes que sont l'interventionnisme et la dîme ecclésiastique. Le basculement historique, d'abord décelable sur des questions idoines connues aux Pays-Bas autrichiens, s'opère donc en France avec un rejet issu des milieux philosophiques (les Lumières), des écoles du mercantilisme et des physiocrates. Ils préfèrent donc, au « despotisme éclairé », une politique de « libéralisme éclectique ». Il est important de noter que le paradigme religieux n'est également pas en reste dans cette question du commerce, puisque la « passion de l'universel » rapproche les savants des idéaux de la population au cours de la Révolution française, au grand dam des physiocrates.

Olivier Pascault

• *Voir aussi :* Boulangers et boulangeries (histoire de France des) ; Boulangers forains ; Cadet de Vaux ; Crédit ; Disettes, famines et révoltes pour le pain en France ; École de boulangerie (première) ; Égalité (pain) ; Farines (guerre des) ; France (pains historiques, du Moyen Âge à la Révolution française) ; Invalides (hôtel royal des) ; Malouin ; Parmentier ; Réglementation ; *Sur la législation et le commerce des grains*

Bibl. : Yves CITTON, *Portrait de l'économiste en physiocrate. Critique littéraire de l'économie politique*, Paris, L'Harmattan, 2001 • Jean TOUCHARD, *Histoire des idées politiques*, Paris, PUF, 1958.

PHYTASE. – Voir ACIDE PHYTIQUE

PHYTATE. – Voir POTASSIUM

PIERRE À MOUDRE. – Les pierres à moudre travaillent par friction : tous nos moulins ont continué à travailler ainsi jusqu'à ce que les pierres soient supplantées par les cylindres à la fin du XIXe siècle. Or, les plus anciennes pierres à moudre retrouvées par les archéologues, en Afrique du Sud, datent de presque 50 000 ans (site de Florisbad). En Europe, on en a trouvées qui sont à peine moins anciennes (40 à 45 000 ans) dans le Moustérien final d'Ukraine, de France et d'Espagne ; et en particulier la grotte d'Arcy-sur-Cure a livré trois pierres à moudre, polies par un long usage, vieilles d'une trentaine de milliers d'années. En Australie même, les pierres à moudre font leur apparition il y a 18 à 22 000 ans.

À quoi ont servi toutes ces pierres ? À broyer quelque chose par friction, certes, mais nous ne savons pas quoi. L'archéologie expérimentale, qui a fait tant de découvertes quasiment miraculeuses dans le domaine des outils coupants, s'est longtemps désintéressée du problème. Certaines, mais pas toutes, ont servi à broyer de l'ocre ou d'autres colorants. Mais la plupart devaient être polyvalentes. Grains, fruits durs, végétaux fibreux ou coriaces, viande même sans doute, les pierres à moudre ont probablement été le premier instrument de cuisine grâce auquel les hommes ont pu avoir régulièrement accès à ces ressources auxquelles leur denture n'était pas naturellement adaptée. De ce point de vue, les pierres à moudre auraient la même importance que le feu lui-même. Quoi qu'il en soit, ce sont elles, dotées certes de perfectionnements considérables, qui ont perduré jusqu'à la fin du XIXe siècle. Et l'apparition des premières pierres à moudre, il y a 40 à 50 000 ans, c'est aussi le début du Paléolithique supérieur. C'est le moment où l'*Homo sapiens* actuel remplace les *Homo sapiens* archaïques (l'homme de Neandertal notamment) qui l'avaient précédé.

François Sigaut

• *Voir aussi :* Bouillie ; Calendriers et mesure du temps ; Céréales sauvages aux premières formes domestiques (des) ; Égypte : Femmes ; Mangeurs de pain ; Mésopotamie ; Mortier-pilon ; Museum der Brotkultur ; Pain (définition universelle du) ; Pain levé du monde (le plus ancien)

Bibl. : M.-C. AMOURETTI, *Le Pain et l'huile dans la Grèce antique*, Paris, Les Belles Lettres, 1986 • P. ATZENI, *Il corpo, i gesti, lo stile, lavori delle donne in Sardegna*, Cagliari, CUEC, 1988 • S. AVITSUR, « The Way to Bread, The Exemple of the Land of Israel », *Tools and Tillage*, vol. 2, n° 4, 1975, p. 228-241 • M. BARBOFF, F. SIGAUT, C. GRIFFIN-KREMER et R. KREMER (dir.), *Meules à grains*, Paris, Ibis Press et Éditions de la MSH, 2003 • S. A. de BEAUNE, *Pour une archéologie du geste. Broyer, moudre, piler, des premiers chasseurs aux premiers agriculteurs*, Paris, CNRS Éditions, 2000 • F. BINDER, *Die Brotnahrung,*

Auswahl-Bibliographie zu ihrer Geschichte und Bedeutung, Ulm/Donau, Deutsches Brotmuseum, 1973 • J.-P. DEVROEY, J.-J. VAN MOL (dir.), *L'Épeautre (*Triticum spelta*), Histoire et ethnologie*, Treignes (Belgique), Éditions Dire, 1989 • A. GAMERITH, *Speise und Trank im südoststeirischen Bauernland*, Graz, Akademische Druck-und Verlagsanstalt, 1988 • M. GAST, *Alimentation des populations de l'Ahaggar*, Paris, Arts et métiers graphiques, 1968 • S. H. KATZ, M. L. HEDIGER, L. A. VALLEROY, « Traditions Maize Processing Techniques in the New World », *Science*, vol. 184, nº 4138, 1974, p. 765-773 • J. G. LEWTHWAITE, « Acorns for the Ancestors : the Prehistoric Exploitation of Woodland in the West Mediterranean », *in* S. Limbrey, M. Bell (dir.), *Archaeological Aspects of Woodland Ecology*, Oxford, BAR, 1982, p. 218-230 • A. MAURIZIO, *Die Nahrungsmittel aus Getreide*, Berlin, Paul Parey, 1924-1926, 2 vol. • L. A. MORITZ, *Grain-Mills and Flour in Classical Antiquity*, Oxford, Clarendon Press, 1958 • H. PROCOPIOU et R. TREUIL (dir.), *Moudre et broyer*, Paris, Éditions du CTHS, 2002, 2 vol. • F. SABBAN-SERVENTI *et al.*, « Contre Marco Polo : unc histoire comparée des pâtes alimentaires », *Médiévales*, nºs 16-17, 1989 • N.-C. SERINGE, *Monographie des céréales de la Suisse*, Berne, chez l'auteur, 1818 • K. SHAWCROSS, « Fern Root and 18th Century Maori Food Production in Agricultural Areas », *The Journal of the Polynesian Society*, vol. 76, nº 3, 1967, p. 330-352 • F. SIGAUT, « Moulins, industrie et société », *Culture technique*, nº 16, 1986, p. 215-223 • A. TESTART, *Les Chasseurs-cueilleurs, ou l'Origine des inégalités*, Paris, Société d'ethnographie, 1982.

PILE. – Lorsque le travail à la levure a remplacé le travail sur levain, les bannetons dans lesquels sont disposés les pâtons après la tourne ont peu à peu remplacé les couches, surtout dans les boulangeries urbaines où se fait beaucoup de « fantaisie ». Avant la mise au four, ces pâtons poussaient environ une heure (apprêt). Les armoires et chambres de fermentation n'existant pas, les bannetons étaient placés sur une grande planche à roulettes (le chariot) de la longueur du plus grand des bannetons, de façon à faire une pile. Les rangs étaient croisés pour permettre une construction solide et équilibrée, ce qui n'empêchait pas parfois… Le chariot et sa pile étaient, selon la saison et selon la température du fournil, placés plus ou moins loin du four. La pile a disparu quand le travail sur banneton a été abandonné au profit du travail sur couches et que le pétrissage intensifié s'est généralisé. On est alors revenu au « parisien », meuble en bois ou en tôle compartimenté où les planches à couches sont disposées pour l'apprêt.

Roland Guinet

• *Voir aussi :* Apprêt ; Banneton ou panneton ; Chambre de fermentation (ou pousse) contrôlée ; Coulage et eau de coulage ; Fantaisie (pain de) ; Hydratation ; Levure de boulanger ; Parisien ; Pétrissage ; Tourne

PIQUAGE. – Voir POINTAGE

PIQUAGE DES MEULES. – Voir RHABILLAGE

PIQÛRE. – Particule sombre ou noire présente dans la farine. Les piqûres sont d'autant plus présentes que le taux d'extraction est élevé. Cela peut aussi révéler des incidents au cours du nettoyage (graines noires) ou de la mouture (tamis percé). Pour évaluer l'importance des piqûres, on procède à un essai Pekar.

Philippe Duret

• *Voir aussi :* Farine ; Mouture ; Nettoyage ; Pekar (essai) ; Tamis ; Taux d'extraction

PIZZA. – « Vite, Rosa, vite. Le roi nous appelle. La reine veut goûter la pizza. Il faut aller au palais tout de suite. » Par ces mots, Raffaele Esposito, le plus connu des *pizzaioli* de Naples, a invité sa femme Rosa à se rendre avec lui au palais de Capodimonte par un après-midi ensoleillé de juin 1889. Le roi d'Italie Umberto Ier et la reine Margherita se trouvent à Naples et ont manifesté pour l'occasion le désir de goûter à ce qui est considéré alors comme un des plats napolitains les plus fameux, tout à fait inconnu pour eux qui viennent du Piémont. Raffaele et Rosa préparent donc une *pizza* spéciale pour le roi et sa compagne, à laquelle ils vont même, fort opportunément, donner le nom de la reine. Les couleurs du mets royal – le rouge (tomates), le vert (légumes) et le blanc (fromages) – évoquent irrésistiblement celles du drapeau italien et plurent, en même temps que le goût savoureux, au roi et à la reine, assurant aussitôt le renom de la *pizza margherita* dans toute l'Italie. Le plat des pauvres napolitains devient alors la gourmandise des riches et entamme son irrépressible carrière, qui va le conduire vers les tables du monde entier.

Mais d'où vient la *pizza* ? S'étant hissée au rang de symbole, non seulement de toute une gastronomie, mais également d'un pays et d'un art de vivre, la *pizza* a des origines très anciennes. Il faut en réalité la replacer dans le prolongement de l'histoire des fouaces du Moyen Âge. L'ancêtre de la pizza devient très populaire à partir du XVIIe siècle à Naples et ressemble à une fouace assaisonnée de fromage et de *cecinielli*, petits poissons azur. Ce n'est que dans les années 1800 que la tomate fait son apparition dans la recette. Essentiellement consommée dans la rue, la pizza engendre l'envie de se réunir pour la déguster quelque part ; les premiers lieux dédiés à la consommation de la *pizza* ouvrent alors à Naples. Le succès de la *pizza* auprès des nobles napolitains n'est pas moindre. On dit que le roi Ferdinand II fit construire dans les jardins du palais de Capodimonte un four des -tiné exclusivement à la cuisson de la *pizza*. L'année 1889 marque un tournant décisif dans l'histoire de la *pizza*, comme nous l'avons vu : Raffaele Esposito va créer la *pizza margherita* et lui assurer un succès national, bientôt universel. Mais ce sont les marchants ambulants qui véritablement commencèrent à porter la « bonne parole » par les ruelles de Naples, leur petit « magasin » solidement arrimé à leurs épaules. Au début du XXe siècle, les *pazzarielli* animent les rues au son de leurs trompettes, au roulement de leurs tambours, en dansant la *tarantella* et invitant les badauds à déguster les produits issus des premières *pizzerie*, petites boutiques qui ne disposent que d'un seul four. On mange donc la *pizza* dans la rue, avec les mains, en la pliant en quatre (seule façon de la porter à la bouche), tout en marchant, discutant. Pas d'horaire pour cela : les *pizzaioli* travaillent de l'aube au couchant et la *pizza* ne manque jamais. Par la suite, leurs fours deviennent des lieux où les clients se retrouvent et se rassemblent.

Quel est le secret de son succès ? Avec son prix modeste, ses ingrédients faciles à trouver à peu près dans tous les pays du monde et par toutes les saisons, la *pizza* s'est adressée à une communauté sans cesse élargie. Désarrimée de ses origines, la *pizza* possède une identité d'autant plus forte qu'il s'agit de séduire des consommateurs sans racines ni pratiques alimentaires. Elle est aussi universelle dans la mesure où sa recette de base peut s'adapter pour accueillir tout ingrédient local et s'adapter de cette manière à toute situation : on la mange avec les mains, avec les couverts, dans la rue, au travail, chez soi, au bistrot, dans une *pizzeria*. Elle incarne, dans un monde qui les a tous reniés, une sorte d'ultime rituel : plat-menu avec ses variations à l'infini, des plus traditionnelles aux plus créatives, des plus classiques aux plus ethniques, la *pizza* réussit ce tour de force de gommer toute forme de frontière entre les classes et les bourses.

Aliment diffusé presque exclusivement dans le sud de l'Italie, la pizza a commencé à sortir de ses territoires traditionnels au début du XXe siècle. Avant même de se répandre dans le reste de l'Italie, la *pizza* va conquérir les États-Unis grâce aux émigrés italiens. C'est ainsi que Gennaro Lombardi ouvre la première *pizzeria* à New York en 1905. Ce n'est qu'après la Seconde Guerre mondiale, au moment où l'Italie connaît un important démarrage industriel qui amène des milliers de travailleurs originaires des campagnes du Sud à rejoindre les usines du Nord, que les *pizzerie* ouvrent dans des grandes villes comme Milan, Turin, Gênes, etc. À Rome, un groupe de boulangers originaires du sud du pays a l'idée d'ajouter à la pâte à pain du saindoux, et de garnir ce nouveau produit avec des tomates, de la *mozzarella* et de l'huile d'olive, vendu en boulangerie : ils ont donné naissance à la *pizza al taglio*, qui connaîtra différentes versions (la pâte nécessite un pourcentage supérieur d'eau et l'utilisation de farine spéciale). Les années 1960 voient la *pizza* se répandre dans toute l'Italie et bientôt dans le reste d'Europe, puis au Moyen-Orient, au Japon et, après la chute du mur de Berlin, également dans les pays de l'Est. Mais la diffusion internationale de la *pizza* est due surtout aux initiatives prises par les Grecs américains. Ce sont eux en effet qui, à partir des années 1950, mettent au point une nouvelle technologie de production : au lieu de travailler la pâte en fonction de la demande, ils la préparent à l'avance et la réfrigèrent jusqu'au moment de la cuire. Rien ne peut plus freiner l'avancée de la *pizza* sur le marché américain.

La chaîne Pizza Hut va perfectionner le procédé : la *pizza* est désormais un *fast food* qui répond parfaitement aux attentes des consommateurs. Même si les Napolitains ne peuvent être crédités de ces nouvelles avancées, la *pizza*, elle, poursuit son irrésistible progression. Le succès de la *pizza* vient aussi, et peut-être d'abord, de sa capacité à s'adapter au *fast food*, réussissant même ce tour de force de détrôner les traditionnels hamburger pommes frites, hot-dog, sandwichs, pour devenir le plat le plus diffusé dans le monde. Là où le hamburger est accusé de toutes sortes de défauts, nutritionnels ou symboliques, la *pizza* semble pouvoir échapper à la plupart de ces critiques. Son empire est de loin beaucoup plus vaste que celui du hamburger : elle est vendue dans tous les lieux de commerce ou de consommation, boulangeries, grandes surfaces, restaurants, lieux de restauration rapide, ventes ambulantes, etc. La *pizza* offre ainsi l'exemple d'un aliment capable de traverser les frontières pour s'imposer à l'échelle universelle. Quant aux questions diététiques, les experts ne l'accablent pas comme ils ont accablé la plupart des produits issus du *fast food*. La *pizza* est donnée comme un aliment bien équilibré : la pâte apporte les sucres sous forme d'hydrates de carbone ; l'huile, les graisses nécessaires ; les tomates, les vitamines et les sels minéraux ; enfin le fromage, les protéines nobles d'origine animale.

Nombreuses sont les différences entre les types de *pizza* vendues dans le commerce et entre les systèmes de diffusion mis en place. L'industrie alimentaire, à partir des années 1960, en a considérablement favorisé la diffusion en fournissant une gamme très riche de produits à consommer chez soi, de farines spéciales, de kits à préparer soi-même, de produits surgélés et précuits. À côté des *pizzerie* traditionnelles (environ 45 000 dans la seule Italie), véritables traiteurs, où le *pizzaiolo* est encore un artisan qui travaille au cri de « *pronto c'à pala !* » (« la pelle est prête ! »), sont apparus des lieux destinés à la consommation rapide, ou à la vente emportée ou livrée, sous forme de chaîne de distribution ou en franchise, qui ont créé les conditions d'un important développement du commerce de la *pizza*. Aux États-Unis, le marché de la *pizza* représente 32 milliards de dollars par an (3 milliards de *pizze* environ). 93 % des Américains mangent au moins une *pizza* par mois et 17 % des restaurants sont des *pizzerie* (61 000 sur tout le territoire et 9 000 à New York). La semaine du Superbowl est celle où l'on mange le plus de *pizza*, qui reste le plat préféré des enfants de trois à onze ans (c'est l'aliment préféré des tortues Ninja !). Les États-Unis restent ainsi le pays des records : la livraison la plus lointaine (16 949 km), la *pizza* la plus grande jamais produite (37 m de diamètre), etc. Les recettes préférées par les Américains sont la *pizza* avec des piments, du poulet, des huîtres, des artichauts, du thon… et le *barbecue pizza*. 66,6 % des Américains pensent que la *pizza* est le mets le plus agréable à consommer au cours d'un dîner avec des amis. Et dans le reste du monde ? Au Brésil, on compte 6 000 *pizzerie* dans la seule ville de São Paulo, où vivent plus de 6 millions de personnes d'origine italienne (43 millions de *pizze* sont consommées chaque mois). Selon les études d'Euromonitor International, la consommation de *pizze* dans le monde a atteint 68 547,5 millions d'euros en 2004 (15 % de plus tous les cinq ans). Les États-Unis sont en tête devant l'Europe de l'Ouest, même si la consommation dans les pays de l'Europe de l'Est et en Asie a connu un bond spectaculaire (Ukraine : + 745 % ; Roumanie : + 249 % ; Chine : + 675 % ; Inde : + 243 %) grâce aux réseaux de distribution en franchises américaines. Les *pizzerie* italiennes dans le monde sont désormais en minorité.

Les recettes traditionnelles ont considérablement évolué. La classique *pizza napoletana* a obtenu en Italie comme en Europe le titre de STG (spécialité traditionnelle garantie), ce qui lui vaut désormais de respecter un cahier des charges très précis stipulant qu'elle ne peut être préparée qu'avec les ingrédients suivants : farine de blé tendre, levure de bière, eau, tomates pelées ou fraîches, sel, huile d'olive extra vierge, ail, origan, *mozzarella di bufala campana* Dop, *mozzarella* STG, basilic frais ; en tenant compte également d'un procédé de production particulier incluant une cuisson au four à bois à haute température. Mais à côté des classiques sont apparues des recettes bizarres ou farfelues, en Italie comme dans le reste du monde : mayonnaise, pommes de terre et *bacon* au Japon ; gingembre, mouton et *paneer* (sorte de fromage) en Inde ; curry au Pakistan ; sardines, thon, maquereau, saumon et oignons en Russie ; crevettes et ananas en Australie ; fromage, oignons et viande en Hollande. Plat typique du régime alimentaire méditerranéen, désormais parfaitement évaluée et appréciée par l'industrie de la restauration, bien que sous-estimée par les chefs et les livres de recettes, la *pizza* est devenue le véritable plat universel, trait d'union des peuples et des goûts : le symbole de la globalisation qui plaît.

Marina Caccialanza

• *Voir aussi :* Fouace → France (pains historiques, du Moyen Âge à la Révolution française) ; Hamburger ; Italie ; Régime alimentaire méditerranéen ; Sandwich

Bibl. : O. BONCOMPAGNI LUDOVISI, *Pizza supremo sfizio*, Rome, RAI–AGRA, 2002 • A. CAPATTI, M. MONTANARI, *La cucina italiana, storia di una cultura*, Rome-Bari, Laterza, 1999-2002 • *Enciclopedia della cucina – dizionario di cucina e di gastronomia*, Novare, Istituto Geografico De Agostini, 1990 • J. L. FLANDRIN, M. MONTANARI, *Storia dell'alimentazione*, Rome-Bari, Laterza, 1997-1999 • I. MASSARI, A. ZOIA, *Cresci, l'arte della pasta lievitata*, Suisio, Pavoni Edizioni, 1999 • G. MISTRETTA, *Pizze e focacce*, Milan, Fabbri Editori, 1985 • *Pane e pizza*, Milan, Touring Editore, 2004 • G. PARENTE, « Cibo veloce e cibo di strada. Le tradizioni artigianali del fast food in Italia alla prova della globalizzazione », *Storicamente*, n° 3, 2007, www.storicamente.org • N. TICOZZI, *I nuovi locali pizzeria tra tradizione ed entertainment : un nuovo rapporto con l'innovazione e il design*, www.pizzaexperiencedesign.it • C. G. VALLI, *Gli antichi sapori dei mangiari di strada*, Vérone, Cierre Edizioni, 2003 • Voir aussi www.thepizzaria.com ; www.federazioneitalianapizzaioli.com ; www.pizzajoe.co.uk ; www.quadrantefranchising.it

PIZZERIA. – Voir PIZZA

PLACENTA. – Voir BRIGITTE, BRIGIT, sainte ; FOUR (symbolique du)

PLANCHER (donner du). – Consiste à stocker la farine un certain temps après sa fabrication pour en stabiliser la qualité (l'améliorer) ; autrefois, ce stockage se faisait en sac sur des planchers, d'où l'expression.

Michel Daubé

• *Voir aussi :* Farine ; Meunerie ; Meuniers et minotiers ; Minoterie ; Moulin

PLANCHES (mise en). – Transfert de la pâte depuis la cuve du pétrin mécanique dans la partie du coffre en bois réservée au repos de celle-ci, avant façonnage. Ce coffre en bois (la maie) servait autrefois au pétrissage à bras. Avec la généralisation du pétrin mécanique, il fut utilisé pour stocker la farine d'une journée (sur les deux tiers de la longueur) et pour y mettre la pâte « en planches » sur le tiers restant. Les deux parties étaient séparées par une planche. Chaque partie avait son couvercle de bois. Le couvercle du coffre à farine servait de tour ; celui du coffre en pâte (pâtière) était relevé pour permettre la pesée des pâtons.

Roland Guinet

• *Voir aussi :* Façonnage ; Maie ; Pâte ; Pâton ; Pétrin ; Tour

PLANSICHTER. – Machine servant à tamiser les produits issus de la mouture (meule ou appareil à cylindres) ; elle est composée de plusieurs empilements de tamis horizontaux enfermés dans des caisses. La machine est animée d'un mouvement circulaire pour assurer le tamisage, et les tamis sont nettoyés par des brosses ou des tapotins.

Michel Daubé

• *Voir aussi :* Brosse à blé ou à son ; Cylindres (appareil à) ; Meule ; Meunerie ; Mouture ; Tamis ; Tapotin

PLAQUE. – Support en tôle sur lequel on dépose les pâtons dans l'attente de la cuisson. Généralement employée en viennoiserie (croissants, etc.), la plaque est moins courante pour le pain. À la différence de la cuisson sur sole, la cuisson du pain sur plaque donne une croûte plus fine. Certains boulangers se sont fait une spécialité de cette différence en utilisant des plaques ondulées spéciales pour la cuisson de baguettes baptisées alors « baguette moulée ».

Guy Boulet

• *Voir aussi :* Baguette ; Croissant ; Croûte ; Four ; Pâton ; Sole ; Viennoiserie

PLAUSTELLUM. – Voir DÉPIQUAGE

PLIAGE. – Voir FAÇONNAGE

POIDS SPÉCIFIQUE (PS). – Indispensable autrefois lorsque la commercialisation se faisait au volume, ce qui n'est plus le cas actuellement. Il est le reflet de la qualité physique et de la pureté d'un lot de grains, mais dépend principalement de leur forme (laquelle génère plus ou moins d'espace libre entre les grains et de leur densité. Le PS est ainsi fonction de plusieurs facteurs. Généralement, lorsque la masse de mille grains augmente, le PS augmente. Si le rapport enveloppes/amande augmente, le PS diminue (grains échaudés, avariés…). Le rendement meunier ou semoulier fondé sur l'extraction en farine ou en semoules diminue aussi en conséquence. Si la teneur en eau augmente, le PS diminue. Même chose si le pourcentage d'impuretés est plus grand. Sa détermination peut être influencée encore par les caractéristiques d'écoulement ou de tassement.

Caractéristiques physiques de grains de céréales
(Boyeldieu 1980)

Céréale (grains normalement nourris)	**Masse moyenne de mille grains (g)**	**Poids spécifique**
Quinoa	3 à 4	
Millet	4 à 6	65 à 70
Sarrasin	15	62
Avoine	25 à 30	46 à 57
Sorgho	20 à 35	60 à 68
Riz paddy	32 à 36	50 à 60
Orge 6 rangs	35 à 40	58 à 62
Orge 2 rangs	40 à 50	65 à 68
Blé	32 à 54	74 à 80
Maïs	250 à 350	70 à 76

Philippe Roussel

• *Voir aussi :* Amande farineuse ; Céréales ; Enveloppe ; Mille grains

Bibl. : J. BOYELDIEU, *Les Cultures céréalières*, Paris, Hachette, 1980-2003 • Claude WILLM, *La Mouture du blé*, Paris, CEMP, 2009.

POILÂNE, Pierre et Lionel. – C'est en 1932 que Pierre Poilâne s'installe au 8, rue du Cherche-Midi, à Paris. Ce jeune Normand vient de terminer son tour de France de compagnon, voyage initiatique qu'il a prolongé en Italie pour accumuler les expériences et analyser les différentes méthodes de panification. Située à mi-chemin entre Montparnasse et Saint-Germain-des-Prés, deux pôles d'attraction pour le monde des artistes et poètes de la capitale, la boulangerie Poilâne gagne rapidement ses lettres de noblesse. Tournant le dos à la mode du pain blanc et à l'industrialisation, Pierre Poilâne choisit de conserver tous les éléments d'une panification classique qu'il assemble avec son savoir-faire unique. Les clients ne s'y trompent pas et commencent à parler de « pain Poilâne ».

Après la guerre et avec l'augmentation du niveau de vie, la consommation de pain ne cesse de baisser en France. Paradoxalement, c'est l'époque où la boulangerie Poilâne connaît un succès grandissant en dépit des méthodes adoptées, qui vont résolument à contre-courant. Aux heures de pointe, une file d'attente de plus en plus importante se constitue devant le magasin. On y croise des artistes et célébrités qui contribuent à étendre la notoriété de ce pain. En 1970, Salvador Dalí franchit le seuil de la boulangerie avec une demande inattendue : il souhaite créer une chambre à coucher en pain, dont le lustre éclaire toujours l'arrière du magasin. C'est à cette époque que Lionel, fils de Pierre, reprend la conduite de la boulangerie. Il ne change rien aux méthodes de fabrication, mais tente de mieux les maîtriser. Il mène des études sur les blés, sur les farines, programme des analyses sur les levains, fait dessiner ses fours par des architectes. Il invente le terme « rétro-innovation », c'est-à-dire allier le meilleur du progrès et de la tradition. Soucieux par ailleurs d'une démarche environnementale, à une époque où celle-ci n'est pas encore d'actualité, il obtient le prix Luxe et environnement en 1996. Il y a alors à Paris deux boulangeries Poilâne : au 8, rue du Cherche-Midi dans le VIe arrondissement, et au 49, boulevard de Grenelle, dans le XVe. Une troisième boutique est ouverte en 2000 à Londres, dans le quartier de Belgravia, entre Sloane Square et Victoria Station. En novembre 2002, Apollonia a pris la suite de son père et poursuit l'œuvre familiale. Tout en préservant la qualité du pain et ses méthodes de fabrication, elle modernise l'entreprise au travers d'un site Internet marchand, du développement des ventes à l'international et de la création de nouveaux produits gourmands. Le succès Poilâne a montré à l'ensemble de la boulangerie que le pain était un aliment à part entière et que sa qualité pouvait changer la face d'un repas. Aujourd'hui encore, au-delà des modes, le pain Poilâne continue d'apporter sa saveur inimitable sur les tables du monde entier.

Préparé à la main à partir d'ingrédients de qualité, le pain Poilâne reste fidèle à la tradition boulangère ancestrale. La farine utilisée, fabriquée à partir de blés rigoureusement sélectionnés, est issue d'une mouture à la meule de pierre qui prend en compte l'ensemble des constituants du grain et préserve son réseau glutineux. La fermentation se fait à partir d'un levain de pâte. Cette originalité confère un goût légèrement suret au pain. Toutes les opérations de pesage et de façonnage s'accomplissent à la main. Enfin, la cuisson s'effectue dans un four chauffé au bois. Ce dernier est un bois de recyclage, plus précisément des pertes de bois non traité, inutilisables pour la papeterie ou l'ameublement. Il sèche près de six mois avant d'être brûlé et ne dégage que très peu de gaz carbonique dans l'atmosphère.

Jean Lapoujade
et Jean-Philippe de Tonnac

• *Voir aussi :* Boulangers de France ; Calvel ; Compagnons boulangers ; File d'attente ; Ganachaud ; Guinet ; Holder ; Levain (intérêt nutritionnel du) ; Levain (symbolique du) ; Levain, levain-chef, levain de première, de seconde, de tout point ; Œuvre d'art en pain ; Pain blanc ; Peinture occidentale

Bibl. : Lionel POILÂNE, *Guide de l'amateur de pain*, Paris, Robert Laffont, 1981. – ID., *Les Meilleures Tartines de Lionel Poilâne*, Paris, Jacques Grancher, 1999 • Lionel et Apollonia POILÂNE, *Le Pain*, Paris, Le Cherche Midi, 2005 • Lionel POILÂNE et Ginette MATHIOT, *Pain. Cuisine et gourmandises. 150 recettes faciles, amusantes, légères et savoureuses pour utiliser le pain*, Paris, Albin Michel, 1985 • Lionel POILÂNE et ses amis, *Supplique au pape pour enlever la gourmandise de la liste des péchés capitaux*, Paris, Anne Carrière, 2004.

POINT CHAUD. – Voir CHAMBRE FROIDE

POINTAGE. – Une fois pétrie, la pâte est soumise à une première fermentation qu'on appelle pointage. Cette fermentation de la totalité de la pâte est anaérobie (en l'absence d'air) et développe les arômes. Ensuite, on divise cette pâte en pâtons qui seront façonnés sous différentes formes : baguettes, boules, bâtards, etc., en vue d'une deuxième fermentation : c'est l'apprêt avant cuisson. Pour le pain de tradition, le pointage est long : deux à trois heures, alors que pour le pain courant le pointage est beaucoup plus court, de dix à trente minutes.

Ludovic Salvo

• *Voir aussi :* Aérobiose et anaérobiose ; Apprêt ; Fermentation panaire ; Pâton ; Pétrissage

POLICES. – Voir RÉGLEMENTATION

POLITIQUE. – Voir RÉGLEMENTATION

POLOGNE (traditions du pain en). « Ce pays, où l'on ramasse / Chaque miette de pain, / Par respect des dons de Ta grâce… / Il me manque, Seigneur… » Ainsi parlait Cyprian Kamil Norwid (1821-1883), le plus moderne des poètes romantiques polonais, depuis son exil forcé en France. C'est dire que le pain est bien l'aliment symbole, indissociable des traditions et de l'histoire de la Pologne, en tant qu'élément naturel de son identité culturelle. La vie des paysans reste, comme toujours et partout, rythmée par la succession des saisons, des semailles et des récoltes, avec son cortège de fêtes régionales, nationales (la fête de la Moisson) et religieuses, associées souvent aux grâces rendues pour les fruits de la terre. La veille de Noël, le repas du soir est le plus solennel de l'année, et son moment le plus émouvant est la prière devant la table dressée, suivie du partage du pain azyme, fin et blanc comme celui des hosties, qui symbolise l'amour et le pardon mutuels, ainsi que les vœux échangés. La tradition ancestrale veut que l'on accueille ses invités en leur présentant et en leur offrant du pain et du sel, emblèmes de la satiété et du goût, en signe d'hospitalité. Cela se passe dans les campagnes et c'est encore de cette manière que l'on reçoit même des personnalités officielles. Le samedi de Pâques, on porte à l'église, pour le faire bénir, un petit panier rempli de quelques ingrédients du repas familial : œufs, saucisson, pain et sel. Un autre geste quotidien, toujours pratiqué par beaucoup de Polonais : avant d'entamer une miche de pain, on y fait un petit signe de la croix avec le couteau, pour le bénir et pour que la lame soit digne de le trancher. Et, toujours par respect pour cet aliment essentiel, on ne doit jamais poser un pain à l'envers, mais bien dans la même position que celle de sa cuisson.

Depuis le Moyen Âge, des témoignages abondent sur la présence du pain dans les repas en toutes circonstances. On l'évoque par exemple dans les récits de la bataille de Grunwald, en 1410, contre les chevaliers teutoniques. Dlugosz, le plus célèbre chroniqueur médiéval, parle de l'épeautre, et aussi de la bière qu'on en tirait. Il faut dire que cette céréale avait été notamment encensée, donc popularisée en Europe, par les écrits de sainte Hildegarde de Bingen (XIIe siècle), qui loue ses hautes vertus pour la santé. Par ailleurs, on a retrouvé la trace de sa culture remontant jusqu'à l'âge de Bronze, et sa résistance aux climats froids et humides lui a valu une présence permanente en Europe centrale jusqu'au XIXe siècle. Cette ancienne variété de blé vêtu a ensuite disparu au profit d'autres céréales, plus rentables pour l'agriculture ; mais elle connaît aujourd'hui une sorte de renaissance, grâce aux pratiques écologiques. En Pologne, comme dans les autres pays du Nord, domine le pain de seigle (blanc et bis), auquel s'ajoute celui de seigle et froment mélangés, pour une croûte plus légère, ainsi que le pain de froment. On trouve aussi le sarrasin, avec la petite amertume si caractéristique de sa farine. La grande majorité des pains polonais sont faits au levain, dont l'arrière-goût acide se marie parfaitement avec celui du seigle.

La tradition de la cuisson au feu de bois, dans les fours à l'ancienne, revient, et les artisans boulangers qui s'y lancent connaissent un succès croissant. Leurs ateliers se multiplient et ils participent aux diverses fêtes de dégustation et concours. Par exemple, à Cracovie a lieu depuis quelques années la Fête du pain, couronnée par la présence du « roi du pain », un grand pain de seigle (traditionnel dans la région de Pradnik depuis le XVe siècle), d'une longueur impressionnante de 1 m ou d'un diamètre égal à celui d'une roue de vélo, fabriqué par un boulanger célèbre, co-organisateur de cette manifestation. À Jawor, près de Wroclaw, fin août, on assiste à la Foire internationale du pain, réunissant environ 50 000 participants du monde entier. Il existe également un musée du pain à Radzionkowo, rassemblant une riche collection de documents, divers objets, outils et machines, et même de mini-champs de culture des blés les plus répandus en Pologne. Un simple boulanger qui se respecte doit fabriquer environ une dizaine de genres de pain, de toutes sortes de céréales. Ce qui fait la notoriété mondiale de cet artisanat polonais, c'est son extrême richesse : il existe des dizaines de variétés de pain, selon leur recette et leur forme. Les farines traditionnelles, préparées avec du levain ou de la levure, se trouvent accompagnées d'ingrédients variés, comme miel, cumin, oignon, raisins secs, graines de lin, de potiron, de sésame ou de tournesol… Parfois, un pain se rapproche, par son goût légèrement sucré, notamment grâce au miel, de la pâtisserie. Le terme est d'ailleurs identique pour désigner la pâte et le gâteau : *ciasto*.

L'offre si diversifiée attire de plus en plus de consommateurs étrangers, et le pain polonais a acquis la réputation d'être le « meilleur au monde ». Les auteurs du célèbre ouvrage *Bake Your Own Bread*, Floss et Stan Dworkin, l'affirment ainsi sans détours. Quelques célébrités leur emboîtent le pas, en évoquant le goût du passé et de l'enfance, de la nature et des « vacances à la campagne » (Madeleine Albright) : Steven Spielberg, Mamoru Oshii (« Encore plusieurs semaines après mon retour de Pologne, je sentais le goût du pain, ou plutôt d'une quinzaine de goûts en un seul »), Placido Domingo, Mick Jagger (« Je n'aurais jamais cru que le pain puisse avoir autant de nuances de goûts que le vin »), Mario Vargas Llosa, William Wharton, Volker Schlöndorff ou Jeremy Irons… On pourrait bientôt associer le pain à l'image du pays, comme on le fait pour le vin ou le pain en France ou pour les pâtes en Italie. « Polonais comme le pain » : ce titre d'un magazine de la diaspora polonaise à Chicago ne semble guère fantaisiste. La langue elle-même s'inspire largement, depuis des siècles déjà, de cette réalité quotidienne. Des expressions et proverbes foisonnent, qui attestent de la valeur métaphorique et symbolique de cet aliment par excellence, indispensable et incontournable à chaque repas : « Sans pain ni sel – l'amour est mauvais » ; « Pauvre est le pays où le pain finit et la pierre commence » ; « Tu donnes du pain, tu prends le cœur » ; « Qui ne veut pas manger de pain avec moi ne mangera pas de brioche non plus » ; « Il a mangé du pain de plus d'un four [il a de l'expérience, souvent amère] » ; « De cette farine, il n'y aura pas de pain » ; « Simple comme un petit pain à deux sous » ; « Qui offre du pain n'en manque jamais » ; « Chacun va là où le pain se trouve » ; « Le pain ne pèse jamais pendant le voyage ». Il y en a ainsi des dizaines d'autres, plus au moins simples ou imagés. Le pain apparaît dans la littérature – prose, poésie et chanson – pour témoigner de son importance capitale dans la vie quotidienne, la culture et l'imaginaire en Pologne.

Bajgiel de Cracovie. Grand torsadé particulièrement moelleux ; son nom actuel vient de *bagel*, les Juifs polonais ayant importé sa tradition aux États-Unis. À base de farine, d'œuf, de margarine, légèrement salés, agrémentés de graines de pavot, de sésame ou de gros sel sur leur croûte lisse et brillante, ces anneaux savoureux de tailles différentes se vendent parfois comme des colliers, enfilés sur des cordons. Dans la même famille, on trouve le craquelin et d'autres petits pains secs ou demi-secs.

Chleb huculski (« pain de Hucuły »). Cuit à partir d'un mélange équilibré des deux farines principales (seigle et froment) et de la levure, légèrement salé, il a un goût particulier grâce à l'addition de quelques ingrédients supplémentaires : baies de genévrier, miel et oignon.

Chleb Musiorskiego (du nom d'un boulanger de Czestochowa, qui garde jalousement sa recette, mais qui possède désormais ses filiales). Pain de seigle au levain, au goût « inégalable », selons certains consommateurs (qui viennent le chercher comme « en pèlerinage », parfois de loin), à la croûte savoureuse sur les deux faces, saupoudrée généreusement de farine ; un pain qui se garde, dans un torchon de lin épais, pendant plusieurs jours, en gagnant toujours en saveur.

Chleb pradnicki (« pain de Pradnik » ou « roi des pains »). Sa tradition remonte au début du XVe siècle, quand les habitants de cette ville du Sud étaient tenus de fournir en pain la table épiscopale, mais le vendaient aussi au marché de Cracovie. Il est fait à base de seigle et de son levain, avec 25 % de farine de froment ; la pâte doit lever pendant plusieurs heures, partagée ensuite en petits morceaux, elle est placée dans un moule-panier et saupoudrée de son de seigle, afin de lui garantir non seulement le goût, mais aussi une belle croûte des deux côtés. Il en existe deux formats : « commercial » de 4,50 kg, et « historique » (évoqué plus haut) pouvant peser jusqu'à 14 kg.

Chleb razowy (« pain bis »). Fait uniquement avec du froment bis, de la levure et du levain de seigle, on y ajoute du miel, du son de froment et on saupoudre la miche de graines de pavot.

Kajzerki (du mot allemand *Kaiser*, « empereur »). Petis pains de froment, ronds et prédécoupés comme des hélices ; un classique pour des sandwichs ou un petit déjeuner.

Mace borowiackie (« petit pain azyme » de Bory Tucholskie). Il s'agit là de petites galettes aux champignons, à la marmelade de prunes ou à l'oignon et aux lardons frits.

Pain d'épices de Torun. Les pains d'épices sont nombreux, petits ou grands, plus ou moins sucrés, selon le dosage de miel, se rapprochant ainsi tantôt du pain, tantôt de la pâtisserie (auquel cas, on les nappe parfois de chocolat), les plus célèbres étant peut-être ceux de Torun (la ville natale de Copernic).

Bojenna Orszulak

• *Voir aussi :* Azyme → Matsah et hamets ; Bière ; Épeautre ; Fête du pain ; Interdits liés au pain ; Musées du pain ; Pain bénit ; Sarrasin ; Seigle (*Secale cereale*)

Bibl. : Liane BOUDOU, *Savoureuse Pologne*, Paris, La Librairie Polonaise/Noir sur Blanc, 2002 • Floss et Stan DWORKIN, *Bake Your Own Bread*, New York, Plume, 1989 • Danuta et Marek LEBKOWSKI *La Cuisine polonaise*, Varsovie, Tenten, 1993 • Anna SIERADZKA, *Le Folklore polonais vivant*, Parma Press, 2007.

POMME DE TERRE. – Voir PARMENTIER

POOLISH. – Méthode de fermentation dite indirecte, qui aurait vu le jour en Pologne dans les années 1840, aurait été utilisée ensuite en Autriche par les boulangers viennois, avant d'être introduite en France au début du XXe siècle. Il s'agit d'une préfermentation à partir de farine et d'eau en quantités égales (50/50), qui donne à cette pâte une consistance beaucoup plus molle, plus proche de celle d'une crème. On y ajoute les reliquats de farine, d'eau, de levure et de sel pour constituer la pétrissée. Cette méthode a l'avantage d'apporter de la force et des arômes. Elle améliore le coup de lame, l'alvéolage de la mie ; elle contribue à la production d'une bonne qualité de pain, dont le goût est généralement prisé.

Dominique Descamps

• *Voir aussi :* Alvéolage ; Fermentation (pré-) ; Force ; Méthode directe/indirecte ; Pétrissée ; Scarification

PORCS (droit d'engraisser les). – Au bas Moyen Âge, les boulangers de Paris étaient approvisionnés de farines non blutées. Ils pouvaient acheter des porcs sans payer de droits et les élever en les nourrissant du son que les meuniers ne séparaient pas encore de la farine. Sous la minorité de Louis XIV, durant la grave période de troubles qui frappa le royaume de France et qu'on appelle la Fronde (1648 à 1653), en pleine guerre avec l'Espagne, le prix des farines était élevé en raison des difficultés d'approvisionnement. Paris est quasiment exsangue. En 1650, une mesure radicale est prise : acheminer des farines blutées par un mode de transport permettant d'apporter une bien plus grande quantité d'aliments. Les boulangers doivent se séparer de leurs porcs en les revendant dans les campagnes.

Olivier Pascault

• *Voir aussi :* Blutage ; Boulangers et boulangeries (histoire de France des) ; Meunier dans l'Histoire

Bibl. : Daniel DESSERT, *Argent, pouvoir et société au Grand Siècle*, Paris, Fayard, 1984.

POROSITÉ. – La porosité peut être appréciée en fin d'apprêt par des ruptures régulières de la surface lisse sous forme de petits trous. Le déchirement est la conséquence d'un défaut d'extensibilité en déformation biaxiale pour des pâtons d'élasticité faible ou normale. L'absence de déchirement est le caractère « normal », le défaut est jugé en « excès ». Le nombre de petits trous observés sur l'ensemble des pâtons détermine le degré du défaut. La notion de porosité s'exprime par le rapport entre la fraction volumique de vide et le vide total ; celle-ci est influencée par les caractéristiques de la farine, de l'hydratation de la pâte, de la concentration en levure et de la durée de fermentation.

Philippe Roussel

• *Voir aussi :* Apprêt ; Élasticité ; Extensibilité ; Défauts de la pâte

PORTE-ALLUMES. – Voir ALLUME

PORTE-BOUCHOIR. – Voir BOUCHOIR OU FERMOIR DU FOUR

PORTE-CHAPE. – Le porte-chape apparaît dans une ordonnance de 1388 portant sur l'organisation générale de la maison royale de France. Aux côtés du grand panetier figurent des officiers dont l'attribution principale était l'achat des blés nécessaires à la consommation du roi de France. On attribue l'origine de leur nom au fait qu'ils portaient le coffre de bois où l'on enfermait le pain du roi. Une seconde origine pourrait être liée à l'instrument qui servait à chapeler le pain, lequel instrument se désignait *chaple*, *capularer* ou *capellare*, signifiant « couper ».

Olivier Pascault

• *Voir aussi :* Boulangers et boulangeries (histoire de France des) ; Boulangers forains ; France (pains historiques, du Moyen Âge à la Révolution française) ; Grand panetier ; Orve et orvier ; Oublieur ; Talemelier ; Tranchepain ; Valet soudoyé

Bibl. : Steven L. KAPLAN, *Le Meilleur Pain du monde – Les boulangers de Paris au XVIIIe siècle*, Paris, Fayard, 1996.

PORTEUSE DE PAIN. – Pendant très longtemps – de Saint Louis jusqu'au général De Gaulle, d'après Kaplan (1966) –, le pain a été livré à domicile par des femmes, le plus souvent dans de petites voitures, mais aussi sur leur dos dans des hottes ou même dans des tabliers ou dans des paniers d'osier. Elles le déposaient sur le seuil du client avec tout au plus un bout de papier bulle pour le protéger (Uzanne 1910). Un personnage de Restif de la Bretonne dit : « Autrefois, j'étais *Porteuse-de-pain* cheus les Boulangers : mais c'était-un mequier bén-rude », avant de décrire les avances amoureuses d'un de ses clients – des avances qui étaient un des risques courants de ce métier. Cent ans après, le métier n'était pas plus facile, comme explique le *Nouveau Guide pratique des jeunes filles* : « Il faut être levée de grand matin, porter des charges de pain quelquefois bien lourdes, monter, descendre incessamment pour le service de tous les clients logés un peu partout, répondre avec complaisance et bonne humeur aux doléances des consommateurs grincheux à propos de la couleur de la croûte du pain ou de la grosseur des "pesées". Il lui faut, en outre, une mémoire sûre, non seulement pour retenir vite les noms et adresses de la clientèle, mais aussi les petits crédits accidentels des clients qui ne paient pas au mois. » En 1875, le *Correspondant* parle d'un « métier de bête de somme au propre, et non au figuré », où « la moindre des infirmités » est les varices aux jambes. Certaines aussi furent tenues responsables de fraude dans le poids du pain qu'elles portaient (mais ne fabriquaient pas). Avec tout cela, les porteuses gagnaient bien peu. L'une d'entre elles, impliquée dans une affaire d'avortement clandestin, disait gagner « 17 fr. par semaine, 72 fr. 90 par mois, et les deux enfants qu'elle [avait] en nourrice lui [coûtaient] 40 fr. par mois ». Il lui restait 1 fr. par jour pour vivre. Pourtant, la boulangerie était un des secteurs les mieux payés pour une femme. Xavier de Montepin (1884) a intitulé ainsi son célèbre roman, repris maintes fois au théâtre et a l'écran.

Jim Chevallier

• *Voir aussi :* Blatier ; *Boulangère a des écus (La)* ; Femmes ; France (pains historiques, du Moyen Âge à la Révolution française) ; Porte-chape

Bibl. : Restif de la BRETONNE, *Les Contemporaines Communes*, 1790 • L. M. DEVILLENEUVE, *Pasicrisie, ou, Recueil général de la jurisprudence des cours de France et de Belgique en matière civile, commerciale, criminelle, de droit public et administratif*, Bruxelles, Bruylant-Christophe, 1856 • Augustin Frédéric HAMON, *La France sociale et politique*, deuxième année, 1892 • Steven L. KAPLAN, *The Bakers of Paris and the Bread Question, 1700-1775*, Durham, Duke University Press, 1996 • Xavier de MONTEPIN, *La Porteuse de pain*, Paris, Dentu, 1884 • A. PAQUET-MILLE, *Le Nouveau Guide pratique des jeunes filles dans le choix d'une profession,* Paris, Lecène, Oudin et Cie, 1891 • *Salaires et durée du travail dans l'industrie française*, Paris, Imprimerie nationale, 1893 • UZANNE Octave, *Parisiennes de ce temps en leurs divers milieux, états et conditions : études pour servir à l'histoire des femmes, de la société, de la galanterie française, des* *mœurs contemporaines et de l'égoïsme masculin*, Paris, Mercure de France, 1910.

***PORTEUSE DE PAIN* (*La*).** – Voir DOCUMENTAIRES ET FILMS

PORTO RICO. – Voir AMÉRIQUE LATINE ; CARAÏBES

PORTUGAL (traditions du pain au). – Au Portugal, le blé, le seigle et le maïs sont les principales céréales destinées à la confection des pains, dans les villes comme dans les campagnes. Avant l'arrivée du maïs au XVIe siècle, la plupart des pains, domestiques et régionaux, sont confectionnés avec des céréales locales plus ou moins rentables, mais qui ont l'avantage de s'adapter au sol, au climat et à l'altitude. Cependant, confronté aux carences quasiment chroniques, le peuple doit se contenter le plus souvent de pains de mélange confectionnés à partir de plusieurs sortes de farines combinées différemment : seigle, millet blanc ou jaune, orge, avoine (dans le pire des cas), blé (dans le meilleur des cas, comme pour le *pão terçado* et le *pão quarteado*). Comme le souligne l'historien J. H. Saraiva (1983), « la panification du millet, du seigle et même de l'orge montre que la production du blé était inférieure aux besoins de la consommation, car là où le blé abonde, on ne mange pas d'autre pain ».

Au Moyen Âge, la culture du seigle suit celle du blé, de l'orge et du millet. Dans la littérature médiévale, et indépendamment de sa forme habituelle (*centenum*), on le trouve sous le vocable latin *messis*, ou son correspondant *messe*. Céréale rustique, peu exigeante, le seigle pousse dans les zones montagneuses jusqu'à 1 600 m d'altitude et son cycle végétatif s'étend entre dix et onze mois. À l'instar des autres céréales, le seigle entre en partie dans les pains de mélange cités précédemment. L'introduction du maïs entre 1515 et 1525 va révolutionner les habitudes culinaires et la consommation du pain. En effet, pendant toute la période d'expansion maritime, et parmi tous les autres produits rapportés par les navires, le maïs eut un impact immédiat dès l'instant qu'on put le transformer en farine et de cette farine faire du pain. Les Portugais lui attribuèrent le nom *milho*, lequel désignait habituellement le millet commun, mais, pour le distinguer de celui-ci, ils l'appelèrent *milho grosso* (« gros millet »), ou *milho de maçaroca* (« millet en forme de fuseau ») : *maçaroca*, comme le nom *mazorca*, est un mot romano-arabe qui désigne le fuseau sur lequel est enroulé le fil de laine ou de lin et dont la forme rappelle celle de l'épi. Dans ce pays côtier tourné vers l'Atlantique, la culture de cette céréale providentielle va se révéler déterminante et son expansion fulgurante. Dans la première partie du XVIIe siècle, le maïs se propage dans toute la zone atlantique. Puis il gagne peu à peu du terrain vers l'intérieur, et vers le sud du pays. En 1874, le maïs est en première place parmi les céréales utilisées pour faire le pain et, au début du XXe siècle, il couvre presque la moitié des terres à pain ; Fernand Braudel écrit à juste titre que : « Si les plantes inconnues se heurtent parfois aux hostilités des cultures et des alimentations en place, elles prolifèrent et s'imposent là où la croissance démographique en fait des nécessités impérieuses » (1979). Cependant, le maïs sera supplanté à son tour par le blé cultivé dans les îles adjacentes (Madère, Açores) à l'époque des découvertes, puis en Alentejo (XIXe-début du XXe siècle). Grâce à l'importation de blé des États-Unis, puis d'Europe, la consommation du pain de blé commencera à se populariser au cours de la première moitié du XXe siècle.

Jusqu'au XIXe siècle, ce sont les femmes qui fabriquaient et vendaient le pain en ville. Les boulangères se rendaient à la foire plusieurs fois par semaine avec leur cargaison de pains. Le transport s'effectuait à pied, à dos d'âne, à bicyclette, ou par bateau pour certaines. Sur le lieu de vente, un emplacement spécial leur était réservé. En 1620, le livre de Frei Nicolau de Oliveira *Grandeur de Lisbonne* fait déjà référence aux 360 fours à pains qui existaient dans la capitale lors du règne de Manuel Ier, production en partie destinée aux navires. Nation maritime par excellence, le Portugal se devait de fournir boissons et nourritures également à ceux qui prenaient la mer. La confection du pain reposait entièrement sur les femmes, comme le confirme Oliveira : « 100 femmes s'occupaient de cribler le blé, 160 mesuraient le blé ou la farine. En plus des boulangères et des fournières, il y avait celles qui transportaient les pains au four public avec l'obligation de le balayer et de le nettoyer. » Hormis la mouture considérée comme un travail masculin, toutes les autres tâches relevaient de la compétence des femmes.

La mouture des grains s'opérait au moyen de systèmes traditionnels (moulins à marée, moulins à eau et moulins à vent) et le pétrissage à bras. La fermentation se faisait exclusivement à base de levain et la cuisson dans des fours à bois. Mais, peu à peu, les techniques de panification se transformèrent et s'industrialisèrent. Les boulangeries et les dépôts de pain se multiplièrent dans les grandes villes puis dans le reste du pays. Les citadins s'approvisionnent dans les boulangeries ou les dépôts de pains.

La fabrication du pain domestique, encore présent dans les campagnes dans les années 1980, tend à disparaître, quant aux boulangères, certaines sont parvenues à maintenir leur activité séculaire à domicile, notamment pour la fabrication de quelques pains régionaux.

Bijú. C'est un petit pain de blé de fabrication artisanale, rond et fendu dans la largeur. Ce nom, « bijou », d'origine française, était en fait le nom d'une boulangerie fondée à Porto par un boulanger français après les invasions napoléoniennes de 1808. Au fil du temps, le terme s'est adapté à l'orthographe et à la prononciation portugaise sous la forme *bijú*. À l'instar du *molete*, c'est un pain très répandu à Porto et dans toute la région du littoral nord.

Broa. Au nord-ouest du pays, le pain de maïs s'appelle *broa* ou *boroa*, mots qui à l'origine désignaient le pain de millet (*Panicum miliaceum* L.) ou de panis (*Setaria italica* L.). « Contrairement au mot *pão* (pain), *broa* ne vient pas du latin mais du germanique » (Saraiva 1979). Le Grand Dictionnaire de langue portugaise précise que *broa* vient du gothique *brouth* (1945). Selon Jean-Louis Flandrin, les mots *broth*, *brou*, *brodo* viennent du germanique *brod*, latinisés en *brodium* vers la fin du IVe siècle. Dans le français des XIVe et XVe siècles, ils correspondent à

« brouet », « potage », ou « chandeau » (1983). *Boroa* ou *broa* est probablement formé sur *boruna*. En castillan, on dit *borona*, et en galego *borroa*. Grâce à la diffusion du maïs, la consommation des millets diminue progressivement. Le pain de maïs (*broa*) devient l'aliment essentiel des gens du Minho et du Douro. Ailleurs, on utilise l'expression *pão de milho* (« pain de maïs »), preuve que dans le Nord-Ouest l'aire culturale du millet coïncide géographiquement et culturellement avec celle du maïs. Dans le Minho, la *broa* domestique est pétrie avec du maïs et du seigle ; celle des boulangers contient également une portion de blé. Dans les deux cas, on privilégie le maïs blanc.

Pour confectionner la *broa*, on commence par ébouillanter la farine de maïs à l'aide d'une pelle en bois. D'après le professeur Calvel, cette opération a pour effet de gélatiniser l'amidon et d'améliorer la cohésion de la pâte ; une liaison se forme entre l'eau et l'amidon ; la pâte est moins collante, plus homogène et se déchire moins. Ce procédé entraîne l'augmentation de la richesse en eau de la pâte, le rendement en pain, et améliore sa conservation. En outre, le goût en est lui aussi positivement amendé. Cette première opération est suivie d'une pause de quelques minutes pour laisser la pâte refroidir. Après quoi, on introduit la farine de seigle (dans un cas), de seigle et de blé (dans l'autre), puis le levain en dernier dans le but de préserver les ferments, car, au-delà de 40°, ils sont détruits. En raison de la texture de la pâte, le façonnage se fait à l'aide d'une écuelle en bois. Les pains sont enfournés aussitôt façonnés sans marquer de pause (sans apprêt). Parfois, on dépose chaque pâton sur une feuille de chou, coutume qui facilite l'enfournage à la pelle, et donne au pain un arôme spécial légèrement acidulé. Ce pain accompagne habituellement une soupe régionale à base de choux émincés et de pommes de terre, *o caldo verde*, également très appréciée. Avec la même pâte, on fait également une sorte de galette parsemée de petites sardines, *a bola de sardinha*, que l'on déguste avant de passer à table.

Broa d'Avintes. Originaire d'Avintes, petite commune située à proximité de Porto, ce pain se distingue par sa forme, sa couleur et son aspect. Les boulangères d'Avintes cuisaient ce pain pour aller le vendre à Porto, où il est devenu célèbre grâce à son goût et sa présentation. La *broa* d'Avintes est très différente des autres *broas*. Elle a la forme d'un pavé, haute, arrondie avec une croûte blanche et craquelée sur le dessus, facettée sur les côtés en raison de la proximité des pains dans le four ; sa mie est dense, sucrée, humide, de couleur jaune brun caramélisé. C'est un pain à base de maïs et de seigle, d'eau et de sel. Les farines sont ébouillantées puis, après un temps de repos, les pains sont façonnés un à un dans des écuelles en bois avant d'être enfournés. Dans la boulangerie familiale où se sont succédé plusieurs générations de boulangères, la cuisson des *broas* se fait toujours dans les deux fours à bois ancestraux, mais c'est un pétrin mécanique qui a remplacé le pétrissage à bras. Désormais, ce sont les clients qui viennent les chercher directement au four, quand elles sont encore brûlantes, les unes entassées dans de grandes corbeilles en osier, les autres emballées individuellement dans de grosses feuilles de papier blanc.

Carcaça. Version industrialisée des petits pains, en particulier du *papo-seco*, qui demandait plus de main-d'œuvre et pesait 80 g. Dans les années 1950, pour compenser l'augmentation du prix du blé et limiter les importations, le gouvernement autorise les boulangers à baisser le poids du pain. Dans la décennie suivante, avec l'implantation de nouvelles technologies et une plus grande concentration de la production, le *papo-seco* a cessé d'être le petit pain aux extrémités pointues. C'est un pain de forme allongée, fendu dans sa longueur et qui ne pèse plus que 50 g. À présent, les boulangers en fabriquent des milliers nuit et jour, parfois selon un procédé entièrement mécanisé. La *carcaça* se vend en quantité dans tout le pays, aux dépens parfois des autres petits pains.

Molete. Nom d'un petit pain de blé que l'on trouve spécialement dans le Minho et le bas Douro. La désignation *molete* s'est généralisée pour designer un petit pain de qualité importé de France. C'est la version portugaise de notre pain mollet, tendre et délicat, « jaune en dehors comme l'or, blanc en dedans comme la neige », que Marie de Médicis aimait tant. D'après Eduardo de Souza (1897), ce pain blanc, moelleux, à la croûte dorée, propice à l'absorption, s'est rapidement répandu dans les milieux raffinés de l'Europe à la fin du XVIIe siècle, et au Portugal au XVIIIe siècle, où il se prêtait à merveille aux séances de thé de l'époque. Cuits en série de façon à ce qu'ils se touchent, ils forment *uma pada de molete*, et la femme qui les vend s'appelle *moleteira*.

Pada. On donne le nom de *pada* à un petit pain de blé formé par la jonction de deux petits pains mollets. Il en existe de plusieurs sortes : à Vale de Ilhavo, la pâte est allongée puis étranglée au centre ; à Aveiro et à Ul, le pain est constitué de deux petites boules qui se superposent à l'extrémité ; à Ovar, on appelle *padinha* (« petite *pada* ») un pain double légèrement pointu aux extrémités. Les *padas casadas* (*padas*, « mariées ») se touchent sur le côté ; à Viana do Castelo, une série de douze *padas* cuites côte à côte et qui se touchent s'appelle *um carreiro*, et *meio-carreiro* si elles ne sont que six. Traditionnellement et de longue date, ces petits pains tendres sont pétris par les femmes qui travaillent à domicile, selon un processus de fabrication très proche du pain domestique. Elles utilisent de vastes terrines pour pétrir la pâte et font cuire leurs pains dans un four à bois à chauffage direct. Les pains sont livrés au domicile des clients, ou ce sont eux qui se présentent au four pour acheter leur pain à l'heure habituelle de la fournée.

Pain alentejano. Dans cette province située au sud du Tage, où, jusqu'à une période récente, la population était essentiellement rurale et salariée, la nourriture et les repas étaient fournis par les propriétaires de l'exploitation. Le personnel, contracté à l'année, recevait chaque semaine, chaque quinzaine ou chaque mois une certaine quantité de céréale, sous forme de grains, de farine ou de pains. C'était le cas du gardien de la propriété et des gardiens de troupeaux. Les autres prenaient leurs repas sur place ou dans les champs. Entre les repas, les ouvriers consommaient aussi du pain, au cours des pauses. Le pain était le seul aliment que le personnel pouvait manger à discrétion, *a franca*. À partir des années 1920, le pain, qui était à base de seigle, est devenu du pain de blé. Le pain *alentejano* est un pain plié, que l'on reconnaît facilement à sa forme, sa couleur, sa bonne odeur de froment. Les farines utilisées (blé tendre avec un pourcentage de blé dur), la pâte fermentée exclusivement au levain et le façonnage manuel lui confèrent une saveur particulière. Il y a différentes façons de façonner le pain, soit en modelant la tête du pain directement sur le tour puis sur le plateau ; soit en rabattant la tête du pain à la porte du four. La cuisson du pain *alentejano* se fait toujours dans un four à bois. L'eucalyptus, par exemple, donne une chaleur très dense sans consommer beaucoup de bois. Le pain cru de 800 g perd 200 g en cuisant. La croûte du pain *alentejano* est épaisse, dure, mate et sombre. La mie est abondante, de couleur crème et compacte. C'est un pain de bonne conservation (huit jours au moins). Tout le monde l'apprécie, les Portugais en général, la population locale en particulier. On l'utilise beaucoup dans les soupes et dans toute une série de plats régionaux.

Pain de blé. Jusqu'au début du XXe siècle, le « pain blanc » est réservé aux classes privilégiées. Ce pain, de fabrication artisanale, est surtout commercialisé dans les villes. Dans les années 1950, les boulangeries proposent des pains de blé de différentes qualités : le pain fleur (*pão flor*), fabriqué avec de la fleur de farine et considéré comme un pain de luxe ; le « pain extra » créé en 1952, fait à base de farine de qualité supérieure et qui, initialement, exigeait une autorisation spéciale pour être fabriqué (il existe seulement en petit format et est différent des autres pains habituels) ; le pain de seconde (*pão de segunda*) était le pain de consommation courante fait à base de farine de blé de seconde qualité, appelé également *pão trigueiro* (pain à base de blé) ou *sêmea* (pain de blé avec un pourcentage de son). On trouvait également le « pain spécial » fait avec de la farine assez fine et le « pain espagnol », dont la mie est très blanche, très peu hydratée, et assez compacte. De nos jours, les farines sont très diversifiées, la gamme des pains de blé prévaut sur les autres types de pains.

Pain de Mafra. À l'époque où les boulangères de Lisbonne devaient payer des taxes sur leurs pains, la fabrication de pain aux abords de la capitale est devenue chose courante. À Lisbonne on l'appelle *pão saloio*, ou pain de Mafra, l'équivalent du pain paysan ou du pain rustique. Le vocable *saloio*, d'origine arabe, distingue l'espace rural de l'espace urbain. Traditionnellement, le pain *saloio* était confectionné avec les blés durs qui poussaient en abondance dans les environs de Lisbonne. Le transport des pains jusqu'à la capitale se faisait à dos de mule ou de mulet. De nos jours, c'est un pain de blé confectionné avec de la farine (type 65), très peu de levure, peu de sel et beaucoup d'eau (de 75 % à 80 %). Autrefois, il s'agissait d'un pain rond, mais pour le distinguer du pain de Sintra, on lui a donné une forme allongée, rabattue à l'extrémité. Peu à peu, cette forme s'est répandue dans toute la région et s'est imposée comme étant celle du pain de Mafra. Pour façonner ce pain, le boulanger prend une boule, l'étire, saisit une extrémité par les deux pointes, la retrousse en glissant les deux pointes sous le pain au moment de replier la pâte. Le résultat final est comparable à un nœud de cravate. Les pains de 800 g sont enfournés cinq par cinq sur une pelle à palette longue et étroite. Le pain de Mafra est un pain moelleux, avec beaucoup de mie, une mie qui doit être compacte et sans trous, l'idéal pour faire des toasts.

Pain de Mealhada. Ce pain de la Beira Litoral, confectionné autrefois par les boulangères, aujourd'hui par les boulangers, est un pain de 70 à 100 g, coupé en croix dans sa partie supérieure avec une paire de ciseaux. Les petits pains cuisent dans un four à bois chauffé à 250°, avec de la vapeur pour leur donner un aspect à la fois brillant, croquant, plus coloré. Au cours de la cuisson, les pains s'ouvrent comme des fleurs. Située sur la route nationale entre Lisbonne et Porto, Mealhada a la réputation d'une ville gastronomique. Les voyageurs de passage ne manquent pas de s'y arrêter pour déguster le célèbre cochon de lait accompagné du pain de Mealhada, le tout arrosé du vin de Bairrada, un vin rouge régional légèrement pétillant.

Papo-seco. On trouve au Portugal des petits pains de blé qui se caractérisent par leurs extrémités pointues : *bica*, *bicuda*, *cornucho*, *beijinhos* (« petits baisers »), etc. Le *papo-seco* en fait partie. Le *papo-seco* (« jabot sec », « gosier sec »), très célèbre à Lisbonne et fabriqué avec de la farine de bonne qualité, se vendait enveloppé dans du papier de soie dans la première moitié du XXe siècle. Les gens aimaient mordre ce petit pain ventru qui avait du jabot et croquer les extrémités pointues surnommées *as maminhas*, (« les tétons »). C'est la raison pour laquelle on l'appelait aussi pain pointu (*pão de bico*), ou pain aux tétons (*pão com maminhas*).

Petits pains. Les boulangeries implantées en ville sont surtout spécialisées dans la vente de petits pains. Certains rappellent, par leur forme ou leur texture, des pains français très en vogue à leur époque, comme le pain brié, le pain mollet et le pain artichaut. La vente des petits pains de blé, de 80 ou 100 g, est très courante au Portugal, alors qu'elle a quasiment disparu en France. Ces pains de bouche vendus à l'unité, de fabrication artisanale ou industrielle, sont faits en principe avec de la farine de qualité et façonnés à la main. Chaque grande ville possède une ou plusieurs sortes de petits pains, que l'on reconnaît par la forme – arrondie ou pointue aux extrémités – et par la fente, longitudinale ou transversale. Les ménagères ont gardé l'habitude de se rendre à la boulangerie avec leur sac à pain, une pochette en tissu de lin ou coton, souvent brodé, destinée à garder les petits pains qu'elles achètent souvent à la douzaine, comme la « denrée » citée par Étienne Boileau (1268). Le portage des pains à domicile existait encore il y a une trentaine d'années. Pour satisfaire et conserver leur clientèle, les boulangers de quartier livraient les premières fournées tôt le matin, avant l'heure du petit déjeuner. Ils grimpaient l'escalier des immeubles avec leur immense panier en osier sur l'épaule et distribuaient les pains en fonction des habitudes de leurs clients.

Regueifa. Ce pain traditionnel du nord du pays se présente sous la forme d'une couronne double, torsadée, dont la mie, très blanche et serrée, fait penser au pain espagnol. Le mot *regueifa* d'origine arabe, (*ar*) *rgaifâ*, signifie « faire plusieurs fois », « passer plusieurs fois » la pâte dans la machine à rouleaux, lesquels étaient initialement en bois. Grâce à ce procédé, la pâte, très peu hydratée, devient plus fine et plus blanche. C'est un pain que l'on achetait le dimanche. Au sortir de la messe dominicale, il n'était pas rare de voir les fidèles marcher dans la rue avec leur *regueifa* enfilée autour du bras. Et, à Pâques, les parrains avaient pour habitude d'offrir une *regueifa* sucrée, parfumée à l'anis et à la cannelle, à leur filleul. Aujourd'hui, on l'appelle encore « pain du dimanche », mais la *regueifa* se vend surtout dans les foires ou sur les lieux de pèlerinages.

Trigamilha. C'est un pain à base de blé et de maïs, car, dans la région Centre (Beira Litoral), on cultive les deux céréales. À présent, les boulangers s'approvisionnent dans les minoteries mais, il y a une vingtaine d'années, ils achetaient le maïs aux agriculteurs et l'envoyaient moudre aux moulins à eau. On cultive encore aujourd'hui du maïs dans la région, mais en quantité insuffisante. Le pain *trigamilha* peut se décliner de deux façons : *meada*, lorsqu'il est composé pour moitié de blé, pour moitié de maïs, ou *grossa*, lorsqu'il contient davantage de maïs que de blé. On utilise pour ce pain du blé (type 65) et du maïs blanc (type 175). Le boulanger met autant d'eau chaude que de maïs. Pour pouvoir absorber toute l'eau, le pétrissage est plus long et l'eau coule en filet dans le pétrin ; de cette façon, le pain est meilleur car la mie est plus humide. Comme le temps de fermentation est très long (dix heures), il faut très peu de ferment, 0,5 % à 1 % de levure et un peu de levain pour lui donner ce goût caractéristique. Les pains de 800 g cuisent dans un four à 250°, avec vapeur, pendant 20 à 30 min. Au sortir du four, la croûte est dorée, croustillante et la mie humide.

Mouette Barboff

• *Voir aussi :* Brésil ; Espagne ; Femmes ; Pain (définition universelle du) ; Pain domestique ; Pains mondiaux

Bibl. : M. BARBOFF, « La révolution du maïs dans le Minho : nouveau paysage agricole et social », *Gap* du CEP-EHESS, Bulletin nº 4, Paris, 1992-1994. – ID., « Le millet au Portugal », in *Millet-Herse-Millet*, Francfort, Peter Lang, GMBH, 1995. – ID., « Le maïs au nord-ouest du Portugal », *in* catalogue de l'exposition *Le Maïs, de l'or en épi*, Saint-Pierre-de-Bresse, Écomusée de la Bresse bourguignonne, 1998. – ID., *Terra Mae Terra Pao*, Lisbonne, Âncora Editora, 2005 • F. BRAUDEL, *Civilisation matérielle, économie et capitalisme, XVe-XVIIIe siècle*, Paris, Armand Colin, 1979 • J. L. FLANDRIN, « Brouets, potages et bouillons », *Mediéval*, nº 5, 1983 • Frei Nicolau de OLIVEIRA, *Grandeur de Lisbonne*, 1629 • Orlando RIBEIRO, « Cultura do milho, economia agraria et povoamento », in *Biblos*, vol. XVII, t. 2, Faculdade de Letras da Universidade de Coimbra, 1941 • J. H. SARAIVA, *Historia concisa de Portugal*, Lisbonne, Publ. Europa-America, 1979 • Eduardo de SOUZA, *O pan*, Porto, Livraria Nacional et Estrangeira Editora, 1897.

POSTILLON. – Nom donné par les prisonniers, au XIXe siècle, à « une boulette de pain artistement pétrie qu'on envoie *en Irlande*, c'est-à-dire par-dessus les toits d'une prison, d'une cour à l'autre. Étymologie : par-dessus l'Angleterre ; d'une terre à l'autre ; *en Irlande*. Cette boulette tombe dans la cour. Celui qui la ramasse l'ouvre et y trouve un billet adressé à quelque prisonnier de la cour. Si c'est un détenu qui fait la trouvaille, il remet le billet à sa destination ; si c'est un gardien, ou l'un de ces prisonniers secrètement vendus qu'on appelle "moutons" dans les prisons et "renards" dans les bagnes, le billet est porté au greffe et livré à la police » (Victor Hugo, *Les Misérables*, t. IV, l. 2, chap. 2)

Anne-Élisabeth Halpern

• *Voir aussi :* Compagnon ; Disettes, famines et révoltes pour le pain en France ; Jean Valjean

Bibl. : Victor HUGO, *Les Misérables*, t. 1, *Fantine* ; t. 2, *Cosette* ; t. 3 *Marius* ; t. 4, *L'idylle rue Plumet et l'épopée rue Saint-Denis* ; t. 5, *Jean Valjean*, 1862. En ligne sur http://gallica.bnf.fr

POTASSIUM (K). – Il existe deux minéraux majeurs de l'organisme, le sodium, présent dans le sang, et le potassium, concentré dans les cellules. Les primates, comme les autres mammifères, ont évolué pendant plusieurs dizaines de millions d'années dans un environnement particulièrement pauvre en sel et riche en potassium. Les organismes ont acquis ainsi une capacité étonnante de conservation du sodium et d'élimination du potassium. Il y a maintenant une inadéquation entre nos gènes et notre alimentation devenue riche en sodium et pauvre en potassium, et cela joue un rôle clé dans la survenue de l'hypertension. Contrairement aux fruits et légumes qui sont riches en acides organiques de potassium, ce qui leur procure un effet alcalinisant, les céréales sont relativement pauvres en potassium, minéral lié au phosphore (sous forme de phytate). Le pain n'est pas un aliment alcalinisant, et sa faible concentration en potassium est souvent aggravée par une forte teneur en sel. Le déséquilibre potassium/sodium est un des points faibles du pain sur le plan nutritionnel.

Christian Rémésy

• *Voir aussi :* Minéraux ; Santé ; Sel ; Valeur nutritionnelle du pain

POUDRE LEVANTE CHIMIQUE. Improprement appelée « levure », la poudre levante chimique est un mélange de substances chimiques qui se décomposent à l'eau ou à la chaleur, produisant une effervescence gazeuse qui aide la levée de gâteaux et de biscuits. La poudre levante chimique se présente comme une poudre composée, selon les formules, de bicarbonate de soude, de carbonate d'ammoniaque, de pyrophosphate de soude, de crème de tartre ou d'acide tartrique, d'un excipient (farine, amidon, etc.) et éventuellement de parfum et de colorant. La levure, au contraire, est une matière vivante naturelle, qui se reproduit et se nourrit au sein de la pâte, des sucres fermentescibles, pour produire du gaz carbonique et de l'alcool éthylique, base de la fermentation panaire, qui donne au pain son volume, sa légèreté et son goût. Bien que les règlements interdisent l'utilisation du mot « levure » pour la poudre levante chimique, cette appellation figure encore sur certains sachets vendus dans le commerce.

Roland Guinet

• *Voir aussi :* Alcool ; Fermentation panaire ; Gaz carbonique ; Levure de boulanger ; Sucres fermentescibles

POUPÉE DE BLÉ. – Voir ÉPI (symbolique de l')

POURRI. – Voir DÉFAUTS DE LA PÂTE

***POURVOYEUSE* (*La*).** – Voir PEINTURE OCCIDENTALE

POUSSE. – Voir FERMENTATION

POUSSE CONTRÔLÉE, POUSSE LENTE. – Voir FERMENTATION CONTRÔLÉE

PRÉCUIT. – Technologie permettant de proposer au consommateur un pain mi-cuit, sans coloration de croûte, impliquant une deuxième cuisson différée avant sa consommation ou sa commercialisation. Pour cela, le degré de cuisson est défini de façon à obtenir la gélatinisation et la coagulation du gluten, sans atteindre la formation des réactions de coloration sur la croûte. Le pain à ce stade (la durée de cuisson est de 50 % de la durée normale) est dans un état instable, il ne peut donc être manipulé ; mais, s'il demeure sur les supports de cuisson, il peut être transporté ou congelé.

Philippe Roussel

• *Voir aussi :* Congélation ; Croûte ; Gluten ; Prêt à façonner, prêt à pousser

PRÉMICES. – Voir ÉPI (symbolique de l')

PRÉSENCE RÉELLE. – Voir EUCHARISTIE ; FÊTE-DIEU

PRESSION ATMOSPHÉRIQUE. La pression atmosphérique varie avec l'altitude et les conditions météorologiques, ce qui a des incidences sur l'expansion des gaz ; celle-ci est plus faible lorsque la pression est plus forte (hautes pressions) et l'inverse est vrai aussi. À titre d'exemple, lorsque le temps est orageux (dépression), la fermentation semble s'accélérer, alors qu'en réalité il s'agit d'une expansion, facilitée par une pression atmosphérique plus faible. Pour une même farine et des conditions de travail identiques, le boulanger de montagne observera toujours un gonflement plus rapide de sa pâte que celui qui travaille en bord de mer. La pression se définit par la force exercée sur une unité de surface et s'exprime en newtons (kg × 9,81 accélération de la pesanteur) par m² ou pascals. Pour la pression atmosphérique, on utilise fréquemment l'« atmosphère » ou la hauteur de la colonne barométrique. Pression atmosphérique normale = 1 « atmosphère » = 101 300 Pa = 1 013 hPa ou mbar = 760 mm de mercure (ce qui veut dire qu'une surface de 1 cm² supporte une force égale au poids d'un cylindre de mercure de 76 cm de hauteur et de 1 cm² de section. Autres correspondances : 1 bar = 10^5 Pa ; 1 mbar ≅ 100 Pa ≅ 10 mm CE (colonne d'eau) = 1 g/cm².

Philippe Roussel

• *Voir aussi :* Farine ; Fermentation panaire ; Gaz carbonique ; Pétrin

PRESSION OSMOTIQUE. – Différence de pression entre deux zones séparées par une membrane. Si l'on place de l'eau pure dans une zone et de l'eau salée, à même volume, dans une autre partie, l'une et l'autre séparées par une membrane suffisamment fine et poreuse, une partie de l'eau pure passe dans la zone salée, ce qui conduit à une différence de volume entre les deux zones. On dit que le sel exerce une pression osmotique. C'est ce phénomène que l'on peut visualiser lorsqu'on met en contact direct du sel ou du saccharose avec la levure ; un soluté va progressivement sortir de la cellule de levure vers le milieu extérieur. Si la membrane est suffisamment poreuse pour laisser passer le sel, celui-ci va migrer vers l'eau pure : on parle alors d'osmose inverse (déplacement dans le sens inverse du solvant). En panification, la pression osmotique exercée par le sel conduit à un ralentissement de l'activité de fermentation ; sans sel, une pâte fermente plus rapidement.

Philippe Roussel

• *Voir aussi :* Eau ; Eau de coulage ; Fermentation panaire ; Levure de boulanger ; Sel

PRÊT À FAÇONNER, PRÊT À POUSSER. – Ces termes concernent la production de pain surgelé ; une fois la pâte pétrie et divisée, on peut congeler des boules de pâte qu'il faudra, lors de la remise en œuvre, décongeler puis façonner, faire fermenter et cuire : c'est le prêt à façonner. Une autre solution plus simple est le prêt à pousser : on congèle les baguettes façonnées et à la mise en œuvre on les fait décongeler et fermenter puis on les cuit. Le prêt à façonner se transporte plus facilement (boules de pâte) mais est plus difficile à remettre en œuvre ; le prêt à pousser est très simple à utiliser mais le transport des baguettes en pâte doit éviter de les casser.

Ludovic Salvo

• *Voir aussi :* Baguette ; Congélation ; Précuit ; Surgélation ; Terminal de cuisson

PRIX DU PAIN. – Voir RÉGLEMENTATION

***PRIX DU PAIN* (*Le*).** – Voir DOCUMENTAIRES ET FILMS

PRODUCTION (système de). – Le système de production est la combinaison des trois facteurs de productions que sont la terre, le capital et le travail, en vue d'une production agricole au sein d'une exploitation agricole. Il s'agit de l'ensemble des activités (production animale, production végétale, agrotourisme, etc.) qu'un agriculteur ou un groupe d'agriculteurs gère et maîtrise de manière cohérente. Il peut être décomposé en sous-systèmes : système de culture, système d'élevage, etc. Néanmoins, ce découpage fait perdre l'idée qu'il existe des complémentarités et des interactions positives entre sous-systèmes. Ainsi, la présence de ruminants sur une exploitation permet de valoriser des prairies qui pourront être intégrées dans la rotation de culture pour en améliorer la fertilité du sol.

Philippe Viaux

• *Voir aussi :* Assolement ; Céréales ; Engrais ; Itinéraires techniques ; Moisson ; Rotation ; Semailles

PROPIONATE DE CALCIUM. – Voir ACIDE PROPIONIQUE

PROPOSITION (pains de). – Voir HALLAH

PROPRIÉTÉ ORGANOLEPTIQUE. – Les propriétés organoleptiques d'une denrée alimentaire regroupent l'ensemble des caractéristiques qui font appel aux cinq sens : le goût, l'odorat, la vue, le toucher et l'ouïe. Dans le cas du pain, le dégustateur a recours à ses cinq sens pour le qualifier : le premier contact sera la vue, et déjà le dégustateur se fait une idée à partir de son aspect visuel (croûte dorée, trop ou pas assez cuite, mie crème, alvéolée, etc.) ; ensuite, il pourra le toucher et apprécier la texture de sa croûte (craquante, molle, etc.), et de sa mie (souple, ferme, etc.) ; dans le même temps, il se servira de son ouïe (le pain croustille ou ne croustille pas) ; vient ensuite l'odeur (acidulée, caramélisée, etc.) ; le goût se développera au moment de l'ingestion et le pain pourra être qualifié de légèrement sucré, acide, etc. Au moment de la mastication, l'ouïe est à nouveau mise à contribution : le dégustateur entend la croûte craquer sous sa dent !

Catherine Peigney

• *Voir aussi :* Alvéolage ; Consistance ; Croustillant ; Croûtage ; Croûte ; Défauts du pain ; Goût du pain ; Mie (couleur de la) ; Pain (aspect du) ; Surface du pain ; Texture du pain

PROLINE. – Voir GLUTEN

PROSPHORE. – Voir RITE ORTHODOXE

PROTÉASE FONGIQUE. – Les protéases sont des enzymes qui hydrolysent les protéines. Elles sont naturellement présentes dans les céréales et notamment dans les farines peu raffinées, riches en fragments de la périphérie du grain. Des ajouts de protéases d'origine fongique sont également possibles en complément dans les farines destinées principalement aux applications biscuitières. Ces protéases ont pour origine des micro-organismes de type *Aspergillus niger* et *Oryzae*. L'action d'hydrolyse se traduit par des coupures dans les chaînes de protéines réduisant la résistance des agrégats et des films protéiques du gluten. Ces actions vont à la fois diminuer les risques de rétraction et de déformation des pâtes, mais aussi favoriser la friabilité des biscuits.

Philippe Roussel

• *Voir aussi :* Biscuit ; Biscuitiers ; Céréales ; Farine ; Grain ; Hydrolyse ; Micro-organisme ; Protéine

PROTÉINE. – Du grec *proteios*, qui signifie « premier » ; macromolécule formée d'une succession d'acides aminés reliées entre eux par des liaisons peptidiques (CO-NH). Les protéines sont les constituants indispensables à la vie d'une cellule. Chez tous les êtres vivants, les protéines sont constituées d'une vingtaine d'acides aminés différents, qui, à leur tour, sont composés de carbone, d'hydrogène, d'oxygène, d'azote et parfois de soufre. Les vingt acides aminés sont : l'alanine, l'arginine, l'asparagine, l'acide aspartique, la cystéine, l'acide glutamique, la glutamine, la glycine, l'histidine, l'isoleucine, la leucine, la lysine, la méthionine, la phénylalanine, la proline, la sérine, la thréonine, le tryptophane, la tyrosine et la valine. Tous ces acides aminés sont synthétisés dans les plantes grâce à l'énergie apportée par la photosynthèse. La majorité des autres organismes, et notamment l'homme, ne peuvent en fabriquer que quelques-uns. Les acides aminés qu'un être vivant ne peut synthétiser sont appelés « essentiels » et doivent être fournis par la nourriture. Les huit acides indispensables au maintien de la santé de l'homme sont : la leucine, l'isoleucine, la lysine, la méthionine, la phénylalanine, la tyrosine, le tryptophane et la valine. Les graines des plantes, et notamment celles des céréales (blé, orge, maïs, seigle etc.), possèdent tous les acides aminés, mais la lysine et le tryptophane sont souvent en quantité insuffisante par rapport aux exigences nutritionnelles de l'homme.

La séquence linéaire des acides aminés d'une protéine forme sa structure primaire. L'énergie contenue dans les différents acides aminés et les attractions-répulsions qui peuvent s'établir entre eux imposent un repliement d'une partie de la chaîne en hélice alpha ou en feuillet bêta ; cela forme sa structure secondaire. La protéine peut adopter une structure plus compacte qui définit sa forme tertiaire. Certaines protéines sont formées de plus d'une chaîne d'acides aminés, elles ont alors une structure quaternaire. Le poids moléculaire d'une protéine peut aller de quelques milliers à plusieurs millions de daltons (masse de l'atome de carbone/12). Dans le grain de blé, la majorité des protéines solubles (albumines et globulines) a une masse qui se situe entre 12 000 et 200 000 daltons. Les gliadines ont une structure généralement repliée en pelote et un poids moléculaires compris entre 20 000 et 80 000 daltons. Les gluténines sont formées de sous-unités de haut poids moléculaire (65 000 à 120 000 daltons) et de faible poids moléculaire (20 000 à 45 000 daltons). Ces sous-unités sont polymérisées, formant une structure quaternaire très complexe dont le poids moléculaire va de 600 000 à plus de 13 millions de daltons. Ce complexe moléculaire dépend principalement de la nature des sous-unités des gluténines (pouvant être très variables d'une variété de blé à l'autre) et de l'importance des liaisons disulfures établies entre les sous-unités.

La formation du grain dans lequel sont synthétisées les protéines répond à un ensemble de divisions cellulaires et de programmes géniques qui sont exprimés depuis la fécondation de l'ovule jusqu'à la déshydratation et la mort cellulaire de l'albumen. La formation du grain résulte d'une double fécondation de l'ovule par le gamète mâle haploïde apporté par le pollen (il en résultera une cellule diploïde qui, par division, formera l'embryon) et d'un noyau diploïde du sac embryonnaire par le second gamète haploïde dit « noyau végétatif », également apporté par le pollen. De cette seconde fécondation résultera l'albumen triploïde avec $2n$ chromosomes de la plante mère et n chromosomes apportés par le pollen. Toutes les cellules de l'albumen, et par conséquent la quantité des protéines exprimées dans celui-ci, résultent de l'expression de deux doses géniques apportées par la plante mère et d'une dose apportée par le pollen.

Les principales structures du grain sont formées vers sept à huit jours après la double fécondation. Ce sont d'abord les albumines et les globulines qui sont formées et participent comme enzymes à la mise en place des structures cellulaires et aux nombreuses fonctions métaboliques. Dès neuf à dix jours après cette fécondation apparaît la synthèse des protéines de réserve, les gliadines et gluténines. Entre dix et trente-cinq jours après la fécondation, près de 60 % des protéines synthétisées dans le grain de blé sont les protéines de réserve. C'est la phase de synthèse des réserves protéiques, mais surtout amylacées. La polymérisation des gluténines est fortement accélérée au début de la phase de déshydratation du grain (vers quarante-cinq jours après la fécondation).

Le grain des céréales est principalement constitué d'amidon (70 % du poids du grain) et la teneur en protéines du blé peut varier de 8 à 22 % selon le milieu de culture, les conditions agroclimatiques et la variété. Le blé dur (*Triticum durum*) est généralement plus riche en protéines, 13 à 15 % en moyenne contre 10 à 13 % pour le blé tendre (*T. aestivum*). Les protéines ne sont pas uniformément réparties dans le grain. Elles sont abondantes dans l'embryon (ou germe) : environ 24 % de la masse de celui-ci sont des protéines de type soluble, mais l'embryon ne représente que 3 % du poids du grain. La couche à aleurone, qui est la couche cellulaire entourant l'albumen farineux, représente en moyenne 8 % de la masse du grain et possède environ 16 % de protéines de type albumines-globulines. Cette couche cellulaire est aussi très riche en minéraux et en vitamines, principalement du groupe B. L'albumen représente 80 % du poids du grain et contient en moyenne 10 % de protéines appartenant aux quatre familles : albumines, globulines, gliadines et gluténines. Les enveloppes qui représentent moins de 10 % de la masse du grain, sont riches en lignine et hémi-cellulose et ne contiennent qu'environ 5 % de protéines de type soluble. Selon les techniques de mouture et de fractionnement, la farine obtenue peut contenir, en plus des protéines de l'albumen, une fraction des protéines présentes dans les autres parties du grain : couche à aleurone, germe et téguments. Il en résulte, dans ce cas, une farine contenant davantage de minéraux (phosphore, fer, manganèse) de métabolites (tels que les stérols et polyphénols, les phytates, des alkylrésorcinols, des vitamines etc...) et des protéines bien équilibrées de type albumines et globulines.

Les conditions agronomiques, la fertilité du sol et en particulier sa disponibilité en azote influencent fortement la teneur en protéines du grain et, après mouture, celle de la farine. Les agronomes connaissent les conditions de nutrition de la plante lui permettant d'accroître la quantité de protéines par grain. Au moment de la floraison, 80 % de l'azote contenu dans les protéines, qui se situent dans les feuilles, est remobilisé et migre sous forme de glutamine vers l'épi et les grains. Selon l'état hydrique du sol, la profondeur d'enracinement, la température, la plante après floraison peut ou non poursuivre son absorption azotée et ainsi accroître ou non la quantité de protéines dans le grain. Mais des températures très élevées peuvent fortement réduire l'accumulation d'amidon et corrélativement accroître la quantité de protéines par grain. De plus, il a été observé que des températures élevées ralentissent la synthèse de gluténines, contrairement à certaines gliadines qui poursuivent leur accumulation. Il en résulte une modification du rapport gliadines/gluténines.

Les gliadines, qui sont des protéines monomériques (non polymérisées comme le sont les gluténines), favorisent la viscosité de la pâte. Si leur teneur est augmentée, la pâte, hydratée de manière constante, aura une extensibilité accrue. Les propriétés de ténacité et d'extensibilité de la pâte sont fortement associées à la nature des gluténines (apportant ou non de nombreuses liaisons disulfures intermoléculaires) et aux quantités respectives des deux familles des protéines de réserve. Le gluten, résultant de la mise en place d'un réseau protéique complexe lors de l'hydratation et du pétrissage de la pâte, confère à celle-ci des aptitudes uniques de viscoélasticité qu'aucune autre protéine du règne végétal ne peut apporter.

Gérard Branlard

• *Voir aussi :* Albumen ; Aleurone ; Amidon ; Blé dur ; Blé tendre ou froment ; Enveloppe ; Germe ; Gliadine ; Gluten ; Gluténine ; Grain ; Minéraux ; Régime Seignalet sans pain ; Santé

Bibl. : COLLECTIF, « Gliadin and Glutenin : The Unique Balance of Wheat Quality », *in* C. Wrigley, F. Békés, W. Bushuk (éd.), *American Association of Cereal Chemist*, St. Paul (Minn.), 2006 • COLLECTIF, « Influence of the Allelic Variants Encoded at the *Gli-B1* Locus, Responsible for a Major Allergen of Wheat, on IgE Reactivity for Patients Suffering from Food Allergy to Wheat », *Journal of Agriculture and Food Chemistry*, vol. 55, nº 3, 2007, p. 799-805 • COLLECTIF, « Wheat Arabinoxylans : Exploiting Variation in Amount and Composition to Develop Enhanced Varieties », *Journal of Cereal Science*, « The Contribution of Cereals to a Healthy Diet », nº 46, 2007, p. 261-281.

PROTÉINES (valeur biologique des). – La valeur biologique des protéines alimentaires dépend de leur équilibre en acides aminés indispensables. Les protéines dites de « haute valeur biologique » ont une composition en acides aminés bien adaptée aux besoins de l'organisme. Ce sont, d'une manière générale, le lait, le fromage, l'œuf, les viandes, et dans une moindre mesure les légumes secs. Les protéines des céréales sont pauvres en lysine, tandis que celles des légumineuses sont pauvres en acides aminés soufrés (méthionine, cystine). En comparaison du pain blanc, la valeur biologique des protéines d'un pain complet est un peu améliorée par la présence des protéines de la couche à aleurone (enveloppe interne du son), plus riches en lysine. Dans un repas, la valeur biologique du pain est améliorée par la consommation des produits animaux, mais aussi par celle de légumes secs. L'association produits céréaliers-légumes secs est une bonne solution pour réduire fortement les besoins humains en produits animaux. Il existe de nombreux plats complets végétariens traditionnels qui associent céréales et légumes secs, et les populations qui les consomment n'ont aucune carence en acides aminés (association maïs-haricot, riz-lentilles ou riz-soja, blé-pois chiches etc.).

Christian Rémésy

• *Voir aussi :* Aleurone ; Pain complet ; Protéine ; Santé ; Son ; Valeur énergétique du pain ; Valeur nutritionnelle du pain

PROVENDE. – Étymologiquement, « provende » est un mot d'origine picarde, *preuvenne*, qui désigne la quantité de grain nécessaire à un cheval, mais aussi une provision de vivres ou, en économie rurale, un mélange d'aliments très nutritifs, propre à engraisser les bestiaux. Sa fabrication et son commerce, qui s'organisent dans un secteur économique spécifique, sont appelés « provenderie ». La provenderie est ainsi la fabrication ou le commerce de provende, réalisée par le provendier, acteur travaillant dans l'économie rurale.

Olivier Pascault

• *Voir aussi :* Céréales ; Grain et graine

PURGATOIRE (pains du). – L'idée du purgatoire situé entre l'enfer et le paradis céleste est un concept antique qui s'est progressivement imposé à la pratique chrétienne latine. Il ne devint pourtant usuel qu'à partir du XVIIe siècle. Il s'agissait donc d'un lieu intermédiaire, non pas du supplice éternel, mais du feu de la *purgatio*, rendant possible une intercession des vivants pour les morts. « Cet espace devait tenir autant des vieilles croyances païennes que des visions de la sensibilité monastique médiévale : à la fois lieu où erraient les ombres insatisfaites (limbes) et lieu où le pécheur, grâce à son expiation, pouvait échapper à la mort éternelle » (Ariès 1977). Le livre des *Psaumes* de saint Augustin évoque les offrandes faites en faveur des morts, des âmes du purgatoire, comme le pain et le vin. Par ailleurs, sainte Catherine de Gênes (1447-1510) compare la souffrance des âmes du purgatoire à celle d'un homme qui meurt de faim, mais qui sait avec certitude que bientôt du pain lui sera donné : c'est une nourriture symbolique, un pain céleste qui représente le Dieu Sauveur lui-même. Le pain, référence eucharistique fondamentale, faisait aussi partie de ces offrandes en nature destinées à assurer les frais du culte et la subsistance des prêtres.

En Corse, la fabrication du pain étant réservée aux femmes, les fours familiaux ou du quartier étaient traditionnellement allumés le vendredi soir, la cuisson se déroulant le samedi matin. On procédait ainsi à la provision de pains pour la semaine. Une part non négligeable de cette cuisson était réservée au curé de la paroisse – on évoque ainsi jusqu'à huit pains par cuisson. L'Église, qui taxait anciennement les récoltes et productions, transforma ainsi l'usage du don en une dette quasiment obligatoire. Parallèlement, et en échange, tous les lundis, le curé disait une messe à l'attention des défunts de la paroisse : c'est de là que viendrait l'appellation de « pain du purgatoire » (*u pani di u purgatoriu*). Le lien du pain avec le purgatoire, et donc les âmes du purgatoire, est d'autant plus évident que dans certaines régions de l'île, pendant la période de la Toussaint et des Morts, les quêtes qui ont lieu sont faites au nom des âmes du purgatoire. Les habitants offrent du pain et des fruits secs aux participants des processions, qui frappent aux portes des maisons en disant : « *Aprite, aprite per l'anime di u Santu Purgatoriu !* » (« Ouvrez, ouvrez ! Au nom des âmes du saint purgatoire ! »).

Tony Fogacci

• *Voir aussi :* Eucharistie ; Femmes ; Miracles eucharistiques ; Morts (pains des) ; Si le grain tombé en terre ne meurt ; Théologie du pain ; Transsubstantiation

Bibl. : Philippe ARIÈS, *L'Homme devant la mort*, Paris, Seuil, 1977 • COLLECTIF, *Savoirs culinaires et pratiques alimentaires en Corse*, Corte, Publications universitaires de linguistique et d'anthropologie (PULA) n° 2, Université de Corse, 1990 • Maguelonne TOUSSAINT-SAMAT, *Histoire naturelle et morale de la nourriture*, Paris, Larousse-Bordas, « In Extenso », 1997.

PUSTULES. – Voir DÉFAUTS DE LA PÂTE

PYRALE DE LA FARINE. – Voir CHARANÇON

PYROMÈTRE. – Instrument employé pour mesurer la température des corps. Son fonctionnement est fondé sur la mesure de l'énergie thermique (pyromètre à radiation) ou de la lumière (pyromètre optique ou infrarouge) diffusées par le corps examiné. Cet instrument peut relever aussi des températures très élevées (jusqu'à 3 000°), grâce à la possibilité de mesurer l'énergie émise dans l'infrarouge. Il est employé en boulangerie pour contrôler l'évolution de la température pendant la cuisson du pain.

Monica Francioso

• *Voir aussi :* Après-coup ; Chaleur tombante ; Cuisson directe/indirecte ; Cuisson sur filets ; Cuisson sur pavé ; Four ; Four (symbolique du)

PYXIDE. – Voir FÊTE-DIEU

Q-R

QATAR (traditions du pain au). – La distinction entre les types de pain selon les communautés nomades et sédentaires s'applique à ce pays. Les anciens nomades bédouins consommaient très peu de pain, leurs principales préparations étant les bouillies de froment. L'usage du riz entier ou en farine semble avoir été très tardif, probablement après qu'ils l'eurent goûté dans les cantines des compagnies pétrolières et lorsqu'ils purent en payer le prix. Le terme *'aysh* s'entend à la fois pour le pain et pour le riz, comme dans toute la région. Un seul type de pain (non levé) était propre aux nomades : *al-gurs*, composé de farine de froment, de sel, éventuellement de quelques dattes ajoutées, et cuit dans la cendre. Une fois cuit, sans dattes, il pouvait être effrité et mélangé avec du beurre clarifié (*samn*). Dès lors, il était appelé : *gurs mafrûk*, termes qui décrivent exactement la forme du pain – rond (*gurs*) – et sa consistance, effritée entre les doigts : *mafrûk*. L'ajout de dattes (*tamr*) contribuait à sa conservation durant plusieurs jours. Il pouvait être consommé le matin et constituait, le soir, le plat de base. Les cheikhs de tribus, généralement des hommes riches qui avaient le devoir de redistribuer leurs richesses, offraient une variante de ce pain, appelé *gurs 'agaîlî* qui indique l'idée de mélange. Il comprenait des œufs, voire du sucre, du safran, de la cardamome, et était cuit dans un chaudron sur des cendres. Il était offert aux hôtes en collation avec du café. Les deux autres types de pain étaient surtout fabriqués et consommés par les sédentaires. Il s'agissait du *khamîr*, pain levé de froment, parfois mélangé de dattes. La pâte était recouverte d'un œuf et cuite sur une plaque de tôle placée au-dessus d'un feu, puis retournée. Il était réalisé le matin. Seules les femmes très âgées savent encore le faire, même si la levure a remplacé le ferment. Le vendredi étant le jour de réunion familiale, il était offert en accompagnement du café et du thé. Le *mhala* trouve son équivalent à La Mecque sous le nom de *ka'ak*. Il est composé de farine de froment avec levain, d'œufs, de sucre, de safran et de cardamome. Ces épices étant onéreuses, il était destiné à des occasions festives ou préparé en l'honneur de notables ou des aïeux. La pâte était mise à cuire sur des cendres dans un récipient fermé ou, selon une méthode plus récente, au bain-marie, et présentée en forme de couronne. Le *mhala* comporte une quantité plus grande de farine que le *gurs 'agaîlî*. Le *rgâg*, quant à lui, est ce pain d'épaisseur très fine qui entre dans la composition de ce plat particulièrement apprécié pendant le mois de ramadan : le *thrîd*. À l'aspect de crêpe, il est mis dans un récipient par couches alternant avec de la viande bouillie et des légumes.

La sédentarisation des nomades puis l'enrichissement général de la population ont apporté des grands changements, y compris dans les habitudes alimentaires. À l'exception des anciens Bédouins qui partent – entre hommes – à la chasse au faucon durant plusieurs semaines dans le désert d'Arabie et qui fabriquent eux-mêmes leurs pains (*gurs*, *gurs mafrûk*), les Qataris se ravitaillent désormais chez les épiciers et les boulangers. Selon l'origine des pains ou des boulangers, ils sont nommés *khubz lubnanî* (« pain libanais industriel ») ou *khubz iranî* (« pain iranien »). Fabriqué en large galette non levée, ce dernier est consommé frais au souper pour accompagner et prélever à la main les légumes en conserve présentés sur les plats. Tandis que le premier, considéré comme plus chic, est servi lors des repas de festivités où l'on privilégie les entrées (*mezze*) libanaises.

Gurs. Pain non levé, de forme ronde, à base de farine de froment avec l'ajout éventuel de dattes (*tamr*), qui assurent une meilleure conservation. Il est cuit dans la cendre.

Gurs 'agaîlî. Pain non levé, de forme ronde. La pâte comprenait de la farine de froment, des œufs, voire du sucre, du safran, de la cardamome et était cuit dans un récipient à couvert, sur des cendres ; ultérieurement, sa cuisson se fit au bain-marie.

Gurs mafrûk. Littéralement, « pain rond effrité ». Après sa cuisson dans la cendre, il est effrité du bout des doigts et mélangé avec du beurre clarifié (*samn*).

Khamîr. Pain levé de froment, parfois mélangé de dattes. La pâte était recouverte d'un œuf et cuite sur une plaque de cuisson (*sâj*), puis retournée.

Khubz iranî. Pain de boulanger, dit iranien. Galette de blé large à pâte non levée cuite sur les parois du four en terre. Le four (*tannûr*) est soit construit en coupole soit enterré.

Khubz lubnanî. Pain libanais non levé produit industriellement.

Mhala. Pain de farine de froment à pâte levée à laquelle étaient ajoutés des œufs, du sucre, du safran et de la cardamome. Il était cuit dans un récipient fermé, sur des cendres (plus tard, au bain-marie) et présenté en forme de couronne.

Rgâg. Pain à pâte non levée très fine servant à la préparation du plat traditionnel nommé *thrîd*. La pâte est faite de farine de blé, cuite sur une plaque de cuisson de forme convexe (*sâj*). Récemment, dans le nouveau souk reconstitué de Doha, ce pain est vendu comme une crêpe dans laquelle on ajoute du sucre, du chocolat…

Anie Montigny

• *Voir aussi :* Arabie saoudite ; Émirats arabes unis ; Pain (définition universelle du) ; Pains mondiaux ; Péninsule arabique ; Yémen

QUARTIER. – Dans les fours maçonnés, à chauffage direct et intermittent, l'enfournement se faisait à la pelle pouvant porter un pain, ou à la viennoise pouvant en porter trois ou quatre, selon leur taille. La forme piriforme des fours obligeait le brigadier à respecter un plan d'enfournement qui tenait compte du poids et de la forme des pains et de l'hétérogénéité de chaleur de la chambre de cuisson, chaque four ayant la sienne propre. Pour ces raisons, on enfournait par quartier, c'est-à-dire en garnissant d'abord le fond, ou à bouche, ou encore toute une moitié gauche ou droite sur la longueur de la sole. Le plan d'enfournement était différent selon que l'on cuisait une fournée composée de mêmes pains ou d'une fournée panachée (gros pains et pains fantaisie).

Roland Guinet

• *Voir aussi :* Bouche (à) ; Brigadier ; Cuisson directe/indirecte ; Enfournement ; Four ; Pelle ; Sole

QUENELLE. – Terme utilisé dans les industries de boulangerie du pain de mie et de la biscotte pour désigner un pâton façonné par enroulement, ayant une forme cylindrique. Le rapport diamètre sur longueur s'approche des formes « quenelle », alors que la baguette s'apparenterait à une forme « bâtonnet ».

Philippe Roussel

• *Voir aussi :* Baguette ; Biscotte ; Mie (pain de) ; Pâton

QUEUE DU PAIN. – Les boulangers entendent par cette expression la partie du pain qui est dessous. Le dessus du pain est ce qu'ils nomment la « bouche » du pain. Lorsqu'ils tournent et façonnent le pain, la queue du pain est la partie du morceau de pâte par laquelle ils finissent ; elle est moins unie, plus inégale que la partie arrondie du dessus du pain. C'est sur la queue du pain que l'on place le pain sur l'âtre du four à cuire (Malouin 1779).

Mouette Barboff

• *Voir aussi :* Âtre ; Clé ; Four ; Tourne à clair, tourne à gris

Bibl. : Paul Jacques MALOUIN, *Description et détails des arts du meunier, du vermicellier et du boulanger*, Paris, 1779.

QUIGNON. – Le quignon, comme l'entame, le chanteau, le chiffon, le talon, le croûton posent la question de savoir ce que devient le pain lorsqu'il perd sa forme originelle. Autrement dit, une fois détaché de la baguette, ou du bâtard, qu'est-ce que le quignon ? Un simple morceau de pain ? Et quel morceau ? car, immédiatement déchu de son ancien état, voici son identité et son rang contestés par d'autres parties de cette même baguette : tout dépend de la place qu'il y occupait et de l'ordre dans lequel on l'a rompue ou brisée ou, simplement, découpée. Le quignon n'est pas l'entame qui part en premier. Mais il peut l'être. Il n'est pas le chanteau qui est de n'importe où. Il est peut-être le talon et le croûton, dans la mesure où il est une extrémité. Mais le talon est davantage le dernier morceau, diamétralement opposé à l'entame, une fois qu'on a coupé le pain. Ainsi positionné, donc à « un bout », il ne peut provenir d'un pain rond, d'une miche, et voilà que le quignon est en passe de revendiquer son origine. Donc pas parti en dernier, pas en premier non plus, car on peut entamer le pain en son milieu, mais assez probablement tout de même, puisque c'est le quignon qu'on vise et qu'on détache aussitôt quitté la boulangerie, pour peu que la baguette vous y invite.

Jean-Philippe de Tonnac

• *Voir aussi :* Bouchée de pain ; Chanteau ; Chiffon de pain ; Croûte à potage ; Croûton, croûtons ; Entame ; Mouillette ; Pain rassis ; Pain sec (au) ; Panade ; Panure ; Talon

RABAT. – Faire un rabat consiste à replier la pâte, « à lui donner un tour » en incorporant de l'air par cette action ; l'opération a pour effet de resserrer le réseau glutineux et d'augmenter la force de la pâte.

Dominique Descamps

• *Voir aussi :* Force ; Oxygénation ; Réseau ou tissu glutineux

RACHIS. – Voir ÉPI

RACLETTE OU RACLOIR. – Après le pétrissage de la pâte, on raclait le fond de la maie ou de la huche avec un outil en fer, sorte de raclette triangulaire coudée sur le sommet d'une de ses pointes par un manche court.

Mouette Barboff

• *Voir aussi :* Coupe-pâte, grattoir et ratissoire ; Maie ; Pâte ; Pétrissage

RADICULE. – Voir GERME

RAFRAÎCHIR, RAFRAÎCHI. – Rafraîchir un levain consiste à en renouveler et enrichir la flore bactérienne et levurienne en y ajoutant de la farine et de l'eau dans des proportions permettant de maintenir la consistance de la pâte. Le premier rafraîchi concerne le « levain chef » et permet d'obtenir le « levain de première ». Rafraîchi à son tour, il donne le « levain de seconde » qui, enrichi une fois encore de farine et d'eau, permettra d'obtenir le « levain de troisième » ou de « tout point ».

Dominique Descamps

• *Voir aussi :* Levain, levain-chef, levain de première, de seconde, de tout point ; Levain de panification ; Fermentation

RAISINS DE LA COLÈRE, Les (*The Grapes of Wrath*). – Voir DOCUMENTAIRES ET FILMS

RASSISSEMENT. – Phénomène d'ordre physico-chimique qui se manifeste tout au long de la conservation du pain. On l'attribue à une modification de l'état cristallin de l'amidon. Il commence après le ressuage, période de refroidissement du pain dès sa sortie du four, pendant laquelle se produit une évaporation de l'eau de la mie et donc une perte de 1 à 2 % du poids du pain. Cette migration d'eau qui se poursuit plus lentement après le ressuage entraîne un vieillissement du pain accompagnant le rassissement proprement dit, lequel se traduit par une dégradation de la texture (séchage, émiettement, etc.) et une modification de la composition aromatique. Cette dégradation est particulièrement sensible pour le pain croustillant dont la croûte (sèche) se ramollit par fixation de l'eau libérée par la mie (on parle alors de « pain cravate »), évolution d'autant plus perceptible quand une baguette est conservée dans un milieu où l'humidité relative est élevée, où dans un emballage étanche. Inversement, une ambiance trop sèche provoque une accélération des pertes d'eau de la mie et une dessication de la croûte : c'est le « pain trique ». En dehors de ces conditions de conservation, le rassissement du pain est plus ou moins rapide selon le format du pain, sa méthode de fabrication (pétrissage, fermentation, cuisson) et sa composition (additifs, matières grasses, etc.). Le rassissement est partiellement réversible. En le soumettant à la chaleur du four, dans certaines conditions, on donne au pain une apparence très éphémère de pain frais. La seule solution pour freiner le rassissement est de le surgeler à une température de – 20° à – 40° selon que le traitement se fait en domestique ou en professionnel, dans le respect d'une méthodologie précise et dans une limite de consommation raisonnable.

Roland Guinet

• *Voir aussi :* Amidon ; Conservation ; Croûte ; Ressuage ; Surgélation

RATIONNÉ (pain). – Voir PAIN RATIONNÉ

RATISSOIRE. – Voir COUPE-PÂTE, GRATTOIR ET RATISSOIRE

REBATTRE LES MEULES. – Voir MEULE

REBULET. – Voir ISSUES

RÉCOLTE. – Voir HAGBERG ; IVRAIE ; MOISSON

RECOUPE. – Voir SON

REFROIDISSEUR D'EAU. – La fermentation doit s'opérer dans des conditions de température permettant une action optimale de la levure à l'intérieur de la pâte, aux alentours de 25°. Le seul facteur sur lequel le boulanger peut avoir une action directe est la température de l'eau de coulage, elle-même élément régulateur de la température de la pâte. Lorsque la température de l'eau de coulage est trop élevée pour obtenir une température satisfaisante en fin de pétrissage, il est nécessaire d'utiliser un refroidisseur d'eau. Cet appareil est constitué d'une cuve contenant l'eau à rafraîchir, d'un groupe de production de froid et d'une régulation thermostatique. L'échange de chaleur s'effectue à travers les parois de l'évaporateur en forme de serpentin, situé dans la cuve.

Dominique Descamps

• *Voir aussi :* Eau ; Eau de coulage ; Fournil ; Pétrissage ; Température de base ; Thermomètre à pâte

RÉGIME ALIMENTAIRE MÉDITERRANÉEN. – Il est possible d'identifier le régime alimentaire méditerranéen type avec une certaine idée que nous nous faisons de l'Italie et de sa cuisine. C'est à Cilento (sud de la province de Salerne), en 1954, qu'Ancel Keys conduisit une des premières études sur l'alimentation et sur l'état de nutrition de la population. Traditions, comportements et styles de vie furent étudiés en interrogeant le lien entre bonne santé et produits de la terre. Les éléments retenus par le chercheur américain furent le caractère sacré de l'aliment, une certaine parcimonie dans les usages alimentaires et surtout les caractéristiques d'une alimentation composée essentiellement de « plats pauvres ». Il fit le constat que, dans son ensemble, le régime méditerranéen était davantage lié à un style de vie qu'aux qualités propres des aliments consommés. Même si l'industrie continue à nous éloigner de ces usages alimentaires « pauvres » ou « parcimonieux » en mettant à notre disposition des aliments « transformés » et « globalisés », selon la logique d'un progrès qui tend à effacer le lien entre ce qui est mangé et ce qui est produit et surtout la manière dont cela est produit, il est sans doute loisible et plus que jamais salutaire d'identifier les traits distinctifs de ce régime méditerranéen : une abondance de légumes et fruits frais et secs ; les céréales comme base de l'apport énergétique (le pain est l'aliment essentiel, comme support aux autres aliments) ; une faible consommation de viande rouge contre une forte consommation de poisson, fromage, charcuterie et œufs en tant que sources de protéines ; une grande utilisation d'huile d'olive ; la consommation de vin au cours des repas. Ces habitudes alimentaires s'expliquent par la production agricole du pays, elle-même justifiée par la nature du climat et les réalités géographiques. Enfin, la façon de consommer les repas, un certain style de vie sont des éléments déterminants du régime méditerranéen (compagnie, frugalité, activité physique).

L'enquête sur l'alimentation effectuée par l'INRAN (Istituto nazionale di ricerca per li alimenti e la nutrizione) dans les années 1980, 1990 et 2007 a démontré d'une façon évidente que seules les personnes âgées continuaient à plébisciter ce régime méditerranéen. Il y a en revanche, toutes générations confondues, un nombre très important de consommateurs en Italie aujourd'hui dont le style de vie favorise l'inactivité physique et une certaine sédentarité (LARN [Livelli di assunzione raccomandati di nutrienti], 1996 ; Linee guida per una sana alimentazione italiana, 2003 ; etc.). Notre rapport avec l'alimentation s'est modifié de manière spectaculaire à partir de la deuxième partie du XXe siècle, bouleversement dû à l'essor économique général des sociétés occidentales, aux changements qui ont affecté la vie familiale, ainsi qu'au développement vertigineux des technologies alimentaires. Ces facteurs ont modifié en profondeur nos habitudes alimentaires, la structure des repas, et ouvert l'éventail de la variété alimentaire à des produits rarement ou jamais consommés. La diversité alimentaire a généré des bénéfices indubitables, comme la disparition presque totale de carences nutritionnelles en Occident, mais aussi des effets néfastes, comme l'augmentation des cas d'obésité et leurs conséquences. Il est donc opportun de rapporter l'attention sur le régime méditerranéen, véritable patrimoine culturel à transmettre aux générations futures. Le pain demeure ainsi un aliment de première nécessité, socle de nos pratiques alimentaires méditerranéennes, indispensable dans la confection de nos repas à la fois comme référent et comme accompagnement. Si la consommation moyenne aujourd'hui est estimée à 50 g par personne et par jour, il est conseillé de doubler ou tripler cette dose – on en consomme 150 g par personne et par jour en Italie (selon l'ISTAT, Istituto nazionale di statistica). Un autre élément à prendre en considération est la fraîcheur du pain. Sorti du four, il est craquant à l'extérieur et moelleux et élastique à l'intérieur et nous réserve des sensations agréables ; mais, le temps passant, ces caractéristiques changent. La croûte extérieure se ramollit puis se durcit ; la mie s'émiette en perdant son élasticité jusqu'à se durcir elle-même. Tous ces changements prennent le nom de « rassissement », phénomène dû à la migration de l'eau de la mie vers la croûte et à la compétition engagée entre l'amidon et les protéines pour capter l'eau mise à disposition. Enfin, soit l'amidon, soit les protéines vont perdre petit à petit leur capacité à retenir l'eau, qui finit par s'évaporer ; ainsi le pain vieillit-il de la même façon que notre corps ! Le pain devient plus dur, il s'hydrate difficilement et ses caractéristiques organoleptiques vont se détériorer progressivement.

La valeur nutritive du pain est assez modeste, car il contient peu de protéines (de valeur biologique peu élevée) et de vitamines, tandis que l'apport de calories est considérable (surtout des hydrates de carbone) : 100 g de pain apportent 250 Kcal (300 Kcal dans le cas du pain assaisonné avec de l'huile). Le pain est donc une source importante d'hydrates de carbone (surtout de l'amidon), indispensables pour notre apport de glucose qui, une fois absorbé, est transporté jusqu'aux aux cellules par le sang. Le glucose est le meilleur carburant dont notre organisme puisse user. La teneur du pain en hydrates de carbone peut varier de 45 à 70 % et devrait être suffisante pour couvrir 55 à 60 % de l'apport énergétique quotidien. Le contenu en protéines du pain est modeste (10 % environ) ; la valeur biologique de ces protéines est peu élevée, à cause de la carence en deux aminoacides essentiels : lysine et thréonine. Le contenu en graisses est presque nul, à moins qu'elles ne soient ajoutées lors de la production. Les vitamines contenues dans le pain sont la B1, la B2 et la niacine (ou acide nicotinique, ou vitamine PP, ou B3), tandis que les sels minéraux sont représentés par le sodium, le potassium, le calcium et le phosphore. Le pain de froment, de blé tendre ou de blé dur selon les régions, est un composant irremplaçable du régime alimentaire méditerranéen et, avec des fruits frais, des légumes et quelques autres aliments d'origine animale (lait, œufs), il assure une alimentation complète et le bien-être de notre organisme.

Carlo Cannella

• *Voir aussi :* Pain et gastronomie ; Rassissement ; Santé ; Sels minéraux ; Valeur énergétique du pain ; Valeur nutritionnelle du pain

Bibl. : Claude FISCHLER, *L'Homnivore*, Paris, Odile Jacob, 2001 • Cristina PAPA, *Il pane*, Pérouse, Electa Editori Umbri, 1992.

RÉGIME SEIGNALET SANS PAIN. – Le docteur Jean Seignalet, dans son livre *L'Alimentation, ou la Troisième Médecine*, a mis en cause la consommation d'une nourriture moderne, et en particulier du pain, ou d'autres produits céréaliers à base de blé, mais aussi de lait et de produits laitiers, dans la survenue de divers troubles, aussi variés que la polyarthrite rhumatoïde, le diabète de type 2, l'asthme. Le développement de l'agriculture et de l'élevage aurait abouti à favoriser le passage dans la circulation sanguine de macromolécules alimentaires nocives. Il propose donc de remplacer la diététique quantitative conventionnelle par une diététique qualitative fondée sur la structure des molécules qui conviennent à l'organisme humain. Sans nier les conséquences négatives d'un éventuel passage de molécules alimentaires au sein de l'organisme, il est injustifié de rejeter la consommation de pain, sous prétexte que la composition du blé sélectionné durant des millénaires par l'homme s'est éloignée de celle des graminées sauvages consommées par les chasseurs-cueilleurs. L'homme, comme les autres espèces animales, semble s'être largement bien adapté aux céréales modernes. Cependant, quelle qu'en soit l'origine, la maladie cœliaque demande une exclusion totale des sources de gluten. Il existe aussi des personnes qui souffrent d'une certaine intolérance au gluten et qui gagnent à réduire fortement la consommation de pain. Pour ces personnes, il est particulièrement recommandé de consommer du pain bien fermenté au levain, puisque cela produit une dégradation partielle du gluten.

Christian Rémésy

• *Voir aussi :* Levain (intérêt nutritionnel du) ; Levain (symbolique du) ; Levain de panification ; Maladie cœliaque ; Santé

Bibl. : Jean SEIGNALET, *L'Alimentation, ou la Troisième Médecine*, Paris, Éditions de l'Œil, 5e éd., 2004.

RÉGION HIMALAYENNE (traditions du pain dans la) : Bhoutan, Ladakh, Népal et Tibet. – Éleveurs nomades ou transhumants, agriculteurs et citadins, les habitants des régions himalayennes, englobant ici le Tibet, ne se définissent pas comme des mangeurs de pain, et les mots désignant cet aliment fait d'une certaine quantité de farine mêlée d'eau et parfois de levain n'y sont nulle part synonymes de repas. Sur le plateau tibétain et dans les hautes vallées himalayennes, la farine d'orge grillée, *tsampa*, est l'aliment par excellence. Mouillée d'un peu de thé salé ou de babeurre, pétrie en boule avec du fromage frais ou sec, du beurre et du sucre, ou encore bouillie et accommodée de multiples façons, elle est consommée à tout moment de la journée, aux repas comme en collations, mais n'est jamais transformée en pain. À moindre altitude, sur le versant sud de l'Himalaya soumis principalement à des influences indiennes, le riz, lié à la prospérité, est valorisé et sa culture encouragée. Au Népal, nourriture quotidienne des plus aisés, il est consommé bouilli, en flocons, ou réduit en farine et transformé en galettes. Dans les moyennes montagnes, ceux qui ne peuvent se le permettre le remplacent par d'autres céréales mangées sous forme de bouillie, de boulettes et de crêpes épaisses, ou encore par des pommes de terre, comme chez les Sherpa. Si le pain n'est pas en Himalaya la nourriture de base, il est néanmoins connu et fabriqué partout, du Ladakh à l'ouest de la chaîne jusqu'au Bhoutan à l'est. Ici, il remplace le riz bouilli du matin ou du soir, quand les réserves s'épuisent ; là, il est donné aux convives pour les remercier d'être venus ; ailleurs encore, il est offert aux dieux ou, sous forme de beignet, intervient dans les négociations matrimoniales.

Riz, éleusine, maïs, blé, ou sarrasin, quelle que soit la céréale, il s'agit pour l'essentiel de galettes, c'est-à-dire de pains plats non levés, dont la texture, l'aspect et la saveur varient en fonction du type de farine utilisée. Le procédé de fabrication est sensiblement le même. Le grain est réduit en farine au fur et à mesure des besoins. Selon la saison et la quantité à moudre, on emploie un moulin à main actionné au moyen d'une poignée de bois que l'on tourne dans le sens des aiguilles d'une montre, ou un moulin à eau à roue horizontale. Le premier, installé dans un coin de la pièce du foyer, peut être utilisé toute l'année ; toutefois, de rendement faible, il n'est employé que pour de petites quantités. Le second, en revanche, permet de moudre de grandes quantités, mais, dans de nombreuses régions, il ne fonctionne qu'en été lorsque les torrents qui l'alimentent écoulent leurs eaux tumultueuses.

La farine recueillie sur les bords de la meule, puis tamisée, est travaillée manuellement avec de l'eau jusqu'à donner une pâte homogène et souple au toucher. Elle est ensuite partagée en petites boules de la grosseur d'un œuf. Fariné, chaque pâton est alors abaissé au rouleau ou entre les paumes jusqu'à l'obtention d'une galette ronde. Celle-ci, de diamètre variable, est mise à cuire pendant quelques minutes à sec sur une plaque en fer posée à même le feu, puis devant ou sur les braises du foyer, où elle gonfle et se boursoufle. Les galettes à base d'éleusine ou de maïs sont épaisses et denses, celles préparées avec de la farine de riz ou de blé, céréale panifiable par excellence, sont plus fines et plus souples. Mangées chaudes, elles sont découpées en morceaux qui, roulés en cornets, sont utilisés comme cuillère pour saisir les légumes, les lentilles ou le yaourt servis en accompagnement. Les jours de fête ou pour honorer un invité, elles peuvent être enduites de beurre, graissées de beurre clarifié ou frites dans de l'huile bouillante.

En dehors de ces galettes présentes sous différents noms sur l'ensemble de l'arc himalayen et du plateau tibétain – *rotî* au Népal, *tagi* au Ladakh, *bag-leb* ou *goré* au Tibet pour ne citer que les termes génériques les plus courants –, chaque région, chaque population possède un ou plusieurs types de pains de consommation moins courante, réservés aux occasions festives. Au Népal, chez les Newar de la vallée de Katmandou, des galettes à base de légumineuses (haricots, lentilles ou pois) sont ainsi préparées pour la dernière fête de l'année avant la saison des pluies. Les graines décortiquées sont mises à tremper toute une nuit dans un récipient rempli d'eau, puis broyées dans un mortier à épices. La pâte obtenue, assaisonnée avec du curcuma et du piment rouge, est alors cuite dans de l'huile de moutarde. Chez les Gurung, une population de langue tibéto-birmane des moyennes montagnes, du lait, des œufs et du miel sont ajoutés à une pâte composée de farine diluée dans de l'eau, donnant un mélange liquide qui, jeté par petites quantités dans un plat rempli de beurre clarifié bouillant, forme des boules de pâte légères et vides à l'intérieur. Au Ladakh, chez les agriculteurs de la vallée de l'Indus, un pain est indispensable à tous les banquets, qu'ils soient donnés à l'occasion de lectures religieuses, de mariages ou de funérailles. Appelé *tagi khambir* ou *tagi skyurchuk* selon les villages, c'est un pain plat et rond, d'une dizaine de centimètres de diamètre pour un centimètre d'épaisseur, fait d'un mélange de farine de blé et d'eau, ensemencé d'un peu de babeurre ou de bière d'orge et mis à lever une nuit entière. À ce pain au goût aigrelet, servi avec un bol de thé salé copieusement beurré ou avec des abricots secs réhydratés, les éleveurs nomades préfèrent les *dimo* ou *trimo*(*k*), des boules de pain cuites à la vapeur, sans doute d'origine chinoise, consommées sur l'ensemble du plateau tibétain.

À l'échelle familiale, la fabrication et la cuisson du pain incombent aux femmes, mères nourricières du feu. En ville, en revanche, la boulangerie peut être un travail d'hommes. Dans la petite ville de Leh, ancienne capitale du royaume du Ladakh et carrefour important des pistes d'Asie centrale, une ruelle leur est ainsi consacrée. Dans les échoppes largement ouvertes sur l'extérieur, les clients viennent le matin choisir eux-mêmes les galettes chaudes et dorées, tout juste sorties du *tandûr*, ce four en terre de forme conique, spécialité des musulmans du sous-continent indien. Mais, aujourd'hui, ces pains de type *nân*, appréciés également par la clientèle aisée de Katmandou, subissent la rude concurrence de pains d'inspiration occidentale – *donut*, beignet sucré en forme d'anneau fait d'une pâte fluide frite dans de l'huile, et pain de mie, prétranché et empaqueté – présents désormais dans les moindres bourgs de l'Himalaya et qui, rapportés dans les villages et les campements, ont tôt fait de rassir.

Bazari tagi (Ladakh). « Pain du bazar », galette plus épaisse sur les bords qu'au centre, souvent ornée de graines de sésame, faite par les boulangers musulmans installés en ville, qui la cuisent dans des fours en terre de forme conique ou *tandûr*. Ce pain de type *nân*, qui devient rapidement caoutchouteux quand il n'est pas mangé rapidement, est surnommé *rabati tagi*, « pain caoutchouc » (de l'anglais *rubber*).

Dimo ou trimo(k) (Tibet et Ladakh). Boule de pain à base de farine de blé, d'eau tiède et de bicarbonate de soude, cuite à la vapeur une vingtaine de minutes et mangée avec un bouillon gras à la viande, des légumes épicés ou du piment concassé, qui en relèvent le goût.

Drawoe kura (Tibet). Crêpe faite avec de la farine de sarrasin diluée dans du babeurre et cuite sur une plaque sèche.

Kapsé (Ladakh), **kura** (Tibet). Beignet sec, parfois légèrement sucré, préparé à l'occasion des fêtes du Nouvel An, d'un mariage ou de la venue d'un grand hiérarque, souvent en forme de nœud sans fin, un des huit signes de bon augure du bouddhisme tibétain représentant l'interdépendance de toutes choses.

Sel rôti (Népal). Beignet de farine de riz, frit en forme de couronne et consommé au Népal certains jours de fête, en particulier à Tihâr, la fête des lumières.

Tagi khambir, tagi skyurchuk (Ladakh). « Pain au ferment » (de *tagi*, terme générique pour « pain », et *khambir*, dérivé de l'arabe *xamîr*, « ferment », ou *skyurchuk*, signifiant « levé au ferment », *skyur*). Ce pain levé rond et plat au goût aigrelet (*skyurmo*) est fabriqué à base d'un mélange de farine de blé et d'eau, ensemencé de levain, de babeurre, ou de bière d'orge. Mise à lever une nuit entière au milieu d'un plat à larges bords, la pâte élastique est divisée en boules, façonnées à la main en grosses galettes d'un centimètre et demi d'épaisseur et d'une dizaine de centimètres de diamètre, qui sont saisies d'un côté puis de l'autre sur une dalle de pierre ou de fonte posée sur un feu vif, avant de terminer leur cuisson près des braises du foyer.

Tagi shamo (Ladakh), **bag leb** (Tibet). « Pain fin » en ladakhi ou « pâte aplatie » en tibétain standard, cette galette sans levain cuite généralement sur une plaque de fer, incurvée ou non, ressemble par sa forme, sa taille et son mode de cuisson à la *chapâtî* (ou *rotî*) indienne ou népalaise.

Tagi thaltak (Ladakh). « Pain cuit [sous] la cendre » (de *thak*, « cuire », et *thal*[*ba*], « cendres »), miche de pain ronde et bombée, faite d'une certaine quantité de farine mêlée d'eau et de bicarbonate de soude, mise à cuire sous la cendre des feux extérieurs allumés pour griller l'orge avant de le moudre. Ce pain levé à la croûte épaisse et craquante est apprécié pour ses qualités de conservation qui en font le pain idéal du voyageur.

Pascale Dollfus

• *Voir aussi :* Bangladesh ; Chine, Hong Kong et Macao ; Inde ; Mongolie ; Orge ; Riz (*Oryza sativa*) ; Tandûr → Tannur

Bibl. : Rinjing DORJE, *Food in Tibetan Life*, Londres, Prospect Books, 1985 • Bernard PIGNÈDE, *Les Gurungs, une population himalayenne du Népal*, Paris-La Haye, Mouton et Cie, 1966 • Gabriele REIFENBERG, « Ladakhi Kitchen », *Petits Propos culinaires*, n° 75, mars 2004 • Gérard TOFFIN, *Pyangaon, Communauté newar de la vallée de Kathmandou*, Paris, Éditions du CNRS, 1977.

RÉGIONS (pains des). – Voir FRANCE (pains actuels, pains régionaux)

RÉGLEMENTATION. – Veiller au grain. Veiller au pain. Les autorités publiques ont toujours su veiller en droit à l'acheminement des grains nécessaires à la fabrication du pain et à sa vente. Base de l'alimentation, le pain est sensible à l'abus, aux pénuries et aux fraudes. Réglementer est donc une mesure de salubrité pour un pays, pour toute une population. Ainsi, on trouve de premières réglementations sur la vente du pain sous le roi franc Dagobert Ier dès 630 de notre ère. Par là, il promeut les « leudes », c'est-à-dire des paysans recommandés qui placent leurs terres sous la protection du roi, en échange de quoi le roi leur en offre d'autres dans le but d'augmenter la production agricole des paysans libres. Ainsi, le concept d'origine romaine des « précaires » est répandu : un propriétaire terrien accorde, pour un certain nombre d'années, l'exploitation d'un terrain à un paysan libre, qui peut faire ce que bon lui semble de la récolte, en échange de l'aménagement et de l'entretien de la terre ainsi que de l'approvisionnement régulier en grains. À l'expiration du délai d'exploitation, le propriétaire bénéficie des aménagements et constructions réalisées. En 700, Grimoald II, fils de Pépin II, alors maire du palais de Neustrie-Bourgogne, étend ces mesures. En 800, le roi Charlemagne fait de même et défend le droit de vente des boulangers.

Depuis le XIVe siècle, l'objectif de l'autorité publique est de garantir à la population un aliment de première nécessité livré au meilleur rapport qualité-prix, afin de maintenir la tranquillité publique sur tout le royaume et de se prémunir des ravages de possibles révoltes de la faim. L'année 1315 est une année terrible. Le climat est humide et les inondations sont nombreuses partout en Europe continentale, ce qui compromet les récoltes de 1315 à 1316. L'Angleterre, à cause de ce climat, connaît une famine sans précédent. C'est pourquoi le roi Louis X, dit le Hutin, publie un édit royal lors de la dernière année de son règne (1316), qui établit un système dénommé « taxe du pain » : il tient compte du coût général des approvisionnements en grains, de la fabrication des différentes qualités de pain, tout en allouant autant que faire se peut une étroite marge bénéficiaire aux boulangers dans la seule mesure où le pain pourra être vendu au meilleur prix, c'est-à-dire aussi près que possible de son prix de revient. En réalité, cette catastrophe climatique a engendré en cascade d'innombrables règlements liés à la fabrication et à la vente du pain. Le commerce de la boulangerie échappe désormais totalement à la loi commune dont relèvent les autres marchandises. Le métier de boulanger devient le premier d'entre les métiers, car il est considéré comme une mission de service public. Aussi, si une récolte est déficitaire et entraîne une envolée des prix des farines et du pain, les boulangers peuvent subir les foudres du peuple. On les accuse alors de spéculer sur le dos des pauvres gens. À partir de 1419, et sous l'impulsion de Jean Ier de Bourgogne, dit Jean sans Peur, les juristes interviennent pour la première fois sur la vente du prix du pain à la livre. Une vingtaine d'années plus tard, les boulangers ont obligation de peser le pain avec des balances conformes à la législation et de signaler le poids à leur étal. Dès 1482, le marquage des pains à l'aide de poinçons est rendu obligatoire. Cette mesure permet de retrouver et de sanctionner le boulanger ayant commercé un pain qui ne fait pas le poids requis. Au XVe siècle, la médecine n'attribue pas une valeur nutritionnelle importante au pain chaud. Des règlements imposent au boulanger de vendre du pain refroidi dès l'ouverture du magasin, contribuant de ce fait au développement du travail de nuit. Un non-respect de ces mesures aboutit à se voir mis à l'amende. En outre, trois qualités légales de pain sont imposées et contrôlées : le pain blanc, le bis-blanc et le bis. Le poids de référence du pain augmente avec le taux d'extraction de la farine.

Bénéficiant de l'attention de leur monarque, les Parisiens deviennent exigeants vis-à-vis de la blancheur du pain. Si on excepte les années de cherté des céréales, et donc du pain, ou de famine, l'amélioration en qualité moyenne du pain de Paris est continue, grâce à cette législation. Mieux, à partir de 1680, les farines gagnent en qualité par suite de l'amélioration des bluteries. La couleur de la mie du pain est désormais un marqueur social ; elle indique la position sociale de son consommateur et ses exigences sous-jacentes. Au XVIIe siècle, une ordonnance royale préconise la vente du pain courant, mais autorise la fabrication de pains de fantaisie plus élaborés contenant lait, œufs ou beurre. Elle restreint cependant leur exposition à l'étal pour ne pas provoquer le peuple. Sous le règne de Napoléon, à partir de 1801 et durant tout le XIXe siècle, le boulanger est de plus en plus le sujet d'une législation correspondant aux aléas des politiques publiques. Au côté des prix de vente du pain, la longueur du pain de consommation courante est réglementée à 60 cm pour un prix de 4 livres ; il est d'abord fendu, puis scarifié. Entre 1800 et 1840, la vente des pains longs progresse dans les quartiers les plus aisés des villes. Mais les consommateurs émettent des plaintes sur le poids de ce pain. C'est pourquoi l'ordonnance Delessert (22 novembre 1840) définit avec rigueur le pain de fantaisie, autorise sa vente non en fonction de son poids, mais à la pièce. Le pain long, dit de 2 livres, pèse en réalité 800 g et est vendu au prix du pain de 1 kg. Selon la préfecture de police de Paris, la catégorie « pain de fantaisie » contient tous les pains de 1 kg et moins, ainsi que ceux de 2 kg mesurant plus de 80 cm. L'administration pose le principe d'un pain qui échappe à la catégorie des pains de consommation courante. Par décret impérial du 22 juin 1863, le boulanger est assuré du libre exercice de sa profession tout en étant sévèrement astreint au contrôle des prix. Les boulangeries se multiplient au gré de cette « liberté » acquise.

La Première Guerre mondiale, par les pénuries qu'elle entraîne, impose de rationner le pain. En 1917, le gouvernement du radical Georges Clemenceau (il succède au gouvernement de Paul Painlevé le 16 novembre) entend éviter toute hausse du prix du pain. Il libère les boulangers parisiens et les autorise à baisser le poids du pain dit de 2 livres plutôt que de leur allouer une hausse du prix sur l'ensemble des pains. Ce pain pèse désormais 700 g. Les années qui suivent, notamment celles de la Seconde Guerre mondiale, contraignent les boulangers à utiliser des farines provenant de mélanges de diverses céréales, censés maintenir un prix du pain aussi bas que possible. Jusqu'au milieu des années 1950, la production de froment est inférieure à la consommation. Le gouvernement fixe donc le prix des farines à des valeurs supérieures au poids du blé. Les boulangers y voient l'origine des critiques sur la médiocrité du pain, et cherchent à rabattre la valeur symbolique du produit en le présentant comme une denrée ordinaire. Cette erreur leur coûtera notamment une baisse très régulière de la consommation du pain, entamée après la Seconde Guerre. La détermination de l'autorité publique à limiter au maximum les hausses de prix, le « déclassement » opéré par la profession à la suite de cela ont participé en somme à la perte progressive de prestige de cet aliment. L'année 1959 voit l'ingérence de l'autorité publique sur le prix de vente du pain s'assouplir. Les boulangers peuvent alors vendre un peu plus cher leurs pains de fantaisie. L'année 1978 ouvre une courte période de libéralisation du prix du pain, remise en question par suite d'abus qui contraignent les pouvoirs publics à revenir à une liberté des prix, encadrée, entre 1983 et 1986, par des accords de modération. Depuis le 1er janvier 1987, la libéralisation des prix de vente est totale en France. Après la suppression définitive du système de taxation, la boulangerie revient à la notion de pain-symbole. Celle-ci forme un précieux capital, tant sur le plan psychologique et gastronomique que politique. Les boulangers savent désormais thésauriser sur cette image pour repartir à la conquête de consommateurs qui sont restés des panivores, par essence et moins en actes.

L'activité commerciale de boulangerie est aujourd'hui encadrée par un grand nombre de dispositions réglementaires et, en premier chef, le respect du code du travail. Un recueil des usages concernant les pains en

France a été publié par le CNERNA en 1979. De plus, la loi n° 98-405 du 25 mai 1998 détermine les « conditions juridiques de l'exercice de l'appellation de boulanger et l'enseigne de boulangerie ». « Pour pouvoir afficher en devanture de son magasin "boulanger" ou "boulangerie", le professionnel doit assumer lui-même sur le lieu de vente au consommateur final, à partir de matières premières choisies, le pétrissage de la pâte, sa fermentation et sa mise en forme ainsi que la cuisson du pain, sans qu'à aucun stade de la fabrication ou de la vente, le produit n'ait subi de surgélation ou de congélation. » Une directive européenne du 14 juin 1993 a harmonisé la réglementation en matière d'hygiène alimentaire. Les arrêtés du 9 mai 1995 et du 28 mai 1997 relatifs aux règles d'hygiène applicables à certains aliments réglementent désormais l'hygiène des aliments remis directement au consommateur. Ces textes reposent sur le principe d'une obligation de résultats, à charge pour le boulanger de se donner les moyens de respecter les exigences réglementaires. En cas de contrôle, il doit prouver qu'il a une bonne maîtrise de l'hygiène. Le secteur de la boulangerie-pâtisserie a mis en œuvre dès 1997 la méthode dite de l'HACCP (analyse des dangers, points critiques pour leur maîtrise) afin d'établir un guide de bonne pratique, actuellement en phase de révision. De nombreuses dispositions réglementaires concernent aussi les affichages obligatoires, comme par exemple les affichettes des prix de vente et les horaires d'ouverture, et l'étiquetage de chaque catégorie de pain exposée à la vue du public. Les pains portant des signes de qualité tel que « AB » (produit issu de l'agriculture biologique) doivent également répondre à un cahier des charges précis.

D'autres textes régissent la fiabilité des balances, le respect des poids de pain annoncés. Les indications suivantes doivent être parfaitement lisibles : la dénomination exacte de la catégorie du pain ; le prix TTC unitaire du pain vendu à la pièce ; le poids net et le prix TTC au kilo, du pain de 200 g et plus, vendu à la pièce ; le prix TTC au kilo du pain vendu au poids. Les allégations nutritionnelles sont strictement réglementées. Les matériaux d'emballage doivent impérativement être aptes au contact alimentaire. Des contrôles inopinés sont conduits par la DGCCRF (Direction générale de la concurrence, de la consommation et de la répression des fraudes).

Olivier Pascault
avec la complicité
de Hubert Chiron

• *Voir aussi :* Agriculture biologique ; Assassinat du boulanger Denis François ; Ban et banalités ; Bis-blanc ; Bluterie → Blutage ; Boulangers et boulangeries (histoire de France des) ; Boulangers forains ; CNERNA ; *Conquête du pain* (*La*) ; Crédit ; DGCCRF ; Disettes, famines et révoltes pour le pain en France ; Égalité (pain) ; Empreinte ; Fantaisie (pain de) ; Farines (guerre des) ; France (pains historiques, du Moyen Âge à la Révolution française) ; Frumentaire ; Gluten social ; Grand panetier ; HACCP ; Nuit (travail de) ; Pain blanc ; Pain rationné ; Panivore ; Physiocrates ; *Sur la législation et le commerce des grains* ; Talemelier ; Taux d'extraction

Bibl. : Stephen L. KAPLAN, *Le Pain maudit. Retour sur la France des années oubliées 1945-1958*, Paris, Fayard, 1987 • Supplément technique INBP n° 90, « Le magasin ou l'art et la manière d'être en règle », décembre 2007 • CNERNA, *Le Pain*, Paris, Éditions du CNRS, 1979.

REGRATTIER. – Voir MOT « PAIN » DANS LA LANGUE FRANÇAISE

RÉGULATEUR. – Voir AMÉLIORANT

REINE DES BLÉS (Moulins Bourgeois). – Mise au point par les Moulins Bourgeois, la farine de la « Reine des Blés » est certifiée Label rouge. Elle a remporté le 1er prix de la meilleure baguette de tradition de Paris en 2009 avec Franck Tombarel, artisan boulanger à Paris XVe. Fondés en 1895, les Moulins Bourgeois, implantés à Verdelot en Seine-et-Marne et qui emploient soixante salariés, ont été dirigés successivement par quatre générations de meuniers et, depuis 2004, par Julien et David Bourgeois.

Jean-Pierre Deloron

• *Voir aussi :* Bagatelle ; Baguépi ; Baguette de la Ville de Paris (Grand Prix de la) ; Banette ; Bleuette ; Boulangerie (salons internationaux de la) ; Boulangers de France ; Copaline ; Consommation du pain ; Fête du pain ; Festival des Pains ; Marketing du pain ; Rétrodor ; Ronde des Pains

RELÂCHEMENT. – Voir PÂTE

REMOUILLURE. – Se disait autrefois de vieille pâte, croûte, récupération de fond de pétrin rafraîchis pour ensemencer de nouveaux levains. Souvent utilisé comme levain-chef pour réaliser le levain de première dans la méthode ancienne de fabrication du pain au levain. À l'origine du dicton : « Vieilles remouillures et jeunes levains donnent du bon pain. »

Guy Boulet

• *Voir aussi :* Levain, levain-chef, levain de première, de seconde, de tout point ; Pâte ; Pétrin ; Pétrissage

REMOULAGES. – Coproduits de mouture. Ils sont blancs ou bis, les premiers étant issus des refus de convertissage, les seconds des refus de claquage.

Michel Daubé

• *Voir aussi :* Claqueur ; Convertisseur ; Meunerie ; Moulin ; Mouture

***REPAS D'EMMAÜS* (*Le*).** – Voir PEINTURE OCCIDENTALE

***REPAS DES PAYSANS* (*Le*).** – Voir PEINTURE OCCIDENTALE

REPOS. – Dans l'opération de préparation des blés, le repos est le temps laissé au blé après mouillage afin que l'eau pénètre le grain d'une manière satisfaisante. Le temps optimum de repos dépend de la dureté du grain, de la quantité d'eau ajoutée et de la température.

Philippe Duret

• *Voir aussi :* Blés (préparation des) ; Meunerie ; Mouillage ; Mouilleur à blé

RÉPUBLIQUE TCHÈQUE (traditions du pain en). – « Le pain est un cadeau de Dieu. » Cet adage reflète la place privilégiée qu'occupait, et occupe toujours aujourd'hui, le pain dans la tradition culinaire tchèque. Les femmes ont assuré pendant des siècles la préparation du pain des familles. Pétris sous forme de grosses miches de pain de seigle laissées à fermenter en milieu de semaine, les pains étaient portés chez le boulanger et cuits dans son four. Mais, lorsque le chef de famille revenait de la ville avec des petits pains blancs et du salami, c'était jour de fête dans la maisonnée. À l'époque communiste, les Tchèques se sont contentés en tout et pour tout de deux sortes de pain, le *pletýnka*, petit pain, parfois en forme de tresse, et le *dalamánek*, le pain de seigle commun. À partir de 1989, autrement dit après la Révolution de velours, les pains complets et multicéréales (aux graines de tournesol, de sésame, de pavot ou encore de lin) firent leur apparition et sont aujourd'hui disponibles dans les supermarchés sous les appellations *Cornspitz*, *Kaiserka*, *Graham roll*, baguette complète.

En République tchèque, le pain est consommé au petit déjeuner principalement et aussi parfois au dîner. Il accompagne les œufs brouillés, le plat de lentilles avec des œufs, le goulash ou certaines soupes. Il n'est généralement pas servi avec des repas copieux. Pour le petit déjeuner, on peut trouver soit des petits pains blancs ou des tranches de pain de mie ou du pain complet. Le pain est servi avec du jambon ou du fromage, des œufs ou de la confiture. Les Tchèques sont aussi friands de sucré au petit déjeuner avec le traditionnel pain de Noël, fermenté à la levure, ou du cake aux fruits et aux épices (*Stollen*) ou encore des beignets. La tendance de ces dernières années est au « pain maison ». De plus en plus de familles préfèrent faire leur propre pain, mais sans avoir à y consacrer trop de temps. Ainsi, les « machines à pain » électriques sont très populaires aujourd'hui en République tchèque pour confectionner du pain de seigle ou de la brioche.

Buchta. Pain sucré, fourré de confiture, de lait caillé ou de pavot. Pour les Tchèques, le *buchta* appartient aux contes de fées : au moment de partir en voyage à la découverte du monde, le personnage de Hloupý Honza reçoit ce pain sucré des mains de sa mère.

Chleb. Pain courant fait de farine de blé pure, ou bien en association avec de la farine de seigle, d'orge, de maïs ou d'avoine

Kobliha. Beignet préparé à partir d'une pâte au levain, frit dans l'huile et fourré à la confiture ou des fruits.

Rohlík. Petit pain blanc ou bis en forme de croissant, agrémenté parfois de graines de sésame, de pavot ou de cumin noir, qui se prête merveilleusement à la préparation des sandwichs.

Vánŏcka. Semblable à la brioche, le *vánočka* est pareillement riche en beurre et en œufs, et accompagne en général les fêtes chrétiennes. On y ajoute raisins et amandes et on le parfume avec du jus de citron et de la noix muscade. Le *vánočka* est aussi appelé *štědrovečernice*, *štědrovice*, *štědrovka*, *pleténka*, *husky*, *caltech*, *pletanka*, *pletenice*, *ceplík*, *štrucla*.

Veka. Pain blanc d'origine française, qui rappelle la baguette et qui est utilisé généralement comme sandwich. Mais, à la différence de la baguette, il n'est pas découpé dans le sens de la longueur. Ce sont ses tranches qui, réunies, forment le sandwich.

Également :

Knödel. Plat aux multiples formes, que l'on retrouve dans toute l'Europe centrale, depuis le nord de l'Italie jusqu'aux frontières russes (l'allemand *Knödel* vient de *Knöde*, « baluchon »). Il consiste en une pâte à base de farine (ou plutôt fleur de farine), œuf, eau ou lait, sel ; traditionnellement levée, la pâte est souvent additionnée de morceaux de mie de pain ou de pommes de terre en purée (parfois même de riz). Elle est ensuite modelée en forme de grosses boulettes (*Klosse*) ou d'un cylindre, que l'on fait pocher dans l'eau salée ou cuire à la vapeur. Le *Knödel* se mange chaud ; on débite le rouleau de pâte cuite en tranches (environ 10 cm de diamètre et 1 cm d'épaisseur). Certaines variantes sont sucrées, farcies de fruits comme la prune, de confiture, de fromage blanc ou de crème de pavot, et servies arrosées de beurre fondu, saupoudrées de chapelure ou de sucre glace. Mais ce sont les *Knödel* salés qui ont véritablement leur place dans le présent ouvrage, car, outre leur composition, leur rôle d'accompagnement pour les soupes ou les plats en sauce les rapprochent du pain. Ils peuvent se manger tels quels, farcis, levés ou non. Si l'appellation de *Knödel* est bien germanique (elle viendrait de la Vienne du XIXe siècle), ses dérivés se sont largement répandus en Europe centrale à partir de leur berceau autrichien et bavarois : le terme *knedlik* est attesté dès le début du XIXe siècle en République tchèque, où le plat lui-même existait déjà au XVIIe siècle (des boules de pâte que l'on embrochait sur des piques de bois pour les faire bouillir). Les ancêtres de ces *knedliki* remontent même au Moyen Âge, quand ils pouvaient aussi se préparer frits et permettaient de consommer le pain rassis. La République tchèque est ainsi jusqu'à nos jours le pays où ce plat s'est imposé comme spécialité nationale. Bien entendu, son invention est objet de litiges : selon certains, la recette proviendrait de Venise et aurait été reprise et modifiée par les Allemands. En Slovaquie, on parle de *knedl'a*. La culture du *Knödel* s'étend ainsi du sud de l'Allemagne à la Pologne (*klusek*), du Trentin italien (*canederlo* au speck ou au fromage) à la Roumanie. On le retrouve dans la cuisine juive ashkénaze (*kneidl*) sous forme de petites boules à la farine de matzah servies dans un bouillon. Il est intéressant de remarquer que la même racine germanique a donné en français « quenelle ». [Julia Wang]

Martina Holocova

• *Voir aussi* : Gastronomie ; Pain (définition universelle du)

Bibl. : Dr Irmela ARNSPERGER *et al.*, *Rady naší babičky*, Prague, Readers Digest Vyber, 2002 • Dagmar BROŽOVÁ, *Medové pečivo a nápoje*, Prague, Zemědělské nakladatelství Brázda, 1991.

RÉSEAU OU TISSU GLUTINEUX. – Toutes les céréales contiennent des protéines, mais seul le blé contient une protéine capable de former une pâte avec de l'eau et l'action mécanique du pétrissage. Cette propriété particulière provient de la capacité des protéines du blé à former un gluten organisé en réseau. Lorsque la pâte est pétrie, ce réseau ainsi constitué enserre les granules d'amidon dans un filet. Pour toutes les autres céréales il n'y a pas de possibilité de former une pâte. La pâte est un état très particulier ayant à la fois les propriétés de cohésion d'un solide et d'écoulement d'un liquide : on peut donc la déformer sans la casser. C'est la capacité des protéines du blé à former un réseau glutineux continu, déformable sans ruptures donc capable de retenir le gaz carbonique produit lors de la fermentation et expansé lors de la cuisson, qui permet d'obtenir des pains de différentes formes et suffisamment aérés, donc appétissants. Les qualités des farines et donc les qualités des blés mis en œuvre sont directement liées à la quantité et à la qualité du gluten, tout particulièrement la capacité du gluten à se former en réseau et aux propriétés de fermeté, d'extensibilité et d'élasticité de ce réseau.

Ludovic Salvo

• *Voir aussi :* Amidon ; Blé, genre *Triticum* ; Blé tendre ou froment ; Céréales ; Élasticité ; Extensibilité ; Force boulangère ; Force en boulangerie ; Gluten ; Pâte ; Pâte bâtarde, molle, douce, ferme, raide ; Rhéologie ; Ténacité ; Tolérance ; Valeur boulangère

RESSUAGE. – Période suivant la sortie du four, pendant laquelle la mie du pain, qui est à une température voisine de 100°, se refroidit très rapidement au début, puis plus lentement, pour se stabiliser au bout d'une heure environ à la température ambiante. Un phénomène d'évaporation se produit, au cours duquel la mie perd 1 % à 2 % de son eau.

Dominique Descamps

• *Voir aussi :* Four ; Mie de pain ; Rassissement

RETOMBÉE. – Voir DÉFAUTS DE LA PÂTE

RÉTRODOR (Minoteries Viron). Première baguette de tradition française, respectant le décret pain publié en septembre 1993, la « Rétrodor » a été créée par les Minoteries Viron de Chartres. Issue des meilleurs blés de la Beauce, la baguette se caractérise par son goût et son poids de 300 g. Elle a été primée plusieurs fois au Grand Prix de la baguette de la Ville de Paris. Fabriquée par plus de six cents artisans en France, elle se décline aux olives, au chocolat et aux figues. Depuis six générations, la famille Viron exerce une tradition meunière axée sur la qualité. Après le décès de Philippe Viron en 2003, son fils Alexandre a repris les rênes de l'entreprise familiale. En 2007, les Minoteries Viron obtiennent la certification ISO 22000, une norme reconnue au niveau international.

Jean-Pierre Deloron

• *Voir aussi :* Bagatelle ; Banette ; Bleuette ; Boulangerie (Coupe du monde de la) ; Boulangerie (salons internationaux de la) ; Boulangers de France ; Copaline ; Consommation du pain ; Décret pain ; Fête du pain ; Festival des Pains ; Marketing du pain ; Reine des Blés ; Ronde des Pains

RÉTRO-INNOVATION. – Voir POILÂNE

RÉVOLTES POUR LE PAIN. – Voir DISETTES, FAMINES ET RÉVOLTES POUR LE PAIN

RÉVOLUTION VERTE. – Voir CÉRÉALES (disponibilité mondiale des)

RHABILLAGE DES MEULES. – Opération de taille des meules. Il s'agit de faire disparaître les aspérités trop saillantes au moyen d'un marteau et de retailler ensuite les sillons principaux et secondaires. Ce travail doit être réalisé régulièrement afin de maintenir l'efficacité des meules. On parle aussi de « piquage » des meules. La personne qui se charge de cette opération est appelée le « piqueur » ou le « rhabilleur ».

Philippe Duret

• *Voir aussi :* Meule ; Meunerie ; Moulin

RHÉOLOGIE. – La pâte est caractérisée par ses propriétés chimiques (composition, activités enzymatiques…) et physiques, principalement par son aptitude à la déformation sous l'action de contraintes. La rhéologie est cette science physique qui s'intéresse à la déformation ou l'écoulement de la matière. Le comportement de la pâte s'apparente à la fois au comportement des liquides (viscosité) et au comportement des solides (élasticité). La pâte a donc des propriétés viscoélastiques. La qualité rhéologique d'une pâte ou ses propriétés à l'écoulement sont variables suivant les contraintes, les déformations et les vitesses de déformation qu'on lui impose. Les propriétés à l'écoulement sont associées à un comportement visqueux de la pâte, elles peuvent être appréciées jusqu'au point de rupture de la déformation ; on utilise aussi le qualificatif complémentaire d'extensibilité. Cette extensibilité, qui est un critère de qualité rhéologique, est variable suivant la sollicitation imposée (extension, compression, cisaillement) et la vitesse de déformation. Exemple, la pâte de seigle est extensible en compression et non extensible ou cassante en extension ; une pâte de farine de blé peut être extensible si on l'étire lentement, et cassante si la vitesse d'étirement est plus élevée.

Les propriétés élastiques sont la résultante d'une partie de l'énergie qui n'a pas été dissipée dans une pâte quand on la déforme. Cette résistance résiduelle conduit la pâte à revenir plus ou moins rapidement et parfaitement dans sa forme initiale lorsqu'on arrête la déformation. Elle se dissipe plus ou moins complètement lorsqu'on la laisse au repos, à l'exemple de l'étape de « détente » après un boulage ou pâtonnage ; cette diminution des tensions internes, au cours du temps, est qualifiée de « relaxation ».

Philippe Roussel

• *Voir aussi :* Alvéolage ; Boulage ; Consistance ; Défauts de la pâte ; Détente ; Élasticité ; Extensibilité ; Force boulangère ; Force en boulangerie ; Mie de pain œilletée ; Pâte bâtarde, molle, douce, ferme, raide ; Pâtes (définition des) ; Pâtonnage et mise en planches ; Réseau ou tissu glutineux ; Ténacité ; Tolérance ; Valeur boulangère

Bibl. : Philippe ROUSSEL, Hubert CHIRON, *Les Pains français. Évolution, qualité, production*, Vesoul, Maé-Erti, 2002.

RITE ORTHODOXE (pain consacré selon le). – Appelé *prosphore* (du grec *prosphoron*, c'est-à-dire « offrande »), le pain levé avec le vin liturgique, préparés lors de la *proscomidie* – office de préparation des Saints Dons –, constituent les éléments propres à la célébration eucharistique, fonction première de toute liturgie divine. La base de la théologie orthodoxe est la communion fondamentale avec Dieu, réalisée à chaque moment de la vie de l'homme qui devient, grâce à l'eucharistie, l'image du Dieu vivant. La consommation du *prosphore* « matérialise » cette communion mystique avec Dieu et assure la bénédiction de tous ceux qui participent au « festin du Royaume ». Le Christ est le trait d'union permettant à l'homme de renouer avec la grâce divine et c'est par la consommation de son corps – à travers le pain et le vin liturgiques – que celui-ci est invité à méditer sur lui-même, transcendant son quotidien afin de mettre en lumière son origine divine. Le rite orthodoxe se résume dans cette phrase de saint Athanase : « Le Christ est devenu chair, pour que nous devenions divins. » Le salut est considéré moins comme une délivrance du péché par l'œuvre du Rédempteur que comme une déification de l'homme par son intermédiaire. D'où l'importance du *prosphore*, pain consacré pendant la divine liturgique, indispensable lors de la célébration des *pannykides* – courts offices en l'honneur des défunts –, des fêtes des saints patrons, des rites de passages, des grandes festivités saisonnières et de toute autre occasion de communion désirée entre l'homme et Dieu. On fabrique des *prosphores* pour les anniversaires, lorsqu'on invoque, on prie et on supplie la présence « du Saint-Esprit sur nous et sur les dons qui sont présents », mais aussi sous forme d'ex-voto. Le *prosphore* est, d'une certaine façon, la survivance des anciennes prémices, offrandes « des fruits de la terre et du labeur des hommes » à la divinité. « En toute chose faites eucharistie », disait saint Paul (I Thessalonitiens V, 18) ; le *prosphore* assure le renouvellement récurent de la communion avec Dieu, mais il est aussi l'occasion « pour que les affamés soient rassasiés, que les assoiffés soient désaltérés, que ceux qui souffrent et qui pleurent soient consolés ». En effet, les *prosphores* font partie des offrandes des premiers chrétiens destinées aux agapes, ces repas rituels qui réunissaient l'ensemble des fidèles.

Dans les communautés rurales jusqu'à une date récente, les *prosphores* étaient préparés à domicile par les aînées de la famille et offerts à l'église pour la messe du dimanche, en commémoration des morts et pour la santé des vivants. Ils étaient aussi fabriqués dans la prière et le recueillement dans les monastères ou chez le prêtre. De nos jours, les boulangers se chargent de leur confection et impriment un seau distinctif ou « marque à pain », en bois gravé. Les matières premières utilisées – farine de blé, eau, levain, sel et un peu d'huile, les mêmes que pour le pain quotidien – revêtent une valeur symbolique particulière lorsqu'il s'agit d'un *prosphore*. La farine reste le symbole du pain de vie et du grain de blé qui, une fois enfoui dans la terre, porte beaucoup de fruits ; mais il évoque aussi l'unité de l'Église et l'harmonie qui doit régner parmi ses membres. Comme les différents grains s'unissent parfaitement entre eux, se transformant en farine pour constituer un seul pain, ainsi « nous sommes un seul corps » uni par les liens de l'amour et de la paix. L'eau du pétrissage évoque celle du baptême et de la régénérescence. Le levain, produit transmuté, rappelle que la corruption de la matière peut devenir agent de résurrection. Le sel est symbole d'alliance, de purification, et d'hospitalité. Enfin, les quelques gouttes d'huile symbolisent la présence du Saint-Esprit. Une fois la pâte levée, on la partage en deux pour former deux petits pains aplatis que l'on superpose de telle sorte qu'ils forment un seul pain signifiant ainsi la double nature du Christ – divine et humaine. Union qui ne se fait pas dans la confusion, aucune nature n'absorbant l'autre, ni dans la mutation ou le changement, mais dans la perfection d'une hypostase divino-humaine, « le Verbe s'est fait chair ». Sur la partie supérieure de ce pain, au centre, on frappe le seau gravé. Les dessins conservés en relief pendant la cuisson guideront le prêtre pour prélever, lors de la *proscomidie*, l'*agneau*, une partie cubique centrale en souvenir de l'immolation de l'agneau (Isaïe LIII), préfigurant le Sacrifice. Sur cette partie du *prosphore* sont gravées les lettres *IS XS NI KA* (« Jésus Christ vainqueur »). Ensuite, le prêtre prélève, toujours dans la partie portant le seau, d'autres morceaux correspondant à la Passion, à Théotocos, aux neufs ordres des saints, à la communauté des morts et des vivants, etc. Posés sur la *patène* – plateau rituel –, les pains seront sanctifiés pendant la sainte liturgie pour servir, avec le vin contenu dans un calice, à la communion des fidèles. La majeure partie du *prosphore* – seul l'*agneau* est émietté et mélangé au vin de la communion – devient des *antidora*, des « contredons », que le prêtre offre aux fidèles pour célébrer leur participation au sacrement de l'eucharistie, consommés dans le recueillement. Jadis, les familles qui préparaient un festin apportaient plusieurs *prosphores* à l'église, le plus souvent cinq, pour que les *antidora* soient distribués avec largesse ou donnés aux pauvres de la paroisse. Mais on pouvait aussi reprendre un pain consacré afin qu'il soit consommé en privé, avec solennité. C'est alors que le patriarche rompait le pain en imitant la Cène, rappelant aussi le miracle de la multiplication des pains… On garde encore dans l'iconostase, surtout dans les communautés isolées, un morceau d'*antidoron* entre les icônes et l'encensoir, qui est supposé porter bonheur à la famille et assurer sa protection. Jadis, les paysans réduisaient ce morceau en poudre et le mélangeaient avec les grains des semailles d'automne, à moins qu'il n'ait été entre-temps utilisé dans l'urgence pour faire communier un mourant (un nourrisson ou une personne âgée) en absence de prêtre. Dans ce cas, il était aussitôt remplacé par un autre *antidoron* provenant de la messe du dimanche suivant l'incident. Une goutte d'eau bénite provenant de la cérémonie de l'Épiphanie, célébrée le 6 janvier – qui correspond, dans le rite byzantin, au baptême du Christ et à la bénédiction des eaux –, remplaçait dans ces cas le vin consacré de l'eucharistie. L'usage du *prosphore* est commun à toutes les églises orthodoxes à travers le monde.

Yvonne de Sike

• *Voir aussi :* Eucharistie ; Grèce ; Hostie ; Hostie profanée ; Messe ; Miracles christiques ; Miracles eucharistiques ; Théologie du pain

Bibl. : Bernard BAUDOUIN, *La Religion orthodoxe gardienne de la tradition*, Paris, De Vecchi, 2000 • Hans von CAMPENHAUSEN, *Les Pères grecs*, Paris, Éditions de l'Orante, 2001 • Olivier CLÉMENT, *L'Église orthodoxe*, Paris, PUF, coll. « Que sais-je ? », 1995 • Alban DOUDELET, *Les Orthodoxes grecs*, Paris, Brepols, 1996 • Déroulement de la liturgie divine de Jean Chrysostome : www.pagesorthodoxes.net/liturgie/chrysostome1.htm • Explication de la divine liturgie : http://pagesperso-orange.fr/stranitchka/VO15/Ordre_et_explication.html • Le lexique orthodoxe, tous les termes usuels des rites et des pratiques ecclésiastiques : www.pagesorthodoxes.net/ressources/lexique.htm

RIVES DU FOUR. – Voir FOUR (rives du)

RIZ (farine de). – Légèrement sucrée, la farine de riz résulte de la mouture des grains de riz blanc, rouge ou noir. Comme pour la farine de blé, elle peut être complète, semi-complète ou raffinée. Elle contient protéines (quoique deux fois moins que le blé), calcium, phosphore, potassium. Elle est modérément panifiable, car il lui manque la protéine nécessaire à la fabrication du gluten qui donne son élasticité au pain. Pourtant, facile à digérer et riche en amidon (carbohydrates complexes qui agissent comme liant à la place du gluten), donc à fort pouvoir épaississant, elle est utilisée dans des préparations (pains, gâteaux) pour les personnes allergiques au gluten. En Inde, Chine, Indonésie, au Japon, aux Philippines, la farine de riz – gluant ou non – sert à la confection de multiples gâteaux de riz sucrés ou salés et fourrés d'ingrédients (pâte de haricots mungo, amandes, épices, coco), avant cuisson à la vapeur ou en friture. La crème de riz est une farine de riz précuite à la vapeur.

Anne-Élisabeth Halpern

● *Voir aussi :* Gluten ; Maladie cœliaque ; Riz (*Oryza sativa*)

RIZ (*Oryza sativa*). – Il existe deux espèces du genre *Oryza* à avoir été domestiquées. Le riz africain, *Oryza glaberrima*, est cultivé depuis au moins 1500 av. J.-C. dans le bassin du Niger. Il a les mêmes usages, mais régresse aujourd'hui devant le riz asiatique. C'est ce dernier, *Oryza sativa*, qui s'est répandu dans le monde entier. Le riz asiatique aurait été domestiqué indépendamment dans le sud de la Chine (avant 6500 av. J.-C.) et en Inde (où il est attesté entre 2000 et 1500 av. J.-C.), ce qui explique l'existence de deux grands groupes de variétés, Indica et Japonica – il aurait connu un centre secondaire de diversification en Indonésie (vers 1650 av. J.-C.). Cela étant, la civilisation chinoise, originaire du Nord, a d'abord connu les millets (*Setaria italica* et *Panicum miliaceum*) avant de commencer son expansion vers le sud, où elle a rencontré et adopté le riz que cultivaient les populations locales des régions subtropicales. Le riz serait enfin arrivé de Chine aux Philippines au IIe millénaire av. J.-C. (période de construction des terrasses de Luzon) et au Japon vers 1000 av. J.-C. pour certains, vers 300 av. J.-C. pour d'autres.

Les Grecs ont connu le riz lors des expéditions d'Alexandre le Grand (344-324 av. J.-C.). Il était cultivé en Syrie au début de notre ère. Son nom grec, *oryza* ou *oryzon*, vient des langues indiennes. Passé au latin, il a donné tous les noms européens du riz, sauf l'espagnol et le portugais qui l'ont emprunté à l'arabe *ruz*. Mais dans l'Antiquité gréco-romaine, le riz restait un produit d'importation, très cher et surtout utilisé en décoction. Ce sont les Arabes qui l'ont introduit en Espagne au VIIIe siècle et en Sicile au Xe, et les Ottomans en Hongrie au XVIe. Mais l'Europe médiévale n'en connaissait que deux recettes. Au XVIe siècle, le riz est adopté par les Vénitiens et la soupe de riz et de pois est servie à la table des doges. Si les Vénitiens l'importaient, le riz était déjà introduit dans le nord de l'Italie. Il se répand dans la plaine du Pô et devient l'aliment des pauvres, ce qui nous vaut les nombreuses recettes de risotto. La culture du riz a profondément marqué la plaine du Pô, car elle était difficile, exigeait beaucoup de travail et provoquait la malaria. En Espagne, la lagune côtière près de Valence allait devenir la principale zone rizicole du pays, jusqu'à nos jours où le bas Guadalquivir l'a remplacée. Cuit dans une grande poêle avec du safran et des viandes diverses (anguille, escargots, poulet), ce « riz valencien à la poêle », aliment de base des pauvres, allait devenir, à la fin du XIXe siècle, la paella.

Les essais d'introduction en France ont été nombreux entre le XVe et le XIXe siècle, mais ont échoué. Ce n'est que pendant la Seconde Guerre mondiale que la culture se développe en Camargue, dans le delta du Rhône. Alors que les Portugais l'introduisent au Brésil et les Espagnols en Amérique centrale, le riz est cultivé en 1685 en Caroline du Sud, peut-être introduit par des esclaves africains. Il se répand en Louisiane au XVIIIe siècle, mais la culture commerciale ne débute qu'au XXe dans la vallée de Sacramento, en Californie. La sélection moderne du riz a commencé au Japon vers 1906, aux États-Unis vers 1922, puis à Taïwan dans les années 1930. Avec le travail entrepris par l'Institut international de recherche sur le riz (IRRI, à Manille) depuis 1962, des variétés hybrides demi-naines ont été obtenues et ont contribué à la « révolution verte ».

Le riz est une plante annuelle rhizomateuse. Les tiges érigées, ramifiées à la base, peuvent atteindre 2 m de longueur et ont des feuilles linéaires. Les fleurs sont réunies en panicules lâches ou compactes, généralement penchées. Le grain est enfermé dans les glumelles, qui tiennent fortement l'une à l'autre. Le riz est une plante autogame, dont les variétés sont donc des lignées. On distingue deux grands modes de culture : la culture inondée en terrasses et la culture sèche de montagne. En culture inondée, l'eau peut provenir de l'irrigation ou des inondations naturelles dans le lit majeur des rivières. Dans ce cas, la profondeur de l'eau peut atteindre 5 m. Il faut alors recourir à des variétés de riz flottant, caractérisées par leur croissance rapide (jusqu'à 15 cm par jour) et le développement de nombreuses racines nodales. Bien qu'il soit d'origine tropicale, le riz montre une grande souplesse d'adaptation. Au Japon, il est cultivé jusque dans l'île d'Hokkaidô (44° de latitude nord), dans des zones où il gèle plus de 220 jours par an. En Europe, la plaine du Pô se trouve à 45°. Si le riz a besoin d'une température supérieure à 12° pour se développer, il suffit de 80 jours à certaines variétés pour mûrir.

D'un point de vue biologique, les riz se classent en deux ou trois grands groupes. Le groupe Indica est adapté aux régions tropicales de mousson. Il a une taille élevée, des feuilles vert clair et velues, et son grain est habituellement long et étroit. Le basmati et les autres riz parfumés en font partie. Un autre groupe important est le groupe Japonica, adapté aux climats tempérés. Il a une taille courte, des feuilles vert foncé et glabres, et son grain est court et trapu. Du point de vue commercial, on distingue les riz d'après la forme du grain. Sur le marché français, on distingue les riz ronds et les riz longs, ceux-ci devant avoir une longueur supérieure à 5,2 mm. Le *Codex alimentarius* de la FAO a proposé une norme plus simple pour le riz blanchi, sur la base du rapport longueur/largeur : long : > 3,1 ; moyen : 2,1 à 3 ; court : < 2. Les riz gluants ou glutineux ne contiennent pas de gluten, mais un amidon constitué essentiellement d'amylopectine et de dextrines, qui collent à la cuisson. Il en existe des noirs et des rouges.

Le riz est commercialisé à plusieurs stades de transformation. La forme la plus brute, résultat du battage, est le riz paddy (du malais *padi*), qui présente encore ses enveloppes (les glumelles). À ce stade, il n'est vendu au détail que comme graines à oiseaux. Le riz complet, décortiqué mais avec son épiderme, est appelé « riz cargo ». Il est apprécié en alimentation diététique. Suivant les variétés, sa couleur peut être brune ou rouge brun. Il nécessite une longue cuisson. Habituellement, le riz est commercialisé blanchi, c'est-à-dire débarrassé de son épiderme, ou bien poli après blanchiment. La consommation de riz blanchi sans ajout d'autres aliments susceptibles d'apporter des vitamines est à l'origine d'une maladie qui a longtemps frappé les Chinois, le béribéri, due au manque de vitamine B. Enfin, le riz est étuvé (*parboiled*, en anglais) traditionnellement dans de nombreuses régions du sous-continent indien, mais aussi en Californie. Cette opération se fait sur le riz paddy, qui est laissé dans l'eau une nuit à température ambiante, puis bouilli ou chauffé à la vapeur à 100°, et enfin séché au soleil. Il peut alors être stocké ou décortiqué. Ce processus gélatinise l'amidon et durcit l'albumen. Les grains de riz deviennent translucides et prennent une teinte plus jaune. Ils perdent un peu de protéines, mais gagnent en vitamines, qui migrent vers le centre du grain. Leur cuisson est moins longue.

Contrairement aux autres céréales, le riz est surtout utilisé en grains entiers. Dans l'est de l'Asie, c'est souvent la partie essentielle du repas, la viande et les légumes étant des accompagnements. Le pilau ou pilaf est au départ un plat où le riz est cuit avec de la viande et des épices. Le mot vient du turc ou du persan *pilaw*, lui-même issu d'une langue de l'Inde. En Occident, on qualifie maintenant de pilaf un mode de cuisson du riz où l'on commence par faire frire le riz dans une matière grasse avant d'ajouter de l'eau ou un bouillon. En Chine et en Asie du Sud-Est, la farine sert à préparer des vermicelles de riz, qui sont consommés frits ou en soupe, et des feuilles de riz, utilisées pour envelopper des aliments. Le riz peut aussi être éclaté (*popped rice*) ou rôti (*puffed rice*), ou encore écrasé en pétales (*rice flakes*) parfois colorés en vert. On en fait parfois des galettes.

Le riz gluant est très apprécié par certaines populations. Une fois cuit, il prend la consistance d'une gelée. En Malaisie et au Cambodge, il est cuit avec de la viande dans des récipients de bambou. Il entre surtout dans de nombreux desserts ou confiseries, comme les *dodol* malaisiens. Dans le sud et l'est de l'Asie, le riz sert à préparer des bières de riz (le saké au Japon). Des riz gluants sont souvent utilisés à cet effet. On en fait aussi des alcools, comme le *choum-choum* du Vietnam. En Espagne, le riz entre dans la fabrication d'une *horchata*, boisson rafraîchissante non alcoolique où il est parfois associé à la chufa (*Cyperus esculentus*). L'eau de riz sert de base onctueuse à de nombreuses boissons aux fruits populaires en Amérique latine. Parmi les usages non alimentaires, l'amidon est plus connu en cosmétique sous le nom de poudre de riz. Les chaumes de riz, encore verts à la récolte, servent de fourrage. La paille est utilisée pour faire des sacs, des nattes et des chapeaux. En Asie du Sud-Est, elle sert de substrat à la culture du champignon de paille, *Volvariella volva-*

cea. Enfin, on en fait du papier, en particulier du papier à cigarettes.

Michel Chauvet

• *Voir aussi :* Bière ; Céréales ; Chine, Hong Kong et Macao ; Glume et glumelle ; Inde ; Mil et millet ; Riz (farine de) ; Sorgho

Bibl. : André ANGLADETTE, *Le Riz*, Paris, Maisonneuve et Larose, coll. « Techniques agricoles et productions tropicales », 1966 • Maït FOULKES, *Le Livre du riz*, Arles, Philippe Picquier, coll. « Le goût de l'Asie », 1998 • Jean-Christophe GLASZMANN *et al.*, « Le riz asiatique », *in* P. Hamon *et al.* (éd.), *Diversité génétique des plantes tropicales cultivées*, Montpellier, CIRAD, 1999 • Juliano BIENVENIDO, *Rice in Human Nutrition*, Rome, FAO/IRRI, 1993 • Lampe KLAUS *et al.*, *Das grosse Buch vom Reis*, Füssen (Allemagne), Teubner, 1997 • Sri OWEN, *The Rice Book*, Londres, Doubleday, 1993.

RIZ-PAIN-SEL. – Par manière de moquerie, peut-être par dépit d'y être condamné à chaque repas, on affubla de ce sobriquet ceux qui, dans l'armée, se trouvaient rattachés au service des subsistances. Le « riz-pain-sel » est donc un cantinier, un intendant, un cambusier rendu responsable, par ses menus pathétiques, de désespérer l'armée tout entière. Par suite, le militaire affecté à la corvée de nourrir ses semblables se trouvait bien rarement en odeur de sainteté et son surnom entaché d'opprobre. On trouve quelque chose de ce mépris dans le texte que Huysmans consacre à décrire une soirée de bal à Grenelle, où militaires et « filles en tablier bleu » se mêlent, « bras dessus, bras dessous, en bandes ». Tout d'un coup surgit au milieu du bal, étoile au firmament, une tapissière du nom de Nini, qui jette ses jupes à droite et à gauche, « balayant le plancher, s'élançant en nage dans le flot de poussière que le vent de sa robe lève ». La stupeur ou le ravissement passés, on la voit danser avec de pauvres sires et, du coup, le charme s'envole, à moins que ce ne soit la jalousie qui déjà pointe ; « et Nini m'apparaît comme se livrant, avec des riz-pain-sel, à des noces de bâtons de chaise » (« Tabatières et riz-pain-sel », in *Les Mystères de Paris*).

Jean-Philippe de Tonnac

• *Voir aussi :* Maximes et proverbes ; Mot « pain » (étymologie du) ; Mot « pain » dans la langue française ; Mot « pain » dans quelques langues européennes ; Munition (pain de)

ROGATION. – Voir BLÉ (symbolique du)

ROI DU PAIN. – Voir POLOGNE

ROMPRE, DONNER UN TOUR. Action qui consiste, au cours du pointage, à travailler une pâte pour la dégazer et à la replier sur elle-même. Cette opération va éviter une extension trop importante de la structure gluténique et permettre une reprise de cohésion de la pâte, ce qui se traduit par une augmentation de sa résistance. Cette pratique peut signifier, pour le boulanger, « redonner de la force ». La rupture de pâte apporte aussi un complément de développement du réseau de gluten et de structuration alvéolaire très positif, lorsque le pétrissage a été peu intense et que les farines sont faibles en protéines ; cela se traduit par un meilleur développement au four.

Philippe Roussel

• *Voir aussi :* Alvéolage ; Force boulangère ; Force en boulangerie ; Pâte ; Pointage ; Réseau ou tissu glutineux

RONDE DES PAINS (Grands Moulins de Paris). – Réseau d'enseignes de boulangeries depuis vingt-cinq ans, dont l'animation est assurée par les Grands Moulins de Paris. Environ trois mille enseignes sont réparties sur le territoire français. Les adhérents à ce réseau restent des artisans boulangers indépendants. Il ne s'agit pas d'une franchise, mais d'un simple partenariat entre le boulanger et son meunier qui l'assure de nombreux services, comme la promotion des pains Campaillette, gamme de baguettes mises au point pour leur goût et leur naturalité, et Campaillou, célèbre gamme de pains au levain naturel, l'agencement de la boutique, l'animation de journées portes ouvertes, la formation des apprentis et des vendeuses…

Hubert François

• *Voir aussi :* Bagatelle ; Baguépi ; Banette ; Bleuette ; Boulangerie contemporaine ; Copaline ; Festival des Pains ; Franchise ; Grands Moulins ; Grands Moulins de Paris → Meuniers et minotiers ; Reine des Blés

RONDEAU. – Plus grand qu'une pelle, à l'exception de son manche qui n'est qu'une poignée, le rondeau est utilisé en boulangerie pour enfourner les plus grands pains. Il est ordinairement en bois de hêtre.

Mouette Barboff

• *Voir aussi :* Pain marchand de vin → France (pains actuels, pains régionaux) ; Pelle

RONDIN ET RONDINE. – Se dit d'un pain n'ayant aucune grigne. Défaut qui peut être dû à une pâte qui a un excès de force. Le pain ayant une section exagérément ronde prend souvent le nom de rondin.

Philippe Roussel

• *Voir aussi :* Défauts du pain ; Force boulangère ; Force en boulangerie ; Grigne ; Scarification

ROTATION. – La rotation décrit la succession des cultures sur une même parcelle. L'idée de rotation implique un retour périodique des cultures. On parle ainsi de tête de rotation pour la culture qui commence un cycle. L'intérêt agronomique environnemental et économique des rotations longues incluant des prairies est largement démontré. Mais les agriculteurs sont aujourd'hui moins enclins que par le passé à construire des rotations longues et équilibrées, car le recours aux engrais chimiques et produits phytosanitaires permet de maîtriser les bioagresseurs qui se développent en cas de monoculture ou de rotation courte.

Philippe Viaux

• *Voir aussi :* Agriculture biologique ; Assolement ; Engrais ; Itinéraires techniques ; ONIGC ; Production

ROTIE. – Voir BISCOTTE ; TOAST

RÔTIES. – Arnold Van Gennep (1937-1958) évoque, sous le nom de rôties, les cérémonies qui avaient lieu le soir et la nuit de noce. Pendant le repas de noce ou pendant le bal, les mariés saisissaient une occasion favorable de s'échapper. On faisait semblant de ne pas s'en apercevoir, puis, la jeunesse s'organisait et recherchait l'endroit où les mariés s'étaient réfugiés. Tous les moyens étaient bons pour pénétrer dans la chambre nuptiale. La chambre ouverte, tout le cortège entrait. Les jeunes époux devaient se prêter au partage d'un repas initiatique, le plus souvent à base de pain rôti et de vin chaud fortement épicé, cela dans l'idée de renouveler les ardeurs du mari et peut-être aussi de sa femme.

Mouette Barboff

• *Voir aussi :* Amoureux (pains d') ; Coup de lame ; Pain grillé ; Mariage (pains de) ; Pain et vin ; Scarification

Bibl. : Arnold VAN GENNEP, *Manuel de folklore français contemporain*, Paris, Picard, 1937-1958 ; rééd. sous le titre *Le Folklore français*, Paris, Robert Laffont, coll. « Bouquins », 4 vol., 1998.

ROUABLE. – Crochet en fer au bout d'un long manche qui sert à attiser le feu à la bouche du four, puis à rassembler la braise et à la tirer du fond vers l'entrée du four. Il existe de grands et de petits rouables. Dans les campagnes, le rouable est un râteau en bois sans dents qui fait le même office.

Mouette Barboff

• *Voir aussi :* Attisoir ; Bouche ou gueule du four ; Étouffoir ; Four

Bibl. : Mouette BARBOFF, « Le pain des femmes », thèse de doctorat, EHESS, 2004, publication en cours.

ROUE HYDRAULIQUE. – Voir MOULIN ; ROUET

ROUELLE DE PAIN. – Voir FAUCILLE À PAIN

ROUET. – Nom généralement donné, dans les moulins à eau, à l'engrenage placé sur l'axe de la roue hydraulique. On l'appelle souvent « grand rouet » ou « rouet de fosse ». Le rouet de volée, placé horizontalement, distribue le mouvement de rotation aux différentes meules en place (2-3-4-5). Dans le midi de la France, nom que l'on donne parfois à la roue hydraulique horizontale. Dans les moulins à vent, nom donné à la pièce de charpente circulaire placée dans l'axe de l'arbre moteur, dans laquelle sont fichés les alluchons (tenus par une clavette) qui vont entraîner les fuseaux de la lanterne dans leur rotation.

Jean-Pierre Henri Azéma
et Roland Feuillas

• *Voir aussi :* Alluchon ; Arbre moteur ou grand arbre ; Fuseau ; Lanterne ; Meule ; Moulin

ROUISSAGE. – Voir MANIOC

ROULEAU À PÂTISSERIE. – Comme son nom l'indique, ce rouleau utilisé dans les fournils, essentiellement pour le feuilletage, ressortit davantage du monde de la pâtisserie. En réalité, il appartient à cette zone indistincte qui, par nécessité de fusionner deux activités qui relèvent de conceptions et d'origines bien différentes, s'est créée entre le fournil du boulanger et le laboratoire du pâtissier. Un certain nombre d'ustensiles et de produits relèvent alors de ces deux mondes que nous avons souhaité solidariser, mais qui se passent très bien l'un de l'autre dans d'autres parties du monde. Ainsi, le rouleau en bois, voire en polyéthylène ou silicone blanc, avec ou sans manche, devrait être aussi bien un rouleau à boulangerie qu'un rouleau à pâtisserie, dans la mesure ou le boulanger et le pâtissier y ont recours pour affiner la pâte dont ils vont extraire viennoiseries, fonds de tarte, abaisses préparatoires aux tourtes et mille-feuilles.

Jean-Philippe de Tonnac

• *Voir aussi :* Croissant ; Feuilletage ; Galette des Rois ; Pâtes (définition des) ; Viennoiserie

ROULEAUX. – Pour transformer une boule de pâte en une baguette, on utilise une façonneuse. Le pâton est aplati entre deux rouleaux, puis enroulé sur lui-même entre un tapis mobile et une grille fixe pour être enfin allongé entre deux tapis avançant à des vitesses différentes et dont l'écartement décroît à mesure que la pâte avance entre les tapis. Les tapis sont aussi entraînés par des rouleaux à des vitesses déterminées, dont on peut régler l'écartement au laminage et à l'allongement, ce qui permet d'obtenir des baguettes plus ou moins longues.

Ludovic Salvo

• *Voir aussi :* Allonger ; Baguette ; Extensibilité ; Façonneuse ; Pâte ; Pâton

ROUMANIE (traditions du pain en). – Chez les Roumains, les graines de céréales écrasées ou moulues (bouillies ou cuites) furent, depuis la nuit des temps, comme pour la majeure partie des populations européennes, le principal aliment. Les graines écrasées et bouillies connurent une évolution au fil de temps : au début, les pauvres se nourrissaient de bouilli de mil, peu nourrissant, qui fut remplacé, dès son arrivée dans les principautés roumaines, par le maïs. Le succès fut tel que, sur la table de Roumains, la *mamaliga* (sorte de polenta) concurrence encore aujourd'hui le pain. Quant au blé, les graines bouillies et sucrées, enrichies de noix concassées, font la *coliva*, gâteau rituel dédié aux défunts et aux ancêtres. Loin d'être un simple aliment, le pain est considéré par les Roumains comme le symbole même de la nourriture, source de vie, garantie de survie et de prospérité. On peut parler d'un culte du *grâu* (« blé ») et de la *pâine* (« pain ») ; ce n'est pas par hasard que les deux mots sont parfois synonymes en roumain. Par le passé, le champs de blé était regardé comme un lieu pur et sacré et le profaner constituait un pêché impardonnable.

Dès le premier jour de l'an, le rituel de *plugusor* (« la petite charrue ») raconte, dans un chant spécifique, par la voix des garçons ou de jeunes célibataires qui passent d'une maison à l'autre, l'histoire du pain : les semailles, la croissance et la maturation du blé, l'abondance de la récolte, le chemin vers le moulin, le retour à la maison et, enfin, la joie du pain nouveau en forme solaire de couronne. Pour ces vœux d'abondance, les jeunes gens reçoivent justement des *colaci* (« couronnes de pain ») ou des *covrigi* (« anneaux de pain »). Tout le long de l'année, les rites agraires liés aux éléments, la terre, le soleil et l'eau, commencent ou finissent par le pain. Le pain est évoqué, donné, partagé, offert en offrande sous ses formes les plus diverses : couronne, anneau, représentations humaines, végétales, animales, et jusqu'aux mies de pain que l'on offre à la terre, aux plantes ou aux animaux. Le simple geste d'offrir et de recevoir du pain prend des connotations de partage et communion avec les semblables, avec la communauté, la famille, le soleil, la terre et toute la nature que l'homme honore ainsi et qui le récompensera ensuite par ses richesses. Ne pas donner équivaut à ne pas recevoir, s'isoler du monde et finalement dépérir seul. Le geste rituel de recevoir un hôte de marque avec du pain et du sel conserve aujourd'hui toute son importance et sa signification reste intacte : le chef de l'État, par exemple, est ainsi reçu dans diverses villes du pays. Élément principal dans le rapport don-contre-don, moyen de confirmations périodique des liens entre les gens, entre ceux-ci et le monde, le pain est aussi présent, avec tout son symbolisme, dans les principaux moments de la vie. La couronne de pain marque l'arrivée de l'enfant dans notre monde, le lien avec ses parents spirituels, les parrains, la reconnaissance du sexe, l'intégration dans les groupes d'âge, la fraternisation, le mariage, la reconfirmation des liens sociaux et, enfin, le départ de ce monde pour s'intégrer à l'au-delà.

Les rites funéraires et le culte des ancêtres constituent la partie la mieux conservée de la tradition roumaine. Non seulement les pratiques restent vivaces, mais elles développent des nouvelles formes d'expression ou amplifient celles qui correspondent le mieux au moment actuel. L'utilisation du pain rituel y trouve toute son importance. Pendant les funérailles et ensuite aux dates de commémorations des défunts, des *prescuri*, pains marqués des symboles sacrés, certains en forme de croix, sont partagés au sein de la communauté qui communie ainsi avec le défunt et recrée son équilibre bouleversé par le décès de l'un de ses membres. Une grande diversité de *colaci*, pains rituels de formes les plus variées, parmi lesquels les *capete* (« têtes »), accompagne chaque commémoration et chaque offrande aux ancêtres. Ces pains : *prescuri*, *colaci*, *capete*, bénits par le prêtre avant d'être partagés par la communauté, marquent un subtil et profond syncrétisme entre la riche tradition chrétienne liée au grain de blé et l'ancien culte païen des ancêtres.

Anafura. Pain bénit, le plus souvent morceau de *prescura*, que le prêtre orthodoxe offre principalement en fin de messe pour la communion.

Capete, capetele (« têtes »). Pains spécifiques des rites funéraires et des traditions liées au culte des ancêtres qui, bénits, font partie des offrandes traditionnelles dédiées aux défunts.

Cocoace. Pain paysan, rond et plat, cuit à la poêle, mangé chaud, le plus souvent avec du fromage.

Colac. 1. Grand pain rituel en forme de couronne, formé de boudins de pâte savamment tressés, doré au four et offert dans des circonstances précises : au cours de rituels de naissance, de mariage ou lors de certaines fêtes du calendrier. 2. Au pluriel : pains rituels de formes spécifiques et/ou marqués d'inscriptions religieuses à l'aide d'un *pristolnic*, marque des pains rituels bénits à l'église ; chaque foyer possède son *pristolnic* en bois sculpté, rarement en pierre, dont les motifs sont différents. Les propriétaires de ces pains sont ainsi facilement reconnaissables par ceux qui les reçoivent, notamment les défunts auxquels les offrandes sont dédiées. Le *pristolnic* est spécifique au monde orthodoxe balkanique et slave. Ces pains, bénits par le pope, font partie des offrandes aux morts et/ou aux ancêtres. Synonyme : *prescuri*.

Covrig. Anneau en pâte de pain offert rituellement aux porteurs de vœux pendant le cycle des douze jours, entre la veille de la Noël et la Bénédiction des eaux (Épiphanie), le 6 janvier. Des *covrig* plus grands, de forme bien plus élaborée et saupoudrés de sel, de sésame ou de graines de pavot, sont vendus dans toutes les villes roumaines ; fabriqués sur place et consommés chauds dans la rue, les *covrig* font partie du paysage urbain.

Lipie. Type de pain rond et plat, fait de « farine blanche », consommé les jours de fête ou par la population aisée, au sud de la Roumanie.

Malai. Pain régional (Olténie), levé, fabriqué à partir d'un mélange de farines de blé et de maïs, cuit au four dans un grand plateau.

Pâine noua (« pain nouveau »). Le premier pain de l'année, faisant l'objet de rites liés à l'abondance ; il est distribué rituellement aux membres de la famille, quelquefois aussi aux animaux domestiques, après avoir été « partagé » avec une personne extérieure à la maisonnée.

Pita. Très grand pain régional dont la pâte contient des pommes de terre, et qui reste frais au moins une semaine. Par le passé, dans certains villages de Transylvanie, ce type de pain était cuit dans le four communautaire.

Prescure. Pain sacré de forme spécifique portant des marques et des inscriptions religieuses, imprimées à l'aide d'un *pristolnic*, bénit par le prêtre à l'occasion de diverses fêtes religieuses ou commémorations des défunts, et faisant partie des offrandes.

Sfintisori (« petits saints »). Figurines en pâte de pain en forme d'homme ou d'abeille, enduits de miel et saupoudrés de cerneaux de noix finement écrasés, bénites par le pope et distribués rituellement le 9 mars par les paysans, pour s'assurer de la fertilité de la terre.

Turta. Pain rond et plat, ou *colac* particulier, à travers l'orifice duquel a lieu la première coupe rituelle des cheveux des garçons vers l'âge de un an, ce qui correspond à la reconnaissance du sexe de l'enfant par la communauté. À partir de ce moment, le garçon sera habillé différemment des filles.

Uitata (« l'oublié », « le pain des oubliés »). Pain de forme anthropomorphe utilisé pour la vénération des morts, des oubliés, de ceux qui sont privés d'offrandes pendant l'année. Selon la tradition, les morts dont la mémoire n'a pas été honorée pendant l'année reçoivent des offrandes le 9 mars, jour des Saints Martyrs. *Uitata* est un pain levé de forme et quelquefois de taille humaine, dont il manque les yeux, probablement pour éviter que les défunts auxquels le pain est dédié, par leur regard, ne fassent du mal à la communauté des vivants.

Iléana Gaita

• *Voir aussi :* Accouchement (pains d') ; Amoureux (pains d') ; Anniversaire (pains d') ; Calendriers et mesure du temps ; Grain et graine ; Morts (pains des) ; Musées du pain ; Museum der Brotkultur

Bibl. : Bernard DUPAIGNE, *Le Pain*, Paris, La Courtille, 1979 • I. GAITA, « Pâques en Roumanie. Quand les morts partagent le repas des vivants », in *Cuisines. Reflets des sociétés*, Paris, Sépia-Musée de l'Homme, 1996 • S. F. MARIAN, *Sarbatorile la români* (Les fêtes chez les Roumains), Bucarest, Fundatia Culturala Românа, 1994, vol. I-II. – *ID.*, *Asterea la români* (La naissance chez les Roumains), Bucarest, Grai si Suflet-Cultura Nationala, 1995. – *ID.*, *Nunta la romani* (Le mariage chez les Roumains), Bucarest, Grai si Suflet-Cultura Nationala, 1995. – *ID.*, *Inmormântarea la români* (Les funerailles chez les Roumains), Bucarest, Grai si Suflet-Cultura Nationala, 1995 • A. POPESCU, *Traditii de munca românesti* (Traditions du travail chez les Roumains), Bucarest, Stiintifica si Enciclopedica, 1986 • Ofelia VADUVA, *Pasi spre sacru. Din etnologia alimentatiei romanesti* (Des pas vers le sacré. Ethnologie de l'alimentation des Roumains), Bucarest, Enciclopedica, 1996. – *ID.*, Ofelia, *Magia darului* (La magie du don), Bucarest, Enciclopedica, 1997.

RUÉE VERS L'OR (La). – Voir DOCUMENTAIRES ET FILMS

RUSSIE (traditions du pain en). – Un proverbe russe dit : « Le pain passe avant tout » (Хлеб всему голова). Le mot russe qui signifie « pain » désigne aussi le seigle ou le blé en général, ou encore un moyen de subsistance, comme dans certaines expressions françaises. Le pain est, depuis le Xe siècle, l'aliment de base de tout repas et conserve aujourd'hui encore une place importante à la table quotidienne, où il accompagne tous les plats, depuis les soupes jusqu'aux pâtes. Autrefois, le pain rassis était même séché en prévision d'une famine. La valeur attachée à cet aliment est sensible dans la considération dont jouirent longtemps les boulangers, parfois même exemptés d'impôts… Synonyme de vie, le pain l'est aussi d'hospitalité (хлебосольство) : ce mot dérive du célèbre rite du pain et du sel (хлеб да соль) qui signifie la bienvenue, accompagne la naissance ou les noces. On présente à l'invité, à l'accouchée ou au jeune couple un grand pain décoré surmonté d'un trou empli de sel et porté sur une serviette brodée. Il s'agit de rompre un morceau du pain et de le tremper dans le sel avant de le manger.

À la base de l'alimentation figurent les pains noirs, comme le *Borodinski*, fait de farine de seigle blutée et contenant parfois des condiments : coriandre, mélasse, malt, vanille, sucre, son, voire topinambour ! De forme ronde ou rectangulaire, ils accompagnent les hors-d'œuvre, soupes et plats ; à leur goût aigrelet s'ajoute le parfum des épices éventuellement additionnées à la pâte. Le pain de seigle (parfois additionné d'orge, mais toujours sans sel) était consommé aussi bien par les seigneurs que par le peuple. On en tirait aussi une boisson fraîche très peu alcoolisée, le *kvas*. Pain de seigle et *kvas* sont attestés dans la consommation courante des Russes dès le Xe siècle, concurrencés seulement au XVIe-XVIIe siècle par l'usage de farine d'avoine. Le pain noir se vend traditionnellement dans les *pekarnia* (boulangeries) ; on en trouvait une forte concentration à Moscou dès le XVIIe siècle. Par opposition, c'est à la *boulotchnaïa* (mot à racine occidentale) que l'on trouve le pain blanc. À base de froment de plus ou moins grande qualité, il est plus cher que le pain noir et n'avait pas sa place à la table des pauvres jusqu'au début du XXe siècle. Au Moyen Âge, le pain fait de fleur de farine tamisée était l'apanage des boyards, voire du tsar. On réservait le froment à la confection des gâteaux de fête ou des hosties – qui donnèrent lieu à une controverse au XIe siècle, puisque la tradition byzantine prescrivait pour l'eucharistie un pain aigre, contrairement aux catholiques. Aujourd'hui, le pain blanc se présente sous la forme française d'une miche allongée (*baton*) ou sous d'autres aspects, notamment le petit pain (*kalatch*) et l'anneau (*boublik*). On le mange au petit déjeuner, en tartines.

En Russie, la production du pain s'est développée sur un terroir d'une exceptionnelle richesse agricole ; sur le plan géographique, on retrouve le dualisme entre le seigle (au nord) et le froment (au sud, notamment dans les plaines d'Ukraine, qui ont exporté jusqu'en Amérique leurs variétés de blé fertiles et résistantes). La Russie était le premier producteur mondial de blé avant la Grande Guerre. Après la révolution d'Octobre, la production du pain est devenue essentiellement industrielle, réalisée dans de grandes usines d'État. Ainsi, les boulangeries qui vendent du pain fabriqué sur place sont devenues très minoritaires (même à Moscou, on les compte sur les doigts d'une main), et seules survivent celles qui produisent en quantité. Très coûteux et prisés seulement par les riches citadins, les pains artisanaux à la française se révèlent peu rentables, à côté de ceux issus des usines appartenant à la municipalité et vendus dans des kiosques à des prix imbattables. Les fabriques russes de pain peuvent couvrir jusqu'à 5 000 ou 6 000 m^2 de surface, et utiliser 10 tonnes de farine par jour. On vend le pain par miches entières ou par portions, jamais au poids. Traditionnellement, le client peut tâter lui-même le pain à l'aide d'une cuillère en bois pour en vérifier la fraîcheur. Pendant la Seconde Guerre mondiale, la population russe a souffert de la pénurie et de la faim : au marché, un pain coûtait souvent l'équivalent de tout un salaire ; aussi beaucoup de femmes au foyer faisaient-elles leur propre pain, à base d'ivraie, de son et de pomme de terre plutôt que de vraie farine. À ces stratégies familiales d'autarcie s'ajoutait une campagne gouvernementale visant à lutter, par le biais de la propagande, contre le gaspillage de pain. Le siège de Leningrad est sans doute la tragédie la plus emblématique de cette disette : pendant tout le mois de décembre 1941, le pain fut rationné à 250 g pour les ouvriers et 125 g pour les autres habitants. Il n'est donc pas anodin que ce soit dans cette ville qu'ait été ouvert un musée du pain en 1988.

Sous l'influence culturelle occidentale, les Russes mangent désormais plus de viande aux dépens du pain ; le pain blanc tend aussi à se substituer au pain de seigle. Les boulangers russes importent des recettes françaises (baguette, pain de campagne, pain aux céréales, aux graines, au maïs…), s'essaient même à la *ciabatta* italienne, mais aussi créent des pains comme le *Napoboro* (au malt et à la coriandre). Les prix montent : en 2009, le pain est à 50 roubles pièce en moyenne, ce que certains Russes trouvent trop cher… L'État tente de réduire les prix, mais se heurte à la résistance des producteurs qui comptent sur d'importants bénéfices pour renouveler les machines, lesquelles parfois datent de l'époque soviétique, les techniques de production ayant peu évolué. Ainsi, alors que les prix augmentent, la qualité de la production tend à baisser : matières premières bon marché, additifs artificiels, techniques obsolètes, mauvaises conditions d'hygiène (40 % des 390 000 sites de production de boulangerie-pâtisserie ne seraient pas conformes aux normes sanitaires). Cependant, l'on continue à consommer du pain en grandes quantités, et l'exigence de qualité est telle que dans les cantines les moins raffinées il n'est pas rare que le pain soit le meilleur élément du repas !

Baton. Type du pain blanc russe industriel, fait de farine de froment. Les différentes sortes de *baton* ont toutes en commun leur forme ovale, qui s'oppose aux pains moulés en briques, mais qui, par sa largeur, rappelle davantage une miche qu'une baguette. Le plus souvent, l'adjonction de matière grasse végétale et de sucre donne à ce pain blanc un goût quelque peu brioché, ce qui le rend approprié pour les tartines et autres canapés. Un *baton* pèse environ 400 g.

Borodinski. Pain noir russe, à base de farine de seigle mélangée à de la farine de froment de seconde catégorie, et contenant du malt (qui lui donne sa couleur sombre et son élasticité) et de la mélasse (qui lui conserve son moelleux). Orge, babeurre et yaourt peuvent également rentrer dans sa composition. Le *Borodinski* est devenu, au XXe siècle, une spécialité de Moscou, dont les industries détenaient le monopole de sa fabrication dans les années 1920-1930. C'est de cette époque que date l'ajout de graines de coriandre qui lui confèrent son goût caractéristique, alors qu'auparavant on y substituait du cumin. Son nom évoque la bataille de Borodino contre Napoléon (1812). Plus noir et épicé que le *Darnitski*, il se présente lui aussi comme une brique d'environ 700 g, cuite dans un moule fermé d'abord, puis ouvert pour lui donner une croûte ferme.

Boulotchka. Nom de diverses sortes de pain blanc russe, à base de farine de froment. Généralement la forme est ronde (parfois en forme de fleur), la taille assez réduite (autour de 200 g), la texture très aérée et souple. La croûte elle-même est molle. En fonction des recettes, qui peuvent ajouter du sucre, du lait, des œufs, de la vanille, des graines de pavot, du malt, du seigle, etc., ce pain peut accompagner le sucré ou le salé.

Darnitski. Pain noir russe à base de farine de seigle mélangée à de la farine de froment blutée de première catégorie. Moulé en forme de parallélépipède (d'où son surnom populaire de « petite brique »), avec une mie de couleur grise, il se caractérise par son goût aigrelet. Un pain pèse 700 g.

Pain noir russe. Sous cette dénomination, on regroupe de multiples variantes d'un pain qui se présente sous forme de miches rondes ou ovales – donc non moulées – et volumineuses (650 g). La pâte, à base de seigle mêlé de froment, est fermentée ; on lui ajoute ordinairement de la mélasse (qui renforce la couleur sombre du pain) et des épices. Sa croûte est fine mais résistante. On en trouve diverses recettes dans de nombreux pays d'Europe de l'Est, notamment les pays Baltes.

Julia Wang

• *Voir aussi :* Azerbaïdjan ; Estonie ; Géorgie ; Kazakhstan ; Mongolie ; Musées du pain ; Museum der Brotkultur ; Pain (définition universelle du) ; Pains mondiaux ; Seigle (*Secale cereale*) ; Turkménistan

Bibl. : Youri Evguéniévitch PROKHOROV (dir.), *Большой лингвострановедческий словарь* (*Bol'choï lingvostranovedtcheski slovar'*), Moscou, AST-Press, 2007 • Voir aussi www.eurogerm.com/sophie-de-courtivron/articles/russie.pdf ; www.uniulm.de/LiLL/brot/beitraege/anikina_fr.html ; www.hleb.net

S

SABLIÈRE. – Voir SOMMIER

SAC À PAIN. – Pochette en tissu que les gens avaient coutume de porter chez le boulanger pour transporter et garder leur pain. Ce sac était réservé à l'usage exclusif du pain.

Mouette Barboff

• *Voir aussi :* Boulangerie contemporaine ; Coupe-pain ; File d'attente

SACCHAROMYCESCEREVISIAE. Voir LEVURE DE BOULANGER

SAGOU. – Sorte de farine gommeuse, ou de gruau, que produisent plusieurs espèces de palmiers qu'on trouve sous les tropiques, dans les régions marécageuses, et appelés sagoutiers. En Nouvelle-Calédonie comme en Papouasie, il est l'aliment de base des peuples de la forêt. De cette farine on tire le pain de sagou qui est cuit directement sur le feu (Malouin 1779).

Mouette Barboff

• *Voir aussi :* Outre-mer ; Pain (définition universelle du)

Bibl. : Paul Jacques MALOUIN, *Description et détails des arts du meunier, du vermicellier et du boulanger*, Paris, 1779.

SAINT-DOMINGUE. – Voir AMÉRIQUE LATINE ; CARAÏBES

SAINT-NICOLAS (pains de la). – La Saint-Nicolas, le 6 décembre, ouvre la période de la fête des enfants. En Suisse, à Zurich, on trouve des pains d'épices, *Lebkuchen*, en forme de cœur, destinés en cette période de l'année à apporter le bonheur dans la maison. Certains portent un poème : « La richesse ne fait pas le bonheur. La paix apporte la joie dans la maison. »

Dans le nord et l'est de la France, comme en Allemagne, en Belgique et en Hollande, c'est le grand Saint-Nicolas, juché sur sa mule, qui apporte les gâteaux et cadeaux aux enfants sages, tandis que son fidèle compagnon, le père Fouettard, réprimande ceux que leurs parents ont trouvés « méchants ». Dans tout l'est de la France, les parents offrent à leurs enfants de petits pains d'épices décorés d'une image imprimée en couleurs qui représente Saint-Nicolas et ses cadeaux. De même en Suisse, à Zurich et Saint-Gall. En Alsace, on offre des pains d'anis, *Springerle*, moulés dans une forme de bois. De nos jours, cette image du Saint-Nicolas collée sur les pains d'épices se transforme en un père Noël à la barbe blanche sur sa monture ; un père Noël qui porte encore la tiare des évêques, et une hotte remplie de cadeaux : Saint-Nicolas, qui a ramené à la vie les trois enfants découpés et mis à saler dans le grand saloir du charcutier, n'est pas oublié. À Metz, la Saint-Nicolas est encore fêtée par un cortège d'effigies carnavalesques de Saint-Nicolas et du père Fouettard, promenées à travers la ville. À Strasbourg, du 4 au 24 décembre, se tient une foire de Noël, où sont vendus les pains d'épices de Saint-Nicolas et de Noël.

En Belgique, en Hollande, en Allemagne et en Autriche, Saint-Nicolas et le père Fouettard sont mangés sous la forme de *speculoos*, délicieux sablés moulés dans des formes de bois sculpté en creux. La manufacture V. Collard, à Dinant, en Belgique, propose pour l'occasion des *couques* (faites davantage pour être regardées que mangées), de farine de blé et de miel, représentant le bon évêque, debout, tenant sa mitre et sa crosse, paré de tous ses ornements. De sa main droite levée en signe de bénédiction, il rend à la vie les trois enfants étendus à ses pieds. Une autre tradition, encore très vivante en Alsace, en Belgique, en Allemagne, en Suisse et en Autriche, est de représenter Saint-Nicolas sous la forme d'un bonhomme, fait de pain au lait. La signification de ces figurines a changé à travers les époques et les pays, car ils ont été interprétés aussi, en Alsace, comme « Bonhomme de la Saint-André » (fête le 30 novembre), où ils étaient confectionnés par les jeunes filles en quête d'un mari, ou offerts par le jeune homme à sa fiancée le jour de la Saint-André.

À Bruxelles, les boulangers assimilent leurs *cougnoux*, garnis de grains de raisins secs en guise de boutons, à un petit Jésus. Ce serait alors aussi les *bonshommes Noël*, apportant des friandises ou des cadeaux aux enfants. Dans le Nord de la France, on parle de *P'tits Jésus*. En Provence, le lendemain de Noël, le 26 décembre, jour de la Saint-Étienne, les parrains et les marraines confectionnaient des bonshommes de pâte à pain, *estève*, ou pain de Saint-Étienne, enrichis de sucre et d'huile d'olive, pour les donner à leur filleul. Dans les Vosges, les parrains offrent à la fin de l'année une brioche, *quenieu*, à leur filleul. La Saint-Étienne est également fêtée en Suisse, où l'on parle, à propos de ces figurines de pain, de *bonhomme Janvier ;* comme pour des bonhommes en pâtes, fabriqués autrefois à la maison dans le Languedoc, et en Autriche, des *père Janvier*, *couloun*, *coulon*, ou *estève*, vendus encore par les pâtissiers de la ville de Joyeuse à la fin de l'année. Vers 1950, au Canada français, on donnait encore comme étrennes aux petites filles un *catin* de pâte à pain cuite, modelée en forme de poupée.

Bernard Dupaigne

• *Voir aussi :* Antoine, saint ; Aubert, saint ; Figurines en mie et en pâte de pain ; Honoré, saint ; Isidore, saint ; Lazare, saint ; Noël (pains de) ; Nouvel An (pains du) ; Santon

Bibl. : Bernard DUPAIGNE, *Le Pain*, Paris, La Courtille, 1979. – *ID.*, *Le Pain de l'homme*, Paris, La Martinière, 1999 • Henri MASSÉ, *Croyances et coutumes persanes*, Paris, Maisonneuve, 1938 • Irène MÉLIKOFF, « Notes sur les coutumes des Alévis. À propos de quelques fêtes d'Anatolie centrale », *Quand le crible était dans* *la paille. Hommage à P. N. Boratav*, Paris, Maisonneuve, 1978 • Monette RIBEYROL, « Une collecte de pains rituels en Bulgarie », *Objets et Mondes*, X, nº 1, printemps 1970 • Paul SÉBILLOT, *Le Folklore de France*, 1904-1906 ; rééd. Paris, Omnibus, 2002 • Arnold VAN GENNEP, *Manuel de folklore français contemporain*, Paris, Picard, 1937-1958 ; rééd. sous le titre *Le Folklore français*, Paris, Robert Laffont, coll. « Bouquins », 4 vol., 1998 • Nicole VIELFAURE, Anne-Christine BEAUVIALA, *Fêtes, coutumes et gâteaux*, Le Puy, Christine Bonneton, 1978.

SAISI. – Voir FOUR

SAJ. – Voir PALESTINE ; SYRIE

SALIVE. – Voir BRÉER

SALON NATIONAL DE LA BOULANGERIE-PÂTISSERIE. – Voir BOULANGERIE (salons internationaux de la)

SALONS INTERNATIONAUX DE LA BOULANGERIE. – Voir BOULANGERIE (salons internationaux de la)

SANDWICH. – L'anecdote figure dans tous les dictionnaires : dans les années 1760, John Montagu, quatrième comte de Sandwich, aurait passé vingt-quatre heures d'affilée à une table de jeu et, plutôt que de s'arrêter pour manger, se serait fait servir de la viande entre deux tranches de pain. Ainsi serait né le sandwich (Davidson 2001). Consultons donc les sources de ce petit mythe fondateur. Il n'y en a qu'une et elle est d'ailleurs française : Pierre Jean Grosley (1718-1785), avocat et érudit de Troyes, publie quatre volumes sur Londres et l'Angleterre, où il a séjourné dans les années 1760. Il rapporte l'anecdote dans les termes suivants : « Un ministre d'État passa 24 heures dans un jeu public, toujours occupé au point que, pendant ces 24 heures, il ne vécut que de quelques tranches de bœuf grillé, qu'il se faisoit servir entre deux rôties de pain & qu'il mangeoit sans quitter le jeu. Ce nouveau mets prit faveur pendant mon séjour à Londres : on le baptisa du nom du ministre qui l'avoit imaginé pour économiser le temps. » L'ouvrage de Grosley est traduit en anglais en 1772 : l'histoire se diffuse ainsi de l'autre côté de la Manche. Deux siècles et demi plus tard, l'historien d'Oxford Nicholas Rodger publie une biographie du quatrième comte de Sandwich. Le biographe veut réhabiliter l'homme d'État, qui aurait été victime de ragots malveillants : rien dans les sources historiques n'indique que le comte de Sandwich ait jamais été joueur. En revanche, pendant la période envisagée, il était ministre et donc fort occupé : c'est probablement à sa table de travail, décide le biographe, qu'il se fit servir le fameux sandwich primordial et non à une table de jeu. Autrement dit, le moteur de l'invention ne fut pas le vice mais la vertu, pas le jeu mais le dévouement aux affaires du pays…

Si l'anecdote fondatrice est rapportée par un Français, la première mention écrite du « sandwich » au sens où nous l'entendons remonte à Edward Gibbon, célèbre historien anglais. Dans son journal, à la date du 24 novembre 1762, Gibbon note que, sortant du théâtre, il s'est rendu au *Cocoa Tree*, club de jeu et « maison de chocolat » en vogue à l'époque à Londres : « Ce corps respectable, dont j'ai l'honneur d'être membre, offre chaque soir un spectacle bien anglais. Vingt ou trente, peut-être, des premiers personnages du royaume en termes de renom ou de fortune, au milieu d'un salon de café, à de petites tables recouvertes d'un napperon, en train de souper d'un morceau de viande froide ou d'un Sandwich, arrosé d'un verre de punch. » C'est donc dans une élite aristocratique (celle qui, à l'époque, consomme du chocolat) que le sandwich fait son apparition, dans un contexte de club ou de cercle, c'est-à-dire une atmosphère de sociabilité et d'entre-soi, et à une heure tardive (l'après-théâtre). Le club, c'est en effet l'endroit où l'on est chez soi loin de chez soi, à l'abri des indésirables et des étrangers, où l'on peut échanger et se livrer de manière un peu informelle, traiter même, éventuellement, d'affaires publiques mais sur un mode officieux plutôt qu'officiel, dans le registre de la discrétion et de la confidence, le tout sur la base d'une complicité de classe, de clan et de sexe.

D'Angleterre, le sandwich passe aux États-Unis dans la première moitié du XIXe siècle : plusieurs recettes, notamment au jambon, à la langue fumée, au « marbré de veau » ou même au homard figurent dans un livre de cuisine publié à Philadelphie en 1840 (Leslie 1840). L'auteur mentionne qu'on peut les servir au déjeuner comme au dîner (*lunch or supper*) : le sandwich est donc bien ancré dans le repas.

Jusqu'au début du siècle suivant, il semble conserver des caractéristiques sociales plutôt élitaires – on le sert dans les clubs d'hommes d'affaires et on rapporte que le « club sandwich » aurait été inventé en 1894 dans un club de jeu de Saratoga Springs, station thermale au nord de l'État de New York (Writers' Program 1940).

L'ère de la « commodité » (*convenience*). Au XXe siècle, un progrès technique décisif rend possible la démocratisation rapide du sandwich aux États-Unis : l'invention, en 1928, du pain prétranché, ou plus exactement de la machine d'Otto Rohwedder qui permet sa production industrielle et qui coïncide avec le développement des *luncheonettes* et d'une restauration rapide bon marché (Levenstein 1993). Dans les années 1930 et 1940, dans les *drugstores* newyorkais, des comptoirs servent de plus en plus vite des sandwichs de plus en plus complexes : « la piece de resistance [*sic*, en français dans le texte] est le *three decker* [« trois niveaux »] toasté et qui renferme entre ses trois paliers des combinaisons inattendues et parfois un peu traîtresses : viandes froides, mixtures de poisson intitulées "salades", hamburger, bacon, fromage, gelées, beurre de cacahuètes, bananes, tomates, condiments divers […] » (Kurlansky 2002). Dans les grandes villes, New York, Chicago, Philadelphie, Los Angeles, s'est développée une véritable culture du sandwich, colorée par les apports « ethniques ». Un répertoire des « classiques » s'est constitué, avec des spécialités locales. New York et ses *delis* (*delicatessen*) distribuent un répertoire d'inspiration juive – les *Reuben sandwiches* (pain grillé, choucroute, *corned beef*, sauce *Russian* ou *Thousand Island*), les *hot pastrami sandwiches*, les *bagels* au *cottage cheese* et au saumon fumé. Ailleurs, l'inspiration est italo-américaine avec les spécialités de Philadelphie : *submarines*, *heroes* (d'une dimension héroïque), *hoagies*, pains longs garnis de diverses viandes, charcuteries, légumes, fromages et sauces. Le plus populaire aux États-Unis reste le classique sandwich au jambon (bien différent néanmoins du jambon-beurre français), suivi du *BLT* (*bacon lettuce tomato*).

Les décennies de l'après-guerre sont marquées par la croissance des nouvelles chaînes de fast food à partir des années 1950. Les plus connues se fondent sur un sandwich de plus en plus industrialisé, le hamburger, et une forme de distribution nouvelle, la franchise.

Depuis la fin du XXe siècle, la tendance n'a fait, pour l'instant, que s'accentuer : les recherches d'un institut d'études de marché américain spécialisé montrent que, en 2006, 11,1 % de tous les repas du soir à domicile comprennent un sandwich. L'auteur principal de l'étude déclare que le ressort principal des choix alimentaires aux États-Unis est toujours *convenience*, la commodité (NPD Group, 2006). Aux États-Unis, en 2009, « au déjeuner comme au dîner, le menu le plus populaire est le sandwich ; et la boisson numéro un est un soda » (Pollan 2009).

En France, le sandwich est resté longtemps confiné au casse-croûte ou au pique-nique avant de s'intégrer de plus en plus à la vie urbaine. À côté du « baguette-jambon-beurre-cornichon » des zincs parisiens, des chaînes de « sandwicheries » se sont développées à Paris et dans les grandes villes. Mais le sandwich n'a pas investi encore les foyers, comme aux États-Unis, en Grande-Bretagne et dans certains pays d'Europe du Nord. Il reste associé au travail ou à la nécessité (voyages, déplacements, excursions). On le verra plus loin, il reste, en France comme dans l'Europe du Sud (y compris sous ses formes italienne de *panini* ou espagnole de *bocadillos*) un *substitut* de nécessité du repas plutôt qu'un de ses constituants.

Le sandwich avant le sandwich. La paternité nominale de lord Sandwich est peu discutée ; mais de toutes parts on clame avoir identifié des formes bien antérieures de la « recette » : le comte n'aurait fait en somme que donner son nom à un enfant adopté… Jouons un instant le jeu de « la petite histoire » (la « plaie de l'histoire de l'alimentation », disait Jean-Louis Flandrin, un des fondateurs de cette dernière) et remontons très haut dans le temps, bien en amont de John Montagu. L'Ancien Testament rapporte les prescriptions divines faites à Moïse pour la célébration de la Pâque juive, Pessah, qui commémore la fuite d'Égypte : les Juifs, est-il écrit, la célébreront en mangeant « des pains sans levain et des herbes amères » (Nombres IX, 11). C'est en vertu de cette injonction que, au cours d'un repas hautement ritualisé, le seder, sont consommés notamment des « herbes amères » et du pain azyme, qui renvoient symboliquement à la souffrance éprouvée en Égypte, pendant l'Exode et à la liberté retrouvée. Hillel l'Ancien, docteur du judaïsme, contemporain de Jésus et l'un des initiateurs de la tradition talmudique, a soulevé un problème d'interprétation du texte biblique : faut-il manger les herbes amères et les azymes successivement ou ensemble ? Son interprétation est qu'il faut manger *ensemble* les aliments de la servitude et ceux de la libération car « la libération n'est pas entière sans le souvenir de la servitude»... Au fil du temps et des communautés, la pratique varie; mais aujourd'hui cette séquence du seder est souvent appelée «le sandwich de Hillel». Elle va même jusqu'à se perfectionner dans un registre quasiment gastronomique : une recette de *Hillel sandwich* figure avec sa photographie dans un blog gastronomique à la gloire du *gourmet sandwich* mis en ligne par des amateurs de Philadelphie : le raifort traditionnel (*maror*, l'herbe «amère»), le *'haroseth* (une sorte de chutney composé de fruits secs, de pomme et d'une réduction de vin doux) y sont présentés entre deux plaques de pain azyme.

On donne aussi souvent au sandwich une ascendance médiévale : au Moyen Âge, les mets solides ne sont pas consommés dans des assiettes mais sur des tranches de pain rassis que l'on nomme «tranchoirs» et qui sont eux-mêmes posés sur des «tailloirs» en bois ou en métal (Laurioux 2002). Un auteur, recensant les textes anglais d'une période plus récente (XVIe et XVIIe siècles), relève d'autre part un grand nombre d'occurrences dans lesquelles il est question de *bread and meat* ou *bread and cheese* et en conclut que «ainsi se nommait le sandwich avant qu'on l'appelle sandwich» (Morton 2004).

Ontologie du sandwich. On peut sans doute intégrer le tranchoir puis le *bread and meat* anglais dans une généalogie du sandwich. Mais on peut aussi noter que, dans le monde anglophone et une bonne partie de l'Europe du Nord, la conception dominante semble être plus extensive qu'en France : on nomme ainsi *open-face sandwich* ou *open sandwich* (sandwich «ouvert») ce que nous nommerions une tartine. Inversement, le *club sandwich* peut ajouter un ou plusieurs étages à la superposition initiale (mayonnaise sur pain toasté, laitue, tomate, bacon, blanc de volaille ou de dinde, éventuellement sur deux étages; le sandwich est coupé en diagonale et chaque triangle est maintenu par des piques). Mais ici se pose la question ontologique : qu'est-ce qui fait qu'un sandwich est sandwich? L'essence du sandwich réside-t-elle dans ses ingrédients (pain et viande par exemple) ou dans sa *structure* (une garniture entre deux morceaux, une couche entre deux couches)? Un sandwich à une seule tranche de pain ne serait-il pas comme «un couteau sans manche auquel manque la lame»?

Un tribunal américain a tranché la question de manière restrictive. Il s'agissait de déterminer si une clause de non-concurrence inscrite dans le règlement d'un centre commercial s'appliquait ou non : une sandwicherie considérait que l'ouverture d'un restaurant de *burritos* mexicains (rouleaux de *tortillas* fourrés) violait cette clause. Mais le juge du tribunal de Worcester (Massachusetts), s'appuyant sur les témoignages d'un chef de Boston connu pour ses compétences historico-culinaires, d'un expert du Département de l'agriculture et sur la consultation du dictionnaire Webster, a conclu que le *burrito*, constitué d'une seule *tortilla* roulée, ne semblait pas répondre à la définition commune du sandwich, qui repose fondamentalement sur «la présence de deux tranches de pain» (Abelson 2006).

Le sandwich dans la culture. Quelle que soit la version du mythe d'origine retenue, le sandwich, à l'analyse, remplit une fonction de compression. Il comprime dans le temps et l'espace les composants et ingrédients d'un repas. Il peut réduire le manger à sa fonction de pure sustentation, de reproduction de la force de travail, le rendre compatible avec toutes sortes d'autres activités (le travail ou, dans l'anecdote de lord Sandwich, le jeu) en s'effaçant derrière elles, alors que le repas formel à la française, lui, les exclut. Il comprime le temps en le ramenant en somme à l'espace : la séquence du repas, au lieu de se dérouler dans la durée, s'empile verticalement, entre (au moins) deux tranches de pain. C'est particulièrement le cas dans le *club sandwich*, le hamburger ou tous autres sandwichs superposant plusieurs strates : tout se passe comme si la séquence du repas était présentée simultanément, non plus du début à la fin mais de bas en haut : un *digest*, en somme, du repas.

À vrai dire, c'est tout l'espace que le sandwich ouvre au mangeur : il peut aussi libérer le manger de l'emprise de la table et donc, du même coup, des règles et rituels du partage et de la commensalité. Dans les débuts anglo-américains et élitaires du sandwich, on a vu que la table commune subsistait. Mais elle introduisait une forme de commensalité particulière : la commensalité sans le partage. Le sandwich est en effet une portion individuelle, et qui n'est pas conçue pour être partagée : elle est alors simplement, si l'on peut dire, co-consommée. Les gentlemen du *Cocoa Tree* soupent « à de petites tables », sans formalité car sans rite de partage : c'est à chacun selon son désir et sa fantaisie. Pas de rituel de découpe, de service, de flambage ou autre : on partage une table, un petit repas, mais ni un plat ni un menu. Nous avons montré ailleurs (Fischler et Masson 2008) qu'il existe au moins deux conceptions occidentales de la commensalité. L'une, plutôt observée dans les cultures marquées par la tradition catholique, est de type communiel : le repas est une communion, un partage qui engage tous les convives et dans lequel l'individu s'efface et se fond dans l'expérience et le rituel quasiment eucharistique de la table. L'autre, progressant partout mais typique des cultures de tradition protestante, est plutôt de type contractuel, au sens où ce sont des individus aux droits et à l'autonomie reconnus qui décident de passer un moment ensemble en respectant avant tout la volonté et les préférences individuelles des parties en présence. Cette dernière forme de commensalité est bien celle que l'on voit à l'œuvre avec les premiers sandwichs du *Cocoa Tree* : ces petits soupers ne sont pas des rituels communiels mais des parenthèses de complicité, des sas d'informalité communicante dans une culture et une société très hiérarchisées, cloisonnées et formalistes.

Plus tard, le sandwich permettra une autonomisation plus grande et plus complète encore : il permettra de s'écarter purement et simplement de la table, donc d'échapper à la commensalité, de faire venir la nourriture à soi où que l'on soit, dans le travail ou le loisir, d'accéder à ce que l'on nommerait aujourd'hui une alimentation nomade. À vrai dire, plutôt que de nomadisme alimentaire (les nomades, autant que les données anthropologiques permettent de le dire, ont plutôt tendance à s'arrêter pour manger), il faudrait parler d'alimentation « multitâche » (*multitasking*) : la principale caractéristique de ce mode d'alimentation, c'est que le manger cesse d'être une activité sociale *sui generis*, incompatible avec toute autre car revêtant une dimension publique, et suit au contraire l'individu dans toutes ses actions et ses occupations, se privatise. C'est bien le « multitâche » qui rencontre initialement une opposition dans les cultures et les couches sociales les plus traditionnelles : les bonnes manières, alors, interdisent de « parler la bouche pleine », c'est-à-dire de parler et manger en même temps, de téléphoner en mangeant, de lire en mangeant, de se lever de table, de bouger ou de marcher en mangeant, à plus forte raison de manger en pratiquant toute autre forme d'activité. Le sandwich et sa postérité (dont une partie du fast food, en particulier le hamburger) ignorent ces incompatibilités.

Le sandwich est polyvalent et polyfonctionnel : il peut se consommer à table comme hors de table. Il introduit en somme le mangeur à une liberté, une autonomie individuelles : celle de s'extraire de la contrainte commensale, de la communion obligée que représente autour de la table chaque repas formel. Dans certaines cultures, on s'oppose à l'avancée de cette individualisation ou on la regrette ; dans d'autres, on la pratique (quitte à la blâmer ou la regretter en paroles). C'est là le mérite que lui reconnaît Woody Allen, en conclusion du pastiche d'essai « biographique » qu'il consacra un jour au « génial inventeur du sandwich » : après avoir, des décennies durant, tâtonné (« trois tranches de pain superposées sont un échec retentissant ; une tranche de dinde sur deux tranches de pain rencontrent un succès d'estime »), lord Sandwich meurt adulé par toute l'Europe intellectuelle. À ses obsèques, fantasme Woody Allen, « le grand poète allemand Hölderlin résume les grandes choses accomplies avec une révérence non dissimulée : "Il a libéré l'humanité du déjeuner chaud. Nous lui devons tant" » (Allen 1966). Côté français, un autre humoriste, Pierre Dac, semblait moins sensible aux enjeux civilisationnels en communiquant sa recette d'un sandwich au pain : une fine tranche de pain entre deux belles tranches de pain. Par temps pluvieux, on peut la remplacer par une tranche de gabardine.

Claude Fischler

• *Voir aussi :* Baguette ; Hamburger ; Matsah et hamets ; Pain grillé ; Panino → Italie ; Tartine ; Tortilla → Mexique ; Tartine ; Tranchoir et tailloir

Bibl. : J. ABELSON, « Arguments spread thick – Rivals aren't serving same food, judge rules », *The Boston Globe*, 10 novembre 2006 (consultable sur le site www.boston.com/business/articles/2006/11/10/arguments_spread_thick/) • W. ALLEN, « Yes, but can the steam engine do this ? », *The New Yorker*, 8 octobre 1966, p. 52-53 • A. DAVIDSON, « Le sandwich d'un joueur », in J. Csergo (dir.), *Casse-Croûte*, Paris, Autrement, 2001, p. 74-88 • C. FISCHLER, E. MASSON, *Manger – Français, Européens et Américains face à l'alimentation*, Paris, Odile Jacob, 2008 • E. GIBBON, *Gibbon's Journal to January 28th, 1763 : My Journal I, II & II and Ephemerides*, Londres, Chatto & Windus, 1929 • P. J. GROSLEY, *Londres*, Neuchâtel, Aux dépens de la Société typographique, 1774, vol. 1 • M. KURLANSKY, *The Food of a Younger Land*, New York, Riverhead Books, 2002 • B. LAURIOUX, *Manger au Moyen Âge*, Paris, Hachette Littératures, 2002 • E. LESLIE, *Directions for Cookery, in Its Various Branches*, Philadelphia, E. L. Carey & A. Hart, 1840 • H. LEVENSTEIN, *Paradox of Plenty – A Social History of Eating in Modern America*,

New York, Oxford University Press, 1993 • M. MORTON, « Bread and Meat for God's Sake », *Gastronomica*, vol. 4, nº 3, 2004 • NPD Group, *Convenience Trumps Health as the Driving Force behind How America Eats*, Rapport annuel, 24 octobre 2006 (consultable sur le site www.npd.com/press/releases/press_061024a.html) • M. POLLAN, « Out of the kitchen, onto the couch », *The New York Times*, 2 août 2009 (consultable sur le site www.nytimes.com/2009/08/02/magazine/02cooking-t.html) • WRITERS' PROGRAM, New York S, *New York : A Guide to the Empire State*, New York, Oxford University Press, 1940 • Voir aussi : http://unbreaded.com/2009/04/08/history-meets-horseradish-with-passovers-hillel-sandwich.

SANDWICH (salon du). – Voir BOULANGERIE (salons internationaux de la)

SANDWICHERIE. – Voir SANDWICH

SANTÉ. – Une partie de l'humanité mange du pain et l'homme partage avec le pain une longue histoire. L'intérêt du pain comme aliment de base a fait ses preuves depuis longtemps. Dans ces conditions, il peut paraître étonnant de se poser encore, au début du XXIe siècle, la question de la valeur santé du pain. Cette interrogation sur la qualité nutritionnelle du pain est en fait très légitime, puisque le pain blanc que nous consommons est très différent du pain bis au levain consommé depuis des millénaires. Tout a changé en moins d'un siècle : la nature des variétés de blé pour la production de farines plus riches en gluten et plus aisément panifiables ; les procédés de mouture, puisque les appareils à cylindre ont largement supplanté les meules de pierre, avec pour résultat l'obtention de farines plus blanches, dépourvues de fragments d'enveloppes et de germes ; le pétrissage mécanique, toujours plus puissant que le pétrissage manuel ; l'utilisation de levure pour faire lever rapidement la pâte, à la place d'un levain naturel ; la teneur du sel beaucoup plus élevée pour donner du goût à un pain devenu bien fade ; la liste des améliorants couramment utilisés en boulangerie tels que l'acide ascorbique, l'amylase fongique, le gluten, totalement absents dans la panification ancienne ; le temps de fermentation abrégé, le mode de cuisson et même la forme des pains en baguette ; au final, un pain plus blanc et plus aéré que son ancien parent au levain. La valeur santé du pain peut-elle être affectée par toutes ces modifications technologiques et quels sont les problèmes qu'il convient absolument de corriger ?

La valeur santé d'un aliment peut être évaluée par des enquêtes épidémiologiques, ou par une analyse de sa composition en nutriments et de ses divers effets métaboliques. Depuis longtemps, les enquêtes ont pu montrer le rôle des glucides complexes (amidon et fibres alimentaires) dans la prévention du diabète, des pathologies cardio-vasculaires, voire de certains cancers. Plus précisément, il est préférable que les aliments gardent leur richesse en micronutriments ; c'est ainsi que la consommation de produits céréaliers plus complets est plus favorable au maintien de la santé que celle du pain blanc ou de produits trop raffinés. Ainsi, le ministère de la Santé, dans son Programme national nutrition santé (PNNS), de même que l'AFSSA dans son rapport sur « Glucides et santé » recommandent une évolution de l'offre en produits céréaliers et en pain vers des produits plus complets. Au-delà de ces grandes lignes, les nutritionnistes se sont interrogés sur les effets digestifs et métaboliques du pain et sur son rôle dans la couverture des apports nutritionnels conseillés. Pour exercer pleinement ses effets bénéfiques, le pain doit apporter suffisamment de fibres alimentaires fermentescibles, son amidon doit être absorbé lentement et il doit contenir suffisamment de minéraux et de micronutriments biodisponibles. Lorsque l'on consomme trop de glucides sous forme de sucres simples ajoutés, de pain blanc, on prive l'organisme des facteurs de protection apportés par les fibres alimentaires et les micronutriments. Pour communiquer sur la densité nutritionnelle, la filière blé-farine-pain peut s'appuyer sur la définition des types de farine, or cette possibilité a jusqu'ici été très peu exploitée. La connaissance du type permet de connaître non seulement la teneur en minéraux des farines, mais indirectement aussi celle des fibres alimentaires, des vitamines et des autres micronutriments. Pour l'instant, les meuniers et boulangers ont préféré communiquer sur l'index glycémique plutôt que sur le type de farine, ce qui les aurait obligés à réduire l'utilisation des farines blanches. L'index glycémique décrit la capacité d'un aliment à élever fortement la concentration de glucose dans le sang. Il est mesuré chez des sujets à jeun qui reçoivent des quantités équivalentes de glucides sous forme de glucose ou de pain.

Parce qu'on a longtemps attribué au pain blanc un très mauvais index glycémique, la filière s'est attachée à juste titre à montrer que le pain de tradition avait un index glycémique relativement modéré. Il existe un lien assez étroit entre la masse volumique du pain et l'index glycémique. Plus un pain est léger et aéré, plus il aura un mauvais index glycémique, presque analogue au glucose pur. Les fibres du pain complet n'enchâssent pas le grain d'amidon pour le protéger de l'amylase pancréatique, si bien que la présence de son dans le pain ne suffit pas à baisser son index glycémique. Le pain complet ou le pain de tradition française présentent un meilleur index glycémique (autour de 60) que le pain blanc courant (supérieur à 80), dans la mesure où ils sont moins levés. La plupart des pains au levain sont plus denses que le pain blanc. De plus, ils contiennent des acides organiques qui contribuent aussi à réduire l'index glycémique. La panification au levain est donc un des meilleurs moyens d'abaisser celui-ci. Il a été aussi prouvé que l'intensité du pétrissage affectait la qualité nutritionnelle et l'index glycémique du pain, ce qui tendrait à laisser penser que les pains de demain seront certainement moins aérés que ceux de la deuxième moitié du XXe siècle. L'amélioration de l'index glycémique du pain (rendu responsable de faire grossir) pourrait ainsi contribuer à relancer sa consommation.

Le pain peut être une source de calories superflues, comme tant d'autres aliments, mais il a l'avantage de ne contenir ni sucres, ni graisses. On sait également que les glucides sont moins efficaces que les acides gras des lipides pour le stockage des graisses. En revanche, les glucides vite absorbés (et donc le pain courant) jouent un rôle stimulant, *via* la sécrétion d'insuline, pour faciliter le dépôt des graisses alimentaires. Certes, avant de réduire le pain, il est préférable de limiter les quantités de beurre sur la tartine ! Cependant, dans une optique de bonne nutrition, il importe de ne pas exposer l'organisme à une charge glycémique trop élevée. Celle-ci est le résultat du produit de l'index glycémique par les quantités de glucides ingérées. Les sujets exposés à des charges glycémiques élevées ont tendance à mal réguler leur prise alimentaire et, de plus, la synthèse de graisse est stimulée dans les tissus adipeux. Diverses enquêtes épidémiologiques indiquent également que les populations habituées à ces régimes hyperglycémiants ont une plus forte prédisposition au diabète et aux maladies cardio-vasculaires. Pour que la consommation de pain soit pleinement bénéfique, il doit donc posséder un bon index glycémique. Cependant, une consommation élevée de pain est d'autant mieux tolérée que le restant du régime est peu gras ; par ailleurs, le pain gagne à être accompagné d'un environnement riche en micronutriments plutôt que d'aliments sources de calories vides (sucres et matières grasses réunies).

Le pain ne doit pas perturber le métabolisme, il doit également assurer un bon fonctionnement du tube digestif et être bien toléré. La nature des fibres alimentaires et du gluten joue un rôle clé dans la tolérance digestive du pain. La nature des fibres de l'amande farineuse et celle des enveloppes (son) sont très différentes. Les hémicelluloses (arabinoxylanes) de la farine blanche sont plus fermentescibles que celles du son, moins digestibles. Ces arabinoxylanes donnent du collant à la pâte et sont plus abondantes dans la farine de seigle que dans celle du blé. D'autres types de fibres, tels que les bétaglucanes, sont abondants dans l'orge et dans l'avoine. Toutes ces fibres exercent des effets physiologiques remarquables à la fois dans l'intestin grêle et le côlon. Manger du pain de seigle, du pain multicéréales contenant de l'orge et de l'avoine, ou du pain complet de blé peut aider à l'élimination digestive du cholestérol. Quelle que soit son origine (produits animaux ou synthèse endogène de l'organisme), le cholestérol n'est pas brûlé en CO_2 par l'organisme, mais éliminé par la voie digestive. Nous avons besoin des fibres alimentaires les plus solubles pour assurer cette élimination digestive. La présence de fibres permet également d'entretenir des fermentations symbiotiques dans le côlon, de régulariser le transit digestif et de favoriser l'état de satiété. Pour être munis d'une bonne flore microbienne, éviter les problèmes de transit digestif et disposer de mécanismes efficaces pour nous signifier que nous avons assez mangé, nous avons intérêt à l'évidence de consommer du pain de blé suffisamment riche en fibres, fait avec des farines complètes ou semi-complètes, voire du pain de seigle toujours très riche en fibres. Il faut noter qu'une partie des fibres céréalières est plus lentement fermentée que celles des fruits et légumes, ce qui est intéressant pour la physiologie du gros intestin. Pourtant, certaines personnes semblent mal tolérer le pain complet ou d'autres pains riches en fibres. Il semble que la tolérance digestive soit facilitée par des pains très hydratés et au levain et aussi par une consommation progressive et régulière de pain complet.

Le pain souffre parfois d'un certain discrédit à cause de sa richesse naturelle en gluten. S'il s'agit de maladie cœliaque, toute source de gluten doit être exclue. Pour les autres personnes susceptibles de présenter des intolérances digestives au gluten, la meilleure recommandation est de modérer la consommation de pain et de ne consommer que du pain au levain, puisque cette fermentation transforme partiellement le gluten. L'intérêt des produits céréaliers complets pour la couverture des minéraux a souvent été mis en doute du fait de la présence de l'acide phytique. Or l'acide phytique est presque entièrement dégradé si la pâte est très hydratée, le pH abaissé vers 5,5, donc avec une fermentation au levain, ou une longue fermentation à la levure. Lorsqu'une partie de l'acide phytique subsiste, son impact sur la digestibilité des minéraux demeure modeste ; de plus, ce composé exercerait un effet protecteur au niveau du côlon, en piégeant le fer en particulier. Récemment, il a été montré que les produits céréaliers complets sont des sources remarquables de donneurs de méthyl (bétaïne, choline, folates), qui sont des facteurs lipotropes (facilitant l'élimination ou la dégradation des graisses). Ces molécules jouent ainsi un rôle dans la protection cardio-vasculaire, en particulier en abaissant l'homocystéine. Plus le pain est complet, plus il est riche en vitamines B, dont on connaît le rôle au niveau métabolique et en particulier pour le bon fonctionnement cérébral. Les polyphénols présents dans les sons ou le germe semblent peu disponibles, mais ils exercent sans doute des effets protecteurs au niveau digestif. Les céréales comprennent bien d'autres composés potentiellement protecteurs : vitamine E, tocotriénols, phytostérols, alkylrésorcinols, policosanols, encore bien peu étudiés. Le pain complet fait partie des aliments riches en phosphore, magnésium, manganèse, fer. Il est souvent trop riche en sel, or la difficulté d'élimination du sodium participe à l'hypertension.

Au final, la qualité nutritionnelle du pain pourrait être entièrement satisfaisante, si on corrigeait les nombreuses dérives qu'il a subies au XXe siècle : dérive vers des farines blanches trop appauvries en fibres et micronutriments, dérive vers des pains trop aérés de mauvais index glycémique, dérive des fermentations trop rapides à la levure, dérive de la surcharge en sel. Sur le plan nutritionnel, un pain type 80 au levain ou avec une longue fermentation à la levure semble optimal. En matière de pain, la recherche du goût et de la valeur santé peut être compatible si le pain n'est ni trop levé ni trop salé. Lorsque ces deux paramètres sont mal maîtrisés, le pain devient un aliment secondaire, qu'il faut consommer avec modération, comme le fait l'immense majorité des Français.

Christian Rémésy

• *Voir aussi :* Acide ascorbique ; Acide acétique ; Acide lactique ; Acide phytique ; AFSSA ; Amidon ; Amylase fongique ; Arabinoxylane ; Bactérie lactique ; Bêta-glucane ; Fermentation panaire ; Fibres ; Index glycémique ; Levain panifiable (approche microbiologique) ; Magnésium ; Maladie cœliaque ; Phosphore ; Types de farine → Farine

Bibl. : Christian RÉMÉSY, *Alimentation et santé*, Paris, Flammarion, coll. « Dominos », 1994. – *ID.*, *Les Bonnes Calories*, Paris, Flammarion, coll. « Dominos », 1996. – *ID.*, *Que mangerons-nous demain ?*, Paris, Odile Jacob, 2005.

SANTON. – En Provence, les santons sont des petites figurines, originellement en mie de pain et plus tard en argile crue et peinte, qui viennent peupler la crèche de Noël. Ils représentent la Sainte Famille et les habitants du village, le maire, le tambourinaire, les artisans, les bohémiens, l'ange, etc. Les santons sont moulés, mais il faut mouler à part les objets portés qui sont ensuite rattachés à la barbotine. Certains de ces personnages sont incontournables, comme la porteuse de pompe qui apporte à Jésus cette grosse galette ronde, plate, à l'huile parfumée, que l'on doit rompre à la main ; Pistachié, le grand dadais, chargé de deux paniers débordants de pompes et de galettes ; le porteur de vin cuit, indispensable élixir dans lequel on doit tremper la pompe.

Mouette Barboff

• *Voir aussi :* Figurines en mie et en pâte de pain ; Noël (pains de) ; Saint-Nicolas

SAPE. – Petite faux à manche court et coudé, à lame recourbée à son extrémité, utilisée pour moissonner. Elle a pour complément un crochet formé d'un manche en bois auquel s'adapte un crochet en fer. Le moissonneur tient d'une main le crochet et isole la quantité de tiges qu'il coupe avec la sape ; puis, avec les deux outils, il dépose les tiges coupées en javelles sur sa gauche.

Mouette Barboff

• *Voir aussi :* Faucille ; Faux ; Javelage et javelle ; Moisson ; Moissons (symbolique des)

SARRASIN (*Fagopyrum esculentum*). – Le sarrasin constitue le genre botanique *Fagopyrum esculentum* (du grec *fagus*, « hêtre », *pyrum,* « blé ») originaire de l'est de l'Asie (Mandchourie, Sibérie orientale) et appartient à la famille des polygonacées comme la rhubarbe, l'oseille et la renouée. Les premières indications bibliographiques sur l'introduction de cette plante en France datent du XVe siècle. Deux espèces sont cultivées : le sarrasin argenté dit « blé noir » (*Fagopyrun esculentum*), allogame (presque complètement autostérile) et entomophile (bourdons et abeilles), et le sarrasin de Tartarie (*Fagopyrum tataricum*), totalement autogame, utilisé comme fourrage, mais aussi comme source de rutine (utilisée en pharmacologie comme vasodilatateur pour les maladies cardio-vasculaires). Dès 1839, deux types sont différenciés dans le sarrasin commun à grain noir, le petit, arrondi (*Fagopyrum esculentum*), considéré comme le meilleur, et le gros, anguleux, « bon surtout pour les animaux » (Tsvetoukhine 1952). Mais, d'après les recherches effectuées par une équipe spécialisée dans les études palynologiques, l'introduction du sarrasin dans le Val de Loire et en Bretagne serait bien plus ancienne que le XVe siècle. Cette équipe a trouvé, dans des tourbières, des grains de pollen fossilisés datant de 6000 av. J.-C. (Visset *et al.* 2002). Après la Seconde Guerre mondiale, parmi les *Fagopyrum esculentum*, le sarrasin argenté, à grain gris, introduit en France vers 1877 par Vilmorin-Andrieux et propagé dans l'Ouest par Rieffel, représentait le groupe le plus cultivé. Son grain, ou akène, à faces bombées contient une plus forte proportion d'amande. En 1952, ce serait le seul type cultivé en France. Le travail de sélection de V. Tsvetoukhine à l'INRA de Rennes a été conduit « en vue de l'obtention d'une forme courte et arrondie du grain » par une « sélection massale basée sur la forme, la couleur, la grosseur du grain, la fertilité des plantes» avec, pour matériel végétal de départ, une population de pays (ensemble de plantes ayant évolué dans un même milieu sous l'action de l'homme et du milieu, ressemées chaque année en mélange pour une production agricole) de sarrasin argenté cultivée dans le nord de l'Ille-et-Vilaine. Commencé en 1947, il a abouti en 1955 à la création de la variété population (variété composée d'individus se ressemblant suffisamment pour être décrites et certifiées pour la commercialisation, contrairement à la population de pays, dont les semences ne sont pas officiellement commercialisées) «Saint Grégoire» qui sera renommée «La Harpe». C'est toujours la variété la plus cultivée en 2010.

Le sarrasin valorise bien les terres pauvres et acides. En culture principale, il est semé en mai et en culture dérobée de fin juin à fin juillet. Cette culture, conduite sans intrants chimiques, convient aussi bien sur des terres nouvellement mises en culture que sur des landes. Elle est à considérer comme une culture nettoyante, qui ne nécessite pas de désherbage de par ses propriétés allélopathiques et sa croissance très rapide qui lui permet d'étouffer les adventices. Bien que la culture soit de cycle court, «plante de 100 jours», sa période florale est longue, environ 50 jours, car sa floraison est de type indéterminé. Une bonne fécondation demande des conditions humides et fraîches. Le sarrasin fournit un miel rare et de grande qualité. En France, le blé noir a connu son apogée au milieu du XIXe siècle : il couvrait 750 000 ha en 1862. De cette date à 1990, il a connu une régression constante (3 200 ha en 1989), le rendement moyen par hectare restant à peu près constant, environ 15 quintaux par hectare. Un renouveau s'est amorcé au début des années 1990 en Bretagne (farine) et dans le Centre (couvert à gibier pour réserve de chasse), et il occupe entre 5 000 et 10 000 hectares en 2008 dont 3 000 en Bretagne, qui développe une IGP (Indication géographique protégée) car 80 % des 12 000 tonnes consommées sont importées (Chine, Canada, Russie, Pologne et Ukraine). L'utilisation de *Fagopyrum esculentum* pour la farine lui vaut son classement dans le groupe des céréales («blé noir»), alors qu'il a la particularité, comme le quinoa, de ne pas être une graminée. Dépourvu de gluten, c'est la seule céréale qui ne soit pas déficitaire en lysine. Il est consommé en alimentation humaine sous forme de crêpes en Basse-Bretagne et de galettes en Haute-Bretagne, de polenta noire et pains spéciaux en Italie, de pâtes alimentaires (nouilles *soba*) au Japon, de semoules dans les pays himalayens et en Bretagne (*kig ha farz*), et de grains décortiqués en Pologne et Russie (*kacha*). Depuis 1990, sa farine est aussi utilisée dans la fabrication de bière. Enfin, un whisky pur malt est commercialisé en Bretagne depuis 2002. Les balles de sarrasin servent à la confection d'oreillers. Le *Fagopyrum tataricum* est utilisé comme fourrage, mais doit être consommé avec modération (fagopyrisme du mouton). Il est souvent présent comme impureté dans les lots de grains importés de *F. esculentum* et donne de l'amertume aux farines. Il contient notamment de la rutine.

Bernard Rolland

• *Voir aussi :* Bière ; Céréales ; Céréales sauvages aux premières formes domestiques (des) ; Gluten

Bibl. : P. BOISCHOT, H. HURIEZ, J. HERVIAUX, « La culture du sarrasin », *Annales agronomiques*, n° 13, 1943, p. 130-136 • F. LE COCHEC, « Description, culture et utilisation du sarrasin cultivé (*Fagopyrum esculentum* Moench.) », *Notice bibliographique*, INRA, 6 p. ronéo, 1980 • B. ROLLAND, « Note sur l'origine de la variété population de sarrasin argenté (*Fagopyrum esculentum*) La Harpe », INRA de Rennes, *Symbiose*, n° 114, juin 2007 • V. TSVETOUKHINE, « Le sarrasin et ses possibilités d'amélioration », *Annales de l'amélioration des plantes*, INRA, série B, n° I, 1952, p. 99-115 • L. VISSET, A.-L. CYPRIEN, N. CARCAUD, A. OUGUERRAM, D. BARBIER, J. BERNARD, « Les prémices d'une agriculture diversifiée à la fin du Mésolithique dans le Val de Loire (Loire armoricaine, France) », *Compte rendu Palevol*, n° 1, 2002, p. 51-58.

SASSAGE. – Voir SASSEUR

SASSEUR. – Appareil de classement granulométrique et densimétrique des semoules issues de la mouture. Le produit avance sur des tamis de différentes ouvertures dans un courant ascendant réglable. Le sasseur permet alors de distinguer les semoules pures des semoules plus ou moins vêtues (semoules sur lesquelles adhèrent des fragments d'enveloppe). Les sasseurs sont principalement utilisés de nos jours dans les semouleries de blé dur.

Philippe Duret

• *Voir aussi :* Enveloppe ; Meunerie ; Mouture ; Semoule ; Semouliers ; Tamis

SATURNE, dieu de l'agriculture. Saturne, exilé de son pays, vogue sur la mer jusqu'à son accostage quelque part sur les côtes italiennes ; là, il rencontre Janus, qui lui offre son hospitalité et, ayant appris de lui « l'art de l'agriculture et celui de perfectionner les aliments qui étaient grossiers et sauvages avant que l'on connût l'usage des produits de la terre, partagea avec lui la couronne ». C'est ainsi que Macrobe décrit l'arrivée en Italie de Saturne, qui est supposé être la version romaine du dieu grec Cronos. Janus et Saturne auraient régné des siècles avant la fondation de Rome, et chacun d'eux aurait été gratifié d'un culte religieux important. Saturne, « pour avoir amélioré le sort de la vie », est honoré lors des saturnales, qui ont lieu en décembre sous forme de réjouissances populaires, mais aussi sous la forme d'un culte mystique – dont nous ne connaissons pas la portée –, tandis que Janus est célébré au mois de janvier et, avec son double visage, il observe ce qui s'est passé et ce qui va advenir. La faux, symbole du parricide de Cronos, ayant émasculé Uranus, son père, deviendra en Italie, par décision de Janus, l'emblème de la moisson, dont Saturne fut l'initiateur. « On lui attribue l'invention de la greffe, l'éducation des arbres fruitiers et toutes les pratiques d'agriculture de ce genre. » Les Romains l'appellent aussi Sterculus, « parce qu'il a le premier fertilisé les champs par le moyen du fumier ». Ainsi, Saturnus, fils d'Uranus et de Tellus, la Terre, restera chez les Italiotes – comme son nom l'indique (*satus*, « semence », *sata*, « semailles ») – le « dieu des semailles », mais il sera doté de toute une série de facultés civilisatrices. D'une façon raisonnée, terre à terre, il sera à l'origine de l'Âge d'or de la mythologie romaine, « soit en raison de l'abondance de toutes choses, soit parce que les hommes n'étaient point distingués par les conditions de liberté et d'esclavage » – mais aussi parce qu'en ce temps « il n'existait point encore de propriété privée » –, en suivant toujours le texte de Macrobe. Cette version morale de l'Âge d'or saturnien serait à l'origine du caractère solsticial de sa fête, les saturnales, où, hormis la protection des semailles, sa charge primitive, le dieu favorisait aussi les renversements des règles sociales et « les licences accordées aux esclaves ». Selon les analyses contemporaines, cette particularité de la fête se révèle indispensable pour la « re-création » du temps des origines et le départ d'une nouvelle année solaire. Par ailleurs, « sous le règne de Saturne, les hommes furent amenés des ténèbres d'une vie inculte à ce qu'on peut appeler la lumière de la connaissance des arts utiles ». Dans la mythologie romaine, fortement influencée par les prérogatives que les Grecs avaient attribuées à Cronos, Saturne serait aussi le créateur du « temps » et des principes générateurs de la vie, puisque, émasculant le ciel, il a fait couler sur terre tous les éléments qui composent l'universalité du monde et sa régénération. Les Romains pensaient aussi qu'il avait comme attribut la faux, parce que le temps coupe, tranche et moissonne tout. Ils ont cru voir dans le mythe grec qui voulait que Cronos avalât ses enfants pour les vomir par la suite la preuve de ses aptitudes à produire toutes choses et, une fois produites, de les anéantir, avec le temps, pour les laisser renaître de nouveau. Image parfaite de l'agriculture, de l'enfouissement saisonnier des graines, suivi de la moisson qui donne lieu à de nouvelles semailles, lesquelles aboutiront à de nouvelles moissons ! Pour les Romains, le fait que Saturne fut chassé par son fils du pouvoir a une signification morale et philosophique : « Les temps qui viennent de s'écouler sont refoulés par ceux qui leurs succèdent. » Voici comment une vieille divinité agricole deviendra, sous l'effet du syncrétisme, le créateur du temps, de l'Âge d'or et de l'éveil à la civilisation des peuplades italiotes, bien avant que Rome ne fût crée.

Yvonne de Sike

• *Voir aussi :* Battage des céréales et aire de battage ; Calendrier grec ancien ; Calendrier romain ; Calendriers et mesure du temps ; Déméter et Perséphone ; Épi (symbolique de l') ; Faux ; Italie ; Grain et graine ; Moissons (symbolique des)

Bibl. : J.-É. BIANCHI, *Les Mystères du dieu Janus*, Groslay, Éditions Ivoire-Clair, 2004 • BOCCACE, *Généalogies des dieux païens*, trad. Y. Delègue, Strasbourg, Presses universitaires de Strasbourg, 2001 • P. GRIMAL, *Le Dieu Janus*, Paris, Berg International, 1999 • M. LEGLAY, *Saturne africain*, Paris, De Boccard, 1966 • MACROBE, *Saturnales*, OVIDE *Fastes et Métamorphoses*, VIRGILE, *Énéide* (textes numériques en ligne avec des traductions anciennes et récentes).

SAVATE. – Désigne, dans le langage argotique des boulangers, un pain de mauvaise qualité, pour des raisons diverses. Il peut s'agir d'un pain dont la section aplatie est appelée « savate », conséquence, en général, d'un manque de force de la pâte, d'un four insuffisamment chaud ou d'une mise au four tardive. Le « compliment » s'adresse aussi bien à un ouvrier qui fait mal son travail qu'à un concurrent qui vend… de la savate. Ce terme n'est utilisé que dans le vocabulaire du boulanger et ne sort pas du fournil. De même, on demande à un ouvrier de « ramasser ses savates » s'il a failli dans son travail et se trouve donc prié de chercher un autre emploi, autrefois sans préavis à la fin d'une journée de travail (dans la région parisienne et quelques autres villes de province, les boulangers étaient en effet payés chaque jour à la pièce). Donner ou demander son compte du jour au lendemain était alors chose fréquente.

Roland Guinet

• *Voir aussi :* Défauts de la pâte ; Défauts du pain ; Force boulangère ; Force en boulangerie ; Fournil

SCARIFICATEUR AUTOMATIQUE. – Voir ÉQUIPEMENTIERS

SCARIFICATION. – La fermentation panaire est une usine à gaz doublée d'un tripot clandestin. Clandestin dans la mesure où, bien protégée à l'intérieur de la pâte, la réaction chimique induite par le pétrissage échappe à notre regard – sauf à en percevoir certaines manifestations les plus visibles à travers la pousse des pâtons. Pourquoi « usine à gaz » et pourquoi « tripot » ? Au cours du pointage et de l'apprêt, les deux temps laissés par le boulanger à sa pétrissée afin que s'opère la mutation attendue, le glucose contenu dans la farine est dégradé en gaz carbonique et en alcool, essentiellement de l'éthanol ($C_6H_{12}O_6 \rightarrow 2\ CO_2 + 2\ C_2H_5OH$ + énergie). Les propriétés du réseau glutineux qui a commencé à se former au cours du pétrissage, puis du pointage, qui sont essentiellement de pouvoir résister à ce dégagement gazeux (le blé étant la seule céréale à autoriser cette élasticité de la pâte), vont donc garantir cette expansion et ce développement des pâtons. Au cours de la cuisson, l'eau présente dans les pains et le gaz carbonique qui y a été piégé vont naturellement tenter de s'échapper et contribuer ainsi à faire gagner encore un volume supplémentaire aux pâtons. Pour conduire cette dernière mue, le boulanger scarifie la surface des pains, juste avant enfournement, c'est-à-dire qu'il forme des sortes de « cheminées » vers lesquelles gaz et vapeur sont dirigés, conférant cet aspect si caractéristique aux produits de la boulangerie et les distinguant pour jamais de la production ménagère. On peut donc concevoir qu'en l'incisant ainsi, il donne à son pain sa forme et son apparence définitives. Il le signe – on avait longtemps tracé avant de le couper, un « signe » de croix sur le pain ; les boulangers ont prolongé à leur manière cette gestuelle sans âge.

La technique consistant à couper avec une lame affûtée la surface des pâtons participe, véritablement, de l'essence du métier de boulanger. Certains, qui « poussent » un peu le trait, font de la « signature » de l'artisan, son identité propre, un critère d'appréciation permettant de hiérarchiser les mérites et les talents. La pratique n'est pas nouvelle et on en trouve une première mention chez un certain Vaury, auteur d'un *Guide du boulanger* qui date de 1834, et peut-être incisait-on depuis déjà longtemps la surface de nos pains vendus dans les boulangeries. Il est un fait que voir un maître boulanger distribuer ces coups de lame sur des pâtons alignés sur les tapis d'enfournement, à l'entrée de la bouche du four, avec une dextérité et une promptitude impressionnantes, ferait croire que se joue là, dans cette intervention subtile du chirurgien qui scarifie la peau des pains pour le meilleur de leur développement, une opération qui confine à la pure magie. Souvent, la geste du scarificateur se fait alors qu'il discute avec son apprenti, ou bien pense à tout à fait autre chose et, en un rien de temps, toute une fournée est ainsi « signée », « estampillée », « marquée ». La coupe obéit à certaines règles que la tradition a imposées, mais auxquelles dérogent certains artistes innovants de la boulangerie. Ainsi coupe-t-on les baguettes de 250 g en 7 ou 8 endroits appelés « grignes » ou « oreilles », 5 ou 6 pour les pains de 400 ou 500 g, 1 ou 2 pour les petits pains, la surface n'en permettant pas davantage.

Mais certains boulangers rechignent ainsi à s'aligner, tel Bernard Ganachaud, qui marque sa fameuse Gana d'un seul coup de lame sur tout son long, et signale ainsi, ostensiblement, sa « différence ». D'autres pains peuvent recevoir ce qu'on appelle une coupe « polka » ou « saucisson ». En certaines circonstances, les pains ne sont pas coupés, mais marqués par des « empreintes », formes en bois ou en plomb qui représentent différents motifs. Ce fut autrefois une manière de pouvoir attribuer le pain à tel boulanger en cas de réclamation. Ainsi serait-il amusant de trouver chez ses amis ou au restaurant une baguette scarifiée et de pouvoir, reconnaissant sa « signature », immédiatement la rendre à César, au cas où le pain n'aurait pas convaincu. Mais c'est une hypothèse peu probable s'agissant de César… Et avec quoi coupe-t-on la peau des pains ? L'emploi d'une lame de rasoir est désormais interdit : la lame doit être neutralisée de manière à protéger aussi bien l'ouvrier boulanger que le consommateur (différents modèles de scarificateur ou incisette sont désormais commercialisés). Le fait de laisser la lame à tremper dans un récipient contenant de l'eau, posé en général sur l'autel du four, améliore alors nettement l'efficacité du tranchant.

Les premiers scarificateurs automatiques destinés aux artisans ont vu le jour vers 1979, avant que les équipementiers spécialisés dans les lignes automatiques, tels que Gouet puis Mecatherm, conçoivent des scarificateurs automatiques pour des productions sur plaque et même sur sole. Ces machines sont pilotées par des robots à commande numérique. La scarification est effectuée par des couteaux qui incisent la pâte à grande vitesse selon un enchaînement de mouvements programmés dans les trois dimensions. Jusqu'à vingt coups de lame différents sont possibles. Autre technologie « high-tech » appliquée à la boulange : la scarification de petits pains au lait ou de briochettes peut également être réalisée par une découpe oblique au jet d'eau à très haute pression.

Scarifier les pains nécessite de la part du boulanger une grande dextérité. Le « coup de lame » est ainsi son empreinte et sa signature. Toutefois, la vitesse d'exécution, chez certains artisans proprement étourdissante, s'accompagne ici d'une juste évaluation du niveau d'expansion des pâtons, la profondeur des coups de lame devant être alors ajustée.

Hubert Chiron
et Jean-Philippe de Tonnac

• *Voir aussi :* Aérobiose et anaérobiose ; Alcool ; Apprêt ; Chambre de fermentation (ou pousse) contrôlée ; Clé ; Éthanol → Alcool ; Fermentation (approche anthropologique de la) ; Fermentation panaire ; Gaz carbonique ; Grigne ; Pointage ; Réseau ou tissu glutineux ; Tourne à clair/tourne à gris

Bibl. : Jean-Yves GUINARD, Pierre LESJEAN, *Le Livre du boulanger*, Paris, Jacques Lanore, 2006 • S. VAURY, *Le Guide du boulanger indiquant les moyens à prendre pour bien fabriquer le pain et les économies que le boulanger peut apporter à son travail*, Paris, Legouix, 1834.

SCEAU. – Voir EMPREINTE ; ESPAGNE

SCUTELUM. – Voir GERME

SEAU DE COULAGE. – Voir EAU DE COULAGE

***SECRET DE MAÎTRE CORNILLE* (*Le*).** – Voir MEUNIER DANS L'HISTOIRE

SEDER. – Voir MATSAH ET HAMETS

SEIGLE (pain de). – Le *Recueil des usages des pains en France* de 1977 donne trois définitions pour les pains à base de seigle, qui restent reconnues par la DGCCRF (Direction générale de la concurrence, de la consommation et de la répression des fraudes).

Appellation « pain de seigle » : le pain est préparé avec une farine de seigle qui peut être additionnée de farine de blé, sous réserve que la proportion de cette dernière reste inférieure à 35 % du mélange des farines mises en œuvre.

Appellation « pain au seigle » : le pain est préparé avec un mélange de farines de blé et de seigle, dans lequel la proportion de seigle/blé doit être supérieure à 10 %.

Appellation « pain de méteil » : le méteil est un mélange de blé et de seigle cultivés en association, dont la mise en mouture des grains donne une farine dans laquelle les deux céréales sont présentes à environ 50 %.

Si, dans certaines régions, on a fabriqué du pain de seigle à 100 % de farine de seigle, cette pratique a presque disparu ; les pains à base de farine de seigle correspondent bien aux deux premières définitions du recueil des usages. Les boulangers français ne sont plus familiarisés avec le travail du seigle ; ce sont les pains au seigle qui dominent en général. Du point de vue technologique, la farine de seigle, transformée en pâte, ne permet pas d'obtenir du gluten, au sens où on l'entend en parlant de farine de blé. Sachant que le seigle contient presque autant de protéines que le blé, on retrouve certaines conformations de protéines semblables à celles du blé, notamment celles responsables de l'intolérance au gluten. Pour ce type de maladie, les produits à base de blé, de seigle et d'orge sont interdits. La pâte de seigle ne peut donc se structurer comme la pâte de blé, l'absence de ce réseau continu protéique n'empêche pas, malgré tout, la pâte de seigle de se développer, mais faiblement.

Cette capacité à la levée est principalement obtenue par la création d'un réseau fibreux riche en pentosanes. La pâte s'apparente à un gel, formé en grande partie par les pentosanes de la farine de seigle et l'eau d'hydratation (plus élevée qu'avec une pâte de blé). La fragilité du gel suppose que sa déformation soit modérée pour éviter les cassures ou les déchirements (façonnage par compression et non en extension, vitesse de fermentation lente par des dosages de levures plus faibles par rapport aux pâtes de blé…). Au four, l'expansion est lente et modérée, l'amidon doit absorber l'eau fixée par les fibres pour former une structure continue et stable. Un mauvais équilibre entre le pouvoir de gonflement des pentosanes et de l'amidon donne soit des mies dures et cassantes, soit collantes. Le travail des pâtes avec des levains donne souvent de meilleurs résultats ; en effet, l'acidification assure un meilleur pouvoir de gonflement des pentosanes, une diminution du collant et une meilleure stabilité des pâtes sans les rendre cassantes. Le développement au four est meilleur et la mie plus régulière. L'acidification permet de diminuer l'activité amylasique et assure de ce fait une gélatinisation supérieure et, donc, une meilleure cohésion de la mie. Autrefois, le seigle cultivé dans des zones de moyenne montagne était récolté tardivement et les risques de prégermination des grains étaient réels, les activités amylasiques étaient, par conséquence, élevées ; les risques d'affaissement de la structure de la pâte en cours de cuisson et de mie collante étaient de ce fait très fréquents.

Philippe Roussel

• *Voir aussi :* Amidon ; Amylase et activité amylasique ; DGCCRF ; Gluten ; Hydratation ; Levain de panification ; Maladie cœliaque ; Méteil ; Pentosane ; Protéine ; Régime Seignalet sans pain ; Réseau ou tissu glutineux ; Santé

Bibl. : Philippe ROUSSEL, Hubert CHIRON, *Les Pains français. Évolution, qualité, production*, Vesoul, Maé-Erti, 2002.

SEIGLE (*Secale cereale*). – *Secale* signifie « ce que l'on coupe ». L'origine du mot seigle viendrait de l'ancien provençal *segle* (*rye*, en anglais, *Roggen*, en allemand). Le seigle *Secale cereale* L. appartient au genre *Secale* L. et à la famille des poacées (syn. graminées). C'est une espèce diploïde à quatorze chromosomes de génome R. Sa proximité génétique avec le blé tendre a permis l'hybridation avec ce dernier et de ce fait la création d'une nouvelle espèce : le triticale, qui possède les génomes A et B du blé et le génome R du seigle. Dans d'autres cas, seul un morceau d'un chromosome du seigle a été introduit dans le génome de blé tendre par translocation : on connaît la translocation entre les bras courts du chromosome 1A du blé et du chromosome 1R du seigle et surtout la translocation entre le bras court du chromosome 1B du blé et du chromosome 1R du seigle. Cette dernière, utilisée de façon importante dans l'amélioration du blé tendre, a permis d'introduire chez celui-ci des gènes de résistance aux principales maladies cryptogamiques. Contrairement aux autres céréales, le seigle est une espèce allogame, c'est-à-dire dont les fleurs sont fécondées par du pollen provenant d'autres plantes. Les plantes de seigle sont auto-incompatibles, c'est-à-dire qu'une plante ne peut s'autoféconder, mais doit être pollinisée par une plante voisine. Pour la nomenclature, les botanistes s'accordent à distinguer une espèce importante *Secale cereale* composée d'une part des variétés cultivées, et d'autre part d'adventices sauvages à l'épi non cassant ou à l'épi cassant, soit au sommet, soit en totalité. En plus de cette espèce se trouvent des espèces de seigle sauvages, moins communes mais différentes, car donnant avec l'espèce *Secale cereale* des hybrides partiellement ou totalement stériles : *Secale montanum*, espèce pérenne, *Secale iranicum* et *Secale sylvestre*, espèces annuelles.

Les fouilles archéologiques au Moyen-Orient montrent peu de traces de seigle avant le début du Néolithique, alors en mélange avec de l'engrain. Il semble que le seigle était alors une céréale spontanée, dont la présence était tolérée au milieu de l'engrain, apportant un surplus de rendement, notamment en année défavorable où il permettait d'assurer un rendement minimum : on a parlé alors de « blé d'Allah », sauvant le paysan de la famine. Les traces de monoculture de seigle remontent à deux mille ans avant J.-C., à l'âge de Bronze en Anatolie centrale. En Europe, des traces de monoculture du seigle ont été trouvées en Pologne et Roumanie, et remonteraient au milieu du IVe millénaire av. J.-C. Le seigle est particulièrement apprécié au nord et à l'est de l'Europe pour sa grande résistance aux froids hivernaux, à la sécheresse et à sa faculté de se développer sur des sols très acides ou sableux. L'apparition du triticale a réduit de façon notable les surfaces de culture du seigle, car le triticale est plus productif et presque aussi rustique que le seigle.

La principale utilisation du seigle reste l'alimentation humaine, même s'il est utilisé parfois comme aliment énergétique en alimentation animale. Le pain de seigle est consommé préférentiellement en Europe du Nord, en général exclusivement à partir de farine de seigle. Cela donne des pains à la mie sombre, assez dense. Le pain de méteil est fait en France avec une farine composée à parts égales de seigle et de blé. De nombreux pains d'épices sont également préparés à partir de farine de seigle. Le seigle sert également pour la production de boissons fortes : vodka, whisky. Le seigle est souvent cultivé en agriculture biologique. Le grain de seigle possède une teneur élevée en certaines vitamines (vitamines B1, B2, B3...), fibres (β-glucanes, arabinoxylanes, cellulose) et micronutriments importants en alimentation humaine (fer, manganèse, magnésium...).

Le seigle est sensible à un parasite, l'ergot (*Claviceps purpurea* Tul.). Ce champignon se développe à la place du grain en formant un sclérote. Ce sclérote est toxique car il contient des alcaloïdes, dont la présence dans les farines est à l'origine de l'ergotisme. Cette maladie a été nommée au Moyen Âge « mal des ardents » ou « feu de saint Antoine ». Elle consiste en une vasoconstriction des artérioles, suivie d'une perte de sensibilité des extrémités des membres et d'hallucinations. Actuellement, l'ergotamine extraite des sclérotes sert à fabriquer des médicaments, notamment pour lutter contre certaines migraines.

Jean Koenig

• *Voir aussi :* Blé, genre *Triticum* ; Blé tendre ou froment ; Céréales ; Céréales sauvages aux premières formes domestiques (des) ; Ergotisme ; Feu ou mal de saint Antoine ; Méteil ; Pain de seigle ; Triticale

Bibl. : D. ZOHARY, M. HOPF, « Rye : *Secale cereale* » in *Domestication of Plants in the Old World*, 3e éd., Oxford, Oxford University Press, 2000.

SEIGLE ERGOTÉ. – Voir ERGOTISME

SEL. – Selon la définition légale, « le sel de qualité alimentaire est un produit cristallin se composant principalement de chlorure de sodium (NaCl) (pas moins de 97 % de l'extrait sec, non compris les additifs) provenant exclusivement de marais salants ou de gisements souterrains de sel gemme ». Une dizaine d'additifs sont autorisés, essentiellement des antimottants. On trouve également un additif modificateur de la structure cristalline, le ferrocyanure de sodium (E535), dans le sel livré en boulangerie. Très hygroscopique, le sel contribue à la fixation de l'eau au cours du pétrissage, permettant d'accroître le rendement en pâte par une meilleure hydratation. Il contribue pour une large part à fixer les arômes du pain. Il améliore également les qualités plastiques de la pâte (fermeté) et renforce le gluten. Enfin, il ralentit le blanchiment de la pâte : la farine contient des pigments caroténoïdes responsables de la teinte crème de la pâte (et plus tard de la mie) ainsi que des enzymes appelés lipoxygénases. Ces derniers, associés à l'oxygène incorporé au cours du pétrissage, provoquent la destruction des pigments ainsi que certaines substances favorables au bon goût du pain. Le sel joue alors un rôle d'antioxydant et ralentit ce processus. Fixant l'eau au sein de la pâte, il limite ainsi les effets de croûtage des pâtons au cours de la fermentation, ralentit légèrement celle-ci en retardant l'action de la levure (une pâte sans sel gonfle plus vite) et assure une production plus uniforme du gaz carbonique et ainsi une plus belle structure de la mie, mieux alvéolée, plus fine, plus souple, plus élastique et donc plus agréable à la mâche. Le sel améliore encore le pouvoir de rétention des gaz, évitant la formation d'alvéoles trop grandes, et contribue donc au bon développement du pain au cours de la cuisson. Il permet également d'obtenir une croûte plus fine et plus croustillante, tout en favorisant sa coloration. Après la cuisson, le sel va retenir l'humidité et la mie va ainsi conserver son moelleux. Selon les conditions hygrométriques, il va favoriser la conservation du pain en retardant le séchage et le durcissement de la croûte par temps sec, mais causer son ramollissement par temps humide, et favoriser alors le processus de rassissement.

Considéré comme un des constituants essentiels de la pâte à pain, le sel a été longtemps d'un usage restreint en France, quand il n'était pas totalement absent. Et les consommateurs semblaient s'en satisfaire. En 1778, Parmentier considérait, dans son *Parfait Boulanger*, que, sans nier les vertus du sel, il convenait de ne pas en abuser car il enlevait au pain sa saveur naturelle. En revanche, il conseillait son emploi lorsque le boulanger avait à panifier des farines avariées, chauffées ou issues de blés germés. Dès la fin du XVIIIe siècle, l'impôt de la gabelle ayant disparu, l'usage du sel en boulangerie devint courant mais à faible dose. Si l'on prend les chiffres donnés par Parmentier, son addition variait entre 0,45 et 0,6 % du poids de la farine. Jusqu'en 1950-1955, le dosage du sel fluctua selon les régions de 0,8 à 1 % dans les régions du Nord et de l'Est, jusqu'à 1,7 % ailleurs, en particulier dans la région parisienne et dans la moitié sud de la France. Pratique qui a évolué ces dernières décennies avec l'apparition du pétrissage intensifié. Ce « progrès » technique a nécessité d'augmenter la quantité de sel, dans le but de « resserrer » la pâte pour compenser la brutalité de son travail mécanique lors du pétrissage. D'autre part, une teneur élevée en sel est devenue nécessaire pour pallier la diminution de la saveur naturelle du pain engendrée lors du pétrissage par l'oxydation des caroténoïdes, polyphénols et autres micronutriments, supports d'arômes et initialement présents dans le grain de blé – ainsi que par la moindre production d'arômes liée au raccourcissement de la fermentation. Enfin, dernier cercle vicieux, il a fallu augmenter la dose de levure pour compenser le raccourcissement de la fermentation et l'effet inhibiteur du sel, surdosé, sur les activités fermentaires. Ainsi, la teneur en sel du pain courant atteint les 2, voire 2,2 % dans les années 1955-1960. Dose largement dépassée aujourd'hui pour la production de pâtons surgelés, dont les techniques de fabrication (faible température de pâte, sous-hydratation et pétrissage intensif) ne favorisent pas le développement des arômes naturels du pain. Le passage au pétrissage intensif a donc provoqué une augmentation de la dose de sel d'environ 20 %.

Il est bien admis que notre consommation moyenne de sel dépasse largement nos besoins physiologiques. Le minimum vital se situe à 0,5 g par jour et il est assuré dans le cadre d'une alimentation équilibrée. En 2001, lors de la présentation de la dernière édition des « Apports nutritionnels conseillés », l'AFSSA indiquait que « si l'ensemble des scientifiques s'accordent sur un besoin minimal physiologique de 2 g par jour – pour se donner une marge de sécurité –, il est légitime de s'interroger sur les conséquences éventuelles d'apports moyens quatre fois supérieurs et certainement sous-estimés » (Martin 2001). Malgré des variations liées aux sensibilités individuelles, la responsabilité du sel dans le développement de l'hypertension a été mise en évidence tant par des études cliniques sur animaux et sur l'homme que par des études épidémiologiques. Quatre mille cinq cents ans avant J.-C., un médecin chinois disait déjà que, « si trop de sel est ajouté aux aliments, le pouls durcit », et le lien entre hypertension, maladies cardio-vasculaires et accidents cérébraux est aujourd'hui clairement établi (Meneton 2004). 80 % du sel ingéré provient des aliments transformés par l'industrie agroalimentaire et le pain contribue pour 28 % à l'apport sodé aujourd'hui. On peut penser que le pain est un produit peu salé et il l'est au regard d'autres produits alimentaires tels les charcuteries et les fromages. Mais le fait que sa consommation soit quotidienne et, qui plus est, encouragée dans le cadre d'une alimentation équilibrée en fait un important vecteur de sel. Une simulation par l'AFSSA a montré qu'une baisse de 25 % du sel ajouté dans le pain, sans conséquence sur le plan technologique, conduirait à une baisse de la consommation globale de 6 %. En prenant une base moyenne de 24 g/kg de farine pour tenir compte des habitudes de l'ensemble de la filière, une baisse de 25 % conduirait à réduire la quantité de sel ajoutée à 18 g/kg de farine. Une baisse progressive de 5 % par an, indétectable sur le plan sensoriel, devrait permettre de respecter les recommandations de l'AFSSA en cinq ans.

Gérard Brochoire
et Fanny Leenhardt

• *Voir aussi :* AFSSA ; Boulangers et boulangeries (histoire de France des) ; Boulangers forains ; Fermentation panaire ; Hygrométrie ; France (pains historiques, du Moyen Âge à la Révolution française) ; Pâte ; Parmentier ; Santé

Bibl. : Ambroise MARTIN (dir.), *Les Nouveaux Apports nutritionnels conseillés pour la population française*, ouvrage réalisé sous l'égide de l'Agence française de sécurité sanitaire des aliments (AFSSA), 2001 • Pierre MENETON, « Les effets nocifs de l'excès de sel sur la santé », *Médecine et nutrition*, vol. 40, n° 1, 2004, p. 9-17 • Antoine-Augustin PARMENTIER, *Le Parfait Boulanger, ou Traité complet sur la fabrication et le commerce du pain*, 1778.

SÉLECTION, SÉLECTIONNEUR. Voir VARIÉTÉS DE BLÉ TENDRE AU CATALOGUE OFFICIEL

SEMAILLES. – Action de semer les grains. Pour semer les grains à la volée, le semeur doit se déplacer sur le champ suivant un itinéraire bien précis ; il puise dans sa réserve avant d'écarter le bras et de lancer les grains de droite à gauche, tout en avançant ; chaque jet couvre une largeur de 4 à 6 m. Le transport des semences se fait de différentes façons : dans un sac de toile porté en bandoulière ; dans un panier ; un semoir en bois ou en zinc suspendu au cou du semeur et prenant appui sur la hanche de celui-ci. Après épuisement de son stock, le semeur doit se réapprovisionner. La quantité de semences équivaut parfois à une mesure, laquelle correspond à telle ou telle surface à ensemencer. Le semoir mécanique, plus rapide et moins fatigant, a remplacé les semailles à la volée. Pour échapper aux prédateurs et faciliter leur germination, les semences sont ensuite recouvertes avec la herse ou par un labour de recouvrement.

Mouette Barboff

• *Voir aussi :* Calendriers et mesure du temps ; Céréales sauvages aux premières formes domestiques (des) ; Égypte ; Femmes ; Saturne ; Terre-Mère primordiale

Bibl. : Mouette BARBOFF, « Le pain des femmes », thèse de 3e cycle, EHESS, 2004, publication en cours • Françoise DESPORTES, *Le Pain au Moyen Âge*, Paris, Olivier Orban, Paris, 1987 • Jean-François REVEL, *Un festin de paroles. Histoire littéraire de la sensibilité gastronomique de l'Antiquité à nos jours* [1978], Paris, Tallandier, coll. « Texto », 2007.

SEMENCE. – À la base de toute récolte, il y une semence. Il en est ainsi du blé comme de toutes les autres espèces qui se reproduisent par graine. Cette semence est un bien très précieux, car elle contient tout le patrimoine génétique d'une espèce. Si rien ne ressemble davantage à une semence de blé qu'une autre semence de blé, les différences peuvent être en revanche considérables si chacune d'elles est issue d'une variété particulière. L'une peut être adaptée au climat méditerranéen et l'autre au climat atlantique. L'une peut donner de gros grains et l'autre des petits, un grain riche en amidon et l'autre moins riche, etc. C'est pourquoi il est très important de pouvoir multiplier ces semences en leur conservant leurs caractéristiques propres afin de permettre aux agriculteurs qui les achètent de semer un produit parfaitement connu. C'est le travail du semencier.

Le métier de semencier consiste en quelque sorte à faire des photocopies parfaitement fiables d'un original qui est la variété. Toute une organisation concourt à cet objectif à partir de deux phases successives : la production dans les champs puis la phase industrielle en usine. Le travail dans les champs est ce que l'on peut appeler la multiplication, puisque l'on part de quelques épis contenant quelques graines que l'on sème. La première année, cela donne une récolte d'environ 35 kg. Cette opération répétée pendant quatre ans aboutit à produire

270 000 quintaux de semences, qui seront disponibles pour être proposés aux agriculteurs. Cette production se fait en respectant des règles techniques qui sont imposées pour garantir la qualité du produit mis sur le marché en prenant en compte ses caractéristiques techniques (pureté et germination) et sanitaires. Ces graines, récoltées par les agriculteurs spécialisés qui les produisent, sont soumises ensuite à un processus industriel qui les transforme en produits prêts à être commercialisés.

Ce processus consiste à trier et calibrer ces graines pour éliminer toutes les impuretés et fournir ainsi un produit totalement homogène. Il doit se faire avec précaution car la semence est un produit vivant et il ne faut pas en altérer les qualités, et notamment la capacité de germination. La semence peut éventuellement bénéficier d'un traitement chimique pour la protéger contre certains parasites et agresseurs. Tout au long de ce processus, des contrôles sont effectués par un service officiel (le Service officiel de contrôle et de certification) afin de vérifier *in fine* que les qualités de la semence ainsi produite sont conformes aux normes imposées par la réglementation européenne. Si tel est le cas, le Service officiel délivre une autorisation de commercialisation. L'agriculteur peut alors semer en toute tranquillité, ce qui est pour lui la promesse d'une bonne récolte et pour l'industriel transformateur celle de la fourniture en quantité suffisante d'un produit bien connu et bien défini.

Philippe Gracien

• *Voir aussi :* GEVES ; GNIS ; Grain ; Grain et graine ; Semenciers ; Variétés de blé ; Variétés de blé tendre au catalogue officiel

Bibl. : Philippe GRACIEN, « Variétés et semences », Comptes-rendus de l'Académie d'agriculture de France, vol. 92, nº 3, 2006. – *ID.*, « Les semences : vecteur du progrès génétique », *ENA Mensuel*, nº 293, 1999.

SEMENCES PAYSANNES. – Voir PAYSAN BOULANGER

SEMENCIERS. – La création de nouvelles variétés est réalisée par des entreprises de toute taille, qui consacrent plus de 10 % de leur chiffre d'affaires à la recherche. Parmi ces entreprises, on peut citer des grands groupes coopératifs comme Limagrain ou Invivo avec sa filiale Serasem et des sociétés privées de tailles diverses telles que Desprez et Momont dans le nord de la France ou RAGT dans le Sud-Ouest. Pour la production de semences, il y a un peu plus de cent entreprises qui réalisent les opérations de triage et de conditionnement des semences de blé et qui les vendent directement aux agriculteurs ou par l'intermédiaire d'un circuit de distribution. Chaque année, ce sont 400 000 tonnes de semences qui sont ainsi produites. L'importance des volumes explique le nombre élevé d'entreprises qui pratiquent cette activité. Elles sont situées près des zones de consommation de semences. Il s'agit donc en grande partie de marchés de proximité pour éviter le transport de matières très pondéreuses (pour ensemencer 1 ha de blé on utilise 130 à 150 kg de semences). 70 % des quantités de semences produites sont vendues directement aux agriculteurs par les entreprises productrices, et seulement 30 % par un circuit de distribution. Les entreprises qui exercent ce métier de semencier sont pour beaucoup des coopératives agricoles, puisque leur vocation est en particulier de mettre à la disposition des agriculteurs les moyens de production dont ils ont besoin pour la réussite de leurs cultures. On peut citer, par exemple en Champagne, la coopérative Champagne Céréales et le groupe privé Soufflet, dans la région Centre, la Coopérative Épi Centre, et dans la Beauce le groupe coopératif Agralys.

Philippe Gracien

• *Voir aussi :* GEVES ; GNIS ; Grain ; Grain et graine (histoire symbolique et morale) ; Semence ; Variétés de blé ; Variétés de blé tendre au catalogue officiel

Bibl. : Philippe GRACIEN, « Variétés et semences », Comptes-rendus de l'Académie d'agriculture de France, vol. 92, n° 3, 2006. – *ID.*, « Les semences : vecteur du progrès génétique », *ENA Mensuel*, n° 293, 1999.

pas des remoulages. On peut qualifier de grosses semoules les fragments supérieurs à 500 μm ; de fines ou moyennes semoules les fragments entre 250-300 μm et 500 μm, et de fines semoules ou finots les produits entre 150 μm et 250 μm.

Dans le cas du maïs, la distinction dimensionnelle est différente, compte tenu de la grosseur des grains par rapport au blé ; les *hominy*, gros fragments de 3 à 6 mm de diamètre, sont, par exemple, destinés à la fabrication de flocons de maïs (corn flakes). Ces produits peuvent être obtenus par extrusion (maïs sans expansion). Ils sont ensuite coupés, puis aplatis entre des rouleaux aplatisseurs avant d'être toastés. Les « gros gritz » (1 à 3 mm) peuvent être utilisés en technologie de cuisson extrusion dans la fabrication des snacks. Quant aux « gritz » (1,25 à 0,5 mm environ), ils sont

Exemple de classification traditionnelle des semoules de blé dur en fonction de la granulométrie

	Grosses semoules				Moyennes semoules	Fines semoules		Farine
Tamis					42 60 80	100 120		
Ouverture en μm	1150	1000	900	700-800	530 350	250 187 161	140	
Classes	GG	MG	SSSG	SSSSE-SSSS	SSSE	→ ← SSSF	→	Gruaux D
Destinations	Potage		Couscous	Potage	Pâtes alimentaires			pâtes animaux)

Légende : S (sassage), SSS (3 passages de sassage), E (export), F (fine), M (moyenne), G (grosse), gruaux D (gruaux durs)

SEMOULE. – On qualifie de semoule des gros fragments du grain principalement issus de l'albumen amylacé dont la dimension pour les blés tendres et durs est supérieure aux farines (> 150-200 μm ou 150-200 micromètres) et inférieure aux sons (< 1 000-1 200 μm) et qui ne sont

utilisés en brasserie où leur emploi permet d'obtenir, grâce à un pourcentage d'amidon supérieur, plus d'alcool que le malt (à poids égal). Ils donnent une bière de belle mousse et de meilleure conservation grâce à leur faible pourcentage de matière grasse (l'oxydation des matières grasses pouvant modifier l'arôme de la bière). Selon la norme européenne, les gritz ne peuvent représenter plus de 30 %.

Les « semoules » sont les fragments les plus fins (de 0,25 à 0,5 mm). Elles servent à la confection de plats tels que la *polenta* italienne ou la *tortilla* mexicaine et, plus récemment, entrent dans les formulations de snacks et produits extrudés. Les « farines », plus grossières que les farines de blé (moins de 200 μm environ), constituent des sous-produits de la semoulerie. Les farines premières ou blutées peuvent également être employées.

Philippe Roussel

• *Voir aussi :* Albumen ; Bière ; Finot ; Gruau ; Meunerie ; Pâtes alimentaires ; Remoulages ; Semouliers

Bibl. : Pierre FEILLET, *Le Grain de blé, composition et utilisation*, Paris, INRA Éditions, 2000 • Philippe ROUSSEL, Hubert CHIRON, *Les Pains français. Évolution, qualité, production*, Vesoul, Maé-Erti, 2002 • Claude WILLM, *La Mouture du blé*, Montgeron, CEMP, 2009.

SEMOULE BISE. – Les semoules bises sont qualifiées de « vêtues » car elles contiennent des fragments d'enveloppe qui restent adhérents à l'albumen. Pour purifier ces semoules, le semoulier les sépare par un appareil appelé sasseur. Le sassage permet de séparer, dans un courant d'air et par tamisage, les semoules par différences de densité : d'une part, les semoules vêtues, un peu plus légères à cause des enveloppes, d'autre part les semoules essentiellement formées de l'albumen.

Philippe Roussel

• *Voir aussi :* Albumen ; Sasseur ; Semoule ; Semouliers

SEMOULIERS. – On entend par semoulerie les industries de fragmentation des grains en semoules (semoulerie de blé dur, ou de maïs, ou maïzerie, par exemple). Le travail du semoulier consiste à optimiser la production de semoules pour une quantité de grain donnée. Pour cela, il optimisera le travail de séparation des enveloppes de l'albumen grâce à des appareils à cylindres cannelés et par l'humidification du grain approprié, tout en évitant de produire de la farine. Dans le cas du maïs, le semoulier doit d'abord éliminer le germe par des techniques d'humidification et de séparation grâce à un « décortiqueur » appelé « dégermeur ».

Philippe Roussel

• *Voir aussi :* Albumen ; Cylindres (appareil à) ; Enveloppe ; Semoule

SÉNÉGAL (tradition du pain au). Le pain (*mburu*) au Sénégal est le plus souvent de fabrication industrielle. Conscients de constituer un des secteurs économiques les plus importants du domaine alimentaire, les boulangers sénégalais (ou libanais) se sont constitués en fédération pour mieux défendre leurs intérêts économiques. Il est difficile de fournir des données statistiques fiables en ce qui concerne le nombre exact de boulangeries, car la plupart des boulangers évoluent de manière informelle. Toutefois, la Fédération nationale des boulangers du Sénégal (FNBS) estime à 3 000 le nombre de boulangeries au Sénégal, dont 1 000 affiliées (400 à Dakar). La culture du blé étant cependant inexistante, les Sénégalais sont totalement dépendants de l'extérieur. À Dakar, à la suite de l'augmentation des cours du blé (2008), des carburants et de la grève des boulangers (qui a provoqué une vraie panique dans la capitale), le mélange de farines locales et importées fait l'objet de toutes les attentions de la part des ingénieurs de l'ITA (Institut de technologie en alimentation) de Dakar. Ils ont proposé aux boulangers, en plus d'une formation, une « nouvelle » recette de pain « traditionnel » à base de céréales locales, moins coûteuses, en espérant que, cette fois-ci, les Dakarois l'adopteront (plusieurs autres expériences furent infructueuses). Aussi, les ingénieurs de l'ITA de Dakar se sont appliqués à trouver une « recette » qui ne désoriente pas trop les consommateurs. Car à Dakar, par « pain » ou *mburu* on entend surtout le pain blanc, à base de farine de blé raffinée, formé sur le modèle des pains français (baguette longue). Le pain apprécié dans la capitale sénégalaise peut être de consistance molle ou croustillant, selon les goûts, mais doit rester « tout neuf » (pas dur), soit jusqu'à midi environ. De nombreuses boulangeries et gargotes sont baptisées *La baguette* en référence à la baguette française. Difficile donc de troquer la baguette toubab (« homme blanc ») à Dakar, longue, légère… contre le *tapalapa* apparu depuis peu dans la capitale, un pain dense, court (préparé de manière artisanale), moins coûteux aussi, mais dans lequel ses détracteurs soupçonnent la présence de quelques grains de sable.

Le pain est considéré à Dakar comme une denrée censée rassasier le citadin *goorgorlu*, « débrouillard », qui cherche à assurer sa subsistance quotidienne. Il est considéré comme pratique et peu coûteux, contrairement aux bouillies de mil qui nécessitent un bol et une sauce d'accompagnement ou du lait caillé. Les Dakarois prennent le petit déjeuner dans un *tangana* (« C'est chaud »), petit restaurant sous bâche plastique, où, assis sur un banc et à l'abri des regards indiscrets, on mange du pain (sandwichs) tartiné de mayonnaise ou de sauce tomate aux oignons, ou d'une sauce aux *niébés* (petits haricots beiges à l'œil noir et au goût de noisette), recouvert d'une omelette, de spaghettis agrémentés de poisson et de tomates concentrées, l'ensemble accompagné d'un café au lait concentré sucré. Ces dernières années celui-ci est concurrencé par le café Touba (à base de graines de café moulues, de farines mil de riz et de *Jar*, ou piment noir ou poivre de Guinée)… Mais la baguette est, elle aussi, concurrencée par le fameux *tapalapa*, moins cher. Le pain est réservé aux familles plutôt aisées ou aux invités qu'on reçoit, pour consommer dans un bol frites, viande et oignons. Le pain peut aussi, le soir, être l'occasion pour les hommes de satisfaire individuellement un « petit creux », alors qu'il est devenu impossible d'offrir de la viande à toute la famille : des brochettes de viande peuvent être dégustées avec le pain dans les *dibiteries.* C'est souvent par la vente du pain et de sandwichs dans la rue que les femmes peuvent s'assurer un revenu supplémentaire.

Une consommation ancienne de pain aurait existé au Sénégal, mais sa datation reste floue dans les mémoires et est associée à la fabrication de galettes ou de beignets. Pour tous, le pain fait référence à la baguette et est considéré comme un aliment de la ville. Alors, imitation de la baguette française ou héritage ancestral ? Il semblerait que la consommation et la fabrication du pain aient varié en fonction des régions. Le pain semble bien connu des Dakarois venant des campagnes du sud et du nord du Sénégal, mais aussi de Guinée-Conakry et Guinée-Bissau. Le *tapalapa*, dont la composition varie selon les endroits (et les interlocuteurs), possède toutefois quelques constantes : on y retrouve toujours de la farine de blé, de la levure, du sel et de l'eau. Ce qui peut changer (mais pas toujours) par rapport à la baguette, c'est l'ajout à hauteur d'environ 20 % de farines locales, que ce soit de maïs, de mil (très courant au Sénégal, avec lequel on fait le couscous de mil, le *tiakri*, une semoule de mil parfumée au lait caillé, le *fondé*, boulettes de mil au lait caillé), voire parfois de *niébé*. Il est également réalisé avec un matériel rudimentaire, puisqu'il est pétri à la main et cuit dans un four à bois dans une des cours des quartiers populaires de Dakar – alors que la baguette est produite de manière industrielle et est très rigoureusement contrôlée. Il est vendu sur le bord des avenues dans des caisses en carton, dès le lever du jour, et les boulangers, libanais le plus souvent, craignent sa concurrence. Malgré sa dimension « artisanale », les rumeurs circulent quant à sa fabrication : on prétend que le *tapalapa* serait « pétri avec les pieds » et sans respect des normes d'hygiène.

Beignet (mot français intégré au vocabulaire local, à Dakar). Farine de mil ou de blé que l'on mélange avec beaucoup d'eau et de sucre, afin d'en faire une pâte assez liquide. Cette mixture est jetée par petits morceaux dans une marmite d'huile bouillante. Ces beignets sont vendus dans la rue dans des feuilles de journal.

Foudou (région de Diourbel). Farine de mil que l'on mélange avec un peu d'eau et de sucre afin de faire une pâte épaisse. Roulée dans la main, la pâte est transformée en boules. On les jette ensuite dans l'eau bouillante de la marmite ou on les fait cuire sur une plaque dans un four à bois.

Pamiblé. Dans les années 1990, le gouvernement du Sénégal tenta, par souci de réduction de sa « facture » céréalière, d'imposer la farine de mil dans la fabrication pain, dans un nouveau produit appelé « Pamiblé » (pain-mil-blé). Cette « innovation » fut un échec.

Tapalapa. Mot d'origine peul signifiant « taper de manière répétitive sur une pâte ». Le *tapalapa* est confectionné à partir de farine de blé que l'on mélange avec de l'eau, de la levure, du sel. Parfois à partir de farine de mil, de maïs, ou de *niébé* (petit haricot beige à l'œil noir au goût de noisette). Il est pétri à la main et cuit dans un four à bois.

Chantal Crenn

• *Voir aussi :* Afrique de l'Ouest – Civilisation du mil ; Baguette ; Mil et millet ; Pains mondiaux

Bibl. : N. BRICAS, B. BRIDIER, « La transformation des produits agricoles ; avec quelles entreprises agro-alimentaires », *in* J. Muchknik (éd.), *Alimentation, techniques et innovations dans les régions tropicales*, Paris, L'Harmattan, 1993 • J. GOODY, *Cuisines, cuisine et classes* (1982), Paris, Centre G. Pompidou, Centre de création industrielle, coll. « Alors », 1984 • I. de GARINE, « Les modes alimentaires : histoire de l'alimentation et des manières de table », *in* J. Poirier (dir.), *Histoire des mœurs*, t. 1, Paris, Gallimard, coll. « Encyclopédie de la Pléiade », 1990.

SERBOTEL. – Voir BOULANGERIE (salons internationaux de la)

SERRERAGE. – Voir FAÇONNAGE ; PÂTE

SÉSAME (*Sesamum indicum*). – Voir CONDIMENTS DU PAIN

SÉTÉREÉ. – Voir SETIER

SETIER. – Ancienne mesure de capacité utilisée pour les grains et les liquides. Sa contenance était très variable selon les époques, les lieux, et en fonction des grains (entre 150 et 300 l environ). Ce vocable désignait également une mesure agraire dite aussi « sétérée », équivalente à la surface qu'on pouvait ensemencer avec un setier de grains.

Mouette Barboff

• *Voir aussi :* Blatier ; Grain ; Muid

Bibl. : Françoise DESPORTES, *Le Pain au Moyen Âge*, Paris, Olivier Orban, Paris, 1987 • Marcel LACHIVER, *Dictionnaire du monde rural*, Paris, Fayard, 1997 et 2006.

SEXTIER. – Voir BOISSEAU

SEXUELLE (le pain comme métaphore). – Une des caractéristiques fondamentales des civilisations du blé est d'avoir utilisé de manière récurrente le pain comme un élément de culte. L'homme accorde au pain une valeur sacrée qui lui permet à la fois de célébrer et d'appeler la vie. C'est bien à partir du culte de la fertilité que l'homme réitère sa quête en faveur d'un équilibre tant matériel que spirituel. Or, cette quête d'immortalité est ambivalente. Elle peut être à l'origine du désir d'enfanter et marquée par la nécessité de solenniser le désir physique, mais elle se retrouve encore, dans une dimension plus spirituelle, dans le désir de féconder l'âme, de transcender la matière ou les corps afin d'accéder à la sagesse suprême. Il y aurait donc plusieurs façons de concevoir l'immortalité et deux sortes de fécondité : celle des corps et celle des âmes. En Grèce antique, la déesse de l'amour Aphrodite a été présentée sous deux visages : la déesse populaire qui inspire les corps et s'adresse aux femmes et aux garçons moins intelligents ; la Céleste, née sans mère, qui inspire uniquement l'amour des garçons. Ces observations permettent de relever ce qui se trouve être au fondement des civilisations : la gestion de la fertilité. Le pouvoir économique et religieux d'une société repose avant tout sur une gestion spécifique de la fécondité.

La consommation des pâtes non levées consacrée à des moments précis du calendrier agricole et religieux mérite un commentaire. Ainsi, la consommation de l'hostie, dont la définition antique renvoie à l'image d'un animal sacrifié, est significative : elle renvoie à l'image de la virginité, de la pureté du corps et rappelle les principes sacrificiels premiers. Par le sacrifice, un corps pur ou purifié constitue un vecteur privilégié par lequel l'esprit transcende la matière vers le divin. L'hostie est bien le *corps du Christ* sacrifié par les hommes et pour les chrétiens. C'est encore dans ce sens que Jacques de Voragine, évêque de Gênes, faisant mention du martyre de sainte Agathe, rappelle l'image de la femme qui, à la fleur de l'âge, s'offre, à l'image de l'hostie blanche, au Divin : « Le froment ne peut être serré au grenier qu'après avoir été fortement battu pour être séparé de sa balle ; de même mon âme ne peut entrer au paradis avec la palme du martyre que mon corps n'ait été déchiré avec violence par les bourreaux. » Quintien, en colère, lui fit tordre les mamelles et ordonna qu'après les avoir tenaillées on les lui arrachât.

Dans sa relation au pain, l'homme transfigure sa propre évolution, par le geste et la parole il exprime inexorablement l'évolution de la matière de la vie à la mort et inversement… Ainsi, le symbolisme du pain réitère au quotidien, puis au fil des saisons, le parcours de la création divine. Un parcours tracé et consacré par l'art de produire et de transformer cette matière première qu'est le blé. Les métaphores sexuelles fusent alors : du labour à la semence, aux récoltes, étape à partir de laquelle les femmes interviennent… Mais encore à travers les modalités de la panification domestique, assumée, dit-on, exclusivement par des femmes en âge de procréer, qui avaient soin de déposer leur fournée dans des couffins destinés à recevoir leur pain et leur progéniture à la fois. En Grèce, la tradition populaire fait mention d'un rituel d'enfournement destiné à conjurer la peur de voir répéter dans un foyer la mort d'un nouveau-né. Il s'agissait de placer dans le four (éteint) le frère aîné précédant le dernier-né décédé et de lui demander de ne plus dévorer l'enfant à venir. Qu'il s'agisse de la manière de laisser reposer une pâte dans la chaleur du lit conjugal, de *fourniquer* en professionnel de la boulangerie, de jouer de la forme suggestive des miches bien rondes ou des baguettes phalliques, mais encore dans le refus de manger « de ce pain-là » : c'est une véritable structuration sociale que l'on véhicule par les métaphores sexuelles liées au pain. Ces images expriment autant le désir de vivre pleinement les plaisirs de la chair que la peur du débordement et la nécessité de respecter les interdits.

Mais à travers cet imaginaire sexuel du pain, ce sont encore des rivalités de pouvoir entre les hommes et les femmes que l'on peut analyser. La panification exclusivement masculine est destinée au commerce, elle est l'objet d'un pouvoir marchand tourné vers l'extérieur. Cette évolution est notable dans les milieux urbains et tend à se généraliser en Europe au XIXe siècle. L'industrialisation a marqué du sceau de la rentabilité la notion de fertilité. C'est certainement dans le contexte de l'évolution technologique, à l'origine d'une nouvelle forme de distribution des marchandises, que l'homme a supplanté la place de la femme au four… Il nous faut revenir sur la représentation symbolique, alchimique, du four, et citer ici Artémore : « Allumer le feu qui s'enflamme sur le foyer ou dans le four signifie engendrer un enfant. Le foyer et le four sont semblables à la femme : en eux le feu prédit que la femme sera enceinte. » Le pain se trouve bien au cœur d'une lutte pour le pouvoir, celui de la procréation, de la production à la reproduction. Une lutte où la répartition des rôles des hommes et les femmes s'exprime pleinement. Or les interdits en rapport avec la consommation du pain renvoient naturellement au corps de la femme. La femme est celle qui transmet l'art de la panification aux autres femmes pubères, elle fabrique et nourrit, en d'autres termes, elle est celle qui incite à la consommation du pain, et peut-être à la fois à celle de la chair… La femme se trouve en position équivoque et pourrait tendre à renverser l'ordre établi, elle renvoie certainement à la figure emblématique de Lilith, insoumise à Adam, dont la sexualité illimitée conduit à la stérilité et à la frigidité ; elle est le double du diable dans les religions judéo-chrétiennes et renvoie aux figures négatives des déesses-mères archaïques. Le four est bien le lieu hautement symbolique où se décident les positions attribuées à l'homme et à la femme. Le récit *Hänsel et Gretel* (ou ses variantes, *Jeannot et Margot*) est significatif à plus d'un titre. Il renvoie au parcours initiatique d'une jeune fille et d'un jeune homme perdus et affamés, qui trouvent une maison en pain d'épices, pleine de douceurs... Chacun en fonction de son sexe et de sa fonction sociale établie sortira transformé, enrichi d'un point de vue matériel, social et symbolique. La jeune fille a notamment su brûler dans le four, qui désormais lui appartient, la vieille ogresse qui voulait dévorer le jeune garçon...

L'imaginaire sexuel relatif à la fabrication et aux modalités de consommation du pain instaure les principes d'un équilibre sociétal. Un équilibre qui, des siècles durant, plaçait la femme au foyer ou aux fourneaux et qui semble se transformer à la mesure d'une économie de productions nouvelles. On observe une évolution de l'image de la fertilité liée traditionnellement à la production des denrées, à la natalité... Cette configuration contemporaine amène progressivement une standardisation des attributions sexuelles. Peut-être s'exprime-t-elle déjà dans la multiplicité des formes de pains offerte sur le marché : le pain artisanal au levain ou le pain de ménage peuvent se retrouver sous différentes formes. De la plus ronde, qui rappelle la féminité des miches, à la plus ferme des baguettes, bien cuite, plus masculine. Le goût prononcé de certains pour les pâtes mi-cuites, blanches, ou pour les pains de mie bien souples pourrait exprimer une tendance nouvelle s'adressant à un public asexué, éternel adolescent... En définitive, si les figurations sexuelles liées au pain réitèrent la quête d'immortalité des hommes, quel que soit leur sexe, elles se singularisent davantage aujourd'hui en fonction du pouvoir d'achat...

Jacqueline Acquaviva-Bosseur

• *Voir aussi :* Baguette ; Calendrier grec ancien ; Calendriers et mesure du temps ; Femmes ; Four ; *Hänsel et Gretel* ; Hostie ; Interdits liés au pain ; Llonguet → Espagne ; Maximes et proverbes ; Miche ; Pain (définition universelle du) ; Pain non levé → Pains mondiaux ; Pâte à pain ; Terre-Mère primordiale ; Vierge et cycle des cultures céréalières

Bibl. : Sylviane AGACINSKI, *Métaphysique des sexes. Masculin/Féminin aux sources du christianisme*, Paris, Seuil, 2005 • Marcel DETIENNE, *Les Jardins d'Adonis. La mythologie des aromates en Grèce*, Paris, Gallimard, 1972 • Michel FOUCAULT, *Histoire de la sexualité*, Paris, Gallimard, coll. « Bibliothèque des Histoires », 1984, 3 vol. • James George FRAZER, *Le Rameau d'or*, Paris, Robert Laffont, coll. « Bouquins », 1983, 4 vol. • André LEROI-GOURHAN, *Le Geste et la parole*, t. 2, *La Mémoire et les rythmes*, Paris, Albin Michel, 1965 • Claude MACHEREL, *Une vie de pain. Faire penser et dire le pain en Europe*, éd. R. Zeebroek, Bruxelles, Martial et Crédit communal de Belgique, 1994.

SHABBAT (double pain de). – Voir HALLAH, MANNE, PAINS DE PROPOSITION

SIAB. – Voir BOULANGERIE (salons internationaux de la)

SI LE GRAIN NE MEURT. – Le titre de l'autobiographie de l'écrivain André Gide, à travers laquelle il fait l'aveu, notamment et publiquement, d'un penchant homosexuel révélé et assumé pour la première fois lors d'un voyage en Tunisie et en Algérie avec le peintre Paul Laurens, emprunte à l'Évangile de Jean (XII, 24-25), mais dans un sens qui n'a pas manqué de scandaliser la société française de l'entre-deux-guerres (1924). Pour Gide, le grain qui tombe en terre et doit mourir pour donner « beaucoup de fruits » est l'enfant victime d'une éducation puritaine et hypocrite qui, s'effaçant, donne vie à un adolescent affranchi, libre de suivre ses inclinations et d'affirmer, à travers sa vie et son œuvre, qui il est.

Jean-Philippe de Tonnac

• *Voir aussi :* Grain et graine ; Si le grain tombé en terre ne meurt

Bibl. : André GIDE, *Si le grain ne meurt*, Paris, Gallimard, rééd. 1972.

SI LE GRAIN TOMBÉ EN TERRE NE MEURT. – « Si le grain tombé en terre ne meurt, il reste seul, mais s'il meurt, il porte beaucoup de fruits… » (Jean XII, 24). En préambule de la séquence de la Passion qui occupe une grande partie de l'Évangile selon Jean, Jésus s'applique à lui-même cette immuable loi de la nature, se comparant à un grain qui va mourir pour que sa mort puisse « apporter » beaucoup de bienfaits à l'humanité. Ce n'est pas la première fois que le maître, s'adressant à ses élèves – ou son auditoire –, se sert des exemples tirés de la campagne comme cadre de sa prédication. À la veille de sa Passion, il se présente comme ce grain qui est semé, comme un simple élément de l'univers qui va obligatoirement obéir à un cycle cosmique, lequel s'impose à lui comme au reste du cosmos. De cette façon, la mort du Christ est présentée comme une nécessité, mais aussi comme une volonté, puisqu'il n'a nullement essayé de l'éviter. Le texte s'adresse à une génération de chrétiens qui est proche encore des événements. La jeune Église subit certainement l'opposition du pouvoir romain, mais aussi la polémique de la part de la Synagogue, et ses membres doivent se poser la question de savoir pourquoi leur maître devrait mourir d'une façon si atroce sur la croix. Il leur faut accepter le fait que ce Messie, dont les prophètes avaient annoncé la venue, a accepté de souffrir et mourir comme un criminel, sans que la divinité de son existence et de son message ne soit manifeste aux yeux de tous. Quel est alors son destin de Messie ? Il faut nécessairement que sa mort puisse paraître comme un passage obligatoire, telle la mort du grain qui tombe en terre. Et, comme le grain porte beaucoup de fruits à travers sa mort, de même la mort du Christ semblait obéir à une finalité supérieure, que les fidèles devront découvrir dans le message christique (la parabole du grain) et au tréfonds de leur cœur. Jean suggère cette finalité dans ce passage ingénu de son Évangile : Jésus fait « don » de sa vie et accepte la mort pour constituer le fondement de l'Église, ce terreau où, pendant des siècles, les hommes et les femmes vont chercher leur nourriture spirituelle. Le grain de blé introduit la dimension surhumaine du sacrifice, qui est à la fois nécessaire et volontaire.

La majorité de la population périméditerranéenne de l'époque connaissait bien ce lien quasiment mystique entre le destin du grain de céréales et celui de l'homme. Le grain de blé, avec sa mort et sa résurrection annuelles, lorsque le « germe perce la terre » pour devenir épi et mourir par le fer une fois mûr, subir le battage et devenir plusieurs grains... et reprendre le cycle... est une image de la destinée propre de l'homme, la promesse d'une renaissance future, différente de la continuité (génétique) à travers la procréation. Que le Christ se compare à un grain n'a rien d'étonnant. Le Christ choisit la mort pour accomplir son destin, dont le but suprême est le fruit, ce fruit multiple et épanoui, l'Église. Raisonnons à l'envers : si Jésus avait évité la mort sur la croix, il est presque certain que la mémoire collective n'aurait pas retenu son nom et son enseignement aurait été dilué dans toutes les mouvances sectaires et philosophiques développées dans cette époque de syncrétismes et de quêtes fiévreuses. L'image du grain indique que sa mort n'est ni absurde ni gratuite : elle est porteuse de beaucoup de fruits. Quels sont ces fruits ? D'abord, elle confirme par sa résurrection que la mort est un « passage » qui s'ouvre vers l'autre versant de la Passion, dont la mort est le point culminant ; le versant qui donne accès à une autre forme de vie, qui n'est certainement pas la mort. Ensuite, Jésus prédit par son image de grain de blé que c'est Dieu lui-même qui s'occupe de cette « réalité » qui vient après la mort. Enfin, par son sacrifice pour l'amour des hommes, Jésus est allé jusqu'au bout de sa mission et de sa conviction affichée pendant toute sa prédication : la plus grande preuve d'amour est de donner sa vie pour sauver ses amis : « Qui aime sa vie la perd ; et qui hait sa vie dans ce monde la conservera en vie éternelle » (Jean XII, 25) ; « Si quelqu'un me sert, qu'il me suive, et où je suis, là sera mon serviteur. Si quelqu'un me sert, mon Père l'honorera » (Jean XII, 26). Voici les deux phrases qui suivent la parabole du grain qui meurt ; l'ensemble rappelle cette étonnante image que Teilhard de Chardin a décrite pour expliquer sa compréhension de la mort : « Nous devons lutter de toutes nos forces contre la mort, car c'est notre devoir essentiel de vivant. Mais quand la mort nous prend, il nous faut avoir ce paroxysme de foi en la vie qui nous fasse nous abandonner à la mort comme à une tombée dans la plus-Vie » (*Accomplir l'Homme*, *Lettres inédites* [1926-1952], Paris, Grasset 1968.) Cette « plus-Vie » est certainement le « beaucoup de fruits » de l'Évangile.

Yvonne de Sike

• *Voir aussi :* Cène ; Éleusis (mystères d') ; Eucharistie ; Fête-Dieu ; Isis et Osiris ; Grain ; Grain et graine ; Messe ; Morts (pain des) ; Saturne ; *Si le grain ne meurt* ; Terre-mère primordiale

SILO À FARINE (chambre ou). – Autrefois en bois, muni d'un système d'extraction située dans la partie inférieure, ce réceptacle sert à stocker la farine à la sortie du moulin avant son ensachage ou son expédition en vrac.

Philippe Duret

• *Voir aussi :* Ensachoir ; Moulin ; Meunerie ; Silo à grains

SILO À GRAINS. – Il n'y a qu'une récolte de blé par an (cela est vrai aussi pour toutes les autres céréales) et il est donc indispensable de pouvoir conserver dans de bonnes conditions les grains au moins jusqu'à la récolte suivante et même au-delà, car on ne passe pas directement d'une récolte à une autre en boulangerie : le passage se fait sur quelques mois en mélangeant deux années de récolte. Pour stocker les grains, on utilise des silos à l'abri de l'eau, ventilés pour pouvoir abaisser la température du grain, ce qui permet d'empêcher la contamination par les insectes. Dans un silo, il y a plusieurs cellules et des systèmes de manutention des grains permettant de réceptionner les blés, de les mélanger, de les ventiler et de charger des trains, des péniches ou des bateaux et des camions. De ce fait, la campagne française est parsemée de silos à grains de taille parfois imposante, et dans les régions de culture importante.

Ludovic Salvo

• *Voir aussi :* Céréales ; Conservation ; Grain ; Meunerie

SIRHA. – Voir BOULANGERIE (salons internationaux de la)

SITOPHAGE. – Voir MANGEURS DE PAIN

SNIBP (Syndicat national des industries de boulangerie et pâtisserie). Voir FEBPF

SODIUM. – Voir SEL

SOIS SAGE. – Voir DOCUMENTAIRES ET FILMS

SOJA. – Cette légumineuse est à la fois riche en protéines (35-40 %) et en lipides (15-20 %), le reste étant représenté par les glucides, dont l'amidon (25-30 %), et l'eau (10-15 %). Son originalité par rapport aux autres légumineuses est sa valorisation sous différentes formes, qui en fait un produit essentiel pour l'alimentation humaine, notamment dans certains pays ou zones géographiques du globe. La graine de soja est ainsi soumise à différents procédés de transformation (nettoyage, trempage, broyage à l'eau chaude, ébullition, décantation en centrifugeuse, déshydratation, refroidissement sous vide d'air, stockage en froid positif, ultracentrifugation, coagulation, égouttage/pressage) permettant d'obtenir de l'extrait de soja ; des fibres (okara) ; du jus, filtrat ou lait de soja nature cuit une deuxième fois (tonyu, vendu nature, aromatisé, amylacé, fermenté, additionné de céréales) ; du jus de soja concentré (pâtés végétaux, sauces…), du tofu.

Philippe Roussel

• *Voir aussi :* Légumineuse ; Soja (farine de) ; Soja (lécithine de)

SOJA (farine de). – Comme la farine de fève, la farine de soja est autorisée en boulangerie pour son action de décoloration des pâtes lorsque le boulanger recherche des mies blanches. Plus active que la farine de fève en raison de son activité enzymatique en lipoxygénase, elle est utilisée à des doses de 0,2 à 0,4 %. Ce produit n'a néanmoins plus la faveur des meuniers et des boulangers, compte tenu des risques de présence d'OGM.

Philippe Roussel

• *Voir aussi :* Fève ; Lipoxygénase ; Mie du pain ; Pain blanc

Bibl. : Philippe ROUSSEL, Hubert CHIRON, *Les Pains français. Évolution, qualité, production*, Vesoul, Maé-Erti, 2002.

SOJA (lécithine de). – La lécithine est un produit naturel que l'on trouve aussi bien dans le règne animal que végétal et en particulier dans les tissus embryonnaires en voie de croissance : graines oléagineuses, germes, jaune d'œuf… Le jaune d'œuf en

Composition moyenne de la farine de soja, en % par rapport à la matière sèche

	Blé (Type 55)	Soja
Amidon	80-85	0
Protéines	10-11	42-44
Matières minérales (cendres)	(N × 5,7)	5
Cellulose + fibres	0, 60	19
Lipides libres	2	22-24
Sucres simples	1,2-1,5	5
Sucres complexes	1-2	5
Activité de la lipoxygénase en unités lipoxygénasiques (U LPX/g)	10-20	400-500

contient environ 6 à 7 %, mais la principale source reste le soja (1,5 à 2 % par rapport à la matière sèche), et la moins onéreuse. La présomption de l'utilisation de soja d'origine OGM amène aujourd'hui les Européens à proposer aussi des lécithines issues d'autres graines oléagineuses comme le colza. Pour des doses d'incorporation de 0,1-0,2 %, les influences dans les pâtes boulangères se caractérisent, avec le pouvoir émulsifiant, par des meilleures liaisons entre protéines, glucides, lipides et eau, contribuant probablement à la diminution de la porosité des pâtes. Ces mécanismes se traduisent par une augmentation de la rétention gazeuse et permettent une augmentation du volume des pains. Cet effet est surtout sensible lorsque les pâtes sont soumises, pendant la deuxième fermentation, à une extension prolongée (pousse contrôlée, temps d'apprêt longs).

L'emploi de la lécithine, et notamment de la lécithine brute contenant de l'huile de soja, rend les pâtes plus souples, sans les rendre collantes. Cette propriété facilite le passage des pâtes en machine (diviseuse, façonneuse) en limitant les phénomènes de déchirement. On observe cette action surtout aux doses de 0,3 % et plus particulièrement avec de la lécithine brute comparativement à l'utilisation de la lécithine purifiée. On interprète, ainsi, que la fraction huile de la lécithine assure davantage ce rôle assouplissant que la fraction émulsifiante. La présence importante d'acides gras insaturés dans la lécithine entraîne, pour ce produit, une instabilité à l'oxygène. Incorporée dans une pâte, on constate que la lécithine ralentit son oxydation en limitant la décoloration des pigments de la farine. La présence de tocophérols (antioxydants naturels) dans cet émulsifiant agit dans le même sens. En fixant ainsi l'oxygène, la lécithine préserve davantage la couleur crème de la pâte. Ce blocage d'oxygène se fait, sans doute, au détriment des réactions d'oxydation sur le gluten, qui est à l'origine d'une diminution de la prise de force des pâtes. En réduisant les phénomènes d'oxydation sur le gluten, la pâte garde davantage son extensibilité au détriment de sa tenue et de son élasticité, contribuant ainsi au rôle assouplissant de la lécithine.

Après nettoyage, séchage, décorticage et concassage, on provoque un épuisement du produit par solvant, suivi d'une évaporation de celui-ci ; il reste alors une huile brute (émulsion, huile + lécithine) et un produit déshuilé. La séparation de la lécithine se fait en incorporant de l'eau au mélange ; la lécithine, seule, peut s'hydrater, ce qui permet sa séparation par centrifugation. Après cette séparation, il reste environ 30 % d'huile dans la lécithine et une faible quantité d'eau (inférieure à 2 %). La lécithine brute peut alors être déshuilée. Elle se présente sous forme pulvérulente, avec une composition comprenant entre 75 et 90 % de phospholipides associés à la lécithine. Mais on désigne souvent comme vraie lécithine la fraction phosphatidylcholine, laquelle représente environ 25 % des phospholipides. Ces phospholipides diffèrent entre eux en fonction de la nature des acides gras qui les composent.

Philippe Roussel

• *Voir aussi :* Force en boulangerie ; Gaz carbonique ; Oxydation ; Pâte ; Soja ; Soja (farine de)

SOLE. – Simple pierre plate, choisie à l'origine parmi les roches-mères (roches à partir de laquelle se constitue le sol). Primitivement posée à même la terre, puis surélevée, taillée, la sole, d'abord à ciel ouvert, plus tard sous une voûte construite, est le lieu où se déroule l'action, le rite, le spectacle. Plus que symbolique, elle est un véritable champ d'énergie, une microreproduction, une concrète portion d'espace. D'épaisseur variable, son aire, qui a pour constante d'être plane et lisse, rassemble tous les points de l'horizon, recueille les rayonnements célestes, libère les influences telluriques. Émettrice, réceptrice, transmettrice, à la manière de la terre chauffée par le soleil, elle emmagasine et restitue la chaleur du feu. Brûlante, elle offre ainsi l'opportunité d'une cuisson à même sa surface. Fusionnelle, sa force de contact, vive et attractive puis douce et gestative, prédispose tout naturellement la sole à être un foyer. C'est autour et à partir d'elle que le four s'élabore, se bâtit. D'une pierre seule, ou de plusieurs assemblées, elle est la base, le fondement. Aujourd'hui encore, répondant à d'ancestrales mathématiques et connaissances, ses proportions traduisent, intacte, l'interrelation existant entre la pierre originelle et l'universelle intelligence du haut, du bas, des points cardinaux. Il est intéressant de noter qu'en boulangerie le terme « sole » s'applique aux fours ayant une base, fixe ou tournante, en pierre exclusivement, ainsi qu'aux types de cuisson se réalisant sur la pierre directement, ou dans des contenants : plaques, moules, filets spéciaux. Du four à la cuisson, cette extension de la définition du mot « sole » signale une appartenance, un large rattachement à une identique et commune lignée. La source de ce savoir remonte bien à son réel point de départ, évoquant intensément la puissance d'un unique continent : la sole, plate-forme, place forte, telle une estrade, une table, un autel, invite à un profond et absolu respect. Elle confère à ses constructions, à ses modes de cuisson, comme alors, le caractère du sacré.

Henri Granier et Cathy Giraud

• *Voir aussi :* Cuisson directe/indirecte ; Cuisson sur filets ; Cuisson sur pavé ; Enfournement ; Enfournement (rituel thérapeutique d') ; Enfournement-défournement ; Four ; Four (symbolique du) ; Fournée ; Fournier et fornillon ; Voûte ou chapelle du four à bois

Bibl. : Jean CHEVALIER, Alain GHEERBRANT, *Dictionnaire des symboles*, Paris, Robert Laffont, coll. « Bouquins », 1997 • Henri GRANIER, *Apprendre à faire son pain au levain naturel*, Rennes, Ouest-France, 2003.

SOMALIE (traditions du pain en). Dans les villages de Somalie, comme dans les villes, la journée s'ébauche avec la cuisson du pain. Chaque matin, les femmes préparent les premières galettes qui constitueront le petit déjeuner des hommes et des enfants. Ce pain quotidien est la *lohoh* (ou *lahoh*, appelée *anjeero* ou *canjeero* dans le sud du pays). Une galette souple et spongieuse de farines de sorgho et de blé mélangés, semblable à l'*injera* éthiopienne, cependant moins large et moins épaisse. La pâte, liquide, préparée la veille pour le lendemain, fermente à l'air ambiant dans un récipient que l'on ne vide jamais afin de préserver le précieux levain qui s'y est formé. Cuite sur une plaque de métal épaisse et très chaude, la *lohoh* est roulée ou déchirée en morceaux, puis mangée avec du beurre clarifié, du sucre ou du miel, parfois trempée dans une tasse de thé, ce thé noir que les Somaliens boivent tout au long de la journée. Le premier repas de la journée peut être plus consistant, associant par exemple la *lohoh* à des haricots, des abats en sauce ou de la viande séchée. Quand elle accompagne les ragoûts du déjeuner, la *lohoh* sert alors de cuillère pour saisir les morceaux du plat. Le soir, elle se mange avec un peu de sucre et de lait caillé. Enrichie de sucre et d'œufs, elle devient une *malawah*, particulièrement appréciée durant le ramadan, à l'heure de la rupture du jeûne.

La tradition, très ancienne, de commerce des Somaliens et les plus récentes tutelles occidentales ont profondément marqué leur gastronomie, qui doit sa diversité aux influences venues d'Éthiopie, du Yémen, de Perse, d'Inde, de Turquie, d'Angleterre ou d'Italie. Outre la *lohoh*, trois autres formes de galettes et de pains composent ainsi l'alimentation de base en Somalie : le *sabaayad*, le *muufo* et le *rooti*. Chacun étant lui-même l'objet de variations de taille, de forme, de farine ou d'ingrédients, selon les usages et les régions. Le *sabaayad* (ou *kimis*) est un pain plat proche de la *chapâtî* indienne, de forme ronde ou carrée, cuit sur une plaque très chaude ou dans une poêle. Sa composition est rudimentaire : de la farine de blé, de l'eau, de l'huile et du sel, parfois un peu de sucre. La pâte du *sabaayad* est cependant légèrement feuilletée, et nécessite un long travail de pétrissage et de pliage. Il est donc généralement réservé aux temps de fêtes, comme le ramadan, ou aux repas des hommes. Contrairement à la *lohoh*, mangée fraîche, le *sabaayad* se conserve une dizaine de jours et peut se réchauffer rapidement sur le feu. Aussi, c'est le pain des Bédouins depuis toujours, celui des guerriers des temps anciens et des fidèles qui effectuaient, il y a cinquante ans encore, leur pèlerinage à La Mecque à pied.

Dans le sud agricole de la Somalie, le pain de chaque jour est un pain rond de maïs, parfois de sorgho, qui ressemble au pain du Moyen-Orient : le *muufo*. Sa pâte lève en cuisant plaquée sur les parois d'un four (*tinaar*) creusé dans le sol. Quant au *rooti*, rond et bombé, de la taille d'une main et plus courant dans le nord du pays, c'est le pain des boulangers (le terme *rooti* ou *forun* peut d'ailleurs désigner le pain en général), cuit au four à bois et évoquant le pain européen. L'acheter est souvent la tâche des enfants, qui le trouvent également dans les épiceries ou les snacks des villes. Il est enfin à noter que le riz et les pâtes sont très présents dans l'alimentation des Somaliens, au nord comme au sud. Souvent consommés durant le déjeuner, ils remplacent le pain en accompagnement des ragoûts et des sauces épicés, des viandes et des poissons.

Lohoh. Voir DJIBOUTI.

Muufo. Pain rond de maïs, légèrement levé, très consommé dans le sud de la Somalie. Sa pâte lève en cuisant plaquée sur les parois d'un four (*tinaar*) creusé dans le sol.

Rooti. Petit pain rond épais et bombé. Courant dans le nord du pays, il est cuit au four à bois par les boulangers. Le terme *rooti* peut désigner le pain levé en général.

Sabayaad. Pain plat proche de la *chapâtî* indienne, de forme ronde ou carrée, cuit sur une plaque très chaude ou dans une poêle. Sa pâte légèrement feuilletée nécessite un long travail de pétrissage et de pliage. Il est donc généralement réservé aux temps de fêtes, comme le ramadan, ou aux repas des hommes. Le *sabaayad* se conservant une dizaine de jours, c'est le pain des Bédouins et des voyageurs, qui le réchauffent rapidement sur un feu.

Noémie Videau

• *Voir aussi :* Éthiopie ; Djibouti ; Musées du pain ; Museum der Brotkultur ; Pain (définition universelle du) ; Pains mondiaux ; Sorgho

Bibl. : Mohamed DIRIYE ABDULLAHI, *Culture and Customs of Somalia*, Westport (Conn.), Greenwood Press, 2001.

SOMME. – Voir SETIER

SOMMIER. – Pièce maîtresse horizontale de la cabine d'un moulin sur pivot à partir de laquelle s'organise la charpente. Sur le bout de l'attache (pivot) est posé le sommier dans lequel entre son mamelon (extrémité du pivot) : c'est sur le sommier que repose la construction du moulin ; on garnit le sommet du pivot d'une plaque de cuivre, d'après Mathurin Jousse (Rivals 2000). Dans les autres systèmes constructifs de moulin à vent, le sommier désigne l'extrémité supérieure du bâti, sur laquelle va reposer la sablière, pièce permettant la rotation à bon vent de toute la charpente du moulin. Dans les moulins à roue hydraulique horizontale, on désigne par « sommier » le bâti en bois (grosses poutres sommairement équarries), ou la voûte de pierre maçonnée qui supporte les meules.

Jean-Pierre Henri Azéma
et Roland Feuillas

• *Voir aussi :* Meule ; Moulin ; Rouet

Bibl. : Claude RIVALS, *Le Moulin et le meunier*, vol. 2 : *Une symbolique sociale*, Portet-sur-Garonne, Empreinte, 2000.

SON. – Les enveloppes (13 à 15 % du grain de blé) sont constituées du péricarpe (4 %), du tégument séminal (2 %) et de l'assise protéique (7 à 9 %). Elles représentent une membrane souple et dure à briser dont les différentes couches sont bien soudées entre elles ; l'assise protéique assurant aussi une forte adhésion de l'amande sur les enveloppes. Il n'est donc pas possible de détacher l'enveloppe de l'amande par pelage comme on peut le faire avec une orange. L'enveloppe externe est présente à l'intérieur du grain sur le sillon rentrant. Cette caractéristique limite l'emploi de techniques par abrasion comme avec le riz, si l'on veut enlever complètement l'enveloppe du grain. Le péricarpe et le tégument séminal sont constitués en forte proportion de cellulose et d'éléments minéraux ; l'assise protéique se caractérisant par sa teneur élevée en protéines, lipides, vitamines et éléments minéraux. Cette dernière partie, riche en éléments nutritionnels, ne sera, avec la technique de mouture sur cylindres, que faiblement incorporée aux farines blanches classiques, à cause des fortes liaisons avec les différentes couches de l'enveloppe. Après mouture, cette carapace externe du grain de blé est appelée « son ».

Philippe Roussel

• *Voir aussi :* Amande farineuse ; Cylindre ; Cylindres (appareil à) ; Enveloppe ; Grain ; Meunerie ; Mouture ; Péricarpe → Grain ; Son (pain de)

Bibl. : Claude WILLM, *La Mouture du blé*, Montgeron, CEMP, 2009.

SON (pain de). – Pain fabriqué avec une forte proportion de son, qui peut avoisiner les 20 % dans une farine. Des tentatives de définition réglementaire sur un aspect quantitatif, de son ou de fibres, ont été amorcées mais sans résultat. On peut se fonder sur le code de la consommation, qui suppose qu'il ne doit pas y avoir de tromperie du consommateur, pour avancer un chiffre comme 20 %. Il prend en compte le fait que le consommateur peut supposer que le pain doit contenir plus de son que dans une farine dite complète, pour avoir le droit à ce qualificatif particulier ; mais également, il considère les difficultés technologiques inhérentes à la fabrication et à la pénalisation forte du volume des pains, proportionnelle à l'augmentation du son dans la formule.

Philippe Roussel

• *Voir aussi :* Fibres ; Pains mondiaux ; Pains spéciaux ; Seigle (pain de) ; Son

SORGHO (*Sorghum bicolor*). – La quasi-totalité des variétés de sorgho cultivées est aujourd'hui groupée dans l'espèce *Sorghum bicolor*. L'espèce aurait été domestiquée en Éthiopie avant 3000 av. J.-C., et elle s'est d'abord répandue en Afrique de l'Ouest et en Afrique de l'Est. Le sorgho a été introduit en Inde au Ier millénaire av. J.-C., et est arrivé en Chine vers le début de notre ère. Son arrivée à l'est de la Méditerranée est beaucoup plus difficile à dater, car il a souvent partagé ses noms avec ceux des millets. Il semble qu'Hérodote et Pline en parlent, et son nom de sorgho nous montre qu'il est venu comme un « millet de Syrie », sens du latin *suricum*, passé à l'italien *sorgo*. C'est surtout une forme particulière, le sorgho à balais, qui a commencé à être utilisé en Italie au XVIIe siècle, et s'est répandue dans le sud de l'Europe. Aux États-Unis, c'est le sorgho à sucre, dont on extrayait une mélasse de la tige, qui se répand au milieu du XIXe siècle. Enfin, au XXe siècle, il devient une importante plante fourragère un peu partout.

La plante est vigoureuse, et haute de 50 cm à 6 m. La tige est pleine et les feuilles larges, ce qui la fait ressembler au maïs. Elle a habituellement une seule panicule, lâche ou compacte. Les épillets fertiles contiennent un seul grain arrondi et légèrement pointu. La diversité des sorghos est très grande, et on les classe habituellement en groupes morphologiques qui ne correspondent pas toujours aux caractéristiques techniques, contrairement au maïs. Le groupe Bicolor a une panicule lâche et un grain allongé. Il comprend les sorghos à sucre, les sorghos à balais et les kaoliangs, utilisés en Chine pour la farine et un « vin » de sorgho. Le groupe Caudatum a une panicule lâche ou compacte et un grain asymétrique. Il est très cultivé en Afrique. Il comprend le sorgho des teinturiers, dont les gaines donnent un colorant rouge. Le groupe Durra a une panicule compacte, coudée en crosse, et un grain de grosse taille. Il est surtout cultivé dans le nord-est de l'Afrique, au Proche-Orient et en Asie, par des populations islamisées. Le groupe Guinea a une panicule lâche, de grande taille, et un grain aplati. Il est surtout cultivé en Afrique de l'Ouest et consommé en grains entiers, en farine ou transformé en bière. Le groupe Kafir a une panicule compacte et cylindrique et un grain arrondi. Il est surtout cultivé dans le sud et l'est de l'Afrique, et c'est le principal sorgho à bière. Il existe de nombreux groupes intermédiaires, en particulier chez les variétés modernes.

Outre les usages mentionnés ci-dessus, les usages alimentaires du grain sont diversifiés. Les grains peuvent s'utiliser entiers (décortiqués), simplement bouillis, grillés ou éclatés. Habituellement, ils sont pilés ou moulus pour faire des bouillies épaisses ou liquides, des crêpes, des boulettes ou du couscous. En Afrique, il sert aussi souvent à faire des bières claires (comme le *dolo*), opaques ou troubles, et on préfère pour cela les grains colorés. Dans quelques régions, le sorgho sert à faire des types de pain (à pâte levée). En Éthiopie, 80 % de la production servent à faire de l'*injera*, bien que l'*injera* de tef soit préféré. Au Soudan, la *kisra* est une galette cuite sur une plaque et, au Nigeria, la *masa* est un pain frit. On connaît aussi des galettes de pâte non levée, comme les *rotî* en Inde, et la *waina* au Nigeria.

Michel Chauvet

• *Voir aussi :* Afrique de l'Ouest – Civilisation du mil ; Bière ; Céréales ; Mil et millet

Bibl. : J. CHANTEREAU, R. NICOU, *Le Sorgho*, Paris, Maisonneuve-Larose, 1991 • M. DEU, P. HAMON, F. BONNOT, J. CHANTEREAU, « Le sorgho », *in* P. Hamon *et al.* (éd.), *Diversité génétique des plantes tropicales cultivées*, Montpellier, CIRAD, 1999 • H. DOGGETT, *Sorghum*. 2e éd., Harlow, Longman, 1988 • A. PIEDALLU, *Le Sorgho, son histoire, ses applications*, Paris, Société d'éditions géographiques, maritimes et coloniales, 1923 • J. D. SNOWDEN, *The Cultivated Races of Sorghum*, Londres, Adlard, 1936.

SOUCHE. – Voir TAILLE

SOUCHOTÈQUE. – Voir LEVURIERS

SOUDURE. – Voir CLÉ

SOUFFLAGE. – Voir ÉTIRAGE ET SOUFFLAGE

SOUPE. – Mélange de pain rassis et d'eau qui peut être incorporée au pétrissage d'une pâte à pain. Cette technique permet de recycler du pain invendu ou non présentable à condition que celui-ci soit conservé dans des conditions d'hygiène correctes. Même si cette pratique n'est pas généralisée, il n'existe pas de texte l'interdisant. Le recyclage des « déchets » alimentaires « propres », sans risques sanitaires, est une pratique chez d'autres professionnels de l'alimentaire.

Philippe Roussel

• *Voir aussi :* Chapelure ; Croûte à potage ; Croûton, croûtons ; Mouillette ; Pain rassis ; Pain sec (au) ; Panure ; Pâte ; Pétrissage

SOUPE DE PAIN. – Manière très ancienne d'accommoder les restes de pain, qui fut un aliment essentiel pendant les époques de disette et de guerre. Maguelonne Toussaint-Samat (1997) évoque une origine liée à une recette des plus simples d'un aliment de base : le pain trempé dans de l'eau et assaisonné : « Cette pratique est un avant-goût de la soupe qui, à partir des temps barbares, entrera dans nos menus : tranche de pain au fond de l'écuelle et sur laquelle on versera le bouillon cuit dans un pot ou potage. Le mot *suppa*, du francique, s'emploie en bas latin et a conservé sa première signification dans le néerlandais *soppen*, tremper. Encore dans nos campagnes, on trempe la soupe qui comporte des morceaux de pain. » La panade est traditionnellement une soupe faite avec de la croûte de pain, de l'eau, du sel, du beurre et un jaune d'œuf. En Corse, par opposition au pain blanc des familles aisées, c'était souvent du pain noir qui constituait la soupe de *panicottu*. Dans l'île, la soupe demeure bien souvent le repas complet du soir, elle est nourrissante et riche et sa composition peut varier selon les saisons. La soupe au pain, *u panicottu* (qui aurait comme équivalent la panade), est une soupe appréciée surtout en hiver. Elle est faite avec du pain rassis, de l'ail, de l'huile d'olive, du *brocciu* (sec ou frais) ou du lait. Exemple de recette du *pan cottu*, *panicottu* ou *minestra di panicottu* en Corse : Dans un litre d'eau froide salée, couper 250 g de pain rassis. Poser sur feu doux, ajoutez une gousse d'ail écrasée, une cuillérée d'huile. Cuire une demi-heure mais tout doucement afin qu'elle n'attache pas au fond. On peut, suivant les goûts, ajouter quelques fines tranches de brocciu salé mais encore tendre (Filippini 1972).

Tony Fogacci

• *Voir aussi :* Croûte à potage ; Croûton, croûtons ; Miette ; Mouillette ; Panade ; Pain perdu ; Pain rassis ; Soupe ; Tranchoir et tailloir

Bibl. : Maria Nunzia FILIPPINI, *La Cuisine corse*, Vico, Les Éditions de la Spusata, 1972 • Maguelonne TOUSSAINT-SAMAT, *Histoire naturelle et morale de la nourriture*, Paris, Larousse-Bordas, coll. « In Extenso », 1997.

SPATULE. – Ustensile souple permettant de racler le fond de récipients tels que pétrin, cuve, bac à pâte, etc. À comparer à la corne en plastique souple destinée aux mêmes usages en pâtisserie. Peut être utilisée aussi pour homogénéiser, étendre des crèmes.

Guy Boulet

• *Voir aussi :* Corne ; Coupe-pâte, grattoir et ratissoire ; Pâte ; Pâtisserie ; Pétrin

***SPÉCULATEURS* (*Les*).** – Voir DOCUMENTAIRES ET FILMS

SPORULATION. – Phénomène concernant certaines bactéries dites sporulantes, capables, dans des conditions hostiles, de se transformer et de donner naissance à des spores. Il ne faut pas confondre les spores bactériennes avec les spores de levures ou moisissures, qui sont soit des formes de reproduction sexuée, soit de dissémination, mais ne présentent pas de niveau de résistance aussi importante que les spores bactériennes. En effet, les spores bactériennes sont résistantes à différents stress (chaleur, radiations UV, désinfectants, dessiccation, etc.). Leur destruction nécessite un traitement de stérilisation approprié ou une germination (retour à l'état végétatif initial) préalable. La farine peut contenir des spores bactériennes. La cuisson du pain n'est pas une stérilisation et ne permet pas en général de les détruire.

Bernard Onno

• *Voir aussi :* Bactérie ; Farine ; Moisissure ; Stérilisation

Bibl. : C. M. BOURGEOIS, J.-F. MESCLÉ, J. ZUCCA, *Microbiologie alimentaire*, t. 1, Paris, Tec et Doc-Lavoisier, coll. « Sciences et Techniques », 1996.

STABILISANT. – Voir ADDITIF

STARTER. – Concentré déshydraté de micro-organismes vivants (bactéries lactiques seules ou associées à des levures) ; il peut être sec, pâteux ou liquide. Les micro-organismes des starters sont généralement sélectionnés et produits en souches pures. L'ensemencement direct du levain de tout point par ces starters évite le développement d'une flore incontrôlée et garantit la possibilité de pouvoir reproduire un levain avec les mêmes caractéristiques.

Guy Boulet

• *Voir aussi :* Bactérie lactique ; Fermentation panaire ; Levain, levain-chef, levain de première, de seconde, de tout point ; Levure de boulanger

STEAMBOAT BILL JUNIOR. – Voir DOCUMENTAIRES ET FILMS

STÉRILISATION. – La stérilisation vise à l'élimination des micro-organismes les plus résistants, de façon à rendre stable et sans risque pour le consommateur un produit alimentaire. Elle repose sur l'application d'un barème (temps-température) de traitement thermique (généralement 120° pendant 15-20 min). Ce traitement permet de détruire la plupart des germes et de rendre très faible le risque de présence dans un produit (conserve) de spores de *Clostridium botulinum*, responsable du botulisme. Le nombre de micro-organismes diminue avec le temps de traitement. La vitesse de destruction par la chaleur dépend du micro-organisme considéré et des facteurs du milieu (nombre initial de germes, acidité, pH, activité de l'eau, etc.). Chaque espèce microbienne peut être caractérisée par un temps de réduction décimal appelé D (temps, pour une température donnée, nécessaire pour réduire de 90 % le nombre de cellules) et par un coefficient de réduction du temps de traitement Z (augmentation de température permettant de réduirc de 90 % le temps de traitement à une température donnée). C'est en se fondant sur ces valeurs et le niveau de risque souhaité que l'on définit le barème de stérilisation. La cuisson du pain n'est donc pas une stérilisation.

Bernard Onno

• *Voir aussi :* Bactérie ; Congélation ; DLC ; DLUO ; Froid ; HACCP ; Lyophilisation ; Micro-organisme ; Sporulation ; Surgélation ; Traçabilité ; UHT

Bibl. : C. M. BOURGEOIS, J.-F. MESCLÉ, J. ZUCCA, *Microbiologie alimentaire*, t. 1, Paris, Tec et Doc-Lavoisier, coll. « Sciences et Techniques », 1996.

SUCRES FERMENTESCIBLES. Principalement constitués de saccharose, de maltose, de glucose et de fructose, les sucres fermentescibles représentent généralement moins de 1 % de la matière sèche du grain. Cette teneur, qui varie peu, est davantage sous la dépendance des conditions agroclimatiques qui accompagnent le remplissage et la maturation du grain que fortement liée à la variété de blé. La levure du boulanger *Saccharomyces cerevisiae* et les ferments du levain vont trouver leur énergie en hydrolysant les sucres fermentescibles selon une chaîne de réactions enzymatiques qui produit du dioxyde de carbone et de l'éthanol. Ce dernier, très hydrosoluble, s'évapore peu, contrairement au CO_2 qui contribue largement à la formation des alvéoles et au développement du pain. La quantité de sucres fermentescibles dans la farine est insuffisante pour assurer le développement gazeux jusqu'à la fin de la cuisson du pain. Un supplément de sucres fermentescibles est apporté par l'action des amylases, qui hydrolysent l'amidon aisément accessible (granules d'amidon endommagé) depuis le pétrissage jusqu'au début de la phase de cuisson. Vers 65°, l'amidon gélatinise, libérant l'amylose et l'amylopectine qui ne peuvent alors être hydrolysés que par l'alpha-amylase, car, à cette température, la bêta-amylase est inactive. L'excès de sucres fermentescibles provoque une diminution de la consistance de la pâte, une augmentation du volume du pain et un brunissement plus important de la croûte en favorisant la réaction dite de Maillard.

Gérard Branlard

• *Voir aussi :* Albumen ; Amidon ; Amidon endommagé ; Amylase et activité amylasique ; Amylopectine → Amidon ; Fermentation panaire ; Gluten ; Gluténines ; Grain ; Hydrolyse ; Levain panifiable ; Levure de boulanger ; Maillard (réaction de) ; Protéine

SUÈDE (traditions du pain en). – La Suède était un pays rural jusqu'au milieu du XIXe siècle, moment où la société connut un changement de structure majeur avec l'industrialisation. La trace la plus précoce de la transformation du grain en farine par mouture en Suède réside dans ce qu'on appelle les pierres à moudre, cette technique s'étant transformée dans le temps pour aboutir à des sortes de moulins à eau primitifs, qu'on appelle *Skvaltkvarn* en suédois. Ce type de moulin devait se dresser haut par rapport au niveau de l'eau, car il nécessitait une importante chute d'eau pour fonctionner. Il ne marchait pas si l'énergie hydraulique était faible ou limitée. Ces moulins ont pu être datés de la période entourant la naissance du Christ. Le développement des moulins se poursuivit au cours du temps, et l'eau en tant qu'énergie principale permettant au moulin de fonctionner vint à être remplacée par le vent. Les moulins à vent firent leur apparition en Suède durant le Moyen Âge, et l'on peut encore en voir quelques-uns dans le Sud et sur l'île d'Öland. La construction des premiers moulins différait de celle des moulins à eau et à vent. Ils étaient fabriqués de manière que l'ensemble de la partie supérieure du moulin se déplace pendant le processus de mouture, et non pas seulement les pierres à moudre. La Suède connut son premier moulin à vapeur en 1806. À la fin du XIXe siècle, des cylindres d'acier remplacèrent les pierres à moudre. Au cours du XXe siècle, l'électricité s'imposa comme la forme d'énergie majoritairement employée dans les moulins, et de nos jours ceux-ci sont informatisés.

On a cuit le pain dans des fours en

briques pendant des siècles dans la plus grande partie de l'Europe. Cette sorte de fours fut introduite en Scandinavie et en Suède au cours du Moyen Âge, approximativement au moment où le seigle commença à être cultivé dans le pays en tant que céréale panifiable. Le pain mince et rond qui était confectionné à partir d'orge ou d'avoine, sans levain, était mis à cuire sur des plaques posées au-dessus d'un feu ouvert, tandis que le pain réalisé à partir de seigle exigeait un four en briques. Celui-ci ne connut pas de transformation majeure dans les boulangeries suédoises jusqu'au début du XXe siècle. À cette époque, un nouveau four fut mis au point, doté d'un fond amovible qui permettait au boulanger de cuire davantage de pains en même temps. Non seulement ce four permit de gagner du temps, mais aussi d'économiser les moyens mis en œuvre. Avec le temps, ces fours se développèrent et allèrent jusqu'à mesurer 20 m de longueur. Ils sont aujourd'hui informatisés. Les fours domestiques connurent également un essor technologique à la fin du XVIIIe siècle. Les nouvelles cuisinières en fonte, qui chauffaient au bois, furent un vrai succès et rendirent possible la fabrication du pain dans les foyers avec une plus grande fréquence qu'auparavant. Par-dessus tout, ces cuisinières permettaient aux ménages de confectionner des pains et des gâteaux plus élaborés les week-ends et les jours de fête. En ce temps-là, il était très commun pour les femmes au foyer de se réunir et de s'inviter entre elles pour prendre un café et des gâteaux (appelés *kafferep*). Grâce aux nouveaux dispositifs de cuisson domestique, ces réunions fleurirent, où l'on offrait des gâteaux en forme d'anneau fraîchement cuits, des buns à la cannelle et bien d'autres choses délicieuses. Sept variétés différentes, au moins, de ces gâteaux étaient exigées par l'étiquette pour ces réunions, qui ne concernaient que la classe sociale supérieure.

Dans les périodes de grande crise, comme en temps de guerre ou pendant les famines dues à des années de mauvaises récoltes, les Suédois s'efforçaient de continuer à fabriquer et cuire leur pain, quand ils ne décidaient pas d'émigrer. La grande vague d'émigration, à la fin du XIXe siècle, de la Suède vers les États-Unis, était principalement due à de nombreuses années de récoltes désastreuses. Divers substituts aux céréales furent employés, comme l'écorce, les lichens, les baies de sorbier, la mousse et les pommes de terre, pour n'en citer que quelques-uns. Quand on utilisait de l'écorce, celle-ci était sélectionnée, puis séchée, coupée en petits morceaux, écrasée dans un mortier et enfin moulue pour la transformer en farine. On se servait ensuite de cette farine pour faire du pain. Quand les temps étaient meilleurs, le pain était confectionné à partir de différentes céréales cultivées. L'un des premiers documents suédois qui mentionne des miches de pain moelleux provient de l'abbaye de Vadstena, avant la Réforme, au XVIe siècle ; ce pain était réalisé avec du levain et de la farine de seigle, d'orge et de pomme de terre. Il faut attendre le XVIIIe siècle pour que la levure de boulanger entre en usage. La première fois que de la levure fut utilisée, il s'agissait d'un pain expérimental confectionné dans une boulangerie de Karlskrona et destiné à la marine suédoise. L'usage de la levure de boulanger se répandit alors dans tout le pays. Ces expériences étaient réalisées à partir de farine de seigle, la farine de blé étant coûteuse et uniquement accessible aux classes aisées. L'expression « pain riche » est signalée en Suède pour la première fois en 1895 dans une boulangerie de Stockholm appartenant aux Shumacher. Ils fabriquaient un pain blanc plus raffiné qu'ils appelaient *pain riche*. Il était confectionné sur un modèle français et on le vendait au poids. Cependant, ce n'était pas la première fois que du pain d'influence française était vendu à Stockholm. En 1768, un pain français fut commercialisé dans la ville, dont le poids était de 20 g et le coût d'un öre. Ce pain s'implanta en Suède et, avec le temps, on en vint tout simplement à appeler le pain blanc « pain français ».

Comme la farine de froment était chère, la plupart des gens n'en consommaient que les jours de fête, ce dont on a un exemple avec les petits pains de carême. Au départ, on ne mangeait ces petits pains de carême que le mardi d'avant la grande période de jeûne qui précédait Pâques. Lorsque l'importance des règles religieuses du jeûne commença à décliner, les gens se mirent à manger ces pains chaque mardi des sept semaines coutumières du carême. Actuellement, les boulangeries commencent à produire ces petits pains dès janvier, mais il n'est pas impossible d'en trouver déjà peu après Noël. Les petits pains de carême sont hautement appréciés en Suède. À l'époque moderne, après l'industrialisation, les boulangeries furent en mesure de produire du pain tendre en plus grandes quantités ; avec les nouvelles techniques de conservation, il est possible aujourd'hui de se procurer du pain moelleux et frais quotidiennement dans de petites boulangeries, ou dans de grandes boulangeries qui produisent du pain à très grande échelle. Le pain moelleux est de différentes sortes, comme le pain blanc fait à partir de farine de blé ou le pain noir issu du seigle. Ce pain peut être sucré, légèrement sucré ou pas du tout. On le mange habituellement au petit déjeuner.

Il existe en Suède des particularismes alimentaires bien marqués. Les distinctions régionales les plus évidentes peuvent être observées dans la consommation de pain craquant (*knäckebrot*). C'est dans le centre du pays et dans les parties les plus méridionales du Norrland que cette variété de pain sec connaît sa plus grande consommation, dans les provinces de Stockholm, de l'Uppland, du Södermanland, du Gästrikland, du Värmland et de Dalarna. Même si Skåne, la province située le plus au sud, généralement considérée comme la plus grande consommatrice de pain du pays, compte un grand nombre d'habitants, sa consommation de ce type de pain est moindre. Le pain caractéristique qui y est consommé est un pain noir moelleux. Le pain complet y est fabriqué à partir de seigle, issu de farine complète ou de mouture grossière. Il est similaire au pain de seigle danois ou au *pumpernickel* allemand. Cela s'explique par le fait que cette région a longtemps appartenu au Danemark. Le pain de seigle devint une nourriture de base quotidienne dans les provinces de l'Östergötland au cours du XVIIIe siècle. Dans les parties situées au nord et au nord-ouest du pays, les habitants ont continué à fabriquer du pain à base d'avoine et d'orge et il a fallu attendre la fin du XIXe siècle pour que l'on passe à du pain issu de seigle.

À l'origine, le pain noir suédois, élaboré à partir de seigle, n'était confectionné réellement qu'en temps de crise. Le pain moelleux tout juste sorti du four était mis à sécher en le suspendant, afin d'obtenir une réserve de pain apte à se conserver pendant une longue période. Au XVIe siècle, cette variété de pain était appelée *spisbröd*, ce qui signifie quelque chose comme « pain de cheminée ». Il s'agissait de gâteaux épais et consistants fabriqués à partir de farine de seigle non tamisée mélangée à de la farine d'orge. Un levain était utilisé pour faire lever la pâte. Lorsqu'il était sec, ce pain était si dur qu'il devait être trempé dans du lait ou dans quelque autre liquide. Une méthode répandue consistait à l'asperger pour le ramollir, puis à le réchauffer rapidement au four. Ce pain était celui des gens ordinaires et, au cours du XVIIIe siècle, un changement intervint dans sa recette : remplaçant le levain, la levure de boulanger entra dans les usages. Dans les ouvrages de cuisine et d'économie de l'époque, on peut trouver des recommandations destinées à ceux qui n'étaient pas familiarisés avec la levure – comme de ne pas mettre trop de farine dans la pâte, étant donné qu'une pâte au levain demande beaucoup plus de farine qu'une pâte à la levure. Durant cette période, les pains devinrent plus minces que par le passé, et l'on utilisa un rouleau à pâtisserie spécial, comportant des motifs, pour abaisser la pâte. Grâce à ces motifs, il était très facile de rompre le pain en morceaux une fois qu'il était sec. Cette nouvelle sorte de pain fut appelée « pain croustillant » en souvenir du rouleau à pâtisserie. Ce pain craquant et plus mince était hautement apprécié et il se pérennisa. Il était bien plus croustillant que son prédécesseur. Aussi longtemps que les fours en briques furent en usage, la majeure partie du pain croustillant était confectionnée à la maison. À la fin du XIXe siècle, des boulangers spécialisés dans la production de ce pain croustillant firent leur apparition dans le centre de la Suède. Ces boulangers confectionnaient le pain à partir des recettes utilisées dans les foyers. À l'époque contemporaine, la préparation et la fabrication du pain croustillant se font en usines. Ce qui avait été l'apanage d'un métier au grand savoir-faire a été remplacé par un système entièrement automatisé. Les fours peuvent être longs de 30 à 40 m. Ces dernières années, les industriels ont commencé à fabriquer du pain plus tendre, bien que toujours considéré par les Suédois comme leur pain sec croustillant. Il est tenu toujours en très haute estime. Les émigrants suédois gardent en mémoire de bons et beaux souvenirs du pain craquant et celui-ci figure en tête de liste de ce qu'ils demandent à leurs proches de leur apporter lorsqu'ils leur rendent visite.

Le pain plat est une autre variété de pain mince et sec, mais élaboré à partir d'une autre sorte de farine. Au cours du XVIe siècle, on le faisait cuire sur des plaques en fer, et de ce fait le diamètre des pains ne pouvait excéder 70 cm. Lorsqu'on commença à cuire le pain dans des fours à pain plus grands, la taille des pains augmenta en conséquence et nous avons un exemple de pain dont le diamètre était de 1 m et de 3 mm d'épaisseur. Il peut sembler facile de continuer simplement à étendre la pâte au rouleau à pâtisserie, mais cela demande en réalité une grande habileté, de même que conserver une forme ronde au pain, et de ne pas le briser. Juste avant d'enfourner le pain, on le roulait sur un autre rouleau puis on le déroulait dans le four ; et quand on le sortait du four, on utilisait une pelle spéciale. Les très grands pains devaient être pliés après leur cuisson, sans quoi on ne pouvait rien en faire. Il n'existait pas de règle concernant ce pliage : on pouvait plier le pain quatre ou six fois, ou davantage. Il existe une ligne de démarcation en Suède pour ce qui est de la cuisson et de la consommation du pain plat. Au nord des villes de Gothenburg et de Gävle, on fabrique le pain plat depuis très longtemps ; dans la partie ouest du pays, on utilisait de la farine d'avoine et dans la province de Norrland, on employait par le passé de la farine de pois et d'orge. Tant que la pâte était faite à partir de farine d'orge ou d'avoine, il s'agissait de pain non levé. Au cours du XIXe siècle, lorsque l'usage du seigle devint général, on commença également à employer la levure de boulanger. Le pain plat contemporain est confectionné avec de la levure et il est souvent à base de farine de blé ou de seigle, et parfois aussi de farine de blé complète dans laquelle les différentes parties du blé ont été broyées séparément.

Pour résumer, il est possible de dire que la consommation de pain en Suède est ainsi répartie : au nord, les Suédois mangent en majorité du pain plat ; au centre, le pain le plus répandu est encore le pain plat ; au sud, ce sont les miches. Néanmoins, lorsque les gens déménagent et s'installent dans différentes parties du pays, ils emportent avec eux leurs habitudes en matière de pain ; les différentes sortes de pain se déplacent en suivant les mouvements de la population.

Kavring. Pain lourd et moelleux originaire de la province de Skåne. Ce pain est fabriqué à partir de seigle et il tire sa couleur sombre de la mélasse. Il cuit souvent en canettes, la pâte lève et lorsqu'on sort le pain de la canette il a la forme d'un champignon. Autrefois, on utilisait ce pain comme pain de réserve dans la flotte marchande ; il était confectionné à partir de levain et subissait une double cuisson afin d'obtenir une croûte dure.

Pain plat. On consomme du pain plat principalement dans le nord de la Suède. À l'origine, il s'agit d'un pain mince et sec issu de farine de seigle ou de blé. Le pain plat sec d'aujourd'hui est toujours préparé avec de la levure de boulanger. On le mange avec du beurre et une variété de fromage au goût puissant. Il existe également un pain plat tendre que l'on consomme avec ou sans beurre, et que l'on fourre avec des ingrédients variés tels que du renne fumé, du saumon fumé, des crevettes ou différents légumes.

Petits pains de carême. Au départ, les petits pains confectionnés pour le carême étaient réalisés avec une pâte à base de farine de blé et on les mangeait avec du lait chaud. Actuellement, la pâte est parfumée à la cardamome. Quand les petits pains sont cuits, on les laisse refroidir, puis on en coupe le dessus et on les fourre avec de la pâte d'amandes et de la crème fouettée. On remet en place le dessus du pain et on saupoudre le petit pain de sucre glace.

Ulrica Söderlind
(trad. de l'anglais par Myriam Daumal)

• *Voir aussi :* Allemagne ; Calendrier celte et rites céréaliers ; Danemark ; Levain, levain-chef, levain de première, de seconde, de tout point ; Levure de boulanger ; Moulin ; Norvège ; Pain (définition universelle du) ; Seigle (*Secale cereale*)

Bibl. : Nils-Arvid BRINGÉUS, *Årets festseder*, Stockholm, 1988 • Åke CAMPELL, *Det svenska brödet*, Stockholm, 1950 • Nils KEYLAND, *Svensk allmogekost*, Stockholm, 1989 • Olaus MAGNUS, *Historia om de nordiska folken*, Rome, 1555, réimpr. Uppsala, 1909 • Sveriges BAGERIFÖRBUND, *Ett sekel med Sveriges bagerier*, Karlshamn, 2000 • Ria WÄGNER, *Läsebok för brödälskare*, Göteborg, 1988.

SUEUR. – « Faire le pain à la sueur de son front », ou plutôt de son corps, de son être tout entier, c'est l'expression la plus juste pour rendre compte de cette curieuse alchimie dont procède la gamme infinie des pains qui ont constitué et constituent la pierre angulaire alimentaire d'une majorité de nos semblables et de nous-mêmes. Les recettes des standards de la boulangerie universelle négligent toujours cette composante : farine de blé ou de seigle plus ou moins bien blutée, ferment, sel ou non, adjuvants ou non, somme d'énergie considérable dépensée par le pétrisseur (on parlait autrefois du « geindre », pour dire, peut-être, celui qui « geignait »), *et* sueur. La vérité est donc bien que le pain que l'humanité métabolise depuis des millénaires contient quelque chose de ceux qui l'ont fait sortir de leur pétrin, façonné, laissé pousser, cuit, emballé. Peut-être faut-il voir là une étonnante relation entre ces pratiques anthropophagiques placées au centre du rituel eucharistique, lesquelles autorisent et encouragent les fidèles à manger le corps du Sauveur, et cette communion laïque qui fait qu'on incorpore aussi quelque chose du corps de son boulanger de quartier favori, en mangeant son pain. Peut-être cet apport de sueur est-il bénéfique à cette transformation de la farine en un aliment nourricier en y ajoutant, comme il est dit dans ces pages, « des matières azotées » (voir GEINDRE) ; et peut-être aussi cette vérité sortie de la bouche du fournil est-elle simplement l'expression de ce qui a toujours été : tout ce qui est venu à nous et vient à nous, depuis l'épisode de la pomme ou celui de l'arbre à pain, est « au prix » d'un effort de transsubstantiation, qui semble bien être la loi fondamentale présidant à la métamorphose des produits de nos agricultures en aliments consommables. Et cette transformation n'est concevable que dans la mesure où a été ajoutée aux produits de la terre cette énergie transformatrice que la sueur symbolise. Peut-être alors que le pain est moins hypocrite que tous les autres biens de consommation que nous acquérons, absorbons, dans la mesure où la sueur est ici pétrie *avec*. Cet état de fait a répugné aux hygiénistes du XVIIIe siècle qui ont cherché à équiper les fournils de pétrins mécaniques, épargnant ainsi aux garçons-boulangers, aux geindres, aux mitrons, le lent calvaire du pétrissage à mains ou à pieds, mais, surtout, aux consommateurs de consommer un pain en partie hydraté « à la sueur du front » de ses boulangers. La profession résista de peur qu'on ne cherchât ainsi à mettre sur le carreau une partie de ses personnels. Puis, lentement et inexorablement, les fournils reléguèrent ces grands coffres de noyer, de hêtre, de chêne, où des générations d'hommes s'étaient affrontées à l'expérience du pétrissage : relégués au magasin des accessoires. La boulangerie adopta dès lors des cuves armées de bras ou batteurs et les machines ne suant pas, le pain perdit quelque chose de son identité ancienne.

Jean-Philippe de Tonnac

• *Voir aussi :* Arbre à pain ; Boulangers et boulangeries (histoire de France des) ; Fournil ; Geindre ; Maximes et proverbes ; Misère des garçons boulangers ; Mitron ; Pétrin ; *Pétrissage et enfournement dans un atelier berruyer* → Peinture occidentale ; Troglodytes enfarinés

SUINTER. – Se dit d'une pâte qui ne retient pas complètement l'eau absorbée au cours du pétrissage. Le phénomène donne alors un aspect brillant et collant à la pâte.

Philippe Roussel

• *Voir aussi :* Défauts de la pâte ; Pâte ; Pétrissage

SUISSE (traditions du pain en). – En Suisse, l'artisanat de la boulangerie était déjà organisé en corporations à Bâle, en 1256, l'artisanat de la boulangerie était déjà organisé en corporations ; ce fut aussi le cas à Zurich en 1336, à Saint-Gall en 1362, à Lucerne en 1371 et à Fribourg en 1389. L'intérêt pour les pains cantonaux en Suisse a grandi en même temps que s'est manifesté un intérêt pour le folklore des différents cantons. Max Währen, un grand passionné de l'histoire du pain, mentionne que, dans sa jeunesse, on ne parlait pas encore des pains cantonaux. Mais, vers 1950, ces pains furent de nouveau mis en évidence, notamment lors de la foire professionnelle ESPA de Lugano, où chaque canton disposait de son propre secteur. Progressivement, l'importance de ces pains se développa et prit rapidement de l'extension, si bien que sur l'ensemble de la Suisse l'expression « pains cantonaux » est devenue un concept bien précis dont le mérite essentiel revient à l'Association suisse des patrons boulangers-pâtissiers ainsi qu'à l'École professionnelle de Lucerne.

En principe, un pain cantonal provient uniquement du canton concerné. Parfois, le pain ne s'en tient pas strictement aux limites marquées par le canton, mais il est cependant typique du canton où il est le plus répandu. Depuis que la Suisse est devenue une Confédération, les frontières culturelles se sont stabilisées. Et les pains cantonaux tels que les pains bâlois, bernois, lucernois, tessinois, vaudois, etc. présentés ci-dessous se sont affirmés plus que jamais. Mais il existe d'autres pains cantonaux, comme le pains argovien et glaronnais, tous deux allongés et fendus en biais sur le dessus ; le pain nidwaldien, dont la forme évoque celle du pain bernois ; les pains appenzellois et thurgovien, dont la préparation est identique à celle du pain saint-gallois ; les pains fribourgeois et genevois en forme de galettes incisées en losanges sur toute la surface supérieure ; le pain neuchâtelois et le pain schaffhousois, formés de deux parties rondes accolées dans la partie médiane ; le pain obwaldien, façonné en long avec une croûte sombre, lisse et brillante identique aux deux pains précédemment cités ; le pain soleurois, dont la pâte ressemble à celle du pain bâlois, mais qui présente une protubérance sur le côté obtenue en enfournant les pâtons à fermentation plutôt jeune ; le pain uranais, appelé *Halberli* (« demi »), parce que constitué de deux pièces identiques accolées sur le côté et formant une double déchirure au point de jonction des deux pâtons ; le pain du Juré, le dernier-né des pains cantonaux, marquant la fondation du canton du Jura. Ce pain façonné en rond, plat comme les pains genevois ou valaisan, est incisé en surface avant la cuisson, de manière à figurer les armoiries du Jura composées de bandes horizontales et d'une crosse d'évêque.

Couronne de seigle des Grisons. La farine utilisée pour ces couronnes contient deux tiers de farine de seigle. Pour le tiers restant, on utilise de la farine de froment afin d'améliorer la valeur boulangère du pain. Chaque couronne est formée à partir d'un pâton rond, soit en pratiquant une ouverture au centre avec le rouleau à pâte, puis en l'élargissant jusqu'à un diamètre de 12 cm, soit en façonnant la forme initiale en pâtons de 50 à 60 cm de longueur que l'on assemble en forme de couronne. Ensuite, la couronne est tournée dans la farine de seigle et incisée trois ou quatre fois en surface, avant la cuisson. Les couronnes de seigle conviennent aux amateurs de pains substantiels, à saveur prononcée. Les paysans de montagne en fabriquent encore de nos jours, ici et là, et les suspendent à des perches pour les garder en réserve une semaine, voire un mois. Dans d'autres cantons, des maîtres boulangers se sont aussi inspirés de la couronne de seigle, en raison de sa forme traditionnelle et originale. Dans le Poschiavo, on fait une couronne de seigle dénommée *brasciadela*, avec de la farine de seigle claire et de l'anis en guise d'épice.

Pain bâlois. Il est constitué de deux parties et diffère quelque peu des autres pains cantonaux. Fait d'une pâte très tendre, les pâtons de forme ovale légèrement allongés sont tournés dans de la farine avant d'être enfournés. Ils ne sont absolument pas façonnés. Deux pâtons sont accolés frontalement et enfournés directement, sans incision, dans un four très chaud avec vapeur. La température élevée du four facilite le développement des pâtons et permet l'obtention d'une texture grossière et irrégulière. La haute teneur en eau fait que l'amidon se développe mieux et ralentit ainsi le dessèchement du pain. Dans la croûte lisse, farinée et croustillante se forment des substances aromatiques qui donnent au pain sa remarquable saveur. La déchirure se produit le long du fond, ce qui est typique pour le pain bâlois.

Pain bernois. Il ne se limite pas seulement au canton de Berne. Il est vendu ailleurs sous l'appellation générale de « pain rond ». Il est fait d'une pâte mi-ferme et façonné d'une manière spéciale pour obtenir une forme ronde et ovale ; on veille à ce que la clé soit bien étirée et qu'en dernier lieu la languette de la clé passe quasiment par-dessus. Afin d'obtenir une meilleure forme, les pâtons façonnés sont entoilés en rond sur planche. Après une fermentation plutôt jeune, un coup de lame ferme et profond est donné transversalement, ce qui provoque une splendide déchirure. Lors du défournage, les pains bernois sont dorés à l'eau pour les faire briller ; bombé sur le dessus, le pain laisse apparaître la sole en forme de 8. C'est un pain bis ou mi-blanc, très appétissant et assez consistant.

Pain de seigle valaisan. Le véritable pain valaisan est un pain de seigle fermenté avec un levain-chef. La pâte est assez ferme. Les pâtons ronds sont tournés dans la farine de seigle, puis immédiatement aplatis. Après un temps de repos assez long et à découvert, de petites craquelures apparaissent à la surface des pains et indiquent le degré juste de fermentation. Les pâtons en forme de galette sont cuits dans un four moyennement chaud. Grâce au levain, le pain valaisan se maintient frais pendant plusieurs jours. Débité en très fines tranches, ce pain rustique, savoureux et sain, accompagne à merveille les fromages, la viande séchée et les saucisses. Les Valaisans de vieille souche aiment ce pain noir rustique, qui se conserve tellement bien que les vachers l'emportent avec eux à l'alpage et le mangent avec le fromage qu'ils ont fabriqué eux-mêmes.

Pain lucernois. Appelé dans le canton « petit pain », le véritable pain lucernois est de nouveau et de plus en plus fermenté avec un levain-chef. Le pâton de forme ovale allongée est fendu une fois dans le sens de la longueur pendant la durée de la fermentation. Apprécié du point de vue gustatif et digestif, ce pain compte parmi les meilleurs du pays ; cela est dû au fait que les Lucernois aiment le pain bien cuit, voire même brun foncé. Pour les connaisseurs, le pain lucernois est un régal. Autre particularité, le pain est vendu sur le mode ancien, c'est-à-dire entier, ce qui représente une miche de 2 kg, ou coupé en deux, ou en quatre (chaque quart pesant alors 500 g). La croûte des pains lucernois peut être enfarinée ou brillante.

Pain saint-gallois. À Saint-Gall, la confection du pain fait l'objet de vieilles légendes fort intéressantes dans lesquelles le cloître de la ville et un certain ours jouent un rôle important. En mémoire de leur glorieux passé, les boulangers de Saint-Gall préparent, aujourd'hui encore, ce pain pourvu d'une sorte de nez. Les experts prétendent que la fabrication de ce pain à forme unique exige du boulanger beaucoup d'habileté et de pratique. La pâte mi-ferme est tout d'abord façonnée en rond. Après un temps de repos, elle est repliée avec art plusieurs fois, puis les pièces sont alignées les unes près des autres dans le four. Les pains saint-gallois doivent présenter une belle déchirure sur le devant, une protubérance sur le dessus et sont lustrés immédiatement après la cuisson. Les consommateurs friands de mie ferme et de belle croûte trouvent toutes ces particularités dans ce pain. Dans le Rheintal saint-gallois, région très connue pour sa culture de maïs, on fait avec la farine de maïs des miches rondes, légèrement sucrées, avec une adjonction de raisins secs.

Pains schwytzois et zougois (pain à tête). Cette forme bizarre de pain se retrouve même dans les environs du lac de Zurich. Les pâtons sont façonnés comme ceux du pain zurichois, mais, aux deux tiers de la fermentation, on les fend en travers au quart de la longueur, on replie cette partie sur la plus grande partie, puis on les laisse lever. Les pains à tête sont cuits dans un four assez chaud, sans entaille. Pendant la cuisson, la tête se développe et se redresse. Dans le canton de Schwytz, les pains à tête ont leur place lors du Carnaval. En effet, le Blätz («paillasse» ou «clown») tient un manche à balai garni de ces pains qu'il distribue par morceaux au public.

Pain tessinois. La forme de ce pain évoque celle d'un pain brioché. On prépare une pâte ferme avec de la farine-fleur ou de la farine mi-blanche, et les ingrédients habituels, mais un dixième du liquide de coulage est constitué d'huile végétale. Grâce à ce procédé, la mie du pain acquiert une très fine texture et se maintient frais plus longtemps. La pâte est divisée en pâtons de 6 à 10 g façonnés en rond, puis en long. Ensuite, 4 à 6 d'entre eux sont réunis pour former un pain. Avant la cuisson, on donne un coup de lame énergique, transversalement sur toutes les parties des pâtons, et on enfourne à chaleur moyenne jusqu'à ce que le pain soit croustillant, mais d'une coulcur claire. En principe, le véritable pain tessinois doit être fabriqué avec de la farine mi-blanche et sans adjonction d'huile. Cependant, au Tessin, on connaît le *pane reale* («pain royal»), préparé exclusivement avec de la farine-fleur et toujours avec adjonction d'huile. Le pain blanc tessinois reflète, tant par son goût que par sa forme, certains pains méridionaux. Présent à chaque repas, on accomplit en le rompant un geste symbolique.

Pain vaudois. Le canton de Vaud réunit à lui seul plusieurs formes de pains, mais le pain marqué d'une croix est certes le plus connu. Fait de pâte plutôt tendre, les pâtons sont façonnés en rond et fendus deux fois en croix pendant la fermentation. Puis ils sont saupoudrés de farine et déposés dans des bannetons ronds jusqu'à la cuisson. Après une très bonne fermentation, on enfourne les pains dans un four très chaud. Une fois cuits, la croûte des pains est fine et croustillante. Et, autre avantage, la saveur rustique de ce pain est due en partie au rôtissage de la farine qui recouvre le pain.

Pain zurichois. C'est le pain le plus répandu en Suisse. Et probablement le plus français des pains suisses. Appelé plus souvent «pain long», sa forme permet de le couper en tranches régulières. Avec de la farine bise ou mi-blanche, on prépare une pâte mi-ferme à laquelle on donne une forme allongée ; le façonnage doit être régulier et ferme afin d'obtenir une texture qui ne soit ni trop serrée ni trop lâche. Le pain zurichois est un pain lamé auquel on donne trois à cinq coups de lame transversalement pour obtenir de belles grignes. Le nombre de coupes sert dans de nombreuses boulangeries comme repère pour faire la distinction entre le pain bis et le mi-blanc. Après la cuisson, les pains sont immédiatement aspergés et dorés à l'eau, ce qui leur confère un beau brillant.

Mouette Barboff

• *Voir aussi :* Musées du pain ; Museum der Brotkultur ; Pain levé du monde (le plus ancien) ; Pains mondiaux

Bibl. : COLLECTIF, *Les Pains cantonaux*, École professionnelle Richemont, Luzerne • Roland J. MULLER, *Du blé au pain*, Association suisse pour l'alimentation, Administration des blés, Schweizerische Brotinformation (SBI), Grafische Betriebe Aargauer Tagblatt, Zumikon, 1988 • Aimé POULY, *Le Pain*, Lausanne, Favre, 2008.

SUMER (traditions du pain à). – À l'aube de l'humanité, la civilisation sumérienne est la première à apparaître et devient le véhicule de la culture à travers tout le Proche-Orient, de l'Élam à la Cappadoce, de la Méditerranée jusqu'au Turkestan oriental d'Asie centrale, à travers le plateau iranien. Ce peuple de pasteurs et d'agriculteurs vénérait le grain, don divin transmis aux humains par la déesse Ninhursag, détentrice des « Huits Grains ». Symbolisée par la Vache sacrée, elle répand son lait dans le pays, sous forme de graines. Épouse d'Enki, maître de l'eau et des canaux d'irrigation, elle veille sur la poussée des plantes, particulièrement sur l'épeautre sauvage et sur deux variétés d'orge. Elle partagera ce rôle au fil du temps avec Nisaba, déesse des céréales.

L'homme est établi au Proche-Orient depuis près de deux millions d'années. Dès le Paléolithique et surtout à la période dite du Natoufien (entre – 14000 et – 12500), des villages apparaissent au Moyen-Euphrate (Abu Hureyra, Mureybet). Les fouilles archéologiques ont mis au jour des silos servant au stockage des grains, des meules et des pilons, des lames dentelées de faucille et des haches polies, des bols et des jarres, des cruches et des cuillères en os, de la vaisselle de pierre et des paniers étanches à l'aide de bitume, une cuisine avec des fourneaux en argile contenant des grains torréfiés.

L'agriculture débute vers – 9500 par la domestication, la sélection des variétés et la mise en culture des céréales. Particulièrement l'engrain, le blé amidonnier et l'orge, puis le froment, le millet et le sésame. À côté des graminées, des légumineuses sont domestiquées et cultivées, telles que pois et pois chiches, lentilles et fèves, pistaches et glands. Une économie de production apparaît, fondée sur l'ensemencement des champs et la moisson des plantes cultivées, à Obéid, à Jarmo, à Hassuna, à Samarra. Nous pouvons supposer que le pain existait bien avant que nous en ayons des preuves écrites. Depuis les temps immémoriaux, le mystère de la métamorphose du grain en pain servait de support initiatique, comme celle de la vigne devenant vin et ivresse. Des bribes en éclairent la littérature. La « mise à mort » du grain, le broyage, le pétrissage, la cuisson, le don gratuit, tout ce travail de transformation interpelle l'humanité. Le savoir-faire du bon pain fut perpétué depuis les Sumériens, à travers d'innombrables générations, jusqu'à nous. Certes, les Sumériens étaient les premiers à le « célébrer » et le consigner par écrit comme « don du ciel ». Dès l'époque protohistorique, le blé fut cultivé en très grande quantité dans la région de la Basse-Mésopotamie, grâce à un système d'irrigation complexe de canaux, de digues, de réservoirs et de vannes régulatrices. Son exportation assurait aux Sumériens une abondance économique – leurs opulentes cités-États en gardent la mémoire. L'exportation exigeait le développement du commerce fluvial et routier, avec l'Iran, l'Inde et l'Asie centrale. Mais la surproduction a provoqué une remonté de sel dans les champs, par capillarité, les obligeant à se convertir à la culture d'orge.

En famille, c'est la femme qui fait le pain mais, pour les grandes communautés, c'est le boulanger qui en assume la responsabilité. Chaque temple dispose de ses boulangers attitrés (*Lu.Ninda* = « l'homme de pain ») – avec quelque fierté et rivalité entre eux. « L'Almanach du fermier », une tablette d'argile vieille de quatre mille ans, nous donne de précieux détails sur la pratique quotidienne des paysans. Les farines de blé, d'orge, de dattes, de fèves, de lentilles et de pois chiche formaient l'alimentation de base des Sumériens. Un autre texte précieux, intitulé les « Fiançailles d'Inanna », dévoile la rivalité et l'interdépendance entre fermier et pasteur.

Le riche vocabulaire concernant l'art du boulanger révèle l'importance du pain dans la vie quotidienne des Sumériens. Le mot *ninda*, « pain », apparaît sur les tablettes d'argile dès la naissance de l'écriture à Uruk, vers – 3600. Son pictogramme représente un bol rond, parfois ovale, qui sert pour le pétrissage et désigne aussi une unité de mesure de grains. Pour dire « manger », on dessine « pain dans la bouche ». L'écriture cunéiforme trouve son origine dans les pictogrammes, qui deviennent progressivement des idéogrammes pour exprimer plusieurs sens autour d'une même idée. L'idéogramme de semence, de graine, de descendance, est graphiquement relié à la charrue à semoir et au défrichage, à la faucille et à la moisson, à la récolte et à l'été, à l'épargne (mise en réserve) et à l'héritage, au partage et à la fête, aux rituels d'offrandes et au respect des tabous, à la prospérité et au cadeau de noces, au paiement d'impôts et au percepteur.

Le blé s'appelle *u.la.sar* en sumérien, dont *la* veut dire « abondance ». *Ninda.kum* désigne la farine d'épeautre. *Ninda.du* est le précieux pain quotidien, aliment de base. *Ninda.had* est un pain fait avec de l'épeautre, de l'orge et des pignons. *Ninda.gal* sert de provision de route, c'est un pain de réserve. *Ni.duh.a* est un pain complet levé, cuit au four. Sa taille varie selon l'occasion. *Ziz* est le froment, le blé amidonné. *Ni.ar.ra* est une farine fine, servant pour le gâteau de fête. *Izi.ni*, « grosse semoule », se prépare à partir d'une pâte à pain, cuite feuille par feuille sur la paroi interne du four, puis concassée, émiettée, séchée et stockée. Pratique et rapide en voyage, on n'a qu'à en jeter une poignée dans du bouillon chaud pour apaiser sa faim. Pain et galette cuits sous la cendre, *ninda.izi* est souvent mentionné sur les tablettes sumériennes, et semblait très apprécié. La consommation courante de *ninda.idea* est attestée ; c'est un petit pain qui se prépare avec du miel et du vin de palmier. Rien qu'à Mari, on a retrouvé une cinquantaine de moules à pain en céramique. *Ninda.ku* est aussi un pain doux avec du miel, du beurre et de la crème. On peut y rajouter des pignons de pins ou des dattes coupées en lamelles. Les Sumériens mangeaient une variété impressionnante de biscuits (*ni.har.ra*) et de galettes, à base de pâte à pain levé. Prêtresses et scribes faisaient des libations et des sacrifices en offrant du pain à la divinité. Gudéa, roi de Lagash, fait un pèlerinage en – 2140 dont chaque étape est marquée par un sacrifice à la déesse : « En montant sur le parvis du temple, Gudéa fit un rituel d'action de grâce. Il sacrifia du pain et fit verser de l'eau pure. » Il récite sa prière et demande « que la Lumière resplendisse sur l'univers » (Cyl. A).

Au repas de morts, chaque famille partageait rituellement son pain avec ses défunts. Des figurines en pâte de pain sont souvent employées pour les rituels d'exorcisme. Dans un recueil de tablettes (Benno Lansberger) on peut voir enregistrer plus de 200 variétés de « pains » – selon les farines, les modes de pétrissage, les ingrédients (avec pistaches et figues sèches, raisins secs et lait, abricot et menthe, cresson et fromage, genièvre et cumin, ail et oignon, poireau et cèdre aromatique), cuissons et présentations comprises.

Sumer et, plus largement, la Mésopotamie, dans sa dynamique d'expansion, apporta les espèces végétales domestiquées et un certain mode de vie agricole, avec la charrue et la roue, ainsi que sa technique d'irrigation sur l'île de Chypre, à travers la mer Égée et les Balkans, pour gagner progressivement l'ensemble du continent européen.

Marguerite Kardos Enderlin

• *Voir aussi :* Calendriers et mesure du temps ; Épi (symbolique de l') ; Femmes ; Grain et graine ; Mésopotamie ; Moissons (symbolique des) ; Pain (définition universelle du) ; Si le grain tombé en terre ne meurt ; Terre-Mère primordiale ; Théologie du pain

Bibl. : Agnès BENOIT, *Les Civilisations du Proche-Orient ancien*, Paris, École du Louvre, 2003 • François THUREAU-DANGIN, *Les Cylindres de Gudéa*, Paris, E. Leroux, 1905 • Georges ROUX, *La Mésopotamie,* Paris, Seuil, 1985.

SUR LA LÉGISLATION ET LE COMMERCE DES GRAINS (1775). Jacques Necker est un financier et homme politique suisse né à Genève en 1732, mort à Coppet, en Suisse, en 1804. Par son histoire familiale, il est destiné aux métiers du commerce. Il arrive à Paris à l'âge de quinze ans pour travailler à la banque Vernet. Il entre ensuite comme associé à la maison Thélusson, où il bâtit une fortune remarquable. Syndic de la Compagnie des Indes, il redresse celle-ci en 1764, mais ne parvient pas à en empêcher sa dissolution en 1770. En 1772, il se retire des affaires et se consacre à la politique. Opposé à Turgot, il affirme qu'il est nécessaire de contrôler le commerce pour protéger les plus pauvres. Turgot disgracié, Necker devient directeur du Trésor en 1776, puis directeur général des Finances en 1777. Il n'entre cependant pas au Conseil car il est protestant. Necker tente de mettre de l'ordre dans les finances, de réaliser des économies. Sa politique d'emprunt ne fait qu'aggraver le mal. Désireux d'associer les notables provinciaux à l'administration locale, Necker entreprend de créer des assemblées provinciales en 1777 et 1778, mais il se heurte à l'opposition des parlements et doit reculer. Il abolit la mainmorte et la question préparatoire (torture). Voulant se justifier, en 1781, Necker publie un Compte rendu au roi, qui fait apparaître un excédent de dix millions. Il a négligé toutes les charges extraordinaires, en particulier celles résultant de la guerre d'indépendance américaine, ainsi que les sommes importantes qui étaient régulièrement versées aux courtisans. La divulgation de la liste des pensions accordées aux courtisans provoque un scandale et le roi lui demande de se retirer. Louis XVI le rappelle le 25 août 1788, alors que se développe la crise politique et financière qui va mener à la Révolution. Necker décide le roi à convoquer les états généraux et à donner au tiers état un nombre de députés égal à celui des deux autres ordres réunis. Ne tenant pas compte du vote, il ordonne le doublement du tiers état. C'est le blocage des états généraux, et le tiers état se proclame Assemblée nationale le 17 juin 1789. C'en est trop pour la cour, qui obtient son renvoi, le 11 juillet 1789. La nouvelle de celui-ci, coïncidant avec le rassemblement des troupes autour de Paris, provoque l'insurrection parisienne et la prise de la Bastille. Rappelé dès le 15 juillet, Necker tente de s'opposer à la confiscation des biens du clergé et à l'émission d'assignats. Il démissionne en 1790 et part pour Coppet où il meurt, après avoir écrit des ouvrages pour justifier sa gestion et exposer ses idées, dont le *Traité de l'administration des finances de la France* (1784). Sa femme, Suzanne Curchod, qui eut un salon célèbre, fondera l'hôpital Necker. Leur fille sera la célèbre Mme de Staël.

Sur la législation et le commerce des grains paraît en 1775. Cet ouvrage, aujourd'hui complètement oublié et quasiment introuvable, remporte un vif succès à sa parution. On connaîtra cinq éditions successives, deux traductions, anglaise et allemande. Necker entend se rendre maître, par la médiation des vérités abstraites, des variations économiques. Il réfute les notions simples et générales. Pour lui, l'économie n'est pas science des généralités, mais doit pénétrer « dans le détail des choses » et tenir compte des conditions particulières à chaque pays, des passions et intérêts des classes citoyennes en présence. De plus, il fonde sa méthode sur l'examen précis des théories qui s'affrontent. *Sur la législation et le commerce des grains* analyse les mécanismes économiques propres à la France. De ceux-ci résultent les ressorts et forces actives au sein du pays, dont les producteurs céréaliers et tout le circuit du commerce des grains, si important pour l'alimentation des Français. Il observe ainsi le rôle de législateur que tient l'État. Lois de propriété et lois du législateur se distinguent pour lui. La vente à crédit du circuit blé-farine-pain, autrement dit entre le cultivateur, le meunier et le boulanger, est, selon Necker, un « mécanisme économique spontané ». Ce « laisser-faire » doit être banni si la France veut développer son commerce et rendre indépendants les uns des autres petits laboureurs des grands propriétaires fonciers, manufacturiers, propriétaires agraires et boulangers. Necker veut encourager la circulation des marchandises et des biens, certes, mais pas au détriment des boulangers, qui ne disposent que « de leur force et capacité de travail, à vendre pour vivre ». Pour lui, l'interdépendance entre métiers contribue au développement de « la richesse sociale ». L'État doit incarner l'intérêt social de la nation. Necker entend faire valoir sa prise en compte des intérêts particuliers de chaque acteur au sein de la filière céréalière jusqu'au consommateur de pain.

Olivier Pascault

• *Voir aussi :* Assassinat du boulanger Denis François ; Boulangers et boulangeries (histoire de France des) ; Boulangers forains ; Cadet de Vaux ; Crédit ; Disettes, famines et révoltes pour le pain en France ; École de boulangerie (première) ; Égalité (pain) ; Filière blé-farine-pain ; Pain rationné ; Physiocrates

Bibl. : Ghislain de DIESBACH, *Necker, ou la Faillite de la vertu*, Paris, Perrin, 2004 • Jacques NECKER, *Sur la législation et le commerce des grains* [1775], Paris, EDIRES, 1986.

SÛRE. – Voir DÉFAUTS DE LA PÂTE ; LEVAIN

SURFACE DU PAIN. – Au spectacle d'un beau pain posé sur une table ou en attente sur quelque présentoir de la boulangerie, professionnel et consommateur se disputent le droit d'un commentaire. L'un cherche à évaluer la manière dont le pain a traversé les lentes étapes de la panification. Il faut juger ici comme ailleurs l'arbre à ses fruits. En fonction de la méthode choisie, de la qualité des ingrédients mis en œuvre, des accidents qui ont jalonné la journée dans le fournil, des conditions météorologiques, des humeurs des uns et des autres, il connaîtra les qualités et défauts du pain offert à sa clientèle. De quoi souffrent, ce matin, ces baguettes mises en panier ? D'un excès d'hydratation, d'une main lourde en levure, d'une pâte travaillée trop chaude, d'un manque de pointage, d'une absence de buée lors de la cuisson, d'un problème d'hygrométrie, etc. ? Autant de points qu'il faudra corriger pour les prochaines fournées. Pour l'amoureux du pain, l'accès à ces arrière-pays du fournil est improbable et il restera les yeux rivés à la « surface du pain », sans bouder son plaisir. Il est vrai que la carapace est ici suffisamment épaisse pour décourager toute investigation plus loin que ce que le pain donne à voir de lui-même. Et pour peu qu'on soit un peu porté à la rêverie, pour peu qu'on soit un peu ou beaucoup poète, voilà ce qu'on peut y lire : « La surface du pain est merveilleuse d'abord à cause de cette impression quasi panoramique qu'elle donne : comme si l'on avait à sa disposition sous la main les Alpes, le Taurus ou la Cordillère des Andes. Ainsi donc une masse amorphe en train d'éructer fut glissée pour nous dans le four stellaire, où durcissant elle s'est façonnée en vallées, crêtes, ondulations, crevasses… » (Francis Ponge, 1942). Paysage d'autant plus prompt à capter notre curiosité et notre imaginaire qu'il recèle en son sein des dessous géologiques auxquels, pour l'heure, il nous est interdit d'accéder. « Ce lâche et froid sous-sol que l'on nomme la mie a son tissu pareil à celui des éponges : feuilles ou fleurs y sont comme des sœurs siamoises soudées par tous les coudes à la fois. » Pour sortir de cet immobilisme révérencieux, un seul remède. « Mais brisons là : car le pain doit être dans notre bouche moins objet de respect que de consommation. »

Jean-Philippe de Tonnac

• *Voir aussi :* Boulanger-poète ; Danse des petits pains ; Défauts du pain ; *Effarés* (*Les*) → Documentaires et films ; Œuvre d'art en pain ; Peinture occidentale

Bibl. : Francis PONGE, « Le pain », in *Le Parti pris des choses*, Paris, Gallimard, 1942.

SURGÉLATION. – On utilise souvent indifféremment les termes de congélation et de surgélation. Comment les distinguer ? On entend par aliments surgelés les denrées alimentaires soumises à un processus approprié de congélation dit « surgélation », permettant de franchir aussi rapidement que nécessaire, en fonction de la nature du produit, la zone de cristallisation maximale ayant pour effet que la température du produit en tous points, après stabilisation thermique, est maintenue à des valeurs égales ou inférieures à – 18°, et commercialisé dans ces mêmes conditions. Il semblerait que la distinction, en cours de définition, entre ces deux termes soit fonction de la vitesse de descente en température. Ainsi, un produit mis dans une chambre froide serait un produit congelé (descente en température lente) – la descente en température dans un surgélateur étant beaucoup plus rapide. La vitesse de descente en température à – 18° à cœur est aussi fonction de la taille des produits.

Ludovic Salvo

• *Voir aussi :* Chambre froide ; Congélation ; Conservation ; DLC ; DLUO ; Froid ; HACCP ; Lyophilisation ; Marche en avant ; Pasteurisation ; Rassissement ; Sporulation ; Stérilisation ; Traçabilité ; UHT

SURHYDRATÉE (pâte). – Voir BARBOTER

SURVEILLANCE (boulangerie et boulanger sous). – Voir RÉGLEMENTATION

SYRIE (traditions du pain en). – La Syrie est un pays de céréales, Rome en fit d'ailleurs, dans l'Antiquité, un de ses greniers. C'est donc sur elles qu'a toujours reposé la nourriture paysanne puis urbaine : blé dur et blé tendre – grains préférés entre tous –, mais aussi orge, maïs… Aujourd'hui encore, il n'est pas de repas sans pain. Il est le garant de la survie, le ciment entre les hommes. Ces derniers, s'ils le partagent, se déclarent mutuellement qu'il y a alors « du pain et du sel » entre eux, un lien fort, qui ne supporterait d'être trahi. À l'inverse, un engagement (avec un fiancé, ou plus trivialement un employé) est rompu par la formule : « Il n'y a plus de pain entre nous ! » Saison après saison, les Syriens entretiennent leur mémoire millénaire du grain. Le blé semé à la fin de l'automne est récolté au commencement du printemps. Les paysans modestes battent encore leurs épis au *tribulum*, planche garnie de silex ou de clous que des bœufs tirent en tournant autour d'un piquet. Puis le grain est séparé de la paille, trié à la main, lavé, séché, stocké comme un trésor dans les silos des maisons.

En Syrie, le pain est appelé *khobz*, et sa composition élémentaire a peu changé depuis que les cultivateurs du Levant ont une première fois broyé les grains de leur blé sous la meule. De l'eau, de la farine, un peu de levain ou de levure et du sel. Il est invariablement rond, de couleur claire, à peine levé (les Français, quand ils l'ont découvert, l'ont surnommé « peau de tambour »). À l'heure du repas, il sert notamment à saisir le contenu des assiettes. On en arrache un morceau, que l'on plie en petit cône ; tenu du bout des doigts, voilà une cuillère pour le *hommos* ou le *foul* du matin, la viande, la salade et les lentilles du déjeuner ou le fromage et les olives du dîner. Les variations du *khobz* sont innombrables. Trois techniques de cuisson sont cependant majoritairement répandues. Le *tannur* d'abord, grand four cylindrique. Sous sa forme la plus ancienne, originelle, il est creusé dans le sol, abrité dans une construction située à l'écart de la maison. Un trou large de près d'un mètre, profond parfois d'1,5 m et enduit d'argile. Les femmes, ouvrières du pain dans les campagnes et les villages, se lèvent à l'aube pour l'allumer ; l'air est encore frais, la maisonnée endormie. Elles l'emplissent de branchages, de broussailles et de chardons, ou de galettes de bouse séchée mélangée à de la paille, avant d'y mettre le feu jusqu'à chauffer intensément le fourneau creux. Il fait encore nuit quand elles pétrissent leur pâte et la fragmentent en petites boules. Sous leurs doigts, ces dernières deviennent d'abord des disques plats, élargis ensuite en passant d'une main à l'autre ou en virevoltant en l'air. Le disque est enfin étalé sur un coussin rond, le *kara*, pour parfaire sa courbe et le rendre plus grand encore. S'agenouillant au bord du *tannur*, les femmes plaquent d'un geste sec leur galette contre les parois brûlantes. La pâte se boursoufle, avant d'être retirée du four avec une pince ou à la main au bout de 30 à 60 secondes. Le *khobz tannour* est blond tacheté de brun, fin, souple, d'un diamètre moyen de 25-30 cm, mais peut atteindre 50-60 cm. Le *tannur* est aujourd'hui plus communément hors du sol et mobile. Souvent dans un coin de la cour, il ressemble à un grand tonneau de terre, chauffé en sa base.

Le pain naît également sur le *saj*, large plaque de métal circulaire et bombée, posée sur un feu de bois ou alimenté au gaz. Parce qu'il est rudimentaire, le *saj* est l'outil des Bédouins, qui le transportent aisément en même temps qu'un petit moulin de pierre, un mortier et un pilon. Dans les villages du sud de la Syrie, les femmes y cuisent le pain *markouk* (« aplati en couche fine », en arabe). Un *khobz saj* à peine plus épais que du papier (moins d'1 mm en son centre), mais aux dimensions spectaculaires (jusqu'à 1 m de diamètre), qui cuit en une trentaine de secondes sans être retourné. Chaque pain est ensuite plié pour former un carré (ce qui lui vaut le surnom de pain « mouchoir en papier »), puis déposé dans un grand panier couvert. Parce que son contenu en humidité est faible, le *markouk* peut se garder jusqu'à quinze jours. La mère de famille en fait donc une très grande quantité, distribuant parfois aux voisins ou à l'ami qui passe un peu de pain frais trempé dans l'huile d'olive et le thym.

En ville, ce sont le plus souvent des hommes qui font œuvre de pain. La tâche est laborieuse pour le boulanger (*faraan*), debout durant des heures face à sa fournaise ; la chaleur peut atteindre des sommets au cœur du grand four ouvert et creusé dans le mur. Notamment pour cuire ce pain populaire dans l'ensemble du Proche-Orient, au diamètre variable (de 10 à 30 cm) et sans mie, qui gonfle comme une baudruche sous l'effet du choc thermique. Quand il retombe, il a pour caractéristique d'être dédoublé en deux couches, rugueuses à l'intérieur, lisses à l'extérieur. Chaque matin, les clients patientent en nombre devant les boulangeries artisanales pour l'acheter encore chaud. Il arrive même (mais la tradition se perpétue surtout dans les villages) que l'un d'eux confie au boulanger sa propre pâte, ou un plat contenant le déjeuner ou le dîner du jour, à cuire dans un recoin du four. Le *khobz* s'achète aussi dans les épiceries, les grandes surfaces, par dix ou vingt pièces emballées dans un sac en plastique où il conserve sa souplesse. Étoilé de graines de sésame ou de nigelle, il se vend également empilé sur les étals du marché, la planche portée à l'épaule par de jeunes vendeurs de rue, ou à même le sol. Dans les snacks, il sert à faire des sandwichs, enveloppant brochettes de viande ou *falafels* (boulettes de pois chiches frites).

Partout, le pain reflète l'environnement local. Ce serait par exemple à Alep, réputée pour sa gastronomie sophistiquée, que l'on mangerait les meilleures *lahmbaajeen* (« pain à la viande »), pâtes recouvertes d'agneau ou de bœuf haché, d'oignons et d'épices, semblables à des petites pizzas. Alep où il y a trois cents ans les Arméniens, habiles boulangers, ouvrirent des fournils. Et comme nombre d'entre eux venaient de Sassoun, le mot *soussani* fut petit à petit employé par les Alépins pour désigner les faiseurs de pain. Grâce aux *soussani*, la ville se régale encore aujourd'hui, entre autres, de l'*iflâgiyûn*, pain aux œufs parfumé (de gingembre, poivre, sésame, anis, carvi, cumin, pavot, safran…), contenant parfois du fromage battu et de délicieuses pistaches, fierté de la région. Les Bédouins du désert, eux, confectionnent des *kak sakhkhane*, petites et fines galettes croquantes et épicées, cuites jusqu'à se dessécher, afin de se conserver pendant de longs voyages. Dans les familles les plus modestes, l'on cuisine le *zalabya*, pain levé de farines de blé et de maïs mélangées, frit dans un peu d'huile et parfumé à l'anis.

Le *khobz* trouve sa place dans le calendrier des fêtes religieuses (au cours desquelles les Syriens préparent cependant beaucoup de biscuits et de douceurs). Durant le ramadan par exemple, le jeûne est rompu avec une assiette de *fatteh* : des morceaux de pain, rassis ou grillé, sont trempés dans un bouillon de viande ou de pois chiches, garni de pignons de pin, de cacahuètes ou de pistaches, voire de yaourt. Le *fatteh* n'est pas sans évoquer le *tharid*, dont les Alépins cuisinent couramment une variation qu'ils nomment *trit*. Un plat séculaire et humble, bouillon de viande servi sur un fond de pain sec, pourtant considéré par le prophète Mahomet comme le meilleur des mets.

Iflâgiyûn. Pain aux œufs parfumé (de gingembre, poivre, sésame, anis, carvi, cumin, pavot, safran…), contenant parfois du fromage battu et de délicieuses pistaches, fierté de la région d'Alep.

Kak sakhkhane. Confectionnées par les Bédouins du désert, les *kak sakhkhane* sont de petites et fines galettes croquantes et épicées, cuites jusqu'à se dessécher, afin de se conserver pendant de longs voyages.

Khobz. *Khobz* signifie « pain » en arabe. En Syrie comme dans l'ensemble du Moyen-Orient, le terme utilisé seul désigne spécialement le pain dit « libanais », rond et dédoublé en deux couches, rugueuses à l'intérieur, lisses à l'extérieur, également appelé *kmeij*, ou *kmaj*. La tâche de préparer le *khobz* incombe au boulanger (*faraan*), debout durant des heures face à sa fournaise ; la chaleur peut atteindre 900° au cœur du grand four ouvert et creusé dans le mur. D'un diamètre variable (de 10 à 30 cm) et sans mie, ce pain populaire gonfle comme une baudruche sous l'effet du choc thermique. Quand il retombe, il a pour caractéristique de pouvoir s'ouvrir comme un sac.

Lahmbaajeen (« pain à la viande »). Il s'agit d'une pâte recouverte d'agneau ou de bœuf haché, d'oignons et d'épices, semblable à une petite pizza. Également appelée *sfiha*, la *lahmbaajeen* se retrouve dans toutes les boulangeries du Moyen-Orient. En Syrie, ce serait à Alep, réputée pour sa gastronomie sophistiquée, que l'on mangerait les meilleures *lahmbaajeen*.

Markouk. Pain cuit dans les villages du sud de la Syrie sur le *saj*, large plaque de métal circulaire et bombée, posée sur un feu de bois ou alimenté au gaz. Le *markouk* (« aplati en couche fine », en arabe) est à peine plus épais que du papier mais peut faire jusqu'à 1 m de diamètre. Cuit en une trentaine de secondes sans être retourné, chaque pain est plié pour former un carré (on l'appelle « mouchoir en papier »), puis déposé dans un grand panier couvert, où il peut se garder jusqu'à quinze jours. Le *markouk*, qui se retrouve au Liban, est très proche du *shrak* jordano-palestinien.

Zalabya. Préparé dans les familles les plus modestes, le *zalabya* est un pain levé de farines de blé et de maïs mélangées, frit dans un peu d'huile et parfumé à l'anis.

Noémie Videau

• *Voir aussi :* Irak ; Liban ; Jordanie ; Pains mondiaux ; Palestine ; Tannur ; Turquie

Bibl. : Jeffrey ALFORD, Naomi DUGUID, « On the Flatbread Trail », *Saudi Aramco World*, septembre-octobre 1995 • Peter HEINE, *Food Culture in the Near East, Middle East, and North Africa*, Westport (Conn.), Greenwood Press, 2004 • Florence OLLIVRY, *Les Secrets d'Alep : une grande ville arabe révélée par sa cuisine*, Paris, Actes Sud, 2006 • Jacques WEULERSSE, *Paysans de Syrie et du Proche-Orient*, Paris, Gallimard, 1946 • Sami ZUBAIDA, Richard TAPPER, *Culinary Cultures of the Middle East*, Londres-New York, B. Tauris, 1994.

T

TABLE DENSIMÉTRIQUE. – Appareil permettant de classer des particules de tailles similaires par leur densité en les soumettant à un mouvement de va-et-vient au-dessus d'un tamis. La plupart du temps, les tables densimétriques sont utilisées en amont des moulins, dans les organismes stockeurs, pour le nettoyage du blé, afin d'éliminer les grains légers (germés), ou les parties lourdes (pierres).

Philippe Duret

• *Voir aussi :* Grain ; Meunerie ; Moulin ; Mouture ; Nettoyage ; Tamis

TAILLE. – La taille, ou échantillon, ou souche est un bâton fendu en deux, permettant de comptabiliser les pains vendus à crédit. Le boulanger gardait une moitié tandis que le client conservait l'autre. Chaque achat de pain était signalé par une encoche faite sur les deux parties réunies. Lorsque le boulanger ou la porteuse de pain partait en ville avec sa hotte, il tenait le paquet de tailles à la main ; le reste du temps, les tailles restaient suspendues au mur de la boulangerie. Mais la taille est aussi une grosse badine, ou canne, que le boulanger parisien qui venait d'acheter le métier au roi recevait, au XIIIe siècle, des mains du maître de la communauté. Le boulanger devait conserver précieusement son échantillon, sur lequel le maître pratiquait chaque année une encoche, et ce durant les quatre ans que durait la période probatoire du futur talemelier. Par la suite, l'échantillon est peut-être devenu le symbole de la maîtrise du métier.

Mouette Barboff

• *Voir aussi :* Crédit ; Boulangers et des boulangeries (histoire de France des) ; Porteuse de pain ; Talemelier

TALEMELIER. – Plusieurs orthographes (talemelier, talmelier, tamelier, tamisier, talmisier) se lisent pour désigner l'ancien nom des boulangers français. Deux hypothèses quant à l'origine de ce mot : talemelier (ou talmelier) dériverait de « taler », qui signifiait « battre » (comprenant l'idée de pétrissage) et « mêler ». Le mot « boulanger » apparaît plus tardivement, vers la fin du XIIe siècle. Le pain que faisaient les boulangers avait, à l'origine, la forme d'une boule ou d'une tourte. Cet usage s'est conservé dans les campagnes. Mais on les dénommait aussi talmeliers, parce qu'ils se servaient d'un tamis pour séparer la farine du son. De là le nom de tamisiers, talmisiers et, par corruption, talemeliers, talmeliers. Les boulangers formaient une corporation importante, dont l'organisation remonte à Philippe Auguste, et qui fut réglementée par Étienne Boileau, prévôt de Paris sous Saint Louis. Ils payaient au roi un droit appelé « hautban », et avaient pour représentant le grand panetier, qui était un des grands officiers de la Couronne. On le constate, le tamis a servi à symboliser une activité qui a recouvert, au-delà du tamisage, la confection des produits issus de celui-ci, sous le nom de « boulangerie ».

Olivier Pascault

• *Voir aussi :* Ban et banalités ; Blatier ; Boulangers et des boulangeries (histoire de France des) ; Boulangers forains ; Crédit ; Disettes, famines et révoltes pour le pain en France ; Fouacier ; Fournier et fornillon ; France (pains historiques, du Moyen Âge à la Révolution française) ; Grand panetier ; Honoré, saint ; Lazare, saint ; Orve et orvier ; Porcs (droit d'engraisser les) ; Réglementation ; Tranche-pain ; Valet soudoyé

Bibl. : Marcel ARPIN, *Historique de la meunerie et de la boulangerie*, Paris, Le Chancelier, 1948 • Claude GAUVARD (dir.), Alain DE LIBERA, Michel, ZINK, *Dictionnaire du Moyen Âge*, Paris, PUF, 2002.

TALON. – Voir QUIGNON

TAMIS. – Un tamis est caractérisé par le matériau qui constitue sa toile (aujourd'hui principalement de la soie, du Nylon ou du métal) et l'ouverture de ses mailles. Le tout est fixé sur un cadre. Les mailles des tamis sont de plus en plus fines selon la place qu'ils occupent dans le diagramme de la meunerie, du broyage, au claquage et au convertissage. Pour éviter le colmatage des tamis, il faut les dégommer, à l'aide de tapotins.

Philippe Duret

• *Voir aussi :* Auget ; Broyage ; Broyeur ; Cadre ; Claqueur ; Convertisseur ; Dégommage ; Diagramme en meunerie ; Frayon ; Moulin ; Meunerie ; Mouture ; Tapotin

TAMIS (symbolique du). – Avec une grille de maillage plus ou moins fin, le tamis est un crible pour tamiser les grains des céréales, afin d'obtenir une homogénéité en taille, ou pour filtrer la farine et en écarter les grumeaux. En passant la farine à travers des tamis fins de soie, on obtient une qualité de poudre d'une finesse exceptionnelle, considérée comme la fleur de farine. On tamise aussi le sable, ou la pâte de papier, les différents pigments, etc. Un proverbe balkanique veut que, « lorsque le tamis est neuf, on l'accroche haut sur le mur » pour signifier que cet ustensile, très utile dans le perfectionnement des travaux ménagers, n'est efficace que lorsque son maillage est entier. Cependant, ce n'est pas seulement la qualité de l'objet qui compte ; un minimun d'habilité est requis pour bien tamiser la farine, sans l'éparpiller, et c'est pour cela que le tamis servait jadis de « mesure » symbolique des aptitudes ménagères de la jeune mariée, dans une large partie de l'Europe orientale. La belle-mère mettait entre les mains de sa bru nouvellement entrée dans la maison un tamis, en lui demandant de tamiser de la farine ; si elle tamisait bien, cela constituait un bon présage pour le mariage ; sinon, on prévoyait des problèmes et des discordes.

Plus largement, le tamis fut un instrument de divination populaire très utilisé dans l'Antiquité. Il s'agit de la fameuse *coscinomantie*, comme en témoigne Lucien de Samosate. Apparemment, elle était encore utilisée à la Renaissance, si l'on en juge par le témoignage de Rabelais : « Par coscinomantie, jadis tant religieusement observée entre les cérémonies des Romains ; ayons ung crible et es forcettes, tu voyras diables », où figure en note, pour « coscinomantie » : « Art de deviner en remuant le sac ou tamis : du grec *concinon*, crible ou tamis. Un interprète lit conscinomancie, et dit que c'est une divination à l'aide d'un crible et des forcettes ou petits ciseaux. » Cette même forme de divination semble avoir été considérée comme une œuvre diabolique au milieu du XIXe siècle, ainsi que le confirme un dictionnaire de l'époque : « Coscinomancie, divination par le sas ou le tamis. On met le tamis sur un pivot, pour connaître l'auteur d'un vol ; on nomme ensuite les personnes soupçonnées, et le tamis tourne, au nom du voleur. C'est ce qu'on appelle, dans les campagnes, *tourner le sas*. Faire tourner le sas est un prétendu mode de divination à l'aide d'un sas qu'on fait tourner sur la pointe de ciseaux, utilisé dans les campagnes pour connaître les racines des maux ; "Ceux qui connaissent le passé par le mouvement du sas" [La Bruyère, *XIV*]. »

Déjà, dans l'Antiquité, l'action de « passer au tamis » avait pris une connotation métaphorique pour signifier « choisir », « faire le bon ou le mauvais choix », selon la taille du maillage. Il y a l'apologue attribué à Socrate qui explicite ce pouvoir du tamis d'imposer un examen sévère de conscience en « séparant le bon grain de l'ivraie ». Lorsqu'un interlocuteur proposa au sage des commentaires sur un des ses amis, Socrate lui demanda s'il avait passé son discours au travers de trois tamis : celui de la vérité, celui de la bonté et celui de l'utilité ; pour conclure que seules les paroles qui passent l'épreuve des ces trois filtres sont dignes d'être prononcées. Dans le même sens va la phrase « passer au gros sas » qui indique, en français, le fait de ne pas y regarder de trop près. Une autre « capacité » quasiment mythique du tamis est celle qui fait de l'instrument un moyen d'évaluer la chasteté des femmes, en suivant des traditions très anciennes selon lesquelles l'« intégrité » de la jeune femme constituait une vertu indispensable pour son mariage (en relation avec l'intégrité nécessaire du maillage). Le parallélisme entre ces deux formes d'intégrité a survécu jusqu'à la Renaissance, si l'on en juge par les portraits de la reine Élisabeth Ire d'Angleterre qui la représentent, à plusieurs reprises, tenant un tamis symbolisant sa virginité. Enfin, le tamis semble avoir servi pendant l'époque romaine pour accuser des vestales du crime de relations sexuelles sacrilèges (qualifié d'*incestus*) pendant qu'elles exerçaient leur fonction. C'est le cas de la vestale Aemilia, qui fut acquittée grâce à l'épreuve du tamis, et celui, plus connu, de la vestale Tuccia : elle porta de l'eau dans un tamis depuis le Tibre jusqu'au temple de Vesta pour prouver sa chasteté après avoir été injustement accusée, comme le raconte Valère Maxime dans *Actions et paroles mémorables* (livre VIII, chapitre 1, § 5) : « Un secours semblable sauva la jeune vestale Tuccia qui était accusée d'inceste et fit éclater sa vertu en déchirant le voile d'ombre dont l'avait enveloppée la calomnie. Forte du sentiment de sa pureté, elle osa chercher son salut par un moyen risqué. Elle saisit un crible et s'adressant à Vesta : “Si j'ai toujours approché de tes autels avec des mains pures, accorde-moi de prendre dans ce crible de l'eau du Tibre et de la porter jusque dans ton temple.” Quelque hardi et téméraire que fût un pareil vœu, la nature obéit d'elle-même au désir de la prêtresse » (cf. aussi le dessin de Rubens représentant *La Vestale Tuccia retenant l'eau du Tibre dans son tamis*).

L'utilisation d'un tamis pour transporter de l'eau, sous forme d'ordalie, est un thème récurrent des contes populaires, avec des finalités diverses. Voici l'exemple d'un conte irlandais intitulé *Les Femmes cornues* : apparues au milieu de la nuit, « elles avaient ensorcelé une brave ménagère, lui imposant de leur faire un gâteau en pleine nuit ; et là où elle comptait faire délayer la farine avec son tamis, ces sorcières à cornes lui imposèrent de chercher avec cet outil de l'eau au puits. Alors qu'elle désespérait parce que l'eau s'écoulait aussitôt reversée, une voix vint en elle et dit : “Prend de l'argile jaune et de la mousse, unis-les et tapisses-en le tamis, ainsi l'eau y restera.” Cette eau dispersée dans la maison empêcha toute nouvelle visite des femmes cornues. »

Yvonne de Sike

• *Voir aussi :* Battage des céréales et aire de battage ; Calendrier celte et rites céréaliers ; Calendrier grec ancien ; Calendrier romain ; Calendriers et mesure du temps ; Épi (symbolique de l') ; Grain et graine ; Ivraie ; Mariage (pains de) ; Tamis ; Terre-Mère primordiale ; Vierge et cycle des cultures céréalières

Bibl. : Albin Jacques S. COLLIN DE PLANCY, *Dictionnaire infernal, ou Recherches et anecdotes sur le démon*, 1844 • J.-C. FREDOUILLE, *Dictionnaire de la civilisation romaine*, Paris, Larousse, 1996 • LUCIEN DE SAMOSATE, *Alexandre ou le faux devin*, chap. 9 • François de RABELAIS, *Œuvres, édition Variorum, augmentée de pièces inédites, des songes drolatiques de Pantagruel, Ouvrage posthume, avec explication en regard, tome quatrième*, Paris, 1823.

TANNUR. – Parmi les fours à pain en terre cuite élaborés par l'homme depuis le Néolithique, le *tannur* – ou *tabuna* – est certainement le plus ancien. Originaire de la même aire moyen-orientale qui a connu la domestication des céréales et est représentée dans les bas-reliefs assyriens comme dans les tombeaux des pharaons ou la statuaire votive punique, dans les sites archéologiques, le *tannur* est souvent reconnu par le petit trou placé en bas et qui permet l'aération. Sa forme tronconique le fait ressembler le plus souvent à une jarre ouverte en haut et en bas. À l'heure actuelle, le *tannur* est répandu dans une vaste région allant du Maghreb à l'Inde, du Caucase au Yémen. Dans les cultures pastorales iraniennes, il connaît deux appellations renvoyant à deux significations distinctes : le *tabun* est une fosse creusée dans le sol, sur le fond de laquelle les pasteurs nomades font cuire des disques de pain aplatis ; le *tannur* est le four semi-enterré des populations sédentaires. Dans différentes régions du Maghreb, en Tunisie notamment, les deux termes indiquent le même objet en terre cuite. Leur valeur sémantique témoigne de l'importance des systèmes de cuisson indirecte dans les cultures humaines. L'hébreu *tannur*, dont on trouve plusieurs citations dans l'Ancien Testament, dérive de *nur*, « feu », « lumière », *tabuna* signifiant littéralement « couvrir le feu [pour empêcher qu'il s'éteigne] ».

Le *tannur* en terre cuite étant presque partout destiné à la cuisson de galettes de pain sur les parois internes préalablement chauffées, il est perçu comme un système traditionnel différent à tous les égards des fours modernes, qui n'ont pourtant pas réussi à le supplanter. Dans beaucoup d'endroits où l'on ne consomme désormais que du pain cuit dans les fours horizontaux (en bois ou électriques), le *tannur* est utilisé pour préparer le pain des jours de fête. Ce qui identifie cette préparation, c'est le geste rapide de la main pour introduire les disques de pain aplatis à l'intérieur du four et pour retirer les galettes lorsqu'elles sont cuites. Il existe de nombreuses variantes de ces systèmes de cuisson et du terme *tannur*. Les Berbères du Haut-Atlas occidental marocain utilisent le terme spécifique *tannurt*, et non pas le terme générique *agrùm*, pour indiquer même un pain, non levé et presque toujours d'orge, que l'on fait cuire à l'horizontale sur un disque en fer dans un foyer muré et complètement ouvert dans la partie antérieure. Les braises sont entretenues d'un côté du four. Encore aujourd'hui, certains lignages n'ont pas le droit de préparer ce type de pain, mais ils peuvent le consommer. En Algérie, on peut trouver des *tannur* où l'on combine parfois la cuisson verticale avec la cuisson horizontale. Au Liban, surtout dans les régions montagneuses, le *tannur* est un petit four hémisphérique en métal autour duquel les femmes s'assoient pour préparer le pain, *khobz tannur*, en étalant la pâte avec des gestes rapides des mains jusqu'à la réduire à une abaisse et en la posant sur la calotte externe rouge à l'aide d'un coussin rond. Nous trouvons ce système aussi en Syrie et jusqu'en Iran, où le pain traditionnel prend le nom de *taftun*. Dans le *tannur* en terre cuite afghan, on introduit les disques de pâte presque toujours à l'aide d'un coussin, alors que pour retirer le pain l'on se sert de deux longues broches (l'une pointue, l'autre en forme de pelle) ou d'une tenaille en fer. En Arménie et en Géorgie, les fours sont souvent complètement enterrés et les formes de pains (appelés *lavash*) sont parmi les plus longues que l'on connaisse. En Israël et en Palestine, le *tannur* cohabite avec d'autres petits fours traditionnels « à cloche » ou à deux cases superposées ; en Tunisie et ailleurs, il peut aussi présenter sur le bord supérieur trois hautes saillies équidistantes, sur lesquelles on appuie le *tajine* ou d'autres récipients pour la cuisson des aliments. Dans quelques régions, le trou d'aération peut être remplacé par une ouverture circulaire ou hémisphérique (*shubbak*, « fenêtre »), par laquelle on introduit non seulement le combustible, mais on surveille aussi la cuisson. Bref, comme pour le four romain, la grande variété de solutions élaborées dans l'aire de diffusion du *tannur* s'articule à partir d'éléments qui restent constants.

La fabrication des *tannur* est presque toujours l'œuvre de groupes spécialisés de potiers dont les compétences, relevant de la division sexuelle du travail, sont transmises soigneusement d'une génération à l'autre. En Libye, dans l'embouchure du Wadi Kaam, fleuve proche de la ville de Zliten dont Hérodote parle dans ses

Histoires, la famille Dium se consacre depuis toujours a la fabrication des *tannur*, activité qu'elle combine avec l'élevage du petit bétail, le jardinage et la pêche. Après le broyage de l'argile, assuré le plus souvent par les enfants et les personnes âgées, c'est aux femmes qui revient le travail allant de l'amalgame de l'argile, avec des substances qui la dégraissent, au pétrissage et au modelage. Ce dernier est réalisé avec la technique archaïque du colombin, mais en faisant tourner le vase sur une table rotative munie d'une petite protubérance qui entre en contact avec le sol. Après avoir formé le premier cordonnet, la potière jette sur le bord du vase un morceau d'argile en le « greffant » à l'aide des mains – dont une à l'intérieur – pendant que leur pression fait tourner la roue. Une fois le modelage terminé, on laisse sécher le vase. Avant la cuisson, un garçon le peint de quelques lignes croisées, décor qui restera néanmoins invisible et qui s'explique par la seule exigence de pouvoir intervenir après la cuisson pour masquer des fissures éventuelles. Les *tannur* sont donc transportés et rangés sur un espace spécial où leur cuisson est l'affaire des hommes. La technique étant celle du foyer ouvert, on complète leur séchage en introduisant à l'intérieur des branches de palmier allumées. Les fours sont successivement recouverts de sacs de jute pour empêcher la dispersion de chaleur qui est propre aux méthodes à flamme directe. La cuisson nécessite à peu près trois heures. Une fois refroidis, les *tannur* sont commercialisés.

En Sicile où elle a été introduite par la diaspora juive et la colonisation arabo-berbère, la *tannura* ne représente plus désormais qu'un réchaud mobile en terre cuite ou en fer, adossé au mur ou bien maçonné à côté du four. Des *tandouri* traditionnels sont partout utilisés dans les grandes villes du monde par les restaurants libanais ou indiens.

Salvatore D'Onofrio

• *Voir aussi* : Afghanistan ; Algérie ; Arménie ; Four ; Céréales sauvages aux premières formes domestiques (des) ; Inde ; Israël ; Liban ; Mangeurs de pains ; Maroc ; Syrie ; Tunisie

Bibl. : COLLECTIF, *De Carthage à Kairouan*, catalogue de l'exposition au musée du Petit Palais de la Ville de Paris (20 octobre 1982-27 février 1983), Paris, 1982 • M.-C. AMOURETTI, *Le Pain et l'huile dans la Grèce antique*, Paris, Les Belles Lettres, 1986 • S. AVISTUR, « The Way to Bread, The Exemple of the Land of Israel », *Tools and Tillage*, vol. 2, n° 4, 1975, p. 228-241 • A.-G. BARROIS, *Manuel d'archéologie biblique*, t. I, Paris, Picard, 1939 • E. BROMBERGER, « Fosses à cuisson dans le Proche-Orient actuel : bilan de quelques observations ethnographiques », *Paléorient*, vol. 2, n° 2, 1974, p. 301-310 • C. BROMBERGER, M. BAZIN, *Gilan et Azabayjdn oriental. Cartes et documents ethnographiques*, Paris, Éditions Recherches sur les civilisations, 1982 • B. BRUYÈRE, *Rapport sur les fouilles de Deir-el-Medineh (1934-35). Troisième partie : le village, les décharges publiques, la station de repas du col de la vallée des Rois*, Le Caire, 1939, p. 72-74, fig. 20-21 • A. CUSUMANO, « La terra e il fuoco », *Quaderni del Servizio Museografico della Facolta di Lettere e Filosofia dell'Università di Palermo*, n° 5, 1991 • S. DAGHER, *Traditional Foods in the Near East*, Rome, FAO Food and Nutrition Paper, 50, 1991 • G. M. D'ALEPPO, G. M. CALVARUSO, *Le fonti arabiche nel dialetto siciliano*, Rome, 1910 • A. M. DONADONI ROVERI (éd.), *Civiltà degli Egizi. La vita quotidiana*, Turin, 1987 • B. DUPAIGNE, *Le Pain*, Paris, La Courtille, 1979 • M. FANTAR, *Kerkouane*, t. II, Tunis, 1985 • G. GOBERT, « Les références historiques des nourritures tunisiennes », *Les Cahiers de Tunisie*, n° 12, 1955, p. 501-542 • A. PARROT,

Gli Assiri, Milan, 1961 • G. B. PELLEGRINI, *Gli arabismi nelle lingue neolatine*, t. I, Brescia, 1972. – *ID.*, « Postille etimologiche arabo-sicule », *Bollettino del Centro di studi filologici e linguistici siciliani*, nº XII, Palerme, 1973, p. 55-71 • C. PERLÈS, *Préhistoire du feu*, Paris, Masson, 1977 • B. PRITCHARD, *Recovering Sarepta. A Phoenician City*, Princeton (NJ), Princeton University Press, 1978 • C. SINGER *et al.* (éd.), *An History of Technology*, Londres, Clarendon Press, 1954, vol. I • X. THYSSEN, « Des manières d'habiter dans le Sahel », *Cahiers du CRESM*, nº 15, Paris-Marseille, 1983 • A. UCCELLO, *Folklore siciliano nella Casa Museo di Palazzolo Acreide*, Syracuse, 1972.

TAPIS D'ENFOURNEMENT-DÉFOURNEMENT. – Voir ENFOURNEMENT-DÉFOURNEMENT

TAPOTIN. – Les tamis utilisés en meunerie ayant tendance à se colmater, il existe des petites pièces mobiles insérées à l'intérieur du cadre et qui permettent de les dégommer, par chocs sur les parois et la toile.

Philippe Duret

• *Voir aussi :* Blutage ; Dégommage ; Meunerie ; Plansichter ; Tamis

TARARE. – Appareil muni d'un ventilateur permettant d'éliminer les fractions légères du blé (paille, balles, grains maigres). L'air d'aspiration est dirigé ensuite vers un cyclone ou un filtre qui le sépare des particules qu'il transporte.

Philippe Duret

• *Voir aussi :* Balle ; Cyclone ; Filtre ; Impureté ; Paille ; Transport pneumatique

TARTINE. – Pour beaucoup d'entre nous, la tartine symbolise à jamais nos goûters d'enfants, cet instant de la journée qui marquait la fin de l'école et semblait suspendre nos mille et un petits soucis simplement par la vertu d'une tranche de pain moelleux. Nous l'accompagnions d'un carré de chocolat ou d'une cuillerée de confiture généreusement étalée, dont nous léchions nos doigts d'un petit coup de langue gourmande, comme la petite fille du roman de Zola (*L'Argent*, 1892). La tartine, c'est aussi le petit déjeuner : c'est l'odeur âpre du pain grillé, la coulée de soleil du beurre qui fond délicatement, l'explosion de couleurs des confitures qui dégoulinent joyeusement ou du miel qui s'alanguit pour mieux coller aux doigts (« La confiture ça dégouline / Ça coule coule sur les mains / Ça passe par les trous d'la tartine / "Pourquoi y a-t-il des trous dans l'pain », chantaient les Frères Jacques). Cet encas nourrissant devra nous tenir toute la matinée.

L'origine de la tartine reste un peu floue… Le pain fut l'aliment principal de nos ancêtres, en tartines ou en quignons, en morceaux, en croûtes ou même en miettes. Au Moyen Âge, les « pains tranchoirs » sont d'épais morceaux de pain bis, de forme arrondie, qui tiennent lieu d'assiettes. Ils s'imbibent du jus des viandes et des sauces durant tout le repas, à l'issue duquel on les distribue aux pauvres et aux chiens. Plus tard, les paysans coupent des tranches de pain, généralement de mauvaise qualité, sur lesquelles ils versent du lait, du bouillon ou du vin. On les appelle des « trempes » ou des « soupes », et elles constituent, pendant des siècles, le repas quotidien de millions d'hommes et de femmes. C'est à partir du XIXe siècle qu'apparaît en France le mot « tartine », dans sa signification actuelle, à savoir : « Tranche de pain recouverte d'une substance alimentaire qui s'étale facilement. » Mais l'usage est donc beaucoup plus ancien, comme nous le confirme ce trait de sagesse royale : en Espagne, au XIIIe siècle, le roi Alphonse le Sage, inquiet du penchant de ses sujets pour la boisson, aurait institué l'obligation de couvrir les verres d'une tranche de pain garnie de jambon ou de fromage afin que chacun mange avant de boire. Ainsi seraient nés les premiers *tapas* (de *tapa*, « couvercle ») et la déclinaison d'amuse-bouches que l'on connaît. La tartine, dans ses multiples usages et accompagnements, est en réalité présente dans toute l'Europe et au-delà. En Italie, par exemple, la célèbre *bruschetta* nous vient du fond des âges. Généreusement frottée d'ail, arrosée d'un filet d'huile d'olive, salée, poivrée et garnie de tomates bien mûres coupées en petits dés, cette tartine du « pauvre » fut popularisée par les paysans qui travaillaient aux champs. On la retrouve donc, sous des formes et des appellations diverses, dans tous les pays du bassin méditerranéen. Les *crostini*, autre spécialité italienne, autre hors-d'œuvre ou encas, sont constitués de petits toasts briochés aux légumes, à la viande ou au fromage, passés au four. À l'autre bout de l'Europe, en Flandre, les lendemains de veillées bien arrosées, les paysans commençaient leur journée en dévorant une épaisse tranche de pain aux raisins, qu'ils avaient laissée tremper toute la nuit dans une mixture de jaune d'œuf et d'alcool fort, généralement du genièvre… Cette tradition semble avoir hélas disparu et, aujourd'hui, les Flamands se contentent de déguster, à l'heure du petit creux, une tartine au fromage blanc. Comme chacun sait, nos voisins d'outre-Manche sont les inconditionnels du club sandwich, constitué de poulet, de laitue, de tomate, entre deux tranches de pain de mie. En 1830, lord Byron rapporte : « On commence à servir en France, dans les bals, des Sandwichs, mets ainsi nommé parce qu'il était particulièrement du goût du comte de Sandwich : c'est une tranche de jambon, ou de langue salée, entre deux tranches de pain avec du beurre. » Tout bien considéré, qu'est-ce qu'un sandwich sinon une double tartine ? !

Aujourd'hui, la tartine n'est plus réservée aux seuls goûters d'enfants ou aux petits déjeuners. Il existe une tartine « contemporaine », qui se décline dans des saveurs multiples, des plus simples aux plus élaborées. Les restaurateurs n'hésitent pas à la travailler en variant les pains selon les produits mis en valeur. Qui ne connaît pas la fameuse tartine sur pain Poilâne, fleuron des bistrots parisiens ? ! La tartine de pain fait ainsi désormais partie intégrante des ambitions les plus gastronomiques. Elle s'approprie tous les styles de cuisine, se déguste froide ou chaude, grillée ou pas. Elle peut être mini ou maxi, servie à l'apéritif, en entrée, comme repas léger accompagnée d'une salade, et même en dessert avec une composition sucrée. Les recettes varient à l'envi… Il y en a pour tous les palais !

Jean Lapoujade

• *Voir aussi :* Bruschetta → Italie ; Crostini → Italie ; Gastronomie ; Pain grillé ; Pain perdu ; Tranchoir et tailloir ; Sandwich ; Soupe

Bibl. : Constance BORDE, Sheila MALOVANY-CHEVALLIER, Sophie BOUSSAHBA (photos), *Sandwichs, tartines et canapés*,

Paris, Kunik Éditions, 2005 • Jérôme DUHAMEL, Pierre HUSSENOT (photos), *Sandwich à la folie. La grande aventure du sandwich en 300 recettes*, Paris, Flammarion, 1988 • Diane HARRIS, *The Woman's Day. Book of Great Sandwiches*, New York, Holt, Rinehart and Winston, 1982 • INBP, *Sandwichs au bon pain*, Les Lilas, Jérôme Villette, 1997 • Jean-Luc PETITRENAUD, *52 Tartines du dimanche soir par les plus grands chefs de France*, Genève, Minerva, 1998.

TAUX DE CENDRES. – La classification des farines en France, comme dans la majorité des pays, repose sur une notion de blancheur de la farine. Les farines les plus blanches contiennent très peu d'enveloppes du grain. Une des caractéristiques des enveloppes du grain est de contenir la grande majorité des éléments minéraux du grain.

Répartition du pourcentage de matières minérales dans le blé

Constituants	% de matières minérales exprimées en cendres par rapport à la matière sèche
Enveloppes (sons) :	
– péricarpe	2 à 4 %
– tégument séminal	12 à 18 %
– assise protéique	6 à 15 %
Germe	5 à 6 %
Amande	0,35 à 0,60 %
Blé entier	1,6 à 2,1 %

La détermination de la teneur en matières minérales de la farine, exprimée en cendres, permet donc de savoir si cette farine est riche ou non en enveloppes, et de préjuger de sa blancheur.

Classification des farines françaises

Types de farine	Teneur en cendres ou matières minérales (% ramené à la matière sèche)	Aspect des farines
45	< 0,50 %	
55	0,50 % à 0,60 %	blanches
65	0,62 % à 0,75 %	
80	0,75 % à 0,90 %	
110	1,00 % à 1,20 %	bises
150	> 1,40 %	complètes

La diversité des minéraux présents dans la farine est importante et les méthodes d'identification et de dosage des minéraux sont coûteuses. Le principe du dosage des matières minérales repose sur une méthode simple, sachant que les minéraux ne sont pas combustibles, à savoir la détermination de la quantité de cendres produites après incinération de la farine. Pour la méthode rapide de dosage, une quantité de 5 g de farine est introduite dans une nacelle en platine. Celle-ci est ensuite déposée à l'avant d'un four préalablement chauffé à 900°. La première étape va consister à laisser s'échauffer la farine dans la nacelle et ensuite provoquer son inflammation. Dans un deuxième temps, une fois la flamme disparue, l'incinération continue dans le four porte fermée pendant une heure jusqu'à disparition complète des composés noirs ; les cendres doivent apparaître totalement blanches.

Philippe Roussel

• *Voir aussi :* Enveloppe ; Farine ; Grain ; Minéraux ; Son ; Taux d'extraction

Bibl. : Philippe ROUSSEL, Hubert CHIRON, *Les Pains français. Évolution, qualité, production*, Vesoul, Maé-Erti, 2002.

TAUX D'EXTRACTION. – Cette notion est associée au rendement maximum en farine, obtenu à partir d'un lot de blé pour un type de farine déterminé (taux de cendres). Le taux d'extraction calculé peut être exprimé par rapport au lot de blé sale (non nettoyé) ou par rapport à la quantité réelle de blé mis en mouture (blé nettoyé et préparé). Le taux d'extraction est l'indicateur principal de la valeur meunière. À partir de 1963, l'évolution de la réglementation française dans la définition des types de farine a contribué à l'optimisation des taux d'extraction ou rendements meuniers.

Avant cette date, le taux d'extraction était fonction du poids spécifique (PS) des grains, et les catégories de farines se différenciaient des plus « pures » aux plus complètes par les types PS-5, PS-3, PS + 1, PS + 5… et farine complète. Pour un blé ayant un poids spécifique de 78 kg/hl, le taux d'extraction admissible pour une farine PS-5 était de 73 %. On a considéré longtemps que le poids spécifique ou poids à l'hectolitre des blés était en relation directe avec les possibilités d'extraction en farine. Le PS croît lorsque la proportion d'amidon augmente, l'amidon étant plus lourd que les constituants cellulosiques présents dans les enveloppes. Le meunier recherchait donc des blés à haut poids spécifique pour avoir la possibilité au plan législatif d'extraire le maximum de farine. Ce type de classification ne permettait pas de bien différencier les farines suivant leur degré de pureté, à savoir la proportion d'enveloppes dans la farine.

Le savoir-faire du meunier réside dans sa capacité à produire à partir d'un blé une extraction maximale de farine en incorporant un minimum des parties périphériques du grain (riche en matières minérales).

Philippe Roussel

• *Voir aussi :* Amidon ; Enveloppe ; Grain ; Minéraux ; Meunerie ; Mouture ; Poids spécifique (PS) ; Son ; Taux de cendres ; Types de farine → Farine ; Valeur meunière

Bibl. : Philippe ROUSSEL, Hubert CHIRON, *Les Pains français. Évolution, qualité, production*, Vesoul, Maé-Erti, 2002.

TAXATION. – Voir RÉGLEMENTATION

TECHNOLOGIES BOULANGÈRES (évolution des). – L'évolution des technologies boulangères en France a connu différentes grandes étapes liées à la disponibilité en céréales panifiables, aux conduites de mouture ainsi qu'aux méthodes de fermentation employées. Les contraintes réglementaires (en termes de fixation des prix de vente et de standards de l'offre) ont lourdement pesé ; la calorie pain, dans une nation de « panivores », devant être le meilleur marché possible. Les grosses boules de pain de blé ont chassé progressivement les pains de seigle et de méteil, avant que les pains longs fendus puis scarifiés, tels que la baguette, finissent par s'imposer. Dans *L'Art du boulanger* (1767), Malouin répète à plusieurs reprises : « On n'imagine point qu'il faille tant d'intelligence et de combinaisons pour faire de bon pain. » En France, aujourd'hui comme hier, le pain se doit d'être plus que jamais appétant et bon !

Parmentier prodigue en 1777, dans son « Avis aux ménagères sur la meilleure manière de faire leur pain », de nombreux conseils résultant de son analyse des pratiques boulangères de la capitale. Les pains des villageois étaient fréquemment pur seigle, voire issus de mélange seigle-orge, soit encore de méteil, associant blé et seigle. Le pétrissage de la pâte était effectué alors exclusivement par les femmes. Le savant réprouve sévèrement les pratiques rurales : mouture défectueuse ; emploi d'eau bouillante ; consistance très ou trop ferme ; pétrissage avec les poings, voire avec les pieds ; emploi de faible dose de levain, qui plus est trop aigre, car rafraîchi une seule fois. La tradition populaire attribuait pourtant à ces gros pains ronds et denses le mérite d'être plus nourrissants.

Les maîtres boulangers parisiens montrent peu d'enthousiasme à fabriquer les pains bis. Constatant que les boulangers ne gagnent rien à faire du pain bis et qu'il est plutôt de leur intérêt de dégoûter le public de ce pain de pâte trop ferme, Malouin pense qu'il faudrait alors les *obliger* à en faire. À leur décharge, il faut admettre que lorsque les grains sont bons marché le peuple dédaigne le pain bis et préfère se porter vers un pain plus blanc. Plus hydratées et mieux pétries qu'elles ne le sont à l'ordinaire, les farines blanches donnent des pâtes mieux liées et plus longues. Les techniques de façonnage se perfectionnent et conduisent à l'obtention de grands pains longs fendus, de quatre et six livres. Dans le Paris du siècle des Lumières, la technique de fermentation au levain naturel est désormais très aboutie. Le travail sur trois levains optimise l'activité fermentaire, tout en limitant l'acidité du pain. Les levains rafraîchis jusqu'à cinq fois par jour sont employés plus jeunes et en plus grande quantité, mais ils astreignent les compagnons boulangers à un véritable esclavage (Parmentier). Une nouvelle méthode dite de « levain sur pâte » est considérée alors comme un progrès, car elle simplifie la gestion des volumineux levains prélevés sur la pétrissée pour ensemencer la suivante. Les pains longs cuisent plus vite et le public apprécie de plus en plus la croûte. Les boulangers pavent leur aire de four et les fourniers construisent des voûtes plus plates qui font davantage « bouffer » le pain durant la cuisson. Le pain des boulangers est notablement plus aéré que le pain des particuliers et l'aspect extérieur prend de plus en plus d'importance. Pour accélérer la fabrication, en particulier l'hiver, les boulangers emploient de la levure de brasseries en complément du levain. Ce ferment est systématiquement employé pour les pains de pâte molle et pour les petits pains dits « panasses ». D'un emploi facultatif ou modeste dans les gros pains au levain, le sel est une variable d'ajustement si les farines sont humides ou proviennent de blés germés. L'expertise boulangère parisienne fait autorité, de nombreux compagnons s'expatrient et une école de boulangerie ouvre à Paris en 1780.

Grimod de La Reynière souligne, en 1805, dans son *Almanach des gourmands*, que le Français est « panivore » ; il évoque aussi, en 1808, le retour à une saine émulation entre boulangers et la réapparition, chez le maître boulanger Pourcet, des petits pains « à la dauphine » en losange (peut-être l'ancêtre du croissant). Les procédés de fabrication des petits pains de luxe, des pains dits « anglais » puis des pains viennois, ont en commun une pré-fermentation liquide (poolish) ensemencée avec de la levure, voire même avec des pommes de terre préalablement cuites afin d'optimiser l'activité fermentaire, mais sans acidifier. Bien que la pratique de pains « coupés » soit sans doute plus ancienne, Vaury nous fournit, en 1834, dans son *Guide du boulanger*, la première description explicite de grigne-incision. Grelot (1847) confirme quelques années plus tard l'utilisation d'une lame de rasoir. Pour ne pas perdre de temps durant l'enfournement à la pelle, les brigadiers prendront l'habitude de la tenir bien serrée entre les dents…

Les Français aspirent à la démocratisation du pain blanc, et l'engouement pour le froment va irrémédiablement faire décliner le seigle après 1850. Le prix du pain reste un point éminemment sensible. Toutefois, en 1856, des projets parisiens de meuneries-boulangeries mécanisées, destinées à vendre moins cher un pain de teinte légèrement moins blanche, échouent. Le luxe de l'ouvrier parisien c'est de manger son pain blanc, qui, d'ailleurs, « trempe mieux dans la soupe » (Leplay 1859). Tout au long du XIXe siècle, les meuniers s'emploient à perfectionner l'arsenal d'appareils de nettoyage, de paires de meules, puis de cylindres, de leurs minoteries. La technologie de mouture austro-hongroise par cylindres métalliques et tamisage par plansichter s'impose au vu du meilleur rendement en farine raffinée. Vers 1874, les farines ultra-purifiées de gruaux hongrois seront importées en France et appréciées pour leur excellente valeur boulangère. Les boulangeries rurales se multiplient ; elles pratiquent l'échange blé-pain avec les agriculteurs souhaitant déléguer la fabrication du pain tout en continuant à manger le pain issu de leur propre blé. Morel indique que, vers 1880, la fabrication domestique de pain est en voie de disparition. Les nouveaux artisans boulangers ruraux essaient de reproduirent le modèle parisien du pain fendu à grigne, tout en inventant des pains régionaux (couronnes, pains pliés, pains fendus tordus, pains issus de pâtes très hydratées).

La vogue des petits pains viennois redouble dans les années 1880. L'ouvrage de Majac intitulé *Manuel de fabrication du pain de luxe*, sorti vers 1885, puis diffusé par le levurier Springer, coïncide avec une montée en puissance de la commercialisation des nouvelles levures de panification. Ces levures de grains sont beaucoup plus pures, plus puissantes, non amères et de meilleure conservation que les levures de brasseries. Par la suite, les boulangers parisiens utiliseront la conduite de fermentation sur poolish (ou pouliche) pour le pain courant (Hendoux 1889). À cette époque, l'heure est à la simplification du procédé de fermentation au levain et les premières générations d'appareils à levain apparaissent vers 1881. Ils revendiquent une économie substantielle de main-d'œuvre en supprimant le levain de seconde et celui de tout point.

La mouture par cylindres, qui provoque la ruine de nombreux petits moulins à vent et à eau, essuie un vent fort de critiques vers la fin du siècle : « Pain trop blanc qui sèche trop vite », « véritable friandise qui ne sustente pas nos batteurs ». Pourtant, les tentatives de promotion de pain complet, puis celles de pain Schweitzer, concepteur d'une manufacture de type meunerie-boulangerie, font long feu malgré les arguments nutritionnels de l'époque. Non seulement Paris restera la capitale du pain blanc mais, en outre, les petits pains du petit déjeuner sont livrés à domicile par des porteuses. C'est que Paris compte un grand nombre de petites boulangeries qui se livrent à une concurrence féroce : elles offrent pratiquement à leurs clients une cuisson sur mesure et de multiples services.

Vers 1910, une méthode de fabrication de pain avec une dose minime de levure appelée un temps « le viennois », puis « le direct », par opposition à la méthode classique sur levain dite « le français », va séduire les boulangers parisiens en raison de l'extrême simplification du travail. Le façonnage manuel de pâtons longuement fermentés préserve la texture irrégulière de la mie si caractéristique du pain français (Boland 1860). Les boulangers, montrés du doigt en raison de la survivance du pétrissage manuel, si épuisant pour les ouvriers, achètent les nouveaux pétrins mécaniques à entraînement direct par moteur électrique, là où la force est installée. Le mouvement s'accélère durant la Grande Guerre. L'arrêt de l'apprentissage des gestes de pétrissage sera considéré comme un amenuisement du savoir-faire des futurs ouvriers… Dans les campagnes, les boulangers n'abandonneront cependant pas brutalement le traditionnel levain de pâte, car les exigences de conservation prolongée sont plus cruciales qu'en ville. Les pains de 6 ou de 4 livres sont parfois livrés seulement deux fois par semaines… En 1914, la nouvelle génération de levure de panification est disponible sur tout le territoire. Compte tenu de son coût, les boulangers l'utiliseront avec parcimonie, tout d'abord pour les brioches et croissants, puis en complément du levain.

La baisse continue de la consommation de pain par jour et par habitant oblige les boulangers à diminuer les grammages et les formats de pains. Les ventes de pains roulés et non plus fendus continuent de progresser. Le pain parisien passera d'environ 800 g à 500 g, la baguette de 300 g à 250 g, voire moins. Signalons que, contrairement à nos voisins allemands, la fabrication de petits pains sera délaissée, bien que des machines de type diviseuses-bouleuses, conçues dès les années 1924, eussent permis d'optimiser leur production. L'interdiction des traitements de blanchiment et de maturation chimiques des farines en 1931, l'interdiction d'oxydants puissants, enfin le non-recours à l'enrichissement vitaminique vont contribuer à différencier notablement la boulangerie française de ses voisines. L'utilisation de blés améliorants sera privilégiée. À partir de 1940, de graves pénuries de blé conduisent l'autorité publique à imposer l'emploi de farines de succédanés, qui dégradent la valeur boulangère. Le prolongement de ces contraintes jusqu'en 1948 perturbe le travail dans les fournils et ternit l'image du pain tout en épargnant un substitut : la biscotte.

Les tentatives de cuisson des baguettes sur plaques métalliques graissées, en 1951, qui permettaient de gagner du temps et de supprimer l'emploi des piles de bannetons d'osier, resteront sans suite. L'étau de la taxation conduit le boulanger à accélérer ses fermentations. Employé par Vitex depuis 1938, l'additif acide ascorbique E300 est autorisé en France en 1953 : il améliore grandement la tenue des pâtons à l'enfournement, évitant les pains que Dufour (1935) qualifiait de « belles savates ». Désormais, pour répondre à une demande en forte augmentation, de nombreuses usines à biscottes sont créées. Forte de son expérience industrielle, la société Jacquet démarrera la première ligne industrielle à pains de mie en 1959.

Avec la diffusion sur tout le territoire, entre 1955 et 1960, de la méthode dite « pain blanc » par pétrissage intensif, le beau l'emporte sur le bon. Elle bouleverse à la fois la formule de fabrication, l'organisation du travail, les règles de l'art et le standard qualité. Les gains en termes d'aspect extérieur (coups de lame plus ouverts, croustillance accrue), de volume, de moelleux sont incontestables. Ils sont d'ailleurs, dans un premier temps, largement plébiscités par les consommateurs. Cette méthode s'appuie souvent sur une augmentation sensible de la dose de levure, de sel et une dépendance accrue vis-à-vis de produits d'addition. La mécanisation concomitante des étapes de division et de façonnage, puis la course au volume dans certains départements ruraux conduit à des textures de mie en « nid d'abeilles » et altère gravement le goût.

Après avoir fait des gains de productivité majeurs sur la production de baguettes, les boulangers concentrent leurs efforts, dans les années 1970, sur le secteur très porteur de la viennoiserie et des pâtisseries boulangères. Le marché des farines prêtes à l'emploi se développe rapidement. Les Grands Moulins de Paris ouvrent le marché, en 1968, avec la marque Moulbie. Le succès est considérable et la gamme s'élargit. Dans les années qui suivront, les principaux groupes meuniers s'équiperont de stations de mélange et contribueront efficacement à la diversification de la gamme de pains.

La mécanisation s'intensifie avec les groupes automatiques de peseuses volumétriques, parfois associée à la cuisson sur filets en four rotatif. En 1975, une publicité destinée aux artisans boulangers vante « le fournil presse-bouton » : c'est la pâte qui malheureusement doit s'adapter aux contraintes des machines. Dans un contexte d'accélération de la baisse de la consommation et d'image de marque dégradée, quelques personnalités de la profession (H. Nuret, P. Viron) évoquent la nécessaire reconquête du goût. La technique dite de « pétrissage amélioré », c'est-à-dire de recul significatif dans l'intensité de pétrissage, imaginée en 1963 à l'École de boulangerie dirigée par Roland Guinet, est revisitée par Raymond Calvel. Ce dernier préconise une farine de pur froment, sans ajout de farine de fèves ou de soja, et recommande un diagramme de fabrication avec apport de pâte fermentée, un repos autolyse, conduisant à un pain de volume raisonnable. Le professeur de boulangerie, qui plaide pour une mie crème goûteuse et non plus exagérément blanche, prouve la validité de ce concept, qui trouvera une audience nationale à partir de 1982 avec l'enseigne Banette. L'optimisation de la réfrigération dans les enceintes de fermentations nécessitera plus de trois décennies d'essais. La pousse dite lente, puis la pousse contrôlée, mais aussi différents systèmes baptisés « poussé-bloqué » ou « pointage retardé », sont autant de méthodes permettant d'apprivoiser la fermentation panaire afin de supprimer le travail de nuit.

Après avoir conçu des machines pour effectuer les différentes opérations unitaires, les constructeurs de fours tunnels (Pierre Gouet, puis Mecatherm) se lancent, à partir de 1967, dans la fabrication de lignes automatiques pour pain français. Les premiers scarificateurs automatiques apparaissent vers 1979. À partir de 1984, c'est-à-dire quelques années après l'optimisation de techniques de production de viennoiseries surgelées, la production de baguettes surgelées crues prend de l'ampleur. Les lignes automatiques de fabrication alimentées par des pétrins continus (1986) ou par des carrousels circulaires ou linéaires se multiplient. Elles alimenteront des milliers de terminaux de cuisson. Les installations les plus récentes permettent la production de 4 000, voire de 9 000 baguettes à l'heure. Développée dès 1949 aux États-Unis, la technologie de pain précuit sera appliquée avec succès en France à partir de la fin des années 1970. Utilisée à la fois par des professionnels de la restauration et par le grand public, cette technique présente le grand avantage de ne pas nécessiter de changements drastiques dans les étapes de fabrication en amont de la précuisson.

La dénomination de pain de « tradition française », qui figure dans le décret pain du 13 septembre 1993, garantit au consommateur l'absence d'additifs alimentaires et de surgélation. Le concept de baguette farinée, plus dense, à texture de mie très irrégulièrement alvéolée et à mie crème s'est lentement imposé. La méthode de fabrication se démarque radicalement de la baguette courante : le façonnage en douceur de pâtes très fermentées permet aux boulangers de se réapproprier de nouveaux gestes et des touchers de pâte radicalement différents des procédés intensifs. Bien que le pain au levain n'ait jamais réellement disparu (boulangerie Poilâne et boulangeries bio), il faut admettre que peu de boulangers conventionnels le fabriquaient dans les années 1980. L'offre de pains au levain s'est sensiblement redressée. La conduite des rafraîchis est notablement facilitée par l'emploi du froid, mais aussi de starters de levains revivifiables. Par ailleurs, la sortie en 1994 de la machine dite Fermentolevain de chez Bertrand et la promotion du concept de levain liquide à la française par des formateurs émérites de l'INBP ont grandement contribué à sa diffusion.

L'utilisation de pâtes très fortement hydratées, qui correspond à une longue tradition dans la région de Lodève, s'est généralisée dans les années 1980 pour la production de pains non façonnés, type « pavés ». Différentes conduites de pétrissage sont mises en œuvre avec, en particulier, le recours à un bassinage tardif. Le pointage est généralement entrecoupé par un, voire deux rabats. Compte tenu de la faible machinabilité de ces pâtes, l'étape de façonnage est remplacée par une découpe (type guillotine). La cuisson de ces pains (dont certaines appellations sont brevetées) intervient dans un four à sole réfractaire de manière à optimiser la pousse au four et à assurer une cuisson appropriée. Le colloque du CNERNA de 1978 a montré tout l'intérêt des pains riches en fibres, ce qui a contribué à relancer la fabrication des pains complets et au son ; ces produits connaissent toutefois une diffusion limitée. Aujourd'hui, le défi consiste à produire des pains riches en fibres, mieux acceptés par les consommateurs : meuniers et boulangers travaillent de concert à cet objectif. De nombreux pains issus de farines de type 80, avec, en outre, une teneur réduite en sel, apparaissent sur les présentoirs. Par ailleurs, la petite machine à pain lancée au Japon, en 1987, met astucieusement en œuvre une technologie de panification ultra-simplifiée. Longtemps boudée par les consommateurs français, cette machine a vu ses ventes exploser depuis les années 2000 et les sites Internet consacrés à la fabrication domestique de pain se sont multipliés. Le mouvement semble s'essouffler depuis 2009.

L'étonnante focalisation des boulangers français sur les farines de blé raffinées et l'incidence des méthodes de mouture du grain sur les caractéristiques du pain incitent à considérer que la mouture est bien la première étape de la panification. Les rigueurs de la taxe du pain, puis la diminution de la consommation journalière ont conduit les boulangers à préférer une offre en pains longs croustillants, tout en délaissant la conduite de fermentation au levain. De par son activité commerciale, le professionnel privilégie les notions de rendement, de productivité, de simplification de procédé, voire d'automatisation complète. Les syndicats professionnels, les écoles sont également des vecteurs de diffusion de méthodes innovantes, mais aussi les garants d'un apprentissage du métier de qualité. Les préférences des consommateurs orientent également les choix technologiques ; ainsi, le succès de la vente de pain chaud tout au long de la journée s'est durablement imposé. Plus récemment, les consommateurs de pain de mie plébiscitent les pains sans croûte et se focalisent sur le moelleux, tandis que d'autres recherchent des pains d'origine étrangère (*pita*, *bagel*, *pumpernickel*).

Les technologies de fabrication de pain français se caractérisent ainsi par une grande fidélité aux principes fondateurs de l'expertise boulangère parisienne du XVIIIe siècle : farine pur froment, formule sans matières grasses ni matières sucrantes, conduite de fermentation non bousculée, soit au levain soit à la levure, et production de pains scarifiés. Le plus célèbre des pains français, la baguette, qui a tendance à éclipser la diversité des pains régionaux, émarge donc dans la catégorie des pains à connotation «plaisir», à une époque où les «pains à allégations nutritionnelles» font une percée remarquée…

Hubert Chiron

• *Voir aussi :* Additif ; Alvéolage ; Autolyse ; Bagel → Pains mondiaux ; Baguette ; Banette ; Banneton ou panneton ; Bassinage ; Biscotte ; Blanchiment en meunerie ; Bouton ; Brigadier ; Brioche ; Calvel ; CNERNA ; Cosmao ; Croissant ; Croustillant ; Cuisson sur filets ; Cylindres (appareil à) ; Diagramme en boulangerie ; École de boulangerie (première) ; Façonnage ; Fermentation panaire ; Fermentolevain ; Fibres ; Fournier et fornillon ; Froid ; Grands Moulins ; Guinet ; INBP ; Levain, levain-chef, levain de première, de seconde, de tout point ; Levure de boulanger ; Machine à pain ; Malouin ; Ménage (pain de) ; Méteil ; Meunerie ; Mie (pain de) ; Moulin ; Mouture ; Pain blanc ; Pain complet ; Panasse ; Panivore ; Parmentier ; Pâtisserie ; Peseuse-diviseuse ; Pétrin ; Pétrissage ; Pétrissage avec les pieds ; Pita → Pains mondiaux ; Plansichter ; Pointage ; Poolish ; Porteuse de pain ; Précuit ; Pumpernickel → Allemagne ; Rabat ; Rafraîchir, rafraîchi ; Réglementation ; Santé ; Sel ; Sole ; Son (pain de) ; Starter ; Terminal de cuisson ; Valeur boulangère ; Viennois (baguette et pain) ; Viennoiserie

Bibl. : M. ARPIN, *Historique de la meunerie et de la boulangerie*, Paris, Le Chancelier, 1948 • J. A. BARRAL, *Le Blé et le pain, liberté de la boulangerie*, Paris, Librairie agricole de la Maison rustique, 1863 • A. BOLAND, *Traité pratique de boulangerie*, Paris, E. Lacroix, 1860 • R. CALVEL, *La Boulangerie moderne*, Paris, Eyrolles, 1952 • H. CHIRON, «L'évolution technologique en boulangerie française : méthodes, équipements, adjuvants», *Industries alimentaires et agricoles*, janvier-février 1994, p. 29-40 • E. DUFOUR, *Traité de panification française et parisienne*, Paris, 1935 • E. FAVRAIS, *Manuel du boulanger et de pâtisserie-boulangère*, Paris, Librairie B. Tignol, 1904 • A. GIRARD LINDET, *Le Froment et sa mouture*, Paris, Gaulthier-Villars, 1903 • P. E. GRELOT, *Le Trésor du boulanger, ou les Secrets de la boulangerie*, Orléans, A. Durand, 1847 • GRIMOD DE LA REYNIÈRE, *Almanach des gourmands*, 1806, 1808, 1810 • L. HENDOUX, *Traité pratique de meunerie et boulangerie*, Paris, Garnier, 1889 • P. G. F. LEPLAY, *Enquête sur la boulangerie du département de la Seine Paris*, Paris, Imprimerie royale, 1859 • MAJAC, *Manuel de fabrication du pain de luxe, ouvrage pratique orné dessins contenant la recette de tous les pains de luxe et la manière de les fabriquer*, Paris, J. Echalié, 1885 • P.-J. MALOUIN, *Description et détails des arts du meunier, du vermicellier et du boulanger*, Paris, 1767 • A. MOREL, *Histoire illustrée de la boulangerie en France*, Paris, Syndicat patronal de la boulangerie de Paris et de la Seine, 1924 • A. A. PARMENTIER, *Le Parfait Boulanger, ou Traité complet sur la fabrication et le commerce du pain*, Paris, Imprimerie royale, 1778 • L. POILÂNE, *Guide de l'amateur de pain*, Paris, Robert Laffont, 1981 • P. ROUSSEL, H. CHIRON, *Les Pains français. Évolution, qualité, production*, Vesoul, Maé-Erti, 2002 • C. TOUAILLON, *La Meunerie, la boulangerie, la biscuiterie, la vermicellerie, l'amidonnerie, la féculerie et la décortication des légumineuses*, Paris, Librairie agricole de la Maison rustique, 1867 • S. VAURY, *Le Guide du boulanger indiquant les moyens à prendre pour bien fabriquer le pain et les économies que le boulanger peut apporter à son travail*, Paris, Legouix, 1834.

TEFF (*Eragrotis tef*). – Le teff ou tef, *Eragrostis tef*, est une céréale originaire du nord de l'Éthiopie, où il reste pratiquement endémique. Il est possible que sa domestication soit antérieure à l'introduction en Éthiopie de l'orge et du blé amidonnier, venus du Croissant fertile. Il ne s'est guère répandu comme céréale que dans les pays voisins, en Érythrée et au nord du Kenya, et à petite échelle ailleurs (États-Unis, Canada, Australie, Yémen). Il est aussi utilisé dans divers pays comme plante fourragère, pour ses grains ou son foin. Le teff pousse en touffe et atteint 1,5 m de hauteur. L'inflorescence est une panicule lâche ou compacte, qui contient jusqu'à 1 100 épillets, dont chacun comprend plusieurs grains. Ceux-ci sont très petits et ovoïdes (1,5 mm de longueur), et vont du blanc au rouge et au brun. Le teff a un cycle de vie assez court (2 à 5 mois) et supporte bien la sécheresse.

La farine de teff sert surtout à faire l'*injera*. Ce produit est une sorte de grande galette souple, qui sert de support aux aliments placés dans un grand plat commun, dont le diamètre peut dépasser 60 cm. Elle est déchirée en morceaux et permet d'attraper les aliments avec les doigts. Elle est fabriquée avec une pâte que l'on laisse fermenter deux à trois jours, ce qui lui procure un goût aigre apprécié. On y ajoute parfois de la farine de fenugrec (graines de *Trigonella foenum-graecum*), d'orge ou de sorgho. La coutume du repas dans un plat commun fait de l'*injera* un mets indispensable et emblématique de la cuisine éthiopienne. Avec la farine de teff, on fait aussi un pain non levé (*kitta*), des sortes de gruau (*atmit* ou *muk*), des bouillies et des boissons alcoolisées. Elle sert enfin d'épaississant dans des soupes, des ragoûts, des desserts. En Occident, on la trouve parfois dans des spécialités diététiques ou gastronomiques. Ses protéines sont facilement assimilables et ne contiennent pas de gluten. La paille de teff s'emploie comme fourrage. Elle est mélangée à l'argile pour faire du pisé ou des briques.

Michel Chauvet

• *Voir aussi :* Amidonnier; Céréales; Éthiopie; Fenugrec → Condiments du pain; Mil et millet; Orge; Sorgho

Bibl. : H. TEFERA, G. BELAY, « Eragrostis tef (Zuccagni) Trotter », in *Ressources végétales de l'Afrique tropicale*, vol. 1, *Céréales et légumes secs*, Wageningen, 2006 • Noel D. VIETMEYER *et al.* (éd.), *Lost Crops of Africa*, vol. 1, *Grains*, Washington, National Academy Press (BOSTID, National Research Council), 1996.

TÉGUMENT. – Voir ENVELOPPE

TEMPÉRATURE DE BASE. – Pour éviter les variations qualitatives, le boulanger doit définir une température de pâte et la contrôler. La référence habituelle est de 24° à 25°. Il peut décider de travailler plus froid pour des pâtes destinées à la pousse contrôlée ou à la congélation, ou plus chaud pour du pain de mie/pain biscotte. Pour un pétrin à cuve ouverte et un temps de pétrissage donné (échauffement mécanique variable selon la résistance de la pâte), la température finale d'une pâte est fonction de la température du fournil, de la farine et de l'eau (ingrédients majoritaires). On estime que ces trois températures se compensent lorsque la température ambiante se situe autour de 20°. Il est d'usage de définir une « température de base » d'un pétrin : T°C base = T°C fournil + T°C farine + T°C eau.

Par exemple, pour une température de pâte recherchée de 25°, en pétrissage intensifié, la température de base de pétrin est souvent estimée, après expérience, aux valeurs suivantes : pétrin à axe oblique : 52-54° ; pétrin Artofex : 55-60° ; pétrin spirale : 43-48°. Par conséquent, lorsque l'on connaît la température de la farine et du fournil, il est possible de calculer la température de l'eau, par différence avec la température de base.

Si cette règle empirique peut servir de référence au boulanger quand la température ambiante est d'environ 20°, elle a toutefois ses limites. On s'aperçoit ainsi que lorsque le fournil est chaud (été) ou froid (hiver), c'est principalement la température ambiante qui influe sur la température finale de la pâte.

Philippe Roussel

• *Voir aussi :* Biscotte ; Eau ; Farine ; Fournil ; Mie (pain de) ; Pétrin ; Pétrissage ; Pousse contrôlée ou pousse lente → Fermentation contrôlée

Bibl. : Philippe ROUSSEL, Hubert CHIRON, *Les Pains français. Évolution, qualité, production*, Vesoul, Maé-Erti, 2002.

TÉNACITÉ. – Lorsqu'on déforme une pâte, on peut chercher à en définir les paramètres. Avec l'alvéographe Chopin, on peut mesurer la pression de l'air à l'intérieur d'une bulle de pâte ; la pression maximale ainsi mesurée est appelée « ténacité ». C'est la résistance maximale de la pâte à la déformation imposée. La pâte pour l'alvéographe étant réalisée à hydratation constante, une ténacité élevée traduit une consistance de pâte élevée et donc une capacité d'hydratation élevée. Il y a une assez bonne corrélation entre ténacité et hydratation de la pâte en boulangerie.

Ludovic Salvo

• *Voir aussi :* Alvéographe ; Hydratation ; Pâte

TÉNÉBRION MEUNIER. – Voir CHARANÇON

TENUE. – Terme employé pour caractériser le comportement de la pâte ou du pâton pendant la fermentation et à la mise au four. Une « mauvaise tenue » équivaut à un relâchement de la pâte.

Philippe Roussel

• *Voir aussi :* Fermentation panaire ; Four ; Pâte ; Pâton

TÉOSINTE. – Voir AMÉRINDIENS ; MAÏS

TERMINAL DE CUISSON. – Terme assez barbare, mais néanmoins très utilisé dans la profession, qui désigne un lieu de vente de pains ou de viennoiseries, équipé d'installations de cuisson et, dans la plupart des cas, d'installations de fermentation et/ou de décongélation des pâtes. Un terminal de cuisson ne peut pas prétendre à l'appellation « boulangerie », réservée aux seuls points de vente où le pain est pétri, façonné et cuit sur place sans avoir subi de congélation ou de surgélation à aucune étape de sa fabrication. L'appellation « boulangerie » est strictement encadrée par la loi du 25 mai 1998 (nº 98-405) et elle est reprise dans le code de la consommation. Les terminaux de cuisson sont apparus dans les années 1980. Ils sont maintenant environ 7 000 en France. Les produits qui alimentent un terminal de cuisson sont le plus généralement issus d'une fabrication industrielle et arrivent sous forme surgelée. Il peut s'agir de pâtons façonnés, non fermentés ; ou de pâtons poussés, non cuits ; ou encore de pâtons précuits ; plus rarement de pains déjà cuits. Les étapes de finalisation seront réalisées dans le terminal de cuisson et comprendront une phase de décongélation-réchauffage des pâtons, de fermentation en chambre de pousse si besoin, de cuisson complète ou partielle selon les cas. La taille des points de vente peut varier d'un simple « corner » dans une GMS, une gare ou une galerie marchande, à de véritables boutiques de plusieurs centaines de mètres carrés, équipées éventuellement pour la restauration sur place ou à emporter. La surface moyenne tourne autour de 60 m². Citons La Mie câline, Pomme de Pain, Brioche dorée…

Catherine Peigney

• *Voir aussi :* Boulangerie contemporaine ; GMS ; Précuit ; Prêt à façonner, prêt à pousser ; Viennoiserie

TERRE-MÈRE PRIMORDIALE, de la Préhistoire aux mouvements écologiques (vénération de la). – Un grand nombre de cosmogonies considèrent à l'origine de toutes choses un chaos, un vide fécond sans limites ni forme, ou un espace humide et sombre désigné comme les eaux primordiales. De cet « état » initial, préexistant au temps, émerge une puissance créatrice, la Déesse, aux noms divers, qui donne progressivement naissance à tout ce qui a forme et vie. Elle commence par ordonner le chaos pour en faire le Cosmos (« ordre », d'après l'étymologie grecque), qu'elle peuple de dieux, d'animaux, de plantes, d'hommes, de puissances célestes et chtoniennes… Puisque cette déesse primordiale constitue d'une certaine façon le fondement du Cosmos, la Terre, sa manifestation matérielle, est, dans presque dans tous les systèmes religieux doués d'une multivalence, adorée pour ce qu'elle fut, ce qu'elle est, ce qu'elle porte, ce qu'elle montre, ce qu'elle donne, ce qu'elle cache et vivifie. Elle devient le fondement premier de toutes les manifestations religieuses ultérieures, dont elle ne cesse d'être, en même temps, le réceptacle sacré au-delà de l'aspect tellurique et des intuitions mythiques. Dans les innombrables mythes des origines, la Terre-Mère, cette Mère universelle, s'investit à une multitude d'éléments qui vont des corps célestes aux plantes. Dans son corps se trouvent les matières organiques et inorganiques. Elle est Unique, Multiple et Immuable ; elle est éternelle, à l'image du Cosmos qu'elle a engendré. Mais les formes de vie, qui venant d'elle peuplent le monde, connaissent la naissance, la vie et la mort. Ainsi, cette Mère-créatrice des origines de la vie est aussi celle qui recueille ses enfants morts, lorsque le temps cyclique impose leur disparition dans la perspective d'une régénération récurrente. Parfois, cette Terre-Mère, qui est aussi une déesse de la fécondité, est capable de concevoir seule, par parthénogenèse – ou bien elle est bipolaire, voire bisexuée.

Les découvertes archéologiques ont mis au jour des statuettes féminines, datant de la période paléolithique supérieure, mais aussi de multiples peintures et gravures rupestres correspondant à différentes expressions du culte d'une divinité féminine, dont les principaux attributs sont la fécondité, la fertilité et la domination (protectrice) de la faune et de la flore. De nos jours, sous l'impulsion de Marija Gimbutas, archéologue américaine contemporaine, la plupart des chercheurs acceptent l'idée que les différentes représentations de la Déesse – qu'il s'agisse de figurines étalées sur plusieurs millénaires, de peintures murales (cf. le site néolithique de Catal Hûyük), de symboles gravés, etc. – « sont des figures mythiques ou symboliques pour représenter certains mythes, saisonniers ou autres » ; ce sont des « images narratives », d'après A. Marschack, en relation avec le cycle des saisons et le renouvellement de la vie. La majorité des chercheurs associent toutes ces figurations à une déesse de la Terre qui pourrait, dans ce sens, être compatible avec la Déesse-Mère primordiale des mythes cosmogoniques. Les témoignages littéraires postérieurs confortent cette idée d'une grande déesse primordiale, qui n'est autre que la Terre divinisée, comme le constate savamment Plutarque : « Tandis que les hommes ont divinisé l'eau, la lumière et les saisons, en un mot tout ce qui correspond à leurs besoins communs, il n'ont pas seulement considéré la Terre comme une chose divine, mais ils en ont fait une véritable divinité. » Par ailleurs, à la même époque, un hymne dédié à Tellus, cette Gaïa romaine, fait son éloge dans les termes suivants : « Tellus, déesse sainte, / Mère de la Nature vivante / Nourriture de la vie / Tu punis et récompenses en éternelle équité / Et, lorsque la vie nous a quittés, / C'est en Toi que nous trouvons refuge / Car tout ce que Tu distribues / En Ta Matrice retourne. / C'est justement que l'on Te nomme Mère des dieux / Puisque par Ton équité / Tu as conquis le pouvoir des dieux / Tu es vraiment mère des peuples et des dieux / Puisque sans Toi rien ne peut prospérer, rien ne peut exister / Tu es puissante – des dieux Tu es / La Reine et aussi la Déesse » *Eulogie romaine* (IIe siècle apr. J.-C.)

L'agriculture, à l'avènement de laquelle, d'après plusieurs voix scientifiques concordantes, les femmes ont joué un rôle prépondérant, leur a réservé une place nouvelle au sein des sociétés sédentarisées de premiers paysans cultivateurs de céréales et de légumineuses. Il semble probable que les terres qui entouraient ces premiers villages – d'usage communal ou individuel – appartenaient aux femmes, et l'on peut supposer avec beaucoup de vraisemblance que cet espace a alors acquis une nouvelle sacralité : il est dorénavant l'espace vital pour la vie de la famille et la survie de la communauté. La maison et son foyer deviennent aussi des lieux sacrés, où l'on garde les provisions et l'on enterre les morts, en prolongation des grottes sacrées des périodes antérieures qui restent néanmoins les lieux des naissances divines et de localisation des pouvoirs surnaturels. Ainsi, la continuité de la vie végétale et, par effet d'analogie (magique), celle des hommes sont assurées, dorénavant au sein même de la maison. Force est de constater que cette nouvelle forme d'économie domestique (fondée sur la production plus que sur la cueillette) et la valeur symbolique du foyer furent à l'origine de nouvelles stratégies matrimoniales et de règles de parenté spécifiques. Des recherches pluridisciplinaires mettent en évidence que les conditions particulières de la vie dans les communautés néolithiques ont dû favoriser la matrilocalité, mais aussi l'uxorilocalité (le mari habite chez l'épouse), phénomènes largement attestés de nos jours encore dans les îles mineures des archipels de la mer Égée et les côtes européennes, et celles de l'Asie Mineure. Nous savons que dans cette aire culturelle les biens matériels immobiliers (la maison, les champs, les oliveraies, les vignobles, etc.) appartiennent aux femmes et que les villages se composent de regroupements de maisons où logent des familles aux liens de parenté matrilinéaires, c'est-à-dire de parentes par lignées de femmes. Par conséquent, les voisines sont des sœurs ou des cousines parallèles, tandis que les époux « importés » cultivent les champs de leurs épouses, à moins qu'ils ne s'adonnent à l'artisanat, au commerce et à la navigation pour constituer les maisons et les dots de leurs filles, qui hériteront aussi des biens de leurs mères. Ainsi se sont constitués des biens « sexués », immobiliers ceux des femmes, mobiliers ceux des hommes.

On favorise actuellement l'idée qu'une configuration matrimoniale comparable a pu s'organiser autour des champs des femmes de l'époque néolithique, avec des stratégies de parenté quasiment identiques, valorisant par exemple la place des filles aînées ou des filles uniques, phénomènes courant dans les sociétés matrilocales et uxorilocales. On suppose encore que la valorisation indéniable du statut des femmes à l'époque néolithique a dû avoir des conséquences sur celui de leurs frères et oncles maternels, qui devenaient naturellement des arbitres en cas de conflits familiaux ou interfamiliaux. Dans cette configuration particulière, on peut reconnaître les débuts d'un système avunculaire dont nous connaissons bien les variantes historiques. Nous savons, grâce à plusieurs mythes et légendes, que les humains traduisaient leurs liens essentiels avec la Terre comme des liens de parenté. Les meilleurs des héros étaient des « autochtones », sortis de la Terre, comme les rois éponymes des tribus anciennes et les « daimons » chtoniens, protecteurs des villes et des hommes ; la mère humaine était la représentante de la Grande Mère tellurique, son modèle de fécondité. La mère humaine recevait dans son ventre le fœtus, et le père, au mieux, devait légitimer les enfants au moment de leur naissance par des rituels de « présentation du nouveau-né à la famille » qui, jusqu'aux temps historiques, conservaient tous les caractères d'adoption. Dans ce sens, la Terre est restée toujours la protectrice des femmes en couches et de nouveau-nés. Et, à l'autre bout de la vie, la Terre reçoit et soigne les morts pour les régénérer, grâce à sa force vitale.

L'évolution de l'agriculture, l'apprentissage des techniques et la prévention des risques et des dangers qui menaçaient les plantes de l'époque des semailles aux moissons ont fini par « éclater » la figure unitaire de la Terre-Mère dans une multitude de divinité agraires. Leur rôle reste essentiel dans la vie des hommes mais, bientôt, elles seront accompagnées d'un fils ou d'un jeune amant, et l'importance de leur statut ascensionnel se verra estompé par les hiérogamies qui partent du Ciel, leur fils et époux étant, lui aussi, reconnaissable par la suite dans une multitude de divinités de sexe masculin, complices ou adversaires de leur déesse. Pourtant, ces dieux maîtres célestes ou comparses terrestres ne parviendront pas pour autant à abolir tous les rites archaïques qui ont fondé la prépondérance de la Grande Déesse primordiale. Si Gaïa, cette force tellurique initiale, s'est vue éclatée dans une multitude de divinités, celles-ci ont conservé la fertilité et la prépondérance sur la flore et la faune, mais elles se sont insérées dans des structures religieuses beaucoup plus dynamiques. Elles président à l'agriculture et à la justice, et leur implication dans les étapes de la végétation est associée à un drame, une mort violente, une disparition tantôt de leur fille, tantôt de leur fils, ou de leur jeune amant. Ainsi naissent les cultes mystiques, dont Déméter, Isis, Cybèle sont les exemples les plus pertinents, qui ont connu un grand épanouissement, un renouveau cultuel et une importance morale indéniable dans les premiers siècles de notre ère. Ces divinités divergent avec le temps quant à leurs attributs et leurs fonctions par effet d'adaptation aux conditions écologiques des pays où elles ont pris racine et sous l'emprise de rapports de force et de compétition avec les autres divinités locales ou importées, en suivant les aléas des péripéties historiques.

La solidarité entre la glèbe et la matrice de la femme connaît un nouveau rebondissement avec la découverte de l'araire à traction animale, et les sillons qu'elle trace se chargent d'une connotation sexuelle. Dorénavant, la participation active de l'homme dans les travaux agricoles devient évidente, comme grandit son implication dans le partage des terres arables. Ces terres arables situées autour des villages deviennent, avec le temps et l'augmentation de la population attestée avec la généralisation de l'agriculture, de plus en plus rares et elles sont contestées aux agriculteurs par les pasteurs transhumants et les éleveurs de bétail installés dans les mêmes agglomérations. L'économie de ces sociétés urbaines et périurbaines se fonde avant tout sur la « trilogie » des champs, c'est-à-dire champs de céréales, vergers d'arbres fruitiers et jardins de légumes à consommer ou à exploiter (cf. le lin) où, grâce à des systèmes savants d'irrigation, au moins dans les grandes vallées, la production reste suffisante. La compétition entre agriculteurs et pasteurs n'est pas toujours pacifique, si l'on juge des récits mythiques qui nous parviennent des plus anciennes littératures connues. Un récit sumérien, par exemple, relate la dispute verbale entre Asnan, personnification divinisée de l'épi, et Lahar, la déesse brebis : de cette confrontation ancienne, c'est Asnan qui sort gagnante. Mais, par la suite, Inanna, déesse mésopotamienne indépendante, au caractère forgé, épouse Dumusi, le dieu berger, au détriment d'Enkimdu l'agriculteur, selon la narration contenue dans un des plus anciens romans de l'humanité, *Dumusi et Enkimdu*, datant du IIIe millénaire avant notre ère. Par la suite, Dumusi lui-même devient, sous l'autorité d'Ishtar, qui succède à Inanna dans la mythologie akkadienne, le dieu-grain qui meurt et ressuscite annuellement pour assurer la richesse des récoltes. Le « mariage sacré » entre la Déesse et Dumusi était fêté tous les ans à Babylone, pendant des siècles, afin d'assurer la régénération de la terre, la santé et l'abondance des biens. Des millénaires plus tard, Lucien de Samosate, dans son ouvrage *La Déesse syrienne*, décrit la continuité du culte et les lamentations des femmes en l'honneur du jeune dieu mort qui est proche et à la fois différent d'Adonis, le dieu des renaissances.

De la Bible (Genèse IV, 1) nous parvient le récit d'un fratricide précoce de l'histoire de l'humanité, commis par les enfants d'Adam et Ève : Caïn l'agriculteur tue Abel l'éleveur, qui semblait avoir obtenu « le regard de dieu » et sa préférence quant aux offrandes que les deux frères lui destinaient ; l'un des fruits de la terre, l'autre les nouveau-nés de son troupeau. Une des interprétations possibles de ce récit, répercutée dans le Nouveau Testament comme dans le Coran, serait l'antagonisme entre les cultivateurs et les bergers où, apparemment, l'agriculteur devient l'assassin mais aussi le fondateur de la civilisation, même s'il endure, dans une première phase, les conséquences néfastes de son acte. L'histoire de l'humanité a connu, par ailleurs, plusieurs autres cas de fratricides, dont les exemples les plus célèbres sont ceux d'Osiris et Seth de la mythologie égyptienne, de Remus et Romulus des mythes romains, d'Étéocle et de Polynice de la mythologie grecque, etc., où la rivalité entre deux métiers et deux conditions de vie n'est pas toujours évidente. Reste néanmoins vrai que l'acquisition de terres arables ou le libre accès à la production et le négoce de blé sont parmi les premières raisons des migrations, d'expéditions lointaines ou de guerres, dans l'Histoire : la guerre de Troie a eu certainement lieu pour affranchir l'accès aux pays céréaliers de la mer Noire, que l'expédition des Argonautes n'a pas pu assurer. Les colonies grecques de Sicile et de l'Italie du Sud avaient comme but la possession des terres à blé de ces régions, comme l'expansion romaine sur les côtes de l'Afrique du Nord et leurs richesses céréalières. L'approvisionnement en blé d'Athènes, d'Alexandrie, de Rome, etc. constituait un souci primordial pour les pouvoirs en place : *Panem et circences*, s'exclamait la plèbe romaine, exigence qui reste commune dans toutes les époques et tous les contextes historiques. L'achat de terres arables en Afrique ou à Madagascar par les puissances émergeantes de nos jours, dénoncé avec une certaine stupéfaction par les médias contemporains, exprime le même souci d'assurer la nourriture et en même temps la paix chez soi, au détriment de la nourriture et la paix d'autrui.

Si l'édifice spirituel de l'époque néolithique reste en grande partie hypothétique et si la « carrière » de la Grande Déesse ne nous est pas accessible dans sa totalité, restent néanmoins des témoignages historiques (en attente d'interprétation) et des bribes éparpillées dans les traditions populaires sur une grande partie de l'Europe orientale et méditerranéenne. Ils explicitent l'impact des rites agraires configurés dans les temps immémoriaux à travers les siècles et les contextes historiques les plus divers. Citons à titre d'exemple la multitude de saintes chrétiennes implantées sur les dates clés de l'année, où jadis on honorait la Grande Déesse et ses avatars ; comme l'omniprésence de la *Panaghia*, la toute sainte mère du Christ, dont la « légende » s'inscrit parfaitement dans les anciennes traditions des déesses-mères. Une série de « lieux sacrés » contemporains qui se trouvent dans la continuité des sanctuaires préhistoriques et des rites agraires contemporains avec des scenarii mythico-rituels complexes correspondant, tant par leurs dates que par leur contenu, aux pratiques anciennes qui sont conservées quasiment intactes à travers deux millénaires de religions monothéistes s'inscrivent dans la même optique. L'usage du blé bouilli (kollyva) pour les funérailles et les rites de commémoration en est une illustration étonnante, comme la « mise en scène » d'une théâtralité rituelle dans la célébration de Pâques, qui remémore la mort du fils « sacrifié » pour sauver le monde… et assurer sa résurrection potentielle ; ajoutons tant d'autres exemples où le syncrétisme et l'intelligence des hommes d'État et des autorités religieuses ont su faire en sorte de conserver les sentiments de sacralité immuables sous des habillages cultuels et culturels diversifiés.

Sous l'impulsion du féminisme, de l'écologie et des mouvements néo-gnostiques, Gaïa revient sur l'avant-scène avec des conséquences à réévaluer dans un proche avenir, quant à sa capacité « régénératrice », dans le sens figuré du terme. Il serait juste de terminer cet exposé sur la toute-puissance et l'ambivalence de la Grande Déesse, la mère de tous, avec un texte traduit de la langue copte provenant d'un papyrus du IIIe ou IVe siècle et découvert en Haute-Égypte : il donne la parole à une « puissance féminine » qui se qualifie elle-même de « Tonnerre, Esprit parfait » : « Car je suis la première et la dernière. / Je suis l'honorée et la méprisée. / Je suis la prostituée et la sainte. / Je suis l'épouse et la vierge. / Je suis la mère et la fille. / Je suis les membres de ma mère. / Je suis la stérile et nombreux sont mes fils. / Je suis la magnifiquement mariée et la célibataire. / Je suis l'accoucheuse et celle qui n'a pas procréé. / Je suis la consolation des douleurs d'enfantement. / Je suis l'épouse et l'époux, et c'est mon mari qui m'a engendrée. / Je suis la mère de mon père, je suis la sœur de mon mari et il est mon rejeton. / Ayez du respect pour moi… »

Yvonne de Sike

• *Voir aussi :* Calendrier celte et rites céréaliers ; Calendrier grec ancien ; Calendrier romain ; Calendriers et mesure du temps ; Déméter et Perséphone ; Éleusis (mystères d') ; Grain et graine ; Hestia, Vesta et le feu sacré ; Kollyva, collyves ; Moissons (symboliques des) ; *Panem et circences* ; Vierge et cycle des cultures céréalières

Bibl. : G. DUMÉZIL, *Mythe et épopée* I, Paris, Gallimard, 1968 • M. ELIADE, *Histoire des croyances et des idées religieuses*, Paris, Payot, 1976, 1978, 1983, 3 vol. – *ID.*, *Traité d'histoire des religions*, Paris, Payot 1983 • M.-L. von FRANZ, *Les Mythes de création*, Essey, La Fontaine de Pierre, 1982 • F. GANGE, *Avant les dieux, la mère universelle*, Monaco, Alphée, 2006. – *ID.*, *Les Dieux menteurs*, Paris, La Renaissance du livre, 2002 • M. GIMBUTAS, *Le Langage de la déesse*, Paris, Éditions des femmes, 2005 • R. GRAVES, *La Déesse blanche*, Monaco, Le Rocher, 1979 • E. O. JAMES, *Le Culte de la Déesse-Mère dans l'Histoire des religions*, Aix-en-Provence, Le Mail, 1989 • J. MARKALE, *La Grande Déesse, mythes et sanctuaires*, Paris, Albin Michel, 1997 • A. MARSHACK, *Les Racines de la civilisation*, Paris, Plon, 1972 • N. PLATON, *La Civilisation égéenne*, Paris, Albin Michel, 1981, 2 vol. • Y. de SIKE, *Fêtes et croyances populaires en Europe, au fil des saisons*, Paris, Bordas, 1994.

TERRE SANS PAIN. – Voir DOCUMENTAIRES ET FILMS

TERUMAH. – Voir HALLAH, MANNE, PAINS DE PROPOSITION

TEXTURE DU PAIN. – La texture (définition AFNOR [Association française de normalisation], NF V00.150) est l'ensemble des propriétés rhéologiques et de structure (géométrique et de surface) d'un produit alimentaire, perceptibles par les « mécano-récepteurs » de la bouche, les récepteurs tactiles, et éventuellement par les récepteurs visuels et auditifs. La texture du pain est appréhendée de manière distincte pour la mie et la croûte, car elle est de nature différente en utilisant des descripteurs spécifiques pour qualifier les sensations. Les descripteurs retenus pour caractériser la texture de la croûte du pain sont la friabilité, la dureté et l'élasticité. La friabilité caractérise le comportement d'un produit à la rupture. Le niveau de cohésion qualifiant cette propriété de texture est en relation avec la force nécessaire pour qu'un produit s'effrite ou se brise. Le niveau de résistance moyen à la rupture est assez faible pour le caractère croustillant et plus fort pour le caractère craquant. Un produit est qualifié de croustillant lorsqu'il se casse avec une succession de petites fractures ou ruptures, le caractère craquant étant associé davantage à un nombre de ruptures plus faible. Les ruptures produisent pour ces qualificatifs de friabilité une intensité sonore. Les niveaux de résistance ou de dureté correspondent, toujours selon l'AFNOR, à des propriétés de texture en relation avec la force nécessaire pour obtenir une déformation ou une pénétration. Le terme « mou » évoquant la faible résistance, le caractère « ferme » la résistance moyenne, et le qualificatif « dur » la forte résistance. L'élasticité correspond aux caractéristiques qualitatives que l'on perçoit sur les croûtes non friables, qui sont aptes à la déformation, comme le pain de mie et les produits apparentés à la brioche. L'élasticité est liée à l'aptitude à la déformation et à la capacité de reprise de la forme initiale après déformation.

Pour la mie, on retient souvent le caractère moelleux, mais cette caractéristique est liée à plusieurs descripteurs. Pour qualifier le moelleux, on trouve dans différents dictionnaires : doux au toucher et comme élastique (comparaison avec une étoffe douce au toucher) ; douceur et de la mollesse au toucher ; agréable au palais, au goût ; onctueux, savoureux. Son utilisation pour qualifier certains pains est très fréquente, comme par exemple les expressions : « le grand moelleux », « l'assurance moelleux », « l'extra-moelleux », « l'extra-tendre ». On considère généralement que le moelleux est associé à la notion de souplesse, de faible résistance à la déformation. En bouche, la facilité de mastication (faible résistance, tendreté), le fondant, la douceur au palais sont des éléments importants. L'élasticité, dont la définition est identique à celle retenue pour la mie ou la pâte, permet d'apporter une description complémentaire, souvent associée au caractère moelleux. Le collant qualifie quant à lui l'aspect de surface. Si, au passage de la main sur la mie, il est perçu de l'adhérence, le caractère collant ou humide peut être employé ; à l'inverse, le caractère sec n'est pas suffisamment précis pour qualifier les différences de texture ; des descripteurs comme doux, soyeux viennent parfaire ces sensations.

Philippe Roussel

• *Voir aussi :* Croûte ; Élasticité ; Mie du pain ; Rhéologie

Bibl. : Raymond CALVEL, *Le Goût du pain, comment le préserver, comment le retrouver,* Les Lilas, Jérôme Villette, 1990 • Philippe ROUSSEL, Hubert CHIRON, *Les Pains français. Évolution, qualité, production*, Vesoul, Maé-Erti, 2002.

THÉOLOGIE DU PAIN. – « *Der Herr brach das Brot, / das Brot brach den Herrn* », « Le Seigneur a rompu le pain, / le pain a rompu le Seigneur », écrit Paul Celan (« Tau », *Soleil-filaments* [*Fadensonnen*]). À première vue, ces vers pourraient sonner comme une adaptation de l'hymne 7, que la tradition a attribué à Ambroise de Milan (seconde moitié du IVe siècle) : « Entre les mains de qui le rompt, / le pain s'écoule à profusion ; / ce qu'ils n'ont ni touché ni rompu / se rompt et glisse sous les hommes. » Après l'Holocauste, cependant, la formule lapidaire résume deux mille ans d'histoire judéo-chrétienne et conjoint d'un même mouvement les symboles judaïque et christologique de la bénédiction juive et de l'incarnation sacramentelle : comment mieux dire que par le symbole du pain la solidarité et l'antinomie d'une filiation ou d'une paternité tantôt assumée, tantôt récusée (avec le marcionisme), mais aussi la place centrale qu'occupe le pain dans ce que Jean-François Lyotard appelait le « trait d'union » ? Du judaïsme au christianisme, le pain reste, mais la traduction de l'hébreu en grec ou en araméen, puis en latin et dans les langues vernaculaires ne donne pas (toujours) la recette : qu'il soit azyme ou « levé » est, temporairement, passé sous silence par un effet sinon de contresens, du moins de « violente transposition » qui est au cœur de ce que l'on est en droit d'appeler, à la suite du poète Pierre Emmanuel (*Qui est cet homme ?*, 1947), une « théologie du pain » (et du vin). Le « pain rompu comme figure théologique de la présence eucharistique » de la Pâque chrétienne n'a, de toute évidence, plus rien à voir avec le pain sans levain de l'Exode (XII, 33-34, 39), liant le pain sans levain à la hâte dans laquelle les Israélites fuirent l'Égypte. Alors que celui-ci nourrit des pratiques rituelles et alimentaires commémoratives, celle-là fonde une théologie qui participe du processus « E[xc]lu » analysé par Shmuel Trigano à partir de saint Paul : « Puisqu'il y a un seul pain, nous sommes tous un seul corps ; car tous nous participons à cet unique pain » (I Corinthiens X, 17), le « pain que nous rompons » et qui est « communion au corps du Christ ». Cette « différence » de base se complique du fait de la polysémie du mot « pain » (souvent confondu, plus généralement, avec la manne) dans le Nouveau Testament et de la lecture typologique que les Pères de l'Église ont donnée du miracle de la multiplication des pains, seul miracle attesté dans les quatre Évangiles : Marc VI, 30-44 ; Matthieu XIV, 13-21 ; Luc IX, 10-17 ; Jean VI, 1-15. Par-delà l'allusion à l'Exode, qui insiste sur la surabondance christique opposée à la pénurie d'Israël, la bénédiction qui accompagne la fraction du pain souligne le sens nouveau que prend le rite : de simple prière de louange et d'action de grâce propre à la liturgie de table du judaïsme, dans la liturgie eucharistique chrétienne il devient une annonce du salut, après avoir été le symbole du prix de la transgression et de la Chute avec le pain que l'on doit gagner à la sueur de son front de la Genèse (III, 19). Le sens eschatologique est souligné dans la quatrième demande du Notre-Père – « Donne-nous aujourd'hui notre pain pour demain ! » (selon Matthieu VI, 9-13 ; voir Luc XI, 2-4) –, qui, malgré son apparente simplicité, a soulevé dès les premiers siècles de nombreuses questions sur le sens à donner au mot « pain » (*artos*) et à l'adjectif qui le qualifie (*epiousios*), mot rare dont Origène avait perçu les deux sens possibles : *supersubstantialis*, c'est-à-dire « nécessaire et approprié », et *quotidianus* (le mot retenu dans la

Vulgate). Souvent traduit, au risque du pléonasme, par « quotidien » dans les versions modernes, il semble plus sûr de voir dans ce quasi-néologisme grec une traduction de l'araméen *limehar* (« pour demain »). La prière revêt alors un sens eschatologique « si bien que le pain "pour demain", c'est le pain du temps du salut, le pain de vie, la manne céleste » (Origène, *Sur la prière*, 27). De fait, le pain devient une « figure de la manne » : le pain en question n'a plus rien d'un pain concret, celui des repas quotidiens du paysan palestinien ; s'il est le pain qui « pousse dans les champs », comme dit le poète allemand Ernst Wiechert, il n'a plus du pain que le nom et toute distinction entre « pain matériel » et « pain spirituel » devient impossible. Jean Cassien, une des grandes lumières de l'Occident avec saint Augustin, s'efforcera de conjoindre tous les sens possibles : « La première qualification (*supersubstantialem*) exprime sa noblesse et le caractère de sa substance qui élèvent au-dessus de toute substance et font qu'il dépasse par sa sublime grandeur et sainteté toutes les créatures. La deuxième (*quotidianum*) exprime l'usage qu'il faut en faire et son utilité : le mot *quotidianum* montre que sans ce pain, nous ne pouvons vivre un seul jour de la vie spirituelle » (*Conférences*, IX, 21).

Le pain du « Notre Père » est alors *ipso facto* « le pain de la fin des temps » : qu'importe le levain ? *La Tradition apostolique* d'Hippolyte de Rome, qui donne un aperçu des pratiques chrétiennes au IIIe siècle, témoigne du glissement sémantique affectant le mot « pain » : si le Père chrétien reprend la terminologie de la tradition hébraïque en parlant du « pain de proposition », ses « règles » témoignent aussi de pratiques nouvelles avec le « pain d'exorcisme » donné aux catéchumènes et la pratique de la « fraction du pain » associée à la communion. Il est intéressant d'observer ici que la christianisation du pain par la théologie s'inscrit dans la vie quotidienne avec le « repas de communauté », où les fidèles reçoivent de la main de l'évêque « un morceau de pain avant de rompre leur propre pain » : à l'eucharistie, symbole du corps du Christ, répond alors une « eulogie » laïque. L'hymne 7 attribué à Ambroise de Milan ne fait que couronner cette tradition d'annexion chrétienne du pain en proposant une véritable épiphanie du pain avec les morceaux qui prennent vie lors du miracle de la multiplication et « la métamorphose des pains en un flux spontané et intarissable de nourriture », qui suggère le mystère eucharistique : « Sous les dents de ceux qui mangeaient, / les bouchées se faisaient plus grosses ; / le pain, par sa dépense même, / se multipliait davantage. » Dès la fin du VIIe siècle, avec le pape Serge Ier, la liturgie romaine introduira l'*Agnus Dei* comme accompagnement choral de la *fractio panis*, scellant par le chant l'apothéose du pain chrétien.

Reste que si le sens théologique et eschatologique du pain a changé, le débat sur la composition du pain est loin d'avoir trouvé une issue aussi rapide : les débats sur la qualité du froment qui doit être choisi pour préparer le pain ou sur l'usage ou non du levain dans la pâte n'ont été tranchés que très tardivement, même si la nécessité d'utiliser du froment était rappelée au XIVe dans des régions comme la Prusse vouées aux céréales pauvres telles que l'orge et le seigle. On observe donc, encore à l'aube des temps modernes, le débat sur les « grains nus » (froment, notamment) et les « grains vêtus » (orge, seigle), dont on trouve des échos chez les Pères de l'Église, notamment chez Rufin au IVe siècle. Après lui, saint Jérôme, son ennemi juré, mais aussi saint Augustin et la scolastique de saint Thomas d'Aquin recourront à cette opposition pour opposer l'Ancienne Loi à la Nouvelle, comme le grain vêtu de son enveloppe au grain nu. « Semée en orge, dans la Loi, la parole de Dieu l'est en froment dans l'Évangile » : où l'on retrouve la pauvreté judaïque de l'Exode et la surabondance du miracle de la multiplication des pains puis de la multiplication des espèces. Le pain azyme (*zima vetus*) ne s'oppose pas seulement au « pain levé », mais aussi à la « résurrection nouvelle ».

Par ailleurs, il semble que l'unité théologique se soit accommodée d'une diversité des pratiques, les Byzantins donnant la préférence au pain levé ou « vivant » dans l'eucharistie, quand les Latins et les Arméniens préfèrent résolument le pain azyme, « pratique judaïsante et hérétique » aux yeux des premiers parce qu'elle niait la double nature divine et humaine du Christ. Au demeurant, ce fut là un des éléments du schisme de 1054 entre les Églises latine et grecque, avec l'opposition des « azymites » aux « prozymites », qui demeura une pierre d'achoppement entre Latins et Grecs. La querelle théologique s'enrichit alors d'éléments nouveaux, puisque les tenants du pain azyme insistent sur le fait que le pain doit être dépourvu du moindre goût quand on le reçoit dans la bouche. La question de l'emploi du pain azyme ou du pain fermenté lors de la Cène, et donc dans la commémoration eucharistique, sera encore débattue au concile de Ferrare-Florence (1438-1445), dans une ultime tentative de rapprochement entre l'Église du pape Eugène IV et les positions du patriarche de Constantinople et de l'empereur byzantin Jean VIII. Par-delà la question théologique et des liens avec le judaïsme, de la relève de celui-ci ou de son exclusion, il faut noter que cette question du goût s'est aussi accompagnée de savantes discussions sur le nombre de fractions dans lesquelles Jésus a partagé le pain et le fait de savoir si, lors de la Cène, les apôtres avaient reçu le pain dans la main plutôt que dans la bouche. Avec ou sans levain, le pain n'aura cessé d'être l'aliment des passions schismatiques entre juifs et chrétiens, autant qu'entre chrétiens de diverses confessions.

Devenu métaphore de lui-même comme de la vie et du salut, le pain a changé de sens par la grâce de la théologie chrétienne : par le sacrement de l'eucharistie, le Christ, « pain de vie », entre en chacun de nous : il est le « feu de la grâce » que nous mangeons dans le pain et qui vivifie, suivant l'*Hymne de la foi* (10, 8-10) de saint Éphrem (IVe siècle), cher à Benoît XVI. Le même mouvement de métaphorisation a touché le levain, devenu métaphore de lui-même et du peuple de Dieu de la Nouvelle Alliance : la vie chrétienne est le « levain dans la pâte », tandis que la présence du Saint-Siège dans la vie des peuples est le « levain de l'Évangile ». En ce sens, la théologie du pain est aussi une théologie du levain inspirée de la parabole évangélique

(Matthieu XIII, 33 ; Luc XIII, 20) en même temps qu'une ecclésiologie dont il faut rattacher l'acte de naissance à la Première Épître aux Corinthiens de saint Paul (X, 17).

Pierre-Emmanuel Dauzat

• *Voir aussi :* Azyme → Matsah et hamets ; Cène ; *Christ servi par les anges dans le désert* (*Le*) → Peinture occidentale ; Eucharistie ; *Fractio panis* ; Grain nu, grain vêtu ; Levain (symbolique du) ; Manne → Hallah, manne, pains de proposition ; Miracles christiques ; Miracles eucharistiques ; *Repas d'Emmaüs* (*Le*) → Peinture occidentale ; Rite orthodoxe

Bibl. : Louis-Marie CHAUVET, « Le pain rompu comme figure théologique de la présence eucharistique », *Questions liturgiques*, vol. 82, n° 1, 2001 • COLLECTIF, *Pratiques de l'eucharistie dans les Églises d'Orient et d'Occident (Antiquité et Moyen Âge)*, Paris, Institut d'études augustiniennes, 2009, 2 vol. • Marc PHILONENKO, *Le Notre Père. De la Prière de Jésus à la prière des disciples*, Paris, Gallimard, 2001 • Irène ROSIER-CATACH, *La Parole efficace. Signe, rituel, sacré*, avant-propos d'Alain de Libera, Paris, Seuil, 2004.

THERMOMÈTRE À PÂTE. – La température de la pâte à la fin du pétrissage est une donnée importante, car elle détermine les caractéristiques de la pâte (une pâte froide est collante) et la vitesse de la fermentation (une pâte chaude fermente plus rapidement). Tous les thermomètres en verre (à alcool ou à mercure) étant interdits pour raison de sécurité (le verre peut se briser et le mercure est interdit), on utilise des thermocouples, qui ont en plus l'avantage d'indiquer rapidement la température de la pâte.

Ludovic Salvo

• *Voir aussi :* Défauts de la pâte ; Fermentation panaire ; Pâte ; Pétrissage ; Température de base

TIBET. – Voir RÉGION HIMALAYENNE

TIRER LE PAIN DU FOUR. – Le boulanger commence toujours par tirer du four le pain le plus cuit. Plaçant les pains les plus gros à l'arrière du four et à la bouche les plus petits, ceux-ci nécessitant moins de temps pour cuire que les autres, il retire d'abord les petites pièces. Si sa fournée est composée de pains d'égale grosseur, il les tirera du four dans le même ordre où il les a introduits, en commençant par le côté par lequel il a commencé à enfourner.

Mouette Barboff

• *Voir aussi :* Four ; Fournée ; Fournier et fornillon ; Pelle ; Quartier

TOAST. – Voici un mot qui sert mieux qu'un autre de trait d'union entre le pain et le vin… En effet, « toast » désigne une tranche de pain grillé, mais aussi un lever de verre en l'honneur de quelqu'un ou d'un événement heureux. Cet anglicisme offre un exemple intéressant de va-et-vient linguistique entre le français et l'anglais ; il prend sa source dans l'ancien français *tostée* – du latin *tostus*, qui signifie « grillé, brûlé ». La « tostée », ou « rôtie », au Moyen Âge, définit un morceau de pain épicé et grillé que l'on trempe dans le vin. L'habitude était, lorsque l'on voulait rendre hommage à une personne, de mettre une tostée au fond d'une coupe de vin, puis de faire passer la coupe de convive en convive, la personne célébrée ayant le privilège d'être la dernière à boire, et ainsi de pouvoir se régaler de la tostée. Cette coutume fut adoptée par les Anglais, qui anglicisèrent la tostée en *toast*. Une anecdote court à ce sujet, rapportée en 1709 par Joseph Addison dans le journal *The Tatler* : Charles II, souverain dissolu s'il en fut, s'amusait avec sa cour à Bath durant la belle saison. Une dame, que l'on célébrait fort cette année-là, se tenait dans l'eau. Un galant prit de cette eau dans un verre et but à la cantonade à la santé de la belle. Un joyeux drille intervint alors et jura que bien qu'il n'aimât point la liqueur, il aurait le toast, comparant ainsi la dame convoitée à cette fameuse tostée épicée… Et Addison d'ajouter que l'on a toujours employé le mot *toast* depuis, pour désigner le fait de boire en l'honneur de quelqu'un.

Les mots « toast » et « toaster » apparurent en France au milieu du XVIIIe siècle. Aujourd'hui encore, dans les campagnes du Bourbonnais, de la Charente et d'autres régions, la « rôtie » – appelée aussi, selon le lieu, « trempée » ou « mijot » – est un terme utilisé pour désigner du vin chaud sucré dans lequel on trempe des croûtons de pain. En revanche, l'usage de trinquer a pour origine la détestable habitude qu'avaient nos ancêtres de se débarrasser d'un gêneur, d'un rival ou d'un ennemi en l'empoisonnant. Si les rois de l'Antiquité et les seigneurs de cours opulentes s'offraient les services d'un goûteur pour tester l'innocuité d'un aliment ou d'une boisson, il devint courant, au Moyen Âge, de recourir au procédé économique qui consiste à trinquer. En ce temps-là, les « verres » étaient généralement des timbales solides en métal ou en bois. On les remplissait de vin et, tout en se regardant droit dans les yeux en signe de bonne foi, les personnes trinquaient en entrechoquant leurs timbales de façon à ce qu'un peu de vin passât d'une coupe à l'autre : l'hôte et l'invité pouvaient alors considérer qu'ils ne se voulaient que du bien…

Revenons à la première acception du mot « toast », soit une « tranche de pain grillé ». Elle nous renvoie à une pratique presque aussi ancienne que le pain lui-même : avant de faire griller du pain, les hommes ont commencé par rôtir les grains qui servaient à fabriquer du pain ou de la galette, ce procédé se révélant commode pour séparer le grain de ses enveloppes. Puis l'on fit griller du pain directement au-dessus du feu, au bout d'un bâton, d'une fourchette. Toutes sortes de prototypes de grille-pain fleurirent au fil des siècles… jusqu'à la merveilleuse invention du grille-pain électrique en 1909 par les Américains (après une tentative avortée au Royaume-Uni en 1893). Aujourd'hui, les toasts sont servis au petit déjeuner dans l'ensemble de l'Europe, mais aussi outre-Manche et outre-Atlantique, et se répandent peu à peu dans le monde entier, *via* le tourisme et les hôtels intercontinentaux. Ils sont habituellement garnis de beurre et de confiture, ou de miel, quoique l'on puisse se voir aussi proposer du fromage ou de la charcuterie dans les pays (fort nombreux) où le petit déjeuner sucré n'est pas la règle. Le mot « toast » se rapporte également à du pain de mie grillé et coupé en morceaux, que l'on garnit de divers ingrédients salés (saumon fumé, foie gras, fromage, etc.) et que l'on sert à l'apéritif ou lors de cocktails. Ce pain de mie grillé peut aussi accompagner certains mets servis comme hors-d'œuvre, tel le foie gras. Enfin, lorsqu'il est coupé en petits morceaux pour agrémenter une soupe ou une salade, le pain grillé ou frit se nomme « croûton ».

French toast. Nombre d'Américains et d'Anglais nient l'origine française de ce classique des petits déjeuners d'outre-Atlantique et d'outre-Manche. Qu'en est-il au juste ? Divers textes datant du XVe siècle donnent des recettes de *paynfoundew*, *payn purdew*, *payn purdeuz* et autres *payn purdyeu*, que l'on reconnaît sans peine comme des avatars phonétiques du français « pain perdu ». Ces recettes concordent avec celles de la tostée française du Moyen Âge. La première occurrence écrite de l'expression *French toast* apparaît en 1660 sous la plume du grand cuisinier anglais Robert May, dans son ouvrage de référence *The Accomplisht Cook*. Robert May avait été à l'école de grands cuisiniers français et cette influence gauloise est absolument indéniable, quoiqu'il tente lui-même de la minimiser afin de ne point froisser les esprits susceptibles de ses concitoyens, chatouilleux sur la question de la gastronomie anglaise. Il propose du *French toast* la version suivante : « *Cut French bread, and toast it in pretty thick toasts on a clean gridiron, and serve them steeped in claret, sack, or any wine, with sugar and juyce of orange* », ce que nous pouvons traduire par : « Coupez du pain français, et faites-le griller en tranches bien épaisses sur un gril propre, puis servez-les trempées dans du clairet, un vin blanc sec ou tout autre vin, avec du sucre et du jus d'orange ». Cette description rejoint celle de la tostée. Cependant, grands princes, nous reconnaîtrons que la tostée existait à l'époque médiévale dans nombre de pays d'Europe sous divers noms : *suppe dorate* (« mouillettes dorées ») en Italie – expression attestée aussi en Angleterre ; *sopas doradas* en Espagne ; *betrunkene Jungfrau* (« vierge éméchée ») ou *arme Ritter* (« pauvres chevaliers ») en Allemagne, par exemple. Cette dernière locution est encore utilisée couramment en Allemagne, mais aussi au Royaume-Uni (*poor knights of Windsor*), et le *French toast* était appelé aux États-Unis *German toast*, « toast allemand », jusqu'à la Seconde Guerre mondiale, moment où l'Allemagne ne se trouvant plus en odeur de sainteté, les Américains abandonnèrent cette désignation pour ne conserver que celle de *French toast*, attestée aux États-Unis dès 1871. La dimension européenne de la tostée, et ceci mettra peut-être fin aux querelles chauvines, prend naissance chez nos ancêtres les Latins, puisque l'on trouve la description, dans un livre de cuisine datant du IVe siècle et attribué au Romain Apicius, d'une « douceur » confectionnée en trempant du pain de blé dans du lait, puis en le faisant frire dans l'huile avant de le plonger dans du miel, une spécialité connue chez les Romains sous le nom de *pan dulcis*, « pain sucré », et que l'on peut considérer comme la forme première de notre pain perdu – si toutefois nos cousins du Brabant veulent bien se rallier à cette origine…

La tostée, apparemment née au Moyen Âge, est-elle une variante du pain perdu venu des Romains ? Un amalgame s'est probablement fait, en tous cas, car des variantes sont apparues combinant les deux spécialités… Par exemple, certains restaurants français proposent en dessert, sous le nom de « pain perdu », un vrai *French toast* (pain trempé dans des œufs battus et frit) accompagné de pruneaux cuits dans du vin sucré et épicé… Et ceci nous amène au *French toast* tel qu'il est préparé par nos contemporains : le *French toast* de

Robert May demeure proche de la tostée médiévale. Le *French toast* d'aujourd'hui, comme le pain perdu, est réalisé en trempant du pain, rassis ou pas, dans des œufs battus ou dans du lait, ou dans un mélange des deux, puis en le faisant frire, avant de l'accommoder d'une manière qui varie considérablement selon les pays : beurre, beurre de cacahuètes (*peanut butter*), sucre, miel, sirop d'érable, épices (principalement cannelle et noix de muscade), fruits frais ou secs – mais aussi bacon, saucisses, fromage, haricots, ketchup, sauce chili, piments verts, ail, oignons… Le *French toast* est servi au petit déjeuner aux États-Unis, en Australie, en Nouvelle-Zélande et au Royaume-Uni (où il est également appelé *Gypsy bread*). Les Britanniques appellent également *French toast* une tranche de pain grillée d'un côté et beurrée de l'autre. Aux États-Unis, les communautés juives américaines préparent les *French toasts* avec les restes d'une brioche appelée *challah*, consommée durant le sabbat. Sous d'autres noms, sous tous les cieux, on rencontre des variantes du *French toast*, ce délice de tradition européenne qui a voyagé et séduit tous les gourmands du monde.

Myriam Daumal

• *Voir aussi :* Biscotte ; Chapelure ; Croûte à potage ; Croûton, croûtons ; Mie (pain de) ; Miette ; Mouillette ; Grille-pain ; Pain et vin ; Pain grillé ; Pain perdu ; Pain rassis ; Pain sec (au) ; Panure ; Rôties ; Tartine ; Tranchoir et tailloir

Bibl. : *The Forme of Cury* (env. 1390) compilation réunie par S. Pegge, Londres, J. Nichols, 1780 • The Gutenberg Project, e-édition, 2005, www.gutenberg.org • Robert MAY, *The Accomplisht Cook* (1660), The Gutenberg Project, e-édition, 2007, www.gutenberg.org • Odile REDON, Françoise SABBAN, Silvano SERVENTI, *La Gastronomie au Moyen Âge : 150 recettes de France et d'Italie*, Paris, Stock, 1991.

TOLÉRANCE. – La fabrication du pain est une opération longue et délicate ; elle exige une hydratation de la farine, un pétrissage, des découpes, des mises en forme, des fermentations, et enfin une cuisson. À chacune de ces étapes, il peut y avoir des dérives : hydratation, hygrométrie, température, temps de fermentation. Malgré ces risques inévitables, il est indispensable de pouvoir produire des pains bons et beaux. À cela s'ajoute la production d'autres produits, généralement la viennoiserie, venant s'intercaler au milieu des étapes de la panification, et qui peut être cause d'un non-respect strict des temps de fermentation. De plus, en boulangerie artisanale, la quantité de pâte produite par un pétrin n'est pas absorbée en une seule fournée, mais généralement deux, voire trois, et il est donc nécessaire d'avoir une tolérance suffisante à l'enfournement de l'ordre d'une heure. C'est cette tolérance qui est mesurée dans les tests de contrôle des farines destinées à la boulangerie.

Ludovic Salvo

• *Voir aussi :* Allonger ; Chambre de fermentation (ou pousse) contrôlée ; Farine ; Hydratation ; Hygrométrie ; Gluten ; Pâte ; Peseuse-diviseuse ; Pétrissage ; Viennoiserie

TORSADE. – Voir GRILLE-PAIN

TORSADÉ ET TRESSÉ. – Enroulement croisé de deux pâtons. On parle de tresse à partir d'un croisement d'au moins trois pâtons ou « brins » de pâte. Si les tresses ont un objectif esthétique, la torsade était surtout utilisée dans la fabrication des pains de mie à moule ouvert ou fermé pour donner des textures plus régulières en limitant le risque de formation de trous ou de cavernes dans la mie. Si la torsade est réalisable à la main, elle est difficilement mécanisable.

Philippe Roussel

• *Voir aussi :* Boulage ; Façonnage ; Pain de mie ; Pâton ; Rompre ou donner un tour ; Texture du pain

TOSTÉE. – Voir TOAST

TOUR. – Table de travail du boulanger, sur laquelle il tourne (façonne) les pains. À l'origine, épaisse planche de chêne, éventuellement sur pieds. Traditionnellement, un fournil possédait deux pétrins de bois installés côte à côte. Le premier pétrissage terminé dans l'un des deux pétrins, la pâte était laissée à pointer, recouverte alors de cette planche. Une fois le deuxième pétrissage réalisé dans le second pétrin, la planche était déplacée du premier sur le second et servait de tour pour le pesage et le façonnage de la première fournée. Cette table mobile recevait le nécessaire au pesage (balance, poids, coupe-pâte) et au façonnage (rouleau, banneton, etc.). Aujourd'hui, le tour se résume le plus souvent en un meuble bas en Inox, dont la partie supérieure sert de table de travail (de tour) et la partie basse de tiroirs de rangement. L'usage de la diviseuse et de la façonneuse réduisant la tourne manuelle, ce type de tour sert aussi à la viennoiserie, voire à la pâtisserie ; on les trouve alors réfrigérés.

Guy Boulet

• *Voir aussi :* Balance en boulangerie ; Banneton ou panneton ; Coupe-pâte ; Façonnage ; Parisien ; Peseuse-diviseuse ; Pétrissage ; Tourne

TOUR DU CHAT. – Le feu a toujours été l'élément fondamental de la boulangerie. Ami et gardien du feu, le boulanger peut être aussi sa principale victime si le feu vient à menacer son commerce. À partir de la fin du XIVe siècle, les précautions contre le feu redoublent et un édit de Charles VI oblige les boulangers et tous les propriétaires de four à prévoir un espace entre le mur extérieur du four et le mur mitoyen. C'est la règle du « tour du chat » à l'effet protecteur, qui s'est maintenue jusqu'à nos jours. Elle fut notablement revendiquée comme un modèle de prévention et de sécurité, à la suite des grands incendies de Paris d'avant 1783. Petit à petit, tous les corps de métiers à risques ont repris cette règle inspirée du « tour du chat ».

Olivier Pascault

• *Voir aussi :* Boulangers et des boulangeries (histoire de France des) ; Four ; Four d'Enfer ; Founier et fornillon

Bibl. : Françoise AUTRAND, *Charles VI*, Paris, Fayard, 1986 • Steven L. KAPLAN, *Le Meilleur Pain du monde – Les boulangers de Paris au XVIIIe siècle*, Paris, Fayard, 1996.

TOURAGE. – Travail de structuration d'une pâte feuilletée ou levée-feuilletée, qui consiste, après introduction de la matière grasse, à plier et replier plusieurs fois la pâte sur elle-même. Ces opérations nécessitent l'aide d'un rouleau à pâtisserie ou d'un laminoir pour abaisser l'épaisseur de la pâte et donc augmenter sa longueur avant son pliage. La succession de ces opérations conduit à l'alternance de couches de matière grasse et de feuilles pour obtenir le feuilletage du produit cuit.

Philippe Roussel

• *Voir aussi :* Abaisse ; Feuilletage ; Laminoir ; Pâte feuilletée → Pâtes (définition des) ; Rouleau à pâtisserie

TOURAILLAGE. – Voir MALT ET PRODUITS MALTÉS ; MALTAGE

TOURNAGE. – Voir FAÇONNAGE

TOURNE. – Opération qui suit le pesage et qui consiste à donner aux pâtons la forme que le pain devra avoir lui-même. Pour les miches, les pâtons seront « tournés » en boule. Pour les baguettes, ils seront allongés, etc. C'est une phase décisive pour ce qui concerne l'aspect du pain. Le maniement des pâtons doit être différent selon la fermeté de la pâte et l'avancement de son pointage. La fermentation de la pâte évoluant plus rapidement dans les grosses masses que dans les petites, la tourne doit toujours débuter par les petites pièces.

Guy Boulet

• *Voir aussi :* Pâton ; Pesage ; Peseuse-diviseuse ; Pétrissage ; Tolérance

TOURNE À CLAIR / TOURNE À GRIS. – Lors du façonnage manuel d'un pain, qu'il soit long ou rond, on obtient une partie lisse qui sera la partie visible après la cuisson, et une partie « grimée, d'apparence déchirée », que l'on appelle la « soudure » et qui reposera sur la sole du four. Le façonnage du pain terminé, la tourne à clair consistera à en déposer sur la toile ou le banneton la partie grimée, la partie lisse étant à l'air. La tourne à gris consistera à y déposer la partie lisse et de laisser apparaître la soudure. Généralement, la tourne à gris s'effectue dans le banneton, celui-ci retourné sur la pelle ou le tapis d'enfournement, le pain présentera alors sa partie lisse. La tourne à clair se fait pour le travail sur couche, la partie lisse étant renversée deux fois dans son transport sur la pelle ; ou directement introduite au four sur un tapis d'enfournement présentant ainsi toujours sa partie lisse (non grimée).

Guy Boulet

• *Voir aussi :* Banneton ou panneton ; Clé ; Couche ; Enfournement-défournement ; Façonnage ; Pelle ; Pétrissage ; Sole ; Soudure ; Tourne

TOURNESOL (*Helianthus annuus*). Voir CONDIMENTS DU PAIN

TOURTE. – Comme le rappelle Jean-François Revel (2007), la tourte est une manière de « fourre-tout » qui peut entrer aussi bien dans la catégorie des entrées salées que des desserts sucrés, lorsqu'il ne s'agit pas d'un mélange des deux. « Elle est l'ancêtre de nos vol-au-vent et de nos pâtés en croûte. » Mais on ignore souvent qu'elle est aussi une variété de pain faite généralement de farine assez peu blutée. Le mot « tourte », utilisé à Lille, Dijon, Beaune, est d'origine antique. On le trouve déjà dans la Vulgate, où il fait référence à la rondeur du pain. La tradition monastique l'a conservé, mais les différentes règles lui ont généralement imprimé une valeur dépréciative. Les tourtes sont, chez les clunisiens, faites de seigle et se partagent en quatre. Les pères chartreux recevaient chaque samedi des tourtes de froment complet qui constituaient trois jours par semaine leur unique nourriture solide : « Notre pain, bien que fait de froment, est une tourte ; nous ne faisons en effet pas de pain blanc », peut-on lire dans les coutumes de Guigues Ier au début du XIIe siècle. Dans certaines régions de la Bourgogne, le blé « tourte » est du méteil, mélange de froment et de seigle (Desportes 1987)

Mouette Barboff

• *Voir aussi :* Blutage ; Crêpe ; Galette des Rois ; Hamburger ; Méteil

Bibl. : Françoise DESPORTES, *Le Pain au Moyen Âge*, Paris, Olivier Orban, 1987 • Jean-François REVEL, *Un festin de paroles. Histoire littéraire de la sensibilité gastronomique de l'Antiquité à nos jours*, Paris, Tallandier, coll. « Texto », 2007.

TOUT POINT. – Voir LEVAIN, LEVAIN-CHEF, LEVAIN DE PREMIÈRE, DE SECONDE, DE TOUT POINT

TRAÇABILITÉ. – Concept utilisé depuis une quinzaine d'années par l'industrie alimentaire et qui a pour objectif de tracer l'itinéraire d'un produit depuis sa production première, en passant par les différentes étapes de sa transformation, de son stockage et de son transport, jusqu'à sa distribution au consommateur. Ce concept a été rendu d'application obligatoire pour tous les acteurs de la chaîne alimentaire par le règlement européen CE n° 178/2002. Chaque maillon doit connaître son fournisseur (amont) et son client (aval), de façon à retrouver l'origine d'un problème en cas de besoin et de déterminer où et par qui le produit défectueux a été commercialisé. La chaîne s'arrête au consommateur, qui n'est pas « tracé » par les différents acteurs de la distribution pour des raisons évidentes de protection de la vie privée. C'est la raison pour laquelle les pouvoirs publics ont recours à des procédures de rappel par voie médiatique pour avertir le consommateur lorsqu'il détient une denrée défectueuse.

Catherine Peigney

• *Voir aussi :* Atmosphère contrôlée ; Congélation ; Conservation ; DLC ; DLUO ; Froid ; HACCP ; Lyophilisation ; Marche en avant ; Pasteurisation ; Sporulation ; Stérilisation ; Surgélation ; UHT

TRANCHEPAIN. – En ancien français, officier qui coupe le pain. Le tranchepain était chargé de la garde et de la distribution du pain, notamment durant les campagnes militaires. Le terme perdure dans le vocabulaire de la marine, puisqu'il est aujourd'hui encore celui qui distribue moins le pain que les vivres, appelé encore « cambusier ».

Olivier Pascault

• *Voir aussi :* Boulangers et boulangeries (histoire de France des) ; Boulangers forains ; Fouacier ; Munition (pain de) ; Talemelier ; Valet soudoyé

TRANCHOIR ET TAILLOIR. – En pratique, le tranchoir est un morceau de pain rassis ou un épais morceau de pain bis de forme ronde sur lequel les viandes étaient posées. Au Moyen Âge, il tenait lieu d'assiette. Les convives dégustaient les viandes avec les doigts et alternaient avec le pain. Parfois, la viande était posée sur le pain, à même la table. L'usage du couteau pour en prélever des morceaux explique ainsi le nom « tranchoir ». Les tranchoirs s'imbibaient du jus des viandes et des sauces et, selon l'usage, étaient livrés après le repas aux chiens ou aux pauvres de passage, ce qu'on appelait le « pot à aumônes ». Seuls les monastères, au Moyen Âge, disposaient d'un réfectoire, où les moines prenaient leur repas en commun en écoutant la lecture des textes sacrés. Dans les châteaux, la table, faite de planches posées sur des tréteaux, était dressée selon l'inspiration, la saison, le rang de l'invité, soit dans la cuisine, soit dans le jardin, voire dans une salle quelconque du château. Les convives étaient disposés d'un seul côté de la table afin de pouvoir profiter au mieux des attractions d'entremets. Recouverte d'une nappe plissée en godets creux ou en relief, la table possédait un doublier, sorte de seconde nappe blanche pliée en deux, sur laquelle les convives s'essuyaient après avoir mangé avec leurs doigts. Plus tard, à partir de la Renaissance, le tranchoir devient une planchette ronde ou rectangulaire en bois, en étain ou en argent, sur laquelle on pose un morceau de pain d'une épaisseur de 5 cm environ. Le tranchoir devient alors « tailloir » dans le vocabulaire commun. Les convives se servent, avec leurs doigts ou un couteau, d'un morceau de viande dans le plat proposé, puis le posent sur le pain. Petit à petit, le couteau à lame pointue devient l'ustensile le plus utilisé. Les écuelles, quant à elles, servent aux légumes, aux soupes et ragoûts. Elles sont disposées entre les tranchoirs, une pour deux convives, afin de décourager les éventuelles tentatives d'empoisonnement, méthode d'assassinat fort prisée à l'époque. Enfin, dans les milieux les plus pauvres, le tranchoir sert aux mêmes usages pour déposer aliments et sauces. Contrairement aux classes féodales, les voisins de tablées se partageaient la tranche de pain à l'issue du repas. De cette tradition est venue l'expression de « con-pain », devenue « co-pain ».

Olivier Pascault

• *Voir aussi :* Boulangers et boulangeries (histoire de France des) ; Croûte à potage ; Croûton, croûtons ; France (pains historiques, du Moyen Âge à la Révolution française) ; Grand panetier ; Mot « pain » dans la langue française ; Pain perdu ; Panade ; Talemelier ; Tartine ; Toast

Bibl. : Jean DELUMEAU, *La Civilisation de la Renaissance*, Paris, Arthaud, 1993 • Georges DUBY, *Le Temps des cathédrales. L'art et la société (980-1420)*, Paris, Gallimard, 1976 • Jacques LE GOFF, *À la recherche du Moyen Âge*, Paris, Seuil, 2006.

TRANSILAGE. – Opération qui consiste à vider simultanément le contenu d'une cellule ou d'un silo à grains et à remplir une autre cellule ou un autre silo.

Philippe Roussel

• *Voir aussi :* Blé (fosse à) ; Chambre ou silo à farine ; Charançon ; Meunerie ; Silo à grains

TRANSIT DIGESTIF. – Traduit la vitesse de passage des aliments au travers des voies digestives, de la bouche vers le côlon, incluant les étapes de digestion (8 à 12 heures), fermentation (25 à 30 heures) et excrétion pour les fractions alimentaires non dégradées. Le transit débute par la mastication, qui permet de lubrifier et de réduire la taille des particules afin de permettre la déglutition des aliments dans l'œsophage. Le taux de lubrification semble jouer un rôle prépondérant par rapport à la taille des particules, les particules de pâtes alimentaires naturellement bien lubrifiées pouvant être dégluties sous forme de grosses particules. La vitesse de vidange gastrique dépend de la teneur en lipides, de la taille des particules, de l'acidité et de la viscosité du bol alimentaire. Ensuite, la vitesse de transit intestinal s'opère par les mouvements péristaltiques (activité motrice) des muscles digestifs, qui permettent la progression du bol alimentaire (chyme). Enfin, au niveau du côlon, les fibres alimentaires sont plus ou moins fermentées sous forme d'acides gras volatiles à chaînes courtes (acides butyrique, propionique et acétique pour les principaux) qui sont absorbés au niveau de la muqueuse et peuvent également fournir de l'énergie à l'organisme. Puis la défécation, phénomène réflexe (impulsion sensitive liée à la distension de l'ampoule rectale), a lieu.

Le transit digestif est fortement régulé par diverses hormones (gastrine, somatostatine et cholécystochinine) et neuropeptides gastro-intestinaux (neuropeptide Y) ; il est sous le contrôle des systèmes nerveux parasympathique (activateur) et sympathique (inhibiteur). Il peut être également modulé par les caractéristiques des aliments. Ainsi, la présence de matières grasses, la taille des particules et la nature des fibres, solubles ou insolubles, influencent la vitesse de transit digestif. Un repas riche en matières grasses et des particules alimentaires de taille importante ralentissent la vitesse de vidange gastrique. Les fibres solubles tendent à augmenter la viscosité du milieu digestif : or, plus le chyme est visqueux et plus il est évacué lentement de l'estomac. Au contraire, les fibres insolubles (comme celles présentes dans le son de blé) tendent à absorber l'eau et à produire un effet de charge ou de ballast qui accélère le transit intestinal et permet de lutter contre la constipation. Les caractéristiques du pain avant digestion vont donc significativement influencer la vitesse de transit et de digestion des nutriments, notamment de l'amidon : ainsi, le pain beurré est vidangé plus lentement que le pain seul, de même que les pains à partir de grain de céréales plus ou moins intacts. Le pain de son ou complet, riche en fibres insolubles, tend à augmenter le transit, notamment au niveau colique, limitant ainsi le temps de contact entre les substances potentiellement carcinogènes et la muqueuse colique, ce qui fait du son un bon candidat pour la prévention du cancer colique.

Anthony Fardet

• *Voir aussi :* Amidon ; Fibres ; Index glycémique ; Santé ; Son

TRANSPORT PNEUMATIQUE. La manutention des blés et des produits de mouture peut se faire de façon pneumatique ou de façon mécanique (élévateurs à godets, vis d'Archimède, transporteurs à chaînes, à câbles, à bandes…). Le principe du transport pneumatique est d'insuffler de l'air dans le produit pour le mettre en suspension (le fluidiser), et le mouvoir soit par poussée de l'air, soit par aspiration. Des compresseurs ou des ventilateurs puissants sont alors nécessaires pour mettre l'air en mouvement.

Philippe Duret

• *Voir aussi :* Élévateur à godets ; Farine ; Finot ; Meunerie ; Moulin ; Mouture ; Semoule

TRANSSUBSTANTIATION. – Doctrine catholique selon laquelle, après la consécration faite par le prêtre, la substance du pain eucharistique est changée en corps du Christ et celle du vin eucharistique en son sang. Cependant, le Christ tout entier est contenu sous l'espèce du pain, ou toute portion d'hostie, et sous l'espèce du vin, ce qui rend la communion sous une seule espèce acceptable. Le pain, comme le vin, ne sont plus que des apparences de leur ancienne substance. Dès le IIe siècle, de nombreux chrétiens crurent en la présence réelle du Christ dans l'eucharistie. Cependant, la nature de cette présence suscita des controverses qui conduisirent à la définition de la doctrine de la transsubstantiation et son affirmation lors du IVe concile du Latran (1215).

Pierre-Antoine Bernheim

• *Voir aussi :* Eucharistie ; *Fractio panis* ; Hostie ; Hostie profanée ; Messe ; Miracles eucharistiques ; Pain et vin

TRÉMIE. – Dans un moulin, réceptacle en bois ou en métal, de forme conique, destiné à recevoir momentanément un produit en attente de transfert vers une autre partie du processus. Une trémie peut être équipée d'un système de pesée dans sa partie inférieure : on parle de « trémie peseuse ».

Philippe Duret

• *Voir aussi :* Auget ; Frayon ; Meule ; Meunerie ; Moulin ; Mouture ; Œillard

TREMPE. – Voir TARTINE

TREMPURE. – Ensemble de pièces de bois permettant, par un jeu de levier, de régler l'écartement entre meule dormante (ou gisante) et meule courante (ou tournante). Le meunier, au toucher de la mouture, perçoit le besoin de retoucher à la trempure pour moudre plus fin ou plus épais.

Roland Feuillas

• *Voir aussi :* Meule ; Moulin ; Rouet

TRESSÉ. – Voir TORSADÉ ET TRESSÉ

TRIBULUM. – Voir AFGHANISTAN ; BATTAGE ET AIRE DE BATTAGE ; SYRIE

TRIEUR À GRAINES. – Appareil de nettoyage destiné à séparer des graines étrangères du blé par leur différence de forme : on distingue les trieurs à graines longues (avoine) et les trieurs à graines rondes (vesces). Il en existe deux types principaux : les trieurs à alvéoles (cylindriques) et les trieurs à disques.

Philippe Duret

• *Voir aussi :* Meunerie ; Moulin ; Mouture ; Nettoyage

TRIQUE (pain). – Voir RASSISSEMENT

TRITICALE (genre *Triticosecale*). Espèce créée par l'homme par croisement entre le blé dur (*Triticum durum* [Desf.] Husn.) ou le blé tendre (*Triticum aestivum* L. [Host] McKay) d'une part et le seigle (*Secale cereale*) d'autre part. Le nom « triticale » provient de la contraction entre les noms de genre *Triticum* et *Secale*. Les premiers croisements remontent à la fin du XIXe siècle, mais, en France, la première variété a été inscrite en 1983. Le triticale est une céréale cultivée principalement pour l'alimentation des animaux, mais il est aussi parfois utilisé dans des panifications « spéciales » dans lesquelles on retrouve le pétrissage artisanal à la main, le mélange avec les farines de froment ou des farines complètes. Au plan génétique, il existe principalement deux espèces, l'une hexaploïde à 2n = 42 chromosomes, l'autre octoploïde à 2n = 56 chromosomes. La plus cultivée en Europe du Nord-Ouest est la forme hexaploïde.

Michel Rousset

• *Voir aussi :* Blé, genre *Triticum ;* Blé dur ; Blé tendre ou froment ; Seigle (*Secale cereale*)

Bibl. : C. F. DORÉ, « Le blé », in *Histoire et amélioration de cinquante plantes cultivées,* Paris, INRA, 2006 • H. GUEDES-PINTO, N. DARVEY, V. P. CARNIDE (éd.), « Triticale : Today and Tomorrow », in *Developments in Plant Breeding*, Kluwer Academic Publishers, 1996.

TRITICUM. – Les blés au sens large font partie du genre botanique *Triticum.* Ce sont les céréales universelles de l'agriculture de l'ancien monde. Le genre *Triticum* est l'un des deux genres de céréales cultivées et sauvages faisant partie du groupe « blé », l'autre étant le genre *Aegilops* ne comprenant que des espèces sauvages. Le genre *Triticum* appartient à la famille des poacées (syn. graminées).

Jean Koenig

• *Voir aussi :* Blé, genre *Triticum* ; Céréales ; Céréales sauvages aux premières formes domestiques (des)

TROGLODYTES ENFARINÉS. Le troglodyte vit dans une caverne. Lorsqu'il est enfariné, dans un fournil. C'est une expression forgée par l'historien des subsistances Steven Laurence Kaplan (2002) pour désigner une condition sociale et un labeur longtemps assimilés à un outrage divin. L'univers de la boulangerie contemporaine ne peut plus être comparé à celui qu'il était encore au lendemain de la guerre. Les temps ont changé et les boulangers, certains d'entre eux, sont sortis de leurs fournils pour devenir de redoutables chefs d'entreprise. « Mais beaucoup de boulangers restent des troglodytes enfarinés, travaillant dans le type de fournil-cave que Parmentier déplorait à la fin du XVIIIe siècle, si étroit que c'est à peine si on pouvait manipuler la pelle, si chaud que la pâte fondait pendant la levée, si sombre qu'on n'y voyait pas grand-chose, si suffocant qu'on avait du mal à prendre sa respiration. »

Jean-Philippe de Tonnac

• *Voir aussi :* Boulangers et boulangeries (histoire de France des) ; Fournil ; Kaplan ; Nuit (symbolique de la) ; Nuit (travail de) ; Parmentier ; Pénibilité ; Sueur

Bibl. : Steven Laurence KAPLAN, *Le Retour du bon pain. Une histoire contemporaine du pain, de ses techniques et de ses hommes*, Paris, Perrin, 2002.

TUNISIE (traditions du pain en). Les premiers historiens de la Rome impériale qualifient l'*Africa*, territoire connu sous le nom actuel de Tunisie, de « grenier à blé de l'Empire », au même titre que la « Campanie heureuse » (Suétone, *Vie*, I). En réalité, seul le nord de la Tunisie – une ligne allant en gros du Kef à Hammamet – permet encore aujourd'hui une culture intensive du blé, mais aussi de nombreuses céréales comme l'orge, le sorgho, le sésame, le millet, des légumineuses comme le pois chiche et les fèves et de nombreuses épices, qui entrent dans la composition de multiples pains locaux et dans la confection de potages, de sauces et de la *lablabi*, soupe de pain très populaire. La tradition boulangère commerçante et urbaine y fut établie sur le modèle européen à la fin du XIXe siècle, où se crée une civilisation aujourd'hui disparue, un mélange culturel entre musulmans, chrétiens, et juifs, mais aussi entre Berbères, Français, Livourno-Siciliens et Maltais : la pâte à pizza voisine avec la graine de couscous, le pain *tabouna* avec la baguette (appelée « pain italien ») et le pain *halotes* (tressé, pour le shabbat), conférant à la table tunisienne actuelle une variété unique dans le bassin méditerranéen. Les Tunisiens semblent consommer beaucoup plus de pain lors de leurs trois repas journaliers que les Français, et l'Iowa State University vient de publier une étude (2008) qui révèle qu'un citoyen tunisien consommerait en moyenne 258 kg de blé par an, contre 132 pour un Européen, soit le 1er rang mondial ! La baguette tunisienne se situe aujourd'hui au prix d'un tiers de dinar environ (15 cents, pour un revenu mensuel moyen établi à 350 euros, 2007). À ce jour, 50 % du blé est importé, ce qui pèse sur le prix du pain au détail, en dépit de fortes subventions publiques. En décembre 1983, l'on se souviendra que le pouvoir bourguibien trembla face aux émeutes conséquentes à la hausse du prix du pain.

La tradition berbère veut qu'au matin l'on absorbe un peu de pain (*khobz*, en arabe) trempé dans de l'huile d'olive. Jusque dans les années 1950 et selon une tradition vieille de plusieurs siècles, chaque village ou quartier disposait, en plus d'un meunier, d'un four collectif, le pain était exclusivement fait maison et cuit dans le four à bois, le *koucha*. Il était courant de fabriquer son pain à la maison, appelé *khobz dyari*, rond et plat, avec de la semoule fine, du levain naturel et du sel, à ne pas confondre avec le pain à la semoule, où entre une part de froment. Le *khobz mbassis*, ou « pain maison aux épices », recette ancestrale, comprend en plus de la semoule fine et du levain (pâte-mère), des jaunes d'œufs, de l'huile d'olive, des graine de sésame et d'anis vert, et enfin du *liya* (graisse de mouton extraite de la queue) : ces petits pains sont cuits au four dans des moules en métal à bords dentelés. Les désinences du terme *khobz* renvoient à de nombreux pains plats farcis et salés (*khobza madfouna*), parfois frits à la façon des beignets (*fricassé*) et à des gâteaux tels le *khobza droâ* (gâteau au sorgho), *khobzit homs* (gâteau à la farine de pois chiche), *khobzit louz* (gâteau à la poudre d'amande) qui servent en tant que sucreries et non comme pain de repas. L'un des pains les plus traditionnels est le *khobz tabouna*, sorte de grande galette assez épaisse et moelleuse cuite dans le *tabouna*, four en terre cuite enfoncé dans le sol et de forme conique ressemblant au *tandoor* indien. Il se déguste chaud avec toutes sortes de plats. Ces galettes et nombres de leurs variantes se trouvent surtout dans le nord et le sud de la Tunisie. Signalons aussi le *mlawi*, comparable à une crêpe mais plus épaisse (de forme carrée au Maroc), et qui suppose dans sa confection, un feuilletage, une cuisson sur plaque en fonte. Le feuilletage, d'invention arabo-andalouse, a donné naissance à la crêpe de type *brick* servant à la confection d'entrées et de desserts. Certains pains de forme ronde sont des galettes de semoule (*mabsout*) ou d'orge (*jradaq*) et continuent d'être fabriqués à Tunis même. Lorsque aujourd'hui le citadin demande une « baguette », il a le choix entre le pain blanc de type italien, sur la croûte duquel on trouve des grains de *sanouj* au parfum très subtil, et de plus en plus de pains « fantaisie », qui s'inscrivent dans la lignée des traditions : les autorités chargées de la pérennité et de la préservation du patrimoine culturel mènent depuis quelques années campagne pour éviter à tout prix la disparition des traditions boulangères typiquement tunisiennes.

Brick. Le mot *brick* viendrait du turc *börek* : cette spécialité semble en effet avoir été introduite dans les pays du Maghreb *via* la conquérante civilisation ottomane. Au Maroc, en Algérie et en Tunisie, les termes *brick* et *briouate* (ou *briwate*) désignent de croustillantes spécialités à base d'une sorte de crêpe, très fine, que l'on garnit d'ingrédients divers avant de la replier sur ceux-ci en forme de triangle et de mettre l'ensemble à frire dans de l'huile bouillante. Cette pâte est composée de farine, d'eau, de sel et d'un peu d'huile. On l'étale très finement sur une plaque chaude et on la fait cuire d'un seul côté, sans la laisser dorer. Ces feuilles de pâte mi-cuite, que l'on appelle *ouarka* en arabe et « feuilles de brick » en français, se dessèchent très rapidement à l'air libre. On les place généralement sous un linge humide lorsqu'elles sont faites maison, et dans un emballage sous vide lorsque leur fabrication est industrielle. Elles servent à préparer, traditionnellement, des *b'stella* (« pastillas » en français) et des *bricks*. Cependant, en Tunisie, les *bricks* sont traditionnellement réalisés à partir de *malsouka*, une pâte similaire à celle utilisée pour les *börek*. Les ingrédients dont on garnit les *bricks* sont très variés : viande hachée, volaille émincée, crevettes, poisson, légumes, fines herbes et épices, mais aussi amandes ou noisettes, quand le *brick* est sucré. Lorsque les *bricks* sont roulés en forme de cigarette, on les appelle *bourak*, d'après le nom originel turc *börek*. Les *briouates* (ou *briwates*) sucrés existent également, dont le plus répandu est le *briouate* aux amandes. Le principe du *brick* a séduit les cuisiniers européens contemporains, qui l'utilisent aussi bien dans des préparations salées que sucrées, le rebaptisant souvent du nom de « croustillant ». Le triangle et la cigarette sont le plus souvent délaissés au profit de l'aumônière ou d'une superposition de feuilles de brick, disques ou carrés, entre lesquelles sont disposées des couches d'ingrédients variés. [Myriam Daumal]

Khobz dyari. Il était autrefois courant de fabriquer son pain à la maison, appelé *khobz dyari*, rond et plat, avec de la semoule fine, du levain naturel et du sel, à ne pas confondre avec le pain à la semoule, où entre une part de froment.

Khobz mbassis (« pain maison aux épices »). La recette ancestrale est faite à partir de semoule fine, de levain, de jaunes d'œufs, d'huile d'olive, de graine de sésame et d'anis vert, et enfin de *liya* (graisse de mouton extraite de la queue) : ces petits pains sont cuits au four dans des moules en métal à bords dentelés.

Khobz tabouna. *Tabouna*, qui signifie en dialecte berbéro-tunisien « four en terre cuite enfoncé dans le sol et de forme conique, ouvert sur le haut », ressemble au *tandoor* indien. On le tapisse de bois et, lorsque le feu a bien pris, on aplatit les boules de pâte à pain pour en faire des galettes, on enduit le dessus du pain avec de l'eau et, d'un coup de main prompt, on colle sur les parois intérieures du four la pâte, qui, une fois cuite, se décolle de la paroi. Le pain obtenu retombe alors dans les braises et on doit le ramasser prestement, le nettoyer avec un chiffon humide. Il se déguste chaud avec toute sorte de plats. Ces galettes et nombre de leurs variantes se trouvent surtout dans le nord et le sud de la Tunisie.

Mabsout. Galettes de semoule de forme ronde, ou d'orge (*jradaq*) ; confectionnées à Tunis même.

Mlawi. Comparable à une crêpe mais plus épaisse (de forme carrée au Maroc), le *mlawi* suppose, dans sa confection, un feuilletage et une cuisson sur plaque en fonte.

Philippe Di Folco

• *Voir aussi :* Algérie ; Börek → Turquie ; Libye ; Maroc ; Pains mondiaux

Bibl. : Alexander KREMER, *Étude du secteur agricole en Tunisie*, Agridev/Ministère de l'Agriculture et des Ressources hydrauliques, Tunis, 2006 • « Tunisian Wheat Consumption », in *Center for Agricultural and Rural Development Series* (CARD), Iowa State University, 2006.

TURKMÉNISTAN (traditions du pain au). – Comme dans toute l'Asie centrale, c'est le pain de blé qui est ici l'aliment principal. Chez les Turkmènes, la galette de pain, *tchiuriek*, la plus appréciée, est aussi la plus grande et la plus épaisse : un cercle, de 33 à 45 cm de diamètre, de pâte laissée reposer deux ou trois heures, et qui pèse environ 2 kg. Elle est décorée juste avant la cuisson de petits points en cercle, imprimés par une marque à pain, ou un faisceau de plumes réunies. Ces galettes ne sont préparées qu'une fois par semaine. Elles sont excellentes quand elles sont chaudes, juste sorties du four, mais, au bout de quelques jours, on ne les mange plus guère qu'en les plongeant dans le thé.

Le pain accompagne toutes les fêtes, toutes les réjouissances. Les fêtes de la moisson donnent lieu à de grandes assemblées, avec des danses, des luttes traditionnelles et des courses des fameux chevaux turkmènes. La cérémonie des fiançailles se nomme « le jour où l'on partage les douceurs ». Les femmes ont préparé des galettes de pain et des beignets de fête, des carrés de pâte de blé frits à l'huile. À chaque invité, le père remet une galette de pain, des beignets et un mélange de graines porte-bonheur.

L'épousée sera emmenée en grande cérémonie vers la maison de son nouveau mari, irradiante des bijoux de sa parure, porteuse de la gloire de son père, assise dans le cacolet posé sur le dromadaire paré d'ornements de tapis. Elle est suivie par la caravane qui transporte sa yourte, une grande galette de pain cuite par sa mère dans le four familial, enveloppée dans une belle enveloppe de soie ou de feutre brodé, aux coins repliés vers le centre, et par tout son trousseau. Ce pain représente son monde d'origine qu'elle emporte avec elle, et qui doit lui assurer le bonheur dans sa nouvelle vie, chez son mari. La coutume ancienne était de placer, à l'avant du cacolet de la jeune mariée, sur le dromadaire, une boîte de paille de blé, avec un couvercle à quatre côtés en forme de pyramide. Cette boîte de paille rituelle, en forme de tente, contient, pour la jeune épousée arrachée à sa famille, le souvenir du foyer de sa jeunesse heureuse. Cette fragile boîte de paille est le lien entre la jeune femme en exil et sa famille, le signe qu'elle n'a pas été abandonnée. Le village sera alors invité à un festin. Tous les voisins viennent, si l'hôte est assez riche ; chacun apporte des pains spécialement cuits, des galettes recouvertes de sucre, signe de douceur dans les relations entre alliés, des friandises, des fruits.

À l'invité de passage, l'on offre en cérémonie une grande galette de blé et une pincée de sel : c'est l'antique offrande « du pain et du sel », nécessaires à la vie. Tous seront liés par la fraternité de ceux qui ont « partagé le pain et le sel ».

Tchiuriek. Galette de pain, grande et épaisse, de 33 à 45 cm de diamètre et qui peut peser jusqu'à 2 kg. La pâte a été laissée reposer deux ou trois heures. Elle est décorée juste avant la cuisson de petits points en cercle, imprimés par une marque à pain ou un faisceau de plumes réunies. Ces galettes ne sont préparées qu'une fois par semaine par les femmes dans la cour de leur habitation. Elles sont excellentes quand elles sont chaudes, juste sorties du four, mais, au bout de quelques jours, on ne peut les consommer que trempées dans le thé.

Bernard Dupaigne

• *Voir aussi :* Afghanistan ; Iran ; Kazakhstan ; Pain (définition universelle du) ; Pains mondiaux ; Russie

TURQUIE (traditions du pain en). Comme c'est le cas dans une très grande partie du pourtour méditerranéen, le pain (*ekmek*) a toujours occupé une place primordiale en Anatolie et il est, de ce fait, fortement chargé symboliquement. « Don de dieu » par excellence (*nimet*), porteur de « vie », il fait l'objet de précautions particulières, on essaye de ne pas le jeter ni le gaspiller. Il a longtemps représenté l'élément le plus important du repas, tout autre aliment étant considéré comme accompagnement (*katik*) ; ainsi, manger son repas pouvait se dire « manger son pain » (*ekmek yemek*). On consomme en moyenne en Turquie plus de 400 g de pain par jour et par habitant. Le terme *ekmek* correspond à une catégorie très large de préparations, allant de la galette plate au pain au levain. Il est possible de retrouver de nombreuses influences subies au cours de l'Histoire à travers les divers pains encore consommés aujourd'hui, même si, pour un certain nombre, leur dénomination s'est transformée (*yuga*, *yuwka*) ou a disparu (*nân-i aziz*).

Dans les villes de l'Empire ottoman et surtout à Istanbul, la composition du pain, son prix (fondé sur celui des céréales), son poids étaient extrêmement réglementés et les boulangers très surveillés : ces derniers devaient avoir une réserve de farine pour plusieurs mois et ne jamais fermer, car personne ne devait manquer de pain dans la capitale ottomane. Le pain constituait certes l'élément principal du repas des pauvres, mais il était proposé à travers une grande variété, très hiérarchiquement différenciée. Les farines étaient de diverses qualités, de mouture plus ou moins fine, pures ou mélangées (froment, seigle, avoine, orge, et tardivement maïs). Au palais ottoman, au XIXe siècle, on utilisait des farines provenant de diverses régions : supérieure blanche (*has un*) ou de moins bonne qualité, jusqu'à des farines mélangées. On trouvait au palais pas moins de sept qualités de pain, servies selon le rang des personnes : le meilleur, *nân-i hassü'l-has*, aux tables du sultan, du harem et des hauts dignitaires du palais ; pour décroître ensuite dans la qualité : bonne (*nân-i has*), moyenne (*nân-i has orta*), quotidienne (*nân-i aziz*), ordinaire (*nân-i adi*), jusqu'au pain noir au son dur (*somun*), distribué aux employés des rangs inférieurs. On retrouvait cette distinction chez les particuliers hors du palais. Dans la capitale, c'est le terme *nân* qui désignait le pain, le terme actuel turc *ekmek* étant beaucoup plus familier. On consommait, dans les grandes maisons, du *nân-i aziz*, le pain quotidien du palais, ou du *fodula* (sorte de *pide*), pain rond et compact, blanc, parfois mélangé de farine d'orge ; les domestiques se voyaient ici aussi attribuer le *somun* de qualité inférieure, rond, épais, levé à base de farines diverses (blé, seigle, orge). Dans chaque maison également, on pouvait confectionner du pain *yufka*. Dans le quartier des ambassades, à partir de la fin du XVIIIe siècle, les boulangers grecs vendent du *francala*, pain de farine de froment de qualités différentes à mie blanche, sorte de baguette, soit dur (*kayalik francala*) soit de qualité supérieure (*nân-i francala*), vendu aussi cher que le *nân-i aziz*. Par ailleurs, lors du ramadan ou à l'occasion de fêtes princières, on pouvait confectionner des pains particuliers en ajoutant à la pâte de la graisse, du beurre ou des œufs.

Dans la Turquie contemporaine, on utilise du blé compact (*Triticum aestivum* L. subsp *Compactum* [Host] McKay) et tendre (*Triticum aestivum* L. subsp *aestivum*) pour la production de farines panifiables et pâtissières, parfois mélangé à de la farine d'orge, de seigle, d'avoine ou de maïs. Le tableau des divers pains reflète assez le mélange d'influences diverses vécues en Anatolie, tant au niveau des techniques de cuisson que des pains eux-mêmes (avec ou sans levain, farine complète ou non). Typique des populations nomades, la plaque de fer (*sac*) se trouvait déjà en Asie centrale et est présente dans la plupart des régions d'Anatolie ; le *tandir* (ou *tannur*), four cylindrique mésopotamien présent dans la région dès les Urartéens et Assyriens, est plutôt caractéristique des bourgades ou des villages des régions du grand Sud-Est (de Konya à Kars). Dans certains villages, on trouve également des fours voûtés et fermés (*firin*, *mahalle firini*) existants depuis l'Antiquité, et c'est ce type de four que l'on retrouve dans les villes ; ceux de haute taille, pouvant contenir 15 à 20 pains (*muhacir firini*), seraient arrivés avec les réfugiés balkaniques. Dans la région de la mer Noire, on pouvait utiliser une pierre incurvée (*pileki*) pour la cuisson du pain de maïs (*misir ekmegi*). Dans le courant du XXe siècle se sont aussi répandues des cuisinières (*kuzina*), dont le four permet de préparer un pain rond levé (*tepsi ekmegi*). Signe de distinction, la farine blanche se retrouvait en ville et la farine complète à la campagne. Si, à toutes les époques, c'est le pain à mie blanche qui a été et est toujours le plus recherché, c'est pourtant le pain complet qui est surtout consommé, notamment par la moitié de la population qui prépare elle-même son pain. On trouve actuellement dans les grandes villes, avec la vague du naturel et de l'authentique, de plus en plus de pains complet, au son, aux céréales.

La dénomination des pains varie davantage selon le moyen de cuisson utilisé que par la présence ou l'absence de levure. C'est la pâte (*hamur*) qui est vraiment au centre du système alimentaire. Elle sert d'abord à fabriquer le pain ou les feuilles de pâte plates, mais est ensuite déclinée (avec ou sans levain, sucrée ou non, fourrée ou non, avec du lait ou des œufs, etc.) pour fournir une très grande partie des aliments consommés.

La plaque de métal (*sac*). Les pains consommés à la campagne sont les *yufka* ou *sac ekmegi*, minces feuilles de pâte non levée cuites sur une plaque de fer (*sac*). D'une cinquantaine de centimètres de diamètre, chaque convive en consomme au moins une par repas, un morceau plié correctement peut même servir de cuillère (*sunak*). L'ajout de beurre sur ces *yufka* les transforme en feuilleté *katmer* (*sac katmeri*, *yaglama*), ou bien, fourrées de légumes (pommes de terre, épinards), sur la plaque chaude, elles sont dénommées *gözleme*. Les feuilles de pain cuites puis fourrées de divers ingrédients (viande, pommes de terre frites, fromage, amandes vertes, crudités) constituent des sandwichs appelés *çomaç* ou *dürüm*. Farcies aux noisettes ou aux noix pilées, et baignées de sirop de sucre, ce seront des *baklava*. Enfin, on peut aussi placer la pâte directement dans la cendre, sous le *sac*, pour obtenir un pain avec ou sans levure (*kömbe*, *gömme*) ou même des feuilletés (*börek*). La plaque de fer est l'instrument idéal pour le pain sans levain, mais on y cuit aussi des pains à pâte levée comme le *bazlama* (*bezdirme*, *bazdirma*). Le *pide*, pain rond à pâte levée recouvert de jaune d'œuf et de sésame, est caractéristique du mois de ramadan. Si l'on ajoute à la pâte des œufs ou du lait, on obtient des sortes de crêpes (*akitma*), des feuilles de pâte pour feuilletés (*börek*) ou des pâtes alimentaires (*eriste*, *ev makarnasi*, *yayim*). Cette même pâte, découpée cette fois en carrés, sert également à préparer des raviolis (*manti*). Enfin, on fabrique aussi par roulage de petites pâtes rondes dénommées *kuskus* ou *sehriye* et mangées comme les pâtes alimentaires.

Le four *tandir*. Le pain caractéristique de ce four est le *lavas*, sorte de galette oblongue à pâte levée, cuite sur les parois chaudes du four, ou encore le *tandir ekmegi*, à base, pour moitié, de farine de blé complète (Malatya). Les pains cuits dans ce four sont à pâte levée (*lavas*, *çörek*) ou non (*tandir ketesi*, *tandir ekmegi de Corum*) ; on y prépare aussi des *katmer*, sur lesquels on a ajouté de l'huile de sésame ou des *bazlama*. Ce type de four présentant une ouverture dans sa partie supérieure, on peut aussi y placer une plaque de fer, ce qui permet d'obtenir toutes les préparations décrites plus haut.

Le travail de la pâte, très fatigant, était celui des filles et des brus, et la pâte idéale était celle qui gonfle ; chaque maison avait son levain provenant d'une pâte à pain précédente qu'on pouvait prendre chez les voisins, mais jamais le soir ; il fallait avoir fait sa grande ablution pour malaxer la pâte, sinon elle risquait de ne pas prendre. Même si de nombreux pains quotidiens sont fabriqués sans levain, celui-ci est symboliquement positif. On peut aussi confectionner un levain à base de pois chiches, qui donne son nom au pain ainsi préparé (*nohut ekmegi*). L'ajout de levure, de gras, d'œufs ou de sucre, de fruits secs (*nokul*) se fait lors des fêtes calendaires, religieuses ou individuelles. La farine de maïs est parfois mélangée à celle du blé pour la confection de pains en Anatolie, mais cette céréale est surtout consommée dans la région de la mer Noire. Très friable, le pain confectionné avec de la farine de maïs, de l'eau tiède et cuit quotidiennement, autrefois sur une pierre incurvée (*pileki*) et aujourd'hui dans une poêle, continue d'accompagner le plat de choux traditionnel (*karalahana*). Dans ces régions (Sakarya, Sivas), les anciens réfugiés caucasiens consommaient aussi un plat de semoule de maïs qui leur servait autrefois de pain (*misir pastasi*). Les pains de ville, cuits dans les fours de boulanger, ont une forme oblongue et sont à pâte levée et blanche. Le *somun*, dont le nom vient probablement du grec *psomi*, est de loin le plus répandu et s'impose même dans les campagnes. Les boulangers fabriquent aussi des *pide* ronds ou plus ou moins longs (60 cm ou 1,20 m ; *çarsi ekmegi*). On trouve aussi des *francala*, sorte de baguettes à pâte blanche, ou des pains de seigle ou complets (le pourcentage de farine de blé et de farine complète pouvant varier). Certains pains sont cuits deux fois au four pour être conservés, comme les biscottes (*peksimet*, *galeta*). Dans les bourgades où se trouvait un four, il était possible d'y porter sa pâte et de la faire cuire. Le *simit*, cet anneau de pâte levée entouré de grains de sésame, est caractéristique des villes et consommé à tout moment de la journée, mais plus particulièrement le matin avec un verre de thé. Enfin, il existe un très grand nombre de préparations à pâtes levées de type viennoiseries, salées ou sucrées, fourrées ou non, comme le *çörek*, sorte de brioche, ou le *pogaça*, sorte de pain au lait fourré.

Il y a quelques décennies, on faisait beaucoup de pains différents chez soi et, jusqu'à une date récente, la répartition géographique de ces techniques avait valeur de distinction sociale. Actuellement, cependant, le pain de ville allongé à pâte levée (*somun*) est présent partout, même à la campagne. À l'inverse, les minces feuilles de pâte *yufka* peuvent aussi être fabriquées en ville chez les particuliers, sur une plaque métallique de diamètre réduit placée sur le brûleur à gaz. Les *tandir* sont de plus en plus abandonnés et le pain cuit désormais au four de boulanger. Toutefois, la vague patrimoniale a remis tous ces pains traditionnels à la mode et ils sont proposés dans certaines boutiques ou restaurants à Izmir, Ankara ou Istanbul. Les pains se diversifient ces dernières années, mais il semble cependant que, peu à peu, ceux à pâte levée prédominent.

Bazlama (bezdirme, bazdirma). Pain à pâte levée, rond de 20 à 25 cm de diamètre, à base de farine d'orge, de maïs et de blé, plus ou moins épais. Il est cuit soit sur les plaques de fer (*sac*), soit sur les parois chaudes du four *tandir*.

Börek. Sorte de feuilleté, fourré généralement au fromage ou à la viande hachée. Il peut constituer le repas à lui seul ou bien le terminer. Il est souvent consommé en buvant du thé.

Dürüm. Sorte de sandwich préparé avec les feuilles de pâtes *yufka* ou *lavas*. On place à l'intérieur toutes sortes d'aliments (frites, boulettes de viande *köfte*) dont les très répandus *döner kebap*.

Lavas. Sorte de fine et longue galette oblongue à pâte levée, cuite sur les parois chaudes du four *tandir*. En ville, on l'utilise pour la confection des sandwichs *durum*, en concurrence avec les feuilles de pâte *yufka*.

Pide. Pain rond à pâte levée et blanche, recouvert de jaune d'œuf et de sésame, de diamètre limité (10 à 25 cm), dont une version plus large et moins dense est caractéristique du mois de ramadan. Durant ce mois, les *pides* sont vendus chauds chez tous les boulangers à l'approche du repas de coupure de jeûne, l'*iftar*.

Simit. Anneau de pâte levée et dense, entouré de grains de sésame, ne se trouvant qu'en ville et consommé à tout moment de la journée, mais plus particulièrement le matin avec un verre de thé, accompagné parfois avec du fromage.

Somun. Pain de forme oblongue, à pâte levée et mie blanche, préparé dans les fours de boulanger en ville ou dans les bourgades. C'est le pain quotidien en ville, consommé par tous, équivalent sémantique du mot « pain ».

Yufka. Déjà connues en Asie centrale, les *yufka* ou *sac ekmegi* sont de minces feuilles de pâte non levée à base de farine complète ou non, eau et sel, étendues au rouleau fin (*oklava*) et cuites sur une plaque de fer (*sac*). Elles sont préparées régulièrement en grandes quantités, puis humidifiées avant consommation. Pouvant se conserver plusieurs mois, elles étaient parfois préparées collectivement en automne ou grâce à des femmes embauchées pour l'occasion. Dans les régions de l'Est, ces feuilles de pâte non levée cuites sur le *sac* portent un nom d'origine arabe signifiant « non levé » : *fetir* (*fetil*, *fedil*, *fitil*, *fetele*). On retrouve ce terme dans d'autres régions (*sivas*). Elles constituaient jusque récemment l'aliment de base présent à tous les repas, le pain quotidien, dans la plus grande partie de l'Anatolie rurale. D'une cinquantaine de centimètres de diamètre, chaque convive en consomme au moins une par repas, un morceau plié correctement peut même servir de couvert (*sunak*).

Marie-Hélène Sauner-Leroy

• *Voir aussi* : Azerbaïdjan ; Géorgie ; Grèce ; Iran ; Irak ; Pain (définition universelle du) ; Pains mondiaux ; Syrie ; Tannur

Bibl. : Burhan OGUZ, « Sources culturelles du peuple de Turquie », t. 1, « Techniques alimentaires » (en turc), Istanbul, Istanbul Matbaasi, 1976 • « Recherche sur la cuisine turque ; les préparations à base de pâte et les pains traditionnels » (en turc), Ankara, 1995 • Samanci OZGE, « La culture culinaire d'Istanbul au XIXe siècle : L'alimentation, les techniques culinaires et les manières de table », thèse, EHESS, 2009 • Marie-Hélène SAUNER-LEROY, *Évolution des pratiques alimentaires en Anatolie : analyse comparative*, Berlin, Klaus Schwartz Verlag, 1995. – *ID.*, « "The way to the heart is through the stomach". Culinary practice in contemporary Turkey », in *Turkish cuisine*, Arif Bilgin & Ozge Samanci (Hzl.), Kultur ve Turizm Bakanligi, Sanat Eserleri Dizisi, Ankara, 2008, p. 260-279 • Müjgan UÇER, « La cuisine populaire de Sivas » (en turc), Sivas, 1992 • Artun UNSAL, « La mane est arrivée. L'histoire des pains de Turquie » (en turc), İstanbul, Yapi Kredi Yayinlari, 2006 • « Encyclopédie du pays » (en turc), 1980, 10 vol.

Également :

Börek (le destin international du). L'étymologie de ce mot est persane : *bûrak*, mot générique qui désigne tout mets réalisé avec la pâte appelée *yufka*. La présence du *börek* est attestée en Asie centrale dès le IXe siècle. On le réalise avec de la *yufka*, une pâte à base de farine, de sel, et d'eau, à laquelle on ajoute parfois du yaourt ou un peu d'huile. Cette pâte est étendue en une abaisse très fine (de l'épaisseur d'une feuille) et on l'utilise crue pour la préparation des *börek*. Les *börek* peuvent être frits, cuits au four ou à l'eau selon leur type. La Turquie se distingue par une impressionnante variété de *börek*, qui varient autant par leur forme que par leur contenu, et qui sont parfois typiques d'une région, comme le *laz böreği*, un dessert qui est confectionné dans la région de la mer Noire et qui ressemble à des lasagnes : les feuilles de *yufka* sont cuites rapidement à l'eau bouillante avant d'être superposées, serrant entre elles une crème toute fondante. Le gâteau est ensuite passé au four, ce qui le rend croustillant sur le dessus, tandis que le cœur en est délicieusement moelleux. Roulés en forme de cigarette, les *sigara böreği* sont garnis de feta et de persil, puis frits à l'huile. Cuits au four dans de grands moules ronds ou rectangulaires, les *su böreği* sont préparés comme les *laz böreği*, mais sont garnis soit de feta et de persil, soit de légumes (petits pois, épinards, pommes de terre), soit de viande hachée, d'épices et d'oignons. Pliés en rectangle et garnis de *pastırma* (viande de bœuf séchée en croûte d'épices aillée) et de fromage *kaşar*, ce sont les *paçanga böreği* – ainsi nommés d'après un genre musical et une danse à la mode dans le Cuba des années 1960, la *pachanga* ! Le *börek* s'est répandu dans l'Europe balkanique et au Proche-Orient : on le trouve donc aussi bien en Grèce qu'en Israël (importé par les juifs sépharades), en Serbie qu'au Maroc, sous les noms de *burek* en Albanie, *boreka* en Israël, *bourekakia* en Grèce, *burak* en Libye, *brick* au Maghreb… empruntant les nombreuses formes que connaît le *börek* – roulé en boudin, en forme de rose, de cigare ou de type lasagne, cuit au four, à l'eau ou frit, sucré ou salé. Cette diversité ne s'est donc en rien perdue, et le *börek*, sous ses différents avatars, est l'un des aliments les plus populaires qui soient dans tous ces pays. [Myriam Daumal]

TYPES DE FARINE. – Voir FARINE

U-V

UHT (ultra haute température). – Traitement thermique appliqué aux aliments pendant quelques secondes à très haute température (de l'ordre de 140°). À ces températures, aucune vie ne résiste et les aliments sont complètement stériles, débarrassés de tous leurs microbes. Ce traitement est réservé à des produits liquides, en général du lait ou des soupes. En boulangerie, il concerne alors, plus précisément, le secteur de la viennoiserie.

Catherine Peigney

• *Voir aussi :* Atmosphère contrôlée ; Congélation ; Conservation ; DLC ; DLUO ; Froid ; HACCP ; Lyophilisation ; Pasteurisation ; Stérilisation ; Surgélation ; Traçabilité

***UN PAIN, C'EST TOUT* (*Yakitate ! ! Ja-pan*).** – La bande dessinée japonaise de Takashi Hashiguchi, dont le titre signifie littéralement « Japon tout chaud », parut d'abord en 2002 dans le *Weekly Shônen Sunday*. En 2004, la série a gagné le prix Shogakukan Mangadu du meilleur *shônen manga*, et soixante-neuf épisodes de dessin animé ont été diffusés à la télévision japonaise. Azuma Kazuma, fils de cultivateurs de riz, est fasciné, à six ans, par la variété des pains d'un boulanger occidental grâce auquel il se découvre un don : des mains irradiant la chaleur et favorisant donc la levée du pain. Devenu apprenti boulanger chez Pantasia, il décide, à seize ans, de créer un véritable pain national japonais dont le goût contiendrait toute la culture culinaire de son pays. Les vingt-six volumes sont le récit de cette quête. Sous la forme du *nekketsu* (« sang bouillant ») propre aux mangas pour adolescents, c'est-à-dire un parcours initiatique peuplé de héros typés, de duels épiques, *Un pain, c'est tout* est un récit plein d'humour, qui se moque de ce type de littérature. Les multiples recettes de la centaine de pains tentés par Azuma sont pourtant, en partie, réalisables, et les explications sont données avec force termes techniques de la boulangerie. Le graphisme, très dynamique, est marqué par la démesure et le délire. Le titre joue sur le nom anglais du Japon (*Japan*) et sur le mot désignant le pain (*pan*), le pain créé par Azuma incarnant le Japon moderne et son rapport avec l'Occident : « Le pain est l'inconscient des Japonais » (Tamogami Kenjiro). Le succès est tel au Japon que des boulangeries proposent des pains d'Azuma décorés de petites effigies du manga. L'éditeur français (Delcourt, 2007) a ajouté une préface et une postface du boulanger français Christian Vabret.

Anne-Élisabeth Halpern

• *Voir aussi :* Boulanger-prophète ; Bread (groupe musical) ; Danse des petits pains ; Japon ; Moulins (don Quichotte contre les)

UN REPAS AU COURS D'UNE PARTIE DE CHASSE. – Voir PEINTURE OCCIDENTALE

UNE HOTTÉE DE PAIN. – Voir PEINTURE OCCIDENTALE

UNIGRAIN. – Voir CÉRÉALIERS DE FRANCE

UNION EUROPÉENNE (pain de l'). – Voir PAINS SPÉCIAUX

UNIVERS CÉRÉALES. – Voir CÉRÉALIERS DE FRANCE

VAE (validation des acquis de l'expérience). – Voir PAYSAN BOULANGER

VALET SOUDOYÉ. – La création de la corporation des talemeliers s'effectue au plus tard en 1167. Les fonctions du talemelier sont très étendues. Il choisit et achète généralement les meilleurs froments, les stocke, les vanne, choisit son moulin et rapporte la boulange brute, c'est-à-dire le produit de la mouture. Il a parfois un ouvrier pour tamiser sa farine, en fonction des qualités de pain qu'il souhaite fabriquer. Le plus souvent, il a un valet soudoyé, à savoir un valet de boulangerie payé. À la demande de Saint Louis, Étienne Boileau (né entre 1200-1210, mort en 1270, il est l'un des premiers prévôts de Paris connus) rédige le *Livre des Métiers* en 1628. La corporation, qui est composée de l'ensemble des artisans qui coopèrent à l'intérieur du métier, comprend trois catégories : les apprentis qui apprennent le métier, les valets soudoyés qui l'exercent et les maîtres qui ordonnent et sont propriétaires de la boulangerie et, de plus en plus souvent, de leur four dans la boutique. De même, ils contrôlent la qualité de la fabrication et protègent l'apprenti et le valet. La charte des métiers fait une large place aux rapports entre les différents membres de la corporation des boulangers et aux règles d'accession à la profession et à la maîtrise. L'apprentissage, qui débute entre l'âge de dix et douze ans, dure en moyennc trois ans. Parce que le nombre des apprentis est réglementé, le valet soudoyé a le rôle important de livrer tout conseil utile à l'apprenti aux côtés de l'instruction du maître. Le travail du talemelier consiste à se lever avant l'aube pour allumer le four. Le bois de chauffe a préalablement été préparé la veille par le valet encore au repos. Ensuite, torse nu devant un grand pétrin de bois de chêne, il verse l'eau, la farine, le sel et le levain et malaxe la pâte avec ses bras. Pour cette rude épreuve, il est enfin relayé par son valet soudoyé qui achève le travail entamé.

Olivier Pascault

• *Voir aussi :* Apprentissage ; Boulangers et des boulangeries (histoire de France des) ; Compagnon boulanger ; Grand panetier ; Maître ; Talemelier

Bibl. : Étienne BOILEAU, *Les Métiers et corporations de la ville de Paris : XVIIIe siècle. Le livre des métiers d'Étienne Boileau*, R. de Lespinasse, F. Bonnardot (éd.), Paris, Imprimerie nationale, 1879 ; rééd. Bibliothèque des arts, des sciences et des techniques, Revigny-sur-Ornain, Martin Média, 2005.

VALEUR BOULANGÈRE. – La détermination de la valeur technologique pour la panification, appelée valeur boulangère, suppose la mise en œuvre d'un protocole normalisé d'un test de fabrication à échelle réduite. En France, celle-ci est appréciée pour le pain courant français par la méthodologie de type AFNOR (Association française de normalisation) et la méthodologie BIPEA (Bureau interprofessionnel d'études analytiques) pour le pain de tradition française. La valeur boulangère fait apparaître des notions distinctes :

- le rendement en pâte, c'est-à-dire la quantité d'eau que peut absorber la farine pour une consistance donnée ;
- la machinabilité de la pâte, c'est-à-dire son aptitude à être travaillée sans problèmes particuliers aux différentes étapes de la panification jusqu'au stade de la cuisson. Cette caractéristique qualitative prend en compte des notions de collant, d'élasticité, de stabilité, d'aptitude à la déformation de la pâte ;
- le développement de la pâte et du pain et son aspect extérieur. La notion de développement faisant intervenir des caractéristiques de production gazeuse, de rétention gazeuse et d'aptitude à la déformation ;
- la qualité organoleptique de la mie du pain (couleur, odeur, texture). Ces appréciations ayant pour objet de différencier des caractéristiques de mie et de déceler des anomalies, mais en aucun cas d'émettre un jugement par rapport à des attentes de consommateurs.

La somme des observations appréciées, excepté le rendement en pâte indiqué séparément, constitue la note de valeur boulangère exprimée sur 300 points. Celle-ci est divisée en : note de pâte sur 100 points ; note de pain sur 100 points ; note de mie sur 100 points. La valeur boulangère est une caractéristique variétale en relation principalement avec la quantité et la qualité des protéines ; mais le seul examen de la détection de la variété ne suffit pas pour connaître sa valeur boulangère. Celle-ci prend également en compte l'ensemble des comportements qualitatifs observés par les boulangers sur la pâte et sur le pain. Ce critère qualificatif est fondamental pour apprécier la qualité des blés et définir les formulations de farines ; cela a justifié pour les professionnels meuniers des investissements en laboratoire de panification. Malgré tout, il est souvent nécessaire de pratiquer d'autres méthodes de laboratoire, moins longues, moins coûteuses et moins subjectives que l'essai de panification, afin d'appréhender les principales caractéristiques qualitatives d'une variété ou de mélanges de blés.

Philippe Roussel

• *Voir aussi :* Élasticité ; Pâte ; Variétés de blé ; Variétés de blé tendre au catalogue officiel

Bibl. : Philippe ROUSSEL, Hubert CHIRON, *Les Pains français. Évolution, qualité, production*, Vesoul, Maé-Erti, 2002.

VALEUR ÉNERGÉTIQUE DU PAIN. – Longtemps, la disponibilité en pain fut la meilleure assurance de lutter contre la famine. Cet aliment permet donc de satisfaire l'essentiel des besoins énergétiques de l'organisme humain. Le pain apporte principalement des glucides sous forme d'amidon, des protéines et de très petites quantités de lipides, si bien que la proportion de ces trois classes de nutriments énergétiques est respectivement de 83 %, 12 % et 5 %. L'ensemble de notre alimentation apporte sensiblement moins de glucides (aux environs de 50 % des apports énergétiques) et beaucoup plus de lipides (un tiers des apports énergétiques). Bien qu'il existe une valeur calorique moyenne du pain de 240 kcal par 100 g (ou un mégajoule par 100 g), cette valeur peut être diminuée par la présence de fibres dans un pain complet et par le degré d'hydratation de la pâte et au final du pain. Un pain complet, plus riche en fibres (glucides complexes non digérés dans l'intestin grêle) et en eau qu'un pain blanc, a ainsi une valeur calorique plus faible de 200 kcal/100 g. Pourtant, une tranche de pain complet est souvent perçue comme plus nourrissante que celle d'un pain blanc. À poids égal, cette perception est inexacte. En revanche, le pain complet a un meilleur effet sur la satiété que le pain blanc par la présence de fibres qui exercent un effet de remplissage intestinal.

Christian Rémésy

• *Voir aussi :* Denrée ; Disettes, famines et révoltes pour le pain en France ; Perte nutritionnelle de la graine au pain ; Régime alimentaire méditerranéen ; Santé

Bibl. : Christian RÉMÉSY, *Alimentation et santé*, Paris, Flammarion, coll. « Dominos », 1994. – ID., *Les Bonnes Calories*, Paris, Flammarion, coll. « Dominos », 1996. – ID., *Que mangerons-nous demain ?*, Paris, Odile Jacob, 2005.

VALEUR MEUNIÈRE. – La valeur meunière d'un blé est son aptitude à donner un bon rendement en farine avec un minimum d'énergie dépensée au cours des différentes étapes de la mouture.

Michel Daubé

• *Voir aussi :* Farine ; Meunerie ; Mouture

VALEUR NUTRITIONNELLE DU PAIN. – En premier lieu, le pain est une source de glucides. Les chasseurs-cueilleurs, avant le développement de l'agriculture, avaient beaucoup de difficultés à trouver dans leur environnement les sources de glucides pour subvenir à leur besoin élevé de glucose. En domestiquant les céréales et d'autres productions végétales riches en amidon, les hommes ont résolu leur problème nutritionnel majeur : disposer de suffisamment de glucose pour bien alimenter le cerveau et les autres tissus de l'organisme. Depuis ce passage à l'agriculture, le problème de la faim a toujours été résolu lorsque la disponibilité en céréales était suffisante. En ce début de XXIe siècle, une partie de l'humanité ne dispose pas encore de suffisamment de produits céréaliers, tandis qu'une autre partie néglige la consommation de pain ou de céréales au profit d'autres aliments plus gras, plus sucrés ou plus riches en protéines. L'histoire du pain s'inscrit dans cette tendance historique. Le manque de pain a été un problème récurrent pour toutes les populations qui l'avaient adopté comme aliment de base ; après la Deuxième Guerre mondiale, lorsque la production de blé fut enfin suffisante, l'évolution des modes alimentaires entraîna une baisse de la consommation de pain, si bien que la couverture des glucides est encore mal résolue dans les pays riches. Nous avons besoin d'environ 250 à 350 g d'équivalent glucose par jour, selon notre activité physique et notre corpulence, or la consommation moyenne de pain n'est plus que de 150 g, ce qui fournit seulement 75 g de glucose à l'organisme. Si l'on ne consomme pas suffisamment de pâtes, de riz, de légumes secs, de pommes de terre, il est peu judicieux de se priver de pain. Pour autant, compte tenu que le pain est riche en sel, les nutritionnistes ne recommandent pas de couvrir les besoins en glucides par une consommation élevée de pain. Il n'existe pas de recommandations officielles sur la quantité maximale de pain à consommer, certaines personnes en consomment 250 à 300 g sans problème. Il semble cependant préférable, comme pour d'autres produits végétaux, de diversifier les produits céréaliers consommés, ce qui permet d'accroître la gamme des fibres alimentaires et des micronutriments protecteurs.

Le pain ne serait pas un aliment de base sans la présence d'une teneur suffisante de protéines (de 12 à 14 % du poids sec). Le gluten de la farine blanche issue de l'amande du grain est pauvre en lysine (un acide aminé limitant pour les synthèses protéiques), mais plutôt riche en acides aminés soufrés. En consommant du pain bis ou complet, la valeur biologique des protéines du pain s'améliore, puisque la couche d'aleurone dans les farines dont ces pains sont issus contient d'autres types de protéines (albumines, globulines) plus équilibrées en acides aminés que ne le sont celles du gluten. Lorsque la consommation de pain est associée à des produits animaux, la valeur biologique des protéines du repas devient excellente, de même si le pain ou d'autres produits céréaliers sont consommés avec des légumes secs. L'association produits céréaliers-légumes secs est à la base d'un régime végétarien réussi et constitue la nourriture principale d'une partie de l'humanité. La consommation de pain, comme des autres produits céréaliers, joue un rôle déterminant pour la fourniture de fibres alimentaires. Ces glucides non digérés dans l'intestin grêle sont indispensables au bon fonctionnement du gros intestin, en particulier pour l'entretien de fermentations symbiotiques, mais aussi pour faciliter l'élimination du cholestérol par voie digestive. Les apports nutritionnels conseillés pour les fibres sont de 25 à 30 g par jour, alors qu'une majorité de personnes disposent de moins de 20 g. La différence entre pain blanc et pain complet est déterminante pour les apports de fibres alimentaires : 200 g de pain complet couvrent plus de 50 % de nos besoins en fibres, contre moins de 25 % pour le pain blanc. L'efficacité du pain complet pour accroître la vitesse du transit digestif et lutter contre la constipation est reconnue. Cependant, certaines personnes semblent avoir de la difficulté à tolérer sur le plan digestif le pain complet compte tenu de sa richesse en fibres. Une hydratation élevée et la panification au levain du pain complet contribuent à améliorer la tolérance digestive à ce type de pain. Le plus facile reste de consommer un pain fait avec de la farine de type 80, pour sa valeur nutritionnelle moyenne entre le pain complet et le pain blanc.

Les produits céréaliers sont des aliments naturellement riches en magnésium, qui est un des minéraux limitants dans une alimentation de type occidental, compte tenu d'une utilisation très élevée d'ingrédients énergétiques purifiés (sucres, matières grasses) ou trop raffinés (farine blanche). Le pain blanc (avec une farine de type 55) a perdu près des trois quarts des minéraux présents dans le grain de blé. Une des solutions pour préserver une densité nutritionnelle suffisante en minéraux dans le pain serait donc de généraliser les farines de type 80, ce qui serait une solution satisfaisante pour une grande majorité de la population. Il faut souligner que le pain est à la fois très riche en sodium par l'ajout de sel (jusqu'à 20 g par kilo de farine, contre 16 g dans les pains au levain au début du XXe siècle) et relativement pauvre en potassium. Or ce dernier est un antidote du sodium pour prévenir l'effet d'un excès de sel sur l'hypertension. D'où la recommandation de ne pas consommer trop systématiquement du pain avec d'autres produits salés, tels que les charcuteries ou les fromages. À la différence des fruits et légumes, ou de la pomme de terre, le pain ne contient pas d'acides organiques de potassium ou de magnésium, ce qui le prive de tout pouvoir alcalinisant. Le pain est encore une source très significative de l'ensemble des vitamines B, surtout s'il est fait avec une farine bise ou complète. Par ailleurs, l'addition de levure ou le développement de la flore microbienne apportent des quantités significatives de vitamines B, dont cependant une partie peut être perdue à la cuisson. La consommation de pain sous forme de baguette accroît la proportion de croûte et des produits de la réaction de Maillard (sucres avec les acides aminés). Cela occasionne des déperditions nutritionnelles et parfois la production de composés trop dégradés pour l'organisme.

L'intérêt nutritionnel du pain pour sa richesse en glucides complexes, mais aussi en micronutriments s'il est confectionné avec une farine bise ou complète, est évident ; cependant, le pain est surtout un aliment complémentaire des autres aliments, à l'exception peut-être de ceux qui sont très salés, ce qui contredit beaucoup les usages les plus courants de sa consommation.

Christian Rémésy

• *Voir aussi :* Glucide ; Levain panifiable ; Minéraux ; Protéine ; Protéines (valeur biologique des) ; Santé ; Types de farine → Farine

Bibl. : Christian RÉMÉSY, *Alimentation et santé*, Paris, Flammarion, coll. « Dominos », 1994. – ID., *Les Bonnes Calories*, Paris, Flammarion, coll. « Dominos », 1996. – ID., *Que mangerons-nous demain ?*, Paris, Odile Jacob, 2005.

VAN. – Large panier d'osier que le vanneur agite pour séparer le grain de blé (ou d'avoine, d'orge, etc.) de la paille et autres impuretés.

Jean-Pierre Henri Azéma
et Roland Feuillas

• *Voir aussi :* Battage des céréales et aire de battage ; Chaubage ; Dépiquage ; Grain et graine

VAPEUR (four à). – Voir BAGUETTE ; ZANG

VARIÉTÉS DE BLÉ. – Les variétés de blé tendre, ou « cultivars » (contraction de « variété cultivée »), actuelles sont généralement des lignées pures ou parfois des hybrides F1, c'est-à-dire de première génération ; autrefois, les variétés étaient des populations de pays (comme « Rouge de Bordeaux »), auxquelles se sont substituées progressivement les variétés lignées pures améliorées. La lignée pure est un ensemble de plantes génétiquement identiques et homozygotes obtenues par différentes méthodes de sélection. La sélection généalogique est la plus utilisée depuis des décennies mais, actuellement, de nombreux sélectionneurs ont recours à la méthode de l'haplo-diploïdisation par culture d'anthères ou par croisement interspécifique « blé × maïs », qui permet d'accélérer le processus de fixation de la variété. En conditions naturelles, la lignée pure de blé se reproduit identique à elle-même par autofécondation ; le blé est une espèce autogame. Les semences de variétés hybrides F1 sont produites par croisement entre deux lignées pures. La lignée femelle qui produit la semence hybride est stérilisée par traitement gamétocide. Pour être commercialisée, la variété de blé doit être inscrite au catalogue officiel des espèces et variétés, pour cela elle subit des épreuves très rigoureuses.

Chaque variété inscrite au catalogue officiel porte un nom choisi par le sélectionneur qui a créé la variété. Les variétés les plus cultivées en France, récolte 2009, ont pour nom : Apache, Caphorn, Premio, Sankara, Mercato, Toisondor, Bermude, Koreli, Soissons, Dinosor, Alixan, Aubusson, Orvantis, Mendel, Rosario, Altigo, Paledor, Isengrain, Euclide, Prefector, Trémie, Hysun, Sponsor, Instinct, Aldric, Istabraq, Garcia, Selekt, Nirvana, Charger, Bagou, Cézanne, Andalou, Arlequin, Richepain, Royssac, Autan, Samuraï, Bastide, Arezzo, Limes, Quality, Courtot, Galibier, etc. Quelques variétés ont marqué leur époque, comme Cappelle, Champlein, Capitole, Hardi, Camp Rémy, Soissons, Isengrain, Apache, Caphorn, Étoile de Choisy, Crousty, Florence-Aurore, car elles ont été réputées pour leur qualité ou ont été cultivées sur des surfaces importantes ; certaines d'entre elles ont occupé jusqu'à 30 % de la surface de blés en France.

Michel Rousset
et Ludovic Salvo

• *Voir aussi :* AGPB ; BPMF ; Camp Rémy ; Céréaliers de France ; CIC ; CRC ; GEVES ; GNIS ; Hybride ; ONIGC ; Variétés de blé tendre au catalogue officiel ; Vilmorin ; VRM

VARIÉTÉS DE BLÉ TENDRE AU CATALOGUE OFFICIEL (inscription des). – L'inscription au catalogue officiel des espèces et variétés de plantes cultivées est une étape obligatoire pour commercialiser en France et au sein de l'Union européenne des variétés de blé tendre. Le Comité technique permanent de la sélection des plantes cultivées (CTPS), comité consultatif associant tous les acteurs privés et publics des filières agricoles et agro-industrielles, est chargé par le ministère de l'Agriculture de la gestion de ce catalogue sur la base des résultats des études techniques réalisées par le Groupe d'étude et de contrôle des variétés et des semences (GEVES). L'objectif de ces études est de mettre à disposition des utilisateurs des variétés distinctes, homogènes et stables (DHS) et dont la valeur agronomique et technologique (VAT) aura été reconnue comme source de progrès et sans défaut majeur. S'appuyant sur des réglementations communautaires et nationales, les études préalables à l'inscription permettent :

- d'établir la carte d'identité de la variété à partir de caractères morphologiques et physiologiques assurant son unicité et sa traçabilité, de la production de ses semences et de son utilisation par l'agriculteur jusqu'à la valorisation du produit de sa récolte (meunerie, boulangerie, transformation industrielle) ; un échantillon officiel de référence de la variété est conservé par le GEVES ;
- de mettre à disposition des agriculteurs une variété homogène et stable pour l'ensemble des caractères de description, garantie de l'identité et de la traçabilité de la variété à travers le temps ;
- de disposer d'informations techniques officielles sur la valeur agronomique de la variété en termes de productivité et de résistance vis-à-vis des facteurs biotiques ou abiotiques pouvant être préjudiciables à sa production. Ainsi, chaque année, un réseau national d'essais agronomiques est implanté selon des itinéraires culturaux représentatifs de la culture du blé tendre en France ;
- de disposer également d'informations techniques officielles sur la valeur technologique de la variété en termes d'utilisation des produits de récolte. Pour le blé tendre, dont les usages peuvent être différents, des études spécifiques sont mises en œuvre sur des échantillons de récolte des essais agronomiques pour apprécier la valeur meunière, boulangère, biscuitière ou fourragère des nouvelles variétés. Ainsi, dès l'inscription et sur la base de tests reconnus par la filière (alvéographe Chopin, test de panification normalisé, test biscuitier, etc.), les variétés de blé tendre bénéficient d'une première classification d'utilisation technologique (Blé de force ou Améliorant, Blé panifiable supérieur, Blé panifiable, Impanifiable, Blé biscuitier, Blé à autres usages). Cette classification reste ouverte à d'autres usages qui pourraient répondre à un réel besoin. D'autres critères comme la teneur en protéines, la viscosité et la dureté du grain sont, par exemple, aujourd'hui mesurés à titre informatif.

Les études DHS et VAT durent au minimum deux années. L'ensemble des résultats obtenus est expertisé par le CTPS. L'inscription est alors proposée uniquement pour les variétés distinctes des autres variétés cataloguées au niveau européen. Elles doivent être supérieures ou au moins égales en VAT aux variétés témoins de référence pour un ou plusieurs critères ayant trait à la productivité, au comportement vis-à-vis des contraintes biotiques ou abiotiques et à la qualité du produit de récolte. Ces études officielles ne sauraient être suffisantes pour délivrer une recommandation aux utilisateurs. Elles permettent un premier tri parmi toutes les nouvelles variétés déposées chaque année (environ 100 pour l'espèce blé tendre) et constituent une première étape dans l'acquisition des connaissances. Une fois inscrites (10 à 15 variétés par an en blé tendre), les organismes de développement poursuivront les essais pour établir le mode d'emploi de chaque variété en fonction des conditions agropédoclimatiques régionales et éventuellement pour l'accession à des listes recommandées par les filières. L'inscription d'une variété est valable dix ans, renouvelable selon certaines conditions par périodes de cinq ans. Une variété peut être radiée du catalogue à échéance de son inscription ou bien à la demande du sélectionneur lui-même. Les modifications au catalogue (inscription de nouvelles variétés, radiation, changement du responsable officiel de la maintenance de la variété, etc.) sont prononcées par voie d'arrêtés publiés au *Journal officiel* français. Une variété inscrite dans un État membre de l'Union européenne est autorisée à être commercialisée dans toute l'Union. Les règlements et protocoles d'inscription évoluent régulièrement, afin d'orienter la création variétale vers des variétés répondant mieux à la demande des utilisateurs et de la société, que ce soit au niveau des agriculteurs, avec notamment la recherche d'une meilleure résistance aux parasites, ou des transformateurs à la recherche de matières premières adaptées aux débouchés diversifiés, qu'au niveau des consommateurs revendiquant des produits sains et de qualité. Ces règlements font actuellement l'objet de discussions qui intègrent les orientations retenues dans le cadre du Grenelle de l'environnement et les nouvelles dispositions législatives et réglementaires qui en découlent.

Patrick Bastergue

• *Voir aussi :* CTPS ; GEVES ; GNIS ; Variétés de blé ; Vilmorin ; VRM

Bibl. : voir le site du GEVES, www.geves.fr

VAT (valeur agronomique et technologique). – Voir VARIÉTÉS DE BLÉ TENDRE AU CATALOGUE OFFICIEL

VENDANGE (pains de). – Les vignerons ne sont pas en reste vis-à-vis des laboureurs et leurs « pains de moisson ». En Bourgogne, au moment de la fin des vendanges, et le jour de la Saint-Vincent, patron des vignerons, le 22 janvier, des pains sont partagés entre les participants aux réjouissances. Dans la région de Beaune, un pain spécial était donné aux vendangeurs, un pain circulaire qui ressemble aux pains de moisson, mais qui est décoré en son milieu d'une grappe de raisin en relief, encadrée de feuilles de vigne ; les figurations du raisin y sont parfois teintes en rouge. Un autre pain, encore plus grand, est fait le troisième dimanche de novembre, à l'occasion de la deuxième des « Trois glorieuses » journées du vin de Bourgogne, le jour de la vente aux enchères des vins de l'Hospice de Beaune. Ce pain circulaire est orné de grappes de raisin et de feuilles de vigne, ajoutées en relief en pâte dure et claire. Dans la région du Beaujolais, un pain qui contient des grains de raisin, le « pain de la Grapille » est cuit également pour fêter la fin des vendanges.

Partout en France dans les régions de vignobles, la Saint-Vincent est célébrée. Le jour de la fête votive (le dimanche après le 22 janvier) a lieu la « Fête des vignerons de la Commune libre de Provins ». À la messe de 11 heures, l'autel est entièrement recouvert de pains en couronne, qui seront bénits par le curé et partagés entre les vignerons. Cette tradition de la bénédiction de la couronne perpétue celle des pains bénits que l'on distribuait autrefois le dimanche, à la sortie des églises en France.

Bernard Dupaigne

• *Voir aussi :* Accouchement (pains d') ; Fermentation (approche anthropologique de la) ; Moisson (pains de) ; Morts (pains des) ; Pain bénit ; Pain et vin ; Purgatoire (pains du)

Bibl. : Bernard DUPAIGNE, *Le Pain*, Paris, La Courtille, 1979. – *ID.*, *Le Pain de l'homme*, Paris, La Martinière, 1999 • Henri MASSÉ, *Croyances et coutumes persanes*, Paris, Maisonneuve, 1938 • Irène MÉLIKOFF, « Notes sur les coutumes des Alévis. À propos de quelques fêtes d'Anatolie Centrale », *Quand le crible était dans la paille. Hommage à P. N. Boratav*, Paris, Maisonneuve, 1978 • Monette RIBEYROL, « Une collecte de pains rituels en Bulgarie », *Objets et Mondes*, X, nº 1, printemps 1970 • Paul SÉBILLOT, *Le Folklore de France*, 1904-1906 ; rééd. Paris, Omnibus, 2002 • Arnold VAN GENNEP, *Manuel de folklore français contemporain*, Paris, Picard, 1937-1958 ; rééd. sous le titre *Le Folklore français*, Paris, Robert Laffont, coll. « Bouquins », 4 vol., 1998 • Nicole VIELFAURE, Anne-Christine BEAUVIALA, *Fêtes, coutumes et gâteaux*, Le Puy, Christine Bonneton, 1978.

VENDEUSES. – Voir BOULANGER (femme du)

VENEZUELA (traditions du pain au). – Pains levés et pains plats, pains salés, pains sucrés ou pains fourrés, pains rôtis, frits ou bouillis, pains de maïs, de blé, de manioc, de banane… le Venezuela offre une diversité de pains étonnante. Toutefois, le terme *pan* ou « pain » désigne d'abord à l'ordinaire l'aliment fait d'une pâte de farine de blé que l'on a fait lever avant de la cuire au four. Ce pain-là est consommé aujourd'hui sous de nombreuses variantes et apprécié dans tout le pays, mais c'est dans la région andine que sont nées les traditions du pain de blé.

Déçus de ne trouver ni or ni argent dans les Andes du Venezuela, les Espagnols, arrivés au milieu du XVIe siècle, transformèrent un temps ces montagnes en grenier à blé des Caraïbes. C'est pour retrouver le goût de leur pain qu'ils ont imposé les cultures, les techniques et les animaux du système céréalier ibérique de l'époque. Les sociétés et les paysages andins s'en trouvèrent radicalement transformés. Les Indiens regroupés dans les *haciendas* ou *encomiendas de pan comer* ont été soumis au travail forcé, les versants admirés pour leurs constructions en pierre (canaux d'irrigation et terrasses) ont été réaménagés pour être accessibles au bétail et labourés à l'araire, les grands animaux domestiques herbivores – alors inconnus dans cette partie des Andes – se sont faits présents jusque dans les lointains *páramos* (déserts). Dans les endroits propices, sous les climats plutôt secs et froids, les cultures locales durent céder leur place au blé, mais la céréale méditerranéenne s'intégrera finalement, entre le maïs et la pomme de terre, dans l'organisation étagée propre à l'agriculture andine. Sur place, le blé était transformé en farine entre les pierres rondes des moulins à eau, voire préparé en *bizcocho* (« biscuit ») pour une meilleure conservation lors des voyages. La production locale a vite permis des exportations pour Carthagène et même les Antilles à partir du port de Maracaibo, où les produits du blé étaient transportés à dos de mule, sur les chemins empierrés de la montagne. En 1579, les capitaines fondateurs de la ville de Mérida et un commerçant espagnol ont signé un document pour réglementer l'échange de blé andin et de marchandises manufacturées venues d'Europe. Pourtant, le système s'épuise durant l'époque coloniale et, au XVIIIe siècle, le blé n'alimente plus que les marchés régionaux.

Les champs et les aires à battre des

paysages du blé sont toujours visibles dans certaines vallées, mais les paysans d'aujourd'hui réservent le grain à leur propre consommation. Pour les fêtes, en mobilisant parfois plusieurs maisonnées, le « pain créole » est élaboré avec un mélange de farine locale et de farine blanche légèrement sucrée avec la *panela*, le pavé de sucre brun obtenu de la cuisson du jus de canne. La pâte levée est cuite dans les fours de pierre et d'argile allumés pour l'occasion, et les petits pains sont ensuite distribués aux invités venus honorer un saint ou un défunt. Mais au quotidien, on préfère moudre quelques poignées de grains au moulin vertical de la maison pour obtenir la farine du repas. La pâte est alors façonnée en boule puis abaissée et posée sur la plaque en terre cuite à même le foyer. On obtient une galette qui est la variante andine de l'*arepa* vénézuélienne et colombienne (voir ci-dessous), le blé se substituant ici au maïs. Elle se consomme chaude ou froide avec un accompagnement dit « passage » : une soupe de pomme de terre, un morceau de fromage fumé, une préparation à base de piment ou simplement une gorgée brûlante de *guarapo*, l'eau aromatisée de *panela*, et parfois de café. Cette *arepa* et son « passage » font un repas.

Dans les terres basses, c'est un autre ingrédient qui domine : le manioc, dont on fait des galettes (*cazabe*) consommées pareillement comme aliment de base et qui accompagnent de très nombreuses préparations. Sous des noms variables, la cassave est bien connue dans toute l'Amazonie et les Caraïbes. Sa recette, peut-être la plus ancienne recette de « pain » vénézuélien, exige un traitement élaboré de la racine du manioc amer dont on doit extraire le jus qui contient une substance vénéneuse. Après préparation, la pulpe râpée est saisie sur une plaque chaude pour obtenir une galette croustillante de la taille d'une roue de charrette vendue entière ou prédécoupée en portions et qui peut se conserver très longtemps. Elle accompagne des mets salés de toute sorte, mais il existe aussi des préparations sucrées à base de cassave. Et, plus récemment, des variantes de *cazabe* sous forme de petites galettes pour l'apéritif connaissent un grand succès dans tout le pays.

Le pain n'est pas de blé seulement. Au Venezuela, l'aliment par excellence à la ville comme à la campagne, chez les riches comme chez les pauvres, c'est un petit pain plat de maïs qu'on appelle *arepa*. L'épaisseur des galettes varie selon les régions et elles sont souvent ouvertes sur le côté pour être beurrées, garnies de fromage, de jambon, ou fourrées de préparations salées qui font d'elles un repas complet. Les *arepas* se fabriquent à la maison juste avant le repas et exigent, pour être parfaitement rondes comme il se doit, un tour de main acquis dès l'enfance, au moins chez les filles. On les fait généralement à partir d'une farine de maïs précuite manufacturée qui permet de réduire significativement le temps de préparation. La farine précuite, ingrédient de base de l'alimentation, peut être achetée partout et la plus célèbre marque nationale est d'ailleurs tout simplement le mot « pain ». Les *arepas* sont mises à cuire sur le *budare*, une plaque de métal, parfois de terre cuite, indispensable ustensile des cuisines vénézuéliennes, mais elles peuvent aussi être frites, par exemple dans les variantes où la pâte est mélangée à du fromage, ou sucrée et parfumée à l'anis. Elles sont mangées chaudes au petit déjeuner, au dîner ou même à tous les repas, et on peut aussi les acheter toute prêtes, non pas dans les boulangeries qui sont réservées aux autres pains, mais dans les *areperas*. En ville, l'*arepera* tient lieu de fast-food où l'on commande son *arepa* préférée à partir de noms choisis dans une liste de garnitures plus ou moins diversifiée, qui contient plusieurs sortes de fromages, des préparations à base d'œufs, de légumes, de viandes ou de salades élaborées comme la *reina pepeada*.

Les galettes peuvent aussi être fabriquées de façon plus artisanale à partir du grain de maïs sec préalablement mis à tremper ou à bouillir avec de la cendre pour en enlever facilement la cuticule. La *cachapa* est une autre sorte de pain de maïs très apprécié, mais élaboré cette fois à partir du grain tendre, dont le goût se marie particulièrement bien avec le *queso de mano*, un petit fromage rond et plat comme la *cachapa*. Le maïs est aussi le composant de base des *hallacas* consommées autour de Noël et farcies d'une préparation élaborée, riche en ingrédients, avant d'être enveloppées dans des feuilles de bananier et cuites à l'eau. D'autres spécialités au maïs tiennent lieu de pain, comme par exemple les différents types de *bollo*, faits de boules de pâte bouillies servies en accompagnement. Les *empanadas*, chaussons de pâte de maïs en forme de demilune, comme les *pasteles* faits de farine de blé et façonnés de forme ronde, sont fourrés de préparations classiques (fromage, viande) ou spécialités régionales (à la truite dans les Andes, au requin *cazon* dans l'île de Margarita, etc.) et consommés de préférence au petit déjeuner.

Pour le premier repas de la journée, on peut aussi choisir de manger du pain acheté à la boulangerie, voire de le consommer sur place avec un jus de fruit ou un café au lait. En ville, les boulangeries proposent une très grande diversité de produits salés et sucrés à base de farine de blé essentiellement, mais aussi de manioc, par exemple les petits pains au fromage *almojabana*, ou de maïs (pains levés de maïs). Les farines peuvent également être mélangées dans des proportions variables selon les recettes, bien sûr, mais aussi selon les époques et la disponibilité de farine de blé qui est depuis longtemps un produit importé. Même s'il ne saurait détrôner l'*arepa*, le pain de blé occupe désormais une place importante dans l'alimentation vénézuélienne, au moins dans les villes où on le consomme en collation dans la journée, sous forme de pain beurré par exemple, ou en repas du soir léger, sous forme de pain de mie en sandwich. Certains pains ont acquis une plus grande réputation que d'autres, comme le *pan de jamon*, spécialité crée à Caracas au XXe siècle et devenue plat traditionnel national pour Noël ; le *panetone*, hérité des Italiens et consommé aussi de préférence en fin d'année ; l'*acema*, un petit pain de son sucré à la *panela* et parfumé de cannelle de tradition ancienne ; le *pan frances*, petit pain à la croûte craquante de consommation courante ; le *bizcocho*, qui n'est plus le biscuit de longue conservation d'autrefois mais une viennoise aromatisée à l'anis et offerte dans certaines fêtes religieuses ; le *pan de perro caliente* ou « chien chaud », pour faire les hot-dogs vendus dans des petits kiosques ambulants à tous les coins de rue ; et encore des pains sicilien, arabe, chinois, créole, à la pomme de terre, à la banane, des hamburgers, etc. Les traditions du pain racontent finalement toute l'histoire d'un pays qui a su garder et marier dans ses recettes les ingrédients, les formes, les goûts et les manières de table hérités de l'époque préhispanique, venus d'Europe et d'Afrique à l'époque coloniale, apportés avec les vagues d'émigration plus récente et empruntés à des traditions régionales elles-mêmes très diversifiées. Elles dévoilent ainsi une grande inventivité culinaire.

Almojabana. Petit pain fait de fromage et d'amidon de manioc.

Arepa. Pain de maïs non levé d'origine précolombienne qui est toujours à la base de l'alimentation au Venezuela comme en Colombie, et en cela comparable à la *tortilla* mexicaine. La galette modelée à la main est cuite sur une plaque chaude en métal ou en terre et garnie de préparations salées de toute sorte. Elle est élaborée à partir de farine précuite manufacturée ou à partir du grain préalablement mis à tremper avec de la cendre pour en détacher la peau avant de le moudre (*arepa de maiz pelado*). On connaît aussi des variantes sucrées, certaines où la pâte est mélangée à du fromage, d'autres frites.

Cachapa. Crêpe épaisse faite d'une pâte de maïs tendre écrasé auquel on ajoute parfois du lait Elle peut être garnie de plusieurs sortes de préparations, mais on la préfère nature, beurrée généreusement ou accompagnée du fromage *queso de mano*.

Cazabe. Grande galette de manioc fabriquée à partir de la racine des variétés amères qui est râpée, égouttée et pressée de façon à en retirer tout le suc toxique. La pulpe obtenue est cuite sur une plaque chaude. Elle est consommée fraîche ou mise à sécher de façon à être conservée longtemps, même en milieu très humide comme c'est le cas en Amazonie. Ces qualités de conservation, déjà admirées par les colons européens arrivés au XVIe siècle, expliquent aussi qu'elle constitue toujours l'aliment de base de très nombreuses populations des terres basses en Amérique du Sud. Au Venezuela, il existe plusieurs spécialités sucrées et salées élaborées à partir de la cassave, par exemple ces mini-galettes garnies de parmesan, d'ail et de persil et servies à l'apéritif.

Empanada. Chausson de pâte de maïs fourré d'une préparation au fromage, à la viande « en mèche » ou aux haricots noirs et plongé dans un bain d'huile. Il existe plusieurs variantes régionales, comme l'*empanada de cazon* de la région côtière, qui est garnie d'une spécialité faite avec des poissons proches des roussettes, de la famille des requins. Les *empanadas* et les *pasteles* – préparés semblablement mais à partir de farine de blé et non pas de maïs – sont généralement achetés pour manger sur le pouce dans la rue à des marchands ambulants, ou dans les petits commerces qui peuvent aussi proposer du café, des boissons gazeuses et des sandwichs divers.

Hallaca. Présenté comme un petit paquet rectangulaire enveloppé dans des feuilles de bananier, le plus célère mets de la gastronomie vénézuélienne se rapproche des *tamales* et autres « pains de maïs » d'origine précolombienne. Pourtant, la tradition fait de la *hallaca* une nourriture métisse, une création culinaire d'esclaves d'origine africaine et amérindienne à partir des restes alimentaires de maîtres européens. La pâte de maïs est garnie d'une préparation à base de viande et de légumes marinés, où trônent des ingrédients exotiques comme les câpres et les olives. Chaque région a sa recette particulière et même chaque famille si l'on en croit le dicton qui dit que « les meilleures *hallacas* sont celles de ma maman ». C'est la spécialité incontournable de la période de Noël et elle est associée à une vie sociale intense : on prépare les *hallacas* en une fois lors de réunions familiales où tout le monde met la main à la pâte, puis on les offre et on les échange entre parents et amis durant tout le mois de décembre. Outre les différences régionales (*hallacas* au poisson sur la côte…), il existe des variantes moins élaborées, et moins coûteuses, comme les *hallaquitas* fourrées aux haricots noirs.

Pan de jamon. Spécialité du début du XXe siècle, lancée par un boulanger de Caracas et qui a eu depuis un immense succès dans tout le pays. La pâte à pain est garnie de jambon, de raisins secs, de câpres, puis roulée avant d'être enfournée. Fabriqué à la maison ou acheté dans les boulangeries, c'est un des mets présents sur toutes les tables à l'époque des fêtes de décembre.

Pascale de Robert

• *Voir aussi :* Amérindiens ; Amérique latine ; Andes boliviennes ; Colombie ; Maïs ; Mexique ; Pain (définition universelle du)

Bibl. : Rafael CARTAY, *El pan nuestro de cada día. Crónica de la sensibilidad gastronomica venezolana*, Caracas, Fundación Bigott, 2003. – ID., *Diccionario de cocina venezolana*, Caracas, Alfadil Ediciones, 2003 • Pascale de ROBERT, *Apprivoiser la montagne. Portrait d'une société paysanne dans les Andes (Venezuela)*, Paris, IRD Éditions, 2001.

VERMICELLE. – Voir PÂTES ALIMENTAIRES

VERMICELLIERS. – Voir PÂTES ALIMENTAIRES

VÉZELAY (moulin mystique de). Voir MOULIN MYSTIQUE

VIE (pain de). – Voir EUCHARISTIE ; MESSE ; THÉOLOGIE DU PAIN

VIENNOIS. – Voir MAINS (à deux)

VIENNOIS (baguette et pain). – Le pain viennois est caractérisé par l'usage de lait (ou lait en poudre) qui est mélangé avec l'eau utilisée lors de son pétrissage. Ce n'est pas pour autant un *pain au lait*, puisque dans celui-ci l'eau est presque entièrement remplacée par le lait. Au XIXe siècle, le pain viennois était fait avec la meilleure farine et comme « verni » par la cuisson à la vapeur. Ce pain fut introduit en France vers 1839 par Auguste Zang dans sa Boulangerie viennoise. Le *Kaisersemmel*, son modèle viennois, était un petit pain rond marqué avec cinq légères entailles partant du centre de la surface du pain. À Vienne, il a été longtemps considéré comme incarnant le sommet de la boulangerie. Aux États-Unis, le même pain est connu aujourd'hui sous le nom de *kaiser roll* et est rarement très fin. En France, ce petit pain a connu une réussite instantanée qui s'est confirmée durant tout le XIXe siècle. Vingt ans après son introduction à Paris, le satiriste Vuillemot écrivait : « On aura toujours du pain viennois ; le reste importe peu ! » Avec le temps, la même pâte a été façonnée à partir d'une très grande variété de formes. Le pain d'origine était alors connu sous le nom de « pain empereur » (une traduction de *Kaisersemmel*) : « On nous le présente de diverses façons : fluet et à gerçures, en tire-bouchon, rond et cinq fois fendu : celui-ci a nom "l'Empereur", il y a aussi le petit mirliton Richelieu et le brahoura ou navette » (*Le Gaulois*, 1891).

Aujourd'hui, le pain viennois apparaît le plus souvent sous forme de baguette, et c'est peut-être pour cette raison qu'il a été dit que la baguette dérivait du pain viennois (*New York Times*, 1983). Mais il est peu probable que le pain viennois courant ait pris cette forme avant l'apparition de la baguette. Raymond Calvel (1990) explique l'apparition du pain viennois moderne par l'interdiction, pendant la Deuxième Guerre mondiale et après (jusqu'à 1956), de la farine de gruau et le besoin qui en résulta de remplacer la baguette et certains petits pains. La baguette viennoise ressemble à la baguette ordinaire seulement dans sa forme allongée. Sa croûte est plus souple et paraît lustrée. Elle porte de multiples grignes horizontales au lieu des cinq en biais qui figurent sur les baguettes ordinaires. On y ajoute aussi une part de sucre, ce qui n'était pas courant au XIXe siècle et ne l'est pas non plus pour la baguette ordinaire.

Jim Chevallier

• *Voir aussi :* Autriche ; Baguette ; Fantaisie (pain de) ; France (pains actuels, pains régionaux) ; Viennoiserie ; Zang

Bibl. : Emil BRAUN, *The Baker's Book : A Practical Hand Book of the Baking Industry in All Countries*, New York, Braun, 1901 • Raymond CALVEL, *Le Goût du pain*, Les Lilas, Jérôme Villette, 1990 • Anselme PAYEN, *Précis de chimie industrielle*, Paris, Hachette, 1867 • Auguste VUILLEMOT, *La Vie a Paris : Chroniques du Figaro*, Paris, Levy, 1858.

VIENNOISE. – Voir QUARTIER

VIENNOISE (Boulangerie). – Voir ZANG

VIENNOISE (échelle). – Voir ÉCHELLE VIENNOISE

VIENNOISERIE. – Ce mot désigne en général des pains – le plus souvent des petits pains, mais pas toujours – plus riches en sucre, lait, beurre, œufs, etc. que les pains ordinaires et qui peuvent se rapprocher même des produits de la pâtisserie. Le terme est aujourd'hui un peu trompeur, puisqu'il concerne des produits soit d'origine « viennoise » (on parle ici de la ville de Vienne), soit fait à partir de méthodes « viennoises ». Car non seulement il s'applique à des pains, comme la brioche, qui sont d'origine française, mais la base de la plupart des produits regroupés sous cette dénomination – le croissant, le pain au chocolat, le chausson aux pommes, le pain aux raisins, etc. – est une pâte feuilletée ou levée, autrement dit une méthode d'origine française et non pas viennoise. Comment alors s'y retrouver ?

Le mot même « viennoiserie » ne date que du XXe siècle ; il est employé encore de façon tout à fait exceptionnelle au début du siècle (*Le Correspondant*, 1907). Mais la mode des méthodes et produits viennois avait débuté bien plus tôt, lorsque August Zang ouvrit, vers 1839, sa Boulangerie viennoise à Paris. Si le croissant et le pain viennois furent bien les premiers produits viennois à être appréciés des Parisiens, ils ne ressemblaient qu'en partie aux produits que nous désignons ainsi aujourd'hui. Le pain viennois, déjà, avait la forme du pain « empereur » et non pas de la baguette. Croissant et pain viennois étaient constitués de la même pâte, faite avec du lait et de la levure, plus rarement avec du beurre et jamais feuilletée. L'appellation « pains viennois » s'étendit assez tôt a tout pain de luxe : « La fabrication […] des pains de luxe, appelée "fabrication viennoise", comprend tous les pains à croûte vernie, pains de gruau, pains au beurre et au lait, dont les formes ou les dimensions varient presque à l'infini. Ils sont faits de farine de gruau mêlée de lait avec addition éventuelle de beurre, et préparés avec de la levure. […] Ces pains sont préparés et cuits avec le plus grand soin ; à la sortie du four, où ils sont demeurés peu de temps, ils reçoivent, à l'aide d'une brosse, une couche légère d'eau de fécule qui leur donne ce vernis brillant si appétissant à l'œil » (Bitard 1878). Le « vernis » pouvait être aussi créé par les « fours viennois », qui introduisait de la vapeur lors de la cuisson (Chevalier 1868). Ce n'est qu'au début du XXe siècle qu'on a commencé à faire des croissants au beurre, c'est-à-dire avec la pâte feuilletée. L'association de cette méthode avec toute la gamme des produits dits « viennois » ne s'est faite vraisemblablement que bien plus tard.

Jim Chevallier

• *Voir aussi :* Brioche ; Croissant ; Fantaisie (pain de) ; Feuilletage ; Pâtisserie ; Viennois (baguette et pain) ; Zang

Bibl. : A. BITARD, *Le Monde des merveilles*, Paris, Librarie illustrée, 1878 • Emil BRAUN, *The Baker's Book : A Practical Hand Book of the Baking Industry in All Countries*, New York, Braun, 1901 • Raymond CALVEL, *Le Goût du pain*, Les Lilas, Jérôme Villette, 1990 • Michel CHEVALIER, *Rapports du Jury international*, tome 11e, Paris, Dupont, 1868 • Anselme PAYEN, *Précis de chimie industrielle*, Paris, Hachette, 1867 • Auguste VUILLEMOT, *La Vie a Paris : Chroniques du Figaro*, Paris, Levy, 1858.

VIERGE (constellation). – Voir ÉPI (symbolique de l')

VIERGE ET CYCLE DES CULTURES CÉRÉALIÈRES (culte de la). – La Vierge, appelée la Toute Sainte ou la Mère de Dieu par les chrétiens orthodoxes, a été configurée, dans le culte et les traditions populaires de l'Orient méditerranéen, à partir de plusieurs attributs appartenant à des anciennes divinités du monde gréco-romain : ainsi, en tant que *tropaiophoros* (« celle qui annonce la victoire »), elle guide les armées comme stratège glorieux et sauve les villes assiégées – surtout Constantinople, qui lui est consacrée. Lorsqu'elle est *Eléoussa* (« secourable »), elle court à travers les flots pour sauver les marins, les voyageurs menacés par les brigands, ou les citoyens victimes d'une justice aléatoire. Mais elle s'investit aussi dans le secours des femmes en couches ou celles qui souffrent d'infertilité et, par extension, elle surveille la fécondité des troupeaux et la santé des bêtes, comme elle se préoccupe de la fertilité de la Terre et du bon déroulement de semailles, de la germination ou de la dormance des graines. Ensuite, lorsque les nouvelles pousses verdoient sur la surface de la terre, c'est à elle que l'on s'adresse afin qu'elle soit bienveillante envers les jeunes épis et qu'elle contribue, par des pluies bienveillantes, bien espacées, à ce que les graines soient pleines, bien gonflées au moment des moissons. Ensuite, lorsque les épis fauchés gisent sur les aires de battages, c'est à Notre Dame des moissons qu'on s'adresse pour qu'elle éloigne tout risque d'incendies, qui éclatent souvent dans les contrées de la Méditerranée orientale avec les premières canicules et peuvent faire partir en fumée les labours de toute une année. En témoignent aussi bien les adjectifs qualificatifs qu'on adjoint à ses invocations (cf. les noms des églises et des chapelles qui lui sont consacrées, ainsi que les toponymes), que les fêtes instaurées en son honneur aux moments cruciaux de l'année, correspondant aux principales étapes des cultures céréalières. À titre d'exemple, nous nous référons ici à trois dates en particulier, qui correspondent à la division tripartite de l'année agricole dans cette partie du monde.

Notre Dame des semailles, *Messosporitissa* ou *Polysporitissa* sont les invocations que l'on attribue à la Vierge honorée le 21 novembre. Cette célébration – appelée la Présentation de la Vierge – commémore un événement rapporté dans l'apocryphe Protévangile de Jacques : Marie est entrée dans la vie sainte à l'âge de trois ans, lorsqu'elle fut présentée au temple en tant qu'« ex-voto » vivant, en guise de remerciement du vœu exaucé de ses parents : d'avoir un enfant malgré l'âge avancé d'Anne, sa mère. Plusieurs légendes se sont ajoutées à cette narration biblique sur la vie de la jeune fille, sur les visites répétées de l'archange Gabriel lui apportant le « pain céleste », etc. L'iconographie byzantine s'en est largement inspirée pour figurer la Vierge seule (sans son Fils) en tant qu'*Odoigitrie*, « Notre Dame la Guide », secourable pour tous ceux qui le méritent, grâce à sa propre valeur et non pas seulement comme mère de l'enfant divin. En ce jour, dans tous les Balkans, les cultivateurs apportent aux églises des graines de toutes sortes (*polysporia*), à la fois céréales et légumineuses, et, par ces offrandes, ils lui demandent d'être vigilante avec leurs semailles et la germination en cour. On prépare aussi des gâteaux de graines de céréales bouillies et sucrées, pareilles aux *kollyva* funéraires, qui ont néanmoins une connotation ambiguë, oscillant entre les vœux pour une germination réussie dont résultera cet aspect verdoyant des champs au printemps, et la supplication pour une bonne récolte – les deux tiers des réserves céréalières étant déjà consommées.

L'autre date d'une ferveur agricole indéniable adressée à la Tout Sainte est la fête du 25 mars, date de l'Annonciation où on honore l'*Evangelistria*, « Notre Dame de la bonne nouvelle », et où l'on prie la future mère de Dieu afin qu'elle favorise l'épanouissement des jeunes pousses. C'est la narration de l'Évangile selon Luc (I, 26-38) qui sert de trame aux légendes et aux traditions populaires associées à cette fête, mais aussi à l'élaboration de l'iconographie sacrée dont l'art occidental a produit des représentations merveilleuses. Dans le monde gréco-romain, cette date annonçait la reprise des hostilités et la Vierge célébrée à cette date devient ainsi *Stratigos Hypermachos* (« Stratège triomphante »), sans pour autant négliger ses prérogatives de « divinité » agraire – ce sont surtout les bergers, qui commencent, à partir de cette date, les transhumances, qui honorent la Vierge à cette date-là, comme les apiculteurs qui sortent les ruches en plein air. Elle est aussi celle qui protège tous ceux qui travaillent dans les champs des morsures des serpents, lesquels sortent alors de leur hibernation avec une virulence renouvelée.

Le 2 juillet est la fête de la *Bruna*, de la « Vierge brune » – qui porte les trace de son souci d'éteindre des incendies –, célébrée avec faste surtout en Italie du Sud et dans les îles grecques de la mer Ionienne. À Matera, dans la province de Basilicate, dans une ambiance qui rappelle le roman de Carlo Levi *Le Christ s'est arrêté à Eboli*, se déroule une cérémonie étonnante où la ferveur des ceux qui organisent l'événement religieux rivalise avec la turbulence des « marchants du temple », dont le but est de créer une ambiance de foire qui dope la consommation. Au loin, dans les collines ondulées où l'on brûle les restes de la paille abandonnée dans les champs après les moissons – opération supposée fertilisante pour la terre –, s'élèvent des multiples fumeroles qui montent avec paresse vers le ciel. On fête la mémoire de la Vierge qui protège les épis, rassemblés en gerbes par terre, du feu fréquent et destructeur, dans les zones agricoles de la Méditerranée orientale où aux chaleurs précoces s'ajoutent la mauvaise gestion des restes de paille et les festivités débordantes et bien arrosées de la fin des moissons. Ajoutons encore, malheureusement, la malveillance entre paysans rivaux, qui peut contribuer à l'allumage des feux… On traduit ces événements comme une malchance provoquée par le mauvais œil et, dans le souci d'apaisement du climat social, on implore l'aide de la *Bruna* qui sait éteindre les incendies, alors que le cortège organisé en son honneur se dirige du centre-ville vers les champs.

Yvonne de Sike

• *Voir aussi :* Battage des céréales et aire de battage ; Calendrier grec ancien ; Calendriers et mesure du temps ; Déméter et Perséphone ; Éleusis (mystères d') ; Épi ; Épi (symbolique de l') ; Fléau ; Grèce ; Moissons (symbolique des) ; Pétrin (symbolique du) ; Rite orthodoxe ; Saturne ; Terre-Mère primordiale

Bibl. : Yvonne de SIKE, *Fêtes et croyances populaires en Europe*, Paris, Bordas, 1994.

VILMORIN, Louis de (1816-1860). Petit-fils de Philippe-Victoire Lévêque de Vilmorin (1746-1804), qui tenait un commerce de grains quai de la Mégisserie, à Paris, avec son beau-père, Pierre Andrieux. Grand ami de Parmentier, dont il partageait les travaux, Philippe-Victoire s'était intéressé à la sélection des espèces maraîchères. Il avait introduit la betterave champêtre et le rutabaga et était l'auteur d'un catalogue recensant différentes variétés de plantes aromatiques et d'arbres fruitiers. Dans le sillage de son père, Philippe-André (1776-1862), fondateur d'un centre de cultures expérimentales à Verrières-le-Buisson, en 1815, Pierre Louis François de Vilmorin, dit Louis de Vilmorin, poursuit et développe l'œuvre de son grand-père en éditant, en 1850, le premier catalogue descriptif et comparatif des froments. Conjuguant agriculture, biologie et chimie, il élabore une théorie de l'hérédité des plantes : il démontre ainsi qu'en développant certaines caractéristiques d'une plante il est possible d'obtenir de nouvelles variétés répondant aux critères souhaités. C'est le principe de la sélection généalogique, dont le but est d'adapter les plantes aux besoins des hommes. Avant, le système de sélection portait sur la totalité des plantes récoltées ; les meilleurs spécimens étaient ensuite échangés entre agriculteurs pour être semés. Plus précise, la sélection de Louis de Vilmorin repose sur l'analyse de chaque plante d'une population, qu'il considère comme un individu ayant ses propres caractéristiques. Pour le blé, il féconde les fleurs préalablement émasculées d'une variété X (géniteur femelle) par le pollen d'une variété Y (géniteur mâle) qui donnent des plantes XY rassemblant les qualités recherchées. C'est ainsi qu'il crée des blés destinés essentiellement à la boulangerie. Après dix ans d'affinage, Louis de Vilmorin présente en 1856 à l'Académie des sciences une nouvelle variété de betterave sucrière qui contient plus de sucre (18 %) que les plantes d'origine (10 %). Grâce à sa méthode de sélection, la betterave peut enfin concurrencer la canne à sucre. Sa *Note sur la création d'une nouvelle betterave et considérations sur l'hérédité chez les plantes*, publiée la même année, pose les fondements de la technique moderne de l'industrie semencière. Sa théorie de l'hérédité des plantes précède de dix ans les lois de Mendel.

Anne Muratori-Philip

• *Voir aussi :* Cadet de Vaux ; Malouin ; Parmentier ; Semences ; Semenciers ; Variétés de blé ; Variétés de blé tendre au catalogue officiel

Bibl. : Gustave HEUSE, *Les Vilmorin (1746-1899)*, Paris, Librairie agricole de la Maison rustique, 1899 • Pierre FEILLET, *La Nourriture des Français*, Versailles, Édition Quæ, 2007.

VIN ET PAIN. – Voir PAIN ET VIN

VIOLON SUR LE TOIT, Le (*The Fiddler on the Roof*). – Voir DOCUMENTAIRES ET FILMS

VIS À BLÉ, À FARINE. – Appareil qui, sur le principe de la vis d'Archimède, permet de transporter des produits horizontalement (ou de manière légèrement inclinée). Dans un moulin, on retrouve ces vis à tous les stades de la transformation du grain : vis à grain, vis à farine, vis à son.

Philippe Duret

• *Voir aussi :* Grain ; Moulin ; Mouture

VISCOSITÉ. – Voir HÉMICELLULASE FONGIQUE

VITAMINE C. – Voir ACIDE ASCORBIQUE

VITAMINE E. – Terme générique pour désigner l'ensemble des tocophérols et des tocotriénols. L'α-tocophérol présente l'activité biologique la plus élevée *in vivo*, on lui attribue un taux de 100 %. Les autres isomères ont une activité réduite (environ 30 % et 15 % de l'activité de la forme α pour les formes β- et γ-tocophérols, respectivement). Les apports nutritionnels en α-tocophérol conseillés en France varient de 3 mg chez le nourrisson à 12 mg par jour chez l'adulte. Les enquêtes alimentaires montrent que les apports sont très fréquemment inférieurs aux recommandations (Le Moël *et al.* 1998). Les germes des graines et les huiles végétales constituent la principale source naturelle de tocophérols. Les formes principales présentes dans le grain de blé sont l'α- et le β-tocophérols, principalement détectés dans le germe, et l'α- et le β-tocotriénols, plus spécifiquement localisés dans les enveloppes du grain. Dans le blé entier, les teneurs en vitamine E sont de l'ordre de 1,5 à 2 mg d'« équivalent α-tocophérol » par 100 g. Le germe est extrêmement riche en tocophérols avec une teneur de 25 mg/100 g (Souci *et al.* 2000). Les produits céréaliers peuvent donc fournir environ 15 % des ANC (apport nutritionnel conseillé, défini comme la quantité moyenne de mg à fournir par personne et par jour, qui doit pouvoir satisfaire les besoins de la quasi-totalité des individus et prévenir les conséquences fâcheuses pour notre santé d'un déficit en cet élément), sur la base d'une consommation de 100 g de farine intégrale par jour. L'efficacité d'absorption de la vitamine E est assez faible (20 % à 50 % de la quantité ingérée). La vitamine E est un antioxydant de structure hydrophobe qui agit principalement dans les membranes des cellules en limitant les péroxydations lipidiques. Elle est régénérée par la vitamine C. Ainsi, l'apport d'acides gras polyinsaturés doit toujours être accompagné d'une teneur suffisante en vitamine E pour assurer leur protection antioxydante. Une récente étude révèle que la consommation de germe de blé, particulièrement riche en vitamine E, serait favorable à la protection cardiovasculaire (Leenhardt *et al.* 2007). Une des voies majeures de l'amélioration de la qualité du pain concerne donc sa richesse en vitamine E issue des germes. Certes, une des solutions serait de consommer du pain complet avec ses 2,5 % de germe. Dans une démarche plus courante, il semble possible de mettre en œuvre les modifications du diagramme de mouture afin de produire des farines bises qui récupèrent le plus possible du germe. Une autre voie serait d'extraire le germe afin d'enrichir des farines en quantité plus élevée que les valeurs naturelles, par exemple de l'ordre de 5 %.

Fanny Leenhardt

• *Voir aussi :* Antioxydant ; Enveloppe ; Germe ; Santé ; Valeur nutritionnelle du pain ; Vitamines

Bibl. : G. LE MOËL, A. SAVEROT-DAUVERGNE, T. GOUSSON, J.-L. GUÉANT, *Le Statut vitaminique*, Paris, EM Inter-Tec et Doc-Lavoisier, 1998 • I. JIALAL, S. DEVARAJ, « Scientific Evidence to Support a Vitamin E and Heart Disease Health Claim : Research Needs », *The Journal of Nutrition*, nº 135, 2005, p. 348-353 • F. LEENHARDT, A. FARDET, B. LYAN, E. GUEUX, E. ROCK, A. MAZUR, E. CHANLIAUD, C. DEMIGNÉ, C. RÉMÉSY, « Wheat Germ Supplementation of a Low Vitamin E Basal Diet in Rats Affords Effective Antioxidant Protection Essentially in Tissues », *Journal of the American College of Nutrition*, nº 27, 2008, p. 222-228 • S. SOUCI, W. FACHMANN, H. KRAUT, *Food Composition and Nutrition Tables*, New York-Stuttgard, MedPharm Scientific Publishers-Taylor & Francis, CRC Press Book, 7e éd., 2008.

VITAMINES. – Molécules sans apport énergétique (contrairement aux glucides, lipides et protéines), indispensables au bon fonctionnement de l'organisme et qui interviennent dans de nombreux mécanismes vitaux (métabolisme énergétique ; métabolisme des glucides, lipides et protéines ; synthèse de nombreux constituants comme la méthionine, le collagène, les globules rouges, … ; fonctions de co-enzymes dans de nombreuses réactions). Ce sont des micronutriments que l'organisme ne sait pas synthétiser et qui doivent être apportées en quantité suffisante par l'alimentation ; d'où des problèmes de carences lors de sous- ou malnutrition, avec les maladies associées (vitamine C et scorbut, vitamine B1 ou thiamine et béri-béri ; vitamine D et rachitisme). Les vitamines interviennent donc dans la prévention de nombreuses maladies et participent de l'état de santé général, comme l'ont montré les nombreuses études de carence sur animaux. On les classe en deux catégories : les vitamines hydrosolubles au nombre de neuf et les liposolubles au nombre de quatre. Toutes les vitamines B (B1 ou thiamine ; B2 ou riboflavine ; B3/PP ou nicotinamide ou acide nicotinique ou niacine ; B5 ou acide pantothenique ; B6 ou pyridoxine ; B8 ou biotine ; B9 ou folates ou folacine et B12 ou cobalamine), et la vitamine C sont hydrosolubles. Les vitamines E, D, A et K sont liposolubles et interviennent également dans de nombreuses fonctions vitales comme la vision, le métabolisme osseux et l'absorption minérale. Par ailleurs, les vitamines C et E sont de puissants antioxydants. Des activités antioxydantes indirectes ont également été rapportées pour la thiamine et la riboflavine. Les apports recommandés journaliers diffèrent d'une vitamine à l'autre et peuvent varier de 2.4 µg pour la cobalamine à 110 mg pour la vitamine C. Dans nos pays industrialisés, il n'y pas de problèmes de carence. Les céréales contiennent presque toutes les vitamines, excepté la cobalamine (que l'on ne trouve que dans les produits animaux), les vitamines C et D. Le grain de blé est particulièrement riche en thiamine, niacine, acide pantothénique et biotine, tandis que le germe est reconnu pour sa forte teneur en vitamine E (environ 20-30 mg/100 g), mais aussi en vitamines B3, B5 et B6. Les vitamines sont principalement contenues dans les couches externes du grain (la fraction son) et le germe : ainsi, pour le blé et selon les variétés considérées et les lieux de culture, la teneur en niacine est de 2-11 mg/100 g de grain entier, 14-36 mg/100 g de son et de 4-9 mg/100 g de germe. Dans le pain, plus la farine est raffinée et plus les pertes en vitamines sont importantes. Le type de fermentation de la pâte (levain *vs* levure) entraîne par ailleurs des modifications des teneurs en vitamines dues aux activités bactériennes, notamment pour la pyridoxine, la thiamine et la riboflavine. Enfin, la biodisponibilité des vitamines contenues dans le pain est généralement inférieure à 50 %.

Anthony Fardet

• *Voir aussi :* Biodisponibilité ; CNERNA ; Levain (intérêt nutritionnel du) ; Santé ; Valeur énergétique du pain ; Vitamine E

VOL-AU-VENT. – Voir CROISSANT

VOÛTE OU CHAPELLE DU FOUR À BOIS. – La voûte forme l'espace de cuisson du four. En fonction de sa configuration, elle est dite voûte en « cul-de-four », ou voûte en « cul-de-chapeau ». La hauteur de la voûte varie en fonction de la taille du four, et selon la matière qu'on a usage de brûler pour le chauffer : plus ce qu'on emploie brûle aisément, plus la chapelle doit avoir de la hauteur. Il est dit que, d'une manière générale, la voûte doit être la plus basse possible. Plus elle est près de l'âtre, plus le four est « tendre à chauffer ». La voûte ou chapelle est à distinguer de celle qui coiffe l'espace qui sert à entreposer le bois, la cognée et la massue pour le fendre.

Mouette Barboff

• *Voir aussi :* Bouche, gueule du four ; Bouchoir ou fermoir du four ; Cuisson directe/indirecte ; Cuisson sur filets ; Cuisson sur pavé ; Enfournement ; Enfournement (rituel thérapeutique d') ; Enfournement-défournement ; Four ; Four (symbolique du) ; Fournée ; Sole

VOYAGE AU DÉBUT DU MONDE (*Viagem ao Princípio do Mundo*). – Voir DOCUMENTAIRES ET FILMS

VRM (variétés recommandées par la meunerie). – Dans l'ensemble des variétés inscrites et cultivées, certaines, utilisées pures, permettent d'obtenir régulièrement, c'est-à-dire sur plusieurs années de récoltes, de bons résultats en panification, en biscuiterie ou en viennoiserie. Ces variétés sont identifiées sous le nom de « variétés recommandées par la meunerie », dans le but d'inciter leur culture, afin qu'elles soient disponibles pour la meunerie. Ces variétés sont les meilleures pour chaque utilisation de pain, biscuit ou viennoiserie.

Ludovic Salvo

• *Voir aussi :* Biscuit ; Biscuitiers ; Meunerie ; Panification ; Variétés de blé ; Variétés de blé tendre au catalogue officiel ; Viennoiserie

W-Y-Z

WO DE YI WAN MIAN BAO. – Voir DOCUMENTAIRES ET FILMS

YAKITATE ! ! JA-PAN. – Voir *UN PAIN, C'EST TOUT*

YÉMEN (traditions du pain au). – La consommation de pain est très répandue au Yémen, pays essentiellement agricole. Il en existe une grande diversité, grâce à la variété des céréales disponibles (froment, orge, millet, sorgho, éleusine, maïs) et des ingrédients que l'on y ajoute (tomates, févettes, lentilles, dattes, bananes plantains, beurre clarifié, œufs, miel, épices). Nous en possédons des témoignages depuis le xe siècle (Champault 1985 ; Ibn Battûta [1854] 1979 ; Serjeant 1974 ; Serjeant et Lewcock 1983 ; Varisco 1985). Selon les zones rurales ou citadines, le pain est plus ou moins consommé. Dans tous les cas, il constitue un aliment de base et il est un substitut aux céréales en grains, préparées grillées ou séchées, et aux bouillies. Dans les villes, et surtout à Sanaa et à Aden, les types de pain sont très variés, à pâte levée ou non levée. Ils sont consommés pour prélever les aliments et les transmettre à la bouche ou en panade (morceaux émiettés plongés dans du *leben*, sorte de yoghourt poivré ; ou dans du lait épicé (piment, ail, cumin, thym, etc.) ; ou encore dans du beurre clarifié, du miel, des œufs, ou du bouillon de viande. À vrai dire, ces sortes de panades présentent bien des similitudes avec les bouillies. Serjeant et Lewcock (1983) ont répertorié neuf variétés de pain à Sanaa ; certains sont de tradition ancienne et peuvent également exister dans d'autres régions. La plupart sont des pains levés, cuits sur les parois d'un four en terre qui est commun à tout le Moyen-Orient (*tannûr* ou *tanour*). La plupart sont faits avec de la farine de sorgho, parfois mélangé à d'autres céréales, voire à de la farine de lentilles ; certaines pâtes sont lutées ou mêlées au fenugrec, qui aurait la propriété d'alléger la farine de sorgho. Les mêmes auteurs ont recueilli neuf recettes à base de pain à Sanaa. L'une d'elles est l'équivalent du *thrîd* classique réalisé à partir de ce pain très fin (*al-rqâq*), ici nommé *al-fattah*. À la place de ces sortes de crêpes, le plat comprend des restes de pain émietté, mélangé à du beurre et consommé avec un bouillon de viande ou associé à des bananes plantains ou du miel. Deux pains ont un usage particulier. Le premier, à base de farine de maïs, est destiné au repas de shabbat des juifs. Préparé le vendredi, il est non levé comme le veut la loi religieuse, mélangé à de la soupe ou du beurre et maintenu au chaud jusqu'au lendemain dans un récipient en pierre. Le second est servi à la parturiente pendant quarante jours : pain de froment chaud trempé dans du beurre clarifié (*samn*) et du miel. Dans les villes, le pain, qui, pour la famille, est toujours fabriqué par les femmes, est pétri tous les jours, parfois même plusieurs fois par jour, afin d'être consommé frais au déjeuner et au dîner, voire au petit déjeuner. Le pain de froment a toujours été associé aux riches familles citadines. Depuis les années 1980, des boulangers de Sanaa et d'Aden font du pain de farine de blé importée. Dans les zones rurales, le sorgho est toujours préféré pour sa consistance. Un type de pain existant de longue date à Aden est le *rûtî*, d'origine indienne. Il fut probablement importé par les marchands indiens nommés *banyan*, qui servaient d'intermédiaires entre les négociants arabes et européens. *Rûtî* est le nom de ces galettes frites très répandues dans le continent indien. À Sanaa, sous ce même nom, elles ont une forme oblongue et sont faites à partir de farine de blé par les boulangers ; leur consommation s'étend vers les campagnes. Au Yémen, le pain donne lieu à de nombreux dictons. Ainsi, un morceau de pain sec absorbé après un repas signifie que l'hôte n'a pas été satisfait par son repas. Mais, dans les maisons riches, l'hôte doit offrir en collation du pain grillé avec du café.

Al-dhamûl. Pain de farine de blé à la levure, mélangé avec du beurre clarifié, des œufs, et du cumin. Il est cuit dans le *tannûr*.

Al-fattah. Panade de pain mêlé à du beurre clarifié (*ghee*), de l'eau et du sel.

Al-fatût. Nom générique pour toute préparation à base de pain (panade), mélangé à du beurre, de la soupe, des bananes, du miel…

Al-ma'sûbah. Pain de froment non levé consommé avec du beurre clarifié ou du lait. Il est destiné à la parturiente, durant quarante jours.

Al-sûsî. Pain de blé. Une fois cuit, on y ajoute du beurre clarifié, puis deux œufs battus, du beurre, du sel sont introduits dans le pain qu'on recouvre de cumin. Il est mis à cuire une deuxième fois dans un récipient sur la cendre du *tannûr*.

Fattîr. Pain non levé de farine de sorgho, cuit sur une plaque de cuisson.

Jahîn. Petit pain rond de sorgho au levain. La pâte est aplatie à la main sur la paroi du *tannûr* et cuite en 3 min. Ce pain est de plus petite taille et plus épais que le *khubz*, et aussi plus consistant.

Khubz min al-daqîq. Pain fait de farine de blé importée, avec levure, cuit sur les parois du *tannûr*.

Kidmah. Pain de farine de froment ou de sorgho, éventuellement d'un mélange de céréales, non levé et cuit sur les parois du *tannûr*.

Lahuh. Pain, ou crêpe épaisse, de sorgho fermenté et levé, frit. Réduit en morceaux et mêlé à du beurre clarifié et à des épices, cela devient un *shafût*.

Malûj al-burr. Pain de froment au levain cuit au *tannûr*.

Malûj al-sha'îr. Pain de farine d'orge au levain à laquelle est ajouté un peu de fenugrec (*hilbah*). Parfois orge et froment sont mélangés. Cuit au *tannûr*.

Qafû'. Pain de farine de sorgho ou de lentilles (éventuellement d'un mélange des deux), avec levain et un peu de fenugrec pour le rendre plus léger. Chaque boule de pâte est encore recouverte de fenugrec, puis elle est aplatie directement sur la paroi du *tannûr*, où elle va cuire.

Qurmah. Pain de sorgho à pâte levée, équivalent au *qafû'*. Il est cuit au *tannûr*.

Rûtî. – D'origine indienne, il s'agit d'une galette de farine de blé non levée, frite et fabriquée par les boulangers.

Anie Montigny

• *Voir aussi :* Arabie saoudite → Péninsule Arabique ; Djibouti ; Oman → Péninsule arabique ; Pain (définition universelle du) ; Pains mondiaux ; Somalie ; Tannur

Bibl. : D. CHAMPAULT, « Espaces et matériels de la vie féminine sur les hauts plateaux du Yémen », *in* J. Chelhod *et al.*, *L'Arabie du Sud. Histoire et civilisation*, Paris, Maisonneuve et Larose, 1985, vol. 3 • C. DEFRÉMY, B. R. SANGUINETTI, *Voyages d'Ibn Battûta* (1854 ; texte arabe accompagné d'une traduction par), Paris, Anthropos, 1979, 4 vol. • R. B. SERJEANT, « The Cultivation of Cereals in Medieval Yemen (A Translation of the Bughyat al-Fallâhîn of the Rasûlid Sultan al-Malik al-Afdal al-'Abbâs b. 'Alî, composed *circa* 1370) » *Arabian Studies*, I, 1974 • R. B. SERJEANT, R. LEWCOCK, *San'â', an Arabian Islamic City*, Londres, Penshurst Press Ltd, 1983 • D. M. VARISCO, « The Production of Sorghum (Dhurah) in Highland Yemen », *Arabian Studies*, VII, 1985.

YEUX DU PAIN. – Terme fréquemment utilisé jusqu'au XIXe siècle pour caractériser la porosité de la structure alvéolaire de la mie du pain. On parle alors aussi de mie « œilletée ». Malouin explique que « l'air se raréfie dans la pâte au four en cuisant, il y forme de petites cavités qui sont ce qu'on appelle les yeux du pain ». Vaury mentionne en 1834 « les très petits yeux du pain de mie ». Il associe à juste titre la distribution cellulaire de la mie du pain à la notion de texture : « L'intérieur du pain doit être rempli de grands yeux, sa mie très blanche, très spongieuse très élastique. » À la fin du XIXe siècle, on ne parle plus des yeux de la mie ou du pain, mais de cellules plus ou moins régulières.

Hubert Chiron

• *Voir aussi :* Alvéolage ; Malouin ; Mie de pain ; Mie de pain œilletée ; Texture du pain

Bibl. : S. VAURY, *Le Guide du boulanger indiquant les moyens à prendre pour bien fabriquer le pain et les économies que le boulanger peut apporter à son travail*, Paris, Legouix, 1834.

ZANG, Christophe Auguste (1807-1888). – Auguste Zang est souvent cité comme « comte » ou « baron ». Mais Zang, fils d'un célèbre chirurgien viennois, n'a jamais été noble. À l'origine officier d'artillerie, il avait fait des études de chimie et inventé un fusil avant de s'installer à Paris, où il ouvre sa « Boulangerie viennoise » en 1838 ou 1839 (*La Presse*, 1839). Celle-ci, sise au 92 de la rue Richelieu – rue alors très à la mode –, connaît une formidable réussite, qui suscite aussitôt des envieux et des imitateurs. À Paris, les deux produits phares de la boulangerie viennoise, le *Kipfel* et le *Kaisersemmel*, sont devenus le croissant et le pain viennois. La popularité des produits d'origine viennoise a donc commencé avec Zang, même si le mot « viennoiserie » n'est apparu que bien plus tard. Zang se vantait du fait que son pain était « cuit à la vapeur » et que « la main de l'homme n'y a pas touché » (*La Presse*, 1841). À l'époque, dans les boulangeries françaises, ce n'était pas seulement la main qui touchait au pain – c'était tout le torse du geindre, ruisselant de sueur. Zang fut le premier à prétendre avoir su contourner la difficulté, alors même que l'émergence des pétrins mécaniques avaient été accueillie de façon plus que mitigée par les boulangers. En 1842, Payen décrivait le four à vapeur de Zang, alors inconnu en France : adapté et appelé « four viennois », ce four est devenu courant en France avant 1900 et a permis, entre autres choses, la création de la baguette. En 1842, on accorda à Zang un brevet pour des « procédés de panification » non précisés, mais probablement liés à une de ces méthodes (*Bulletin des lois du royaume de France*, 1843).

Le décor même de sa boulangerie, splendide, a eu un impact certain sur l'esthétique des boulangeries françaises, qui ont tenté ainsi de réagir face à la concurrence que constituait l'ouverture de multiples boulangeries viennoises à la suite de celle de Zang (*La Science sociale suivant la méthode de F. Le Play*, 1887). Celle-ci était encore, en 1874, la plus connue, de telle sorte que, lorsque Banville parlait de « la boulangerie viennoise », il n'avait pas besoin de préciser laquelle. Mais, avant la fin du siècle, cette appellation était tombée dans le domaine public (*La Semaine judiciaire : Journal des tribunaux*, 1884). Ayant introduit les méthodes de la boulangerie viennoise en France, Zang rentre à Vienne en 1848 pour y introduire en retour les méthodes du journalisme populaire français. Il y fonda un quotidien imité du modèle de *La Presse* d'Émile Girardin, reprenant jusqu'à son nom (traduit en allemand) : *Die Presse*. Ayant accumulé une énorme fortune dans la presse, la banque et l'industrie des mines, il ne réclame certes pas le titre de « boulanger » ; si son rôle dans la boulangerie française est largement méconnu aujourd'hui, c'est un peu de son fait. Quand il meurt en 1888, le journal qu'il a fondé mentionne seulement qu'il « est resté longtemps à Paris ». La boutique sur la rue Richelieu, en revanche, a gardé sa réputation jusqu'au début du XXe siècle. Un de ses propriétaires fut Philibert Jacquet, qui y vendait son pain grillé, toujours commercialisé aujourd'hui par la société qui a repris son nom (*Le Figaro*, 1909).

Jim Chevallier

• *Voir aussi :* Autriche ; Baguette ; Croissant ; Four ; Geindre ; Pétrin ; Viennoiserie

Bibl. : Théodore de BANVILLE, « Credo », in *Critiques*, V. Barrucand (éd.), Paris, Charpentier, 1917 • Emil BRAUN, *The Baker's Book : A Practical Hand Book of the Baking Industry in all Countries*, New York, Braun, 1901 • Michel CHEVALIER, *Rapports du Jury international*, tome onzième, Groupe VII-Classes 67-73, Paris, Dupont, 1868 • Anselme PAYEN, Jules ROSSIGNON, Jean-Jules GARNIER, *Manuel* *du cours de chimie organique : appliquée aux arts industriels et agricoles*, Paris, Béchet Fils, 1842 • Constant von WURZBACH, *Biographisches Lexikon des Kaiserthums Oesterreich*, Vienne, Bruch und Verlag der k. k. Gof- und Staatsbruckerei, 1890.

ZINC (Zn). – Même si l'organisme a besoin de très peu de zinc, cet apport est essentiel car le Zn, oligoélément préférentiellement intracellulaire, intervient dans plus de deux cents réactions métaboliques et il ne semble pas exister de forme de stockage de ce métal dans l'organisme humain. Les recherches démontrent que le zinc possède des propriétés antioxydantes. Ainsi, ce minéral participe au maintien d'un bon système immunitaire réduisant les risques de cancer et autres sérieuses affections (Fisher Walker et Black 2004). Les ANC (apport nutritionnel conseillé, défini comme la quantité moyenne de mg à fournir par personne et par jour, qui doit pouvoir satisfaire les besoins de la quasi-totalité des individus et prévenir les conséquences, fâcheuses pour notre santé, d'un déficit en cet élément) en zinc sont relativement difficiles à satisfaire. En France, les céréales raffinées et les légumes ne fournissent que 23 % des apports en zinc, ce qui donne une importance majeure aux produits animaux. Comme la plupart des minéraux du blé, le zinc est principalement concentré dans la couche d'aleurone (enveloppe externe du grain) et le germe. Les modes de fractionnement du grain de blé ont par conséquent une influence majeure sur les teneurs en zinc des farines. Pour assurer la sécurité des apports, il est nécessaire que les farines de blé utilisées soient plus complètes. Ainsi, la consommation de 250 g de pain complet permet de couvrir aux environs de 50 % des ANC en zinc. Notons que l'effet inhibiteur de l'acide phytique sur l'absorption intestinale des minéraux du blé semble particulièrement puissant pour le zinc, d'où la nécessité de maîtriser le mode de panification susceptible de rendre cet élément biodisponible.

Fanny Leenhardt

• *Voir aussi :* Acide phytique ; Aleurone ; Antioxydant ; Germe ; Grain ; Santé

Bibl. : C. FISCHER WALKER, R. BLACK, « Zinc and the risk for infectious disease », *Annual Review of Nutrition*, nº 24, 2004, p. 255-275.

ZYMASE. – Voir ENZYMES

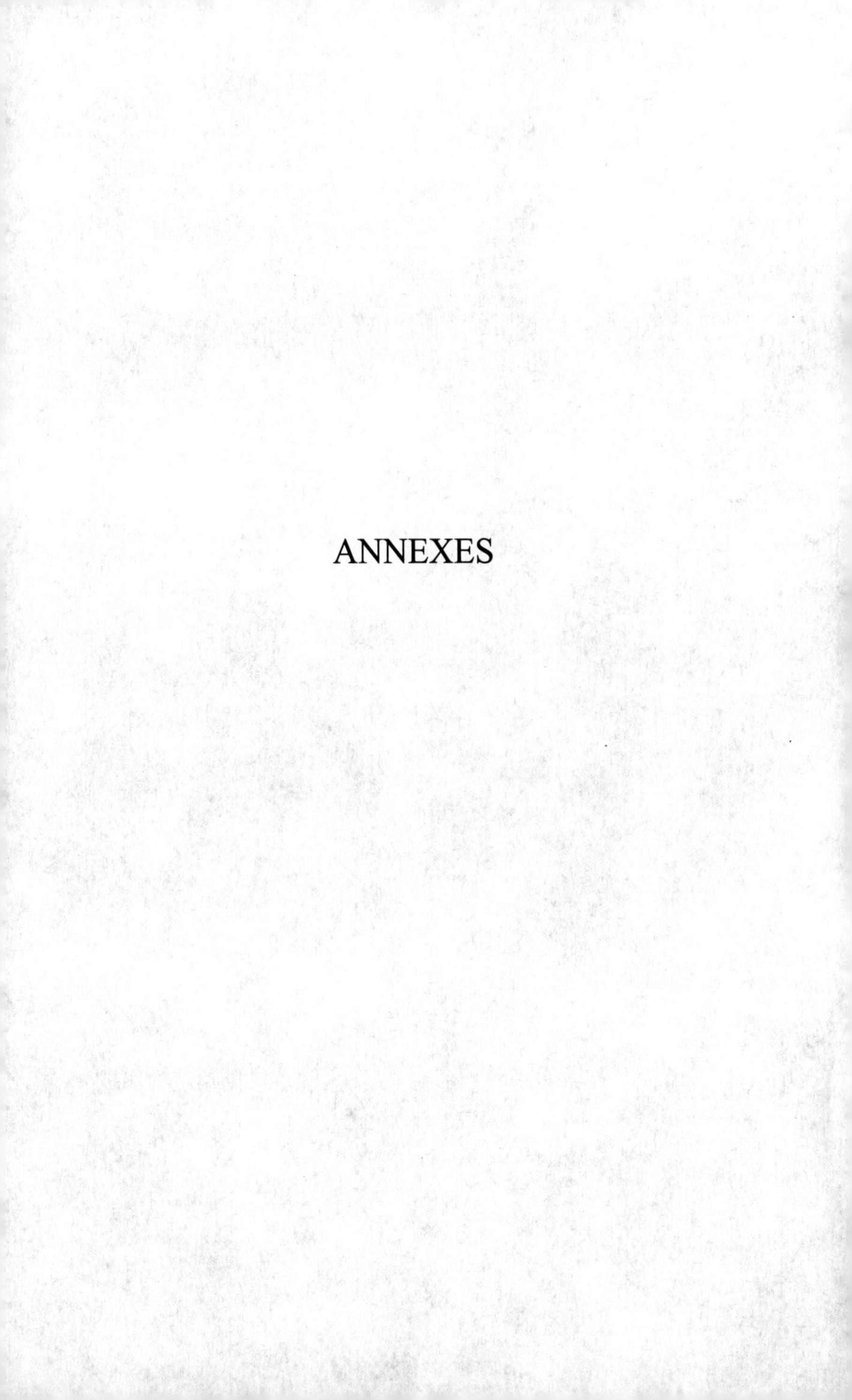

ANNEXES

RECETTES DE PAINS

Nous avons demandé à quelques-uns des meilleurs artisans boulangers de notre temps, en France et à l'étranger, de nous donner une recette de l'un des pains qui ont fait leur notoriété. Certains en ont proposé deux. Par quelques lignes de présentation, nous disons qui ils sont. Puis nous leur donnons la parole : ingrédients (les quantités sont parfois celles qui sont mises en œuvre dans leur fournil) ; procédé ; commentaires sur le pain sorti du four.

BERNHARD AEBERSOLD
(Morat, Suisse)

www.nidelkuchen.ch

Pain Wellness

La vie de Bernhard Aebersold est entièrement dédiée à la boulangerie. Ce « champion d'Europe des jeunes boulangers » (Lyon, 1985) a passé son examen de maîtrise fédérale de boulanger-pâtissier en tant que plus jeune candidat de sa promotion et avec la meilleure note, en 1989. Après avoir enseigné à l'École professionnelle Richemont à Lucerne pendant cinq années, il a repris l'entreprise de boulangerie-pâtisserie artisanale de ses parents à Morat, dans le canton de Fribourg. Il est aujourd'hui responsable de la formation professionnelle des boulangers-pâtissiers pour la Suisse romande et, depuis 1999, coach de l'équipe nationale de boulangerie. Sous sa houlette, l'équipe suisse a récolté six fois l'or et six fois l'argent aux diverses compétitions internationales. Il est l'initiateur et le responsable technique du Swiss Bakery Trophy, un concours d'excellence qui, depuis 2004, est organisé tous les deux ans.

Hormis les distinctions nationales et internationales pour ses différentes spécialités, il aime à créer constamment de nouveaux produits. L'exemple le plus récent est le premier produit de boulangerie sucré en pâte levée, mais sans sucre. En Suisse et pour l'Europe entière, Bernhard Aebersold a en effet obtenu la première autorisation pour la fabrication d'un produit de boulangerie sucré avec l'édulcorant naturel stévia. Depuis 2009, il préside le Club Richemont International, une association qui regroupe l'élite des boulangers-pâtissiers issus de quatorze pays. Ces professionnels s'engagent tout particulièrement pour assurer la relève de la profession. Ils organisent également des échanges d'expériences au niveau international. Bernhard Aebersold possède la distinction de chevalier du Bon Pain et a rejoint en France les Ambassadeurs du pain. *J.-P. de T.*

Ingrédients

Mélange de grains de froment et de seigle (trempés) : 800 g
Farine foncée de froment T120 : 2 kg
Eau : 1,2 kg
Levure : 40 g
Sel marin : 45 g
Levain-chef : 300 g
Graines de lin : 60 g
Graines de tournesol : 60 g
Graines de courge : 60 g
Beurre : 60 g
Pousses d'alfalfa (luzerne) : 200 g

Préparation

La veille

Laisser tremper 200 g de grains de blé entiers et 200 g de grains de seigle entiers dans de l'eau pendant une heure. Les grains absorbent environ 400 g d'eau.

Rafraîchir le levain-chef (pétrir une partie de levain-chef, une partie d'eau et deux parties de farine pour former une pâte que l'on laisse une nuit au réfrigérateur).

La pâte

Hacher grossièrement les graines de tournesol et de courge, broyer le mélange de grains de froment et de seigle trempés, puis pétrir avec tous les autres ingrédients. Durée du pétrissage : 9 min en 1re vitesse et 2 min en 2e vitesse. Température de la pâte : 24°.

Laisser fermenter la pâte à la température ambiante pendant 1 heure 30 min.

Cuisson

Peser les pâtons, les façonner et les cuire en moule ou libre, selon votre choix. Afin d'affiner le goût, il est possible de répartir des graines de tournesol, de lin et des flocons d'avoine à la surface avant la cuisson. Température de cuisson : 220° avec de la vapeur.

Par sa diversité d'ingrédients, le pain Wellness possède un goût âpre et doux-acidulé équilibré, offre un ensemble de vitamines et d'acides gras insaturés essentiels et présente une très bonne capacité de conservation. Ma recette de pain Wellness a obtenu le prix spécial « Nutrition et santé » au Mondial du pain, à Lyon, en 2009.

DAMASINO ULDARICO ANCCO CONDO (Lima[1], Pérou)

T'anta wawas

Damasino Uldarico Ancco Condo est né le 27 mars 1971 dans la région d'Arequipa (province de Caylloma, district d'Ichupampa). Quand il n'était qu'un gosse, sa grand-mère maternelle, Francisca Champi de Condo, lui a appris à préparer les t'anta wawas, *des pains spéciaux pour la Toussaint et pour le jour des Morts. Ce fut là sa première incursion dans le monde des boulangers. Des années plus tard, il part pour Lima et, à partir de 1988, il se consacre au métier de boulanger en travaillant dans différents établissements.*

Depuis douze ans, il travaille à la boulangerie-pâtisserie Echevarría. Il y reçoit en permanence une formation technique de la part des fournisseurs de matières premières. En octobre 2007, il a suivi un cours de boulangerie commerciale à l'école de panification NOVA. Il a participé à tous les concours nationaux t'anta wawas *organisés par le Musée national de la culture péruvienne, depuis le premier, qui a eu lieu en 1996, jusqu'au dernier, en 2009. À deux reprises, il s'est classé troisième (en 1997 et 2006) et a obtenu la deuxième place (en 1998 et 2009).*

En digne représentant de la vallée du Colca, il participe avec ses recettes de t'anta wawas *et de pains aux expositions-ventes d'art traditionnel* ruraq maki *(« fait à la main »), organisées par le Musée national de la culture péruvienne et le musée de la Nation de l'Institut national de culture. Sa vocation à sauvegarder les recettes de* t'anta wawas *et d'autres pains de sa région natale lui ont valu plusieurs interviews et articles dans des journaux.*

Sirley Rios Acuña

1. Boulangerie Echevarría, Avenidad María Parado de Bllido 400, Urbanización Los Jardines Santa Anita, Lima 43, Pérou – Tél. : 0051-1-363 08 66.

Ingrédients

Pour la poolish :

Farine de blé des Andes : 120 g
Levure : 1 c. à café
Sucre : 1 c. à café
Eau en quantité nécessaire pour dissoudre les ingrédients (2 ou 3 c. à café)
1 œuf

Pour la pâte :

Farine de blé des Andes : 800 g
Sucre roux : 150 g
Levure sèche : 1 c. à café, ou levure fraîche : 20 g
Poudre de cannelle : 1 c. à café
Sel : 2 c. à café
2 blancs d'œufs
Extrait de vanille : 1/2 c. à café
Anis entier : 1 c. à café
Lait frais : 120 ml
Infusion froide de camomille, fenouil et anis : 200 ml
Margarine : 100 g

Préparation (pour 4 t'anta wawas)

La poolish

Mélanger tous les ingrédients en y ajoutant un peu d'eau jusqu'à ce qu'ils soient dissous. Laisser reposer une heure ou deux.

La pâte

Dans un récipient, mélanger les ingrédients à sec (farine, sucre roux, levure, poudre de cannelle, sel, lait frais, margarine). À ce mélange, ajouter la pâte préfermentée et remuer ; pétrir en ajoutant petit à petit l'infusion jusqu'à former une pâte compacte. Ajouter ensuite les blancs d'œufs, l'extrait de vanille, l'anis et pétrir.

Avec la pâte amollie par le pétrissage ininterrompu, façonner les *t'anta wawas* à la taille désirée. Modeler des formes ovales et les poser sur une plaque allant au four préalablement graissée. Faire ensuite des rubans de cette même pâte pour compléter et décorer les formes ovales jusqu'à obtenir la figure d'un bébé (*wawa*). Il est possible de poser de petits masques de plâtre à l'endroit du visage. Laisser les pâtons au repos pendant 30 min, en les couvrant avec un plastique. Puis, à l'aide d'un pinceau, badigeonner avec du jaune d'œuf battu la surface des pâtons et parsemer à volonté de dragées et de graines de sésame.

Cuisson

Mettre au four à température modérée. Si l'on utilise un four artisanal, il vaut mieux enfourner après avoir fini de cuire tous les pains de la journée. Cuire 15 min à 180º. Si la *t'anta wawa* n'est pas assez dorée, augmenter le temps de cuisson.

Recette recueillie par Sirley Rios Acuña, traduite par Almir Chaiban El-Kareh et Isabelle Sabouret

PASCAL AURIAT
(Laguiole, France)
www.maison-auriat.fr

Pain de campagne rustique à la farine de froment et au levain naturel de seigle

Dans la famille de Pascal Auriat, le père est artisan plombier et la mère un véritable cordon bleu, qui transmet à son fils le goût de la bonne cuisine simple qui sait mettre en valeur, à partir d'un assaisonnement et d'une cuisson adaptés, justes, les produits du jardin et les fruits du verger. Les repas du dimanche en famille ont alors tout leur sens. On y partage, à travers l'excellence de la table, des valeurs communes. L'exemple maternel produit bientôt ses fruits et Pascal Auriat fait le choix d'un apprentissage de cuisinier en Corrèze, terre où la famille plonge ses racines.

Lors d'une échappée en Aveyron, il fait escale à Laguiole, où Michel Bras a ouvert son fameux repère de gastronomes sur les hauteurs granitiques et sévères de l'Aubrac (www.michel-bras.com). Le chef est sur le pas de la porte et le dialogue s'engage. De cette rencontre de hasard et de nécessité naît pour Pascal l'occasion de s'initier au grand art dispensé par les Bras, père et fils, la première année au poste des légumes, la saison suivante en pâtisserie et boulangerie. À la différence des autres établissements gastronomiques, les Bras ont créé au sein de leur cuisine une micro-boulangerie artisanale où se travaillent les farines de terroir à partir de fermentation à base de yaourt, en trois cuissons quotidiennes et avec le sentiment que le pain ne saurait être écarté de cette philosophie de l'excellence.

Une formation avec Pierre Hermé chez Ladurée lui permet de compléter cette approche épurée, sans artifices des produits, de revenir bientôt à Laguiole ouvrir avec Anne, son épouse, sa boulangerie et de poursuivre l'aventure de l'exigence et de l'authenticité. *J.-P. de T.*

Ingrédients

Farine de froment type 65 : 2 kg
Levain liquide à base de seigle d'auvergne : 900 g
Eau à température : 1 kg
Sel fin : 50 g

Préparation

Dans la cuve du pétrin à spirale, peser la farine ; peser l'eau dans une bassine et la mettre à température ; ajouter le levain liquide, mélanger à l'aide d'un fouet. Démarrer le pétrin en 1re vitesse et ajouter le mélange eau + levain ; après 2 min de pétrissage, ajouter le sel et mélanger en 1re vitesse durant 18 à 20 min.

Température du local : 18° ; de la farine : 18° ; du levain liquide : 10° ; de l'eau : 8° ; de la pâte en fin de pétrissage : 24°.

Laisser pointer à température ambiante de 15 à 20 min. Mettre la pâte obtenue dans un bac plastique de 60 × 40 cm et de 8 cm de hauteur ; couvrir d'un film plastique ; stocker en chambre froide entre 4° et 6° au minimum 24 heures.

Cuisson

Démouler le bac sur un plan de travail ; découper les formes voulues : baguettes, pavés, carrés, etc. Déposer directement sur le tapis d'enfournement, fariner légèrement sur le dessus ; inciser d'un coup de lame prononcé. Enfourner à 240° dans un four à sole ; introduire de la vapeur aussitôt les portes closes. Le temps de cuisson dépend de la taille des pièces. Défourner sur grille pour faciliter le ressuage.

Si la mise en œuvre paraît à première vue assez contraignante, elle représente pour moi, en réalité, un confort de travail inégalé à ce jour. Le fait de travailler en pousse lente sur une longue durée permet au pain de développer une multitude d'arômes et de saveurs. La durée de vie de cette pâte peut aller jusqu'à 72 heures. Cela autorise une réelle amplitude et une très grande simplicité dans le travail. La maîtrise de la fermentation à base de levain liquide détermine ainsi une meilleure conservation du pain, des couleurs de croûte riches, un fort croustillant, un alvéolage irrégulier, une mie soyeuse et ne génère aucune acidité. Les arômes évoluant au fil du temps, les grosses pièces peuvent se conserver facilement quatre à cinq jours dans un linge ou une toile. On peut faire également griller ce pain et permettre que de nouveaux arômes se dégagent : praliné, fruits secs torréfiés. C'est un régal au petit déjeuner, tartiné de beurre de baratte, avec ou sans confiture. Enfin, ce qui n'est pas négligeable, dans le cadre d'une entreprise artisanale, le travail sur levain liquide peut permettre de supprimer les horaires de nuit.

XAVIER BARRIGA
(Barcelone, Espagne)
www.turris.es

Pain de pays

Né à Baldalona (Barcelone) en 1969, au sein d'une famille de boulangers, Xavier Barriga débute dans cet art au sein de l'atelier familial dès l'âge de quatorze ans. Il cherche d'abord à combiner son apprentissage de boulanger avec des études universitaires, mais sa passion dévorante l'incite à parcourir tout le pays pour assister à des démonstrations, des conférences techniques, suivre des cours. Âgé de vingt-trois ans, il quitte le cocon familial et se met en recherche de nouvelles expériences professionnelles. En 1999, il est engagé comme conseiller technique chez un gros fabricant de fours italiens et travaille également au département de recherche et développement d'une des plus importantes minoteries d'Espagne. Cela lui donne l'occasion de participer à la production de nombreux ateliers disséminés dans tout le pays et de connaître d'autres façons de faire du pain.

Il voyage alors en France, en Italie, au Portugal et au Danemark où il effectue de longs séjours, combinant le travail quotidien avec une formation technique plus poussée et plus innovatrice. Il commence à collaborer avec des revues spécialisées en écrivant des articles et il s'engage dans la formation de boulanger. Ses contacts permanents avec des boulangers de toute l'Espagne et d'une partie de l'Europe l'incitent à créer l'entreprise Atecpan Xavier Barriga, investie d'une double mission : conseiller des entreprises de panification et assurer une formation spécialisée au personnel du secteur de la boulangerie. En 2003, Editorial Montagud Editores publie son premier livre, Panadería artesana : technologia y producción *(« Boulangerie artisanale, technologie et production »), très bien reçu par la critique spécialisée.*

Il crée en 2008 la boulangerie artisanale Turris en plein « Ensanche de Barcelona », son projet le plus ambitieux, l'objectif étant d'offrir au consommateur un pain sain, de qualité et ayant le goût du « bon vieux pain ». Le succès de la boulangerie Turris *l'incite à s'atteler à la publication de son second ouvrage,* Pan, hecho en casa y con el sabor de siempre *(« Du pain fait à la maison et bon comme le pain d'antan »), Grijalbo Mondadori, 2009.*

J.-P. de T.

Ingrédients

Farine (W220) : 950 g
Farine de blé torréfié : 50 g
Sel : 20 g
Levain naturel : 300 g
Eau : 680 g
Levure : 2 g

Préparation

Pétrir lentement tous les ingrédients, sauf la levure et le levain qui seront incorporés quasiment à la fin du pétrissage. Incorporer la levure et le levain et pétrir le tout lentement pendant 4 min, puis plus rapidement pendant encore 2 min. La température idéale de la pâte doit être de 24°. Recouvrir la boule d'un tissu de lin et laisser reposer 90 min à température ambiante, puis de 18 à 20 heures à 4°.

Diviser la boule en pâtons de 500 g et les laisser reposer 45 min à température ambiante. Sans les dégazer excessivement, façonner les pâtons à la main pour leur donner une forme arrondie. Faire lever les pains, les clés tournées vers le bas sur un tissu en lin, bien saupoudré de farine torréfiée, pendant 6 heures à 21°.

Cuisson

Une fois levés, retourner les pains et les cuire sur une pierre réfractaire pendant 47 min à 240°.

C'est un pain incontournable pour les amateurs de saveurs et d'arômes traditionnels. La longue fermentation de la pâte et des pâtons ainsi que l'apport du levain lui confèrent une personnalité exquise. Sa croûte légèrement épaisse et très croustillante a une subtile saveur de noisette grillée due à la caramélisation des sucres contenus dans la farine. Sa mie est souple et très humide, d'une couleur crème très agréable. C'est un pain que nous recommandons de consommer six heures après sa cuisson, afin de pouvoir pleinement apprécier la combinaison de l'acide lactique et de l'acide acétique, mélangés aux autres ingrédients qui façonnent la saveur du pain de pays.

Traduit par Almir Chaiban El-Kareh et Isabelle Sabouret

VIC CHERIKOFF
(Kingsgrove, Australie)
www.cherikoff.net/shop

Damper australien

Le grand-père de Vic Cherikoff était boulanger-pâtissier et, bien que n'ayant jamais eu envie de suivre ses traces, celui-ci se rendait dans son adolescence dans son fournil pour battre en neige des meringues dans des bols géants ou faire fondre de gigantesques tablettes de chocolat pour confectionner le nappage des biscuits.

*En 1982, il s'est engagé dans un programme de recherche sur la valeur nutritionnelle des aliments sauvages des Aborigènes, et sa vie en a été alors transformée. La nourriture du bush (*bush tucker – bush *désignant ici tout ce qui est à l'extérieur des villes), ainsi qu'on l'appelle communément, ayant été une passion de sa jeunesse, il s'engage dans l'étude des aliments sauvages, nouveau champ de recherche scientifique désigné de nos jours comme « alimentation fonctionnelle ». Il commence ainsi à mettre sur le marché, en 1983, avec d'autres pionniers, une gamme de ces aliments sauvages et connaît un premier grand succès commercial.*

Six années de recherche et de voyages incessants s'ensuivent afin d'inciter les communautés aborigènes à faire s'accorder cultures sauvages et gestion durable des aliments, d'initier des échanges interculturels profitables à tous et de lancer des produits destinés à une cuisine authentiquement australienne. Ses réseaux de distribution s'élargissent et permettent que les aliments sauvages soient de mieux en mieux accueillis dans les restaurants et par des gastronomes avertis. L'intérêt croissant pour l'alimentation fonctionnelle a ainsi permis à cette industrie de se développer véritablement. Les aliments sauvages sont en effet parmi les plus nutritifs que l'on puisse consommer. Ils détiennent des records mondiaux pour leur haute teneur en vitamine C, anthocyanine et autres antioxydants. Beaucoup d'entre eux contiennent des principes qui protègent du diabète, de l'hypertension, des problèmes cardiovasculaires, de l'arthrite, de la sénilité, de la maladie d'Alzheimer et de tous les désordres alimentaires qui apparaissent aujourd'hui.

Lorsqu'il s'est intéressé à l'univers de la boulangerie, Vic Cherikoff a naturellement tenté d'y transposer quelques-uns des grands enseignements glanés au cours de ses recherches autour de l'alimentation fonctionnelle. Il fait maintenant profiter les clients de Vic Cherikoff Food Services, et les amateurs de bon pain, de sa maîtrise dans l'utilisation et l'accommodement des aliments sauvages. *J.-P. de T.*

Ingrédients

Farine autolevante (avec levure incorporée) : 500 g
Sel : 1 pincée
Lait : 250 ml environ (la mesure change selon l'humidité ; prévoir 50 ml en plus ou en moins)

Selon les goûts, utiliser l'un des ingrédients suivants : *wattleseed* (petites graines séchées et moulues à l'arôme délicieux de café ou de chocolat noisette), 25 g ; *Alpine pepper* (poivre des Alpes, qui ne donnera pas un goût piquant au pain, et qui est délicieux dans les confitures), 5 g ; *forest anise* (anis forestier qui rehausse si bien les saveurs, comme en garniture du saumon fumé, par exemple), 5 g ; *lemon myrtle spinrkle* (myrte citronnée en poudre), 5 g ; *fruit spice* (épices de fruits, avec le parfum du fruit de la passion ou des baies), 5 g ; *Red Desert dust* (poudre de désert rouge, saveur qui se marie avec tout, parfait pour les sandwichs), 10 g ; *wildfire spice* (épice traînée de poudre, qui fait de fantastiques apéritifs sur des amuse-bouche grillés), 10 g ; *Aussie fukake* (herbes Aussie, laitue de mer, wasabi, graine de sésame, qui ne viennent pas de chez nous mais parfument agréablement le pain), 15 g.

Préparation

Préchauffer le four à 180°.

Tamiser la farine autolevante avec le sel dans un bol et y ajouter la saveur choisie, par petites quantités, puis le lait pour obtenir une pâte onctueuse, mais sans trop travailler le mélange : les ingrédients doivent être juste incorporés et aussi légèrement que possible. Verser dans un moule rond.

Cuisson

Au four du campement : saupoudrer un peu de farine au fond du four chaud pour en vérifier la chaleur (elle doit brunir au bout de 30 à 40 s, et pas instantanément) et y faire glisser alors la pâte du damper. Poser le couvercle chaud et placer le four dans les braises. Rajouter des braises par-dessus le couvercle. S'il y a du vent, il faut les renouveler souvent : prévoir d'entasser quelques braises supplémentaires sur le côté abrité du vent. Veiller aussi à tourner de temps en temps le four pour aider la chaleur à bien se répartir.

Au four classique : placer la pâte dans un moule à gâteau bas, de 25 cm de diamètre, préalablement fariné. Cuisson à 180° pendant 30 à 40 min. Le damper est prêt quand la miche émet un bruit creux si l'on frappe doucement dessus. Servir chaud, en tranches beurrées ou non. Ou bien garder de gros morceaux qui seront servis pour l'apéritif, découpés en lamelles que l'on trempera dans des sauces. Ou déguster en tartine.

Le damper était la base du régime des premiers explorateurs australiens. Ils avaient observé les Aborigènes cuire leurs gâteaux de graines sous la cendre et les braises de simples feux de bois à ciel ouvert, et ils associèrent leur pratique pour éteindre les braises de la fournée de la nuit et les rassembler en un tas à celle des boulangers anglais, qui conservaient la chaleur dans leurs fours en brique en les humectant (*damping*). C'est de là que vient le terme *damper*. Les premiers colons australiens utilisaient de l'eau, du bicarbonate et une épaisse farine de blé parfois allongée d'une farine de graines ou de noix moulues. Les Aborigènes cuisinaient ainsi depuis des dizaines de milliers d'années, mais les nouveaux arrivants préférèrent des dampers de farine de blé tout prêts, et ne pas avoir à ramasser et à moudre des graines, pourtant bien plus nourrissantes (c'était un travail fatigant et douloureux pour le dos). Délaissant les méthodes de cuisson sophistiquées développées par les Aborigènes, les colons installèrent dans leurs campements des fours en fonte.

Ces fours se brisaient souvent en raison de la difficulté des trajets et, pour y remédier, un sonneur de la gare de Bedourie mit au point un four en acier bien plus léger, connu à présent comme le four Bedourie. Cependant, les fours en fonte gardent bien la chaleur et ils sont encore l'ustensile préféré dans l'arrière-pays australien.

Traduit par Anne Delmas

LILIANE COLPRON et BERNARD FISET
(Montréal, Québec)
www.premieremoisson.com

Pain aux grains germés bio

Liliane Colpron est l'une des figures les plus connues et respectées du milieu de la boulangerie artisanale au Québec. Inspirée par la tradition boulangère française, elle fonde sa première boulangerie vers les années 1975, avec son compagnon de l'époque. Elle acquiert alors les rudiments de son art et se découvre une réelle passion pour le métier. Par la suite, elle démarre deux autres projets avant de fonder la boulangerie artisanale Première Moisson en 1992, entourée de ses enfants, Bernard, Josée et Stéphane. Forte de ses vingt ans d'expérience, la famille lance un concept basé sur l'excellence, le bon goût et la santé. L'authenticité et l'intégrité des matières premières sont mises en avant et sont à l'origine du succès de l'entreprise. On compte, en 2010, 18 boulangeries et 3 comptoirs express Première Moisson, tous situés dans la région de Montréal.

Cette femme déterminée, qui dirige l'entreprise familiale depuis ses débuts, a apporté une contribution essentielle à la culture boulangère québécoise. L'excellence de son art lui a d'ailleurs valu de nombreuses récompenses, dont celle d'être promue au grade d'officier de l'ordre du Mérite agricole par le ministère français de l'Agriculture en 2005.

Bernard Fiset, maître au fournil chez Première Moisson, partage avec sa mère le goût du bon pain et le souci du travail bien fait. Artisan boulanger de troisième génération, il acquiert une seconde formation dans les métiers de bouche à l'Institut de tourisme et d'hôtellerie du Québec. Ce boulanger inventif prend un malin plaisir à renouveler le genre en créant une variété de pains exclusifs, dont le pain aux grains germés bio.

Guy Fournier

Ingrédients

Pour la germination des grains :

Mélange de grains biologiques (lin, blé mou, amandes d'avoine, trèfle rouge, luzerne, sésame, tournesol cru, tournesol rôti, millet, germes de blé) : 486 g
Eau de trempage : 486 g

Pour la pâte :

Farine bio T80 (cendres 0,95 %, protéines 12,4 %, indice de chute sec 370) : 486 g
Farine blanche non blanchie T55 (cendres 0,47 %, protéines 11,5 %, indice de chute sec 250) : 809 g
Eau de source ou filtrée : 814 g
Sel de mer : 28 g
Levure : 16 g
Grains germés trempés

Préparation

La germination des grains

Faire germer les grains à environ 23° au moins 24 heures avant le pétrissage. S'assurer que le germe soit apparent.

La pâte

Il faut obtenir une pâte à 24°. Procéder au rasage de la farine avec l'eau et les grains germés : pétrir 5 min en 1re vitesse. Réaliser une autolyse de 30 à 40 min pour diminuer le temps de pétrissage ; pétrir 2 min en 1re vitesse avec le sel et la levure puis 4 min en 2e vitesse jusqu'à l'obtention d'une pâte homogène et souple.

Pointage 1 heure 30 min avec un rabat ; pesage à 625 g et bouler légèrement. Détente : 30 min à 1 heure.

Façonner en bâtard roulé dans les grains de sésame puis mettre dans le moule 11,5 × 21,5 cm. Apprêt : 1 heure 30 min à 2 heures 30 min.

Cuisson

De 30 à 35 min à four moyen (220°).

Résultat : un pain bien bombé sortant du moule d'environ 1 cm avec une mie humide et des petits alvéoles gardant une certaine densité.

Le procédé de germination offre un supplément d'enzymes, de protéines, de fibres, d'amidon, de minéraux et de vitamines. Il s'agit d'un aliment complet aux propriétés nutritives exceptionnelles. Son goût équilibré entre douceur et légère amertume ainsi que sa texture alvéolée permettent une consommation en toute occasion. Une de ses qualités les plus appréciées est sa durée de conservation.

Valeur nutritionnelle (pour 50 g) : 130 calories ; protéines : 5 g ; lipides : 3 g ; glucides : 21 g ; cholestérol : 0 mg ; sodium : 180 mg ; fibres : 2 g. Pourcentage de l'apport quotidien recommandé : vitamine A : 2 % ; calcium : 2 % ; fer : 10 %.

Le pain aux grains germés bio est né il y a environ vingt ans de la volonté de Bernard Fiset de créer un pain vivant, différent de tout ce qui existait à l'époque. Ce pain a connu une telle popularité que presque toutes les boulangeries de culture française le produisent maintenant.

Guy Fournier

ALEX CROQUET
(Wattignies[1], France)

Faluche

Le Génie du Pain est une petite boutique, à Wattignies, au sud de Lille, qui ne paie pas de mine, mais possède un grand et profond fournil dont le monde de la boulange parle avec un intérêt et une considération croissants – un fournil où les levains prennent le temps de développer tous leurs arômes, où le temps est donné au temps afin que le pain retrouve sa valeur de fondement de la vie. Plus nécessaire de tricher si on laisse simplement la rencontre de l'eau et de la farine produire toutes ses promesses : « Quelque 200 arômes volatils sont recensés dans le pain, arômes qui résultent seulement de réactions naturelles », nous explique Alex Croquet, avec la passion et l'expertise de celui qui écoute « pousser son pain ». Un boulanger discret, mais remarqué par les plus grands dans la mesure où il réussit à faire en sorte que les pains et les viennoiseries sortis de son fournil s'expriment sans l'aide d'aucun additif, préférant trouver l'énergie dans les matières premières mises en œuvre. Deuxième matière du boulanger, l'eau est ici purifiée par osmoseur, puis vient s'écouler au sein du fournil par le moyen d'une rivière en céramique qui, à travers méandres et tourbillons, lui redonne toute sa « rondeur » – une eau qui vient alors éclabousser de vie toutes les rencontres. Ajoutez à cette alchimie l'emploi du sel de Guérande et vous aurez la simple recette de tous les pains sortis de la fabrique de Wattignies : respect total des produits mis en œuvre.

J.-P. de T.

1. Le Génie du Pain, 56, rue Faidherbe, 59139 Wattignies – Tél. : 0033 (0)3 20 95 01 29

Ingrédients

Farine label rouge : 1 kg
Eau : 650 g
Sel de Guérande : 22 g
Levure : 10 g
Eau de bassinage : 50 g

Préparation

Autolyse

Pétrir l'eau et la farine 3 min ; laisser reposer de 5 à 6 heures.

La pâte

Pétrir 5 min avec la levure en 1re vitesse ; pétrir 2 min en 1re vitesse avec l'eau de bassinage. Température finale entre 23 et 25°. Repos de 30 à 40 min. Selon la réaction de la fermentation, faire un rabat plus ou moins fort. Repos de 30 à 45 min.

Diviser en petits pâtons de 200 g ; bouler. Repos de 30 min. Allonger délicatement au rouleau afin d'obtenir une faluche de 20 cm à 25 cm de diamètre. Dernière fermentation de 1 heure 30 min à 2 heures.

Cuisson

Piquer les faluches légèrement, fariner et enfourner à 250° de 8 à 10 min. À la sortie du four, elles doivent être blanches, avec une croûte très fine et moelleuse.

Pain rond, plat, blanc, la faluche est un pain du Nord-Pas-de-Calais qui porte aussi le nom de « galette picarde ». Elle peut être consommée tiède avec du beurre et de la vergeoise. L'intérêt de la faluche, c'est sa cuisson rapide, l'absence de croûte et donc d'arôme empyreumatique (lié à la cristallisation de la croûte des pains au four). Du fait d'une fermentation courte à la levure, le vivant intervient surtout sur la texture et non sur le goût. La faluche laisse ainsi s'exprimer le froment dans toute sa rondeur.

MUSA DAGDEVIREN (Istanbul[1], Turquie)

Tirnakli ekmek

Musa Dagdeviren est petit-fils, neveu et frère de boulangers, né à Nizip, près de Gaziantep, en 1960. Dès l'âge de cinq ans, et jusqu'en 1977, soit durant douze ans, il apprend le métier de boulanger ; il gravit ainsi tous

1. Çiya, Günesli Bahçe Sok. nº 50, Kadiköy, Istanbul – Tél. : 0090 (0216) 346 98 61

les échelons : çirak *(« apprenti »), celui qui coupe la pâte, celui qui prépare la pâte (*hamurkâr*), ouvrier spécialisé (*kalfa*) qui marque la pâte, puis enfourneur (*pisirici kalfa*) et enfin* kalledar, *maître boulanger. Autrefois, chaque boulanger avait sa propre levure, ce qui donnait un goût particulier à son pain. Les premiers pains sortaient vers 4 h 30, le matin. Toutefois, une grande partie du travail de ces boulangers consistait aussi à faire cuire les plats amenés par les particuliers. Pour parfaire sa formation, Musa quitte son village natal pour parcourir l'Anatolie à la fin des années 1970. À son arrivée à Istanbul, il travaille auprès d'un oncle restaurateur, qui lui confie la charge du four. En 1987, il ouvre à Kadiköy un petit restaurant de kebab et* lahmacun *(une sorte de pizza), dont le succès sera tel que Musa Dagdeviren ouvrira dans la même rue deux autres salles qui ne désempliront pas. Il a fait construire dans chacune d'elles un four à bois et y prépare les pains consommés dans son restaurant.*

La renommée de Musa Dagdeviren en Turquie même a été couronnée par sa désignation, en 2007, comme meilleur chef dans la catégorie « restauration traditionnelle » et ses plats ont été choisis comme meilleure spécialité de l'année dans la même catégorie. Il a à plusieurs reprises fait partie de jurys lors de festivals du pain en Turquie (Rize, Tunceli, Erzincan). En septembre 2009, le journal Sabah *l'a classé parmi les chefs du carré d'as de la Turquie. Sa réputation ne connaît pas de frontières puisqu'il est aussi appelé régulièrement comme enseignant au Culinary Institute of America situé à San Francisco. Il a également enseigné au département de gastronomie de l'université Harvard en 2009. Invité au séminaire de Turin par Slow Food en 2006, à celui de Memphis en 2008, il a participé à Madrid Fusion en 2009 avec une démonstration culinaire. Enfin, en 2006, le magazine* Saveurs *l'a classé vingt-huitième dans sa fameuse liste des 100 lieux de restauration favoris. Il n'a, par ailleurs, pas renoncé à son intérêt pour les recherches culinaires puisqu'il a fondé, en 2005, une excellente revue interdisciplinaire consacrée à la question :* Yemek ve Kultur *(« Alimentation et culture »).*

Marie-Hélène Sauner-Leroy

Ingrédients

Farine de blé : 1 kg
Pâte fermentée (obtenue à partir d'un mélange de farine, sel, eau, raisin et figue) : 500 g
Yaourt : 200 g
1 jaune d'œuf
Eau et sel
Sucre : 1 cuillerée

Préparation

Mélanger d'abord la pâte fermentée, le sel, le sucre et l'eau, puis travailler avec le reste de farine. Elle doit être un peu moins dure que la pâte à pain, de la texture du lobe de l'oreille. La laisser reposer jusqu'à ce qu'elle gonfle. Puis la séparer en pâtons et laisser reposer ceux-ci une vingtaine de minutes.

Étaler ensuite les pâtons avec les mains (en tapant à l'aide des paumes), de manière à former de petits cercles de 25 à 30 cm de diamètre ou bien de forme plus ovale, sur 1 cm d'épaisseur environ. Mélanger ensuite le yaourt et le jaune d'œuf puis étaler ce mélange sur les pains.

Former de petits renflements en appuyant sur la pâte avec le bout des doigts (d'où le nom du pain : « pain à trace de doigt »).

Cuisson

Placer dans le four à bois (350°). Il doit obligatoirement y avoir une chaleur forte et des flammes à proximité. La cuisson est rapide, quelques minutes.

Traduit par Marie-Hélène Sauner-Leroy

FRANCK DEBIEU
(Sceaux, France)

www.letoileduberger.fr

Pain de l'océan et Pain du berger

Franck Debieu a repensé et rationalisé chaque geste au fournil pour promouvoir le savoir-être et le savoir-faire de l'authentique artisan-commerçant boulanger. Il choisit le monde de la boulangerie dès l'âge de quinze ans pour faire son apprentissage et, porté par un désir de découverte, il entre à dix-sept ans chez les compagnons du Tour de France où le voyage et le partage lui donnent des bases humaines et professionnelles solides. Passionné et investi, il reste sept ans au contact d'hommes remarquables avec lesquels il partage la même philosophie de la transmission, puis prend en charge la formation des apprentis durant deux ans et reste un membre actif de l'Association des compagnons. Depuis 1994, il travaille sur le développement et les techniques de fermentation sur levain, et plus particulièrement sur levain liquide, pour créer des produits de grande qualité qui se conservent mieux et sont plus savoureux. Conseiller et formateur en France et à l'étranger sur la mise en place de nouvelles techniques auprès de boulangers, il acquiert un niveau d'expertise qui lui permet d'inventer une méthode de rationalisation des phases de transformation (Panova). Cette méthode réduit les efforts physiques nécessaires, ce qui permet de féminiser les fournils, d'avoir une meilleure qualité de vie et d'être davantage au contact de la clientèle.

Depuis 2002, il a ouvert trois magasins au nom de L'Étoile du Berger, situés à Sceaux, Fontenay-aux-Roses et Meudon, dans les Hauts-de Seine, et collabore avec des fournisseurs qui s'engagent sur l'origine des matières premières et le respect de l'environnement. Quand vous entrez dans l'une de ses boulangeries au cadre chaleureux et rustique, vous êtes accueilli par une équipe qui vous offre une dégustation de pains aux arômes intenses et à la mie moelleuse. Exigeant sur la qualité de ses produits et sur leur fraîcheur, il sait s'entourer de professionnels qu'il a formés à la gestion des levains et de la fermentation des pâtes mais aussi à la vente. L'accompagnement des nouvelles générations et la transmission de savoir-faire demeurent pour lui une priorité. *J.-P. de T.*

Pain de l'océan

Ingrédients

Farine de tradition : 700 g
Farine de sarrasin : 300 g
Eau : 650 g
Levain : 300 g
Levure : 3 g
Sel : 12 g
Cumin : 4 g
Algues : 20 g
Eau de bassinage : 30 g

Préparation

Réaliser une autolyse de 1 heure avec l'eau, la farine de tradition et la farine de sarrasin, l'algue et le cumin.

Pétrir pendant 15 min tous les ingrédients en même temps, puis verser l'eau de bassinage. Pointage : 2 heures. Mettre un rabat à mi-pointage. Blocage à 5° sur 8 à 12 heures.

Diviser en forme de baguette assez courte de 30 cm. À la mise au four, mettre un coup de lame et couper la baguette en deux en forme de poisson à l'une des extrémités.

Observation : il faut être très précis pour la pesée du cumin.

Le pain de l'océan associe les bienfaits nutritionnels du sarrasin (riche en fibres, en protéines et en calcium), du cumin (excellent pour la digestion) et des algues (très bon apport énergétique et teneur élevée en vitamines, minéraux, calcium). Sous sa croûte foncée, croustillante et parfumée par les embruns se révèle l'arôme discret et délicat du cumin dans une mie dense aux alvéoles irréguliers. Ce pain est idéal pour accompagner vos plats de poissons et les fruits de mer.

Pain du berger

Ingrédients

Farine T65 : 950 g
Semoule de blé dur : 50 g
Eau : 650 g
Sel : 20 g
Levain : 300 g (maturation 3 heures)
Levure : 4 g

Préparation

Réaliser une autolyse de 3 heures avec l'eau, la farine et la semoule de blé dur.

Pétrir 15 min en 1re vitesse en ajoutant le levain, le sel et la levure, puis arrêter le pétrin en début de lissage de pâte. Pointage de 1 heure 30 min à 2 heures avec un rabat.

Mettre sur planche de 40 cm/60 cm en pâtons de 3,5 à 5 kg. Bloquer à une température comprise entre 4 et 6° sur 8 heures.

Diviser en forme de baguette ou de pavé. Pour l'apprêt, laisser reposer pendant 30 min.

Cuisson

Cuire au four vif à une température de 260 à 270°.

Ce pain à la croûte ambrée, croustillante et craquante, renferme une mie couleur crème aux alvéoles irréguliers dont la texture est souple et fondante en bouche. Avec sa saveur douce, légèrement acidulée, il séduit les amateurs de bon pain et se déguste avec plaisir à tous les repas.

ARNAUD DELMONTEL
(Paris, France)

www.arnaud-delmontel.com

Feuilleté de seigle au miel

La formule d'Arnaud Delmontel emprunte à la cuisine, où il a débuté ; au laboratoire du pâtissier, où il a acquis sa passion des saveurs et des couleurs doucement sucrées ; puis au fournil, dans lequel il a mis au point des pains qui lui ont valu, notamment, le prix de la meilleure baguette de Paris (2007), et de servir alors le tout nouvel hôte de l'Élysée, privilège et responsabilité immense des lauréats. Son parcours justifie ainsi son originalité. Il est peut-être, à la boulangerie-pâtisserie d'aujourd'hui, ce qu'est un Christian Lacroix à la haute couture : dans ses trois boutiques pari-

siennes (la dernière ouverte fin 2009), il séduit d'abord l'œil par une mise en scène qui cherche à marier savamment les couleurs auxquelles la pâtisserie aime traditionnellement à se livrer et celles dont il l'a habillée : sorbet mandarine et éclats de nougatine ; brisures de marron et croustillant bleu aux amandes ; zeste de citron confit et dés de mangue caramélisés ; bavaroise à la rose et fruits des bois, etc. N'en jetez plus. Mais le fournil n'est pas en reste, qui semble rivaliser d'appâts pour détourner le regard et l'odorat d'une clientèle qui vient comme au défilé : fagot d'or, six céréales, baguette Renaissance, benoiton, fougasse aux olives et lardons, etc. Car tous les produits ont ici, pour reprendre l'esprit de la charte affichée dans chacune des boutiques, le goût et la saveur de ce qu'ils paraissent et de ce qu'ils sont. Autrement dit, pas question de quitter la boulangerie en carrosse et de se retrouver, le douzième coup de minuit sonné, à cheval sur une citrouille. Sauf si la citrouille se laisse faire par les maîtres pâtissiers. *J.-P. de T.*

Ingrédients

Farine de seigle T 130 : 2,5 kg
Farine de tradition : 2,5 kg
Sel : 100 g
Levure : 50 g
Miel : 1 kg
Eau : 2,75 l

Préparation

Peser et mélanger les ingrédients en 1re vitesse durant 2 min. Puis en 2e vitesse durant 10 min. Laisser reposer au frigo pendant 2 heures.

Faire des pâtons de 1 kg, ajouter 200 g de beurre AOC Charente-Poitou, et tourer cette pâte comme une pâte à croissants (3 tours). Mettre au froid entre les tours, puis étaler et rouler en boudins. Couper des tronçons de 350 g.

Cuisson

Mettre à l'étuve, puis cuire 15 à 20 min à 220°.

Ce pain de seigle feuilleté, assez facile à réaliser, peut se décliner sous différentes saveurs (zeste de citron, persil…). C'est un pain qui se conserve bien, que l'on peut déguster à n'importe quel moment de la journée. Il accompagnera votre petit déjeuner légèrement toasté, et finira votre repas sur une note sucrée-salée. Pour les amateurs de fromage, c'est le pain idéal pour accompagner le roquefort. Ayant l'aspect d'un énorme pain au chocolat, c'est un vrai succès dans mes boutiques parisiennes.

ROLAND FEUILLAS
(Cucugnan, France)
www.farinesdemeule.com

Pain d'épeautre

Roland et Valérie Feuillas ont délaissé le monde de l'informatique et de la musique pour « entrer » en boulangerie, et pas par n'importe quelle porte. Celle-ci est sise dans les Hautes-Corbières, dans le village de Cucugnan, au pied des châteaux de Quéribus et de Peyrepertuse, dits « châteaux cathares ». Entrée pittoresque, si l'on veut, qui commence par la restauration, avec l'aide et le génie du compagnon charpentier Bernard Garibal, du moulin seigneurial occitan dont il ne demeurait que le fût et l'envie de tourner. Une conviction les habite : rendre solidaires le moulin où le grain rencontre la meule (en granit du Sidobre) et le fournil où la farine de blé ancien, l'air et l'eau, ensemencés de levain, s'offrent aux plus extraordinaires et goûteuses métamorphoses. Une aventure à la lisière du monde, mais au plus près de cette simple épure qui consiste ici, à mille lieues de toute zone urbaine ou de culture intensive, à préserver la force de vie des blés ancestraux soigneusement sélectionnés, jusqu'au cœur des pains. Les blés gorgés des substances nourricières issues de la terre mère sont devenus principe de Vie. Le meunier-boulanger accompagne cette transformation et s'efface. « J'ai semé le blé et je l'ai moissonné et dans ce pain que j'ai fait tous mes enfants ont communié » (Paul Claudel). J.-P. de T.

Ingrédients

Pour le levain :
Farine d'épeautre pure : 2 kg
Eau : 900 g (45 %)
Levure : 30 g (1,5 %)

Pour la pâte :
Farine d'épeautre pure : 2 kg
Levure : 40 g (2 % de la farine ajoutée)
Sel : 72 g (1,8 %)
Eau : 1,7 kg (65 %)

Préparation

Le levain (24 heures)

Temps de pétrissage : 4 min en 1re vitesse. Température : 15 à 18°.

La pâte (température finale : 22°)

Pétrir tous les ingrédients (étapes 1 et 2), sauf un quart de l'eau dans laquelle on aura dissous le sel et qu'on ajoutera par bassinage lent, au moment du pétrissage en 2e vitesse. Temps de pétrissage : 4 min en 1re vitesse, pause en cuve de 8 min, et 2 min en 2e vitesse.

Poser la pâte sur un plan en bois. Donner un rabat double dans le sens droite-gauche, puis un rabat double dans le sens avant-arrière. Cela afin de croiser les chaînes de gluten et de donner plus d'étanchéité à la pâte. Mettre en bac en pousse lente 20 heures à 6° avec une hygrométrie contrôlée à 64 %.

Débarrasser la pâte sur un plan en bois le plus délicatement possible afin d'éviter tout dégazage. Fariner le dessus. Découper en carrés de 15 × 15 cm à la paline en suturant la pâte sans la trancher. Mettre sur couches pour un apprêt de 40 min à 2 heures, suivant la température dans le laboratoire. Fariner et faire une grigne légère au milieu du carré jusqu'à 1 cm de chaque bord.

Cuisson

Enfourner à 240° avec buée. Cuisson de 25 à 30 min.

L'épeautre tient à Cucugnan une place privilégiée : pour son histoire, ses qualités nutritionnelles et ses arômes puissants et doux ; parce qu'il répond parfaitement à une mouture lente, froide et douce telle que produite par une paire de meules bien réglées et bien conduites. La farine ne comporte, bien entendu, ni adjuvant ni améliorant ; elle est utilisée au plus près du temps de mouture, de manière à conserver le maximum d'éléments nutritionnels.

Valeur nutritionnelle (pour 100 g) : 320 kcal ; protéines : 13 g ; lipides : 2 g ; glucides : 65 g ; fibres : 2,08 g ; cholestérol : 0 mg ; vitamine A : 0,08 mg ; vitamine E : 0,45 mg ; vitamine B1 : 0,32 mg ; vitamine B2 : 0,07 mg ; vitamine B3 : 0,80 mg.

L'épeautre renferme tous les sels minéraux : sodium (Na), calcium (Ca), potassium (K), magnésium (Mg), silicium (Si), phosphore (P), soufre (S), fer (Fe). Grâce à sa forte teneur en magnésium, il est un excellent antistress naturel. Il contient plus de vitamines B1 et B2 que le blé, des protéines et des fibres en proportions plus importantes que le blé.

BERNARD GANACHAUD
(Paris, France)
www.gana.fr

Fournée 3P

Fils d'un boulanger de Nantes, Bernard Ganachaud se voyait embrasser une carrière d'avocat, mais c'est le fournil qu'il a rejoint. Après une première affaire à Tours, il s'installe en 1961 avec son épouse, Josette, rue de Ménilmontant, à Paris XXe. Dès les commencements, sa pugnacité, sa créativité, son ambition lui permettent de se distinguer parmi les boulangers *du quartier et, très vite, au-delà. Il maîtrise le travail sur levain et la méthode sur poolish, par lui redécouverte, un mode de fermentation naturelle et longue qui développe des arômes à la cuisson. La clientèle afflue des quatre coins de la capitale vers sa boutique, où il inaugure, avant les autres, l'idée de mise en théâtralité des étapes de la panification et de la vente. Les Parisiens raffolent de sa Gana et de ses pains bio au sel de Guérande. En 1979, il obtient le titre de Meilleur Ouvrier de France et exporte son savoir-faire en ouvrant des points de vente à son nom dans plusieurs magasins au Japon. Ses trois filles, Marianne, Isabelle et Valérie, après avoir exercé différentes professions, ont passé leur CAP boulangerie à l'INBP de Rouen et ont repris l'entreprise familiale. Aujourd'hui, elles dirigent quatre boulangeries, deux à Paris et deux à Vincennes. Depuis 1990, elles développent la marque « La Flûte Gana » sous forme de licence, qui a séduit aujourd'hui 280 artisans boulangers en France.*

Jean-Pierre Deloron

Ingrédients

Eau : 1 l
Farine T55 : 1,48 kg (± 30 g)
Sel : 30 g
Levure : 30 g
Pâte fermentée d'au moins 24 heures : 700 g

Préparation

Panification sur pâte préfermentée

Choisir un pétrin à deux bras pour un résultat optimal et ne pas dépasser les trois quarts du contenant préconisé par le constructeur. Pétrir 5 min en 1re vitesse, puis arrêt du pétrin 5 min ; 7 min en 2e vitesse et 1 min pour lisser la pâte. Pointage en cuve : 30 min.

Division mécanique en pièces de 350 g. Une détente de 5 min après division est impérative. Le préfaçonnage est manuel, le façonnage mécanique.

Seconde fermentation

Elle se fait à température ambiante (22 à 25°). La pétrissée supporte très bien la pousse lente (température entre 8 et 10°) jusqu'à 8 heures, permettant de proposer les baguettes chaudes à la demande. Autre avantage et non des moindres : cela permet l'utilisation des pâtes non cuites de la veille.

Cuisson

Autour de 18 à 19 min. Pour une présentation optimale de votre baguette, je vous conseille 7 coups de lame et la technique suivante : la grigne se pratique lame légèrement inclinée vers la droite pour ne pas creuser. Le coup de lame part du centre de la baguette, pour aller très légèrement vers la gauche, pour un coup de lame dit « à l'endroit », que j'appelle pour ma part le « classique ». Le deuxième reprend sur le premier à hauteur d'un quart de sa longueur, *idem* pour les suivants ; l'espace entre deux grignes doit se situer entre 10 et 12 mm.

La recette de cette « fournée 3P » donne une saveur agréable, avec une petite touche d'acidité et une conservation prolongée. Dernier conseil : essayez d'obtenir de votre meunier une farine avec un W entre 230 et 260, mais surtout un P/L au plus près de 0,50. J'espère vous avoir donné l'envie de faire, et surtout de bien faire.

JEAN-YVES GAUTIER
(Saint-Sébastien-sur-Loire[1], France)

Tourton

Fils d'un maréchal-ferrant, Jean-Yves Gautier s'est installé en 1995 avec son épouse à Saint-Sébastien-sur-Loire, commune au sud de Nantes, après un parcours commencé à douze ans et jalonné de nombreux concours régionaux brillamment remportés, qui lui a permis de rehausser chaque fois son niveau de maîtrise et d'exigence. Couronnement d'une formation, il a obtenu le titre de Meilleur Ouvrier de France en 1989 et le prix de la Dynamique artisanale régionale en 2005. À la tête d'une affaire maintenant renommée qui a su attirer une clientèle nantaise nombreuse, il s'est tourné vers les jeunes générations pour leur transmettre sa passion du métier. Il accorde ainsi aux apprentis en formation à Saint-Sébastien-sur-Loire le meilleur de son temps. Mais son engagement ne s'arrête pas là puisqu'il a pris récemment des responsabilités au sein de la Fédération des boulangers de Loire-Atlantique, où il défend avec conviction sa conception de l'artisanat et du métier de boulanger. *J.-P. de T.*

Ingrédients

Farine de tradition : 4 kg
Sucre : 1 kg
Beurre (ramolli) : 500 g
Eau : 1 kg
10 œufs (500 g)
Pâte fermentée : 1 kg
Levure : 200 g
Sel de Guérande : 100 g

1. Jean-Yves Gautier, 391, route de Clisson, 44230 Saint-Sébastien-sur-Loire – Tél. : 0033 (0)2 40 34 24 11

Préparation

Délayer le sucre dans l'eau et les œufs ; pétrir 10 min en 1re vitesse, puis 4 min en 2e vitesse. Détailler en pâtons de 500 g. Façonner en boules (tourton jaune) et en bâtards (tourton gris).

Apprêt de 2 heures ; puis coupe quadrillée.

Cuisson

35 min environ, à 200°.

Le tourton est une spécialité du nord de la Loire-Atlantique ; il fait le délice des enfants au petit déjeuner et au goûter.

PIERGIORGIO GIORILLI
(Italie)

www.giorilli.com

Pain méditerranéen

*Boulanger italien, fils de boulanger, Piergiorgio Giorilli est né à Cittiglio, près de Varèse, en 1944. Ses cours d'approfondissement pour les boulangers dans les écoles comme son activité de consultant sont aujourd'hui très prisés. Cette expertise et sa fonction d'entraîneur officiel des équipes italiennes de boulangers participant aux concours internationaux ont fait de lui le boulanger le plus célèbre d'Italie. Sa rencontre, en 1996, avec le maître boulanger autrichien Herr Steger lui a permis d'intégrer le Richemont Club, émanation de l'École Richemont de Lucerne, dont le but est d'assurer la formation continue des boulangers professionnels. Il en est le président international depuis 2005. En janvier 2007, il a été nommé président de jury à l'occasion du premier Mondial du pain, à Lyon, et Ambassadeur du pain par l'Association française des ambassadeurs du pain. Il est l'auteur de nombreux livres de recettes et de techniques du pain (*Le Livre des pains : fabrication et recettes*, 2004 [*Pane & Pani*, 2004 ; réed. 2008] ;* Snack Food*, 2007) ; il collabore également à de nombreuses revues professionnelles. En 2004, il a été fait docteur* honoris causa *en sciences et techniques de boulangerie par l'Université européenne Jean-Monnet à Bruxelles. Membre de la confrérie tessinoise des Chevaliers du bon pain, il a reçu la médaille de commandeur de l'ordre du Mérite des mains du président de la République italienne, Giorgio Napolitano, en 2007.*

Marina Caccialanza

Ingrédients

Pour le levain :

Farine (W 340 et P/L 0,55) : 2 kg
Eau (45 %) : 900 g
Levure (1 %) : 20 g

Pour la pâte :

Farine (W260 et P/L 0,55) : 2 kg
Levure (2 % de la farine ajoutée) : 40 g
Malt (1 % du total de la farine) : 40 g
Huile d'olive extravierge (3 %) : 120 g
Sel (1,8 %) : 72 g
Eau (65 %) : 1 700 g

Préparation

Le levain (20-22 heures)

Temps de pétrissage : 4-5 min en 1re vitesse selon pétrin. Température 17 à 20°.

La pâte

Température finale : 27°.

Procédé : pétrir tous les ingrédients (étapes 1 et 2), sauf un quart de l'eau dans laquelle on aura dissous le sel et qu'on ajoutera lentement, au moment du pétrissage en 2e vitesse. Temps de pétrissage : 4-5 min. en 1re vitesse et 8-9 min. en 2e vitesse.

Poser la pâte dans un récipient huilé pour un pointage de 20 min environ. Étaler ensuite la pâte sur la table de travail et l'huiler à huile d'olive ; plier en quatre et laisser au repos encore 20 min. Former alors des bâtards (grands ou petits), et les poser sur la table sans toile et clé en dessous. Huiler les pièces et les saupoudrer abondamment de farine. Après 10 min, poser sur plaques ou sur le tapis d'enfournement et donner un apprêt de 60 min en chambre à une température de 27 à 28°.

Cuisson

Cuire à 240° avec buée et ouvrir la porte du four les dernières 5 min de cuisson. Le temps de cuisson est fonction du poids des pièces.

Le pain méditerranéen est issu d'une longue fermentation, favorisée par l'adjonction de malt, qui contribue à former une série de composés qui donnent une saveur et un arôme particuliers au produit final. La longue fermentation développe un certain nombre de lactobacilles présents dans la farine qui en activent l'acidité, de composés aromatiques et d'acides aminés qui, par l'intermédiaire de la réaction de Maillard, confèrent son identité au pain méditerranéen. L'ajout d'huile d'olive extravierge apporte une touche de fraîcheur, retarde le processus de rassissement et permet de conserver au pain son moelleux et sa douceur. Ajoutons à cela que le pain méditerranéen contient peu de sel.

Valeur nutritionnelle (pour 100 g) : 215,11 kcal ; protéines : 6,82 g ; lipides : 2,33 g ; glucides : 44,51 g ; fibres : 2,08 g ; cholestérol : 0 mg ; vitamine A : 0,05 mg ; vitamine E : 0,33 mg ; vitamine B1 : 0,15 mg ; vitamine B2 : 0,03 mg ; vitamine B3 : 0,80 mg.

ROLAND HERZOG
(Muntzenheim[1], France)

Pain à l'ail des ours

Roland Herzog a repris la boulangerie pâtisserie familiale à Muntzenheim en 1983 et entrepris, dès lors, de compléter une formation de maître boulanger et compagnon pâtissier. Finaliste à deux reprises du prestigieux concours du Meilleur Ouvrier de France, il s'est astreint à suivre chaque année un stage de formation dans des institutions renommées (École Lenôtre, INBP, EFBA, École d'Aurillac, École Stéphane-Glacier, École Pascal-Brunstein, ENSP Yssingeaux, Bellouet Conseils, Ceproc). Sa trajectoire est ainsi émaillée de très nombreuses distinctions (Baguette d'or du Haut-Rhin en 2005 ; Baguette d'argent et formateur d'une apprentie boulangère Meilleur Jeune Boulanger de France en 2007 ; Kougelhopf d'argent en 2008) qui lui ont permis d'élargir, au fil des ans, son audience et sa renommée. Il est à la tête aujourd'hui d'une entreprise de vingt-trois salariés dans un village qui ne compte que mille âmes. N'hésitant pas non plus à quitter son fournil, il a créé avec des collègues et amis boulangers rassemblés au sein des Ambassadeurs du pain, le Mondial du pain en association avec le Bocuse d'or et la Coupe du monde de pâtisserie.

Expérimentateur, esprit curieux, boulanger innovant, Roland Herzog aborde dans son fournil toutes les formes de fermentation, dirigée, long pointage, pointage en bac, surgélation, matrices à partir desquelles ses équipes proposent une gamme d'une cinquantaine de pains différents. Les viennoiseries sont faites exclusivement au beurre et proposées chaque jour sous vingt formes distinctes. En pâtisserie, l'offre varie en fonction de la période automne-hiver et printemps-été, à partir d'une charpente de produits traditionnels classiques où l'on trouve en bonne place, notamment, la forêt-noire, le saint-honoré, les éclairs, le brie. La culture du bien-manger alsacien à laquelle notre boulanger et ses équipes se réfèrent est ici non seulement d'inspiration française mais également allemande et autrichienne.

J.-P. de T.

Ingrédients (pour 16 pièces)

Farine de tradition : 2,5 kg
Farine de seigle : 500 g
Eau : 1,95 kg
Sel : 60 g
Levure : 30 g
Levain liquide : 660 g
Ails des ours : 200 g
(Total : 5,9 kg)

1. 30, rue de Colmar, 68320 Muntzenheim – Tél. : 0033 (0)3 89 47 40 91

Préparation

La veille, pétrir ensemble les ingrédients avec un pétrin Artofex 10 min en 1re vitesse et 6 min en 2e vitesse. Laisser fermenter de 12 à 24 heures à une température de 5°.

Le lendemain, peser des pâtons de 350 g. Laisser un temps de détente de 60 min. Façonner en bâtard durant 10 min. Temps de l'apprêt 60 min. Avant d'enfourner, donner deux coups de lame sur chaque pâton.

Cuisson

Cuire à 230°, durant 30 min.

Au printemps pousse dans nos forêts une merveilleuse plante très odoriférante, l'ail des ours. Je l'utilise pour faire ce pain très typé, que l'on peut déguster avec de la charcuterie ou des fromages frais ou persillés. L'ail des ours est consommé comme condiment avec une salade, cuit comme les épinards, en tisane, voire avec du fromage frais. Il s'agit d'une plante médicinale très ancienne connue des Celtes et des Germains. On en a retrouvé des restes dans des habitations du Néolithique. Depuis quelques années, l'ail des ours retrouve une certaine popularité du fait de sa haute teneur en vitamine C et de ses propriétés amaigrissantes. Attention, cependant : avant floraison, il peut être confondu avec le muguet de mai ou le colchique d'automne, qui sont tous deux très toxiques (éventuellement mortels). La distinction peut facilement se faire grâce à l'odeur aillée dégagée par les feuilles froissées de l'ail des ours, qui, à la différence des feuilles de muguet, ne sont jamais couplées. Pour la fabrication de ce pain, je privilégie un pointage en bacs afin que la flaveur de ce merveilleux condiment se répande uniformément dans la pâte.

FRANCIS HOLDER
(Lille, France)
www.groupeholder.com

Miche des Flandres de ma grand-mère

Issu d'une famille de boulangers depuis quatre générations, Francis Holder est le « premier boulanger » de France. Son histoire démarre en 1935 lorsque ses parents, Suzanne Mayot et Julien Holder, s'installent dans une boulangerie, rue des Sarrazins, puis place de Strasbourg à Lille. À la mort de son père, il reprend avec sa mère la boulangerie familiale. Au début des années 1960, période marquée par l'essor de la grande distribution, Francis Holder cherche aussitôt à y inscrire sa production et son nom. Il s'installe dans un atelier à Lambersat et démarre son activité industrielle sous la marque « Moulin Bleu ». Sa réussite est en marche. Il s'implante alors à La Madeleine, dans la banlieue de Lille, et fabrique des produits de boulangerie et de pâtisserie précuits frais et surgelés.

Parallèlement à son activité industrielle, il transforme le magasin familial en 1972 en y installant un four à bois à la vue des clients, qui assistent à toutes les étapes de la fabrication du pain. Ce concept avant-gardiste rencontre tout de suite un franc succès. Le réseau des boulangeries Paul est né. Bénéficiant de bons emplacements en centres-villes, les boulangeries Paul se développent dans toute la France. En 1993, elles adoptent des devantures noires et misent sur la sandwicherie et la restauration rapide. À cette époque, Francis Holder instaure un partenariat avec les agriculteurs et les meuniers pour fabriquer son pain à partir d'une farine issue d'une variété rustique de blé tendre, le blé Camp-Rémy. Aujourd'hui plus de 300 agriculteurs français ensemencent plus de 3 500 hectares selon un cahier des charges très précis.

Toujours en 1993, Francis Holder, avec son fils David, rachète la maison Ladurée, spécialisée dans la pâtisserie de luxe. Cinq ans plus tard, il crée les boulangeries Saint-Preux sous forme de franchises. À l'inverse des boulangeries Paul, le pain y est cuit à partir de pâtons crus surgelés. En 2000, ses deux fils et sa fille l'ont rejoint pour perpétuer cette fantastique histoire. En 2007, Maxime Holder devient P-DG de Paul et continue l'internationalisation de la marque (330 boutiques), présente dans 25 pays. En 2008, pour la première fois de son histoire, Paul a ouvert plus de points de vente à l'étranger qu'en France. *Jean-Pierre Deloron*

Ingrédients

Farine de meule T80 du moulin « Les meules des Flandres » : 1 kg
Eau : 1 l
Sel : 26 g
Levure : 5 g

Préparation

La température de base (température de la farine + température de l'atelier + température de l'eau) doit être égale à 100°. Exemple, dans un atelier à 25°, température de la farine : 25°, température de l'eau de coulage : 50°.

Prévoir un saladier à fond circulaire en plastique assez haut. Dans le saladier, diluer la levure dans un peu d'eau à 20°. Ajouter la farine, saupoudrer le sel, puis verser toute l'eau chaude d'un seul coup. Mélanger avec la main jusqu'à obtention d'une pâte onctueuse.

Conserver recouvert d'un torchon (pour éviter les courants d'air) dans un endroit chaud (25°) pendant 6 heures en veillant à rabattre la pâte une fois par heure. Laisser en repos pendant 15 heures à 4°, toujours recouvert d'un torchon.

Préchauffer un four à pierre à 290°. Débaquer la pâte sur un lit de farine. Plier la pâte en ramenant les coins vers le centre afin de donner une forme de boule. Poser la boule de pâte dans un banneton très fariné, la clé dans le fond. Laisser un apprêt de 30 min à 25°.

Cuisson

Enfourner avec buée dans le four à 290° et cuire à chaleur tombante réglée à 210°. Le pain est cuit quand le fond « toque », c'est-à-dire sonne le creux.

Cette miche des Flandres se caractérise par son authenticité. Il s'agit d'un pain très rustique à la croûte épaisse et au bon goût de froment. Sa mie onctueuse et soyeuse fond véritablement en bouche. Elle développe les arômes du grain de blé. Sa croûté farinée est craquante à souhait. On aime ce pain authentique fidèle à celui que mangeaient nos grands-parents.

Francis Holder et Christian Kintzig

ÉRIC KAYSER
(Paris, France)
www.maison-kayser.com

Bon bac et Curcuma

Fils, petit-fils et arrière-petit-fils de boulanger, Éric Kayser est un artisan boulanger qui a décidé de reprendre le travail du pain au levain, héritage de la tradition française, en l'adaptant aux exigences et aux goûts d'aujourd'hui. Il débute sa carrière à dix-neuf ans lorsqu'il rejoint les compagnons du Tour de France avec lesquels il restera pendant cinq ans. Formé par les meilleurs chefs boulangers, il est attiré par leur idéal de fraternité, de rigueur et leur quête d'excellence. À son tour formateur en boulangerie pour l'Institut national de la boulangerie pâtisserie pendant près de dix ans, il parcourt la France et le monde, transmettant la tradition du savoir-faire français.

En 1994, Éric Kayser et Patrick Castagna, grands amoureux du pain, créent le « fermentolevain », machine intelligente qui entretient un levain liquide naturel à une température idéale. Ce levain liquide naturel développe une fermentation de type lactique qui permet d'offrir chaque jour dans toutes les boulangeries Éric Kayser des pains au léger goût de lait et de noisette. C'est en 1996 qu'il ouvre sa première boulangerie à Paris, rue Monge. On compte, en 2009, 60 boulangeries artisanales Éric Kayser. Ouvert sur le monde, généreux et pédagogue, l'homme exporte son savoir-faire et aspire à développer de nouveaux concepts gastronomiques mettant en valeur le pain. Depuis 2008, il multiplie les actions pour que la boulangerie française soit inscrite au patrimoine culturel immatériel de l'humanité. Il cherche à mettre en lien ces pains que l'on trouve dans la tradition boulangère française (du XIXe au début du XXe siècle), comme le bon bac, et des pains innovants, ici le pain au curcuma. J.-P. de T.

Bon bac

Ingrédients

Farine tradition : 980 g
Eau : 650 g
Gaude : 20 g
Sel : 18 g
Levure : 5 g
Levain : 200 g
Eau de bassinage : environ 50 g

Préparation

Faire une autolyse de 8 heures avec les trois premiers ingrédients de la recette (5 min en 1re vitesse). Ajouter le sel, la levure et le levain, pétrir 8 min en 1re vitesse et 3 min en 2e vitesse. Verser l'eau de bassinage petit à petit en fin de 1re vitesse. Température de la pâte : 24°.

Pointage de 1 heure 30 min, avec un rabat toutes les 30 min. Bouler légèrement dans le bac. Détente 20 min, puis diviser et déposer aussitôt sur couche farinée en gardant une forme la plus carrée possible. Mettre directement au froid pendant au moins 2 heures.

Cuisson

Régler le four à 260°, déposer sur le tapis côté fariné au-dessus ; lamer en polka et enfourner. Dès que le pain commence à prendre de la couleur, baisser le four à 215°. Temps total de la cuisson : 1 heure 15 min.

Curcuma

Ingrédients

Farine de tradition : 1 kg
Levain liquide : 200 g
Levure : 15 g
Sel : 18 g
Eau : 520 g
Beurre : 150 g
Poudre de lait : 50 g
Sucre : 70 g
Noisettes : 200 g
Noix : 200 g
Curcuma : 20 g
Huile d'olive : 30 g

Préparation

Incorporer la farine, le levain, la levure, l'eau, le beurre, la poudre de lait, le sucre et le sel. Pétrir 4 min en 1re vitesse et 8 min en 2e vitesse. Température de la pâte : 22°. Temps de fermentation en bac 30 min à température ambiante. Mélanger tous les ingrédients pendant 3 min en 1re vitesse.

Pointage de 20 min en bac à température ambiante. Bouler légèrement. Laisser pointer 30 min sur planche. Façonnage à la main en bâtard peu serré. Mettre les pains sur couche. Lamer immédiatement (lamage en feuille). Mettre les pains au curcuma sur couche avec la soudure au-dessous. Mettre en chambre de fermentation à 9° pendant 12 heures.

Cuisson

Four à 230° pendant 15 à 20 min.

Le bon bac, au levain et à la farine de tradition, est sans doute un de mes pains préférés, il me rappelle les gros pains de mon enfance. J'emmène toujours un bon bac lorsque je vais à la campagne, il se conserve si bien, et s'accommode avec tout ! Quant au curcuma, pain de froment ensemencé au levain naturel, agrémenté d'un peu de beurre, de lait, de noix, de noisettes et, bien entendu, de curcuma, il a parfaitement sa place autour de l'apéritif ou pour accompagner un plateau de fromages ; il régale mes invités par son originalité !

FRÉDÉRIC LALOS
(Paris, France)

www.lequartierdupain.com

Pavé d'autrefois

Frédéric Lalos a toujours voulu devenir ce qu'il est essentiellement, un boulanger-pâtissier pour qui le métier doit se vivre sur le front de l'excellence et nulle part ailleurs. Dans cette mesure, il a su toujours saisir sa chance et, à chaque étape de son parcours, s'ouvrir de nouvelles possibilités et progresser sans cesse. Élève d'Alain Marie, boulanger Meilleur Ouvrier de France, il est premier de sa promotion de CAP et parvient même en finale du concours des Meilleurs Apprentis de France, distinctions qui lui valent d'être reçu à l'Élysée et d'offrir la galette des rois au président de la République François Mitterrand. Repéré par la maison Lenôtre, il va pouvoir côtoyer pendant quelques années (1990-1994) le gratin du métier, période au cours de laquelle il a la chance d'effectuer son service militaire comme pâtissier de l'Hôtel Matignon et de servir deux Premiers ministres, Édith Cresson et Pierre Bérégovoy.

Sa formation se poursuit au centre de recherche des Grands Moulins de Paris, où il parfait sa connaissance des farines, et par la préparation pendant deux ans du concours du Meilleur Ouvrier de France, titre qu'il décroche à ving-six ans. La maison Lenôtre lui propose alors le poste de chef boulanger, à charge pour lui de produire tous les pains pour ses magasins et restaurants situés à Paris. Il commence alors à parcourir le monde pour former le personnel des magasins Lenôtre (Japon, Corée, Koweït...), découvrant des modes de vie, des habitudes alimentaires et des recettes qu'il note soigneusement.

*Le concept des « Quartier du Pain » conçu avec Pierre-Marie Gagneux voit alors le jour à partir de l'année 2000 à travers la création continue de boutiques à Levallois, Paris et Boulogne. La notoriété acquise l'amène à publier deux ouvrages remarqués (*Le Pain. L'envers du décor*, 2003, et* Je fais tout avec ma machine à pain*, 2007) et à se voir l'objet d'une attention croissante de la part de la presse professionnelle et grand public. Fin 2009, il est nommé « boulanger de l'année 2010 » par le guide Pudlo.* *J.-P. de T.*

Ingrédients

Pour la poolish :

Farine de tradition : 1 kg
Levure : 1 g
Eau : 1 l

Pour la pâte :

Farine de tradition : 1,1 kg
Farine complète : 300 g
Farine de seigle T85 : 200 g
Farine de sarrasin : 200 g
Poolish : 2 kg
Sel : 90 g
Levure : 25 g
Gluten : 100 g
Eau : 1 l

Préparation

Poolish

Mélanger l'eau, la farine ainsi que la levure afin de préparer la poolish. La laisser fermenter 12 heures à 25°.

La pâte

Peser les ingrédients. La température de base doit être de 54°. Mettre la moitié de l'eau de coulage dans la poolish et l'autre moitié dans le pétrin à spirale. Verser la poolish dans le pétrin puis tous les ingrédients, y compris le sel. Pétrir 5 min en 1re vitesse puis 5 min en 2e vitesse. À la fin du pétrissage, la température de la pâte doit être de 26,5°. Laisser pointer en masse pendant 1 heure. Donner un bon rabat en repliant la pâte sur elle-même. Laisser à nouveau pointer pendant 1 heure.

Étaler la pâte avec le bout des doigts sur une toile farinée, en veillant à ne pas trop la dégazer, afin d'obtenir un beau rectangle. Laisser pousser la pâte pendant 1 heure à 24°.

À l'aide d'un couteau de tour, découper la pâte en pavés de la forme et de la grosseur souhaitée.

Cuisson

Cuire les pavés pendant 40 min dans un four à sole à 240°.

Ce pain rustique à la croûte dorée et craquante est d'une couleur légèrement brunâtre, avec une mie très irrégulière et abondamment alvéolée. Il dégagera une odeur et une saveur inimitables, accompagnant aussi bien charcuterie que fromages de terroir.

DANIEL LEADER
(New York, États-Unis)
www.breadalone.com

Pain au levain de cidre

Lorsqu'il était enfant, le grand-père de Daniel le conduisait à la boulangerie Kaufmann, à New York, et se plaisait à le laisser prendre une miche de pain encore toute chaude. La mémoire de ces gestes quotidiens autour de la nourriture au sein de sa famille l'accompagna lorsqu'il se mit à parcourir le monde. D'abord comme étudiant, puis comme maître boulanger.

Pendant qu'il étudiait la philosophie à l'université du Wisconsin, Daniel travaillait comme plongeur à la cantine de la faculté. Son responsable remarqua alors son amour pour la cuisine et lui suggéra de s'inscrire dans une école spécialisée. Il prit le conseil au sérieux et intégra le Culinary Institute of America, dont il sortit diplômé en 1976 ; il travailla dès lors comme chef cuisinier à New York et en Europe. À Paris, il eut le loisir de fréquenter quelques boulangers, qui lui ouvrirent leurs portes et l'initièrent aux techniques simples d'un pain réputé depuis des siècles. De retour aux États-Unis, il ouvrit sa boulangerie, Bread Alone, et entama alors sa quête en vue de proposer un vrai bon pain dans son pays.

Daniel enseigne aujourd'hui la fabrication du pain à l'Institute of Culinary Education à New York et au Culinary Institute of America. Son premier livre, Bread Alone : Bond Fresh Loaves from Your Own Hands *(William Morrow Cookbooks, 1993) fut primé par l'International Association of Culinary Professionals Cookbook. Il est également l'auteur de* Local Breads : Sourdough and Whole-Grain Recips from Europe's Best Artisan Bakers *(W. W. Norton, 2007) et de* Panini Express : 70 Delicious Recipes Hot off the Press *(Taunton, 2008). Sa boulangerie est devenue le rendez-vous de tous les amateurs de bon pain de la vallée de l'Hudson et, plus largement, de tout le pays.*

J.-P. de T.

Ingrédients

Pour le levain :
Farine organique : 100 g
Eau : 90 g
Cidre de pomme : 40 g
Levain liquide : 20 g (52 %)

Pour la pâte :
Farine organique : 500 g
Eau : 190 g
Cidre de pomme : 190 g
Levain de cidre de pomme : 250 g
Sel : 15 g
Canneberges (*cranberries*) : 55 g

Préparation

Le levain

Mélanger en 1re vitesse jusqu'à incorporation complète des ingrédients, puis en 2e vitesse jusqu'à obtention d'une pâte lisse. Placer le levain dans un récipient et couvrir. Laisser fermenter à température ambiante durant 8 à 12 heures. Le levain peut s'être déjà développé et avoir commencé à s'affaisser, constellé de poches d'air sur sa surface.

La pâte

Mélanger ensemble en 1re vitesse la farine, l'eau et le cidre jusqu'à obtenir une pâte lisse. Faire une autolyse de 20 min.

Ajouter le levain de cidre de pomme et le sel. Mélanger en 2e vitesse pour incorporer le levain. Augmenter la vitesse légèrement ; pétrir encore 7 à 8 min, jusqu'à ce que la pâte soit lisse et élastique. Ajouter les canneberges et mélanger jusqu'à complète incorporation.

Transférer la pâte dans un récipient légèrement fariné. Avec une main farinée, soulever le sommet de la pâte et rabattre vers le centre de la masse ; même chose avec la partie inférieure. Dans un geste fluide, glisser les deux mains sous la pâte, la retourner de telle sorte que le pli soit maintenant en dessous, et la glisser dans le récipient. Couvrir et laisser se développer jusqu'à obtenir un dôme de deux fois le volume initial. La pâte est ferme, élastique et moins collante.

Fariner un banneton ou, à défaut, une passoire de cuisine recouverte d'un torchon. Retourner la pâte sur un plan de travail légèrement fariné. Fariner ses mains et former une miche ronde en ramenant les bords sous la masse, de la même manière que l'on fait un lit. Placer les mains sur les côtés de la pâte et les mouvoir en cercles étroits comme s'il s'agissait de pousser la pâte vers soi. Si la pâte devient collante, fariner légèrement. Ces mouvements simultanés vont permettre de « resserrer » la pâte en réduisant progressivement toutes les aspérités. Il ne s'agit pas d'obtenir une boule parfaite mais de réduire au maximum les défauts constatés. Placer la boule dans le banneton ou la passoire, fariner et couvrir avec un film plastique. Laisser la pâte à température ambiante jusqu'à ce qu'elle ait doublé de volume (2 ou 3 heures). Lorsque l'on presse la pâte avec le doigt, le creux formé disparaît alors lentement.

Une heure avant la cuisson, placer une pierre à cuire sur la grille centrale du four et une poêle en fonte sur la grille inférieure. Préchauffer à 240°. Couvrir la pelle ou une plaque sans rebord avec du papier de cuisson. Découvrir la pâte et la verser sur la pelle ou la plaque en la guidant d'une main. Avec une lame de rasoir à un seul tranchant ou un couteau-scie, faire quatre entailles droites à 2,5 cm du bord pour former un carré. Les extrémités de ces entailles ne doivent pas se rejoindre ou se croiser sinon la croûte se briserait à cet endroit.

Cuisson

Glisser la boule sur la pierre à cuire. Placer une demi-tasse de glaçons sur la grille pour produire de la vapeur. Cuire jusqu'à ce que la croûte devienne brun noyer (40-50 min). Une grosse miche comme celle-ci doit être parfaitement cuite, spécialement si l'on cherche à obtenir une bonne croûte. Ne pas hésiter à prolonger la cuisson si nécessaire.

Sortir la miche du four sur son papier de cuisson et la placer sur une grille et laisser complètement refroidir (2 heures) avant de la trancher.

Pour servir, diviser la miche en deux et couper des tranches à partir de chaque moitié. Les conserver en les plaçant, partie tranchée en dessous, sur une assiette ou la planche à découper.

DAN LEPARD
(Londres, Grande-Bretagne)
www.danlepard.com

Maslin barm bread

Artisan boulanger, écrivain et journaliste gastronomique, Dan Lepard est considéré comme le meilleur expert du pain en Grande-Bretagne. Né à Melbourne, en Australie, il rejoint Londres, où il est d'abord photographe avant de se former comme chef pâtissier auprès de quelques-unes des stars de la cuisine au firmament du Michelin. Dès l'origine, Dan Lepard voit l'intérêt de faire renaître un art du bon pain en Angleterre et se met en situation de donner corps à son projet. Il encourage alors ses mentors, comme les chefs Fergus Henderson ou Giorgio Locatelli, à développer de mini-boulangeries à l'intérieur de leur cuisine afin d'œuvrer, libres de toute pression commerciale, à la qualité de leurs produits. Il est récompensé lors des « London Restaurant Awards » en 2003. Son premier livre, Baking with Passion *(Quadrille, 1999), lauréat du « Guild of Food Writers Cookery Book of the Year », est le premier ouvrage d'un artisan boulanger à être distingué en Grande-Bretagne.* The Handmade Loaf, *publié en 2004 (Mitchell-Beazley), devient un livre culte en ce qu'il se fait le chantre de la panification qui prend son temps lorsque la tendance dans les boulangeries est aux cadences infernales. Il écrit depuis cinq ans une chronique hebdomadaire sur l'univers du pain dans le* Guardian. *Il est consultant auprès d'Ottolenghi à Londres, et du Café Royal Bakery à Newcastle upon Tyne.* *J.-P. de T.*

Ingrédients

Pour le barm :
Bière noire : 500 ml
Farine de meule : 50 g
Levure instantanée : 1 g
Levain de seigle : 3 g (en option)

Pour la pâte :
Barm (préparation précédente) : 550 g
Un mélange composé de farine de blé T55 : 550 g (70 %) + farine de meule 75 g (10 %) + farine de seigle : 75 g (10 %) + farine d'avoine : 75 g (10 %)
Sel fin : 12 g (1,5 %)
Eau : 175 à 200 g (22 à 25 %)

Préparation

Le barm (24 heures)

Un ou deux jours avant de préparer le *maslin barm bread*, mélanger la bière avec la farine dans une casserole et porter juste à ébullition, pas davantage. Puis retirer du feu, vider dans un bol et laisser refroidir. Y mélanger la levure (et le levain, s'il est utilisé), couvrir le bol et laisser 4 heures ; puis battre et laisser encore au moins 24 heures de 17 à 23°.

La pâte

Température finale : de 20 à 23°.

Mélanger *barm*, farine et eau pour constituer une pâte souple. Mélangé en 1re vitesse 2 min et laisser reposer 30 min. Ajouter le sel et mélanger en 2e vitesse 8 min. Laisser la pâte prendre du volume (50 %), ce qui représente approximativement 2 heures à 21°, donnant à la pâte un tour après une heure. Une longue fermentation à basse température (16°) est préférable, mais pas essentielle.

Placer la pâte sur une planche farinée et la laisser prendre du volume (50 à 75 %).

Cuisson

Couper en croix au centre et cuire à 225° 20 min (avec buée) ; puis sans buée pour 15 à 20 min supplémentaires.

Traditionnellement, les pains devaient être cuits par fournées dans des cadres de bois de manière que chaque pain puisse se développer en poussant fermement les autres et soit ensuite détaché de l'ensemble, une fois refroidi.

La combinaison d'un mélange de farines et de ferment de *barm* était typique en Géorgie et au commencement de l'ère victorienne. La proportion de grains utilisée variait selon la saison et la récolte. Avant le tout début du XVIIIe siècle, la majorité du blé qui poussait dans le sud de la Grande-Bretagne ressemblait à celui qu'on trouvait alors en France. Les graines étaient échangées et vendues entre les deux pays, de telle manière qu'il est possible de soutenir que la farine française est aujourd'hui plus proche en performance de l'ancienne farine britannique que de celle qui est utilisée aujourd'hui au Royaume-Uni. La quantité de *barm* utilisée varie en fonction du temps nécessaire à la panification, mais je préfère un haut niveau pour accentuer le goût du houblon et de l'orge malté.

PIERRE NURY
(Loubeyrat[1], France)

Miche méteil

Fils d'un père boulanger, décédé alors qu'il avait trois ans, Pierre Nury s'est toujours senti désireux de reprendre un métier devenu pour lui mythique. Muni de son CAP, il s'installe en 1984 avec son épouse dans une petite commune où il va faire prospérer son activité et poursuivre son apprentissage (BP en boulangerie, concours de la Coupe d'Europe en 1993, « Rabelais d'or de la gastronomie » de la ville de Lyon la même année, Meilleur Ouvrier de France en 1997). Ces distinctions ou confirmations acquises, il n'en délaisse pas pour autant sa boulangerie, qui entre-temps s'est agrandie, ni non plus sa clientèle. Fidèle à ses attaches, il l'est tout autant aux boulangers qui ont su comme lui incarner l'excellence de la profession. Ensemble, ils ont créé les Ambassadeurs du pain et mis sur pied le premier Mondial du pain. Homme d'engagement, il est également président du groupement des Meilleurs Ouvriers de France (tous métiers) au plan départemental.

Il a bâti sa renommé sur des pains issus d'anciennes variétés de blé, comme le blé des Combrailles, sa boulangerie étant située à l'entrée de cette région, au nord de Clermont-Ferrand et à 700 mètres d'altitude. Mais plutôt que de présenter son pain des Combrailles, il a choisi de mettre en œuvre ici la recette du méteil qu'il propose à ses clients depuis vingt-cinq ans. Le méteil renvoie à une époque de notre histoire où les plus riches se réservaient le blé, la céréale noble, ne laissant au métayer que le soin de mélanger ce qu'il restait avec du seigle. Cette grosse miche, cuite au four, pouvait alors se conserver une quinzaine de jours. *J.-P. de T.*

1. Le Fournil 1869, Le Bourg, 63410 Loubeyrat – Tél. : 0033 (0)4 73 86 55 95

Ingrédients

Pâte fermentée T65 : 8 kg (dont farine de blé T65 : 4,84 kg ; eau : 3,14 kg ; sel : 18 g ; levure : 1,4 g), soit 19,4 %
Eau : 8 l (29,4 %)
Sel : 200 g (0,7 %)
Farine de blé T65 : 4 kg (14,7 %)
Farine de seigle T85 : 6 kg (22,1 %)
Sons de blé et/ou germes de maïs : 1 kg (3,7 %)

Préparation

Pétrir 5 min en 1re vitesse, 3 min en 2e vitesse. À l'arrêt du pétrin, la pâte doit être à 26°.

Pointage 2 heures 30 min à 3 heures 30 min en masse. Pesée. Détente une vingtaine de minutes. Façonnage. Apprêt de 30 à 45 min.

Cuisson

Cuisson à 240° en sole et à 230° en voûte pour des pièces de 400 g cuites. Cuisson de 25 à 30 min.

DOMINIQUE PLANCHOT
(Saint-Paul-en-Pareds, France)

www.planchot.com

Préfou

Né en Vendée, dans une famille de meuniers et boulangers, c'est tout naturellement que Dominique Planchot s'est tourné vers un apprentissage de pâtissier chocolatier. Après un rapide parcours d'ouvrier pâtissier, il réintègre l'entreprise familiale à Saint-Paul-en-Pareds, dont il incarne la quatrième génération. Il y développe toute une gamme de pâtisseries et de pains spéciaux. Il va alors prendre la direction de l'entreprise familiale avec son frère Philippe, meunier, et créer l'enseigne Tresse Dorée en 1988.

Fort d'une expérience patiemment acquise, il se lance alors dans les concours : il finit premier à la Coupe d'Europe par équipes en 1993 et deuxième à la Coupe du monde, en 1994 ; il est reçu boulanger Meilleur Ouvrier de France la même année. Il poursuit alors le développement de l'entreprise familiale en créant, notamment, de nombreuses spécialités dans les différents domaines d'activité. Il propose à sa clientèle la baguette Poulichette (1985) et la baguette Bio'Dorée T80 (1998). En chocolaterie, il commercialise de nombreuses spécialités chez les artisans boulangers de toute la France.

La maison Planchot, qui vient de fêter ses quatre-vingts ans d'existence en 2009, représente aujourd'hui huit boutiques Tresse Dorée : à Cholet (49), La Roche-sur-Yon (85), Montaigu (85), Les Herbiers (85), Ardelay

(85), Saint-Paul-en-Pareds (85), la maison mère, Vallet (44) et La Cotinière (17). Il a créé en 2004 l'association des Ambassadeurs du pain avec plusieurs Meilleurs Ouvriers de France et en est actuellement le président.

J.-P. de T.

Ingrédients

Pour le pain :

Farine T65 tradition : 1 kg
Eau : 680 g
Sel : 18 g
Levure : 8 g
Levain liquide : 50 g

Pour la garniture :

Beurre : 450 g
Ail frais haché : 120 g
Assaisonnement : sel, poivre et muscade

Préparation

Température finale 25°.

Après une autolyse de 30 min, pétrir la pâte 5 min en 1re vitesse, 8 min en 2e vitesse, mettre dans un bac pendant 15 heures à 5°. Sortir et mettre à température ambiante 1 heure.

Détailler 6 pâtons de 300 g, les préfaçonner après une détente de 30 min. Les façonner en long comme un petit pain de 30 cm de longueur. Mettre à lever pendant 2 heures à chaud. Mettre un film plastique pour empêcher de croûter.

Cuisson

Écraser le pain avant la mise au four à l'aide d'une planchette ; fariner et grigner en quadrillé. Mettre au four (280°) pendant 12 min.

Garniture

Couper le pain chaud en deux et enlever l'excédent de mie. Frotter l'intérieur du pain avec une gousse d'ail frais et garnir avec le beurre mis en pommade auquel on ajoute l'ail frais haché et l'assaisonnement.

Répartir sur les 6 préfous et refermer.

Remettre à cuire 3 à 4 min et couper en morceaux pour déguster.

Le préfou est une spécialité du marais poitevin (Sud-Vendée). Autrefois, dans les fermes, où chacun cuisait son pain, on appelait « pré-four » la brève période où la braise étant retirée, la gueule du four était encore trop brûlante pour enfourner le pain. Aussi, pour tester la chaleur, on mettait un pâton de pain, dont la pâte aplatie formait en quelques minutes une croûte dorée et croustillante. Le préfou se dégustait en casse-croûte avant d'accomplir le travail quotidien. Le préfou servait déjà à tester le four à l'époque des fours romains. Chaque région de France a sa propre recette et a donné lieu à la création d'une spécialité (la fougasse, la fouace, la fouée, la flamenküche, etc.).

APOLLONIA POILÂNE
(Paris, France)
www.poilane.fr

Pain aux fines herbes

Installée depuis 1932 à Paris, la famille Poilâne a su développer et transmettre un savoir-faire unique en matière de panification. Aujourd'hui connu dans le monde entier, le pain Poilâne procède encore et toujours d'une conception artisanale qui a fait sa renommée : fermentation naturelle sur levain de pâte, façonnage à la main et cuisson dans des fours chauffés exclusivement au bois. Les farines utilisées sont moulues à la meule de pierre à partir de blés rigoureusement sélectionnés.

Apollonia Poilâne effectue son apprentissage dans le fournil familial avant de succéder à son père et à son grand-père en 2002. Tout en conservant les pains traditionnels qui ont fait le succès de la maison, elle élabore de nouveaux produits dans le respect des méthodes Poilâne. Elle poursuit également les projets initiés par son père, comme la publication, en 2005, du livre Le Pain par Poilâne *aux Éditions du Cherche-Midi. En 2007, avec ses compagnons boulangers, elle lance le poivré, un pain à la croûte fine et à la mie dense, relevé d'un mélange de poivres confectionné par le chef Olivier Roellinger. Un an plus tard naît la Petite Cuillère Poilâne, un sablé au beurre en forme de petite cuillère qui accompagne très bien le café ou le thé mais aussi les desserts glacés. Le pain aux fines herbes a été réalisé dans le passé, mais n'a jamais été mis en vente.* *J.-P. de T.*

Ingrédients

Pour le levain :
Farine : 200 g
Eau : 100 g
Levure : 3 g

Pour la pâte :
Farine type 55 : 1 kg
Farine complète : 55 g
Levure : 15 g
Sucre : 20 g
Beurre : 55 g
Lait entier : 30 cl
Sel : 21 g
Levure : 15 g
Ciboulette : 30 g
Eau : 300 cl

Préparation

Le levain (10 à 12 heures)

Temps de pétrissage : 10 à 15 min en 1re vitesse selon pétrin. Température 17 à 20°.

La pâte

Température finale de 24 à 25°.

Pétrir tous les ingrédients pendant 10 min en 1re vitesse « 40 tours minute » ; puis 5 à 6 min en 2e vitesse. Ajouter la ciboulette 5 min avant l'arrêt. Laisser reposer la pâte 60 min en la couvrant pour éviter le croûtage. Donner un tour en bac, puis laisser encore reposer 30 min.

Peser chaque pièce à 100 g ; lui donner la forme souhaitée. Laisser pousser 1 heure. Scarifier les pâtons assez profondément, puis attendez encore 45 min.

Cuisson

Les placer alors dans un four à 230-240°. Après 15 min de cuisson, vous obtenez de petits pains moelleux et très savoureux.

La recette peut être adaptée à partir du choix d'autres herbes. Il faut alors doser au plus juste en fonction de la « force » de chacune. Utiliser cependant exclusivement des herbes fraîches.

JAN PUTKA
(Varsovie, Pologne)
www.putka.pl

Petits pains de seigle traditionnels au levain

La tradition artisanale du pain dans la famille Putka remonte à l'année 1918, époque à laquelle Wladyslaw Putka a fondé sa boulangerie à Rembertow, en banlieue de Varsovie. D'autres membres de sa famille avaient leurs ateliers à Okuniew et à Wesola, également près de la capitale. En 1968, Janina et Jan Putka ont repris le flambeau. Leur société, établie initialement à Rembertow, s'est implantée ensuite à Varsovie. Les années suivantes, ils ont géré des établissements boulangers dans trois autres villes de la région. En 1983, ils ont associé à l'entreprise leurs deux fils, Zbigniew et Stefan, ainsi que leur gendre, Andrzej Pudzianowski, et ont ouvert leur propre boulangerie. C'est la naissance de la nouvelle société Boulangerie J. et Z. Pudzianowski.

Les boulangeries-pâtisseries Putka se composent aujourd'hui de trois usines de fabrication. La plus ancienne se trouve à Varsovie. En 1991, les propriétaires sont entrés en association avec une firme française, Mapain, d'où le nom de Polpain-Putka. Par ailleurs, ils ont fondé une filiale à Wesola (désormais un quartier de la capitale). Depuis, celle-ci ne cesse de développer son activité, et les actions du partenaire français ont été rachetées. C'est cette dernière boulangerie qui est l'établissement le plus grand et le plus moderne de la société, élargie encore par l'achat de celle de Jan Piekarz (Jean Le Boulanger) à Varsovie.

Les boulangeries-pâtisseries Putka représentent donc l'alliance d'une tradition de trois générations avec la modernité. Elles proposent une très large gamme de produits de haute qualité, avec quelque 80 sortes de pains, petits pains et brioches, ainsi que plus de 120 différentes pâtisseries. Les usines travaillent en continu, sept jours sur sept, avec en moyenne 30 t de produits par jour acheminés en temps et en heure vers leur destination. La qualité des pains et pâtisseries ainsi que leur variété, s'adaptant aux exigences du marché, ont valu à la société l'obtention de deux certificats de prestige, dont un international. Son expansion permet aussi à la firme de sponsoriser des événements culturels ou sportifs organisés par certains clients, ainsi que de mener des activités caritatives.

Bojenna Orszulak

Ingrédients

Pour le levain :

Farine de seigle : 1,75 kg
Eau : 1 kg

Pour la pâte :

Farine de froment : 370 g
Farine de seigle : 630 g
Eau : 630 g
Sel : 50 g
Maïzena : 25 g
Sucre : 75 g
Levure : 50 g

Préparation

Le levain

Mélanger en 2e vitesse durant 3 min. Laisser reposer durant 3 heures 30 min à la température de 19°.

La pâte

Mélanger les ingrédients avec la pâte fermentée (levain) en 2e vitesse 4 min, puis en 1re vitesse 3 min. Diviser et placer les pâtons dans les moules appropriés et laisser pousser.

Cuisson

Faire cuire 45 à 50 min à 190-200°.

Ces petits pains de seigle traditionnels au levain sont très faciles à réaliser. Ils sont très certainement, parmi les pains des boulangeries-pâtisseries Putka, ceux qui ont le plus de succès au quotidien.

Traduit par Bojenna Orszulak

DOMINIQUE SAIBRON
(Paris, France)
www.dominique-saibron.com

Pain de châtaigne biologique

Dominique Saibron semblait voué à la pâtisserie jusqu'à sa découverte de l'univers de la boulangerie, prémices d'une véritable vocation. Il quitte les grands restaurants parisiens pour ouvrir sa première boulangerie en 1987, place Brancusi, aussitôt classée parmi les meilleures de France. Récompense d'un authentique engagement sur la qualité des processus de fabrication et sur l'authenticité des produits : car c'est après les moissons que Dominique Saibron sélectionne ses matières premières auprès des meilleurs meuniers, exigeant des farines cent pour cent pur blé, sans adjonction d'additifs, dont une large part réservée au bio. En artisan passionné, il conserve jalousement sa particularité qui est de nourrir son propre levain. Simple mélange de farine et d'eau qu'on laisse fermenter, le levain est un organisme vivant et naturel au goût acidulé. Une culture à base de miel et d'épices a permis de développer alors un levain aux arômes sucrés.

Fidèle à ses principes d'exigence, il réapparaît en 1999 sous le nom de « Boulanger de Monge », fournissant de prestigieux établissements. Il étend également ses activités de conseil auprès de grands groupes français et internationaux et continue à mener une réflexion sur les diverses variétés de blé et l'élaboration de farines sur mesure. En mars 2008, il lance au Japon la première enseigne à son nom. Introduire la « boule bio », au levain de miel et épices, est alors un véritable challenge, les Japonais ne connaissant que la baguette. Après l'ouverture de trois autres boulangeries au Japon, la création d'une vitrine parisienne s'imposait comme une évidence. À l'été 2009, il inaugure sa nouvelle adresse française au cœur du quartier d'Alésia. *J.-P. de T.*

Ingrédients

Pour la poolish :
Farine de châtaigne biologique (provenance Corse) : 335 g
Eau : 335 g
Levure : 5 g

Pour la pâte :
Farine biologique T65 : 1 kg
Eau : 515 g
Gros sel marin : 30 g
Levain biologique : 375 g
Levure : 15 g

Préparation

La poolish (base 65)

Dissoudre la levure dans l'eau, ajouter la farine de châtaigne, puis mélanger l'ensemble à l'aide d'une spatule. Température finale : 22 à 23°. Couvrir la poolish et la laisser fermenter à température ambiante durant 3 heures environ.

La pâte (base 52)

Mettre dans le pétrin le sel, l'eau à température, la poolish, le levain bio, la farine et la levure. Pétrir 4 min en 1re vitesse et 4 min en 2e vitesse. Température de la pâte : de 24 à 25°. Pointage de 30 min en bac à température ambiante.

Bouler sans trop serrer et déposer les boules sur couche, clé en dessous ; saupoudrer abondamment de farine de châtaigne bio et donner un apprêt de 1 heure 30 min environ en chambre de fermentation à 25°.

Cuisson

Couper les boules à l'aide de ciseaux en forme de couronne. Cuire à 230° avec buée. Le temps de cuisson est fonction du poids des pièces.

Ce pain de châtaigne biologique réussit le contraste parfait entre une croûte riche en arômes fumés et une mie aux saveurs douces et sucrées. Consommé légèrement toasté, il est le complément idéal de toutes les viandes blanches (gibier, volaille) et ravit les amateurs de saveurs sucrées-salées.

URI SCHEFT
(Tel-Aviv, Israël)

www.lehamim.com

Focaccia lehamin

Uri Scheft est né en 1962 de parents danois. Après avoir terminé sa licence de biologie, il choisit de changer d'itinéraire afin d'essayer de reproduire les saveurs du hallah *de son enfance (pain traditionnel du shabbat) façonné par sa mère. Il s'inscrit alors à l'école de boulangerie et pâtisserie Ringsted Teknik Skole, au Danemark, et cuit ses premiers pains dans le cadre d'un café branché de Copenhague.*

À son retour en Israël, Uri Scheft gère le secteur pâtisserie chez un des plus grands traiteurs israéliens, mais son rêve n'est pas là : il veut faire entrer le pain artisanal dans chaque maison en Israël. C'est pourquoi il collabore avec une chaîne de cafés en développant une gamme de pains et de pâtisseries qui lui valent une grande reconnaissance locale. En 2001, il décide de suivre son intuition et monte sa propre boulangerie à Tel-Aviv dédiée au pain artisanal, accessible à tous. Son expérience accumulée au Danemark, en Italie, en France et en Israël lui permet de donner naissance à une boulangerie unique en son genre qui va remporter le concours de « la meilleure boulangerie de Tel-Aviv ». Ses recettes cherchent à marier traditions du monde entier, saveurs israéliennes et innovation gastronomique. Sa boulangerie est ainsi le lieu de singulières rencontres : pain complet nordique aux graines de sésame, focaccia au zaatar, hallah *à la pâte d'amande, etc. En 2009, Uri Scheft publie* Pain à la maison *(Point Books) dans le souci d'accompagner les amateurs dans leurs préparations domestiques et de redonner au pain la place qui lui revient dans chaque maison. Les recettes, testées par un groupe de professionnels et d'amateurs, rencontrent un grand succès populaire.* *Yair Yosefi*

Ingrédients

Farine tradition : 850 g
Eau froide : 640 g
Sel : 10 g
Levure : 10 g
Sucre : 10 g
Eau de bassinage : 50 g
Une botte de zaatar (variété d'origan)
Sésame blanc : 120 g
Fleur de sel : 20 g
Huile d'olive : 60 g

Préparation

Incorporer la farine, la levure et l'eau. Pétrir 2 min en 1re vitesse. Ajouter le sel et le sucre ; pétrir 4 min en 1re vitesse, puis verser l'eau de bassinage petit à petit ; pétrir encore 4 min en 2e vitesse. Température de la pâte : 22°.

Pointage 1 heure 30 min, dans un récipient huilé, avec 1 rabat toutes les 30 min. Couper à la main en 6 puis bouler légèrement. Laisser pointer 30 min sur planche.

Étaler les boules en disques de 40 cm de diamètre sur 10 cm d'épaisseur. Saupoudrer les pains avec le sésame, le zaatar et la fleur de sel ; faire des petits creux avec les doigts dans chacun d'eux. Arroser avec l'huile d'olive.

Les saveurs et parfums de l'Orient et de l'Occident se mêlent harmonieusement dans cette foccacia légère. Par cette recette, Uri Scheft fait la démonstration de ce qu'il sait associer les produits traditionnels de la boulangerie universelle aux épices les plus rares trouvées sur les marchés de Jérusalem. Yair Yosefi

YIBING SONG
(Shanghai, Chine)

www.angel-yeast.fuzing.com

Mantou

Yibing Song est conseiller auprès de la China Association of Bakery & Confectionery Industry Baker Branch et chef boulanger chez Angel Yeast. Fondée en 1986, Angel Yeast est une entreprise de pointe cotée en Bourse, dédiée à la recherche et développement et à la production de masse de levure et à ses dérivés. La compagnie a développé sept centres de production pilotes dans le Xinjiang, le Shandong, en Mongolie intérieure, dans le Henan, le Guangxi et le Hubei (où Angel Yeast a ses différents sièges sociaux) pour devenir le plus important producteur de levure en Asie. Elle fournit de la levure de boulangerie, de la levure de bière, des extraits de levure, des produits diététiques, des compléments alimentaires biologiques et des produits pharmaceutiques. Ces produits sont largement utilisés en boulangerie, en brasserie, dans l'industrie des alcools, en médecine, et dans l'industrie de la santé et de la nutrition animale. Angel Yeast a participé au grand rendez-vous international de la boulangerie IBA 2009, en Allemagne (www.iba.de) et remporté la quatrième place au concours IBA 2009.

Ingrédients

Farine de blé : 2 kg
Levure fraîche (allégée en sucre) : 16 g
Préparation spéciale pour mantou : 6 g
Sel : 6 g
Eau : 900 g

Préparation

Mélanger lentement pendant 1 min le blé, la levure, la préparation avec le sel pour arriver à un résultat homogène ; ajouter l'eau et mélanger lentement pendant 2 min, puis à vitesse moyenne pendant encore 2 min jusqu'à ce que la surface de la pâte ainsi formée soit lisse. La température idéale du mélange est de 28°. Maintenir cette température et une humidité de 70 % pendant le temps de la fermentation (30 à 40 min).

Diviser ensuite la pâte en pâtons de 80 g chacun. Les rouler en boule.

Cuisson

Placer les pâtons dans un panier de cuisson à la vapeur en bambou. La température doit y être de 36°, l'humidité de 70 %. Les laisser se développer ainsi pendant environ 30 min.

Cuire à feu fort pendant 15 min.

La recette traditionnelle de cette petite brioche à la vapeur nous vient de la Chine du Nord. Délicieusement fondant, le mantou laisse un goût sucré dans la bouche après dégustation.

Recette rapportée par Olivier Candiotti et traduite par Raphaël Demanesse

BENNY SWINNEN
(Hoegaarden, Belgique)
www.bakkerij-swinnen.be

Pain du Hageland

Homme-orchestre, artisan, enseignant, ambassadeur du pain belge et du pain tout court, Benedictus Swinnen, dit Benny Swinnen, fait partie de ces rares boulangers qui sont aussi à l'aise dans leur fournil que sur le terrain où la boulangerie cherche à défendre ses valeurs. Boulanger, pâtissier, chocolatier, glacier, confiseur à Hoegaarden, il est donc également impliqué dans de très nombreux domaines où ses compétences et son savoir-faire, à la fois comme artisan et comme « ambassadeur », sont reconnus et appréciés.

Enseignant et démonstrateur, en Belgique, en Autriche et en France, Benny Swinnen est devenu naturellement le coach de l'équipe belge engagée dans la Coupe du monde de la boulangerie, puis membre du jury international de cette même institution. Il est par ailleurs président du Richemont Club Belgium, administrateur du syndicat provincial de boulangerie-pâtisserie, de la confédération belge des boulangers-pâtissiers, past-président (1998-2004) du comité professionnel VIZO (enseignement professionnel flamand) et du Syntra AB Campus Leuven, école des métiers et perfectionnement. *J.-P. de T.*

Ingrédients

Pour la poolish :
Farine de blé (Hageland) : 10 kg
Eau : 12 l
Levure : 50 g
Levure de bière fraîche : 100 g

Pour la pâte :
Farine de blé (Hageland) : 10 kg
Sel : 340 g
Fromage blanc gras ou babeurre frais : 500 g, selon disponibilité

Préparation

La poolish

La veille, mélanger les éléments de manière à obtenir une poolish bien lisse ; laisser reposer pendant au moins 12 heures (température ± 8°). Plus longtemps la poolish repose et meilleur est le résultat (ne pas dépasser cependant une durée de 30 heures).

La pâte

Le jour même, pétrir ces ingrédients avec la poolish entière, 10 min en 1re vitesse et 10 min en 2e. Laisser reposer 15 min. Partager en boules de 700 g. Laisser reposer de 30 à 40 min (la pâte doit être bien lisse et molle). Aplatir selon trois directions et replier chacun des trois côtés vers le centre de manière à former une « enveloppe ». Laisser fermenter ces « enveloppes » (clé en dessous) sur toile de 35 à 45 min. Retourner et enfourner aussitôt.

Cuisson

35 min à 230° dans un four à chaleur tombante.

Le Hagelands Brood ou pain du Hageland (« pays de haie vive ») offre une mie assez légère, aussi souple que ferme, particulièrement savoureuse, et une croûte agréablement dorée. C'est un pain qui se conserve très bien pendant plusieurs jours. Il est à son meilleur entre 18 et 24 heures après cuisson.

CHRISTIAN VABRET
(Aurillac, France)

www.vabret-boulangerie-conseils.com

Baguette croustillante aux pommes et Pain à la tomate

Le premier mot qui vient à l'esprit, lorsqu'on rencontre Christian Vabret, c'est… « professionnel ». Professionnel, il l'est, si ce mot englobe : recherche, invention et perfectionnisme. Car il est tout cela, ce fils de boulanger, né en 1954, qui, depuis l'âge de seize ans, se consacre à son métier avec passion. Installé comme artisan à Aurillac en 1976, il travaille à perfectionner son entreprise et à se perfectionner à travers elle. En 1986, il décroche le titre de Meilleur Ouvrier de France et, en 1990, il crée l'École française de boulangerie d'Aurillac, où la formation est dispensée par des boulangers Meilleurs Ouvriers de France. Artisans et salariés viennent de la France entière et de l'étranger pour recevoir un enseignement privilégié.

Après la transmission du savoir-faire, l'autre cheval de bataille de Christian Vabret est la promotion de la boulangerie artisanale. C'est dans cet esprit qu'il crée en 1992, avec le soutien de l'Ekip, les équipementiers du goût, et la Confédération nationale de la boulangerie-pâtisserie française (CNBPF), dans le cadre du salon international Europain, la première Coupe du monde de la boulangerie. Celle-ci suscite aujourd'hui un tel engouement que des présélections sont organisées dans le monde entier en partenariat avec la société Lesaffre (50 pays à travers le monde, réunissant plus de 6 000 boulangers à chaque édition). Président adjoint de la CNBPF et vice-président de l'Union internationale de la boulangerie, Christian Vabret continue ainsi de faire partager sa passion et de développer une image moderne de la boulangerie artisanale. Boulanger entrepreneur, il développe aussi des boulangeries artisanales, à Aurillac comme au Chili ; récemment, à Paris, sous l'enseigne Moisan, où il fait la promotion de la boulangerie biologique avec un savoir-faire traditionnel et innovant pour ce secteur. *J.-P. de T.*

Baguette croustillante aux pommes

Ingrédients

Pour la poolish :
Farine de froment provenant de blé écrasé à la meule de pierre de type 80 : 3 kg
Levure fraîche : 50 g
Cidre fermier bouché : 3 l

Pour la pâte :
Eau : 6 l
Farine type 80 : 12 kg
Levure : 50 g
Sel : 280 g
Germe de blé : 150 g
Malt liquide : 35 g
Pommes déshydratées : 400 g

Préparation

La poolish

Mettre dans un récipient la levure fraîche. Verser le cidre en mélangeant délicatement. Incorporer en pluie fine la farine. Bien mélanger tous les ingrédients ; laisser fermenter 5 heures.

Les pommes

Découper les pommes en fines lamelles. Les déposer sur une plaque de cuisson et les déshydrater au four.

La pâte

Pétrir tous les ingrédients. Pointage en masse pendant 75 min. Peser et façonner manuellement en forme de baguette. Laisser un apprêt de 80 min.

Cuisson

Fariner légèrement et enfourner dans un four à sole à 235°. Cuire pendant 35 min.

La baguette croustillante aux pommes accompagne parfaitement un cantal jeune servi avec un vin souple et fruité.

Pain à la tomate

Ingrédients

Pour la poolish :
Farine : 250 g
Eau : 150 g
Levure : 20 g
Concentré de tomate : 100 g

Pour la pâte :
Farine : 750 g
Pâte fermentée : 300 g
Sel : 20 g
Beurre : 100 g
Muscade : 20 g
Huile : 50 g
Tomates séchées : 200 g

Préparation

Lorsque la poolish est à maturité, incorporer les ingrédients et pétrir au batteur pendant 8 min en 1re vitesse ; puis pendant 2 min en 2e vitesse. En fin de pétrissage, incorporer le beurre et les tomates séchées au four. Laisser fermenter en masse pendant une heure. Façonner et couper des petits pains. Faire un apprêt de 1 heure 15 min.

Cuisson

Dorer à l'huile d'olive avant la mise au four. Cuire dans un four doux à 210°.

Le pain à la tomate se consomme souvent l'été en accompagnement de vos salades. Légèrement toasté, il peut également servir de support à vos tartines garnies de tomates, mozzarella et basilic.

OUVERTURES BIBLIOGRAPHIQUES

Nous proposons un choix de titres permettant d'ouvrir à tous les domaines à partir desquels la question du pain peut être appréhendée. Pour les bibliographies spécifiques, se reporter aux articles concernés.

BIBLIOGRAPHIE GÉNÉRALE

ABECASSIS Joël et BERGEZ Jacques-Éric (éd.), *Les Filières céréalières. Organisation et nouveaux défis*, Versailles, Quae, 2009.

ADRIAN Jean, *Les Pionniers de la science alimentaire*, Paris, Tec et doc-Lavoisier, 1994.

ALDEBERT Louis et MASCARO Philippe, *Métiers passions. Pour l'orientation des jeunes vers l'artisanat*, Paris, Le Cherche Midi, 2003.

ALLE Gérard et POULIQUEN Gilles, *Pains de campagne. Gestes et paroles*, Brest, Le Télégramme, 2003.

ALLEN Stewart Lee, *Jardins et cuisines du diable. Le plaisir des nourritures sacrilèges*, trad. de l'américain par Sébastien Marty, Paris, Autrement, 2004.

AMMANN L., *Meunerie et boulangerie*, Paris, Librairie J.-B. Baillière et Fils, 1914.

AMOURETTI Marie-Claire, *Le Pain et l'huile dans la Grèce antique. De l'araire au moulin*, Paris, Les Belles Lettres, 1986.

—, « La Mouture des céréales : du mouvement alternatif au mouvement rotatif », *Cahier d'histoire des techniques*, 3, 1995, p. 33-49.

AMOURETTI Marie-Claire et COMET Georges, *La Transmission des connaissances techniques*, Aix-en-Provence, Publications de l'Université de Provence, 1995.

—, *La Meunerie antique et médiévale*, Archives internationales d'histoire des sciences, vol. 50, 2000, p. 18-29.

ANDERSON, P. C. (éd.), *Préhistoire de l'agriculture. Nouvelles approches expérimentales et ethnographiques*, Paris, CNRS, 1992.

ANDRÉ Jacques, *L'Alimentation et la cuisine à Rome*, Paris, Les Belles Lettres, 1981.

ANGLERAUD Bernadette, *Les Boulangers lyonnais aux XIXe et XXe siècles*, Paris, Éditions Christian, 1998.

Anonyme, *La Misère des garçons boulangers de la ville et fauxbourgs de Paris*, À Troyes, Chez la Veuve Garnier, Imprimeur Libraire, rue du Temple, Troyes, 1715 ; Phénix Éditions, 1999.

ARCHENAULT Valérie, *L'Idéal du pain*, mémoire de maîtrise, sous la dir. de Claude Rivals, Université de Toulouse-le Mirail, UFR de sociologie, 1996.

ARIÈS Paul, *Les Fils de McDo. La McDonalisation du monde*, Paris, L'Harmattan, 1997.

ARMENGAUD Christine, *Le Diable sucré. Gâteaux, cannibalisme, mort et fécondité*, Paris, La Martinière, 2000.

ARPIN Marcel, *Farines, fécules amidons, pains, pâtes alimentaires, pâtisseries*, Paris, Librairie polytechnique, 1913.

—, *Historique de la meunerie et de la boulangerie depuis les temps préhistoriques jusqu'à l'année 1914*, 2 tomes, Le Chancelier, 1948.

Arvilis-Institut du végétal, *Variétés de blé tendre. Quoi de neuf en qualité*, Paris, Arvilis-Institut du végétal, 2007.

—, *Charte de production du blé tendre* (avec IRTAC), Condé-sur-Noireau, nouv. éd. 2008.

ASHTON John, *The History of Bread, from Pre-historic to Modern Times*, Londres, The Religious Tract Society, 1904.

ASSIRE Jérôme, *Le Livre du pain*, préf. Bernard Clavel, Paris, Flammarion, 1996.

AZÉMA Jean-Pierre Henri, « Les moulins à eau de France : géographie et typologie », *Le Roudet* (Revue de l'Association rouergate des Amis des Moulins), n° 2, janvier 2001.

—, *Meules et gastronomie. Produits agricoles transformés à la meule de pierre. Farine de froment, Farine de châtaigne, Huile de noix, Huile d'olive, Moutarde, Chocolat, Jus de pomme*, Paris, Ibis Press, 2007.

—, *Meuniers, meunières. Noblesse farinière*, Saint-Cyr-sur-Loire, Alain Sutton, 2008.

BADOUIN Robert et THURIN Isabelle, *Les Ailes du vent, les roues de l'eau*, Langlade, Association Langlade, histoire, patrimoine et culture, 2004.

BAILEY Adrian, *The Blessing of Bread*, New York & Londres, Paddington Press, 1928.

BAILLAUD Catherine, *L'Art de la pâte à sel*, Paris, Fleurus, 1992.

—, *Santons en pâte de sel*, préf. Claude Mettra, Paris, Fleurus, 1994.

BALFET Hélène, « Bread in some regions of the Mediterranean Area : a contribution to the studies on eating habits », in M. L. Arnott (éd.), *Gastronomy. The Anthropology of Food and Food Habits*, Paris-La Haye, Mouton, 1975.

BALLAND Antoine, *Recherches sur les blés, les farines et le pain*, Paris, H. Ch. Lavauzelles, 1894.

—, *La Chimie alimentaire dans l'œuvre de Parmentier*, Paris, Baillière et Fils, 1902.

BARATTE J., *Manuel du boulanger-pâtissier*, Paris, Librairie J.-B. Baillière et Fils, 1924.

BARBERIN Georges, *Le Scandale du pain*, Paris, Nizet, 1956.

BARBOFF Mouette et DANTAN Marc (photos), *Pains d'hier et d'aujourd'hui*, Paris, Hoëbeke, 2006.

— *O pão em Portugal. O livro que cheira à pão*, Lisbonne, Edições Inapa, décembre 2008.

BARRAU Jacques, *Les Hommes et leurs aliments*, Paris, Messidor-Temps actuels, 1983.

BARRÉ G., *Du pain considéré comme aliment et médicament phosphaté*, Thèse, Paris, H. Jouve, 1983.

BAUMONT Maurice, *Le Blé*, Paris, Presses universitaires de France, coll. « Que sais-je ? », 1942.

BEAUCOURT Alfred, *La Politique du pain pendant la guerre (1914-1919)*, Paris, Librairie Arthur Rousseau, 1919.

BELDEROK B., MESDAG J. et DONNER D. A., *Bread-Making Quality of Wheat : A Century of Breeding in Europe*, Dordrecht, Kluwer Academic Publishers, 2000.

BELMONT Alain, *La Pierre à pain. Les carrières de meules de moulins en France, du Moyen Âge à la révolution industrielle*, 2 tomes, Grenoble, PUG, 2006.

BENOIT P.-M., JULIA DE FONTENELLE J.-S. et MALLEPEYRE F. de, *Manuel complet du boulanger, du négociant en grains, du meunier et du constructeur de moulins*, 2 vol., Paris, Librairie encyclopédique Roret, 1836.

—, *Nouveau Manuel complet du boulanger, du négociant en grains, du meunier et du constructeur de moulins*, 2 vol., Paris, Librairie encyclopédique Roret, 1846.

BENOIT P. et RUASSE L. J.-P., *Vrai Pain, vraie santé*, *L'Alimentation normale*, n°s 17-18, Impr. Clerc, 1957.

BERNHEIM Pierre-Antoine et STAVRIDÈS Guy, *Cannibales !*, Paris, Plon, 1992.

BERTAUX Daniel et BERTAUX-WIAME Isabelle, *Une enquête sur la boulangerie artisanale par l'approche biographique*, 1980, www.valt.helsinki.fi/staff/jproos//BertauxBoulangerieVOL_I.pdf.

BERTAUX-WIAME Isabelle, *L'Apprentissage en boulangerie dans les années 20 et 30. Une enquête d'histoire orale*, 1978, www.valt.helsinki.fi/staff/jproos//Bertaux_Vol_2.pdf.

BIDAULT DE L'ISLE G., *Vieux Dictons de nos campagnes*, 2 tomes, Paris, Nouvelles Éditions de la Toison d'or, 1952.

BIREMONT Gérald, *Technologie en boulangerie, CAP 1re et 2e année, livre de l'élève*, Paris, Delagrave, 2003.

—, *Pratique en boulangerie : devenir boulanger en 26 semaines*, Paris, Jacques Lanore, 2008.

BOILEAU Étienne, *Le Livre des métiers* (fac-similé), Paris, Bibliothèque des arts, des sciences et des techniques, Revigny-sur-Ornain, Martin Media, 2005.

BOLAND A., *De l'eau dans le pain*, Paris, Bouchard Huzard, 1855.

—, *Traité pratique de la boulangerie*, Paris, E. Lacroix, 1860.

BONCOMPAGNI LUDOVISI O., *Pizza supremo sfizio*, Rome, RAI-AGRA Editore, 2002.

BONJEAN Alain et ANGUS William J., *The World Wheat Book. A History of Wheat Breeding*, Paris, Tec et doc-Lavoisier, 2001.

BONJEAN Alain et LEBLOND Renaud, *Les Trésors du blé*, Paris, Les Presses du Management, 2000.

BONNET Jocelyne, *La Terre des femmes et ses secrets*, Paris, Robert Laffont, 1988.

BORD Gustave, *Le Pacte de famine. Histoire – légende*, Paris, A. Sauton, 1887.

BORDAT G., *Le Pain,* Marseille, Impr. générale de Provence, 1960.

BORDE Constance et MALOVANY-CHEVALLIER Sheila, *Sandwichs, tartines et canapés*, photographies de Sophie Boussahba, Paris, Kunik éditions, 2005.

BOTTÉRO Jean, *La Plus Vieille Cuisine du monde*, Paris, Louis Audibert, 2002 ; rééd. Seuil, coll. « Points Histoire », 2006.

BOULET Guy, *Boulangers, artisans de demain. L'hypothétique mariage de la tradition et du progrès*, Rouen-Paris, INBP-L'Harmattan, 1991.

BOUR Henri (éd.), *La Place du pain dans l'alimentation*, colloque médical, Paris, CES, 1980.

BOURDEAU Louis, *Histoire de l'alimentation*, Paris, Félix Alcan, 1894.

BOURDET A., « La biochimie du pain », *La Recherche*, 74, 1977, p. 37-46.

BOURGEOIS C. M., MESCLE J.-F et ZUCCA J., *Microbiologie alimentaire*, 2 tomes, Paris, Tec et doc-Lavoisier, coll. « Sciences et techniques agroalimentaires », 1996,.

BOURRE J.-M., BÉGAT A., LEROUX M.-C., MOUSQUES-CAMI V., PÉRARDEL N. et SOUPLY F., « Valeur nutritionnelle (macro et micro-nutriments) de farines et pains français, *Médecine et nutrition*, 44 (2), 2008, p. 49-76.

BOURTROUX Léon, *Le Pain et la panification. Chimie et technologie de la boulangerie et de la meunerie*, Paris, Librairie J.-B. Baillière et Fils, 1897.

BOUTELOUP Maurice, *Le Travail de nuit dans la boulangerie*, thèse de doctorat, Paris, Librairie de la Société du recueil J.-B. Sirey et du Journal du Palais, 1909.

BOUTON Michel, *La Révolution de la boulangerie française au XXe siècle*, Annecy, PGS Publishing, 2005.

BOUVEROT-ROTHACKER Anita, *Le Gros Souper en Provence*, Marseille, Jeanne Laffitte, 1998.

BOUVIER E., *Pain bis ou pain blanc*, Paris, Presses médicales Masson, 1927.

BOUYER Christian, *Folklore du boulanger*, préf. Claude Gaignebet, Paris, Maisonneuve & Larose, 1984.

BRADSHAW Paul F., *Eucharistic Origins*, Londres, SPCK, 2004.

BRANTLINGER Patrick, *Bread and Circuses : Theory of Mass Cultures as Social Decay*, Ithaca, Cornell University Press, 1983.

BRAUDEL Fernand, *La Méditerranée. L'espace et l'histoire*, Paris, Flammarion, 1985.

BRAUN, Emil, *The Baker's Book : A Practical Hand Book of the Baking Industry in All Countries*, New York, Braun, 1901.

BROCHOIRE Gérard *et al.*, *Devenir boulanger*, Paris, Sotal, nouv. éd., 2004.

BROUARD, Maurice (éd.), *Eucharistia. Encyclopédie de l'Eucharistie*, Paris, Cerf, 2002.

BUC'HOZ J. P., *Mémoires sur le blé de Smyrne, autrement dit blé d'abondance ; sur le blé de Turquie, le millet d'Afrique et la poherbe d'Abyssinie*, Paris, aux frais de dame Buc'hoz, épouse de l'auteur, 1804.

BUCQUET A., *Conditionnement et conservation en boulangerie pâtisserie*, Paris, Compagnie française d'édition, 1974.

BÜHRER E. et ZIEHR W., *Le Pain à travers les âges. Paysan, meunier, boulanger*, Paris, Hermé, 1985.

CABIESES Fernando, *Cien siglos de pan*, Lima, Universidad San Martín de Porres, 2e éd., 1996.

CACÉRÈS Bénigno, *Si le pain m'était conté...*, Paris, La Découverte, 1987.

CADET DE VAUX A. A., *Avis sur les bleds germés par le Comité de l'École gratuite de boulangerie*, Imprimé et publié par ordre du gouvernement, Lille, Imp. N. J. P. Péterinck Cramé, 1782.

—, *Moyens de prévenir le retour des disettes*, Paris, A. Colas, 1812.

—, *L'Ami de l'économie aux amis de l'Humanité, sur les pains divers, dans lesquels entre la pomme de terre*, Paris, L. Colas & Huzard, 1816.

—, *Instruction sur le meilleur usage de la pomme de terre dans sa co-panification avec les farines de céréales*, Paris, L. Colas & Huzard, 1817.

CALVEL Raymond, *La Boulangerie moderne*, Paris, Eyrolles, 1952.

—, *Le Pain et la panification*, Paris, PUF, 1964 ; rééd. coll. « Que sais-je ? », 1969.

—, *Le Goût du pain, comment le préserver, comment le retrouver*, Les Lilas, Jérôme Villette, 1990.

—, « Le levain naturel : élaboration, panification et vocabulaire », *Industries des céréales*, 100, 1996, p. 37-40.

—, *Une vie du pain et des miettes*, Mende, publié à compte d'auteur par l'Amicale Calvel, 2002 • Voir aussi le site de l'Amicale Calvel : http://profcalvel.free.fr.

CAMPORESI Piero, *Le Pain sauvage. L'imaginaire de la faim de la Renaissance au XVIIIe siècle*, trad. de l'italien Monique Aymard, Paris, Le Chemin vert, 1981.

—, *La Terre et la Lune. Alimentation, folklore, société*, trad. de l'italien Monique Aymard, Paris, Aubier, 1989.

CANDORÉ Annie, *Guide des moulins de France*, Paris, Pierre Horay, 1992 ; 2e éd. 2004.

CARFANTAN Jean, *Le Choc alimentaire mondial*, Paris, Albin Michel, 2009.

CARPENTIER J. et CAZAMIAN P., *Le Travail de nuit. Effet sur la santé et la vie sociale du travailleur*, Genève, Bureau international du travail, 1977.

CARTON P., *Notre aliment fondamental le pain, étude technique, diététique et clinique*, Paris, A. Maloinde, 1914.

CAUVIN, J., *Naissance des divinités, naissance de l'agriculture. La révolution des symboles au Néolithique*, Paris, CNRS Éditions, 2e éd. rev., 1997.

CEBALLOS Lilian et KASTLER Guy, *OGM, sécurité, santé : ce que la science révèle et qu'on ne nous dit pas*, Paris, Nature et Progrès, 2004.

CERFBERR G., *Dictionnaire encyclopédique de la boulangerie et la pâtisserie*, Paris, Jouvet et Cie Éditeur, vers 1895.

CERTEAU Michel de, GIARD Luce et MAYOL Pierre, *L'Invention du quotidien*, t. 2, Paris, Gallimard, 1994.

CHABANON M., *La Meunerie française, une expérience d'économie dirigée*, Paris, Éditions Génin, 1955.

CHAUVET Michel, *Des céréales : l'histoire, la culture et la diversité*, Nantes, Éditions du Gulf Stream, 2003.

CHEVALLIER Jim, *August Zang and the French Croissant. How Viennoiserie Came to France*, Los Angeles, Jim Books, 2e éd., 2009.

CHIRON Hubert, « Évolution de la qualité du pain, du Moyen Âge à nos jours », *Ressources*, 2, 1982, p. 75-85.

—, « Incidences des mutations technologiques sur les caractéristiques du pain français », *Industries des céréales*, 87, 1994, p. 5-12.

—, « L'évolution technologique en boulangerie française : méthodes, équipements, adjuvants », *Industries alimentaires et agricoles*, janv.-fév. 1994, p. 19-40.

—, « Cinquante années de progrès en technologie boulangère », *Industries des céréales*, 116, 2000, p. 3-15.

CHIRON Hubert et ROUSSEL Philippe, *Les Pains français. Évolution, qualité, production*, Vesoul, Maé-Erti, 2002.

CHOPIN Marcel, *Cinquante Années de recherches relatives aux blés et à leur utilisation industrielle*, Boulogne, Chopin, 1973.

CNBP, *Actes des États généraux de la boulangerie artisanale*, Paris, 5 et 6 oct. 1983.

—, *Mon métier : boulanger*, Paris, L. T. J. Lanore, 1990.

—, *Devenir boulanger*, Paris, L. T. J. Lanore, 1998.

CNERNA, *Les Journées scientifiques du pain*, Paris, Éditions du CNRS, 1948.

—, *Les Journées scientifiques du CNERNA : La qualité du pain*, nov. 1954-avril 1960, 2 vol., Paris, CNRS, 1962.

—, *Le Pain*, actes du colloque du CNERNA, nov. 1977, suivi du recueil des usages concernant les pains en France, Paris, Éditions du CNRS, 1979.

COCHET A., *L'Avenir du métier de boulanger*, Paris, Librairie du compagnonnage, 1969.

COFFE Jean-Pierre, *Au secours le goût*, « Après lecture » de Jean-Claude Carrière, Paris, Le Pré aux Clercs, 1992.

Collectif, *Les Réserves de grains à long terme : techniques de conservation et fonctions sociales dans l'histoire*, Paris, MSH, 1978.

—, *Le Pain* [Roland Guinet, « La farine et sa valeur d'utilisation » ; Philippe

Viron, « La qualité de la baguette » ; Jean-Luc Poujauran, « La qualité de la boulangerie artisanale »], Entretiens de Belley, 1991.
—, *Du grain au pain : symboles, savoirs, pratiques*, Bruxelles, Institut de sociologie de l'université libre de Bruxelles, 1992.
—, *L'Eucharistie dans la Bible*, Cahiers Évangile n° 37, Cerf, 1991.
—, *Le Livre de l'épeautre*, Aix-en-Provence, Édisud, 1996.
—, *Les Meuliers, meules et pierres meulières*, Étrépilly, Presses du Village, 2002.
—, *Meules à grains*, Actes du colloque international de La Ferté-sous-Jouarre, 16-19 mai 2002 (Mouette Barboff, François Sigaut, Cozette Griffin-Kremer, Robert Kremer), Paris, Ibis Press, 2003.
—, *Annuaire de la meunerie française*, Paris, Agence générale de publication, 2008.
Compagnons, *Histoire compagnonnique des boulangers et pâtissiers*, Paris, Imprimerie du compagnonnage, 1991.
CORLIEU A., *La Santé de l'ouvrier boulanger, petit livret d'hygiène*, Paris, Librairie Ch. Delagrave, 1874.
COURTIVRON Sophie de, *La Route des pains*, Saint-Apollinaire, Eurogerm, 2008.
CROUZET Jean-Pierre, *Marché, création et gestion d'une boulangerie-pâtisserie*, Paris, Arcane Institut, 2008.
—, *Ambition pour le vrai pain*, Paris, Le Cherche Midi, 2008.
DAGINCOURT Hilda, « La mémoire du meunier, qu'en fait l'historien ? », in *Mémoire individuelle, mémoire collective et histoire*, G. Comet, A. Lejeune et C. Maury-Rouan (dir.), Marseille, Solal, 2008, p. 85-98.
DANIÉLOU Jean, *L'Église des premiers temps. Des origines à la fin du IIIe siècle*, Paris, Seuil, 1985.
DARDY William J., GHALIOUNGUI Paul et GRIVETTI Louis, *Food : The Gift of Osiris*, 2 vol., Londres, Academic Press, 1977.
DAUTRY Raoul (éd.), *Compagnonnage*, Paris, Plon, 1951.
DEBEIR J.-C., DELÉAGE J.-P. et HÉMERY D., *Les Servitudes de la puissance. Une histoire de l'énergie.* Flammarion, coll. « Nouvelle bibliothèque scientifique », 1986.
DELACRÉTAZ Pierre, *Les Vieux Fours à pain. Le renouveau*, Romanel-sur-Lausanne, Delplast, 1988.
—, *Les Vieux Fours à pain. Construire son four – faire son pain*, Yens-sur-Morges (Suisse), Cabédita, coll. « Archives vivantes », 1993.
DELORT R., « L'aliment-roi », *L'Histoire*, 85, 1986, p. 96-101.
DEMING Mark K., *La Halle au blé de Paris, 1762-1813, cheval de Troie de l'abondance dans la capitale des Lumières*, Bruxelles, Archives d'architecture moderne, 1984.
DESPAUX Dr, *Du pain blanc ou du pain bis ou de ménage*, Meaux, Imp. Destouches, 1886.
DESPORTES Françoise, *Le Pain au Moyen Âge*, Paris, Olivier Orban, 1987.
DETIENNE Marcel, *Les Jardins d'Adonis. La mythologie des aromates en Grèce*, Paris, Gallimard, 1972.

DEVROEY Jean-Pierre et VAN MOL Jean-Jacques (éd.), *L'Épeautre (Triticum spelta). Histoire et ethnologie*, Treignes (Belgique), Dire, 1989.

DEVROEY Jean-Pierre, VAN MOL Jean-Jacques et BILLEN Claire (éd.), *Le Seigle. Histoire et ethnologie*, Treignes, Bruxelles, Centre belge d'histoire rurale, 1995.

DIX Gregory, *The Shape of the Liturgy*, Londres, Dacre Press, 1945.

DORSEMAINE Aurore, *Lexique historique des mots du pain à la fin du Moyen Âge à Paris*, comprenant l'article consacré aux talemeliers par Étienne Boileau (*Le Livre des Métiers*, 1268), Mémoire sous la direction de Claude Thomasset, université Paris IV, 2003.

DRAPRON Roger, POTUS Jacques, LAPLUME France et POTUS Pierre, *Notre pain quotidien*, Paris, AGP, 1999.

DUFOUR E., *Traité de panification française et parisienne*, Vesoul, Imp. Nouvelle, 1935.

DUPAIGNE Bernard, *Le Pain*, Paris, La Courtille, 1979.

—, *Le Pain de l'homme*, Paris, La Martinière, 1999.

DURAND Pierre et SARRAU M., *Le Livre du pain*, Paris, Le Rocher, 1973.

DUVAL M.-P., *Les Dieux de la Gaule*, Paris, Payot, 1993.

DWYER Karen et BROWN Patrika, *Erotic Baker Cookbook*, New York, New American Library, 1983.

EISELEN Hermann (éd.), *Brotkultur*, Köln, DuMont Buchverlag, 1995.

EL-AWAM Ibn, *Le Livre de l'agriculture*, trad. de l'arabe J. J. Clément Mullet, Tunis, Bouslama, 1977.

ELDIN A., *A Treatise on the Art of Bread-Making*, Londres, Vernor and Hood, 1805.

EVRARD F., *Le Pain à Versailles pendant la Révolution* (1789-An V), Versailles, Librairie Léon Bernard, 1922.

FARENC, Émile, *Il était une fois... des fours et du pain*, Lacaune, H. & B. Périé, 1995.

FAVRAIS E., *Manuel du boulanger et de pâtisserie-boulangère*, Paris, B. Tignol, 1904.

FEILLET Pierre, *Le Grain de blé. Composition et utilisation*, Paris, INRA Éditions, 2000.

—, *La Nourriture des Français. De la maîtrise du feu... aux années 2030*, Versailles, Quae, 2007.

—, *OGM, le nouveau Graal ? Dialogue à quatre voix*, Paris, Belin, 2009.

FFAM, *Aimer les moulins de France*, Rennes, Ouest-France, 1995.

FIERRO Alfred, *Histoire et dictionnaire des 300 moulins de Paris*, Paris, Parigramme, 1999.

FIGUIER L., *Le Pain, du grain au four. Les merveilles de l'industrie*, Bayac, Éditions du Roc de Bourzac, 1991.

FISCHLER Claude, *L'Homnivore*, Paris, Odile Jacob, 2001.

FLANDRIN F., *Les Blés de semence. Sélection, hydratation, généalogie dont arbre généalogique de 200 variétés, production, caractéristiques des variétés, réglementation*, Paris, Guy Le Prat, 1949.

FLEURENT Émile, *Le Pain de froment. Étude critique et recherches sur sa valeur alimentaire selon le blutage et les systèmes de mouture*, Paris, Gauthiers-Villars, 1911.

JULIA DE FONTENELLE J.-S., BENOIT P.-M. et MALEPEYRE F. de, *Nouveau Manuel complet du boulanger, du négociant en grains, du meunier et du constructeur de moulins*, t. 1 et 2, Roret, 1872.

FOUASSIER P., *Pour le boulanger et le pâtissier. Initiations scientifiques, recettes, formules, procédés, tours de main et « trucs » de boulangerie, biscuiterie et pâtisserie*, Paris, Dunod, 1928.

—, *Pour le boulanger et le pâtissier*, Paris, Dunod, 1934.

FOURNEL Victor, *Les Cris de Paris. Types et physionomies d'autrefois*, Paris, Librairie de Paris, 1880.

FOURNIER Dominique et D'ONOFRIO Salvatore (dir.), *Le Ferment divin*, Paris, Maison des sciences de l'homme, 1991.

FRANCONIE Hélène *et al.*, *Couscous, boulgour, semoule. La diversité des produits céréaliers*, Paris, Karthala, 2009.

FRAZER James George, *Le Rameau d'or*, 4 vol., Paris, Robert Laffont, coll. « Bouquins », 1983.

FRICHOT Émile, *Études et recherches sur le grain de blé, suivies d'un Procédé de stérilisation et de blanchiment des céréales et de leurs farines*, Paris, Librairie J.-B. Baillière et Fils, 1900.

GADUCHEAU A., « La question du pain blanc au point de vue de l'hygiène et de l'économie alimentaire », *Annales d'hygiène*, 12, Paris, J.-B Baillière, 1934.

GALAVARIS George, *Bread and the Liturgy. The Symbolism of Early Christian and Byzantine Breads Stamps*, Madison, The University of Wisconsin Press, 1970.

GALLAIS André et RICROCH Agnès, *Plantes transgéniques : faits et enjeux*, Paris, Quae, 2006.

GASPARETTI Josiane et Joseph, ISRAEL Yvette et Yvon, *Le Pain à la carte. La boulangerie illustrée par les cartes anciennes*, Nice, Éditions de la Buffa, 1992.

GAST Marceau et SIGAUT François (dir.), *Les Techniques de conservation des grains à long terme. Leur rôle dans la dynamique des systèmes de culture et des sociétés*, Paris, Éditions du CNRS, 1979.

GAULTIER Jean Paul, *Pain couture*, Paris et Arles, Fondation Cartier pour l'art contemporain-Actes Sud, 2004.

GAY Jean-Pierre, *Fabuleux Maïs. Histoire et avenir d'une plante*, Pau, AGPM, 1984.

GEOFFROY H.-Ch., *Osiris. Le Miracle du blé*, préf. Pierre Sauvageot, édité par l'auteur, 1949.

GEOFFROY R., *Le Blé, la farine, le pain*, Paris, Dunod, 1939.

—, *La Fabrication de la biscotte*, Paris, Desforges, 1957.

—, *Technologie meunière,* Paris, Desforges, 1960.

GILLE Bertrand, *Les Mécaniciens grecs. La naissance de la technologie*, Paris, Seuil, 1980.

GINZBURG Carlo, *Le Fromage et les vers : l'univers d'un meunier du* XVI*e siècle,* Paris, Aubier Montaigne, 1993.

GIRARD Aimé et LINDET L., *Le Froment et sa mouture. Traité de meunerie*, Paris, Gauthier-Villars, 1903.

GLIZE Éloi, *Les Petits Moulins à eau d'autrefois, centres de vie dans nos campagnes. Récits sur l'Occupation et l'après-guerre dans les landes de Gascogne*, Mont-de-Marsan, Jean Lacoste, 2003.

GODART Justin, *Les Mineurs blancs, donnez-nous notre pain quotidien*, Paris, La Publication sociale, 1910.

—, *Travailleurs et métiers lyonnais*, Marseille, Laffite reprint, 1979.

GODELIER Maurice, *Au fondement des sociétés humaines*, Paris, Albin Michel, 2007.

GODON B. et WILLM C., *Les Industries de première transformation des céréales*, Paris, Tec et doc-Lavoisier, 1991.

GOTTSHALK Alfred, *Le Blé, la farine et le pain*, Paris, Éd. de la Tournelle, 1935.

GOUNELLE DE PONTANEL H. et PRANDINI-JARRE D., « Le pain. Valeur nutritionnelle et hygiénique », *Le Pain*, actes du colloque du CNERNA, Paris, novembre 1977, Paris, Éditions du CNRS, 1979.

GOZARD Hélène, *Les Boulangeries à Paris pendant l'Occupation*, Mémoire de maîtrise en histoire, université Paris I, 1995.

GRALL Jacques et LÉVY Bertrand-Roger, *La Guerre des semences. Quelles moissons, quelles sociétés ?*, Paris, Fayard, 1985.

GRELOT P. E., *Le Trésor du boulanger, ou les Secrets de la boulangerie*, Orléans, Imprimerie d'Adrien Durand, 1847.

GRIFFUEL Albert, *La Taxe du pain*, thèse de doctorat, Paris, Librairie de la Société du Recueil général des lois et des arrêts et du Journal du Palais, 1903.

GROUPE DE RECHERCHE EN ETHNOLOGIE EUROPÉENNE, *La Culture du Pain. Aspects d'une recherche multidisciplinaire*, Bruxelles, 1991

GUINARD Jean-Yves et LESJEAN Pierre, *Le Pain qui décore,* Les Lilas, Jérôme Villette, 1985.

—, *Le Livre du boulanger*, Paris, Jacques Lanore, 2006.

GUINET Roland, « Plus blanc que blanc », *Le Pain français*, avril 3-7, 1961.

—, « Qualité du bon pain de France », *Le Pain français*, 23, 482, 1964.

—, *Les Pains de France. Recettes et traditions*, avec la collaboration de Nicolas Bonnard, Bernard Leblanc, Lucien Megel, Marcel Reinberger et Jean Sauze, Malakoff, Jacques Lanore, s. d.

GUINET R. et GODON B., *Technologie du pain français*, Paris, BPI, 1992.

—, *La Panification française*, Paris, Tec et doc-Lavoisier, 1994.

—, *Au four et au moulin*, Les Lilas, Jérôme Villette, 2010.

GUYONVARC'H Chr.-J et LE ROUX F., *La Civilisation celtique*, Rennes, Ouest-France Université, coll. « De mémoire d'homme : l'histoire », 1990.

HAMON Pierre, *Le Signe du pain ou la Montée de l'Offertoire*, préf. Daniel Perrot, Paris, Siloé, 1950.

HARDEN A., *La Fermentation alcoolique*, Paris, Hermann & Fils, 1913.

HARLAN J. R., *Les Plantes cultivées et l'homme*, Paris, Agence de coopération culturelle et technique, PUF, 1987.

HARRINGTON J. B., *Manuel du sélectionneur de céréales*, Rome, FAO, 1953.

HAUDRICOURT André Georges et DELAMARRE Mariel Jean-Brunhes, *L'Homme et la charrue à travers le monde*, préf. Pierre Deffontaines et André Leroi-Gourhan, Paris, La Renaissance du livre, 2000.

HAUDRICOURT André Georges et HÉDIN Louis, *L'Homme et les plantes cultivées*, préf. Michel Chauvet, Paris, A.-M. Métailié, 1987.

HEINICH Nathalie, *Décor et commerce dans les boutiques de Paris*, Paris, Association pour le développement des recherches et études sociologiques, 1985.

HELL Bertrand, *L'Homme et la bière*, préf. Viviana Pâques, Paris, Jean-Pierre Gyss, 1982.

HENDOUX Léon, *Traité pratique de meunerie et boulangerie*, Paris, Garnier Frères, 1908.

HIVONNAIT P., *Histoire de la corporation des anciens talemeliers de Paris*, Paris, L. Larose & Tenin, 1910.

HSIA R. Po-Chia, *The Myth of Ritual Murder : Jews and Magic in Reformation Germany*, New Haven, Yale University Press, 1988.

HUSSON G., *Histoire du pain, à toutes les époques et chez tous les peuples*, Tours, Alfred Cattier, 1887.

ISLER François, *Le Pain. Le grain, le boulanger et la route des pains*, Publier, Neva Éditions, 2005.

JACOB Heinrich Eduard, *Histoire du pain depuis 6 000 ans*, trad. de l'allemand Madeleine Gabelle, Paris, Seuil, 1958.

JACOB-DUVERNET Luc et LEBAUDE Alain, *La République des artisans. 100 artisans témoignent*, Paris, Balland, 1999.

JARDE Auguste, *Les Céréales dans l'antiquité grecque*, Paris, De Boccard, 1925.

JEREMIAS, Joachim, *The Eucharistic Words of Jesus*, trad. N. Perrin, Londres, SCM Press, 1966.

JOIN-LAMBERT André, *L'Organisation de la boulangerie en France*, Paris, Arthur Rousseau, 1900.

KASPAR-FELLER Emmy, *Le Livre de la boulangère*, Zurich, Hans Kaspar SA, 1951.

KAPLAN Steven L., « Le complot de famine : histoire d'une rumeur au XVIIIe siècle », trad. M. et J. Revel, *Cahier des Annales*, n° 39, Paris, Armand Colin, 1982.

—, *Le Pain, le peuple et le roi*, Paris, Perrin, 1987.

—, *Les Ventres de Paris. Pouvoir et approvisionnement dans la France de l'Ancien Régime*, trad. S. Boulongne, Paris, Fayard, 1988.

—, *Le Meilleur Pain du monde. Les boulangers de Paris au XVIIIe siècle*, Paris, Fayard, 1996.

—, *Le Retour du bon pain*, Paris, Perrin, 2002.

—, *Chercher le pain. Le Guide des meilleures boulangeries de Paris*, Paris, Plon, 2004.

—, *Le Pain maudit. Retour sur la France des années oubliées 1945-1958*, Paris, Fayard, 2007.

—, *La France et son pain : histoire d'une passion*, Paris, Albin Michel, 2010.

KERENYI Karl, *Eleusis : Archetypal Image of Mother and Daughter*, Princeton, Princeton University Press, 1991.

KHAN Khalil et SHEWRY Peter R., *Wheat. Chemistry and Technology*, 4e éd., Heverlee, AACC International, 2009.

KIGER J. L. et KIGER J. G., *Techniques modernes de la biscuiterie pâtisserie-boulangerie industrielles et artisanales et des produits de régime*, 2 vol., Paris, Dunod, 1968.

KLEIN G., *Notre pain quotidien,* Strasbourg, Musée alsacien, 1975.

KODELL, Jerome, *The Eucharist in the New Testament*, Collegeville, Michael Glazier, 1991

LABROUSSE Ernest, ROMANO Ruggiero et DREYFUS F.-G., *Le Prix du froment en France au temps de la monnaie stable (1726-1913),* Paris, SEVPEN, 1970.

LACHIVER Marcel, *Dictionnaire du monde rural. Les mots du passé*, Paris, Fayard, 2e éd. revue et augmentée, 2006.

LARCHEY Loredan, *Nos vieux proverbes*, Paris, Librairie de la Société anonyme de publications périodiques, 1886.

LECAT Jean-Michel, *La Grande Histoire du pain et des boulangers*, Paris, Éd. de Lodi, 2006.

LELONG Maurice, o.p., *Célébration du pain,* Jas du Revest-Saint-Martin, Robert Morel, 1963.

—, *Le Pain, le vin et le fromage*, Forcalquier, Robert Morel, 1972.

LE MONNIER Henri, *Le Pain à travers les âges*, Paris, Scoopedit, 1985.

LÉON-DUFOUR, Xavier, *Le Partage du pain eucharistique selon le Nouveau Testament*, Paris, Seuil, 1982

LÉVI-STRAUSS Claude, *Les Mythologiques. Le cru et le cuit*, Paris, Plon, 1964.

LEY, intendant militaire, *Le Pain*, « Cours des subsistances : Vivres (t. III) », École supérieure de l'Intendance militaire, Paris, Les Presses modernes, 1938.

LINGUET M., *Du pain et du bled,* 1774, fac-similé de l'édition originale, Paris, Phénix éditions, 2000.

LONG Janet (éd.), *Conquista y comida. Consecuencias del encuentro entre dos mundos*, Mexico, UNAM, 2005.

MABILLE Jacques, *L'Art du pain français,* Paris, Idelle, 2008.

MACHEREL Claude, « Le pain et la représentation sociale des processus vitaux », in *Identité alimentaire et altérité culturelle*, actes du colloque de Neuchâtel, Neuchâtel, Institut d'ethnologie, 1985.

MACHEREL Claude et ZEEBROEK Renaud (éd.), *Une vie de pain. Faire, penser et dire le pain en Europe*, Bruxelles, Crédit communal, 1994.

MACY, Gary, *The Theologies of the Eucharist in the Early Scholastic Period*, Oxford, Clarendon Press, 1984.

MAHIAS Marie-Claude, *Délivrance et convivialité. Le système culinaire des Jaina*, Paris, Éditions de la Maison des sciences de l'homme, 1985.

—, *Le Barattage du monde. Essais d'anthropologie des techniques en Inde*, Paris, Éditions de la Maison des sciences de l'homme, 2002.

MALOUIN Paul Jacques, *Descriptions des arts et métiers* [appelée aussi *Encyclopédie* de Malouin], t. I, *L'Art du meunier, du boulanger, du vermicellier*, Neuchâtel, Imprimerie de la Société typographique, 1779. Voir http://cnum.cnam.fr/DET/4KY58.1.html.

MARIN Michel, *Construire, restaurer, utiliser les fours à pain*, Paris, Rustica, 1995.

MARTIN-CHARPENEL Georges, *Le Pain de froment. Étude médicale de la valeur alimentaire des farines et du pain*, édité par l'auteur, 1937.

MARTIN SAINT-LÉON Étienne, *Histoire des corporations de métiers, depuis leur origine jusqu'à leur suppression en 1791*, Paris, PUF, 1941.

MASSÉ Henri, *Croyances et coutumes persanes*, suivies de *Contes et chansons populaires*, Paris, Librairie orientale et américaine, 1938.

MATHIOT Jean-Marie, *Miracles, signes et prodiges eucharistiques*, Hauteville (Suisse), Éditions du Parvis, 2006.

MATOSSIAN Mary K., *Poisons of the Past : Molds, Epidemics and History*, New Haven, Yale University Press, 1989.

MAURIZIO Adam, *Histoire de l'alimentation végétale depuis la préhistoire jusqu'à nos jours*, trad. F. Gidon, Paris, Payot, 1932.

MAYLIN Michel, *Manuel pratique et technique de l'hybridation des céréales (blé, orge, avoine)*, Paris, La Maison rustique, 1926.

MAZZA Enrico, *L'Action eucharistique : genèse du rite et développement*, Paris, Cerf, 1999.

MCGOWAN, Andrew, *Ascetic Eucharists*, Oxford, Clarendon Press, 1999.

MENETON Pierre, « Les effets nocifs de l'excès de sel sur la santé », in *Médecine et nutrition*, 40 (1), 2004, p. 9-17.

MESNIL Marianne (éd.), *Du grain au pain. Symboles, savoirs, pratiques*, *Ethnologies de l'Europe*, n° 2 : « Les correspondances de civilisations », Bruxelles, 1992.

MOINGEON J., *La Réglementation du travail de nuit dans la boulangerie*, thèse de doctorat de droit, Paris, Librairie technique et économique, 1935.

MONTANARI M., *Storia dell'alimentazione*, Rome-Bari, Editori Laterza, 1997-1999.

MONTANDON Jacques, *Le Livre du pain*, Lausanne, Edita, 1974.

—, *Le Bon Pain des provinces de France*, Lausanne, Edita, 1979.

MONTEUUIS Dr, *Le Pain blanc, ses dangers et son remède : le pain naturel*, préf. Pr Maurice Letulle, Paris, Librairie Maloine, 1914.

—, *Le Vrai Pain de France, ou la Question du pain sur le terrain pratique*, Paris, Librairie Maloine, 1917.

MOREAU Gilles, *Le Monde apprenti*, Paris, La Dispute, 2003.

MOREAU Patrick et ROCCARD Martine, *Boulangerie et pâtisserie. Répertoire des termes techniques, des matières premières et des recettes*, Paris, Flammarion, 2001.

MOREAU Sébastien, *Francis Holder. Comment il est devenu le premier boulanger de France*, Paris, Dunod, 2004.

MOREL Ambroise, *Histoire abrégée de la boulangerie en France*, Paris, Imp. de la Bourse du commerce, 1899.

—, *Histoire illustrée de la boulangerie en France*, Paris, Syndicat patronal de la boulangerie de Paris et de la Seine, 1924 [1899].

MORGAN Dan, *Les Géants du grain. Une arme plus puissante que le pétrole, le commerce international des céréales*, trad. Marie-Hélène Dumas, Paris, Fayard, 1980.

MORITZ L. A., *Grains-mills and Flour in Classical Antiquity*, Oxford, Clarendon Press, 1958.

MORLON Pierre et SIGAUT François, *La Troublante Histoire de la jachère. Pratiques des cultivateurs, concepts de lettrés et enjeux sociaux*, Versailles, Quae, 2008.

MOUTARD-ULDRY Renée, *Saint Honoré, patron des boulangers*, Paris, Librairie Henri Lefèbvre, 1942.

MURATORI-PHILIP Anne, *Parmentier*, Paris, Plon, 1994 ; rééd. 2006.

NEUNHEUSER B., *L'Eucharistie au Moyen Âge et à l'époque moderne*, trad. de l'allemand A. Liefooghe, Paris, Cerf, 1966.

NORET Albert, *Les Féodaux du blé*, Paris, Eugène Figuière, 1930.

NOTTIN P., *Le Blé, la farine, le pain*, Paris, Hachette, 1940.

ONNO B., « Les levains de panification, microbiologie », *Industries des céréales*, 82, 1993, p. 11-18.

ONNO B. et RAGOT L., « Élaboration d'un levain naturel : aspects microbiologiques », *Industries des céréales*, 1988.

ONNO B. et ROUSSEL Ph., « Technologie et microbiologie de la panification au levain », in *Bactéries lactiques*, Uriage, Lorica, 1994.

ONNO B., RIO I. et ROUSSEL Ph., « Le levain : un savoir-faire oublié, une fermentation mixte à redécouvrir », *Industries des céréales*, 93, 1995, p. 29-35.

OTTE R., *Le Pain chef-d'œuvre immortel*, Liers, Imprimerie Flemal, 1978.

PALUEL-MARMONT Augustin et ROVIRA Michel de, *Le Guide des boulangeries de Paris*, préf. Lyne Cohen-Solal et Guy Martin, Paris, Éditions de l'If, 2004.

PAPA Cristina, *Il Pane*, Pérouse, Electa Editori Umbria, 1992.

PAQUET Jean, *L'Artisanat, valeur d'avenir*, Paris, Plon, 1980.

PARMENTIER Antoine Augustin, *Expériences et Réflexions relatives à l'analyse du bled et des farines*, Paris, chez Monory, 1776, in-8°.

—, *Avis aux bonnes ménagères des villes et des campagnes, sur la meilleure manière de faire leur pain*, Paris, Imprimerie royale, DCCLXXVII, 1777.

—, *Le Parfait Boulanger, ou Traité complet sur la fabrication & le commerce du pain*, Paris, Imprimerie royale, (DCCLXXVIII) 1778, in-8° ; rééd. Marseille, Jeanne Laffitte, préf. Lionel Poilâne, 1983.

—, *Moyen proposé pour perfectionner promptement dans le royaume la meunerie et la boulangerie*, lu au Comité de la Boulangerie, le 24 janvier 1783, Paris, Barrois l'Aîné, 1783.

—, *Traité sur la culture et les usages des pommes de terre, de la patate et du topinambour*, Paris, Barrois l'Aîné, 1789.

PARMENTIER Antoine Augustin et CADET DE VAUX Antoine Alexis François, *Discours prononcé à l'ouverture de l'École gratuite de Boulangerie*, le 8 juin 1780.

PARMENTIER Bruno, *Nourrir l'humanité. Les grands problèmes de l'agriculture mondiale au XXIe siècle*, Paris, La Découverte, 2007 ; éd. mise à jour coll. « La Découverte-poche. Essais », 2009.

PAYEN A., *Précis théorique et pratique des substances alimentaires*, Paris, Hachette, 1865.

—, *Précis de chimie industrielle*, 2 vol., Paris, Hachette, 1867.

PETERS-DESTÉRACT Madeleine, *Pain, bière et toutes bonnes choses... L'alimentation dans l'Égypte ancienne,* Paris, Le Rocher, 2005.

PILON René, *La Meunerie*, 3 vol., La Jarrie, Louis David, 1986.

PIOT Auguste, *Traité historique et pratique sur la meulerie et la meunerie*, Paris, E. Lacroix, 1860.

POITEVIN Guy, *Le Chant des meules*, Paris-Pondichéry, Kailash, coll. « Civilisations et sociétés », 1997.

POLIAKOV L., *Histoire de l'antisémitisme*, 2 vol., Paris, Calmann-Lévy, 1981.

RAMBALI Paul, *Boulangerie. The Craft and Culture of Baking in France*, New York, Macmillan, 1994.

REINACH Salomon, *L'Accusation du meurtre rituel*, Paris, L. Cerf, 1893.

REINHAREZ C. et CHAMARAT J., *Boutiques du temps passé. Décors peints des boulangeries, charcuteries, crémeries*, Paris, Presses de la connaissance, 1977.

RÉMÉSY Christian, *Que mangerons-nous demain ?*, Paris, Odile Jacob, 2005.

—, *Une alimentation durable pour la santé de l'homme et de la planète*, Paris, Odile Jacob, 2010.

REVEL Jean-François, *Un festin de paroles. Histoire littéraire de la sensibilité gastronomique de l'Antiquité à nos jours*, Paris, Tallandier, 2007 [1re éd. 1978].

REYNAL Béatrice de et MULTON J.-L. (éd.), *Additifs et auxiliaires de fabrication dans les industries agroalimentaires*, 4e éd., Cachan, Tec et doc, 2009.

RIGAULT Jean-Claude, *Profession artisan. Mode d'emploi*, Héricy, Éditions du Puits fleuri, 2004.

RIVALS Claude, *Le Moulin à vent et le meunier dans la société traditionnelle française*, Ivry, Éditions Serg, 1976.

—, « Divisions géographiques de la France indiquées par une analyse de l'état des moulins en 1809 », *Revue de géographie des Pyrénées et du Sud-Ouest*, t. 5, fasc. 3, 1984.

—, *Le Moulin et le meunier. Mille ans de meunerie en France et en Europe*, préf. Jacques Le Goff, vol. 1 : *Une technique et un métier* ; vol. 2 : *Une symbolique sociale*, Portet-sur-Garonne, Empreinte Éditions, 2000.

ROBERT Maurice, *Les Artisans et les métiers*, Paris, PUF, coll. « Que sais-je ? », 1999.

ROLLET Augustin, *Mémoire sur la meunerie, la boulangerie et la conservation des graines et des farines*, Paris, Carilian-Goeury et V. Dalmont, 1846.

ROSENBERGER Bernard, « Les pâtes dans le monde musulman », *Médiévale*, 1989, vol. 8, nos 16-17, p 77-98.

ROUSSEL Philippe, « Contribution à la normalisation et à la codification des essais de panification et des critères d'appréciation de la valeur boulangère », Mémoire d'ingénieur DPE, Paris, ENSMIC, 1989.

—, « Influence des conditions de pétrissage sur les caractéristiques des pâtes et des pains en panification française », *Industries des céréales*, 83, 1993, p. 10-20.

ROUSSEL Philippe et BARTOLUCCI J. C., « Comportement des pâtes boulangères au façonnage », *Industries des céréales*, 102, 1996, p. 5-15.

ROUSSEL Philippe et CHIRON Hubert, *Les Pains français. Évolution, qualité, production*, Vesoul, Maé-Erti, 2002.

SAVOIE A., *Meunerie, boulangerie, pâtisserie*, Paris, Librairie Octave Doin, 1922.

SCHEFER Jean-Louis, *L'Hostie profanée. Histoire d'une fiction théologique,* Paris, POL, 2007.

SCEREN, CNDP, *Boulanger, une formation, un métier*, DVD, Versailles, CRDP, 2007.

SÉBILLOT Paul, *Légendes et curiosités des métiers*, Paris, Flammarion, 1900.

—, *Le Folklore de France*, 1904-1906 ; rééd. Paris, Omnibus, 2002.

SELIGTON Susan, *Going with the Grain. A Wandering Bread Lover Takes a Bite out of Life*, New York, Simon & Schuster, 2002.

SERAND, intendant militaire, *Le Pain, fabrication rationnelle et historique*, Paris, Dunot et Pinat, 1911.

SIGAUT François, *L'Évolution des techniques des agricultures européennes avant l'époque industrielle* (Congrès international d'histoire économique), Budapest, EHESS, 1982.

—, « Moulins, industrie et société », *Culture technique*, 16, 1986, p. 215-223.

—, « Qu'est-ce que le pain ? », *in* C. Papa, *Il Pane*, Pérouse, Electra Editori Umbria, 1992.

SIKE Yvonne de, *Fêtes et croyances populaires en Europe, au fil des saisons*, Paris, Bordas, 1994.

SIMONENET Gérard, *La France des moulins*, Paris, Albin Michel, 1988.

SPICER Arnold (éd.), *Bread. Social, Nutritional and Agricultural Aspects of Wheaten Bread*, Londres, Applied Science, 1975.

SURGET Anne et BARRON Cécile, « Histologie du grain de blé », *Industrie des céréales*, no 145, nov.-déc. 2005, p 3-7.

TESTART A., *Les Chasseurs-cueilleurs, ou l'Origine des inégalités*, Paris, Société d'ethnographie, 1982.

THIEBAUT Dr H., *Notre pain quotidien... Le procès du pain blanc,* édité par l'auteur, 1953.

THOUVENOT Claude, *Le Pain d'autrefois. Chroniques alimentaires d'un monde qui s'en va*, Nancy, Presses universitaires de Nancy, 1987.

TOUAILLON Ch., *La Meunerie, la boulangerie, la biscuiterie, la vermicellerie, l'amidonnerie, la féculerie et la décortication des légumineuses,* Paris, Librairie agricole de la Maison rustique, 1867.

TOUSSAINT-SAMAT Maguelonne, *Histoire naturelle et morale de la nourriture*, Paris, Larousse-Bordas, coll. « In extenso », 1997.

TROCMÉ, Étienne, *L'Enfance du christianisme*, Paris, Hachette Littératures, coll. « Pluriel », 1999.

URBAIN-DUBOIS F. et CHAMPEAULT L., *Boulangerie d'aujourd'hui, conduite du travail, outillage et procédés les plus modernes de la boulangerie*, Paris, Éditions Joinville, 1950.

VALDEYRON Georges, *Génétique et amélioration des plantes*, Paris, J.-B. Baillière et Fils, 1961.

VAN GENNEP Arnold, *Manuel de folklore français contemporain*, Paris, Picard, 1937-1958 ; rééd. sous le titre *Le Folklore français*, Paris, Robert Laffont, coll. « Bouquins », 4 vol., 1998.

VASSEUR Charles, *Les Moulins féodaux*, Caen, Imprimerie de F. Le Blanc-Hardel, 1873.

VAURY S., *Le guide du boulanger indiquant les moyens à prendre pour bien fabriquer le pain et les économies que le boulanger peut apporter dans son travail*, Paris, Legouix, 1834.

VEN LAER Henri, *La Chimie dans ses rapports avec la boulangerie et la pâtisserie*, Roulers, 1908.

—, *Principes scientifiques de boulangerie pâtisserie & confiserie*, Paris, Masson et Cie, 1942.

VERDIER Yvonne, *Façons de dire, façons de faire*, Paris, Gallimard, coll. « Bibliothèque des sciences humaines », 1982.

VERDONI Dominique, « Asphodèle, blé, fève : nourritures symboliques », *Le Boire et le manger*, Actes des 7e Rencontres culturelles interdisciplinaires de l'Alta Rocca, 1999.

VIARD J. M., *Le Compagnon boulanger, synthèse technologique et pratique du boulanger moderne*, Paris, Éd. J. Villette, 1982.

VIELFAURE Nicole et BEAUVIALA Anne-Christine, *Fêtes, coutumes et gâteaux*, Le Puy, Christine Bonneton, 1978.

VINCENT François, *Histoire des famines à Paris*, Paris, Librairie de Médicis, 1946.

VIRON Philippe, *Vive la baguette*, Paris, Éditions de l'Épi gourmand, 1995.

WÄHREN M., *Du pain depuis des siècles*, Berne, Association suisse des patrons boulangers-pâtissiers, 1981.

WHITE, James F., *The Sacraments in Protestant Practice and Faith*, Nashville, Abingdon, 1999.

WILLM Claude, *La Mouture du blé*, Montgeron, CEMP, 2009.

WING Daniel et SCOTT Alan, *The Bread Builders. Hearth Loaves and Masonry Ovens*, White River Junction and Totnes, Chelsea Green Publishing, 1999.

ZARCA Bernard, *L'Artisanat français : du métier traditionnel au groupe social*, Paris, Economica, 1986.
ZIEHR W., *Le Pain : paysan, meunier, boulanger*, Paris, Hermé, 1985.
ZOHARY Daniel et HOPF Maria, *Domestication of Plants in the Old World*, 3e éd., Oxford, Oxford University Press, 2000.

LIVRES DE RECETTES

Pour les non (ou pas encore) boulangers…

ACTON Eliza, *The English Bread Book*, Lewes, Southover Press, 1990.
ALFORD Jeffrey et DUGUID Naomi, *Flatbreads & Flavours. A Baker's Atlas*, New York, William Morrow and Company, 1995.
ALLAM Paul et MCGUINESS David, *Bourke Street Bakery*, Murdoch Books, 2010.
ALLE Gérard et POULIQUEN Gilles, *Pains de Campagne. Gestes et paroles*, Brest, Le Télégramme, 2003.
ASTRIE André, *Faire notre pain, pourquoi ? Comment ?*, Burlats, Association « Faire notre pain », 2006.
AUZET Roger, *Pains décorés et pièces artistiques*, Les Lilas, éditions J. Villette, 1982.
AUZET Roger et MAYLE Peter, *Confessions d'un boulanger. Promenade gourmande*, Paris, Points Seuil, 2006.
BEARD James, *Beard on Bread*, illustr. Karl Stuecklen, intr. Chuck Williams, New York, Alfred A. Knopf, 1995 [1re éd. 1973].
BERNARDOU Jacques, *Pains et biscuits de ménage*, illustr. Jean-Claude Pertuzé, Portet-sur-Garonne, Loubatières, 2004.
BERTINET Richard, *Pains gourmand*, préf. Apollonia Poilâne, trad. Olivier Le Goff, Paris, Larousse, 2006.
—, *La Leçon de boulangerie,* préf. Apollonia Poilâne, Paris, Flammarion, 2008.
BILHEUX Roland, ESCOFFIER Alain, HERVÉ Daniel et POURADIER Jean-Marie, *Pains spéciaux et décorés. Pains spéciaux, pains et viennoiseries fantaisie, techniques et applications du décor, pièces artistiques*, Paris, Éditions Saint-Honoré, 1987.
BIREMONT Gérald, *L'Art du pain*, Malakoff, Jacques Lanore, 1994.
BISIO A., *Comment faire le pain chez soi*, Paris, De Vecchi, 2006.
BRETTSCHNEIDER Dean et JACONS Lauraine, *Baker. The Best of International Baking From Australian and New Zealand Professionnels*, Auckland, Tandem Press, 2001.
—, *Baking with Flavour*, Auckland, Random House, 2005.
BROCHOIRE Gérard, CRESSENT Christophe et STEPHAN Catherine, *Sandwichs et pains du monde*, Paris, Jérôme Villette, 2004.

BROWN Edward Espe, *The Tassajara Bread Book*, Boston-Londres, Shambala, 1986 ; *Le Livre du pain Tassajara*, adapt. française M.-L. de Labriffe, A.-C. Deloche *et al.*, Paris, Le Courrier du Livre, 1979.

CAMBROSIO Nereao, *Opere di un maestro d'arte Bianca*, Brescia, Line Edizioni, 1995.

CASELLA Dolores, *A World of Breads. A Most Complete Guide to the Making and Baking of Good Breads, in Six Hundred Recipes from the World Over*, New York, David White Company, 1966.

CHAUVIREY Marie-France, *Connaître la cuisine du pain*, Éditions Sud-Ouest, 2005.

CHERRIER Gontran, *Gontran fait son pain*, Paris, Hachette Pratique, 2007.

—, *Pains*, Paris, Hachette Pratique, 2008.

—, *25 Recettes de pain*, Paris, Hachette Pratique, 2009.

—, *Toastés*, Paris, Hachette Pratique, 2009.

CLAYTON Jr. Bernard, *New Complete Book of Breads*, New York, Simon and Schuster, 1973.

—, *The Breads of France and How to Bake Them in Your Own Kitchen*, New York, Bobbs-Merrill, 1978.

CURRY Brother Rick, S.J., *The Secrets of Jesuit Breadmaking. Recipes and Traditions from Jesuit Bakers around the World*, New York, Harper Perennial, 1995.

DAVIDSON Silvija, *Loaf, Crust and Crumb. All You Need to Know About Choosing and Using Breads with over 200 Recipes*, Londres, Michael Joseph, 1995.

DECAUX Cécile et Guillaume, *L'Atelier pain*, Paris, Larousse, 2008.

DESCHACHT Hendrik, *Pains salés. Pains, pizzas, quiches, tartes et autres délices salés faciles à réaliser*, photographies de Daniël Leroy, Tielt, Éditions Lannoo, 1996.

DESGRANGES Yves, *Passion pain. 80 recettes originales de pains traditionnels et modernes, de sandwiches, etc.*, préf. Jean-François Lamour, Paris, Jean-Claude Gawsewitch, 2004.

DOWNES John, *The Natural Tucker Bread Book*, Melbourne, Hyland House, 1993.

DUHAMEL Jérôme, *Sandwich à la folie. La grande aventure du sandwich en 300 recettes*, photographies de Pierre Hussenot, Paris, Flammarion, 1988.

ECKERT Anneliese et Gerhard, *Cuire votre pain*, trad. M. Huygen, Aartsellar (Belgique), Chantecler, 1983.

ÉQUIPE DE FRANCE DE BOULANGERIE, *20 Meilleurs Ouvriers de France et médaillés d'argent se dévoilent et vous offrent leurs recettes choisies*, Les Lilas, Jérôme Villette, 1994.

FABIANI Gilbert, *Petite Anthologie culinaire du pain*, préf. d'Alain Sagault, Paris, Équinoxe, 2001.

FAROW Joanna, *Mon pain*, Paris, Marabout, 2009.

GERVAIS Christian, *La Cuisine au pain*, préf. Joël Robuchon, Paris, Christian de Bartillat, 1994.

GIORILLI Piergiorgio, *Le Livre des pains. Fabrications et recettes*, trad. de l'italien Frédéric Delacourt, Paris, Artémis, 2004.

GLEZER Maggie, *Artisan Baking Across America. The Bread, the Bakers and the Best Recipes*, New York, Artisan, 2000.

GOUGEON Béatrice, avec la participation de Marc Pourtier, *La Pogne*, Die, Éditions À Die, 1984.

GRANIER Henri, *Apprendre à faire son pain au levain naturel*, Rennes, Ouest-France, 2003.

GRANT Doris, *Your Bread & Your Life*, Londres, Faber and Faber, 1961.

—, *Your Daily Bread*, Londres, Faber and Faber, 1962.

GRAUGNARD Jean-François, *Au-delà du pain*, préf. Albert Jacquard, autoédition association AME, 2006.

GUINARD Jean-Yves et LESJEAN Pierre, *Le Pain retrouvé. 30 pains et leurs recettes*, Paris, Jacques Lanore, 1982.

HAMELMAN Jeffrey, *Bread : A Baker's Book of Techniques and Recipes*, Hoboken, John Wiley & Sons, 2004.

HARRIS Diane, *The Woman's Day. Book of Great Sandwiches*, New York, Holt, Rinehart and Winston, 1982.

HEDH Jan, *Artisan Bread*, Riverhouse West, 2007.

HOLLYWOOD Paul, *Pains, 100 recettes croustillantes*, trad. de l'anglais Stéphanie Alglave, Paris Octopus-Hachette-Livre, 2004.

INBP, *Sandwichs au bon pain*, Les Lilas, Jérôme Villette, 1997.

JONES Judith et Evan, *The Book of Bread. The Pleasures of Breadbaking Including Uncomplicated Techniques & 240 Wonderful Recipes Both Traditional and Unique*, New York, Harperperennial, 1982.

KAMIR Basile, *La Journée du pain. 100 recettes gourmandes*, Paris, Hachette, 1999.

—, *Tous les pains*, Paris, Hachette, 2006.

KAYSER Éric et COUET Alain, *Pains spéciaux et décorés. Pains traditionnels et régionaux. Pains spéciaux et fantaisie. Viennoiserie : croissants, petites pièces, brioches ; décor ; pièces artistiques* (t. 2), avec la collaboration de Bernard, Isabelle et Valérie Ganachaud, Daniel Hervé, Léon Mégard, Yves Saunier, Paris, Éditions Et-Honoré, 1989.

KAYSER Éric et CARTAGA Patrick, *Pain, évolution et tradition*, préf. Gérard Brochoire, t. 1 et 2, 1993.

KAYSER Éric, RIBAUT Jean-Claude et GAMBRELLE Fabienne, *100 % pain. La saga du pain enveloppée de 60 recettes croustillantes*, préf. Alain Ducasse, Paris, Solar, 2006.

KAYSER Éric et YOSEFI Yaïr, *Autour des pains d'Éric Kayser*, photographies de Clay McLachlan, Paris, Flammarion, 2007.

KIGER J., *Le Pain d'épices. Fabrication, analyses*, Paris, Dunod, 1948.

LALOS Frédéric, *Le Pain. L'envers du décor*, photographies de Moussa Elibrik, préf. Christian Vabret, Paris, Éditions de l'If, 2003.

LEADER Daniel et BLAHNIK Judith, *Bread Alone : Bold Fresh Loaves from Your Own Hands*, New York, William Morrow Cookbooks, 1993.

LEADER Daniel et CHATTMAN Laurent, *Local Breads : Sourdough and Whole-Grain Recipes from Europe's Best Artisan Bakers*, New York, W. W. Norton, 2007.

—, *Panini Express : 70 Delicious Recipes Hot off the Press*, Newton, Taunton, 2008.

LEPARD Dan, *Art of Handmade Bread,* Mitchell Beazley, 2007.

—, *The Handmade Loaf*, Mitchell Beazley, 2008.

LEPARD Dan et WHITTINGTON Richard, *Baking with Passion. Exceptional Recipes for Real Breads, Cakes and Pastries*, Londres, Quadrille, 1999.

—, *Baker & Spice Exceptional Breads*, Londres, Quadrille, 2007.

LEVY BERANBAUM Rose, *The Bread Bible*, New York, W. W. Norton & Co, 2003.

LONDON Mel, *Bread Winners. More than 200 Superior Bread Recipes and Their Remarkable Bakers*, Emmaus, Rodale Press, 1979.

OLDER Julia et SHERMAN Steve, *Soup and Bread. 100 Recipes for Bowl & Board*, Brattleboro, The Stephen Greene Press, 1978.

ORTIZ Joe, *The Village Baker. Classic Regional Breads from Europe and America*, Berkeley, Ten Speed Press, 1993.

PELLAPRAT H. P., *Les Sandwichs et petits pains fourrés, recueil de 60 recettes*, Paris, Flammarion, 1933.

PETITRENAUD Jean-Luc, *52 Tartines du dimanche soir par les plus grands chefs de France*, Genève, Minerva, 1998.

POILÂNE Lionel, *Les Meilleures Tartines de Lionel Poilâne*, Paris, Jacques Grancher, 1999.

—, *Supplique au Pape pour enlever la gourmandise de la liste des péchés capitaux* (Lionel Poilâne et ses amis), Paris, Anne Carrière, 2004.

POILÂNE Lionel et MATHIOT Ginette, *Pain, cuisine et gourmandises. 150 recettes faciles, amusantes, légères et savoureuses pour utiliser le pain*, Paris, Albin Michel, 1985.

POILÂNE Lionel et POILÂNE Apollonia, *Le Pain par Poilâne*, Paris, Le Cherche Midi, 2005.

POULY Aimé, *Le Pain*, Paris, Favre, 2008.

REINHART Peter, *Brother Juniper's Bread Book. Slow Rise as Method and Metaphor*, Reading, Addison-Wesley, 1993.

—, *Crust & Crumb, Master Formulas for Serious Bread Bakers*, Berkeley, Ten Speed Press, 1998.

ROBERTSON Laurel, FLINDRES Carol et BRONWEN Godfrey, *The Laurel Bread Book. A Guide to Whole-Grain Breadmaking*, New York, Random House, 1984.

ROUSSEAU Marguerite, *Pains de traditions. 60 recettes du monde entier*, photographies de Alain Muriot, préf. Michel Moisan, Paris, Flammarion, 2001.

SCOTT Alan et WING Daniel, *The Bread Builders : Hearth Loaves and Masonry Ovens*, Wild River Junction, Chelsea Green Pub Co, 2002.

SHAPTER Jennie, *Les Machines à pain. Recettes*, Sayat, Éd. De Borée, 2007.

SHULMAN Martha Rose, *The Bread Book*, Londres, Macmillan, 1990.

SILVERTON Nancy, *Nancy Silverton's Breads from the La Brea Bakery. Recipes for the Connoisseur*, New York, Villard Books, 1996.

STANDARD Stella, *Our Daily Bread. 366 Recipes for Wonderful Breads*, New York, Funk & Wagnalls, 1970.

TARR Yvonne Young, *The New York Times Bread & Soup Cookbook*, New York, Quadrangle, 1972.
TEJERO Franciso, *Panadería española*, Barcelone, Montagud Editors, 1992.
TESTARD Daniel, *Que fais-tu là, boulanger ?*, Quily, Co-Pain Gallo-Pain, 1985.
URY Jacqueline, *61 Recettes avec du pain*, Paris, Les Quatre Chemins, 2009.
VABRET Christian, *Tours de main, pains spéciaux et recettes régionales*, Paris, Jérôme Villette, 2002.
VAN OVER Charles, *The Best Bread Ever*, New York, Broadway Books, 1997.
VIRON Philippe, *Vive la baguette*, préf. Jean Dutourd, Le Chesnay, L'Épi gourmand, 1995.
WHITLEY Andrew, *Bread Matters : The State of Modern Bread and a Definitive Guide to Baking Our Own*, Londres, Furth Estate Ltd, 2006.
YTAK Cathy, *Du bon pain : plus de 40 recettes à réaliser en machine*, photographies de David Japy, Paris, Marabout, 2006.
— , *Le Comptoir des pains*, photographies de David Japy, Paris, Marabout, 2007.

ROMANS, CONTES, RÉCITS

Ceux qui ont un rapport certain, métaphorique, fortuit, ou tiré par les cheveux, avec le pain…

ANNE Sylvie, *Le Pain des Cantelou*, Paris, Presses de la Renaissance, 1987.
BÉRAUD, Henri, *La Gerbe d'or : roman*, Paris, Éditions de France, 1928.
BERNARDI Carlo, *Vésuve et pain*, Paris, Del Duca, 1960.
CHOUKRI Mohamed, *Le Pain nu. Récit autobiographique*, prés. et trad. de l'arabe Tahar ben Jelloun, Paris, François Maspero, 1980.
CLANCIER Georges-Emmanuel, *Le Pain noir* (t. 1), t. 2 : *La Fabrique du roi*, t. 3 : *Les Drapeaux de la ville*, t. 4 *La Dernière Saison*, Paris, Robert Laffont, 1956-1961.
CLAVEL Bernard, *La Maison des autres*, Paris, Robert Laffont, 1962.
—, *Les Colonnes du ciel*, t. 4 : *Marie bon pain*, Paris, Robert Laffont, 1980.
CRÉMIEUX Albert, *Jours sans pain,* Paris, Éditions Métal, 1955.
CRESSOT Joseph, *Le Pain au lièvre*, préf. Jean Guéhéno, Paris, Stock, 1973.
DAUDET Alphonse, *Lettres de mon moulin,* Paris, Le Livre de Poche, 1994 [1865-1866].
DELARUE-MARDRUS Lucie, *Le Pain blanc*, Paris, J. Ferenczi & Fils, 1924.
GAILLARD Jean-Claude, *L'Aventure de Simon Le Mosnier. Péripéties de la vie d'un meunier au temps du Roi-Soleil*, Paris, Amargo, 2002.
GARD Paul, *François Jouve, le boulanger félibre de Carpentras*, Nîmes, Roudelet et Bousquet, 1988.
GAUTIER Théophile, « L'enfant aux souliers de pain », in *Romans, contes et nouvelles*, t. 2, Paris, Gallimard, 2002.

GIONO Jean, *Jean le Bleu* [1932], Paris, Les Cahiers Rouges, Grasset, 2005.
—, *La Femme du boulanger. Le bout de la route. Lanceurs de grains*, Paris, Folio Gallimard, 1943.
GOBRON Gabriel, *Notre-Dame des Neiges. Histoire d'une famille de boulangers*, Rethel, Ambiorix, 1938.
GRIFFON Robert, *Au bonheur du pain*, Paris, Mazarine, 2000.
GRIMM Jacob et Wilhelm, *Hänsel et Gretel*, extrait des *Contes* en version originale et en traduction, www.grimmstories.com.
GUILLOUX Louis, *Le Pain des rêves*, Paris, Gallimard, 1942.
HAMP Pierre, *Notre pain quotidien. La peine des hommes*, Paris, Gallimard, 1937.
HUGO Victor, *Les Misérables*, Paris, Robert Laffont, coll. « Bouquins », 1991 [1862].
HUYSMANS J.-K. *En ménage*, Paris, Bibliothèque-Charpentier, 1908.
LENTÉRIC Bernard, *Les Maîtres du pain* (t. 1), t. 2 : *L'Héritage*, Paris, Plon, 1994.
LYNCH Sarah-Kate, *By Bread Alone*, Auckland, Random House, 2003.
MACÉ Jean, *Histoire d'une bouchée de pain*, Paris, Jean Hetzel, 1850.
MANZONI Alessandro, *Les Fiancés* [*I promessi sposi*, 1825-1827], Paris, Folio Gallimard, 1995.
MAURRAS Charles, *Le Pain et le Vin*, illustr. R. Joel, Paris, Jean Chaffiotte, 1944.
MONNIER Thyde, *Grand cap. Le pain des pauvres*, Paris, Grasset, 1937.
MONTEPIN Xavier de, *La Porteuse de pain*, Paris, Fayard, 1948.
NODIER Charles, *La Fée aux miettes. Smarra. Trilby*, Paris, Folio Gallimard, 1982 [1832].
NORRIS Franck, *The Epic of the Wheat* : 1. *The Octopus : A California Story*, Dover Publications, 2003 [1901] ; 2. *The Pit*, Penguin Books, 1994 [1903] ; 3. *Wolf* (inachevé).
PAGNOL Marcel, *La Femme du boulanger* (d'après un conte de Jean Giono), Paris, Fasquelle, 1953.
PERRAULT Charles, *Le Petit Poucet* (1697), en ligne.
PERRIER Jean-Louis, *Le Pain de mémoire*, Paris, Albin Michel, 1999.
SILONE Ignazio, *Le Pain et le Vin*, trad. de l'italien Michèle Causse, Paris, Del Duca, 1968.
VAILLANT Annette, *Le Pain polka*, Paris, Mercure de France, 1974.
VAROUJAN Daniel, *Le Chant du pain*, trad. de l'arménien Vahé Godel, Paris, Parenthèses, 1990.

On pourra consulter également par curiosité les différentes « bibles » à partir desquelles notre « idée » du pain s'est forgée. Par exemple : *L'Épopée de Gilgamesh, le grand homme qui ne voulait pas mourir*, XVIIIe siècle av. J.-C. (trad. Jean Bottéro, Paris, Gallimard, 1992) ; la Bible ; l'*Iliade* et l'*Odyssée* d'Homère ; le Talmud de Babylone ; la Haggadah de Pessah ; les *Deipnosophistes ou le Banquet des philosophes*, d'Athénée ; l'*Histoire naturelle* de

Pline ; les *Fastes* et les *Métamorphoses* d'Ovide ; les *Institutions divines* de Lactance ; *Isis et Osiris* de Plutarque ; l'*Énéide* de Virgile ; les *Saturnales* de Macrobe, etc.

DOCUMENTAIRES ET FILMS

Une entrée du Dictionnaire porte très précisément cet intitulé. S'y reporter.

SITES CONSACRÉS AU PAIN, À LA BOULANGERIE, AUX BOULANGERS, À LA MEUNERIE, ETC.

Voir l'Index.

INDEX DES PAINS PAR PAYS OU PEUPLE

Les noms retenus sont ceux qui sont mentionnés dans les articles consacrés à chacun de ces pays ou zones géographiques, ou encore peuples sans attache. Cela ne veut bien évidemment pas dire que figurent ici tous les pains conçus par une culture en particulier. Chaque auteur ayant été libre de présenter comme il l'entendait des traditions du pain dans la région ou le pays de son choix, ont été retenus les seuls noms de pains qui servaient l'exposé. La disparité des listes présentées s'explique ainsi. D'une manière générale, cette variation infinie sur le même thème (farine + eau) se réduit à une douzaine de grandes familles de pains (voir PAINS MONDIAUX*).*

France : baguette ; bâtard ; ficelle ; flûte ; jocko ; pain marchand de vin ; parisien • *Languedoc-Roussillon* : paillasse de Lodève ; pain de Beaucaire ; pain de bois ; tordu de la Lozère • *Limousin* : mique • *Midi-Pyrénées* : portemanteau de Toulouse ; quatre-banes ; ravaille • *Nord-Pas-de-Calais* : couque ; faluche ; pain boulot ; pistolet • *Normandie* : brié du Calvados ; fallue ; gâche ; garot ; maigret ; manchette ; pain à soupe ; plié de Cherbourg ; pain Régence • *Pays de la Loire* : bonébel ; fouée de Touraine et d'Anjou • *Poitou-Charentes* : couronne • *Provence-Alpes-Côte d'Azur* : baneto ; fougasse ou fouace ou fouasse ; main de Nice ; michette de Provence ; navette ; pain Picasso ; pompe à l'huile ; royaume • *Rhône-Alpes* : couronne de Bugey ; crozets ; pain bouilli ; pognes

France (pains historiques, du Moyen Âge à la Révolution française) : biscuit de navire ; couronne ; croûte à potage ; denrée, demie, doubleau ou doublet ; échaudé ; fouace ou fouasse ; fromentée ; oublie ; pain à café ; pain à chanter ; pain à chien ou pain de chasse ; pain à la duchesse ; pain à la joyeuse ; pain à la maréchale ; pain à la mode ; pain à la Monthoron ; pain à la reine ; pain à la Ségovie ; pain à potage ; pain à soupe ; pain azyme ; pain balle ; pain bis ; pain bis blanc ; pain biscuit ; pain blême ; pain bourgeois ; pain broyé ; pain chapelé ; pain choîne, choesne ou choaime ; pain coco ; pain coquillé ; pain d'esprit ; pain de blé de Turquie ou de maïs ; pain de bouche ; pain de brode ou faitis ; pain de Chailli ou Chailly ; pain de chapitre ; pain de châtaigne ; pain de condition ; pain de couvent ; pain de fenêtre ; pain de festin ; pain de fournage ; pain de Gonesse ; pain de Hauton ; pain de l'Égalité ; pain de maïs ; pain de méteil ; pain de mie ; pain de millet ; pain de munition ; pain de pommes de terre ; pain de pote ; pain de rive ; pain de seigle ; pain de table ; pain de tranchoir ou pain tailloir ; pain mollet ; pain-mouton ; pain Régence ; pain rousset ; pain salé, non salé ; petit pain de fantaisie ou de mode ; tourte, tourteau, tourtelet, tourtelle

Géorgie : basila ; gomi ; mtchadi ; nazouki ; shoti

Grande-Bretagne : barm cake ou bap ; crumpet ; fleed cake ; muffin ; oatcake ; pain blanc ; pain de campagne ; pain de ménage ; pain de méteil ; pain moulé ; sowen

Grèce : basilèpota ou vasilopita ; bobota ; chilopites ; christopsomo ; eptazymo ou eftazumo ; koulourès de Pâques ; koulouri ; laganès ; lalangia ; lambropsomo ; lazarakia ; litourgia ; maza ; pain de noce ; pain du Christ ; paximadia ; pita ; prosphoro ; psômi ; semoule (l'homme-gâteau de) ; trahanas ; tsoureki

Guatemala : voir AMÉRIQUE LATINE

Honduras : voir AMÉRIQUE LATINE

Hongrie : fehér kenyér ; félbarna kenyér ; magos kenyér ; püspökkenyér ; rozskenyér ; zsemle

Inde : baqarkhânî ; barfla ; bâtî ; bhâkrî ; bhaturâ ; chapâtî ; kulchâ ; luchî ; makkâ kî rotî ; mathrî ; nân ; nawab ; pakorâ ; parânthâ ; pûrî ; rotî ; rûmâlî rotî ; samosâ ; shîr mâl ; sogrâ ; svâlî ; tandûrî rotî ; varqi parânthâ

Irak : khobz al'Abbas ; khobz al jeben ; khobz al semsem ; khobz 'oroug ; khobz regag ; khobz sha-

INDEX DE TOUS LES PAINS DU MONDE

Noms de pains ou de ce qui peut en tenir lieu dans certaines cultures ; mais également de certains plats où le pain peut entrer ; de certains produits sucrés ou gras qui peuvent relever indistinctement de la boulangerie ou de la pâtisserie. Les noms renvoient aux entrées où ils sont présentés.

A

B

C

D

E

H

I

J

K

L

M

N

O

P

Q

R

S

T

U

V

W

Y

Z

INDEX DES NOMS PROPRES
(enseignes, marques, organisations, personnes)

A

Aaron : Égypte (Sortie d') ; Paille
AB Mauri (www.abmauri.com) : Levuriers
Abel : Terre-Mère primordiale
Abraham : Femmes ; *Panis angelicus* ; Peinture occidentale
Achille : Mangeurs de pain chez Homère
Aclave (www.aclave.asso.fr) : Filière bio
ACTIA, Association de coordination technique pour l'industrie agroalimentaire (www.actia-asso.eu/accueil/index.html) : CNERNA
Adam : Mariage ; Matsah et hamets, Terre-Mère primordiale
Addison (Joseph) : Toast
Adonis : Terre-Mère primordiale
Aebersold (Bernhardt ; www.nidelkuchen.ch) : « Recettes de pains »
AEMIC, Association des anciens élèves des écoles des métiers des industries céréalières (www.aemic.com) : AEMIC
Aemilia (vestale) : Tamis (symbolique du)
AFNOR, Association française de normalisation (www.afnor.org) : Croustillant
AFSSA, Agence française de sécurité sanitaire des aliments (www.afssa.fr) : AFSSA
Agathe (sainte) : Sexuelle (le pain comme métaphore)
AGPB, Association générale des producteurs de blé et autres céréales (www.agpb.com) : AGPB ; France Export Céréales
AGPM, Association générale des producteurs de maïs (www.agpm.com) : AGPM
Agralys (www.agralys.com) : Semenciers
Agrocert (www.agrocert.fr) : Filière bio
Aharonson (Aharon) : Israël
Ajax : Mangeurs de pain chez Homère
Akbar (Jalâddin Muhammad) : Iran
Alacoque (Marguerite-Marie) : Miracles eucharistiques
Albatros (www.briochepasquier.com) : Biscottiers
albigeois : Miracles eucharistiques
Albright (Madeleine) : Pologne
Alcibiade : Kykéon et initiation aux mystères
Alexandre le Grand : Riz (*Oryza sativa*)

B

C

E

F

H

I

J

M

N

Nuret (Henri) : Technologies boulangères
Nury (Pierre) : Boulangers de France ; MOF ; « Recettes de pains »
Nutrition et Santé (www.nutrition-et-sante.fr) : Biscottiers
NutriXo (www.nutrixo.com) : Meuniers et minotiers

O

Observatoire du pain (www.observatoiredupain.com) : Observatoire du pain
ODEADOM, Office de développement de l'économie agricole des départements d'outre-mer (www.odeadom.fr) : Offices agricoles
Odhin ou Odin : Moissons (symbolique des)
OFIMER, Office national interprofessionnel des produits de la mer et de l'aquaculture (www.ofimer.fr) : Offices agricoles
OFIVAL, Office national interprofessionnel des viandes, de l'élevage et de l'aviculture (www.office-elevage.fr) : Offices agricoles
Oimelc : Brigitte, ou Brigit (sainte)
Oliveira (Jérôme de) : Pâtisserie
Oliveira (Manoel de) : Documentaires et films
ONIC, Office national interprofessionnel des céréales (www.onic.fr) : Ergotisme
ONIEP, Office national interprofessionnel de l'élevage et de ses productions : Offices agricoles
ONIGC, Office national interprofessionnel des grandes cultures (www.onigc.fr) : Offices agricoles ; ONIGC
ONILAIT, Office national interprofessionnel du lait et des produits laitiers : Offices agricoles
ONIOL, Office national interprofessionnel des oléagineux, protéagineux et cultures textiles : ONIOL
ONIPPAM, Office national interprofessionnel des plantes à parfum, aromatiques et médicinales (www.onippam.fr) : Offices agricoles
ONIVINS, Office national interprofessionnel des vins (www.onivins.fr) : Offices agricoles
OPEP, Organisation des pays producteurs de pétrole (www.opec.org) : Céréales (cours mondiaux des)
Oppenheim (David) : Bread & Roses
Orama : FOP ; Orama
Origène : Théologie du pain
Osborne (Thomas Burr) : Chimistes et microbiologistes du pain
Oshii (Mamuro) : Pologne
Osiris : Égypte ; Épi (symbolique de l') ; Fermentation (anthropologie de la) ; Grain et graine ; Isis et Osiris ; Paille ; Terre-Mère primordiale
Ovide : Épi (symbolique de l')

P

Pachebo (Francesco) : Peinture occidentale
Pagnol (Marcel) : Documentaires et films ; Femme du boulanger ; *Femme du boulanger* (*La*)
Panaghia : Terre-Mère primordiale
Panem (www.panem.fr) : Cosmao (Norbert) ; Équipementiers
Paquet (Jean) : Artisan et artisanat ; Boulangerie, 5 et 6 octobre 1983 (états généraux de la)
Paris (Mathieu) : Eucharistie
Parisot (V.) : Chimistes et microbiologistes du pain
Parmentier (Antoine Augustin) : Blatier ; Boulangers et des boulangeries (histoire de France des) ; Cadet de Vaux (Antoine Alexis François) ; Dessication ; Duhamel du

Q

R

S

T

U

V

REMERCIEMENTS

Le pain rendrait-il fou ? Pas à la manière de celui qui, confectionné à partir de seigles ergotés, a mis la raison et la vie de milliers de nos ancêtres en péril, ainsi que les peintures de Jérôme Bosch, notamment, nous en donnent les preuves effrayantes. Mais plutôt par cette aptitude qu'il a à nous condamner à une approche ou saisie totalisante. Tout ou rien. Dans le parcours de celui ou de celle qui découvre le pain et veut en faire un objet d'étude, de recherche, de vie, il y a toujours la rencontre avec une sorte de statue du Commandeur qui le regarde avec circonspection et finit par lui dire : « Si tu veux comprendre comment un simple mélange de farine et d'eau peut devenir pain de subsistance, pain de vie, pain de révolte, pain de misère, pain de réjouissance, pain de gourmet, pain de tradition, pain bio, etc., va te promener en Irak, retrouve les traces de l'ancienne Mésopotamie, le pays entre deux fleuves, et reprends l'histoire à ses commencements. *Au commencement était le grain*. Étudie l'anthropologie sociale et culturelle, l'ethnolinguistique, l'archéologie. Ne néglige pas non plus l'histoire car le pain, tu verras, y a joué un rôle majeur, écrasant. Et puis, par sécurité, fais-toi ingénieur agronome et, aussitôt après, inscris-toi à l'ENSMIC, l'École nationale supérieure de meunerie et des industries céréalières. Deviens donc meunier, et pourquoi pas aussi paysan. Et naturellement, ai-je besoin de le préciser, passe ton CAP (certificat d'aptitude professionnelle) de boulanger car, sinon, rien de ce qui a trait aux transformations et transsubstantiations ne te sera familier et tu manqueras l'essentiel. Lis les livres des professeurs ès panification, rencontre les acteurs de ce qu'on nomme la filière blé-farine-pain, voyage dans les pays des mangeurs de pain, recueille les recettes, les savoirs, les tours de main. Et puis ensuite, médite sur ce qu'est le pain, cette extraordinaire métaphore par laquelle tout ce que nous avons été et sommes semble pouvoir être si justement résumé. Considère enfin que le pain constitue une manière d'ADN de ces civilisations qui ont élu, à l'intérieur de la famille des graminées, les céréales dites “panifiables” (blé, orge, épeautre, seigle, avoine, millet, maïs, sorgho), parmi lesquelles le blé tendre, qui contient assez de gluten pour permettre aux pâtes de lever et de donner la structure alvéolée que nous aimons, a su rafler la mise. Bonne chance. »

Nous avons donné dans ces pages des exemples de ces conversions fanatiques : celle de ce jeune homme débarquant de Princeton, aux États-Unis, et s'arrêtant rue du Cherche-Midi, à Paris, pour y acheter l'un des pains proposés par Pierre Poilâne et devenant, à la suite de cette sorte d'illumination eucharistique laïque, *le* spécialiste du pain français, j'ai nommé Steven L. Kaplan qui a rédigé l'Introduction de cet ouvrage et que je salue ici et remercie ; celle de Roland Feuillas, ingénieur informaticien, ayant mis son talent au service de la musique et rencontrant, sur son chemin, le fût d'un vieux moulin seigneurial abandonné dans le village de Cucugnan, dans les Hautes-Corbières, décidant de le ramener à son devoir de mouture et associant à cette résurrection une activité de boulanger, puis de paysan ; celle d'Olivier Santrot, ancien *trader*, ouvrant récemment rue Oberkampf, à Paris, un tout nouveau « comptoir Gana » ; probablement aussi la nôtre, qu'il faut raconter ici brièvement en saluant au passage ceux qui l'ont accompagnée et rendue viable.

Est-il possible de dater pour un mangeur de pain le moment de sa conversion ? Découvert véritablement chez un boulanger de Tétouan, au Maroc, le pain m'est toujours apparu grevé d'une charge exorbitante que j'ai crue longtemps démesurée pour ses frêles épaules, si je peux dire, jusqu'à me rendre compte qu'il était taillé en réalité pour franchir tous les obstacles, sorte de passe-muraille qui a su s'adapter à tous les terrains, cultures, climats, estomacs, imaginaires, panthéons, et qui relève maintenant le défi de la modernité. Comment expliquer une telle adaptabilité, comment comprendre que le blé, dont l'histoire se mêle à la sienne de manière tellement siamoise, ait fini par s'imposer partout, au détriment de toutes les autres céréales, et ait fait triompher, sur tous les continents, son champion ? Et quant à la manière dont le religieux, le transcendant, l'invisible sont venus s'agréger encore à cet ensemble, l'alourdir, le plomber, il y a là comme une confirmation de ce que le pain ne peut échapper à son destin de devoir inlassablement revenir au centre des discussions, d'incarner en somme le cœur battant de la *disputatio* essentielle entre les théologiens juifs, catholiques et orthodoxes. Azyme ou pas azyme ? On ne voyait pas très bien comment, à partir de là, on aurait pu le remiser au magasin ou réfectoire des accessoires. Ce sont toutes ces interrogations, plus un amour immodéré pour le pain qui se mange et que bichonnent certains artisans, en l'occurrence, Bernard Ganachaud rue de Ménilmontant, à Paris, près de qui la déesse Cérès, probablement, me fit habiter, qui me décidèrent à tenter l'aventure : celle d'un CAP et d'un voyage dans les pays-berceaux de notre histoire de panivores. J'avais imaginé un reportage-documentaire qui, partant du Portugal et de l'Espagne, à la période des semailles, s'achèverait au Maroc à celle où le pain, à la sortie du four commun, est mis en partage, vaste horloge dont l'aiguille venait à marquer un arrêt sur tous les pays qui entourent la Méditerranée et qu'elle a faits, ou pétris, si vous voulez.

Il y a plusieurs manières pour des adultes, venant à la boulange sur le tard, de s'initier au métier (voir APPRENTISSAGE ; FORMATIONS À LA BOULANGERIE ET À LA PÂTISSERIE). Je me suis inscrit à l'EBP, l'École de boulangerie et de pâtisserie, fondée par les Grands Moulins de Paris et située désormais rue des Pirogues-de-Bercy, rive droite, pour une formation de trois mois suivie par l'épreuve du CAP, en juin 2007, sésame sans lequel vous n'entrez pas dans la « carrière ». Raconter ce parcours du combattant-apprenti boulanger, affublé d'un pantalon pied-de-poule, de chaussures de sécurité, d'un calot et d'un tablier initialement blanc aurait le mérite, très certainement, de susciter ou peut-être de décourager les vocations, tellement le dépaysement est là à peu près total, les compagnons (masculins exclusivement) proprement inattendus, l'expérience particulièrement stressante pour ces grands adultes revenus se confronter de manière presque ingénue à la notation, la compétition, le doute et la fatigue. Formation expresse délivrée par des enseignants et formateurs efficaces, parfois inspirés, parmi lesquels se détache la figure de Lucien Megel. Transformer douze adultes issus de situations professionnelles pour le moins contrastées en douze mitrons aptes au service de la panification en l'espace de trois mois réclame des qualités de patience, de pédagogie, de disponibilité peu communes, et nul doute que Lucien Megel possédait son affaire pour nous permettre de produire des pains que certains d'entre nous emportaient après la classe pour les faire goûter à leurs meilleurs amis, voire leurs pires ennemis. C'était fonction de l'inspiration et du travail produit. Nul empoisonnement ou décès n'a pourtant été signalé durant la période. Le CAP en poche, le groupe s'est dispersé et très peu, semble-t-il, ont pris à ce jour la direction d'un fournil. Trois mois vous permettent seulement de mesurer le chemin qui sépare des « notions » acquises d'une vie de boulanger. Il faut remercier ici ceux qui ont supporté l'offensive boulangère d'une autre manière. Laurence Cohen, Anouk, Samuel et Michaël, ses enfants, qui ont goûté quelques-uns des pains sortis du fournil de la rue des Pirogues-de-Bercy et qui ont tenu bon ; Raphaël et Aurélia et quelques amis aussi, qui ont fait de même : courageux, valeureux. Innocents.

Le projet méditerranéen a tourné court après deux stations d'une durée de dix jours chacune, en Égypte d'abord, puis en Grèce. Philippe Di Folco avait commencé à m'initier aux bienfaits de la méthode « dictionnaire » qui semblait parfaitement appropriée à l'objet « pain », permettant de fédérer, en un seul ouvrage, tous les champs de recherche, de donner en somme le « pain total », sous toutes ses latitudes et à travers toutes ses métamorphoses. Le voyage pouvait attendre, mais plus ce *Dictionnaire* qui, dans toutes les bibliothèques et librairies du monde, manquait. Je remercie donc Philippe, qui travaillait alors sur la mort, autre objet rond, infini, qu'aucun dictionnaire ne saurait épuiser, de m'avoir détourné de ma voie et jeté dans cette inénarrable galère. Restent ces deux enquêtes aux pays des tout premiers mangeurs de pains, qui eurent le mérite de confirmer que la passion ou l'obsession du pain sous ses formes *baladi* ou *psômi* étaient, dans cette partie du monde, et sans doute bien au-delà, la chose la mieux partagée. Ainsi, le dictionnaire devait permettre d'appréhender le pain non plus seulement dans le cadre d'une histoire et d'une passion françaises, mais dans son universalité essentielle. Je remercie donc ici chaleureusement ceux qui m'ont accompagné sur ces versants égyptien et grec de l'histoire commune : Denis Lebau, attaché culturel au Caire ; Denis Élant, alors responsable de l'agence Oriensce, qui me mit en relation avec Peter et Alic Loussararian : si l'Égypte n'avait pas tant de charmes, Peter et Alic pourraient justifier à eux seuls le déplacement ; Arnaud du Boistesselin, photographe ; Florence Quentin, amoureuse de l'Égypte et Jean-Pierre Corteggiani, orphelin désormais de son IFAO ; Mona Daumal, qui permit ma rencontre avec la réalisatrice Jehane Morsi ; François de Martino pour la visite des boulangeries dédiées au *baladi* ; mais encore Laurent Dornon, Ingy Naeem, Victor Ghica, Josiane et Nabil (hôtel Osiris), Évelyne Vandenhecke. Côté grec, Catherine Aubert, attachée culturelle à Athènes ; Jérôme Frouté, attaché agricole ; Luc Boulet, bras droit d'Éric Kayser qui me mit en contact avec cet homme tout à fait exquis qu'est Philippe Papaemmanuel, ancien ambassadeur de Lesaffre en Grèce et aujourd'hui rangé des voitures et des fournils ; Michel Volkovitch et sa correspondante et amie Orsalia Sintelli à Thessalonique, laquelle m'a réservé le plus bel accueil.

La conception du *Dictionnaire* a réclamé bien des lectures, enquêtes, rencontres, échanges, discussions avec ceux qui avaient, chacun dans leur domaine, commencé à étudier, inventorier, dire le pain et je veux ici leur témoigner ma reconnaissance. Qu'ils appartiennent au monde de la boulangerie artisanale, industrielle, ou à celui de l'enseignement et de la recherche, ils m'ont permis d'inventorier mon sujet et donc de concevoir les « entrées » à partir desquelles n'importe quel lecteur du dictionnaire pourrait retrouver son idée propre du pain et la compléter en découvrant les autres pans de l'histoire. Je tiens à remercier particulièrement ceux qui m'ont accordé leur temps et leurs conseils : Marina Caccialanza ; Hubert Chiron ; Guy Boulet ; Philippe Roussel ; Almir El-Kareh ; Bernard et Marianne Ganachaud ; Jean Lapoujade ; Dominique Fournier ; Marie-Claude Mahias ; Bernard Dupaigne ; Christian Rémésy et Fanny Leenhardt ; Michel Chauvet ; Jean-Jacques Semlangne ; Roland Guinet ; Piergiorgio Giorilli ; Jean-Pierre Blazy ; Catherine Peigney ; Dominique Descamps ; Isabelle Helsens ; Anne-Élisabeth Halpern ; Jim Chevallier ; Véronique Guibert ; Renate Ramge ; Laurent

Gaudré ; Hélène Monsacré ; Michel Rousset ; David André Belhassen ; François Dumoulin ; Marianne Jarras ; Frédéric Duhart ; Pierre Nury ; Raphaël Demanesse ; Isabelle Helsens ; Esther Katz ; Jean Koenig ; Alain Bodar ; Xavier Medina ; Patrick Jean-Baptiste ; Adriana Piccardo ; Gérard Brochoire ; Giedré Cibulskaité ; Xavier Honorin.

Le *Dictionnaire* a été accueilli chez « Bouquins », département éditorial des Éditions Robert Laffont, par Daniel Rondeau à peu près au moment où il transmettait le témoin à Jean-Luc Barré. J'y ai fait la connaissance d'une équipe qui conspire semble-t-il à vous faire croire que l'expédition sera, sinon de tout repos, du moins à votre portée, laissant entendre par là qu'elle vous juge apte au service. Alors on s'engage, flatté par le compliment, vers ces 33es rugissants, inconscient, solidement épaulé par Agnès Hirtz et bientôt Anne-Rita Crestani entre les mains et sous les yeux de qui viennent aboutir les quelque 1 500 entrées du *Dictionnaire universel du pain*, accompagnées d'annexes innombrables et de mille interrogations – merci à Pauline Mermillod, pour l'ajout des couleurs.

À ce *Dictionnaire* qui lentement prenait forme, sur trois ans, les sponsors et mécènes apportèrent bientôt leur obole et leur soutien et rien ne fut plus encourageant au moment où il fallait faire en sorte de récompenser les efforts engagés. Hubert François, P-DG des Grands Moulins de Paris (NutriXo) a manifesté dès la première heure son intérêt pour ce *Dictionnaire* en embarquant quelques-uns de ses collaborateurs dans nos équipes de rédacteurs et en restant toujours à l'écoute. Apollonia Poilâne a non seulement encouragé ce projet, mais elle a mis à notre disposition la prestigieuse bibliothèque constituée par son père sur le monde de la boulangerie et de la meunerie, qu'elle continue à enrichir ; ce furent là des heures délicieuses, passées à découvrir classiques et curiosités en provenance de tous les coins du monde, à tourner des pages parfois vieilles de deux siècles que d'autres chercheurs avaient parcourues avant moi. Jean-Philippe Girard, P-DG d'Eurogerm, « alerté » par Guy Boulet, boulanger dans le Jura et précieux auteur dans ces pages, homme essentiellement généreux, est venu à son tour en renfort et de la plus belle des façons. Enfin, Alain Martin, commercial chez Bongard, a pu obtenir également de sa maison un engagement. Et toutes ces attentions, tous ces gestes ont finalement permis d'entretenir une flamme.

Il faut terminer ce tour d'horizon en évoquant ceux qui ont œuvré dans l'invisible pour dénouer des nœuds, faire tomber des obstacles, éclairer le chemin. Roland et Valérie Feuillas ont été les compagnons de tous les instants, surtout quand les lumières se sont éteintes, en octobre 2009, que le ressac a commencé. Myriam Daumal nous a rejoint en chemin et dans les conditions de l'acrobate, envers et contre tout, a fait le boulot, et si bien. Yvonne de Sike, qui sait relier par ses recherches la terre et le ciel du pain, nous a prodigué au moment voulu ses précieux conseils, son amitié. Elle a véritablement enraciné cette odyssée du pain dans le monde archaïque et magique dont il n'est jamais tout à fait sorti. Dave Dewnarain, marchant, solitaire, à l'envers du monde, est venu curieusement hanter les dernières semaines du chantier. Marguerite Kardos qui aurait pu écrire toutes les entrées consacrées aux commencements de l'aventure du grain, s'est ingéniée à restaurer, réparer, réenchanter, et pour ce qu'il y a chez elle de « don » pur, total, nous lui exprimons une vraie et profonde reconnaissance.

Et tout naturellement nous prenons congé en évoquant une figure tutélaire, profondément aimée, un ange perturbateur aussi qui marque de son empreinte feu/nuit chaque page de cette bible du pain : Diane Castiglioni Gribben.

J.-P. de T.

LISTE DES COLLABORATEURS

Pascale Absi est anthropologue, chargée de recherches à l'IRD, au sein de l'UMR 201 (Développement et Sociétés).

Jacqueline Acquaviva-Bosseur est docteur en langue et culture régionales corses, enseignante à l'université de Corse.

Janick Auberger est agrégée de grammaire, docteur en philologie grecque, professeur d'histoire à l'université du Québec à Montréal.

Jean-Pierre Henri Azéma est docteur en géographie, diplômé de l'université Paris IV-Sorbonne-CNAM ; consultant spécialiste des moulins, du patrimoine industriel, de l'histoire des rivières et de l'énergie.

Sarah Bak-Geller Corona est doctorante en histoire à l'École des hautes études en sciences sociales (EHSS).

Christophe Balay est docteur ès lettres et docteur d'État (université de Paris X-Nanterre, 1979 et 1988), professeur de langue et littérature persanes à l'Institut national des langues et civilisations orientales (Paris).

Mouette Barboff est docteur en ethnologie et anthropologie sociale, présidente de l'association L'Europe, civilisation du pain.

Pierre Barret est docteur en biologie, spécialité physiologie et génétique moléculaire végétale ; ingénieur de recherches à l'INRA, responsable des recherches dans le domaine des biotechnologies végétales conduites sur le blé tendre (INEA, Clermont-Ferrand).

Patrick Bastergue est ingénieur du Groupe d'étude et de contrôle des variétés et des semences (GIP GEVES) et secrétaire technique de la section « céréales à paille » du Comité technique permanent de la sélection des plantes cultivées (CTPS). Il est aussi conseil auprès du ministère de l'Agriculture concernant l'exécution de la politique en matière de variétés de céréales à paille.

David André Belhassen a publié de nombreux articles sur la critique biblique, le judaïsme, le christianisme et l'islam ; reporter, scénariste et cinéaste, il partage son activité professionnelle entre Israël et la France.

Pierre-Antoine Bernheim est historien, spécialiste reconnu des origines du christianisme.

Jean-Pierre Blazy est agrégé d'histoire et géographie, député du Val-d'Oise de 1997 à 2007 et maire de Gonesse depuis 1995.

Guillaume de Blignières est ingénieur ESTP. Il dirige depuis 2003 France Farine, société qui commercialise la marque Francine auprès du grand public.

Jacques Bonnet est traducteur et historien d'art (*Lorenzo Lotto*, Adam Biro, 1997, et *Femmes au bain, du voyeurisme dans la peinture occidentale*, Hazan, 2006).

Guy Boulet est artisan boulanger dans une commune rurale du Jura, syndicaliste impliqué dans le devenir de la boulangerie rurale et artisanale, ex-président de la Fédération départementale de la boulangerie du Jura, ancien vice-président de la Confédération nationale de la boulangerie-pâtisserie.

Gérard Branlard est ingénieur agronome, directeur de recherches à l'Institut national de la recherche agronomique (INRA).

Gérard Brochoire est ancien boulanger ; il préside aujourd'hui aux destinées de l'Institut national de la boulangerie pâtisserie (INPB) à Rouen.

Marina Caccialanza est interprète, traductrice et journaliste dans la presse technique, principalement dans le domaine alimentaire (*Il Panificatore Italiano*, *Il Pasticciere Italiano*, *Tecnologie Alimentari* et *Industria Mercato*, magazines édités par Reed Business Information).

Guillaume Cadilhac est artiste, animateur et chanteur.

Olivier Candiotti est ancien conseiller économique et commercial, chef de mission économique en Chine ; fondateur de Sinotrend Consulting Co Ltd.

Carlo Cannella est professeur titulaire de science de l'alimentation à l'université La Sapienza de Rome. Membre du Conseil supérieur de la santé et président de l'Institut national de recherche pour les aliments et la nutrition (INRAN).

Roberto Carcangiu est chef de renommée mondiale, enseignant dans des écoles professionnelles (Academia Barilla, Cast Alimenti) et fondateur de Food Design Studio et du groupe d'étude Cibologi.

Diane Castiglioni intervient comme *collaboration specialist* en Europe, Asie, Australie, et Amérique du Nord dans des secteurs d'activités comme l'éducation, les technologies, l'énergie, les services, la finance, la santé, l'industrie, les ONG, les communautés scientifiques de recherche (NASA, NOAA, Aspen Institute, etc.).

Michel Chauvet est agronome et ethnobotaniste, ingénieur de recherche à l'Institut national de la recherche agronomique (INRA) de Montpellier ; passionné de linguistique, il se consacre plus particulièrement à l'étude des noms populaires des plantes et rédige actuellement un « Inventaire des plantes alimentaires en Europe ».

Gontran Cherrier est pâtissier, chocolatier, boulanger, formateur. Animateur pour l'émission Canaille + sur la chaîne Canal +, il est l'auteur de plusieurs ouvrages. Il a ouvert fin 2010 la boulangerie « Gontran Cherrier artisan boulanger », 22 rue de Caulincourt à Paris.

Jim Chevallier est traducteur de grands textes culinaires français en anglais et historien de la boulangerie moderne française (*August Zang and the French Croissant : How Viennoiserie Came to France*, Jim Books, 2009).

Hubert Chiron est responsable du fournil expérimental de l'Institut national de la recherche agronomique (INRA) ; il participe à de nombreux programmes de recherches sur le pain français.

Giedré Cibulskaité est doctorante en sciences politiques à Paris III-Sorbonne nouvelle, auteur d'une thèse sur l'identité lituanienne ; interprète-traductrice en langue lituanienne.

Julien Couailler est ingénieur agronome, journaliste agricole, responsable de la communication alimentaire à Passion Céréales.

Emmanuelle Crane est anthropologue, journaliste pour la chaîne australienne SBS TV/Radio, et consultante interculturelle.

Chantal Crenn est anthropologue de l'alimentation et des migrations internationales.

Hilda Dagincourt est enseignante, présidente des Moulins de Provence dans les années 1990 et administratrice de la Fédération des Amis des moulins ; elle a soutenu un DEA sur le thème des meuniers provençaux et termine sa thèse sur le même thème.

Chiara Dall'Asta est chercheur associé en chimie des aliments à la faculté d'agriculture de l'université de Parme.

Julien Darmon est docteur en sociologie des religions, affilié au Centre d'études juives (EHESS). Il enseigne le Talmud ainsi que l'histoire et la méthodologie des littératures rabbiniques.

Michel Daubé est directeur de l'activité meunerie du groupe NutriXo, président du syndicat de la meunerie Paca, et à ce titre, membre du conseil d'administration de l'Association nationale de la meunerie française (ANMF).

Myriam Daumal est diplômée en lettres modernes, traductrice, psychothérapeute et passionnée de cuisine.

Pierre-Emmanuel Dauzat est auteur d'une dizaine d'essais sur la formation de la pensée chrétienne et traducteur de plusieurs milliers de pages d'histoire, de témoignages et d'œuvres diverses, littéraires, philosophiques, théologiques à partir d'une vingtaine de langues différentes.

Hosham Dawod est anthropologue d'origine irakienne, membre du Centre d'études interdisciplinaires des faits religieux (CNRS EHESS).

Thierry Debroux est auteur d'une vingtaine de pièces (*Le Livropathe*, *Le Roi Lune*, *Made in China*…) et scénariste.

Sandra Delahaye est créatrice et animatrice du site Internet *Le Pétrin*.

Anne-Élène Delavigne est ethnologue, chercheur associée depuis 1999 au laboratoire Éco-anthropologie-ethnobiologie» (UMR 7206 CNRS) au Muséum national d'histoire naturelle.

Jean-Pierre Deloron est journaliste de la presse professionnelle spécialisée en boulangerie-pâtisserie-chocolaterie-confiserie-glacerie et agroalimentaire ; rédacteur en chef de *Pains Services Gâteaux*.

Dominique Descamps est directeur de l'École de boulangerie et pâtisserie de Paris (EBP).

Laurence D'Hondt est historienne de formation, ancienne correspondante à Paris pour *La Libre Belgique* et reporter indépendante pour des journaux et magazines de référence belges, français et suisses.

Philipe Di Folco est écrivain, poète et scénariste, il a conçu et dirigé le *Dictionnaire de la pornographie* (PUF, 2005) et le *Dictionnaire de la mort* (Larousse, 2010).

Marie-Laure Di Pasquale est professeur agrégée de lettres classiques, membre du Droit humain.

Pascale Dollfus est ethnologue, chargée de recherches au CNRS (UPR 299), spécialiste des communautés de langue et de culture tibétaines de l'Himalaya occidental indien (Ladakh, Spiti, et haut Kinnaur).

Salvatore D'Onofrio est anthropologue, enseignant (université de Palerme), membre correspondant du Laboratoire d'anthropologie sociale (LAS EHESS).

Laurent Dornon a participé pendant près de dix ans à la promotion des blés français au Proche et au Moyen-Orient.

Frédéric Duhart est secrétaire de l'International Commission for the Anthropology of Food et coordinateur général du Corpus International Group for the Cultural Studies of the Body.

François Dumoulin est fondateur de l'atelier de marketing et de communication Signe ascendant ; il intervient comme conseil pour des boulangers et des meuniers.

Andrea Duò est enseignant à l'École hôtelière Giuseppe Cipriani d'Adria (Rovigo).

Bernard Dupaigne est chargé du département d'Asie au musée de l'Homme et directeur du laboratoire d'ethnologie.

Philippe Duret est issu d'une ancienne famille de meuniers installée en Vendée depuis le XVIIe siècle ; diplômé de l'École nationale supérieure de meunerie et des industries céréalières (ENSMIC), il a rejoint le groupe Grands Moulins de Paris, où il occupe notamment la fonction de directeur technique.

Almir Chaiban El-Kareh est professeur en histoire invité du département de géographie de l'Université fédérale Fluminense (UFF) ; boursier de la Fundação de Auxílio à Pesquisa do Estado do Rio de Janeiro (FAPERJ) ; il est par ailleurs chercheur en histoire sociale de l'alimentation à Rio de Janeiro au XIXe siècle.

Anthony Fardet est chercheur en nutrition préventive, produits végétaux et micronutriments dans le département Alimentation humaine (AlimH) de l'Institut national de la recherche agronomique (INRA).

Roland Feuillas est ingénieur informaticien, spécialisé en sciences cognitives ; créateur des « Maîtres de mon moulin », il a restauré le moulin seigneurial de Cucugnan (Hautes-Corbières) où il produit ses farines, ses pains et ses pâtes.

Catherine Feuillet est responsable du programme de recherche en génomique du blé à l'Institut national de la recherche agronomique (INRA) de Clermont-Ferrand depuis 2004 ; elle coordonne les consortiums européens et internationaux de génomique et séquençage du blé.

Claude Fischler est sociologue, directeur de recherche au Centre national de la recherche scientifique et codirecteur du Centre Edgar-Morin, dépendant de l'École des hautes études en sciences sociales (EHESS). Il est également membre du conseil d'administration de l'Agence française de sécurité sanitaire des aliments (AFSSA).

Tony Fogacci est maître de conférences « langue, culture régionales et anthropologie » à l'université de Corse.

Dominique Fournier est chercheur en ethnologie, CNRS, et directeur du programme Amérique latine, Fondation Maison des sciences de l'homme.

Guy Fournier est scénariste, dramaturge et cuisinier. Il a écrit plus de deux cents heures dramatiques pour la télévision canadienne et française, des comédies pour le théâtre et publié, entre autres, trois livres de cuisine, dont *Un homme au fourneau* (L'Homme, 2009).

Monica Francioso est lauréate en science et technologie des aliments ; elle a achevé ses études de recherche dans le domaine des céréales à l'Institut d'expérimentation sur les céréales de Foggia.

Hubert François est diplômé de École polytechnique et de l'École nationale du génie rural, des eaux et des forêts (ENGREF), amateur d'opéra et photographe amateur. Il préside aux destinées du groupe NutriXo, numéro un français de la meunerie.

Ilena Gaita est chercheur au musée de l'Homme.

Yves Garnier est lexicographe, ancien directeur du département Dictionnaires et encyclopédies aux éditions Larousse.

Laurent Gaudré est compagnon boulanger, responsable de l'Institut des métiers du goût.

Cathy Giraud, spécialiste en communication et ressources humaines, est, avec Henri Granier, auteur d'*Apprendre à faire son pain au levain naturel* (Ouest-France, 2003).

Jean-Jacques Glassner est assyriologue, directeur de recherche au CNRS ; il a enseigné dans les universités de Poitiers, Strasbourg, Genève et Jérusalem.

Philippe Gracien est ingénieur agronome de formation et directeur du Groupe national interprofessionnel des semences et plants (GNIS), organisme qui réunit l'ensemble des acteurs des semences en France.

Henri Granier est ancien reporter-photographe. Aujourd'hui boulanger, il pratique et enseigne, en son fournil, l'art du pain au levain naturel, entièrement « fait main », cuit au four à bois.

Georges Grignard est fils de boulanger, directeur des services marketing du groupe Puratos.

Véronique Guibert de La Vaissière est ethnologue de terrain en Irlande depuis 1968.

Roland Guinet est ancien directeur de l'École de boulangerie et de pâtisserie (EBP). Il a été impliqué dans la recherche et le développement au sein des Grands Moulins de Paris, en France et dans de nombreux pays étrangers, et a participé à la plupart des grands débats sur le pain.

Anne-Élisabeth Halpern est arrière-petite-fille et petite-fille de boulangers roumains, maître de conférences en littérature française à l'université de Reims, spécialiste des rapports entre poésie et science et entre littérature et musique.

Jean-Paul Hébert est ingénieur de l'École de brasserie de Nancy ; il a fait une carrière d'enseignant chercheur à l'École nationale supérieure des industries agricoles et alimentaires (ENSIA), à la chaire de malterie-brasserie à Douai.

Janine Helfst Leicht Collaço est docteur en anthropologie à l'université de São Paulo ; professeur au centre d'excellence en tourisme de l'université de Brasilia ; membre du groupe de recherches « Mémoire et patrimoine alimentaire : tradition et modernité ».

Annette Hillringhaus est assistante de recherches au Museum der Brotkultur à Ulm, où elle s'occupe principalement de la conservation des pièces d'exposition tridimensionnelles.

Martina Holcova est diplômée de l'université Charles à Prague (*Humanity studies*) et de l'université Masaryk à Brno (*Environmental humanities*) ; elle travaille aujourd'hui sur des questions d'éducation multiculturelle.

Tata Ivanidze a été ingénieur dans les télécommunications ; elle est aujourd'hui journaliste pour le quotidien *Tbilissi soir*.

Jelena Ivanišević est chercheur à l'Institut d'ethnologie et d'études folkloriques de Zagreb.

Marianne Jarras est enseignante, professeur des écoles. Lectrice de Simone Weil ; elle a entretenu un dialogue spirituel durant vingt ans avec le père Joseph-Marie Perrin jusqu'à la mort de celui-ci.

Patrick Jean-Baptiste est auteur et éditeur ; il s'intéresse notamment à la question du diffusionnisme culturel, à l'histoire des religions, et travaille actuellement sur les emprunts du français, du latin et du grec aux dialectes « cananéens » (les langues sémitiques du Nord-Ouest : araméen, hébreu, ougaritique, phénicien).

Aïda Kanafani-Zahar est anthropologue, chargée de recherches, groupe Sociétés, religions, laïcités, CNRS.

Steven Laurence Kaplan est professeur à l'université de Cornell et à Sciences Po ; il est l'auteur de nombreux ouvrages, dont *Le Meilleur Pain du monde* (Fayard, 1996) et *La France et son pain : histoire d'une passion* (Albin Michel, 2010).

Aida Karanxha est traductrice-interprète en albanais et en grec ; doctorante en histoire et civilisations à l'École des hautes études en sciences sociales (EHESS).

Marguerite Kardos Enderlin est linguiste orientaliste, elle a acquis une renommée internationale à travers ses travaux sur le Proche-Orient ancien et la civilisation sumérienne. En tant que thérapeute et naturopathe, elle pratique aujourd'hui l'énergétique chinoise traditionnelle.

Esther Katz est anthropologue, chercheur à l'Institut de recherche pour le développement (IRD), membre de l'UMR 208 IRD/MNHN « Patrimoines locaux », associée au Centre de développement durable (CDS) de l'université de Brasilia.

Jean Koenig est ingénieur à l'Institut national de la recherche agronomique (INRA) de Clermont-Ferrand, il a été responsable du Centre de ressources génétiques des céréales où sont conservées et évaluées quelque 30 000 accessions de céréales.

Eveli Kuuse est étudiante en master (relations internationales) à l'université de Tartu, en Estonie.

Jean Lapoujade est responsable de la stratégie et du développement chez Poilâne. Il est l'auteur, notamment, de *Ô bachique parisien* (Talaia, 2010).

Jacques Le Gouis est directeur de recherche au département de génétique et d'amélioration des plantes à l'Institut national de la recherche agronomique (INRA).

Fanny Leenhardt est docteur ès nutrition a l'université de Cork (Irlande), actuellement en charge d'une étude clinique sur l'impact de la consommation de pain à teneur réduite en sel chez des sujets risquant de développer une hypertension.

Dan Lepard est artisan boulanger, écrivain gastronomique et journaliste, responsable d'une chronique hebdomadaire sur l'univers du pain dans le *Guardian*.

Claudia Leonor Lopez Garces est anthropologue, rattachée au Museu Paraense Emilio Goeldi (Brésil).

Marie-Claude Mahias est anthropologue, directrice de recherche au CNRS et membre du Centre d'études de l'Inde et de l'Asie du Sud (CEIAS), elle enseigne l'anthropologie des techniques en Asie du Sud à l'École des hautes études en sciences sociales (EHESS).

Philippe Martin est professeur d'histoire moderne à l'université de Nancy II, spécialiste de l'histoire des dévotions entre le XVIe et le XIXe siècle.

Thomas Maurey est P-DG des Moulins de Chars, dans le Vexin et président en titre du club des jeunes meuniers.

F. Xavier Medina Luque est directeur académique du programme Food Systems, Culture & Society de l'Universitat Oberta de Catalunya (UOC, Barcelone) ; président du groupe européen de l'International Commission for the Anthropology of Food.

Mohammed Medjahed est cuisinier, journaliste gastronomique et chercheur.

Cédric Meletta est enseignant et essayiste ; ses travaux portent sur l'histoire intellectuelle de la France au XXe siècle.

Carlo Meo est expert international pour les comportements alimentaires et pour les lieux de consommation ; administrateur gérant de la société Marketing & Trade ; professeur et membre du comité scientifique des cours en design expérience à l'Institut supérieur pour architectes et ingénieurs de Milan.

Hélène Monsacré est historienne de la Grèce antique, auteur, notamment, des *Larmes d'Achille* (1984, rééd. poche Le Félin, 2010) ; elle dirige le département des sciences humaines chez Albin Michel, ainsi que la collection « Classiques en poche » aux Belles Lettres.

Anie Montigny est ethnologue, maître de conférences du Muséum national d'histoire naturelle ; spécialiste des pays arabes du Golfe, depuis 1976, et du Bangladesh depuis 1999.

Anne Muratori-Philip est journaliste et historienne, membre correspondant de l'Institut. Auteur notamment de *Parmentier* (Plon, 1994).

Claudio Sebastián Olijavetzky est professeur à l'Instituto argentino de gastronomía.

Bernard Onno est enseignant chercheur, maître de conférences en microbiologie industrielle et alimentaire à l'École nationale d'ingénieurs des techniques en industries agricoles et alimentaires (ENITIAA) de Nantes ; il est spécialisé dans les fermentations alimentaires.

Bojenna Orszulak est titulaire d'un DEA de littérature et linguistique médiévales de l'université Paris III ; enseignante dans le secondaire.

Claude Papavero est docteur en anthropologie sociale à l'université de São Paulo ; membre de l'association brésilienne d'anthropologie (ABA).

Bruno Parmentier est directeur de l'École supérieure d'agriculture d'Angers et auteur de *Nourrir l'humanité, les grands problèmes de l'agriculture mondiale au XXIe siècle* (La Découverte, 2007).

Olivier Pascault est philosophe, chargé de recherches, ancien expert au Conseil économique et social (section Travail). Il a dirigé le journal trimestriel *Place aux sens* (philosophie, littérature et poésie).

Catherine Peigney est docteur-ingénieur, diplômée de l'École nationale supérieure des industries agricoles et alimentaires (ENSIA). Elle dirige le département Sécurité alimentaire et réglementation au sein des Grands Moulins de Paris ; elle est par ailleurs présidente de l'Institut de recherches technologiques agroalimentaires des céréales (IRTAC).

Catherine Perles est préhistorienne, professeur à l'université Paris X ; elle a été membre senior de l'Institut universitaire de France pendant dix ans.

Xavier Pommereau est psychiatre des hôpitaux, chef de service, responsable du Pôle aquitain de l'adolescent au centre Abadie (CHU de Bordeaux).

Florence Quentin est diplômée d'égyptologie, journaliste et essayiste, auteur notamment de *Fous d'Égypte*, avec Jean-Pierre Corteggiani, Jean-Yves Empereur et Robert Solé (Bayard, 2005).

Christian Rémésy est directeur de l'unité Maladies métaboliques et micronutriments à l'Institut national de la recherche agronomique (INRA) de Clermont-Ferrand, auteur notamment de *Que mangerons-nous demain ?* (Odile Jacob, 2005)

Sirley Rios Acuña est conservatrice du Musée national de la culture péruvienne à Lima, Pérou.

Pascale de Robert a soutenu sa thèse de doctorat sur les « Gens du blé » dans les Andes du Venezuela ; elle est aujourd'hui ethnologue à l'Institut de recherche pour le développement (IRD).

Olivier Roche est agriculteur et meunier.

Bernard Rolland est ingénieur de recherche à l'Institut national de la recherche agronomique (INRA) au sein de l'UMR Amélioration des plantes et biotechnologies végétales de Rennes.

Thierry Ronsin est ingénieur agronome et directeur de la recherche céréales de Limagrain depuis 1997.

Bernard Rosenberger a enseigné à la faculté de Rabat et à l'université de Paris VIII ; en tant qu'historien, il s'est intéressé à l'alimentation au Maghreb, et plus particulièrement au Maroc.

Philippe Roussel est enseignant à l'École nationale supérieure de meunerie et des industries céréalières (ENSMIC), où il a succédé à Raymond Calvel.

Michel Rousset est directeur de recherche à l'Institut national de la recherche agronomique (INRA) à l'UMR de génétique végétale du Moulon à Gif-sur-Yvette, spécialisé dans la génétique et la sélection du blé tendre.

Sandrine Ruhlmann est docteur en anthropologie sociale et ethnologie.

Dominique Salini est docteur ès lettres, professeur en anthropologie culturelle à l'université de Corse.

Ludovic Salvo est expert au sein du groupe NutriXo, notamment pour la qualification des nouvelles variétés de blé proposées à l'inscription et les méthodes de culture afin d'identifier les variétés permettant d'obtenir les farines nécessaires à chaque utilisation.

István Sarlözy est juriste : il a intégré le Bureau du Commissaire Parlementaire pour les Générations Futures (recherche de droit international dans son application au sein de la Cour de Justice de l'Union européenne et son usage pour les traités internationaux).

Marie-Hélène Sauner-Leroy est anthropologue, spécialiste des pratiques alimentaires en Anatolie. Elle est maître de conférences en langue et civilisation turques à l'université de Provence, actuellement en délégation à l'université Galatasaray à Istanbul.

Stephen Schmidt écrit pour différents magazines consacrés à la cuisine et enseigne dans des écoles de cuisine dans les environs de New York ; éditeur de *Joy of Cooking*, un des livres de cuisine les plus populaires aux États-Unis.

Aamir Shezad, après un master au Pakistan sur la farine de blé et les pains pakistanais, est aujourd'hui doctorant en agroalimentaire à l'université de Nantes.

François Sigaut, ancien ingénieur agronome, est directeur d'études à l'École des hautes études en sciences sociales (EHESS).

Yvonne de Sike, ancienne conservatrice du musée de Delphes, a intégré le personnel scientifique d'enseignants chercheurs du Muséum national d'histoire naturelle en tant que maître de conférences, responsable du département Europe du musée de l'Homme.

Ulrica Söderlind, titulaire d'un PhD économie et histoire, mène des recherches sur les pratiques, traditions, rituels alimentaires à travers le temps et l'espace à partir de sources écrites et archéologiques.

Angun Sønnesyn Olsen prépare un doctorat à University College Cork (Irlande) sur le folklore.

Jayne Stragliati est sélectionneur de blé pour Limagrain.

Charles-Édouard de Suremain est docteur en ethnologie (1994) à l'université François-Rabelais (Tours) ; chargé de recherches à l'Institut de recherche pour le développement (IRD), rattaché à l'UMR 208 « Patrimoines locaux » du Muséum national d'histoire naturelle.

Bruno Taupier-Letage est ingénieur agronome, responsable de la commission qualité à l'Institut technique de l'agriculture biologique (ITAB).

Jean-Philippe de Tonnac est essayiste, journaliste et éditeur ; avant de prendre la direction du *Dictionnaire universel du pain*, il a passé son CAP de boulangerie à l'École de boulangerie-pâtisserie de Paris (EBP), en 2007.

Philippe Viaux est ingénieur agronome, rattaché à Arvalis-Institut du végétal.

Noémie Videau est journaliste et chroniqueuse gastronomique pour les guides Lebey et Fooding.

Julia Wang est élève à l'École normale supérieure (ENS Ulm), en licence de russe et de lettres classiques ; elle est par ailleurs gastronome et cuisinière amateur.

Peter Weiss est photographe et historien des cultures, ses recherches concernent la rencontre ou la collision des cultures et la manière dont les cultures traditionnelles s'adaptent au changement.

TABLE DES MATIÈRES

Composition Interligne,
Loncin

Cet ouvrage a été achevé d'imprimer en juillet 2012
sur les presses de Normandie Roto Impression s.a.s.
à Lonrai (Orne)
N° d'imprimeur : 122454

Imprimé en France

BOUQUINS

Collection fondée par Guy Schoeller
et dirigée par Jean-Luc Barré

À DÉCOUVRIR
DANS LA MÊME COLLECTION

Cusine sans souci, *par Rose Montigny*

Encyclopédie des vins et alcools, *par Alexis Lichine, nouvelle édition revue et augmentée par P. Casamayor et J. Gyn*

Mon Bouquin de cuisine, *par Françoise Burgaud*

Voyage aux pays du vin, *sous la direction de Françoise-Argod-Dutard*

Le Folklore français, *par Arnold Van Gennep*